PLATZER/FRITSCH・KÜHNEL/KAHLE・FROTSCHER

解剖学アトラス

原著第10版

琉球大学名誉教授,
慶應義塾大学解剖学教室　**平田幸男**［訳］

TASCHENATLAS
DER
ANATOMIE

文光堂

［分冊解剖学アトラス］

第1～4版 　越智淳三（滋賀医科大学教授）　訳
I～III

第5版　I　長島聖司（長崎大学大学院教授）訳
　　　II　長島聖司（長崎大学大学院教授）訳
　　　III　長島聖司（長崎大学大学院教授）
　　　　　岩堀修明（長崎大学大学院教授）　訳

第6版　平田幸男（琉球大学名誉教授，慶應義塾大学解剖学教室）訳
I～III

本書は，ドイツ語版「Taschenatlas Anatomie　第10版，全3巻」(2009, Thieme社)を日本語訳した「分冊解剖学アトラスI～III　第6版，全3巻」(2011，文光堂)を1冊にまとめ，大型判として再編集したものです．

Copyright© of the original German language editions 2009 by Georg Thieme Verlag KG, Stuttgart, Germany
Original titles:
Taschenatlas Anatomie, Volume 1 : Bewegungsapparat, 10th edition
by Werner Platzer
Taschenatlas Anatomie, Volume 2 : Innere Organe, 10th edition
by Helga Fritsch and Wolfgang Kühnel
Taschenatlas Anatomie, Volume 3 : Nervensystem und Sinnesorgane, 10th edition
by Werner Kahle and Michael Frotscher

訳者序文

　1975（昭和50年）ころ，京都府立医科大学で学長の職にあられた佐野 豊氏は，その慧眼で本書Taschenatlas der Anatomie（初版）について，それが"それまでに無い新しい形式のアイディアにあふれたアトラスであり，図はやや模式化されてはいるものの，鮮明な色刷りで説明もかなり詳しく，図と説明が対向ページに配置されており，学生の学習に便利なように考慮されている"ことを見抜き，本書の翻訳を，東京都神経科学総合研究所で筆者の同僚として，解剖発生学研究室の創設に当たっておられた故越智淳三博士にすすめられた．その後，越智博士は滋賀医科大学に移られたが，昭和54年秋に日本語初版が刊行された．この間の事情については，解剖学アトラス/ Werner Kahle［ほか］著；越智淳三訳，東京：文光堂，1981（昭和56年）に載せられた越智博士による「訳者あとがき」に詳しく記されていた．

　現在刊行されている第6版「分冊解剖学アトラス」I 運動器 Bewegungsapparat（W. Platzer），II 内臓 Innere Organe（H. Fritsch と W. Kühnel），III 神経系と感覚器 Nervensystem und Sinnesorgane（W. Kahle と M. Frotscher）からは訳者が筆者に代わり，脚注の解剖学用語やその他の用語が，これまでのラテン語，ドイツ語から使用頻度が高い英語に変更されるとともに，II 内臓に，「妊娠とヒトの発生，発達」が書き加えられた．この他にも多くの内容が追加，さらに補筆され，「臨床関連」の拡充が図られた．III 神経系と感覚器では，近年恐ろしい程の勢いで発展しつつある神経解剖学の研究方法について言及せざるを得ず，臨床関連では最近の撮像法について放射線診断学者の協力を仰いだ．

　今回は，I，II，IIIの内容を一冊にまとめ，各分冊に分かれて記載されてはいるが，相互に関連の深い内容をより検索し易くするために，文光堂編集部により総合索引が作成されたことは，本書の利用価値をさらに高めるものであると予想させる．これに加えてこれまで編集部に寄せられた質問事項に応えるべく若干の加筆・訂正を行った部分もある．

　今回の大型一冊本の刊行に際しては，筆者は不十分な段階ではあるが，視覚に障害のある方にとって読みにくい内容が文章に含まれていないかをチェックする，いわゆるアクセシビリティチェックを試みた．これは筆者がこれまで関わってきた新潟県立新潟盲学校理療科そして沖縄県立沖縄盲学校での解剖学の講義，そして解剖実習見学での経験を踏まえての試みである．残念ながら今回では十分意を満たせなかったが，今後改版の機会を通じて，是非この方向への努力を推し進めたく思っている．

2012年8月

平田幸男

目　次

I　運動器（W. Platzer）

解剖学総論 …… 1

人体の構成 ……2	**結合および支持組織** ……6	**骨の連結** ……12
人体の区分 ……2	結合組織 ……6	連続的な骨の連結 ……12
表示の概説 ……2	軟骨組織 ……7	非連続的な骨の連結（関節）……13
細胞 ……3	骨組織 ……8	関節の分類 ……15
細胞質 ……3	骨の発生 ……9	**筋学総論** ……16
細胞核 ……4	筋組織 ……10	筋の形状 ……16
生命現象 ……4	**骨学総論** ……11	筋の補助装置 ……17
組織 ……5	骨の分類 ……11	筋機能検査 ……17
上皮組織 ……5	骨膜 ……11	

体　幹 …… 18

脊柱 ……18	**肋骨** ……32	**肋間筋** ……41
頸椎 ……18	**胸骨** ……33	**腹壁** ……42
胸椎 ……20	肋骨の関係する関節 ……34	浅腹筋 ……42
腰椎 ……21	胸郭の範囲（境界）……35	浅腹筋の作用 ……45
仙椎より上の脊椎の奇形と変異 ……22	胸郭の運動 ……35	腹壁の筋膜 ……46
仙骨 ……23	**固有背筋群** ……36	深腹筋 ……47
尾骨 ……24	**後頭下筋群** ……38	腹壁の抵抗減弱部 ……48
仙骨領域の変異 ……25	短い項筋 ……38	**横隔膜** ……51
椎骨の発生 ……26	**体壁** ……39	横隔膜の高さと機能 ……52
椎間円板 ……27	胸腰筋膜 ……39	横隔膜ヘルニア ……52
脊柱の靱帯 ……28	移動してきた前外側（体壁）筋 ……39	**骨盤底** ……53
脊柱の関節 ……29	**椎前筋群** ……40	骨盤隔膜 ……53
脊柱全体の観察 ……31	**斜角筋** ……40	尿生殖隔膜 ……53
胸郭 ……32	**胸郭の筋** ……41	

上　肢 …… 54

A）骨，靱帯および関節 ……54	中手骨と［手の］指骨 ……63	筋の分類 ……78
上肢帯 ……54	手根関節 ……64	前腕腹側の筋 ……79
肩甲骨 ……54	手根関節での運動 ……65	前腕橈側の筋 ……81
肩甲骨の靱帯 ……54	手の関節 ……66	前腕背側の筋 ……82
鎖骨 ……55	指の関節 ……66	**肘関節と前腕での筋の作用** ……84
上肢帯の連結 ……55	**B）筋，筋膜および特殊装置** ……67	**手根関節での筋の作用** ……85
自由上肢 ……56	**上肢帯と上腕の筋** ……67	**手の短い筋** ……86
上腕の骨 ……56	筋の分類 ……67	中手の筋 ……86
肩関節 ……57	上腕骨に停止する上肢帯の筋 ……68	母指球の筋 ……87
肩関節の運動 ……57	移動してきて上肢帯に停止する体幹筋 ……71	手掌腱膜 ……88
前腕の骨 ……58	上肢帯に停止する頭部の筋 ……72	小指球の筋 ……88
肘関節 ……59	**上肢帯の筋の作用** ……73	**自由上肢の筋膜と特殊装置** ……89
下橈尺関節 ……60	**上肢帯領域の筋膜と腔** ……75	筋膜 ……89
橈骨と尺骨の間の連続的な靱帯結合 ……60	**上腕の筋** ……76	手根腱鞘 ……90
手根 ……61	**前腕の筋** ……78	
個々の手根骨 ……62		

下肢 ... 91

A) 骨，靱帯および関節 ... 91
骨盤 ... 91
- 寛骨 ... 91
- 骨盤をつくる骨の連結 ... 92
- 骨盤の形態学 ... 92

自由下肢 ... 94
- 大腿骨 ... 94
- 膝蓋骨 ... 95
- 大腿骨の角度 ... 96
- 股関節 ... 97
- 下腿の骨 ... 99
- 膝関節 ... 101
  - 膝関節における運動 ... 104
- 下肢位と膝関節 ... 105
- 脛骨と腓骨の連結 ... 105
- 足の骨 ... 106
- 足の関節 ... 109
- 足の関節の靱帯 ... 111
- 足の骨格の形態と機能 ... 111
- 足の"弓"(彎曲)と機能 ... 112
- 足の形 ... 113

B) 筋，筋膜および特殊装置 ... 114
下肢帯と大腿の筋 ... 114
- 筋の分類 ... 114
- 背側の下肢帯筋 ... 115
- 腹側の下肢帯筋 ... 117
- 大腿の内転筋群 ... 118
下肢帯の筋と大腿の内転筋群の作用 ... 120
- 大腿の前方筋群 ... 122
- 大腿の後方筋群 ... 123
膝関節での筋の作用 ... 124
下肢帯と大腿の筋膜 ... 125
下腿と足の長い筋 ... 126
- 筋の分類 ... 126
- 下腿の前方筋群 ... 127
- 下腿の後方筋群 ... 129
跳躍関節での筋の作用 ... 131
足の短い筋 ... 132
- 足背の筋 ... 132
- 足底の筋 ... 133
下腿と足の筋膜 ... 136
足領域の腱鞘 ... 137

頭・頸部 ... 138

A) 頭蓋 ... 138
- 頭蓋の区分 ... 138
- 頭蓋の発生 ... 138
  - 頭蓋骨発生領域の特殊性 ... 139
  - 縫合と軟骨結合 ... 139
- 頭蓋骨の構造 ... 140
- 頭蓋冠 ... 140
- 側方からみた頭蓋 ... 141
- 後方からみた頭蓋 ... 142
- 前方からみた頭蓋 ... 143
- 下方からみた頭蓋底 ... 144
- 内方からみた頭蓋底 ... 145
- 頭蓋底内側面にしばしば現れる変異 ... 146
- 血管と神経の通過部位 ... 147
- 下顎骨 ... 148
- 下顎骨の形 ... 149
- 舌骨 ... 149
- 眼窩 ... 150
- 翼口蓋窩 ... 150
- 鼻腔 ... 151
- 頭蓋型 ... 152
  - 特殊な頭蓋型と頭蓋縫合 ... 153
- 頭蓋の副骨 ... 154
- 顎関節 ... 155

B) 筋および筋膜 ... 156
頭部の筋 ... 156
- 表情筋(顔面筋) ... 156
- 咀嚼筋 ... 159
前頸筋 ... 160
- 舌骨下筋 ... 160
上肢帯に停止する頭部の筋 ... 161
頸部の筋膜 ... 162

末梢の導通路(脈管と神経)の局所解剖 ... 163

頭と頸 ... 163
- 頭頸部の部位 ... 163
- 前顔部 ... 164
- 眼窩部 ... 165
- 側顔部 ... 166
- 側頭下窩 ... 167
- 上方からみた眼窩 ... 168
- 後頭部と後頸部(項部) ... 169
- 椎骨動脈三角 ... 169
- 咽頭後隙と咽頭傍隙 ... 170
- 顎下三角 ... 171
- 下顎後窩 ... 172
- 頸正中部 ... 173
- 甲状腺部 ... 174
- 前外側頸部 ... 175
- 斜角筋椎骨三角 ... 179

上肢 ... 180
- 上肢の部位 ... 180
- 鎖骨胸筋三角 ... 181
- 腋窩部 ... 182
- 腋窩隙 ... 183
- 前上腕部 ... 184
- 後上腕部 ... 186
- 肘窩 ... 187
- 前前腕部 ... 189
- 前手根部 ... 190
- 手掌 ... 190
- 手背 ... 192
- 橈側窩 ... 192

体幹 ... 193
- 体幹の部位 ... 193
- 胸の部位 ... 194
  - 前部胸郭領域 ... 194
  - 後部胸郭領域 ... 194
- 腹の部位 ... 195
- 鼠径部 ... 196
- 腰部 ... 198
- 女性会陰部 ... 199
- 男性会陰部 ... 200

下肢 ... 202
- 下肢の部位 ... 202
- 鼠径下部 ... 203
- 伏在裂孔 ... 204
- 殿部 ... 205
- 前大腿部 ... 207
- 後大腿部 ... 209
- 後膝部 ... 210
- 膝窩 ... 211
- 前下腿部 ... 212
- 後下腿部 ... 213
- 内果後部 ... 214
- 足背 ... 215
- 足底 ... 216

II 内臓（H. Fritsch, W. Kühnel）

内臓の概説 ……220
- 機能的分類 ……220
- 局所的分類 ……220

心臓-循環器系 ……221

概説 ……221
- 血液循環とリンパ管 ……221
- 胎生期の血液循環 ……222
- 周産期の血液循環の切り替え ……222

心臓 ……223
- 心臓の外形 ……223
- 心臓の内腔 ……225
- 心臓骨格 ……227
- 心臓壁の層 ……227
- 心臓の層，組織学と微細構造 ……228
- 心臓の弁 ……229
- 心臓の血管 ……230
- 刺激伝導系 ……231
- 心臓の神経支配 ……232
- 心囊 ……233
- 心臓の位置と心臓境界 ……234
- X線解剖 ……235
- 聴診 ……235
- 断面解剖 ……236
- 心エコーの断面画像 ……238
- 心臓の働き ……239

動脈系 ……240
- 大動脈 ……240
- 頸部および頭部の動脈 ……241
  - 総頸動脈 ……241
  - 外頸動脈 ……241
  - 顎動脈 ……242
  - 内頸動脈 ……243
- 鎖骨下動脈 ……244
- 肩部および上肢の動脈 ……245
  - 腋窩動脈 ……245
  - 上腕動脈 ……245
  - 橈骨動脈 ……246
  - 尺骨動脈 ……246
- 骨盤および下肢の動脈 ……247
  - 内腸骨動脈 ……247
  - 外腸骨動脈 ……248
  - 大腿動脈 ……248
  - 膝窩動脈 ……249
  - 下腿および足の動脈 ……249

静脈系 ……251
- 大静脈系 ……251
- 奇静脈系 ……251
- 上大静脈の還流領域 ……252
  - 腕頭静脈 ……252
  - 頸部の静脈 ……252
  - 硬膜静脈洞 ……253
  - 上肢の静脈 ……254
- 下大静脈の還流領域 ……255
  - 腸骨静脈 ……255
  - 下肢の静脈 ……256

リンパ管とリンパ節 ……257
- リンパ管 ……257
- 頭，頸，上肢の所属リンパ節 ……258
- 胸腔と腹腔の所属リンパ節 ……259
- 骨盤と下肢の所属リンパ節 ……260

血管とリンパ管の構造と機能 ……261
- 血管の壁構造 ……261
- 局所的な壁構造の差異-動脈脚 ……262
- 局所的な壁構造の差異-静脈脚 ……263

呼吸器系 ……264

概説 ……264
- 解剖学的構成区分 ……264
- 臨床的構成区分 ……264

鼻 ……265
- 外鼻 ……265
- 鼻腔 ……266
- 副鼻腔 ……268
- 副鼻腔の開口と鼻道 ……269
- 後鼻孔 ……270
- 鼻咽頭 ……270

喉頭 ……271
- 喉頭骨格 ……271
- 喉頭軟骨の連結 ……272
- 喉頭筋 ……273
- 喉頭の内腔 ……274
- 声門 ……275

気管 ……276
- 気管と肺外主気管支 ……276
- 気管と喉頭の局所解剖 ……277

肺 ……278
- 肺の表面 ……278
- 気管支の分岐と肺区域 ……279
- 肺の微細構造 ……280
- 肺の脈管と神経支配 ……281
- 胸膜 ……282
- 断面解剖 ……283
- 呼吸の機構 ……284

縦隔 ……285
- 右側からみた縦隔 ……285
- 左側からみた縦隔 ……286

消化器系 ……287

概説 ……287
- 一般的構造と機能 ……287

口腔 ……288
- 一般的構造 ……288
- 口蓋 ……289
- 舌 ……290
- 舌筋 ……291
- 舌の下面 ……292
- 口腔底 ……292

唾液腺 ……293
- 唾液腺の微細構造 ……294

歯 ……295
- 歯の構成要素 ……296
- 乳歯 ……297
- 歯の発生 ……298
- 咬合時の歯列位置 ……299

咽頭 ……300
- 区分と一般構造 ……300
- 嚥下運動 ……301

局所解剖（I）……302
- 頭頸部の断面解剖 ……302

食道 ……304
- 区分と微細構造 ……304
- 局所解剖と後縦隔 ……305
- 血管，神経，リンパ ……306

腹腔 ……307
- 概説 ……307

  開腹した腹腔の局所解剖 ……308
  壁側腹膜の状態 ……310
 胃 ……311
  肉眼的構造 ……311
  胃壁の微細構造 ……312
  血管, 神経, リンパ ……313
 小腸 ……314
  肉眼的構造 ……314
  小腸壁の構造 ……315
  血管, 神経, リンパ ……316
 大腸 ……317
  大腸の区分と概説 ……317
  盲腸と虫垂 ……317
  結腸 ……319
  直腸と肛門管 ……320
 肝臓 ……322
  肉眼的構造 ……322
  肝区域の構成 ……323
  微細構造 ……323
  門脈系 ……324
 胆路(胆道) ……325
  胆囊 ……325
 膵臓 ……326
  肉眼的構造と微細構造 ……326
  網囊と膵臓の局所解剖 ……326
 局所解剖(Ⅱ) ……328
  上腹部の断面解剖 ……328
  上腹部と下腹部の断面解剖 ……329

泌尿器系 ……330

概説 ……330
 泌尿器の構成と位置 ……330
腎臓 ……331
 肉眼的構造 ……331
 微細構造 ……332
 腎臓の局所解剖 ……334
導尿器官 ……335
 腎盤と尿管 ……335
 膀胱 ……336
 女の尿道 ……337
 導尿器官の局所解剖 ……337

男性生殖器系 ……338

概説 ……338
 男性生殖器の構成 ……338
精巣と精巣上体 ……339
 肉眼的構造 ……339
 微細構造 ……340
輸精路および副性腺 ……342
 精管 ……342
 精囊(精囊腺) ……343
 前立腺 ……343
外生殖器 ……344
 陰茎 ……344
 男の尿道 ……345
局所解剖 ……346
 断面解剖 ……346

女性生殖器系 ……347

概説 ……347
 女性生殖器の構成 ……347
卵巣と卵管 ……348
 卵巣の肉眼的構造 ……348
 卵巣の微細構造 ……348
 卵胞 ……349
 卵管の肉眼的構造 ……350
 卵管の微細構造 ……350
子宮 ……351
 肉眼的構造 ……351
 微細構造 ……352
 血管, 神経, リンパ ……353
 腹膜との関係と子宮の支持装置 ……353
腟と外生殖器 ……354
 肉眼的構造 ……354
 微細構造 ……354
 女の外生殖器 ……355
局所解剖 ……356
 断面解剖 ……356
男女骨盤の比較解剖 ……357
 軟部の閉鎖 ……357

妊娠とヒトの発生, 発達 ……359

妊娠 ……359
 生殖子 ……359
 受精 ……360
 早期発生 ……361
 妊娠 ……362
 胎盤 ……363
 出産 ……364
ヒトの発生 ……367
 概説 ……367
 出生前の時期 ……367
 器官系の発生 ……371
 新生児 ……381
 生後の年齢段階 ……382

内分泌系 ……383

腺 ……383
 概説 ……383
 外分泌腺終末部の光顕的類別 ……384
 内分泌腺の一般的機能原理 ……385
視床下部-下垂体系 ……386
 肉眼的構造 ……386
 下垂体の顕微鏡的構造 ……387
 視床下部と下垂体の結びつき ……388
  視床下部の遠隔操作 ……388
  視床下部-神経下垂体系 ……389
  視床下部-腺下垂体系 ……389
松果体 ……391
 肉眼的構造 ……391
 微細構造 ……391
副腎(腎上体) ……392
 肉眼的構造 ……392
 副腎皮質の微細構造 ……393
 副腎髄質の微細構造 ……394
甲状腺 ……395
 肉眼的構造 ……395
 微細構造 ……396
 副甲状腺-上皮小体 ……397
膵臓の島器官 ……398
 微細構造 ……398
散在性内分泌細胞系 ……399
 精巣の内分泌機能 ……399
 卵巣の内分泌機能 ……400

卵巣周期 …… 400	心房性ペプチド（心臓ホルモン）…… 402	
胎盤の内分泌機能 …… 401	各種器官における散在性内分泌細胞 …… 403	

血液-リンパ系 …… 406

血液 …… 406	**リンパ性器官** …… 412	**脾臓** …… 416
血液の構成成分 …… 406	概説 …… 412	脾臓の微細構造 …… 417
造血 …… 408	胸腺 …… 413	扁桃 …… 418
防御系 …… 410	胸腺の微細構造 …… 414	粘膜関連リンパ組織 …… 419
免疫系の細胞 …… 411	リンパ節 …… 415	

皮　膚 …… 420

外皮 …… 420	真皮 …… 423	爪 …… 426
一般的構成と役目 …… 420	皮下組織 …… 423	感覚器としての皮膚 …… 426
皮膚の色 …… 420	**皮膚の付属器** …… 424	**女の乳房と乳腺** …… 427
皮膚の表面 …… 421	皮膚腺 …… 424	肉眼的構造 …… 427
皮膚の層 …… 422	毛 …… 425	微細構造と機能 …… 428

Ⅲ　神経系と感覚器（W. Kahle）

神経系 …… 430

神経系序説 …… 430

神経系概説 …… 430	身体の中での神経系の位置 …… 431	脳の構成 …… 433
発生と構成 …… 430	**脳の発生と構成** …… 432	脳の進化 …… 436
作用環 …… 430	脳の発生 …… 432	

神経系の基本要素 …… 437

神経細胞 …… 437	神経伝達物質 …… 441	末梢神経系における髄鞘の発生 …… 447
神経解剖学の研究方法 …… 438	軸索輸送 …… 442	無髄神経線維の発生 …… 447
神経細胞の超微構造 …… 439	伝達物質受容体 …… 443	中枢神経系における髄鞘の形成 …… 447
シナプス …… 440	シナプス伝達 …… 443	末梢神経 …… 448
存在部位 …… 440	**ニューロン系** …… 444	**神経膠** …… 449
構造 …… 440	ニューロン回路 …… 445	**血管** …… 450
機能 …… 440	**神経線維** …… 446	
シナプスの形態 …… 441	髄鞘の超微構造 …… 446	

脊髄と脊髄神経 …… 451

概説 …… 451	脊髄神経節と後根 …… 458	鎖骨下部 …… 464
脊髄 …… 452	脊髄髄膜 …… 459	体幹の神経 …… 469
構造 …… 452	分節的神経分布 …… 460	後枝 …… 469
反射弓 …… 452	脊髄症候群 …… 461	前枝 …… 469
灰白質と固有装置 …… 453	**末梢神経** …… 462	腰仙骨神経叢 …… 470
脊髄の横断面 …… 454	神経叢 …… 462	腰神経叢 …… 470
上行路 …… 455	頸神経叢（C_1～C_4）…… 463	仙骨神経叢 …… 472
下行路 …… 456	後枝（C_1～C_8）…… 463	尾骨神経叢 …… 475
伝導路の呈示 …… 456	腕神経叢（C_5～Th_1）…… 464	
脊髄の血管 …… 457	鎖骨上部 …… 464	

脳幹と脳神経 ... 476

概説 ... 476
- 縦の層区分 ... 477
- 脳神経 ... 477
- 頭蓋底 ... 478

脳神経核 ... 479
延髄 ... 480
橋 ... 481
脳神経（Ⅴ，Ⅶ～Ⅻ） ... 482
- 舌下神経 ... 482
- 副神経 ... 482
- 迷走神経 ... 483
- 舌咽神経 ... 485
- 前庭蝸牛神経 ... 486
- 顔面神経 ... 487
- 三叉神経 ... 488

副交感性神経節 ... 490
- 毛様体神経節 ... 490
- 翼口蓋神経節 ... 490
- 耳神経節 ... 491
- 顎下神経節 ... 491

中脳 ... 492
- 区分 ... 492
- 中脳の下丘を通る断面 ... 492
- 中脳の上丘を通る断面 ... 493
- 中脳の視蓋前野を通る断面 ... 493
- 赤核と黒質 ... 494

眼筋の支配神経（脳神経Ⅲ，Ⅳ，Ⅵ） ... 495
- 外転神経 ... 495
- 滑車神経 ... 495
- 動眼神経 ... 495

長い伝導路 ... 496
- 皮質脊髄路と皮質核路 ... 496
- 内側毛帯 ... 496
- 内側縦束 ... 497
- 三叉神経諸核とほかの神経核との間の結合 ... 497
- 中心被蓋路 ... 498
- 背側縦束 ... 498

網様体 ... 499
脳幹の組織化学 ... 500

小脳 ... 501

構造 ... 501
- 区分 ... 501
- 小脳脚と小脳核 ... 502
- 小脳皮質 ... 503

ニューロン回路 ... 505
機能による区分 ... 506
- 線維投射 ... 506
- 刺激実験の成績 ... 506

伝導路 ... 507
- 下小脳脚（索状体） ... 507
- 中小脳脚（橋腕） ... 508
- 上小脳脚（結合腕） ... 508

間脳 ... 509

前脳の発生 ... 509
- 終脳間脳境界 ... 509

構造 ... 510
- 区分 ... 510
- 視交叉の高さでの断面 ... 510
- 灰白隆起を通る断面 ... 511
- 乳頭体の高さでの断面 ... 511

視床上部 ... 512
- 手綱 ... 512
- 松果体 ... 512

背側視床 ... 513
- 外套性視床 ... 513
- 脳幹性視床 ... 514

前核群 ... 515
内側核群 ... 515
中心正中核 ... 515
外側核群 ... 516
腹側核群 ... 516
外側膝状体 ... 517
内側膝状体 ... 517
視床枕 ... 517
視床吻側部を通る前頭断面 ... 518
視床尾側部を通る前頭断面 ... 519

腹側視床 ... 520
- 区分 ... 520
- 腹側視床における刺激成績 ... 520

視床下部 ... 521
- 乏髄性視床下部 ... 521
- 富髄性視床下部 ... 521
- 血管分布 ... 522
- 乏髄性視床下部の線維連絡 ... 522
- 富髄性視床下部の線維連絡 ... 522
- 視床下部の機能局在 ... 523

視床下部と下垂体 ... 524
- 下垂体の発生と区分 ... 524
- 漏斗 ... 524
- 下垂体の血管 ... 524
- 神経内分泌系 ... 525

終脳 ... 527

概説 ... 527
- 終脳半球の区分 ... 527
- 半球の回転 ... 527
- 進化 ... 528
- 大脳皮質の層形成 ... 529
- 大脳葉 ... 530

終脳の断面 ... 531
- 前頭断面 ... 531
- 水平断面 ... 534

古皮質と扁桃体 ... 536
- 古皮質 ... 536
- 扁桃体 ... 537
- 線維結合 ... 538

原皮質 ... 539
- 区分と機能的意義 ... 539
- アンモン角 ... 540
- 線維結合 ... 540
- 脳弓 ... 540
- 海馬皮質 ... 541

線条体 ... 542
島 ... 543
新皮質 ... 544
- 皮質の層 ... 544
- 垂直柱 ... 544
- 新皮質の細胞の形態 ... 545
- モジュールの概念 ... 545

皮質野 ... 546
- 前頭葉 ... 547
- 頭頂葉 ... 549
- 側頭葉 ... 550
- 後頭葉 ... 551
- 線維路 ... 553
- 大脳半球の左右非対称性 ... 555

撮像法 ... 556
- 造影剤を使用するX線撮影 ... 556
- コンピュータ断層撮影法（CT） ... 556
- 磁気共鳴断層撮影法（MRI） ... 557
- PETとSPECT ... 557

脳の血管系と脳脊髄液系 …………558

脳の血管系 …………558
- 動脈 …………558
  - 内頸動脈 …………559
  - 血液供給領域 …………560
- 静脈 …………561
  - 浅大脳静脈 …………561
  - 深大脳静脈 …………562
- 脳脊髄液系 …………563
  - 概説 …………563
  - 脈絡叢 …………564
  - 上衣 …………565
  - 脳室周囲器官 …………566
- 髄膜 …………567
  - 硬膜 …………567
  - クモ膜 …………567
  - 軟膜 …………567

植物神経系 …………568

- 概説 …………568
  - 中枢の植物神経系 …………568
  - 末梢の植物神経系 …………569
  - アドレナリン作動系とコリン作動系 …569
  - ニューロン回路 …………570
- 交感神経幹 …………570
  - 頸部および上胸部 …………570
  - 下胸部および腹部 …………571
  - 皮膚の支配 …………571
- 植物神経の末梢 …………572
  - 遠心性線維 …………572
  - 知覚性線維 …………572
  - 壁内神経叢 …………572
  - 自律神経ニューロン …………573

機能系 …………574

- 脳の機能 …………574
- 運動系 …………575
  - 錐体路 …………575
  - 錐体外路性運動系 …………576
    - 錐体外路運動系の機能的結合 …577
  - 運動終板 …………578
  - 腱器官 …………578
- 筋紡錘 …………579
- 運動性最終共通路 …………580
- 感覚系 …………581
  - 皮膚の感覚器官 …………581
  - 識別性知覚の伝導路 …………583
  - 原始性知覚の伝導路 …………584
  - 味覚器 …………585
- 嗅覚器 …………587
- 辺縁系 …………588
  - 概説 …………588
  - 帯状回 …………589
  - 中隔野 …………589

感覚器 …………590

眼 …………590

- 構造 …………590
  - 眼瞼，涙器および眼窩 …………590
  - 眼筋 …………591
  - 眼球 …………592
  - 前眼部 …………593
- 血管分布 …………594
- 眼底 …………594
- 網膜 …………595
- 視神経 …………596
- 光受容器 …………597
- 視覚路と視覚反射 …………598
  - 視覚路 …………598
  - 視覚路の局在 …………599
  - 視覚反射 …………600

聴覚器と平衡覚器 …………601

- 構造 …………601
  - 概説 …………601
  - 外耳 …………601
  - 中耳 …………602
  - 内耳 …………604
- 蝸牛 …………605
- コルチ器 …………606
- 平衡覚器 …………607
- 前庭の感覚細胞 …………608
- 蝸牛神経節と前庭神経節 …………608
- 聴覚路と前庭路 …………609
  - 聴覚路 …………609
  - 前庭路 …………611

文献 …………613
索引 …………622

I 運動器

解剖学総論

体幹

上肢

下肢

頭・頸部

導通路

人体の構成

人体の区分（A，B）

人体は広義の体幹 trunk と上・下肢（体肢 limbs）に分けられる．体幹はさらに頭 head，頸 neck および狭義の体幹に分けられる．狭義の体幹は胸郭 thorax，腹 abdomen および骨盤 pelvis に区別される．

体肢の体幹との境界は，上肢は上肢帯（肩甲帯）pectoral girdle, shoulder girdle により，下肢は下肢帯（骨盤帯）pelvic girdle により境される．肩甲帯は両側の鎖骨（**1**）と肩甲骨（**2**）からなり，体幹に付いていて，これに対して可動性を示す．骨盤帯は両側の寛骨（**3**）から構成され，体幹の仙骨（**4**）にとりつけられている．

表示の概説（A〜G）

おもな軸

5 人体の縦（垂直）軸 longitudinal (vertical) axis＝直立位では地面に垂直に立つ．

6 横（水平）軸 transverse (horizontal) axis＝縦軸と直交し，左右へ走る．

7 矢状軸 sagittal axis＝これは人体の後面から前面へ，すなわち"矢"Sagitta の方向に走り，前記の2軸と直交する．

おもな面

8 正中面 median plane＝縦軸と矢状軸を含む面で，正中矢状面 median sagittal plane とも呼ばれ，体をほぼ等しい半分，すなわち対質 antimeres に分ける．したがって対称面 symmetric plane ともいう．

9 矢状面 sagittal plane＝縦軸と矢状軸を含み，いずれも正中矢状面に平行に位置する面で傍正中面 paramedian plane ともいう．

10 前頭面または冠状面 frontal or coronal plane＝横軸と縦軸を含み，額に平行で正中矢状面と直交する面．

11 横断面 transverse plane＝正中矢状面と前頭面に直交する面．直立位ではこの面は水平面のことであり，矢状軸と横軸を含む．

運動の方向

屈曲 flexion
伸展 extension
外転 abduction＝体から離れること
内転 adduction＝体へ向かうこと
回旋 rotation
描円運動 circumduction

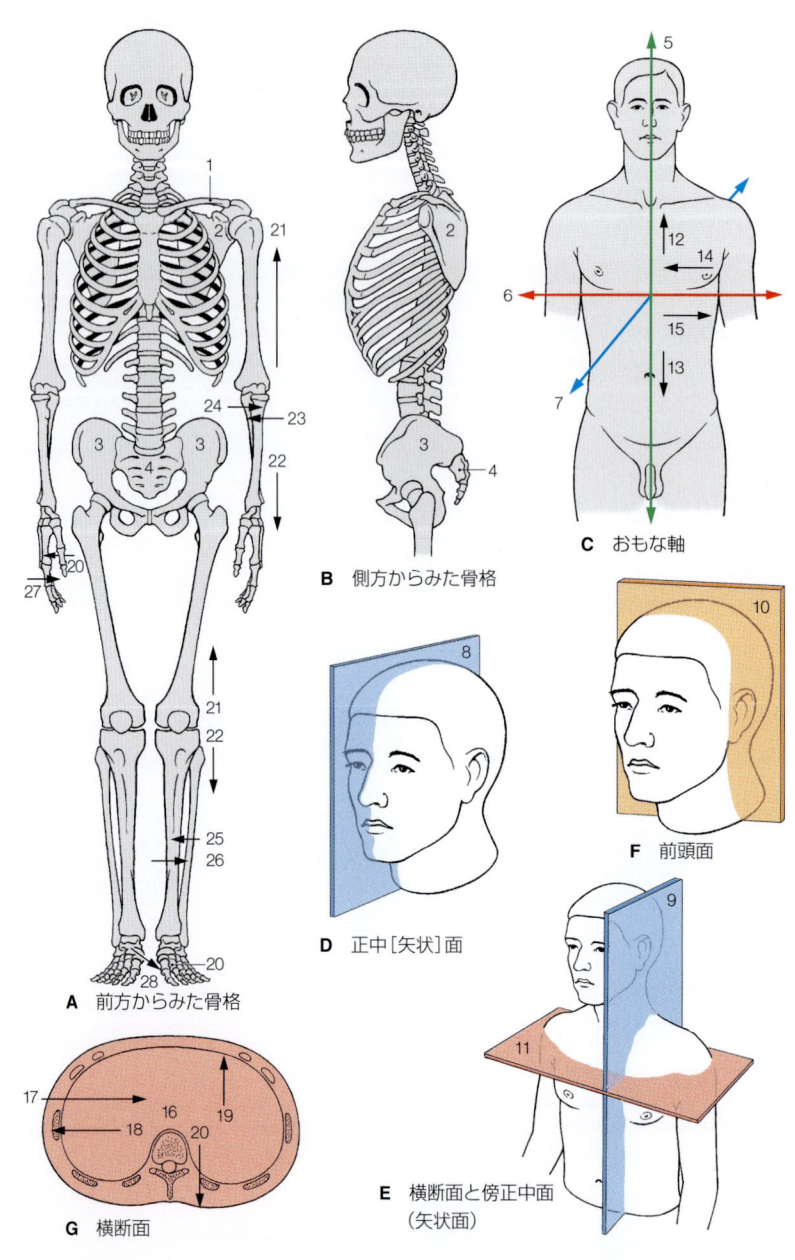

A 前方からみた骨格
B 側方からみた骨格
C おもな軸
D 正中［矢状］面
E 横断面と傍正中面（矢状面）
F 前頭面
G 横断面

空間における方向

12 頭方 cranial＝頭の方へ
12 上 superior＝直立位では上方へ
13 尾方 caudal＝尾方へ
13 下 inferior＝直立位では下方へ
14 内側 medial＝真ん中へ，正中面へ
15 外側 lateral＝真ん中から離れて，正中面から離れて
16 中 medial＝真ん中の正中 median＝正中面内で
17 深 deep＝体の内部へ
18 浅 superficial＝体の表面へ
18 吻側 rostral＝口側へ
19 前 anterior＝前方へ
19 腹側 ventral＝腹の方へ
20 後 posterior＝後方へ
20 背側 dorsal＝背方へ
21 近位 proximal＝体肢の体幹付着部へ
22 遠位 distal＝体幹からずっと離れて
23 尺側 ulnar＝尺骨の方へ
24 橈側 radia＝橈骨の方へ
25 脛側 tibial＝脛骨の方へ
26 腓側 fibular＝腓骨の方へ
27 掌側 palmar または volar＝手掌に，手掌へ
28 底側 plantar＝足底に，足底へ

細 胞（A）

　生きていくことのできる最小の単位は細胞cellと呼ばれる．単細胞性の原生動物protozoaと多細胞性の後生動物metazoaが区別される．ヒトの細胞の大きさは5〜200μmの間にある．その生存期間はいろいろであって，ほんの数日しか生きられないもの（例：顆粒白血球）もあるし，一生涯，生き続けるもの（神経細胞）もある．

　細胞は種々の形を示し，その機能と密接に関連している（例：長く伸張した筋細胞）．

　すべての細胞は細胞質（**1**）と核小体（**3**）を含む核（核形質）（**2**）とからなっている．核は核膜（**4**）によってまわりを囲まれる．

細胞質

　細胞質は**細胞小器官** cell organelles, **細胞骨格** cytoskeleton および**封入体** inclusion body から構成される．これらは硝子質hyaloplasmである基質matrixの中にある．

　電子顕微鏡的には各細胞は3層からなる細胞膜（形質膜）（**5**）で包まれているのがわかる．この膜は，多くの場合ごく細い突起である微絨毛microvilliを備えていて，非常に不規則な表面を示すこともある．細胞膜は厚さ約20nmの薄層である糖衣glycocalyxで覆われている．これは細胞の種類に特異的で，それによって同種の細胞を識別することができる．

細胞小器官

　まず最初に小胞体が細胞小器官に属する．小胞体は層板，層隙および細管からなり，滑面小胞体 smooth endoplasmic reticulum, sERと粗面小胞体（**6**）の2種がある．粗面小胞体はその複屈折性の膜の表面にリボゾームribosomesといわれる微細な顆粒が付着している．リボゾームは約15〜25nmの大きさで，リボ核酸分子と蛋白分子とからなっている．粗面小胞体は蛋白合成の盛んな細胞に多くみられ，一方滑面小胞体はいろんな任務を負った細胞にみられ，例えば肝細胞での脂質代謝にとってこれは重要である．

　糸粒体（ミトコンドリア）（**7**）は細胞のエネルギー供給者として殊に重要である．これは長さで最大6μmにも達する顆粒状または糸状物であって，蛇行あるいは旋回運動をする．糸粒体の数と大きさは細胞の種類と機能状態によって異なる．

　ゴルジ装置（**8**）は層状に配列した膜からなり，概してどんぶり鉢状を呈する．これは5〜10層に配列する囊sacs，空胞vacuolesおよび小胞vesiclesの3要素から構成される．ゴルジ装置は物質産生と糖衣glycocalyxの補充に対して責任を負っており，小胞体を通って移送されてきた基礎物質の統合と修正を行っている．

　さらに，これら以外の細胞小器官として，水解小体（リソゾーム）（**9**）と微小体（ペロキシゾーム peroxisomes）がある．

細胞骨格

　細胞骨格には中心小体（**10**）や基底小体（キネトゾーム kinetosome）をつくる微細管microtubulesならびに種々の細胞に特異的な細線維filamentsが属する．中心小体はしばしば核の近くに位置して，通常2個の中心子centrioleからなり，直角に交わってT字状に配列している．これは細胞分裂が可能なすべての細胞にみられるが，高度に分化して分裂能を失った細胞（例：大部分の神経細胞）にはみられない．細胞骨格は一方では細胞の運動に働き，他方では細胞内物質の移動をもたらしている（4頁参照）．

封入体

　封入体にはリボゾームribosomes，脂質（**11**），グリコーゲン（**12**），色素顆粒（**13**），中性脂肪ならびに細胞骨格のいろいろな構成物が含まれる．これらは基質の中で水分を多く含有しているところにみられる．

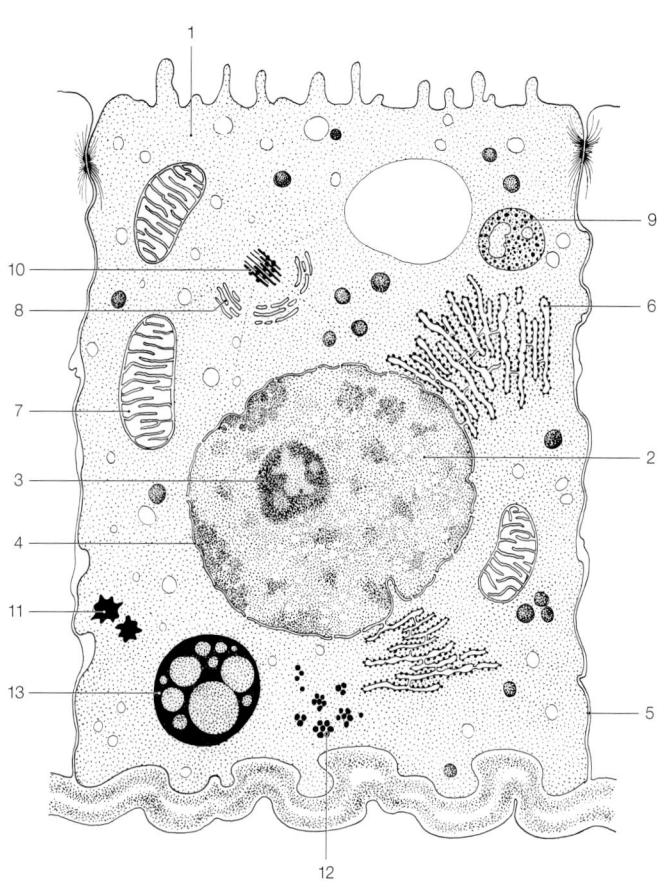

A 電子顕微鏡的所見による細胞の模式図
(Faller, A. : Der Körper des Menschen, 11. Aufl., Thieme, Stuttgart 1988より)

---

1 細胞質 cytoplasm　**2** 核（核形質）nucleus (karyoplasm = nucleoplasm)　**3** 核小体 nucleolus　**4** 核膜 nuclear membrane または nuclear envelope　**5** 細胞膜（形質膜）cell membrane (plasmalemma)　**6** 粗面小胞体 rough endoplasmic reticulum (rERと略)　**7** 糸粒体（ミトコンドリア）mitochondria　**8** ゴルジ装置 Golgi apparatus　**9** 水解小体（リソゾーム）lysosomes　**10** 中心小体 centrosome または central body　**11** 脂質 lipid　**12** グリコーゲン glycogen　**13** 色素顆粒 pigment granules

細胞核（A，B）

核 nucleus（**A**）は核形質 karyoplasm の塊で，生命にとって重要であり，その大きさは細胞体の大きさと比例して核細胞体比 nucleocytoplasmic index は一定である．正常では各細胞は1個または数個の核をもつ．生きている細胞では核は通常その強い光屈折性により細胞質と区別することができる．核を構成する核質 nucleoplasm は弱い複屈折性を示す核膜（**1**）によって細胞質から分けられている．固定した状態で初めて**核骨格**が現れ，その核酸を含む部分を休止期核では染色質（クロマチン）（**2**）という．染色質は遺伝因子の担い手であって，分裂期核では染色質から染色体（クロモゾーム）chromosomes が生じる．

核小体（**3**）は蛋白からなり，多量のリボ核酸 ribonucleic acid（RNA）を含む．核小体の数と大きさは個々の細胞で非常に差がある．女のヒトでは機能している核の核膜または核小体に接して特殊な染色質の塊（カリオゾーム karyosome），すなわち性染色質小体（Barr 小体，**4**）がみられる．これによってその細胞の性別が確定する．この小体は性の決定に大切であって，顆粒白血球 granulocyte でことによくみえる．その場合，これは太鼓のバチ drumstick の形をとる．しかし"女性"という診断を下すためには，少なくとも500個以上の顆粒白血球の中に6個の drumstick をみつける必要がある．

生命現象（C～H）

細胞はいずれも**物質代謝** metabolism を行っている．物質代謝には同化 anabolism と異化 catabolism がある．同化は取り込まれた物質を細胞の構築に役立つ固有の物質につくりかえる細胞の能力であり，異化は細胞が機能するために有用なものである．

物質の取り込みは食作用 phagocytosis ないしは飲作用 pinocytosis といわれる．腺細胞はある種の物質を放出し，これを分泌 secretion という．細胞での酸化過程は一括して細胞呼吸といわれる．

細胞の**運動現象**に関しては，まず第1には細胞内部での原形質流動 protoplasmic streaming が重要である．例えば，ミトコンドリアの運動や封入体の移動はこれに属する．細胞分裂に際してはどの細胞内部にも強い運動が起こっている．

次に，細胞自身の運動として，細胞体の突起である偽足 pseudopodia によって引き起こされるアメーバ様運動 ameboid movement がある．このアメーバ様運動は顆粒球や単球のような白血球に特に著しい．

最後に，ある種の細胞ではその表面にある微細な突起いわゆる線毛 cilia もしくは運動毛 kinocilium による運動がある．線毛は基底小体（キネトゾーム kinetosome）から生じる．このような線毛をもつ細胞が多数相接して並ぶと（→線毛上皮 ciliated epithelium），"線毛流"が生じる．1個の細胞にただ1本の発達の良い線毛があるときには，これを鞭毛 flagellum といい，この細胞を鞭毛細胞 flagellate cell と呼ぶ．

細胞分裂による**増殖**．細胞分裂は有糸分裂，減数分裂および無糸分裂に区別される．どの細胞分裂も核の分裂が前提となるが，そのさい休止期核は分裂期核に変わって，染色体がみえるようになり特徴的な移動を始める（核分裂 karyokinesis）．

有糸分裂 mitosis は前期 prophase（**C**），前中期 prometaphase（**D**），中期 metaphase（**E**），後期 anaphase（**F, G**），終期 telophase（**H**）および再構築期 reconstruction phase の順に行われ，再構築期で2つの娘細胞の核は再び休止核（間期核 interphase nucleus）へ変わっていく．

減数分裂 meiosis は成熟分裂 maturation division ともいわれ，生殖細胞から配偶子への成熟過程で核の染色体の数は半分になる（一倍性 haploid）．この染色体数の半減は，男女の生殖細胞が受精の前準備のために行う連続した2回の分裂の第1分裂 first meiotic division で起こる．

無糸分裂 amitosis では，染色体が現れることなく，核にくびれが生じる．このときの染色体の分配様式はよくわかっていないが，核分裂に引き続いて細胞体の分裂が行われる．

より詳しくは次の本を参照．

"Histologie, Zytologie und Mikroanatomie des Menschen" von Leonhardt, H. 8.Aufl., Thieme, Stuttgart 1990（英訳本もある）；および"Taschenatlas der Histologie und mikroskopischen Anatomie von Kühnel, W., 12. Aufl., Thieme, Stuttgart 2008

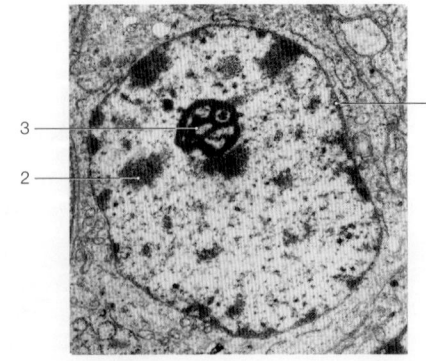

A 12,000倍に拡大した細胞核，電子顕微鏡像

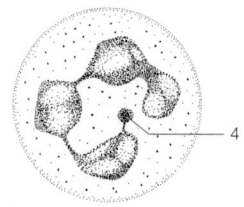

B 分節核から垂れ下がる性染色質小体をもつ白血球，約1,000倍に拡大（AおよびBは Leonhardt, H.：Histologie und Zytologie des Menschen, 8. Aufl., Thieme, Stuttgart 1990より）

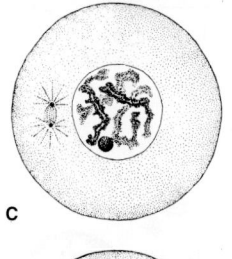 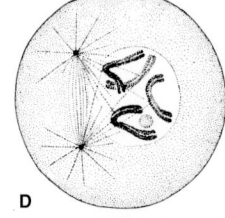 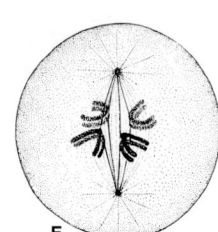

C　　　　　　　　　　D　　　　　　　　　　E

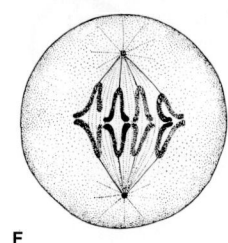 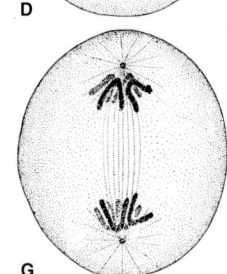 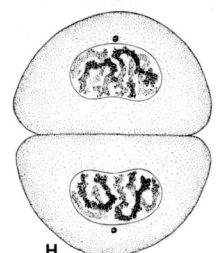

F　　　　　　　　　　G　　　　　　　　　　H

C～H 有糸分裂の模式図（Leonhardt, H.：Histologie, Zytologie und Mikroanatomie des Menschen, 8. Aufl., Thieme, Stuttgart 1990より）

---

1 核膜 nuclear membrane または nuclear envelope　**2** 染色質（クロマチン）chromatin　**3** 核小体 nucleolus　**4** 性染色質小体 sex chromatin（Xクロマチン，バー小体 Barr body）

組 織

組織 tissue は同じように分化した細胞とそれらから派生したもののつながりである．数種の組織が組み合わさると**器官** organ ができあがる．どのようにして細胞が互いにつながり合っているかによって，いろいろな種類の組織が区別されている．しばしば，細胞のつながり合いとは無関係に，構造と機能に基づいても分類がなされる．ここでは**上皮組織**，**支持組織**および**筋組織**について述べる．神経組織についてはⅢ章に記されている．

上皮組織（A～G）

上皮組織 epithelial tissue は相並んで位置する細胞が密に接合して存在し，上皮細胞の**機能**，その**配列**およびその形に応じて分類される．

その**機能**に基づいて表面上皮，腺上皮および感覚上皮に大別される．**表面上皮** surface epithelium は，何よりもまず保護上皮 protective epithelium であって，からだの内外の表面を覆うことにより，細菌が体内へ侵入することを防いだり，からだが乾燥しないようにしている．そのほか例えば分泌および吸収上皮 secretory and absorptive epithelium のように，上皮は物質交換を行うことができる．すなわち，一方では物質を取り込み（吸収 absorption），他方ではいろいろな物質を放出することができる（分泌 secretion）．上皮組織はまた刺激を受け容れることができる．この刺激の受容は被蓋上皮を経由して，種々の特殊な上皮細胞が感応することによって行われる．

分泌物をつくり，これを導管を通じて内外の表面へ分泌する（**外分泌腺** exocrine glands）か，あるいは内分泌物（ホルモン）として脈管系へ放出する（**内分泌腺** endocrine glands）上皮は，すべて**腺上皮** glandular epithelium としてまとめられる．

外分泌腺にあっては，その表面上皮に対する位置関係から上皮内腺あるいは上皮外腺 endoepithelial or exoepithelial glands を区別することができる．同様に外分泌腺は分泌物の量とその分泌様式によって，漏出，離出および全分泌腺 eccrine, apocrine and holocrine glands に分けられる．漏出分泌腺細胞は持続して分泌できる状態にあり，気道や消化管および生殖路にみられる（Ⅱ章のそれぞれの項を参照）．離出分泌腺は例えば乳腺や大汗腺であり，全分泌腺は（皮）脂腺がその例である．

特殊化した上皮である**感覚上皮** sensory epithelium は感覚器のところで個別に述べられる．

すべての上皮は基底膜 basement membrane の上に乗っており，この基底膜はその下に存在する結合組織との境界層となっている．

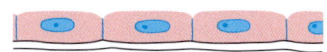

A　扁平上皮，単層

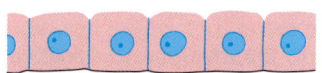

B　立方上皮，単層

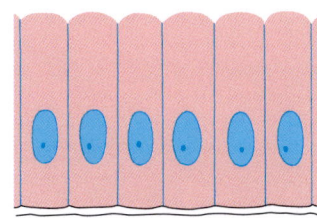

C　円柱上皮，単層

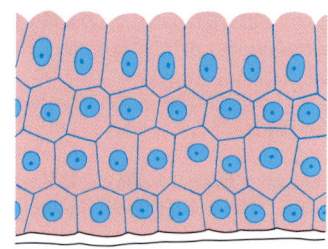

D　円柱上皮，重層

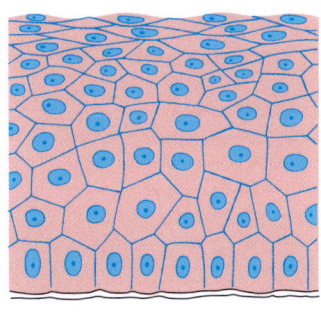

E　扁平上皮（角化していない），重層

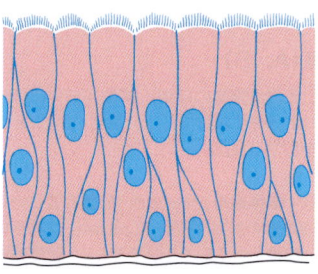

F　線毛上皮，偽重層（多列）

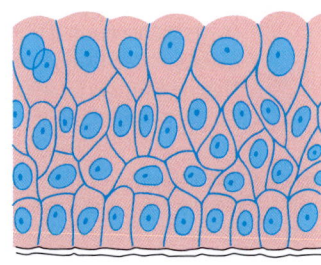

G　移行上皮

上皮細胞の**配列**により**単層上皮** simple epithelia（**A～C**）または**重層上皮** stratified epithelia（**D, E, G**）が区別される．そのほか**偽重層（多列）上皮** pseudostratified epithelium（**F**）も確かに認められる．重層上皮の場合には最下層の細胞のみが基底膜に接する状態にある．一方，多列上皮では確かにすべての細胞が基底膜に接しているが，しかしすべての細胞が表面にまでは達していない．

さらに上皮細胞の**形**から**扁平上皮** squamous epithelium（**A**），**立方上皮**（等稜柱上皮）cuboidal epithelium（**B**）または**円柱上皮**（高稜柱上皮）columnar epithelium（**C**）という表現もできる．

扁平上皮は明らかに保護上皮であって，角化していなかったり，角化していたりする（nonkeratinized or keratinized）．皮膚の上皮は角化した扁平上皮であるが，口腔や咽頭のようにからだの内面で機械的に特にその必要のないところでは角化しない扁平上皮（**E**）が見出される．角化していない単層扁平上皮はジグソーパズルのような形をした細胞からなっていて，とりわけ漿膜の上皮（中皮 mesothelium）または血管やリンパ管の内腔上皮（内皮 endothelium）としてみられる．円柱上皮細胞は突起すなわち線毛をもっていることがあり，その場合この上皮を線毛上皮 ciliated epithelium（**F**）と呼び，気道などにある．

立方および円柱上皮は分泌能や吸収能をもっており，例えば腎臓の尿細管（立方上皮）や腸管（円柱上皮）にみられる．いわゆる移行上皮 transitional epithelium（**G**）は特殊型で，その細胞はいろいろな張力の状態に適合することができる．移行上皮は導尿路の内腔を覆っている．

結合および支持組織

この組織は細胞が互いにつながって広い網目をつくっており，**固定細胞** fixed cells と**自由細胞** free cells ならびに**細胞間質** intercellular substance からなっている．固定細胞は組織に応じてそれぞれ名づけられており，結合組織細胞，軟骨細胞，骨細胞などと呼ぶ．細胞間質は成熟した支持組織では基質 ground substance と分化した線維 fibers からなっている．

次の組織を区別する．

結合組織 connective tissue (c.t. と略す)：胎生，細網，疎性線維性(間質)および密性線維性結合組織と脂肪組織．

軟骨組織 cartilage：硝子，弾性および線維軟骨．

骨組織 bone

結合組織（A，B）

固定細胞と自由細胞のほか，細胞間質中には細網，膠原および弾性線維ならびに基質（プロテオグリカンと糖蛋白）がある．

固定細胞：**線維細胞** fibrocytes（成熟の著しい細胞．その前段階の線維芽細胞 fibroblasts は細胞間質ならびに線維をつくることができる），**間葉細胞** mesenchymal cells，**細網細胞** reticular cells，**色素細胞** pigment cells および**脂肪細胞** fat cells．

自由細胞：**組織球** histiocytes（多形性の細胞），**肥満細胞** mast cells（アメーバのように運動することができる），そしてまれに**リンパ球** lymphocytes, **形質細胞** plasma cells，**単球** monocytes および**顆粒白血球** granulocytes．

細胞間質は線維を含んでいる．そのうち細網線維 reticular fibers（格子線維 lattice fibers）は構造的に膠原線維（後出）に似ている．細網線維は毛細血管の周囲，基底膜のなか，腎尿細管の周囲などに線維網をつくっている．第2の線維群は細線維 fibrils から構成される膠原線維 collagen fibers である．この線維は形のない接合質によってまとめられ，すべての種類の支持組織にみられる．膠原線維は波形を呈しほとんど伸展性がなく，組織中ではいつも小束をなして配列している．結合組織の中にあるコラーゲンは type I と type III が区別され，これはコラーゲン分子の構造に依存している．しばしば現れるところは，腱，鼓膜などのなかである．最後に（黄ばんだ）弾性線維 elastic fibers があり，これは線維網をなして配列している．弾性線維は心臓に近い動脈，特定の靱帯（黄色靱帯 ligamenta flava, 28頁参照）などにみられる．それ以外に細胞間質は基質をも含んでいる．**基質**は一部は組織細胞からつくられたものであり，細胞と血液の間の物質交換に役立っている．

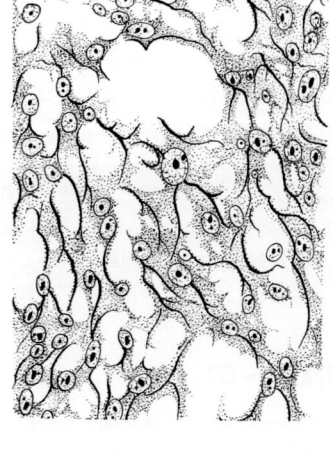

A 細網［結合］組織，拡大約300倍

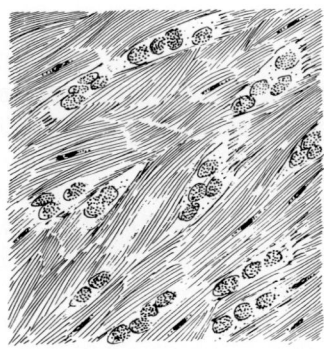

B 真皮の密性線維性結合組織，拡大約300倍
(A，B は Leonhardt, H.：Histologie und Zytologie des Menschen, 8. Aufl., Thieme, Stuttgart 1990 より)

胎生結合組織 embryonal c.t. は，間葉細胞と粘稠でゲル状の基質を含み，間葉 mesenchyme として現れるものがその最も重要なものである．

細網［結合］組織 reticular c.t. (**A**) には細網線維と食作用 phagocytosis と貯蔵能をもつ細網細胞が見出される．この細胞は特に強い物質代謝を示す．リンパ性細網組織 lymphoreticular c.t.（リンパ節など）と骨髄性細網組織 myeloreticular c.t.（骨髄）が区別される．

間質結合組織 interstitial c.t. は特別な形をもたない疎性線維性結合組織 loose c.t. である．その主な役割は個々の構造物（筋など）の間の継ぎ目を埋めることにある．これらの充填および可動層としてのほか，この組織は一般に物質交代と再生にも役立つ．細胞成分（線維細胞，脂肪細胞）以外には，この組織は主に膠原線維，弾性線維，格子線維および基質を含んでいる．

密性線維性結合組織 dense c.t. (**B**) は多量の膠原線維を含んでいるのが特色である．細胞と基質は間質結合組織と違って少ない．交織線維性結合組織（例：真皮，胸膜，硬膜）と平行線維性結合組織（例：腱，腱膜）とが区別される．

脂肪組織 adipose tissue は周辺に押しやられて扁平になった核をもつ大きな細胞を含んでいる．脂肪組織は単胞性の白色脂肪 monovacuolar white fat と多胞性の褐色脂肪 plurivacuolar brown fat に区別される．後者は乳児によりしばしば見出され，成人ではごくわずかにみられるだけである（例えば腎臓の被膜）．この組織は脂肪細胞のほか間質結合組織も含んでいる（小葉構成！）．脂肪組織を**貯蔵脂肪** storage fat（栄養状態に左右される）と**構造脂肪** structural fat（栄養状態には無関係）に分けることがある．後者は関節，骨髄，頬脂肪体などのなかに現れる．前者は主に皮下脂肪層に存在し，必要に応じて脂肪が分解されると，細胞は細網細胞の形をとるようになる．極度にやせた場合（悪液質 cachexia）には，細胞質の中に液体が貯留する（漿液性脂肪細胞 serous fat cells）．

軟骨組織（A〜C）

軟骨組織 cartilage は**圧迫と屈曲に対して柔軟性**を示す．軟骨は（メスで）切断することができ，細胞と細胞間質（基質）とからなっている．細胞間質の種類は軟骨の種類によって決まる．**硝子軟骨**，**弾性軟骨**および**線維軟骨**が区別される．

固定細胞である軟骨細胞 chondrocytes は水分，グリコーゲンおよび脂肪に富んでいる．これらの細胞の外観は胞状で，球形を呈し，同じく球形の核をもっている．軟骨基質 matrix of cartilage は非常に水分に富み（70％まで水），軟骨の支持機能の基礎をなす．細胞間質は，中にはほとんど血管や神経はなく，細線維ないしは線維と無定形の基質で構成される．基質にはプロテオグリカン，糖蛋白，脂質および電解質を含んでいる．

硝子軟骨（A）

硝子軟骨 hyaline cartilage は青みがかって乳様にみえ，基質には多量の膠原細線維とわずかの弾性線維網が含まれている．関節軟骨ではこのコラーゲン細線維は常に最も強い負荷がかかる方向に向かって走っている．軟骨小腔 lacunae の中にある（軟骨）細胞は，被膜状の軟骨小嚢 cartilage or lacunar capsule に囲まれ，さらにそのまわりは領域基質 territorial matrix によって残余の領域間基質 interterritorial matrix とは隔離されている．数個の軟骨細胞は多少とも列または柱をなして配列することがあり（9頁），小嚢と領域基質部とともに一つの軟骨単位 chondron あるいは領域をつくる．この場合にみられる細胞群は常に1個の軟骨細胞から生じた娘細胞で構成されている（cell nest or isogenous cell group）．軟骨は外面を軟骨膜 perichondrium で包まれており，軟骨膜は多少とも連続的に軟骨への移行を示す．

圧迫荷重がより大である硝子軟骨（例えば，下肢での関節面）では，圧迫荷重が小である硝子軟骨（例えば，上肢での関節面）に比べて，より多くのグリコサミノグリカン（コンドロイチン硫酸）を含んでいる．

軟骨に血管がないこと，ないしは少ないことのために，内部に変性過程が起こりやすい．普通には膠原細線維は軟骨ムコイド chondromucoid（コンドロイチン硫酸をもつ複合蛋白）に埋もれていて隠されてみえないのであるが，変性に陥ると膠原細線維は"正体"を現しはじめ，つまり顕微鏡下に可視的になってくる．老齢期に至ると，水分とコンドロイチン硫酸の含有量が減少し，硝子（関節）軟骨の負荷能力が低下する．

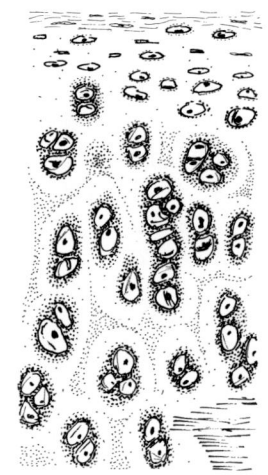

A 硝子軟骨（肋軟骨），約180倍

B 弾性軟骨（耳介軟骨），約180倍

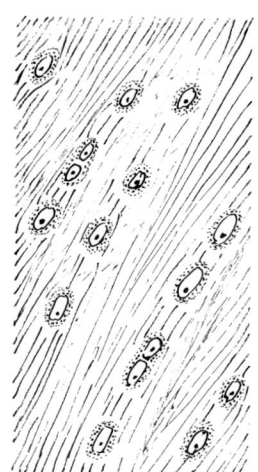

C 線維軟骨（椎間円板），約180倍
（A〜CはLeonhardt, H.：Histologie, Zytologie und Mikroanatomie des Menschen, 8. Aufl., Thieme, Stuttgart 1990より）

それに硝子軟骨に限ってごく早期に石灰沈着 calcification がみられる．

硝子軟骨の所在：関節軟骨，肋軟骨，気道の軟骨，骨端線の軟骨，およびまだ軟骨で止まっている骨格の原型などにみられる．**骨端軟骨** epiphysial cartilage は軟骨細胞の並び方によって柱状または列状軟骨 columnar cartilage の像を示す．この構造によって一方では軟骨の成長（9頁）と，その軟骨をもとにして起こりうる骨の成長が規制される．

弾性軟骨（B）

硝子軟骨が青みがかっているのと異なり，弾性軟骨 elastic cartilage は**黄色み**を帯び．間質には多量の弾性線維の網工とわずかの膠原細線維が含まれる．この多くの弾性線維の網工のため，この軟骨には特に屈曲性と弾性があるわけである．この軟骨には石灰沈着が起こらない．出現部位：耳介と喉頭蓋などに．

線維軟骨（C）

線維軟骨 fibrocartilage は結合組織軟骨とも呼ばれる．この軟骨は上記の2種の軟骨とは反対に細胞数は少ないが，硝子軟骨と同様に多量の膠原細線維の束を含んでいる．この軟骨は特に椎間円板の線維輪（27頁）のところや，一部は線維軟骨結合 symphysis である恥骨結合 pubic symphysis の軟骨（12頁）にみられる．

骨組織(A, B)

骨組織 bone は骨細胞 osteocytes, 基質, 膠原細線維, 接合質および種々の塩からなっている. 基質と膠原細線維はオステオイド(類骨質)osteoid といわれる細胞間質をつくる. 細線維は有機物に属し, 塩類は無機性構成要素である. 最も重要な塩としてはリン酸カルシウム, リン酸マグネシウム, 炭酸カルシウムがあげられる. そのほかカルシウム, カリウム, ナトリウムの塩化物やフッ化物もみられる.

臨床関連: 塩類は骨に硬さと強さを与える. 塩のない, すなわち"脱灰した"骨には屈曲性がある. あまりにも弱い石灰化はビタミン類の不足あるいは内分泌障害が原因である. ビタミン不足は例えば紫外線が体に十分作用しないため, プロビタミン provitamins がビタミンDに変化しないことによって起こってくるのである. あまりにも弱い石灰化はクル病 rickets のときにみられるような骨軟化 osteomalacia を引き起こす.

塩類のみでなく, 有機物の構成要素も骨の強固さに関与する. 構成要素である有機物が不十分な場合には骨の弾性が失われる. そのような骨はもはや負荷に耐えられず, 骨は折れやすくなる. 無機塩類と膠原細線維との割合は年齢の経過とともに変化する. 新生児での無機塩類の含有量は約50%であるが, 老人では70%に上昇している. すなわち, 骨は加齢とともにその弾力性が低下していき, 柔軟性(たわみ性)や衝撃に対する抵抗性が弱まってくる. 有機構成要素の破壊は強く灼熱することによっても人工的に起こすことができる.

膠原細線維の配列に基づいて骨は2種類に分けることができる. すなわち**叢状骨** woven bone(または線維性骨 fibrous bone)と**層板性骨** lamellar bone である. 叢状骨は構造的には骨化した結合組織に相当し, ヒトでは主に発生の途中にだけ現れる. 成人では例外的に骨迷路や頭蓋骨の縫合の近くにみられる.

より重要でよく現れる**層板性骨**(A, B)は成熟骨であって, 骨層板(**1**)と呼ばれる層をなして平行に走る膠原細線維によって著明な層形成を示す. この骨層板は骨細胞(**2**)の層と交互に現れる. この層的配列は血管を通す中心管 central canal, すなわちハヴァース管(**3**)のまわりに生じてくる. ハヴァース管とそのまわりの骨層板は骨単位 osteon またはハヴァース系 Haversian system(A)と名づけられる. コラーゲン線維は太さ約2〜3μmでラセン状に配列しているが, その際, 右ラセン状に走る線維(**4**)と左ラセン状に走る線維(**5**)からなる厚さ5〜10μmの骨層板が交互に入れ替わっている. この構築上の結果により, 骨はその堅固さを増強させている.

骨単位の間には, かつての骨単位の名残りからなる介在層板(**6**)が存在する. 骨単位のなかのハヴァース管は細い斜めに走る管, いわゆるフォルクマン管または貫通管(**7**)によって互いに連絡している. 骨単位の構造と配列はその骨の負荷状態にかかっており, その応力の変化に応じて骨単位は改造される. この骨単位の改造は肉眼的にも観察することができる. そのためには大腿骨内の骨梁の曲線 trajectrories すなわち緊張線 lines of stress の走向を観察するとよい. 応力に従って曲線ができあがっているのがわかる.

骨の栄養は骨膜 periosteum(11頁)の側から行われる. 骨髄は栄養孔 nutrient foramen を経て栄養される(栄養動脈 nutrient arteries)*.

*栄養孔から栄養管 nutrient canal を通って骨髄に達した栄養動脈が骨を骨髄側からも養っている.

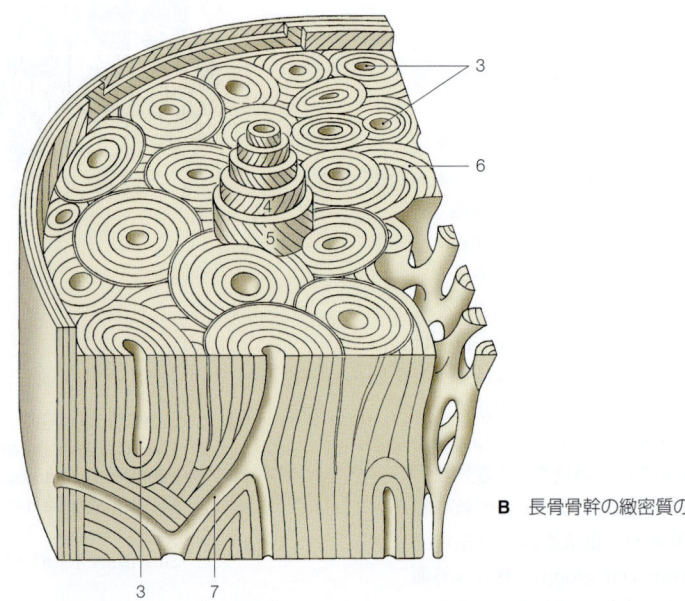

A ハヴァース系, 約400倍, 中心には血管周囲結合組織を伴うハヴァース管がある. (Leonhardt, H. : Histologie, Zytologie und Mikroanatomie des Menschen, 8. Aufl., Thieme, Stuttgart 1990 より)

B 長骨骨幹の緻密質の模式図

1 骨層板 lamellae **2** 骨細胞 osteocytes **3** ハヴァース管 Haversian canals **4** 膠原線維が右ラセン状に走る骨層板 **5** 膠原線維が左ラセン状に走る骨層板 **6** 介在層板 interstitial lamellae **7** フォルクマン管(貫通管) Volkmann's canals (*Canales perforantes*)

骨の発生（A～C）

骨の形成は間葉細胞の特殊化した骨芽細胞（**1**）による．骨芽細胞は初めは軟らかい基質と膠原線維からなる類骨質という細胞間質を分泌する．骨芽細胞から骨細胞ができてくる．単球由来とされる破骨細胞（**2**）は骨の改造のさいに常に協力して働く．

直接または結合組織性（膜性）骨化 direct or membranous ossification（**A**）と間接または軟骨性骨化 indirect or chondral ossification を区別する．後者は置換骨形成（**B，C**）のことである．

結合組織性骨化（膜性骨発生 membranous osteogenesis）（**A**）では結合組織から骨ができてくる（膜性または結合組織骨，被蓋骨）．この結合組織は多数の間葉細胞を含んでおり，これらの細胞が骨芽細胞（**1**）を経て骨細胞に変化する．同時に破骨細胞（**2**）も見出される．最初にできてくる骨は，膠原細線維が不規則に交織する線維性骨で，これがのちに層板性骨に改造されてくる．結合組織性骨化を行うのは頭蓋冠の骨，顔面骨および鎖骨（の大部分）である．

軟骨性骨化（軟骨性骨発生 cartilaginous osteogenesis）（**B，C**）では，前もって軟骨で骨格の原型がつくられる必要がある．この部分が骨に置きかえられるのである（置換骨）．軟骨が存在する限り骨の成長は可能である．置換骨形成の前提となるものは破骨細胞によく似た破軟骨細胞 chondroclasts であって，この細胞が軟骨質を破壊し，それによって骨芽細胞が骨形成を行うことができるようになる．置換骨形成には**軟骨内骨化**（**C**）と**軟骨外骨化**の2種が知られている．

軟骨内骨化（**3**）は軟骨の内部に始まり，特に骨端領域に現れてくる．骨端は長骨の両端にあり（11頁），この骨の軸の部分は骨幹といわれる．軟骨外骨化（**4**）は軟骨膜（**5**）から始まるが，骨幹に限られている．その過程は結合組織性骨化と同じである．骨端と骨幹の境界には骨端軟骨（**6**）があり，この軟骨は縦方向の成長に必須のものである．骨端接合部に隣接する骨幹の部分は骨幹端 metaphysis といわれ，骨化の際にまず最初に軟骨が増生してくるところである（下記を参照）．

注意：apophysis という言葉は，骨中の結節構造を指す（例えば乳様突起：141，142頁）．これは骨中の"核"ではなく，腱の引っぱりにより発生する．

骨端軟骨の内部では層をなして骨形成過程が進行する．まず初めに骨端には硝子軟骨質の鮮明な軟骨帯がみられるが，この帯域は骨端接合部における骨形成の影響を受けない．この"静止している"軟骨（zone of resting cartilage）に隣接して成長帯 zone of proliferating cartilage cells である柱状軟骨帯（**7**）がある．ここで分裂によって軟骨細胞の増殖が起こる．その次の層は骨幹に近く位置し，大きな空胞状の軟骨細胞のある成熟軟骨帯（**8**）で，ここではすでに石灰化がみられる（予備石灰化帯 zone of provisional calcification とも呼ばれる）．この層に接して軟骨破壊帯 zone of cartilage breakdown と骨化帯 zone of ossification が続く．この領域では軟骨は破軟骨細胞によってこわされ，骨芽細胞によって置換骨がつくられてくる．ここにはまだ軟骨が所どころ残っているので，骨幹内にみられる軟骨内骨（**9**）は骨幹周囲の軟骨外骨化による付加骨とは区別することができる．軟骨内骨は成熟骨によって二次的に置きかえられていく．軟骨内骨の破壊は遊走してきた破骨細胞によって起こる．

骨幹部での骨の太さの成長は，骨の表面にある骨膜の細胞に富む形成層の下に新しい骨質が付加することにより行われる（軟骨外骨化）．髄腔（**10**）はそのさい骨の破壊によって拡大する．骨の成長過程はすべて内分泌の影響を受けて調節される．

骨端での骨の原基は出生後初めて現れる．大腿骨の遠位端と脛骨の近位端のみは例外である．これら両骨端（および足根の立方骨）では骨の形成は胎齢10ヵ月の出生直前に始まる（成熟徴候！）．

臨床関連：X線像で骨端接合部が閉鎖した後に，1条の細い線が残ってみえるが，これは骨端接合部瘢痕（**骨端線 epiphysial line**）といわれる．

A 結合組織性骨化

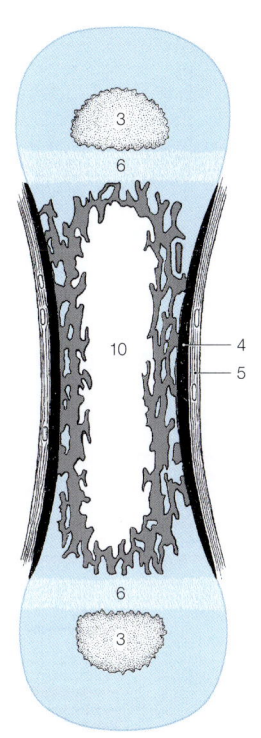

B 長骨の軟骨性骨化（やや模型化されている）
骨端部では軟骨内骨化，骨幹部では軟骨外骨化

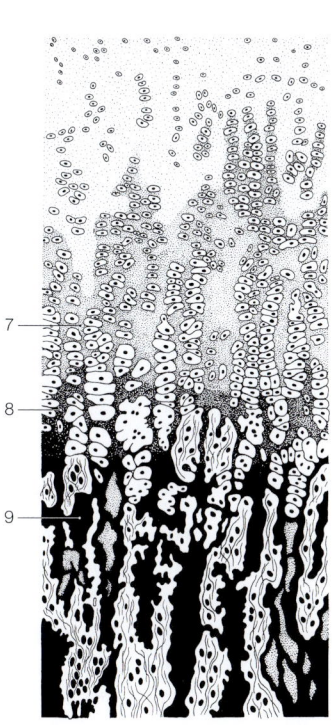

C 骨端軟骨（骨端接合部）領域の骨化

---

1 骨芽細胞 osteoblasts　**2** 破骨細胞 osteoclasts　**3** 軟骨内骨化 endochondral ossification　**4** 軟骨外骨化 perichondral ossification　**5** 軟骨膜 perichondrium　**6** 骨端軟骨 epiphysial cartilage　**7** 柱状軟骨帯 zone of columnar cartilage　**8** 成熟軟骨帯 zone of maturing cartilage　**9** 軟骨内骨 endochondral bone　**10** 髄腔 medullary cavity

筋組織（A～D）

筋組織 muscle tissue では細長い細胞の中を筋細線維 myofibrils が走っていることが特徴的である．この筋細線維が筋細胞の収縮能のもとになっている．

筋には微細構造と生理学的特性に基づいて3種が区別される．それらは平滑筋（**A**）と骨格筋（**B, D**）および心筋（**C**）である．

平滑筋 smooth muscle（A）

この筋は長く伸びた長さ 40～200μm，太さ 4～20μm の紡錘形の細胞からなっており，核は細胞の中央にある．表出の困難な筋細線維は横紋を示さない．横走する格子線維は2つの筋細胞をまとめて一つの機能単位をつくる．平滑筋の収縮は不随意的に起こる．筋細胞と軸索との間に，シナプス様の結合がみられることがある（Ⅲ章参照）．

平滑筋はホルモンの影響を受けて長くなり，また増殖することもある．すなわちただ肥大するのみならず，平滑筋細胞の新生がみられる．例としてここに子宮筋をあげることができよう．子宮筋では線維の長さが 800μm にも達することがある．

横紋骨格筋 striated skeletal muscle（B, D）

横紋筋は太さ 10～100μm，長さ 15cm にもなりうる，細長い多核の筋細胞（筋線維）からなる．筋線維は筋芽細胞が融合してつくられる．それらの核はその長軸が筋線維の方向にあって，しかも表面の真下にある．その筋細線維はよくみることができ，これらが縦じまをつくる．横紋 cross striation は狭く明るい単屈折性 isotropic の"I"帯（"I" band）と広く暗い複屈折性 anisotropic の"A"または"Q"帯（"A"（Q）band）とが周期的に交互に配列することによって生じる．A帯の中央を横切るH帯（H band）にはM線（M板，中板）M line or disc があり，I帯には複屈折性の細いZ線（Z板，間板）Z line or disc がある．2つの間板の間にある筋細線維の区間は **筋節** sarcomere と呼ばれる（**D**）．

筋の色は，血液と筋形質中に溶けているミオグロビン myoglobin によって生じるほか，水分の多少と筋細線維の量によっても決まる．したがって筋によってそれぞれ異なった色を示すことも説明がつく．細線維と水分の少ない細い筋細線維は明るい色を示し，太い筋細線維は暗調にみえる．筋形質に含まれる糸粒体（筋粒体 sarcosomes）の数はいろいろである．

機能的には，速い筋線維 fast muscle fibers と遅い筋線維 slow muscle fibers とが区別される．形態学的には，前者が糸粒体

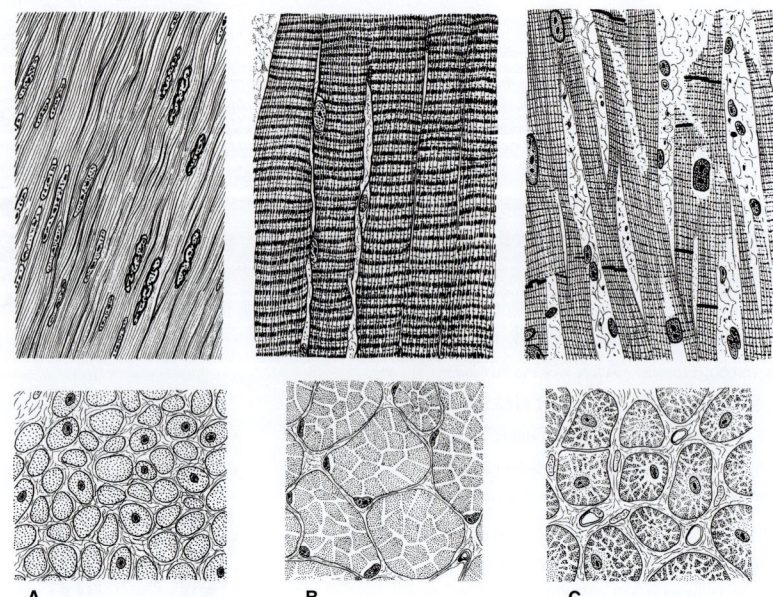

A～C 筋の縦断および横断像，（**A**）平滑筋，（**B**）骨格筋および（**C**）心筋，拡大約400倍（Leonhardt, H.: Histologie, Zytologie und Mikroanatomie des Menschen, 8. Aufl., Thieme, Stuttgart 1990 より）

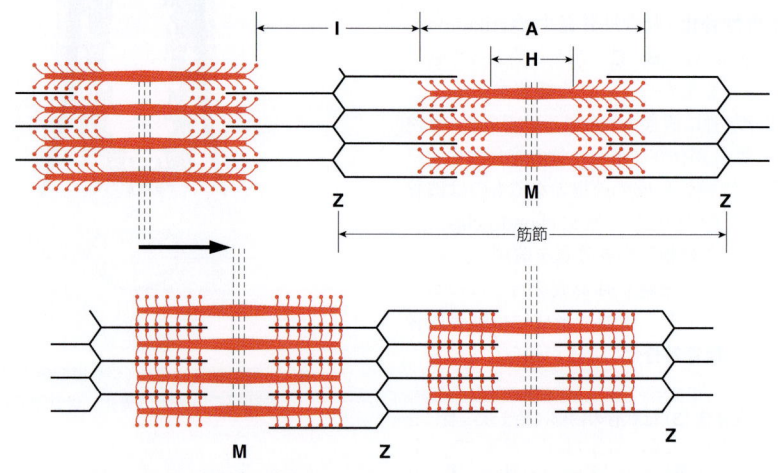

D 筋細線維の弛緩時と収縮時における模式図

やミオグロビンに乏しい"白筋"線維 white muscle fibers（短時間に最大の収縮を行う）に，後者がこれらに富む"赤筋"線維 red muscle fibers（持続的な収縮を行う）に相当する．

筋線維鞘 sarcolemma は個々の筋線維を取り巻く結合組織性の鞘である．これらの筋線維の間には筋内膜 endomysium という少量の結合組織がある．数本の筋線維は内筋周膜 internal perimysium に包まれ，まとまって一次筋線維束をつくる．

外筋周膜 external perimysium は，多くの一次筋線維束を太い二次筋線維束（筋束 muscle fascicle）にまとめる結合組織の層のことである．多数の筋束は筋上膜 epimysium（筋膜 fascia に相当）でまとめられ個々の筋となる．

骨格筋は随意的に働き，その神経支配は運動終板を介して行われる（Ⅲ章参照）．

心横紋筋 striated cardiac muscle（C）

この筋線維は筋形質に富み，網工をつくっている．横紋がみられ，筋節は比較的短い．Ⅰ帯は骨格筋の場合より狭い．核は心筋線維では中央部にある．糸粒体は骨格筋よりも概して数多くみられる．

そのほか心筋線維には介在板（光輝線，横線）intercalated disc がある．これは個々の心筋細胞の接合部である．より詳しい構造についてはⅡ章参照．

骨学総論

骨の分類（A～F）

骨 bones は集まって骨格 skeleton をつくり，関節とともに受動運動器を構成する．これは能動運動器である筋によって動かされる．骨は機能や体に存在する位置と関連して，その形はさまざまである．基本的には骨では肉眼的に2つの構造の異なる部分を区別することができる．骨の表面には多くの場合堅固な材質，つまり**緻密質**または**皮質**（**1**）がある．短骨や扁平骨の内部および管状骨の骨端には，細かな骨小梁で構成された海綿状を呈する網工すなわち**海綿質**（**2**）がみられる．その網目に骨髄 bone marrow がある．扁平な頭蓋骨では緻密質は**外板**（**3**）と**内板**（**4**）にあたる．その間に海綿質に相当する**板間層**（**5**）がある．

長骨 long bones（A～C）

上腕骨 humerus（**A**）のような長い骨は**骨幹**（**6**）と**骨端**（**7**）とからなる．長骨（**B, C**）の骨幹には**髄腔**（**8**）があり，赤色または黄色骨髄 red or yellow bone marrow が含まれている．したがってこの長骨のことを**管状骨** tubular bone ともいう．管状骨の成長は原則として主軸の方向すなわち縦軸方向に起こる．

扁平骨 flat bones（D）

扁平骨は2枚の緻密質の層板 laminae からなり，その間に海綿質がみられる．これに属するものとして肩甲骨や種々の頭蓋骨［例えば頭頂骨 parietal bone（**D**）］があげられる．その成長は原則として2方向すなわち平面的に行われる．

短骨 short bones（E）

これに属する骨は手根骨［例えば有頭骨 capitate（**E**）］などであって，外側を緻密質によって包まれ，内部には必ず海綿質が含まれている．

不規則骨 irregular bones

以上に述べられた骨に属さないような骨のことであって，椎骨がその例である．

含気骨 pneumatic bones（F）

この骨には空気を満たし粘膜で内面を覆われた腔または洞（**9**）がある．頭蓋の領域

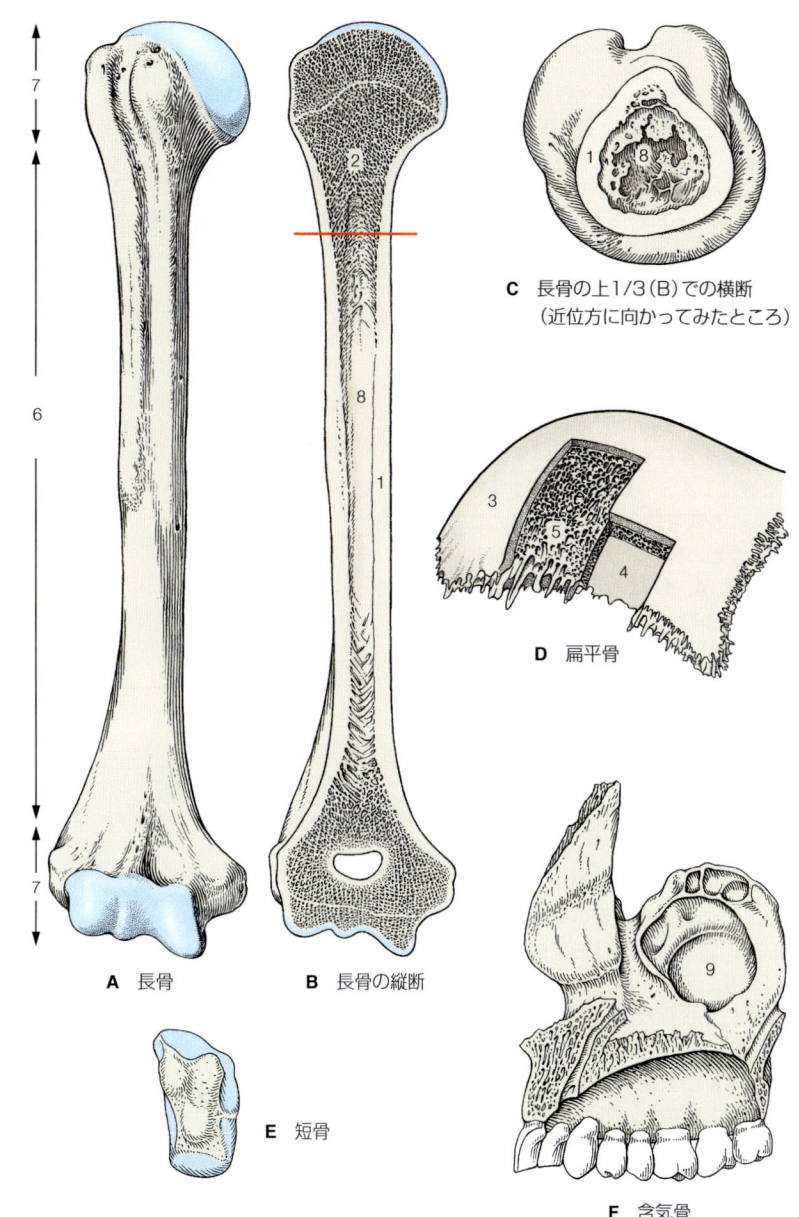

C 長骨の上1/3（**B**）での横断（近位方に向かってみたところ）

D 扁平骨

A 長骨　　**B** 長骨の縦断

E 短骨

F 含気骨

［篩骨 ethmoid，蝶形骨 sphenoid，上顎骨 maxilla（**F**）など］にみられる．

種子骨 sesamoid bones

種子骨は主に手や足の骨格に規則的に出現する．また，この骨は腱に埋め込まれていることがある．例えば膝蓋骨 patella がそうで，これは最大の種子骨である．

骨膜

骨膜 periosteum は関節面でないところをすべて完全に覆っている．骨膜は線維層 fibrous layer と細胞層 cambium layer，すなわち骨形成層 osteogenic layer とからなる．数多くの血管やリンパ管ならびに神経が骨膜にみられる．神経がきているため，骨に打撃を受けたときに痛みが起こるのである．外側の線維層の血管が太いときには，内側の細胞層は多くの毛細血管を含むことになる．この内層から骨をつくる能力をもつ骨芽細胞が生じる．骨の破損すなわち骨折 fractures が起こると，骨膜から骨の新生が始まってくる．

血管と神経は骨膜を貫き，栄養孔 nutrient foramen を通って骨髄に達する．個々の骨には同様に血管の貫通路として役立つ管がある．その場合の血管は主に静脈であって，この静脈を導出静脈 emissary veins という．この導出静脈は例えば頭蓋冠の領域にみられる．

---

1 緻密質または皮質 compact bone or cortex　**2** 海綿質 spongy bone　**3** 外板 external table　**4** 内板 internal table　**5** 板間層 diploe　**6** 骨幹 shaft　**7** 骨端 *Epiphysis*　**8** 髄腔 medullary cavity　**9** 含気洞 air sinus

骨の連結

骨格をつくっている個々の骨は互いに連続的または非連続的に連結している．**不動結合** synarthrosis という大きなグループは連続的な骨の連結を総括する．不動結合は2つの骨を種々の組織によって直接相互に結びつけるものである．

連続的な骨の連結（A〜H）

線維性の連結 fibrous joint（A〜E）

靱帯結合 syndesmosis とは膠原線維または弾性線維を含むゆるみのない平行線維性結合組織による2つ以上の骨の連結のことである．この靱帯結合は広く平面的なこともあり，また幅の狭いこともある．前腕部における骨間膜（**A**，**1**）は主として膠原線維からなる非常に強靱な靱帯結合であり，椎弓のところにある黄色靱帯 ligamenta flava は主として弾性線維からなる靱帯結合である．

頭蓋の縫合 cranial suture は靱帯結合の異型である．頭蓋骨の間の継ぎ目には**縫合** suture（**B〜E**）がみられる．この縫合は結合組織を含んでいるが，これは結合組織からできてくる骨の間になお残存しているものである．この結合組織が完全に退縮してしまうと，頭蓋骨の成長は最終的に完成し，縫合は骨化し消失する．縫合の形によって次のように分けられる．**鋸状縫合** serrate suture（**B**）［例えば矢状縫合 sagittal suture にみられる］，**鱗状縫合** squamous suture（**C**，**D**）［側頭鱗と頭頂骨の間にみられる］および**直線縫合** plane suture（**E**）［平滑縫合 sutura laevis (harmonia)，両側の鼻骨の間にみられる］．

靱帯結合のもう一つの異型としてさらに顎での歯の固定があげられよう．これは**釘植** dento-alveolar syndesmosis, *Gomphosis* と呼ばれる．ここでは歯は結合組織によって骨と弾力的に結合している．

軟骨性の連結 cartilaginous joint

［硝子］軟骨結合 synchondrosis（**F**）

連続的な骨の連結の第2の大きなグループは硝子軟骨を介する2つ以上の骨の連結であって**［硝子］軟骨結合**（**F2**）という．硝子軟骨は通常思春期には骨端接合部にみられる．硝子軟骨はまた第1，6および7肋骨と胸骨の間にもみられる．軟骨結合がまだ成長機能を果たしているところでは，この結合は消失しないで残っている．軟骨で満たされている骨端接合部は後に完全に骨によって閉ざされる．

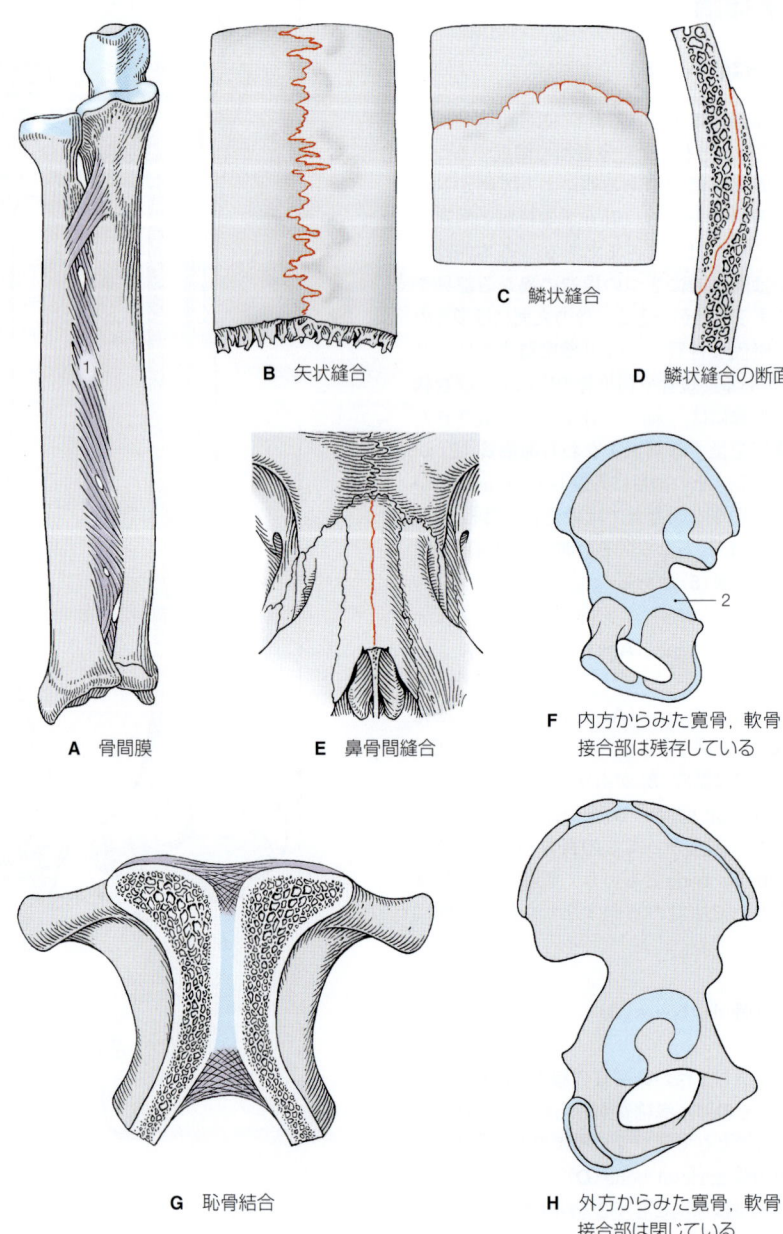

A 骨間膜　B 矢状縫合　C 鱗状縫合　D 鱗状縫合の断面　E 鼻骨間縫合　F 内方からみた寛骨，軟骨接合部は残存している　G 恥骨結合　H 外方からみた寛骨，軟骨接合部は閉じている

線維軟骨結合 symphysis（**G**）

この結合は線維軟骨と結合組織によってつくられる連結である．例えば恥骨結合 pubic symphysis（**G**）として2つの恥骨の間にある結合がこれである．線維軟骨結合は軟骨性の連結の小グループに属する．

骨性の連結 bony joint, **骨結合** synostosis（**H**）

この骨結合はどんな結合よりも強固な結合であって，例えば成長終了後の寛骨の各部，または長骨の骨端と骨幹を結合している．

> **臨床関連**：いわゆる関節も同じように骨と骨とが結合することがあるが，このときは骨結合 synostosis とはいわないで，関節硬化または**強直** ankylosis という．したがって強直はかつて機能していた関節であることが前提条件となる．ふつう強直は病的過程をもとにして生じてくる．仙椎の関節突起の融合は生理的強直とみなすことができよう．

1 骨間膜 interosseous membrane　2 ［硝子］軟骨結合 synchondrodial joint

非連続的な骨の連結（関節A～C）

滑膜性の連結 synovial joint（**可動結合** diarthrosis），いわゆる関節 joints は次のものから構成されている：関節面，関節体（**1**），関節包（**2**）および関節体の間にある関節腔（**3**），さらに必要に応じて特殊装置（補強靱帯，関節円板，関節唇および滑液包）もみられる．

2つの関節体からなる関節では，動く方の関節体を可動部，比較的静止している方を基部という．

ある関節の可動範囲を明確にするには，運動角（**4**）すなわち出発位と最終位の間の角度を決める必要がある．関節の運動角は種々の要因で制限を受けることがある．関節包の緊張のほか，運動を妨げる靱帯（靱帯による抑制，14頁参照），さらに骨の突起（骨性の抑制）および周囲の軟部組織（軟部組織による抑制）が関節運動の制限の要因となる．ある関節の中間位（**5**）とは出発位と最終位の間の位置のことで，この位置では関節包のすべての部分は均等に緊張または弛緩している．

> **臨床関連**：今日では関節の運動範囲は Russe と Gerhardt に従って，中間ゼロ（出発）位 neutral zero starting position から出発して SFTR 法により示される（**C**）．すべての関節の中間ゼロ位とは，立位で上肢を伸ばして下垂し，手掌を前方へ向けた状態のことである．したがって，解剖学的ならびに人類学的計測法とは差異が生じることに注意しなければならない．
> 運動は矢状面（**S**），前頭面（**F**），横走面（**T**）で，次いで回旋（**R**）の順に測られる（SFTR）．測定値を示すのに注意すべきことは，最初の数値は常に伸展，後傾，外転，外旋，回外またはその関節に応じて左方への運動を，第2の数値は中間ゼロ位を，そして第3の数値は最初の運動とは反対方向の最終位を示すということである．

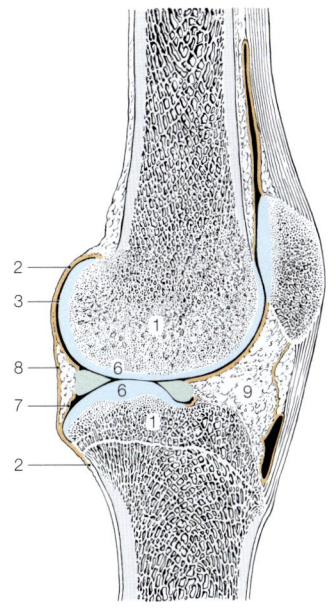

A 膝関節の断面

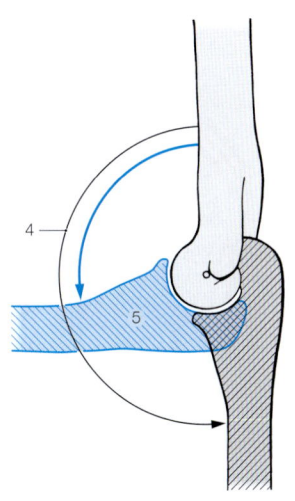

B 運動角と中間位

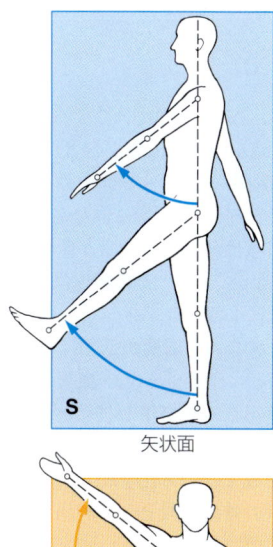

矢状面

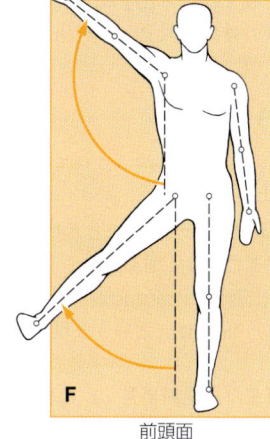

前頭面

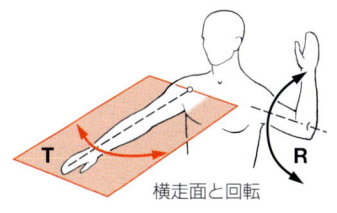

横走面と回転

C 中間ゼロ位とSFTR－記載法

関節体と関節面

関節は少なくとも2つの関節体からなっている．この関節体は多くの場合硝子軟骨（**6**）で覆われているが，例外的には線維軟骨または線維軟骨の介在した結合組織で覆われていることがある．

この関節軟骨は骨と密接にかみ合わさっており，その表面は平滑で光沢がある．軟骨層の厚さはいろいろで，平均では1～5mmである．極端に厚いのは膝蓋骨の関節面であって6mmもある．軟骨層の栄養は一方では滑液によって，他方では滑膜の毛細血管からの拡散によって行われる．

関節包（関節囊）

関節包は緊張または弛緩することができ，関節体の軟骨に覆われた面の近くに固着している．関節包は内側の滑膜（**7**）と外側の線維膜（**8**）の2層からなる．滑膜は表層の滑膜細胞 synovial cells と，弾性線維，血管および神経が含まれる固有層とからなる．血管の豊富なことは関節の活動と直接の関連があり，したがって活動の盛んな関節はあまり活動しない関節よりも概して血管に富んでいる．滑膜には脂肪のつまった内方へとび出す突起，すなわち滑膜ヒダ（**9**）と滑膜絨毛 synovial villi がみられる．いろいろの厚さの線維膜はほとんど弾性線維をもたないが，多くの膠原線維を含んでいる．線維膜が不規則な層構造をもつことから，その弱いところで滑膜が線維膜を通り抜け，裏返しになってとび出した状態になることがある．この突出物のことを外科医はガングリオン（結節腫）ganglion といい，俗に"ぐりぐり"ともいわれる．

---

1 関節面をつくる骨端（＝関節体）articulating bones　**2** 関節包 articular capsule or capsular ligament　**3** 関節腔 articular cavity　**4** 運動角 angle of excursion　**5** 中間位 mid-position　**6** 硝子軟骨 hyaline cartilage　**7** 滑膜 synovial membrane　**8** 線維膜 fibrous membrane　**9** 滑膜ヒダ synovial fold

非連続的な骨の連結（関節）（続き）

関節腔（A, C）

関節腔（**1**）は細隙状の毛細腔であって，その中には滑液 synovial fluid が含まれている．この滑液は粘素（ムチン）を含み糸を引く無色透明な液であって，卵白に似た性状をもっている．滑液は潤滑作用のほか軟骨を栄養する働きをもっている．その粘度はヒアルロン酸の含量によるものであって，温度依存性がある．すなわち温度が低いほど，滑液は粘稠となる．滑液はまた，血漿の透析濾過液に滑膜細胞の分泌物が加わったものともみなすことができるから，種々の疾患の際，その組成すなわち化学的および物理的性状を診断の補助手段として利用することができる．

特殊装置（A〜D）

靱帯（2）．その機能に従って靱帯は補強靱帯（関節包のための），指示靱帯（運動時の）または抑制靱帯（運動制限）などと呼ばれる．存在する位置によって関節包外，関節包および関節包内靱帯 extracapsular ligament, intracapsular ligament という表現も可能である．

関節円板または関節半月（3）は膠原線維の多い線維軟骨性の結合組織からなっている．円板は関節腔を完全に，半月はそれを不完全に分けている．円板および半月は誘導機能をもち，関節面の接触をよくし，場合によっては，顎関節または胸鎖関節などにみられるように，完全に分かれた2つの関節腔をつくりだすことさえある．このような関節円板は疾患時に，あるいは摘出されても新生が起こりうる．

関節唇（4）．関節唇は軟骨細胞の散在する膠原線維性結合組織からなっており，関節面を拡大するのに役立っている．

滑液包（5）．（粘液包ではない！）は関節腔と交通しているものもある．滑膜（**6**）に内張りされた壁の薄い大小の袋としてみられ，関節の弱い部分であるが，関節腔を拡大している．

接触の保持

両方の関節体に作用し，その間の接触を保つ力にはいろいろな性質のものがある．

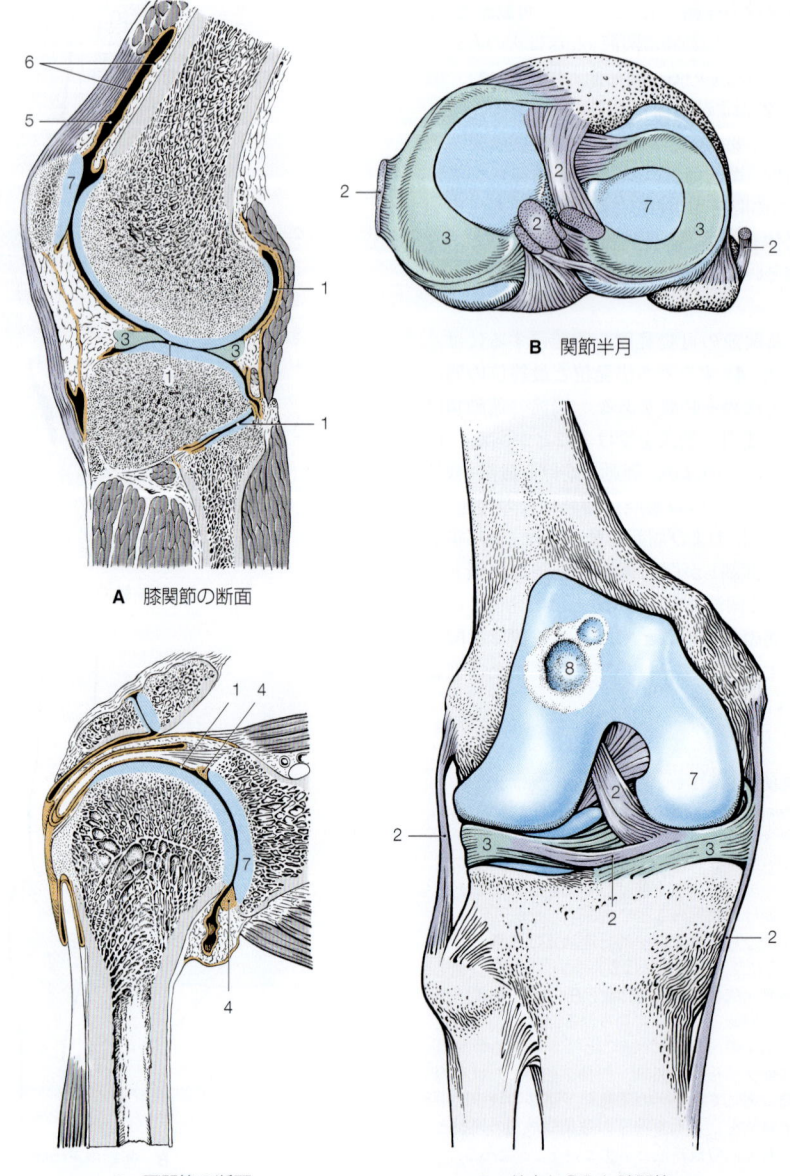

A 膝関節の断面

B 関節半月

C 肩関節の断面

D 前方からみた膝関節

まず第1に関節の上にかかっている筋群であって，これらは関節面の接触を維持することを保証している．そのほか関節包の補強靱帯が接触の維持に役立っていることもある．さらにある種の付着作用が存在し，もう一つの要因としては空気圧（関節腔の陰圧）があげられる．空気圧は小さな方の関節面の面積と空気圧の積に等しい力でもって関節体を結合しているのである．

> **臨床関連**：関節は**加齢性変化**を受け，血管のない関節軟骨（**7**）はその弾力性を失う．老人では軟骨に覆われた関節面に障害（**8**）や退縮がみられる．また軟骨縁には増殖が起こってくる場合もある．この軟骨の増殖は後に遊走してきた骨芽細胞によって骨に改造されることもあり，この骨が運動を制限するように作用する．このような過程は椎体の関節で起こりやすい（31頁参照）．しかし関節の変化はその関節が過度の働きを強いられるときには，若年者においても現れることがある．Ficks の**真空現象**：X線像で関節部に鎌形もしくは裂け目状の淡明化がみられることをいう．これは関節中へ周囲の組織が侵入しているためと解されている．

---

1 関節腔 articular cavity　**2** 靱帯 ligament　**3** 関節円板または関節半月 meniscus　**4** 関節唇 labrum　**5** 滑液包 synovial bursa　**6** 滑膜 synovial membrane　**7** 関節軟骨 articular cartilage　**8** 老人性変性（部位）senile alteration

関節の分類（A～F）

関節はいろいろの観点から分類することができる．第1の分類は**軸**に関してのものであって，1軸，2軸または多軸の関節に区別される．第2の分類は**自由度**についてである．自由度は両関節体の可動性を示すものである．自由度に従って関節は一つ，2つまたは3つの自由度をもつ関節に分けられる．もう一つの分類は**関節体の数**を顧慮したもので，これによって単純および複合関節に区別することができる．単関節 simple joint は関節包に包まれた2つの関節体からなる．関節包のなかに2つ以上の関節体があるときは，この関節を複関節 composite joint という（例：肘関節，**B**）．

また異なった関節が互いに組み合わさって働くことがある．強制的連係関節 zwangsläufig kombinierte Gelenke というのは，2つの骨の間の異なったか所にみられる関節のことである（例えば上および下橈尺関節）．協力的連係関節 kraftschlüssig kombinierte Gelenke は，数個の関節にわたって伸びた一つまたはそれ以上の筋の働きによって作用を発揮するのである（手指の屈筋による手および指の関節がその例，85頁参照）．

さらに，**関節体の形**によっても関節を分けることができる．

平面関節 plane joint は2つの平らな関節面をもつ関節であって，2つの自由度をもち，すべり運動が可能である（例：種々の椎間関節）．

蝶番関節 hinge joint（**A**）は凹面をなす関節体と凸面をなす関節体とからなっている．しばしば凹面関節体には稜状の隆起がみられ，この隆起は凸面関節体の溝にはまり込むようになっている．側方についている強靱な靱帯すなわち側副靱帯（**1**）によって，さらにこの固定は強められる．蝶番関節は一つの自由度をもっている（例：腕尺関節，**B**）．

車軸関節 pivot joint．栓状および車輪状の関節がこれに属している．これら両関節は1軸性で，一つの自由度をもっている．これらの関節には凸面をなす円柱状の関節体とそれに適応した凹面の関節体がみられる．関節軸は円柱状の関節体を貫いて走っている．栓状の関節では円柱状の関節体は塊状の靱帯（輪状靱帯，**2**）によって拡大された凹面の関節体のなかで回転する（例：上橈尺関節，**B**）．これに対し車輪状の関節では凹面の関節体が凸面の関節体のまわりを動くのである（例：下橈尺関節）．

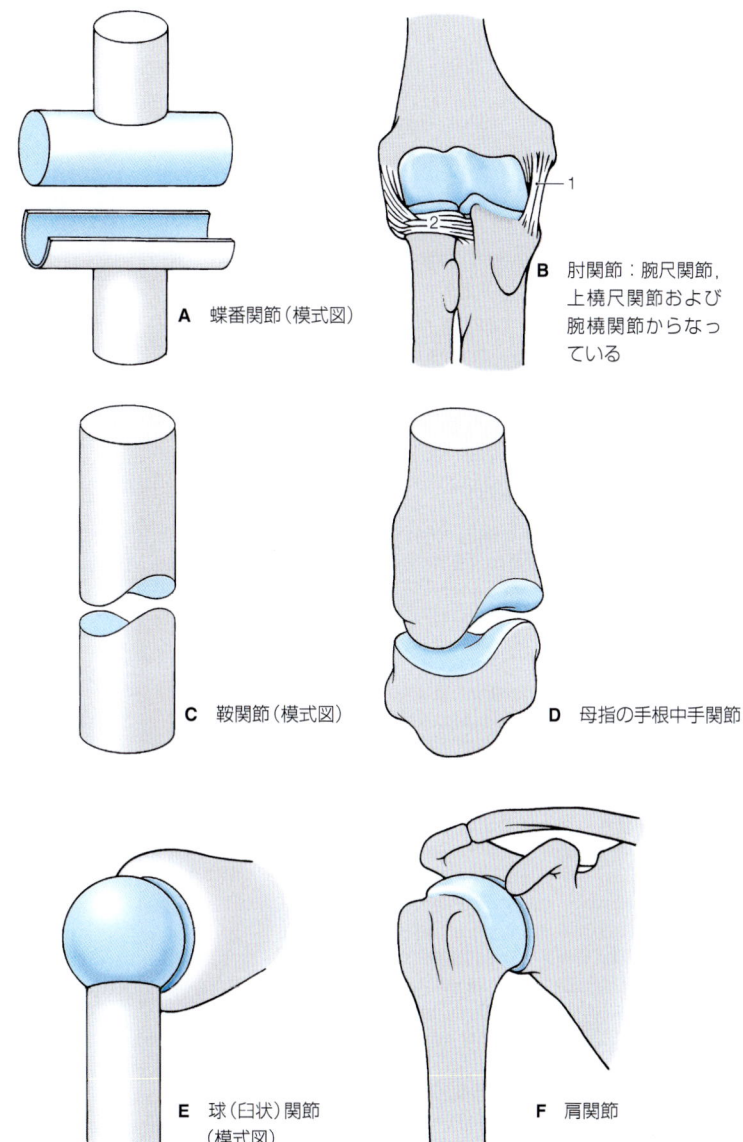

A 蝶番関節（模式図）

B 肘関節：腕尺関節，上橈尺関節および腕橈関節からなっている

C 鞍関節（模式図）

D 母指の手根中手関節

E 球（臼状）関節（模式図）

F 肩関節

楕円関節 ellipsoid joint,（**顆状関節** condylar joint）は凸面および凹面の楕円形の関節面をもっている．この関節は2つの自由度をもち，多軸性である．しかし主軸は2つである．複合運動として回旋が可能である（例：橈骨手根関節）．

鞍関節 saddle joint（**C**）は2つの鞍状の関節体からなっており，どちらの関節体にも凹面と凸面をなす彎曲がみられる．この関節は2つの自由度と，多軸性ではあるが2つの主軸をもつ．回旋運動が可能である（例：母指の手根中手関節，**D**）．

球関節 spheroidal joint（**E**）は多軸性で，関節窩 articular fossa と関節頭 articular head をもっている．球関節では3つの自由度の運動が可能であり，3つの主軸がある（例：肩関節，**F**）．球関節の1異型に臼状関節 ball and socket joint があり，この関節では関節窩が関節頭の赤道を越えてすっぽりはまっている．多くの場合股関節は臼状関節ではあるが，ただ関節唇によってのみ関節窩が拡大されているに過ぎない．

関節の一つの異型に**半関節** amphiarthrosis がある．これはごくわずかの可動性しかない．それは強靱な靱帯と丈夫な関節包および多くの場合平滑でない関節面をもっていることに起因する（例：仙腸関節）．

---

1 側副靱帯 collateral ligament　**2** 輪状靱帯 anular ligament

筋学総論

筋の形状（A〜F）

骨格筋では起始 origin と停止（または付着）insertion を区別する．起始は決まって動かない方の骨にあり，停止は動く方の骨にある．四肢では起始はいつも近位にあり，停止はいつも遠位にある．起始にはしばしば筋頭 Caput があり，これは筋腹（**1**）に移行し，腱（**2**）でもって終わる．筋の力は生理的横断面によって左右される．この生理的横断面というのは全筋線維の横断面の総和のことである．これから絶対筋力が算出される．

筋腹の配置は利用しうる場所にかかっている．筋の働きにとっては有効な最終部分が大切なのである．ある筋の腱は例えば支点 fulcrum となる骨の一部をまわっていることがある．長い腱は，その器官自体に場所が不足している場合には，有利であることが容易に理解される．その最もよい例は指の長い筋であって，これらの筋では筋腹は前腕にあるが，その作用はやっと指のところで現れてくる．

筋線維の腱に対する態度によって種々の筋型が区別される．**紡錘状筋** fusiform muscle（**A**）は長い筋線維からなり，それらの筋線維は効率はよいが，力の弱い運動しか行うことができない．紡錘状筋では腱は比較的短い．もう一つの型は一側が羽毛状の筋すなわち**半羽状筋** unipennate muscle（**B**）で，この筋は長い貫通する腱をもち，その腱に短い筋線維が付着している．それによって比較的大きな生理的横断面が得られ，したがって比較的強い筋力が生じる．両側が羽毛状の筋すなわち**羽状筋** bipennate muscle（**C**）は構造上は半羽状筋に類似するが，筋線維の付着が腱の両側にみられる．幾重にも羽毛をもつ筋は同様に**多羽状筋** multipennate muscle といわれる．

さらに筋が複数の起始をもつことがある．そのときには二頭，三頭または四頭筋などと区別する．これらの個々の筋頭は合わさって一つの筋腹をつくり，1本の共通の腱に終わる．この種の筋には例えば上腕二頭筋 biceps brachii（**D**）または上腕三頭筋 triceps brachii などがある．

ある筋がただ一つの筋頭をもち，しかも一つ（または複数）の腱画（**3**）をもつとき，この筋を**二腹筋** two-bellied muscle または**多腹筋** polyventer muscle（**E**）という．二腹筋は直列につながる2つのほぼ同じ大きさの筋区間をもつ．筋の形からまた板状の腱，すなわち腱膜（**4**）をもつ**板状筋** flat muscle（**F**）は，三角形をした三角形筋 triangular muscle と四角形で扁平な方形筋 quadrate muscle に区別される．

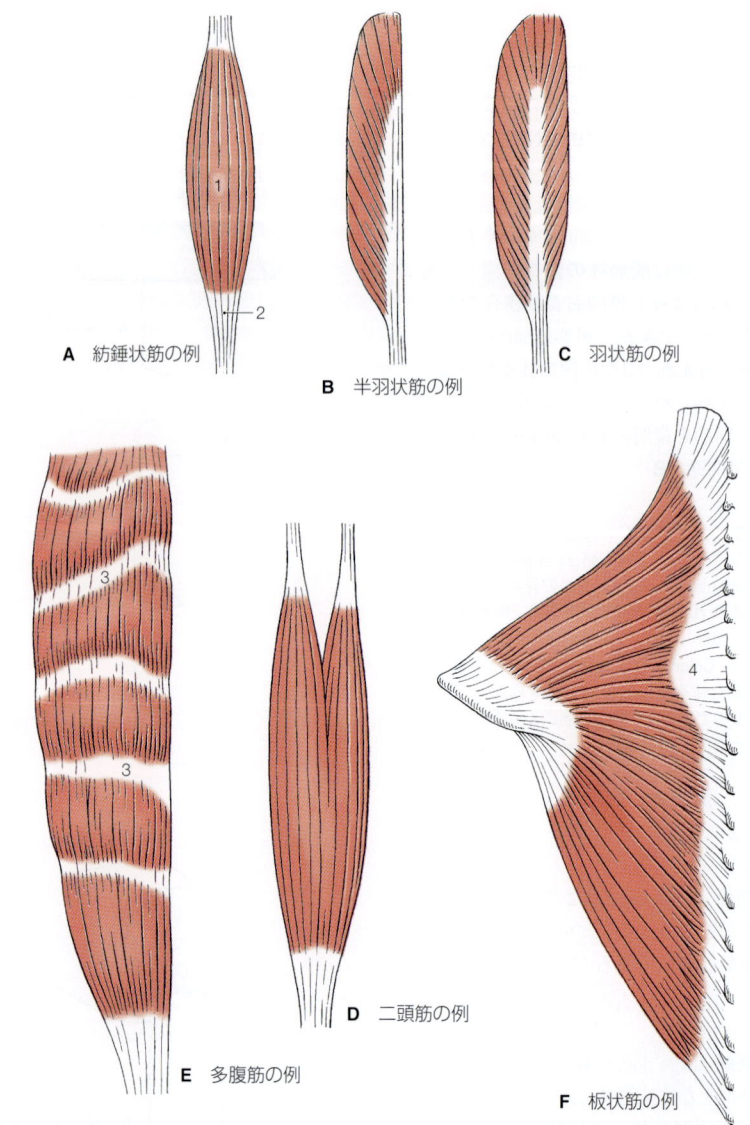

A 紡錘状筋の例　**B** 半羽状筋の例　**C** 羽状筋の例　**D** 二頭筋の例　**E** 多腹筋の例　**F** 板状筋の例

筋が一つまたは複数の関節にまたがっていることがあり，そのときには一，二または多関節筋という．これらの筋は個々の関節では異なった，事情によっては逆の運動を起こすことができる．ここでは例として手の骨間筋 interossei があげられる．この骨間筋は中手指節関節を曲げ，指節間関節を伸ばす．

ある運動に協力して働く筋は**協同筋** synergists，その運動に対抗して働く筋は**拮抗筋** antagonists といわれる．協同筋と拮抗筋の組み合わせは種々の運動によって変わってくる．例えば手根の屈曲の際には協同筋となる数個の筋も，橈側への外転の際には一部は拮抗筋として作用するようになる．

筋の機能にとって大切なことは，筋は安静時にも緊張状態にあり，筋緊張 muscle tonus をもっているということである．筋に能動的機能不全 active insufficiency と受動的機能不全 passive insufficiency を確認することができる．能動的機能不全の場合には，筋は極限まで短縮し疲労している．受動的機能不全では見方を変えると，筋はすでに最終位におかれているのである（例えば，手が屈曲位にあるとき握りこぶしがつくれない）．筋の働きは能動的な運動機能と受動的な支持機能とに区別される．一つの筋は受動的には支持筋として，能動的には運動筋として機能することができる．

---

1 筋腹 belly　**2** 腱 tendon　**3** 腱画 tendinous intersection　**4** 腱膜 aponeurosis

筋の補助装置（A〜D）

筋の働きにとって種々の補助装置を軽視することはできない．これには次のものが属している．

a）結合組織性被膜，すなわち**筋膜** fascia．これが個々の筋または筋群を包んでいるから，種々の筋の相互のすべりが可能となる．

b）**腱鞘** tendon sheath（**A，B**）．これは腱のすべり具合を良くする．その内層すなわち滑膜層 synovial layer からなる滑液鞘 synovial sheath は内側に臓側板（**1**）をもち，これが腱（**2**）のまわりにじかに接しており，外側の壁側板（**3**）とは腱間膜（**4**）を介してつながっている．臓側板と壁側板の間には滑液 synovia が含まれすべりを良くしている．外層をつくる線維層（**5**）または線維鞘は滑膜層の壁側板に接している．

c）**滑液包**（**C，6**）．この包は骨のまわりにじかに接している筋を保護する役割をもっている．

d）**種子軟骨** sesamoid cartilage と**種子骨** sesamoid bone（**D**）．これは腱が圧にさらされているところにみられる．膝蓋骨（**7**）は最大の種子骨とみなされ，この骨は一方では膝関節に関与し，また他方で膝蓋靱帯（**8**）を介して大腿四頭筋の腱（**9**）を脛骨に固定している．

e）**脂肪体** fat body は個々の筋の間に介在し，同様にすべりをよくしている．このような脂肪体（例えば腋窩脂肪体）の数はまちまちであるが全身にわたって決まったところに分布している．

筋機能検査

筋の機能は種々の検査法の結果によって判断されなければならない．最も簡単な方法は触診 palpation と視診 inspection である．一定の運動に際しては筋は定まった形をとるのが普通である．

解剖学的方法では剖出によってある筋を現すことができる．その際に起始，経過および停止を確認することができる．しかしながら遺体では機能に関しての正確な成績を期待することは不可能である．この方法はあくまで間接法であって，この方法の結果からは帰納的な推論のみが許され，個々の筋の協同作用は顧慮されていない．

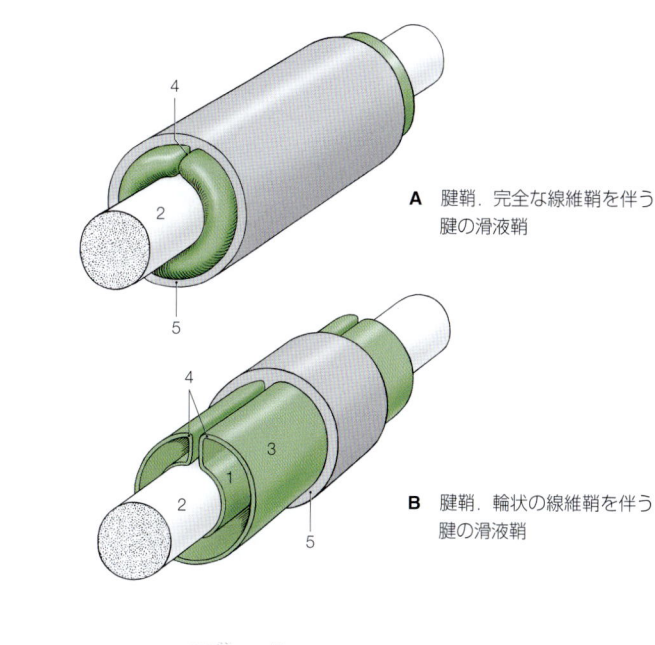

A 腱鞘．完全な線維鞘を伴う腱の滑液鞘

B 腱鞘．輪状の線維鞘を伴う腱の滑液鞘

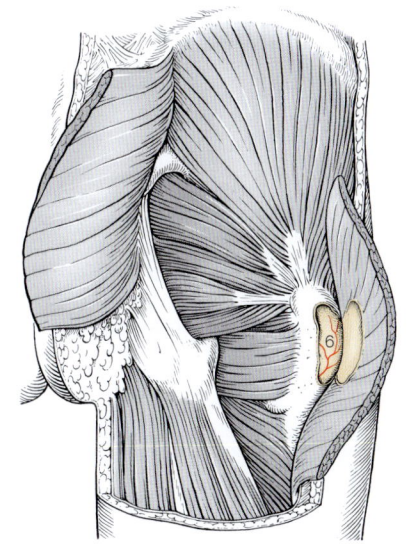

C 滑液包

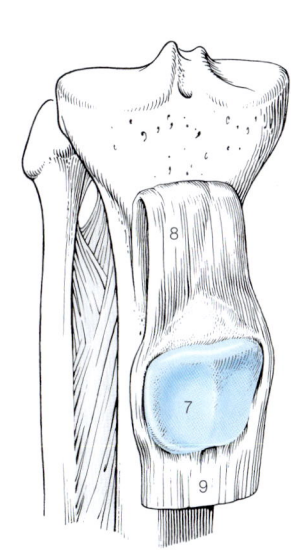

D 種子骨（膝蓋骨）

もう一つの方法として電気刺激を用いる検査がある．この検査法では神経が筋へ入り込む部位で刺激が行われる．この方法は第1に表在性の筋にしか応用することができないという欠点をもっているし，第2にはこの電気刺激はある筋の最大収縮を引き起こすということである．しかしこの際，ほかの筋がこの筋の最大収縮を抑制または制限することがあるという事情が顧慮されていない．

最も近代的な方法として筋電図法 electromyography がある．この方法では筋の中へ直接刺入された電極によって活動電流が導出される．この筋電図法によって筋の労作が増大してくるに応じて，多数の運動単位 motor units（運動終板と神経を伴う筋線維，Ⅲ章参照）が活動するようになることがわかった．また筋電図法で明らかになったことは，決してすべての線維筋が同時に働くのではないということである．一部の筋線維が弛緩している間は，ほかの線維は収縮しており，このようにして緊張の増加または減少が均等に得られているわけである．

この方法でも限りがあって，ある一定の運動で個々の筋がどの程度関与しているかを正確に決めることは，むずかしいことであるといえる．

1臓側板 visceral layer　**2**腱 tendon　**3**壁側板 parietal layer　**4**腱間膜 mesotendon　**5**線維層 membranous layer　**6**　滑液包（嚢）synovial bursa　**7**膝蓋骨 patella　**8**膝蓋靱帯 patellar ligament　**9**大腿四頭筋の腱 tenton of quadriceps femoris

脊柱

脊柱 vertebral column は体幹の基礎をなすものである.脊柱は33～34個の椎骨 *Vertebrae* および椎間円板 intervertebral disc とからなっている.

椎骨は7個の頸椎 cervical vertebrae, 12個の胸椎 thoracic vertebrae, 5個の腰椎 lumbar vertebrae, 5個の仙椎 sacral vertebrae および4～5個の尾椎 coccygeal vertebrae に分類される.

仙椎は融合して仙骨 sacrum となり,尾椎も同じく尾骨 coccyx となっている.したがって,仙椎と尾椎はともに仮椎 vertebrae spuriae(不動椎)として,ほかの椎骨の真椎 vertebrae verae(可動椎)とは区別されている.

頸椎(A～G)

第1頸椎の**環椎** atlas,第2頸椎の**軸椎** axis および第7頸椎の**隆椎** vertebra prominens はほかの頸椎 cervical vertebrae とは異なっている.第3,第4頸椎と第5,第6頸椎間ではごく小さな違いがあるだけである.椎体(**1**)は後方へは椎弓(**2**)に続いていく.椎弓は前部の椎弓根(**3**)と後部の椎弓板(**4**)に分けられる.この両部の移行部のところで頭側ならびに尾側へ向かってそれぞれ上関節突起(**5**)および下関節突起(**6**)が突出している.椎体と上関節突起の間には浅いくぼみがあって上椎切痕(**7**)といわれる.深い下椎切痕(**8**)は椎体と下関節突起の間にある.関節突起には関節面(**9**)があって,上関節面は背方へ,下関節面は腹方へ向いている.椎弓は1本の背方へ向かう棘突起(**10**)に合して終わるが,この棘突起は第3～6頸椎ではその先端が2つに割れている.椎体と椎弓に囲まれて,頸椎では比較的大きな椎孔(**11**)がみられる.側方へは横突起(**12**)が伸びている.

横突起はそれぞれ1個ずつの椎骨原基と肋骨原基から発生してくる(26頁).肋骨原基は椎骨原基との融合が不完全であるために,横突孔(**13**)が開いて残ることになる.横突起にはさらに前結節(**14**)と後結節(**15**)が区別され,その間には一つの溝すなわち脊髄神経溝(**16**)がある.

第3頸椎では上関節突起の両関節面が互いに後方に向かって開く角度(開口角 Öffnungswinkel, Putz)は142°の状態にあるが,第4～7頸椎でのこの角度は約180°である.

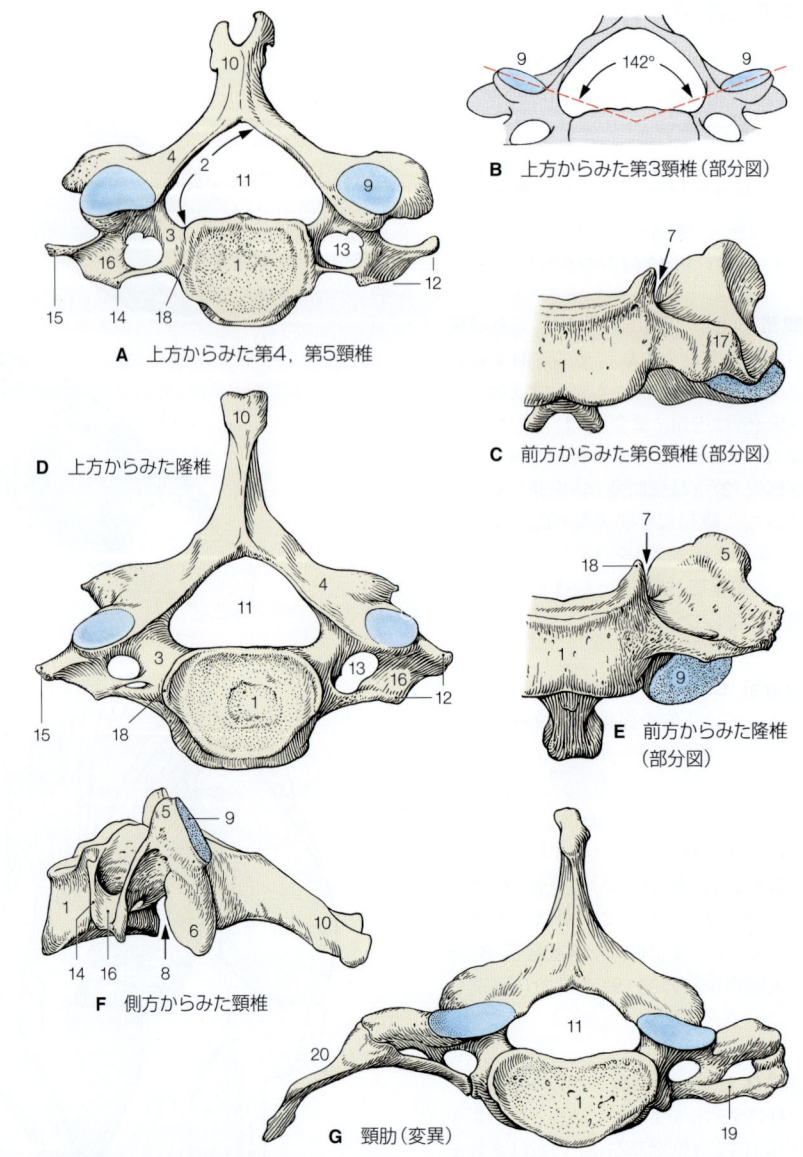

A 上方からみた第4,第5頸椎
B 上方からみた第3頸椎(部分図)
C 前方からみた第6頸椎(部分図)
D 上方からみた隆椎
E 前方からみた隆椎(部分図)
F 側方からみた頸椎
G 頸肋(変異)

第6頸椎の前結節は特に強大で,頸動脈結節(**17**)と呼ばれる.第3～7頸椎椎体の上面では側方に2つの高まり,鉤状突起(=椎体鉤)がみられる(**18**, 29頁).

第7頸椎は大きな棘突起をもっており,この棘突起は頸部で最初に皮膚をとおして触れる脊椎の棘突起として注目される.第7頸椎はこのために隆椎 vertebra prominens と呼ばれる.第7頸椎では横突起の前結節が欠けていることが多い(**E**).

変異:第7頸椎(**G**)の横突起の形成が不完全で,肋骨原基が不完全に融合している(**19**)と,この原基から生じる部分は明らかに椎骨とは区別することができる.肋骨原基が独立して(融合しないで)残っていると,**頸肋**(**20**)が生じる.頸肋は通常両側性に現れる.一側にだけにみられる場合には右側よりも左側に多い.横突起は頸椎によっては2分していることがある.

臨床関連:頸肋が存在する場合には"頸肋三徴候" cervical rib triad もしくは Naffziger 症候群がみられる.
1. 血管の側からの不快症状(圧迫症状).
2. 腕神経叢の側からの不快症状(殊に尺骨神経の知覚障害).
3. 大鎖骨上窩における触診所見.

---

1 椎体 vertebral body　**2** 椎弓 vertebral arch　**3** 椎弓根 pedicle of vertebral arch　**4** 椎弓板 lamina of vertebral arch　**5** 上関節突起 superior articular process of sacrum　**6** 下関節突起 inferior articular process of sacrum　**7** 上椎切痕 superior vertebral notch　**8** 下椎切痕 inferior vertebral notch　**9** 関節面 articular surface　**10** 棘突起 spinous process, spine, *Processus spinosus*　**11** 椎孔 vertebral foramen　**12** 横突起 transverse process of vertebra　**13** 横突孔 foramen transversarium　**14** 前結節 anterior tubercle　**15** 後結節 posterior tubercle　**16** 脊髄神経溝 groove for spinal nerve　**17** 頸動脈結節 carotid tubercle　**18** 鉤状突起(椎体鉤) uncinate process(vertebral uncus)　**19** 第7頸椎の肋骨原基(完全には融合せず残ったもの) costal element of the 7th cervical vertebra　**20** 頸肋 cervical rib

脊柱　19

頸椎（続き）

第1頸椎 cervical vertebrae I（A～C）

環椎 atlas ともいわれ，椎体をもたないという点で根本的にほかの椎骨とは異なっている．環椎はしたがって（小さい方の）前弓（**1**）と（大きい方の）後弓（**2**）とからなっている．両弓の正中面にはそれぞれ小さい高まり，すなわち前結節（**3**）および後結節（**4**）がある．後結節は時に発達が非常に悪いことがある．この椎骨の大きな椎孔（**5**）の外方には外側塊（**6**）があり，それぞれ上関節面（**7**）と下関節面（**8**）をもっている．上関節面は凹面をなし，その内側縁はしばしばひっこんでいる．時に上関節面は平坦あるいはわずかにくぼみがあり，ほぼ円形を呈する．

前弓の内面には関節面のある歯突起窩（**9**）がみられる．横突起（**10**）にある横突孔（**11**）から後弓を越える1条の溝が伸びているが，この溝は椎骨動脈を受け入れるのに役立ち，椎骨動脈溝（**12**）といわれる．

変異：椎骨動脈溝のかわりに椎骨動脈管（**13**）がみられることがある．まれに半分の環椎が両側に分かれ軟骨で結合しているにすぎないことがある．同じようにまれではあるが，一側または両側に環椎癒合 assimilation or occipitalization of the atlas がみられることがある．これは環椎が頭蓋骨と骨性に癒合している現象である．

第2頸椎 cervical vertebrae II（D～F）

軸椎 axis は歯突起（**14**）をもつため第3～6頸椎と区別することができる．軸椎の椎体はその頭側面に歯突起という歯の形をした突起をもっており，この突起は歯突起尖（**15**）に終わる．歯突起の前面には明らかな関節面があり，前関節面（**16**）という．後面にも小さいけれどもやはり関節面がみられ，後関節面（**17**）といわれる．

外側にある関節面は外方へ向かって傾斜している．発達のよくない横突起（**18**）には横突孔がある．この外側関節面の形はやや複雑である．この関節面は骨の浸軟標本ではほぼ平坦にみえるけれども，実際には軟骨が上にのっていて山形を示す．この軟骨の層は環椎と軸椎の間の関節にとって大切なものである（30頁）．棘突起（**19**）は強大であって，必ずではないが，しばしば先端が二分していることがある．棘突起は左右の椎弓（**20**）の結合によってできたものであって，椎弓は椎体（**21**）とともに椎孔（**22**）を囲んでいる．

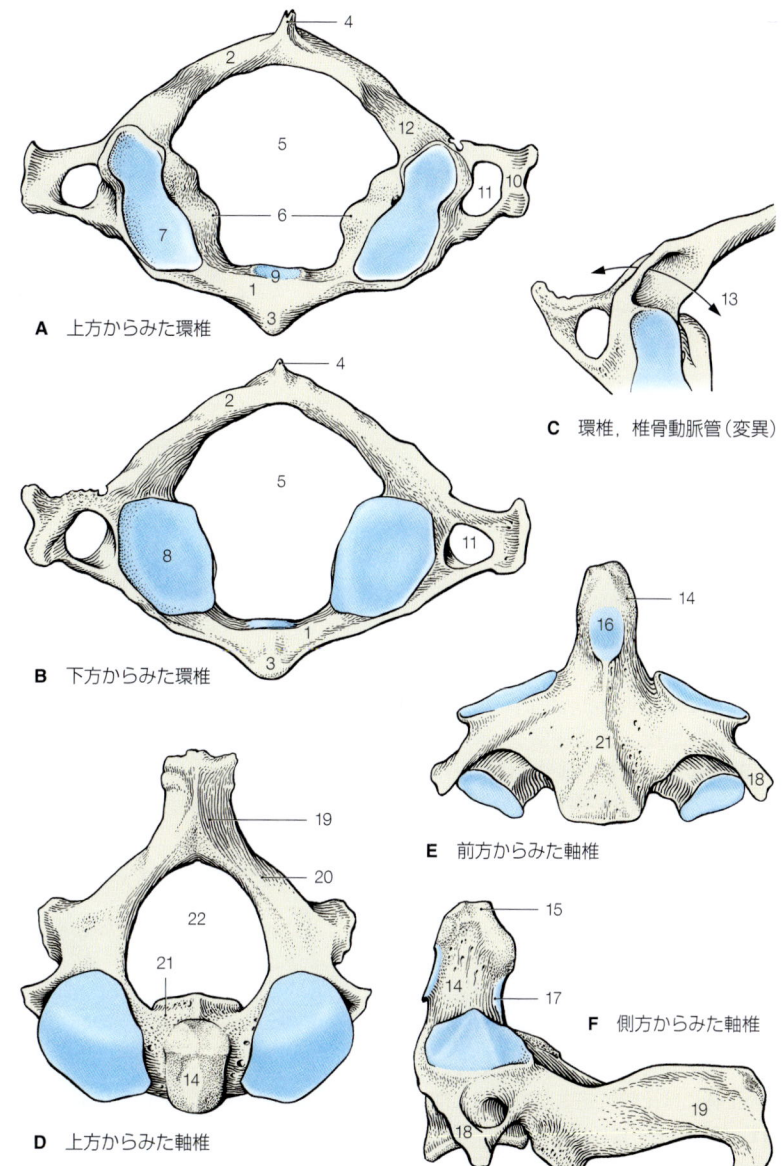

A　上方からみた環椎
B　下方からみた環椎
C　環椎，椎骨動脈管（変異）
D　上方からみた軸椎
E　前方からみた軸椎
F　側方からみた軸椎

臨床関連：環椎椎弓の単独の骨折は特に自動車事故で起こることがあるが，環椎の変異（22頁）と区別されなければならない．歯突起の骨折は軸椎の定形的な骨折である．そのさい注意すべきことは，比較的まれではあるが，遊離した前環椎片 proatlas fragments，殊に終末小骨 ossiculum terminale（26頁）が前環椎後頭膜の内部に存在する場合があるということである．遊離した終末小骨はX線像で歯突起尖の骨折として誤診されることがある．

軸椎椎体に対する歯突起の位置関係は頸椎柱の彎曲に左右される．したがって，歯突起は頸椎柱に前彎（31頁）が認められないときにはやや後方へ向かっており，その縦軸は軸椎椎体を通る垂線とある角度をはさむことになる．

---

1 前弓 anterior arch　2 後弓 posterior arch　3 前結節 anterior tubercle　4 後結節 posterior tubercle　5 椎孔 vertebral foramen　6 外側塊 lateral mass　7 上関節面 superior articular surface of atlas　8 下関節面 inferior articular surface of atlas　9 歯突起窩 facet for dentis　10 横突起 transverse process of vertebra　11 横突孔 foramen transversarium　12 椎骨動脈溝 groove for vertebral artery　13 椎骨動脈管 canal for vertebral artery　14 歯突起 dens　15 歯突起尖 apex of dens　16 前関節面 anterior articular surface of atlas　17 後関節面 posterior articular surface of atlas　18 横突起 transverse process of vertebra　19 棘突起 spinous process, spine　20 椎弓 vertebral arch　21 椎体 vertebral body　22 椎孔 vertebral foramen

胸椎（A〜D）

12個の胸椎 thoracic vertebrae について述べる：椎体（**1**）は上下に骨化の不完全な緻密質板をもち，その後面には1本の椎体静脈 basivertebral vein という静脈の出るための孔がある．椎体の側方には多くの場合に上，下の2つの肋骨窩（**2**）がみられ，それぞれ肋骨小頭と関節をつくるための半分の関節面（**D**）をもっている．しかし第1, 10, 11および第12胸椎は例外である．

第1胸椎（**D**）では椎体の上縁に完全な関節面（**3**）があり，下縁には半分の関節面（**4**）がみられる．第10胸椎（**D**）は上縁にのみ半分の関節面（**5**）をもつが，第11胸椎（**D**）は上縁に完全な関節面（**6**）をみせている．第12胸椎（**D**）は椎体側面の真ん中に肋骨頭と関節を形成するための関節面（**7**）をもっている．

椎体の後面で椎弓 vertebral arch が椎弓根（**8**）として始まり，これは両側とも続いて椎弓板（**9**）となる．両側の椎弓板は棘突起（**10**）で合体する．第1から第9までの胸椎の棘突起は屋根瓦状に重なり合っているため，その先端は1ないし1½椎体の高さだけそれぞれの椎体より低く位置することになる．横断面ではこれらの棘突起は三角形となっている．

最後の3個の棘突起は横断面で垂直方向に立つ板状を呈する．この板状の棘突起は下行せず，真っ直ぐに背方へ伸びている．椎弓根の上縁には比較的完成度の低い上椎切痕（**11**）があり，下縁にはかなりよく発達した下椎切痕（**12**）がある．椎弓と椎体の後面に囲まれて椎孔（**13**）が存在する．

椎弓根が椎弓板に移行するところで，上方に上関節突起（**14**），下方に下関節突起（**15**）がみられる．側方にやや後方へ向かって横突起（**16**）が突出しており，第1から第10胸椎の横突起は肋骨結節 tubercle of rib と関節をつくる横突肋骨窩（**17**）をもっている．この横突肋骨窩はしかし第2から第5胸椎（II〜V）においてのみ顕著である．第1と，第6から第9および第10胸椎ではほんの平らな関節面であるにすぎない．この関節面のそれぞれの形によって肋骨の可動性の相違が生じてくるのである（34頁）．

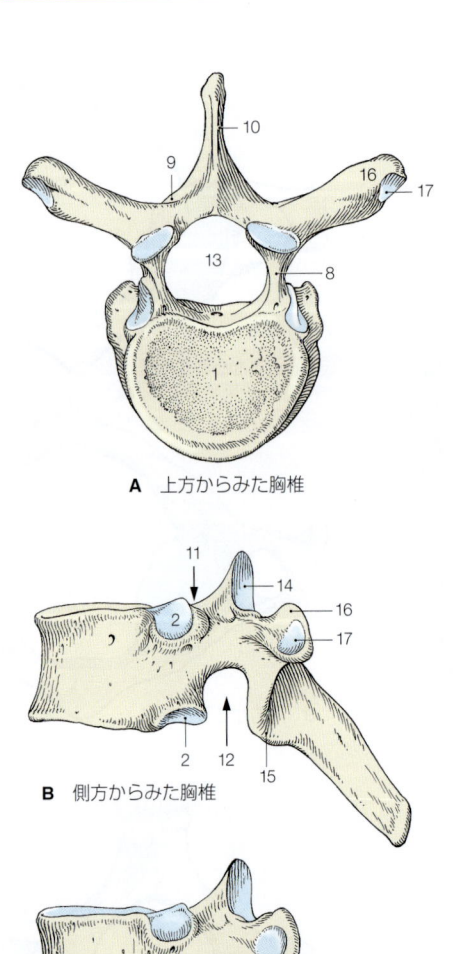

A 上方からみた胸椎

B 側方からみた胸椎

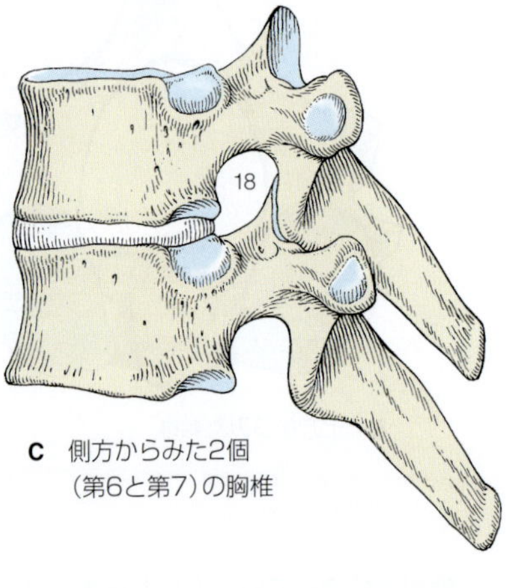

C 側方からみた2個（第6と第7）の胸椎

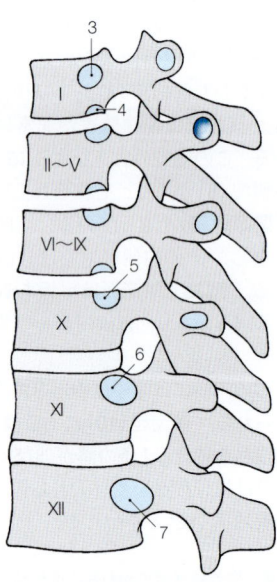

D 肋椎関節を構成する関節面を示す模式図

特異事項：第1胸椎にはしばしば頸椎におけると同様に，椎体の両側に椎体鉤 vertebral uncus が認められる（Putz）．第11と第12胸椎では横突起がすでに痕跡的になっていることがある．これらの場合には，腰椎でみられるように（21頁），両側に副突起と乳頭突起が存在することがある．

臨床関連：横突起はすべての胸椎に特徴的なものである．椎切痕（**11, 12**）は上下のものがそれぞれ合わさって椎間孔（**18**）をつくる．この椎間孔は脊髄神経の通路として役立っている．この領域で骨に変化をきたすような過程があると，狭窄を引き起こし，これがひいては神経損傷を招くことになる．

---

1 椎体 vertebral body　**2** 肋骨窩 costal facet　**3** 上肋骨窩＝関節面（椎体上縁にある完全な）superior costal facet　**4** 下肋骨窩＝関節面（椎体下縁にある半分の）inferior costal facet　**5** 上肋骨窩＝関節面（椎体上縁にある半分の）　**6** 上肋骨窩＝関節面（椎体上縁にある完全な）　**7** 上肋骨窩＝関節面（椎体側面の中央部にある完全な）　**8** 椎弓根 pedicle of vertebral arch　**9** 椎弓板 lamina of vertebral arch　**10** 棘突起 spinous process, spine　**11** 上椎切痕 superior vertebral notch　**12** 下椎切痕 inferior vertebral notch　**13** 椎孔 vertebral foramen　**14** 上関節突起 superior articular process of sacrum　**15** 下関節突起 inferior articular process of sacrum　**16** 横突起 transverse process of vertebra　**17** 横突肋骨窩 transverse costal facet　**18** 椎間孔 intervertebral foramen

腰椎（A〜D）

腰椎 lumbar vertebrae の椎体（**1**）は，ほかの椎骨の椎体より本質的に強大である．棘突起（**2**）は平板で矢状方向に向いている．椎弓板（**3**）は短く，ずんぐりしており，椎弓根（**4**）は腰椎の大きさに応じて非常に強大なものとなっている．腰椎の側方へ伸びる扁平な突起は肋骨突起（**5**）と呼ばれるが，これらは椎骨と融合した肋骨原基からできてくる．

肋骨突起の後ろにはいろいろな大きさの副突起（**6**）があり，上関節突起（**7**）にのっている乳頭突起（**8**）と一緒になって横突起 transverse process の遺残を形成している．下方へは下関節突起（**9**）が伸びている．関節突起にある関節面 articular surface は，上関節突起では内側へ（**10**）向き，下関節突起では外側へ（**11**）向いている．もっとも，この関節面には常に多少とも明らかな折れ曲がりがみられる．

上関節突起と下関節突起との間には，ほとんど海綿質を含まない部分がある．この領域は臨床的には関節間部（**12**）といわれる．

ほかのすべての椎骨のように腰椎でも，椎体と上関節突起の間に小さな上椎切痕（**13**）がある．概して上椎切痕より大きな下椎切痕（**14**）は，椎体の後面から下関節突起の基部にまでわたっている．おのおの対応する椎切痕からつくられる椎間孔 intervertebral foramen は腰椎では比較的大きい．椎孔（**15**）は比較的小さい．椎体の後面で椎孔の内部には，椎体静脈が出るためのかなり大きな孔がある．腰椎（の椎体）の上下の面すなわち椎間面 intervertebral surface には，それぞれほかの椎骨と同じように，顕著な輪状をした緻密質の骨層板の枠である骨端輪（**16**）がみられ，その中央には椎体の海綿質（**17**）がある．この緻密質の輪は椎体骨端の骨化部分に相当する（26頁）．

5個の腰椎のなかでは最後の**第5腰椎**だけがほかの腰椎とは異なっている．すなわちこの椎体は前から後ろへいくにつれて厚さが減少している．

変異：かなりの頻度で第1腰椎に，まれには第2腰椎に融合していない肋骨突起がみられることがあり，これがいわゆる**腰肋**（**18**）である．これはヒトの約8％にみられ，多くの場合肋骨頭を欠いている．腰肋の形や大きさは非常に変化に富んでいる．最後の腰椎は仙骨と融合していることがある．これを腰椎の**仙骨化** sacralization という．

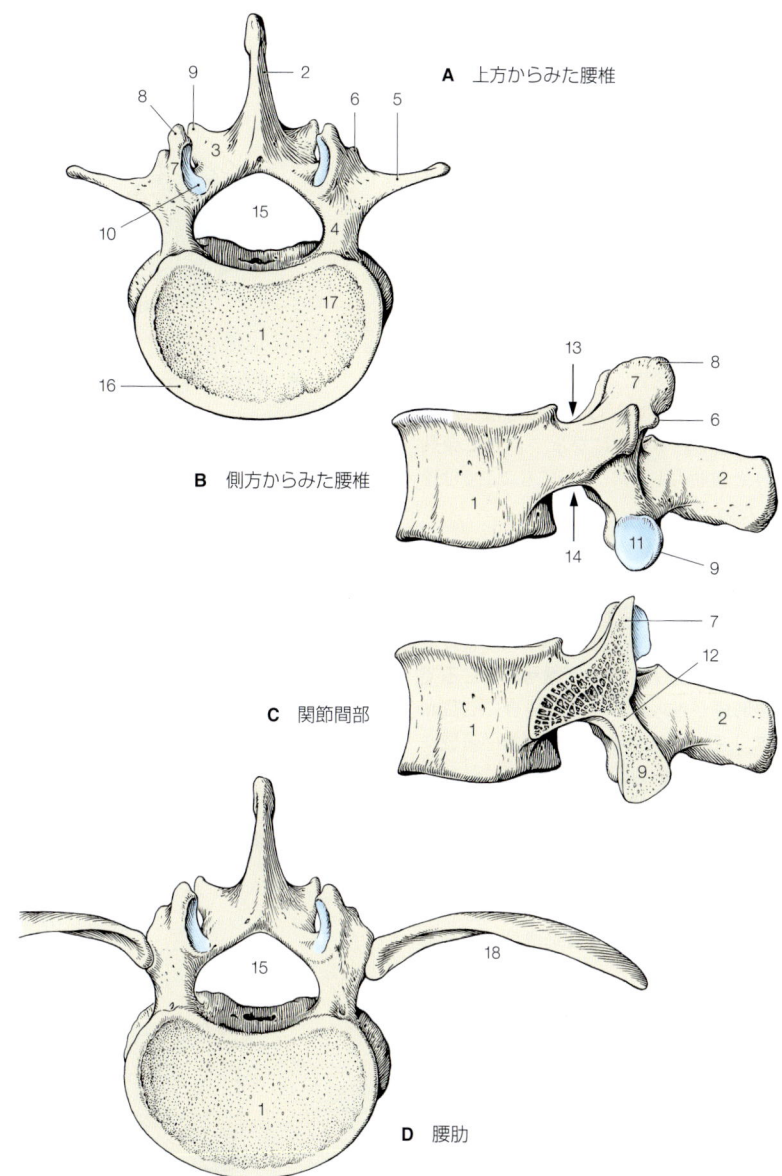

A 上方からみた腰椎

B 側方からみた腰椎

C 関節間部

D 腰肋

臨床関連：腰肋は腎臓と近い位置関係にあることから疼痛症状を引き起こすことがある．
　関節間部のところで，脊椎分離症（22頁）が起こることがある．
　診断のためにも治療についても重要なのが腰椎穿刺 lumbar puncture である．穿刺針を正確に正中線上から刺す．普通の場合，第3および第4腰椎の棘突起の間を入り，クモ膜下腔に達する．そして脳脊髄液が採取できる．

---

1 腰椎の椎体 body of lumbar vertebrae　2 棘突起 spinous process, spine　3 椎弓板 lamina of vertebral arch　4 椎弓根 pedicle of vertebral arch　5 肋骨突起 costal process　6 副突起 accessory process　7 上関節突起 superior articular process of sacrum　8 乳頭突起 mammillary process　9 下関節突起 inferior articular process of sacrum　10 上関節突起の関節面（上関節面）superior articular surface of atlas　11 下関節突起の関節面（下関節面）inferior articular surface of atlas　12 関節間部 interarticular portion　13 上椎切痕 superior vertebral notch　14 下椎切痕 inferior vertebral notch　15 椎孔 vertebral foramen　16 骨端輪 annular epiphysis, epiphysial ring　17 海綿質 spongy bone　18 腰肋 lumbar rib

仙椎より上の脊椎の奇形と変異（A〜E）

脊椎の奇形は多かれ少なかれ脊髄の変化を伴って起こってくるものである．種々の破裂形成やほかの変化が，もちろんこれまで何の症状もなかったのに，偶然にも X 線，超音波，CT または MRI などの検査の際に発見されることがある．奇形では発生の途上で起こってくるものが問題となるから，ここでは 2〜3 のものがまとめて述べられる．ただし，仙骨の変異については 25 頁に分けて記されているので，ここでは分離した椎骨だけに限られることになる．同様に頸肋（18 頁）と腰肋（21 頁）についてもここでは述べられない．

椎骨動脈管 canal for vertebral artery の存在（19 頁）といった変異や環椎癒合（片側または両側性の頭蓋底との融合）のような奇形のほか，最もしばしば**椎弓のところでの破裂形成**がみられる．その場合に，Töndury によると後椎弓破裂は外側椎弓破裂や椎弓根における破裂形成，ならびに椎体と椎弓との間での破裂からは区別されるべきであるという．環椎ではこれら以外にまれではあるが，前椎弓破裂も現れる．前および後椎弓破裂は正中破裂形成と名づけてもよいであろう．後正中破裂形成は脊髄の奇形と合併していることがある．Töndury によれば，破裂の起原をすでに脊椎発生過程の間葉期に求めることができるという．

環椎（**A，B**）ではしばしば**後（椎弓）破裂**が現れるが，下部頸椎（**E**）ではまれで，上部胸椎ではきわめてまれにしかみられない．この破裂が下部胸椎と上部腰椎でみられるのはまれではないが，仙骨で最も高頻度にこの種の破裂形成（脊椎破裂または二分脊椎，25 頁参照）を見出すことができる．

非常にまれに環椎では**前正中破裂**がみられるが，その際には後正中破裂も同時に存在している（**B**）．

外側椎弓破裂（**C**）は上関節突起（**1**）のすぐ後ろで起こる．したがって下関節突起（**2**）は椎弓と棘突起とともに残りの椎骨部から分離されてしまう．この骨の分離は脊椎分離症 spondylolysis といわれ，真の脊椎すべり症 spondylolisthesis の原因となる．

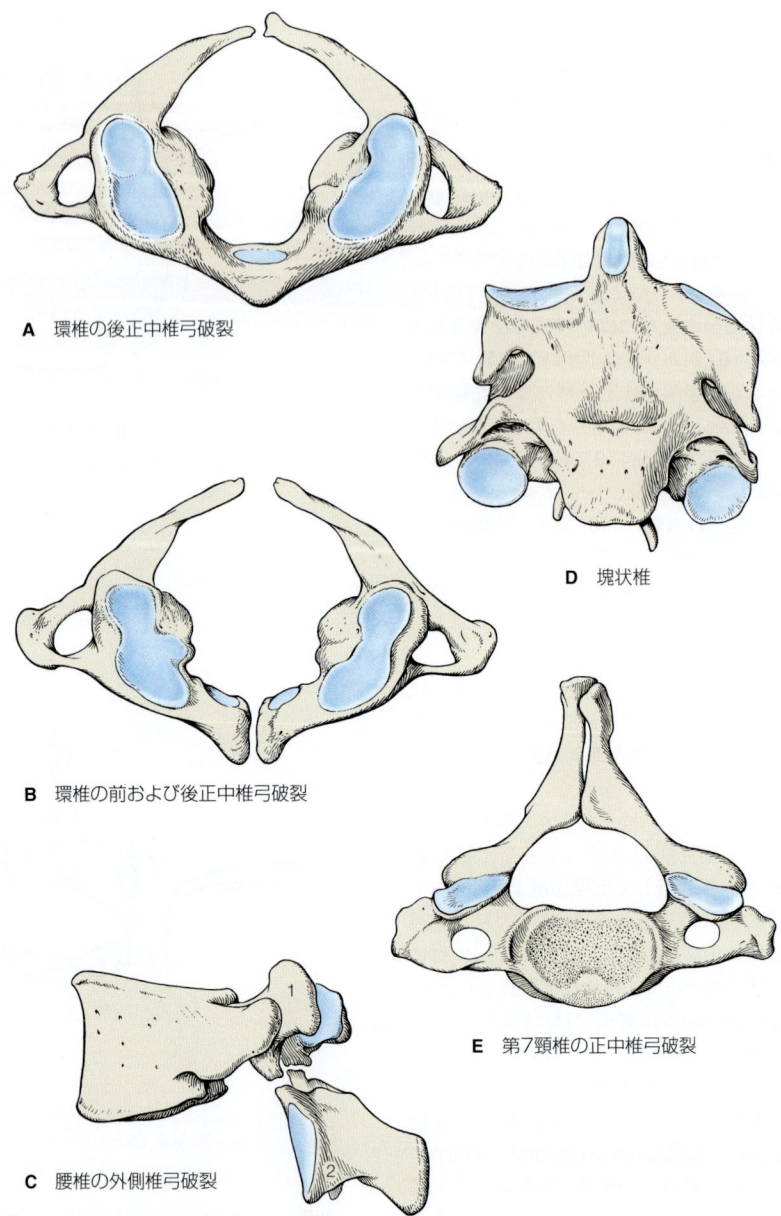

A 環椎の後正中椎弓破裂

B 環椎の前および後正中椎弓破裂

C 腰椎の外側椎弓破裂

D 塊状椎

E 第 7 頸椎の正中椎弓破裂

もう一つの奇形は**塊[状]椎** fused or block vertebrae（**D**）の形成である．これは仙骨では生理的に現れるものであるが，2 つまたはそれ以上の椎体が互いに融合することである．この塊形成は最もしばしば頸・上胸および腰部で観察される．**D**では第 2 および第 3 頸椎の間での塊形成がみられている．塊椎形成の原因はいろいろであるが，間葉期における脊椎発生の障害がクローズアップされている．

臨床関連：注意！「塊状椎」はいろいろな疾患の経過中に生じ，上に述べた exophyte とは違った（明瞭な）病的な変化が現れる．

1 上関節突起 superior articular process of sacrum　**2** 下関節突起 inferior articular process of sacrum

仙骨（A，B）

仙骨 sacrum は5個の仙骨とそれらの間にある椎間円板からなっている．仙骨には前方へ凹面をなす**前面** pelvic surface（**A**）と後方へ凸面をなす**後面** dorsal surface（**B**）がある．真の椎骨としての最後の第5腰椎に向かう面は，仙骨底（**1**）と名づけられる．下方へ向かう先端は仙骨尖（**2**）であって，仙骨に接続する尾骨に相対している．

前面 pelvic surface（**A**）にみられる彎曲は通常は均一でなく，ほぼ第3仙椎の高さで最も強くなっている．仙骨はここで角ばっていることさえある．前面には4対の前仙骨孔（**3**）が区別でき，これらの孔を脊髄神経の前枝（Ⅲ章参照）が通って出てくる．これらの孔は他の椎骨にみられる椎間孔と同等ではなく（仙骨では椎間孔は仙骨管にじかに接して存在する），椎骨原基と肋骨原基（26頁）に取り囲まれているのである．換言すると，この前仙骨孔は椎骨，肋骨ないし肋骨原基および上肋横突靱帯からつくられた孔に相当する．

左右それぞれの前仙骨孔の間には，椎骨相互の対向面と椎間円板とが融合してつくられた横線（**4**）がみられる．前仙骨孔の外側にある部分は外側部（**5**，24頁）といわれる．

仙骨の**後面** dorsal surface（**B**）は一様に凸に彎曲している．縦走する5条の稜は必ずしも明瞭ではないが，それぞれに対応する椎骨の突起が融合して生じたものである．正中には正中仙骨稜（**6**）があり，これは棘突起が互いに融合してつくられる．その外側で，後仙骨孔（**7**）の内側には中間仙骨稜（**8**）がみられ，この完成度はごく弱いのが普通である．この中間仙骨稜は椎骨の関節突起の遺残が融合してできたものである．後仙骨孔の外側には外側仙骨稜（**9**）がみられ，これは痕跡的な横突起の名残りである．

中間仙骨稜の上方への延長線の上端に，上関節突起（**10**）がみられ，最後の腰椎と関節をつくって結合している．前仙骨孔の場合と同様に，8個の後仙骨孔もほかの脊椎にみられる椎間孔と同等のものではない．これら後仙骨孔は椎骨，肋骨ないし肋骨原基および肋横突靱帯が一緒になってつくられた孔である．これらの孔を通って脊髄神経の後枝が出てくる．

正中仙骨稜は脊柱管の下端の開口である仙骨裂孔（**11**）の上方で終わる．この裂孔はほぼ第4仙椎の高さにあり，外側は両側の仙骨角（**12**）によって境されている．

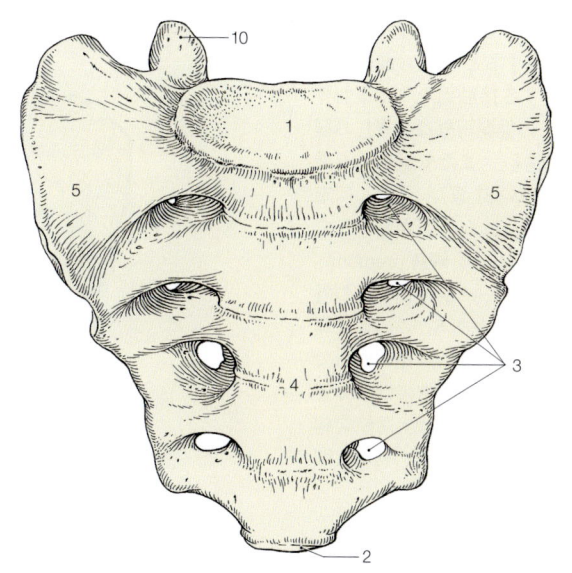

A 前方からみた仙骨

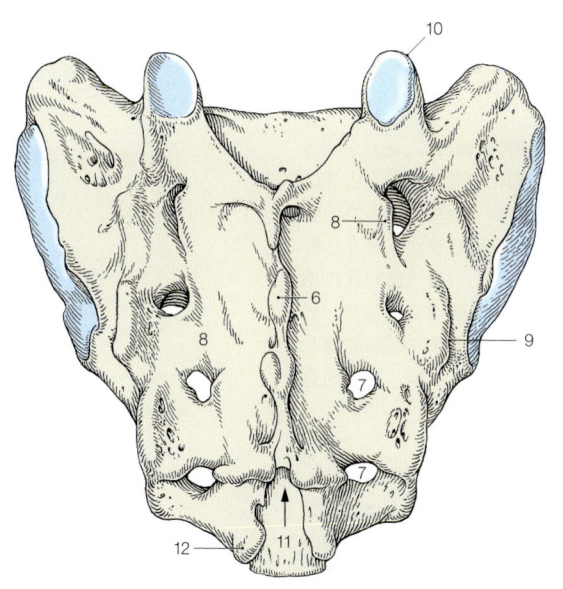

B 後方からみた仙骨

臨床関連：注射針を仙骨裂孔へ刺入することは，局所麻酔で重要な手技（仙骨穿刺）である．これによって心臓や呼吸器に負担をかけずに骨盤部，特に下肢が麻酔できる．この際，針が第3仙椎に達することによって傾斜してしまうことに注意！

---

1 仙骨底 base of sacrum　**2** 仙骨尖 apex of sacrum　**3** 前仙骨孔 anterior sacral foramina　**4** 横線 transverse ridges of sacrum　**5** 外側部 lateral part　**6** 正中仙骨稜 median sacral crest　**7** 後仙骨孔 posterior sacral foramina　**8** 中間仙骨稜 intermediate sacral crest　**9** 外側仙骨稜 lateral sacral crest　**10** 上関節突起 superior articular process of sacrum　**11** 仙骨裂孔 sacral hiatus　**12** 仙骨角 sacral cornu

仙骨（続き）(A～D)

　仙骨を上から観察すると (**A**)，最後の腰椎の椎間円板に対する接触面をつくる仙骨底 (**1**) がみえる．この椎間円板は全脊柱の経過中で最も前方に達し，また骨盤内へも最も深く入り込んでおり (31頁)，しばしば定義に従って岬角といわれる．しかし今日では仙骨底の最も突出した点も**岬角** promontorium と呼ぶことになっている．仙骨底の外側には両側に仙骨翼 (**2**) がある．この仙骨翼は外側部の上面に相当し，肋骨遺残からできたものである．仙骨底の後方には仙骨管への入口があり，その外側には上関節突起 (**3**) が左右にみられ，これは最後の腰椎と関節結合するのに役立っている．

　仙骨を側方からみると (**B**)，耳状面 (**4**) がみえ，この面は寛骨と関節結合するのに有用である．この耳状面の後ろには仙骨粗面 (**5**) があり，靱帯が起始する粗い面として役立っている．

　仙骨の内部には**仙骨管** sacral canal が通っているが，仙骨の形に応じて彎曲と広さは均一ではない．ほぼ第3仙椎の高さで仙骨管は狭くなっている．仙骨管から側方へ管が開いているが，これらの管は椎間孔に相当するもので上および下椎切痕が融合してつくられたものである．これらの短い管はそれぞれ前後面へ向きを変えて前・後の仙骨孔となる (23頁)．

　性差：男性では (**D**) 仙骨は比較的長く，そのうえその彎曲は幾分強い．女性では (**C**) 仙骨は比較的短いが，その幅は広く，彎曲も弱い．附言すると，男性の場合，関節面は女性に比べて，より明瞭に突出している．

> **臨床関連**：岬角はSchmorl-Junghausによると，健常人で120～135°である．(第4腰椎の下縁と仙骨の上縁を通る) 接線上では最も前方の点である．

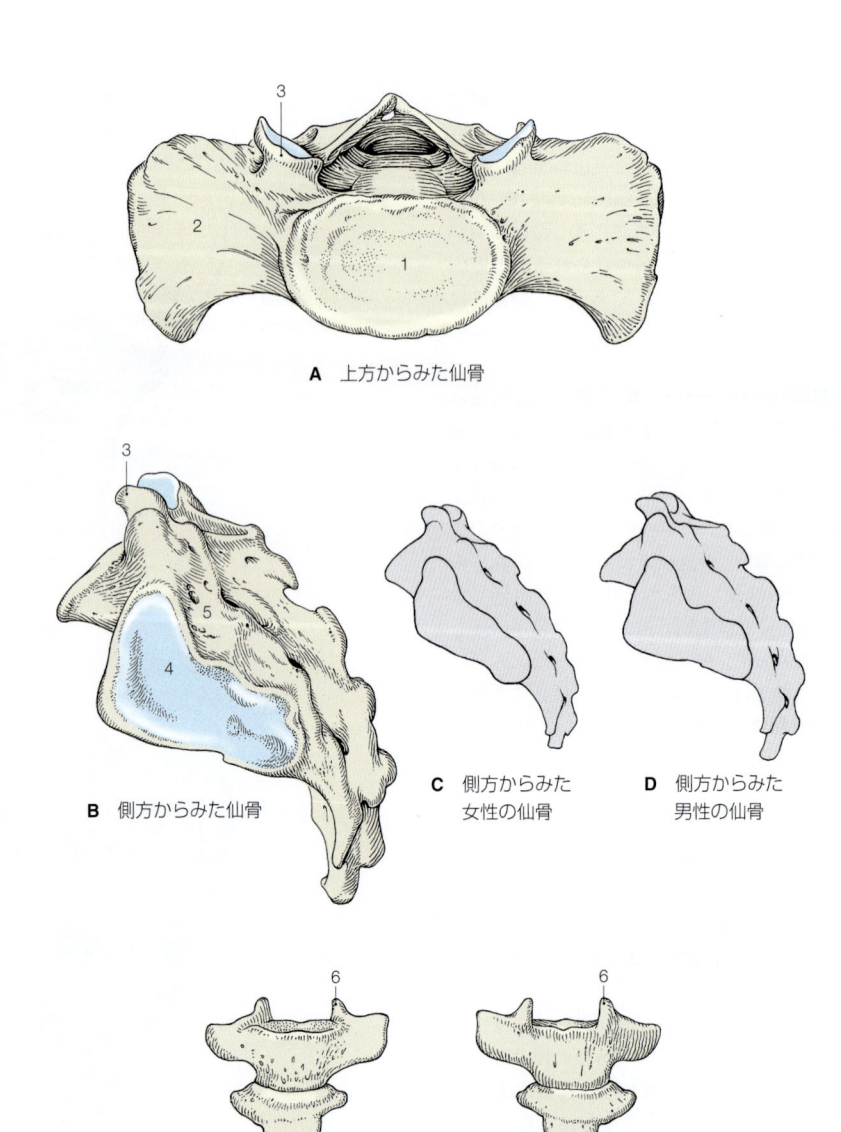

A 上方からみた仙骨

B 側方からみた仙骨

C 側方からみた女性の仙骨

D 側方からみた男性の仙骨

E 前方からみた尾骨

F 後方からみた尾骨

尾骨 (E, F)

　多くは3～4個の尾椎からなる**尾骨** coccygis は一般には痕跡的に存在するにすぎない．尾骨の仙骨に向かう面には尾骨角 (**6**) がみられ，これは第1尾椎の関節突起の完全に退化したもので，わずかに丸まった小さな骨からなり立っているだけである．

　尾椎は上から下へいくにつれて小さくなる．第1尾椎のみはまだ典型的な椎骨と似た構造をしている．この第1尾椎は側方へ伸びる突起をもっていることがあるが，これは横突起の遺残なのである．

---

1 仙骨底 base of sacrum　**2** 仙骨翼 ala of sacrum　**3** 上関節突起 superior articular process of sacrum　**4** 耳状面 auricular surface　**5** 仙骨粗面 sacral tuberosity　**6** 尾骨角 coccygeal cornu

仙骨領域の変異（A～D）

脊柱は通常 24 個の仙骨前椎骨 presacral vertebrae を有しており，残りの椎骨は互いに融合している 5 個の仙椎と 3～4 個の尾椎に分けられる．ヒトのほぼ 1/3 では仙椎がもう 1 個増加しており，したがって仙骨は 6 個の椎骨から構成されている．一方では 1 個の腰椎が仙骨に引き込まれていることがあり（A），また他方では第 1 尾椎が仙骨と融合することもある（B）．

最後の腰椎が仙骨と骨性に結合しているときは，腰椎の**仙椎化** sacralization といわれる．同じように尾骨または尾椎の仙椎化も認められる．ところで腰椎または尾椎が仙骨と融合している場合には，両側に 5 個の仙骨孔が現れ，仙骨はそのため正常時よりも作りが大きくなる．

最後の腰椎の融合は一側のみに起こることもあり，これを**腰仙移行椎** lumbosacral transitional or neutral vertebra といい，事情によっては脊柱の側彎形成 scoliosis formation（31 頁）の誘因となることがある．しかしこの腰仙移行椎は第 1 仙椎の**腰椎化** lumbarization の場合にも現れる．このときは後面で第 1 仙椎とほかの仙椎との不完全な融合が起こり，外側部すなわち肋骨の遺残からできた領域にみられる骨性の結合は起こってこない．

注意すべきことは，仙椎の腰椎化の際にも，仙骨に 5 個の椎骨が認められることがあるが，そのときは第 1 尾椎が仙骨と融合しているのである．仙骨をつくる椎骨の増加，すなわち腰椎または尾椎の仙椎化は，女性よりも男性によりしばしば観察される．

そのほかの変異としては，仙骨にかなりの頻度で（Hintze によれば 15 歳では 44 %，50 歳では 10 %），正中仙骨稜の形成不全が認められる．したがって仙骨管の後壁にはすき間ができる（C）．このほか第 1 仙椎が棘突起のところで，残りの仙椎の棘突起と不完全に融合していることがあり，そのため第 1 仙椎にあたるところには椎弓が認められ，正中仙骨稜は第 2 仙椎から始まっている．最後に椎弓の全領域にわたって融合が起こらないこともあり，したがってその場合は仙骨管の骨性の後壁は全くみられない．この奇形は**二分脊椎**または**椎弓破裂** spina bifida（D）といわれる．

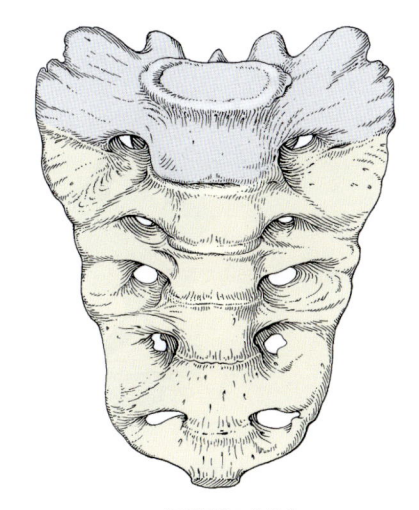

A 第 5 腰椎の仙椎化 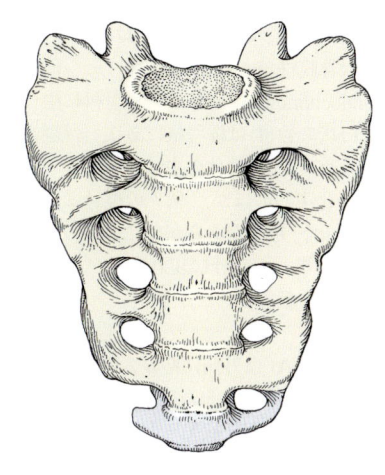　　**B** 第 1 尾骨の仙椎化

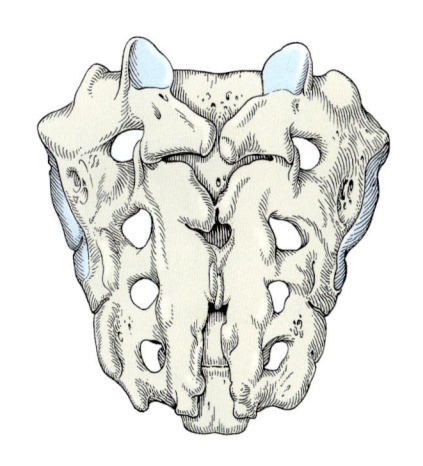

C 不完全な正中仙骨稜 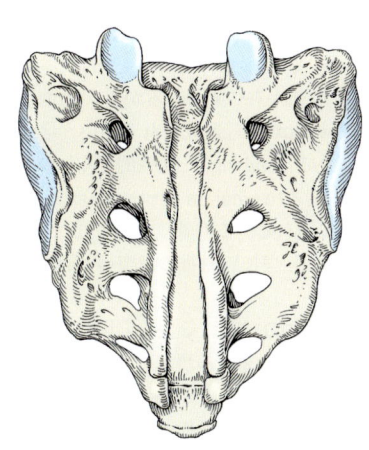　　**D** 二分脊椎

臨床関連：しかし，脊髄が完全な状態で皮膚にも異常がない場合は，"**潜在性**" **二分脊椎** spina bifida "occulta" といわれる．これは男性で約 2 %，女性で 0.3 %において認められるが，通常は臨床的な意義のないものである．

椎骨の発生（A～I）

基本的にはすべての椎骨は3個の骨原基をもっている．これらのうち2つは軟骨外（すなわち軟骨膜性）perichondralに，一つは軟骨内endochondralに生じる．軟骨外に生じるそで口状の骨（**1**）は椎弓根にあり，骨核（または骨化点）（**2**）は椎体の中にみられる．これらの骨化中心のほか，個々の椎骨には二次性骨端［骨］原基があるが，これらの骨原基は椎体の覆いの部分に現れたり，横突起あるいは棘突起に現れたりする．

環椎 atlas（**A**）は外側にある2つの骨原基（**1**）から発生するが，その際，確かに1歳で前弓に固有の骨核がもう一つ現れることがあり，この骨核は5～9歳で両側の骨原基と融合する．環椎と軸椎では横突起に痕跡的な肋骨原基（**3**）がある．

軸椎 axis（**B, C**）では，3個の骨原基と二次性骨端のほか，さらになお骨核が出現する．歯突起（**4**）は従来の見解によれば，環椎椎体の骨原基からつくられるが，いわゆる歯突起そのものから形成されるという違った見解もある（Ludwig）．比較的遅く一つの骨核（終末小骨 ossiculum terminale）が歯突起尖（**5**）に現れる．この骨核は前環椎 proatlasの椎体に相当し，軸椎の歯突起と癒合する．

残りの頸椎（**D**）では，3個の定形的な骨原基が胎生2ヵ月の末ごろ現れてくる．横突起の中には肋骨原基（Parietalspangen ともいわれる）から発生する骨原基（**6**）がつくられてくる．これらの骨原基からは前結節と後結節の一部がつくられる．骨弓（椎弓）の癒合は1歳までに起こる．椎体と椎弓の融合は3～6歳の間で起こる．二次性骨端原基は12～14歳で横突起と棘突起の末端に現れ，20歳で両突起と融合する．椎体骨端，すなわち上下の軟骨板は8歳から輪状に骨化が始まり（骨縁堤，骨端輪），これらは18歳以降に椎体と融合する．

胸椎領域（**E**）ではまず第1に上部胸椎の椎弓根 pedicleに骨原基（**1**）が現れる．椎体に生じる軟骨内骨核（**2**）は胎生10週にまず最初は下部胸椎に現れる．両側の骨性の椎弓の癒合は1歳で起こり，椎弓と椎体との融合は3～6歳で起こる．椎体骨端は輪状に骨化していく．

腰椎 lumbar vertebrae（**F, G, K**）も3個の骨原基から発生する．その際，椎体の骨核（**2**）はまず上部腰椎に現れ（下部胸椎の椎体とほぼ同じころに），椎弓の骨原基（**1**）は少し遅くつくられる．また，肋骨突起（**7**）は肋骨原基から生じるため，腰椎はいずれも5個の骨原基から生じることになる．

二次性骨端に属するものには，棘突起の骨原基のほか，椎体の上面にも下面にもみられる輪状に骨化する骨端すなわち骨端輪（**8**）もこれに属する．

仙骨 sacrum（**H, I**）は仙骨以外の椎骨と同じように，仙骨のそれぞれの分節から発生する（3個の骨原基から）が，そのほか左右の外側部のところでは一つずつの肋骨原基（**9**）から発生する．したがって仙骨の各分節は5個の骨原基をもつことになる．横線のところでは，これに加えて骨縁堤が椎間円板と骨性融合を起こす．この部の骨化は15, 16歳に始まる．肋骨遺残からできる骨核は胎齢5～7ヵ月で現れる．これらの骨核は2～5歳の間にほかの骨核と融合する．仙椎相互の融合は25～35歳までに下から上へ向かって進行する．

尾椎 coccyxは，1歳を過ぎて現れる骨核からできてくるが，これらの骨核は20～30歳の間に互いに融合する．

A 環椎
B 上方からみた軸椎
C 前方からみた軸椎
D 頸椎
E 胸椎
F 上方からみた腰椎
G 前方からみた腰椎
H 上方からみた仙骨
I 前方からみた仙骨
K 腰椎

---

1 椎弓の骨原基＝そで口状の骨 cuff of perichondral ossification in the neural arch　**2** 椎体の骨核（骨化点）ossification center in the centrum　**3** 肋骨原基 costal element　**4** 歯突起 dens　**5** 歯突起尖 apex of dens　**6** 肋骨原基（横突起の腹側部をつくる）　**7** 肋骨突起 costal process　**8** 骨端輪 epiphysial ring, annular epiphysis　**9** 肋骨原基

椎間円板（A〜D）

椎間円板 intervertebral disc は外周をとりまく丈夫な線維輪（**1**）と軟らかい膠様の核すなわち髄核（**2**）とからなっている．この髄核は脊索 notochord の遺残を含んでいる．線維輪は同心円状に配列した膠原線維と線維軟骨とからできており，髄核はこれによって緊張した状態を保持している．椎間円板は個々の椎体の間に介在しており，その形は矢状方向では円錐状である．頸部と腰部では椎間円板は前方では高く，後方では低くなっている．胸部では逆で，椎間円板は前方で低く，後方で高い．原則的には椎間円板の厚さは頭方から尾方へ向かって増加する．

椎体骨端に由来する硝子軟骨質の軟骨板（**3**）は機能的には椎間円板に組み込まれる．この椎間円板と軟骨板の機能的構成単位は運動分節（31頁）の重要な構成成分である．椎間円板はさらに縦靱帯（**4**）によって確実にその本来の位置に保たれている．その際，後縦靱帯 posterior longitudinal ligament は，円板と広い面で癒着しているが（28頁），前縦靱帯 anterior longitudinal ligament は椎間円板とはごくゆるく結合しているにすぎない．

椎間結合 intervertebral joint として，一つの椎間円板は隣接する2つの椎体を連結している．この連結はさらに前後の縦靱帯によって強化されている．

機能：椎間円板は圧を弾力的に受けとめるクッションとして働く．そのさい髄核が圧をうまく分配する．椎間円板は負荷がかかると圧平される．長い間負荷がかからないと，円板は再びもとの形をとるようになる．脊柱自身の運動によって（**C, D**）弾性要素としての椎間円板は，片側で圧縮されたり伸展されたりする．

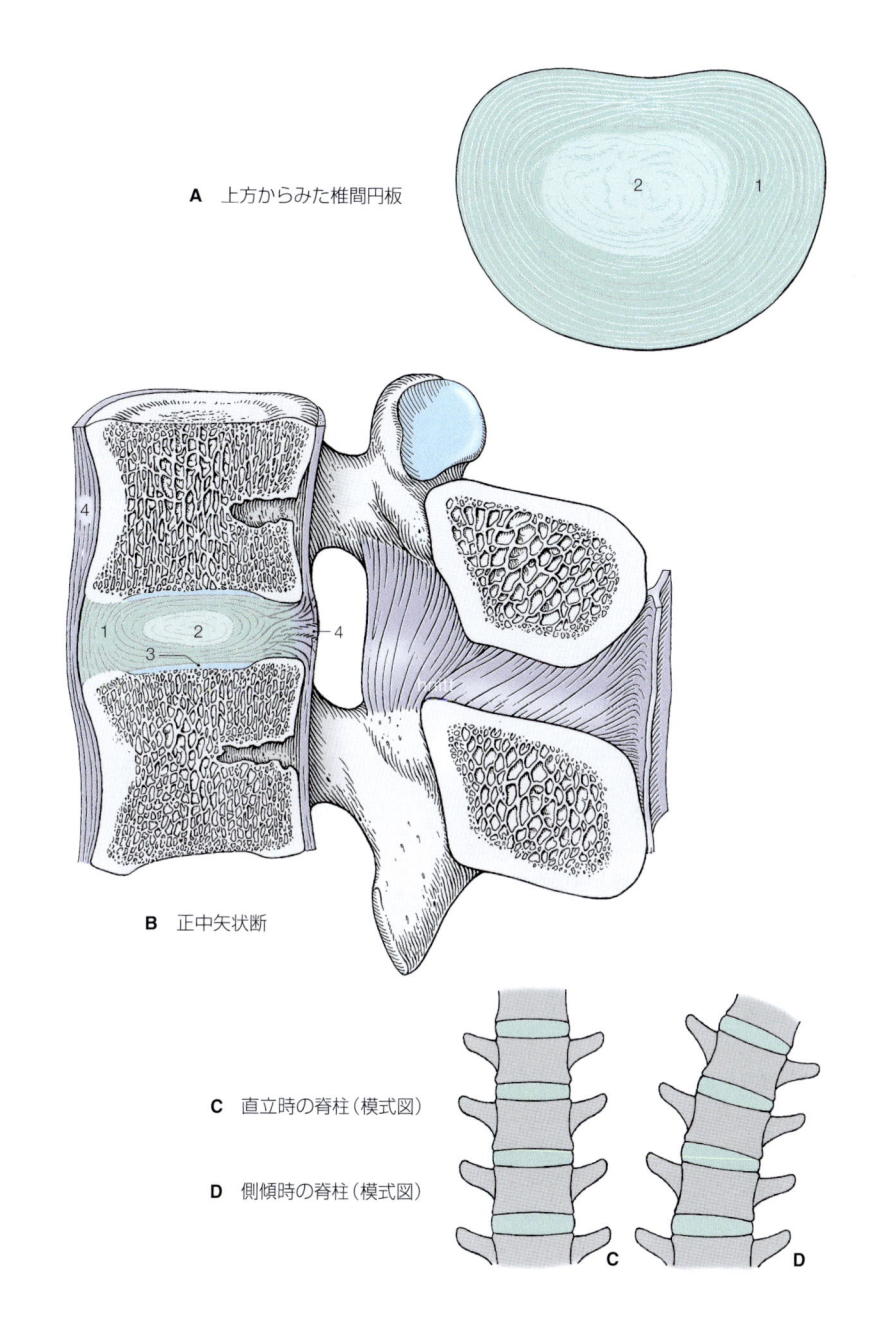

A 上方からみた椎間円板

B 正中矢状断

C 直立時の脊柱（模式図）

D 側傾時の脊柱（模式図）

臨床関連：老人では髄核が膨圧の減少によって萎縮することがある．そのため線維輪は張りを失って，容易に裂け目ができる．もともとどんな裂け目でも髄核の領域に始まるが（Schlüter），そのさい放射状に走る裂け目（若年者でも過剰な負担によって起こる）は同心円状に走る割れ目とは区別されなければならない．後者は変性過程と関連がある．最終的には椎間円板の部分の位置のずれ（突出）が起こることになる．硝子軟骨板（**3**）を損傷したあと，隣接する椎体の中へ突出または侵入している場合は，"シュモルの結節" Schmorl's node といわれ，X線写真によってよく観察することができる．**髄核ヘルニア** herniation of nucleus pulposus（椎間円板ヘルニア herniation of the disc）は，ゼリー状の髄核が線維輪の損傷により背外側へ向かい脊柱管の中へ押し出されるときに起こってくる．これによって脊髄ならびに一部の脊髄神経根または脊髄神経が傷害を受ける．

髄核ヘルニアは第3と第4腰椎の間，および第4と第5腰椎の間で最もしばしば起こる．そのほか髄核ヘルニアは下位の頸椎，すなわち第5と第6および第6と第7頸椎の間の両椎間円板のところでもよく起こる．**椎間円板脱出** prolapse of the disc（髄核脱出）は，線維輪の完全な断裂で起こったヘルニアがもとになる．最後に，線維輪の緊張の減弱によっても髄核の弾性は失われる．そのあと引き続いて骨芽細胞が入り込み，椎間円板のところで骨化が起こることがある．

---

1 線維輪 fibrous ring　**2** 髄核 nucleus pulposus　**3**（硝子軟骨性の）軟骨板 cartilage layer　**4** 縦靱帯 longitudinal ligaments

脊柱の靱帯（A～D）

前および後縦靱帯 anterior & posterior longitudinal ligaments

これらの縦靱帯は椎体の前および後ろを走る．

前縦靱帯（**1**）は環椎の前結節に始まり（しばしば間違って，後頭骨の基底部からとされることがある），椎体の前面を下方へ向かい，仙骨にまで達する．この靱帯は下方へ行くほど幅広くなり，**椎体と強固に結合している**．しかし椎間円板とはこのような結合はみられない．

後縦靱帯（**2**）は浅層と深層とからなり，椎体の後面に沿って走る．浅層は蓋膜（30頁）の続きとして軸椎の椎体から起こり，第3または第4腰椎の椎間円板にまで達している（Prestar & Putz）．深層は環椎十字靱帯の続きとして現れ，仙骨管の中にまで達している．浅層は頸部では幅広いが，胸部および腰部では狭くなり，第3または第4腰椎の下方で深層に融合する．深層は頸部では非常に薄いが，胸部と腰部では椎間円板（**4**）の上で菱形の広がり（**3**）をつくり，椎体上面の骨端輪につく．したがって，この部では後縦靱帯の深層は**椎間円板と強固な結合**をしており，これによって椎間円板は十分に保護されることになる．椎体と後縦靱帯深層との間には椎体から出てくる静脈のための裂隙がある．

縦靱帯は脊柱の強度を高めるが，殊に前方と後方へ傾斜するときにこの働きは強化される．したがってこの縦靱帯は2つの機能をもつことになる．つまり一方では脊柱の運動を抑制し，他方では椎間円板を保護する．

黄色靱帯（**5**）は椎弓（**6**）間に分節状に張っている．これらの靱帯は椎間孔の背側と内側の境界をつくる．この靱帯が黄色を呈するのは靱帯の大部分をつくっている弾性線維のせいである．静止時でもこの靱帯は緊張しており，屈曲時にはさらに強く伸展され，脊柱の**直立に際して協力的に働く**．

項靱帯 nuchal ligament（図には示されていない）は外後頭隆起から第7頸椎の棘突起にまで伸びている．この靱帯は矢状面に定位していて筋の付着に役立ち，棘間靱帯 interspinal ligamentsおよび棘上靱帯 supraspinal ligamentsに続いている．

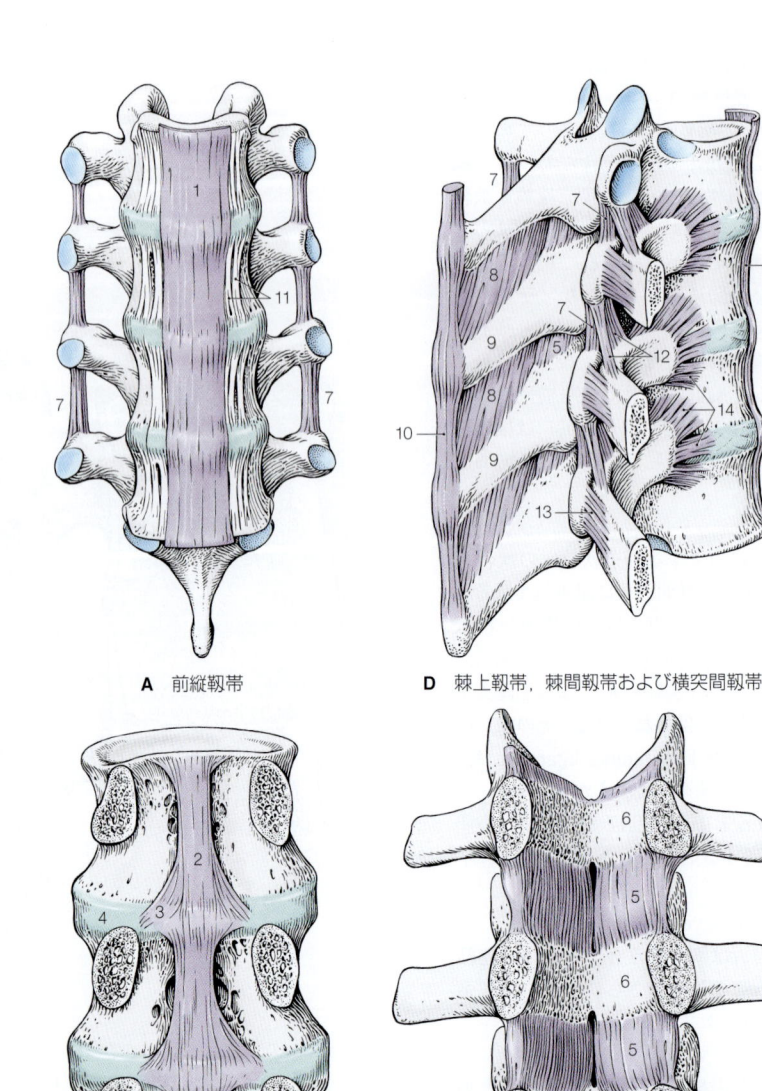

A 前縦靱帯

B 後縦靱帯

C 黄色靱帯

D 棘上靱帯，棘間靱帯および横突間靱帯

横突間靱帯（**7**）は横突起の間にみられる短い靱帯である．

棘間靱帯（**8**）も同様に短い靱帯で，棘突起（**9**）相互間に張っているものである．

棘上靱帯（**10**）は第7頸椎の棘突起に始まり，下方へ向かい仙骨まで伸びている．この靱帯はしたがって，椎骨と仙骨の間を連続的に結合していることになる．

前縦靱帯の側方には，特に腰部と胸部で長・短の椎体周囲靱帯 perivertebral ligamentsが認められる．前縦靱帯と平行して走る短椎体周囲靱帯（**11**）は隣り合った椎間円板を結びつけ，長椎体周囲靱帯は椎間円板を一つとび越していることがある．

---

1 前縦靱帯 anterior longitudinal ligament **2** 後縦靱帯 posterior longitudinal ligament **3**（後縦靱帯の深層がつくる）菱形の結合組織板 rhomboid plate of connective tissue **4** 椎間円板 intervertebral discs **5** 黄色靱帯 yellow ligament **6** 椎弓 vertebral arch **7** 横突間靱帯 intertransversal ligament **8** 棘間靱帯 interspinous ligaments **9** 棘突起 spinous process, spine **10** 棘上靱帯 supraspinous ligament **11** 短椎体周囲靱帯 short periverbetral ligaments **12** 上肋横突靱帯 superior costotransverse ligament（34頁） **13** 外側肋横突靱帯 lateral costotransverse ligament（34頁） **14** 放線状肋骨頭靱帯 radiate ligament of head of rib（34頁）

脊柱の関節（A〜E）

椎間関節（A，B）

椎間関節 zygapophysial joint は椎骨の関節突起 articular process の間の関節である．この関節は臨床的には椎弓関節（**A**）とか"小椎骨関節"ともいわれる．関節包 articular capsule は上から下へいくにつれて次第に強靱になる．頸部では関節包は広く，関節半月様の介在物がつくられるほど弛緩している．この半月様ヒダ形成，すなわち滑膜ヒダ synovial folds（**B**）によって椎間関節の運動性は増大する．確かに2つの椎骨の間での運動は比較的わずかであっても，すべての運動部分（椎骨と椎間円板）が総和されると，初めて相当の運動を行えることになる．**頸部の脊柱**では側方運動，前方および後方傾斜，およびわずかではあるが回旋が可能である．**胸部の脊柱**では主に回旋であって，わずかに屈曲と伸展が可能である．**腰部の脊柱**では主に屈曲と伸展が行われる．またわずかながら回旋も可能である．

脊柱の個々の部分での運動の相違は，椎間関節の関節面の向きにかかっている．頸椎ではこの関節面はほぼ前頭面に位置している．ただし，第3頸椎の関節面は異質の態度を示し（18頁B），互いの関節面の角度は142°に納まっている（Putz）．胸椎では関節面は円筒ジャケットの斜断面の形をとり，腰椎のところでは関節面はむしろ矢状面と平行するようになる．ともかく，腰椎での関節面の向きには幅広い変異が認められる（Putz）．

"鉤椎関節"（C〜E）

この"鉤椎関節" uncovertebral joints（一名 Luschka の関節ともいう）は**頸部の脊柱**でみられる．もとはゆるやかな傾斜面であった鉤状突起（椎体鉤）uncinate process（vertebral uncus）は幼児期に直立し始める．およそ5〜10歳の間に軟骨*に割れ目ができて，関節様の性格をもつようになる（**C，D**）．"鉤椎関節"はしたがってもともと存在するものではなく，**二次的に初めて出現するもの**である．だいたい9〜10歳の子供では，この軟骨*の割れ目が椎間円板内部の亀裂の形をとって進行していく．最初この亀裂は機能上で有利さをもたらすが，成人してくると後に椎間円板の完全な断裂をきたすことがある（**E**）．もし椎間円板が完全に断裂していると，**髄核ヘルニア**を起こす危険性がある（27頁）．"鉤椎関節"は最初の段階では生理的なものであるとしても，後に椎間円板の断裂に

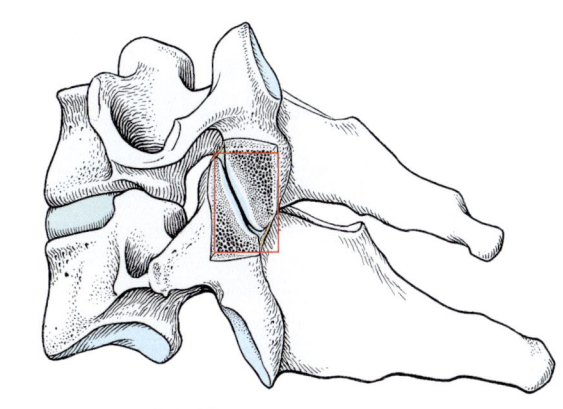

A 椎間関節（矢状断）

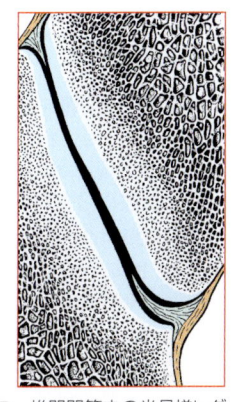

B 椎間関節内の半月様ヒダ（拡大したところ）

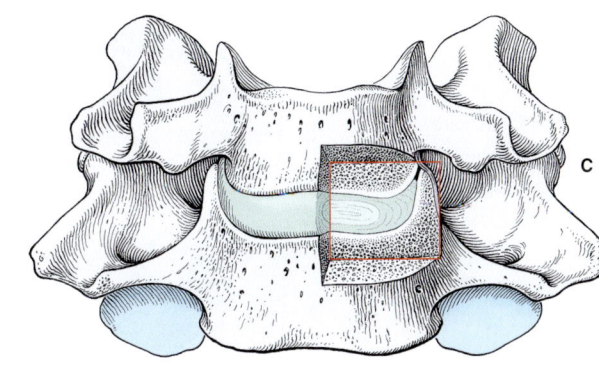

C 第6と第7頸椎の間の鉤椎関節（前頭断）

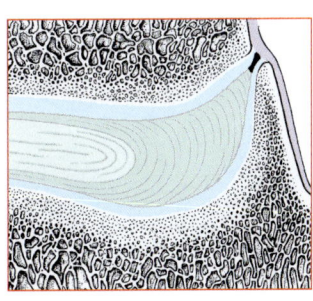

D 鉤椎関節（拡大したところ）

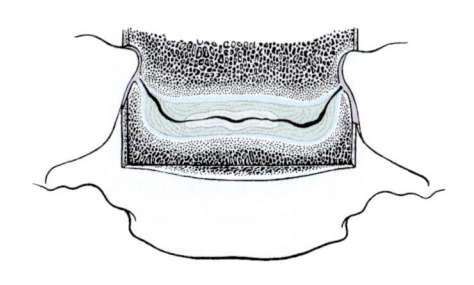

E 頸部脊柱領域の前頭断，椎間円板が断裂している

よって病的な形態への変化が引き起こされてくるのである．

臨床関連：臨床的に，外傷で起こった変化または病的変化と"鉤椎関節"との鑑別診断が問題となる．椎間円板の傷害は最も高頻度に第3および第5頸椎のところで起こり，X線撮影の側面像でいわゆる**"前彎屈折"** Lordosenknick として認めることができる．

腰仙関節 lumbosacral joint

腰仙関節は最後の腰椎と仙骨との間の可動性の関節である．仙骨の上関節突起にみられる関節面の定位はいろいろである．60％のヒトでは，左右の非対称性が確認されている．腸腰靱帯（92頁）は第4および5腰椎の肋骨突起と腸骨稜とを結合しており，腰仙関節の屈曲および回転が過度になるのを防いでいるのである（Niethard）．

仙尾連結 sacrococcygeal joint

仙骨と尾骨の間の結合に，しばしば真の関節がみられる．この関節は靱帯によって補強されている（浅および深後仙尾靱帯 superficial & deep dorsal sacrococcygeal ligaments，前仙尾靱帯 ventral sacrococcygeal ligament，外側仙尾靱帯 lateral sacrococcygeal ligament）．

*椎間円板の線維輪をつくっている線維軟骨のこと．

脊柱の関節（続き）

環椎後頭関節（A，D，E）

左右の**環椎後頭関節** atlanto-occipital joint（**A，D**）は環椎と後頭骨の間の連係しあった関節で、両側の関節は協同し、形の上では一種の楕円関節に相当する。関節面は一方は環椎の上関節面 superior articular surface of atlas で、他方は後頭骨の後頭顆（**1**）である。この関節の関節包はゆるい。可能な運動は側方傾斜ならびに前方および後方運動である。このいわゆる"**上頭関節**" superior head joint は靱帯で保護されているが、この点は"下頭関節"（環軸関節 atlanto-axial joints）と全く同様である。

環軸関節（B〜E）

この関節は"**下頭関節**" inferior head joint ともいわれ、**外側環軸関節** lateral atlanto-axial joint と**正中環軸関節** median atlanto-axial joint とからなっていて、これらの関節は強制的に互いに連係して働く。この関節は機能的には一つの車軸関節とみなされ、中間位から出発して左右側へおのおの約26°の回旋が可能である。関節面は外側環軸関節では環椎の下関節面（**2**）と軸椎の上関節突起（**3**）である。関節面は一方では軟骨の層と、他方では半月様の滑膜ヒダ（**4**）によって、不適合が起こらないようになっている。矢状断（**C**）ではこのヒダは三角形として現れる。正中環軸関節では関節面として一方は軸椎の歯突起の前関節面（**5**）と、他方は環椎前弓後面の歯突起窩（**6**）が区別される。しかしまだそのほかに、軸椎の歯突起の後ろを走る環椎横靱帯（**7**）のところには、歯突起に面してもう一つの関節面がある。この下頭関節は上頭関節と同じように靱帯で保護されている。

これら2種の頭関節の靱帯には次のようなものがある。**歯尖靱帯**（**8**）は歯突起尖から大（後頭）孔の前縁へ走っている。**環椎横靱帯**（**7**）は環椎の両側の外側塊を結ぶ。この靱帯は歯突起の後ろを走り、歯突起を固定する作用がある。この横靱帯を補強するのが縦束（**9**）であって、上行するものは大孔の前縁に達し、下行するものは第2頸椎の椎体の後面に至る。縦束と環椎横靱帯は合わせて環椎十字靱帯 cruciform ligament of atlas ともいわれる。

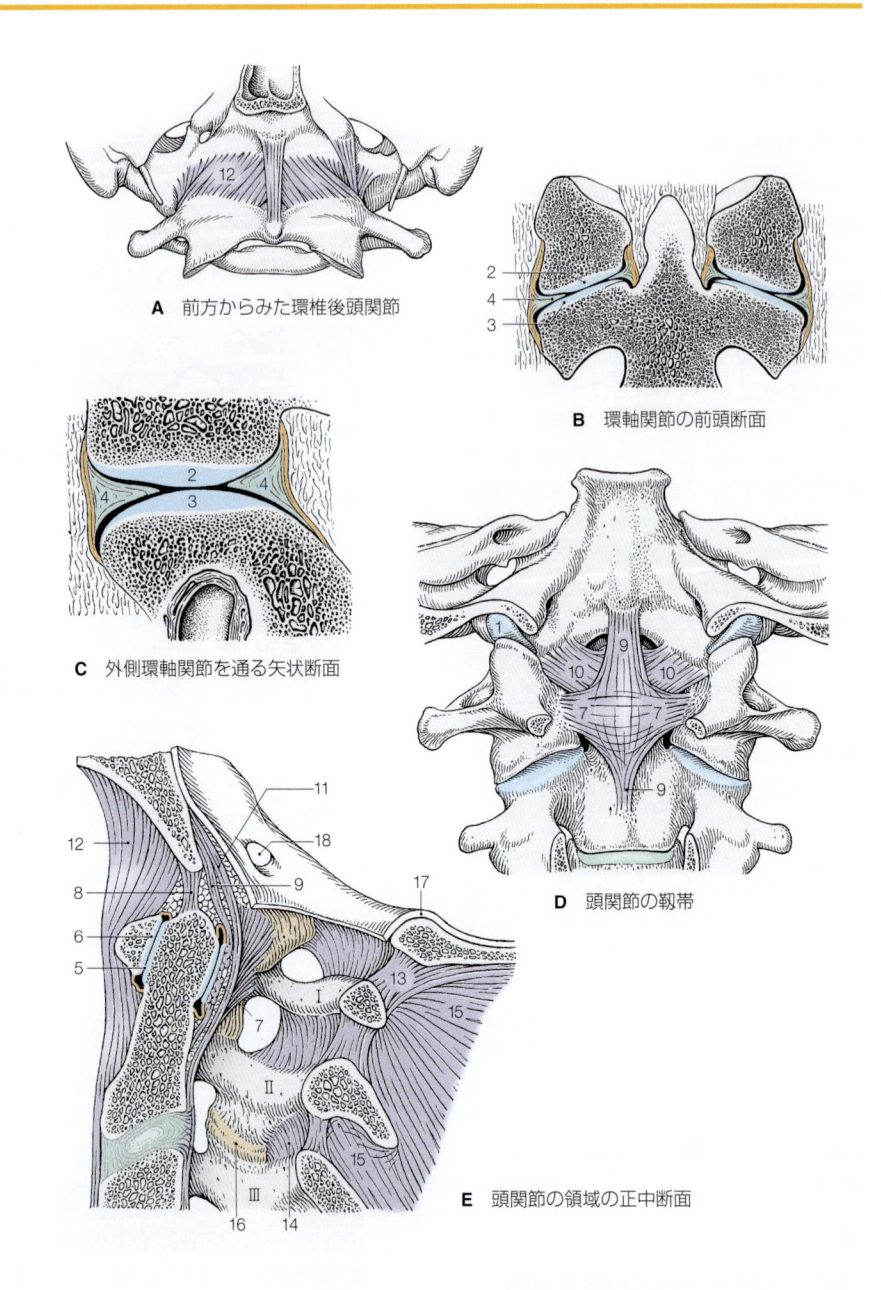

翼状靱帯 alar ligaments（**10**）は対をなす靱帯で、軸椎の歯突起から大孔の外側縁まで上行する。この靱帯は環椎と軸椎との間で過度の回旋運動が起こらないような役目をしているのである。**蓋膜**（**11**）は面状の靱帯であって、斜台 clivus に始まり、下行して後縦靱帯に続いている。

前および後環椎後頭膜（**12，13**）は面状の結合組織束であって、それぞれ環椎の前弓および後弓と後頭骨の間に張っている。

> **臨床関連**：頸椎損傷は神経症状を伴う脊椎損傷のほぼ55%を占める。この場合、環椎と軸椎の損傷と、第3〜第7頸椎のそれと、区別する必要がある。

A 前方からみた環椎後頭関節
B 環軸関節の前頭断面
C 外側環軸関節を通る矢状断面
D 頭関節の靱帯
E 頭関節の領域の正中断面

1（後頭骨の）後頭顆 occipital condyle　**2**（環椎の）下関節面 inferior articular surface of atlas　**3**（軸椎の）上関節突起 superior articular process of sacrum　**4** 滑膜ヒダ synovial fold　**5** 歯突起の前関節面 anterior articular surface of dens　**6** 歯突起窩 facet for dentis　**7** 環椎横靱帯 transverse ligament of atlas　**8** 歯尖靱帯 apical ligament of dens　**9** 縦束 longitudinal bands　**10** 翼状靱帯 alar ligaments　**11** 蓋膜 tectorial membrane　**12** 前環椎後頭膜 anterior atlanto-occipital membrane　**13** 後環椎後頭膜 posterior atlanto-occipital membrane　**14** 黄色靱帯 yellow ligament　**15** 項靱帯 nuchal ligament　**16** 椎間関節 zygapophysial joints　**17** 硬膜（切断縁）dura mater　**18** 舌下神経管 hypoglossal canal　Ⅰ〜Ⅲ；第1頸椎〜第3頸椎 cervical vertebrae Ⅰ〜 cervical vertebrae Ⅲ

脊柱全体の観察（A～H）

脊柱の彎曲

成人の脊柱は正中矢状面では，前方へ凸の2つの彎曲（**前彎** lordosis）と後方へ凸の2つの彎曲（**後彎** kyphosis）を示す．

頸部と腰部にはそれぞれ前彎（**1**）があり，胸部と仙骨部にはそれぞれ後彎（**2**）が認められる．第5腰椎と仙骨の間の椎間円板（の前端）は一般に岬角 promontorium（24頁）といわれている．

臨床関連：頸部の彎曲の程度は非常に多様である．20歳から30歳までは3型が区別される．"真性前彎"（**A**）はきわめてまれである．**前彎屈曲**（折り目のある前彎）Lordosenknick（29頁）ともいわれる重複前彎（**B**）は最もしばしば現れ，30歳代の成人では定型的なものとみなされている．前彎が全く認められないことがあり，これは"伸張型"（**C**）といわれる．Drexlerによれば真性前彎は女性ではきわめてまれであるが，重複前彎は男女ともほぼ同じ頻度でみられ，伸張型は男性では女性より少ない．

側方への彎曲は**側彎** scoliosis といわれる．軽度の側彎はX線像で非常にしばしば観察される．正中矢状面から右側への偏りが，左側への偏りよりもむしろよく認められる．最も高頻度にみられる病的形成不全として，高度の後彎（若年性後彎 adolescent kyphosis，老人性後彎 senile kyphosis）が現れる．

脊柱の彎曲は座ったり立ったりの負荷によって発現してくる．その負荷の程度は椎骨の骨化の進行度と関連しており，思春期後やっと最終的な形態（**D**）をとるようになる．重心線（**3**）は脊柱の部分によって，前を走ったり後ろを走ったりする．10ヵ月の幼児では（**E**）すでに彎曲は存在しているが，重心線はまだ脊柱の後ろにある．3ヵ月の乳児では（**F**）彎曲はごくわずかであるかないかの程度である．

成人の脊柱はバネの利いた竿に例えられ，その運動性は靱帯によって制限されている．年をとると脊柱はさらに変化し，老人では椎間円板の厚さの減少により，脊柱全体がむしろ一様に後彎してきて運動性は減少する．

脊柱の運動

前屈および後屈運動は主に頸部と腰部の脊柱で行われる．後屈運動は下部の頸椎の間，第11胸椎と第2腰椎の間および下部の腰椎の間で殊に強く起こる．これらの領域の特別な運動性のために，過度の負荷による脊柱の損傷や傷害が，上記の領域では他の部位よりもよりしばしば認められる．頸部（**G**）および腰部（**H**）の脊柱を前屈（青）または後屈（黄）する際には，椎間円板の変化も認められる．このとき椎間円板には殊のほか大きな負荷がかかる．側方への屈曲の範囲は，頸部および腰部脊柱ではほぼ同じ程度であるが，胸部ではもっとその範囲は広い．

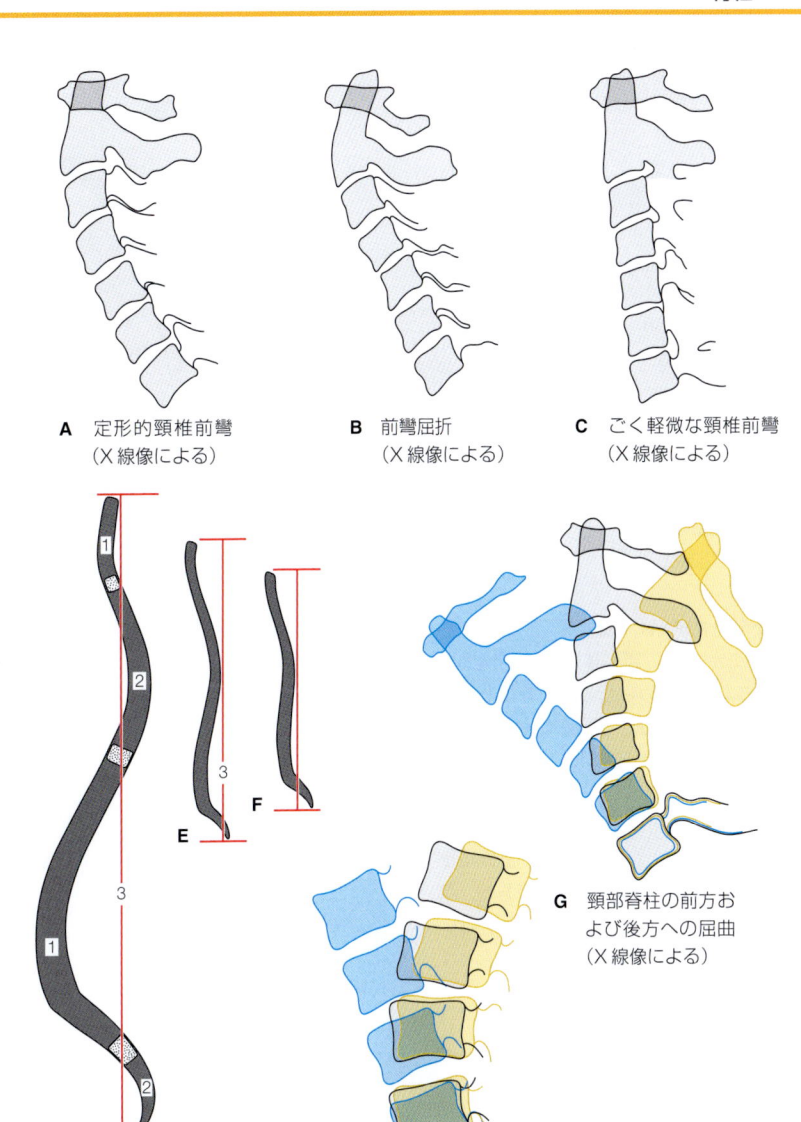

回旋運動は胸部および頸部脊柱で行うことができるが，"下頭関節"のところで特に顕著である．頭の回旋は常に"下頭関節"での運動および頸部脊柱の運動に伴い，またわずかではあるが胸部脊柱の運動に伴っても現れる．最近の研究（Putz）によれば，腰椎においても回旋運動は可能であり，2つの椎骨の間で3～7°の回旋運動がみられる．

脊柱の運動は"運動分節 movement segment"（Junghanns）に生じる．運動分節はそれ自身"運動帯 movement region"（Putz）に統合される．一つの運動分節の構成単位は2つの椎骨間の運動領域として導かれる．これには椎間円板とその上，下に付随している硝子軟骨板（27頁），椎骨の関節およびすべての空間をも含む靱帯が含まれる．

A 定型的頸椎前彎（X線像による）
B 前彎屈折（X線像による）
C ごく軽微な頸椎前彎（X線像による）

D～F 18歳の女性（**D**），10ヵ月の男児（**E**），3ヵ月の乳児（**F**）の脊柱彎曲の模式図（X線像による）

G 頸部脊柱の前方および後方への屈曲（X線像による）

H 腰部脊柱の前方および後方への屈曲（X線像による）

機能的な動作部位：
頭関節～第3頸椎
第3頸椎～第1胸椎
第1(2)胸椎～第11(12)胸椎
第11(12)胸椎～仙骨

臨床関連：可動制限またはブロックとも呼ぶが，特に第3頸椎（関節面の位置!!）に最も多く，下部胸椎がこれに次ぐ．強い疼痛（当該神経の刺激症状）を伴うブロックは筋の障害の合併を生ずることがあり，この場合，痛みは四肢へ放散する．この痛みは，用手的に（マッサージ等で）寛解することもある．治療がうまくいかないと，時間の経過とともに関節軟骨の非可逆的損傷につながることもある．

1 前彎 lordosis **2** 後彎 kyphosis **3** 重心線 line of the center of gravity

胸郭

肋骨（A～F）

　どの**肋骨** ribs にも骨性の部分である**肋硬骨**（狭義の肋骨）costal bone と，前端をつくる**肋軟骨** costal cartilage とが区別される．

　肋骨は12対で，そのうち原則として上部の7対は胸骨と直接結合しており，**真肋** true ribs といわれる．下部の5対の肋骨は**仮肋** false ribs であって，間接的に胸骨に接続する（第8～10肋骨）か，あるいは全くつながっていない（第11と第12肋骨）．第11と第12肋骨は**浮遊肋** floating ribs として，ほかの肋骨と対置することができる．

　肋硬骨を肋骨頭（**1**），肋骨頸（**2**）および肋骨体（**3**）に分ける．頸と体との境界は肋骨結節（**4**）によって決められる．肋骨頭と肋骨結節（肋骨結節関節面，**5**）には関節面が一つずつある．肋骨頭関節面（**6**）は，第2～10肋骨では肋骨頭稜（**7**）によって2つの部分に分けられる．大部分の肋骨の肋骨頭には，上縁に肋骨頸稜（**8**）がみられる．肋骨結節の前外側には肋骨角 angle of rib がある．第1，11および12肋骨は例外として，肋骨はいずれも下面に肋骨溝 costal groove をもっている．

　彎曲：稜彎曲，面彎曲およびネジレ（軸彎曲）が区別される．稜彎曲は第1肋骨での主な彎曲であって，容易にわかるけれども，面彎曲はさらによく観察しないと明らかにならない．この彎曲は第3肋骨以下にみられる．肋骨の前端近くの上面をみながら，これを後方へたどっていくと，この面が次第に背側に向かっていくのがわかる．この彎曲に加えてさらに肋骨の長軸のまわりの回転がある．この回転は中位の肋骨で最も強く，**ネジレ** torsion といわれる．このネジレは第1，2および12肋骨ではみられない．

　硝子軟骨性の肋軟骨は年をとってくると骨化し始めるが，女性よりも男性の方が高度に起こる．これによって胸郭の運動性は減弱してくる（35頁）．

個々の肋骨の特異性

　第1肋骨（A）は小さく，扁平である．上面の内周には粗面，すなわち前斜角筋結節（**9**）があり，ここに前斜角筋が付着している．この結節の後ろには鎖骨下動脈溝（**10**）が，前には鎖骨下静脈溝（**11**）があるが，これは必ずしもよくみられるとは限らない．

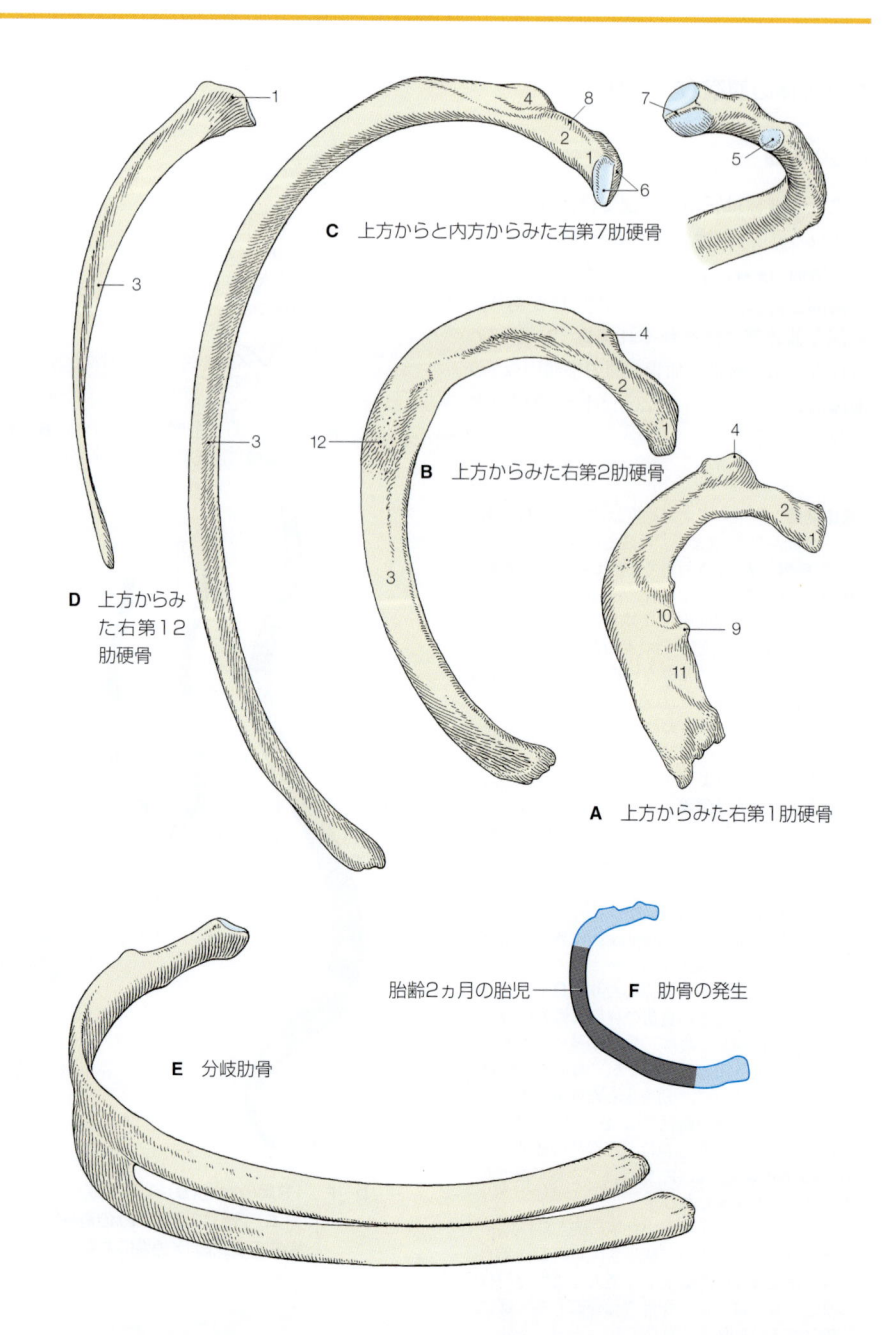

　第2肋骨（B）はその上面に粗面，すなわち前鋸筋粗面（**12**）があって，前鋸筋の一つの筋尖の起始として役立っている．

　第11および12肋骨（D）には肋骨結節と肋骨溝がない．肋骨角もあるかないかの程度である．

　全例の2/3では第10肋骨は自由端に終わる．すなわち，この肋骨は第9肋骨とは結合しないし，これを介して胸骨とも結合しない．通常，上位の7本の肋骨が胸骨と直接結合するが，ときには上位の8本が，またまれな場合には上位の6本の肋骨だけが直接結合していることがある．

　変異：肋骨の対の数は一定ではない．通常は12対であるが，ときには11対または13対のこともある．13対の肋骨がみられるときは，頸肋（18頁）または腰肋（21頁）を思い起こすべきである．
　発生不全として**有窓肋骨**または**分岐肋骨（E）**がつくられる．このような肋骨は第4肋骨に最もしばしば出現する．

発生（F）

　軟骨性の肋骨の原基は胎齢2ヵ月の末ごろに，背側から腹側へ向かって次第に骨化し始める．胎齢4ヵ月の終わりにはこの方向の骨化が止まり，腹側部は肋軟骨としてそのまま残ることになる．

A 上方からみた右第1肋硬骨
B 上方からみた右第2肋硬骨
C 上方からと内方からみた右第7肋硬骨
D 上方からみた右第12肋硬骨
E 分岐肋骨
F 肋骨の発生　　胎齢2ヵ月の胎児

---

1 肋骨頭 head of rib　**2** 肋骨頸 neck of rib　**3** 肋骨体 body of rib　**4** 肋骨結節 tubercle of rib　**5** 肋骨結節関節面 articular facet of tubercle of rib　**6** 肋骨頭関節面 articular facet of head of rib　**7** 肋骨頭稜 crista of head of rib　**8** 肋骨頸稜 crista of neck of rib　**9** 前斜角筋結節 tubercle of anterior scalene muscle　**10** 鎖骨下動脈溝 groove for subclavian artery　**11** 鎖骨下静脈溝 groove for subclavian vein　**12** 前鋸筋粗面 tuberosity for serratus anterior

胸骨（A〜F）

胸骨 sternum は胸骨柄（**1**），胸骨体（**2**）および剣状突起（**3**）とからなる．柄と体との間には後方へ開いた胸骨角（**4**）がある．剣状突起は成人するまで軟骨であって，老年になると完全に骨化するか，または一部のみ軟骨で止まっているかいずれかである．

胸骨柄の上端には頸切痕（**5**）があり，その両外側には鎖骨切痕（**6**）が認められる．鎖骨切痕は鎖骨との関節結合に役立っている．鎖骨切痕のやや下方の胸骨柄には，また対をなして第1肋骨と胸骨を軟骨性に連結するための第1肋骨切痕（**7**）がある．胸骨角には第2肋骨切痕（**8**）があり，胸骨肋骨間の関節結合に役立っている．

胸骨体の領域には両側に，第3〜7肋骨との結合のための肋骨切痕 costal notches がある．第7肋骨のための肋骨切痕はちょうど胸骨体から剣状突起へ移行するところにある．胸骨柄と胸骨体は多くの場合，胸骨柄結合 manubriosternal synchondrosis*（34頁）によって連結している．胸骨体と剣状突起の間の胸骨剣結合 xiphosternal synchondrosis はまれに認められる．

剣状突起はいろいろな形をしている．この突起は単一のものとしてみられたり，またはフォーク状に割れていたり，孔があいていたり，前または後ろへ弓なりになっていることがある．

性差：胸骨体は男性の方が女性よりも長い，長さが同じときは，男性の胸骨の方が女性のそれよりもしなやかで細い．

変異：ごくまれに胸上骨（**9**）が存在することがある．これら胸上骨は胸骨柄の上縁で，頸切痕のところにみられる．もう一つの変異は**先天性胸骨裂**（**10**）という胸骨内の孔であって，発生の過程で出現してくるものである．

発生（E, F）

胸骨は有対の胸骨堤から発生する．これは縦方向に生じる個々の肋骨原基の融合によってできてくる．両側の胸骨堤は引き続いて互いに融合する．頸切痕のところでは有対の胸上体がつくられるが，通常は退縮してしまう**．

軟骨性に前もって形成された胸骨の鋳型の中に，数個の骨核が現れて骨化が始まる．最初の骨核は通常胎齢3〜6ヵ月の間に胸骨柄に出現する．残る5〜7個の骨核は，多くは有対，一部は無対で続いて胸骨体に現れる．そのうち最も下方にある骨核は約1歳で出現する．これらの骨核の融合は6〜20（25）歳の間に起こる．二次骨端原基が頸切痕のところに現れることがあるが，それはようやく20歳代の終わりごろ，すなわち25〜30歳の間で胸骨柄（すでに骨化している）と一体となる．剣状突起には5〜10歳の間に1ないし2個の骨核が現れることがある．

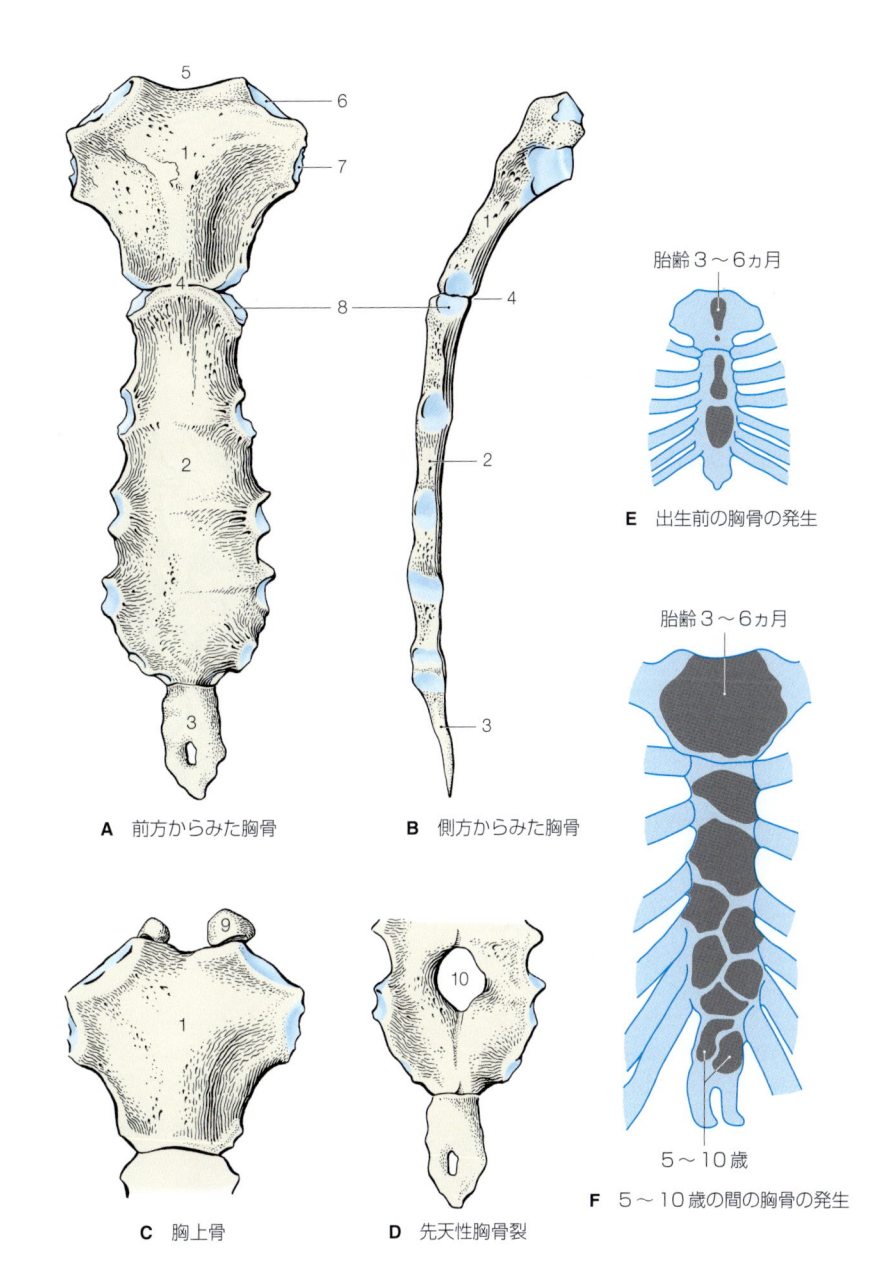

A 前方からみた胸骨
B 側方からみた胸骨
C 胸上骨
D 先天性胸骨裂
E 出生前の胸骨の発生 （胎齢3〜6ヵ月）
F 5〜10歳の間の胸骨の発生 （胎齢3〜6ヵ月／5〜10歳）

臨床関連：**胸骨穿刺**は胸骨体の正中線上で第2肋骨と第3肋骨の付着部の間で胸骨穿刺針を用いて行われる．骨髄は，骨膜下ほぼ2〜3mmの所にある肋骨－胸骨結合部には時として軟骨結合が存在する可能性があるから，結合部の高さでは決して穿刺してはならない．全く同様に，有対の骨原基によって生じる先天性胸骨裂（上記参照）が存在することもあるから，胸骨体の下2/3においても決して穿刺を行ってはいけない．

*この硝子軟骨結合はのちに線維軟骨結合に変わり manubriosternal symphysis となる．
**残れば胸上骨になる．

---

1 胸骨柄 manubrium of sternum　**2** 胸骨体 body of sternum　**3** 剣状突起 xiphoid process　**4** 胸骨角 sternal angle　**5** 頸切痕 jugular notch　**6** 鎖骨切痕 clavicular notch　**7** 第1肋骨切痕 costal notch for 1st rib　**8** 第2肋骨切痕 costal notch for 2nd rib　**9** 胸上骨 suprasternal bones (*Episternum*)　**10** 先天性胸骨裂 congenital sternoschisis

肋骨の関係する関節（A〜C）

肋骨が可動性であることは，呼吸の前提条件の一つである．肋骨の脊柱との連結（関節）と肋骨の胸骨との連結（関節と軟骨結合）とがある．

肋椎関節 costovertebral joints（A，B）

肋骨頭関節（1）．肋骨頭と脊柱との関節性の結合は，第1，11および12肋骨以外は2室性関節となっている．これは肋骨が隣り合った2つの椎骨の上および下縁と関節でもって結合しており，また椎体の間にある椎間円板が，関節内肋骨頭靱帯 intra-articular ligament of head of rib という靱帯を介して肋骨頭稜 crest of head of rib と結合しているためである．関節包を補強するため，表面には放線状肋骨頭靱帯（2）がある．

肋横突関節（3）．第11および12肋骨は例外であるが，ほかのすべての肋骨は横突起のところでもう一つ関節をつくって椎骨と結合している．したがってここに強制的に組み合わされた関節（肋骨頭関節と肋横突関節）が問題になってくる．肋横突関節の関節面は肋骨結節関節面 articular facet と横突肋骨窩 transverse costal facet である．この関節の関節包は柔弱で，多くの靱帯によって補強されている．靱帯には肋横突靱帯（4），外側肋横突靱帯（5）ならびに上肋横突靱帯（6）が認められる．

第12肋骨のところでは，これらの靱帯に加えて腰肋靱帯 lumbocostal ligament がある．この靱帯は第1腰椎の肋骨突起から第12肋骨へ走っている．

運動：第1肋骨および第6〜9肋骨にあっては，すべり運動が可能であるが，第2〜5肋骨では肋骨頸のまわりでの回旋運動が行われる．

胸肋関節 sternocostal joints（C）

肋骨－胸骨の結合では一部のみが関節になっている．通常は，胸骨と第2〜5肋骨の間には関節がみられる．軟骨結合（7）は第1，6および7肋骨と胸骨の間にみられる．胸肋関節は靱帯によって強化されているが，これらの靱帯は胸骨膜（8）へ続いている．靱帯であげなければならないのは関節内胸肋靱帯（9）で，この靱帯は第2胸肋関節では常に認められる．このほかの補強靱帯は放線状胸肋靱帯（10）である．

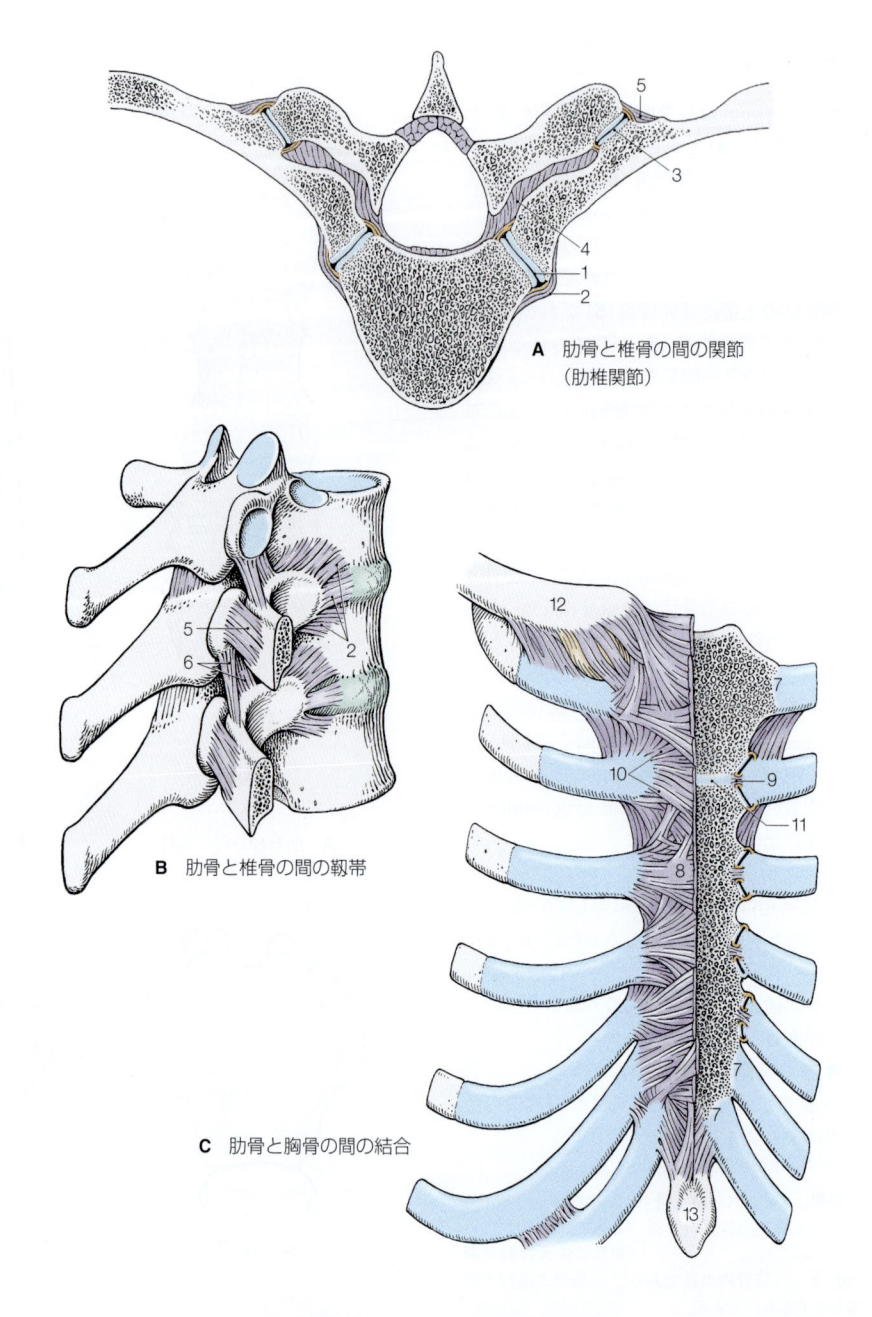

胸肋関節で思い起こすべきは，肋骨（32頁）は骨と軟骨からなっているということである．胸骨と肋骨間の関節は，胸骨と肋骨の軟骨部との間につくられているのである．この肋骨の軟骨部は早期に石灰沈着が起こって，その弾力性は制限されてくる．

軟骨間関節 interchondral joints は一つの特殊型であって，第6〜9肋骨の軟骨間にみられる．

A 肋骨と椎骨の間の関節（肋椎関節）

B 肋骨と椎骨の間の靱帯

C 肋骨と胸骨の間の結合

---

1 肋骨頭関節 joint of head of rib　2 放線状肋骨頭靱帯 radiate ligament of head of rib　3 肋横突関節 costotransverse joint　4 肋横突靱帯 costotransverse ligament　5 外側肋横突靱帯 lateral costotransverse ligament　6 上肋横突靱帯 superior costotransversal ligament　7 軟骨結合 synchondrosis　8 胸骨膜 sternal membrane　9 関節内胸肋靱帯 intraarticular sternocostal ligament　10 放線状胸肋靱帯 radiate sternocostal ligament　11 胸骨柄結合 manubriosternal symphysis　12 鎖骨 clavicle　13 剣状突起 xiphoid process

胸郭の範囲（境界）（A～D）

胸郭 thorax は椎間円板を伴う12個の胸椎，12対の肋骨および胸骨から構成されている．胸郭は**胸腔** thoracic cavity を取り囲んでおり，上下の開口をもち，それぞれ胸郭上口（**1**）および胸郭下口（**2**）と名づけられる．胸郭上口は比較的狭いが，胸郭下口は広く開いている．胸郭下口は肋骨弓（**3**）と胸骨の剣状突起（**4**）により，また胸郭上口は両側の第1肋骨によりそれぞれ境されている．左右の肋骨弓のなす角は胸骨下角（**5**）といわれる．

背部での肋骨のかなり強い彎曲と，胸椎の横突起と肋骨角との間での肋骨は後方へ向かう経過をとるため，胸郭壁の後部は背方へもり上がっている．これによって脊柱の外側後方に生じる腔は，胸郭の肺溝 pulmonary groove といわれる．

胸郭の運動（A～D）

胸郭は弾力性によって，もとに復元する性質がある．胸郭の運動は個々の運動の総和からなる．限界位または最大位として，一方では**最大呼息位**（**A, B**），他方では**最大吸息位**（**C, D**）がある．

吸息時には胸郭の前後および左右方向ともに拡大する．この拡大が可能であるのは，1. 肋椎関節の可動性，2. 肋軟骨の弾性（ねじ曲げられる）および 3. わずかながら胸椎の後彎が強化されることによる．

呼息の際には，肋骨の下垂が起こり，それによって前後および左右方向に胸郭の狭小が起こる．また胸椎の後彎が幾分減弱する．胸骨下角は吸息時には広くなり鈍角となるが，呼息時には鋭角に近くなる．

胸郭の運動性は肋軟骨における石灰沈着によって制限される．胸郭の形は呼吸量に対しては決定的なものではない．決定的なことは運動性，すなわち最大呼息位と最大吸息位との差だけである．軟骨だけでなく，関節に起こる障害も胸郭の総合機能低下の原因となりうる．

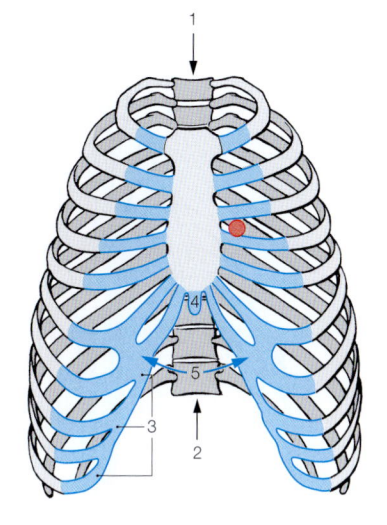

A 胸郭の呼息位（前方からみたところ）

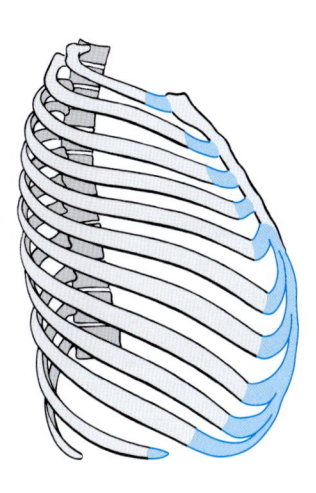

B 胸郭の呼息位（側方からみたところ）

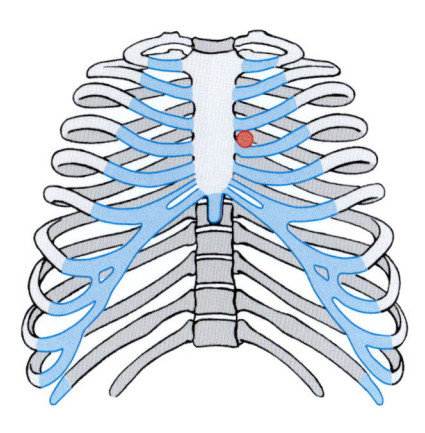

C 胸郭の吸息位（前方からみたところ）

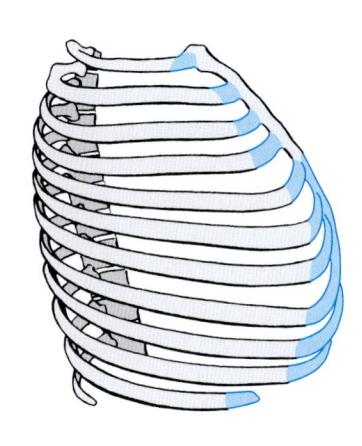

D 胸郭の吸息位（側方からみたところ）

胸郭を動かす原動力は，一つは肋間筋 intercostal muscles（41頁），もう一つは斜角筋 scalenus（40頁）である．肋間筋は肋間隙を満たしている．これら肋間筋は原始体節筋であって，自所的（固有）胸郭筋 autochthonic (proper) muscles of the thorax に加えられている（この自所的胸郭筋にはそのほか胸横筋 transversus thoracis，肋下筋 subcostales も属している）．これらの筋は脊髄神経の前枝である肋間神経 intercostal nerves に支配される．

臨床関連：心臓の弁の位置として Erb の点（第5点）が中心聴診部位であるが，第3肋間で左旁胸骨部をいう！赤色部：Erbの点．

---

1 胸郭上口 superior thoracic aperture　2 胸郭下口 inferior thoracic aperture　3 肋骨弓 costal margin　4 剣状突起 xiphoid process　5 胸骨下角 infrasternal angle

固有背筋群（A，B）

固有背筋群 proper muscles of back というのは，脊髄神経の後枝 posterior ramus に支配されるすべての筋のことである．生体では棘突起の側方に2条の高まりが見えるが，この高まりは腰部で最も顕著に現れる．これらの筋肉は骨，すなわち椎弓，肋骨突起および棘突起からつくられる骨髄線維の管の中に収まっている．この管は後外方へ向かっては胸腰筋膜 thoracolumbar fascia (39頁) によって線維性に境されている．

今日の見方に従うと，これらの筋肉は剖出し提示することがやや困難であるし，また変異が大きいので，発生学的過程を考慮せずに分類されてきた．内側群（束）と外側のそれに分けるのではなく，以下のように区別されるべきである．

- 脊柱起立筋
  - 腸骨肋骨筋
  - 最長筋
  - 棘筋（37頁）

この3筋はすべて起始は起立筋腱板であるが，以前は誤って仙骨棘筋 sacrospinal muscle と呼んでいた．

- 棘横突筋
  - 板状筋

- 棘間筋

- 横突起間筋

- 横突棘筋
  - 回旋筋 rotator muscles
  - 多裂筋 multifidi muscles
  - 半棘筋 semispinal muscles

脊柱起立筋 erector spinae

腸肋筋 iliocostalis (1,2,3) は，**腰腸肋筋 lumbar iliocostalis**，**胸腸肋筋 thoracic iliocostalis**，そして頸部腸肋筋 cervical iliocostalis からなる．**腰腸肋筋 (1)** は，仙骨，腸骨稜外唇そして胸腰筋膜から始まり，上位腰椎の肋骨突起および第6～9の下位の肋骨に至る．**胸(部)腸肋筋 (2)** は，下方6本の肋骨から始まる．第6肋骨より上方の6本の肋骨に広がっており，一方，**頸部腸肋筋 (3)** は第6から第3肋骨から発して，第6～4の頸椎の横突起に終わっている．神経支配は C_4～L_3 の脊髄神経の後枝．

最長筋 (4, 5, 6) は胸最長筋 (4)，頸最長筋 (5) および頭最長筋 (6) に分けられる．**胸最長筋**は仙骨，腰椎の棘突起および下位胸椎の横突起に始まり，第1または第2肋骨に達する．この筋には内側に終わるものと外側に終わるものとがある．内側ではこの筋は腰椎の副突起 (7)，腰椎の横突起 (8) に終わり，外側では肋骨，腰椎の肋骨突起 (9)，胸腰筋膜の深葉に終わる．**頸最長筋**の起始は上位の6胸椎の横突起にあり，第2～5頸椎の横突起後結節に終わる．**頭最長筋**は上位の3ないし5胸椎および下位の3頸椎の横突起に発し，乳様突起 (10) に付着する．

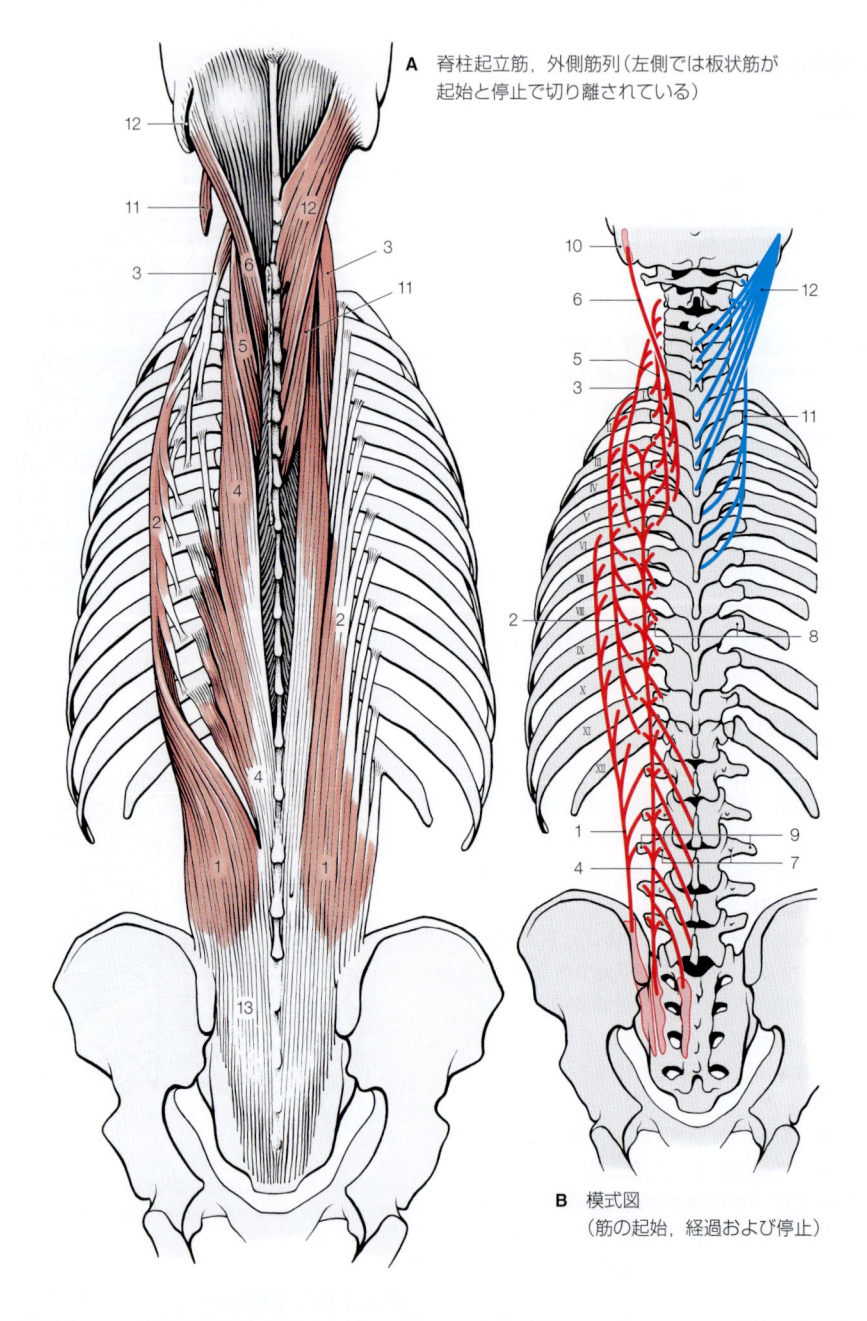

神経支配：後枝 posterior ramus (C_2～L_5)

棘横突筋群 spinotransversal group

頸板状筋 (11) は第(3)4～(5)6胸椎の棘突起に始まり，第1および2頸椎の横突起に付く．

頭板状筋 (12) は上位の3胸椎と下位の4頸椎の棘突起から始まる．付着は乳様突起 (10) の付近である．

神経支配：後枝 posterior ramus (C_1～C_8)

すべての筋は互いに補い合って働く．腸肋筋と最長筋は本質的に体を直立させる役割をもつが，板状筋は一側が収縮すると，その側へ頭が回旋するのを助ける．さらにこれらの筋はその他の固有背筋を保持する働きをもつ．胸腰部では固有背筋は胸腰筋膜によって固定されている．

変異：筋尖の数の増加と減少がしばしば認められる．

A 脊柱起立筋，外側筋列（左側では板状筋が起始と停止で切り離されている）

B 模式図（筋の起始，経過および停止）

---

1 腰腸肋筋 lumbar iliocostalis　2 胸腸肋筋 thoracic iliocostalis　3 頸腸肋筋 cervical iliocostalis　4 胸最長筋 longissimus thoracis　5 頸最長筋 longissimus cervicis　6 頭最長筋 longissimus capitis　7 副突起（腰椎の）accessory process　8 横突起（胸椎の）transverse process of vertebra　9 肋骨突起（腰椎の）costal process　10 乳様突起 mastoid process　11 頸板状筋 splenius cervicis　12 頭板状筋 splenius capitis　13 脊柱起立筋腱膜 erector spinae aponeurosis　Ⅰ～Ⅻ；第1～第12肋骨 rib Ⅰ～rib Ⅻ

固有背筋群（A～C）（続き）

棘間筋群

棘間筋 interspinales は分節状についており，頸部と腰部に存在する．胸部ではふつうこれを欠くが，例外的に第1～2および第2～3胸椎の間，ならびに第11～12胸椎の間，および第12胸椎と第1腰椎の間には認められる．この筋は隣接する棘突起を結ぶ．両側にそれぞれ6個の**頸棘間筋**（**1**），4個の**胸棘間筋**（**2**）および5個の**腰棘間筋**（**3**）がある．

神経支配：後枝 posterior ramus（C_1～Th_3およびTh_{11}～L_5）

横突間筋

棘間筋の外側には**横突間筋** intertransversarii がある．**頸後横突間筋**（**4**）は第2～7頸椎横突起の隣り合う後結節を結びつける．

神経支配：後枝 posterior ramus（C_1～C_6）

4個の**腰内側横突間筋**（**5**）は隣り合う腰椎の乳頭突起や副突起を結ぶ．

神経支配：後枝 posterior ramus（L_1～L_4）

脊柱起立筋 erector spinae

棘筋 spinalis は胸棘筋，頸棘筋および頭棘筋に分けられる．頭棘筋はごく例外的にしかみられない．**胸棘筋**（**6**）の筋線維は第3腰椎から第10胸椎に至る棘突起から出る．これらの線維は第8～2胸椎の棘突起に終わるが，そのさい最も内部にある線維（第10～8胸椎間にある）はより短くなる．**頸棘筋**（**7**）は筋線維でもって第2胸椎から第6頸椎までの棘突起に始まる．この筋は第4～2頸椎の棘突起に終わる．

神経支配：後枝 posterior ramus（C_2～Th_{10}）

横棘筋群

回旋筋 rotatores は短（**8**）および長（**9**）頸回旋筋 rotatores cervicis，胸回旋筋 rotatores thoracis（**9**）および腰回旋筋 rotatores lumborum に分けられるが，主に胸部にみられる．これらの筋は横突起から出て，すぐ上の棘突起またはもう一つ上の棘突起に達し，その基部につく．

神経支配：後枝 posterior ramus（Th_1～Th_{11}）

多裂筋（**10**）は腰多裂筋，胸多裂筋および頸多裂筋に分けられる．この筋は仙骨から第2頸椎にまで達しており，そのうち腰多裂筋が最も強大に発達している．個々の筋束は最長筋の浅在性の腱板，仙骨の後面，腰椎の乳頭突起，胸椎の横突起および第7～4頸椎の関節突起から始まる．この筋束は2～4個の椎骨をとび越して，それぞれのより上にある椎骨の棘突起に終わる．

神経支配：後枝 posterior ramus（C_3～S_4）

多裂筋のそばで層をなす**半棘筋** semispinalis は胸部，頸部および頭部に分けられる．個々の筋束は5個あるいはそれ以上の椎骨をとび越える．**胸および頸半棘筋**（**11**）の線維はすべての胸椎の横突起に始まる．そしてこれらの線維は上位の6胸椎および下位の4頸椎の棘突起に付着する．**頭半棘筋**（**12**）は最も強大な項筋の一つであるが，上位の4ないし7胸椎の横突起，下位の5頸椎の関節突起から始まる．この筋は上項線 superior nuchal line と下項線 inferior nuchal line の間に終わる．

神経支配：後枝 posterior ramus（Th_4～Th_6，C_3～C_6およびC_1～C_5）

直筋系に属する筋は両側性に支配されると伸筋として働き，一側性に支配されると側屈筋として作用する．斜筋系に分類される筋は一側支配では回旋作用を示し，両側支配では伸展作用をもつ．

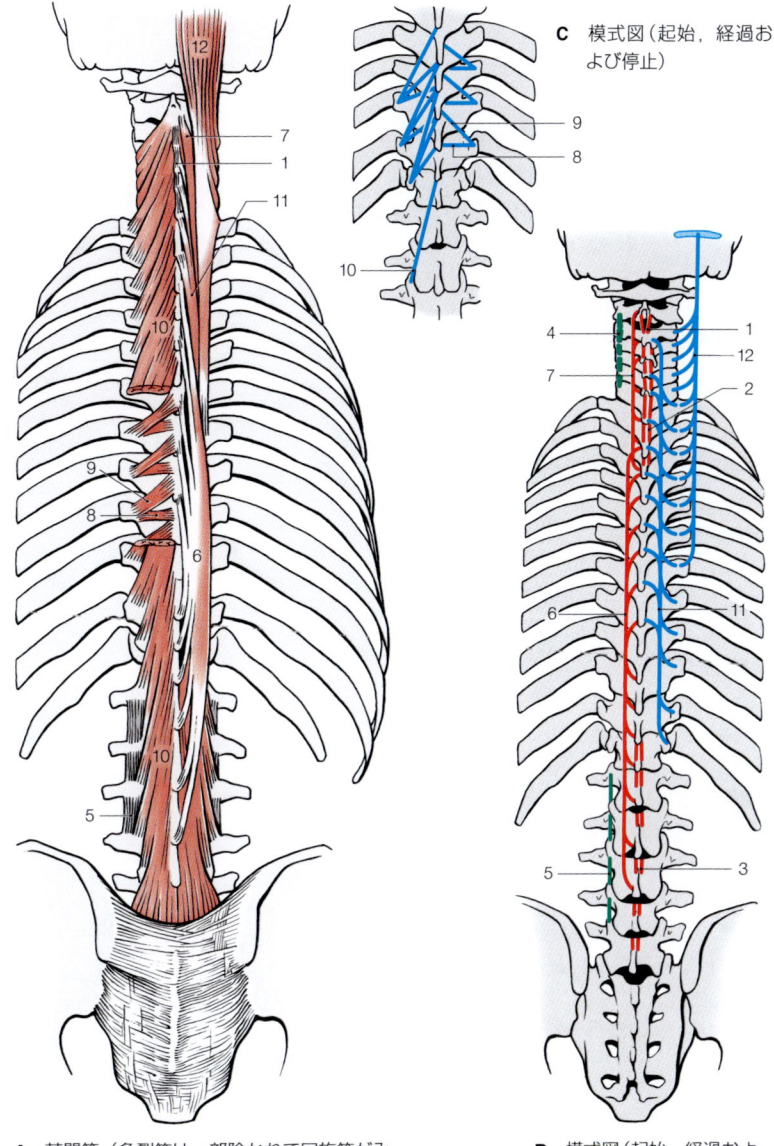

A 棘間筋（多裂筋は一部除かれて回旋筋がみえるようにしてある）

B 模式図（起始，経過および停止）

C 模式図（起始，経過および停止）

---

1 頸棘間筋（6個）interspinales cervicis　**2** 胸棘間筋（4個）interspinales thoracis　**3** 腰棘間筋（5個）interspinales lumborum　**4** 頸後横突間筋（5個）posterior cervical intertransversarii　**5** 腰内側横突間筋（4個）medial lumbar intertransversarii　**6** 胸棘筋 spinalis thoracis　**7** 頸棘筋 spinalis cervicis　**8** 短回旋筋（胸部の）short rotatores thoracis　**9** 長回旋筋（胸部の）long rotatores thoracis　**10** 多裂筋 multifidus　**11** 胸半棘筋および頸半棘筋 semispinalis thoracis, semispinalis cervicis　**12** 頭半棘筋 semispinalis capitis

後頭下筋群

短い項筋（A，B）

　有対の短い項筋 nuchal muscles すなわち小後頭直筋，大後頭直筋，上頭斜筋および下頭斜筋は，固有背筋群に属する．すなわち脊髄神経の後枝によって支配されている．下頭斜筋を例外として，これらの筋は直筋系に入れられる．両後頭直筋は棘間筋から，上頭斜筋は横突間筋から派生したものである．

　これらのほかに，短い2つの項筋があって，外側頭直筋ならびに前頭直筋といわれるが，固有背筋には属さない．外側頭直筋は前外側体壁筋が移動してきたものであって，39頁に記述されている．前頭直筋は椎前筋であって，40頁で述べられる．

　小後頭直筋（**1**）は環椎の後結節に起こり，扇状に広がって上行して下項線の内側領域につく．本筋停止の外側部は大後頭直筋に覆われている．

　大後頭直筋（**2**）は第2頸椎の棘突起に起始があり，小後頭直筋の外側で下項線に終わる．本筋も小後頭直筋と同じように停止の方向に広がっている．

　上頭斜筋（**3**）は環椎の横突起から起こる．この筋は大後頭直筋の少し上外方で後頭骨に停止する．

　下頭斜筋（**4**）は第2頸椎の棘突起から環椎の横突起へ至る．

　作用：短い項筋はすべて頭関節に作用する．両側性支配のときには，直筋も斜筋もともに頭を後ろへ曲げる．一側性支配のときには上頭斜筋は頭を側方へ曲げる．頭の側方回旋は大後頭直筋と下頭斜筋の協同作用で行われる．

　神経支配：後頭下神経 suboccipital nerve（C_1）

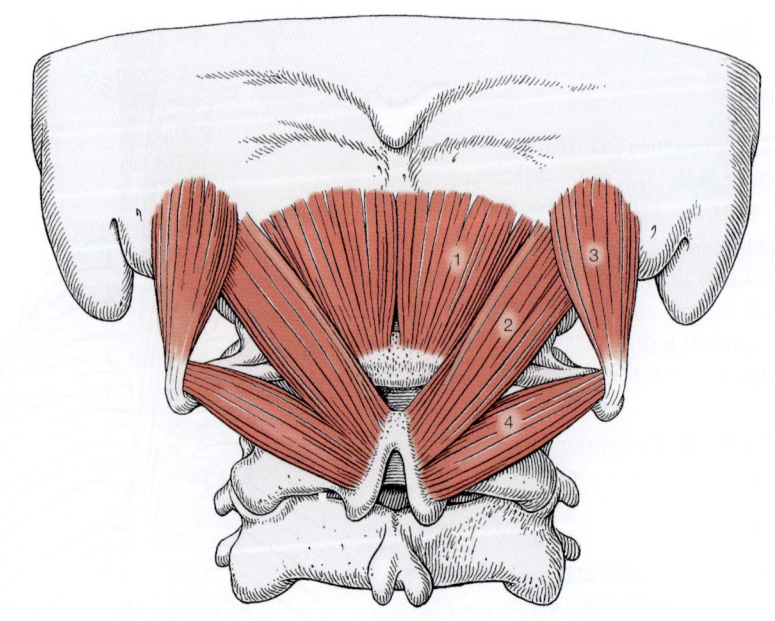

A 短い項筋

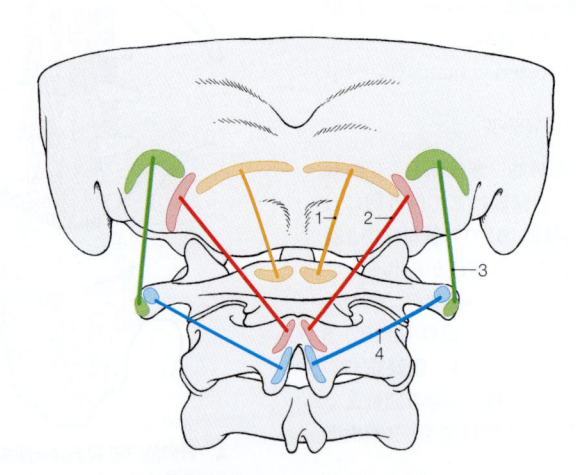

B 模式図（筋の起始，経過および停止）

臨床関連：大後頭直筋，上頭斜筋および下頭斜筋はともにいわゆる**椎骨動脈三角**をつくる．ここで環椎の後弓の上に横たわる椎骨動脈 vertebral artery（169頁）を探し出すことができる．この動脈と環椎の後弓の間には第1頸神経がみられる．この神経の後枝である後頭下神経（169頁およびⅢ章参照）が上記の諸筋を支配している．**後頭下穿刺** suboccipital puncture については169頁参照．

変異：小後頭直筋は欠けることもあるし，また片側が非常に小さいこともある．大後頭直筋が欠けることはめったにない．大後頭直筋はときに2分していることがある．

---

1 小後頭直筋 rectus capitis posterior minor　**2** 大後頭直筋 rectus capitis posterior major　**3** 上頭斜筋 obliquus capitis superior　**4** 下頭斜筋 obliquus capitis inferior

体 壁

胸腰筋膜（A, B）

胸腰筋膜（**1**）は脊柱と肋骨の後面によってつくられる骨線維性の管を線維性に補完する。この筋膜はすべての固有背筋（**2**）を取り囲み，3葉からなる。

その**浅葉＝後葉**（**3**）は仙骨のところで脊柱起立筋の腱膜と強固に結合している。この浅葉は上行するにつれて幾分薄くなり，広背筋（**4**）と下後鋸筋（**5**）の起始として役立っている。頸部では浅葉はすでにごく薄くなっており，頭板状筋と頸板状筋を僧帽筋（**6**）と菱形筋から分けながら，項筋膜（**7**）に移行していく。

深葉＝前葉（**8**）は腰部では腰椎の肋骨突起（**9**）から起こって，固有背筋（**2**）を前外側体壁筋から分けている。腸骨稜にまで及ぶ深葉からは内腹斜筋（**10**）と腹横筋（**11**）が起こる。

中葉 middle layer は固有背筋の内部にある。

項筋膜（**7**）は外前方へ向かって頸筋膜浅葉（162頁）に続く。項筋膜の正中部には項靱帯 nuchal ligament がみられる。

移動してきた前外側（体壁）筋（A）

ここで述べるこれらの筋は，脊髄神経の前枝 anterior ramus によって支配されており，発生の途中で体幹の後壁へ移動したものである。

外側頭直筋 rectus capitis lateralis は環椎の横突起から後頭骨の頸静脈突起へ走るが，この筋は発生学的には前横突間筋に相当するものである。この筋は頭を側方へ曲げるのを助ける。
神経支配：C_1

頸前横突間筋 anterior cervical intertransversarii は6個の小さい筋束で，頸椎横突起の前結節の間にある。
神経支配：$C_2 \sim C_6$

腰外側横突間筋 lateral lumbar intertransversarii は5〜6個の筋からなり，腰椎の肋骨突起の間に張っている。
神経支配：$L_1 \sim L_4$

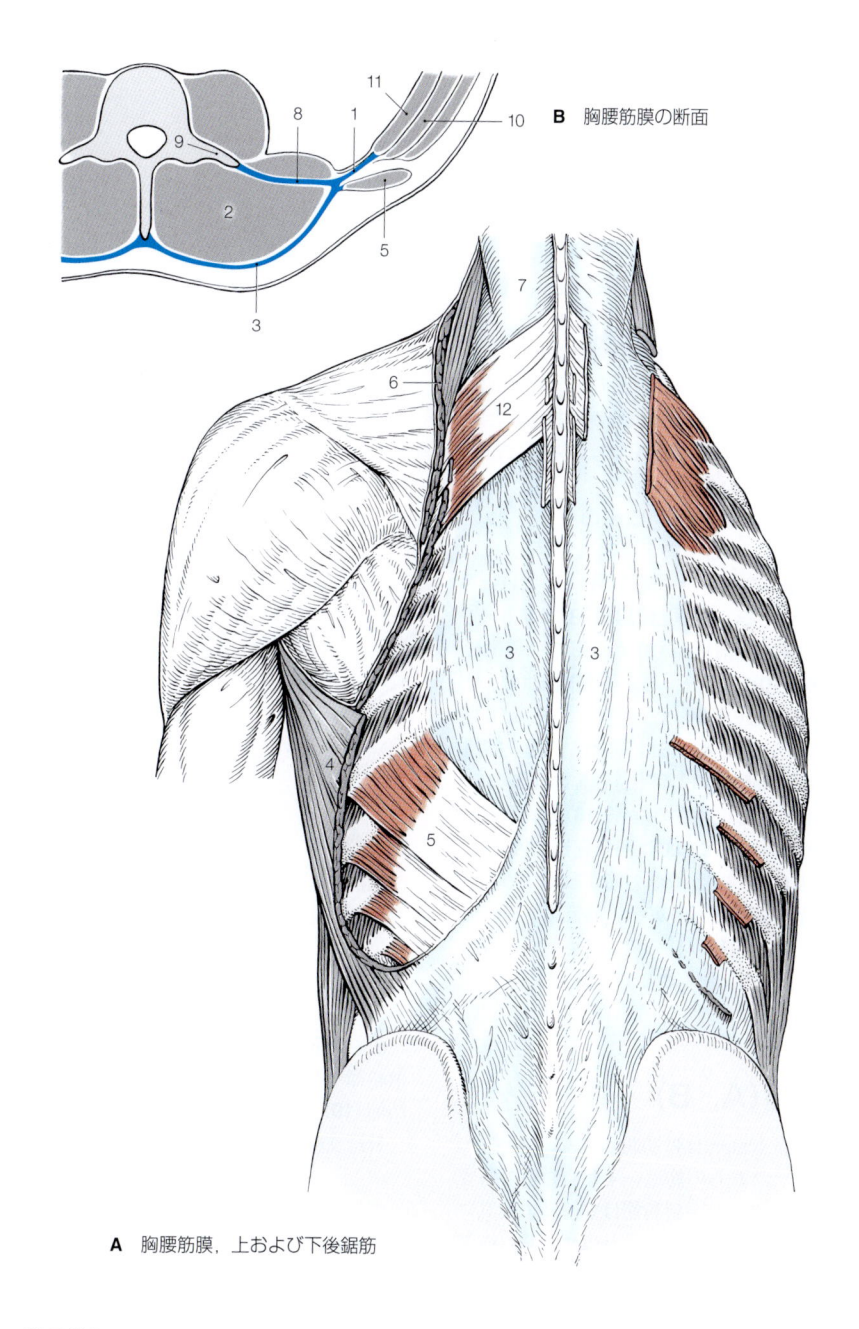

肋骨挙筋 levatores costarum はいずれも第7頸椎と第1〜11胸椎の横突起から始まる。これらの筋は肋骨角に終わるが，すぐ（下の）肋骨につくものは**短肋骨挙筋** levatores costarum breves，一つとんで下の肋骨につくものは**長肋骨挙筋** levatores costarum longi という。これらの筋は脊柱の回旋を助けるように働く。

Steubl によると，これらの筋は脊髄神経の後枝によって支配されているから，固有背筋に数えられる。

上後鋸筋（**12**）は第6，7頸椎および第1，2胸椎の棘突起に始まり，第2〜5肋骨にまで至る。この筋は肋骨を挙上する。
神経支配：肋間神経 intercostal nerves（$Th_1 \sim Th_4$）

下後鋸筋（**5**）は第12胸椎と第1〜3腰椎の領域の胸腰筋膜から出て，多くの場合4個の筋尖をもって第12〜9肋骨に達する。この筋は肋骨を下げる。
神経支配：肋間神経 intercostal nerves（$Th_9 \sim Th_{12}$）

A 胸腰筋膜，上および下後鋸筋

B 胸腰筋膜の断面

---

1 胸腰筋膜 thoracolumbar fascia　**2** 自所的背筋群 autochthonic muscles of the back　**3** （胸腰筋膜の）浅葉＝後葉 posterior layer　**4** 広背筋 latissimus dorsi　**5** 下後鋸筋 serratus posterior inferior　**6** 僧帽筋 trapezius　**7** 項筋膜 nuchal fascia　**8** （胸腰筋膜の）深葉＝前葉 deep layer ＝ anterior layer　**9** 肋骨突起 costal process　**10** 内腹斜筋 internal oblique　**11** 腹横筋 transverse abdominal　**12** 上後鋸筋 serratus posterior superior

椎前筋群（A，B）

椎前筋 prevertebral muscles に属するものに，前頭直筋，頭長筋および頸長筋がある．

前頭直筋（**1**）は環椎の外側塊（**2**）から後頭骨の底部（**3**）へ走る．頭の前傾に協力的に働く．

神経支配：頸神経叢 cervical plexus（C_1）

頭長筋（**4**）は第3〜6頸椎の横突起の前結節（**5**）から出て，上方へ走り，後頭骨の底部（**6**）に終わる．両側の頭長筋が収縮すると頭が前方へ傾く．片側支配ではこの筋は頭を側方へ曲げるのを助ける．

神経支配：頸神経叢（C_1〜C_4）

頸長筋（**7**）は3つの線維群によってほぼ3角形を呈する．その**上斜線維**（**8**）は第5〜2頸椎の横突起前結節（**9**）から出て，環椎の前結節（**10**）に付着する．**下斜線維**（**11**）は第1〜3胸椎の椎体（**12**）から起こり，第6頸椎の横突起前結節（**13**）に終わる．**垂直線維**（**14**）は上位胸椎および下位頸椎の椎体（**15**）から出て，上位頸椎の椎体（**16**）に終わる．一側性支配ではこの筋は頸部脊柱を屈曲し，かつ回旋させる．両側の筋が収縮すると，頸部脊柱は前方へ曲がる．筋電図学的研究によって，頸部脊柱の側屈にも回旋にも同側の筋がともに働くことがわかった．

神経支配：頸神経叢ならびに腕神経叢（C_2〜C_8）

斜角筋（A，B）

斜角筋 scalenus は肋間筋に続いて上方へ向かう．これらの筋はいずれも頸椎の肋骨遺残に起始する．斜角筋は安静時の吸息に最も重要な筋である．それはこれらの筋が第1，2肋骨を挙上し，したがって胸郭の上部を挙上することになるからである．この作用は頭を後ろへ曲げたとき増強される．一側性に支配されると，頸部脊柱を側方へ傾けることができる．変異として，時おり最小斜角筋 scalenus minimus が認められる．これは第7頸椎に始まり，中斜角筋に続く．そして胸膜頂 pleural cupula についている．

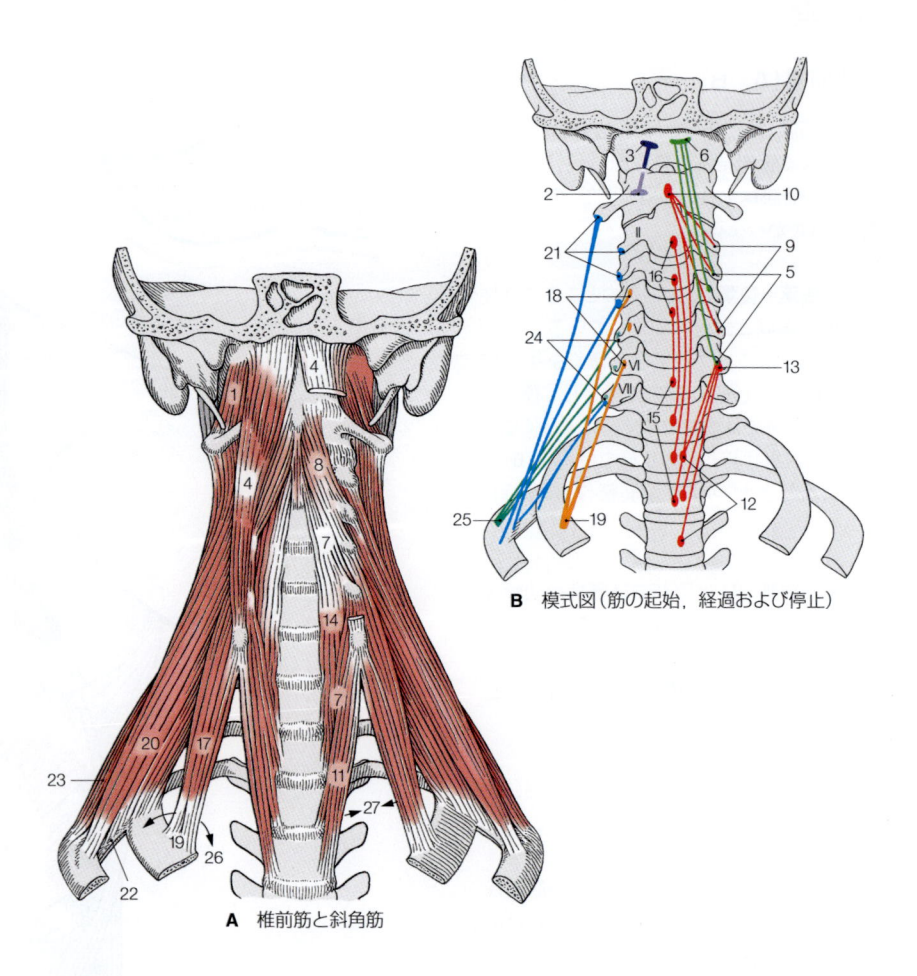

A 椎前筋と斜角筋

B 模式図（筋の起始，経過および停止）

前斜角筋（**17**）は第（3）4〜6頸椎横突起の前結節（**18**）に起こり，第1肋骨の前斜角筋結節（**19**）に終わる．

神経支配：腕神経叢（C_5〜C_7）

中斜角筋（**20**）は起始が第（1）2〜7頸椎の横突起後結節（**21**）にある．この筋は第1肋骨と第1肋間隙の外肋間膜（**22**）に停止するが，第2肋骨に達することもある．第1肋骨での付着は鎖骨下動脈溝 sulcus for subclavian artery の後ろにある．

神経支配：頸ならびに腕神経叢（C_4〜C_8）

後斜角筋（**23**）は第5〜7頸椎横突起の後結節（**24**）から始まって，第2（3）肋骨（**25**）に達する．本筋は欠如することもある．

神経支配：腕神経叢（C_7とC_8）

最小斜角筋は約1/3の頻度で出現する．この筋は第7頸椎の横突起前結節から起こり，線維性の胸膜頂ないしは第1肋骨につく．この筋を欠くときにはその部位に横突胸膜頂靱帯 transversocupular ligament（Hayek）が認められる．

神経支配：腕神経叢（C_8）

臨床関連：前斜角筋と中斜角筋との間には**斜角筋隙**（もしくは後斜角筋間隙ともいう）（**26**）があり，この間隙を腕神経叢（176頁およびⅢ章参照）と鎖骨下動脈が通る．この鎖骨下動脈は，腕を後ろに引いたとき，肋骨と鎖骨とにはさまれ締めつけられることがある．

頸長筋とともに前斜角筋は内側へ向かって**斜角筋椎骨三角**（**27**）（179頁）をつくる．

---

1 前頭直筋 rectus capitis anterior　2 外側塊（環椎の）lateral mass（atlas）　3 底部（後頭骨の）basilar part（occipital bone）　4 頭長筋 longus capitis　5 前結節（第3〜6頸椎の横突起の）anterior tubercle（CⅢ〜Ⅵ）　6 底部（後頭骨の）　7 頸長筋 longus colli　8 上斜線維 superior oblique fibers　9 前結節（第5〜2頸椎の横突起の）anterior tubercle（CⅤ〜Ⅱ）　10 前結節（環椎の）anterior tubercle（atlas）　11 下斜線維 inferior oblique fibers　12 椎体（第1〜3胸椎の）vertebral body（ThⅠ〜Ⅲ）　13 前結節（第6頸椎の横突起の）anterior tubercle（CⅥ）　14 垂直線維 vertical（medial）fibers　15 椎体（上位胸椎および下位頸椎の）bodies（of the upper thoracic and lower cervical vertebrae）　16 上位頸椎の椎体 bodies of the upper cervical vertebrae　17 前斜角筋 scalenus anterior　18 前結節（第4〜6頸椎横突起の）anterior tubercle（CⅣ〜Ⅵ）　19 前斜角筋結節（第1肋骨の）tubercle of anterior scalene muscle　20 中斜角筋 scalenus medius　21 後結節（第2〜7頸椎の横突起の）posterior tubercle（CⅡ〜Ⅶ）　22 第1肋骨と第1肋間隙の外肋間膜 The 1st rib and the external intercostal membrane of the 1st intercostal space　23 後斜角筋 scalenus posterior　24 後結節（第5〜7頸椎横突起の）posterior tubercle（CⅤ〜Ⅶ）　25 第2（3）肋骨 ribⅡ（Ⅲ）　26 斜角筋隙 scalene space　27 斜角筋椎骨三角 scalenovertebral triangle

胸郭の筋

肋間筋（A〜D）

　斜角筋のほか肋間筋 intercostal muscles が胸郭の運動には必要である．外肋間筋，内肋間筋，肋下筋および胸横筋が区別される．
- 外肋間筋
- 内肋間筋
- 肋下筋と胸横筋

外肋間筋（1）は肋骨結節から肋軟骨の起始部に至る．肋硬骨が肋軟骨に移行するところで，各肋間隙の外肋間筋は腱模様の**外肋間膜** external intercostal membrane に続く．これらの筋の起始は肋骨の下縁に，停止はそれぞれの肋骨の上縁にある．外肋間筋は上後方から前下方に走る．この筋はその機能から吸息筋 inspiratory muscles と呼ばれる．1950〜1990年の間の筋電図検査では，外肋間筋はただ深吸息時にのみ働き，ふだんの吸息には斜角筋（40頁）で十分間に合っていることがわかった．

　神経支配：肋間神経 intercostal nerves（Th_1〜Th_{11}）

内肋間筋（2）は各肋間隙にあって，肋骨角から胸骨に達している．起始は肋骨内面の上縁にあって，停止は肋骨溝の領域にある．肋骨角から内側へ向かって椎骨までは，この内肋間筋は腱線維にとって替わられている．この腱線維はひっくるめて**内肋間膜** internal intercostal membrane と呼ばれる．

　肋軟骨の領域では内肋間筋は特に**肋軟骨間筋**（3）と呼ばれる．

　内肋間筋の一部は**最内肋間筋** innermost intercostal muscles として分離される．これら最内肋間筋と内肋間筋にはさまれて，それぞれ肋間動・静脈と肋間神経がみられる．

　内肋間筋の走向は外肋間筋のそれとは逆で，下後方から前上方に走っている．

　Fick によると内肋間筋は呼息筋 expiratory muscles であって，肋骨の沈下を引き起こすのに強く作用する．肋軟骨間筋，特に第4〜6肋間腔にあるものは，胸骨に近く位置することから吸息筋として作用するといわれている．

　神経支配：肋間神経（Th_1〜Th_{11}）

肋下筋（4）は肋骨角の領域に認められるもので，本質的には内肋間筋線維であって，2, 3の肋骨を越えて走る．これらの筋は機能上は内肋間筋と同じものとみなされている．

　神経支配：肋間神経（Th_4〜Th_{11}）

胸横筋（5）は剣状突起の内面と胸骨体から出る．この筋は外側から上方へと走行し，第2〜6肋軟骨の下縁に付着する．

　筋尖の広がりは扇状を呈する．上部筋尖は急傾斜をなして上方に走り，下部筋尖は腹横筋と平行に走る．第7肋骨からの横隔膜肋骨部（51頁）の起始部がよく発達しているときには，胸横筋と腹横筋との間に明確な境界が生じる．胸横筋は呼息時に働く．

　神経支配：肋間神経（Th_2〜Th_6）

　変異：多くの変異が知られている．左右の筋が非対称に形成されていることはしばしばで，ときにこの筋を欠くこともある．筋尖の数が異なることもある．

> **臨床関連**：内胸動静脈が胸横筋の腹側を走る．冠状血管のバイパス手術と関連して，胸横筋が強大に発達している場合には内胸動脈の剝出が困難な状態にある．

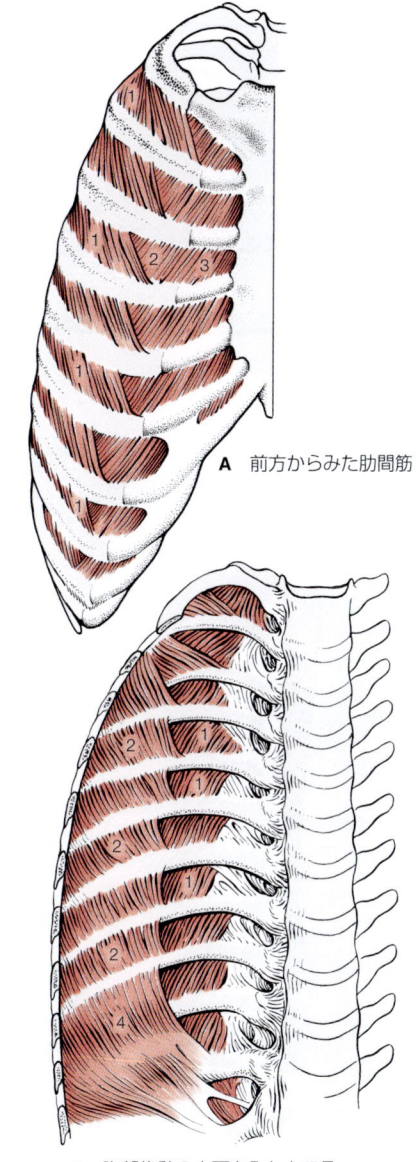

A　前方からみた肋間筋

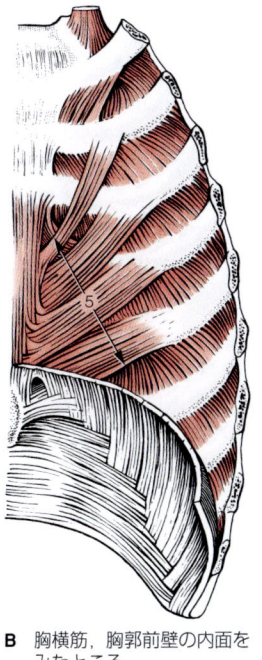

B　胸横筋，胸郭前壁の内面をみたところ

C　胸郭後壁の内面をみたところ

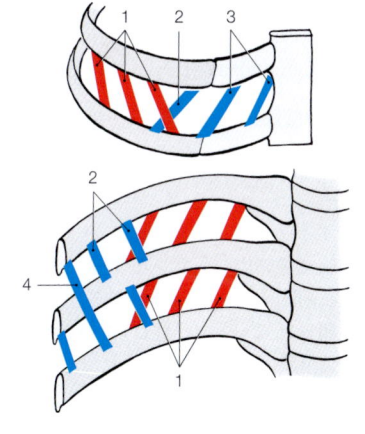

D　模式図（筋の起始，経過および停止）

---

1 外肋間筋 external intercostal muscle　2 内肋間筋 internal intercostal muscle　3 肋軟骨間筋 intercartilaginous muscles　4 肋下筋 subcostales　5 胸横筋 transversus thoracis

腹壁

腹壁 abdominal wall は上方では胸骨下角，下方では腸骨稜，鼠径溝 inguinal furrow および恥溝 pubic sulcus によって境されている．腹壁の皮膚の下には多少の差はあるが，皮下脂肪組織が広がっており，浅腹筋膜によって筋とは分けられている．腹壁をつくる基礎は腹壁筋である．浅腹筋は互いに結合して最大限の効率が得られるような系をつくっている．個々の腹筋は数個の筋節 myotomes からできてくるため，数本の区域神経 segmental nerves によって支配されることになる．この事実は個々の腹筋の部分的な収縮をも可能にしているわけである．

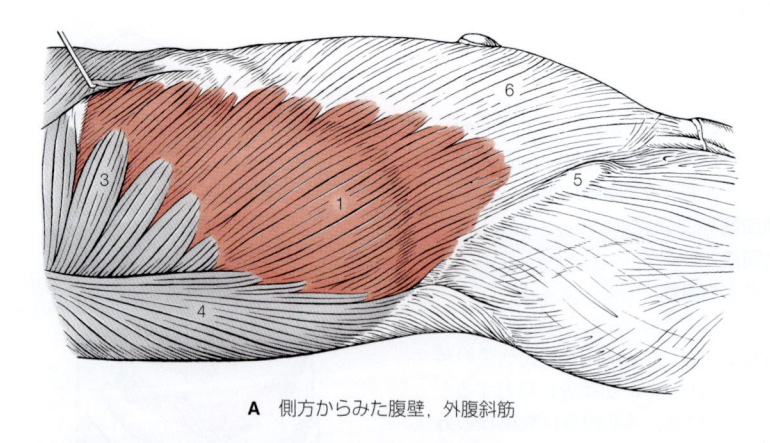

腹壁筋の分類

浅腹筋

外側群（側腹筋）：
外腹斜筋 external oblique
内腹斜筋 internal oblique
腹横筋 transversus abdominis
内側群（前腹筋）：
腹直筋 rectus abdominis
錐体筋 pyramidalis

深腹筋（後腹筋）

腰方形筋 quadratus lumborum
大腰筋 psoas major

側腹筋はその広い面状をなす腱，すなわち腱膜 aponeurosis で両側の腹直筋を包み，**腹直筋鞘** rectus sheath（44頁）をつくっている．

浅腹筋

外側群（A～C）

外腹斜筋（**A1**）は8つの筋尖をもって第5～12肋骨（**2**）の外面に起こる．この起始は第5～(8)9肋骨の間では前鋸筋（**3**）の筋尖と，また第10～12肋骨の間では広背筋（**4**）の筋尖と噛み合っている．

外腹斜筋の線維の走行は基本的には外側上後方から内側下前方に向かう．下部の3本の肋骨からくる線維は腸骨稜の外唇（**5**）に対してほぼ垂直に走り，残りの線維は上外側から下内側へ斜めに走って面状をなす腱膜（**6**）に移行する．これらの筋線維の腱膜への移行は，ほぼ垂直線をなして起こるが，この移行線は第6肋骨の軟骨－骨境界部にあたる．水平方向では上前腸骨棘の直上で筋線維の腱膜への移行が生じている．この垂直方向と水平方向の腱膜への移行部の角は"筋角 Muskelecke"と呼ばれている．この腱膜の最も下の部分はそのまま鼠径靱帯に続く（vesal の靱帯）．

鼠径靱帯のすぐ上方で内側寄りに**浅鼠径輪** superficial inguinal ring があり，内側脚（**7**）と外側脚（**8**）ならびに脚間線維（**9**）によって境されている（48頁）．外腹斜筋の停止は正中線上にある．ここでは左右の筋の腱膜が交織し合い，そのほかの側腹筋の腱膜とともに**白線**（**10**）という線維条をつくる．

神経支配：肋間神経 intercostal nerves（Th₅～Th₁₂）．

変異：この筋の筋尖の数には増減がみられることがある．腱画 tendinous intersection も認められる．また隣接の諸筋，すなわち広背筋，前鋸筋との結合も観察される．

> **臨床関連**：地域によって，また外科学の教室もしくは学派によって，15にも及ぶ異なった（多くは古くなった）表現が"鼠径靱帯"に対して使われている．
> 特に合衆国では，ヨーロッパで19，20世紀には普通に使われていた言い方が今でも使われている．
> さらに本来の鼠径靱帯と関係のない7つの表現があったことも考えておく必要がある（Kremer 他：外科手術学7巻の1，62～63頁）．

A 側方からみた腹壁，外腹斜筋

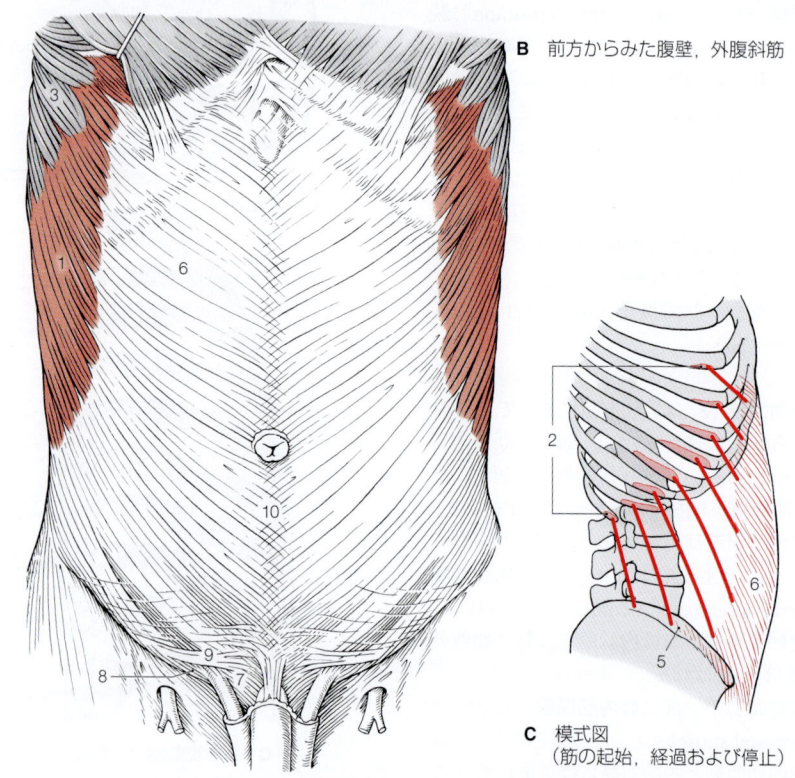

B 前方からみた腹壁，外腹斜筋

C 模式図（筋の起始，経過および停止）

---

1 外腹斜筋 external oblique 2 第5～12肋骨 rib V～XII 3 前鋸筋 serratus anterior 4 広背筋 latissimus dorsi 5 外唇（腸骨稜の）outer lip (iliac crest) 6 腱膜（外腹斜筋の）aponeurosis (external oblique) 7 内側脚 medial crus 8 外側脚 lateral crus 9 脚間線維 intercrural fibres 10 白線 linea alba

浅腹筋（続き）

外側群（続き, A, B）

内腹斜筋（**A1**）の起始は, 腸骨稜の中間線（**2**）, 胸腰筋膜の深葉および上前腸骨棘（**3**）にある. 少数の筋線維は鼠径靱帯（**4**）からも出ることがある.

この筋は扇状を呈し, 大部分の線維は上行して面状に広がる. その際, 停止の部位によって3部に分けられる.

上部は最後の3本の肋骨の下縁（**5**）に終わる.

中間部（**6**）は内側へ走って腱膜へ移行するが, この腱膜は前・後葉 anterior & posterior layers の2葉に分かれる. この前・後葉は腹直筋鞘 rectus sheath（44頁）のもとをなし白線で互いに癒合する. 前葉は腹直筋を完全に覆うが, 後葉は臍の約5cm下で上方へ凸の線, すなわち弓状線 arcuate line を描いて終わる. この縁は通常は明確には境されていないので, 弓状野 arcuate area（Lanz）という方が目的に適っているように思われる.

下部は男性では精巣挙筋（挙睾筋）（**7**）となって精索へ続く. 精巣挙筋の発達は不安定で個体差が著しい. 女性では明瞭ではあるが弱い筋束がみられて子宮円索に達しており, 内腹斜筋の円索部 round ligamentous part of internal oblique といわれる.

神経支配：内腹斜筋：肋間神経（Th$_{10}$〜Th$_{12}$）とL$_1$. 精巣挙筋：陰部大腿神経の陰部枝 genital branch of genitofemoral nerve（L$_1$とL$_2$）.

変異：肋骨に終わる筋尖の数の増減がみられるほか, 腱画も現れることがある.

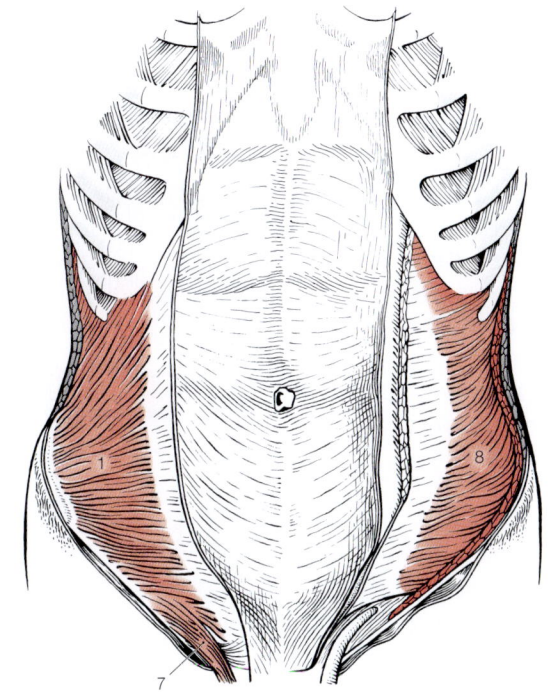

腹横筋（**A8**）は6個の筋尖をもって第7〜12肋軟骨の内面（**9**）から始まる. その際この筋の筋尖は横隔膜の肋骨部の筋尖と噛み合っている. また, 本筋は胸横筋の起始にじかに隣接している. さらにこの筋は胸腰筋膜の深葉, 腸骨稜の内唇（**10**）, 上前腸骨棘（**11**）および鼠径靱帯（**12**）からも起こる. この筋の筋線維は横走し内側へ凹の曲線にまで達する. この凹線は以前は半月線 semilunar line といわれたものである. この曲線のところで腱膜が始まるが, この腱膜は弓状線または弓状野より上では腹直筋鞘の後葉をつくるのを助ける.

弓状野（既述）より下ではこの腱膜は腹直筋鞘の前葉しかつくらない. 腹横筋の腱膜は白線の形成にも関与している. この腱膜からの外側へ凹の1条の線維束すなわち**鼠径鎌** inguinal falx, 結合腱 conjoint tendon または Henle 靱帯（46頁）が出て, 腹直筋の停止の外側縁へ行く.

神経支配：肋間神経（Th$_7$〜Th$_{12}$）およびL$_1$

A 前方からみた腹壁, 内腹斜筋と腹横筋

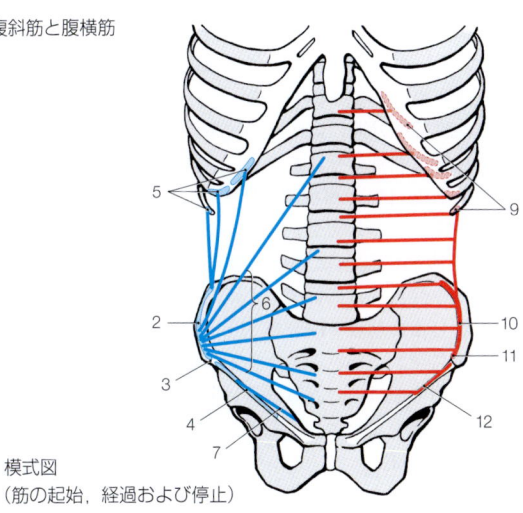

B 模式図
（筋の起始, 経過および停止）

変異：腹横筋はその最も下のところでは内腹斜筋と完全に融合していることがある. したがってこの部分はしばしば複合筋 complex muscle と呼ばれる. 文献によると腹横筋が完全に欠如していることがあるという. 起始筋尖の数に増減が認められることもある.

---

1 内腹斜筋 internal oblique　**2** 中間線（腸骨稜の）intermediate zone (iliac crest)　**3** 上前腸骨棘 anterior superior iliac spine　**4** 鼠径靱帯 inguinal ligament　**5** 肋骨の下縁（最後3本の）inferior border of the last three ribs　**6** 中間部（内腹斜筋の）middle part (of the internal oblique)　**7** 精巣挙筋（挙睾筋）cremaster　**8** 腹横筋 transverse abdominal　**9** 第7〜12肋軟骨の内面 inner surface of the 7th to 12th costal cartilage　**10** 内唇（腸骨稜の）inner lip (iliac crest)　**11** 上前腸骨棘 anterior superior iliac spine　**12** 鼠径靱帯

浅腹筋（続き）

内側群（A～D）

腹直筋（**1**）は3つの筋尖をつくって第5～7肋軟骨の外面（**2**），剣状突起（**3**）およびこの突起と肋骨の間に張る靱帯に始まる．この筋は下方へ走り恥骨稜 pubic crest（91頁）に達する．この筋の経過をたどると，臍の高さまでに3つの腱画 tendinous intersection を認める．時おり，臍より下にも，もう1～2つの腱画をみる．

神経支配：肋間神経（Th_5～Th_{12}）

変異：この筋はもっと多くの肋骨から起こることがあり，時には（まれではあるが）欠如することもある．

腹直筋は**腹直筋鞘** rectus sheath の中に納まっている．この筋鞘は3つの側腹筋の腱膜からつくられている．すなわち**弓状線**（**4**）より上では内腹斜筋（**5**）の腱膜は前葉（**6**）と後葉（**7**）に分かれ，外腹斜筋（**8**）の腱膜はこの筋鞘の前葉を，腹横筋（**9**）の腱膜は後葉を強化している．**白線**（**10**）のところでは腱膜の線維が部分的に交織している（**B**）．

個々の腱膜線維の間には脂肪の沈着がみられる．白線は恥骨結合にまで達し，骨盤上縁を補強する（**11**）．**弓状線より下**では腹直筋鞘の後葉は完全に欠如しているため，すべての側腹筋の腱膜は両側の腹直筋の前面を走り，腹直筋は内面ではただ内腹壁筋膜すなわち横筋筋膜（**12**，46頁）と腹膜 peritoneum に覆われているにすぎない（**C**）．腹直筋の起始部ではこの腹直筋鞘は薄い筋膜状を呈するが，これは胸筋筋膜 pectoral fascia の続きである．

臨床関連：臨床的に意義のあるのは両側の腹直筋が互いに離開している現象で，このため拡大した白線が出現することになる（**腹直筋離開** diastasis recti，48頁）．このことによって，程度の差はあるが，腹壁の"ブリッジ（間橋）構造"がみられることになる．

腹直筋は前面でのみ腱画のところで腹直筋鞘と癒着している．このため前面の膿瘍または膿の貯留は一つの腱画間にしか広がらないが，後面では腹直筋全体に沿って広がることにもなりかねない．

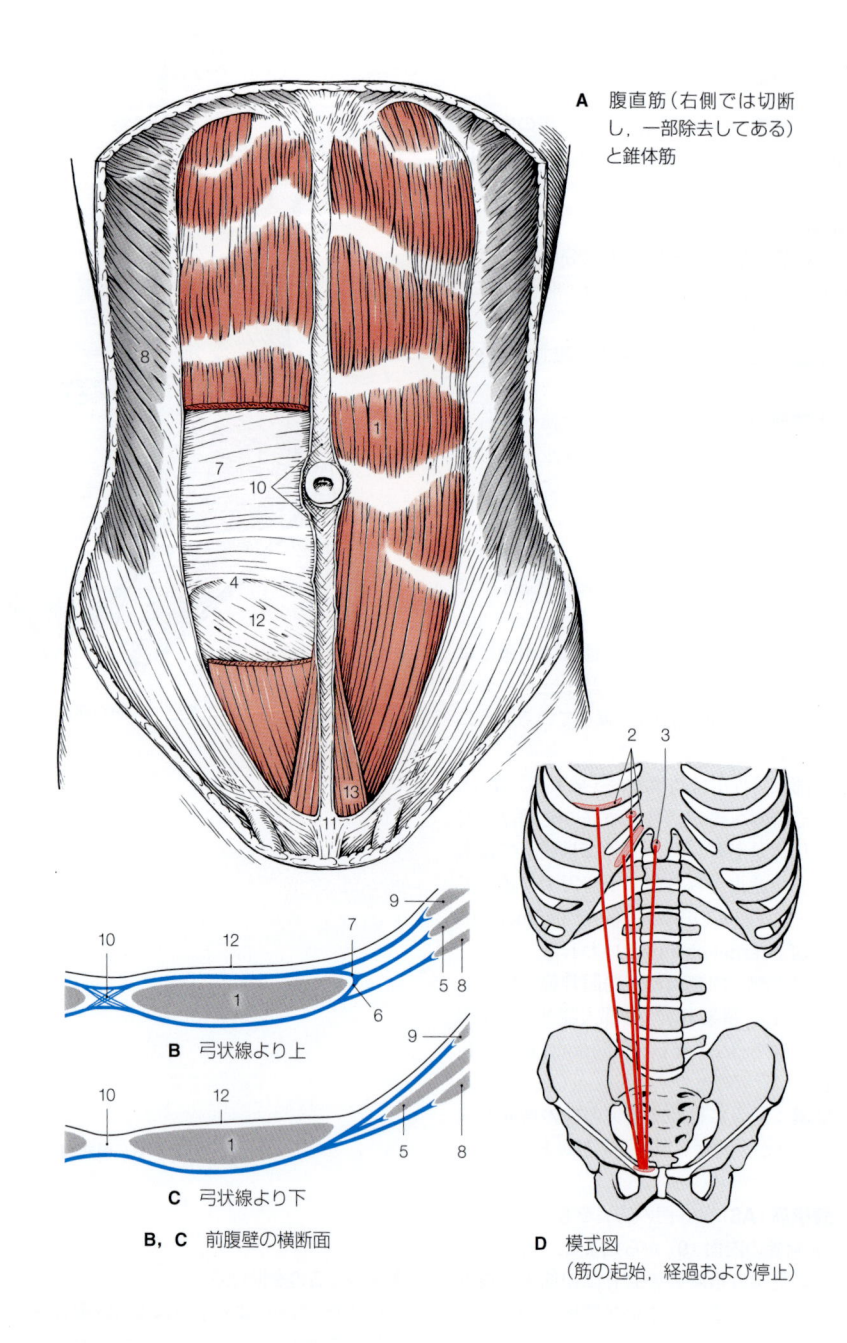

A 腹直筋（右側では切断し，一部除去してある）と錐体筋

B, C 前腹壁の横断面
B 弓状線より上
C 弓状線より下

D 模式図（筋の起始，経過および停止）

錐体筋（**13**）は三角形の小さな筋で，恥骨から出て，白線の中へ入り込む．この筋は3つの側腹筋の腱膜の中にあり，16～25％のヒトでは欠如するという．しかし注意深く調べてみると，錐体筋は完成度には差はあるが，たいていの場合存在していることがわかる．われわれの検査では錐体筋は90％にみられ，この筋線維がみられなかったのは10％にしかすぎない．この錐体筋の作用は白線の緊張に与って大きい．

神経支配：Th_{12}とL_1

---

1 腹直筋 rectus abdominis 2 第5～7肋軟骨の外面 outer surface of the 5th to 7th costal cartilage 3 剣状突起 xiphoid process 4 弓状線 arcuate line 5 内腹斜筋 internal oblique 6 前葉（内腹斜筋腱膜の）anterior layer (of the aponeurosis of the internal oblique) 7 後葉（内腹斜筋腱膜の）posterior layer 8 外腹斜筋 external oblique 9 腹横筋 transverse abdominal 10 白線 linea alba 11 白線補束（骨盤上縁に付く）posterior attachment of linea alba 12 横筋筋膜 transversalis fascia 13 錐体筋 pyramidalis

浅腹筋の作用（A〜D）

腱膜をもつ浅腹筋群は前および側腹壁の基礎をつくっている．

大腰筋や腰方形筋といった深腹筋とともに，浅腹筋は体幹の運動に不可欠のものである．その他に前および側腹筋は腹腔にも作用を及ぼし，これらの筋が収縮すると腹腔内圧が上昇するが，そのさい横隔膜と骨盤底の筋もともに働く必要がある．このことは例えば腸内容の排出のときに必須である．最後にこれらの筋は呼吸運動にも大切であって，強制呼気には腹直筋を殊に強く収縮させることで可能となる．

基本的にはすべての浅腹筋はどんな運動の際にも一緒になって働く．それは白線内の腱膜の緊張系によって起こる．個々の筋の筋線維の走向（A）は互いに補い合っている．腹直筋（緑）は頭尾方向に走るが，その際この筋は数節に分かれている．外腹斜筋（赤）は外上方から内下方へ斜めに走るのに対し，内腹斜筋（青）の主な筋線維は外下方から内上方へ向かう．腹横筋（紫）は外側から内側へ横走している．

それぞれの運動によって，さまざまに個々の筋が作用する．

体幹の前屈（B） は本質的には腹直筋（緑）によって行われる．この運動は両側の4つの腹斜筋（図には描かれていない）によって助けられる．

側屈（C） の際には，同側の外腹斜筋（赤）と内腹斜筋（青），ならびに同側の腰方形筋（図には描かれていない）と自所的背筋群（図には描かれていない）とが一緒になって働く．

側方回旋（D） は同側の（すなわち回旋される側の）内腹斜筋（青）と反対側の外腹斜筋によって行われる．

同側の外腹斜筋（赤）と内腹斜筋（青）は，あるときは協同筋として（側屈時）（C），またあるときは拮抗筋として（側方回旋時）（D）働くことを記憶すべきである．

腹横筋（紫）は主に腹圧をかけるときに収縮する．すなわち両側の腹横筋は腹腔を狭くすることができる．そのほかこの筋は呼息のさい収縮して横隔膜を上方へ押し上げるであろう．

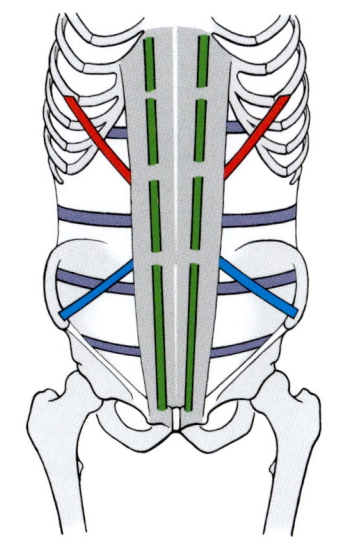

A 筋線維の走向

B 前屈

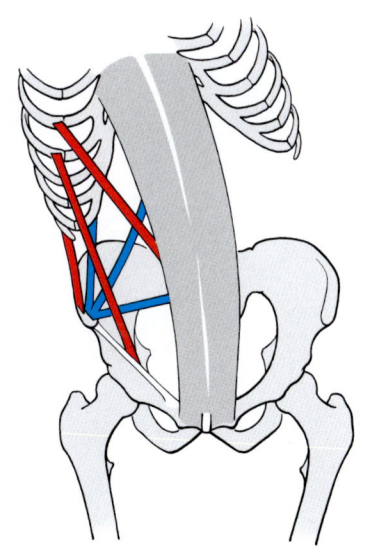

C 側屈

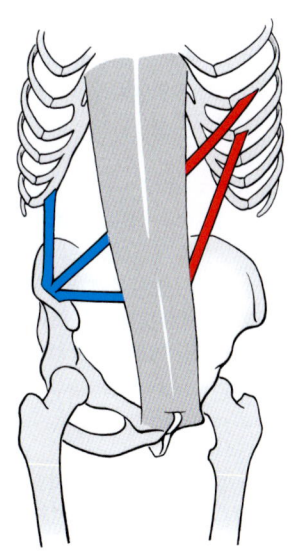

D 側方回旋

臨床関連：すべての腹筋の収縮は体幹を背臥位から立位にするとき（このときに本質的な機能を発揮するのは腸腰筋[47頁]である），殊によく観察することができる．そのときやせたヒトでは，腹直筋の腱画（44頁）および外腹斜筋の起始筋尖のところがよくみえる．同様に，例えば腹直筋離開 diastasis recti（48頁）などの腹直筋の障害もみえるようになる．さらに，腹膜腔内の炎症時における浅腹筋の反射性収縮にも注意すること（反射性腹壁緊張 reflektorische Bauchdeckenspannung）．

腹壁の筋膜（A，B）

腹壁は表面から内面へ向かって，皮膚 skin，腹部の脂肪層 abdominal fatty layer（皮下脂肪組織），腹部の線維層 abdominal membranous layer（結合組織性層板），（浅）腹筋膜 superficial abdominal fascia，筋層 muscular layer，横筋筋膜 transversalis fascia および腹膜 peritoneum に分けられる．

皮下の脂肪組織を貫いている結合組織性層板すなわち**線維層＝スカルパの筋膜（1）** は，腹壁の下部領域すなわち鼠径部および恥骨部にまで広がっている．また，この領域の皮下脂肪組織は**腹部脂肪層**と呼ばれている．脂肪層と線維層両者で**腹部の皮下組織** subcutaneous tissue of abdomen を形成している．外科医にとって線維層は大きな意味をもっている．なぜなら，大腿まで続くこの線維層（203頁）と本来の（浅）腹筋膜との間に，太い皮下血管の幹が存在しているからである．この結合組織層板の一部は陰部の方へ続いていき，**陰茎ワナ靱帯** fundiform ligament of penis（or clitoris）または**陰核ワナ靱帯（2）** といわれる．

（浅）腹筋膜（3） は，白線（48頁）のところだけ補強されているが，薄板状となって前腹壁の筋とその腱膜を覆っている．この筋膜の正中にある部は，弾性線維を多量に含む**陰茎提靱帯**または**陰核提靱帯（懸架靱帯）（4）** に続く．この靱帯は2脚に分かれて陰茎海綿体 corpus cavernosum penis または陰核海綿体 corpus cavernosum of clitoris を囲む．

浅鼠径輪のところでは，この筋膜は外腹斜筋の腱膜の続きと融合して**外精筋膜（5）** となるが，これは精索を包む外側被膜である．（浅）腹筋膜は鼠径靱帯のところでも外腹斜筋の腱膜と固く結合し，それから大腿筋膜（6）へ移行する．

内面にある疎な腹壁筋膜である**横筋筋膜（7）** は内面から腹筋を覆う．臍のところではこの筋膜は強化され，**臍筋膜（8）** といわれる．

横筋筋膜は脂肪細胞をもつ結合組織の薄膜であり，膀胱頂から上方へ広がっている．この筋膜は尿膜管索（17）と臍動脈索（16）を入れており，これらの索は横筋筋膜を強化している．

この横筋筋膜は下方に向かって鼠径靱帯と融合して**腸恥靱帯（9）** となる．こうして鼠径管 inguinal canal（48頁以下参照）の後壁がつくられる．この筋膜は鼠径靱帯から腸骨筋（10）を覆う腸腰筋膜の**腸骨筋部** iliac fascia に続いていく．横筋筋膜は上部では横隔膜筋膜として横隔膜を覆い，後部では**腸腰筋膜** iliopsoas fascia（＝腸骨筋膜 iliac fascia）として腰方形筋，大腰筋および腸骨筋を覆っている．

鼠径管のところでは，横筋筋膜は腹横筋の腱膜様線維により強化され**窩間靱帯（11）**（49頁）となって肥厚している．この横筋膜は内側では腹直筋（12）に接しており，腹横筋の放散する腱膜を覆い，この腱膜としっかりと結合する1条の線維束となっていく．この外方へ凹の線維束は反転靱帯（48頁）の後ろを通って裂孔靱帯（50頁）に至り，そこで鼠径靱帯と密に結合している．この線維束は**鼠径鎌（13）** または結合腱 conjoint tendon といわれるものである．

窩間靱帯の外側では横筋筋膜は深鼠径輪（14）のところで**内精筋膜** internal spermatic fascia として突出している．鼠径靱帯の下方には大腿管（15）がある．

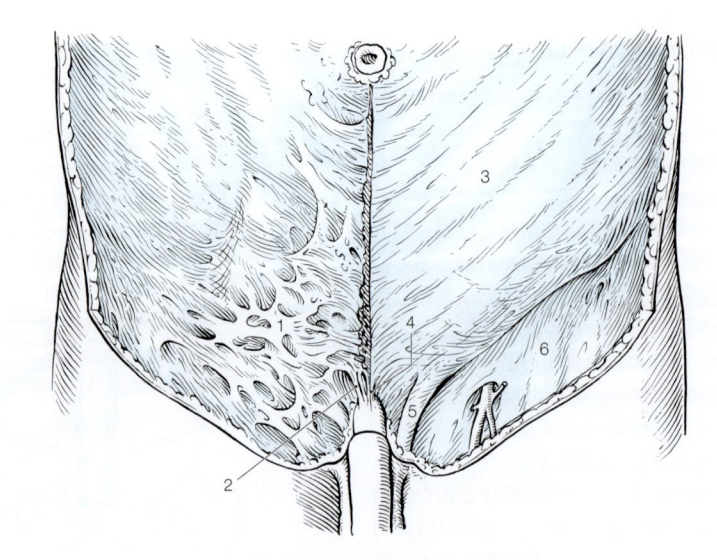

A 右側は腹部皮下組織，左側は浅腹筋膜

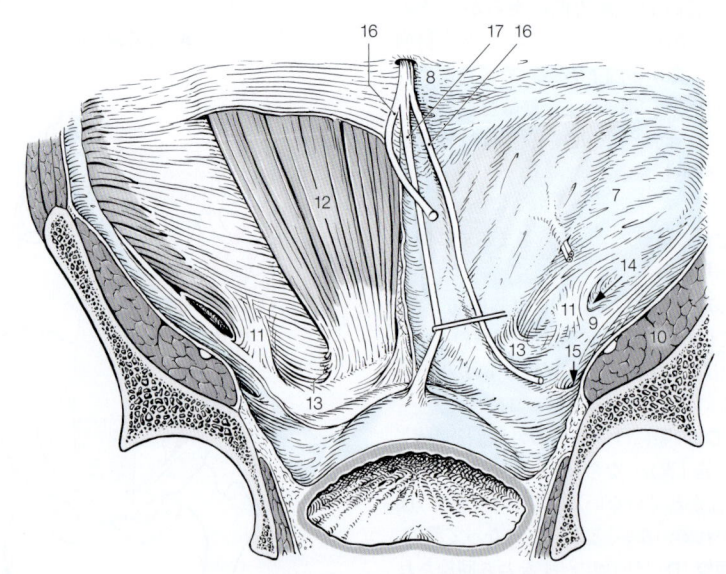

B 腹壁の内面，右側には横筋筋膜がある

---

1 線維層（＝スカルパの筋膜）membranous layer（Scarpa's fascia）　**2** 陰茎ワナ靱帯または陰核ワナ靱帯 fundiform ligament of penis（or clitoris）　**3** （浅）腹筋膜 abdominal fascia（superficial）　**4** 陰茎提靱帯または陰核提靱帯 suspensory ligament of penis（or clitoris）　**5** 外精筋膜 external spermatic fascia　**6** 大腿筋膜 fascia lata　**7** 横筋筋膜 transversalis fascia　**8** 臍筋膜 umbilical fascia　**9** 腸恥靱帯 iliopubic tract　**10** 腸骨筋 iliacus　**11** 窩間靱帯 interfoveolar ligament　**12** 腹直筋 rectus abdominis　**13** 鼠径鎌 inguinal falx　**14** 深鼠径輪 deep inguinal ring　**15** 大腿管 femoral canal　**16** 臍動脈索（内側臍ヒダ）cord of umbilical artery（medial umbilical fold）　**17** 尿膜管索（正中臍ヒダ）cord of urachus（median umbilical fold）

深腹筋（＝後腹筋）（A，B）

大腰筋（**1**）は浅部と深部に分けられる．浅部は第12胸椎と第1〜4腰椎の外側面（**2**）ならびにそれらの間にある椎間円板から起こる．深部は第1〜5腰椎の肋骨突起（**3**）に始まる．

この大腰筋は腸骨筋と合して腸腰筋膜に包まれ，**腸腰筋**（**4**）として筋裂孔を通って小転子（**5**）に至る．大腰筋の両層の間には腰神経叢 lumbar plexus がある（115頁も参照）．

神経支配：腰神経叢と大腿神経 femoral nerve からの数本の直接枝（L_1〜L_3）

大腰筋は多くの関節にわたる筋であるため，比較的大きな高低の差が生じる．腸骨筋 iliacus（115頁）は大腰筋と合して腸腰筋となるが，強大な屈筋とみなされ，大腰筋の働きを補うことになる．両側の大腰筋は背臥位で上半身または下半身を起こすのに関与する．その他この筋は一側の収縮ではわずかではあるが脊柱の側屈にも関係する．

変異として大腰筋から分離した**小腰筋** psoas minor がみられる．この筋は腸腰筋膜に移行し，腸恥隆起 iliopubic ramus に終わる．小腰筋は筋膜張筋として働く（115頁）．

神経支配：腰神経叢からの直接枝（L_1〜L_3）

> **臨床関連**：腸腰筋膜は筒状になって大腰筋を包み，内側弓状靱帯＝内側腰肋弓 medial lumbocostal arch（51頁）から大腿にまで至る．このため腰椎領域の化膿性病変は，筋膜の筒の中を**流注膿瘍** gravitation abscess（腰筋膿瘍 psoas abscess）として大腿まで下降してくる．

腰方形筋（**6**）は第12肋骨（**7**）に終わるものと，第1〜3(4)腰椎の肋骨突起（**8**）に終わるものとがある．この筋の起始は腸骨稜の内唇（**9**）にある．この筋は不完全に分離する2層に区別することができる．前層が第12肋骨に達し，後層は肋骨突起に終わっている．

腰方形筋は第12肋骨を沈下させるほか，体幹の側屈にも協力的に働く．

神経支配：Th_{12}，L_1〜L_3

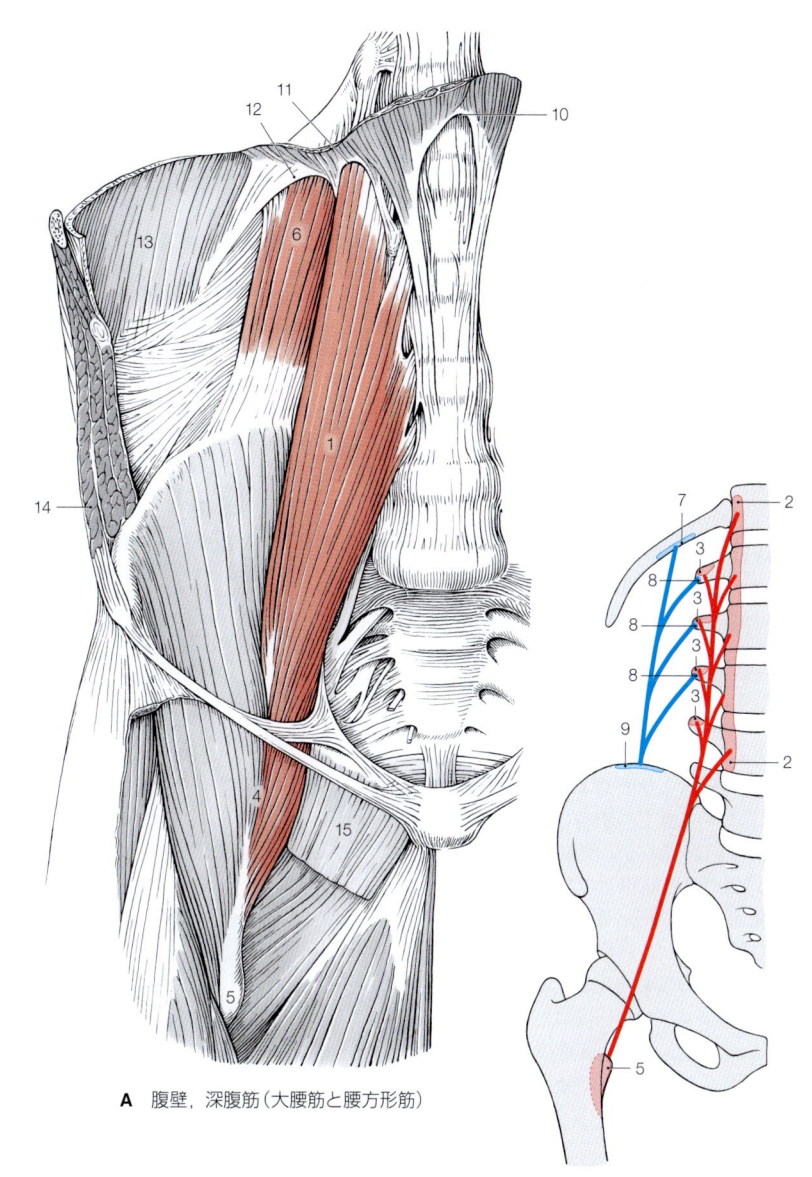

A 腹壁，深腹筋（大腰筋と腰方形筋）

B 模式図（筋の起始，経過および停止）

---

1 大腰筋 psoas major　**2** 椎体外側面（第12胸椎と第1〜4腰椎の）lateral surfaces of the vertebral body（Th XII, L I〜IV）　**3** 肋骨突起（第1〜5腰椎の）costal process（L I〜V）　**4** 腸腰筋 iliopsoas　**5** 小転子 lesser trochanter　**6** 腰方形筋 quadratus lumborum　**7** 第12肋骨 rib XII　**8** 肋骨突起［第1〜3(4)腰椎の］costal process［L I〜III(IV)］　**9** 内唇（腸骨稜の）inner lip（iliac crest）　**10** 正中弓状靱帯 median arcuate ligament　**11** 内側弓状靱帯 medial arcuate ligament　**12** 外側弓状靱帯 lateral arcuate ligament　**13** 横隔膜（肋骨部）diaphragm（costal part）　**14** 外腹斜筋 external oblique　**15** 恥骨筋 pectineus

腹壁の抵抗減弱部（A〜C）

筋と腱からなる腹壁の抵抗の弱い部位は，**ヘルニア** hernia の起こりやすい部とされている．ヘルニアはもともとそれが存在していた体腔から腹部臓器が脱出することをいう．そのときこの臓器は腹膜が二次的に膨隆して生じたヘルニア嚢の中にあり，この嚢は腹壁を通過した部位を意味するヘルニア門から始まっている．**腹壁の抵抗減弱部** locus minoris resistentiae of the abdominal wall は：白線，臍 umbilicus，鼠径部，大腿管，腰三角 lumbar triangle および手術後に生じた瘢痕．

白線

白線（**1**）は側腹筋の腱膜の交織によって生じ，両側の腹直筋鞘の間に横たわる一条の線維性の帯である．白線は恥骨結合の上縁に終わるが，その背面では停止の近くで広がり，三角形の腱板すなわち**白線補束** posterior attachment of linea albaとなって終わる．臍より上ではこの白線は約1〜2cmの幅がある．臍（**2**）より下では両側の腹直筋（**3**）はより近づいてきて，白線は狭くなる．病的状態では脂肪による下垂腹や妊娠と関連して，両側の腹直筋相互の開離すなわち**腹直筋離開** diastasis recti が起こってくることがある．（臍より上の）白線内では比較的小さな**上腹壁ヘルニア**（**4**）も出現することがありうる．このヘルニアは白線内に生じた裂隙の拡大によって生じる．上腹壁ヘルニアは大きな前腹壁ヘルニアにまで発展することがある．

臍

臍（**2**）はもともとそこを通過していた構造物が周囲と癒着してできたものであって，結合組織によって補強されている．しかしながら臍輪 umbilical ring が妊娠などのときのように拡張されると，**臍ヘルニア**（**5**）が生じることがある．

瘢痕 cicatrices (scar)

瘢痕のところにも同様にヘルニアつまり**瘢痕ヘルニア**（**6**）が出現しうる．

鼠径管

鼠径管 inguinal canal は互いに重なり合った側腹筋によってできており，腹壁を斜めに通っていく．その**前壁**は外腹斜筋の腱膜（**7**）によって，**底**は鼠径靱帯によってつくられている．**後壁**は横筋筋膜からできており，**上壁**は腹横筋の下縁である．**深鼠径輪** deep inguinal ring（49頁）は内口であり，**浅鼠径輪**（**8**）は外腹斜筋腱膜にあいている裂隙状の外口である．この外鼠径輪すなわち**浅鼠径輪**（**8**）は，外腹斜筋腱膜の続きである外精筋膜（**9**）を切開するとみえてくる．浅鼠径輪は強化された腱膜線維束，詳しくは内側脚（**10**），外側脚（**11**）および脚間線維（**12**）により境されている．後ろでは浅鼠径輪は鼠径靱帯から分かれてできた反転靱帯（**13**）で補強されている．

男性では鼠径管を通って**精索** spermatic cord が出る．この精索は精巣挙筋を伴う精巣挙筋膜（**14**）に包まれている．女性では子宮円索 round ligament of uterus とリンパ管が鼠径管を通ってやってくる（II章参照）．これらのリンパ管は子宮底から起こり，上浅鼠径リンパ節（203頁）に達する．

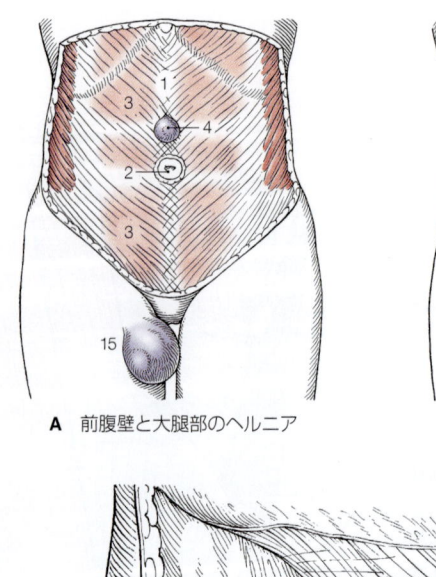

A 前腹壁と大腿部のヘルニア
B 前腹壁のヘルニア 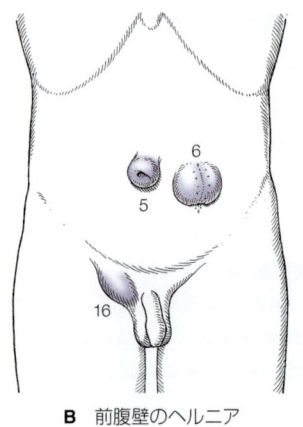
C 外精筋膜を伴う鼠径管Ⅰ層 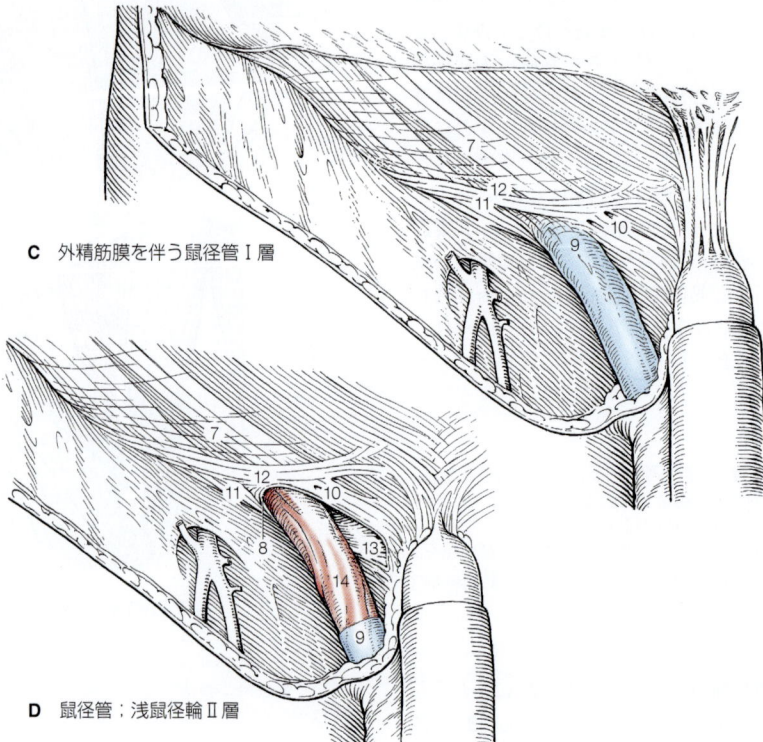
D 鼠径管；浅鼠径輪Ⅱ層

---

1 白線 linea alba　2 臍 umbilicus　3 腹直筋 rectus abdominis　4 上腹壁ヘルニア epigastric hernia　5 臍ヘルニア umbilical hernia　6 瘢痕ヘルニア cicatricial hernia　7 外腹斜筋の腱膜 aponeurosis of the external oblique　8 浅鼠径輪 superficial inguinal ring　9 外精筋膜 external spermatic fascia　10 内側脚 medial crus　11 外側脚 lateral crus　12 脚間線維 intercrural fibres　13 反転靱帯 reflected ligament　14 精巣挙筋膜（精巣挙筋を伴う）cremasteric fascia　15 大腿ヘルニア femoral hernia（50頁）　16 間接鼠径ヘルニア indirect inguinal hernia（50頁）

腹壁の抵抗減弱部（続き）

鼠径管（続き）（A，B）

外腹斜筋の腱膜（**1**）を切開すると内腹斜筋（**2**）がみえる．男性では，内腹斜筋の少数の線維は精巣挙筋（**3**）として精索へ続く．精巣挙筋の線維のうち他の部分（**4**）は鼠径靱帯から起こる．これらの筋線維の完成度はまちまちで，全体として精索を包む中間被膜となっており，精巣挙筋を伴う精巣挙筋膜（**5**）またはクーパー Cooper の筋膜とも呼ばれる．女性では，内腹斜筋の円索部と呼ばれるわずかな筋線維がみられるだけである．

内腹斜筋（**2**）と精巣挙筋膜（**5**）を切断すると初めて鼠径管の上壁をつくる腹横筋（**6**）がみえるようになる．深鼠径輪（**7**）は横筋筋膜（**8**）の突出によって生じるもので，この筋膜は内精筋膜（**9**）すなわち精索を包む最内被膜となって続く．

腹壁の内面（C）

鼠径管の両開口，すなわち浅・深または外・内鼠径輪は腹壁の抵抗の弱い場所である．腹壁を内面から観察すると（**C**），最内層の腹膜 peritoneum が残されているときには，この腹膜は3ヵ所でくぼんでみえるのがわかる．そのためこれらのくぼみを**外側鼠径窩**（**10**，その下にある深鼠径輪に相当）および**内側鼠径窩**（**11**，同じく浅鼠径輪に相当）という．

腹膜を内面から除去すると横筋筋膜（**8**）がみられ，この筋膜の強化束を2ヵ所で認める．すなわち，一つは鼠径靱帯に沿ってみられる腸恥靱帯（**12**）であり，他の一つは内側鼠径窩と外側鼠径窩の間にある窩間靱帯（**13**）である．窩間靱帯はヘッセルバッハ Hesselbach の靱帯とも呼ばれるが，発達の程度にすこぶる個体差がある．この靱帯は下方では腸恥靱帯と結合し，一方，上方では幅を広げて放散しながら深鼠径輪（**7**）の内側境界にある半月ヒダ semilunar fold の構成に関与している．

窩間靱帯は時として筋線維を含んでいて窩間筋 interfoveolar muscle とも呼ばれる．また，この靱帯のところには下腹壁動静脈（**14**）が走り，これが腹壁ヒダ（**15**）と呼ばれる腹膜のヒダをつくっている．このヒダは臍には到達していないにもかかわらず外側臍ヒダ lateral umbilical fold とも呼ばれているが，正確には誤りである．

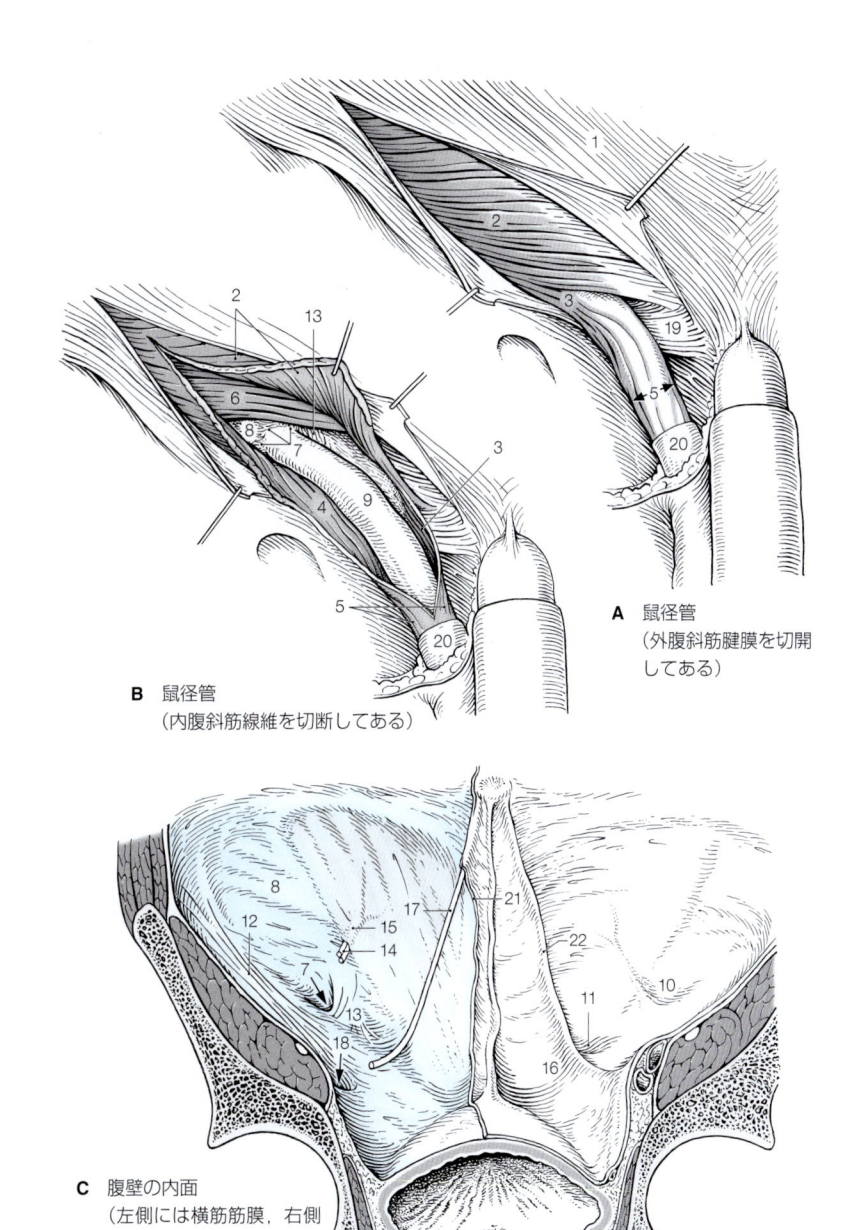

外側鼠径窩と内側鼠径窩のほか，後者の内側にもう一つ**膀胱上窩**（**16**）が認められる．このくぼみは内側鼠径窩とはただ臍動脈索（**17**）によって分けられている．これら3つの窩を通ってヘルニア（50頁）が現れてくる．

A 鼠径管（外腹斜筋腱膜を切開してある）

B 鼠径管（内腹斜筋線維を切断してある）

C 腹壁の内面（左側には横筋筋膜，右側には腹膜がみえる）

臨床関連：内側を腹直筋の下部外側縁，下縁を恥骨櫛靱帯（50頁）および外側を下腹壁動静脈で境される領域を鼠径三角 inguinal triangle またはヘッセルバッハ三角 Hesselbach's triangle という．この三角には腹壁における3ヵ所の抵抗減弱部すなわち内側鼠径窩（**11**），膀胱上窩（**16**）および大腿管（**18**，50頁）がある．

---

1 外腹斜筋の腱膜 aponeurosis of the external oblique　**2** 内腹斜筋 internal oblique　**3** 精巣挙筋の内側線維（内腹斜筋から移行する部分）medial fibers of the cremaster
4 精巣挙筋の外側線維（鼠径靱帯から起こる部分）lateral fibers of the cremaster　**5** 精巣挙筋膜（精巣挙筋を伴う）cremasteric fascia　**6** 腹横筋 transverse abdominal
7 深鼠径輪 deep inguinal ring　**8** 横筋筋膜 transversalis fascia　**9** 内精筋膜 internal spermatic fascia　**10** 外側鼠径窩 lateral inguinal fossa　**11** 内側鼠径窩 medial inguinal fossa　**12** 腸恥靱帯 iliopubic tract　**13** 窩間靱帯 interfoveolar ligament　**14** 下腹壁動静脈 inferior epigastric artery（vein）　**15** 腹壁ヒダ（外側臍ヒダ）epigastric fold
16 膀胱上窩 supravesical fossa　**17** 臍動脈索 cord of umbilical artery　**18** 大腿管 femoral canal　**19** 反転靱帯 reflected ligament　**20** 外精筋膜 external spermatic fascia
21 腹膜の切断端 cut edge of the peritoneum　**22** 内側臍ヒダ medial umbilical fold（臍動脈索を容れている）

腹壁の抵抗減弱部（続き）

鼠径部ヘルニア（A）

　外側および内側鼠径窩ならびに膀胱上窩はいずれも抵抗減弱部である．これらのくぼみは事情によって引きのばされ，膨隆（内面からは陥入）し，**鼠径ヘルニア** inguinal herniaが生じる（197頁参照）．鼠径ヘルニアには直接ヘルニアと間接ヘルニアの区別がある．両者は浅鼠径輪を通って出てくる．**直接鼠径ヘルニア**（**1**）は内側鼠径窩にヘルニア門がある．**間接鼠径ヘルニア**（**2**）は鼠径管を通って抜け出る（したがって臨床的には鼠径管ヘルニアともいわれる）．このヘルニアでは外側鼠径窩と深鼠径輪がヘルニア門となる．そのほかにもう一つのヘルニアすなわち**膀胱上ヘルニア**（**3**）も知られており，これは膀胱上窩のところで腹腔を出てくる．したがってヘルニア門は閉塞した臍動脈索（**4**）の内側にある．このヘルニアの腹壁を通過する部位は同じく浅鼠径輪である．直接鼠径ヘルニアと膀胱上ヘルニアの鑑別診断は外からみただけでは容易ではない．この両ヘルニアは必ず後天的なものであって，**後天性ヘルニア** acquired herniaといわれるが，間接鼠径ヘルニアは後天的にも，先天的にも（この場合は**先天性ヘルニア** congenital herniaという）起こりうる．男性では性腺の下降によって，漿膜の突出物である鞘状突起 vaginal processが陰嚢の中まで一緒に下行してくる．この鞘状突起は後になって閉塞し，腹膜腔とは全く関連をもたなくなるので，かろうじて陰嚢腹膜腔 scrotal peritoneal cavity（＝精巣鞘膜腔 cavity of tunica vaginalis）として残っているにすぎなくなる．しかし，ときに何らかのつながりをもっていることがあり，そのときには鞘状突起が開いて先天性鼠径ヘルニアが起こりうる．

大腿管（B）

　大腿管（**5**）はもう一つのヘルニア門となる可能性がある．大腿管は鼠径靱帯（**6**）の後ろで，血管裂孔（**7**）すなわち内側大腿門 mediale Schenkelpforteの中に納まっている．この血管裂孔は外側では腸恥筋膜弓（**9**）によって筋裂孔（**8**）と境されている．血管裂孔の内側部で，太い大腿動静脈の内側に大腿管（**5**）がある．この大腿管の**内側の境界**は**裂孔靱帯**（**10**）であって，この靱帯は腱弓（裂孔靱帯の鎌状突起 falciform process）を介して**後ろの境界**すなわち**恥骨櫛靱帯** pectineal ligamentと融合している．この大腿管は疎性線維性結合組織からなる**大腿輪中隔**（**11**）によって閉ざされている．

　この大腿管をリンパ管が通り抜ける．そのうえこの管には大腿動脈（**13**）と裂孔靱帯（**10**）の間に深鼠径リンパ節（**12**）（ローゼンミュラー Rosenmullerの，もしくはクロケット Cloquetのリンパ節ともいう）がある．腹腔内圧が過度に高くなり，結合組織の構造が弱い場合には，**大腿ヘルニア** femoral herniaが起こる．

臨床関連：この大腿ヘルニアは，鼠径靱帯に対する位置，および陰嚢または大陰唇に対する位置関係から鼠径ヘルニアと鑑別診断することができる．鼠径ヘルニアだけが陰嚢または大陰唇に達することができ，大腿ヘルニアは大腿部に現れる．大腿ヘルニアは男性よりも女性の方が3倍もよく起こる．

腰三角

　腰三角 lumbar triangleは，腸骨稜，外腹斜筋の後縁および広背筋（69頁）の外側縁の間によくみられる三角形の間隙である．ここには脂肪組織と内腹斜筋がある．ここから出てくる**腰ヘルニア** lumbar herniaは比較的まれであるが，女性よりも男性によく起こる．

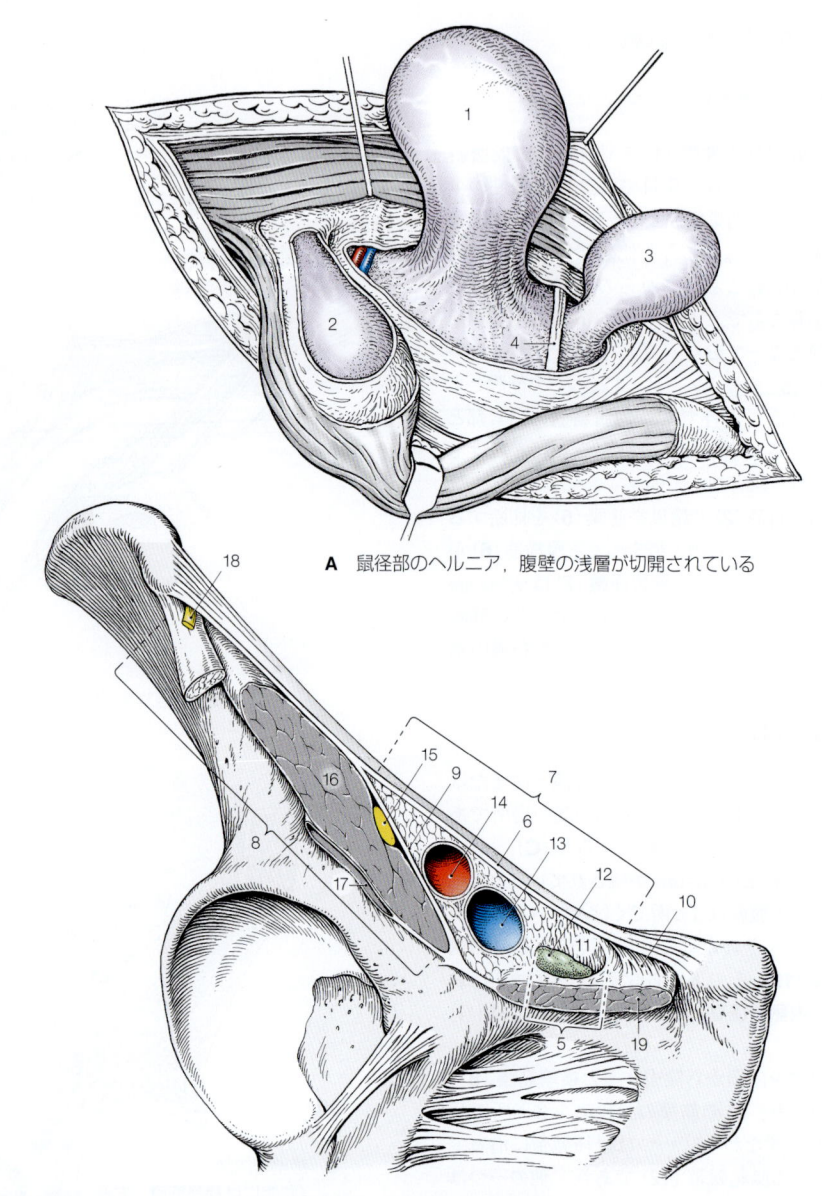

A 鼠径部のヘルニア．腹壁の浅層が切開されている

B 筋裂孔と，大腿管を伴う血管裂孔

---

1 直接鼠径ヘルニア direct inguinal hernia　2 間接鼠径ヘルニア indirect inguinal hernia　3 膀胱上ヘルニア supravesical hernia　4 臍動脈索 cord of umbilical artery　5 大腿管 femoral canal　6 鼠径靱帯 inguinal ligament　7 血管裂孔 vascular space　8 筋裂孔 muscular space　9 腸恥筋膜弓 iliopectineal arch　10 裂孔靱帯 lacunar ligament　11 大腿輪中隔 femoral septum　12 深鼠径リンパ節 deep inguinal nodes　13 大腿静脈 femoral vein　14 大腿動脈 femoral artery　15 大腿神経 femoral nerve　16 腸腰筋 iliopsoas　17 腸恥包 iliopectineal bursa　18 外側大腿皮神経 lateral femoral cutaneous nerve　19 恥骨筋 pectineus

横隔膜(A, B)

横隔膜 diaphragm は胸腔と腹腔とを分けている．横隔膜は**腱中心**(**1**)と，さらに小部分に分けられる筋性部からなっている．すなわち両側に**胸骨部**(**2**)，**肋骨部**(**3**)および**腰椎部**(**4**)が区別される．

横隔膜腰椎部に関して，両側とも3部からの起始すなわち腰椎椎体，内側弓状靱帯および外側弓状靱帯からの起始をもつ**右脚** right crusと**左脚** left crusで構成される，と一元的に表現されて今日一般に通用している命名法に従うのはいささか不適切である．

胸骨部(**2**)は剣状突起(**5**)の内面から出て，この部はほかの部より幾分明るい筋線維からなっているが，腱中心へ入り込んで終わる．

肋骨部(**3**)は第7～12肋骨の内面から数個の筋尖をもって起こる．これらの筋尖は腹横筋の起始筋尖と交互に起こる．

腰椎部(**4**)には**内側脚**と**外側脚**があり，時には内側脚の裂開が起こり，**中間脚** intermediate crusと呼ばれるものがみられる．**右内側脚**(**6**)は第1～4腰椎の椎体から，**左内側脚**(**7**)は第1～3腰椎の椎体から起こる．**外側脚**(**8**)は2つの弓状縁すなわち**内側弓状靱帯**(**9**)—腰筋弓 Psoasarkadeまたは内側腰肋弓 medial lumbocostal archともいう—および**外側弓状靱帯**(**10**)—方形筋弓 Quadratusarkadeまたは外側腰肋弓 lateral lumbocostal archともいう—から起こる．腰筋弓は第1(～2)腰椎の椎体側面から第1腰椎の肋骨突起(**11**)へ渡っている．方形筋弓は第1腰椎の肋骨突起から第12肋骨の先端に達する．

この腱様の起始弓の下方に大腰筋(**12**)と腰方形筋(**13**)がみえる．腰椎部，肋骨部および胸骨部の間に裂隙が認められるが，これらの裂隙は抵抗減弱部とみなされる．腰椎部と肋骨部の間には**腰肋三角**(**14**)が，また胸骨部と肋骨部の間には**胸肋三角**(**15**)がみえる．

心臓をのせるため真ん中が少しへこみ2つの円蓋のある横隔膜には，いろいろな構造物を通すための開口がみられる．両内側脚の間には腱で縁どりされた**大動脈裂孔**(**16**)がある．この裂孔を大動脈がその後ろに胸管を伴って通り抜けている．右側の内側脚(**6**)はもともと3つの筋束からなり，そ

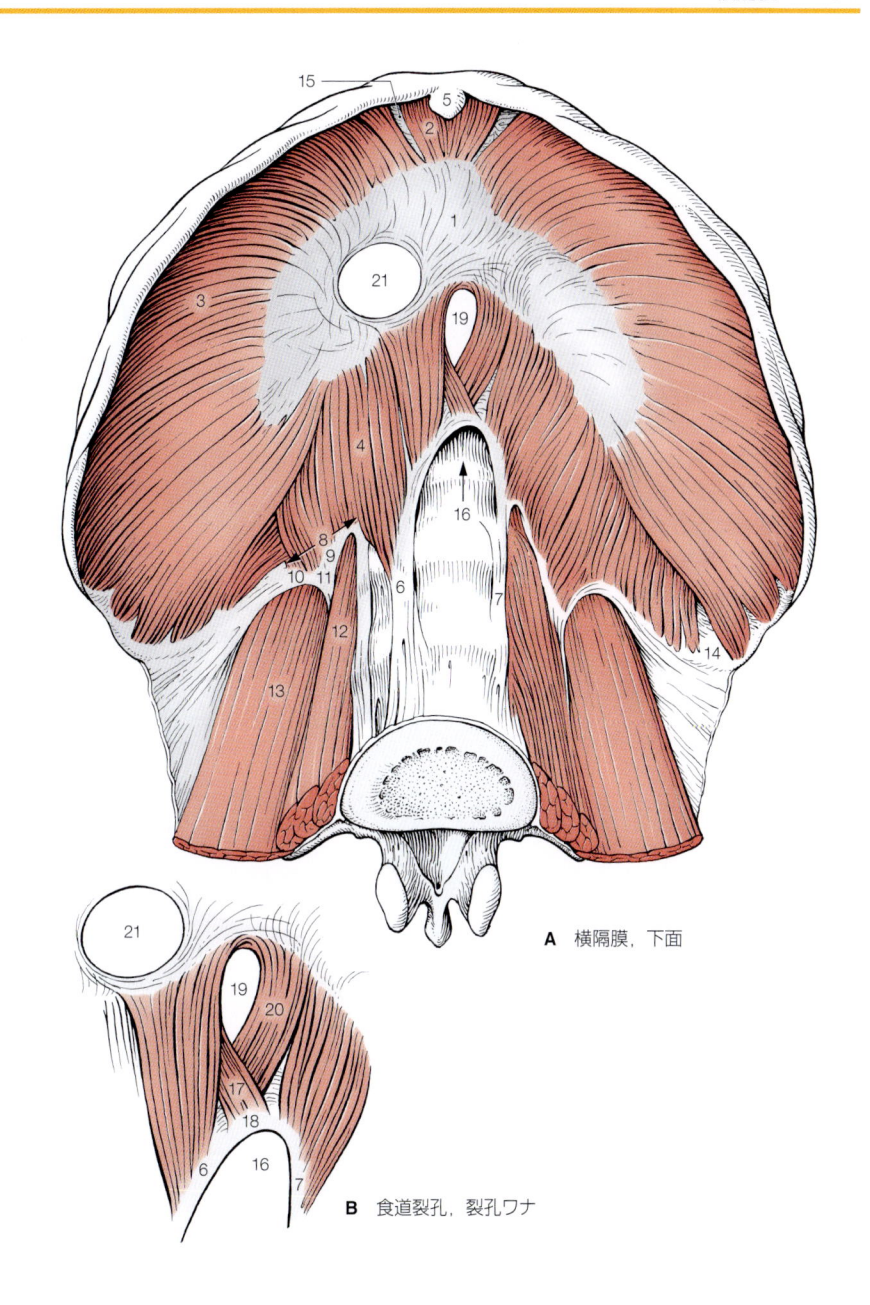

A 横隔膜, 下面

B 食道裂孔, 裂孔ワナ

のうち腰椎から起こる束は最も大きく，じかに腱中心(**1**)に達している．もう一つの筋束(**17**)はその起始が正中弓状靱帯(**18**)すなわち大動脈裂孔(**16**)の腱性縁にあり，**食道裂孔**(**19**)の右側の境界をつくる．第3の部分(**20**)は上述の筋束の後ろで，同じく正中弓状靱帯から始まり，"裂孔ワナ" Hiatusschlingeとして食道裂孔の左側の境界をつくっている．ただ例外的には，左側の内側脚(**7**)が食道裂孔を囲むのに関与することもある．このように筋で囲まれた食道裂孔を食道と前・後の迷走神経幹が通る．

腱中心には**大静脈孔**(**21**)があり，下大静脈と右側の横隔神経の通過に役立っている．内側脚の内部または内側脚と時折みられる中間脚の間には，大・小内臓神経，ならびに右の奇静脈，左の半奇静脈が走っている．中間脚と外側脚の間には，交感神経幹が通り抜ける．胸肋三角を上腹壁動静脈 superior epigastric artery & veinが通る．

神経支配：横隔神経 phrenic nerves（[C$_3$] C$_4$ [C$_5$]）

---

1 腱中心 central tendon　2 胸骨部 sternal part　3 肋骨部 costal part　4 腰椎部 lumbar part　5 剣状突起 xiphoid process　6 右内側脚 right medial crus　7 左内側脚 left medial crus　8 外側脚 lateral crus　9 内側弓状靱帯 medial arcuate ligament　10 外側弓状靱帯 lateral arcuate ligament　11 肋骨突起（第1腰椎の）costal process（L I）　12 大腰筋 psoas major　13 腰方形筋 quadratus lumborum　14 腰肋三角 lumbocostal triangle　15 胸肋三角 sternocostal triangle　16 大動脈裂孔 aortic hiatus　17 第2の筋束（食道裂孔の右側を囲む）　18 正中弓状靱帯 median arcuate ligament　19 食道裂孔 oesophageal hiatus　20 第3の筋束（裂孔ワナとして食道裂孔の左側を囲む）Hiatusschlinge　21 大静脈孔 caval opening

横隔膜の高さと機能（A）

　生体では横隔膜の位置と形は，呼吸，体位および内臓の充実状態によって変化する．

　最も重要な呼吸筋として横隔膜は呼吸相でかなり変化する．立位で最大呼息と最大吸息の中間位においては，右の横隔膜の膨隆は第4肋間隙に，左のそれは第5肋間隙に投影される．最大呼息時（青）には，横隔膜の前胸壁への投影は，右は第4肋骨の上縁に，左は第4肋間隙の高さに生じる．最大吸息時（赤）では横隔膜は約1～2肋間隙沈下する．この際に胸骨部はその起始とともに固定点として作用する．最大呼息時には横隔膜の筋線維は上方へ昇り，最大吸息時には腱中心まで下降する．

　横隔膜の上面と肋骨との間にある**肋骨横隔洞** costodiaphragmatic recess は最大吸息時には浅くなる．

　背臥位では内臓塊が横隔膜を上後方へ押しやる．

> **臨床関連：**呼吸困難 dyspnea のある患者は座っていた方が好ましく，それによって胸郭の負担が軽くなる*．

横隔膜ヘルニア（B）

　横隔膜ヘルニアは腹部内臓が胸腔へ移動することをいう．横隔膜ヘルニアには先天性と後天性とがある．しかもその際に真の横隔膜欠損（青）が抵抗減弱部（赤）—例えば食道裂孔（**1**），腰肋三角（**2**）および胸肋三角（**3**）—の拡大とは区別されねばならない．真の横隔膜欠損は多くの場合に腱中心（**4**）と肋骨部（**5**）にみられる．しかしながら大抵の横隔膜ヘルニアでは脱出 prolapse である．すなわちこれらのヘルニアはヘルニア囊 hernial sac（壁側腹膜からなる）をもっていないのである．この種のヘルニアは**仮性横隔膜ヘルニア** false diaphragmatic hernia といわれる．ヘルニア囊をもつ真のヘルニアすなわち**真性横隔膜ヘルニア** true diaphragmatic hernia はまれであって，厳密には傍食道ヘルニア paraesophageal hernia のときにのみ現れることになる．

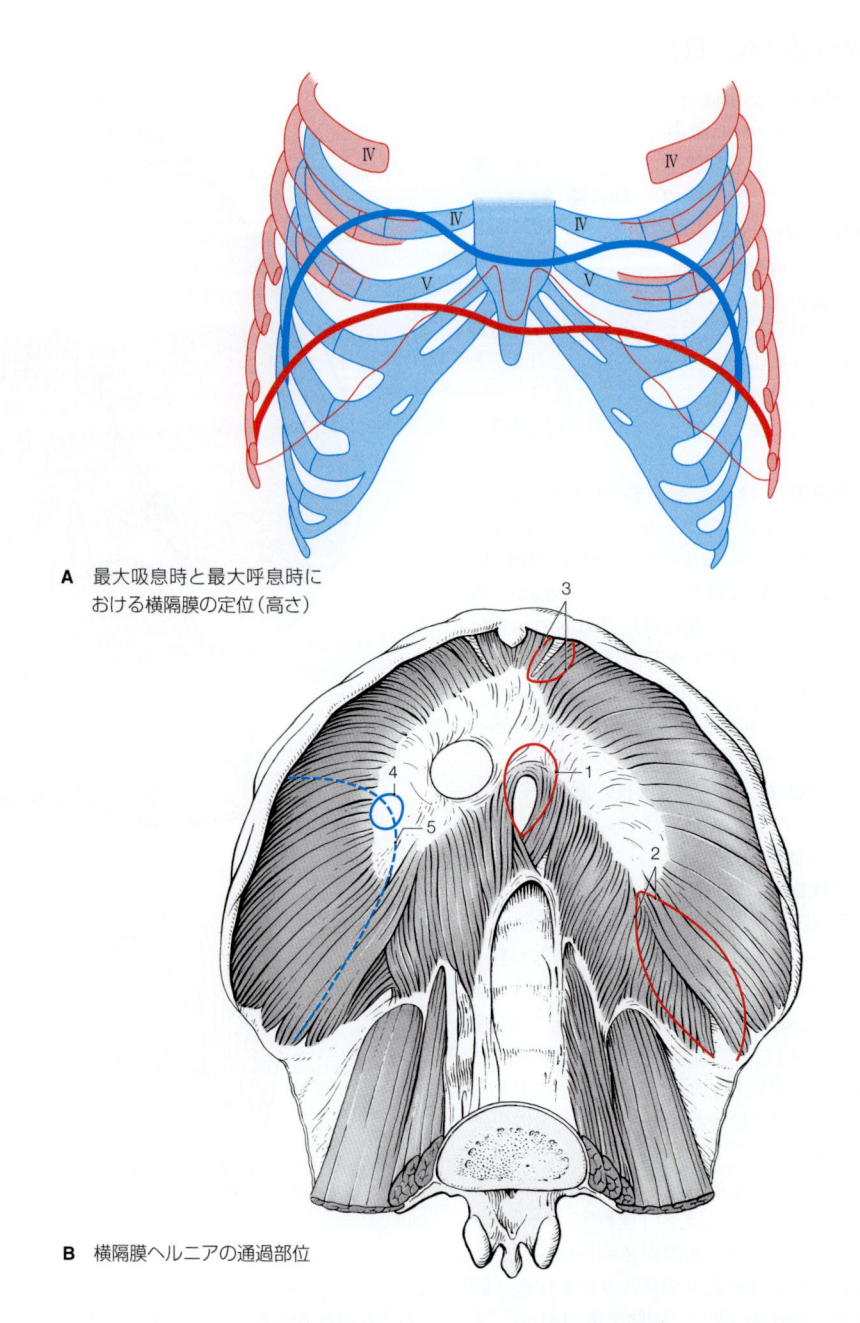

A 最大吸息時と最大呼息時における横隔膜の定位（高さ）

B 横隔膜ヘルニアの通過部位

　最もしばしばみられる先天性ヘルニアは，腰肋三角（**2**）が拡大することによって起こってくる．もう一つの先天性ヘルニアは**食道**のそばにみられ，常に食道の右側に現れる．このヘルニアは，実際には圧倒的に後天性の滑脱ヘルニアであることが多いとされている**[食道]裂孔ヘルニア** hiatus hernia の一型である．滑脱ヘルニア sliding hernia はヘルニア囊をもっておらず，食道裂孔（**1**）の拡大によって生じる．

*その状態を起座呼吸 orthopnea という．

---

1 食道裂孔 oesophageal hiatus　**2** 腰肋三角 lumbocostal triangle　**3** 胸肋三角 sternocostal triangle　**4** 腱中心 central tendon　**5** 肋骨部 costal part

骨盤底（A，B）

骨盤底 pelvic floor は後下方に向かって体幹を閉鎖している．骨盤底は**骨盤隔膜** pelvic diaphragm と**尿生殖隔膜** urogenital diaphragm からつくられる．

骨盤隔膜

これは**肛門挙筋**と**尾骨筋**とから構成されている．

肛門挙筋（1）は恥骨（2），肛門挙筋腱弓（3）および坐骨棘（4）に起こる．これらからの筋線維は**恥骨直腸筋**（5），**恥骨会陰筋**＝直腸前線維（6），**恥骨尾骨筋**（7）および**腸骨尾骨筋**（8）とに分けられる．両側の恥骨会陰筋の内側線維はいわゆる挙筋脚 levator crus をつくり，その間に挙筋門 levator gate（＝尿生殖裂孔 urogenital hiatus ＋肛門裂孔 anal hiatus）をはさむ．恥骨会陰筋は会陰に至り，尿生殖管と肛門管とを分けている．挙筋門は側方は挙筋脚によって，後方は恥骨会陰筋によって境される．この挙筋門を尿道 urethra および生殖管が通り抜けており，直腸前線維の後ろには直腸のみが通っている．恥骨直腸筋の線維は直腸のそばで外肛門括約筋（9）の中に終わり，少数の線維は直腸の後ろを弓状を呈して通り過ぎる．恥骨尾骨筋と腸骨尾骨筋の線維は内方へ走って肛門尾骨靱帯（10）に至り，この靱帯およびじかに尾骨（11）に終わる．

男性の挙筋門は狭く，女性のそれは広い．挙筋門の開きに幅があるため，もう一つの閉鎖機構（尿生殖隔膜）が必要となってくる．

尾骨筋（12）は腱として坐骨棘から始まり，尾骨と仙骨下部に終わる．この筋は時おり欠如する．

機能：肛門挙筋は腹圧をかける際に働く筋の一つである．この筋は骨盤内臓の重みに耐え，一種の支持機能を発揮する．またこの筋は直腸の閉鎖に大いに関与する．

尿生殖隔膜

この隔膜は基本的には**深会陰横筋**（13）によってつくられている．この筋は坐骨枝と恥骨下枝とから起こり，尿生殖裂孔にまで達する．尿生殖隔膜の後部は**浅会陰横筋**（14）によって補強されている．浅会陰横筋は坐骨結節（15）から起こり，会陰の楔状の結合組織，すなわち会陰腱中心 perineal body の中へ入り込む．前方では尿生殖隔膜は**会陰横靱帯**（16）によって補完されている．

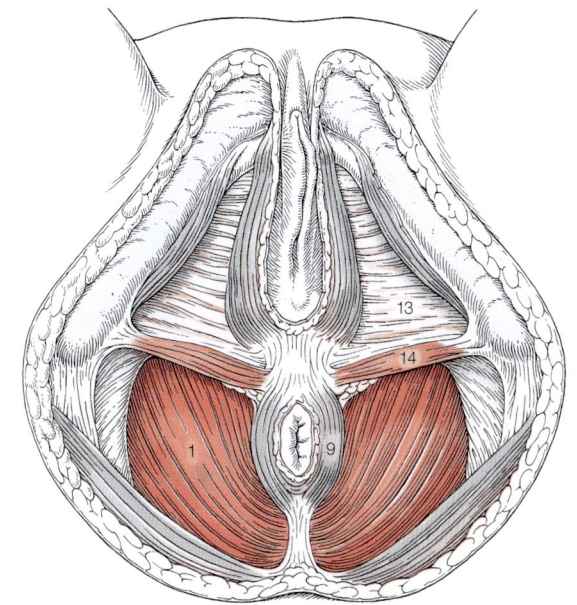

A 女性骨盤底，骨盤隔膜と尿生殖隔膜

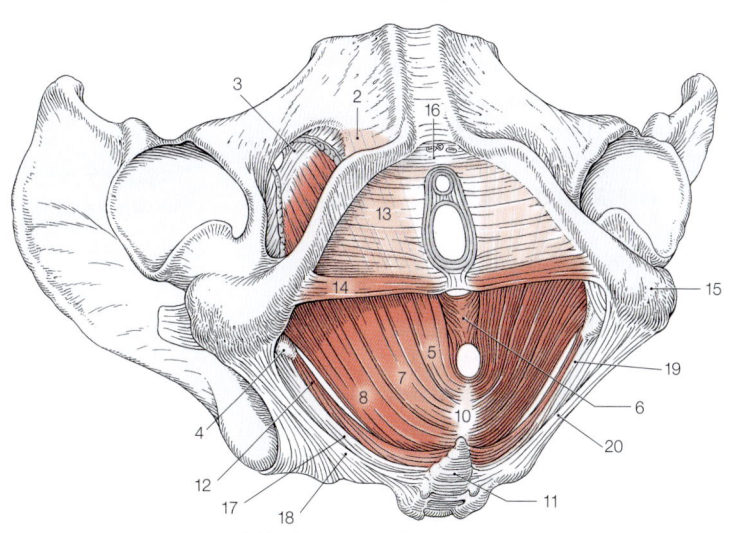

B 女性骨盤底，諸筋の模式図

尿生殖隔膜も骨盤隔膜もその上・下面は結合組織性の筋膜によって覆われている．それぞれ上・下尿生殖隔膜筋膜 superior & inferior urogenital diaphlamatic fascia ならびに，上・下骨盤隔膜筋膜 superior & inferior diaphragmatic pelvic fascia という．また，下尿生殖隔膜筋膜のことを会陰膜 membrana perinei ともいう．骨盤隔膜と尿生殖隔膜の間には後方へ開く坐骨直腸窩 ischiorectal fossa（＝坐骨肛門窩 ischioanal fossa）がある．

神経支配：骨盤隔膜は一般に仙骨神経叢 sacral plexus からくる1本の長い枝に支配され，尿生殖隔膜は陰部神経 pudendal nerve の諸枝に支配される．

尿生殖隔膜とは有意義な概念であるが，近年解剖ではあまり使われなくなっており，代わって会陰横靱帯ならびに深会陰横筋とを含む会陰膜という概念に置き換えられている．

> **臨床関連**：骨盤隔膜が過度に伸展されると，女性では内生殖器の降下が起こる．このような過伸展は，特に出産後にみられることが多い．また常に考えておかなければならないことは，出産中に肛門挙筋の裂断によって骨盤隔膜の損傷が起こることがあるということである．骨盤底の筋減弱部を通って起こる**会陰ヘルニア** perineal hernia はまれである（しかし基本的には女性に多い）．

骨盤底の詳細についてはⅡ章を参照．

---

1 肛門挙筋 levator ani　2 恥骨 pubis　3 肛門挙筋腱弓 tendinous arch of levator ani　4 坐骨棘 ischial spine　5 恥骨直腸筋 puborectalis　6 恥骨会陰筋 puboperinealis（＝直腸前線維 prerectal fiber）　7 恥骨尾骨筋 pubococcygeus　8 腸骨尾骨筋 iliococcygeus　9 外肛門括約筋 external anal sphincter　10 肛門尾骨靱帯 anococcygeal ligament　11 尾骨 coccyx　12 尾骨筋 coccygeus　13 深会陰横筋 deep transverse perineal muscle　14 浅会陰横筋 superficial transverse perineal muscle　15 坐骨結節 ischial tuberosity　16 会陰横靱帯 transverse perineal ligament　17 仙棘靱帯 sacrospinous ligament　18 仙結節靱帯 sacrotuberous ligament

A）骨，靱帯および関節

上肢 upper limb は**上肢帯**（肩甲帯）shoulder girdle と**自由上肢** free upper limb が区別される．上肢帯は肩甲骨と鎖骨でつくられる．

上肢帯

肩甲骨（A～E）

肩甲骨 scapula は扁平な三角形の骨であって，その辺縁すなわち内側縁（**1**），外側縁（**2**）および上縁（**3**）は，上角（**4**），下角（**5**）および切り落とされた格好の外側角（**6**）によって互いに分けられている．前面である肋骨面 costal surface は平坦で，軽くくぼんでいる（肩甲下窩 subscapular fossa）．ここにしばしばよく発達した筋線 Lineae musculares がみられる．背側面 posterior surface は肩甲棘（**7**）によって，狭い棘上窩（**8**）と広い棘下窩（**9**）とに分けられる．肩甲棘は内側の三角形の部分（棘三角 triangle of spine）に始まり，外側へ向かうにつれて高くなり，圧平された突起すなわち肩峰（**10**）をつくって終わる．外側端の近くに鎖骨と結合するための関節面，すなわち肩峰関節面（**11**）がある．

肩峰角（**12**）は容易に触れることのできる骨の突出点であって，ここで肩峰の外側縁が肩甲棘に移行する．外側角には関節窩（**13**）がある．その上縁には小さな結節すなわち関節上結節（**14**）がみられる．関節窩の下方には関節下結節（**15**）がある．関節窩に接して肩甲頸（**16**）がある．

関節窩の上には烏口突起（**17**）がそびえている．この突起は外前方へ直角をなして屈曲し，扁平になって終わる．肩峰とともに，この突起はその下にある関節を保護している．烏口突起の基底部の内側で上縁には肩甲切痕（**18**）という切れ込みがみられる．

肩甲骨は胸郭に接している．肩甲棘は位置を定めるのに役立ち，これはほぼ第3胸椎の高さにあることになっている．下角は第7～8肋骨の間にあり，内側縁は上肢を下垂したときには棘突起の列と平行している．**肩甲面**は肩甲骨を含むような面である．この面は対称軸（正中面）と60°の角度をなす．関節窩は外前方を向いている．

変異：肩甲切痕は肩甲孔（**19**）に変形していることがある．内側縁は時に凹線を示し，この場合には**舟状肩甲骨** scaphoid scapula といわれる．

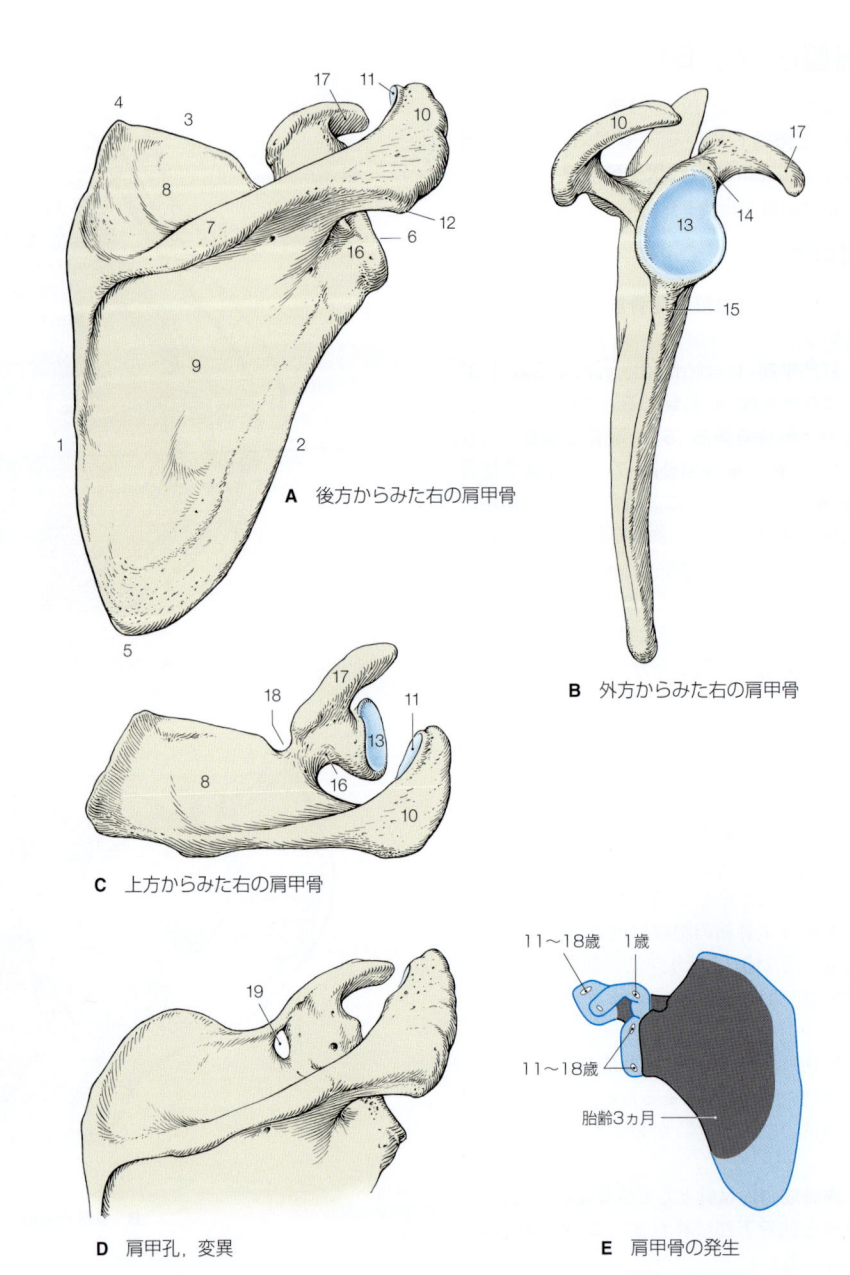

A 後方からみた右の肩甲骨

B 外方からみた右の肩甲骨

C 上方からみた右の肩甲骨

D 肩甲孔，変異

E 肩甲骨の発生

発生：肩甲骨は数個の骨核から発生してくる（**E**）．第3胎児月には棘上窩，棘下窩ならびに肩甲棘にかけて大きな骨核が出現する．烏口突起のところに1歳で骨核がつくられ，そのほか小さな骨核が11～18歳の間に肩甲骨全域にわたって現れることがある．すべての骨核は16～22歳にかけて互いに融合する．15～18歳の間に肩峰に現れる骨核は，まれに独立して残っていることがある（**肩峰骨** acromial bone）．

肩甲骨の靱帯

烏口肩峰靱帯 coraco-acromial ligament（55頁）は肩関節の上で橋渡しをしていて，烏口突起と肩峰の間に張っている．この靱帯は上腕円蓋 humeral fornix をつくる．**上肩甲横靱帯** superior transverse scapular ligament（55頁）は肩甲切痕の上に張っている（下肩甲横靱帯 inferior transverse scapular ligament は肩甲棘から関節窩へ走っているが，この靱帯は特殊な場合にだけみられる）．

---

1 内側縁 medial border　2 外側縁 lateral border　3 上縁 superior border　4 上角 superior angle　5 下角 inferior angle　6 外側角 lateral angle　7 肩甲棘 spine of scapula　8 棘上窩 supraspinous fossa　9 棘下窩 infraspinous fossa　10 肩峰 acromion　11 肩峰関節面 acromial facet　12 肩峰角 acromial angle　13 関節窩 glenoid cavity　14 関節上結節 supraglenoid tubercle　15 関節下結節 infraglenoid tubercle　16 肩甲頸 neck of scapula　17 烏口突起 coracoid process　18 肩甲切痕 suprascapular notch　19 肩甲孔 scapular foramen

鎖骨（A，B，F）

鎖骨 clavicle は S 字状に彎曲した骨である．この骨は全長の約 2/3 に相当する内側の部分で前方へ凸の形をとり，外側では後方へ凸の彎曲を示す．胸骨に向かうずんぐりした**胸骨端**(**1**)と肩甲骨に向かう扁平な**肩峰端**(**2**)がある．その間に**鎖骨体** shaft of clavicle がある．胸骨端にはほぼ三角形を呈する胸骨関節面(**3**)がある．肩峰関節面(**4**)はほぼ卵円形である．鎖骨の下面の胸骨端の近くに肋鎖靱帯圧痕(**5**)がある．鎖骨体の下面には鎖骨下筋溝 subclavian groove がある．肩峰端の近くで下面に円錐靱帯結節(**6**)という結節が隆起しており，その前外側には菱形靱帯線(**7**)がある．

発生：鎖骨は大部分が結合組織性原基から発生する．その骨化は早くも 6 週齢胚子に始まる．両端は前もって軟骨でつくられており，骨核は 16～20 歳で胸骨端にやっと現れる．この骨核は 21～24 歳の間に残りの鎖骨の部分と骨性に結合していく．

> **臨床関連：鎖骨頭蓋骨形成不全** cleidocranial dysostosis は一つの奇形であるが鎖骨の結合組織性部分の発生が不完全かまたは全く形成されないもので，結合組織で前もって形成される頭蓋骨の欠損をも伴うものである．

上肢帯の連結（C〜E）

体幹との結合は連続的な靱帯結合（肋鎖靱帯，**8**）と非連続的な関節による結合（胸鎖関節 sternoclavicular joint）によって生ずる．同様に上肢帯の各部分相互の結合も連続的な靱帯結合（烏口鎖骨靱帯 coracoclavicular ligament）と非連続的な関節による結合（肩鎖関節 acromioclavicular joint）によって生じる．

胸鎖関節（C）

この関節は関節円板(**9**)をもつ関節である．関節円板は関節腔を 2 つの部分に分ける．胸骨の少し凹んだ切痕が関節窩であり，(鎖骨の)胸骨端が関節頭を形成している．両関節面の不適合は，これらを覆う線維軟骨様の組織と，上は鎖骨に下は胸骨に固定された関節円板とによって矯正される．関節包はゆるく，しかも厚く，後および前胸鎖靱帯(**10**)によって補強されている．両側の鎖骨は鎖骨間靱帯(**11**)によって結合される．この関節は 3 つの自由度をもち，球関節として機能する．

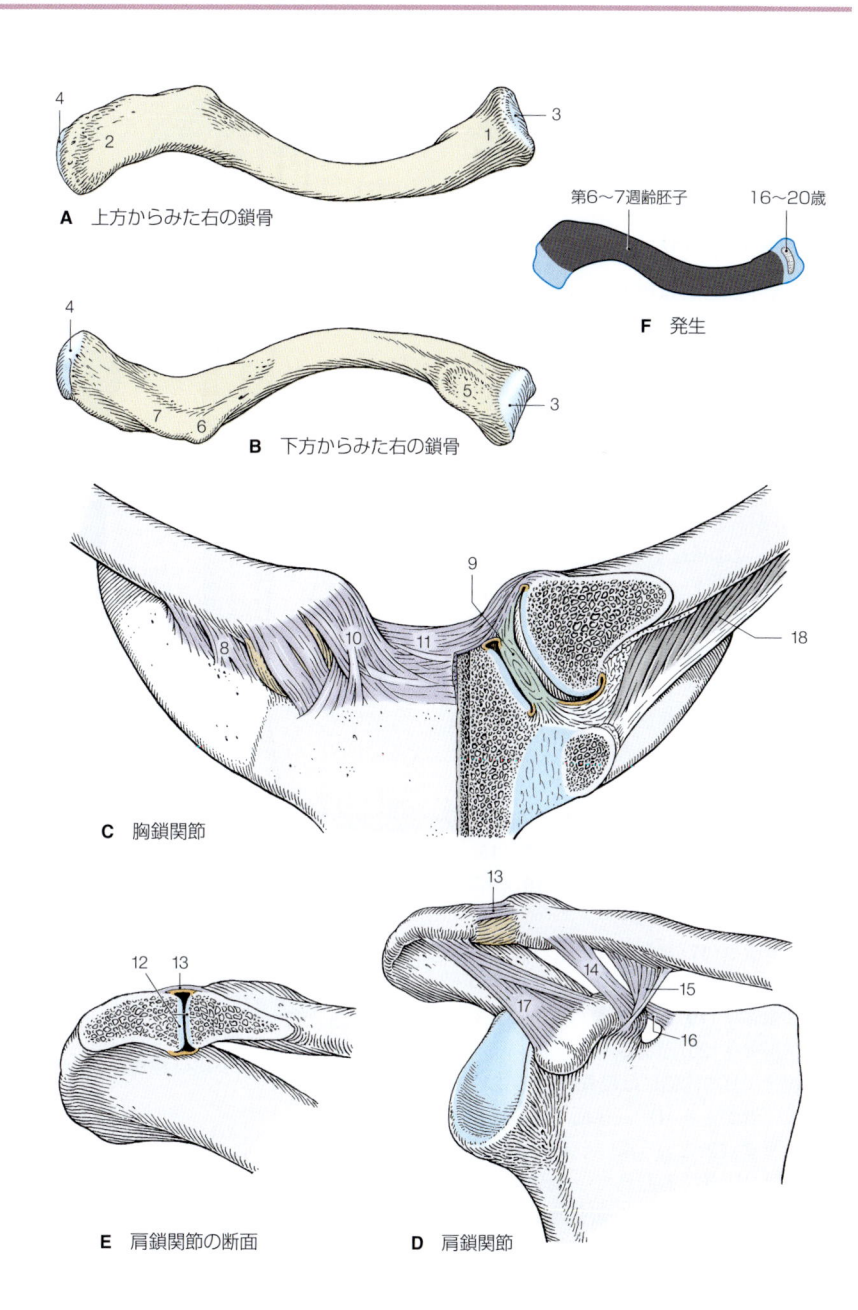

肋鎖靱帯(**8**)は第 1 肋骨と鎖骨との間に張っている．

肩鎖関節（D，E）

ここではほぼ平らな 2 つの関節面が向かい合っている．これらの関節面は線維軟骨様の組織(**12**)によって覆われている．関節包の上面には肩鎖靱帯(**13**)という補強靱帯がみられる．

烏口突起と鎖骨との間には，**烏口鎖骨靱帯**が張っている．この靱帯は前外側部と後内側部とに分けられる．外側部すなわち**菱形靱帯**(**14**)は烏口突起の上内側縁に始まり，菱形靱帯線へ走る．内側部すなわち**円錐靱帯**(**15**)は烏口突起の基部に始まり，扇形に広がって円錐靱帯結節に終わる．

> **臨床関連**：鎖骨を強く後方に押しつけて沈めると，鎖骨下動脈の圧迫が起こる．この現象は橈骨動脈の拍動が弱くなることで点検することができる．

A 上方からみた右の鎖骨

F 発生　第 6〜7 週齢胚子　16〜20 歳

B 下方からみた右の鎖骨

C 胸鎖関節

E 肩鎖関節の断面

D 肩鎖関節

---

1 胸骨端 sternal end　2 肩峰端 acromial end　3 胸骨関節面 sternal facet　4 肩峰関節面 cromial facet　5 肋鎖靱帯圧痕 impression for costoclavicular ligament　6 円錐靱帯結節 conoid tubercle　7 菱形靱帯線 trapezoid line　8 肋鎖靱帯 costoclavicular ligament　9 関節円板 articular disk　10 前胸鎖靱帯 anterior sternoclavicular ligament　11 鎖骨間靱帯 interclavicular ligament　12 線維軟骨様の組織 fibrocartilaginous tissue　13 肩鎖靱帯 acromioclavicular ligament　14 菱形靱帯 trapezoid ligament　15 円錐靱帯 conoid ligament　16 上肩甲横靱帯 superior transverse scapular ligament　17 烏口肩峰靱帯 coraco-acromial ligament　18 鎖骨下筋 subclavius

自由上肢

自由上肢骨 skeleton of free part of upper limbには，**上腕骨**，**橈骨**，**尺骨**，**手根骨**，**中手骨**および[手の]**指骨**がある．

上腕の骨（A～H）

上腕骨 humerus は肩甲骨，尺骨および橈骨と関節によって連結している．この骨は**骨幹**または**骨体** shaft, body と**近位（上）**ならびに**遠位（下）端** proximal & distal extremityとからなる．上端は上腕骨頭(**1**)をつくっており，解剖頸(**2**)によって境されている．上端の前面には外側に大結節(**3**)，内側に小結節(**4**)がある．両結節の間で結節間溝(**5**)が始まり，この溝は下方では小結節稜(**6**)と大結節稜(**7**)によって境されている．骨体の上方には外科頸(**8**)がある．骨体のほぼ真ん中で外側に三角筋粗面(**9**)がみられる．骨体は内側縁(**11**)をもつ内側前面(**10**)と，外側縁(**13**)がある外側前面(**12**)とに分けられる．外側縁は下方では鋭くなり，外側顆上稜 lateral supracondylar ridgeといわれる．骨体の後面には橈骨神経溝(**14**)がある．下端には内側によく発達した内側上顆(**15**)，外側に発達のよくない外側上顆(**16**)がみられる．

上腕骨滑車(**17**)と上腕骨小頭(**18**)は前腕骨と関節で連結している．上腕骨小頭の上方には橈骨窩(**19**)が，滑車の上方にはやや大きな鉤突窩(**20**)がある．

上腕骨滑車の内側には尺骨神経溝(**21**)という浅い溝が走る(**D**)．後面では滑車の上方に肘頭窩(**22**)という深いくぼみがある．

上腕骨は上端でねじれている．すなわち骨頭は内側上顆と外側上顆を通る軸に対して後方へ約20°だけねじれている[ネジレ角]．上腕骨の長軸と骨頭との間には平均して約130°の角度があり，一方下端では関節の横軸と上腕骨体の長軸との間には76～89°の角度が存在する．

近位の骨端線(**23**)は小結節を横断し，大結節の下方を走り，そこで関節包の付着(57頁)と交叉するので，骨体の一小部分はまだ関節包の内部にあることになる．

遠位端では2個の骨端と2本の**骨端線**(**24**)が存在する．骨端の一つは内側上顆を，もう一つの骨端は関節体と外側上顆を占めている．

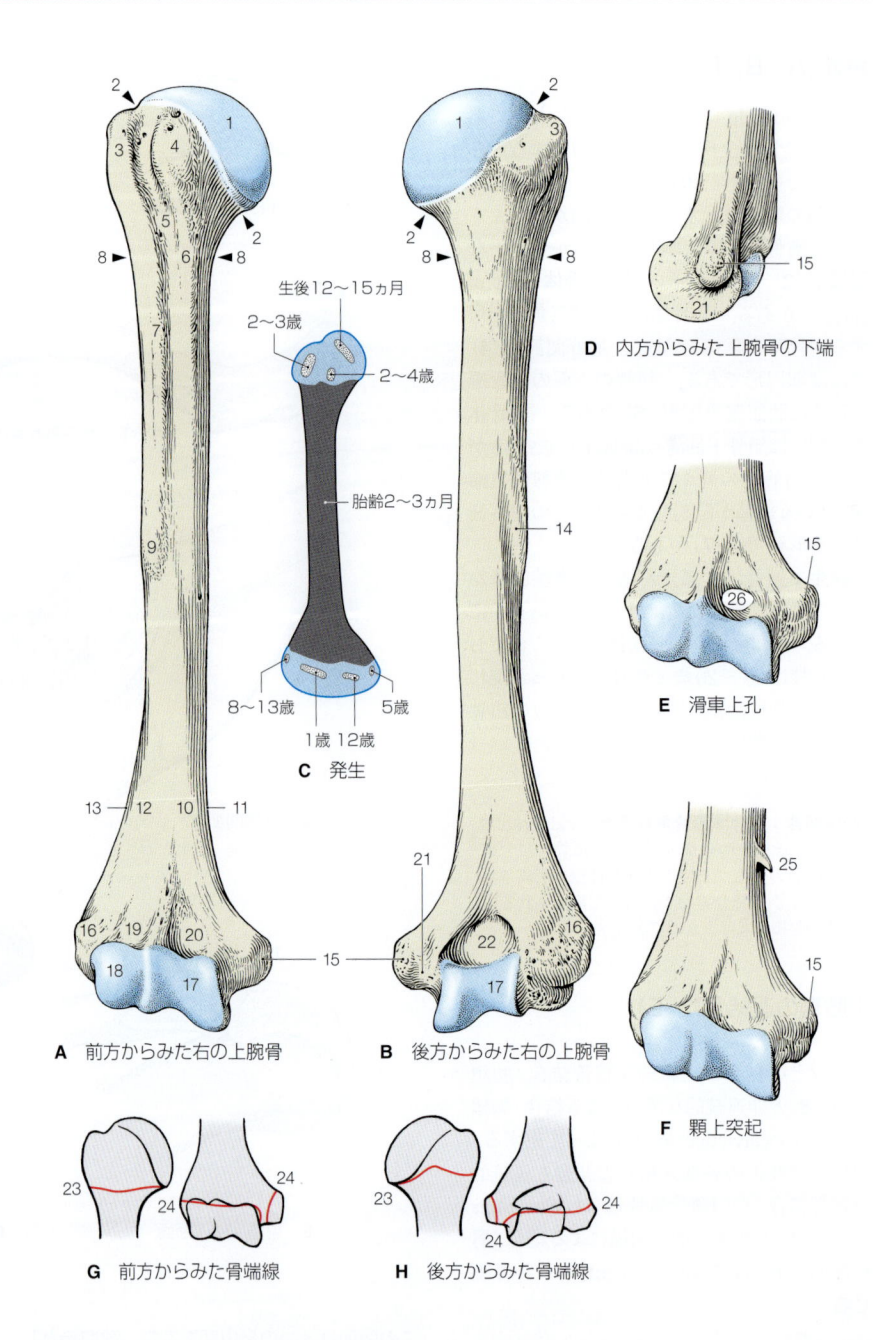

発生：一般に骨核の形成と骨端接合部閉鎖は男性より女性の方が幾分早く起こる．

骨体の軟骨外の（軟骨膜性の）骨原基は胎齢2～3ヵ月に現れる．骨体の軟骨内の骨核は生後2週から12歳までの間に現れる．近位では生後すぐに3個の骨核が現れるが，遠位では4個の骨核がずっと後になってやっと出現する．遠位骨端ではそれに続いて骨端線が閉じるが，近位骨端では思春期の終わりに閉じる．

A 前方からみた右の上腕骨
B 後方からみた右の上腕骨
C 発生
D 内方からみた上腕骨の下端
E 滑車上孔
F 顆上突起
G 前方からみた骨端線
H 後方からみた骨端線

変異：内側上顆のやや上方に（まれに）顆上突起(**25**)がみられ(79頁)，またときに上腕骨滑車の上方に滑車上孔(**26**)が存在することがある．

臨床関連：上腕骨の骨折は50％まで骨体の領域で起こる．外科頸骨折もかなり多い．橈骨神経損傷の危険性がある！

---

1 上腕骨頭 head of humerus　**2** 解剖頸 anatomical neck　**3** 大結節 greater tubercle　**4** 小結節 lesser tubercle　**5** 結節間溝 intertubercular sulcus　**6** 小結節稜 crest of lesser tubercle　**7** 大結節稜 crest of greater tubercle　**8** 外科頸 surgical neck　**9** 三角筋粗面 deltoid tubercle　**10** 内側前面 anteromedial surface　**11** 内側縁 medial border　**12** 外側前面 anterolateral surface　**13** 外側縁 lateral border　**14** 橈骨神経溝 radial groove　**15** 内側上顆 medial epicondyle　**16** 外側上顆 lateral epicondyle　**17** 上腕骨滑車 trochlea of humerus　**18** 上腕骨小頭 capitulum of humerus　**19** 橈骨窩 radial fossa　**20** 鉤突窩 coronoid fossa　**21** 尺骨神経溝 groove for ulnar nerve　**22** 肘頭窩 olecranon fossa　**23** 近位の骨端線 proximal epiphysial line　**24** 遠位の骨端線 distal epiphysial line　**25** 顆上突起 supracondylar process　**26** 滑車上孔 supratrochlear opening

肩関節（A〜G）

　球関節である**肩関節** glenohumeral joint, shoulder joint の骨性の**関節窩** glenoid cavity はもともと**上腕骨頭**より小さい．関節窩の硝子軟骨性の被覆（**1**）は中心より辺縁で厚くなっている．関節窩は線維軟骨性の**関節唇**（**2**）によって拡大されている．

　関節窩は肩甲面に対して垂直に立っており，したがって肩甲骨の位置はこの関節全体の定位を左右することになる．関節窩の表面積は約6cm²で，約6kp（キロポンド）の気圧がこの関節にかかる．上肢の重さは約4kgである．ここには比較的強い靱帯は一つも存在しないから，関節を包む諸筋がこの関節を保護することになる．したがってこういう関節を**筋で保護された関節**という．

　上腕骨頭（**3**）はおおよそ球形である．硝子軟骨性の被覆は解剖頸に始まるが，結節間溝ではもう少し下にまで及んでいる．この軟骨の被覆によって上腕骨頭は卵円形を呈するようになる．**関節包の滑膜** synovial membrane は関節唇に固定されている．滑膜は関節内を走る上腕二頭筋長頭の腱（**4**）に沿って囊状に折り返されて（**C**）**結節間滑液鞘**（**5**）となり，この腱を取り巻いている．上腕では**関節包の線維膜** fibrous membrane は結節間溝のまわりに結合組織の束をつくり，この溝を補完して骨線維性の管に仕上げている．**関節包** articular capsule はゆるく，腕を下垂した状態では内側に囊状の突出すなわち**腋窩陥凹**（**6**）が生じる．この関節包はその上部で烏口上腕靱帯（**7**）と3部からなる弱い関節上腕靱帯 glenohumeral ligaments によって補強されている．烏口上腕靱帯は烏口突起の基部（**8**）に起こり，関節包の中へ入り込み大結節と小結節に達する．腕を下垂すると，上腕骨頭はその上半分で関節包に，下半分で関節窩に接触することになる．

　肩関節は種々の滑液包と連絡をもつ．一般には烏口下包 subcoracoid bursa, 肩甲下筋の腱下包 subtendinous bursa of subscapularis（肩甲下筋（**9**）の腱の下にある），結節間滑液鞘 intertubercular synovial sheath および烏口腕筋包 bursa of coracobrachialis が関節（腔）と交通している．

肩関節の運動（D〜F）

　3つの自由度をもつ運動が可能である．**外転** abduction や**内転** adduction というのは，肩甲面（54頁）にある上腕骨頭の静止位（**D**）から出発する．純粋に側方への外転（**E**）は同時に**後傾** retroversion（後挙）と軽度の**回旋** rotation を伴うが，肩甲面から出発する内転は幾分前方へ向かうことになる（前頭内転 frontal adduction）．

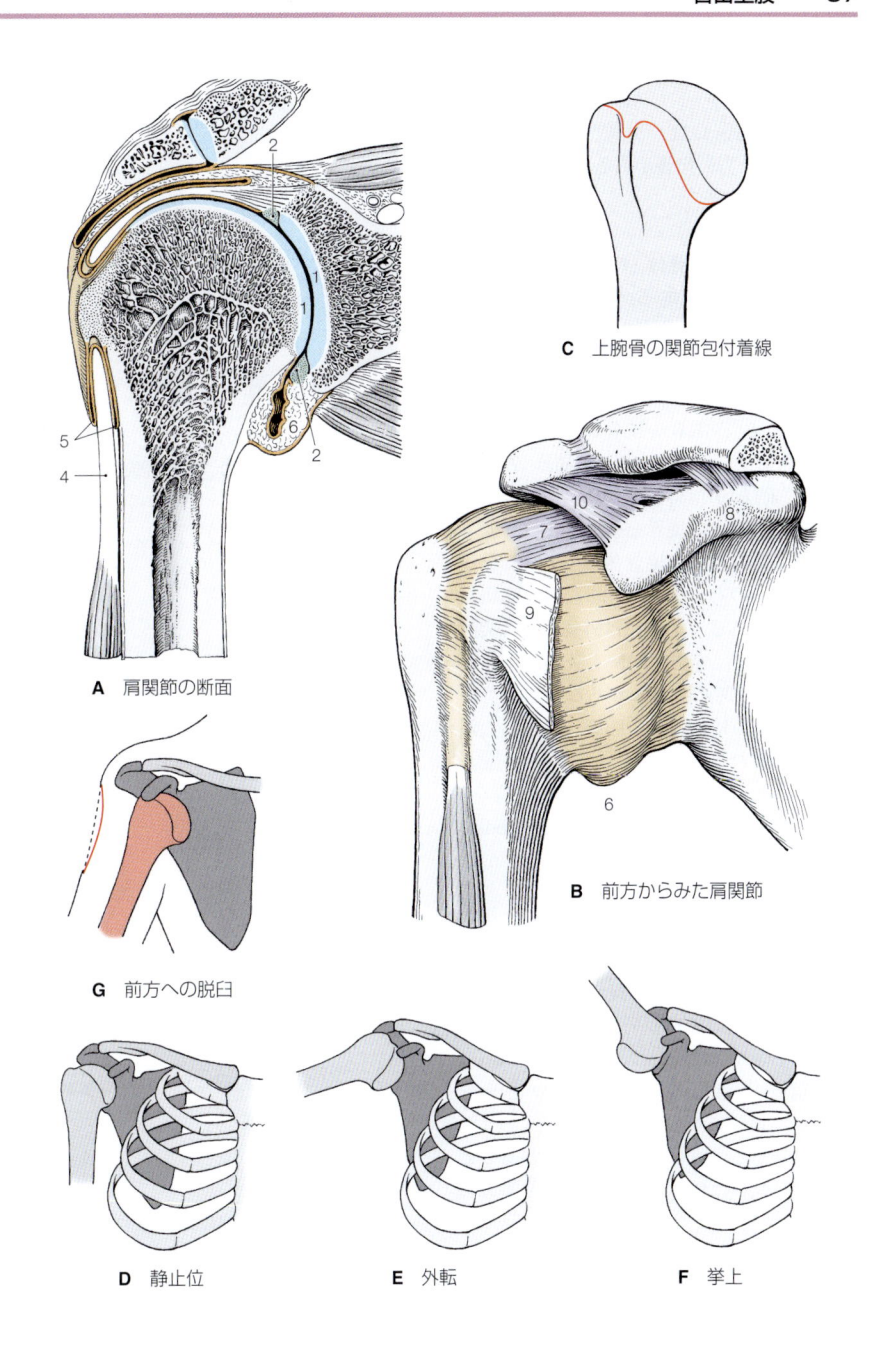

　腕を前方へあげるのは**前傾** anteversion である．前記の諸運動の協力の下に回旋成分によって複合された運動，すなわち**描円運動** circumduction が生ずる．この運動では腕は実際に円錐を描く．外転運動（**E**）では常に肩甲骨の運動を伴う．90°以上の外転すなわち挙上（**F**）は，肩甲骨が過度に関与することになる．というのは烏口肩峰靱帯（**10**）によってこの関節の動きが制限されるからである（54頁）．

A　肩関節の断面
B　前方からみた肩関節
C　上腕骨の関節包付着線
D　静止位
E　外転
F　挙上
G　前方への脱臼

臨床関連：肩関節ではほかの関節よりもしばしば**脱臼** luxation がみられる．脱臼の際には関節包が破れるが，これは多くの場合，前下方で起こる．

　外表から見え，また触れることのできる**肩円蓋**は大結節によってつくられている．肩円蓋から上腕骨頭の位置を推定することができる．脱臼の際には肩円蓋が消失し，上腕骨頭は関節窩からはずれており，外から診察すると指が肩峰の下の空虚なくぼみに入る（**G**）．

　骨折についてはごくまれに解剖頸に沿って関節腔内を骨折線が走ることがあり，その際には治癒の見込みは非常に悪い．

---

1 関節軟骨（硝子軟骨）articular cartilage (hyaline cartilage)　2 関節唇（肩関節の）glenoid labrum　3 上腕骨頭 head of humerus　4 上腕二頭筋長頭（の腱）long head of biceps brachii　5 結節間滑液鞘 intertubercular tendon sheath　6 腋窩陥凹 axillary recess　7 烏口上腕靱帯 coracohumeral ligament　8 烏口突起 coracoid process　9 肩甲下筋 subscapularis　10 烏口肩峰靱帯 coraco-acromial ligament

前腕の骨

前腕 forearm には，外側に短い方の**橈骨**と内側に長い方の**尺骨**がある．

橈骨（A〜E）

橈骨 radius に**橈骨体**（**1**），**上端** proximal extremity および**下端** distal extremity を区別する．上端には関節面をもつ橈骨頭（**2**）がある．その関節窩（**3**）は関節環状面（**4**）に続く．橈骨頸（**5**）と橈骨体との移行部の内側に橈骨粗面（**6**）がある．橈骨体はその断面がほぼ三角形で，内側へ向かう骨間縁（**7**），前面（**8**），前縁（**9**），外側面（**10**），および外側面と後面（**12**）との境界をなす後縁（**11**）をもつ．外側面にはほぼ橈骨体の中 1/3 に発達の程度に差のあるざらざらした回内筋粗面（**13**）がみられる．下端には外側に茎状突起（**14**），内側に尺骨切痕（**15**）がある．下方へ向かって手根関節面（**16**）がある．

下端の後面には数条の明瞭に発達した**溝**があり，それらの溝には長い諸伸筋の腱が走っている．外側（橈側）から内側（尺側）へかけて：第1溝（**17**）は長母指外転筋 abductor pollicis longus と短母指伸筋 extensor pollicis brevis の腱を容れるもので，茎状突起にある．第2溝（**18**）は長および短橈側手根伸筋 extensor carpi radialis longus & brevis の腱を納めている．第3溝（**19**）は斜めに走り，長母指伸筋 extensor pollicis longus の腱を通している．第4溝（**20**）は［総］指伸筋 extensor digitorum と示指伸筋 extensor indicis を受け入れている．第3溝の外側にある骨稜は多くの場合触れることができるが，これは背側結節（**21**）ともいわれる．

臨床関連：橈骨の茎状突起は尺骨よりさらに 1cm 下方に達している．骨折の整復 reposition に際してこのことを念頭におくべきである．

発生：7週齢胚子で橈骨体の軟骨外骨化が始まる．骨端は軟骨内骨化によって，遠位骨端はだいたい1〜2歳，茎状突起は10〜12歳，近位骨端は4〜7歳でつくられる．骨端接合部閉鎖は近位端では14〜17歳の間，遠位端では20〜25歳で起こる．

尺骨（F〜L）

尺骨 ulna は**尺骨体**（**22**）と上端および下端をもっている．上端には鉤状に曲がった粗面をもつ突起，すなわち肘頭（**23**）がある．前には滑車切痕（**24**）があり，鉤状突起（**25**）に及んでいる．外側には橈骨切痕（**26**）があり，この切痕は橈骨の関節環状面と適合するようになっている．尺骨体への移行部に尺骨粗面（**27**）がみられる．外側へ向かって，橈骨切痕の延長線上に回外筋稜（**28**）がある．尺骨体の断面は三角形である．外側へ向かう骨間縁（**29**），前方へ向く前面（**30**）が認められる．この前面は前縁（**31**）によって内側面（**32**）から分けられる．この内側面はまた後面（**33**）とは後縁（**34**）によって分けられる．尺骨の前面にはほぼ真ん中に栄養孔（**35**）がある．尺骨頭（**36**）には関節環状面（**37**）がある．尺骨の下端には茎状突起（**38**）という小さい突起がある．

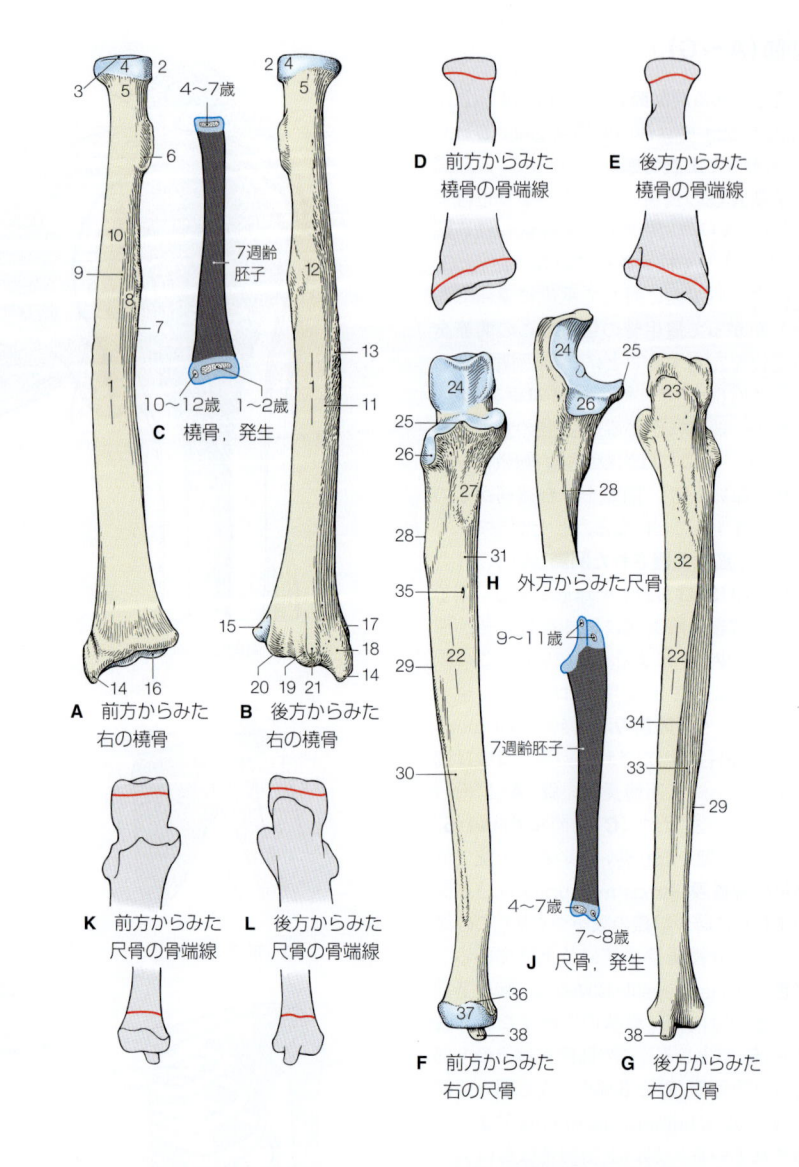

発生：7週齢胚子の骨体で軟骨外骨化が始まる．骨端の骨核は軟骨内骨化により遠位端では4〜7歳，茎状突起では7〜8歳，近位端では9〜11歳で現れる．骨端接合部閉鎖は近位端では早く，遠位端では遅く起こる．

A 前方からみた右の橈骨
B 後方からみた右の橈骨
C 橈骨，発生
D 前方からみた橈骨の骨端線
E 後方からみた橈骨の骨端線
F 前方からみた右の尺骨
G 後方からみた右の尺骨
H 外方からみた尺骨
J 尺骨，発生
K 前方からみた尺骨の骨端線
L 後方からみた尺骨の骨端線

---

1 橈骨体 shaft of radius　2 橈骨頭 head of radius　3 関節窩 glenoid cavity　4 関節環状面 articular circumference　5 橈骨頸 neck of radius　6 橈骨粗面 radial tuberosity　7 骨間縁 interosseous border　8 前面 anterior surface　9 前縁 anterior border　10 外側面 lateral surface　11 後縁 posterior border　12 後面 posterior surface　13 回内筋粗面 pronator tuberosity　14 茎状突起 radial styloid process　15 尺骨切痕 ulnar notch　16 手根関節面 carpal articular surface　17 第1溝（長母指外転筋と短母指伸筋の腱を通す）the 1st groove (for the tendons of the abductor pollicis longus and extensor pollicis brevis)　18 第2溝（長および短橈側手根伸筋の腱を通す）the 2nd groove (for the tendons of the extensor carpi radialis longus and brevis)　19 第3溝（長母指伸筋の腱を通す）the 3rd groove (for the tendons of the extensor pollicis longus)　20 第4溝（総指伸筋と示指伸筋の腱を通す）the 4th groove (for the tendons of the extensor digitorum and indicis)　21 背側結節 dorsal tubercle　22 尺骨体 shaft of ulna　23 肘頭 olecranon　24 滑車切痕 trochlear notch　25 鉤状突起 coronoid process　26 橈骨切痕 radial notch　27 尺骨粗面 tuberosity of ulna　28 回外筋稜 supinator crest　29 骨間縁 interosseous border　30 前面 anterior surface　31 前縁 anterior border　32 内側面 medial surface　33 後面 posterior surface　34 後縁 posterior border　35 栄養孔 nutrient foramen　36 尺骨頭 head of ulna　37 関節環状面 articular circumference　38 茎状突起 radial styloid process

肘関節（A〜D）

肘関節 elbow joint は関節包内部に3個の関節体をもつ**複関節** complex joint である．この関節は3つの関節，つまり**腕橈関節** humeroradial joint，**腕尺関節** humeroulnar joint および**上橈尺関節** proximal radio-ulnar joint からなる．

肘関節は骨と靱帯によって安定化されている．骨による安定化は上腕骨滑車と，これに適合した尺骨の滑車切痕によってなされる．また橈骨輪状靱帯と内側・外側側副靱帯がこの関節の安定化に役立っている．

薄くて，ゆるい関節包（**1**）が全部の関節体を包んでいる．運動の際に関節包が関節体の間にはさみ込まれるのを防ぐため，上腕筋 brachialis および上腕三頭筋 triceps brachii の筋線維が関節筋 articularis cubiti として関節包内へ入り込み，関節包に張りを与えている．上腕骨の内側および外側上顆（**2**）は関節包には包まれていない（D）．

関節包の滑膜層は上腕骨の肘頭窩とその前面の2つの窩（橈骨窩と鉤突窩）を包んでいる（D）．関節包の**滑膜**（**3**）と**線維膜**（**4**）の間には，これらの窩のところに多量の脂肪組織（**5**）がみられるが，この脂肪組織は極端な運動に際して制止作用をもっている．尺骨のところでは関節包の付着（D）は滑車切痕の縁をたどり，肘頭（**6**）の先端も鉤状突起（**7**）もまだ関節包内へ入り込んだままである．橈骨のところでは関節包は橈骨輪状靱帯（**8**）の下方にまで続き上嚢状陥凹（**9**）となっている．この嚢状のふくらみによって橈骨の回旋運動が保証されている．

関節包に関係して非常に強力な**側副靱帯** collateral ligament がある．

内側側副靱帯（**10**）は上腕骨の内側上顆に発し，大抵は2つの比較的強大な線維束すなわち鉤状突起へ向かう前線維束（**11**）と肘頭の側縁に達する後線維束（**12**）とがみられる．後線維束に覆われて尺骨神経が走る．これら両線維束の間には疎性線維性結合組織があって，尺骨のところで横線維（**13**）によって境されている．

外側側副靱帯（**14**）は上腕骨外側上顆から出て，橈骨輪状靱帯へ行く．この橈骨輪状靱帯を介して外側側副靱帯は尺骨へ入り込んでいる．外側側副靱帯は表在性の伸筋と癒着している．**方形靱帯** quadrate ligament は橈骨頸と尺骨の橈骨切痕とをつなぐ．

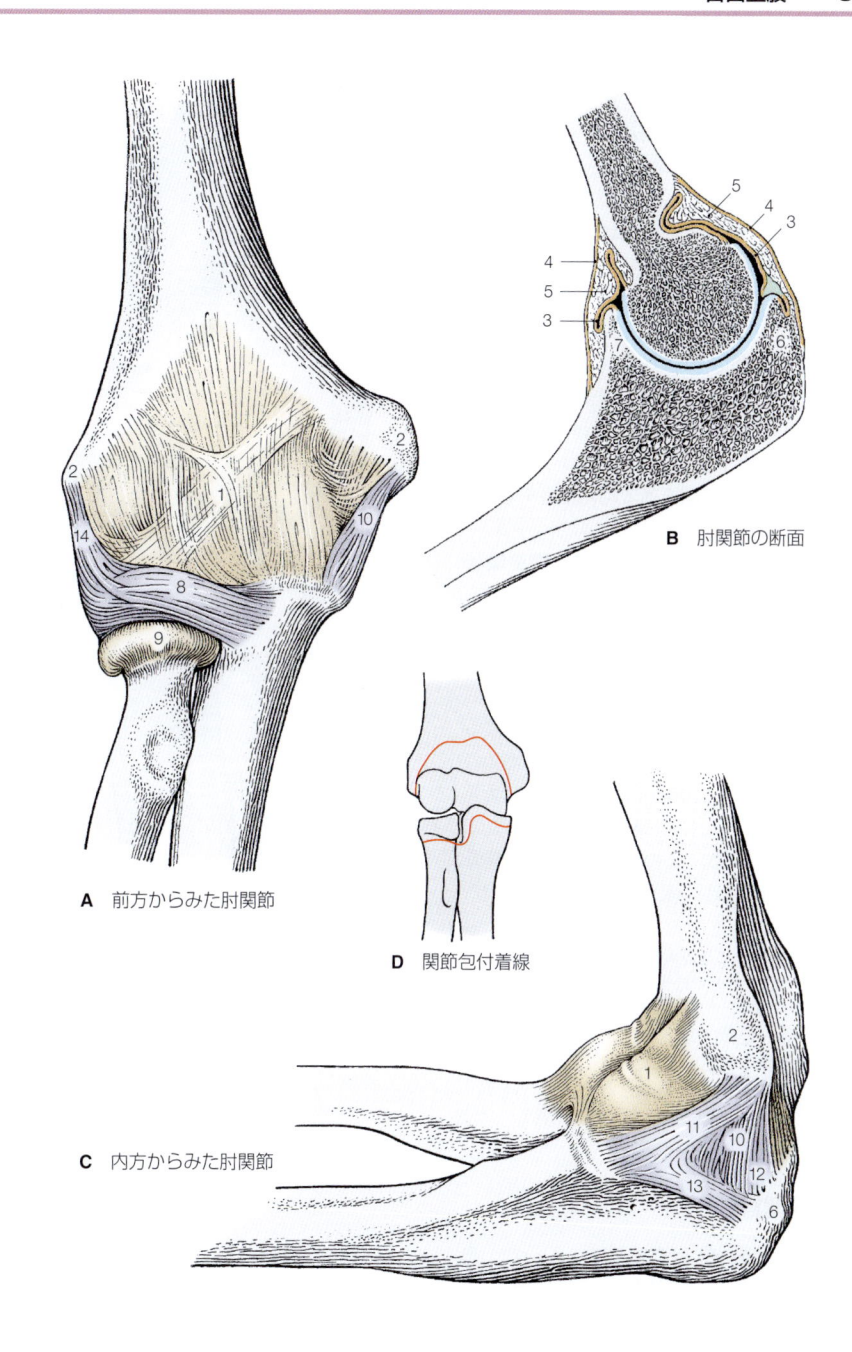

最後に**橈骨輪状靱帯**（**8**）という靱帯もある．この靱帯は起始と付着がともに尺骨にあり，橈骨頭を取り巻いている．その内側にはしばしば軟骨組織があり，回内および回外運動時に（60頁）橈骨の支えとして役立つ．

肘関節を構成する3つの関節の共同作業によって，どんな屈曲または伸展位にあっても，同期して橈骨が尺骨のまわりを回旋することができる．

肘関節には次のような運動がある：**屈曲** flexion と**伸展** extension，**回外** supination と**回内** pronation（60頁）．

A　前方からみた肘関節

B　肘関節の断面

C　内方からみた肘関節

D　関節包付着線

---

1 関節包 articular capsule　**2** 内側および外側上顆 medial epicondyle, lateral epicondyle　**3** 滑膜 synovial membrane　**4** 線維膜 fibrous membrane　**5** 脂肪組織 adipose tissue　**6** 肘頭 olecranon　**7** 鉤状突起 coronoid process　**8** 橈骨輪状靱帯 anular ligament of radius　**9** 上嚢状陥凹 superior sacciform recess　**10** 内側側副靱帯 ulnar collateral ligament　**11** 前線維束 anterior fiber bundle　**12** 後線維束 posterior fiber bundle　**13** 横線維 oblique fibers　**14** 外側側副靱帯 radial collateral ligament

肘関節（続き）（A〜C）

腕橈関節（**1**）は**上腕骨小頭** capitulum of humerus と**橈骨頭窩** articular facet of radius からつくられている．この関節は球関節の形をとる．**腕尺関節**（**2**）は蝶番関節であって，**上腕骨滑車** trochlea of humerus と（**尺骨の**）**滑車切痕** trochlear notch (of ulna) を関節体としている．滑車には丸形の溝（**3**）がみられ，滑車切痕の誘導稜がはまっている．腕橈関節と腕尺関節では，上腕と前腕の間の屈曲ならびに伸展運動が行われる．このときの運動軸は上腕骨滑車の軸と，それを延長して上腕骨小頭を通る線に相当する．

上橈尺関節（**4**）は一方は**橈骨の関節環状面** articular circumference of radius，もう一方は（**尺骨の**）**橈骨切痕** radial notch と**橈骨輪状靱帯**（**5**）とから構成されている．この関節は車軸関節であって，下橈尺関節の協力のもとに尺骨のまわりを橈骨が回旋することができる．この尺骨のまわりでの橈骨の回旋運動は**回内** pronation（**B**）（骨が交叉する）および**回外** supination（**C**）（骨は平行して並ぶ）と呼ばれる．このときの運動軸は橈骨頭関節窩の中心から尺骨の茎状突起へ走る．

開きの角度つまり最大伸展時の上腕と前腕とのなす角度は，女性では男よりわずかに大きい（男175°，女180°）．子供では過伸展が可能である．最大屈曲時の上腕と前腕のなす角度は約35°である（軟部組織の制動）．上腕と前腕との間に生じる**橈側へ開く角度**（上肢を伸展したときの）（**外転角**）は158°〜180°の間を動揺するが，平均してほぼ168.5°に落ち着くという．

下橈尺関節（D）

下橈尺関節（**6**）は車軸関節であって，**尺骨頭** head of ulna と（**橈骨の**）**尺骨切痕** ulnar notch of radius からつくられている．そのほか橈骨と尺骨の茎状突起の間には**関節円板** articular disc があって，これが下橈尺関節を橈骨手根関節 wrist joint から分けている．このゆるい関節包は**下嚢状陥凹**（**7**）をつくって尺骨体まで上昇する．上および下橈尺関節は強制的連係関節であって，回内および回外を行うことができる．

橈骨と尺骨の間の連続的な靱帯結合（D）

橈骨と尺骨の間には**前腕骨間膜**（**8**）が張っている．その線維は上外側から下内側へ走り尺骨に至る．**斜索**（**9**）は斜走する線維束であって，その線維は骨間膜線維の方向とは逆に走っている．この斜索は上方で骨間膜を強化している．斜索はほぼ尺骨粗面に始まって，橈骨粗面の下方にある骨間縁に達している．

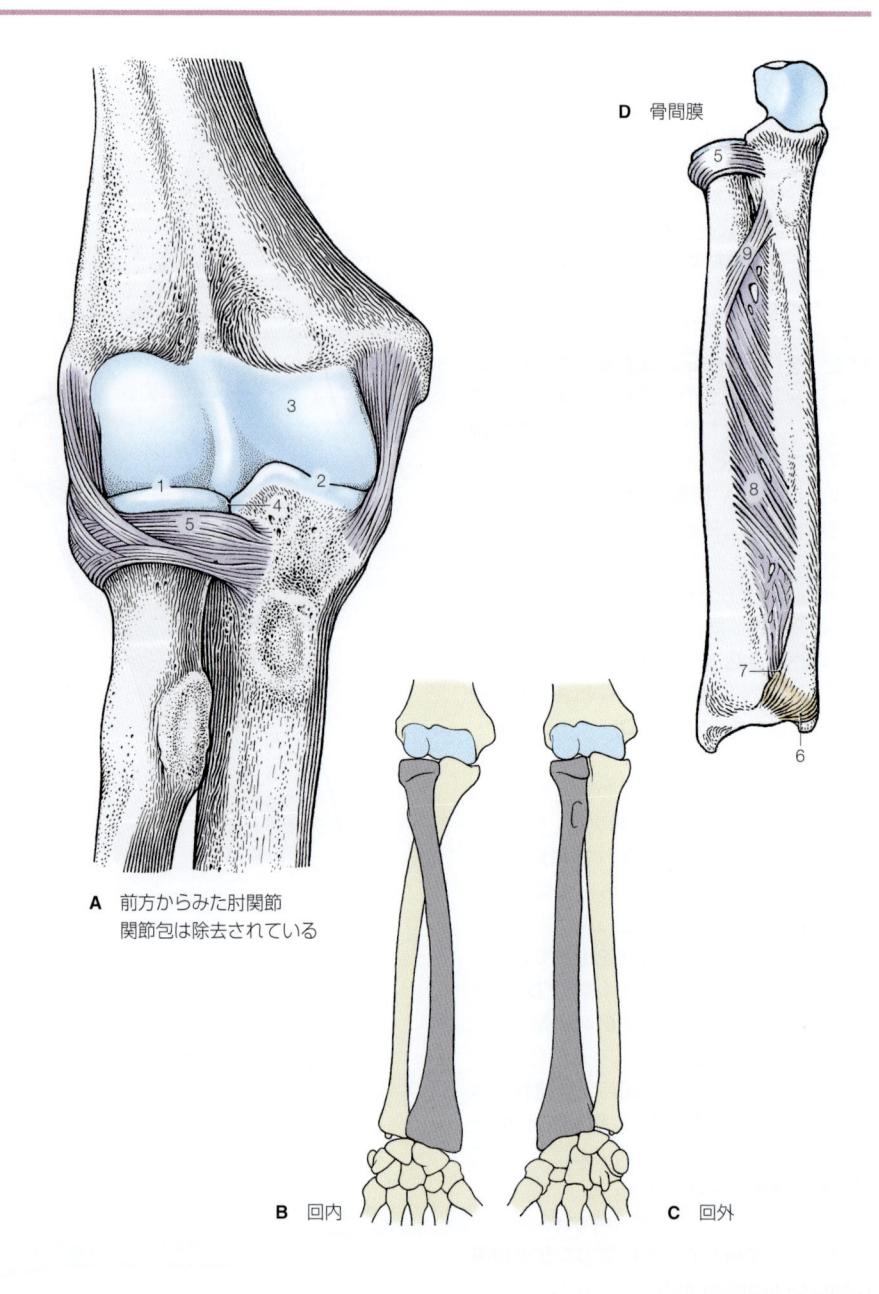

臨床関連：骨間膜は単に橈骨と尺骨の平行移動を防ぐだけでなく，一方の骨から他方の骨への牽引または圧迫負荷を伝える働きがある．骨間膜はしたがって非常に強くつくられており，前腕の過度の圧迫負荷に際してもその線維は引き裂かれることなく，むしろ骨の骨折を引き起こすほどである．

A 前方からみた肘関節　関節包は除去されている

B 回内　　C 回外

D 骨間膜

一般にしばしばみられる骨折は（すでに1814年に Colles によって記載されている），**定型的橈骨[下端]骨折** Fractura radii loco classico であって，腕を伸ばした状態で手掌をついて倒れたときに起こる骨折である（コリーズ骨折 Colles' fracture ともいわれる）．その際体重が上腕骨から尺骨へ，さらに骨間膜を介して橈骨へ伝えられる．橈骨下端は逆圧（反動）をも受け止め，ここに最大の負荷が生じることになり，その結果骨折が起こる．遠位の骨折端は後外方へずれるが，それは骨間膜の線維が橈骨体を尺骨に固定した状態となるからである（銃剣位 bayonet position）．

---

1 腕橈関節 humeroradial joint　**2** 腕尺関節 humero-ulnar joint　**3** 丸形の溝（上腕骨滑車の）the furrow on the trochlea humeri　**4** 上橈尺関節 proximal radio-ulnar joint　**5** 橈骨輪状靱帯 anular ligament of radius　**6** 下橈尺関節 distal radio-ulnar joint　**7** 下嚢状陥凹 inferior sacciform recess　**8** 前腕骨間膜 interosseous membrane of forearm　**9** 斜索 oblique cord

手根（A〜C）

手根 wrist は8個の**手根骨** carpal bones からなる．手根骨は4個ずつが2列に並んでいる．

近位手根骨 proximal carpal bones の列には外側から内側へ向かって**舟状骨**（**1**），**月状骨**（**2**），**三角骨**（**3**）およびこれに重なって**豆状骨**（**4**）がある．

遠位手根骨 distal carpal bones の列では外側から内側へ**大菱形骨**（**5**），**小菱形骨**（**6**），**有頭骨**（**7**）および**有鈎骨**（**8**）がみられる．

これらの手根骨はいずれも近隣の骨と関節をつくるための種々の小面 facets をもっている．

全手根骨すなわち手根骨の両列は，一体としては上方へ凸，下方へ凹の形を呈する．掌側へ向かっても手根は凹面をなし，その上を屈筋支帯 flexor retinaculum という靱帯が張っている．そのすき間には骨線維性の管である**手根管** carpal tunnel が通る．

この屈筋支帯は舟状骨と大菱形骨から有鈎骨と三角骨にまで広がる．上記の諸骨の突出部は皮膚を介して触れることができる．手を下垂したときには，豆状骨は少しずれて，よく触れることができる．同様にこの豆状骨に終わる尺側手根屈筋 flexor carpi ulnaris の腱も触れることができる．舟状骨も大菱形骨も橈側窩 *Fovea radialis* の底を形成している（192頁）．

> **臨床関連**：臨床的に重要なのは舟状骨（**1**）である．というのは，この骨は最もよく骨折を起こす手根骨であるからである．このとき尺側偏位（65頁）に際しては骨折片は離れ合い，橈側偏位（65頁）では押し合う．また掌側屈曲（65頁）では骨折隙は背側へ開き，背側屈曲（65頁）では掌側へ開く．
> 舟状骨骨折はうまく治療しないと，偽関節（pseudoarthrosis）を形成したり，骨折片が壊死 necrosis を起こすことがある．舟状骨骨折の全例のうち70％は舟状骨の中間1/3のところで骨折が起こる．臨床では，手根管は**手根トンネル**とも言われる．**手根トンネル症候群**はさまざまの症状に加えて激しい疼痛を手根部にきたすものを指す（190頁）．

変異：手根骨相互の間にはときに小さな副小骨がみられる．これまでにすでに20以上の副手根骨が記載されている．ただし，これまでに名前のつけられた副小骨としては**中心骨**（**9**）のほかに**茎状骨**（**10**），**第2小菱形骨**（**11**）および**第2豆状骨**（**12**）が観察されている．

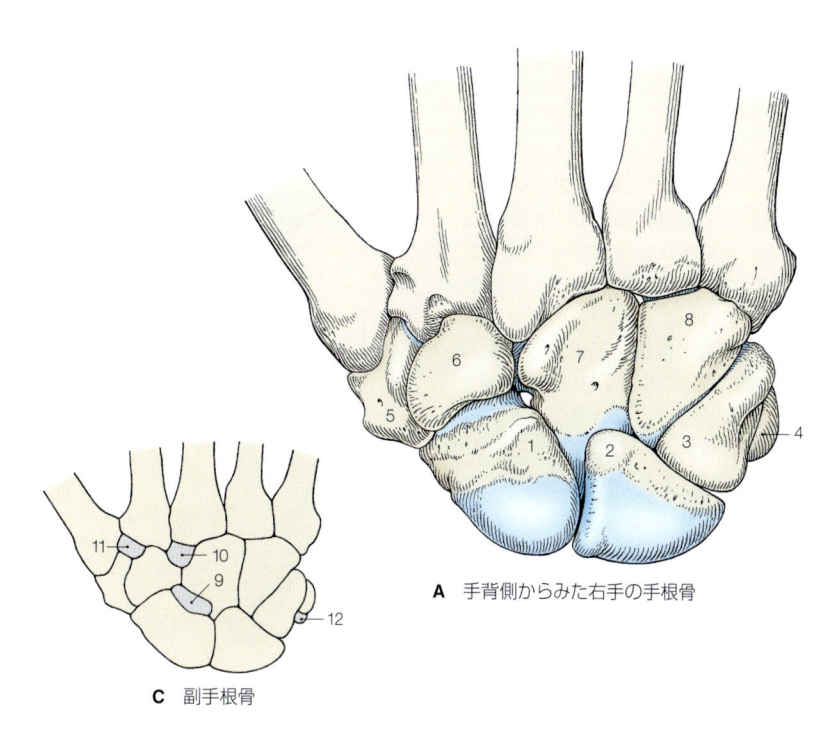

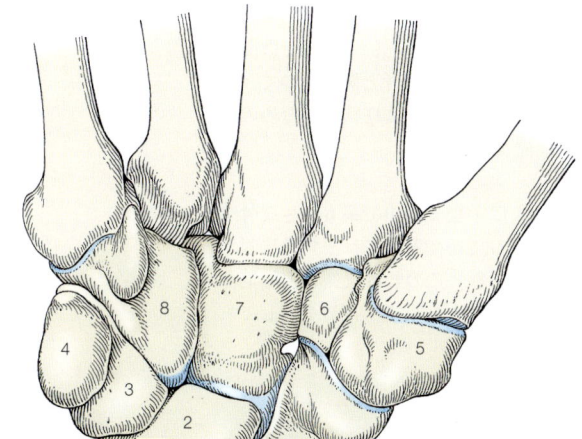

A 手背側からみた右手の手根骨

C 副手根骨

B 手掌側からみた右手の手根骨

> **臨床関連**：X線撮影で観察するときには，必ずこのような副手根骨を念頭におく必要がある．これらの過剰骨のうち最もしばしばみられるものは**中心骨**（**9**）であって，その軟骨性原基はヒトでは必ず存在するというが，この骨はほとんど例外なく舟状骨（**1**）と骨結合している．手根骨同士の融合も記載がある（最もしばしばみられる融合は月状骨と三角骨との融合である）．
> 舟状骨，三角骨および豆状骨は2分していることもある．そのため，骨折がこれらの骨のどれかにあるかのようにみえることがある．

---

1 舟状骨 scaphoid　**2** 月状骨 lunate　**3** 三角骨 triquetrum　**4** 豆状骨 pisiform　**5** 大菱形骨 trapezium　**6** 小菱形骨 trapezoid　**7** 有頭骨 capitate　**8** 有鈎骨 hamate　**9** 中心骨 os centrale　**10** 茎状骨 styloid bone　**11** 第2小菱形骨 second trapezoid　**12** 第2豆状骨 second pisiform

個々の手根骨（A，B）

近位列

舟状骨（**1**）は近位列のうちで最も大きな骨である．この骨には舟状骨結節（**2**）という突出部分があり，これは手掌面で皮膚を通して触れることができる．舟状骨は近位では橈骨と，遠位では大菱形骨および小菱形骨と関節をつくっている．この骨は内側では月状骨および有頭骨と関節を形成している．血管は全粗面に沿って進入する．全例の1/3では血管は遠位からだけ舟状骨に到達するため，舟状骨の骨折（61頁）に際して近位の骨折片の壊死が起こることがある．

半月状の**月状骨**（**3**）は近位では橈骨および関節円板と，内側では三角骨と，外側では舟状骨と，遠位では有頭骨と（時にはさらに有鉤骨とも）関節をつくっている．

三角骨（**4**）はほぼ錐体形で，その先端は内側に向いている．外側には底部があって，月状骨と関節で結合している．近位では関節円板と，遠位では有鉤骨と関節をつくっている．三角骨の掌側には豆状骨のための小さな関節面（**5**）がある．

豆状骨（**6**）は手根骨の中で最も小さな骨で，丸味をおびていて背側には三角骨に対する関節面がある．この骨は尺側手根屈筋の腱の中にできる種子骨で，皮膚を通してよく触知できる．

遠位列

大菱形骨（**7**）は大菱形骨結節（**8**）という小さな結節をもち，これは手を背屈すると触れることができる．その内側には橈側手根屈筋の腱を入れるための溝（**9**）がある．この骨は遠位では第1中手骨のための鞍状の関節面（**10**）をもっている．内側には小菱形骨と関節をつくるための関節面があり，これら遠位と内側の関節面の間には第2中手骨のための小さな関節面がある．近位ではこの大菱形骨は舟状骨と関節をつくる．

小菱形骨（**11**）は掌側よりも手背側で広くなっている．この骨は近位では舟状骨と，遠位では第2中手骨と，外側では大菱形骨と，内側では有頭骨と関節をつくる．

有頭骨（**12**）は手根骨のうちの最大の骨である．この骨は近位には舟状骨と月状骨との，外側には小菱形骨との，内側には有鉤骨との，さらに遠位には主に第3中手骨との（一部は第2および第4中手骨のための）関節面をそれぞれもっている．

有鉤骨（**13**）はよく触れることができ，掌側に鉤（**14**）があり，この鉤は外側へ彎曲している．この骨は短小指屈筋と関係をもち，このほか**豆鉤靱帯** pisohamate ligament とも関係をもっている．遠位ではこの骨は第4，5中手骨と，外側では有頭骨と，近位の内側では三角骨と，近位の外側では月状骨と関節をつくっている．

発生：軟骨内骨化により生じる骨核はすべて生後になって出現する．1歳では（たいていは生後3ヵ月目に）骨核が有頭骨と有鉤骨に，2〜3歳では三角骨に生じる．女児では三角骨の骨核が2歳の初めに現れるが，男児では最も早くても，生後2歳半でやっと観察されるようになる．骨核は3〜6歳にかけて月状骨に，4〜6歳には舟状骨に，3〜6歳で大菱形骨と小菱形骨に発生する．豆状骨は8〜12歳の間に出現する．

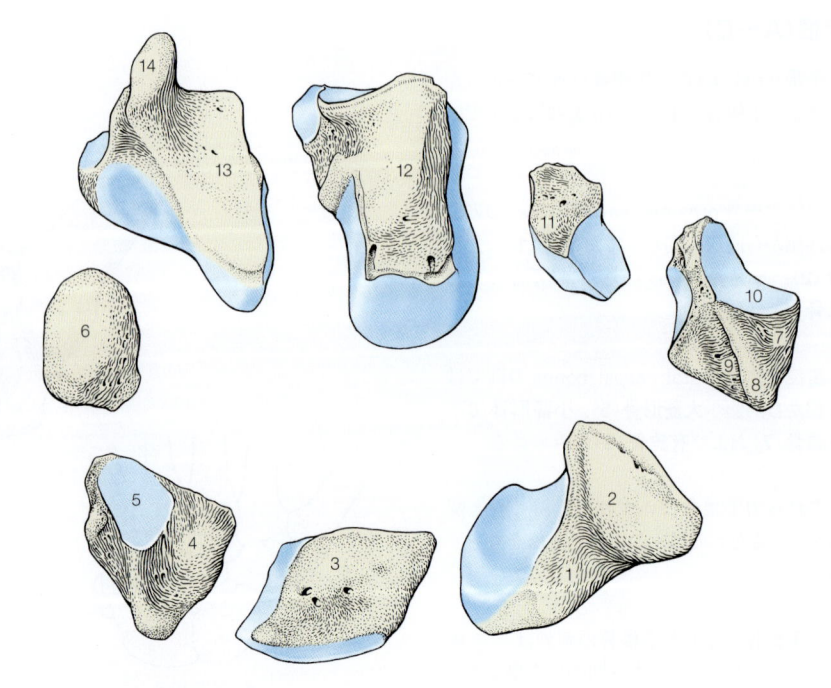

A 右手の手根骨（掌側からみる）

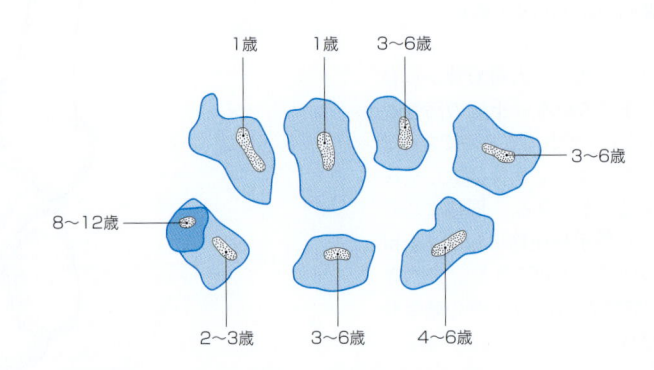

B 手根骨の発生

1 舟状骨 scaphoid　2 舟状骨結節 tubercle of scaphoid　3 月状骨 lunate　4 三角骨 triquetrum　5 関節面（豆状骨との）articular surface (for the pisiform)　6 豆状骨 pisiform　7 大菱形骨 trapezium　8 大菱形骨結節 tubercle of trapezium　9 溝（橈側手根屈筋の腱のための）the sulcus (for the tendon of the flexor carpi radialis)　10 関節面（第1中手骨との）articular surface (for the 1st metacarpal bone)　11 小菱形骨 trapezoid　12 有頭骨 capitate　13 有鉤骨 hamate　14 有鉤骨鉤 hook of hamate

中手骨と[手の]指骨（A〜C）

5本の**中手骨** metacarpals はそれぞれ頭（**1**），体（**2**）および底（**3**）からなる．両端には一方では手根骨と，他方では指骨と連結するための関節面がある．中手骨は掌側へ軽く凹をなし，手背側へは軽く凸をなして彎曲している．手背面は頭へ向かって特徴的な三角面を示す．

第1中手骨の近位関節面は鞍状を呈する．**第2中手骨**は近位に手根骨と関節をつくるための切れ込みのある関節面を，そして内側には第3中手骨と連結するための関節面をもつ．**第3中手骨**は近位端の背橈側に茎状突起（**4**），橈側に第2中手骨と関節をつくるための関節面をもっている．この中手骨には手根骨と連結するために近位に一つの，また尺側には第4中手骨と関節をつくるための2つの関節面がある．**第4中手骨**は橈側に2つの関節面があるが，尺側には一つしかなく，これは**第5中手骨**と関節をつくっている．

指骨 phalanges，どの指示指 index，中指 middle finger，環指 ring finger，小指 little finger も複数の指節骨をもっている．すなわち**基節骨**（**5**），**中節骨**（**6**）および**末節骨**（**7**）である．**母指** thumb（pollex）だけは例外的に2つの指節骨しかもっていない．

基節骨 proximal phalanx は掌側は平らで，手背側は横方向に凸をなし，屈筋の線維性腱鞘が付着するためのとがった粗な角をもっている．基節骨には体（**8**）があり，遠位には頭（滑車 trochlea ともいわれる）（**9**），近位には底（**10**）がある．底には横長の卵円形の窩状の関節面 articular surface があり，中手骨と関節でもって連結している．

中節骨 middle phalanx では，底は誘導稜をもち，基節骨の頭と適合するようにつくられている．

末節骨 distal phalanx も同様に底に一条の稜がある．その遠位端には掌面に深指屈筋 flexor digitorum profundus の腱が付着するための粗面があり，また掌面にシャベル形の末節骨粗面（**11**）もあって，これが頭の先端をなしている．

種子骨 sesamoid bones は規則正しく，母指の中手骨と基節骨の間の関節結合のとこ

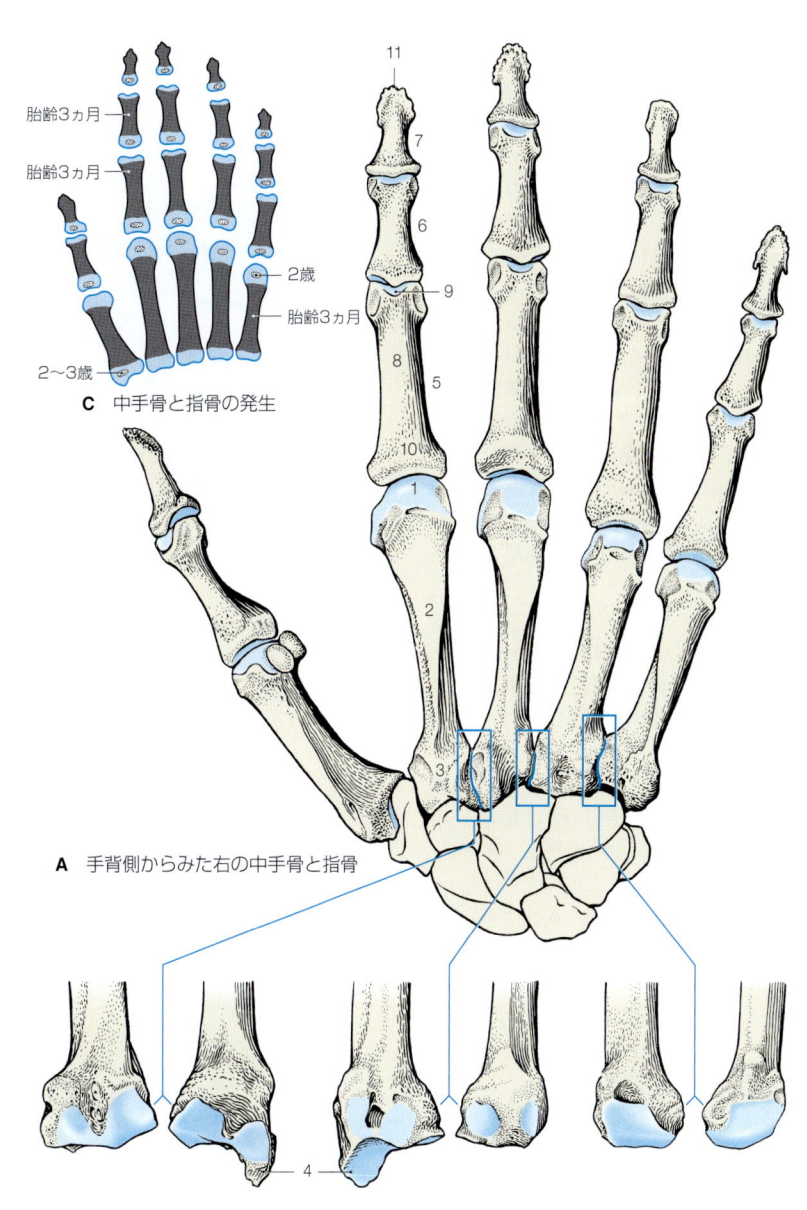

A 手背側からみた右の中手骨と指骨

B 互いに向かい合った面にみられる中手骨の関節面

C 中手骨と指骨の発生

ろに出現する．しかも一つは内側に，もう一つは外側に現れる．いろいろな種子骨がほかの指にも数はまちまちであるが，みられることがある．

発生：中手骨にも指骨にも，（軟骨外骨化によってつくられてくる）骨幹（胎齢3ヵ月）以外に，ただ1個の骨核が骨端に出現してくる．中手骨の骨端の骨核は，それが近位端に2〜3歳で現れる第1中手骨を例外として，そのほかの中手骨では遠位端に2歳でつくられる．指節骨ではすべて，骨端の骨核は近位端にのみ出現する．

臨床関連：中手骨ではいわゆる偽骨端 pseudoepiphyses が現れることがある．これら偽骨端は骨片によって骨幹とつながっていることで，真の骨端とは区別される．第1中手骨ではこの偽骨端は遠位端に，その他の中手骨では近位端にみられる．偽骨端は骨折と鑑別されなければならない．偽骨端はまた種々の疾患のときにしばしば出現することがある．

---

1 頭（中手骨の）head of metacarpal bone　**2** 体（中手骨の）shaft of metacarpal bone　**3** 底（中手骨の）base of metacarpal bone　**4** 茎状突起（第3中手骨の）radial styloid process（third metacarpal bone）　**5** 基節骨 proximal phalanx　**6** 中節骨 middle phalanx　**7** 末節骨 distal phalanx　**8** 体（指骨の）shaft of phalanx　**9** 頭（指骨の）head of phalanx = 滑車 trochlea　**10** 底（指骨の）base of phalanx　**11** 末節骨粗面 tuberosity of distal phalanx

手根関節（A〜E）

近位手根関節すなわち橈骨手根関節 wrist joint は楕円関節であって，一方は橈骨（**1**）と関節円板（**2**），他方は近位手根列からつくられている．近位手根列のすべての手根骨が橈骨と関節円板からなる窩状関節面といつも接触しているわけではない．三角骨（**3**）は手を尺側へ外転（または偏位）させたときに初めて関節円板と密に接触し，橈側へ外転（または偏位）させたときには逆にこの接触はなくなる．近位手根関節の関節包はゆるく，背面では比較的薄く，多くの靱帯により補強されている．関節隙は入りくんでおらず，時に滑膜ヒダ synovial fold を含んでいる．しばしば近位手根関節は近位と遠位手根列の間にある遠位手根関節と連絡している．

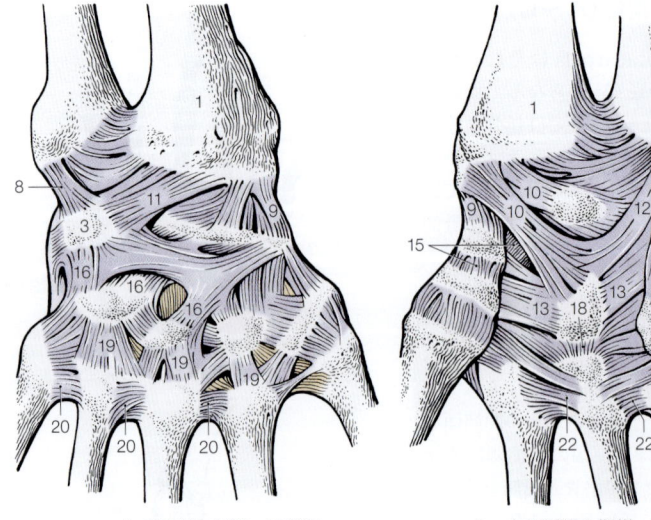

遠位手根関節または手根中央関節 midcarpal joint は手根骨の近位列と遠位列によってつくられ，"S"字状の関節腔をもっている．両方の関節体は，各手根列をそれぞれ一つの関節体とみなすと，互いにかみ合っていることになる．近位手根列の骨は互いに一定の運動性をもっているけれども，遠位手根列ではそうではない．この列の骨は互いに強い靱帯で結合しているし（**4**），さらに中手骨とも同じような結合がみられる．遠位手根列と中手骨はしたがって一つの機能単位をつくっているのである．

関節包は掌側では緊張しており，背側では逆にゆるんでいる．関節隙は入りくんでおり，近位手根関節と連結がある．そのほか大菱形骨（**5**）と小菱形骨（**6**）のところでは，それらに対応する手根中手関節とも連絡がある．

滑膜ヒダ（**7**）は時に関節隙内に数多くみられることがある．月状骨，三角骨，有頭骨，有鉤骨相互の間は一つの滑膜ヒダで満たされており，このヒダは X 線像でみることができる．

手根領域の靱帯（A〜E）

4つの靱帯群が区別される．

前腕骨と手根骨を結ぶ靱帯（紫）：これには内側手根側副靱帯（**8**），外側手根側副靱帯（**9**），掌側橈骨手根靱帯（**10**），背側橈骨手根靱帯（**11**）および掌側尺骨手根靱帯（**12**）が属する．

手根骨相互を結ぶ靱帯＝手根間靱帯 intercarpal ligaments（赤）：これに属するものは，放線状手根靱帯（**13**），豆鉤靱帯（**14**），および掌側（**15**），背側（**16**）ならびに骨間手根間靱帯（**4**）である．

手根骨と中手骨の間の靱帯＝手根中手靱帯 carpometacarpal ligaments（青）：これには豆中手靱帯（**17**），掌側（**18**）および背側手根中手靱帯（**19**）が属する．

中手骨間の靱帯＝中手靱帯 metacarpal ligaments（黄）：これらの靱帯は，背側（**20**），骨間（**21**）および掌側中手靱帯（**22**）に分けられる．

これらのほとんどすべての靱帯は関節包を補強し，一部が手［根］の関節 joints of hand の運動のための指示靱帯となっている．

各列の手根骨相互間の関節は**手根間関節** intercarpal joints と呼ばれる．また，三角骨と豆状骨との間の関節は**豆状骨関節** pisiform joint と特に名づけられている．

A　右の手根の靱帯，手背面
B　右の手根の靱帯，手掌面
C　右の手根の手背に平行な断面，手背側からみたところ
D　手背側からみた右の手根の靱帯の模式図
E　手掌側からみた右の手根の靱帯の模式図

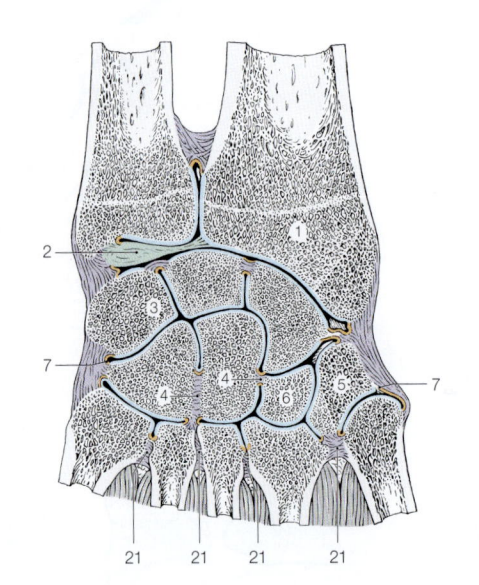

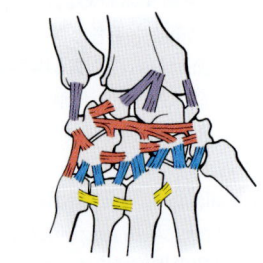

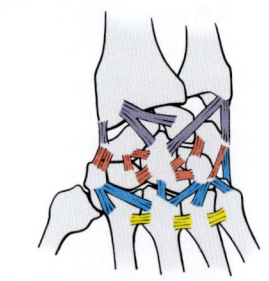

臨床関連：手の外科においては，手根領域の靱帯には本項に記載されている以外の靱帯も記載されている．このことは手術時の侵襲を考えるとき重要なことである．

---

1 橈骨 radius　2 関節円板 articular disk　3 三角骨 triquetrum　4 骨間手根間靱帯 interosseous intercarpal ligaments　5 大菱形骨 trapezium　6 小菱形骨 trapezoid　7 滑膜ヒダ synovial fold　8 内側手根側副靱帯 ulnar collateral ligament of wrist joint　9 外側手根側副靱帯 radial collateral ligament of wrist joint　10 掌側橈骨手根靱帯 palmar radiocarpal ligament　11 背側橈骨手根靱帯 dorsal radiocarpal ligament　12 掌側尺骨手根靱帯 palmar ulnocarpal ligament　13 放線状手根靱帯 radiate carpal ligament　14 豆鉤靱帯 pisohamate ligament　15 掌側手根間靱帯 palmar intercarpal ligament　16 背側手根間靱帯 dorsal intercarpal ligament　17 豆中手靱帯 pisometacarpal ligament　18 掌側手根中手靱帯 palmar carpometacarpal ligament　19 背側手根中手靱帯 dorsal carpometacarpal ligament　20 背側中手靱帯 dorsal metacarpal ligament　21 骨間中手靱帯 interosseous metacarpal ligament　22 掌側中手靱帯 palmar metacarpal ligament

手根関節での運動（A～C）

中間位（**A**）から出発して，**周縁運動**すなわち**橈側偏位** radial deviation（橈側外転 radial abduction）（**B**）と**尺側偏位** ulnar deviation（尺側外転 ulnar abduction）（**C**），**面運動**すなわち**屈曲** flexion（掌側屈曲 palmar flexion）と**伸展** extension（背側屈曲 dorsal flexion）および面運動と周縁運動の**中間または連係運動** intermediate or combined movementsとに分けられる．

周縁運動

純橈側偏位：橈側偏位は長橈側手根伸筋，長母指外転筋，長母指伸筋，橈側手根屈筋および長母指屈筋の協力のもとに行われる（85頁）．

その際には舟状骨（赤）は掌側へ転倒し，皮膚を通して触れることができる．この骨の転倒は大菱形骨（青）と小菱形骨（緑）が橈骨へ接近することによって初めて可能となる．小菱形骨と第2中手骨は互いにずれないように結合しており，しかも橈側手根屈筋と長橈側手根伸筋は第2中手骨に停止しているから，橈側外転の際にはこの機能単位へ牽引作用が及ぶことになる．小菱形骨はそのため舟状骨に沿って滑動する．しかしながら舟状骨は固定されてはいないから，この骨も動かされ，この骨の関係するほかの関節結合から解放されることがないため，どうしても転倒することになる．

この転倒運動は橈尺（横）軸のまわりに起こる．この舟状骨の転倒以外に，近位手根列の残りの手根骨も掌側へずれるようになる．**この橈側偏位は有頭骨（紫）の頭を通る背掌軸のまわりに起こる**．この運動のとき豆状骨（黒の破線）は最長軌道を走る．このことはX線写真で確認することができる．

純尺側偏位：尺側偏位に際しては，近位手根列が背側へ転倒，ないしはずれるようになる．筋については，総指伸筋と小指伸筋のほかに殊に尺側手根伸筋と尺側手根屈筋がともに働く．**この尺側への運動もまた有頭骨の頭を通る背掌軸のまわりに起こる**が，近位手根列の転倒は橈尺（横）軸のまわりに起こる．

周縁運動（偏位）の大きさ

中間位からの両側への偏位はほぼ同じ程度に可能である．この**中間位**は12°の内転位であって，正常位と混同してはならない．

正常位とは第3指（中指）の長軸が有頭骨を経て，前腕の長軸と一直線をなすような位置のことである．したがってこの正常位から出発すると，外転はわずか，すなわち約15°であるが，内転は約40°にも達する．もちろん，これらの値は純回外位にあるときにのみ適用されるのであって，純回内位にあるときにはもう少し振幅は大きくなる．しかしながら肘関節で上腕骨がともに回旋するような回内位にあっては，この振れ角はずっと大きくなる．その理由はこの運動に関係する諸筋の効率がよくなるためと思われる．

A～Cは回内位で撮影されたX線写真に基づいて描かれている．

有鉤骨（オレンジ），
月状骨（黒），
三角骨（黄）．

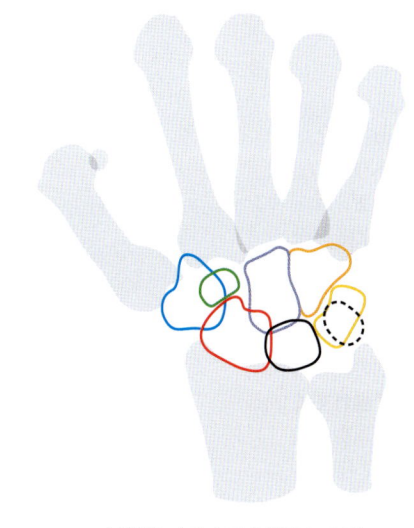

A 中間位にある右手（X線像による）

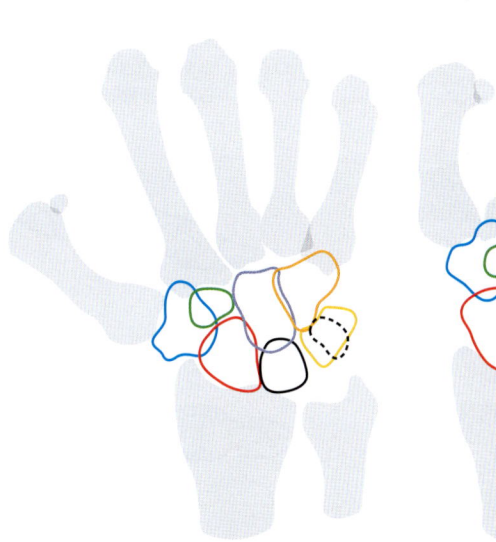

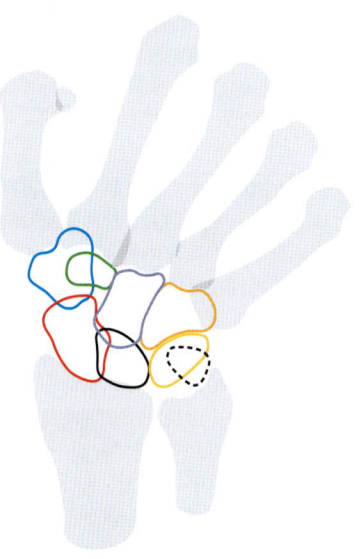

B 橈側偏位の右手（X線像による）

C 尺側偏位の右手（X線像による）

手[根]の関節での運動（続き）（A〜C）

面運動

掌側屈曲と背側屈曲 palmar and dorsal flexion：近位手根骨は背側屈曲のときには掌側へ，掌側屈曲のときには背側へずれる．このことは特に舟状骨（赤）ではっきりみられ，この骨は背側屈曲のときには掌側へ隆起し皮膚を通して触れることができるようになる．2本の運動軸は横走し，近位列に対しては月状骨（黒）を，遠位列に対しては有頭骨（紫）を通っている．面運動はこの両軸のまわりに起こる運動の合成として現れてくるのである．したがって最大背側屈曲と最大掌側屈曲の間の振幅の大きさは約170°にも達する．**掌側屈曲**は主に橈骨手根関節で，**背側屈曲**はおおむね手根中央関節で行われる．掌側屈曲は指の長い屈筋ならびに手根の屈筋および長母指外転筋によって行われ，背側屈曲は手根の橈側の伸筋と指の伸筋によって行われる（85頁）．

中間運動

この中間運動は関連する諸筋の作用方向から生じる．これらの筋および肘関節と肩関節を含めた種々の関節の働きによって，球関節の運動範囲にほぼ近い範囲の運動を行うことができる．すべての関節軸ないし運動軸は常に有頭骨を通っている．手根の構造は運動に際してある一定の制約を課することになる．例えば最大掌側屈曲位にあるときは，外転運動は不可能である．というのはその際には近位手根列は，もはやずれることも転倒することもできないからである．

手の関節

母指の手根中手関節

この関節（carpometacarpal joints of thumb）は**鞍関節**であって，母指の外転および内転，ならびに対立 opposition と復位 reposition を行うことができる．このほか描円運動 circumduction も行うことができる．

手根中手関節

手根骨と中手骨との間の関節（手根中手節 carpometacarpal joints）は，母指のそれを除いてすべて**半関節** amphiarthrosis である．これらの関節は強い靱帯すなわち掌側および背側手根中手靱帯 palmar and dorsal carpometacarpal ligaments によって固定されている．

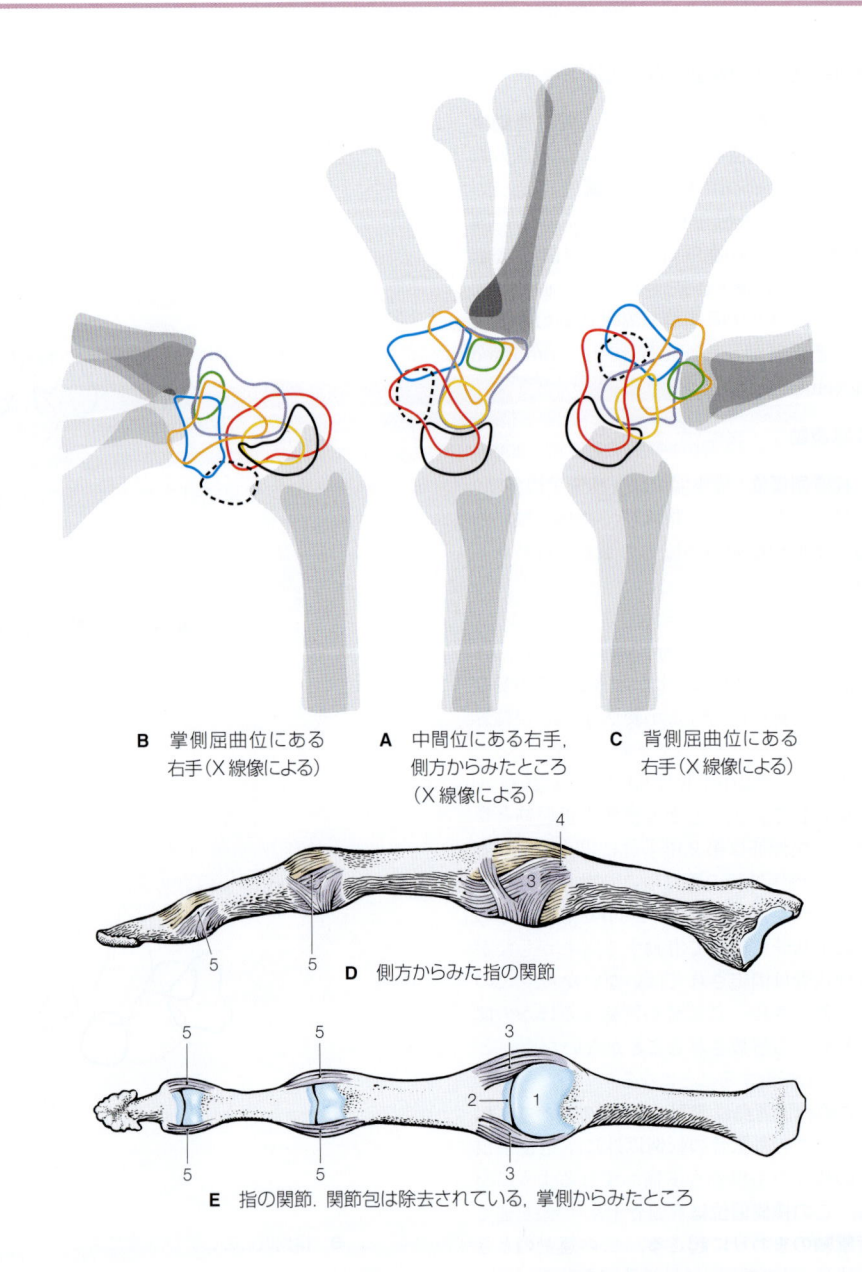

中手間関節

この関節（intermetacarpal joints）もほとんど動かない関節 slightly movable joint すなわち半関節であって，背側，掌側および骨間中手靱帯 metacarpal dorsal, palmar and interosseous ligaments によって固定されている．

指の関節（D, E）

中手指節関節 metacarpophalangeal joints は形の上ではゆるい関節包に包まれた**球関節**である．関節包は掌側では掌側靱帯 palmar ligaments と線維軟骨によって補強されている．関節体は中手骨頭（**1**）と基節骨底（**2**）によってつくられている．起始部位（**4**）が中手骨頭の関節面の回旋軸の背側にある側副靱帯（**3**）によって，この関節の運動は制限を受ける．屈曲が大きくなればなるほど，これらの靱帯の緊張は強くなる．したがって屈曲時には外転運動はほとんど不可能となる．受動的にはこれらの関節で50°までは回転可能である．指骨間の関節，すなわち**手の指節間関節** interphalangeal joints of hand は**蝶番関節**であって，この関節では屈曲と伸展が可能である．ここにも側副靱帯（**5**）と掌側靱帯 palmar ligaments がみられる．

小菱形骨（緑），三角骨（黄），大菱形骨（青），有鉤骨（オレンジ），豆状骨（黒の破線）．

B 掌側屈曲位にある右手（X線像による）
A 中間位にある右手，側方からみたところ（X線像による）
C 背側屈曲位にある右手（X線像による）
D 側方からみた指の関節
E 指の関節．関節包は除去されている．掌側からみたところ

1 中手骨頭 head of metacarpal bone　**2** 基節骨底 base of proximal phalanx　**3** 側副靱帯 collateral ligament　**4** 起始部位（側副靱帯の）origin of the collateral ligament　**5** 側副靱帯

B) 筋，筋膜および特殊装置

上肢帯と上腕の筋

筋の分類（A〜C）

体肢筋は発生学的には腹側の体壁筋から生じる．そして体肢筋の腹側および背側群への分類は局所解剖的な配慮と神経支配を考慮してなされる．体肢の神経は神経叢の腹側および背側層に由来する．しかし鰓弓筋 branchial muscles などのように，起源を異にするほかの領域からの筋が体肢帯へ移動するため，上肢帯では単純な分類原理がそうたやすく明らかになるものではない．この点については適当な発生学の教科書を参照する必要がある．筋のことを述べるに際し，発生学的な原理ができる限りその分類のときにも守られなければならないし，また同時に個々の筋の同質性（共属性）が明示される必要がある．

もう一つの分類は機能的に同じものをまとめるということでも可能である．したがって筋は個々の関節に働く様式によってまとめてもよい．

上肢帯の筋

上肢帯の筋 cingulate muscles of upper limb は発生学的に次の3群に分けることができる．すなわち，体幹から上肢へ移動してきたもの，上腕から二次的に体幹へ広がるもの，および頭胸筋として頭から上肢帯に達するものの3群である．

上腕骨に停止する上肢帯の筋：
背側筋群（68頁）
  棘上筋 supraspinatus（**1**）
  棘下筋 infraspinatus（**2**）
  小円筋 teres minor（**3**）
  三角筋 deltoid（**4**）
  肩甲下筋 subscapularis（**5**）
  大円筋 teres major（**6**）
  広背筋 latissimus dorsi（**7**）
腹側筋群（70頁）
  烏口腕筋 coracobrachialis（**8**）
  大胸筋 pectoralis major（**9**）
  小胸筋 pectoralis minor（例外：肩甲骨に停止！）

移動してきて上肢帯に停止する体幹筋：
背側筋群（71頁）
  大菱形筋 rhomboid major
  小菱形筋 rhomboid minor
  肩甲挙筋 levator scapulae
  前鋸筋 serratus anterior
腹側筋群（72頁）
  鎖骨下筋 subclavius
  肩甲舌骨筋 omohyoid

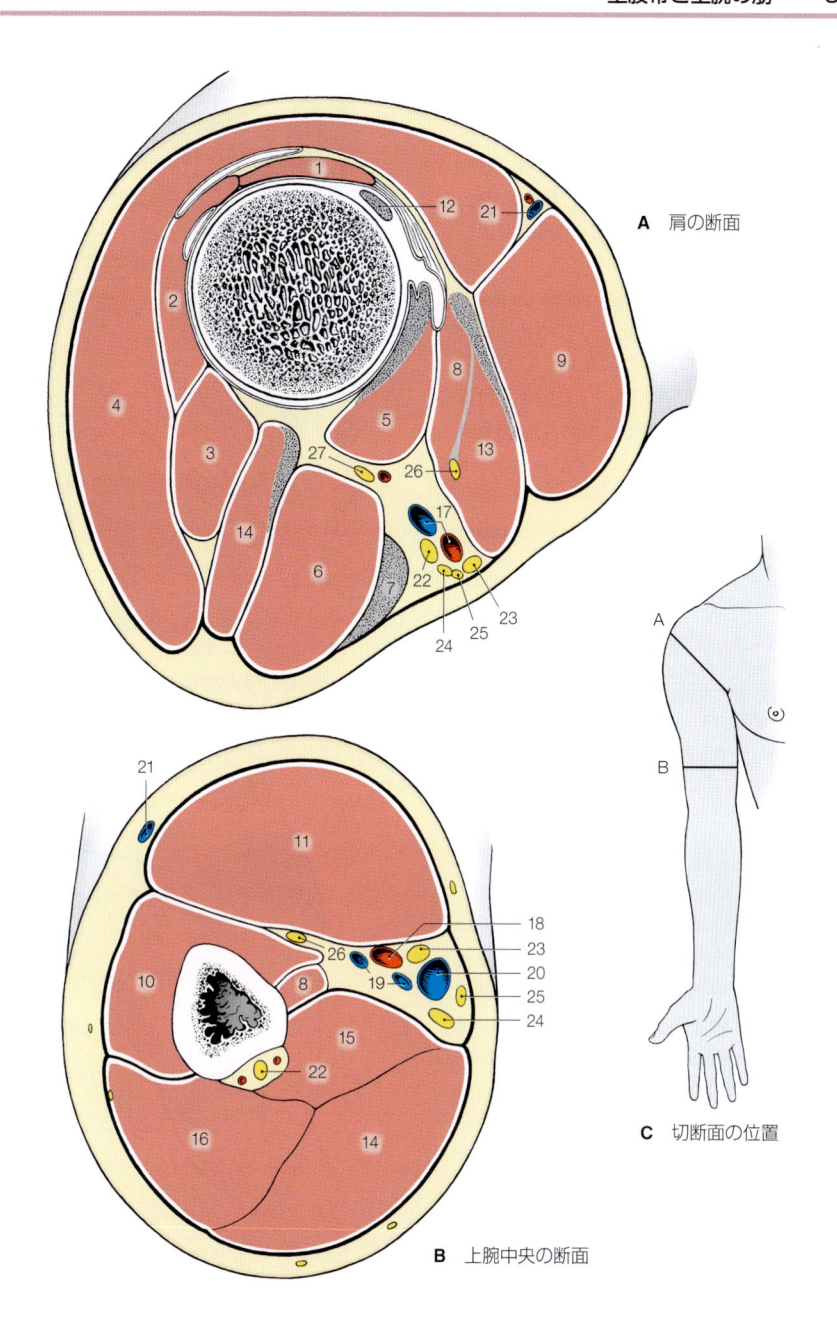

上肢帯に停止する頭部の筋（72頁）：
  僧帽筋 trapezius
  胸鎖乳突筋 sternocleidomastoideus

上腕の筋

上肢では位置的に上腕の筋と前腕の筋（78頁）とに分けられる．上腕の筋では腹側筋群が筋間中隔 intermuscular septa により背側筋群から分けられる．

腹側筋群（76頁）：
  上腕筋 brachialis（**10**）
  上腕二頭筋 biceps brachii（**11**）の長頭 long head（**12**）と短頭 short head（**13**）
背側筋群（77頁）：
  上腕三頭筋 triceps brachii の長頭 long head（**14**），内側頭 medial head（**15**）および外側頭 lateral head（**16**）
  肘筋 anconeus

17　腋窩動静脈 axillary artery & vein
18　上腕動脈 brachial artery
19　上腕静脈 brachial veins
20　尺側皮静脈 basilic vein
21　橈側皮静脈 cephalic vein
22　橈骨神経 radial nerve
23　正中神経 median nerve
24　尺骨神経 ulnar nerve
25　内側前腕皮神経 medial cutaneous nerve of forearm
26　筋皮神経 musculocutaneous nerve
27　腋窩神経 axillary nerve

A　肩の断面
B　上腕中央の断面
C　切断面の位置

上腕骨に停止する上肢帯の筋

背側筋群（A〜C）

大結節および大結節稜とその続きに停止のあるもの［棘上筋，棘下筋，小円筋および三角筋］

棘上筋（**1**）は棘上筋膜 supraspinous fascia に起こり，棘上窩（**2**）にある．この筋は肩関節包と癒着しながら，これを越えて大結節の上小面（**3**）につく．この筋は上腕骨を関節窩に納め，関節包張筋として働き，腕を外転する．時に関節窩の近くに滑液包 synovial bursa がみられる．

神経支配：肩甲上神経 suprascapular nerve（C_4〜C_6）

> **臨床関連**：棘上筋の腱障害 tendopathie はよくみられる疾患であって，この筋の使い過ぎや外傷によって起こる．そのさい大結節の近くの腱に石灰が沈着する．それによって腕を外転するとき，強い痛みが生じる．またこの腱の断裂も40歳を過ぎると起こりやすくなる．

棘下筋（**4**）は棘下窩（**5**）にあって，肩甲棘（**6**）と棘下筋膜 infraspinous fascia から起こり，大結節（**7**，中間小面）につく．棘下筋は肩関節の関節包の後面に癒着してこれを補強する．その主な働きは外旋である．関節窩の近くには棘下筋の腱下包 subtendinous bursa of infraspinatus がみられることが多い．

神経支配：肩甲上神経 suprascapular nerve（C_4〜C_6）

変異：非常に高頻度に小円筋との癒着がみられる．

小円筋（**8**）の起始は大円筋の起始の上方の肩甲骨外側縁（**9**）にあり，その停止は大結節の下小面（**10**）にある．この筋は弱い外旋筋として働く．

神経支配：腋窩神経 axillary nerve（C_5〜C_6）

変異：棘下筋との癒着がみられる．

三角筋（**11**）では，3つの部分が区別される．**鎖骨部**（**12**），**肩峰部**（**13**），および**肩甲棘部**（**14**）である．鎖骨部は鎖骨の外側1/3（**15**）から，肩峰部は肩峰（**16**）から，肩甲棘部は肩甲棘の下縁（**17**）から起こる．これら3つの部分はすべて上腕骨の三角筋粗面（**18**）に終わる．大結節のところには三角筋下包 subdeltoid bursa がみられる．

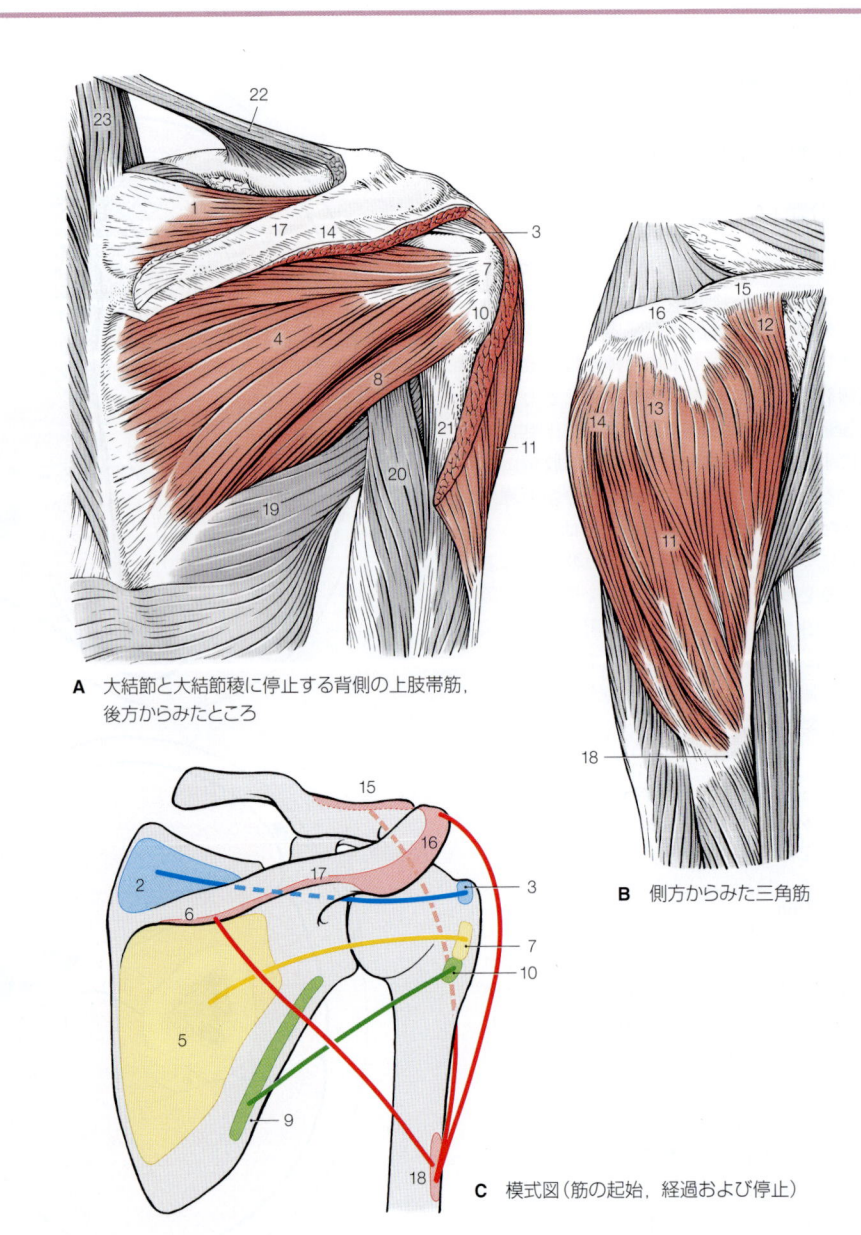

この筋の3つの部分は，一部は協力的に働き，また一部は拮抗的に働く．三角筋は肩関節の最も重要な**外転筋**である．約90°までの外転は本質的にこの筋によって行われる．この際まず肩峰部だけが働き，外転運動の約2/3が終わったとき初めて，ほかの部分すなわち鎖骨部と肩甲棘部もこの運動に協力して働くことになる．しかしながら鎖骨部と肩甲棘部は，腕が外転の運動範囲の1/3まで降ろされた後は，腕を**内転**することができる．鎖骨部は肩峰部の一部（前部）に支えられて**前傾** anteversion を行い，肩甲棘部は肩峰部のほかの部分（後部）に支えられて**後傾** retroversion を行う．これらの運動の振幅は腕の背景運動（振子運動）という枠内では協力的とみなされる．鎖骨部も肩甲棘部も回旋要素をもっている．鎖骨部は内転された状態で外旋された腕を**内旋**することができるが，肩甲棘部は逆に内旋された腕を**外旋**することができる．

神経支配：腋窩神経 axillary nerve（C_4〜C_6），鎖骨部はさらに胸筋神経 pectoral nerves（C_4とC_5）からも支配されることがある．

変異：隣接する諸筋との癒着．肩峰部の欠損．上記3部以外の過剰筋束の出現．

A 大結節と大結節稜に停止する背側の上肢帯筋，後方からみたところ

B 側方からみた三角筋

C 模式図（筋の起始，経過および停止）

---

1 棘上筋 supraspinatus　2 棘上窩 supraspinous fossa　3 大結節（の上小面）greater tubercle (superior facet)　4 棘下筋 infraspinatus　5 棘下窩 infraspinous fossa　6 肩甲棘 spine of scapula　7 大結節（の中間小面）greater tubercle (middle facet)　8 小円筋 teres minor　9 肩甲骨外側縁 lateral border　10 大結節（の下小面）greater tubercle (inferior facet)　11 三角筋 deltoid　12 鎖骨部 clavicular part　13 肩峰部 acromial part　14 肩甲棘部 spinal part　15 鎖骨 clavicle　16 肩峰 acromion　17 肩甲棘 spine of scapula　18 三角筋粗面（上腕骨の）deltoid tubercle　19 大円筋 teres major　20 上腕三頭筋の長頭 long head of triceps brachii　21 上腕三頭筋の外側頭 lateral head of triceps brachii　22 僧帽筋 trapezius　23 肩甲挙筋 levator scapulae

上腕骨に停止する上肢帯の筋（続き）

背側筋群（続き）（A～D）

小結節と小結節稜に停止のあるもの［肩甲下筋，大円筋，広背筋］

肩甲下筋（1）は肩甲下窩（2）に起こり，小結節（3）と小結節稜の上部に終わる．この停止の近くでこの筋と関節包の間に肩甲下筋の腱下包（4）が，またこの筋と烏口突起底の間には烏口下包（5）がみられる．両滑液包は関節腔とつながっている．この筋は内旋筋として働く．

神経支配：肩甲下神経 subscapular nerves （C_5～C_8）

変異：副次的な筋束の出現．

臨床関連：この筋が麻痺すると上肢は最大外旋位をとるようになる．このことは，内旋筋としてのこの筋の働きが殊に強いことを示している．
間違って，肩甲下筋，棘上筋（6），棘下筋（7）および小円筋（8）に対して"回旋筋マンシェット" Rotatorenmanschette という概念があてられている．より正確には，"筋-腱マンシェット" Muskel-Sehnen-Manschette または"腱帽" Sehnenkappe という表現をすべきであろう．

大円筋（9）は肩甲骨の下角の近くの外側縁（10）に始まり，小結節稜（11）へ走り，そこで大円筋の腱下包 subtendinous bursa of teres major の近くに終わる．この筋の主な働きは腕を内側へ向かって後傾することである．内側へ向かって後傾するというのは，後傾と同時に軽く内旋することを指す．この運動は，腕が前もって前傾し，かつ軽く外転位にあるときに，この筋によって殊によく行われる．そのほかこの筋は内転するときにも協力的に働く．

神経支配：肩甲下神経 subscapular nerves （C_6とC_7）

変異：広背筋との融合．完全な欠損．

広背筋（12）は平面状の広大な筋である（ヒトでは最大の筋）．この筋は第7～12胸椎の棘突起（13）から**椎骨部** vertebral part として，胸腰筋膜（14）と腸骨稜の後ろ1/3（15）からは**腸骨部** iliac part として，第10～12肋骨（16）からは**肋骨部** costal part として，さらにこれらのほかしばしば肩甲骨の下角からも**肩甲部**（17）として起こっている．広背筋はしたがって多くの場合4つの部分から構成されており，これらの部分は機能的に異なった役割をもつことになる．この筋は発生学的に大円筋とともに生じてくるので，広背筋の停止も大円筋と同じく小結節稜（18）にある．これら両筋が合一するすぐ前に広背筋の腱下包 subtendinous bursa of latissimus dorsi がある．広背筋は筋性の後腋窩ヒダの基礎をつくっている．この筋は挙上した腕を下ろし，内転する．この筋は腕が内転しているとき，その腕を後内方へ引き，しかも手背が殿部に位置するようになるまで内旋することになる．したがって広背筋はよく燕尾服のポケット筋 Fracktaschenmuskel とも呼ばれる．両側の広背筋は一緒に働いて両肩を後下方へ引く．広背筋は強制的な呼息のときや咳をするときにも働く（咳の筋 Hustenmuskel）．

神経支配：胸背神経 thoracodorsal nerves （C_6～C_8）

変異：この筋から分かれた筋線維が筋性腋窩弓 muscular axillary arch をつくって大胸筋へ走ることがある．

D 模式図（筋の起始，経過および停止）

A 小結節と小結節稜に停止する背側の上肢帯筋，前方からみたところ

B 広背筋，後方からみたところ

C 筋-腱マンシェット

---

1 肩甲下筋 subscapularis　2 肩甲下窩 subscapular fossa　3 小結節 lesser tubercle　4 肩甲下筋の腱下包 subtendinous bursa of subscapularis　5 烏口下包 subcoracoid bursa　6 棘上筋 supraspinatus　7 棘下筋 infraspinatus　8 小円筋 teres minor　9 大円筋 teres major　10 外側縁 lateral border　11 小結節稜 crest of lesser tubercle　12 広背筋 latissimus dorsi　13 第7～12胸椎の棘突起（→椎骨部）spinous process Th VII～XII（→vertebral part）　14 胸腰筋膜（→腸骨部）thoracolumbar fascia（→iliac part）　15 腸骨稜の後ろ1/3（→腸骨部）the posterior third part of the iliac crest（→iliac part）　16 第10～12肋骨（→肋骨部）rib X～XII（→costal part）　17 肩甲部 scapular region　18 小結節稜 crest of lesser tubercle　19 上腕三頭筋長頭 long head of triceps brachii　20 上腕二頭筋長頭 long head of biceps brachii　21 烏口肩峰靱帯 coraco-acromial ligament　22 関節窩 glenoid cavity　23 関節唇 glenoid labrum　24 関節包 articular capsule　25 棘上筋（の滑液）包 supraspinous bursa　26 外腹斜筋 external oblique　27 僧帽筋 trapezius（部分的に切除されている）

上腕骨に停止する上肢帯の筋（続き）

腹側筋群（A，B）

烏口腕筋（**1**）は上腕二頭筋短頭とともに烏口突起（**2**）に始まる．この筋は小結節稜の延長線上にある上腕骨内側面（**3**）に終わる．烏口腕筋は腕の前傾に協力的に働き，そのほか上腕骨頭を関節内で支えている．

神経支配：筋皮神経 musculocutaneous nerves（C_6 と C_7）

小胸筋（**4**）は自由上肢骨に終わらない唯一の肩の筋であって，第3～5肋骨（**5**）に始まり，烏口突起（**6**）に終わる．この筋は肩甲骨を沈下させ，回旋させる．

神経支配：胸筋神経 pectoral nerves（C_6～C_8）

変異：起始筋尖の数に多寡がみられる．

大胸筋（**7**）は3つの部分，すなわち**鎖骨部** clavicular part，**胸肋部** sternocostal part および**腹部** abdominal part に分けられる．

鎖骨部は鎖骨の前面の内側半分（**8**）から起こり，**胸肋部**は**胸骨膜** sternal membrane と第2～6肋軟骨（**9**）に起始がある．そのほか深部で第3（4）～5肋軟骨にも胸肋部の起始（**10**）がみられる．発達のよくない**腹部**は腹直筋鞘最上部の前葉（**11**）から起こる．この筋は大結節稜（**12**）に停止するが，その際この筋の線維は互いに交叉する．そこでは腹部は最も近位に終わり，ここに上方へ（近位方向へ）開いた袋が出現することになる．

大胸筋は強大な筋で，その形は腕を下垂したときは四角形であるが，腕をあげると筋の境界は三角形となる．この筋は前腋窩ヒダの筋性の基礎をつくっている．腕が外転位にあると，鎖骨部と胸肋部は前傾運動を行うことができる．それは水泳（クロール）からほぼ察知できるような運動である．挙上された腕は大胸筋の全体の働きで，力強く速やかに前方へ下げられる．そのほか全大胸筋は腕を内転し，内方へ回旋する．胸肋部と腹部はともに肩を前方へ下げる．

最後にこの筋は，上肢を動かさないときには吸息時の補助筋として働くという役割がある．競走が終わって疲れきったスポーツ選手が腕を体にもたせかけて，大胸筋を胸郭運動の補助筋として働かせている姿をよくみかけるものである（補助呼吸筋）．

神経支配：胸筋神経 pectoral nerves（C_5～Th_1）

変異：個々の筋部の欠損や，胸肋部が胸骨部 sternal part と肋骨部 costal part に分かれていたりする．時に鎖骨部がじかに三角筋に接していることがあり，その場合には鎖骨胸筋三角（181頁）は存在しない．

筋性腋窩弓をつくって，広背筋と関係をもつようになっていることがある．この筋性腋窩弓は調べられた全例の7％において，種々の程度に認められる．

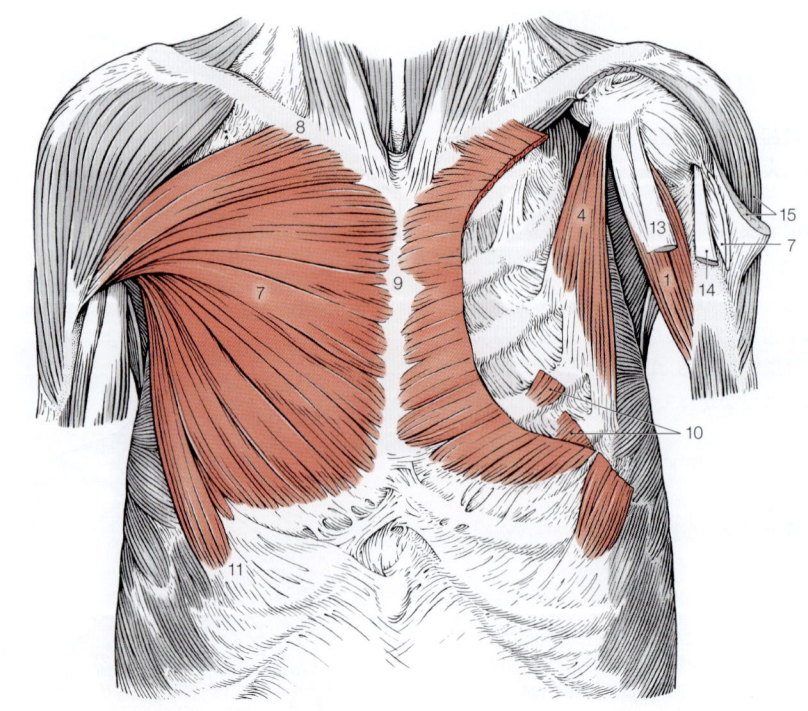

A 腹側の上肢帯筋，前方からみたところ

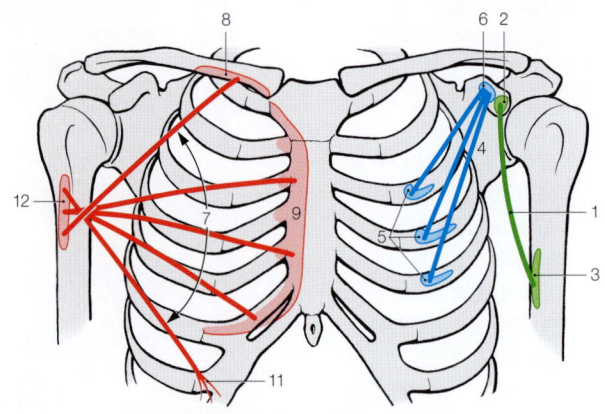

B 模式図（筋の起始，経過および停止）

1 烏口腕筋 coracobrachialis　2 烏口突起 coracoid process　3 上腕骨内側面 medial surface of humerus　4 小胸筋 pectoralis minor　5 第3～5肋骨 rib III～V　6 烏口突起　7 大胸筋 pectoralis major　8 鎖骨（→鎖骨部）clavicle（→clavicular part）　9 胸骨膜と第2～6肋軟骨（→胸肋部）sternal membrane of costal cartilage II～VI（→sternocostal part）　10 第3（4）～5肋軟骨から起こる胸肋部　11 腹直筋鞘最上部の前葉（→腹部）anterior layer of rectus sheath（→abdominal part）　12 大結節稜 crest of greater tubercle　13 上腕二頭筋短頭 short head of biceps brachii　14 上腕二頭筋長頭 long head of biceps brachii　15 三角筋 deltoid（一部切除されている）

移動してきて上肢帯に停止する体幹筋

背側筋群（A～D）

小菱形筋（**1**）は第6, 7頸椎の棘突起（**2**）から起こり，肩甲骨内側縁（**3**）に終わる．

大菱形筋（**4**）は小菱形筋の下方にあるが，第1～4胸椎の棘突起（**5**）に始まり，同様に肩甲骨内側縁（**3**）の小菱形筋の停止の下方に終わっている．

これら両筋は同じ働きをもつ．すなわち肩甲骨を胸郭に押しつけ，肩甲骨を脊柱の方へ引きつけることができる．

時に大・小菱形筋は融合して単一の菱形筋 rhomboid となる．

神経支配：肩甲背神経 dorsal scapular nerve（C_4 と C_5）

肩甲挙筋（**6**）は第1～4頸椎横突起の後結節（**7**）に始まり，肩甲骨の上角（**8**）に終わる．この筋は肩甲骨を挙上すると同時に下角を内側へ回旋する．

神経支配：肩甲背神経 dorsal scapular nerve（C_4 と C_5）

前鋸筋（**9**）はたいていは9（ないし10）個の筋尖をもって第1～9肋骨（**10**）から，時には第1～8肋骨から起こっている．筋尖の数が起始となる肋骨の数より多いのは，たいていは2つの筋尖が第2肋骨から起こっているためである．この筋の停止は肩甲骨の上角から下角までの内側縁の全長にわたっている（**3**）．この付着面によって前鋸筋は3つの部分に分けられる．すなわち，肩甲骨の上角またはその近くに終わる**上部**（**11**），肩甲骨の内側縁に沿って停止のある**中間部**（**12**）および直接下角に終わるか，またはその近くに付着する**下部**（**13**）の3部分である．これら3つの部分はすべて肩甲骨を前方へ引きつけるが，この運動は腕の前傾の前提をなすものである．その際この筋は大・小菱形筋の拮抗筋として働く．上部と下部はともに肩甲骨を胸郭に押しつけるのをその役割とする．この運動に際しては大・小菱形筋は協同筋として働く．下部は肩甲骨を外方へ回旋し下角を外前方へ引く．この運動によって腕を挙上することができるのである．これら3つの部分はすべて，上肢帯が固定されているときには肋骨をあげる筋として働き，それによって呼吸時の補助筋として役立っている．

神経支配：長胸神経 long thoracic nerves（C_5～C_7）

変異：起始筋尖の数にばらつきがみられる．

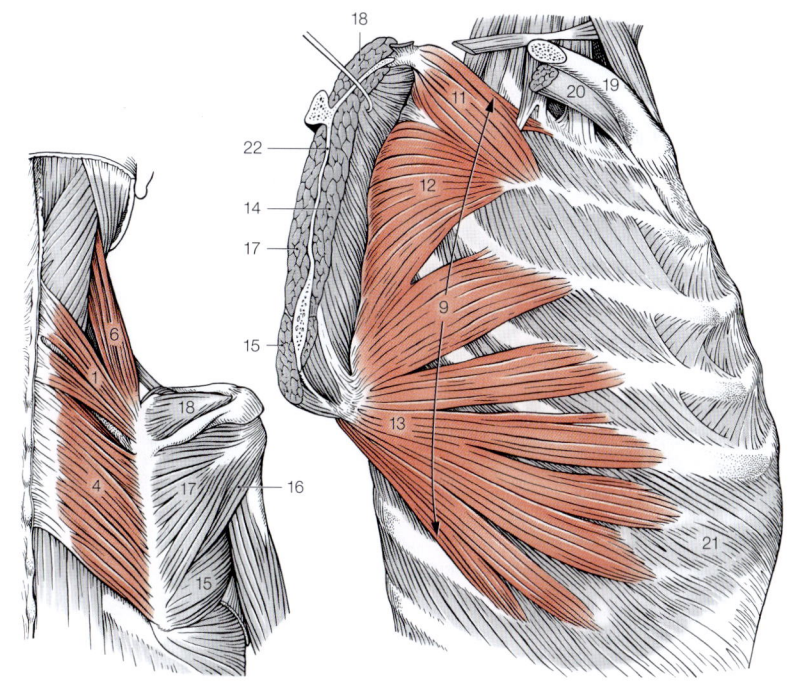

A　菱形筋と肩甲挙筋

C　前鋸筋

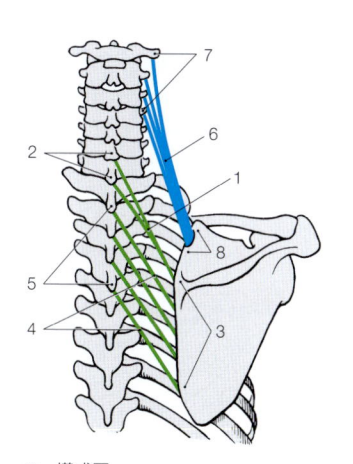

B　模式図（菱形筋と肩甲挙筋の起始，経過および停止）

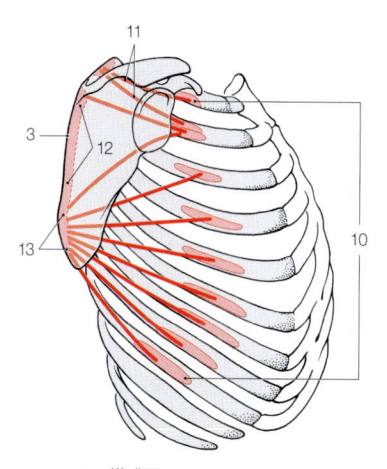

D　模式図（前鋸筋の起始，経過および停止）

臨床関連：長胸神経の障害によって前鋸筋が麻痺すると，麻痺側に**翼状肩甲骨症** winged scapula が現れ，そのうえ腕の挙上，すなわち90°以上まであげることが不能となる（**リュックサック麻痺**）．

鑑別診断のため考慮しなければならないことは，大・小菱形筋の障害が存在しないかということで，この筋の麻痺の際にも同様に翼状肩甲骨症が起こるが，腕の挙上は支障なく行うことができる（73頁，74頁参照）．

---

1 小菱形筋 rhomboid minor　2 第6, 7頸椎の棘突起 spinous process C Ⅵ & Ⅶ　3 肩甲骨内側縁 medial border　4 大菱形筋 rhomboid major　5 第1～4胸椎の棘突起 spinous process Th1～4　6 肩甲挙筋 levator scapulae　7 第1～4頸椎横突起の後結節 posterior tubercle C Ⅰ～Ⅳ　8 肩甲骨の上角 superior angle of scapula　9 前鋸筋 serratus anterior　10 第1～9肋骨 rib 1～9　11 上部 superior part　12 中間部 pars intermedia　13 下部 inferior part　14 肩甲下筋 subscapularis　15 大円筋 teres major　16 小円筋 teres minor　17 棘下筋 infraspinatus　18 棘上筋 supraspinatus　19 鎖骨 clavicle　20 鎖骨下筋 subclavius　21 外腹斜筋 external oblique　22 肩甲骨（の断面）scapula

移動してきて上肢帯に停止する体幹筋（続き）

腹側筋群（A〜C）

鎖骨下筋（**1**）は第1肋骨の軟骨・骨境界部に起こり，鎖骨下面の外側部に付着する．この筋は鎖骨を胸骨に引きつけ，それによって胸鎖関節の安定装置となっている．

神経支配：鎖骨下筋神経 subclavian nerve（C_5 と C_6）

変異：この筋は欠如することがある．

肩甲舌骨筋 omohyoid は二腹筋であって，**下腹**（**2**）でもって肩甲切痕のすぐ横で肩甲骨の上縁（**3**）から起こり，**上腹**（**4**）となって舌骨体下縁の外側1/3（**5**）に達する．この筋は筋膜張筋であるとともに，血管筋としてその下に横たわる内頸静脈 internal jugular vein を拡張*する．160頁も参照．

神経支配：（深）頸神経ワナ deep ansa cervicalis（C_1〜C_3）

変異：この筋が肩甲骨からでなく鎖骨から起こっていることがあり，この場合には**鎖骨舌骨筋** cleidohyoideus と呼ばれる．

上肢帯に停止する頭部の筋（A〜C）

僧帽筋（**6**）は**下行部** descending part，**横行部** transverse part および**上行部** ascending part に分けられる．

下行部は上項線，外後頭隆起および項靱帯から起こり，鎖骨の外側1/3（**7**）に終わる．**横行部**は第7頸椎から第3胸椎（これらの棘突起と棘上靱帯）から出て，鎖骨の肩峰端，肩峰（**8**）および肩甲棘の一部（**9**）に達する．**上行部**の起始は第2ないし第3胸椎から第12胸椎（これらの棘突起と棘上靱帯）にあり，棘三角**（**10**）またはそれに隣接する肩甲棘に終わる．161頁も参照．

僧帽筋はまず第1に静的な役割をもっている．すなわちこの筋は肩甲骨を保持し，それによって上肢帯を固定する．動的にはこの筋は肩甲骨と鎖骨を後方へ引き，脊柱に近づける．下行部と上行部は肩甲骨を回旋させる．下行部は肩の内転のほか，その軽度の挙上をも行うことができる．それによって下行部は前鋸筋を助けている．前鋸筋が麻痺してその働きがなくなると，僧帽筋の下行部がわずかに水平を越えるまで腕をあげることができる．

神経支配：副神経 accessory nerve と頸神経叢の僧帽筋枝 branch to trapezius（C_2〜C_4）

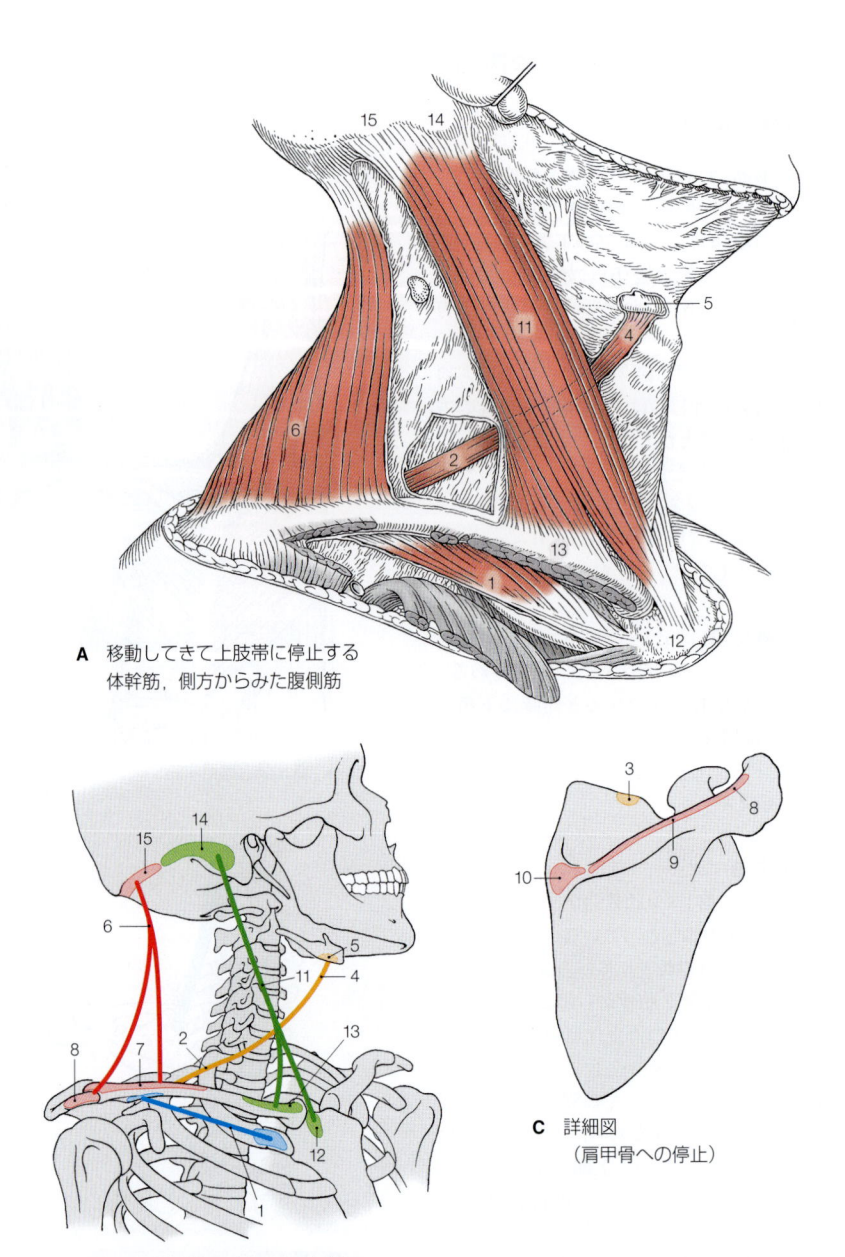

A 移動してきて上肢帯に停止する体幹筋，側方からみた腹側筋

B 模式図（筋の走行および停止）

C 詳細図（肩甲骨への停止）

変異：鎖骨での停止が広がって，胸鎖乳突筋の起始にまで達していることがある．この場合には，鎖骨上神経（175頁）が通過するための腱弓が認められる．

胸鎖乳突筋（**11**）は一頭をもって胸骨（**12**）から，もう一頭をもって鎖骨（**13**）から起こる．この筋は乳様突起（**14**）と上項線（**15**）に終わる．ここで僧帽筋の起始と腱性の結合が生じる．

この筋の肩関節に対する作用はそんなに重要ではないので，ここでは深くは述べないでおく．この胸鎖乳突筋は頭部の筋のところ（161頁）で述べられる．

神経支配：副神経 accessory nerve と頸神経叢 cervical plexus（C_1 と C_2）

* この筋の中間腱は頸筋膜の気管前葉にも着いており，頸筋膜を張っている．同時に気管前葉を介して頸動脈鞘を引き内頸静脈を広げる働きがある．
** P.N.A. には記載されていない．

---

1 鎖骨下筋 subclavius　**2** 下腹 inferior belly　**3** 肩甲骨の上縁 superior border of scapula　**4** 上腹 superior belly　**5** 舌骨 hyoid bone　**6** 僧帽筋 trapezius　**7** 鎖骨 clavicle　**8** 肩峰 acromion　**9** 肩甲棘 spine of scapula　**10** 棘三角 spinal triangle　**11** 胸鎖乳突筋 sternocleidomastoid　**12** 胸骨 sternum　**13** 鎖骨　**14** 乳様突起 mastoid process　**15** 上項線 superior nuchal line

上肢帯の筋の作用（A～C）

上腕骨頭を通る**矢状軸**を中心にして，腕を体幹に引きつける**内転** adduction と，約90°まで腕を側方へあげる**外転** abduction が区別される．外転に引き続いて行われることもある**挙上** elevation は肩関節内での運動によるのではなく，**肩甲骨の回旋** rotation によって達成される．その際，肩甲骨下角が前外方へ移動する．

さらに腕を前方へあげる**前傾** anteversion と腕を後ろへあげる**後傾** retroversion がある．これら両運動は上腕骨頭を通る**前頭軸**を中心にして行われる．

最後に腕の**回旋** rotation がある．この運動は**上腕骨頭から尺骨の茎状突起を通る軸**の周りを下垂した腕が回ることである．したがってこの軸は前腕で回内 pronation および回外 supination が起こる軸に一致する．そこで回旋は回内運動および回外運動を増強するということができる．回旋には，外方へ回る**外旋** lateral rotation と内方へ回る**内旋** medial rotation とが区別される．腕を振り回す**描円運動** circumduction は複合運動であって，同様に**外方への描円運動** lateral circumduction または**内方への描円運動** medial circumduction に分けられる．そのとき上腕骨は円錐面を描く．回旋の際に協力して働く同じ筋が腕の描円運動のときにも機能しているであろうことは当然考えられる．

内転筋（A）として働くものは：大胸筋 pectoralis major（赤，胸筋神経 pectoral nerve），上腕三頭筋長頭 long head of triceps brachii（青，橈骨神経 radial nerve，77頁参照），大円筋 teres major（黄，胸背神経 thoracodorsal nerve），広背筋 latissimus dorsi（オレンジ，胸背神経 thoracodorsal nerve），上腕二頭筋短頭 short head of biceps brachii（緑，筋皮神経 musculocutaneous nerve）および一部は三角筋 deltoid の鎖骨部 clavicular part（茶，破線，胸筋枝 pectoral branch）と肩甲棘部 spinal part（茶，破線，腋窩神経 axillary nerve）．

外転（B）は次のものによって行われる：三角筋 deltoid（赤，腋窩神経 axillary nerve），棘上筋 supraspinatus（青，肩甲上神経 suprascapular nerve）および上腕二頭筋長頭 long head of biceps brachii（黄，筋皮神経 musculocutaneous nerve），前鋸筋 serratus anterior も僧帽筋 trapezius も肩甲骨をわずかに回旋することによってこの運動を助ける．

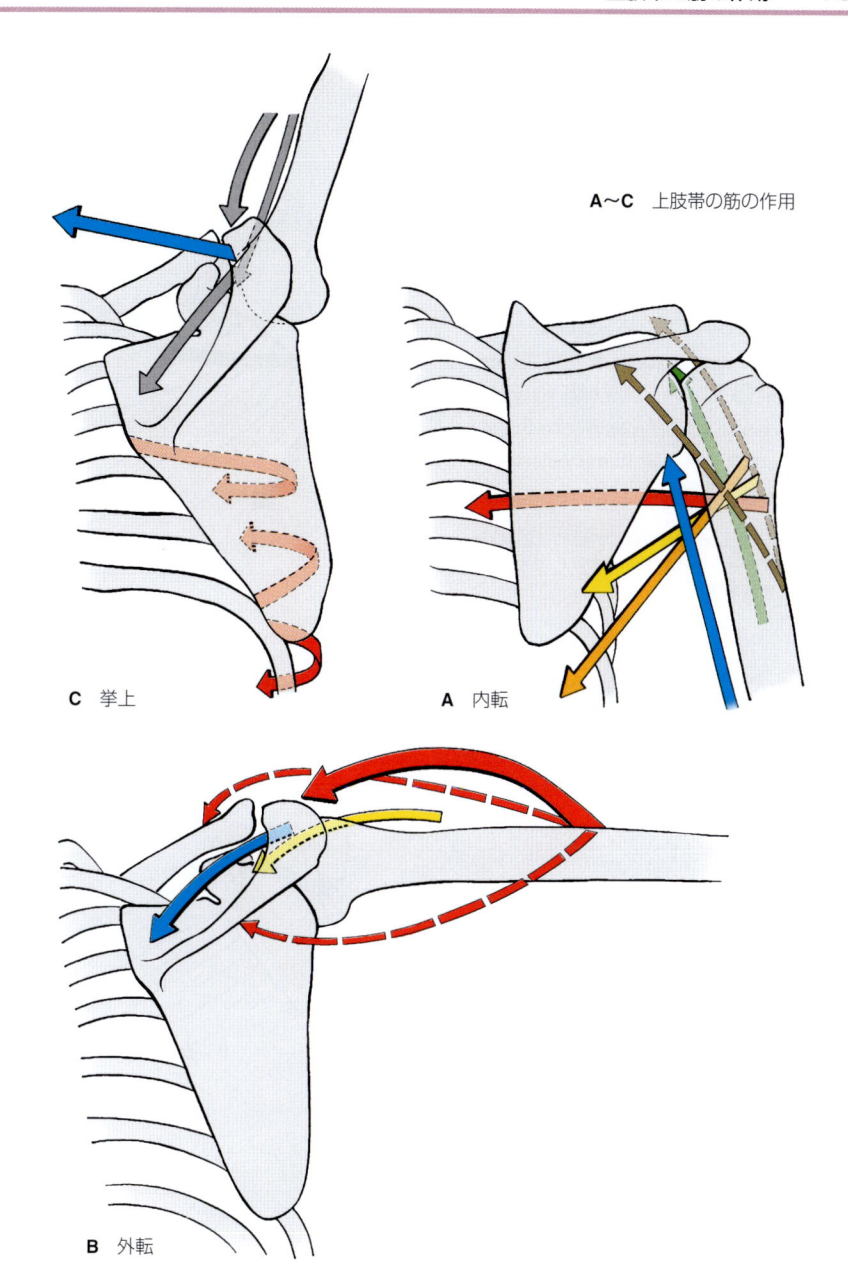

腕の**挙上（C）**は前鋸筋 serratus anterior（赤，長胸神経 long thoracic nerve）によってのみ可能となる．挙上が行われるには前もって腕は三角筋，二頭筋長頭および棘上筋（灰）によって外転されていなければならない．外転から挙上へ移行するときには，僧帽筋 trapezius（青，副神経 accessory nerve）が前鋸筋を助けるのである．この僧帽筋は鎖骨の関節（肩鎖関節 acromioclavicular joint と胸鎖関節 sternoclavicular joint）に影響を及ぼすことによって挙上に加勢するのである．

A～C 上肢帯の筋の作用

C 挙上

A 内転

B 外転

臨床関連：前鋸筋麻痺のときには約15°ほどのごくわずかの挙上だけが可能であるが，これは僧帽筋によって行われる．

上腕骨の骨折のさい，骨折の高さは骨折片の変位にとって大切な意義をもつ．骨折が三角筋の停止よりも近位で起こると，近位の骨折片は内転筋の優位のため内側へ引っぱられる．もし骨折が三角筋の停止部よりも遠位にあると，近位の骨折片は三角筋の優位のため前外方へ移動する（186頁参照）．

矢印の色は個々の運動における筋の重要性が次の順序であることを示す：

赤，青，黄，オレンジ，緑，茶，灰

括弧内に支配神経をあげた．

上肢帯の筋の作用（続き）(A〜D)

腕の**前傾**（**A**）に際し協力して働く筋：三角筋 deltoid（赤，胸筋枝 pectoral branch と腋窩神経 axillary nerve）の鎖骨部と肩峰部の一部，上腕二頭筋 biceps brachii（青，筋皮神経 musculocutaneous nerve，76頁参照），大胸筋 pectoralis major（黄，胸筋神経 pectoral nerve）の鎖骨部 clavicular part と胸肋部 sternocostal part，烏口腕筋 coracobrachialis（オレンジ，筋皮神経 musculocutaneous nerve）および前鋸筋 serratus anterior（緑，長胸神経 long thoracic nerve）.

臨床関連：前鋸筋麻痺ではこの前傾運動は可能であるが，肩甲骨は胸郭から著明に浮き上がってくる（**翼状肩甲骨症** winged scapula）.

後傾（**B**）に必要な筋は：大円筋 teres major（赤，胸背神経 thoracodorsal nerve），広背筋 latissimus dorsi（青，胸背神経 thoracodorsal nerve），上腕三頭筋長頭 long head of triceps（黄，橈骨神経 radial nerve），三角筋 deltoideus（オレンジ，腋窩神経 axillary nerve）の肩甲棘部 spinal part と肩峰部 acromial part の一部.

後傾に際してはいずれの場合にも肩鎖関節での運動が行われている.

外旋（**C**）に必要な筋は：棘下筋 infraspinatus（赤，肩甲上神経 spurascapular nerve），小円筋 teres minor（青，腋窩神経 axillary nerve）および三角筋 deltoideus の肩甲棘部 spinal part（黄，腋窩神経 axillary nerve）.

最も強大な外旋筋である棘下筋は，他の外旋筋をすべて合わせたものより数倍も強力である．外旋に際しては肩甲骨と鎖骨とが同時に，僧帽筋と大・小菱形筋によって後方へ引かれる．それによって胸鎖関節と肩鎖関節での運動も必然的に起こってくる.

臨床関連：突発的な外旋の際には，最も強力な内旋筋である肩甲下筋の拮抗的な牽引作用によって上腕骨小結節の損傷を引き起こすこともある.

内旋（**D**）を行うのは次の筋である：肩甲下筋 subscapularis（赤，肩甲下神経 subscapular nerve），大胸筋 pectoralis major（青，胸筋神経 pectoral nerve），上腕二頭筋長頭 long head of biceps brachii（黄，筋皮神経 musculocutaneous nerve），三角筋 deltoideus の鎖骨部 clavicular part（オレンジ，胸筋枝 pectoral branch），大円筋 teres major（緑，胸背神経 thoracodorsal nerve）および広背筋 latissimus dorsi（茶，胸背神経 thoracodorsal nerve）.

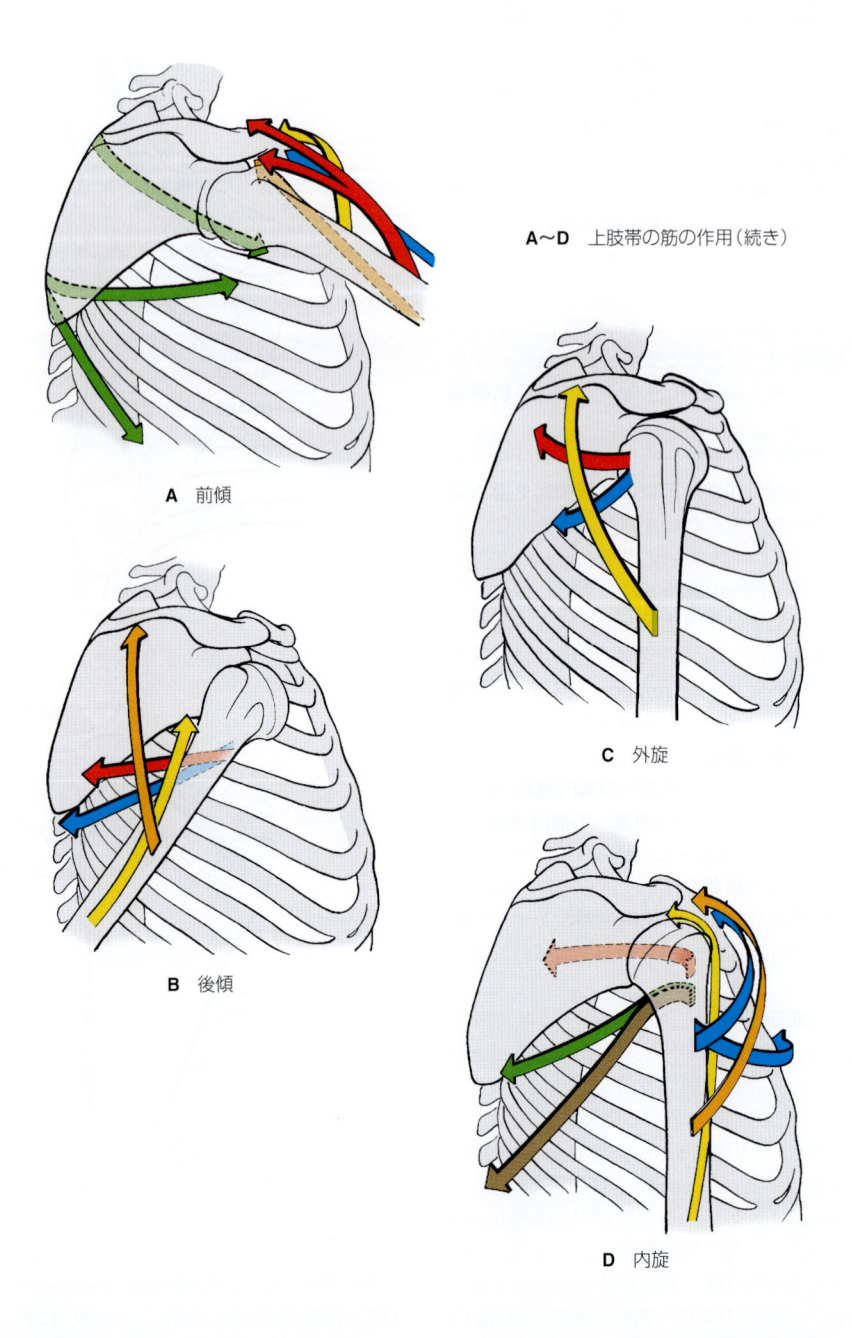

最も強い内旋運動は肩甲下筋によって行われる．広背筋はわずかな内旋作用をもつ．肘関節が伸展しているときには上腕二頭筋短頭（図示されていない）も軽度に協力して働く.

A〜D　上肢帯の筋の作用（続き）

A 前傾

B 後傾

C 外旋

D 内旋

しかしながら，前述の諸運動は肩関節でだけ行われるのではない．生体ではいつも上肢帯との共同運動で行われており，またある一定の運動にさいしては体幹も関与する.

矢印の色は個々の運動における筋の重要性が次の順序であることを示す：
　赤，青，黄，オレンジ，緑，茶

括弧内に支配神経をあげた.

上肢帯領域の筋膜と腔

筋膜（A，B）

上肢帯の筋はそれぞれ固有の筋膜に包まれていて，互いの可動性に支障のないようになっている．特に強化された筋膜としては**三角筋筋膜**（**1**），**胸筋筋膜**（**2**）ならびに**鎖骨胸筋筋膜**（**3**）をあげることができる．

三角筋筋膜は三角筋を覆い，多数の中隔を深部へ向かい個々の筋束の間へ送り出す．この筋膜は前では胸筋筋膜と連絡している．後ろでは，この筋膜は殊に強化されており，棘下筋を覆う筋膜に移行していく．遠位へ向かっては，この筋膜は上腕筋膜 brachial fascia（89頁）へ続いていく．そのほかこの筋膜は肩甲棘，肩峰および鎖骨に固定されている．

胸筋筋膜は浅いところで大胸筋を覆い，この大胸筋から三角筋胸筋溝（**4**）を越えて三角筋に至る．この筋膜は部分によって，疎性線維性または密性線維性結合組織からなる．腋窩を覆う**腋窩筋膜**（**5**）とつながりをもつ．

鎖骨胸筋筋膜は鎖骨下筋，小胸筋を包み，一部は烏口腕筋にまで広がる．この鎖骨胸筋筋膜によって大胸筋は小胸筋と分けられる．この筋膜は小胸筋の外側縁で腋窩筋膜へ入り込む．

これら以外の筋膜で述べるに値する特異的なことは，棘下筋と小円筋のところで筋膜が腱膜の性質をとっており，ここでは筋線維がこの筋膜から起こることがあるという事実である．

腋窩筋膜は胸筋筋膜の続きであって，さらに広背筋を覆う筋膜となっている．この筋膜は一様に緻密線維性結合組織からつくられているのではなく，その間にはたやすく除去することができる疎性線維性結合組織のところがある．この腋窩筋膜の疎な部分を除去すると，卵円形の境界をもつ分野が現れるが，その近位の筋膜縁はランガーの腋窩弓 axillary arch of Langer ともいわれる．

肩の部位にみられる特定な腔（腋窩隙と腋窩）

腋窩隙 axillary spaces（183頁）．**内側**および**外側腋窩隙**＊が区別される．内側腋窩隙は三角形をしており，小円筋，大円筋および上腕三頭筋長頭によって境界されている．

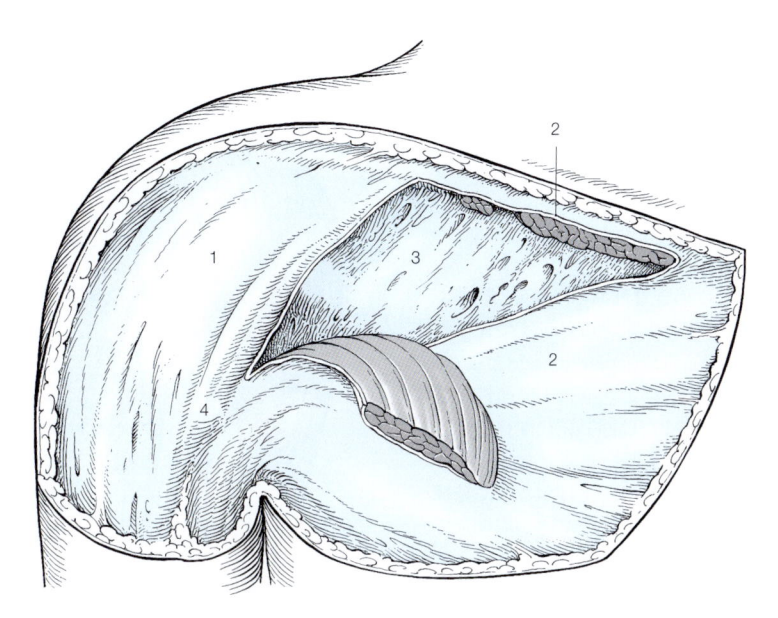

A 鎖骨胸筋三角のところの筋膜

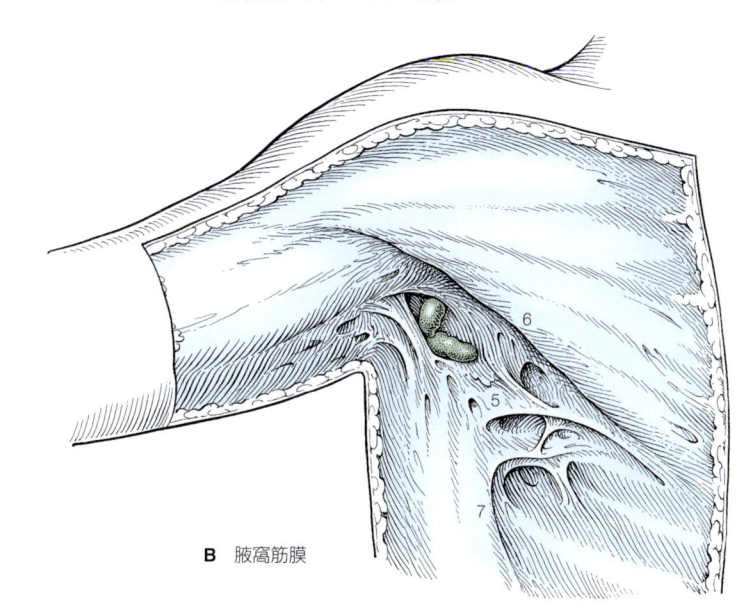

B 腋窩筋膜

外側腋窩隙は四角形で，上腕三頭筋長頭，小円筋，上腕骨および大円筋に囲まれている．

腋窩 axillary fossa．腋窩は円錐形をしており，前方は前腋窩ヒダ（**6**）が境界となっている．この前腋窩ヒダの筋性の基礎をつくるのは大胸筋で，さらに前壁の深部では小胸筋と鎖骨胸筋筋膜も関与している．腋窩の後壁は後腋窩ヒダ（**7**）でつくられ，この基礎をなすのは広背筋である．そのほか後壁の形成には肩甲骨を伴う肩甲下筋および大円筋も関与する．内側壁をつくるのは胸郭と筋膜に覆われた前鋸筋である．外側壁は自由上肢の上部でつくられている（腋窩の内容については182頁参照）．

＊内側および外側腋窩隙は英米ではそれぞれの形から，三角隙 triangular space および四角隙 quadrangular space といわれる．

---

1 三角筋筋膜 deltoid fascia　**2** 胸筋筋膜 pectoral fascia　**3** 鎖骨胸筋筋膜 clavipectoral fascia　**4** 三角筋胸筋溝 deltopectoral sulcus　**5** 腋窩筋膜 axillary fascia　**6** 前腋窩ヒダ anterior axillary fold　**7** 後腋窩ヒダ posterior axillary fold

上腕の筋

上肢の筋 muscles of superior limb は位置によって上腕の筋と前腕の筋に分類される．上腕の筋 muscles of arm では腹側筋群が筋間中隔 intermuscular septum によって背側筋群から分けられている．

腹側筋群（A～C）

上腕筋（**1**）は上腕骨前面の下半分（**2**）および筋間中隔から起こる．この筋は尺骨粗面（**3**）および（関節筋 articular muscle として）関節包に付着する．上腕筋は1関節性の筋で，前腕の回内または回外位に関係なく肘関節において最も重要な屈筋である．その全機能は重いものを持ち上げるときに発揮されるようになる．しかしそのさい肩関節では軽度の後傾が行われる．

神経支配：筋皮神経 musculocutaneous nerve（C_5とC_6）．この筋の外側の小部分は橈骨神経 radial nerve（C_5とC_6）に支配される．

変異：斜索 oblique cord または橈骨に停止することがある．

上腕二頭筋（**4**）はその**長頭**（**5**）をもって肩甲骨の関節上結節（**6**）から，**短頭**（**7**）をもって烏口突起（**8**）から起こる．これら両頭は多くの場合三角筋の停止の高さで合して二頭筋 biceps となり，再び2本の停止腱をもつようになる．このうち1本の強大な腱は二頭筋橈骨包 bicipitoradial bursa をはさんで橈骨粗面（**9**）に終わり，もう一つの面状の腱すなわち上腕二頭筋腱膜（**10**）は短頭の一部の続きであって，尺側の前腕筋膜の中へ入り込む．長頭は肩関節を通過して，結節間滑液鞘 intertubercular synovial sheath に包まれ結節間溝（**11**）を通って上腕骨に達しており，この筋が働くために上腕骨頭を支点として利用していることになる．

上腕二頭筋は2関節性の筋である．この筋は長頭で上腕を外転し，かつこれを内旋する．短頭は上腕を内転する．この筋は肩関節では両頭によって腕の前傾に際し協力的に働いている．肘関節ではこの筋は屈筋および強力な回外筋として働く．その回外筋としての働きは肘関節の屈曲に伴って増大する．原則的にはここではっきりいえることは，上腕では回外筋は回内筋より発達の程度が強いということである．したがって前腕の主要な回旋運動も回外運動であることがわかる（例えばネジを回して締める動作）．

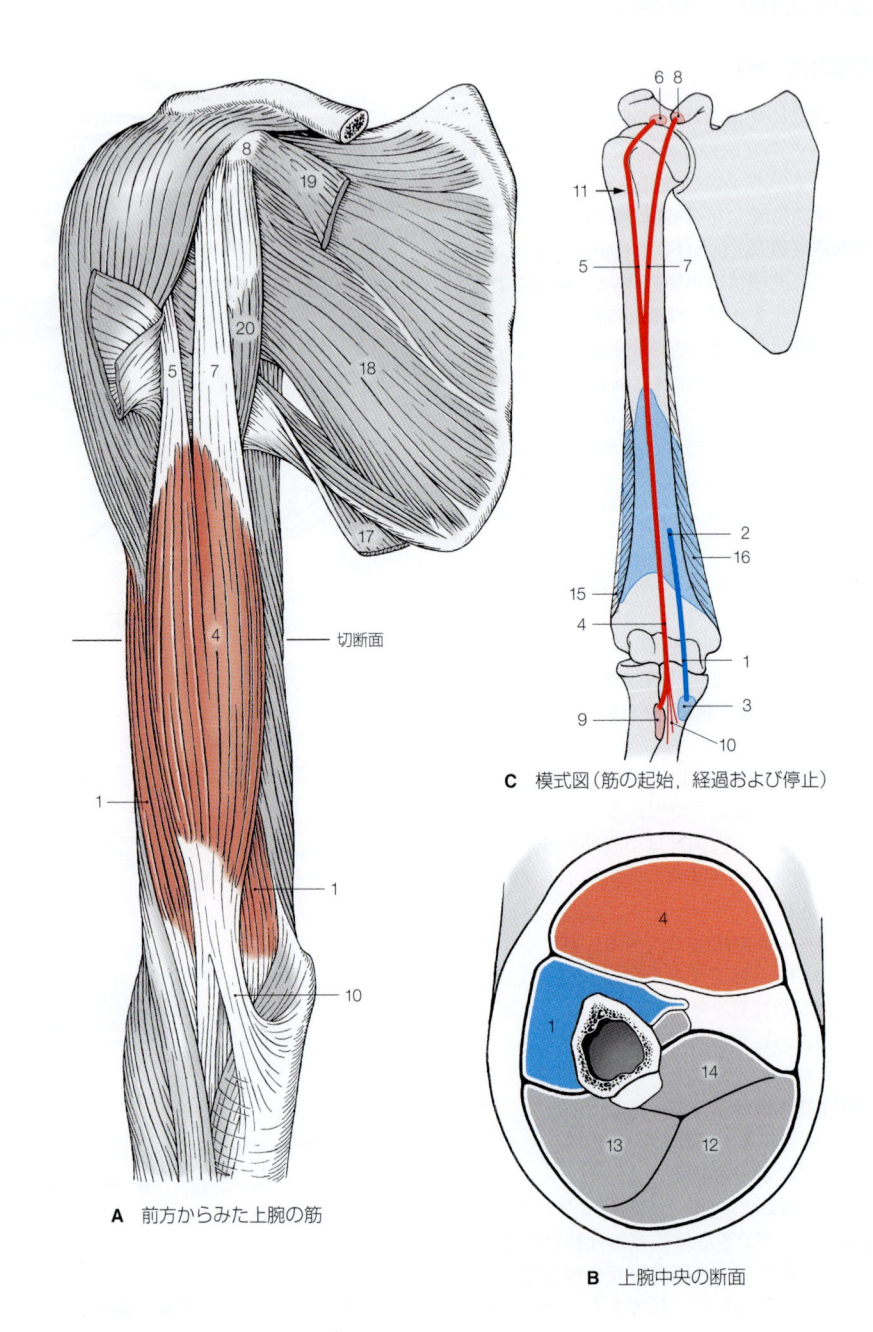

この筋の腱膜は前腕筋膜に緊張を与えている．

神経支配：筋皮神経（C_5とC_6）

変異：第三頭 third head が上腕骨から起こり筋腹につながっていることが少なくない（10％）．

A 前方からみた上腕の筋

B 上腕中央の断面

C 模式図（筋の起始，経過および停止）

臨床関連：筋もしくは腱の断裂は殊に高頻度に上腕二頭筋長頭の腱に起こる．長頭腱の断裂に際しては上腕骨頭は高位を示すことになる．

---

1 上腕筋 brachialis　2 上腕骨前面（の下半分）anterior surface of humerus　3 尺骨粗面 tuberosity of ulna　4 上腕二頭筋 biceps brachii　5 上腕二頭筋長頭 long head of biceps brachii　6 関節上結節 supraglenoid tubercle　7 上腕二頭筋短頭 short head of biceps brachii　8 烏口突起 coracoid process　9 橈骨粗面 radial tuberosity　10 上腕二頭筋腱膜 aponeurosis of biceps brachii（= Lacertus fibrosus, B.N.A. および J.N.A. 用語）　11 結節間溝 intertubercular sulcus　12 上腕三頭筋長頭 long head of triceps brachii　13 上腕三頭筋外側頭 lateral head of triceps brachii　14 上腕三頭筋内側頭 medial head of triceps brachii　15 外側上腕筋間中隔 lateral intermuscular septum of arm　16 内側上腕筋間中隔 medial intermuscular septum of arm　17 広背筋 latissimus dorsi　18 肩甲下筋 subscapularis　19 小胸筋 pectoralis minor　20 烏口腕筋 coracobrachialis

上腕の筋（続き）

背側筋群（A〜C）

上腕三頭筋（**1**）は長頭（**2**），内側頭（**3**）および外側頭（**4**）から形成されている．

長頭（**2**）は肩甲骨の関節下結節（**5**）から起こり，小円筋（**6**）の前で大円筋（**7**）の後ろを走って下行する．内側頭（**3**）は橈骨神経溝（**8**）の下，上腕骨の背側面（**9**），内側筋間中隔（**10**）および遠位部では外側筋間中隔（**11**）からも起こる．内側頭は大部分が長頭と外側頭に覆われている．この内側頭は上腕骨に広い面で接しているから，下方でのみ観察することができる．外側頭（**4**）は起始が上腕骨背面の橈骨神経溝の外側上部（**12**）にある．この起始は上方は大結節（**13**）のすぐ下から始まり，下方は外側筋間中隔（**11**）のところで終わる．

これら3頭は一つの腱板をつくって共通の停止腱に移行し，尺骨の肘頭（**14**）と関節包の後壁に停止する．上腕三頭筋は長頭に関しては2関節性の筋で，ほかの筋頭は1関節性の筋である．肘関節ではこの筋は伸筋である．肩関節では長頭は腕の後傾および内転の際にも協力的に働く．

三頭筋の腱の一部は前腕筋膜に入り込み，肘筋をほぼ完全に覆っていることがある．肘頭での停止のところには必ず滑液包がみられる（肘頭皮下包 subcutaneous olecranon bursa，上腕三頭筋の腱下包 subtendinous bursa of triceps）．これら以外の滑液包として肘頭腱内包 intratendinous olecranon bursa が時として存在する場合もある．

神経支配：橈骨神経 radial nerve（C_6〜C_8）．

変異：すこぶる高頻度に長頭の起始部と広背筋の停止腱との間に腱弓がみられる．ごくまれに肩甲骨外側縁や肩関節の関節包から長頭の追加的起始が起こることもある．

肘筋（**15**）は外側上顆 lateral epicondyle の背面（**16**）および外側側副靱帯 radial collateral ligament に始まり，尺骨背面の上方1/4（**17**）に終わっている．この筋は上腕三頭筋の内側頭に接続するものである．機能的にはこの筋は腕の伸展の際に三頭筋を助け，関節包を緊張させる．

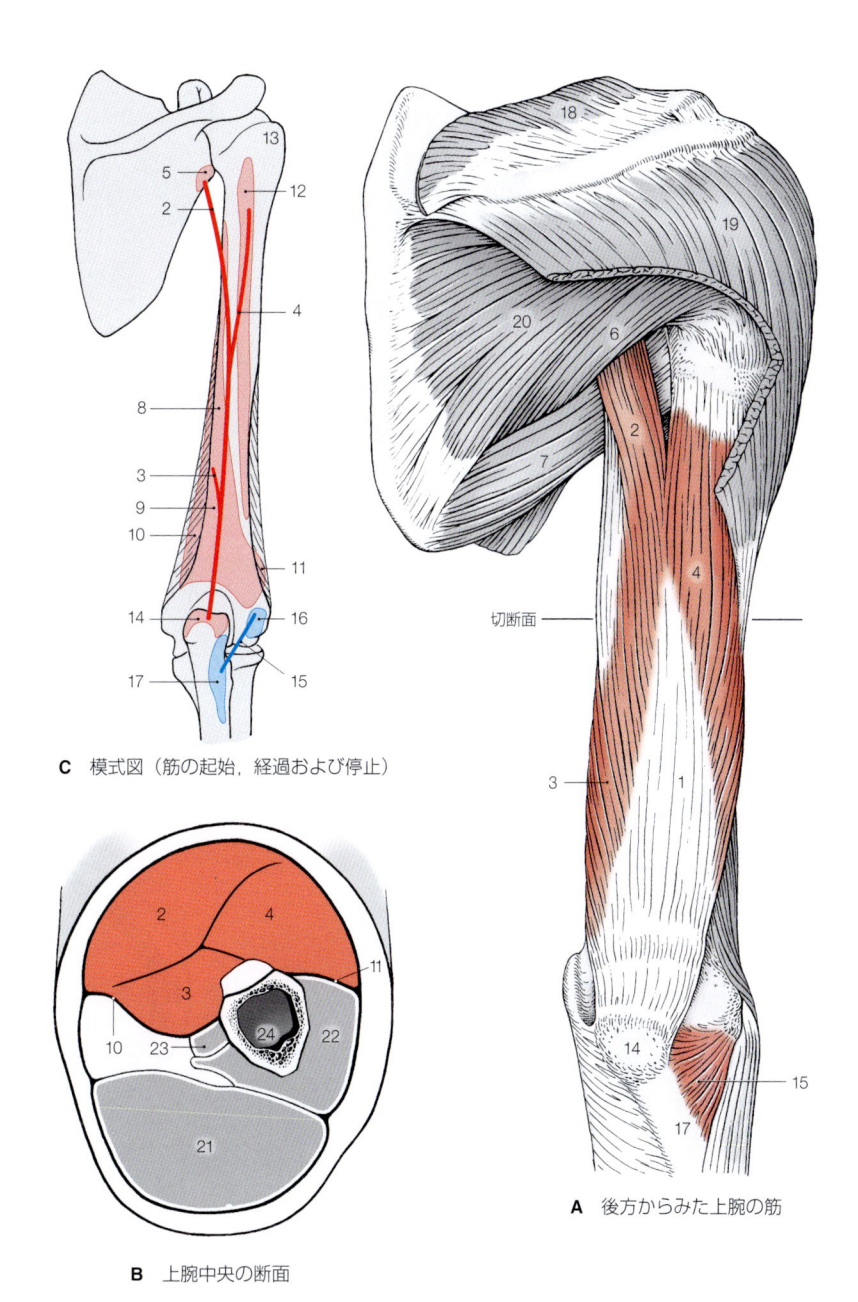

神経支配：橈骨神経 radial nerve（C_7とC_8）

C 模式図（筋の起始，経過および停止）

B 上腕中央の断面

A 後方からみた上腕の筋

---

1 上腕三頭筋 triceps brachii　2 長頭（上腕三頭筋の）long head of triceps brachii　3 内側頭（上腕三頭筋の）medial head of triceps brachii　4 外側頭（上腕三頭筋の）lateral head of triceps brachii　5 関節下結節（肩甲骨の）infraglenoid tubercle of scapula　6 小円筋 teres minor　7 大円筋 teres major　8 橈骨神経溝 radial groove　9 上腕骨の後面（橈骨神経溝より下の）posterior surface of humerus　10 内側筋間中隔 medial intermuscular septum　11 外側筋間中隔 lateral intermuscular septum　12 上腕骨の後面（橈骨神経溝より上外側の）posterior surface　13 大結節 greater tubercle　14 尺骨の肘頭 olecranon of ulna　15 肘筋 anconeus　16 外側上顆（の後面）lateral epicondyle　17 尺骨の後面（上方1/4）posterior surface of ulna　18 僧帽筋 trapezius　19 三角筋 deltoid　20 棘下筋 infraspinatus　21 上腕二頭筋 biceps brachii　22 上腕筋 brachialis　23 烏口腕筋 coracobrachialis　24 上腕骨 humerus

前腕の筋

筋の分類（A～D）

　前腕の筋 muscles of forearm については，種々の関節に対する位置関係，これらの筋の停止および作用によって3つの異なる群に分けることができる．

　第1群は橈骨に停止し，前腕の骨の運動に対してのみ問題になってくるものである．

　第2群は中手骨にまで達し，手根の運動を可能ならしめているものである．

　第3群は指の骨にまで及び，指の運動に責を負うものである．

　もう一つの分類は筋相互の位置関係から行われる．この分類では尺骨と橈骨が骨間膜とともに，腹側にある筋すなわち屈筋と，背側にある筋すなわち伸筋とに分けることになる．さらに結合組織性中隔により腹側筋群と背側筋群との間にもう一つ橈側筋群が区別される．屈筋も伸筋もそれぞれ浅層筋と深層筋とに分けることができる．

　最後に前腕の筋は神経叢の腹側層または背側層の支配によっても2群に分けることができる．

　実用上の理由から本書では筋相互の位置関係に従って筋の分類が考えられている．この分類はまた最も広範囲にわたった機能による分類と一致している．

前腕腹側の筋

浅層（79頁）
- 1　円回内筋 pronator teres
- 2　浅指屈筋 flexor digitorum superficialis
- 3　橈側手根屈筋 flexor carpi radialis
- 4　長掌筋 palmaris longus
- 5　尺側手根屈筋 flexor carpi ulnaris

深層（80頁）
- 6　方形回内筋 pronator quadratus
- 7　深指屈筋 flexor digitorum profundus
- 8　長母指屈筋 flexor pollicis longus

前腕橈側の筋（81頁）
- 9　短橈側手根伸筋 extensor carpi radialis brevis
- 10　長橈側手根伸筋 extensor carpi radialis longus
- 11　腕橈骨筋 brachioradialis

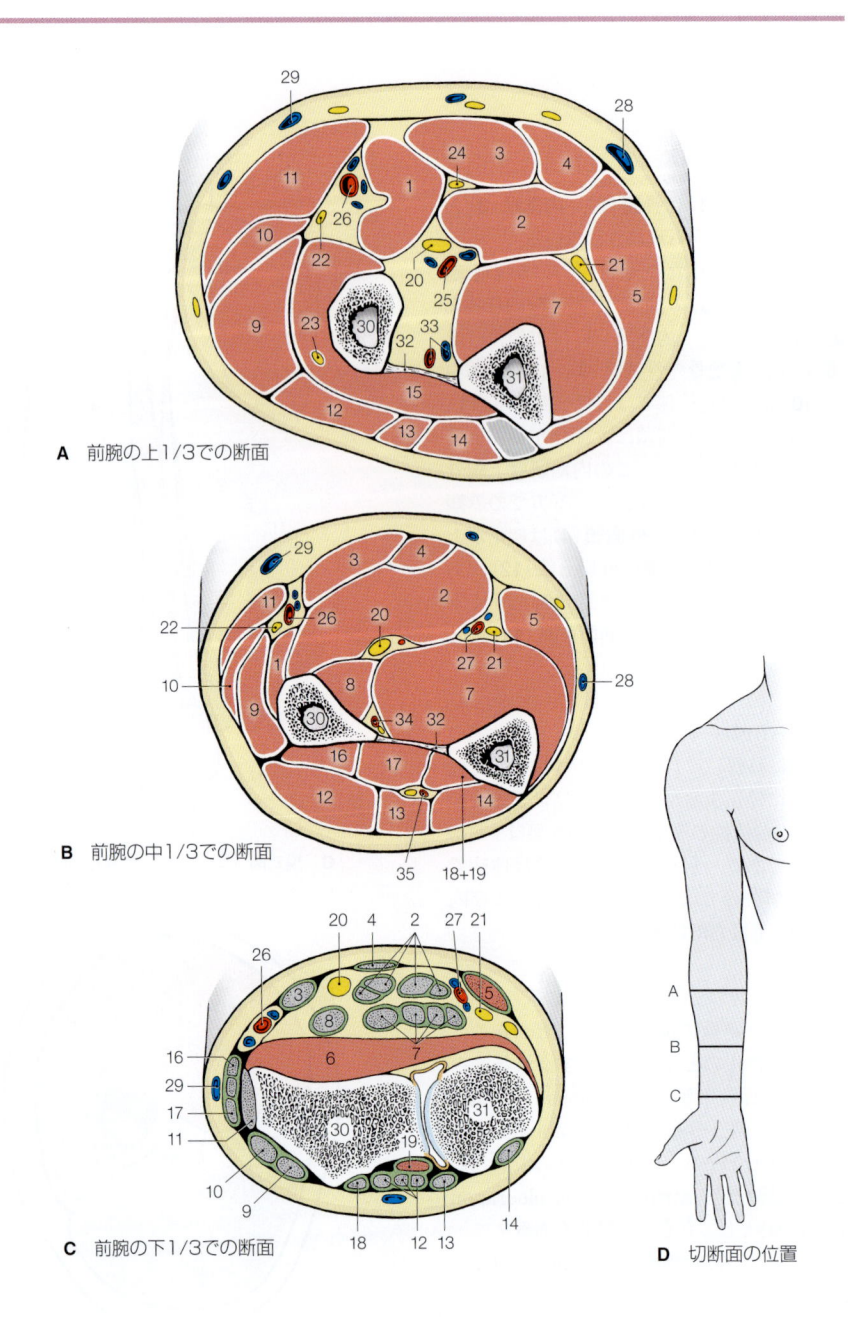

A　前腕の上1/3での断面
B　前腕の中1/3での断面
C　前腕の下1/3での断面
D　切断面の位置

前腕背側の筋

浅層（82頁）
- 12　［総］指伸筋 extensor digitorum
- 13　小指伸筋 extensor digiti minimi
- 14　尺側手根伸筋 extensor carpi ulnaris

深層（83頁）
- 15　回外筋 supinator
- 16　長母指外転筋 abductor pollicis longus
- 17　短母指伸筋 extensor pollicis brevis
- 18　長母指伸筋 extensor pollicis longus
- 19　示指伸筋 extensor indicis

- 20　正中神経 median nerve
- 21　尺骨神経 ulnar nerve
- 22　橈骨神経浅枝 radial nerve, superficial branch
- 23　橈骨神経深枝 radial nerve, deep branch
- 24　正中神経筋枝 median nerve, muscular branch
- 25　上腕動脈 brachial artery
- 26　橈骨動脈 radial artery
- 27　尺骨動脈 ulnar artery
- 28　尺側皮静脈 basilic vein
- 29　橈側皮静脈 cephalic vein
- 30　橈骨 radius
- 31　尺骨 ulna
- 32　前腕骨間膜 interosseous membrane of forearm
- 33　総骨間動・静脈 common interosseous artery & vein
- 34　前骨間動脈 anterior interosseous artery
- 35　後骨間動脈 posterior interosseous artery

前腕の筋　79

前腕腹側の筋

浅層（A～D）

円回内筋（**1**）はその**上腕頭** humeral head が上腕骨の内側上顆（**2**）と内側筋間中隔とから，**尺骨頭** ulnar head は尺骨の鉤状突起（**3**）から起こる．この筋は橈骨の外側面中央部にある回内筋粗面（**4**）に終わる．円回内筋は方形回内筋とともに前腕を回内し，肘関節を屈曲するのを助ける．

神経支配：正中神経 median nerve（C_6 と C_7）

変異：尺骨頭は欠如していることがある．顆上突起（56頁）が存在する場合はこれからも尺骨頭が起こる．

浅指屈筋（**5**）は，その**上腕頭**が上腕骨の内側上顆（**6**）から，**尺骨頭**は尺骨の鉤状突起（**7**）から，また**橈骨頭** radial head は橈骨（**8**）から起こる．それらの筋頭の間には腱弓が広がっており，その下を正中神経と尺骨動・静脈が横切っていく．この筋の腱は共通の腱鞘（90頁）に包まれて手根管 carpal tunnel を通り抜ける．この筋は4本の腱をもって第2～5指中節骨体の両側面にある骨稜（**9**）に終わる．そこで各腱は二分し（**被貫通筋，10**），深指屈筋の腱（**11**）がその割れ目を滑るように通り抜ける．肘関節ではこの筋はごく弱い屈筋であるが，手根の関節と近位の指の関節では強力な屈筋である．手根の関節を最大に屈曲したときには，この筋は作用しなくなる．

神経支配：正中神経（C_7～Th_1）

橈側手根屈筋（**12**）は上腕骨の内側上顆（**6**）と前腕筋膜の浅層から起こる．この筋は第2中手骨底の掌側面（**13**）に終わる．特殊な場合にはこの筋の停止が第3中手骨にまで及んでいることもある．この筋は手根管を通る際には，骨線維性の管となって閉じた大菱形骨の溝に納まっている．この筋の肘関節での屈筋および回内筋としての働きは弱いが，手根の関節では掌側屈曲のときと，さらに橈側偏位のときには長橈側手根伸筋と一緒になって（81頁）この筋が協力的に働く．

神経支配：正中神経（C_6 と C_7）

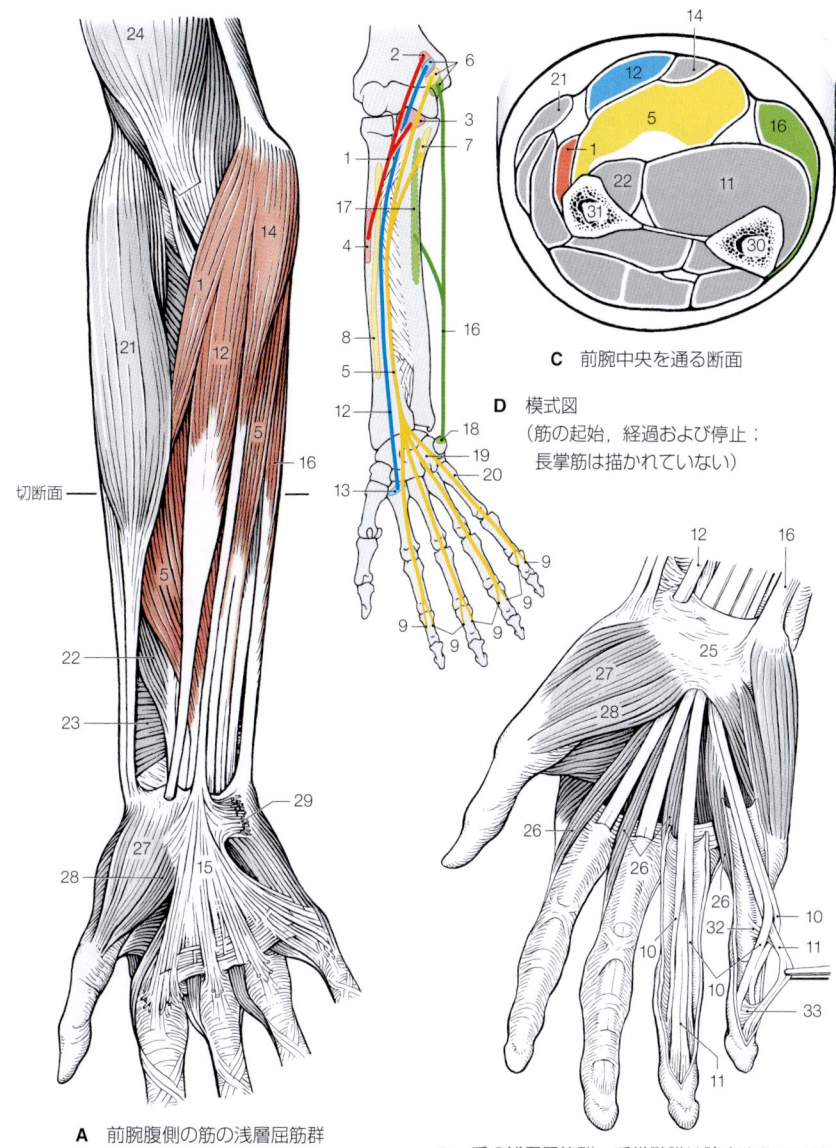

長掌筋（**14**）は上腕骨の内側上顆から起こり，**手掌腱膜**（**15**）をつくって手掌面へ放散している（88頁）．この筋は手を掌側へ曲げ，手掌腱膜を緊張させる．

神経支配：正中神経（C_7～Th_1）

変異：この筋は欠けることがある．もちろんその時も手掌腱膜は必ず存在する．

前腕の内側に横たわる**尺側手根屈筋**（**16**）はその**上腕頭**で上腕骨の内側上顆（**6**）から，さらに**尺骨頭**で肘頭と尺骨後縁の上部2/3（**17**）から起こる．この筋は豆状骨（**18**）に付着し，豆鉤靱帯 pisohamate ligament によって有鉤骨（**19**）へ，また豆中手靱帯 pisometacarpal ligament によって第5中手骨（**20**）にまで続いている．この筋は豆状骨における停止の手前で，遠位へ斜めに下行し前腕筋膜へ入り込む腱線維を送り出していることがよくある．この筋は手根管を通らない．この筋は掌側屈曲（このときこの筋は橈側手根屈筋よりも有効に働く）および手の尺側偏位のときに協力的に働く．

神経支配：尺骨神経 ulnar nerve（C_7 と C_8）

A　前腕腹側の筋の浅層屈筋群

B　手の浅層屈筋群．手掌腱膜は除去されている

C　前腕中央を通る断面

D　模式図（筋の起始，経過および停止；長掌筋は描かれていない）

---

1 円回内筋 pronator teres　**2** 内側上顆（上腕骨の）medial epicondyle of humerus　**3** 鉤状突起（尺骨の）coronoid process　**4** 回内筋粗面 pronator tuberosity　**5** 浅指屈筋 flexor digitorum superficialis　**6** 内側上顆（上腕骨の）　**7** 鉤状突起（尺骨の）　**8** 橈骨 radius　**9** 骨稜（指の中節骨の）crest　**10** 被貫通筋 perforating muscle　**11** 深指屈筋の腱 tendons of the flexor digitorum profundus　**12** 橈側手根屈筋 flexor carpi radialis　**13** 第2中手（底の掌側面）metacarpals 2　**14** 長掌筋 palmaris longus　**15** 手掌腱膜 palmar aponeurosis　**16** 尺側手根屈筋 flexor carpi ulnaris　**17** 尺骨の後縁 posterior border of ulna　**18** 豆状骨 pisiform　**19** 有鉤骨 hamate　**20** 第5中手骨 metacarpals 5　**21** 腕橈骨筋 brachioradialis　**22** 長母指屈筋 flexor pollicis longus　**23** 方形回内筋 pronator quadratus　**24** 上腕二頭筋 biceps brachii　**25** 屈筋支帯 flexor retinaculum　**26** 虫様筋 lumbricals　**27** 短母指外転筋 abductor pollicis brevis　**28** 短母指屈筋 flexor pollicis brevis　**29** 短掌筋 palmaris brevis　**30** 尺骨 ulna　**31** 橈骨 radius　**32** 腱の長いヒモ vinculum longum　**33** 腱の短いヒモ vinculum breve

前腕腹側の筋（続き）

深層（A～C）

方形回内筋（**1**）は尺骨の掌側面下部1/4（**2**）から起こり，橈骨の掌側面下部1/4（**3**）に終わる．この筋は前腕を回内するが，そのさい円回内筋に助けられる．

神経支配：正中神経から出る前骨間神経 anterior interosseus nerve（C_8とTh_1）

変異：この筋はもっと近位にまで広がっていることがある．また種々の手根骨や，まれには母指球の筋にまで達していることがある．この筋はときに欠けることもある．

深指屈筋（**4**）は尺骨の掌側面と骨間膜の上方2/3（**5**）から起こる．手根管を通り抜けるとき，この筋の腱と浅指屈筋（79頁）の腱は共通の腱鞘（90頁）に包まれる．この筋は4本の腱をつくって第2～5指の末節骨底（**6**）に停止する．この筋は浅指屈筋の停止腱を貫通することから，**貫通筋** perforating muscle とも呼ばれる．そのほか，この筋の腱の橈側面からは虫様筋（**7**）が出ている．深指屈筋は手根，中手および指の関節を屈曲する．

神経支配：正中神経から出る前骨間神経 anterior interosseous nerve と尺骨神経 ulnar nerve（C_7～Th_1）

変異：示指に達する腱は非常にしばしば固有の筋腹をもっている（**A**を参照）．

長母指屈筋（**8**）は橈骨の前面（橈骨粗面の下方）と骨間膜（**9**）から始まる．この筋は固有の腱鞘（90頁）に包まれて手根管を通過し，短母指屈筋の両頭の間を通って，母指の末節骨底（**10**）に達する．この筋は機能的には母指の末節に至るまでの屈筋であるが，そのほかこの筋は母指をわずかに橈側へ偏位させることができる．

神経支配：正中神経の前骨間神経 anterior interosseous nerve（C_7とC_8）

変異：40％のヒトでは，この筋に上腕骨の内側上顆から起こる上腕頭 humeral head がみられる．これらの場合には浅指屈筋の上腕頭と腱性の結合が認められる．

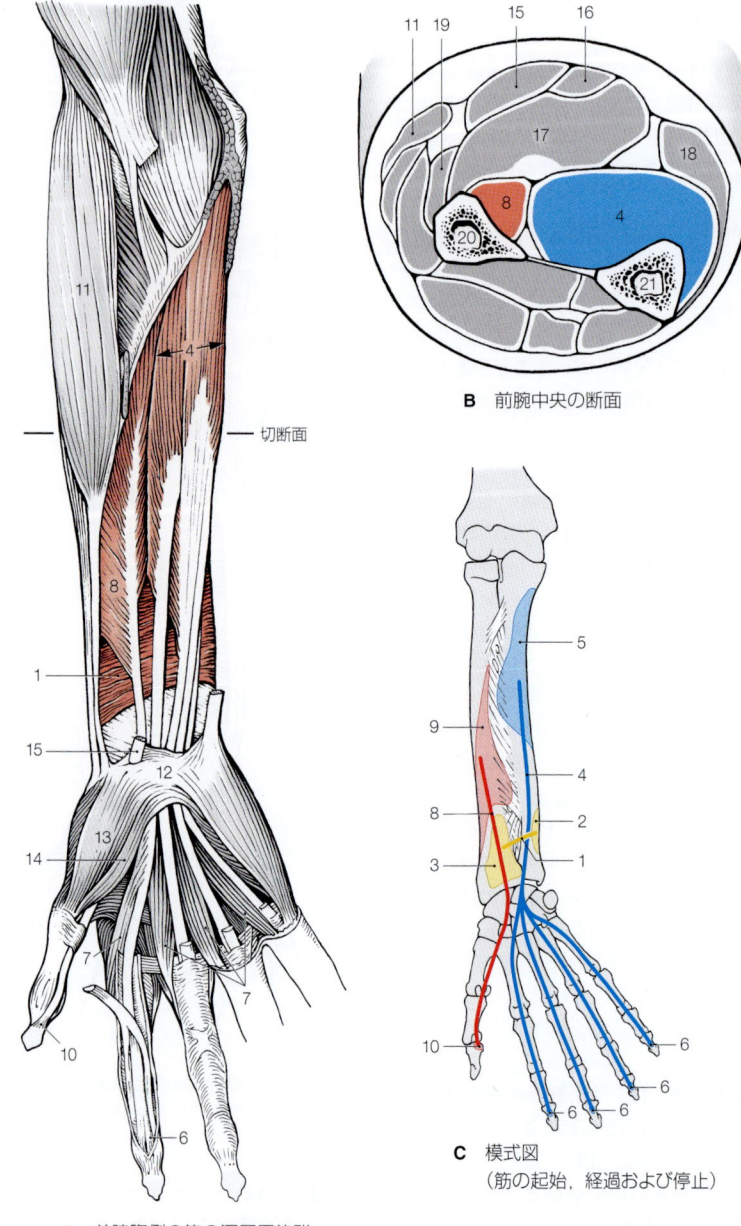

A 前腕腹側の筋の深層屈筋群

B 前腕中央の断面

C 模式図（筋の起始，経過および停止）

---

1 方形回内筋 pronator quadratus　**2** 尺骨の前面（下部1/4）anterior surface of ulna　**3** 橈骨の前面（下部1/4）anterior surface of radius　**4** 深指屈筋 flexor digitorum profundus　**5** 尺骨の前面と骨間膜（上方2/3）anterior surface of ulna, interosseous membrane　**6** 第2～5指の末節骨底 base of distal phalanx 2～5　**7** 虫様筋 lumbricals　**8** 長母指屈筋 flexor pollicis longus　**9** 橈骨の前面と骨間膜 anterior surface of radius, interosseous membrane　**10** 母指の末節骨底 base of distal phalanx 1　**11** 腕橈骨筋 brachioradialis　**12** 屈筋支帯 flexor retinaculum　**13** 短母指外転筋 abductor pollicis brevis　**14** 短母指屈筋 flexor pollicis brevis　**15** 橈側手根屈筋 flexor carpi radialis　**16** 長掌筋 palmaris longus　**17** 浅指屈筋 flexor digitorum superficialis　**18** 尺側手根屈筋 flexor carpi ulnaris　**19** 円回内筋 pronator teres　**20** 橈骨 radius　**21** 尺骨 ulna

前腕橈側の筋（A〜D）

橈側筋群は3つの筋を含んでおり，これらの筋は肘関節を屈曲するように働く．

短橈側手根伸筋（**1**）は共通の頭の形で上腕骨外側上顆（**2**），外側側副靱帯 radial collateral ligament および橈骨輪状靱帯 anular ligament of radius から起こり，第3中手骨底（**3**）に終わる．この筋は伸筋支帯 extensor retinaculum の第2管（90頁）を通って手根の背面に達する．短橈側手根伸筋は肘関節では弱い屈筋である．この筋は手を尺側偏位の状態から中間位へもどし，手を背側へ屈曲する．

神経支配：橈骨神経 radial nerve の深枝 deep branch（C_7）．

長橈側手根伸筋（**4**）は上腕骨の外側顆上稜（**5**）および外側上顆に至るまでの外側筋間中隔に始まり，上記の短橈側手根伸筋とともに伸筋支帯の第2管を通り抜ける．この筋は第2中手骨底（**6**）に終わる．機能上は，この筋は肘関節での弱い屈筋であり，腕を曲げた状態では回内筋でもあり，また腕を伸ばした状態では回外筋として働く．手根の関節ではこの筋は，尺側手根伸筋と協同して手の背側屈曲を，また橈側手根屈筋とともに橈側偏位を行う．

神経支配：橈骨神経の深枝 deep branch（C_6 と C_7）．

これら短および長橈側手根伸筋は"**手を握るのを助ける筋**" Faustschlußhelfer といわれる．というのは握りこぶしをつくるときには，屈筋群が最大の作用を発揮するために手は軽度の背側屈曲状態にある必要があるからである．

> **臨床関連**：握りこぶしをつくるとき，上腕骨の外側上顆に疼痛が生じることがあるが，これは**上腕骨外側上顆炎** humeral epicondylitis といわれる．原因としては，まだ証明されていないがこれら両橈側手根伸筋の起始部の骨膜に過度の負担がかかることが考えられている（テニス肘 tennis elbow）．

腕橈骨筋（**7**）の起始に，上腕骨の外側顆上稜（**8**）と外側筋間中隔が役立っている．この筋は橈骨の茎状突起の橈側面（**9**）に終わる．先に述べた前腕の2筋との違いは，この筋が1関節性の筋であるという点である．この筋は腕を回内と回外の間の中間位へもたらす．この位置では腕橈骨筋は屈筋として働く．その屈曲作用はゆっくりした運動のときや，前腕が回外位にあるときはわずかである．

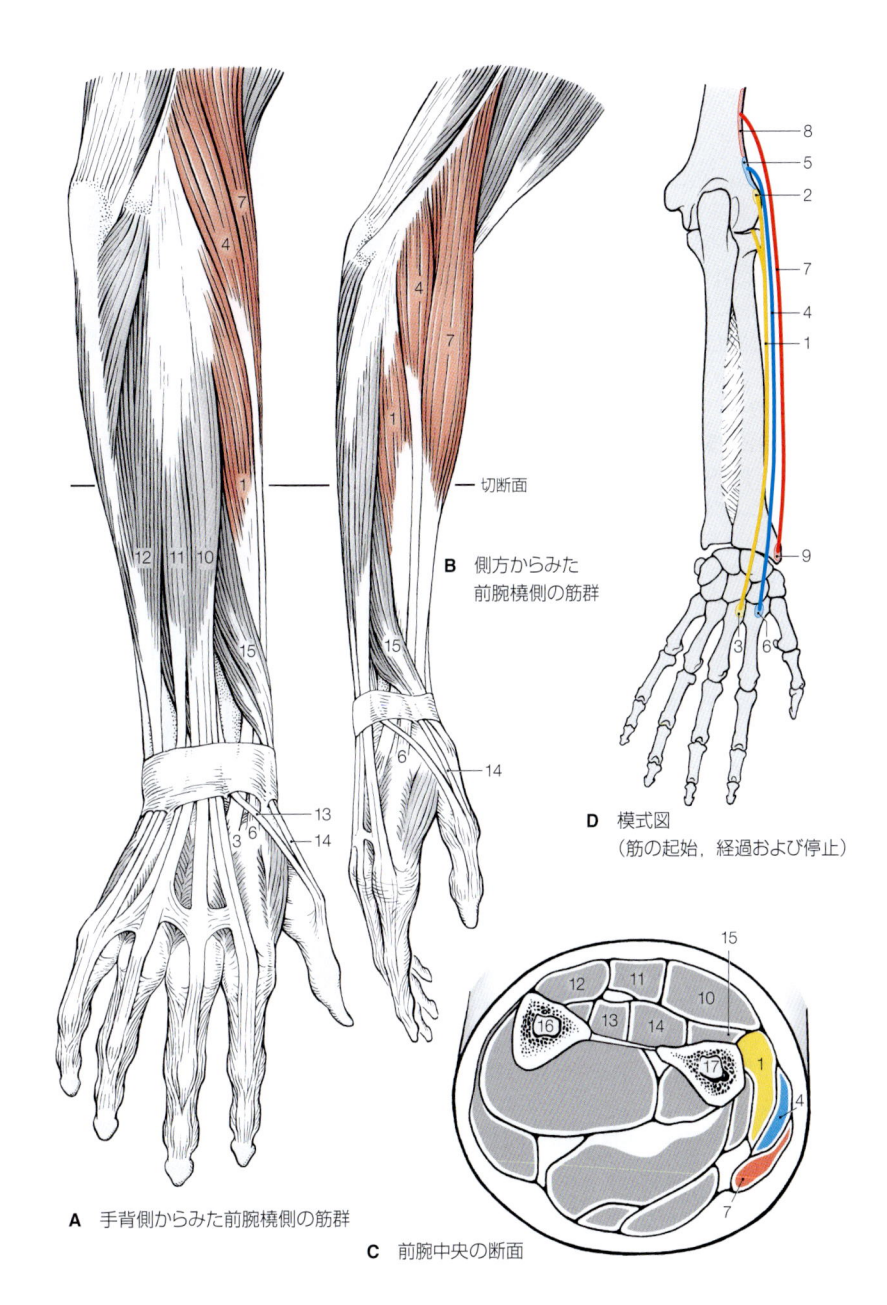

神経支配：橈骨神経（C_5 と C_6）

A 手背側からみた前腕橈側の筋群

B 側方からみた前腕橈側の筋群

C 前腕中央の断面

D 模式図（筋の起始，経過および停止）

> **臨床関連**：この筋の停止のすぐ近位で，その腱と橈側手根屈筋（79頁）の腱の間に，橈骨動脈の脈拍を触れる部位がある（189頁参照）．

---

1 短橈側手根伸筋 extensor carpi radialis brevis　2 外側上顆（上腕骨の）lateral epicondyle　3 第3中手骨底 base of metacarpals 3　4 長橈側手根伸筋 extensor carpi radialis longus　5 外側顆上稜（上腕骨の）lateral supracondylar ridge of humerus　6 第2中手骨底 base of metacarpals 2　7 腕橈骨筋 brachioradialis　8 外側顆上稜（上腕骨の）　9 茎状突起（橈骨の）radial styloid process　10 ［総］指伸筋 extensor digitorum　11 小指伸筋 extensor digiti minimi　12 尺側手根伸筋 extensor carpi ulnaris　13 長母指伸筋 extensor pollicis longus　14 短母指伸筋 extensor pollicis brevis　15 長母指外転筋 abductor pollicis longus　16 尺骨 ulna　17 橈骨 radius

前腕背側の筋

浅層（A～C）

　［総］指伸筋（**1**）の平面的な起始は上腕骨の外側上顆（**2**），外側側副靱帯，橈骨輪状靱帯および前腕筋膜 antebrachial fascia にある．この筋は伸筋支帯の第4管（90頁）を通る．この筋の腱は第2指から第5指までの指背腱膜（**3**）をつくり，さらに指の基節骨底（**4**）と中手指節関節の関節包に小束を送っている．

　個々の放線状の腱の間に挟まって腱性の結合（**腱間結合**，**5**）がみられ，第4指（薬指）から出て第3指（中指）と第5指（小指）へ行く．この［総］指伸筋は指を伸ばし，扇状に開く．手根の関節ではこの筋は背屈のための最も強大な筋である．そのほかこの筋は手を尺側へ偏位させるように働く．

　神経支配：橈骨神経の深枝 deep branch（C_6～C_8）

　変異：第2指に行く腱の筋腹は独立している場合もある．小指腱は欠けることもあり，一方では個々の指に行く腱が重複することもある．

　小指伸筋（**6**）は上記の［総］指伸筋とともに共通頭（**2**）の形をとって起こり，伸筋支帯の第5管を通り，大抵は2本の腱となって第5指の手背腱膜に達する．時にこの筋は欠けており，そのときには［総］指伸筋がもう1本の腱を出して小指伸筋の機能を受け継ぐ．この筋は第5指を伸ばし，手の背屈と尺側偏位に協力的に働く．

　神経支配：橈骨神経の深枝 deep branch（C_6～C_8）

　尺側手根伸筋（**7**）もまた［総］指伸筋とともに総頭（**2**）から出るが，尺骨（**8**）からも出て尺骨の内背側面を走り，伸筋支帯の第6管を通って第5中手骨底（**9**）まで行く．

　この筋の名称は間違いであって，この筋は機能的には強大な外転筋である．この筋の作用はその腱の経過を知ることによって理解しうる．この腱は橈骨手根関節の背側を，しかし運動軸に関しては手根中央関節の掌側を走る（66頁）．したがってこの筋の収縮によって橈骨手根関節では背屈が，手根中央関節では掌屈が起こり，両作用は互いに相殺されることになる．したがってこの筋は実際には純粋の外転筋として働く（手を尺側へ偏位させる）．この筋の拮抗筋は長母指外転筋 abductor pollicis longus である．

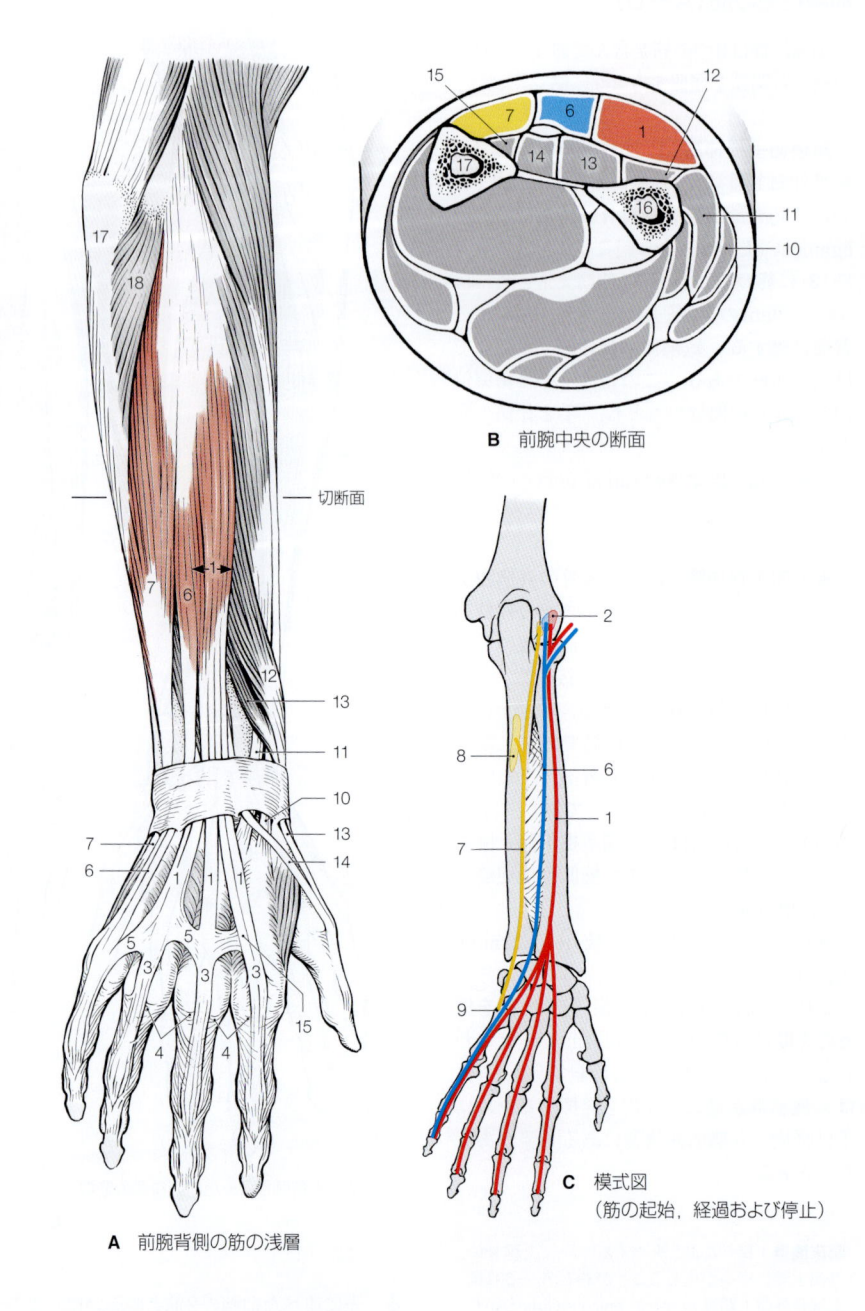

　神経支配：橈骨神経の深枝 deep branch（C_7とC_8）

　変異：しばしば橈側に過剰腱がみられ，この腱は基節骨に達する．

A　前腕背側の筋の浅層

B　前腕中央の断面

C　模式図（筋の起始，経過および停止）

---

1 ［総］指伸筋 extensor digitorum　**2** 上腕骨の外側上顆（→共通頭）lateral epicondyle（→ common head）　**3** （第2指から第5指までの）指背腱膜 dorsal aponeurosis　**4** 指の基節骨底 base of proximal phalanx　**5** 腱間結合 intertendinous connections　**6** 小指伸筋 extensor digiti minimi　**7** 尺側手根伸筋 extensor carpi ulnaris　**8** 尺骨 ulna　**9** 第5中手骨底 base of metacarpals 5　**10** 長橈側手根伸筋 extensor carpi radialis longus　**11** 短橈側手根伸筋 extensor carpi radialis brevis　**12** 長母指外転筋 abductor pollicis longus　**13** 短母指伸筋 extensor pollicis brevis　**14** 長母指伸筋 extensor pollicis longus　**15** 示指伸筋 extensor indicis　**16** 橈骨 radius　**17** 尺骨 ulna　**18** 肘筋 anconeus

前腕背側の筋（続き）

深層（A～C）

尺骨の回外筋稜（**1**），上腕骨の外側上顆（**2**），外側側副靱帯 radial collateral ligament および橈骨輪状靱帯 anular ligament of radius は**回外筋**（**3**）の起始面として役立っている．外側側副靱帯の最後部から起こる筋束は表層を経過して，上縁で遠位方に向かって凸の腱弓をつくる（浅層部）．この浅層部の筋束とそれ以外から起こる筋束（深層部）との間を橈骨神経の深枝（180頁）が前腕の背側に向けて通り抜ける．この筋は橈骨粗面 radial tuberosity と円回内筋の停止との間の橈骨（**4**）に終わる．その際この筋は橈骨に巻きつき，前腕を回外するが，上腕二頭筋と異なってどんな屈曲または伸展位にあっても前腕を回外することができる．
神経支配：橈骨神経の深枝 deep branch （C_5とC_6）

長母指外転筋（**5**）は尺骨の後面，詳しくはその回外筋稜の下方（**6**），骨間膜（**7**）および橈骨の後面（**8**）から起こる．この筋は伸筋支帯の第1管を通って（90頁），第1中手骨底（**9**）に終わる．この腱の一部は大菱形骨に達し，ほかの一部はしばしば短母指伸筋の腱および短母指外転筋と融合している．
この筋の位置的条件によって，この筋は手を掌側へ屈曲し，また橈側へ偏位させる．この筋の主な働きは母指の外転である．
神経支配：橈骨神経の深枝 deep branch （C_7とC_8）

短母指伸筋（**10**）は尺骨，詳しくはその長母指外転筋の起始の下方（**11**），骨間膜（**12**）および橈骨の後面（**13**）から始まり，母指の基節骨底（**14**）に終わる．この筋は母指を伸ばし外転する．この働きは，この筋が伸筋支帯の第1管を通るとき一緒に走る長母指外転筋（**5**）と位置的に密接な関係があることに起因するのである．
神経支配：橈骨神経の深枝 deep branch （C_7～Th_1）
変異：本筋の終末腱はしばしば重複する．まれな症例では本筋は欠如することもある．

長母指伸筋（**15**）はその起始面が広く，尺骨後面（**16**）と骨間膜（**17**）にある．この筋は伸筋支帯の第3管を通って，手根の背面へ達する．この筋の停止は母指の末節骨底（**18**）にある．この筋は伸筋支帯の第3管の外側にある橈骨の骨稜（後結節）を支点として母指を伸ばす．手根の関節ではこの筋は手を背屈し，橈側へ偏位させる．
神経支配：橈骨神経の深枝 deep branch （C_7とC_8）

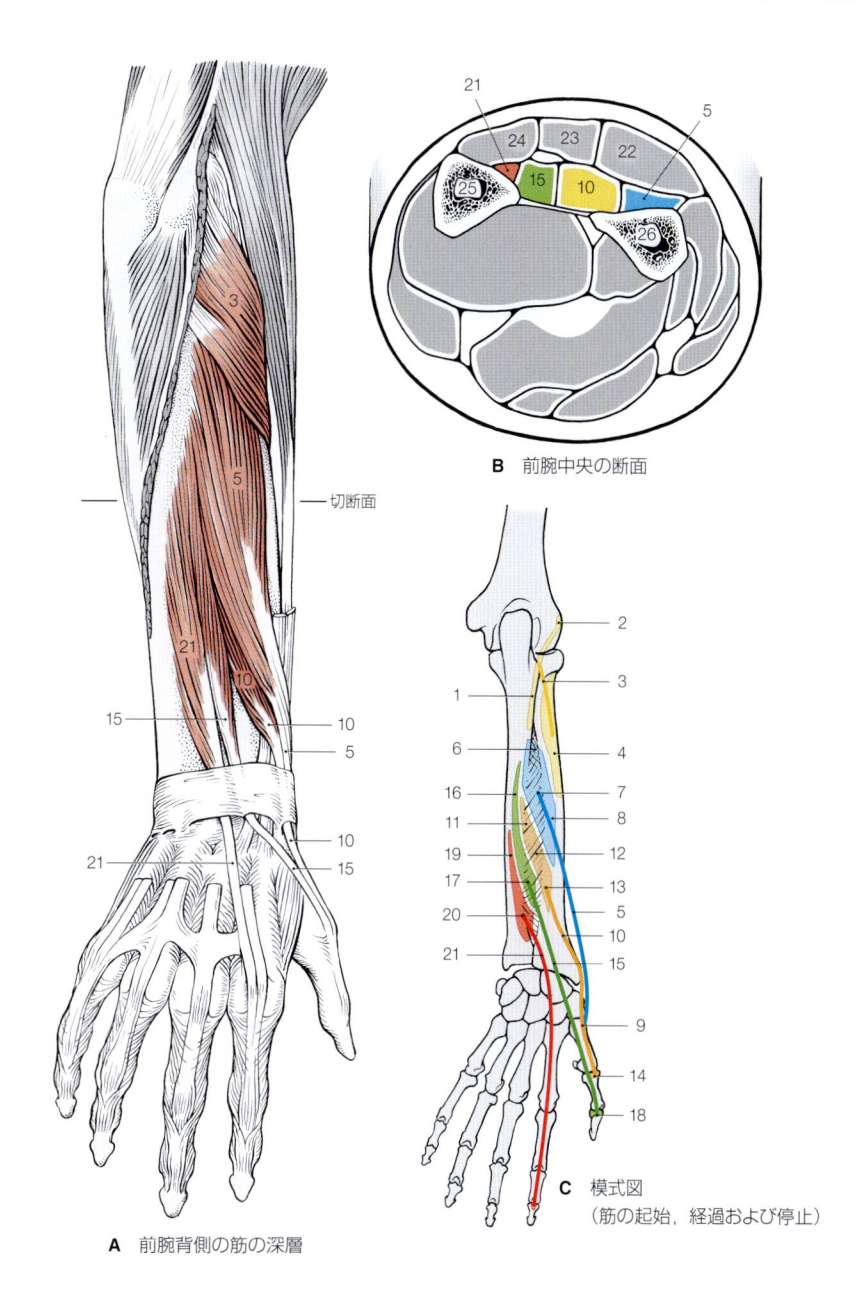

尺骨の後面の下1/3（**19**）と骨間膜（**20**）は**示指伸筋**（**21**）の起始面になっている．この筋は［総］指伸筋とともに伸筋支帯の第4管を通過し，腱となって示指の指背腱膜へ入り込んでいく．この筋は示指を伸ばし，手根の関節では背屈に協力的に働く．
神経支配：橈骨神経の深枝 deep branch （C_6～C_8）
変異：しばしば2ないし3腱がみられる．本筋は時に欠如することもある．

A 前腕背側の筋の深層
B 前腕中央の断面
C 模式図（筋の起始，経過および停止）

---

1 回外筋稜（尺骨の）supinator crest of ulna　2 外側上顆（上腕骨の）lateral epicondyle　3 回外筋 supinator　4 橈骨（橈骨粗面と円回内筋の停止との間の）radius　5 長母指外転筋 abductor pollicis longus　6 尺骨の後面 posterior surface of ulna　7 骨間膜 interosseous membrane of forearm　8 橈骨の後面 posterior surface of radius　9 第1中手骨底 base of metacarpal I　10 短母指伸筋 extensor pollicis brevis　11 尺骨（長母指外転筋の起始の下方）ulna　12 骨間膜　13 橈骨の後面　14 母指の基節骨底 base of proximal phalanx I　15 長母指伸筋 extensor pollicis longus　16 尺骨の後面 posterior surface of ulna　17 骨間膜　18 母指の末節骨底 base of distal phalanx I　19 尺骨の後面（の下1/3）posterior surface of ulna　20 骨間膜　21 示指伸筋 extensor indicis　22 ［総］指伸筋 extensor digitorum　23 小指伸筋 extensor digiti minimi　24 尺側手根伸筋 extensor carpi ulnaris　25 尺骨 ulna　26 橈骨 radius

肘関節と前腕での筋の作用（A～D）

肘関節ではまず第一に**屈曲** flexion と**伸展** extension が区別される．

その運動軸は上腕骨の内側および外側上顆を通る．この軸の前を走る筋はすべて屈筋として働き，この軸の後ろを走る筋はすべて肘関節を伸展する．大多数の筋は多関節性であるから，これらの筋の名称は肘関節での働きに対しては必ずしも適切ではない．そのほか，これらの筋の肘関節での働きは隣接の関節の定位とは無関係である．

屈曲（**A**）の際に協力的に働くものは，上腕二頭筋 biceps brachii（赤，筋皮神経 musculocutaneous nerve），上腕筋 brachialis（青，筋皮神経 musculocutaneous nerve），腕橈骨筋 brachioradialis（黄，橈骨神経 radial nerve），長橈側手根伸筋 extensor carpi radialis longus（オレンジ，橈骨神経 radial nerve）および円回内筋 pronator teres（緑，正中神経 median nerve）である．

あまり重要でないものは（描かれていないが）：橈側手根屈筋 flexor carpi radialis，短橈側手根伸筋 extensor carpi radialis brevis と長掌筋 palmaris longus．

ほぼすべての屈筋が短縮しているときには，回内位で屈曲が最も強く行われる．しかし，上腕筋と上腕二頭筋だけは例外であって，上腕筋の筋力はどんな定位にあっても同じであり，また上腕二頭筋の回内位での屈曲力はかえって弱くなる．

伸展（**B**）に対しては上腕三頭筋 triceps brachii（赤，橈骨神経 radial nerve）が唯一の重要な筋である．その場合に外側頭と内側頭が特によく作用するが，長頭はようやく第二義的に有効であるにすぎない．肘筋は伸筋としては無視することができる．

前腕の運動には，腕橈関節 humeroradial joint の協力のもとに下橈尺関節 distal radioulnar joint と上橈尺関節 proximal radioulnar joint の両関節で行われる**転換運動** reversing movements がある．これらの転換運動は**回内** pronation と**回外** supination（60頁）と表現される回旋運動であって，**橈骨頭関節窩** articular facet of radial head of radius から**尺骨の茎状突起** ulnar styloid process に至る軸のまわりで行われる．

回内と回外はほぼ同じ強さで（しかし肘関節が曲げられた状態では最も強く）行われる．回内が優勢のようにみえるのは，Lanz と Wachsmuth によれば肩関節での内旋によるためであるという．

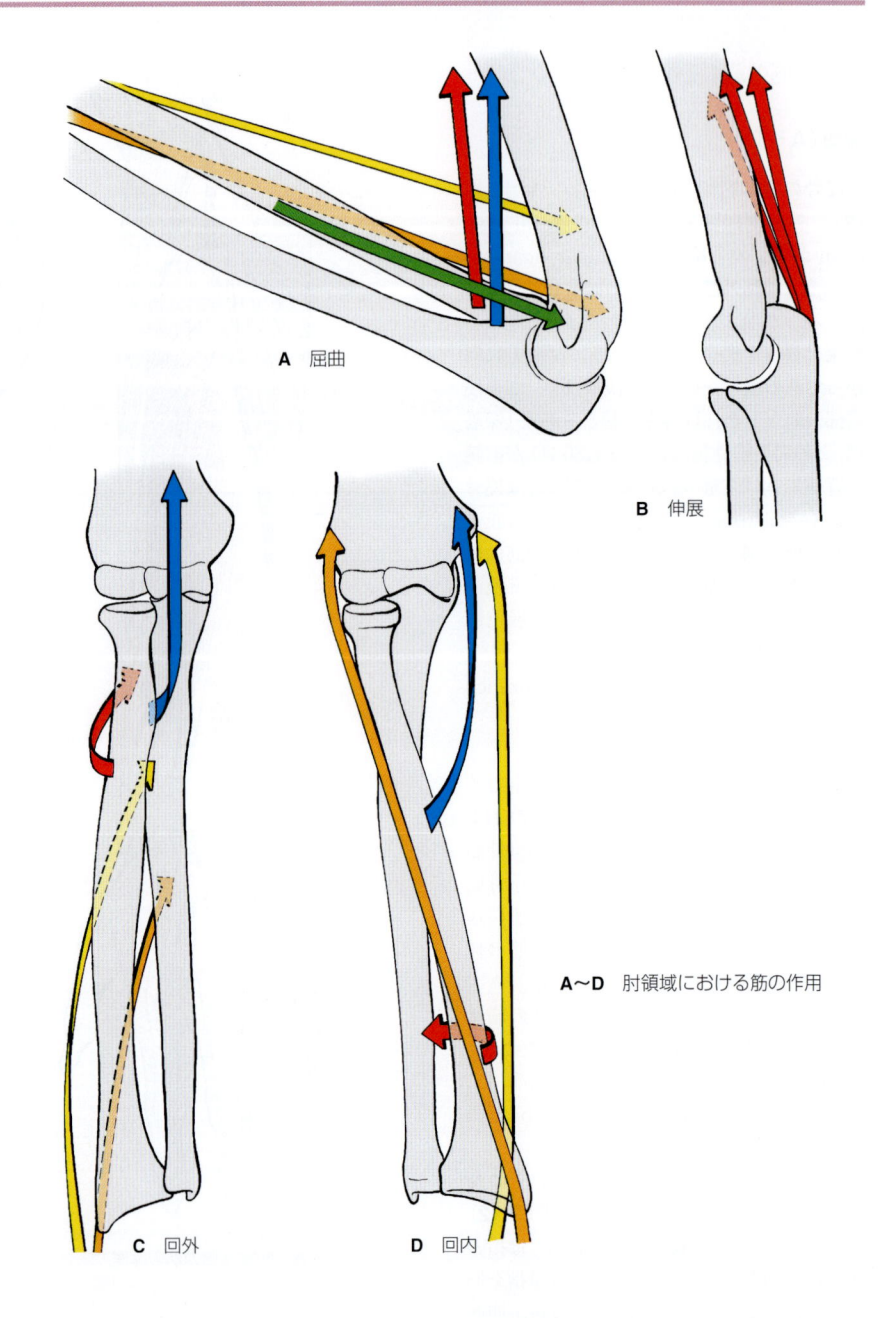

回外（**C**）に関し協力するものは：回外筋 supinator（赤，橈骨神経 radial nerve），上腕二頭筋 biceps brachii（青，筋皮神経 musculocutaneous nerve），長母指外転筋 abductor pollicis longus（黄，橈骨神経 radial nerve），長母指伸筋 extensor pollicis longus（オレンジ，橈骨神経 radial nerve）および腕橈骨筋 brachioradialis（描かれていない）．同様に長橈側手根伸筋 extensor carpi radialis longus は，腕を伸ばした状態では回外筋として働く．

回内（**D**）を行うものは：方形回内筋 pronator quadratus（赤，正中神経 median nerve），円回内筋 pronator teres（青，正中神経 median nerve），橈側手根屈筋 flexor carpi radialis（黄，正中神経 median nerve），屈曲位にある長橈側手根伸筋 extensor carpi radialis longus（オレンジ，橈骨神経 radial nerve），腕橈骨筋 brachioradialis（描かれていない）および長掌筋 palmaris longus（描かれていない）．

矢印の色は個々の運動における筋の重要度が次の順序であることを示す：
赤，青，黄，オレンジ，緑
括弧内は筋の支配神経．

A 屈曲
B 伸展
C 回外
D 回内
A～D 肘領域における筋の作用

手根関節での筋の作用（A～D）

背側屈曲（背屈）dorsal flexion（**A**）すなわち手背をもたげる運動と**掌側屈曲**（掌屈）palmar flexion（**B**）すなわち手背を下げる運動とが区別される.

これらの運動は近位および遠位の手根の関節で，有頭骨を通って想定された横軸を中心にして行われる．さらに**橈側偏位** radial deviation（または**橈側外転** radial abduction）（**C**）と**尺側偏位** ulnar deviation（または**尺側外転** ulnar abduction）（**D**）が知られており，これらの運動は有頭骨を通って掌側から背側へ走る軸のまわりに起こる．

その場合に手の"基本姿勢"については，第3中手骨と有頭骨を通る長軸と前腕の構成軸とが互いに平行であることに注意しなければならない．前腕の構成軸とは橈骨頭の中央から尺骨の茎状突起に走る線で，この軸線は前腕の回内および回外の運動軸に一致する．

上記の諸運動のうち，掌側屈曲が最も強力な運動である．屈筋は明らかに伸筋より優勢であって，これらの間ではまた指屈筋が最も強力なものである．

> **臨床関連**：屈筋が優位であることによって，かなり長期にわたって静止位にしていると（骨折治療のため），手は掌側屈曲に定位するようになる．したがって，治療の間は静止位としては常に軽く背側屈曲の状態にしておくべきである．

背屈に協力的に働くものは：[総]指伸筋 extensor digitorum（赤，橈骨神経 radial nerve），長橈側手根伸筋 extensor carpi radialis longus（青，橈骨神経 radial nerve），短橈側手根伸筋 extensor carpi radialis brevis（黄，橈骨神経 radial nerve），示指伸筋 extensor indicis（オレンジ，橈骨神経 radial nerve）および長母指伸筋 extensor pollicis longus（緑，橈骨神経 radial nerve），小指伸筋 extensor digiti minimi（描かれていない）.

掌屈は次の諸筋によって行われる：浅指屈筋 flexor digitorum superficialis（赤，正中神経 median nerve），深指屈筋 flexor digitorum profundus（青，正中神経 median nerveと尺骨神経 ulnar nerve），尺側手根屈筋 flexor carpi ulnaris（黄，尺骨神経 ulnar nerve），長母指屈筋 flexor pollicis longus（オレンジ，正中神経 median nerve），橈側手根屈筋 flexor carpi radialis（緑，正中神経 median nerve）および長母指外転筋 abductor pollicis longus（茶，橈骨神経 radial nerve）.

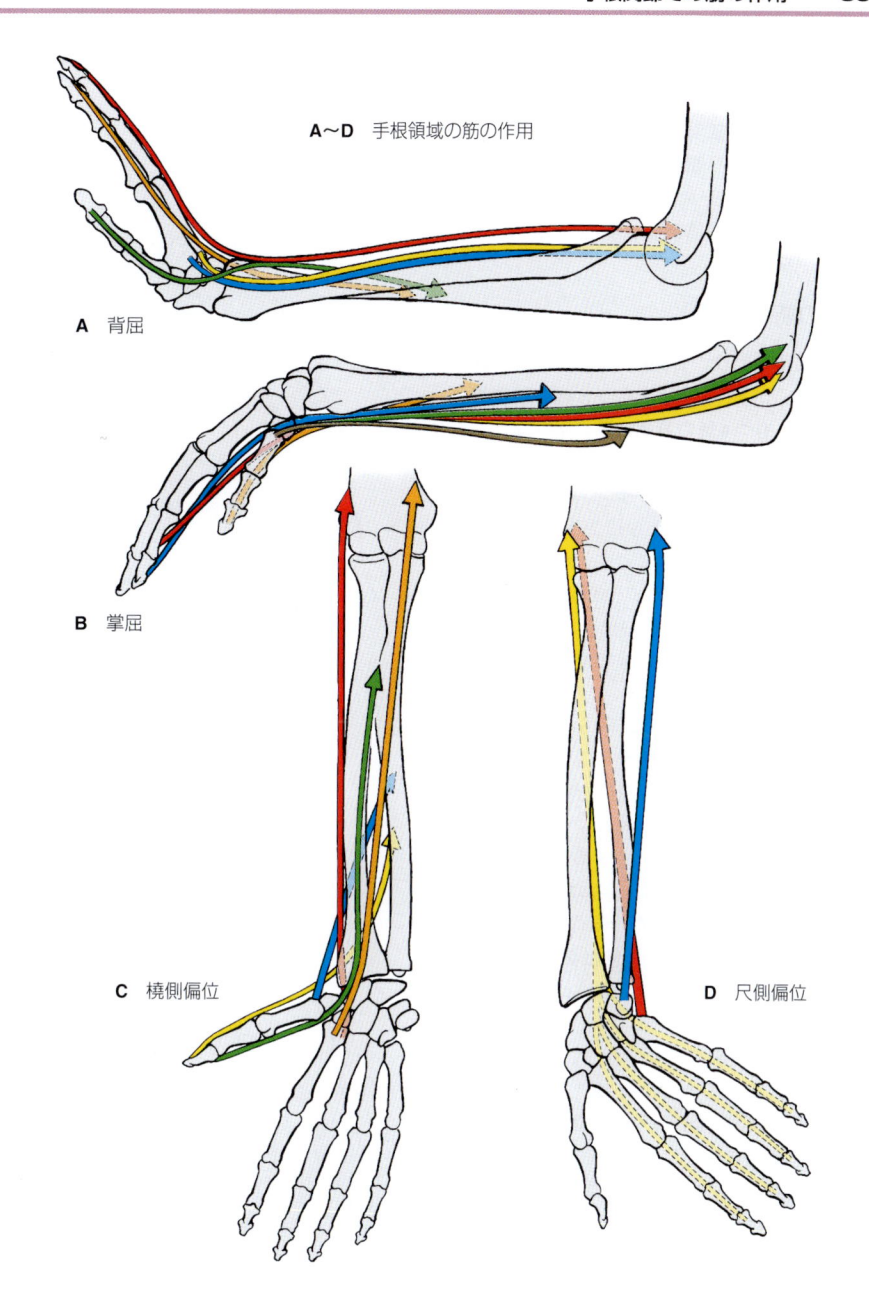

A～D　手根領域の筋の作用

A　背屈

B　掌屈

C　橈側偏位

D　尺側偏位

浅，深の両指屈筋は手根の関節における最も強い屈筋である．

橈側偏位は次のものによって行われる：長橈側手根伸筋 extensor carpi radialis longus（赤，橈骨神経 radial nerve），長母指外転筋 abductor pollicis longus（青，橈骨神経 radial nerve），長母指伸筋 extensor pollicis longus（黄，橈骨神経 radial nerve），橈側手根屈筋 flexor carpi radialis（オレンジ，正中神経 median nerve）および長母指屈筋 flexor pollicis longus（緑，正中神経 median nerve）.

尺側偏位を引き起こすものは：尺側手根伸筋 extensor carpi ulnaris（赤，橈骨神経 radial nerve），尺側手根屈筋 flexor carpi ulnaris（青，尺骨神経 ulnar nerve），[総]指伸筋 extensor digitorum（黄，橈骨神経 radial nerve）および小指伸筋 extensor digiti minimi（図には描かれていない）.

矢印の色は個々の運動における筋の重要度が次の順序であることを示す：
　赤，青，黄，オレンジ，緑，茶

括弧内は筋支配神経．

手の短い筋

手の短い筋は掌側の3群に分けられる．すなわち**中手の筋**，**母指球** thenar の筋および**小指球** hypothenar の筋の3群である．

指の背面には伸筋腱膜 extensor aponeurosis*がみられる．

中手の筋（A～D）

7個の短い羽状の**骨間筋** palmar & dorsal interossei があり，1頭をもつ3個の掌側筋と，2頭をもつ4個の背側の筋に分ける．

掌側骨間筋（**1**）は第2, 4, 5中手骨 metacarpals II, IV と V（**2**）から起こる．これらの筋はそれぞれの中手骨に対応した基節骨底（**3**）に至り，短い腱となって終わる．そのほかこれらの筋のもう一つの部分は，指背腱膜（**4**）のそれぞれに対応する腱の中へ入り込んでいる．

これらの筋は深横中手靱帯（**5**）の背側で，中手指節関節の軸の掌側を走る．したがってこれらの筋は中手指節関節を曲げ，指背腱膜に入り込んでいるため近位および遠位の指節間関節を伸ばす．中手骨と指骨に対する位置関係から，これらの筋はさらに中指（第3指）を軸とした内転作用をもっている．したがって掌側骨間筋は第2, 第4および第5指を第3指に寄せるように働く．

背側骨間筋（**6**）は2頭をもって5本の中手骨の互いに向かい合った面（**2, 7**）から起こる．これらの筋はそれぞれ掌側骨間筋と同じように基節骨に達し，指背腱膜（**4**）へ入り込んでいる．第1背側骨間筋は第2指の橈側を経過してその基節骨に至り，第2および第3背側骨間筋はそれぞれ第3指の橈側および尺側に沿ってその基節骨に達し，第4背側骨間筋は第4指の尺側を経過してその基節骨に到達する．

掌側骨間筋と同様にこれらの筋は中手指節関節を曲げ，指節間関節を伸ばす．中指を通る軸に関してはこれらの筋は第2, 第4および第5指を外転するように働く（指の開散）．

神経支配：尺骨神経 ulnar nerve の深枝 deep branch（C_8 と Th_1）.

4個の**虫様筋**（**8**）は深指屈筋 flexor digito-rum profundus の腱（**9**）の橈側面から起こる．これらの腱は動くことができるから，虫様筋は全体として移動性の起始をもっていることになる．これらの筋は手掌腱膜に覆われて深横中手靱帯（**5**）の掌側を走り，伸筋腱膜（**4**）と中手指節関節の関節包に着く．虫様筋は中手指節関節を曲げるように働き，指節間関節に対しては伸ばすように働く．

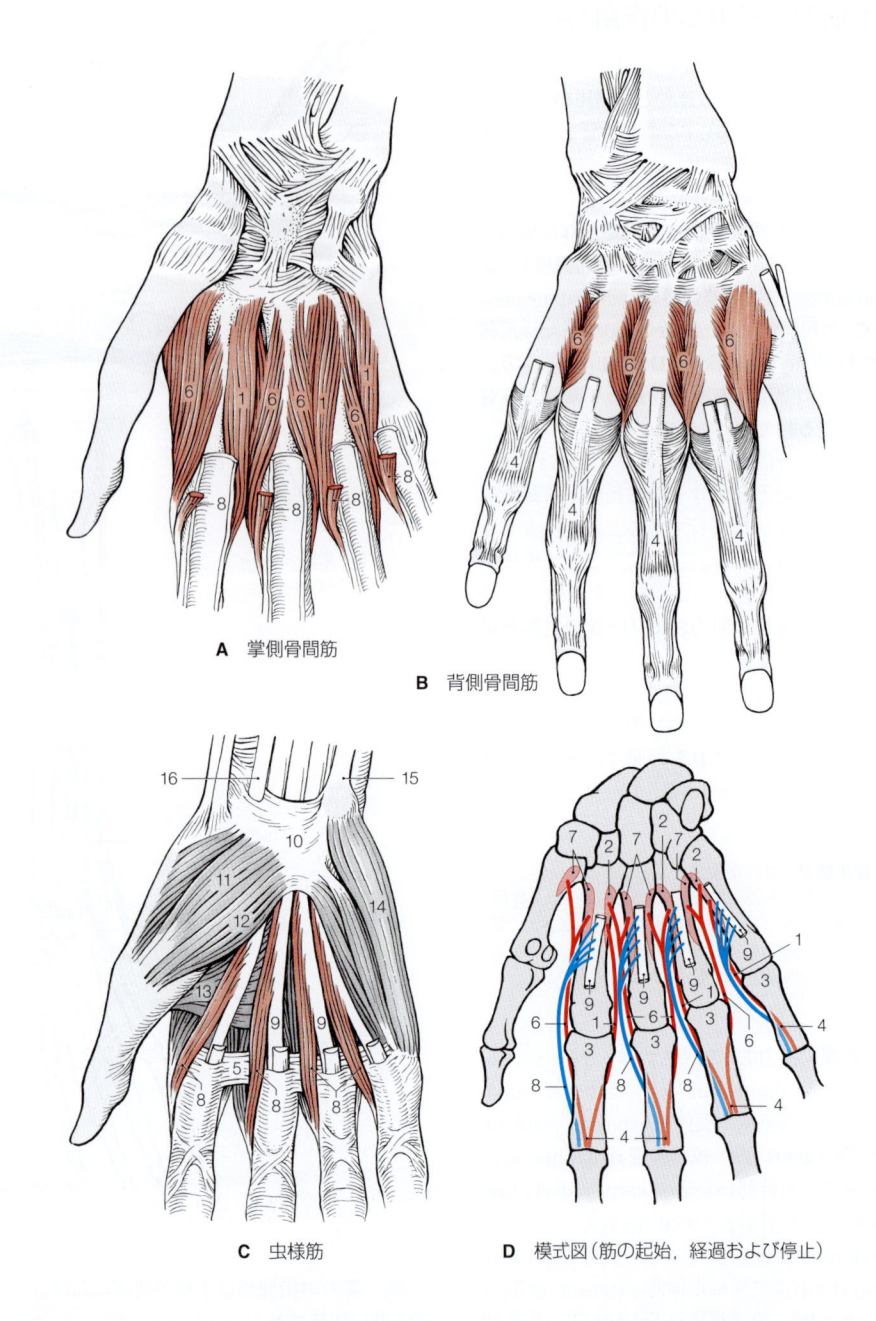

A 掌側骨間筋

B 背側骨間筋

C 虫様筋

D 模式図（筋の起始，経過および停止）

神経支配：橈側の2個の虫様筋は正中神経 median nerve に，尺側の2個の虫様筋は尺骨神経の深枝 deep branch に支配されている（C_8 と Th_1）.

*指背腱膜の別称．

---

1 掌側骨間筋 palmar interossei　**2** 第2, 4, 5中手骨 metacarpals II, IV, V　**3** 基節骨底 base of proximal phalanx　**4** 指背腱膜（＝伸筋腱膜）dorsal aponeurosis of digits of hand　**5** 深横中手靱帯 deep transverse metacarpal ligament　**6** 背側骨間筋 dorsal interossei　**7** 中手骨 metacarpals　**8** 虫様筋 lumbricals　**9** 深指屈筋の腱 tendon of flexor digitorum profundus　**10** 屈筋支帯 flexor retinaculum　**11** 短母指外転筋 abductor pollicis brevis　**12** 短母指屈筋 flexor pollicis brevis　**13** 母指内転筋の横頭 transverse head of adductor pollicis　**14** 小指外転筋 abductor digiti minimi　**15** 尺側手根屈筋 flexor carpi ulnaris　**16** 橈側手根屈筋 flexor carpi radialis

手の短い筋　87

手の短い筋（続き）

母指球の筋（A～D）

母指球の筋は短母指外転筋，短母指屈筋，母指内転筋および母指対立筋からなっている．

短母指外転筋（**1**）は舟状骨結節（**2**）と屈筋支帯（**3**）とから起こる．この筋は橈側の種子骨（**4**）と母指の基節骨（**5**）に終わる．この短母指外転筋は母指を外転する．
神経支配：正中神経 median nerve（C_8 と Th_1）

短母指屈筋 flexor pollicis brevis は**浅頭**（**6**）と**深頭**（**7**）をもっている．浅頭は屈筋支帯（**3**）に起始があり，深頭は大菱形骨（**8**），小菱形骨（**9**）および有頭骨（**10**）から起こっている．この筋は母指の中手指節関節の橈側にある種子骨（**4**）に終わる．この筋は手根中手関節を曲げ，中手指節関節で母指を内転したり外転したりする．さらにこの筋は母指を対立位にもたらすことができる．
神経支配：浅頭は正中神経に，深頭は尺骨神経に支配されている（C_8 と Th_1）

母指内転筋 adductor pollicis も2頭をもって起こる．**横頭**（**11**）は第3中手骨（**12**）の全長から，**斜頭**（**13**）は近隣の手根骨から起こる．この筋の停止は母指の中手指節関節のところにある尺側種子骨（**14**）である．この筋は内転筋で，母指を対立位にしたり屈曲したりするときに協力的に働く．
神経支配：尺骨神経の深枝（C_8 と Th_1）

母指対立筋（**15**）は大菱形骨結節（**16**）と屈筋支帯（**3**）から起こる．この筋は第1中手骨の橈側縁（**17**）に終わる．この筋は母指を対立位にもたらすと同時に，母指の内転に際しても協力的に働く．
神経支配：正中神経（C_6 と C_7）

さて以上を要約すると，母指球の筋を機能に応じて分類することができる：
母指の**内転**は短母指屈筋，および母指対立筋の協力のもとに母指内転筋により行われる．

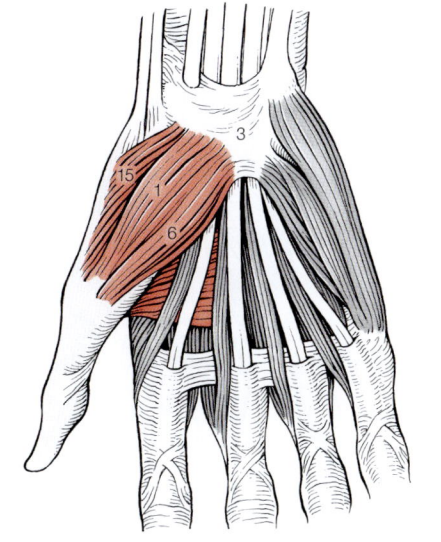

A 母指球の筋，第1層

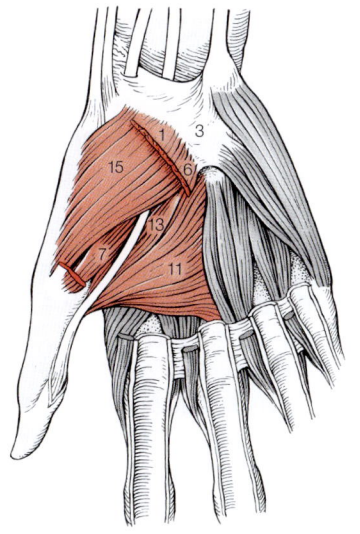

B 母指球の筋，第2層

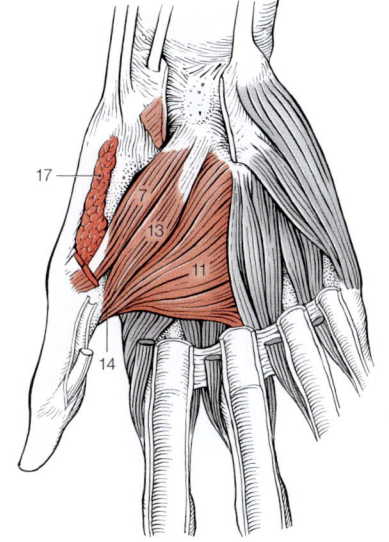

C 母指球の筋，第3層

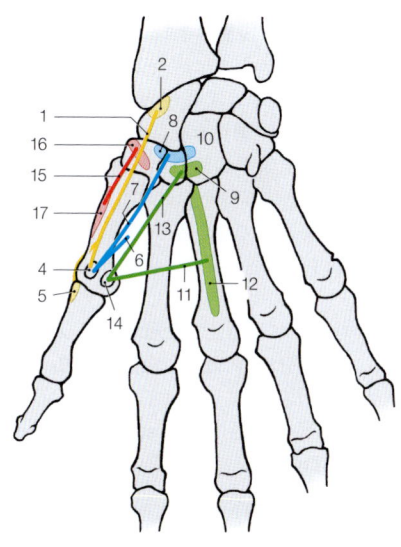

D 模式図（筋の起始，経過および停止）

外転に関与する筋は，短母指外転筋であるが，そのほかわずかではあるが短母指屈筋も関係する．

母指はまず第1に母指対立筋が働くことによって**対立位** opposition になるが，この筋は短母指屈筋と母指内転筋に助けられる．

対立位からの**復位** reposition は背側の長い筋，詳しくは短母指伸筋，長母指伸筋および長母指外転筋によって行われる．

臨床関連：短母指外転筋と母指内転筋からいわゆる"支帯靱帯 retinaculäre Bänder"（Landsmeer）が出て，これらは伸筋腱に達し，それらは一緒になって末節骨に停止する．このことは手の外科において重要である．

---

1 短母指外転筋 abductor pollicis brevis　**2** 舟状骨結節 tubercle of scaphoid　**3** 屈筋支帯 flexor retinaculum　**4** 種子骨（橈側の）sesamoid bones　**5** 母指の基節骨 proximal phalanx I　**6** 浅頭（短母指屈筋の）superficial head (flexor pollicis brevis)　**7** 深頭（短母指屈筋の）deep head (flexor pollicis brevis)　**8** 大菱形骨 trapezium　**9** 小菱形骨 trapezoid　**10** 有頭骨 capitate　**11** 横頭（母指内転筋の）transverse head (adductor pollicis)　**12** 第3中手骨 metacarpals III　**13** 斜頭（母指内転筋の）oblique head (adductor pollicis)　**14** 種子骨（尺側の）　**15** 母指対立筋 opponens pollicis　**16** 大菱形骨結節 tubercle of trapezium　**17** 第1中手骨（の橈側縁）metacarpals I

手の短い筋（続き）

手掌腱膜（A）

手掌腱膜 palmar aponeurosis（190頁）は縦束（**1**）と横束（**2**）からなっている．この縦走線維は諸屈筋の腱鞘（**3**），深横中手靱帯（**4**）および中手指節関節の靱帯に達している．このほかこれらの縦走線維は手掌の真皮へも入り込む（**5**）．

手掌腱膜は9個の中隔（**6**）によって深手掌筋膜（89頁）と結合している．このうち8個の中隔は浅および深指屈筋の腱（4本）の両側で境を形成しているが，9番目の中隔は第1虫様筋（86頁）の橈側に認められる．これらの中隔は横束からも縦束からも出る．

中手骨と深手掌筋膜とは結合しているから，ここに手掌腱膜が手の骨格へうまく係留されることになる．縦束は第2指（示指）から第5指（小指）に及び，大部分は皮膚と腱の線維鞘（90頁）の中へ入り込む．またこの線維束の小部分は浅横中手靱帯と結びついている．横束は近位では縦束よりも深く位置している．遠位では横束（**2**）がみえるようになり，縦束と同じ層に存在している．

手掌腱膜は靱帯，中隔および筋膜と一体になって一つの機能単位を形成する．この腱膜は手に力を込めてつかみかかるとき，手掌の皮膚を中手骨へ固定するのである．

小指球のところには退化した**短掌筋**（**7**）がみられる．この筋は手掌腱膜と屈筋支帯（**8**）を手の尺側縁の皮膚と結びつけている．

神経支配：尺骨神経の浅枝 superficial branch（C_8とTh_1）

小指球の筋（B～D）

小指球をつくる筋は小指外転筋（**9**），短小指屈筋（**10**）および小指対立筋（**11**）である．

小指外転筋（**9**）は豆状骨（**12**），豆鈎靱帯（**13**）および屈筋支帯（**8**）から起こり，小指の基節骨底の尺側縁（**14**）に終わる．この筋の一部は小指の伸筋腱膜へも入り込む．機能的にはこの筋は純粋な外転筋である．

神経支配：尺骨神経の深枝 deep branch（C_8とTh_1）

A 手掌腱膜と短掌筋

B 小指球の筋，第1層

C 小指球の筋，第2層

D 模式図（筋の起始，経過および停止）

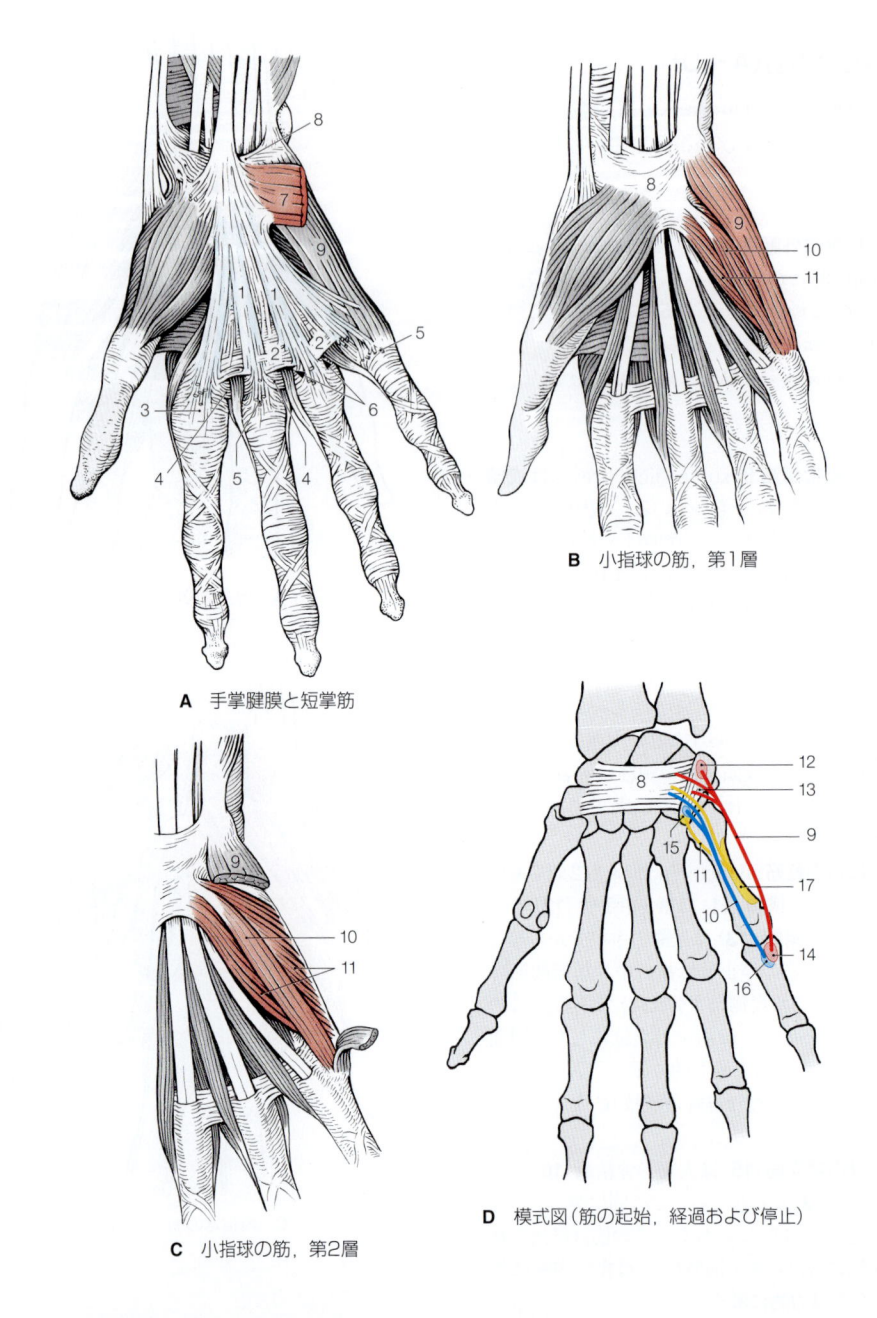

短小指屈筋（**10**）も屈筋支帯（**8**）のほか有鈎骨鈎（**15**）からも起こる．この筋は停止のところで小指外転筋の腱と融合し，小指の基節骨底の掌側面に終わる（**16**）．この筋は小指の中手指節関節の屈筋である．

神経支配：尺骨神経の深枝 deep branch（C_8とTh_1）

変異：この筋はごくしばしば欠損している．

小指対立筋（**11**）は短小指屈筋と同様に有鈎骨鈎（**15**）および屈筋支帯（**8**）から起こる．この筋の停止は第5中手骨の尺側にある（**17**）．この筋は小指を対立位にもたらす．

神経支配：尺骨神経の深枝 deep branch（C_8とTh_1）

---

1 縦束 longitudinal bands　2 横束 transverse fascicles　3 屈筋の腱鞘 tendon sheath of flexor　4 深横中手靱帯 deep transverse metacarpal ligament　5 真皮（手掌の）dermis　6 中隔 septum　7 短掌筋 palmaris brevis　8 屈筋支帯 flexor retinaculum　9 小指外転筋 abductor digiti minimi　10 短小指屈筋 flexor digiti minimi brevis　11 小指対立筋 opponens digiti minimi　12 豆状骨 pisiform　13 豆鈎靱帯 pisohamate ligament　14 小指の基節骨底（の尺側縁）base of proximal phalanx 5　15 有鈎骨鈎 hook of hamate　16 小指の基節骨底（の掌側面）base of proximal phalanx 5　17 第5中手骨（の尺側面）metacarpals 5

自由上肢の筋膜と特殊装置

筋膜（A～D）

　上腕では**上腕筋膜**（**1**）が屈筋と伸筋を包んでいる．屈筋群と伸筋群との間には，上腕骨の内側面と外側面にそれぞれ内側および外側上腕筋間中隔（**2**と**3**）がみられる．この中隔を介して上腕筋膜は上腕骨と結合している．内側上腕筋間中隔は近位では烏口腕筋の停止の高さに始まるが，外側上腕筋間中隔は三角筋粗面のやや遠位で始まる．上腕骨の側縁にかたく付着して，これら両筋間中隔はそれぞれ内側上顆または外側上顆に終わっている．上腕筋膜は**腋窩筋膜**（**4**）からずっと続いてきて，**前腕筋膜**（**5**）へ移行する．上腕の前面には肘窩 cubital fossa の少し上方に尺側皮静脈裂孔（**6**, 184頁）という裂隙がみられる．

　前腕筋膜（**5**）は尺骨の背側面としっかり結合している．この前腕筋膜へ上腕二頭筋腱膜（**7**）が入り込んでいる．前腕の個々の筋群（78頁）の間へ前腕筋膜が深部へ向かって強い中隔（**8**）を送り出している．

　前腕の下端ではこの筋膜は横走する線維束によって補強されて，背側面には伸筋支帯 extensor retinaculum がつくられる．これらの支帯は種々の筋を通す通路として利用される．こうして伸筋支帯の下には種々の伸筋の腱のための6つの区画（または管）がみられる．手掌面では，外側遠位へ下行する尺側手根屈筋の腱線維が，手根の近くで前腕筋膜へ入り込んでいく．これらの線維束と前腕深筋群を覆う筋膜との間に固有の腔が生じる（ギヨンの仕切り Guyon's loge, 190頁を参照）．

　手背筋膜（**9**）は浅在性で丈夫な横走する線維からなる厚い膜状の構造であって，伸筋支帯（90頁）の直接の続きである．この筋膜は遠位へ向かっては指背筋膜へ移行していく．またこの筋膜は多少とも腱間結合（82頁）とも結びついている．手背筋膜は手背の内側縁と外側縁で中手骨に付着している．長指伸筋の腱と背側骨間筋（86頁）の間には，この筋膜の薄い**深葉**（**10**）がみられる．

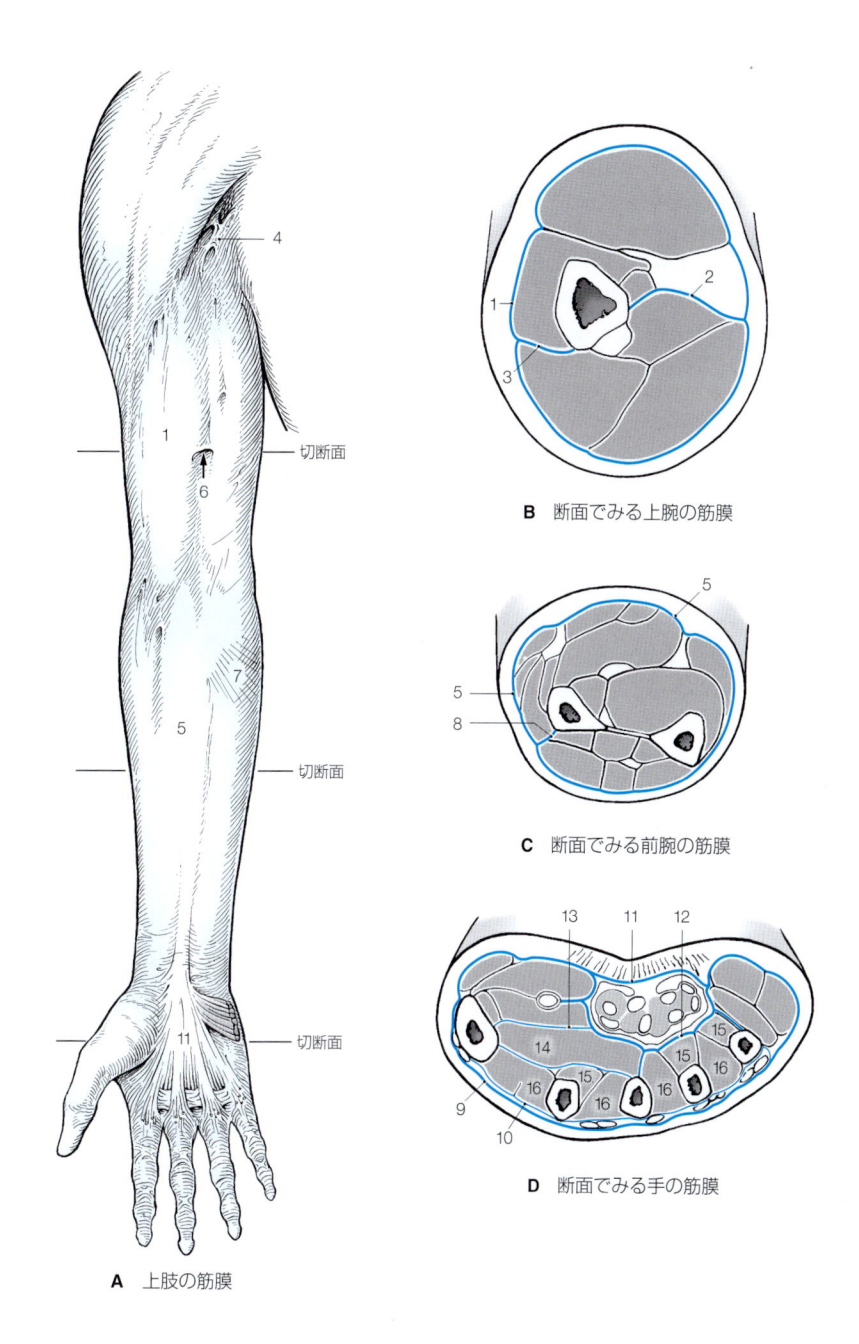

　掌側には**手掌腱膜**（**11**, 88頁）が屈筋支帯（90頁）の続きとして，中手面の中心部を表面と側方から閉じている．この腱膜は9個の中隔を介して，掌側骨間筋を覆う**深手掌筋膜**（**12**）と結びついている．1枚の固有の筋膜が薄い**内転筋膜**（**13**）となって母指内転筋（**14**）を覆っている．

　指の基部では浅横中手靱帯 superficial transverse metacarpal ligament という横走する薄い靱帯がみられる．この中へ手掌腱膜の縦束が一部入り込んでいく．この靱帯は皮下組織と密な接触がある．

A　上肢の筋膜

B　断面でみる上腕の筋膜

C　断面でみる前腕の筋膜

D　断面でみる手の筋膜

1 上腕筋膜 brachial fascia　2 内側上腕筋間中隔 medial intermuscular septum of arm　3 外側上腕筋間中隔 lateral intermuscular septum of arm　4 腋窩筋膜 axillary fascia　5 前腕筋膜 antebrachial fascia　6 尺側皮静脈裂孔 hiatus for basilic vein　7 上腕二頭筋腱膜 aponeurosis of biceps brachii (= *Lacertus fibrosus*)　8 中隔 septum　9 手背筋膜 dorsal fascia of hand　10 深葉 deep layer　11 手掌腱膜 palmar aponeurosis　12 深手掌筋膜 deep palmar fascia　13 内転筋膜 adductor fascia　14 母指内転筋 adductor pollicis　15 掌側骨間筋 palmar interossei　16 背側骨間筋 dorsal interossei

手根腱鞘（A～E）

背側の手根腱鞘，掌側の手根腱鞘および掌側の手指の腱鞘とが区別される．

背側の手根腱鞘（A）

背側手根腱鞘 dorsal carpal tendinous sheath は6つの腱区画（管）の中に存在する．この腱区画は伸筋支帯（**1**）と中隔（**2**）から構成され，中隔は伸筋支帯の下面から出て橈骨と尺骨の骨稜に付着している．このようにして生じた骨－線維性の6つの区画は，9本の腱のための種々の長さの滑液鞘を納めている．これら6つの管は橈骨から尺側へ数えられる．

第1管には長母指外転筋と短母指伸筋の腱を容れた**母指の長外転筋および短伸筋の腱鞘**（**3**）がある．第2管には長および短橈側手根伸筋の腱のための腱鞘，すなわち**橈側手根伸筋の腱鞘**（**4**）がある．やや斜めに位置する第3管では，**長母指伸筋の腱鞘**（**5**）の中を長母指伸筋の腱が走る．第4管は橈骨と結合のある最後の管であって，**［総］指伸筋および示指伸筋の腱鞘**（**6**）を容れている．第5管を通って，小指伸筋の腱が**小指伸筋の腱鞘**（**7**）の中を小指に達している．そして第6管には**尺側手根伸筋の腱鞘**（**8**）が横たわっている．

掌側の手根腱鞘（B）

手根管（61頁）は屈筋支帯（**9**）によって補完される．この手根管を通って，正中神経のほかに，3つの**掌側手根腱鞘** palmar carpal tendinous sheaths に納まっている種々の屈筋の腱が通り抜ける．最も橈側では，橈側手根屈筋の腱が屈筋支帯の基部を貫いて，大菱形骨自身の溝の中を**橈側手根屈筋の腱鞘**（**10**）に納められて走る．そのさい，この腱が屈筋支帯の橈側での付着部を2つに分ける．次いで**長母指屈筋の腱鞘**（**11**）が横たわっているが，これは母指の腱鞘の続きである．浅指屈筋と深指屈筋が一緒になって，**指屈筋の総腱鞘**（**12**）の中を走っている．

手指の腱鞘（B）

5つの**手指の滑液鞘** synovial sheath of digits of hand はいずれも**手指の線維鞘** fibrous sheath of digits of hand に包まれている．これらの線維鞘は線維鞘輪状部（**13**）

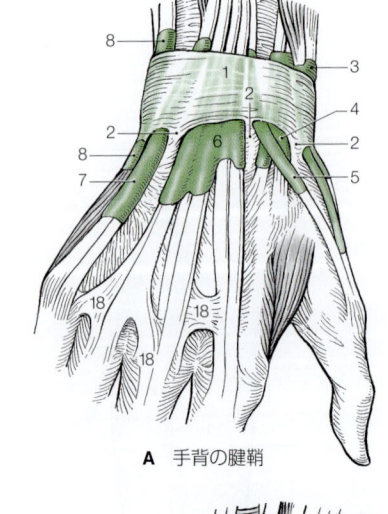

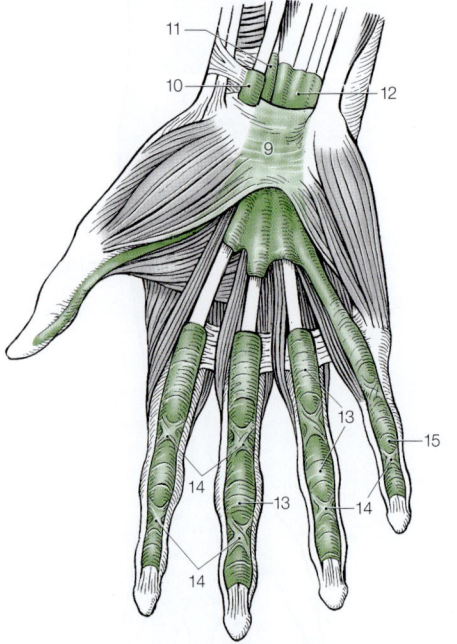

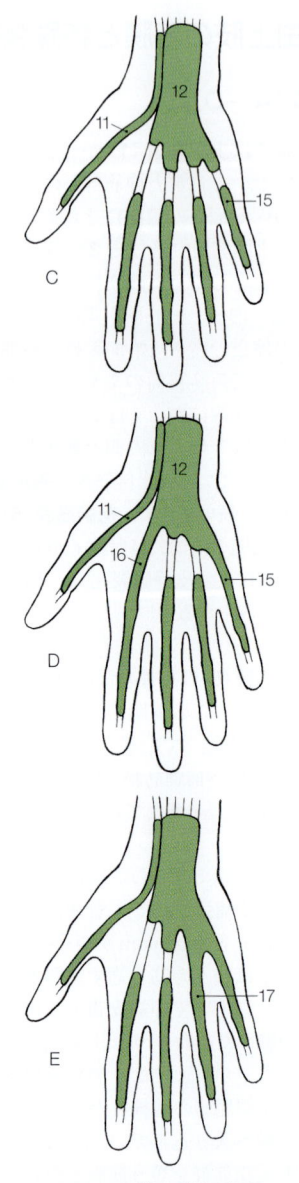

A 手背の腱鞘

B 手掌と指の腱鞘

C～E 手掌の腱鞘の変異

と線維鞘十字部（**14**）からなっている．滑液鞘（17頁）の壁側板と臓側板の間には，血管と神経を通す腱間膜 mesotendon が認められる．指の腱鞘の腱間膜でヒモ状のものは腱のヒモ vincula tendinum と呼ばれ，長いヒモ vinculum longum（79頁）と短いヒモ vinculum breve（79頁）とがある．

変異（C～E）：小指の腱鞘（**15**）は，ほぼ72％のヒトで手根の腱鞘（**12**）と直接のつながりがあるが，ほかの指の腱鞘は正常例では中手指節関節から末節骨底にわたっている．約18％のヒトでは，小指の腱鞘（**15**）は手根の腱鞘とつながっていない．小指の腱鞘と手根の腱鞘との直接のつながりのほか，示指の腱鞘（**16**）も約2.5％の率で，あるいは薬指（第4指）の腱鞘（**17**）もほぼ3％の割合で，手根の腱鞘と直接のつながりをもっていることがある．

臨床関連：手の母指の長外転筋および短伸筋の腱鞘の炎症（腱鞘炎 tendovaginitis）はしばしばみられ，橈骨の茎状突起のあたりに痛みを感じる．

---

1 伸筋支帯 extensor retinaculum　**2** 中隔 septum　**3** 母指の長外転筋および短伸筋の腱鞘 tendinous sheath of abductor pollicis longus and extensor pollicis brevis　**4** 橈側手根伸筋の腱鞘 tendinous sheath of extensor carpi radialis　**5** 長母指伸筋の腱鞘 tendinous sheath of extensor hallucis longus　**6** ［総］指伸筋および示指伸筋の腱鞘 tendinous sheath of extensor digitorum and extensor indicis　**7** 小指伸筋の腱鞘 tendinous sheath of extensor digiti minimi brevis　**8** 尺側手根伸筋の腱鞘 tendinous sheath of extensor carpi ulnaris　**9** 屈筋支帯 flexor retinaculum　**10** 橈側手根屈筋の腱鞘 tendinous sheath of flexor carpi radialis　**11** 長母指屈筋の腱鞘 tendinous sheath of flexor hallucis longus　**12** 指屈筋の総腱鞘 common flexor sheath　**13** 線維鞘輪状部 anular part of fibrous sheath　**14** 線維鞘十字部 cruciform part of fibrous sheath　**15** 小指の腱鞘 tendon sheath of digiti minimi　**16** 示指の腱鞘 tendon sheath of indicis　**17** 薬指（第4指）の腱鞘 tendon sheath of digiti quarti　**18** 腱間結合 intertendinous connections

A）骨，靭帯および関節

骨　盤

　骨盤 pelvis は両側の**寛骨**，**仙骨**および**尾骨**(24頁)からなる．

寛骨（A～C）

　寛骨 hip bone, coxal bone, pelvic bone は3つの部分からなる．すなわち，**恥骨** pubis と**腸骨** ilium と**坐骨** ischium は，寛骨臼縁（**1**）で境され月状面（**3**）に囲まれた寛骨臼窩（**2**）のある寛骨臼 acetabulum の内部で骨結合をしている．寛骨臼切痕（**4**）は寛骨臼を下方へ開き，閉鎖孔（**5**）の境界をつくる．

　恥骨は恥骨体（**6**），恥骨上枝（**7**）および恥骨下枝（**8**）からなる．この上・下枝は前方と下方で閉鎖孔の境界をつくる．内側を向く面すなわち恥骨結合面（**9**）の近くには，上面に恥骨結節（**10**）があり，これから内側へ恥骨稜（**11**）が走り，外側へは恥骨櫛（**12**）が腸骨の弓状線（**13**）へと続く．恥骨上枝が腸骨へ移行するところに腸恥隆起（**14**）という高まりがある．恥骨結節の下縁の下には閉鎖溝（**15**）があり，これは前閉鎖結節（**16**）と後閉鎖結節（必ずしも存在するとは限らない）（**17**）とに境されている．

　腸骨は腸骨体（**18**）と腸骨翼 ala of ilium に分けられる．腸骨体は寛骨臼の形成に関与し，外面では寛骨臼上溝（**19**）によって，内面では弓状線（**13**）によって，境されている．腸骨翼の外面には殿筋面（**20**）が，内面には腸骨窩（**21**）がみられる．腸骨窩の後ろには，腸骨粗面（**22**）をもつ仙骨盤面 sacropelvc surface と耳状面（**23**）がある．腸骨稜（**24**）は前方は上前腸骨棘（**25**）に始まり，2唇（外唇［**26**］と内唇［**27**］）とその間の中間線（**28**）の形をとって後上方へ続き，その途中で外唇は腸骨結節（**29**）を外側へ突出させる．腸骨稜は上後腸骨棘（**30**）をつくって終わる．その下には下後腸骨棘（**31**）が，また前方では上前腸骨棘の下に下前腸骨棘（**32**）がある．殿筋面には下殿筋線（**33**），前殿筋線（**34**）および後殿筋線（**35**）が走る．そのほか，種々の血管を通す小管がみられ，そのうちの少なくとも1種は機能的にみて導出静脈に相当するものである．

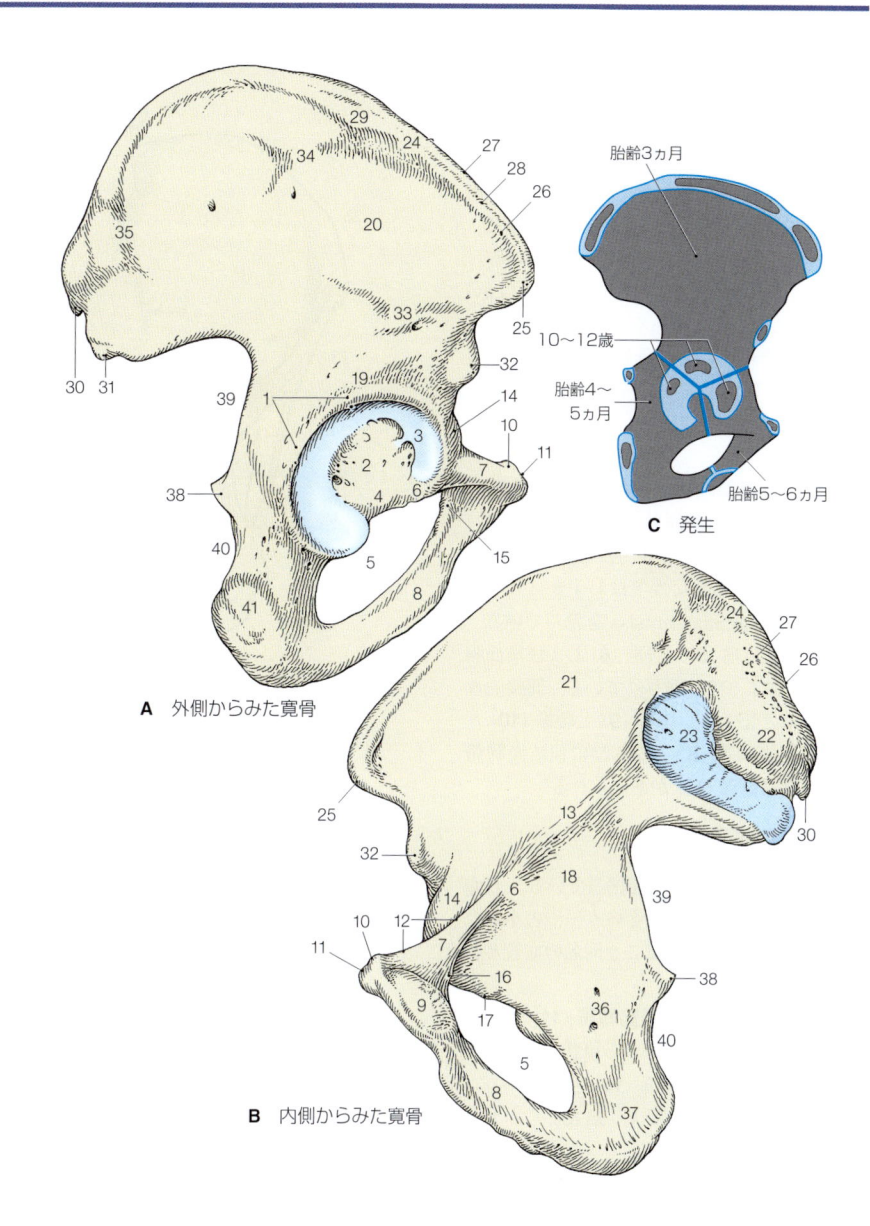

A　外側からみた寛骨

B　内側からみた寛骨

　坐骨は坐骨体（**36**）と坐骨枝（**37**）とに分けられる．坐骨枝は恥骨下枝とともに閉鎖孔の下の境界を形成している．坐骨は坐骨棘（**38**）をつくり，この坐骨棘は大坐骨切痕（**39**）と小坐骨切痕（**40**）とを分ける．大坐骨切痕の一部は坐骨によって，他の一部は腸骨によってつくられており，大坐骨切痕は耳状面にまで達する．坐骨結節（**41**）は坐骨枝にのっている．

C　発生

　発生：3個の骨原基があって，腸骨のものは胎齢3ヵ月，坐骨のそれは胎齢4～5ヵ月，恥骨のそれは胎齢5～6ヵ月に現れる．これら3つの原基の融合は寛骨臼の真ん中でY字形をなして起こる．寛骨窩の内部では10～12歳にかけて，もう1個ないし数個の固有の骨核が現れる（寛骨臼骨 acetabular bones）．前述の3個の骨の骨結合は5歳と7歳の間に起こるが，寛骨臼の内部では15～16歳になってやっと起こる．骨端の骨原基は棘のところ（16歳），坐骨結節（13～15歳），および腸骨稜（13～15歳）にみられる．

---

1 寛骨臼縁 acetabular margin　2 寛骨臼窩 acetabular fossa　3 月状面 lunate surface　4 寛骨臼切痕 acetabular notch　5 閉鎖孔 obturator foramen　6 恥骨体 body of pubis　7 恥骨上枝 superior pubic ramus　8 恥骨下枝 inferior pubic ramus　9 恥骨結合面 symphysial surface　10 恥骨結節 pubic tubercle　11 恥骨稜 pubic crest　12 恥骨櫛 pecten pubis　13 弓状線 arcuate line　14 腸恥隆起 iliopubic ramus　15 閉鎖溝 obturator groove　16 前閉鎖結節 anterior obturator tubercle　17 後閉鎖結節 posterior obturator tubercle　18 腸骨体 body of ilium　19 寛骨臼上溝 supra-acetabular groove　20 殿筋面 gluteal surface　21 腸骨窩 iliac fossa　22 腸骨粗面 iliac tuberosity　23 耳状面 auricular surface　24 腸骨稜 iliac crest　25 上前腸骨棘 anterior superior iliac spine　26 外唇 outer lip　27 内唇 inner lip　28 中間線 intermediate zone　29 腸骨結節 tuberculum of iliac crest　30 上後腸骨棘 posterior superior iliac spine　31 下後腸骨棘 posterior inferior iliac spine　32 下前腸骨棘 anterior inferior iliac spine　33 下殿筋線 inferior gluteal line　34 前殿筋線 anterior gluteal line　35 後殿筋線 posterior gluteal line　36 坐骨体 body of ischium　37 坐骨枝 ramus of ischium　38 坐骨棘 ischial spine　39 大坐骨切痕 greater sciatic notch　40 小坐骨切痕 lesser sciatic notch　41 坐骨結節 ischial tuberosity

骨盤をつくる骨の連結（A，B）

恥骨結合

両側の寛骨は硝子軟骨で覆われた線維軟骨性の恥骨間円板 interpubic disc でもって，恥骨結合（**1**）をつくり互いに連結している．恥骨間円板には恥骨結合腔 symphyseal cavity* がみられることがある．上方と下方でこの結合はそれぞれ上恥骨靱帯（**2**）と恥骨弓靱帯（**3**）により補強されている．

仙腸関節（**4**）

関節面は寛骨の耳状面と仙骨の耳状面である．両関節面は線維軟骨で覆われている．非常に強靱な関節包があり，男性ではほとんど動かないが，女性ではわずかに動く関節（半関節 amphiarthrosis）を包んでいる．この関節包は前（**5**），骨間（**6**）および後仙腸靱帯（**7**）によって補強されている．間接的な補強靱帯としては，腸骨（**9**）と腰椎（**10**）とを結ぶ腸腰靱帯（**8**），ならびに仙結節靱帯（**11**）と仙棘靱帯（**12**）があげられる．

骨盤領域の靱帯

閉鎖膜（**13**）が閉鎖孔を閉じている．しかしそのさい閉鎖管（**14**）という一つの小さな開口が残されており，ここを同名の血管と神経が通り抜けている．

仙棘靱帯（**12**）と仙結節靱帯（**11**）は仙骨（**15**）と尾骨（**16**）の側縁から扇状になって坐骨棘（**17**）または坐骨結節（**18**）へ伸びている．仙結節靱帯は仙棘靱帯より強大でしかも長い．

この両靱帯によって大坐骨切痕は大坐骨孔（**19**）を，小坐骨切痕は小坐骨孔（**20**）をつくることになる．大坐骨孔の境界を形成するのに，仙棘靱帯のほか仙結節靱帯も関与する．

> **臨床関連**：もしまれに**閉鎖孔ヘルニア**が起こるとき（男性より女性に多い）には閉鎖管を通って恥骨筋に覆われて大腿に出てくることがある．同様にまれだが，**坐骨[孔]ヘルニア**が坐骨孔を通り抜けて大殿筋下縁の尾部をふくらませることもある．

腸腰靱帯（**8**）は第4および第5腰椎の肋骨突起（**21**）から腸骨稜（**22**）と腸骨粗面のそれに接する部位（**23**）へ走っている．**寛骨臼横靱帯** transverse acetabular ligament は寛骨臼切痕を閉じ，大腿骨頭に対する関節面を完全なものにしている．

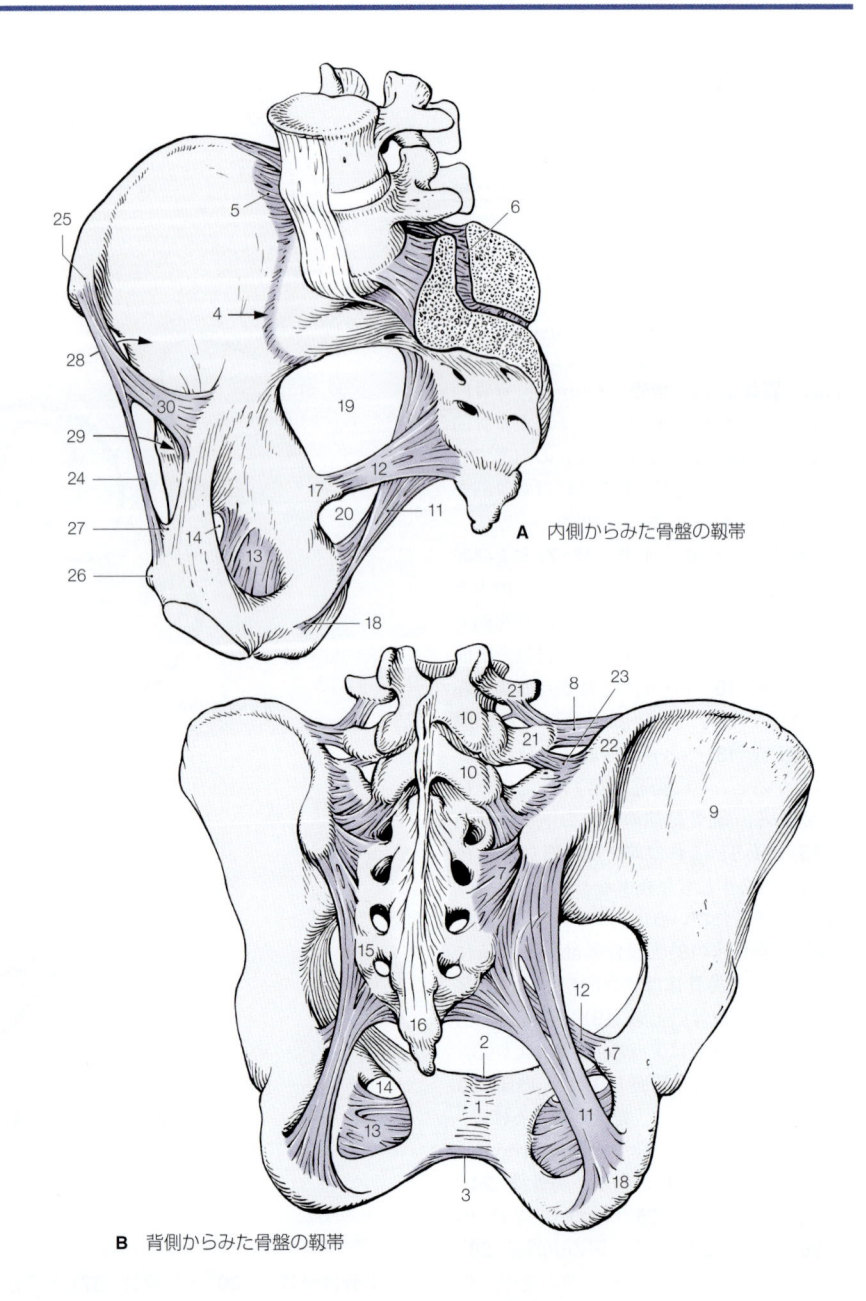

鼠径靱帯（**24**）は，ヴェザリウス（Vesalius）の靱帯ともいうが，外腹斜筋の腱膜の最も下の境界をつくっている．この靱帯は上前腸骨棘（**25**）と恥骨結節（**26**）の間に張っている．この靱帯はその付着部のところで，**裂孔靱帯**（**27**）によって広い面で固定されている．鼠径靱帯と寛骨の前縁との間には，筋裂孔（**28**）と血管裂孔（**29**）があり，これらの裂孔は**腸恥筋膜弓**（**30**）によって互いに分けられている．

A 内側からみた骨盤の靱帯

B 背側からみた骨盤の靱帯

骨盤の形態学（93頁へ続く）

大骨盤 greater pelvis, false pelvis と**小骨盤** lesser pelvis, true pelvis とが区別される．小骨盤というのは分界線 linea terminalis より下の部分のことである．骨盤上口 pelvic inlet は小骨盤への入口である．この骨盤上口は岬角，弓状線，腸恥隆起，恥骨櫛および恥骨結合の上縁をつなぐ分界線によって境されている．骨盤下口 pelvic outlet は恥骨下角または恥骨弓，両側の坐骨結節および尾骨の間の領域である．

*恥骨間円板内での変性過程である．

---

1 恥骨結合 pubic symphysis　2 上恥骨靱帯 superior pubic ligament　3 恥骨弓靱帯 arcuate pubic ligament　4 仙腸関節 sacro-iliac joint　5 前仙腸靱帯 anterior sacro-iliac ligament　6 骨間仙腸靱帯 interosseous sacro-iliac ligament　7 後仙腸靱帯 posterior sacro-iliac ligament　8 腸腰靱帯 iliolumbar ligament　9 腸骨 ilium　10 腰椎 lumbar vertebrae　11 仙結節靱帯 sacrotuberous ligament　12 仙棘靱帯 sacrospinous ligament　13 閉鎖膜 obturator membrane　14 閉鎖管 obturator canal　15 仙骨 sacrum　16 尾骨 coccyx　17 坐骨棘 ischial spine　18 坐骨結節 ischial tuberosity　19 大坐骨孔 greater sciatic foramen　20 小坐骨孔 lesser sciatic foramen　21 肋骨突起（第4，5腰椎の）costal process（L IV, 5）　22 腸骨稜 iliac crest　23 腸骨粗面 iliac tuberosity　24 鼠径靱帯 inguinal ligament　25 上前腸骨棘 anterior superior iliac spine　26 恥骨結節 pubic tubercle　27 裂孔靱帯 lacunar ligament　28 筋裂孔 muscular space　29 血管裂孔 vascular space　30 腸恥筋膜弓 iliopectineal arch

骨盤の形態学（続き）

骨盤の定位と性差（A～F）

骨盤は骨盤上口のある面と水平面との間に約60°の角度をなしている．この骨盤の傾きは**骨盤傾斜** pelvic inclinationと呼ばれる．このとき上前腸骨棘と恥骨結節は立位では前頭（冠状）面にある．

骨盤の分類

女性では種々の骨盤型が区別される．最もしばしば（50%）みられる型は女性型 gynecoid formである．ほかの型としては男性型 android form，類人型 anthropoid form，および扁平型 platypelloid formがある．この4型への分類は骨盤の一定の計測線に基づいて行われる．骨盤の計測線すなわち**径** diameterまたは**結合線** conjugateは骨盤上口，骨盤下口で決められており，**斜径** oblique diameterも設定されている．

諸径線と外からの骨盤計測値（A～C）

横径（**1**）（13.5～14cm）は骨盤上口の最も外側にある2点間を結ぶ．**斜径Ⅰ**（**2**）（12～12.5cm）は右の仙腸関節と左の腸恥隆起の間を結ぶ線である．**斜径Ⅱ**（**3**）（11.5～12cm）は左の仙腸関節と右の腸恥隆起を結ぶ線である．

解剖学的結合線（**4**）（約12cm）は恥骨結合と岬角の間を結ぶ線である．**真結合線**（**5**）は恥骨結合の後面（恥骨後隆起 retropubic eminence）と岬角を結んでいる．この結合線は骨盤上口の最も短い径であり（11.5cm），産科学で特に重要であるところから産科学的結合線 obstetric conjugateとも呼ばれる．真結合線は生体では直接計測することはできないから，斜径としての**対角結合線**（13cm）から推定される．この対角結合線（**6**）は恥骨弓靱帯から岬角に至る線で，経腟的に（per vaginam）計測される．

直結合線（**7**）は骨盤下口にあって，恥骨結合の下縁と尾骨尖を結合する線である（9.5～10cm）．この結合線はたいてい尾骨の屈曲性によって変化しうるから，骨盤狭部における**正中結合線**（**8**）—これは恥骨結合の下縁と仙骨の下縁との間を結ぶ線である（11.5cm）—が縦径として大切な役割を演ずることになる．さらに**骨盤下口の横径**も設定されており，これは10～11cmで両側の坐骨結節間の距離である．

骨盤計 pelvimeterを用いて骨盤における2種の距離を計測することができる．両側の上前腸骨棘の間の**棘間隔**（**9**）は26cm（♀）で，また両側の腸骨稜の相互に最も離れている2点間の**稜間隔**（**10**）は29cm（♀）であるという．最後に**外結合線** external conjugateは第5腰椎の棘突起から恥骨結合上縁までの距離であって（約20cm），これも骨盤計でもって計測することができる．また大腿骨のところでは**大転子間隔** intertrochanteric distance（31cm）が設定されている．

女性の骨盤 feminine pelvis（**D**，赤）はより広く突出する腸骨翼，横位をとる閉鎖孔および恥骨弓が特徴的である．小骨盤は男性のそれより大きい．

男性の骨盤 masculine pelvis（**D**，灰）では腸骨翼の傾斜は急で，閉鎖孔は縦位をとり，**恥骨下角** subpubic angleをもっている．

E 恥骨弓 pubic arch，手による計測（母指と示指間の開き）

F 恥骨下角 subpubic angle，手による計測（示指と中指間の開き）

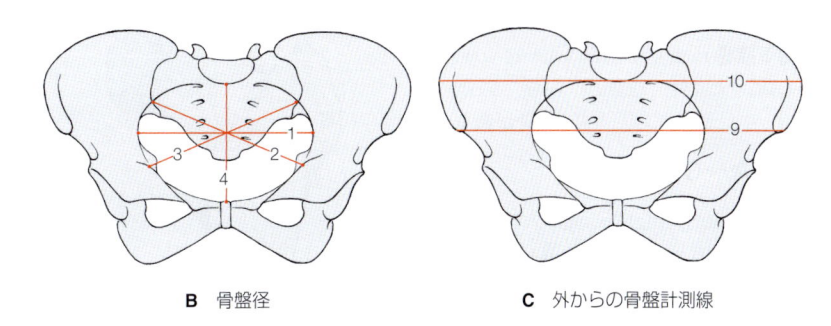

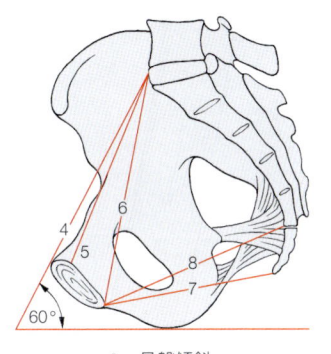

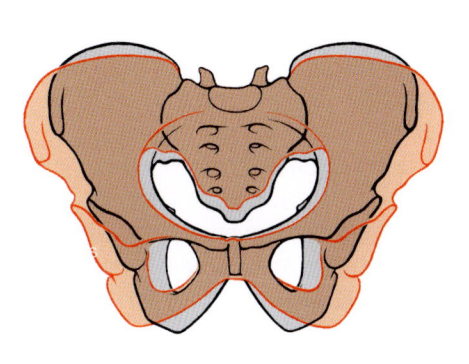

B 骨盤径

C 外からの骨盤計測線

A 骨盤傾斜

D 男の骨盤と女の骨盤との比較

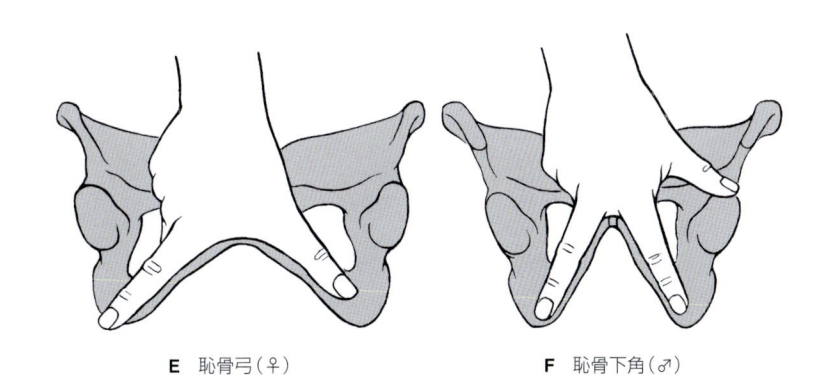

E 恥骨弓（♀）

F 恥骨下角（♂）

---

1 横径 transverse diameter　**2** 斜径Ⅰ oblique diameter Ⅰ　**3** 斜径Ⅱ oblique diameter Ⅱ　**4** 解剖学的結合線 anatomical conjugate　**5** 真結合線 true conjugate　**6** 対角結合線 diagonal conjugate　**7** 直結合線 straight conjugate　**8** 正中結合線 median conjugate　**9** 棘間隔 interspinous distance　**10** 稜間隔 intercristal distance

自由下肢

自由下肢骨 bones of free part of lower limb には，大腿骨，膝蓋骨，脛骨，腓骨，足根骨，中足骨，および[足の]指骨がある．

大腿骨（A～C）

大腿骨 femur, thigh bone は人体の中で最大の長骨であって，大腿骨頭（**2**）をもつ大腿骨体（**1**）と上・下端 proximal & distal extremity とに分けられる．体と頸との間には頸体角 neck-shaft angle（傾斜角 angle of inclination，96頁参照，正しくはないが頸－骨幹角 neck-diaphyseal angle ともいわれる）という角度がある．

大腿骨体には前面（**3**），外側面（**4**）および内側面（**5**）の3面が区別される．外側面と内側面とは背側で緻密質の肥厚した2唇をもつ粗線（**6**）によって分けられる．粗線の近くには栄養孔がある．粗線の内側唇（**7**）と外側唇（**8**）は上方と下方で互いに離開し，外側唇は上方では殿筋粗面（**9**）になって終わる．この殿筋粗面は時に著しく発達がよいことがあり，第三転子（**10**）と呼ばれる．内側唇は頸の下面に達する．

内側唇の少し外側に小転子から下行する稜があり，恥骨筋線（**11**）といわれる．上方および下方に向かって大腿骨体の三角形の断面はむしろ四角形になる．

臍状の大腿骨頭窩（**13**）という陥入をもつ大腿骨頭（**12**）は，頸に対して不規則に境されている．頸から体への移行は前面では転子間線（**14**），後面では転子間稜（**15**）が目印となる．転子間稜の中1/3と近位1/3間の境界に不規則な高まりである第四結節（**16**）をみることがある．大転子（**17**）のすぐ下方には窩状のくぼみがあり，転子窩（**18**）といわれる．小転子（**19**）は後内方へ突出している．

大腿骨の下端は内・外側の両上顆でつくられており，それらのすぐ下にはそれぞれ内側顆（**20**）と外側顆（**21**）が接している．これら両顆は前面では膝蓋面（**22**）によってつながるが，後面では顆間窩（**23**）によって分けられている．顆間窩は骨体の後面に対し

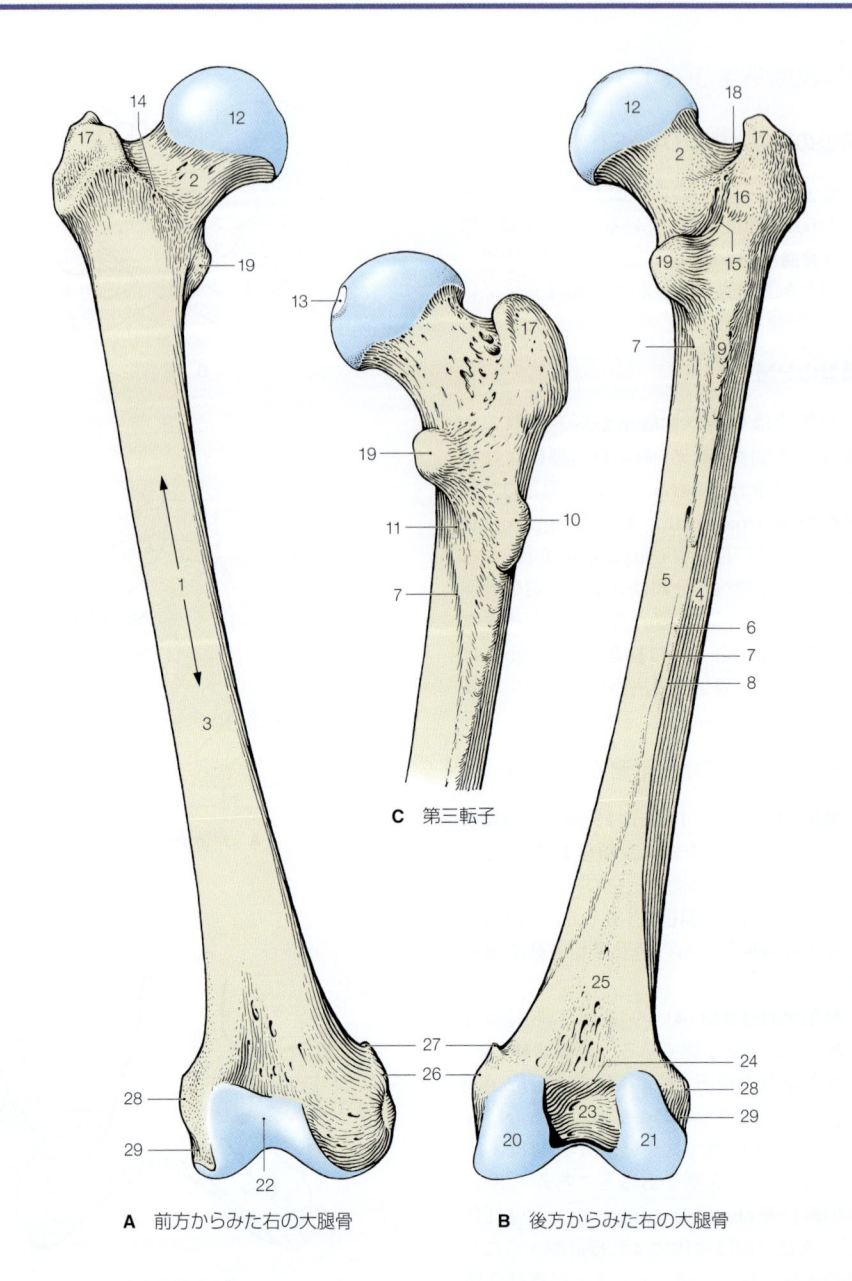

A 前方からみた右の大腿骨

B 後方からみた右の大腿骨

C 第三転子

ては顆間線（**24**）によって境される．この線は三角形（=膝窩面，**25**）の底をなしており，この三角形の脚は粗線の2唇にあたる．これら両脚はまた内側および外側顆上線 medial and lateral supracondylar lines ともいわれる．内側顆の内側で上方には，内側上顆（**26**）が突出している．ここには内転筋結節（**27**）という高まりがある．外側面には外側上顆（**28**）があり，膝窩溝（**29**）によって外側顆から分けられている．

---

1 大腿骨体 shaft of femur　2 大腿骨頸 neck of femur　3 前面 anterior surface　4 外側面 lateral surface　5 内側面 medial surface　6 粗線 linea aspera　7 内側唇 medial lip　8 外側唇 lateral lip　9 殿筋粗面 gluteal tuberosity　10 第三転子 third trochanter　11 恥骨筋線 pectineal line　12 大腿骨頭 head of femur　13 大腿骨頭窩 fovea for ligament of head　14 転子間線 intertrochanteric line　15 転子間稜 intertrochanteric crest　16 第四結節 fourth tubercle　17 大転子 greater trochanter　18 転子窩 trochanteric fossa　19 小転子 lesser trochanter　20 内側顆 medial condyle　21 外側顆 lateral condyle　22 膝蓋面 patellar surface　23 顆間窩 intercondylar fossa　24 顆間線 intercondylar line　25 膝窩面 popliteal surface　26 内側上顆 medial epicondyle　27 内転筋結節 adductor tubercle　28 外側上顆 lateral epicondyle　29 膝窩溝 groove for popliteus

大腿骨（続き）（A～C）

内側顆（**1**）と外側顆（**2**）は，その大きさと形によって区別される．これら両顆は遠位と後方へ向かって離開していく．外側顆は前では後ろよりも広いが，内側顆は同様の幅をもっている．大腿骨の骨幹軸が斜めの位置をとるため，両顆が同じ大きさでなくても，立位では水平の接触面をもつことになる．

内側顆と外側顆は横走面では，1本の矢状軸を中心としてごく軽度にほぼ均等に彎曲している（**3**）．矢状面では，後方にいくにつれて増大する彎曲がみられる（**4**）．このことは曲率半径が後方では次第に小さくなることを意味する．したがって曲率中心は，"縮閉線"という一種のラセン状の曲線の上にのっている（縮閉線 evolute は一つの曲線に対応する曲率中心の軌跡である）．したがって単独の横走軸があるのではなく，無数のそういう軸があることになり，そのため蝶番運動と転がり運動の合成された膝関節の屈曲運動（104頁）が可能となるのである．同時にそれによって，その運動時に側副靱帯が弛緩し（すなわち，機能しなくなり），そこで初めて膝関節における回旋が可能となる．内側顆は垂直軸のまわりにもう一つの彎曲，いわゆる"回旋彎曲"（**5**）を示す．

発生：7週齢胚子に軟骨外骨化によってできる筒状の骨層が骨幹に現れる．胎齢10ヵ月には（軟骨内骨化による）核が遠位骨端にみられる（成熟徴候！）．さらに骨核は1歳で骨頭に，3歳ごろ大転子に，11～12歳ごろ小転子に現れる．骨端接合部の閉鎖は近位骨端では早く（17～19歳），遠位骨端では遅く（19～20歳）起こる．

膝蓋骨（D～H）

膝蓋骨 patella は人体で最も大きな種子骨である．膝蓋骨は三角形を呈し，その底は上方を向き，その先端の膝蓋骨尖（**6**）は下方を向いている．大腿骨を向く面（後面）と前方を向く面（前面）とが区別される．これら両面は外側縁（薄い方）と内側縁（厚い方）で互いに移行する．

前面は大腿四頭筋の腱の中に取り付けられているが，3つに区分される．上1/3には扁平でずんぐりした粗面（よく骨瘤 exostoses がみられる）があって，大腿四頭筋の腱が停止するのに役立っている．中1/3は多数の血管を通す小管がみられるのが特徴であり，また下1/3は膝蓋骨尖であって，膝蓋靱帯はここから起こる．

後面は，約3/4を占める関節面と血管を通す小管のある下1/4とに区分される．下1/4のところは脂肪組織（膝蓋下脂肪体 infrapatellar fat pad）によって満たされている．

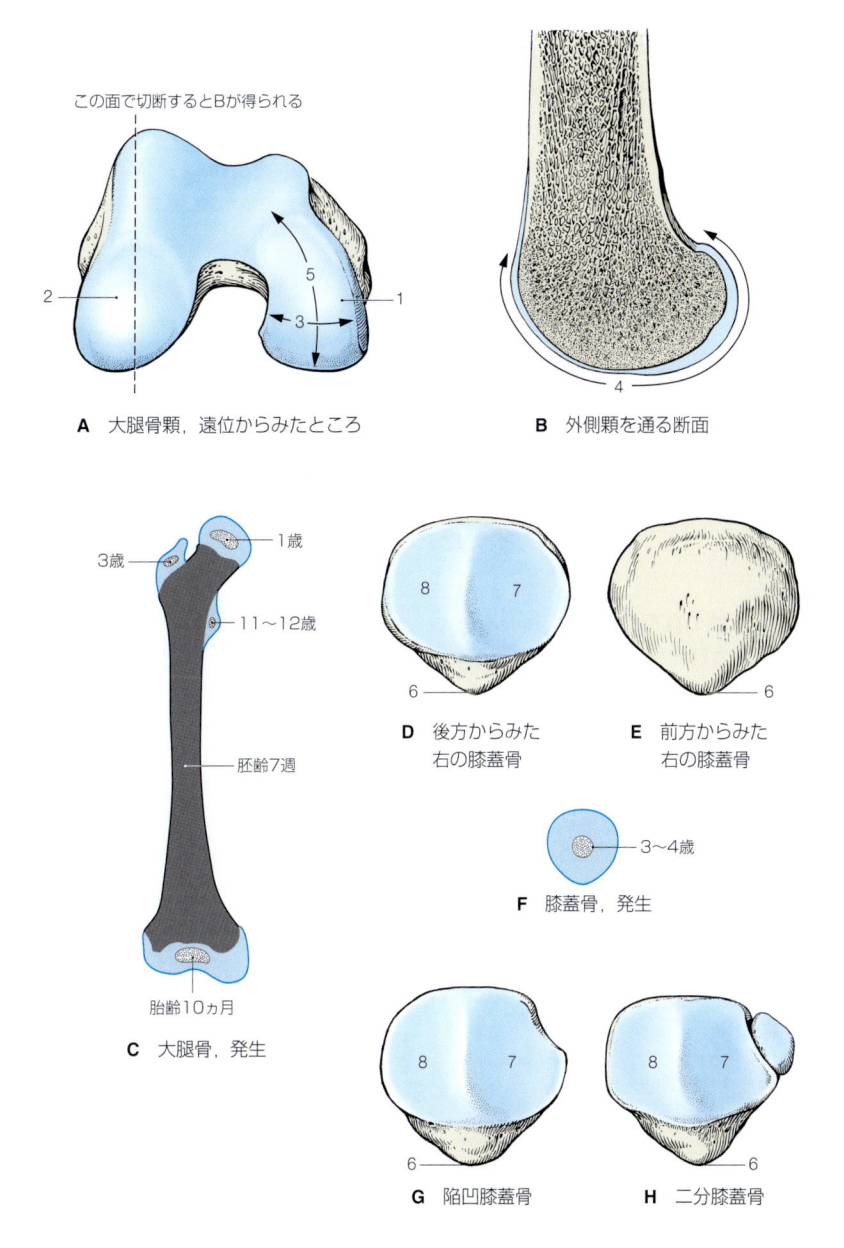

関節面は，発達度の多様な稜によって外側面（**7**）と内側面（**8**）とに分けられており，4つの型を区別することができる．第1型は最もよくみられる型で，外側の関節面の方が大きく内側の関節面は小さい．第2型はほぼ同じ大きさの関節面をもつ．そして第3型では内側の関節面は形成度が低く小さい．第4型では稜がわずかに認められるに過ぎない．

膝蓋骨の関節面の面積は成人では12cm^{2}で，6mmにも及ぶ厚い軟骨で覆われている．この軟骨の厚さは30歳代で最高に達する．それ以後の成人では厚さが減少する．

発生：3～4歳で骨核が現れる．

変異：膝蓋骨は近位の外側縁に非常にしばしば陥凹を示す．このような膝蓋骨は陥凹膝蓋骨 emarginate patella（**G**）といわれる．陥凹がみられるのと同じ部分で軟骨層が骨化すると，二分膝蓋骨 patella bipartita（**H**）ないし多裂膝蓋骨 patella multipartita が現れる．膝蓋骨には複数の骨核があって，それらは互いに融合しないという元来の仮定は，今日では（Olbrichによる）もはや根拠がない．分裂膝蓋骨 patella partita はほとんど男性に限って現れる．分裂膝蓋骨は骨折とはその位置と形から区別することができる．

A　大腿骨顆，遠位からみたところ
B　外側顆を通る断面
C　大腿骨，発生
D　後方からみた右の膝蓋骨
E　前方からみた右の膝蓋骨
F　膝蓋骨，発生
G　陥凹膝蓋骨
H　二分膝蓋骨

---

1 内側顆 medial condyle　2 外側顆 lateral condyle　3 横走面での均等な彎曲　4 矢状面での彎曲（後方へ行くほど増大する）　5 回旋彎曲（垂直軸のまわりの）curvature of rotation　6 膝蓋骨尖 apex of patella　7 関節面（外側の大きい面）articular surface (larger facet for lateral condyle of femur)　8 関節面（内側の小さい面）articular surface (smaller facet for medial condyle of femur)

大腿骨の角度（A〜G）

大腿骨頸と大腿骨体とのなす角度は頸-骨幹角ともいわれるが，**頸体角** neck-shaft angle（傾斜角）という方が正しい．この角度は新生児では約150°であるが，3歳児（**A**）では145°に減少する．成人（**B**）ではこの角度は126°から128°の間にあり，老人（**C**）では最終的に120°となる．

臨床関連：骨に病的変化（例えばクル病 rachitis など）があるときには，頸体角は約90°にまで減少することがある．頸体角は大腿骨を安定するために決定的意義をもっている．この角度が小さくなればなるほど，**大腿骨頸骨折**の危険性は大きくなる．老人の大腿骨頸骨折の頻度が高いのは，骨組織が弾性を失うことのほか頸体角が小さいことも原因となる．

頸体角は**下肢の負荷線** weight-bearing line に対する大腿骨幹の位置に影響を及ぼす．健常な下肢の負荷線（105頁参照）というのは，大腿骨頭の中心から膝関節の中央を通って踵骨の中心に至る直線のことである．大腿骨の内側・外側両顆の下面に設定された平面は負荷線と直交する．同時に大腿骨の骨幹軸と負荷線との間にも，ある角度が生じてくる．この角度はまた特に頸体角によって変化し，下肢が正しい肢位をとるのに大切である（105頁も参照）

臨床関連：頸体角の病的変化は下肢の肢位異常をも引き起こす．異常に小さな頸体角（120°以下）は**内反股** coxa vara（**D**）の，また異常に大きな頸体角（135°以上）は**外反股** coxa valga（**E**）の原因となる．一般に外反股は内反膝 genu varum（105頁）を合併する．それは大腿骨の形の変化が当然膝関節に影響を及ぼすことになるからである．内反股は外反膝 genu valgum を伴う（105頁）．

大腿骨には**ネジレ角** torsion angle（**前捻角** antetorsion angle）（**F**）もみられる．頸を通る直線と内側・外側両顆を通過する直線を設定し（大腿骨を上からみると），これら両直線は互いに交わり，ここにある角度が生じる．この角度はヨーロッパ人の平均値では約12°である．この角度は4°から20°までの変動幅を示す．ネジレ角は骨盤傾斜と関連しているが，この角度によって初めて股関節における大腿骨頭の屈曲運動から回旋運動への変換が可能となるのである．

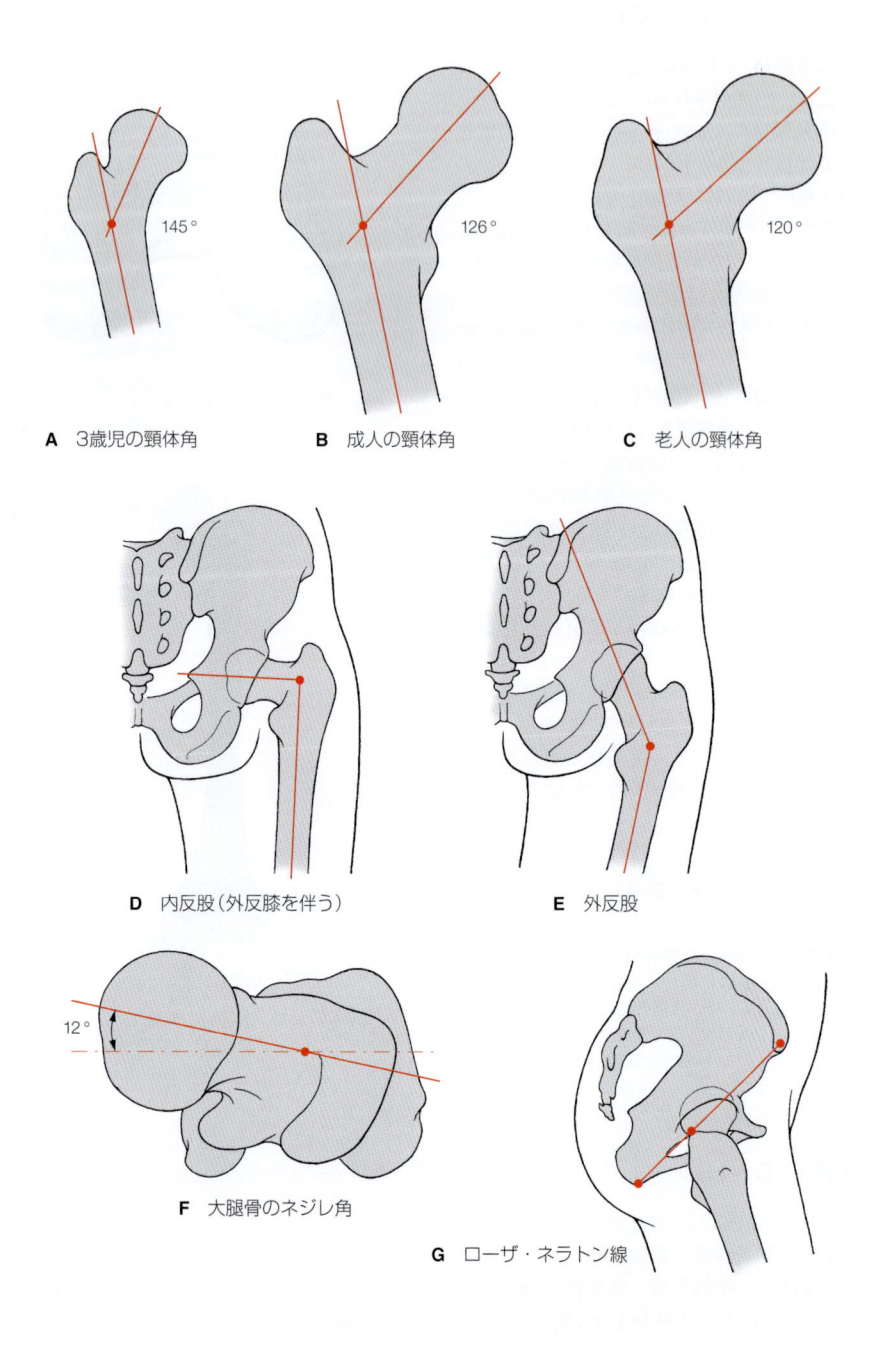

A 3歳児の頸体角
B 成人の頸体角
C 老人の頸体角
D 内反股（外反膝を伴う）
E 外反股
F 大腿骨のネジレ角
G ローザ・ネラトン線

ネジレ角が異常値を示すと，下肢は非定形的な肢位をとるようになる．ネジレ角が大きい場合には，下肢は内旋し，ネジレ角が小さいか全くない場合には，下肢は外方へ回旋する．したがっていずれの場合にも一方への回旋運動の範囲が制限されることになる．

臨床関連：股関節をかなり屈曲した状態では，大転子の先端は上前腸骨棘と坐骨結節を結ぶ線を越えることはない．この想定された線を**ローザ・ネラトン線** Roser-Nélaton's line（**G**）という．大腿骨頸骨折または股関節脱臼 luxatio coxae では，これらの3点はもはや一直線上には投影されない．したがってこの補助線は骨折などの診断に役立つ．しかしこの線の実用上の価値については確かに議論の余地がある．

股関節（A～D）

　股関節 hip joint の関節面は**寛骨臼の月状面**（**1**）と**大腿骨頭**（**2**）からつくられている．関節窩としての月状面は球面の一部であって，**関節唇**（**3**）が球面の赤道を越えて月状面の続きをなしている．この関節唇は線維軟骨様組織からなっている．月状面と関節唇は大腿骨頭のおよそ2/3を覆っている．骨性の関節臼は不完全にしかつくられていないところから，下方に**寛骨臼横靱帯**（**4**）によって補完されている．この靱帯のところには，その自由縁に関節唇がみられる．クッション状の脂肪（**5**）を含む寛骨臼窩から，滑膜に覆われた**大腿骨頭靱帯**（**6**）が出て大腿骨頭に着く．この靱帯を通って閉鎖動脈寛骨臼枝 acetabular branch of obturator artery から起こる大腿骨頭動脈 artery of femoral head が大腿骨頭に達している．その他，大腿骨頭は内側および外側大腿回旋動脈 medial and lateral circumflex femoral artery によっても栄養されている．

　寛骨臼蓋 acetabular tegmen という概念はX線像で肥厚してみえる寛骨臼上縁の中央部のことである．

　関節包 articular capsule は関節唇より外で寛骨に付着しているから，関節唇は関節腔へ突出した状態になっている．大腿骨頭では関節包の付着線（**8**）は大腿骨頭の軟骨縁からほぼ同じ距離のところを輪状に走っている．したがって関節包の外にある頸部は前方では後方よりも短い．前方では付着線は転子間線（**7**）のところにあるが，後方での付着線（**8**）は転子間稜（**9**）からほぼ1横指だけ離れた上方にある．

　股関節の靱帯．数々の靱帯のうちには，人体で最も強大な靱帯すなわち**腸骨大腿靱帯**（**10**）がみられる．この靱帯は約350kgの牽引力に耐えることができる．この靱帯は，最初 Bellini によって記載されたのであるが，しばしば，第2番目の記載者である Bertin によって Bertin の靱帯と記される．

　5つの靱帯があるが，そのうち4つは関節包外にあり，一つは関節包内にある．

　関節包外靱帯 extracapsular ligaments は輪帯（**11**），腸骨大腿靱帯（**10**），坐骨大腿靱帯（**12**），および恥骨大腿靱帯（**13**）である．後者の3つは関節包を一方では補強し，しかも他方では運動の振幅が大きくなりすぎないように抑制している．輪帯は大腿骨頸の最も狭いところを襟のように巻いている．関節包の内面では，この輪帯は明瞭な輪状の隆起として現れ，また外では輪帯に部分的に入り込んでいるほかの靱帯によって厚みが増している．大腿骨頭はちょうどボタン穴にはまったボタンのように輪帯にはまっている．輪帯は大腿骨頭と寛骨臼との接触を保持するための，関節包と空気圧以外のもう一つの装置として役立っている．

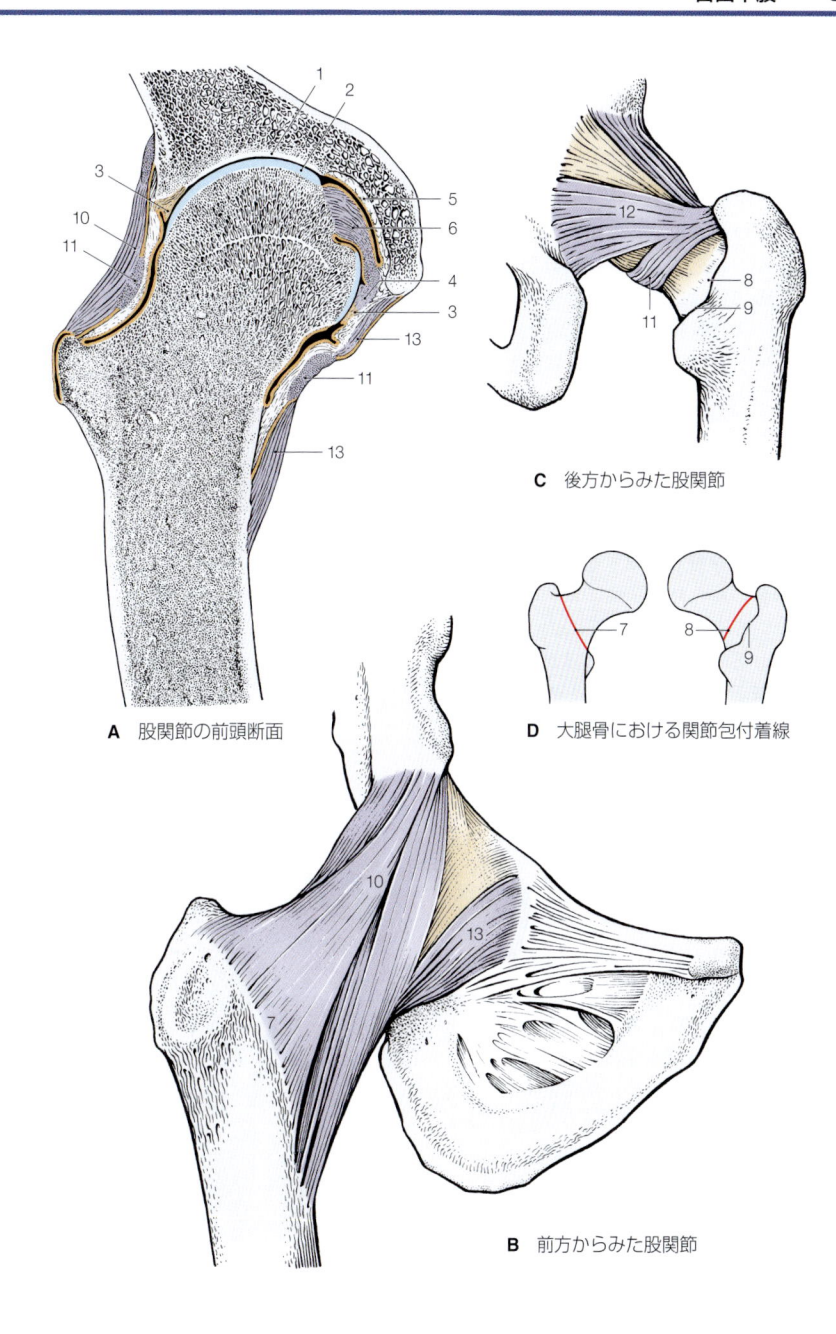

　関節包内 intracapsular を走っているのは大腿骨頭靱帯 ligament of head of femur である．

　関節包で靱帯によって補強されていない部分は抵抗減弱部とみなされる．この関節包と腸腰筋の間には腸恥包 iliopectineal bursa がみられる．この滑液包は10～15％の例で股関節腔と交通している．

A　股関節の前頭断面

C　後方からみた股関節

D　大腿骨における関節包付着線

B　前方からみた股関節

臨床関連：炎症性病変（**関節滲出液**）があるときは関節包の弱い部位が外方へ膨出し，強い圧痛をもつようになる．

　脱臼のときに関節包が裂けて，大腿骨頭靱帯が大腿骨頭動脈とともにちぎれてしまうことがある．このため大腿骨頭の栄養障害が起こってくる（大腿骨頭壊死 necrosis of the femoral head）．大腿骨頸部の骨折には，内側頸骨折と，外側頸骨折がある．前者では，骨折線は関節包の内側に，後者の場合は，関節包の外側にある．

---

1 寛骨臼の月状面 lunate surface of acetabulum　**2** 大腿骨頭 head of femur　**3** 関節唇（股関節の）acetabular labrum　**4** 寛骨臼横靱帯 transverse acetabular ligament　**5** クッション状の脂肪 fat pad　**6** 大腿骨頭靱帯 ligament of head of femur　**7** 転子間線 intertrochanteric line　**8** 関節包付着線 capsular attachment　**9** 転子間稜 intertrochanteric crest　**10** 腸骨大腿靱帯 iliofemoral ligament　**11** 輪帯 zona orbicularis　**12** 坐骨大腿靱帯 ischiofemoral ligament　**13** 恥骨大腿靱帯 pubofemoral ligament

股関節（続き）

股関節の靱帯（続き）（A，B）

腸骨大腿靱帯（**1**）は下前腸骨棘（**2**）および寛骨臼の縁から出て，転子間線（**3**）に達する．この靱帯は強大な方の**横部**（**4**）と弱小な方の**下行部**（**5**）とに区別される．前者は上方に位置し，大腿骨頸軸と平行に走り，後者はもう少し下方にあって大腿骨体軸と平行に置かれている．

これら両部のうち横部はラセン状にねじれている．両部は異なる働きをしており，だいたい逆Y字形をとっている．この靱帯は直立して幾分骨盤を後傾するとき，これら両部の靱帯のねじれと緊張によって，筋が関与しないで立つことを可能にし，体幹が後方へ倒れるのを防ぐ．そのほかこの腸骨大腿靱帯は大腿骨頭と寛骨臼との接触を維持するのに役立っている．両側の大腿を屈曲した状態では両側の腸骨大腿靱帯は弛緩し，したがって骨盤はもう少し背側へ沈む．すなわち座ることができるわけである．

厚い横部は大腿の外旋を抑制する．下行部は内旋を抑制する．大腿を挙上すると，この靱帯の全体が弛緩し本来のより強い回旋が可能となる．

坐骨大腿靱帯（**6**）の起始は寛骨臼の下方の坐骨にあり，ほぼ水平に大腿骨頭を越えて腸骨大腿靱帯横部の停止部位に付く．この靱帯はそのほか**輪帯**（**7**）へも入り込む．坐骨大腿靱帯は大腿の内旋を制限する．

恥骨大腿靱帯（**8**）は閉鎖稜と閉鎖膜のそれに接する部分（**9**）から始まる．この靱帯はこれら3靱帯のうちで最も弱い靱帯である．この靱帯は関節包，正確にいうと**輪帯**（**7**）の中に入り込み，これを越えて大腿骨へと続く．この靱帯は外転運動を抑制するように働く．

関節包内にある**大腿骨頭靱帯** ligament of head of femurは寛骨臼切痕から大腿骨頭窩へ至る．この靱帯は接触維持に役立つのではない．この靱帯は脱臼の際に初めて骨頭がさらに偏位するのをある程度まで防ぐことができる．というのはこの靱帯は脱臼のときに緊張するようになるからである．

股関節における運動

筋のトーヌスは生体にあっては関節に対して抑制的に働いており，伸ばした下肢を前方へ挙上するときに最も強い制限が起こる．

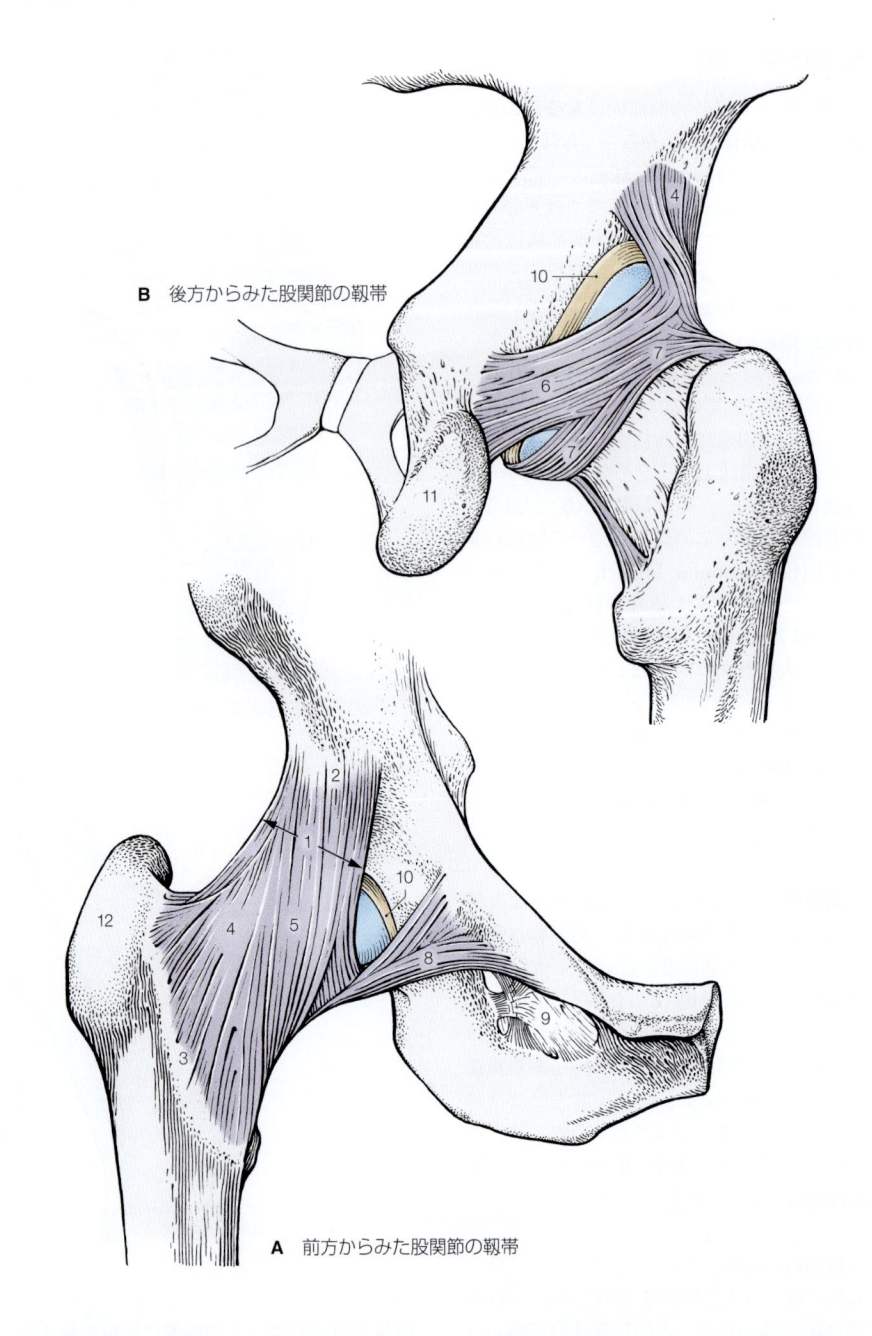

股関節では，**前傾** anteversionと**後傾** retroversion，**外転** abductionと**内転** adduction，**描円運動** circumductionと**回旋** rotationが知られている．**前傾**（屈曲flexionともいわれる）と後傾は大腿骨頭を通る横軸のまわりに起こる．膝を曲げた状態では大腿を腹へつくまであげることができる．前傾は後傾よりも本質的により広範囲に可能である．ちなみに後傾は垂直線を少し越える程度にしか行えないのである．

外転と**内転**は大腿骨頭を通る前後軸のまわりに行われる．

大腿骨の回旋は大腿骨頭と大腿骨内側顆を通る垂直軸のまわりに起こる．回旋は下肢を伸展した状態では約60°の範囲で可能である．

描円運動（下肢のコンパス運動）は複合運動であって，下肢は先端が大腿骨頭にある円錐面を描くような往復運動をするのである．

B　後方からみた股関節の靱帯

A　前方からみた股関節の靱帯

---

1 腸骨大腿靱帯 iliofemoral ligament　**2** 下前腸骨棘 anterior inferior iliac spine　**3** 転子間線 intertrochanteric line　**4** 横部 transverse part　**5** 下行部 descending part　**6** 坐骨大腿靱帯 ischiofemoral ligament　**7** 輪帯 zona orbicularis　**8** 恥骨大腿靱帯 pubofemoral ligament　**9** 閉鎖膜 obturator membrane　**10** 関節唇 acetabular labrum　**11** 坐骨結節 ischial tuberosity　**12** 大転子 greater trochanter

下腿の骨

下腿の基礎となる骨には，**脛骨** tibia と**腓骨** fibula の2つがある．脛骨は強力な方の骨であって，この骨だけが大腿と足の骨格の間を連結している．

脛骨（A～D）

脛骨 tibia は断面がほぼ三角形の骨幹すなわち**脛骨体**(**1**)と上・下端をもっている．

上端には内側顆(**2**)と外側顆(**3**)がある．上端の近位を向く面は上関節面 superior articular surface で，顆間隆起(**4**)で2分されている．この高まりは内側顆間結節(**5**)と外側顆間結節(**6**)に分けられる．顆間隆起の前後にそれぞれ前顆間区(**7**)と後顆間区(**8**)がある．外側顆の下り斜面には外下方に向く小さな関節面，すなわち腓骨頭と関節結合する腓骨関節面(**9**)がある．

3面をもつ**脛骨体**には前方に鋭い前縁(**10**)があり，これは上方では脛骨粗面(**11**)に移行し，下方では平らになって終わる．この前縁は内側面(**12**)と外側面(**13**)とを分ける．外側面は骨間縁(**14**)で後面(**15**)に移行し，後面はさらに内側縁(**16**)によって内側面から分けられている．脛骨体の後面の上部には，下内側から上外側へ走るざらざらした線があり，これはヒラメ筋線(**17**)である．その外側にはかなり大きな栄養孔(**18**)がある．

下端は内側がつぎ手状に伸びて，内果関節面 articular facet をもつ内果(**19**)をつくる．その後面には内果溝(**20**)が走る．下端の下面にある下関節面 inferior articular surface は距骨と関節結合するためにある．内側面の腓骨切痕(**21**)で，腓骨が脛骨と靱帯結合している．

脛骨の上端は成人では幾分後ろへ弓なりになっている．これを脛骨の**後傾** retroversion，あるいはより正しくは**後反** reclination という．脛骨顆の上関節面が水平面となす角度は平均約4～6°である．子宮内（in utero）では胎児期の最後の2～3ヵ月の間に，もとは非常に小さな角度であったものが約30°まで大きくなる．生後数ヵ月たち，さらに特に1年ほどして立つことができるようになると，この角度はまた小さくなってくる．

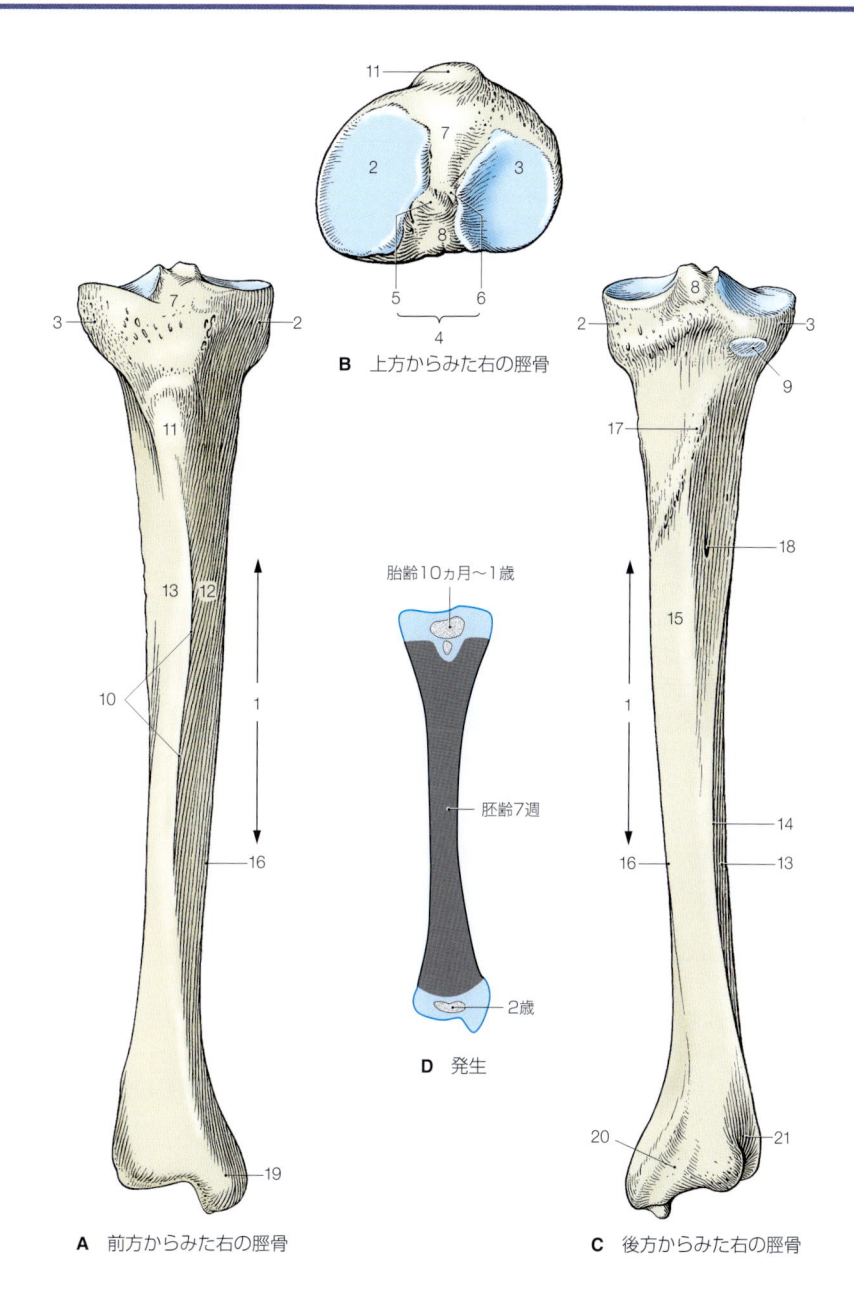

脛骨にも**ネジレ** torsion がみられる．このネジレは上端と下端の間にあり，成人ではしばしばみられるもので，内側顆の成長が著しいことに起因するのである．

B 上方からみた右の脛骨

胎齢10ヵ月～1歳

胎齢7週

2歳

D 発生

A 前方からみた右の脛骨

C 後方からみた右の脛骨

発生：7週齢胚子に脛骨体に軟骨外骨化が始まり，上端では胎齢10ヵ月または生後1年以内に軟骨内骨化によって骨核が出現する．これに対し下端は2歳の初めに軟骨内骨化による骨核をもつようになる．骨端接合部閉鎖は遠位（下端）では早く17～19歳で起こり，近位（上端）では遅く19～20歳の間に起こる．

---

1 脛骨体 shaft of tibia　2 内側顆 medial condyle　3 外側顆 lateral condyle　4 顆間隆起 intercondylar eminence　5 内側顆間結節 medial intercondylar tubercle
6 外側顆間結節 lateral intercondylar tubercle　7 前顆間区 anterior intercondylar area　8 後顆間区 posterior intercondylar area　9 腓骨関節面 fibular articular facet
10 前縁 anterior border　11 脛骨粗面 tibial tuberosity　12 内側面 medial surface　13 外側面 lateral surface　14 骨間縁 interosseous border　15 後面 posterior surface
16 内側縁 medial border　17 ヒラメ筋線 soleal line　18 栄養孔 nutrient foramen　19 内果 medial malleolus　20 内果溝 malleolar groove　21 腓骨切痕 fibular notch

下腿の骨（続き）

腓骨（A～D）

　縦にほぼ脛骨に沿う**腓骨** fibula はきゃしゃな骨で，そのため弾性がある．腓骨も**上・下端** proximal and distal extremities と骨幹，すなわち**腓骨体**からなる．

　上端は**腓骨頭**（**1**）をつくる．ここには腓骨頭関節面（**2**）と腓骨頭尖（**3**）という小さな突出がある．腓骨頭は腓骨頸 neck of fibula を経て腓骨体に続く．

　腓骨体（**4**）はその中央部の断面では三角形をなし，3縁と3面をもっている．腓骨の下1/3にはもう一つの第4稜がある．最も鋭利な縁として前方を向く前縁（**5**）があり，これが外側面（**6**）と内側面（**7**）とを分けている．内側稜（**8**）は内側面を後面（**9**）から分けている．この後面は後縁（**10**）によって外側面（**6**）と区別されている．内側面には低いが非常に鋭い骨間縁（**11**）という骨稜がある．この腓骨の骨間縁と脛骨の骨間縁との間に下腿骨間膜（**12**）が張られている．後面のほぼ真ん中または後縁に栄養孔がある．

　腓骨の**下端**では下方へいくにつれて広くなる外側面に，平らな大きい外果（**13**）がみられ，この外果は内側面に距骨と関節をつくるための外果関節面（**14**）をもっている．その後ろには深いくぼみがあって外果窩（**15**）といい，そこに後距腓靱帯 posterior talofibular ligament が付着している．外側面で外果の後方には発達の程度には差のある溝があり，腓骨踝溝（**16**）という．この腓骨踝溝の中を腓骨筋群（128頁）の腱が通る．

　発生：腓骨体のところでは胎齢2ヵ月になると，軟骨外骨化によって周囲に筒状の骨質ができてくる．外果では軟骨内骨化による骨核が2歳で，腓骨頭では4歳で出現する．
　骨端接合部閉鎖は遠位ではやや早く16～19歳で起こり，近位では幾分遅く17～20歳の間で起こる．骨端接合線は近位では腓骨頭の下方を，遠位では外果の上方を走る．

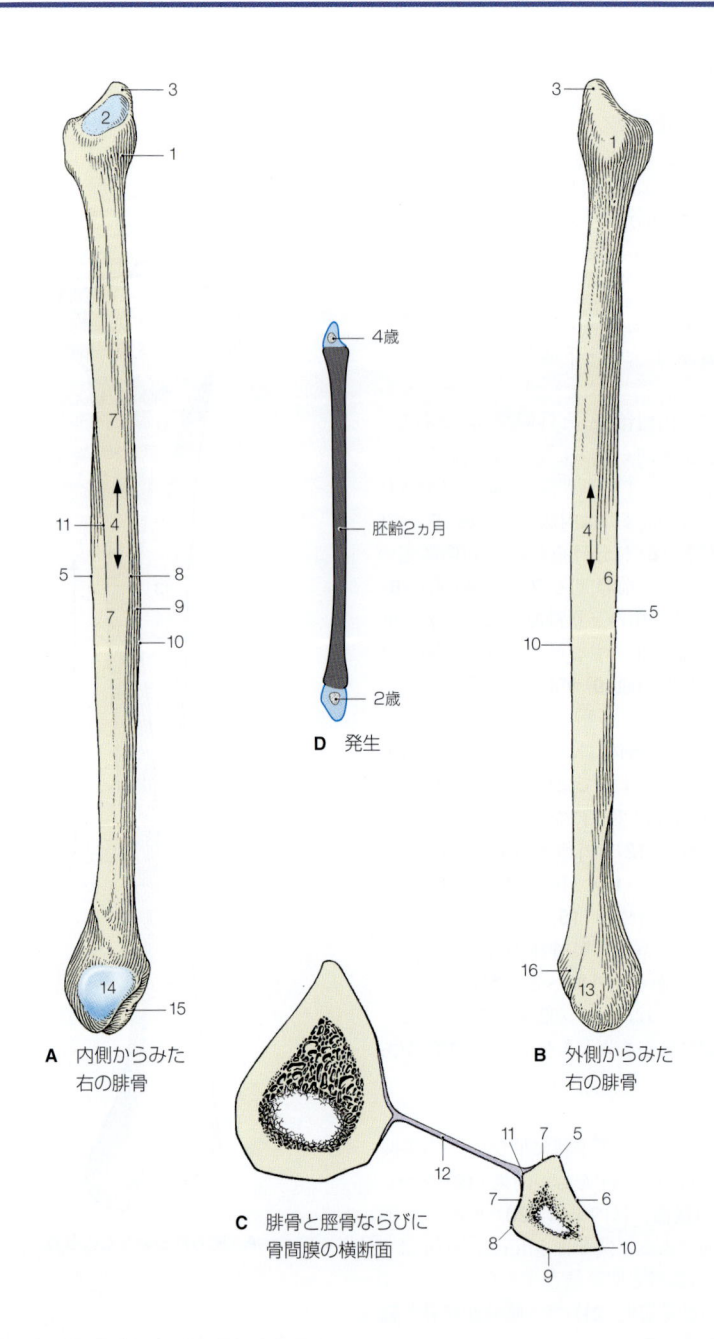

A 内側からみた右の腓骨

B 外側からみた右の腓骨

D 発生

C 腓骨と脛骨ならびに骨間膜の横断面

臨床関連：臨床上注意すべきことは，これらの骨端接合部を殊に遠位の骨端で骨折線と間違えてはならないということである．

---

1 腓骨頭 head of fibula　**2** 腓骨頭関節面 articular facet　**3** 腓骨頭尖 apex of head　**4** 腓骨体 shaft of fibula　**5** 前縁 anterior border　**6** 外側面 lateral surface　**7** 内側面 medial surface　**8** 内側稜 medial crest　**9** 後面 posterior surface　**10** 後縁 posterior border　**11** 骨間縁 interosseous border　**12** 下腿骨間膜 interosseous membrane of leg　**13** 外果 lateral malleolus　**14** 外果関節面 articular facet　**15** 外果窩 malleolar fossa　**16** 腓骨踝溝 Sulcus malleoli fibulae [J.N.A]

膝関節（A～C）

膝関節 knee joint は人体の最大の関節であって，一種の伝動関節 Getriebegelenk すなわち可動性の回転蝶番関節 hinge-like joint の1異型である．膝の屈曲は転がり運動と滑り運動から構成されている．屈曲状態では回旋が可能である．

関節体は大腿骨の内側および外側顆と脛骨の内側および外側顆である．これらの関節面はよく適合していないため，比較的厚い軟骨のおおいのほか，**関節半月** meniscus が挿入されることによってうまく適合するようになっている．膝関節では脛骨と大腿骨以外に，**膝蓋骨** patella もその構成に関与している．臨床医は大腿膝蓋関節 femoropatellar joint という表現をすることがあるが，これは膝関節で膝蓋骨が大腿骨と接触しているところを意味する．

大腿骨の内外の両側顆はやや後下方へ広がっている．外側顆 lateral condyle は前方では後方より広いが，内側顆は一様な広さをもっている．横走面でみると内側および外側顆は矢状軸のまわりをほんの少し彎曲している．矢状面では彎曲は後ろへ行くほど強くなる．すなわち曲率半径は小さくなる（95頁）．内側顆はそのほか垂直線を軸として彎曲を示す（回旋彎曲）．脛骨の上関節面は内外の両側顆でつくられており，これらの顆は顆間隆起と前後の顆間区によって互いに分けられている．

ゆるくて広い**関節包**（**1**）は前方と側方では薄く，靱帯によって補強されている．関節包の前壁に膝蓋骨がはめ込まれている．

膝関節には特殊装置として**靱帯，関節半月**および**交通性滑液包**がある．

靱帯：**膝蓋靱帯**（**2**）は大腿四頭筋の腱（**3**）の続きであって，膝蓋骨から脛骨粗面（**4**）に達する．外側広筋の線維と大腿直筋の少数の線維から，**外側膝蓋支帯**（**5**）がつくられ，この支帯の中へ腸脛靱帯の線維も入り込んでいく．この支帯は脛骨粗面の外側で脛骨に付着する．主に内側広筋の線維から**内側膝蓋支帯**（**6**）が起こり，膝蓋靱帯の内側を下行し内側側副靱帯の前で脛骨に終わる．この内側膝蓋支帯の中へ，内側上顆（**7**）から

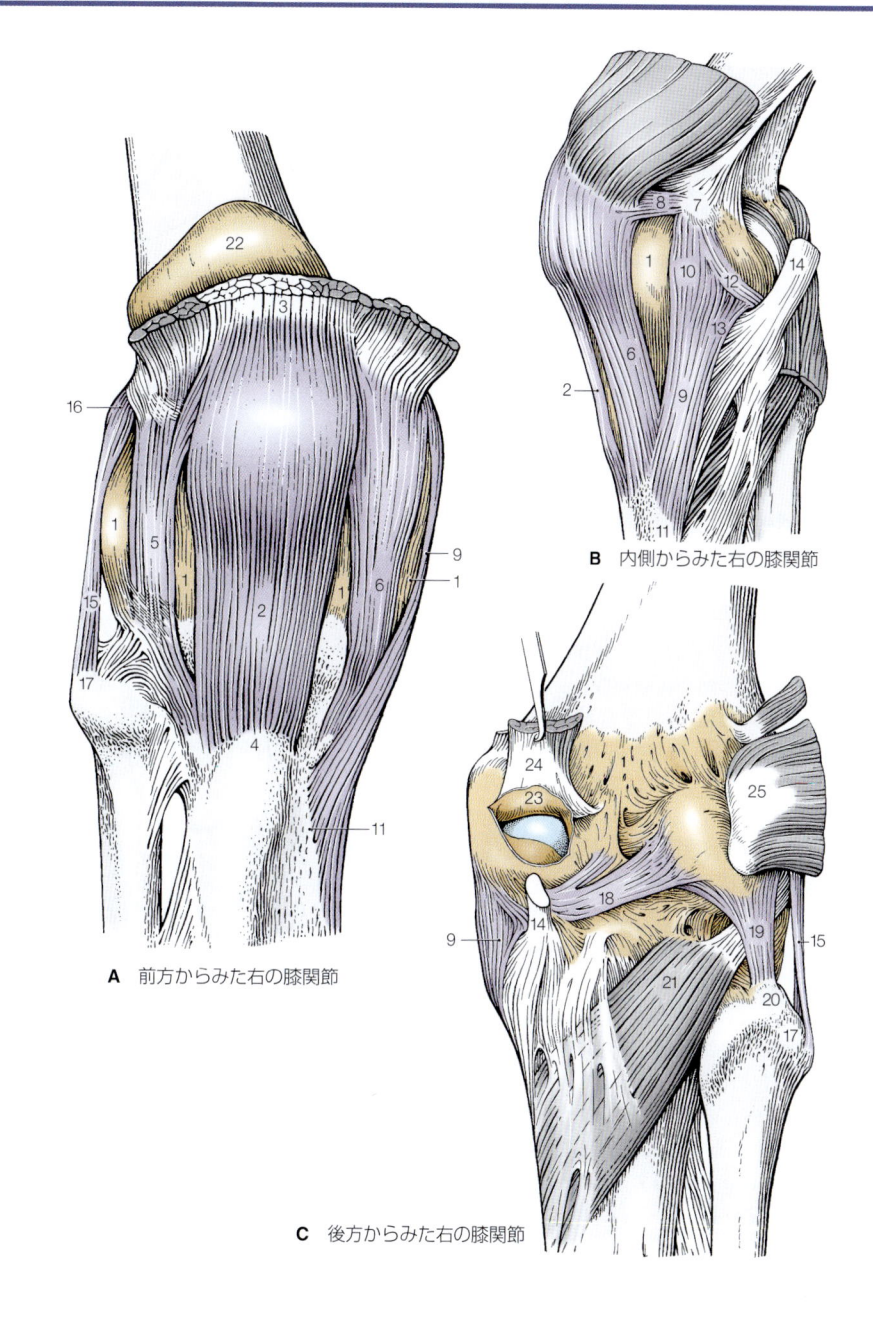

A 前方からみた右の膝関節

B 内側からみた右の膝関節

C 後方からみた右の膝関節

起こり横走する線維（**8**）が入り込む．内側および外側側副靱帯は屈曲-伸展運動の指示靱帯として役立っている．**内側側副靱帯**（**9**）は三角形をした扁平な靱帯で，関節包の線維膜の中へ放散し内側半月 medial meniscus（102頁）にしっかり癒着している．この靱帯に3つの線維群が区別される．前長線維（**10**）は大腿骨内側上顆（**7**）から脛骨の内側縁（**11**）に着く．後上短線維（**12**）は内側半月へ入り込むが，後下線維（**13**）は内側半月から脛骨に達する．内側側副靱帯は一部は（浅）鵞足に覆われ，脛骨に終わる半膜様筋の腱（**14**）

の一部の上を横切っていく．円柱状の**外側側副靱帯**（**15**）は関節包とも外側半月 lateral meniscus とも癒着しない．この靱帯は大腿骨の外側上顆（**16**）に起こり，腓骨頭（**17**）に停止する．

膝関節の後面には，**斜膝窩靱帯**（**18**）があるが，これは半膜様筋の腱（**14**）が外方へ放散してきたものであって，外上方へ向かう．**弓状膝窩靱帯**（**19**）は腓骨頭尖（**20**）に起こり，膝窩筋（**21**）の腱の上を横切って関節包に入り込む．

---

1 関節包 articular capsule　**2** 膝蓋靱帯 patellar ligament　**3** 大腿四頭筋の腱 tendon of quadriceps femoris　**4** 脛骨粗面 tibial tuberosity　**5** 外側膝蓋支帯 lateral patellar retinaculum　**6** 内側膝蓋支帯 medial patellar retinaculum　**7** 内側上顆（大腿骨の）medial epicondyle　**8** 横走線維 transverse fibers　**9** 内側側副靱帯 tibial collateral ligament　**10** 前長線維 anterior long fibers　**11** 脛骨の内側縁 medial border of tibia　**12** 後上短線維 posterior superior short fibers　**13** 後下線維 posterior inferior fibers　**14** 半膜様筋の腱 tendon of semimembranosus　**15** 外側側副靱帯 fibular collateral ligament　**16** 外側上顆（大腿骨の）lateral epicondyle　**17** 腓骨頭 head of fibula　**18** 斜膝窩靱帯 oblique popliteal ligament　**19** 弓状膝窩靱帯 arcuate popliteal ligament　**20** 腓骨頭尖 apex of head　**21** 膝窩筋 popliteus　**22** 膝蓋上包 suprapatellar bursa　**23** 腓腹筋の内側腱下包 medial subtendinous bursa of gastrocnemius　**24** 腓腹筋の内側頭 medial head of gastrocnemius　**25** 腓腹筋の外側頭 lateral head of gastrocnemius

膝関節（続き）（A～C）

膝関節の**靱帯**のもう一つのグループは膝十字靱帯 cruciate ligament of knee である．これらの靱帯はとりわけ回旋運動時の関節面の接触保持に役立つ．これらの靱帯はもちろん関節包内 intracapsular ではあるが，しかし関節外 extra-articular にある（103頁）．

前十字靱帯（**1**）は脛骨の前顆間区から大腿骨外側顆の内側面に着く．外側から起こるこの靱帯の線維は，内側のものよりもずっと背側へ向かう．

後十字靱帯（**2**）は前十字靱帯よりも強力で，大腿骨内側顆の外側面から出て後顆間区に着く．

関節半月 meniscus は多くの膠原線維質と軟骨様細胞をもつ結合組織からなっている．これらの膠原線維には，2つの走向が目立って認められる．より強力な方の線維は半月の形にしたがって，その付着部の間を走っている．弱い方の線維は，ある想定された中心に対して放射状に走り，上記の縦走線維と交織している．これから推論されることは，弓形の縦裂（下記を参照）は横裂よりも容易に起こり得るということである．軟骨細胞に似た細胞はたいていは半月の表面近くにみられる．半月は横断面では内部へ向かうにつれて扁平になっている．半月の外面は関節包の滑膜と癒着している．半月はしかしながら，その支台つまり脛骨に対しては可動性を示す．血管支配は中膝動脈 middle genicular artery と下膝動脈 inferior genicular artery によって行われ，これらの動脈は一緒になって半月周囲の辺縁動脈弓をつくる．

内側半月（**3**）は半月状で内側側副靱帯（**4**）と癒着している．その付着部は比較的たがいに離れている．この半月は前よりも後ろの方が広い．つまり，前脚（**5**）は後脚（**6**）よりも狭い．内側半月はその付着状態によって外側半月よりもはるかに可動性が少ない．下腿の外旋のさい，内側半月は最も強くずれ動き，無理に引っ張られる．しかし内旋時にはこの半月は負荷を免れる．

外側半月（**7**）はほぼ環状を呈する．その付着部はたがいに近接しており，半月の幅はだいたい同じである．外側半月は内側半月よりも可動性が大きい．というのは，この半月は外側側副靱帯（**8**）と癒着していないからである．その可動性が大きいために，この半月は種々の運動にさいしても負荷はわずかである．半月の後角から一つまたは2つの靱帯が出て，大腿骨の内側顆へ行く．**前半月大腿靱帯**（**9**）と**後半月大腿靱帯**（**10**）がそれで，それぞれ後十字靱帯の前と後ろにある．後半月大腿靱帯は前半月大腿靱帯よりも高頻度で出現する（約30％）．比較的まれな場合には（Cを参照），両靱帯がともに現れることがある．前方で両半月は膝横靱帯（**11**）によって結びつけられている．この靱帯は10％の例では数条に分かれているのが認められる．

A 右の膝関節，前方からみた十字靱帯

B 右の膝関節，後方からみた十字靱帯

C 関節半月，上面をみたところ

臨床関連：臨床医は半月に**前角**と**後角**を区別する．半月の損傷は持続的な過大な負荷または非協調運動（例えば足を固定して外旋しながらの屈曲）によって生じる．

内側半月の損傷は外側半月のそれよりも20倍も頻度が高い．これは内側半月の運動性が僅少で，その前角が細いためである．その際，縦裂（バケツの柄状のひび割れ bucket handle tear）または前角か後角の断裂が起こることがある．

半月を手術的に除去しても，被膜状の辺縁部を残しておくと，やがて半月様の組織がつくられてきて，半月の機能を引き受ける．半月大腿靱帯があるため後角のところの手術に際し種々の困難が生じてくる．

---

1 前十字靱帯 anterior cruciate ligament　**2** 後十字靱帯 posterior cruciate ligament　**3** 内側半月 medial meniscus　**4** 内側側副靱帯 tibial collateral ligament　**5** 前脚 anterior limb　**6** 後脚 posterior limb　**7** 外側半月 lateral meniscus　**8** 外側側副靱帯 fibular collateral ligament　**9** 前半月大腿靱帯 anterior meniscofemoral ligament　**10** 後半月大腿靱帯 posterior meniscofemoral ligament　**11** 膝横靱帯 transverse ligament of knee

自由下肢 103

膝関節（続き）（A〜D）

関節包 articular capsule の滑膜(**1**)と線維膜(**2**)は，前面も後面も脂肪の沈着によってたがいに分離している．滑膜の折り返し部位は，大腿骨(**3**)では前はだいたい滑膜が始まる（関節）軟骨境界(**4**)から少し離れている．これは関節腔と交通している膝蓋上包(**5**)によって生じる．もちろんそのさい注意すべきは，この滑膜の折り返し部位(**6**)は骨膜の結合組織(**7**)により骨から少し浮き上がってみえるということである．脛骨(**8**)では，滑膜の付着と折り返し部位は前は軟骨境界のすぐ近くにある．後ろでは，大腿骨における滑膜の付着部位は内側および外側顆の軟骨境界(**9**)にすぐ接して認められる．そのため関節腔は背側へ向かう2つの彎入(**10**)がつくられる．その間では滑膜が前十字靱帯(**11**)と後十字靱帯(**12**)の前へ達している．したがって両十字靱帯はもちろん関節包内すなわち滑膜(**1**)と線維膜(**2**)の間にはあるが，関節外にあることになる．脛骨の後面では滑膜の付着は軟骨境界にすぐ接している(**13**)．関節半月(**14**)は滑膜に取り付けられている．

関節腔 articular cavity それ自体は複雑な構造を示す．前方で滑膜と線維膜との間で開放された関節をみると，一帯に脂肪が詰め込まれたように沈着しているのがわかる（膝蓋下脂肪体，**15**）．この脂肪体は関節包の前壁へはめ込まれた膝蓋骨(**16**)の下縁から広がり出て，膝蓋下滑膜ヒダ(**17**)にまで及んでいる．この滑膜ヒダは，膝関節がもともと2つの部屋に分かれていたことを示す遺残である．

膝蓋下滑膜ヒダは自由上縁をつくって関節腔を通り抜け，十字靱帯を前方から包むようにしてこの靱帯に接続する（既述）．膝蓋下脂肪体と膝蓋下滑膜ヒダの側方には翼状ヒダ(**18**)がある．

膝関節では多くの**滑液包** bursa がみられ，そのうち少数のものは関節腔と交通している．これらの**交通性の滑液包**の最大のものとしては膝蓋上包(**5**)が知られている．これは前にあって関節腔を上方へ拡大している．後ろには膝窩筋下陥凹 subpopliteal recess と半膜様筋［の滑液］包 bursa of semimembranosus があるが，これらは概して小さいものである．腓腹筋両頭の起始部には，腓腹筋の外側腱下包 subtendinous bursa of lateral gastrocnemius と腓腹筋の内側腱下包 subtendinous bursa of medial gastrocnemius がある．

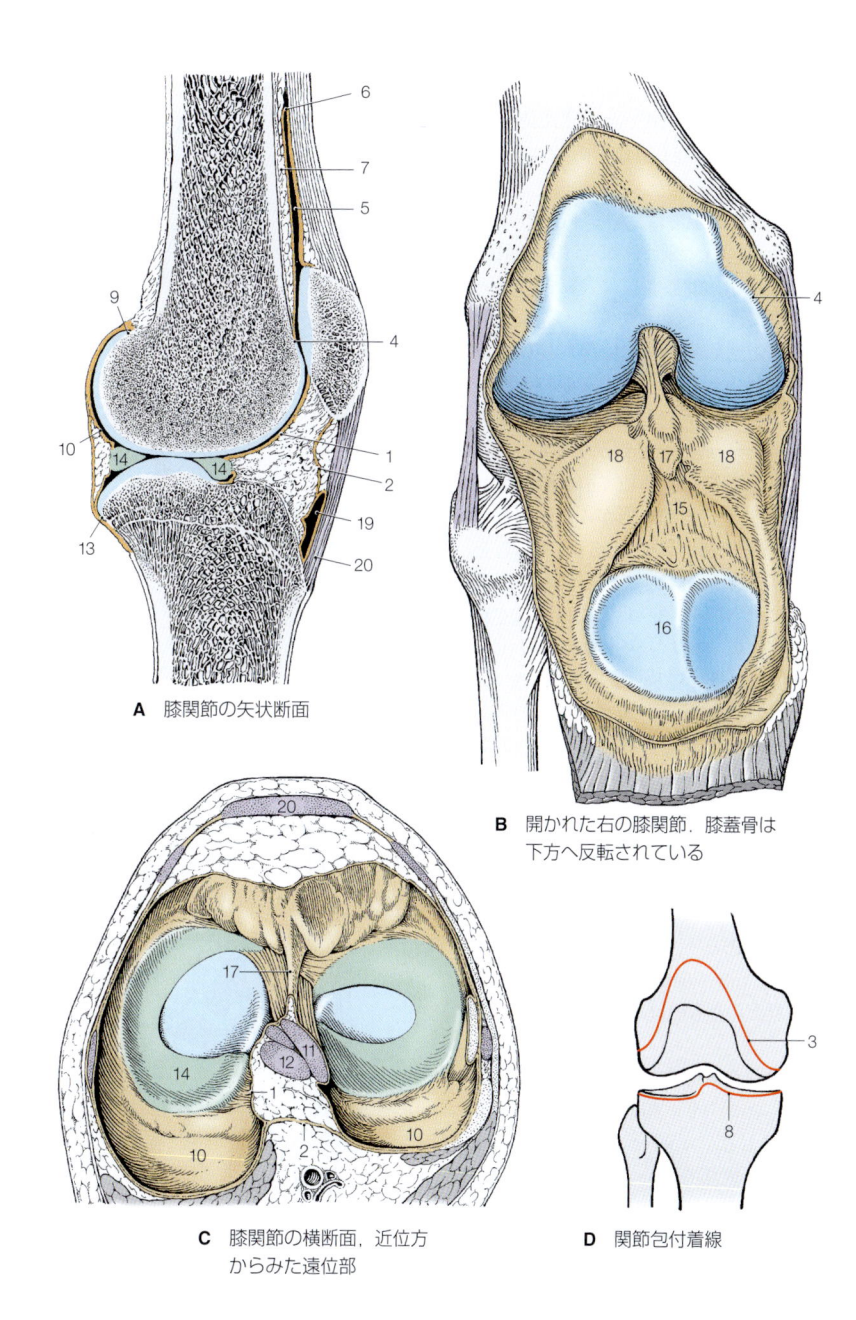

非交通性の滑液包には，膝蓋骨のすぐ前にある膝蓋前皮下包 prepatellar subcutaneous bursa，および膝蓋靱帯(**20**)と関節包の線維膜の間にみられる深膝蓋下包(**19**)をあげることができる．後者は特殊な場合には関節腔と交通していることがある．さらに，定期的には常在しない小さな滑液包として膝蓋前筋膜下包 subfascial prepatellar bursa，膝蓋前腱下包 subtendinous prepatellar bursa および膝蓋下皮下包 subcutaneous infrapatellar bursa がある．

A 膝関節の矢状断面

B 開かれた右の膝関節．膝蓋骨は下方へ反転されている

C 膝関節の横断面，近位方からみた遠位部

D 関節包付着線

---

1 滑膜 synovial membrane **2** 線維膜 fibrous membrane **3** 滑膜の折り返し線（大腿骨での） turning line of the synovial membrane on the femur **4** 関節軟骨の境界（=大腿骨における滑膜の付着部） border of articular cartilage (= attachment of the synovial membrane to the femur) **5** 膝蓋上包 suprapatellar bursa **6** 膝蓋上包の上端 upper end of the suprapatellar bursa **7** 骨膜の結合組織 periosteal connective tissue **8** 滑膜の付着と折り返し線（脛骨での） attachment and turning line of the synovial membrane on the tibia **9** 関節軟骨の境界（内側および外側顆の） border of articular cartilage **10** 関節腔（大腿骨の両側顆の後方で拡大）articular cavity extended behind the femoral condyles **11** 前十字靱帯 anterior cruciate ligament **12** 後十字靱帯 posterior cruciate ligament **13** 関節軟骨の境界 border of articular cartilage **14** 関節半月 meniscus **15** 膝蓋下脂肪体 infrapatellar fat pad **16** 膝蓋骨 patella **17** 膝蓋下滑膜 infrapatellar synovial fold **18** 翼状ヒダ alar folds **19** 深膝蓋下包 deep infrapatellar bursa **20** 膝蓋靱帯 patellar ligament

膝関節における運動（A～E）

膝関節ではほぼ横走する軸を中心として**屈曲**と**伸展**を行うことができ，屈曲位では下腿軸のまわりの**回旋**も可能である．

膝を伸展した状態では（A），内・外両側の側副靱帯（**1, 2**）と前十字靱帯（**3**）の前部は緊張している．伸展時には大腿骨の両側顆は最終位に近い位置にすべり込み，その際には内側側副靱帯（**1**）は完全に伸びきっている．伸展の最終位に達する前の最後の10°のところでは，5°ほどの**強制的終末回旋** obligatory terminal rotation が生じる．これは前十字靱帯の緊張によって引き起こされるが，大腿骨の内側顆の形がこれに有利に作用し（95頁），腸脛靱帯（125頁）もこれを助ける．両側副靱帯はその際ぴんと緊張する．同時に十字靱帯（**3, 4**）の軽度のほぐれが起こる．休脚（体重のかかっていない足）の終末回旋は脛骨の外旋によって，立脚（体重のかかっている足）のそれは大腿骨の内旋によって得られる．最終伸展位では側副靱帯（**1, 2**）のほか，十字靱帯も緊張している（**A**）．

正常では伸展は180°に達し，小児と青年では，もう少し（約5°ないしそれ以上）の過伸展が可能である．新生児では脛骨の後傾（後反）tibial retroversion のために（99頁），最大の伸展というものはみられない．

膝を屈曲した状態では（B），外側側副靱帯（**2**）は完全に，内側側副靱帯（**1**）はその大部分が弛緩するが，前十字靱帯（**3**）と後十字靱帯（**4**）は緊張している．屈曲位では十字靱帯の指示のもとに回旋運動を行うことができる．**下腿の内旋（C）**の範囲は**外旋**の範囲よりも小さい．内旋に際しては十字靱帯は互いに巻きつき，それによって強すぎる内旋が起こらないようにしている．同様に内側側副靱帯（**1**）の後下線維も内旋の終末には緊張状態となる．外旋の際には十字靱帯は互いによりがほぐれる．外旋の終わりは一次的には内側側副靱帯により，二次的には外側側副靱帯（**2**）によって規制される．最大の回旋範囲は45～60°の間である．回旋は床から脚をあげて，腓骨頭（**5**）の動きを調べることによって確認することができる．

十字靱帯が斜めに位置しているため，どんな肢位にあっても，十字靱帯またはそのどこかの部分はいつも緊張状態にある．この靱帯は側副靱帯が働かなくなると，直ちにいかなる場合にも関節における主導権をもつようになる．

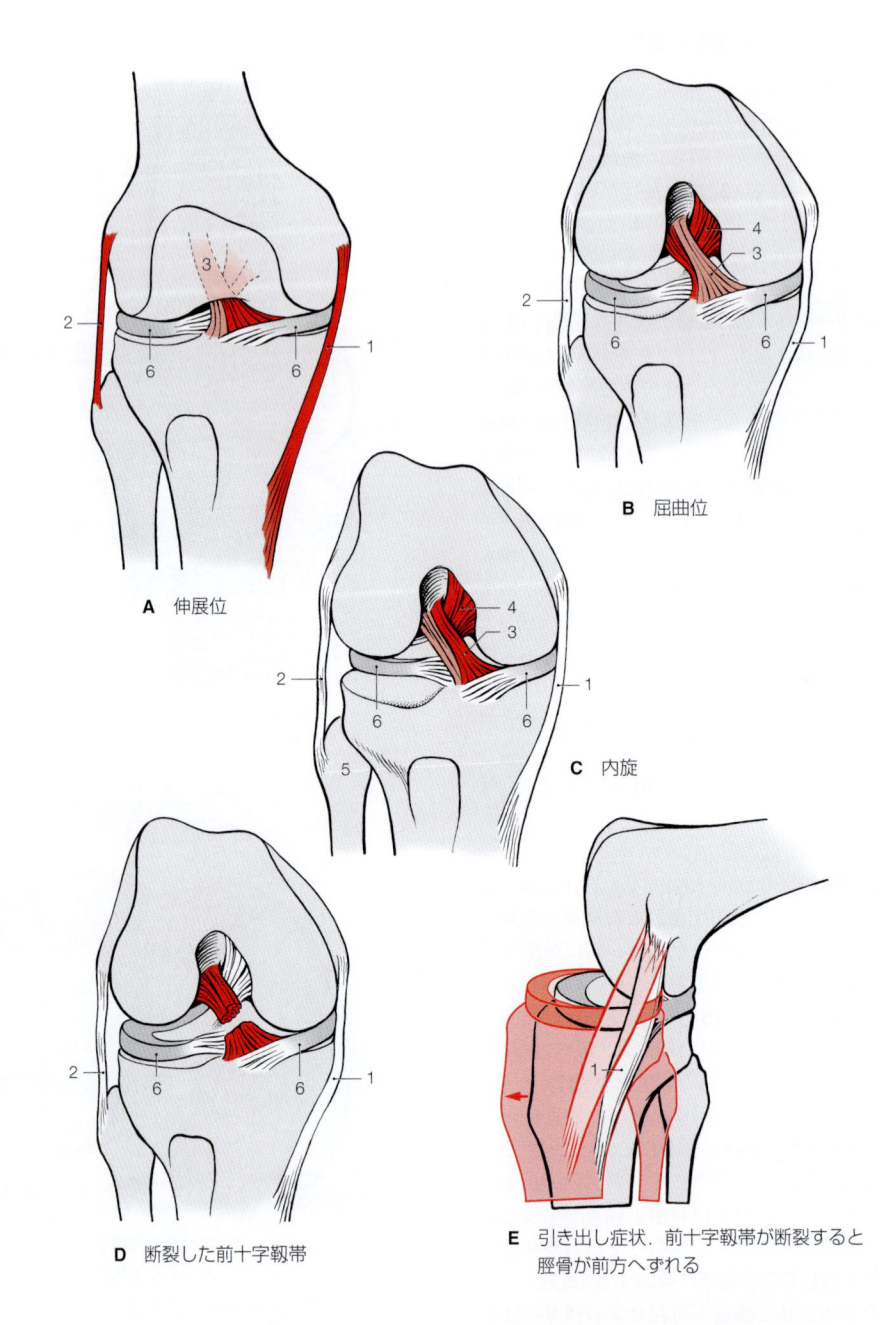

回旋に際しては，脛骨の上を大腿骨と関節半月（**6**）が動き，屈曲と伸展に際しては，大腿骨が関節半月の上を転がり運動と滑り運動をして動く．したがってこの膝関節は実は**可(移)動性関節** mobile joint なのである．

A 伸展位
B 屈曲位
C 内旋
D 断裂した前十字靱帯
E 引き出し症状．前十字靱帯が断裂すると脛骨が前方へずれる

臨床関連：膝関節の関節面は比較的大きくて不整合であり，また大きな負担がかかっているため，老人になるとしばしば関節軟骨の障害や，あるいは骨の変化も起こってくる．前十字靱帯が断裂すると（**D**），いわゆる**前方引き出し症状** anterior drawer sign（**E**）が現れる．すなわち屈曲位で（側副靱帯の働きが不全であると）下腿が前方へ2～3cmほどずり出てくるのである（矢印）．後十字靱帯と外側側副靱帯が損傷されると，**後方引き出し症状** posterior drawer sign が現れ，下腿を後方へずらすことができる．異常な側方への運動は側副靱帯の断裂のさいにみられる（**動揺関節** loose joint）．

---

1 内側側副靱帯 tibial collateral ligament　**2** 外側側副靱帯 fibular collateral ligament　**3** 前十字靱帯 anterior cruciate ligament　**4** 後十字靱帯 posterior cruciate ligament　**5** 腓骨頭 head of fibula　**6** 関節半月 meniscus

下肢位と膝関節（A〜C）

下肢の姿位または形は大腿骨の頸体角（96頁）以外には，膝関節の正常な発育にかかっている．下肢の悪い姿勢は異常な負荷を課すため，早期に膝関節に消耗現象をみるようになる．

正常に発育した膝関節では，真っ直ぐな下肢すなわち**直膝** genu rectum（**A**）がみられる．直膝では負荷線（**1**）は大腿骨頭の中心（**2**），膝関節の真ん中を通り，その延長線は踵骨の中心（**3**）を通ることになる．

負荷線（**1**）が外側へずれるとき，すなわち負荷線が大腿骨の外側顆（**4**）または腓骨頭（**5**）を通って走るときには，**X脚** X-Bein あるいは**外反膝** knock-knee, genu valgum（**B**）がみられる．この際には内側側副靱帯（**6**）は過伸張の状態になり，外側半月（**7**）および大腿骨と脛骨それぞれの外側顆（**4, 8**）の関節軟骨には過度に負担がかかる．関節腔は内側の方が外側より広くなる．X脚では正常よりも強い終末回旋が起こる．X脚では下肢の内側面が膝関節のところでは互いに触れ合うが，脛骨の内果は互いに離れる．

負荷線（**1**）が大腿骨の内側顆（**9**）またはその内側を通るとき，これを**O脚** O-Bein あるいは**内反膝** bowleg, genu varum（**C**）という．このときは外側側副靱帯（**10**）は過度に伸ばされ，内側半月（**11**）とその側の関節軟骨の消耗と負担はより大きくなる．下肢は膝関節のところでは互いに触れ合わない．そのほかO脚では完全な伸展は得られず，したがって終末回旋も生じないのである．

脛骨と腓骨の連結（D）

脛腓関節（**12**）はほとんど動かない関節性の結合［半関節 amphiarthrosis］であって，腓骨頭（**13**）と脛骨の外側顆（**14**）の間にみられる．この関節は強靱な関節包に包まれ，さらに前および後腓骨頭靱帯 anterior and posterior ligaments of fibular head によって補強されている．この関節はまた**代償性関節** compensation joint ともいわれる．というのは，上跳躍関節（＝距腿関節）で最大の前方屈曲（背屈）が起こると果叉 *Malleolenga-bel*（malleolar fork）はきゅうくつになり，そのため代償性にこの脛腓関節が動くようになるからである．

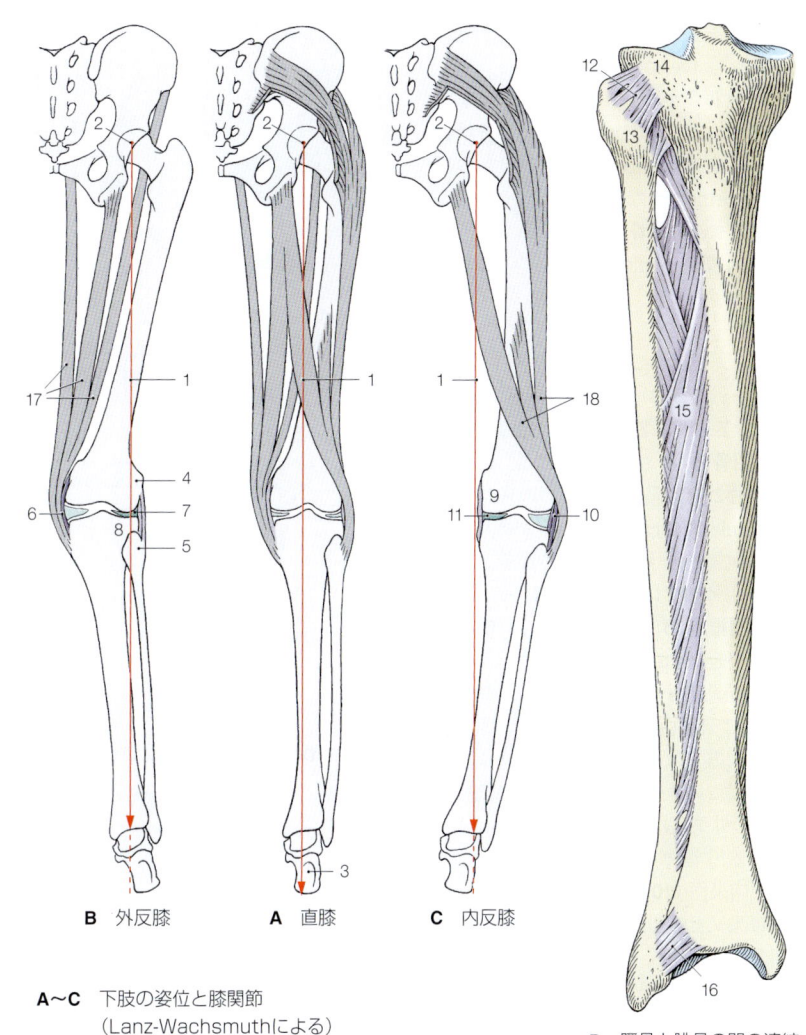

両下腿骨間のこの関節性結合のほかに，両下腿骨を靱帯結合の形で互いを固定し合う**下腿骨間膜**（**15**）がみられる．この骨間膜の線維の走向は脛骨から腓骨へ下行性に走っている．この骨間膜は大きな強度をもっている．

両下腿骨の下端にはさらに**脛腓靱帯結合**（**16**）がみられる．ここには前脛腓靱帯 anterior tibiofibular ligament と後脛腓靱帯 posterior tibiofibular ligament がある．前者は比較的平らな靱帯で，両下腿骨の下端の前面を斜めに走り，後者はそれらの下端の後面を走る．後脛腓靱帯の走る方向はむしろ水平である．両靱帯はわずかに伸張性があり，したがって足を背屈するときわずかの程度ではあるが，両下腿骨相互のずれが可能である．

外反膝のときは半腱様筋，薄筋，縫工筋（**17**）に特に負担がかかる．これに対し，内反膝のときには大腿二頭筋と腸脛靱帯（**18**）に特に負担がかかる．

＊脛骨下端の内果と下関節面および腓骨下端の外果によってつくられる二またを果叉という．

B 外反膝　　A 直膝　　C 内反膝

A〜C　下肢の姿位と膝関節（Lanz-Wachsmuthによる）

D　脛骨と腓骨の間の連結

---

1 負荷線 weight-bearing line　**2** 大腿骨頭（の中心）head of femur　**3** 踵骨（の中心）calcaneum　**4** 外側顆（大腿骨の）lateral condyle (femur)　**5** 腓骨頭 head of fibula　**6** 内側側副靱帯 tibial collateral ligament　**7** 外側半月 lateral meniscus　**8** 外側顆（脛骨の）lateral condyle (tibia)　**9** 内側顆（大腿骨の）medial condyle (femur)　**10** 外側側副靱帯 fibular collateral ligament　**11** 内側半月 medial meniscus　**12** 脛腓関節 tibiofibular joint　**13** 腓骨頭　**14** 外側顆（脛骨の）lateral condyle (tibia)　**15** 下腿骨間膜 interosseous membrane of leg　**16** 脛腓靱帯結合 tibiofibular syndesmosis　**17** 半腱様筋，薄筋，縫工筋 semitendinosus, gracilis, sartorius　**18** 大腿二頭筋，腸脛靱帯 biceps femoris, iliotibial tract

足の骨（A～G）

足は骨の構成から，**足根** tarsus，**中足** metatarsus および**[足の]指** digiti pedis, digits of foot, toes が区別される．

足根は 7 個の**足根骨** tarsal bones すなわち**距骨** talus，**踵骨** calcaneum，**舟状骨** navicular，**立方骨** cuboid，および 3 個の**楔状骨** cuneiforms からなる．

中足は 5 本の**中足骨** metatarsals をもち，**指**は**[足の]指骨** phalanges からつくられている．

足根骨

距骨 talus（A～C）はからだの全体重を足へ伝える．距骨では**距骨頭**（1）が**距骨頸**（3）によって**距骨体**（2）から区別される．距骨頭には舟状骨と関節結合するための舟状骨関節面 navicular articular surface があり，距骨頸には血管を通すための小さな管と粗面がある．距骨体では**距骨滑車**（4）と，その後ろに**外側結節**（5）および**内側結節**（6）をもつ**距骨後突起** posterior process が区別される．内側結節のすぐ近くに**長母指屈筋腱溝**（7）がある．上面 superior surface をもつ距骨滑車は前方では後方より幅が広い．滑車の外側面でこの上面は**外果面**（8）に続いており，この外果面は**距骨外側突起**（9）にまで達している．滑車の内側面には外果面よりも小さな**内果面**（10）がある．これら 3 つの関節面は果叉との関節形成に役立っている．舟状骨関節面に続く下方には**前踵骨関節面**（11）があり，この関節面は舟状骨関節面から中断されずに移行している．前踵骨関節面に沿って（まれにその間に軟骨のない面が介在する）**中踵骨関節面**（12）が続く．この関節面の後ろには**距骨溝**（13）と大きな**後踵骨関節面**（14）がみられる．

また，距骨は軟骨性の受け面を備えた靱帯と関節で連結している（110頁）．それゆえ，距骨の下面には不定に発達した関節小面がみられる．より大きな方を底側踵舟靱帯関節面，より小さな方を二分靱帯踵舟部関節面という．

発生：距骨には胎齢 7～8 ヵ月で一つの骨核が現れる．

変異：距骨後突起の外側結節は例外的に独立して存在することがあり，そのときにはこの骨を**三角骨** os trigonum という．

踵骨 calcaneus（D～G）は足根骨のうちで最大のものである．後方には強力な**踵骨隆起**（15）がみられ，ここには下面への移行部に，前方へ向かう 2 つの突起すなわち踵骨隆起の**外側**および**内側突起** lateral process & medial process がある．踵骨隆起の粗面にはアキレス腱（踵骨腱）が付着する．前方には**立方骨関節面**（16）がある．踵骨の上面には多くの場合 3 つの関節面すなわち**前**（17）・**中**（18）および**後距骨関節面**（19）がみられる．中および後距骨関節面の間には，**踵骨溝**（20）があって，これは距骨溝（既述）と一緒になって**足根洞** tarsal sinus をつくる．前および中距骨関節面はくっついて一つになっていることがある．内側面には**載距突起**（21）が突出している．ここには中距骨関節面がある．載距突起の下には**長母指屈筋腱溝**（22）がみられる．外側面には多くの場合，**腓骨筋滑車**（23）と呼ばれる骨の少し盛り上がったところがあり，その下を**長腓骨筋腱溝**（24）が走っている．

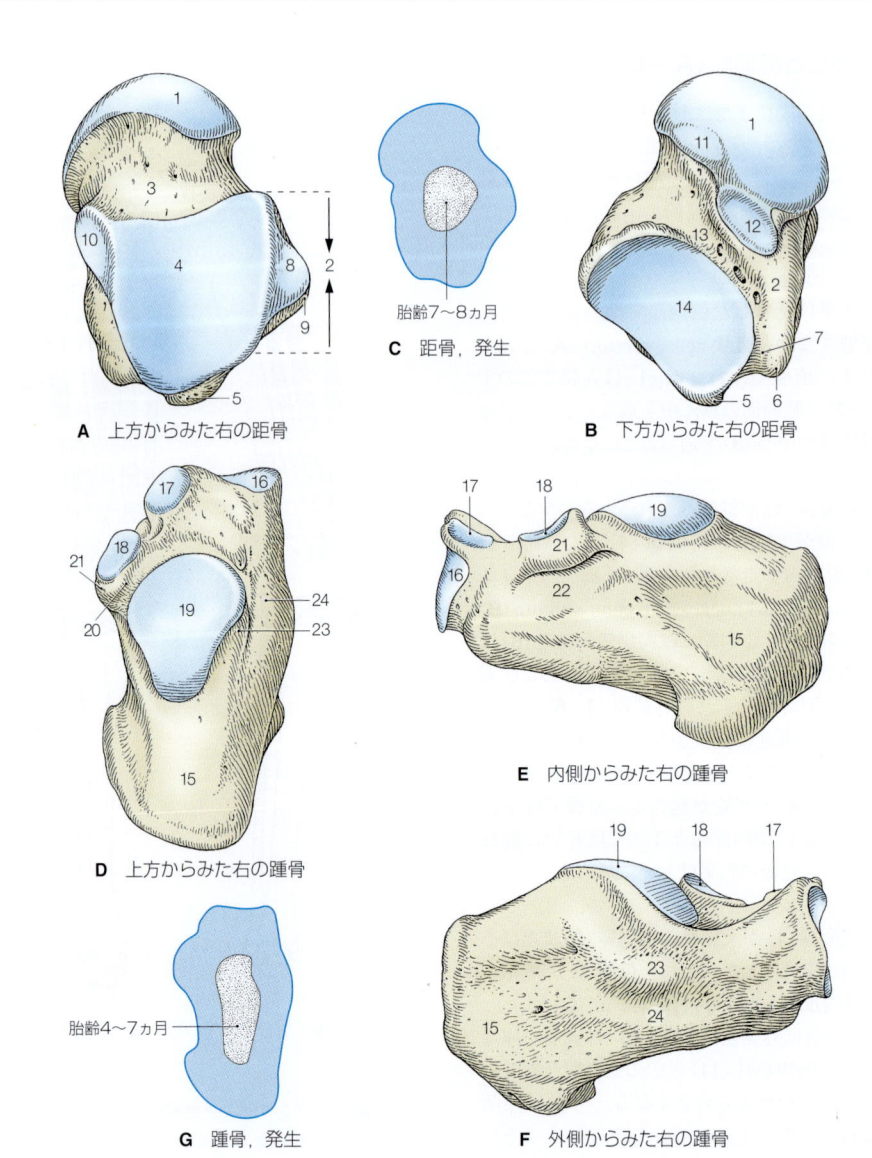

発生：踵骨では胎齢 4～7 ヵ月で一つの骨核がつくられてくる．

> **臨床関連**：多くの場合，踵骨隆起内側突起から前方へ向かう骨の棘，すなわち**踵骨棘** calcaneal spur がみられる．この踵骨棘から足底の種々の筋が起始している．この踵骨棘は激しい痛みをもつようになることがある．

---

1 距骨頭 head of talus　2 距骨体 body of talus　3 距骨頸 neck of talus　4 距骨滑車 trochlea of talus　5 外側結節 lateral tubercle　6 内側結節 medial tubercle　7 長母指屈筋腱溝（距骨の）groove for tendon of flexor hallucis longus　8 外果面 lateral malleolar facet　9 距骨外側突起 lateral process　10 内果面 medial malleolar facet　11 前踵骨関節面 anterior facet for calcaneus　12 中踵骨関節面 medial facet for calcaneus　13 距骨溝 sulcus tali　14 後踵骨関節面 posterior calcaneal articular facet　15 踵骨隆起 calcaneal tuberosity　16 立方骨関節面 articular surface for cuboid　17 前距骨関節面 anterior talar articular surface　18 中距骨関節面 middle talar articular surface　19 後距骨関節面 posterior talar articular surface　20 踵骨溝 calcaneal sulcus　21 載距突起 sustentaculum tali　22 長母指屈筋腱溝 groove for tendon of flexor hallucis longus　23 腓骨筋滑車 peroneal trochlea　24 長腓骨筋腱溝 groove for tendon of peroneus longus

足の骨（続き）

足根骨（続き）(A～P)

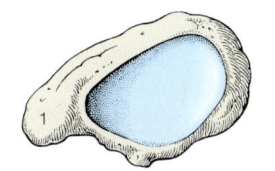

舟状骨 navicular (**A～C**) は距骨および3個の楔状骨と関節で結合している．距骨頭に向かう面には距骨頭に見合う凹んだ関節面 articular surface がある．足底へ向かって弓なりに曲がった舟状骨粗面 (**1**) が内側面を向き，前方では小さな棟で互いに分けられた3つの関節面がみられる．これらの関節面は3個の楔状骨のためのものである．

発生：3～4歳で一つの骨核が出現する（成熟徴候）．

立方骨 cuboid (**D～F**) は，外側が内側よりも短い．遠位には第4および第5中足骨のための関節面があり，1条の刻み目によって互いに分けられている．内側には外側楔状骨と関節をつくるための関節面があり，通常ではこの後ろに舟状骨と関節結合するための小さな面がある．後方へ向かっては，踵骨のための関節面をもつ踵骨突起 (**2**) がある．下面には長腓骨筋腱溝 (**3**) が走っている．この腱溝の後ろには横に走る隆起した骨の肥厚があり，これを立方骨粗面 (**4**) という．

発生：立方骨の骨核は胎齢10ヵ月に出現する（成熟徴候！）．

3個の**楔状骨** cuneiforms (**G～P**) はその大きさと足の骨格内での位置から互いに区別される．**内側楔状骨** medial cuneiform (**G, H**) は楔状骨のうちで最も大きく，**中間楔状骨** intermediate cuneiform (**J, K**) は最も小さい．内側楔状骨は足底へ広い面を向けているが，中間楔状骨および**外側楔状骨** lateral cuneiform (**L, M**) は尖った縁を足底へ向けている．

後方に向かってこれら3個の楔状骨はすべて，舟状骨と関節結合するための関節面 (**5**) をもっている．

遠位の指の方へ向かって，これらの骨は中足骨と関節で結合している．内側楔状骨は第1中足骨と関節をつくり，一小部分では第2中足骨とも関節 (**6**) をつくる．外側楔状骨には第3中足骨と関節を形成するための関節面がみられ，また第2中足骨のための小さな関節面 (**7**)，さらに時に第4中足骨のための同様に小さな関節面もみられることがある．中間楔状骨は遠位で第2中足骨とだけ関節を形成している．3個の楔状骨は同様に関節で相互に結合している．そのほか外側楔状骨は立方骨と関節をつくるための関節面 (**8**) をもつ．

発生：内側楔状骨 (**N**) では一つの骨核が2～3歳で出現し，中間楔状骨 (**O**) ではそれが3歳で，外側楔状骨 (**P**) では1～2歳でつくられる．

A 後方からみた右の舟状骨
B 前方からみた右の舟状骨
C 舟状骨，発生　3～4歳

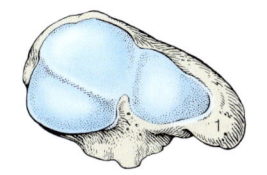

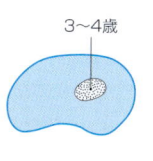

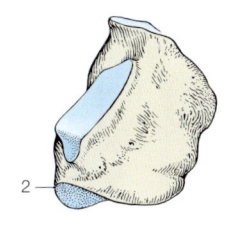

D 足背からみた右の立方骨
E 足底からみた右の立方骨
F 立方骨，発生　胎齢10ヵ月

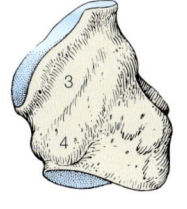

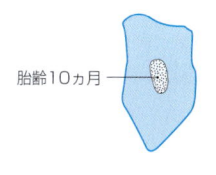

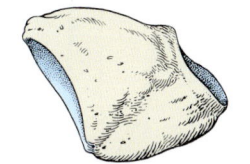

G 内側からみた右の内側楔状骨
H 外側からみた右の内側楔状骨
J 内側からみた右の中間楔状骨
K 外側からみた右の中間楔状骨
L 内側からみた右の外側楔状骨
M 外側からみた右の外側楔状骨
N 内側楔状骨，発生　2～3歳
O 中間楔状骨，発生　3歳
P 外側楔状骨，発生　1～2歳

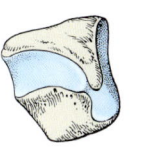

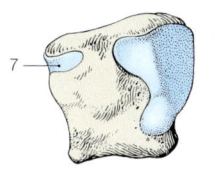

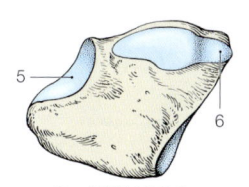

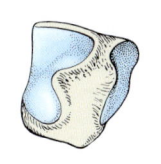

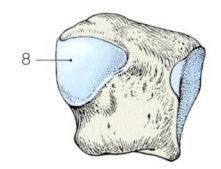

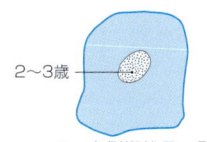

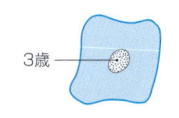

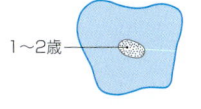

---

1 舟状骨粗面 tuberosity of navicular bone　**2** 踵骨突起 calcaneal process　**3** 長腓骨筋腱溝 groove for tendon of peroneus longus　**4** 立方骨粗面 tuberosity of cuboid　**5** 舟状骨との関節面　**6** 第2中足骨との関節面　**7** 第2中足骨との関節面　**8** 立方骨との関節面

足の骨（続き）

中足骨（A，B）

5本の**中足骨** metatarsals［Ⅰ～Ⅴ］は足背へ向かって弓なりになった管状骨である．これらの骨はすべて底（**1**），体（**2**）ならびに頭（**3**）をもっている．**第1中足骨** metatarsal Ⅰは中足骨のうち最も短く，最も太い骨である．第1中足骨底の足底側には第1中足骨粗面 tuberosity of metatarsal bone Ⅰという高まりがある．この高まりの外側で第1中足骨は第2中足骨底と関節結合しており，後方では彎曲した関節面を介して内側楔状骨（**4**）と関節を形成している．頭の前端には足底面に小さな稜があり，その両側には2つの小さな溝がある．これらの溝には規則的に必ず出現する2個の**種子骨**（**5**）がはまっている．

第2・第3および第4中足骨 metatarsals Ⅱ，Ⅲ，Ⅳは細長い形をしており，底は足背面では足底面より広い．これらの中足骨には互いに向かい合って，相互に関節結合するための関節面があり，後方（近位）には楔状骨または立方骨と結合するための関節面がある．これらの3本の中足骨の頭は両側から圧平されたような形をとり，したがってこれらの骨はコロ状を呈する．

第5中足骨 metatarsal bone Ⅴは外側面に第5中足骨粗面（**6**）をもつという点で，ほかの中足骨と異なっている．

［足の］指骨（A，B）

［足の］**指骨** phalangesは第2～5指では**基節骨** proximal phalanx，**中節骨** middle phalanxおよび**末節骨** distal phalanxをもつが，第1指は2個の指節骨（基節骨と末節骨）しかもたない．

指節骨にはそれぞれ［指節骨の］底（**7**），［指節骨の］体（**8**）および［指節骨の］頭（**9**）が区別される．末節骨（**10**）には末節骨粗面 tuberosity of distal phalanxがある．基節骨と中節骨の頭には小さな溝がみられる．

変異：第5指では特異なこととして，中節骨と末節骨が互いにくっついていることがある．この場合その癒着は出生前の軟骨の段階ですでに存在しているのである．

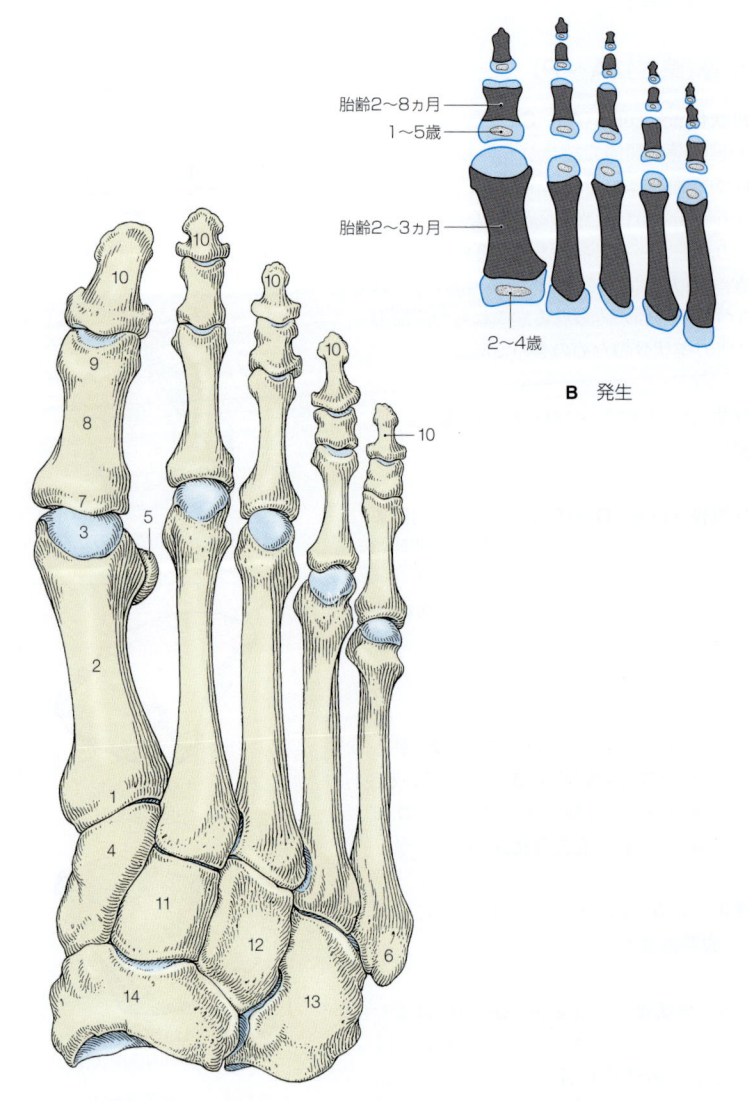

種子骨 sesamoid bones

中足指節関節の近くには数多くの小さな種子骨がみられる．そのうちごくふつうに存在するのは第1中足骨頭のところにある種子骨だけである．

発生：中足骨の軟骨性原基は胎齢2～3ヵ月で骨体のところに軟骨外骨化によって筒状に骨ができてくるほか，骨端に一つずつの骨原基がみられる．中手骨の場合と同様に，第1中足骨では底の骨端に，それ以外の中足骨では頭にそれぞれ骨核が現れる．軟骨内骨化によって生じるこれらの骨端の骨核は2～4歳で出現する．多くの場合，第1および第5中足骨にはさらに加えてもう一つ骨端の骨原基がみられることがある．

［足の］指節骨では底のところに1～5歳で骨端の核が現れ，体では胎齢2～8ヵ月で軟骨外骨化によって骨外套がつくられてくる．ここでも思春期の間に（骨端核と骨外套との）融合が起こる．個々の骨原基は非常に不定で，またその出現時期もまちまちであることが多い．したがってここに述べた数値は標準値にしかすぎないことを考慮すべきである．

A 足背からみた右足の中足骨と［足の］指骨

B 発生

---

1 底（中足骨の）base of metatarsal bone　**2** 体（中足骨の）shaft of metatarsal bone　**3** 頭（中足骨の）head of metatarsal bone　**4** 内側楔状骨 medial cuneiform　**5** 種子骨 sesamoid bones　**6** 第5中足骨粗面 tuberosity of fifth metatarsal bone［Ⅴ］　**7**［指節骨の］底 base of phalanx　**8**［指節骨の］体 shaft of phalanx　**9**［指節骨の］頭 head of phalanx　**10** 末節骨 distal phalanx　**11** 中間楔状骨 intermediate cuneiform　**12** 外側楔状骨 lateral cuneiform　**13** 立方骨 cuboid　**14**［足の］舟状骨 navicular

足の関節（A～C）

　足の関節 joints of foot に距腿関節 ankle joint, 上跳躍関節 talocrural joint (oberes Sprunggelenk) と下跳躍関節（すなわち距骨下関節 subtalar joint と距踵舟関節 talocalcaneonavicular joint）が区別される．そのほか楔舟関節 cuneonavicular joint, 踵立方関節 calcaneocuboid joint, 楔立方関節 cuneocuboid joint および楔間関節 intercuneiform joint もある．足根中足関節 tarsometatarsal joint は足根骨と中足骨の間にある関節である．中足骨の底の間にある関節結合は中足間関節 intermetatarsal joint, 中足骨と［足の］指骨の間の関節結合は中足指節関節 metatarsophalangeal joint である．さらに足の指節間関節 interphalangeal joint もある．

上跳躍関節（距腿関節 talocrural joint）

　距腿関節の関節面は外果関節面（果叉, **1**）と, 距骨の上面ならびに内・外果面からつくられる．脛骨と腓骨は距骨滑車を挟むような形をとっている（106頁）．腓骨は脛骨よりも幾分深く距骨滑車の関節面とかかわりをもっている．

　関節包（**2**）は軟骨に覆われた関節面の縁に付着している．関節腔の前にも後ろにも滑膜ヒダがある．

　上跳躍関節の靱帯．最大の靱帯は内側にある内側側副靱帯（**3**, 三角靱帯ともいう）であって, 脛舟部（**4**）, 脛踵部（**5**）, 前脛距部および後脛距部（**6**）からなっている．脛舟部（**4**）は脛骨（**7**）から舟状骨（**8**）へ行くが, 距骨頸に達している前脛距部を覆うことになる．脛踵部（**5**）は載距突起（**9**）へ行き, その一部は脛舟部（**4**）を覆っている．そのほかの靱帯として外側には前距腓靱帯（**10**）, 後距腓靱帯および踵腓靱帯（**11**）があり, 最後の2靱帯は共通の外側側副靱帯を形成している．前距腓靱帯は外果と距骨頸とを結ぶ．後距腓靱帯はほぼ水平方向をとって外果窩から距骨後突起へ行く．この靱帯の上と下で関節包がふくれ出している．果叉は後および前脛腓靱帯（**12**）によって固定されている．

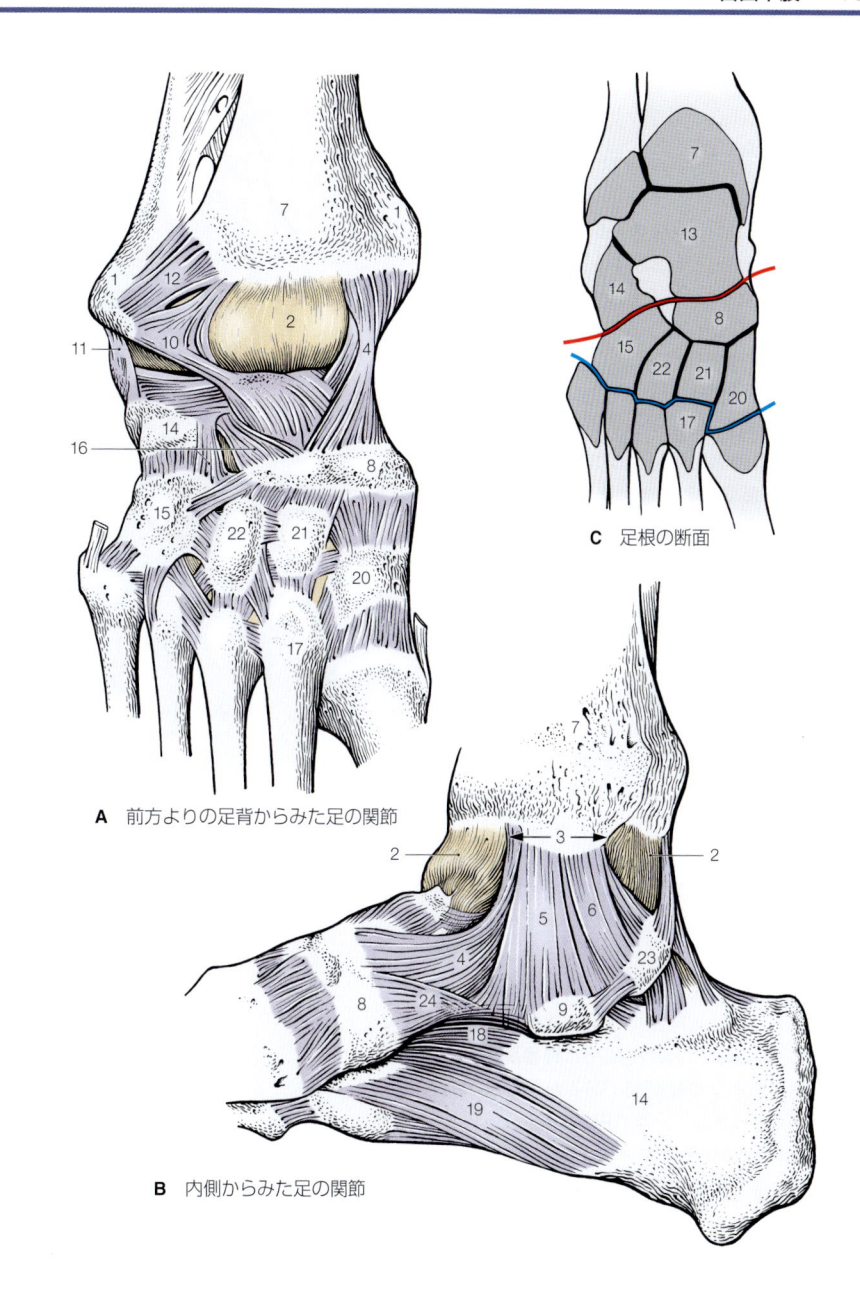

A 前方よりの足背からみた足の関節

C 足根の断面

B 内側からみた足の関節

　運動：可能な運動は足の**底屈と背屈**である．底屈の際には, 距骨滑車が後方で小さくなっており, 果叉に遊隙ができるので, 動揺運動を行うことができる．上跳躍運動は**横走する関節軸をもつ蝶番関節**であって, その軸は内果の先端から始まって外果の最も厚いところを貫通している．上跳躍関節の運動範囲は最大背屈と最大底屈の間で70°にも及ぶ．

臨床関連：2つの関節線で足の前部または前部と中部を切断することができる．**ショパール関節線** Chopart's joint line（**C**, 赤―誤って横足根関節 transverse tarsal joint といわれている―は近位にある距骨（**13**）と踵骨（**14**）, 遠位にある舟状骨（**8**）と立方骨（**15**）の間にわたっている．二分靱帯（ショパール靱帯）（**16**, 111頁）を切断することがショパール関節の開放の鍵となるので, 重要である．**リスフラン関節線** Lisfranc's joint line（**C**, 青）は足根骨と中足骨の間にある．注意すべきことは, 第2中足骨（**17**）は近位の方へ向かって突出しているので, 関節線は真っ直ぐには走っていないということである．なお, 切断後に生じる足位の異常を考慮する必要がある．

---

1 果叉 malleolar fork (*Malleolengabel*)　**2** 関節包 articular capsule　**3** 内側側副靱帯 medial collateral ligament（三角靱帯 deltoid ligament）　**4** 脛舟部 tibionavicular part　**5** 脛踵部 tibiocalcaneal part　**6** 後脛距部 posterior tibiotalar part　**7** 脛骨 tibia　**8** 舟状骨 navicular　**9** 載距突起 sustentaculum tali　**10** 前距腓靱帯 anterior talofibular ligament　**11** 踵腓靱帯 calcaneofibular ligament　**12** 前脛腓靱帯 anterior tibiofibular ligament　**13** 距骨 talus　**14** 踵骨 calcaneum　**15** 立方骨 cuboid　**16** 二分靱帯 bifurcated ligament　**17** 第2中足骨 metatarsals [Ⅱ]　**18** 底側踵立方靱帯 plantar calcaneocuboid ligament　**19** 長足底靱帯 long plantar ligament　**20** 内側楔状骨 medial cuneiform　**21** 中間楔状骨 intermediate cuneiform　**22** 外側楔状骨 lateral cuneiform　**23** 距骨後突起の内側結節 medial tubercle of posterior process　**24** 底側踵舟靱帯 plantar calcaneonavicular ligament

足の関節（続き）

下跳躍関節（A，B）

下跳躍関節 *Unteres sprunggelenk* は別々の関節すなわちこの関節の後部をつくる**距骨下関節**（**1**）と前部を形成する**距踵舟関節**（**2**）から構成される．しかし，これらの互いに別個の両関節は一緒になって作用する．**距骨下関節**の関節面は距骨（**3**）と踵骨（**4**）からつくられる．**関節包**はゆるくて薄く，内側および外側距踵靱帯（**5**）によって補強されている．**距踵舟関節**の関節体は3個の骨からなる．距骨，踵骨および舟状骨（**6**）の**関節面**のほか，線維軟骨に覆われたもう一つの関節面が底側踵舟靱帯（**7**）にある．この靱帯は踵骨の中距骨関節面と舟状骨を結びつけ，舟状骨とともに距骨頭をいれる関節窩をつくる［関節窩靱帯］．

下跳躍関節の**関節包**（前部）は軟骨の境界のすぐ近くに付着し，または底側踵舟靱帯（**7**）に達している．関節包を補強するように働いているのは強靱な二分靱帯（**8**，111頁）で，この靱帯が踵骨（**4**），舟状骨（**6**）および立方骨（**9**）を互いに固定している．足根洞にある骨間距踵靱帯（**10**）は下跳躍関節を前部と後部に分割している．

要約すると，上跳躍関節では**蝶番運動**が可能であり，下跳躍関節では**回旋運動**が可能であるといえる．上跳躍関節は**蝶番関節**で，下跳躍関節は**車軸関節**であるから，両跳躍関節は合わさると一種の**円柱関節** cylindrical joint の作用をもつことになる．回旋運動は手の場合と同様，**回内**および**回外**といわれる．

回外は足の内側縁を上げることをいい，回内とは足を外方へ回旋させながら足の外側縁を上げることをいう*．回内と回外の最終位の間の全運動範囲は60°に達する．

他の足根骨と中足骨の間の関節（A，B）

踵立方関節（**11**）は半関節である．この関節腔はいわゆるショパール関節（横足根関節）の一部である（109頁）．**楔舟関節** cuneonavicular joint と**足根中足関節** tarsometatarsal joint ならびに**楔立方関節** cuneocuboid joint も同様に半関節である．関節包を補強

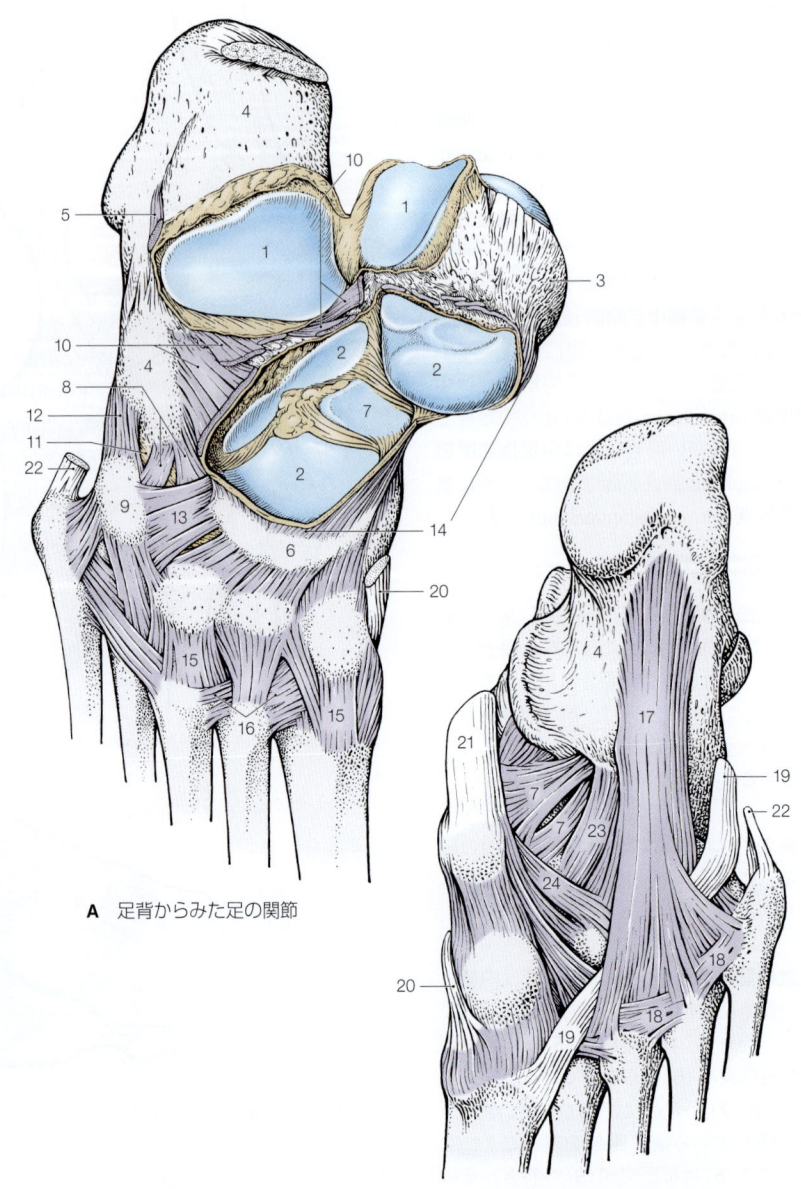

A 足背からみた足の関節

B 足底からみた足の関節

する靱帯は111頁で述べられる．このほか半関節に属するものに**中足間関節** intermetatarsal joints があり，これらは第2～第5中足骨底の向き合う側面間にある関節である．

足の指の関節

中足指節関節 metatarsophalangeal joints と**足の指節間関節** interphalangeal joints は，一方では基関節に，他方では中間関節と末関節に分類される．基関節は球関節の形をしているが，その機能は側副靱帯によって制限を受けている．中間および末関節は純蝶番関節の形をとっている．

＊足の回外のことを内反 inversion，回内のことを外反 eversion ともいう．

---

1 距骨下関節 subtalar joint　**2** 距踵舟関節 talocalcaneonavicular joint　**3** 距骨 talus　**4** 踵骨 calcaneum　**5** 外側距踵靱帯 lateral talocalcaneal ligament　**6** 舟状骨 navicular　**7** 底側踵舟靱帯 plantar calcaneonavicular ligament　**8** 二分靱帯 bifurcated ligament　**9** 立方骨 cuboid　**10** 骨間距踵靱帯 talocalcaneal interosseous ligament　**11** 踵立方関節 calcaneocuboid joint　**12** 背側踵立方靱帯 dorsal calcaneocuboid ligament　**13** 背側舟立方靱帯 dorsal cuboideonavicular ligament　**14** 距舟靱帯 talonavicular ligament　**15** 背側足根中足靱帯 dorsal tarsometatarsal ligament　**16** 背側中足靱帯 dorsal metatarsal ligament　**17** 長足底靱帯 long plantar ligament　**18** 底側中足靱帯 plantar metatarsal ligament　**19** 長腓骨筋の腱 tendon sheath of peroneus longus　**20** 前脛骨筋の腱 tendon sheath of tibialis anterior　**21** 後脛骨筋の腱 tendon sheath of tibialis posterior　**22** 短腓骨筋の腱 tendon sheath of peroneus brevis　**23** 底側踵立方靱帯 plantar calcaneocuboid ligament　**24** 底側立方舟靱帯 plantar cuboideonavicular ligament

自由下肢　111

足の関節の靱帯（A，B）

足根の靱帯は数群に分けることができる．

下腿骨相互ならびに下腿骨と足根骨を結びつける靱帯（赤）．これに属するものには内側側副靱帯（＝三角靱帯）（**1**）と外側側副靱帯 lateral collateral ligament とがあり，後者は前距腓靱帯（**2**），後距腓靱帯（**3**）および踵腓靱帯（**4**）で構成される．そのほか，前脛腓靱帯（**5**）と後脛腓靱帯（**6**）もこの群に属する．

距骨とほかの足根骨を結びつける靱帯（緑）．これらには距舟靱帯（**7**），骨間距踵靱帯（**8**），外側（**9**）および内側距踵靱帯（**10**）ならびに後距踵靱帯＊（**11**）がある．

そのほかのすべての背側靱帯すなわち背側足根靱帯 dorsal tarsal ligaments（黄）．これに属するものには，2部からなる二分靱帯（**12**，踵舟靱帯と踵立方靱帯），背側楔間靱帯（**13**），背側楔立方靱帯（**14**），背側立方舟靱帯（**15**），背側楔舟靱帯（**16**）および背側踵立方靱帯＊＊（**17**）がある．

底側足根靱帯 plantar tarsal ligaments（青）．個々の足の骨を足底側で結びつけているもの．長足底靱帯（**18**）は踵骨隆起から立方骨と中足骨へ行く．足の静力学にとって重要な靱帯は底側踵舟靱帯（**19**，112頁）である．長足底靱帯の内側部は特に底側踵立方靱帯（**20**）といわれる．そのほか，底側楔舟靱帯 plantar cuneonavicular ligamnets，底側立方舟靱帯 plantar cuboideonavicular ligament，底側楔間靱帯 plantar intercuneiform ligament，底側楔立方靱帯 plantar cuneocuboid ligament および骨間靱帯，すなわち骨間楔立方靱帯 cuneocuboid interosseous ligament と骨間楔間靱帯 intercuneiform interosseous ligaments がある．

足根と中足の間の靱帯（紫）．これらの靱帯は背側および底側足根中足靱帯 dorsal & plantar tarsometatarsal ligaments と骨間楔中足靱帯 cuneometatarsal interosseous ligaments とに分けられる．

中足骨の間の靱帯（淡紅）．これに属するのは骨間・背側および底側中足靱帯 dosal and plantar interosseous metatarsal ligamentsである．これらはすべて中足骨底のところにある．

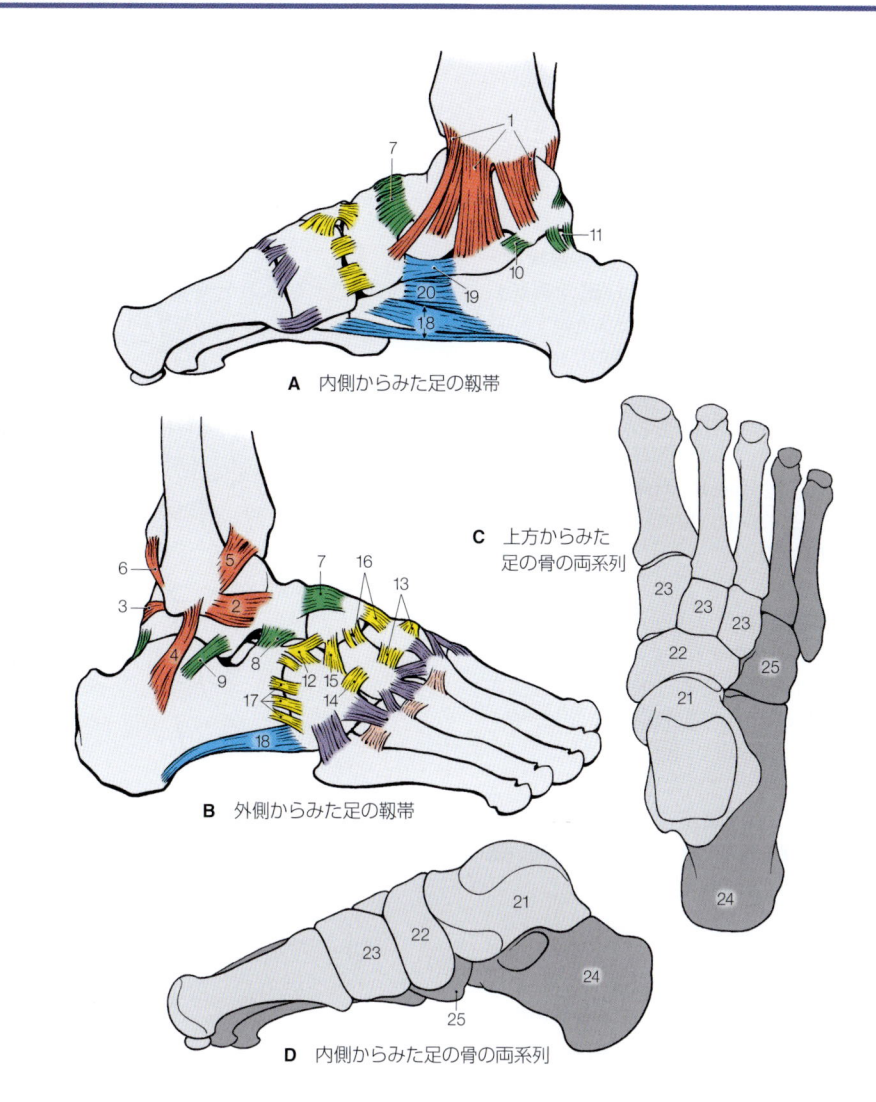

A 内側からみた足の靱帯

B 外側からみた足の靱帯

C 上方からみた足の骨の両系列

D 内側からみた足の骨の両系列

足の骨格の形態と機能（C，D）

足の骨格を観察するとき目立つことは，後部では骨が互いに重なっているが，中部と前部では互いに並んでみられるということである．それによって足弓 arches of foot ないしは足円蓋が生じる．矢状方向と横方向の足弓すなわち**縦足弓** longitudinal arch と**横足弓** transverse arch が区別される＊＊＊．繰り返し"弓"（縦および横）が誤って語られている．これは間違いである．"弓"という場合には，"樽状‐，十字状‐，円蓋状形"の区別をすべきで，それぞれが独立して張られているのであって，一つの"弓"ではない．

距骨から内側骨列（淡灰）が続き，踵骨からは外側骨列（濃灰）が前方へ放散する．**内側列**に属するものは，距骨（**21**），舟状骨（**22**），3個の楔状骨（**23**）および内側の3本の中足骨とそれらに接する指骨である．**外側**列は踵骨（**24**），立方骨（**25**）および外側の2本の中足骨とそれらに続く指骨で構成される．

これからわかることは，足は前方で広く，下方を後方では狭く高くなっているということである．最後に足は内側に開いたくぼみのある円蓋であって，縦の彎曲と横の彎曲が認められる．縦の彎曲は内側縁で外側縁よりも強い．横の彎曲はただ中足部と前足部でのみよく発達している．

> **臨床関連**：距骨と踵骨を臨床医は後足部 posterior unit，残りの足根骨を中足部 middle unit，中足骨と足の指骨を前足部 anterior unit という．

＊ B.N.A. 用語．
＊＊ J.N.A. 用語．
＊＊＊ これらの足弓が生体での足円蓋（土ふまず）という3次元的なアーチ構造のもとになっている．

---

1 内側側副靱帯 medial collateral ligament（三角靱帯 deltoid ligament）　2 前距腓靱帯 anterior talofibular ligament　3 後距腓靱帯 posterior talofibular ligament　4 踵腓靱帯 calcaneofibular ligament　5 前脛腓靱帯 anterior tibiofibular ligament　6 後脛腓靱帯 posterior tibiofibular ligament　7 距舟靱帯 talonavicular ligament　8 骨間距踵靱帯 talocalcaneal interosseous ligament　9 外側距踵靱帯 lateral talocalcaneal ligament　10 内側距踵靱帯 medial talocalcaneal ligament　11 後距踵靱帯 posterior talocalcaneal ligament　12 二分靱帯 bifurcated ligament（踵舟靱帯 calcaneonavicular ligament，踵立方靱帯 calcaneocuboid ligament）　13 背側楔間靱帯 dorsal intercuneiform ligament　14 背側楔立方靱帯 dorsal cuneocuboid ligament　15 背側立方舟靱帯 dorsal cuboideonavicular ligament　16 背側楔舟靱帯 dorsal cuneonavicular ligament　17 背側踵立方靱帯 dorsal calcaneocuboid ligament　18 長足底靱帯 long plantar ligament　19 底側踵舟靱帯 plantar calcaneonavicular ligament　20 底側踵立方靱帯 plantar calcaneocuboid ligament　21 距骨 talus　22 舟状骨 navicular　23 楔状骨（3個）cuneiform　24 踵骨 calcaneum　25 立方骨 cuboid

足の"弓"（彎曲）と機能（A〜C）

正常では足弓によって体重を支えることができる．平らな基板上では踵骨隆起（**1**），第1中足骨頭（**2**）および第5中足骨頭（**3**）が，この足弓の骨性の支持点とみなされる．そこで支持面として三角形（**A**，赤の破線）が生じてくる．**足圧痕** footprint（**B**）を観察すると，確かにそれよりももっと大きい支持面がみられるが，これは軟部組織の存在によって生じるのである．**圧の伝達**は脛骨（**4**）から踵骨（**5**）へ，ならびに脛骨から中・前足部（**6**）へと行われる．この両方向への圧の伝達のため，足弓を圧平する傾向が存在することになる．この傾向は靱帯装置と足底の筋によって反発される．

靱帯装置．靱帯は疲労することなく，筋より大きい抵抗力をもっている．この抵抗力の大きさは不変である．もちろん過伸張されると，靱帯は再び元の形をとることができなくなる．

靱帯装置は**足底腱膜**（**7**），**長足底靱帯**（**8, 9**），**底側踵舟靱帯**（**10**）および**足底の短い靱帯**に分けられる．

浅在性の足底腱膜（**7**）は踵骨隆起と指の足底面を結ぶ．この腱膜はことに立位で作用を発揮する．中足部ではこの腱膜の横線維束が縦足弓だけではなく，横足弓をも維持している．

長足底靱帯（**8, 9**）は足根骨の外側列をつなぎ止めている．この靱帯は踵骨の底側に始まって遠位へ伸びて，そこで広がって細長い表在性の線維層（**8**）となって長腓骨筋の腱を越えて中足骨の底に達している．そのほかこの腱は短い線維，すなわち底側踵立方靱帯（**9**）となって立方骨粗面へも達している．

底側踵舟靱帯*（**10**）は足底の短い靱帯とともに靱帯装置の最も深い層を形成している．この靱帯は距骨頭をいれる関節窩を拡大している．この靱帯の内面は線維軟骨で覆われており，時には石灰沈着すらみられることがある．この靱帯の厚さは5mmにも達することがある．

足底の筋．これらの筋も同じように圧の放散に対抗して働くものであって，カスガイの

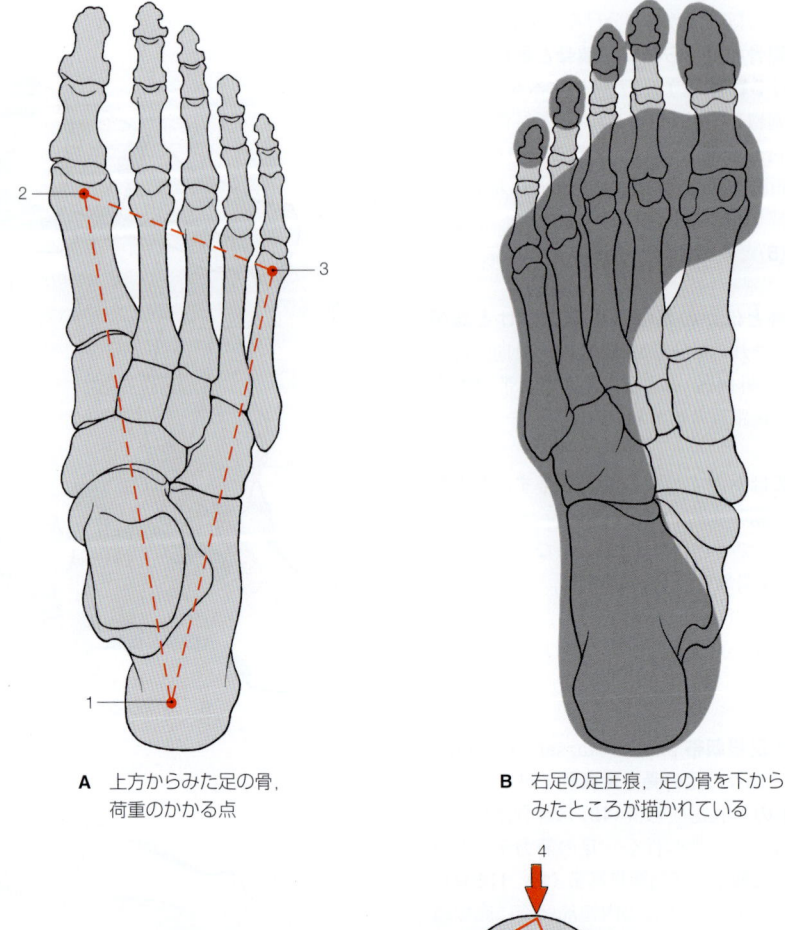

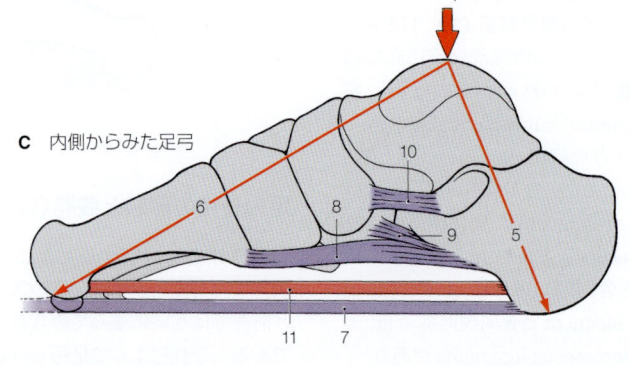

A 上方からみた足の骨，荷重のかかる点

B 右足の足圧痕，足の骨を下からみたところが描かれている

C 内側からみた足弓

ように足弓を囲んでいる．足底の筋は靱帯装置より疲労現象がみられやすく，かつ弱い．もちろん筋の緊張は負荷に応じて調節することができ，新しい検査によると，異常な負荷がかかったときに，初めて筋が作用を現すことがわかった．その場合には内側にある外転筋群は外側にある外転筋群よりもこの作用が強い．

足底の筋は足根骨と中足骨または足の指骨の間に張っている**足の短い筋**（**11**）と，下腿から下行していろいろな足根骨，中足骨または足の指骨に終わっている**足の長い筋の腱**とに分けられる．足の短い筋は足の指が中足骨と足根骨に対して動くことができるように作用する．立位では足の指と中足骨は地面に押しつけられることになる．このとき足の短い筋は足弓を緊張させるように働く．というのはこれらの筋は中足骨が沈下する傾向を阻止するからである．

*この靱帯は弾性があるので**バネ靱帯** spring ligamentともいわれる．

---

1 踵骨隆起 calcaneal tuberosity　**2** 第1中足骨頭 head of metatarsal bone [Ⅰ]　**3** 第5中足骨頭 head of metatarsal bone [Ⅴ]　**4** 脛骨（にかかる体重）tibia　**5** 踵骨（への圧の伝達方向）calcaneum　**6** 中・前足部（への圧の伝達方向）　**7** 足底腱膜 plantar aponeurosis　**8** 長足底靱帯（その浅在部）long plantar ligament　**9** 底側踵立方靱帯 plantar calcaneocuboid ligament　**10** 底側踵舟靱帯 plantar calcaneonavicular ligament　**11** 足の短い筋 short muscles of foot

足の形（A〜J）

　足の正常位は生体では**足圧痕**を手がかりにして詳しく調べることができる．健康な足すなわち**直足** pes rectus（**A**）では足圧痕は5つの足指野，前後の足底野ならびにこの両者をつなぐ結合条からなる．健康な足（**E**）では体重は踵骨（**1**）と第1中足骨の頭（**2**）にかかる．

> **臨床関連**：足底全体の広い面状の足圧痕がみられる（**B**）とき，この足を**扁平足** flatfoot, pes planus という．扁平足は足底の短い筋が作用しなくなることによって生じる．こうなると靱帯装置の過伸張が起こり，そのため足弓が崩れることになる．このとき距骨の回内が生じ，距骨は踵骨を越えて内側へ滑り落ちるのである（**F**）．その結果，この現象に関連したすべての足根骨（踵骨，距骨，舟状骨，立方骨）に骨の改造が起こってくる．扁平足が生じてくる間には（足底の長い筋の過伸張によって）足と下腿に強い疼痛が現れる．
>
> 　足圧痕が2つに分かれている（**C**）と，**凹足** hollow foot, pes cavus があることがわかる．その際，踵骨は回外位にあり，ほかの足の骨は回内位にある．**扁平外反足** pes planovalgus は内側へ膨出した足圧痕を示す（**D**）．この扁平外反足は扁平足と**外反足** pes valgus（**H**）が合併して生じる．この際には踵骨は回内位にある．

　直足 pes rectus（**G**）では下肢の負荷線（105頁）は踵骨の中心を通ってその下面に到達している．

> **臨床関連**：**外反足** pes valgus（**H**）のときには，距骨と踵骨を通る垂直方向の縦軸は下腿の縦軸に対して強く屈折するため，両軸のなす角度は外側へ開く．足は回内位をとっている．回外運動のために働く諸筋（下腿三頭筋，後脛骨筋，長母指屈筋，長指屈筋，前脛骨筋）の麻痺がこの不良肢位の原因となりうる．
>
> 　**内反足** clubfoot, pes varus（**J**）はちょうど外反足と正反対の状態を示す．このときは距骨と踵骨を通る縦軸と下腿の縦軸のつくる角度は内方へ開く．例えば回内筋（腓骨筋群，長指伸筋および長母指伸筋）の麻痺があるとこの状態となり，その結果，足は回外位をとることになる．
>
> 　**直足** pes rectus（**G**）では外果は内果よりも低く位置している．**外反足** pes valgus（**H**）では内外両果のこの位置関係は強化されているが，**内反足** pes varus（**J**）では同じ高さ，ないしは逆に内果の方が外果よりも低く位置することさえある．
>
> 　上記以外の足の不良位として**尖足** pes equinus と**踵足** pes calcaneus がある．尖足は伸筋群の麻痺によって，踵足は屈筋群の麻痺によって生じる．
>
> 　内反足と尖足の合併によって**内反尖足** pes equinovarus が出現する．これは腓骨神経の麻痺と前脛骨筋の障害によって生じるのである．
>
> **注意**：足痕は脊柱の不整の際にも変形し得る．

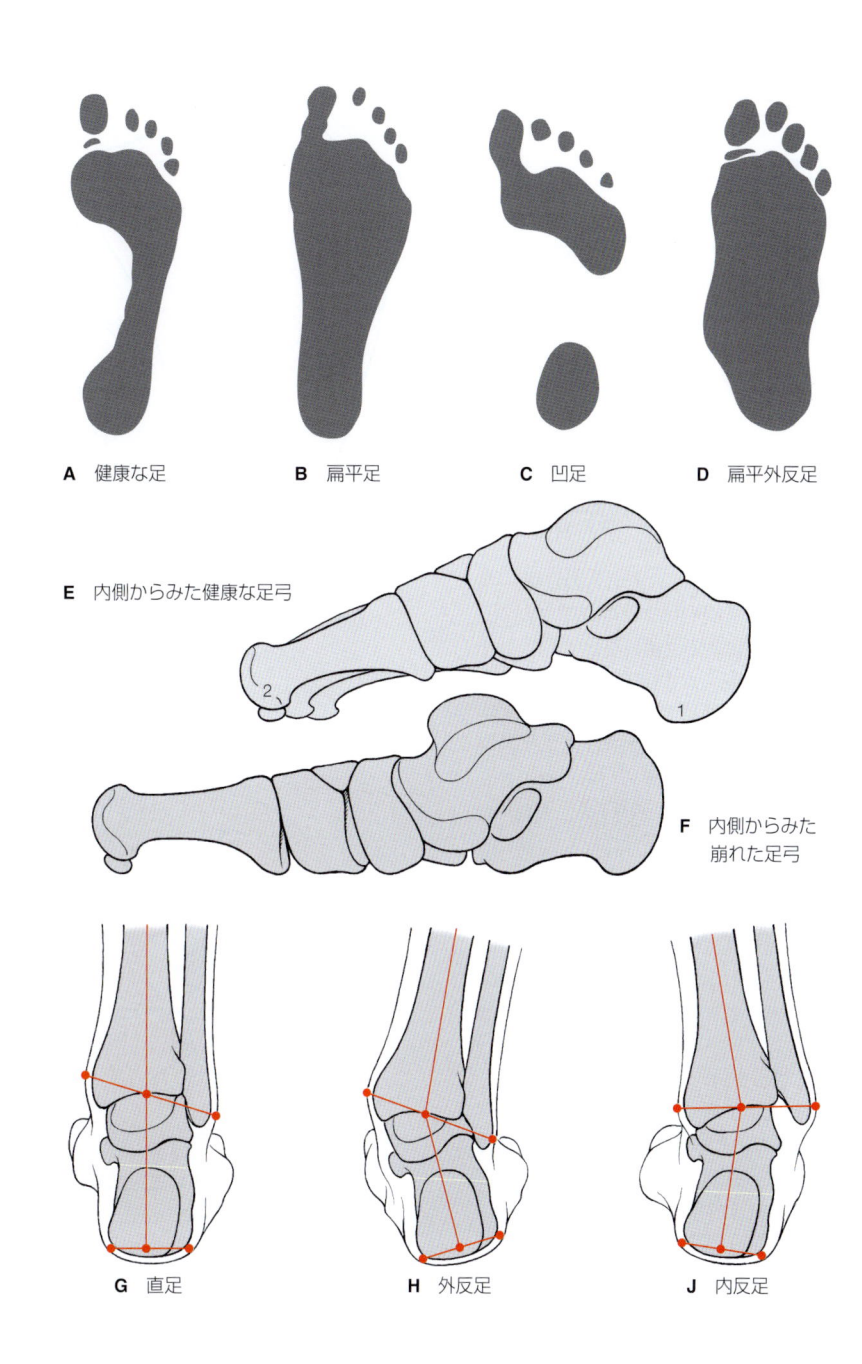

A　健康な足　　B　扁平足　　C　凹足　　D　扁平外反足

E　内側からみた健康な足弓

F　内側からみた崩れた足弓

G　直足　　H　外反足　　J　内反足

---

1 踵骨 calcaneum　**2** 第1中足骨頭 head of metatarsal bone [I]

B) 筋，筋膜および特殊装置

下肢帯と大腿の筋

筋の分類（A〜C）

下肢帯の筋については種々の観点から分類を行うことができる．上肢帯の筋の場合と同様に，下肢帯の筋も一方では局所的な位置関係による分類，他方では神経叢の腹側層と背側層からの神経支配による分類が行われる（Ⅲ章参照）．そのほか，発生を顧慮して筋の停止部位に基づいて分類することができる．その際には前方群と後方群からなる背側の下肢帯の筋と腹側の下肢帯の筋とに分けられる．下肢帯の筋の機能に従ってもう一つの分類もできる．

大腿の筋も同じようにそれらの位置，機能ならびに神経支配によって分類される．大腿の筋の存在する位置に従って，大腿の前方と後方の筋，および内転筋に区別される．しかし内転筋に関して顧慮すべきことは，これら内転筋は薄筋を例外として股関節にのみ作用し，したがってそれらの停止は大腿骨にあるということである．大腿の固有筋は第1には膝関節に作用し，下腿に停止する．これらについては伸筋と屈筋とが区別される．膝関節の伸筋は大腿骨の前面にあり，屈筋は大腿骨の後面に見いだすことができる．縫工筋は発生学的にはもともと伸筋に属すべきものであるが，二次的に位置がずれて，その結果膝関節を屈げるようになったのである．

ここでは，下肢帯の筋は停止の位置に基づくとともに，それらの機能に従って記述される．大腿の筋はまず位置によって，次に機能によって述べられる．

A 大腿骨頸のところでの大腿の断面
B 大腿中央の断面
C 切断面の位置

下肢帯の背側の筋（115頁）：

前方筋群，すなわち小転子のところに停止のあるもの
1 大腰筋 psoas major と腸骨筋 iliacus ＝腸腰筋 iliopsoas
  小腰筋 psoas minor

後方筋群，すなわち大転子とその続きのところに停止のあるもの
2 梨状筋 piriformis
3 小殿筋 gluteus minimus
4 中殿筋 gluteus medius
5 大腿筋膜張筋 tensor fasciae latae
6 大殿筋 gluteus maximus

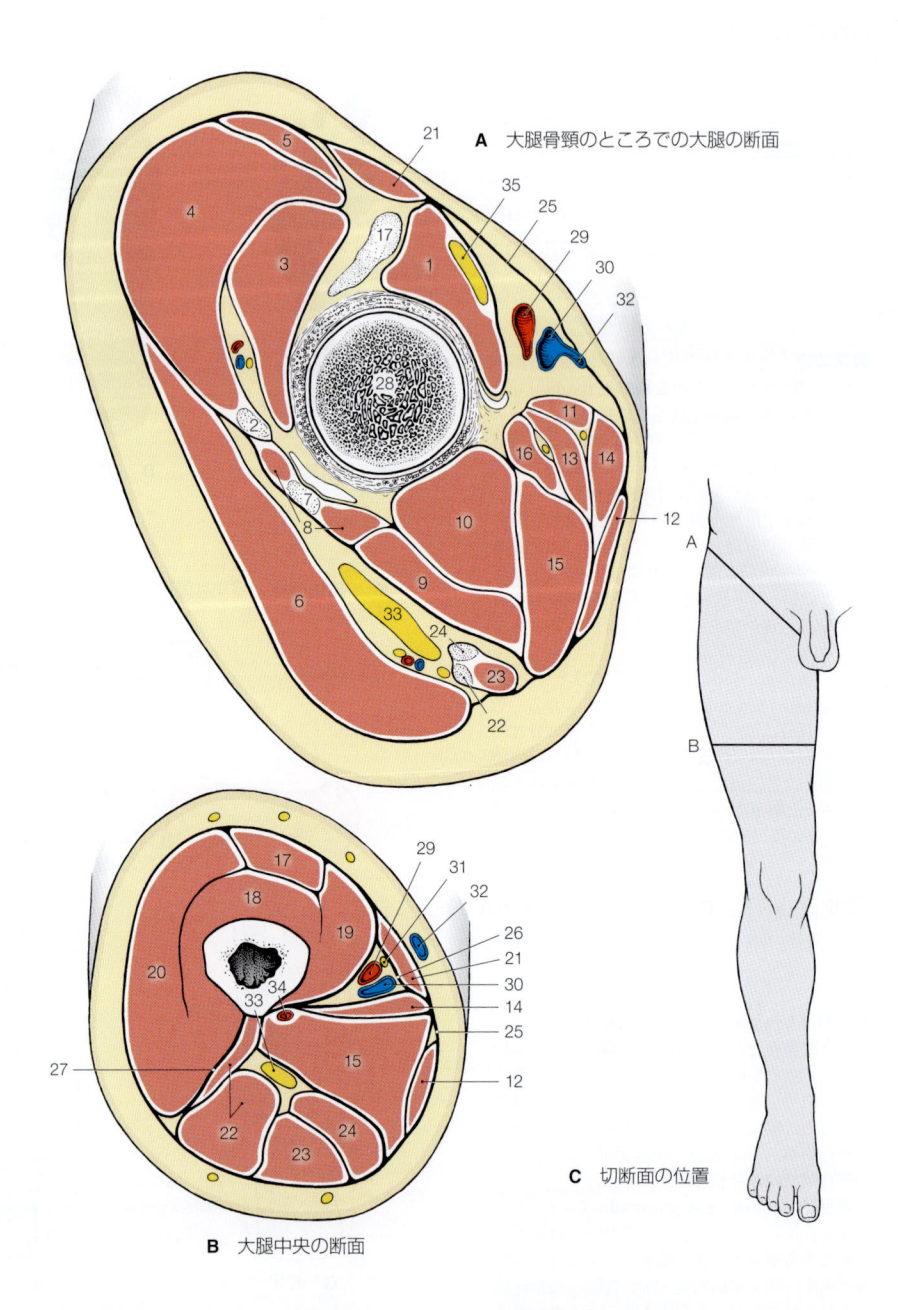

下肢帯の腹側の筋と大腿の内転筋群（117頁）：

7 内閉鎖筋 obturator internus
8 双子筋 gemellus
9 大腿方形筋 quadratus femoris
10 外閉鎖筋 obturator externus
11 恥骨筋 pectineus
12 薄筋 gracilis
13 短内転筋 adductor brevis
14 長内転筋 adductor longus
15 大内転筋 adductor magnus
16 小内転筋 adductor minimus*

大腿の前方筋群（122頁）：

17 大腿直筋 rectus femoris
18 中間広筋 vastus intermedius
19 内側広筋 vastus medialis
20 外側広筋 vastus lateralis からなる大腿四頭筋 quadriceps femoris
21 縫工筋 sartorius

大腿の後方筋群（123頁）：

22 大腿二頭筋 biceps femoris
23 半腱様筋 semitendinosus
24 半膜様筋 semimembranosus
   膝窩筋 popliteus（130頁）．

*B.N.A.用語．**J.N.A.用語．

25 大腿筋膜 fascia lata　26 広筋内転筋板**lamina vastoadductoria　27 外側大腿筋間中隔 lateral femoral intermuscular septum　28 大腿骨頸 neck of femur　29 大腿動脈 femoral artery　30 大腿静脈 femoral vein　31 伏在神経 saphenous nerve　32 大伏在静脈 great saphenous vein　33 坐骨神経 sciatic nerve　34 大腿深動脈 deep artery of thigh　35 大腿神経 femoral nerve

背側の下肢帯筋

小転子のところに停止のある前方筋群(A, B)

大腰筋(1)は浅部と深部とに分けられる．浅部は第12胸椎と第1〜第4腰椎の側面(2)およびそれらの間に介在する椎間円板から起こる．深部は第1〜第5腰椎の肋骨突起(3)から起こる．

この大腰筋は腸骨筋(4)と合して**腸腰筋(5)**となり腸骨筋膜に包まれ，腸恥隆起を越えて走り筋裂孔を通って小転子(6)に達して終わる．腸恥隆起のところには筋と骨の間に腸恥包 iliopectineal bursa がある．この滑液包は股関節包の前面にまでのびている．この腸恥包は股関節の腔と交通していることがある．腸骨筋の腱下包 subtendinous bursa of illiacus は小転子と腸腰筋の停止の間に見いだされる．大腰筋の深・浅両層の間には腰神経叢 lumbal plexus がある(198頁も参照)．

腸骨筋(4)は腸骨窩(7)から出るほか，下前腸骨棘のところからも起こる．この筋は大腰筋(1)と合して**腸腰筋(5)**となる．腸骨筋の筋線維は大腰筋の線維の前方で規則正しく停止しているが，腸骨筋の線維は小転子を越えて下方にまで達している．

腸腰筋は下肢を前方へあげるための最も強大な筋であって，この筋は歩行を可能ならしめ，さらに体幹の前屈と背臥位で体幹を持ち上げて支えるのに役立っている．腸腰筋はまた股関節の外旋筋としても作用している．大腰筋は腸骨筋とは異なって多関節性の筋である．なぜなら大腰筋は椎間関節と仙腸関節の上を越えるからである．このため大腰筋はまた脊柱の側方への屈曲にも協力的に働く．

神経支配：腰神経叢 lumbalr plexus と大腿神経 femoral nerve．大腰筋はL_1〜L_3，腸骨筋はL_2〜L_4の支配．

変異：小腰筋 psoas minor が50％以下のヒトにみられる．この筋は第12胸椎と第1腰椎から始まり腸腰筋膜の中へ入り込む．この筋は腸腰筋膜を介して腸恥隆起に終わるか，または腸恥筋膜弓(11)の中へ入り込む．

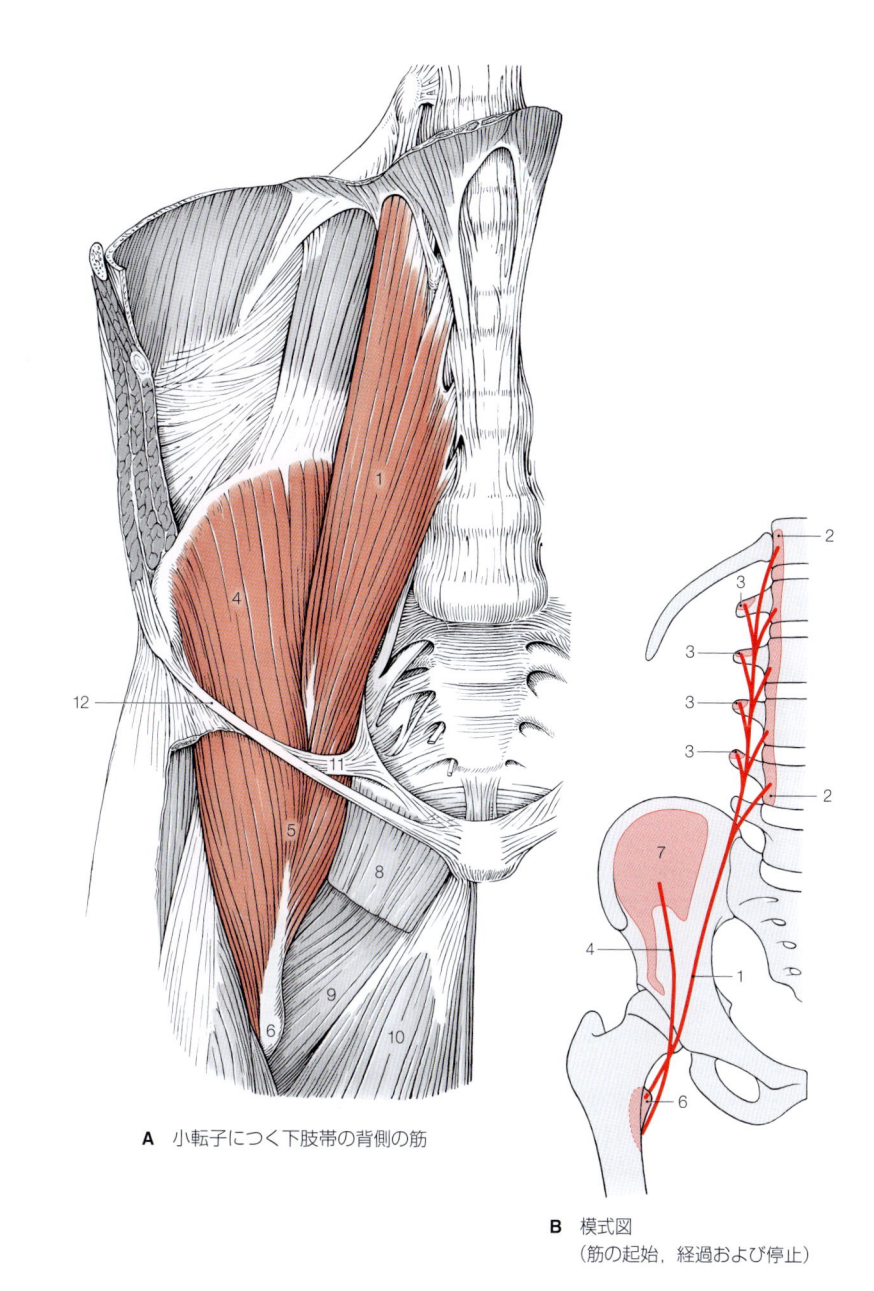

神経支配：腰神経叢 lumbar plexus (L_1〜L_3)．

大腰筋が第12肋骨頭から起こり，腸骨筋が股関節の関節包や仙骨からも起こることがある．

A 小転子につく下肢帯の背側の筋

B 模式図
（筋の起始，経過および停止）

臨床関連：流注膿瘍 gravitation abscess については47頁参照．

---

1 大腰筋 psoas major　2 第12胸椎と第1〜第4腰椎の側面 lateral surface of the vertebral bodies Th XII, L I〜IV　3 第1〜第5腰椎の肋骨突起 costal process L I〜V　4 腸骨筋 iliacus　5 腸腰筋 iliopsoas　6 小転子 lesser trochanter　7 腸骨窩 iliac fossa　8 恥骨筋 pectineus　9 小内転筋 adductor minimus　10 長内転筋 adductor longus　11 腸恥筋膜弓 iliopectineal arch　12 鼠径靱帯 inguinal ligament

背側の下肢帯筋（続き）

大転子のところに停止する後方筋群（A〜D）

大腿筋膜張筋（**1**）は上前腸骨棘（**2**）のところに始まり、大転子の下方で、脛骨の外側顆に付着する腸脛靱帯（**3**）に移行する。この筋は大腿骨頭を寛骨臼に押しつけている。さらにこの筋は屈筋、内旋筋および外転筋でもあって、中および小殿筋の前方にある筋束の働きを助ける。

神経支配：上殿神経 superior gluteal nerve（L_4とL_5）

強大な**大殿筋**（**4**）は起始に従って**浅部**と**深部**に分けられる。浅部は腸骨稜（**5**）、上後腸骨棘（**6**）、仙骨（**7**）および尾骨（**8**）から起こる。深部は後殿筋線の後ろの腸骨翼（**9**）、仙結節靱帯（**10**）および中殿筋の筋膜（殿筋腱膜 gluteal aponeurosis）から始まる。この筋の**上部**は腸脛靱帯（**3**）へ入り込むが、**下部**は殿筋粗面（**11**）に停止する。この筋と大転子との間には大きな大殿筋の転子包（**12**）がある。坐骨結節に対するこの筋の位置は体の姿勢によって変わる。立位ではこの筋は坐骨結節を覆うが、座位では覆わない。

大殿筋は股関節では主に伸筋と外旋筋として働き、骨盤がぐらつかないように筋による保護をしている。この筋は階段を昇るときや、座った状態から立ち上がるときに使われる。この筋の停止は多様であるため、外転筋としても内転筋としても作用する。大腿筋膜を張っている部分は外転作用をもち、殿筋粗面に停止のある部分は内転作用をもっている。両側の大殿筋は外肛門括約筋 external anal sphincter の収縮を助けている。

神経支配：下殿神経 inferior gluteal nerve （L_5〜S_2）

中殿筋（**13**）は腸骨翼の前および後殿筋線の間にある殿筋面（**14**）、腸骨稜（**15**）および自身の筋膜（殿筋腱膜）から起こる。この筋は大転子（**16**）に帽子をかぶせたように終わる。停止腱と大転子との間には中殿筋の転子包 trochanteric bursa of gluteus medius がある。中殿筋の前部の筋線維は内旋筋および屈筋として、後部のそれは外旋筋および伸筋として、全体としては外転筋として作用する（ダンスのとき使われる）。

神経支配：上殿神経（L_4とL_5）

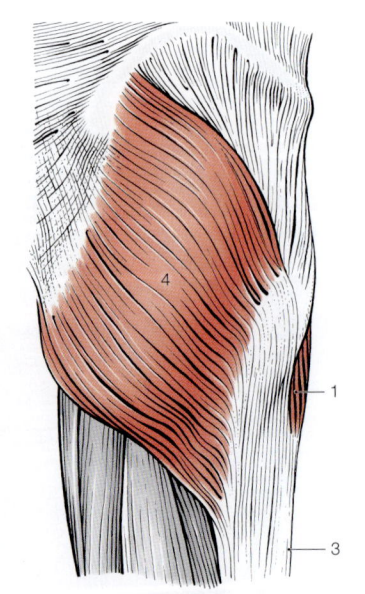

A　下肢帯の筋の後方群、大腿筋膜張筋と大殿筋

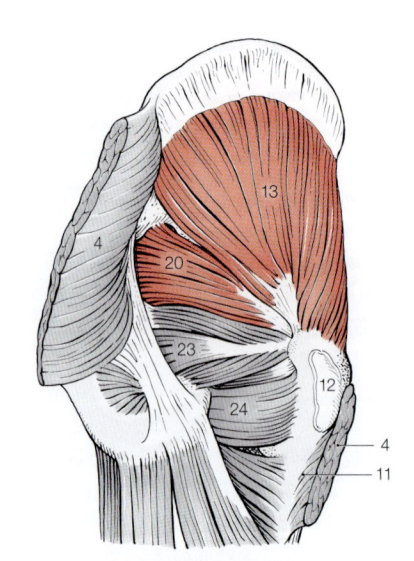

B　下肢帯の筋の後方群、梨状筋と中殿筋

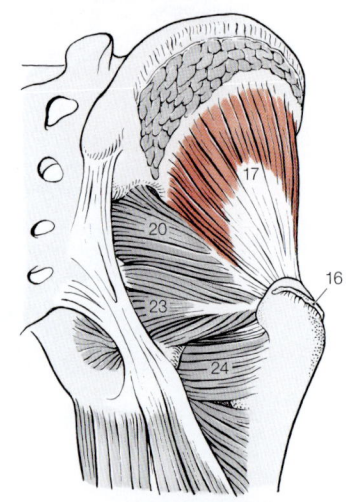

C　下肢帯の筋の後方群、梨状筋と小殿筋

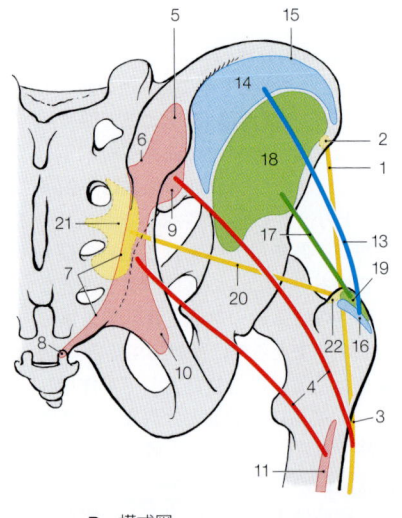

D　模式図（筋の起始、経過および停止）

小殿筋（**17**）はその起始が前および下殿筋線の間の腸骨翼の殿筋面（**18**）にあり、大転子（**19**）に停止をもつ。

この筋の停止のところには小殿筋の転子包 trochanteric bursa of gluteus minimus がある。この筋の機能は中殿筋と同じではあるが、外転筋としての働きは弱い。

神経支配：上殿神経（L_4〜S_1）

梨状筋（**20**）は数個の筋尖で仙骨の前面、詳しくは前仙骨孔の外側（**21**）および坐骨の大坐骨切痕の縁から起こる。この筋は大坐骨孔を通って大転子先端の内側面（**22**）に終わる。この筋は立位では大腿の外旋筋ならびに外転筋として作用し、後傾にも関与している。

神経支配：仙骨神経叢 sacrali plexus（L_5〜S_2）

変異：この梨状筋は坐骨神経または仙骨神経叢のほかの枝により数部に分割されていることがある。時にこの筋は部分的に、あるいは完全に欠如していることがある。

---

1 大腿筋膜張筋 tensor fasciae latae　2 上前腸骨棘 anterior superior iliac spine　3 腸脛靱帯 iliotibial tract　4 大殿筋 gluteus maximus　5 腸骨稜 iliac crest　6 上後腸骨棘 posterior superior iliac spine　7 仙骨 sacrum　8 尾骨 coccyx　9 腸骨翼（後殿筋線の後方；大殿筋の起始）ala of ilium　10 仙結節靱帯 sacrotuberous ligament　11 殿筋粗面 gluteal tuberosity　12 大殿筋の転子包 trochanteric bursa of gluteus maximus　13 中殿筋 gluteus medius　14 殿筋面（前および後殿筋線の間；中殿筋の起始）gluteal surface　15 腸骨稜　16 大転子 greater trochanter　17 小殿筋 gluteus minimus　18 殿筋面（前および下殿筋線の間；小殿筋の起始）　19 大転子　20 梨状筋 piriformis　21 前仙骨孔（の外側；梨状筋の起始）anterior sacral foramina　22 大転子（先端の内側面；梨状筋の停止）　23 内閉鎖筋 obturator internus　24 大腿方形筋 quadratus femoris

腹側の下肢帯筋（A～D）

神経叢の腹側層に支配される下肢帯の腹側筋は，機能的には外旋筋である．これらの筋は体の平衡保持の調節にとって大切なものである．もともと外旋筋は内旋筋よりも優位である．したがって下肢の正常位においても，足の先が幾分外方を向くようになり，これによって体を立てるのによりよい面が得られるわけである．

内閉鎖筋（**1**）は閉鎖孔のまわりの寛骨の内面および閉鎖膜に始まる．この筋は小坐骨孔をほとんど完全に埋めながら通過し，大腿骨の転子窩（**2**）に終わる．小坐骨切痕のところには内閉鎖筋の坐骨包 sciatic bursa of obturator internus がみられる．この部の骨はこの筋が作用するための支点として働く．この筋は大殿筋や大腿方形筋とともに，股関節における最も強大な外旋筋である．座位で前方へ下肢をあげるとき，この筋は外転筋としても働く．神経支配は双子筋と同じである．

両**双子筋** gemellus はいわば内閉鎖筋の辺縁部である．Lanz は両双子筋と内閉鎖筋を一緒にして**寛骨三頭筋** coxal triceps とも呼んでいる．**上双子筋**（**3**）は坐骨棘（**4**）から，**下双子筋**（**5**）は坐骨結節（**6**）から起こる．両筋は大腿骨の転子窩（**2**）に終わる．機能的にはこれらの筋は内閉鎖筋を助ける．

神経支配：仙骨神経叢 sacral plexus からの枝（L_5～S_2）

変異：しばしば上・下どちらかの双子筋が欠如することがあり，時には両双子筋が欠けることもある．また時に内閉鎖筋が付近の靱帯から起こる余分な筋束をもっている．

大腿方形筋（**7**）は坐骨結節（**6**）から起こり，四角形の筋板として転子間稜（**8**）に着く．この筋は大腿の強力な外旋筋で，内転筋としても働く．

神経支配：仙骨神経叢 sacral plexus の枝（L_5～S_2）

変異：この筋は欠如することがある．時に大内転筋と融合する．

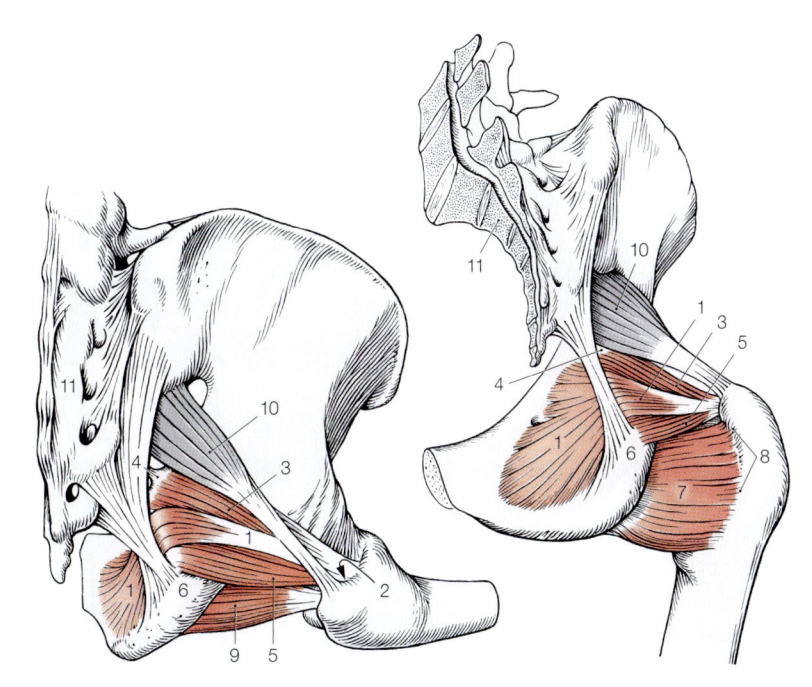

A 背側からみた下肢帯の腹側の筋，大腿は屈曲位

B 背側からみた下肢帯の腹側の筋，大腿は伸展位

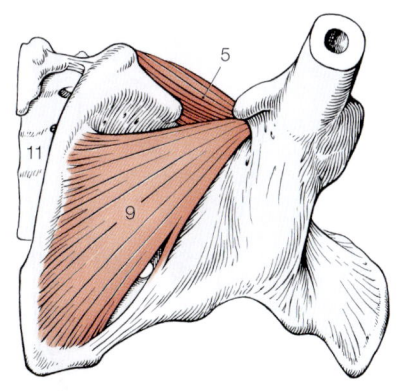

C 下方からみた外閉鎖筋

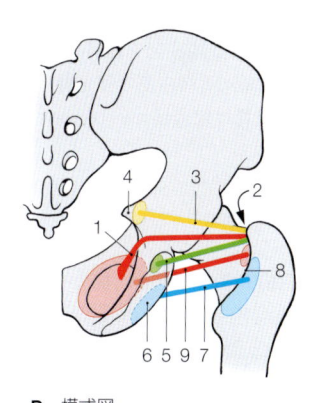

D 模式図（筋の起始，経過および停止）

外閉鎖筋（**9**）．閉鎖孔の内側骨縁の外面と閉鎖膜が，この筋の起始として役立っている．この筋は転子窩（**2**）へ行くが，（まれには）股関節包にも着く．

この筋は深部にあり，近隣の筋を全部除去した後に初めて表出することができる．

起始部ではこの筋は諸内転筋に，大腿のところでは大腿方形筋に覆われている．この筋は外旋筋であり，弱い内転筋でもある．

神経支配：閉鎖神経 obturator nerve（L_1～L_4）

---

1 内閉鎖筋 obturator internus　**2** 大腿骨の転子窩（内および外閉鎖筋の停止）trochanteric fossa　**3** 上双子筋 gemellus superior　**4** 坐骨棘（上双子筋の起始）ischial spine　**5** 下双子筋 gemellus inferior　**6** 坐骨結節（下双子筋および大腿方形筋の起始）ischial tuberosity　**7** 大腿方形筋 quadratus femoris　**8** 転子間稜（大腿方形筋の停止）intertrochanteric crest　**9** 外閉鎖筋 obturator externus　**10** 梨状筋 piriformis　**11** 仙骨 sacrum

大腿の内転筋群(A〜D)

大腿の内転筋に属するものは，
- 外閉鎖筋(117頁)．
- 薄筋，
- 恥骨筋，
- 短内転筋，
- 長内転筋(119頁)および
- 小内転筋(119頁)を伴う大内転筋(119頁)である．

内転筋はすべて閉鎖神経によって支配されている．そのほかに大腿神経(恥骨筋へ)と脛骨神経(大内転筋へ)の支配も受ける．

薄筋(1) は恥骨結合の近くの恥骨下枝(2)から起こり，内転筋群では唯一の2関節性の筋として脛骨の内側面(3)に達して，そこで半腱様筋および縫工筋と一緒になり浅鵞足*(4)の形で終わる．この筋は大腿の最も内側で体表の直下にある．大腿を外転するとき，この筋の起始が皮膚の下ではっきりと盛り上がってくる．

膝を伸ばした状態では，この筋は大腿の内転筋および股関節の屈筋として作用する．そのほかこの筋は膝関節を曲げる．鵞足のところで，上記の3つの筋の停止腱と脛骨の間にきまって鵞足包 anserine bursa という滑液包がみられる．

神経支配：閉鎖神経 obturator nerve の前枝 anterior branch (L_2〜L_4)

恥骨筋(5) は腸恥隆起から恥骨結節(7)までの間の恥骨櫛(6)に沿って起こる．この筋は細長い長方形を呈して下方へ斜走する．その際この筋の近位(上部)の線維は小転子のすぐ後ろを走る．この筋の停止は大腿骨上部の恥骨筋線(8)と粗線の近位部(9)に見いだされる．

恥骨筋は腸腰筋(115頁)とともに腸恥窩 iliopectineal fossa** の底をつくっている．恥骨筋は股関節を曲げ(前傾)，大腿を内転し，弱い外旋筋としても働く．

神経支配：大腿神経 femoral nerve (L_2とL_3)および閉鎖神経の前枝 anterior branch (L_2〜L_4)

短内転筋(10) は恥骨結合の近くの恥骨下枝(11)から起こり，大腿骨の粗線内側唇(9)の上部1/3に達する．この筋は長内転筋と密接な関係にある．短内転筋は内転作用のほかに，股関節では外旋筋ならびに弱い屈筋としても働く．

神経支配：閉鎖神経の前枝 anterior branch of obturator nerve (L_2〜L_4)

*鵞足 Pes anserinus とは B.N.A. および J.N.A. 用語で，縫工筋，半腱様筋，薄筋，半膜様筋の付着腱が合して下腿筋膜に放散する状態をいう．縫工筋，半腱様筋，薄筋のそれは浅部に，半膜様筋のそれは深部にあるので，浅鵞足，深鵞足と呼び分ける．

** J.N.A. 用語．

A 大腿の内転筋群，薄筋，恥骨筋および短内転筋

B 短内転筋が単独で表出されている

C 大腿近位部の断面(大腿骨頸を通る)

D 模式図(筋の起始，経過および停止)

---

1 薄筋 gracilis 2 恥骨下枝 inferior pubic ramus 3 脛骨(の内側面；薄筋の停止)medial surface of tibia 4 浅鵞足 superficial pes anserinus 5 恥骨筋 pectineus 6 恥骨櫛(恥骨筋の起始)pecten pubis 7 恥骨結節(恥骨筋の起始)pubic tubercle 8 恥骨筋線(恥骨筋の停止)pectineal line 9 粗線の近位部(恥骨筋の停止)；粗線内側唇(の上1/3；短内転筋の停止)linea aspera ; medial lip 10 短内転筋 adductor brevis 11 恥骨下枝(短内転筋の起始) 12 長内転筋 adductor longus 13 大内転筋 adductor magnus 14 小内転筋 adductor minimus 15 外閉鎖筋 obturator externus 16 大腿方形筋 quadratus femoris 17 半腱様筋 semitendinosus 18 縫工筋 sartorius 19 腸腰筋 iliopsoas

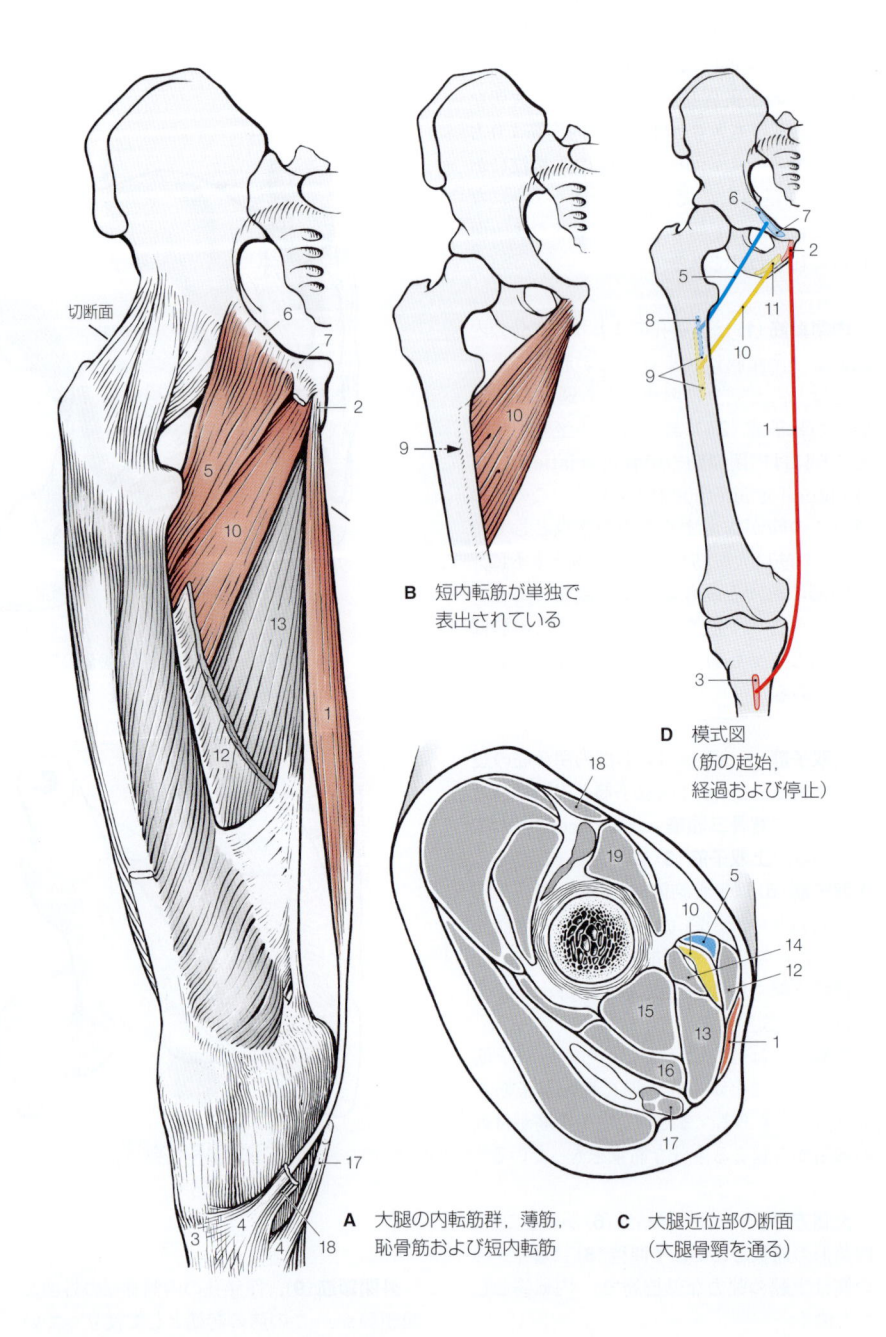

大腿の内転筋群(続き)(A〜D)

長内転筋(**1**)は恥骨上枝(**2**)から起こる.この筋は大腿骨の粗線内側唇の中1/3(**3**)に終わる.この長内転筋は大内転筋(**4**)の前に重なっており,大腿骨の近くの長内転筋の近位部でのみ,これら両筋の間に短内転筋(**5**)がずれ込んでいる.遠位部ではこの長内転筋の線維は内転筋管(下記を参照)の中にまで達している.この筋はまず第1に内転筋および外旋筋であって,そのほか大腿の軽度の前傾(屈曲)を行うことができる.

神経支配:閉鎖神経の前枝 anterior branch (L₂〜L₄)

大内転筋(**4**)は恥骨下枝の前面(**6**)および坐骨枝の前面(**7**)から坐骨結節(**8**)までの間に起こる.この筋の強大な筋腹は大腿骨の内側面を下方へ向かい,2つの部分に分かれる.一部(**9**)は筋性部で筋のまま粗線の内側唇(**10**)に,他の部(**11**)は腱となって大腿骨の内側上顆の内転筋結節(**12**)に終わる.腱性部は同時に内側大腿筋間中隔をつくり,大腿の内側面で屈筋と伸筋を分けている.

大内転筋の両停止の間に裂隙状の開口すなわち**内転筋腱裂孔**(**13**)が生じる.この腱性部は内側広筋の後方しかも膝窩の内側部(内側広筋の後ろにある)の前で皮膚を通して触れることができる.

大内転筋は強力な内転筋で下肢を交叉させるとき決定的に関与する.この筋の粗線に停止する部分は外旋筋として働く.もちろん内側上顆に達する部分は,下肢が外旋して曲げられた状態にあるときには内旋筋として作用する.そのほかこの筋は股関節の伸筋としても働く.

小内転筋(**14**)は大内転筋から不完全に分かれた筋である.その線維は恥骨下枝(**6**)から大内転筋の最前部として起こり,固有の大内転筋の上部の線維と交叉しながら粗線の内側唇(**10**)に達する.この筋は大腿を内転し,外旋する.

神経支配:大・小内転筋に共通である.閉鎖神経 obturator nerve は粗線に終わる筋性部を,脛骨神経 tibial nerve は内転筋結節に終わる部分を支配する (L₃〜L₅).

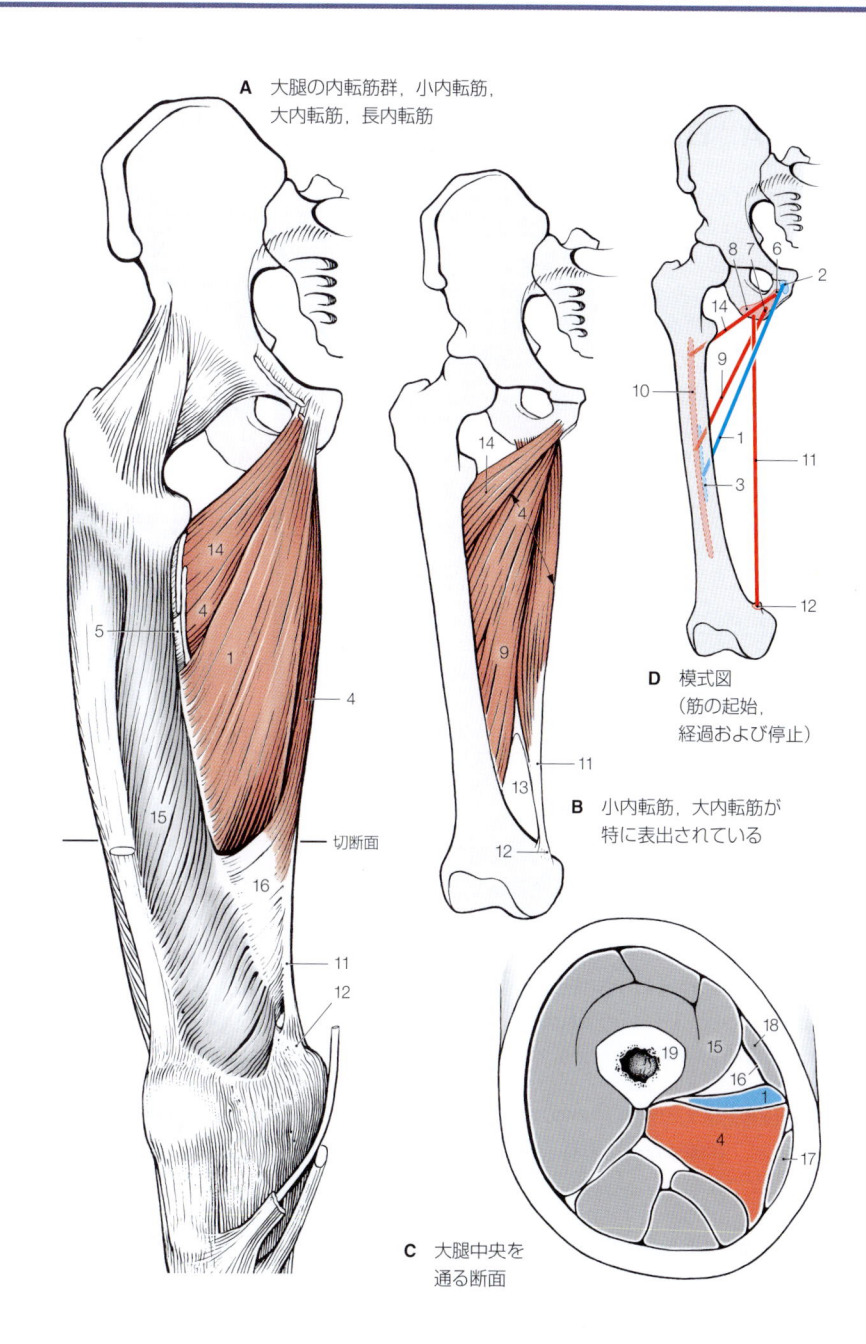

A 大腿の内転筋群,小内転筋,大内転筋,長内転筋

B 小内転筋,大内転筋が特に表出されている

C 大腿中央を通る断面

D 模式図(筋の起始,経過および停止)

大内転筋(**4**)の筋性部(**9**)からは腱膜様に並ぶ腱線維が分かれて出てきて,内側広筋(**15**, 122頁)の腱性の表面に移行していく.この腱線維は**広筋内転筋膜***(**16**)といわれる.この膜の中へ長内転筋(**1**)の線維も入り込んでいく.広筋内転筋膜,大内転筋,長内転筋および内側広筋の間にはそれらによってトンネルがつくられることになる.このトンネルが**内転筋管** adductor canal であって,**内転筋腱裂孔** adductor hiatus(上記を参照)となって膝窩に開く.

* P.N.A. 用語ではない.J.N.A.の**広筋内転筋板** lamina vastoadductoria のことである.また,ドイツ語系では広筋内転筋間中隔 Septum intermusculare vastoadductorium ともいわれる.

---

1 長内転筋 adductor longus　2 恥骨上枝(長内転筋の起始)superior pubic ramus　3 大腿骨の粗線内側唇(の中1/3;長内転筋の停止) medial lip of linea aspera　4 大内転筋 adductor magnus　5 短内転筋 adductor brevis　6 恥骨下枝(の前面;大内転筋の起始) inferior pubic ramus　7 坐骨枝(の前面;大内転筋の起始) ramus of ischium　8 坐骨結節(大内転筋の起始) ischial tuberosity　9 大内転筋(の筋性部)　10 粗線の内側唇(大内転筋の停止) medial lip of linea aspera　11 大内転筋(の腱性部)　12 内転筋結節(大内転筋の停止) adductor tubercle　13 内転筋腱裂孔 adductor hiatus　14 小内転筋 adductor minimus　15 内側広筋 vastus medialis　16 広筋内転筋膜 vastoadductor membrane　17 薄筋 gracilis　18 縫工筋 sartorius　19 大腿骨 femur

下肢帯の筋と大腿の内転筋群の作用（A，B）

下肢帯の若干の筋は起始面も停止面も大きいので，そのような筋の個々の部分は非常に異なった運動を行うことができる．そのほか顧慮すべきことは，2，3の筋は股関節だけでなく椎間関節あるいは膝関節の上に張っているということである．附加的に椎間関節に働く筋としては
- 大腰筋

膝関節に働く筋としては
- 薄筋
- 広靱帯脹筋
- 縫工筋
- 大腿直筋
- 半膜様筋
- 半腱様筋
- 二頭筋の長頭

外旋 lateral rotation と**内旋** medial rotation とが**下肢の縦軸**のまわりの運動で区別される．股関節を伸ばしたときには内旋の範囲は大きく，外旋のそれは小さい．股関節を曲げたときには，抑制靱帯はゆるんで外旋できる範囲は内旋よりもずっと大きくなる．

横軸を中心とした運動は**伸展** extension（背屈 dorsiflexion，後傾 retroversion）と**屈曲** flexion（前屈 anteflexion，前傾 anteversion）である．

矢状軸は中心としては開脚すなわち**外転** abduction と，閉脚すなわち**内転** adduction を行うことができる．

外旋（A）筋には：大殿筋 gluteus maximus（赤，下殿神経 inferior gluteal nerve），大腿方形筋 quadratus femoris（青，下殿神経 inferior gluteal nerve，仙骨神経叢 sacral plexus），内閉鎖筋 obturator internus（黄，下殿神経 inferior gluteal nerve，仙骨神経叢 sacral plexus），中殿筋 gluteus medius と小殿筋 gluteus minimus の背側部の線維（オレンジ，上殿神経 superior gluteal nerve），腸腰筋 iliopsoas（緑，腰神経叢 lumbal plexus，大腿神経 femoral nerve），外閉鎖筋 obturator externus（茶，閉鎖神経 obturator nerve），内転機能をもつすべての筋（恥骨筋 pectineus と薄筋 gracilis を除く，紫，閉鎖神経 obturator nerve，脛骨神経 tibial nerve），梨状筋 piriformis（灰，仙骨神経叢 sacral plexus）および縫工筋 sartorius（122頁参照，ここには描かれていない）．

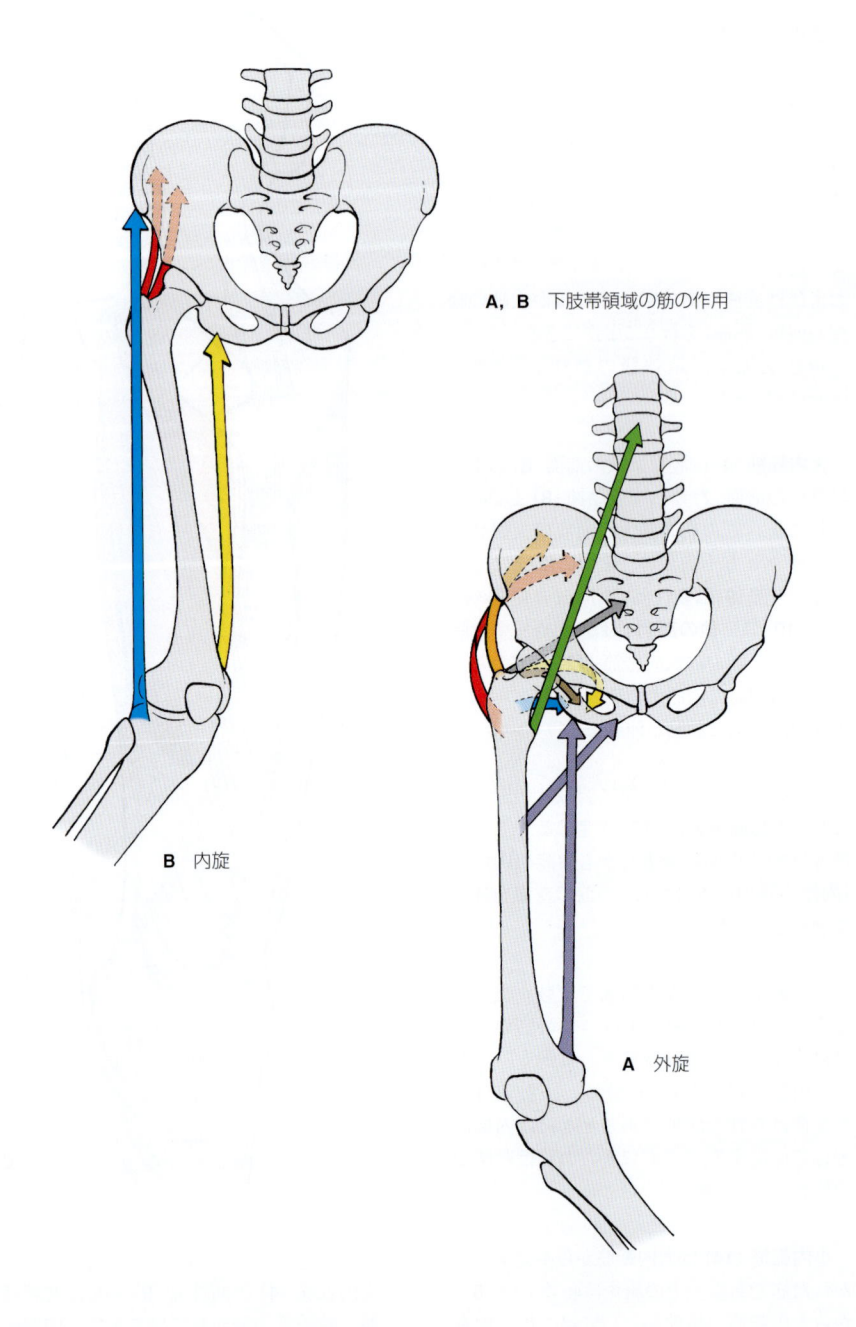

内旋（B）を行うものは：中殿筋 gluteus medius と小殿筋 gluteus minimus の腹側部の線維（赤，上殿神経 superior gluteal nerve），大腿筋膜張筋 tensor fasciae latae（青，上殿神経 superior gluteal nerve）および大内転筋 adductor magnus の内転筋結節に終わる部分（黄，脛骨神経 tibial nerve）．

A，B 下肢帯領域の筋の作用

B 内旋

A 外旋

同じように恥骨筋（描かれていない）は，下肢が外転位にあるときには内旋筋として働く．

矢印の色は個々の運動に際して筋の重要度が次の順序であることを示す：
赤，青，黄，オレンジ，緑，茶，紫，灰

括弧内に支配神経をあげた．

下肢帯の筋と大腿の内転筋群の作用
(続き) (A～D)

股関節の伸筋 (A) として働くものは:
- 大殿筋 gluteus maximus (赤, 下殿神経 inferior gluteal nerve),
- 中殿筋 gluteus medius と小殿筋 gluteus minimus とその背側部の線維 (青, 上殿神経 superior gluteal nerve), 大内転筋 adductor magnus (緑, 閉鎖神経 obturator nerve と脛骨神経 tibial nerve) および梨状筋 piriformis (茶, 坐骨神経叢 sciatic plexus).

そのほか次の大腿の諸筋も股関節の伸展に関与する:
- 半膜様筋 semimembranosus (黄, 脛骨神経 tibial nerve, 123頁), 半腱様筋 semitendinosus (オレンジ, 脛骨神経 tibial nerve と総腓骨神経 common fibular nerve, 123頁) および大腿二頭筋の長頭 long head of biceps femoris (紫, 脛骨神経 tibial nerve, 123頁).

臨床関連: 最も重要な伸筋である大殿筋が障害された場合には, 平地での立位 (静止) および歩行はできるが, 座位から能動的に立ちあがることができなくなる.

屈曲 (B) のときに働くものは:
- 腸腰筋 iliopsoas (赤, 腰神経叢 lumbar plexus と大腿神経 femoral nerve),
- 大腿筋膜張筋 tensor fasciae latae (オレンジ, 上殿神経 superior gluteal nerve),
- 恥骨筋 pectineus (緑, 大腿神経 femoral nerve と閉鎖神経 obturator nerve),
- 長内転筋 adductor longus (茶, 閉鎖神経 obturator nerve), 短内転筋 adductor brevis (茶, 閉鎖神経 obturator nerve) および薄筋 gracilis (茶, 閉鎖神経 obturator nerve).

次の大腿の筋も股関節の屈筋である:
- 大腿直筋 rectus femoris (青, 大腿神経 femoral nerve, 122頁) および
- 縫工筋 sartorius (黄, 大腿神経 femoral nerve, 122頁).

臨床関連: 腸腰筋が障害された場合には, 座位のとき水平状態を仲立ちとする屈曲がより困難となる.

外転 (C) に関与するものは:
- 中殿筋 gluteus medius (赤, 上殿神経 superior gluteal nerve),
- 大腿筋膜張筋 tensor fasciae latae (青, 上殿神経 superior gluteal nerve),
- 大殿筋 gluteus maximus の大腿筋膜に終わる部分 (黄, 下殿神経 inferior gluteal nerve),
- 小殿筋 gluteus minimus (オレンジ, 上殿神経 superior gluteal nerve),
- 梨状筋 piriformis (緑, 仙骨神経叢 sacral plexus),
- 内閉鎖筋 obturator internus (茶, 下殿神経 inferior gluteal nerve).

臨床関連: 外転筋が麻痺した場合には健側の骨盤は固定できなくなる. すなわち, 患側脚で立位姿勢をとるとき健側の骨盤が下降する (トレンデレンブルグ徴候 Trendelenburg's sign).

内転筋 (D) として働くものは: 大内転筋 adductor magnus と小内転筋 adductor minimus (赤, 閉鎖神経 obturator nerve と脛骨神経 tibial nerve), 長内転筋 adductor longus (青, 閉鎖神経 obturator nerve), 短内転筋 adductor brevis (青, 閉鎖神経 obturator nerve), 大殿筋 gluteus maximus の大腿骨殿筋粗面に停止する部分 (黄, 下殿神経 inferior gluteal nerve, 仙骨神経叢 sacral plexus), 薄筋 gracilis (オレンジ, 閉鎖神経 obturator nerve), 恥骨筋 pectineus (茶, 閉鎖神経 obturator nerve), 大腿方形筋 quadratus femoris (紫, 下殿神経 inferior gluteal nerve, 仙骨神経叢 sacral plexus) および外閉鎖筋 obturator externus (描かれていない).

そのほか大腿の筋で内転にかなり関与するものは: 半腱様筋 semitendinosus (緑, 脛骨神経 tibial nerve).

矢印の色は個々の運動に際し筋の重要度が次の順序であることを示す:
赤, 青, 黄, オレンジ, 緑, 茶, 紫

括弧内に支配神経をあげた.

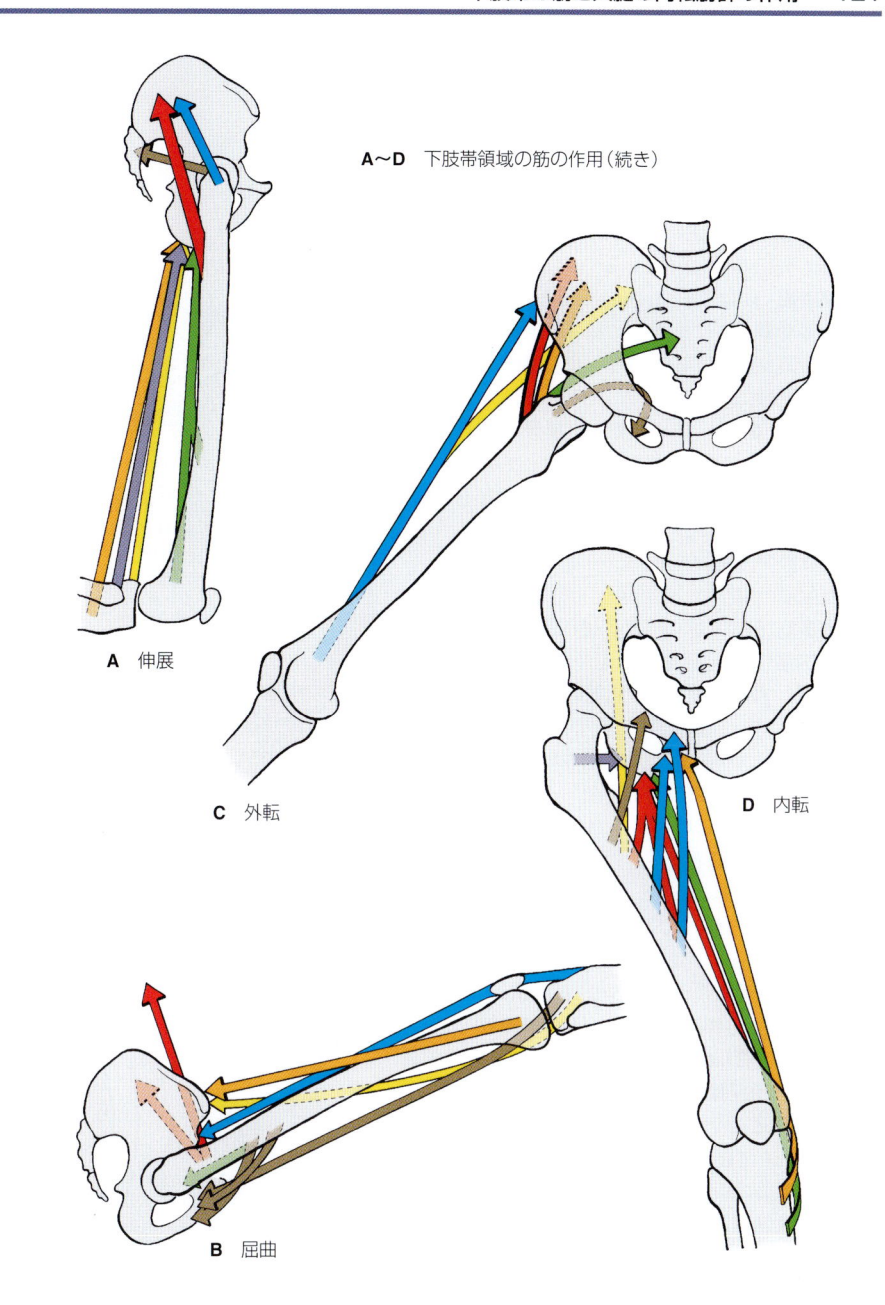

A～D 下肢帯領域の筋の作用 (続き)

A 伸展
B 屈曲
C 外転
D 内転

大腿の前方筋群（A～D）

大腿四頭筋 quadriceps femoris は4部からなっている．そのうち直筋すなわち大腿直筋は2関節性の筋であり，残りの3つは1関節性の筋によってつくられる溝の中へ入れられたような状態になっている．

大腿直筋（**1**）は直頭 straight head をもって下前腸骨棘（**2**）に，そして寛骨臼上溝にある反転頭 reflected head をもって股関節の寛骨臼の上縁に始まる．

中間広筋（**3**）は，その起始が大腿骨の前面と外側面（**4**）にあり，外側広筋に対してはよく境されているが，内側広筋に対する境界ははっきりしない．この中間広筋の線維の一部は膝関節筋 articularis genus をつくって，膝関節の関節包へ入り込む．

内側広筋（**5**）は粗線の内側唇（**6**）に始まる．

外側広筋（**7**）の起始（**8**）は大転子の外側面，転子間線，殿筋粗面および粗線の外側唇にある．

これらの4つの筋は合して1本の共通の腱をつくり，膝蓋骨（**9**）に停止する．この腱束は膝蓋骨の下方では膝蓋靭帯（**10**）に続き，脛骨粗面（**11**）に終わる．その際，表在の腱線維は膝蓋骨を越えるが，深部にある腱線維は膝蓋骨の上縁および両側縁に終わる．

主に内側広筋と少数の大腿直筋由来の腱線維は内側膝蓋支帯 medial patellar retinaculum を，また外側広筋と大腿直筋の腱線維は外側膝蓋支帯 lateral patellar retinaculum をつくる．腸脛靭帯の線維もこの外側膝蓋支帯へ入り込んでいく．これらの支帯は膝蓋骨を迂回して脛骨の内・外両側顆に着く．

大腿四頭筋は膝関節における伸筋である．そのうち大腿直筋は股関節をも曲げる．膝関節筋 articularis genus は伸展のさい，膝関節の関節包がはさみこまれるのを防いでいる．

神経支配：大腿神経 femoral nerve（L_2～L_4）

変異：大腿直筋の寛骨臼上縁（寛骨臼上溝 supraacetabular sulcus）から始まる部分は欠如することがある．同様に膝関節筋もみられないことがある．

縫工筋（**12**）は上前腸骨棘（**13**）に始まり，筒状の筋膜に納まって，大腿を斜めに越えて浅鵞足（**14**）に達している．浅鵞足ではこの筋は脛骨粗面の内側で下腿筋膜 deep fascia of leg に終わる（**15**）．縫工筋は2関節性の筋であって膝関節を曲げ，膝関節を曲げた状態では鵞足を形成するほかの筋とともに内旋筋として働く．そのほかこの筋は股関節で大腿を前傾（屈曲）することができる．しかも股関節に対しては，縫工筋はその経過に基づいて大腿の外旋筋としても働く．

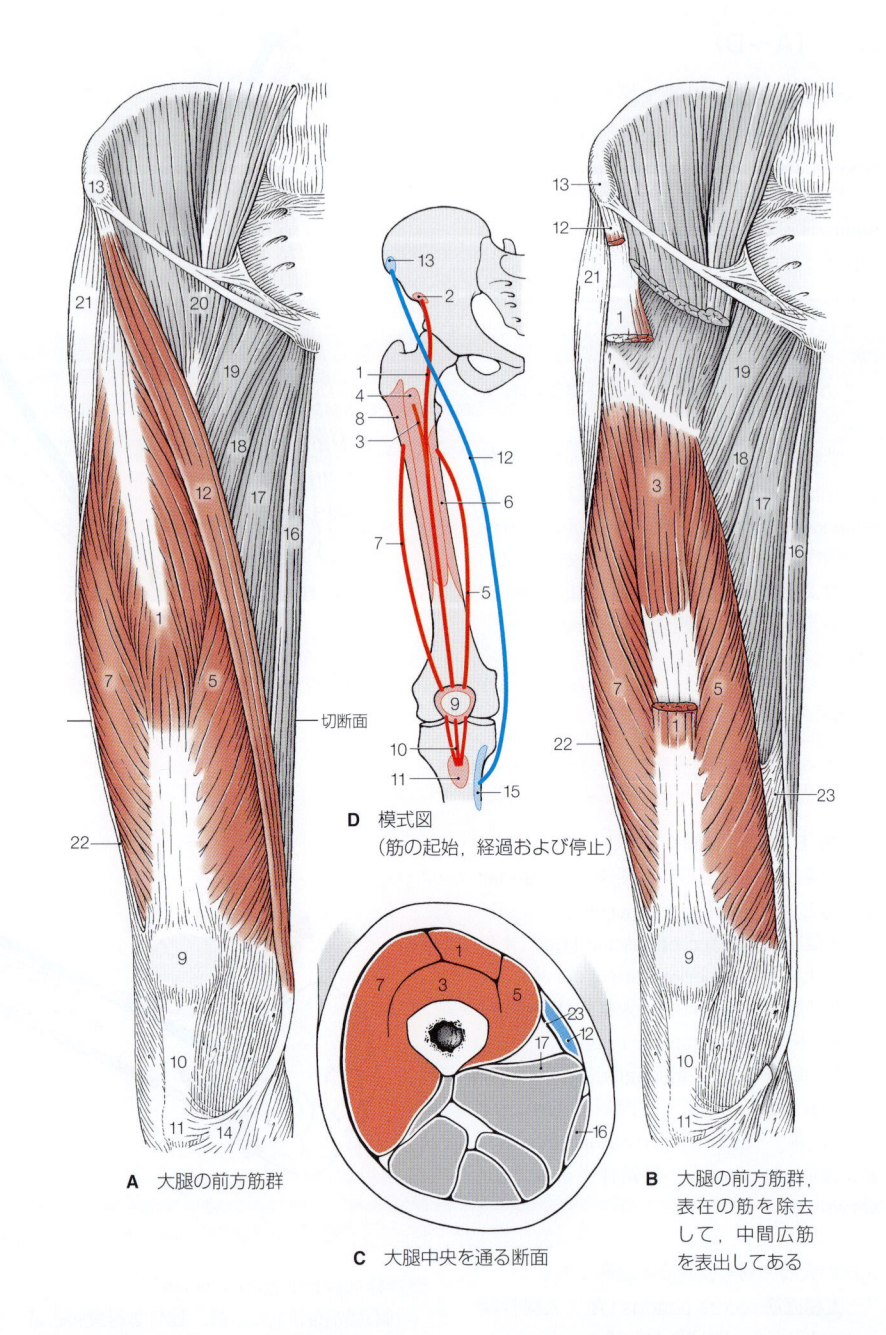

神経支配：大腿神経 femoral nerve（L_1～L_3）

A 大腿の前方筋群
B 大腿の前方筋群，表在の筋を除去して，中間広筋を表出してある
C 大腿中央を通る断面
D 模式図（筋の起始，経過および停止）

---

1 大腿直筋 rectus femoris　2 下前腸骨棘（大腿直筋の起始）anterior inferior iliac spine　3 中間広筋 vastus intermedius　4 前面と外側面（大腿骨の；中間広筋の起始）anterior surface, lateral surface　5 内側広筋 vastus medialis　6 粗線の内側唇（内側広筋の起始）medial lip of linea aspera　7 外側広筋 vastus lateralis　8 大転子（の外側面；外側広筋の起始の一部）greater trochanter　9 膝蓋骨（大腿四頭筋の停止）patella　10 膝蓋靭帯 patellar ligament　11 脛骨粗面（大腿四頭筋の停止）tibial tuberosity　12 縫工筋 sartorius　13 上前腸骨棘（縫工筋の起始）anterior superior iliac spine　14 浅鵞足 superficial pes anserinus　15 下腿筋膜 deep fascia of leg　16 薄筋 gracilis　17 長内転筋 adductor longus　18 短内転筋 adductor brevis　19 恥骨筋 pectineus　20 腸腰筋 iliopsoas　21 大腿筋膜張筋 tensor fasciae latae　22 大腿筋膜の断端 cut edge of fascia lata　23 広筋内転筋板 Lamina vastoadductoria

大腿の後方筋群（A～D）

大腿二頭筋（**1**）は2関節性の**長頭**と1関節性の**短頭**からなる．

長頭（**2**）は坐骨結節（**3**）で半腱様筋（**4**）と総頭 common head をつくって起こる．

短頭（**5**）は粗線の外側唇の中1/3（**6**）と外側筋間中隔から起こる．これら両頭は合して二頭筋（**1**）となり，腓骨頭（**7**）に終わる．その際この筋と膝関節の外側側副靱帯との間に大腿二頭筋の下腱下包 inferior subtendinous bursa of biceps femoris がある．

股関節では長頭は大腿を後傾するように働く．膝関節では大腿二頭筋は屈曲するように働き，屈曲した状態では下腿を外旋する．この筋は膝関節における唯一の外旋筋であって，すべての内旋筋に匹敵する作用をもっている．

神経支配：長頭は脛骨神経 tibial nerve（L_5～S_2），短頭は総腓骨神経 common fibular nerve（S_1とS_2）

変異：短頭は欠如することがある．また余分な筋線維が存在していることもある．

半腱様筋（**4**）は総頭 common head（上記を参照）の形をとって坐骨結節（**3**）から起こり，脛骨の内側面へ行き，そこで浅鵞足（**8**）をつくって薄筋（**9**）ならびに縫工筋（**10**）と一緒に終わる．この脛骨の内側面と鵞足との間で，筋が停止する手前のところに，大きな鵞足包 anserine bursa がある．2関節性の筋としてこの筋は，股関節では大腿の後傾に関与し，膝関節では下腿を曲げ，内旋するように働く．

神経支配：脛骨神経 tibial nerve（L_5～S_2）

変異：この筋の筋腹内に斜走する腱画がみられることがある．

半膜様筋（**11**）は坐骨結節（**3**）に始まる．この筋は半腱様筋と密接な関係をもっている．この筋の腱は内側側副靱帯の下方で3部に分かれる．**第1部**は前方へ向かって脛骨の内側顆へ行き，腱の**第2部**は膝窩筋の筋膜に移行するが，**第3部**は斜膝窩靱帯 oblique popliteal ligament として関節包の後壁へ入り込む．このように三分割された停止部は**深鵞足** deep pes anserinus とも呼ばれる．

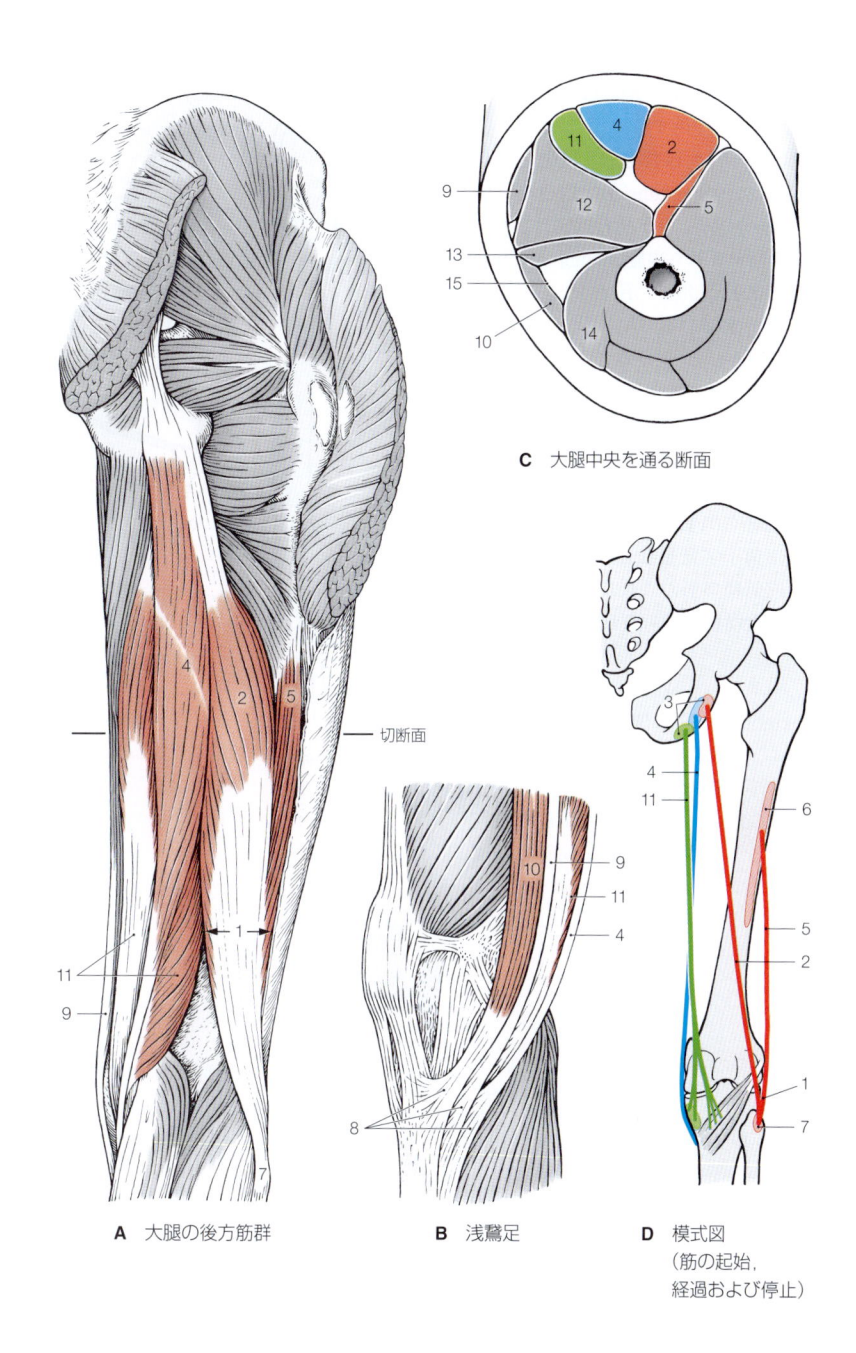

この筋は2関節性の筋として半腱様筋に似た作用をもっている．股関節ではこの筋は大腿を後傾し，膝関節では下腿を曲げると同時に内旋する．（分かれる前の）腱と腓腹筋の内側頭との間には半膜様筋［の滑液］包 semimembranosus bursa がある．この滑液包は時に腓腹筋の内側腱下包 medialis subtendinous bursa gastrocnemius（103頁）と連絡していることがある．

神経支配：脛骨神経 tibial nerve（L_5～S_2）

変異：この筋は時に欠如し，または半腱様筋と完全に融合していることがある．斜膝窩靱帯は必ずしも存在するとは限らない．

A 大腿の後方筋群　　**B** 浅鵞足　　**C** 大腿中央を通る断面　　**D** 模式図（筋の起始，経過および停止）

---

1 大腿二頭筋 biceps femoris　**2** 長頭（大腿二頭筋の）long head (biceps femoris)　**3** 坐骨結節（大腿二頭筋長頭，半腱様筋および半膜様筋の起始）ischial tuberosity　**4** 半腱様筋 semitendinosus　**5** 短頭（大腿二頭筋の）short head (biceps femoris)　**6** 粗線の外側唇（の中1/3；大腿二頭筋短頭の起始）lateral lip of linea aspera　**7** 腓骨頭（大腿二頭筋の停止）head of fibula　**8** 浅鵞足 superficial pes anserinus　**9** 薄筋 gracilis　**10** 縫工筋 sartorius　**11** 半膜様筋 semimembranosus　**12** 大内転筋 adductor magnus　**13** 長内転筋 adductor longus　**14** 内側広筋 vastus medialis　**15** 広筋内転筋板 *Lamina vastoadductoria*

膝関節での筋の作用（A～D）

ごく少数の筋だけがもっぱら膝関節に働く．たいていの筋は膝関節のほか股関節または跳躍関節にも作用する．

大腿骨の内・外両側顆を通る**横軸**を中心とした運動には**伸展** extension と**屈曲** flexion が区別される（95頁）．**下腿の縦軸**のまわりでは回旋運動すなわち**内旋** medial rotation と**外旋** lateral rotation とが行われる．回旋は側副靱帯が弛緩しているときにのみ可能である（104頁）．言い換えると，伸展位では能動的な回旋を行うことはできない．受動的には最大伸展時にも休脚の下腿を約5°外旋することができ，また立脚では約5°大腿を内旋，すなわちいわゆる"終末回旋" terminal rotation（104頁）を行うことができる．終末回旋は前十字靱帯によって生じるが，大腿骨の内側顆の形がこれに好都合にできており，また腸脛靱帯もこれを助ける（125頁）．

伸展 extension（**A**）に関与する筋は：ほとんどもっぱら大腿四頭筋 quadriceps femoris（赤，大腿神経 femoral nerve）である．重要なことではないが，この筋は大腿筋膜張筋に助けられる．大腿四頭筋は股関節を伸ばしたときに，よりよく働く．それはそのとき広筋 vasti（青）のほか大腿直筋 rectus femoris（赤）も，完全に作用を発揮するようになるからである．

> **臨床関連**：大腿四頭筋はすべての屈筋を一括した力よりもはるかに勝っている．この筋が麻痺したときには座位から能動的に起き上がることができなくなる．身体の重量線が横走する運動軸の前を走るときにのみ立位をとることが可能である．

屈曲 flexion（**B**）の際に働くものは：半膜様筋 semimembranosus（赤，脛骨神経 tibial nerve），半腱様筋 semitendinosus（青，脛骨神経 tibial nerve），大腿二頭筋 biceps femoris（黄，脛骨神経 tibial nerve と総腓骨神経 common fibular nerve），薄筋 gracilis（オレンジ，閉鎖神経 obturator nerve），縫工筋 sartorius（緑，大腿神経 femoral nerve），膝窩筋 popliteus（茶，脛骨神経 tibial nerve），および腓腹筋 gastrocnemius（紫，脛骨神経 tibial nerve）．

> **臨床関連**：膝関節の屈曲に際しては腓腹筋はわずかの働きをもつにすぎないが，大腿骨体の顆上骨折の際にはこの筋は遠位骨折片を背方および遠位方に牽引する．

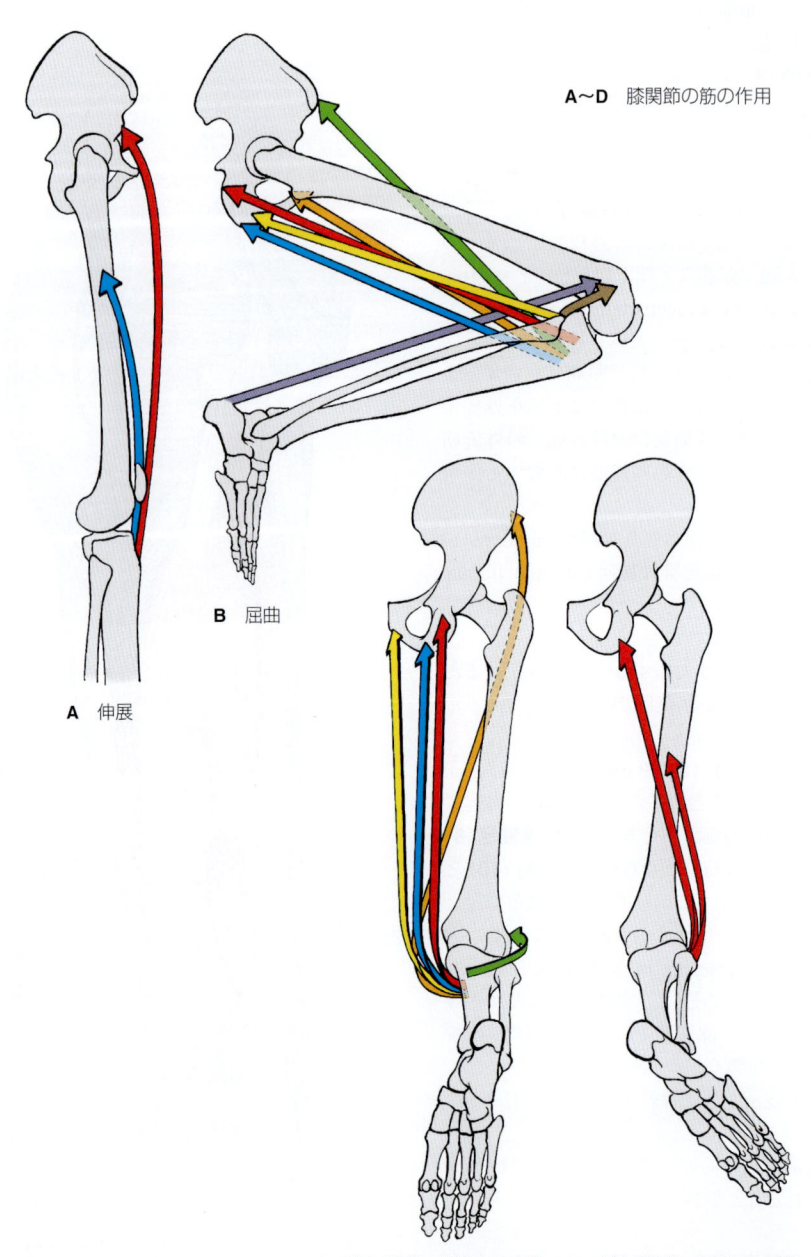

内旋筋（**C**）として働くものは：半膜様筋 semimembranosus（赤，脛骨神経 tibial nerve），半腱様筋 semitendinosus（青，脛骨神経 tibial nerve），薄筋 gracilis（黄，閉鎖神経 obturator nerve），縫工筋 sartorius（オレンジ，大腿神経 femoral nerve）および膝窩筋 popliteus（緑，脛骨神経 tibial nerve）．

外旋（**D**）の際に働くものは：大腿二頭筋 biceps femoris（赤，脛骨神経 tibial nerve と総腓骨神経 common fibular nerve）．この筋はほとんど唯一の下腿の外旋筋ともいえるもので，すべての内旋作用のある筋と対抗している．わずかながらこの筋は大腿筋膜張筋（描かれていない）に助けられる（終末回旋）．

矢印の色は個々の運動において，筋の重要度が次の順序であることを示す：

赤，青，黄，オレンジ，緑，茶，紫

括弧の中は，筋の支配神経を示す．

A～D 膝関節の筋の作用
A 伸展
B 屈曲
C 膝を曲げた状態での内旋
D 膝を曲げた状態での外旋

下肢帯と大腿の筋膜（A〜C）

　下肢帯領域の筋は種々の筋膜に包まれている．例えば腸腰筋は，大腰筋を包む丈夫な筒状の筋膜として内側腰肋弓（＝内側弓状靱帯）から始まる**腸腰筋膜** iliopsoas fascia の腰筋部 psoatic part の中に閉じ込められている．この部は腸骨部 iliac part と一緒に鼠径靱帯まで続き，腸恥筋膜弓 iliopectineal arch をつくって筋裂孔（50頁）を血管裂孔から分けている．

　大腿前面の鼠径靱帯の下方では恥骨筋が強い**恥骨筋膜** pectineal fascia に包まれており，この筋膜は腸骨筋膜とともに腸恥窩を覆う結合組織となっている．この腸恥窩 fossa iliopectinea は近位では鼠径靱帯によって境されている．

　殿部には薄い**殿筋筋膜**（**1**）があって大殿筋を覆い，この筋膜から個々の筋束の間を深部へ向かって中隔が入り込む．大殿筋とその下にある中殿筋の間には堅く丈夫な**殿筋腱膜** gluteal aponeurosis（116頁）があって，これから大殿筋の一部が起こる．そして殿溝のところでは浅在性の殿筋筋膜は大腿筋膜（**2**）に移行する．

　大腿筋膜 fascia lata は大腿の外側では平行に並ぶ線維からなる丈夫な結合組織層であって，内側へ向かうにつれて薄くなる．外側にある線維束は特に**腸脛靱帯**（**3**，116頁，207頁）として厚くなり，きわ立ってみえる．この腸脛靱帯へは大殿筋と大腿筋膜張筋が入り込む．数cm幅の腸脛靱帯は外側面を下方に向かい，脛骨の外側顆に終わるが，この部で外側膝蓋支帯と関係をもつようになる．

　大腿の前面では縫工筋（**4**）が固有の筋膜鞘の中に閉じ込められている．この筋は**広筋内転筋板**（**5**）を覆う．同様に薄筋（**6**）も固有の筒状の筋膜に納まっていて，ほかの筋膜からは切り離されている．いうまでもなく，大腿の筋はすべて固有の疎性線維性結合組織の薄い鞘をもっており，このため筋相互のずれが可能となっている．

　大腿筋膜の外側と内側からは粗線の方へ向かって深部へ1枚ずつ筋間中隔が入り込む．外側大腿筋間中隔（**7**）は比較的広く，種々の筋の起始として役立っている．この中隔は外側広筋（**8**）と大腿二頭筋の短頭（**9**）

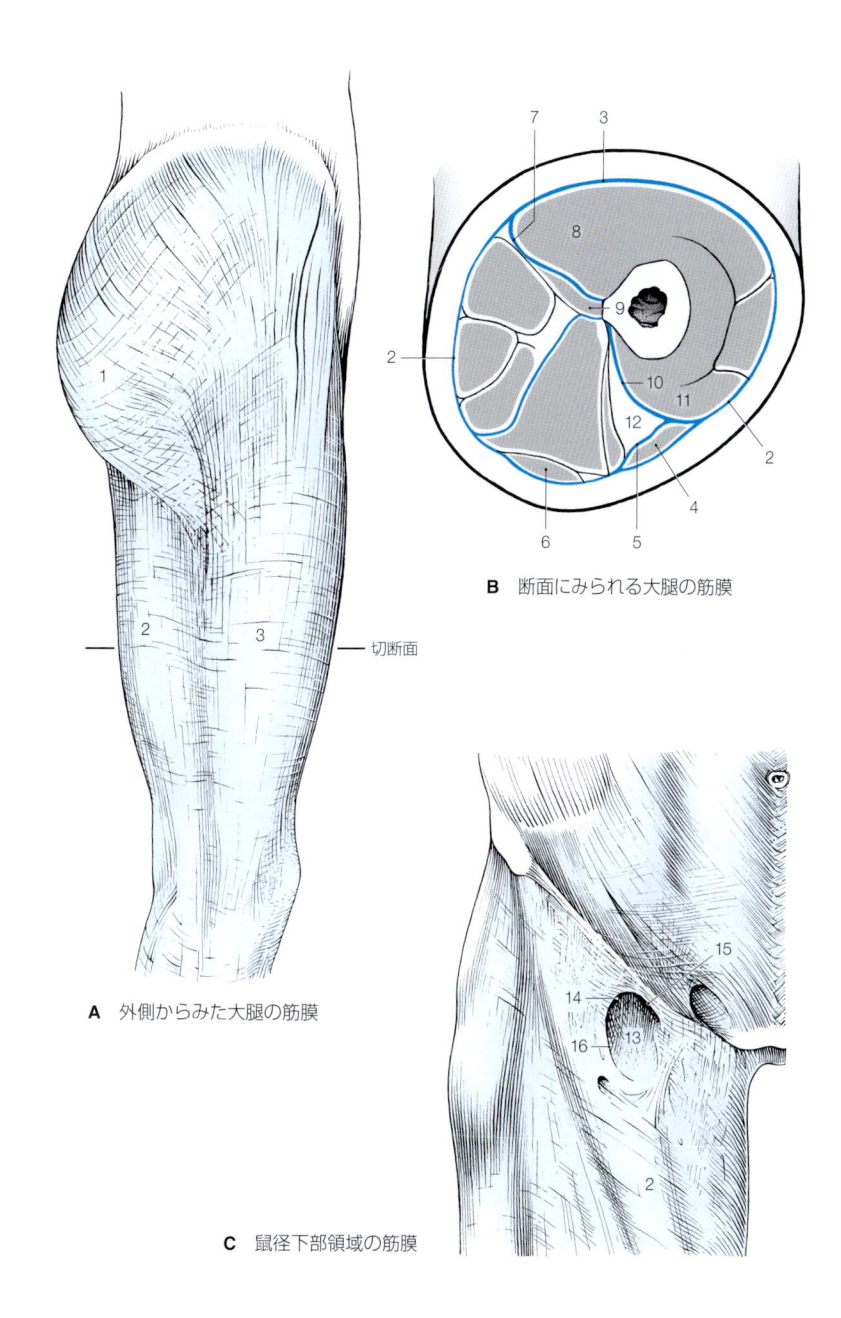

とを分けている．内側大腿筋間中隔（**10**）は内側広筋（**11**）と内転筋管（**12**）とを分けている．

　大腿の前面で鼠径靱帯の下方にあって，浅層では大腿筋膜に覆われる腸恥窩のところには，その部の大腿筋膜が疎になった部分があり，そこは**篩状筋膜** cribriform fascia で覆われている．この篩状筋膜は血管や神経に貫かれている．この筋膜を除去すると，**伏在裂孔**（**13**）がみえる．その外側縁すなわち鎌状縁（**14**）は明瞭な境界をつくっている．この鎌状縁は上角（スカルパ Scarpa の靱帯とも表される）（**15**）と下角（**16**）となって内方へ放散していく．

　大腿管と大腿ヘルニアについては50頁参照．

A 外側からみた大腿の筋膜

B 断面にみられる大腿の筋膜

C 鼠径下部領域の筋膜

---

1 殿筋筋膜 gluteal aponeurosis　**2** 大腿筋膜 fascia lata　**3** 腸脛靱帯 iliotibial tract　**4** 縫工筋 sartorius　**5** 広筋内転筋板 vasto-adductor plate　**6** 薄筋 gracilis　**7** 外側大腿筋間中隔 lateral femoral intermuscular septum　**8** 外側広筋 vastus lateralis　**9** 大腿二頭筋短頭 short head of biceps femoris　**10** 内側大腿筋間中隔 medial femoral intermuscular septum　**11** 内側広筋 vastus medialis　**12** 内転筋管 adductor canal　**13** 伏在裂孔 saphenous opening　**14** 鎌状縁 falciform margin　**15** 上角 superior horn　**16** 下角 inferior angle

下腿と足の長い筋

筋の分類（A～D）

下腿から起こる筋はすべて足の骨格に終わる．膝窩筋だけはその例外であって，大腿から起こって下腿に終わっており，大腿の筋に属すべきものである．下腿の筋はそれらの位置によってのみ分類され得る．まず第1に前方および後方の大きな群に分けられる．これら2つの主群は脛骨と腓骨と骨間膜によって分けられる．

これらの主群はさらに亜群または層に分けられる．前方筋群は前にある伸筋群と外側の亜群すなわち腓骨筋群からなる．下腿の後方にある屈筋群はさらに浅層筋すなわち腓腹（フクラハギ）の筋と深層筋とに分けられる．

機能的には下腿の筋を，前面にあって足の背屈に責任をもつ伸筋と，後方にあって足の底屈を行う屈筋とに区別する．

最後に神経支配に基づき，下腿の筋を神経叢の背側層からの神経を受けとるものと，その腹側層からの神経支配を受けるものとに分ける．

実用上の理由から，前腕のときと同様に，下腿の筋はその位置に従って記述されることになる．

下腿の前方筋群
伸筋群（127頁）
1 前脛骨筋 tibialis anterior
2 ［足の］長指伸筋 extensor digitorum longus
3 ［足の］長母指伸筋 extensor hallucis longus

腓骨筋群（128頁）
4 長腓骨筋 fibularis longus
5 短腓骨筋 fibularis brevis

下腿の後方筋群
浅層（129頁）
6 下腿三頭筋 triceps surae（アキレス腱 calcaneal tendon をもつ）は次の3筋からなる：
7 ヒラメ筋 soleus
8 腓腹筋 gastrocnemius
9 足底筋 plantaris

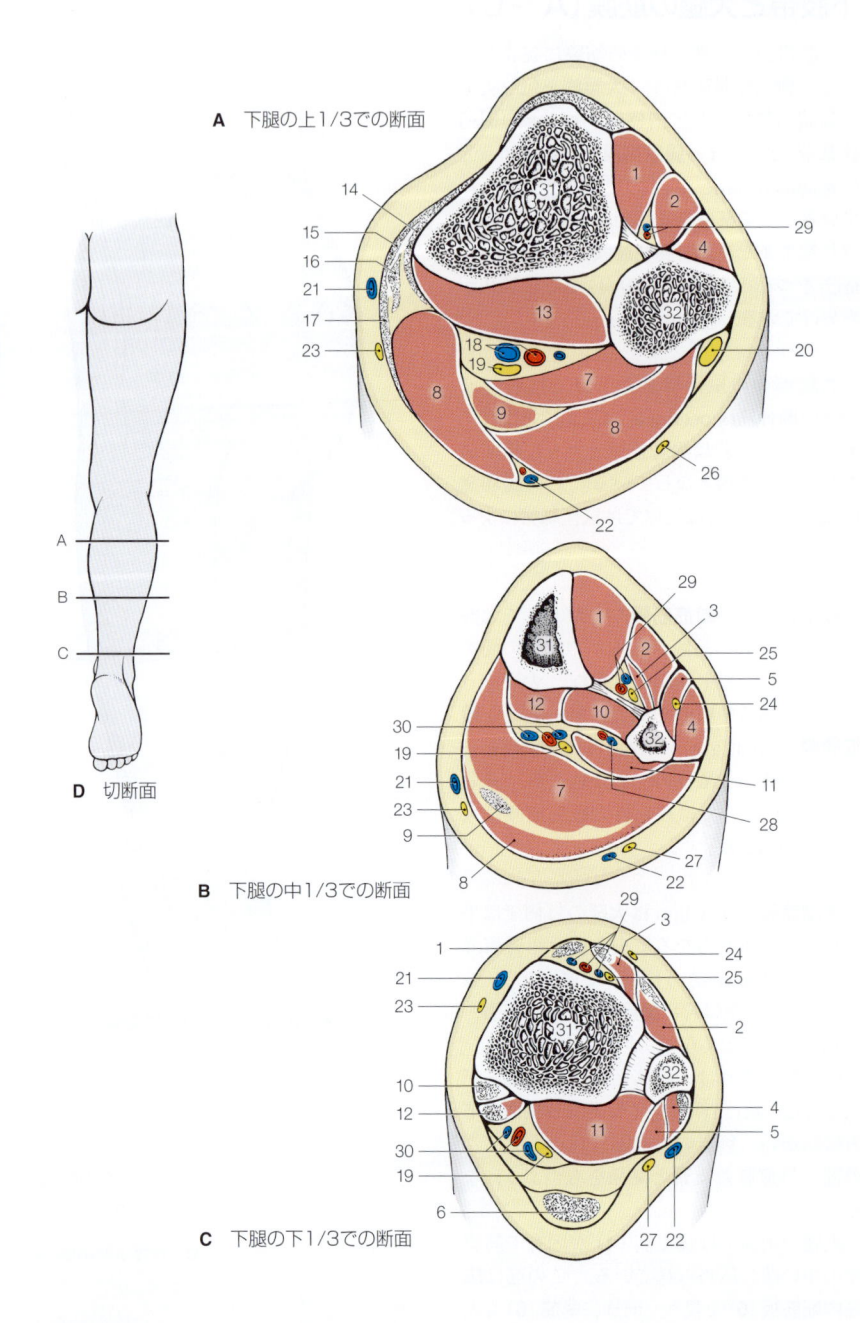

深層（130頁）
10 後脛骨筋 tibialis posterior
11 ［足の］長母指屈筋 flexor hallucis longus
12 ［足の］長指屈筋 flexor digitorum longus
13 膝窩筋 popliteus

A 下腿の上1/3での断面
B 下腿の中1/3での断面
C 下腿の下1/3での断面
D 切断面

14 半膜様筋 semimembranosus　15 縫工筋 sartorius　16 薄筋 gracilis　17 半腱様筋 semitendinosus　18 膝窩動・静脈 popliteal artery, popliteal vein　19 脛骨神経 tibial nerve　20 総腓骨神経 common fibular nerve　21 大伏在静脈 great saphenous vein　22 小伏在静脈 small saphenous vein　23 伏在神経 saphenous nerve　24 浅腓骨神経 superficial fibular nerve　25 深腓骨神経 deep fibular nerve　26 外側腓腹皮神経 lateral sural cutaneous nerve　27 腓腹神経 sural nerve　28 腓骨動脈 fibular artery　29 前脛骨動・静脈 anterior tibial artery, anterior tibial vein　30 後脛骨動・静脈 posterior tibial artery, posterior tibial vein　31 脛骨 tibia　32 腓骨 fibula

下腿の前方筋群

伸筋群（A～C）

前脛骨筋（**1**）は広い面をもって（**2**）脛骨の外側面，骨間膜および下腿筋膜から起こる．三角柱状の筋腹はやがて1本の腱になり，この腱は上伸筋支帯（**3**）と下伸筋支帯（**4**）の下を腱（の滑液）鞘に包まれて通り抜け，内側楔状骨（**5**）と第1中足骨（**6**）の足底面に終わる．停止腱と骨との間には前脛骨筋の腱下包 subtendinous bursa of tibialis anterior がみられる．

休脚では前脛骨筋は足を背側へ曲げ，同時に足の内側縁をあげる（回外）．立脚ではこの筋は下腿を足背に近づける．それは例えば急いで前向きに歩くとき，またはスキーをする時のような状態である．回内の際にもごくわずか関与することが記されている．

神経支配：深腓骨神経 deep fibular nerve（L_4とL_5）

臨床関連：負荷が特に大きい場合，前脛骨筋の疲労現象が起こり，その結果この筋の走向に沿って痛みが現れる．

［足の］**長指伸筋**（**7**）は広い領域（**8**）から起こる．すなわちこの筋の起始は脛骨の外側顆，腓骨頭と腓骨体の前縁，下腿筋膜および骨間膜である．この筋の腱は外果の高さで4本の細い腱に分かれ第2～5指へ向かう．

これらの腱は腱鞘に納まり，前脛骨筋の外側で足背を越えて上伸筋支帯（**3**）と下伸筋支帯（**4**）の下を通り第2～5指の指背腱膜に達して中節骨と末節骨に終わる．

休脚ではこの筋は足と足の指を背屈させ，立脚では前脛骨筋と同様に働く．

神経支配：深腓骨神経 deep fibular nerve（L_5とS_1）

特異事項：長指伸筋はもう1本の余分な腱をもっていることがあり，この腱は第5中足骨底，時には第4中足骨底にまで達している．この余分な腱は**第3腓骨筋**（**9**）といわれ，長指伸筋の固有の部分として腓骨の前縁の下1/3から起こることがある．機能的にはこの筋は下跳躍関節での回内筋であり，外転筋でもある．

長母指伸筋（**10**）は腓骨の内側面と骨間膜（**11**）から起こる．この筋は1本の腱に続いて行き，固有の腱（の滑液）鞘に包まれて，前脛骨筋の腱の腱鞘と長指伸筋の腱の腱鞘にはさまれ，上伸筋支帯（**3**）と下伸筋支帯（**4**）の下を通り抜けている．この腱は第1中足骨を越えて母指 great toe の指背腱膜に達し，この指の末節骨に終わる（**12**）．

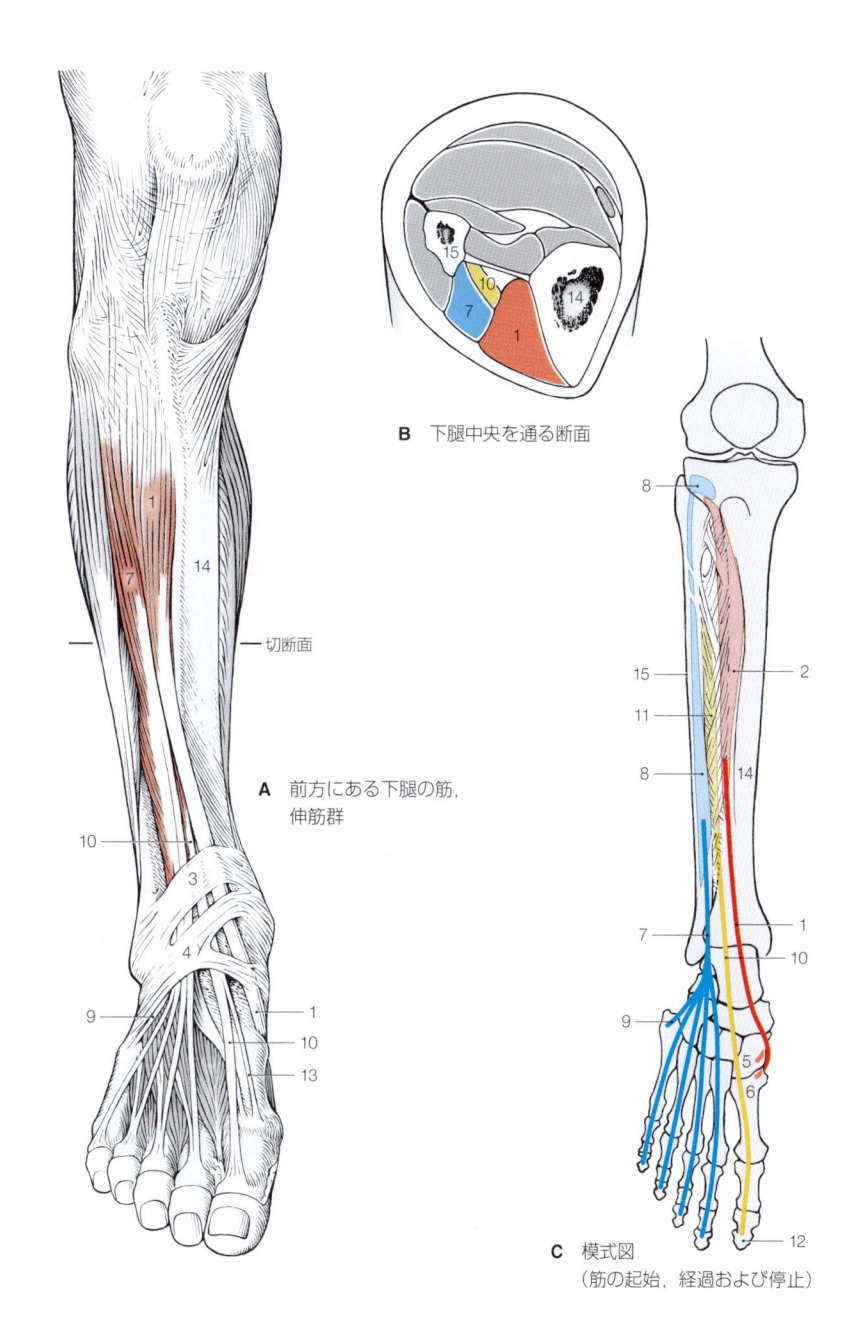

この長母指伸筋は母指を背側へ曲げ，休脚では足の背屈を助ける．立脚ではこの筋は前脛骨筋と同じように働くと同時に，下腿を足背に近づける．わずかながら，この筋は足の回内にも回外にも協力している．

神経支配：深腓骨神経 deep fibular nerve（L_4～S_1）

特異事項：副母指伸筋（**13**）として独立した筋束または腱束がしばしば分かれて第1中足骨もしくは中足指節関節の領域に終わることがある．この筋は特に主腱の内側にみられる．

A 前方にある下腿の筋，伸筋群

B 下腿中央を通る断面

C 模式図（筋の起始，経過および停止）

---

1 前脛骨筋 tibialis anterior　**2** 脛骨の外側面と下腿骨間膜（前脛骨筋の起始）lateral surface of tibia, interosseous membrane of leg　**3** 上伸筋支帯 superior extensor retinaculum　**4** 下伸筋支帯 inferior extensor retinaculum　**5** 内側楔状骨（前脛骨筋の停止）medial cuneiform　**6** 第1中足骨（前脛骨筋の停止）metatarsal bone [Ⅰ]　**7** ［足の］長指伸筋 extensor digitorum longus　**8** 脛骨の外側顆，腓骨頭，腓骨体の前縁，下腿骨間膜（長指伸筋の起始）lateral condyle of tibia, head of fibula, anterior border of shaft of fibula, interosseous membrane of leg　**9** 第3腓骨筋 fibularis tertius　**10** 長母指伸筋 extensor pollicis longus　**11** 腓骨体の内側面，骨間膜（長母指伸筋の起始）medial surface of shaft of fibula, interosseous membrane　**12** 母指の末節骨（長母指伸筋の停止）distal phalanx [Ⅰ]　**13** 副母指伸筋 accessory extensor hallucis　**14** 脛骨 tibia　**15** 腓骨 fibula

下腿の前方筋群（続き）

腓骨筋群（A～C）

これら腓骨筋は底屈するように作用する．もちろんこの作用はこれらの筋が外果の後ろへ移動したために，二次的に生じたものである．本来，腓骨筋は肉食獣でよくみられるように，外果の前に位置していたのである．

長腓骨筋（**1**）の起始（**2**）は脛腓関節の関節包，腓骨頭および腓骨の上半にある．

この筋は長い腱をもち，腓骨の外果の後ろで腓骨踝溝の中を短腓骨筋（**3**）の腱とともに，上腓骨筋支帯（**4**）の下を一つの共通の腱鞘に包まれて走る．この長腓骨筋の腱は踵骨の腓骨筋滑車の下にある長腓骨筋腱溝を，共通の腱鞘（腓骨筋の総腱鞘）の突出部に包まれ（下腓骨筋支帯（**5**）によって固定されて），第1中足骨粗面（**6**）および内側楔状骨（**7**）に着く．この腱は線維性の固有の管の中を立方骨（**8**）の長腓骨筋腱溝を通って停止部に達するが，その際この腱は外側から第5中足骨粗面の後ろを斜走して足の内側縁に達する．この足底にある線維性の管の内部にはもう一つの腱鞘（長腓骨筋の足底腱鞘）があって，その中に腱が納まっている．

その経過からこの筋は弓の弦のように働き（Kummerによる），横足弓を支持することになる．この筋は足の内側縁を沈下させ，短腓骨筋とともに最も強大な回内筋である．そのほかこの筋は底屈を助ける．

神経支配：浅腓骨神経 superficial fibular nerve（L_5とS_1）

短腓骨筋（**3**）は腓骨の外側面（**9**）から起こる．この筋の腱は長腓骨筋の腱とともに腱鞘に包まれて長腓骨筋腱溝に納まり，上腓骨筋支帯（**4**）の下を通り抜ける．踵骨の外側面では，この腱は近位すなわち腓骨筋滑車の上方で下腓骨筋支帯（**5**）によって固定されるが，ここでは腓骨筋の総腱鞘の突出物がこの腱を包んでいる．この腱は第5中足骨粗面（**10**）に終わる．この筋は長腓骨筋と同じように働く．

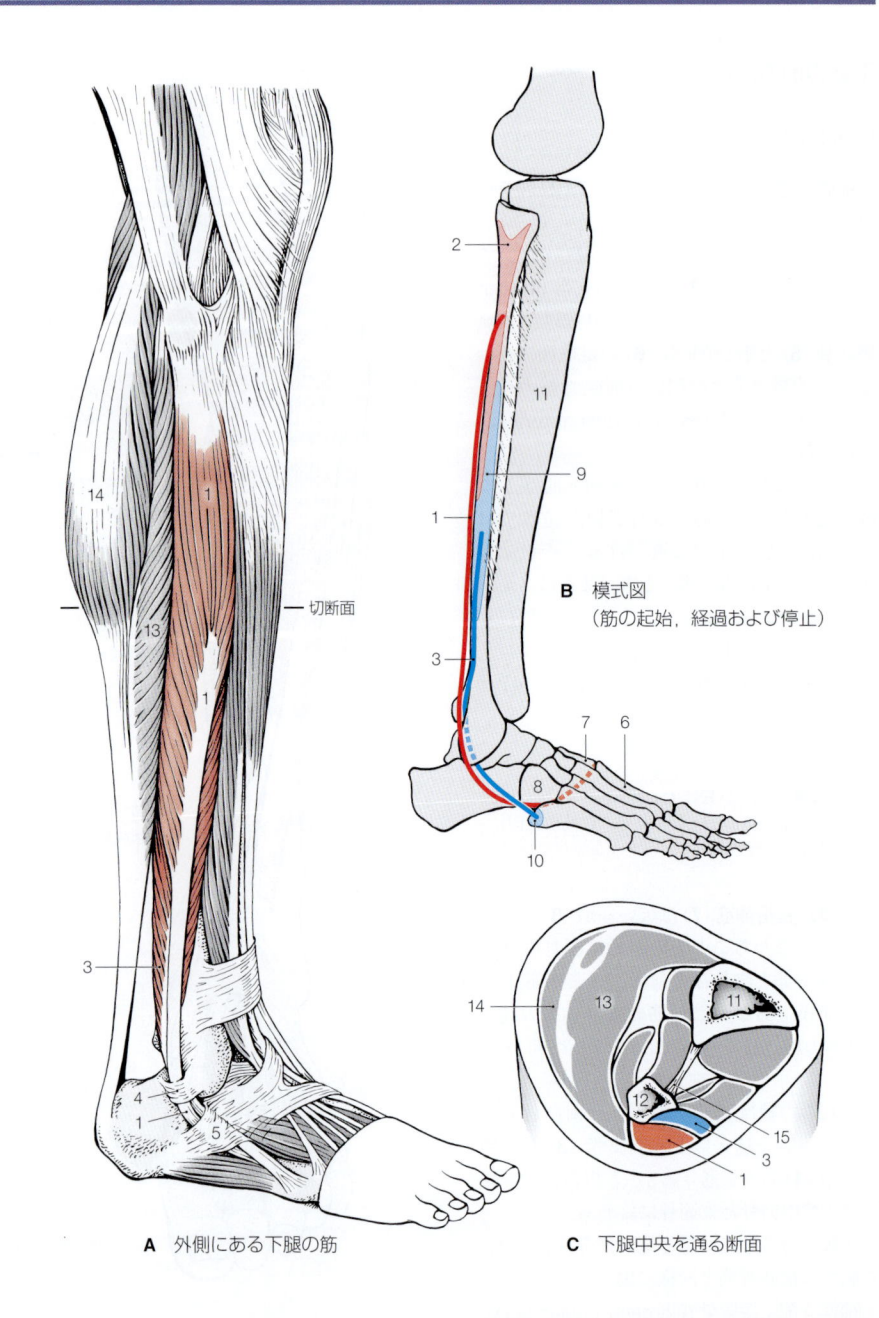

神経支配：浅腓骨神経 superficial fibular nerve（L_5とS_1）

A 外側にある下腿の筋

B 模式図（筋の起始，経過および停止）

C 下腿中央を通る断面

特異事項：第4腓骨筋 peroneus quartus は腓骨から起こり，ごくまれに存在する筋であって，踵骨の外側面または立方骨に終わり，長指伸筋の腱と密接な関係をもっている．またこの筋は小さい腱を第5指に送っていることがある．

---

1 長腓骨筋 peroneus longus 2 腓骨頭，腓骨の近位部（長腓骨筋の起始）head of fibula, proximal part of fibula 3 短腓骨筋 peroneus brevis 4 上腓骨筋支帯 superior fibular retinaculum 5 下腓骨筋支帯 inferior fibular retinaculum 6 第1中足骨粗面（長腓骨筋の停止）tuberosity of first metatarsal bone [Ⅰ] 7 内側楔状骨（長腓骨筋の停止）medial cuneiform 8 立方骨 cuboid 9 腓骨体の外側面（短腓骨筋の起始）lateral surface of shaft of fibula 10 第5中足骨粗面（短腓骨筋の停止）tuberosity of fifth metatarsal bone [Ⅴ] 11 脛骨 tibia 12 腓骨 fibula 13 ヒラメ筋 soleus 14 腓腹筋 gastrocnemius 15 下腿骨間膜 interosseous membrane of leg

下腿の後方筋群

浅層（A〜D）

浅在性の筋層は主に**下腿三頭筋** triceps suraeによってつくられている．この筋は**ヒラメ筋**（**1**）と**腓腹筋**（**2**）の内側頭と外側頭とからなっている．そのほか**足底筋**（**3**）も浅在筋に加えられる．

ヒラメ筋（**1**）は腓骨頭と腓骨の後面上部1/3（**4**），脛骨のヒラメ筋線（**5**）および腓骨頭と脛骨の間に張る腱弓すなわち膝窩筋（**6**）の下方のヒラメ筋腱弓tendinous arch of soleusから起こる．この筋の強大な停止腱は腓腹筋の停止腱と結合して"アキレス腱"（**7**，踵骨腱）として踵骨隆起（**8**）に終わる．踵骨隆起の近位面とこの腱の間には踵骨腱の滑液包calcaneal tendinous bursaがある．

腓腹筋（**2**）は大腿骨の内側顆（**10**）の上方で**内側頭**（**9**）をつくり，また外側顆（**12**）の上方では**外側頭**（**11**）をもって起こる．これらの頭の一部の線維は関節包からも起こる．この筋は下行し，膝窩を下方で境し，ヒラメ筋の腱と合一して，ともに踵骨隆起（**8**）に終わる．

足底筋（**3**）はごく細いきゃしゃな筋で1本の非常に長い停止腱をもっている．この筋は大腿骨の外側顆の上方で，腓腹筋の外側頭の領域と膝関節の関節包とから始まる．この腱は腓腹筋とヒラメ筋の間を走って下方へ向かい，アキレス腱の内側縁に付着して終わる．

神経支配：3つの筋すべてに脛骨神経tibial nerve（S_1とS_2）．

変異：足底筋は5〜10％の例では欠如する．

下腿三頭筋は特に強く底屈を行う筋である．この筋は立位にあるときと歩行時に体重をもち上げることができる．特にこの力が顕著になるのは最大の底屈を必要とするトー・ダンスのときである．下腿三頭筋の完全な作用は，膝が伸ばされた状態でのみ得られる．というのは膝関節で屈曲しているときには腓腹筋はすでに短縮してしまっているからである．したがって腓腹筋は歩行時に特に重要である．その理由はこの筋がカカトを上げるだけでなく，膝関節での屈曲にも作用するからである．そのとき腓腹筋はわずかながら足底筋に助けられる．

下腿三頭筋はまた下跳躍関節に対しての最強の回外筋でもある．

A 下腿の後方筋群の浅層（下腿三頭筋）
B ヒラメ筋（腓腹筋は除去されている）
C 模式図（下腿三頭筋の起始，経過および停止）
D 下腿中央を通る断面

切断面

臨床関連：アキレス腱の断裂rupture of Achilles tendonは瞬間的な負荷がかかると生じることがある．特に危いのは日頃スポーツをしていない人が，練習もしないで急にアキレス腱に力をかけることである．その場合，確かにこの腱に前もって何らかの障害があることが多い．約10％（女性のほうが少し多い）のヒトには腓腹筋の外側頭の中に，小さな豆状の種子骨fabellaがある．これは大腿骨の外側果と関節を形成していることがあり，側方からのX線像で膝関節間隙の背方ないし近位で見出せる．この種子骨が圧痛ないし自発痛を生ずることがあり（有痛fabella），剔出が必要となる．

---

1 ヒラメ筋soleus　2 腓腹筋gastrocnemius　3 足底筋plantaris　4 腓骨頭と腓骨の後面（の上部：ヒラメ筋の起始）head of fibula, posterior surface of fibula　5 脛骨のヒラメ筋線（ヒラメ筋の起始）soleal line of tibia　6 膝窩筋popliteus　7 アキレス腱（＝踵骨腱）calcaneal tendon　8 踵骨隆起（下腿三頭筋の停止）calcaneal tuberosity　9 内側頭（腓腹筋の）medial head of gastrocnemius　10 大腿骨の内側顆（の上方；腓腹筋の内側頭の起始）medial condyle of femur　11 外側頭（腓腹筋の）lateral head of gastrocnemius　12 大腿骨の外側顆（の上方；腓腹筋の外側頭と足底筋の起始）lateral condyle of femur　13 長指屈筋flexor digitorum longus　14 長母指屈筋flexor pollicis longus　15 後脛骨筋tibialis posterior　16 下腿骨間膜interosseous membrane of leg　17 脛骨tibia　18 腓骨fibula

下腿の後方筋群（続き）

深層（A～E）

後脛骨筋（**1**）は骨間膜（**2**）および脛骨（**3**）と腓骨（**4**）の隣接する面から起こる．この筋の腱（**5**）は内果（**6**）の後ろで内果溝を滑液鞘に包まれて下行し，そののち載距突起と舟状骨粗面の間を通って足底に達する．この腱は2索に分かれる．**内側の太い索**（**7**）は舟状骨粗面に付着する．**外側のやや細い索**（**8**）は3個の楔状骨（距骨を除く他の足根骨にも）に終わる．休脚では後脛骨筋は足の底屈と同時に回外に役立つ．立脚ではこの筋は下腿をカカトに近づける．

神経支配：脛骨神経 tibial nerve（L_4とL_5）

変異：この筋の停止はしばしば広がって第2，3，4中足骨および立方骨にもみられる．まれにこの筋も欠けることがある．

長母指屈筋（**9**）は腓骨の後面の下方2/3（**10**），骨間膜（**11**）および後下腿筋間中隔（**12**）に始まる．この比較的厚い筋腹はさらに下方へ行き，そののち距骨と踵骨の長母指屈筋腱溝の中で滑液鞘に包まれた腱に移行する．この筋は屈筋支帯（**13**）の下をくぐって足底へ出て，母指の末節骨底（**14**）に終わる．この筋は載距突起より遠位で長指屈筋の腱の深部を横切る．この筋は足弓を保持して外反扁平足にならないように作用している．この筋は母指の，またおそらくほかの指の底屈をも行うことができる．その上この筋は足の回外を助ける．

神経支配：脛骨神経 tibial nerve（S_1～S_3）

変異：この筋は第2および第3指へも停止腱を送っていることがある．

長指屈筋（**15**）は脛骨の後面（**16**）から出て，その腱（**17**）は屈筋支帯（**13**）の下を滑液鞘に包まれて足底に達する．下腿でこの筋は後脛骨筋の上を横切り，足底では長母指屈筋の上を横切る．足底ではこの腱は4本の停止腱に分かれ，これらは第2～5指の末節骨（**18**）まで行く．この分岐部より遠位で足底方形筋 quadratus plantae がこの腱（の外側縁）に入り込む（135頁）．指の中節のところでこれらの停止腱が短指屈筋の腱を貫通している．休脚ではこの筋は指を曲げ，引き続いて足を底側へ曲げる．さらにこの筋は回外するようにも働く．立脚ではこの筋は足弓を保護している．

神経支配：脛骨神経 tibial nerve（S_1～S_3）

膝窩筋（**19**，114頁）は大腿骨の外側上顆（**20**）から起こり，脛骨の後面（**21**）に終わる．この筋と膝関節との間に膝窩筋下陥凹 subpopliteal recess がみられ，膝関節と常に連絡をもっている．膝窩筋は膝関節を曲げ，下腿を内方へ回旋する．

神経支配：脛骨神経 tibial nerve（L_4～S_1）

Aの矢印はヒラメ筋腱弓によってつくられる管の中を脛骨神経と後脛骨動静脈が通り抜けることを示している．

Bでは長指屈筋およびヒラメ筋の起始部が除去されている．

A, B 下腿の後方筋群の深層
C 下腿中央を通る断面
D, E 模式図（筋の起始，経過および停止）

---

1 後脛骨筋 tibialis posterior　2 下腿骨間膜（後脛骨筋の起始）interosseous membrane of leg　3 脛骨（後脛骨筋の起始）tibia　4 腓骨（後脛骨筋の起始）fibula　5 後脛骨筋の腱 tendon of tibialis posterior　6 内果 medial malleolus　7 内側の太い索 thicker medial cord　8 外側のやや細い索 somewhat thinner lateral cord　9 長母指屈筋 flexor pollicis longus　10 腓骨の後面（の下方2/3：長母指屈筋の起始）posterior surface of fibula　11 下腿骨間膜（長母指屈筋の起始）interosseous membrane of leg　12 後下腿筋間中隔（長母指屈筋の起始）posterior intermuscular septum of leg　13 屈筋支帯 flexor retinaculum　14 母指の末節骨底 base of distal phalanx　15 長指屈筋 flexor digitorum longus　16 脛骨の後面（長指屈筋の起始）posterior surface of tibia　17 長指屈筋の腱 tendinous sheath of flexor digitorum longus　18 末節骨 distal phalanx　19 膝窩筋 popliteus　20 大腿骨の外側上顆（膝窩筋の起始）lateral epicondyle of femur　21 脛骨の後面（膝窩筋の停止）posterior surface of tibia　22 腓腹筋 gastrocnemius　23 ヒラメ筋 soleus　24 足底筋 plantaris

跳躍関節での筋の作用（A～D）

すべての筋は複数の関節に作用する．ここではただ跳躍関節（109，110頁）に対する筋の作用だけが述べられる．

内果の先端と外果を通る距腿関節の**横軸**を中心にして，伸展*すなわち**背屈** dorsiflexion と屈曲すなわち**底屈** plantar flexion が起こる．

距骨下関節の**斜軸**のまわりでは，**回内** pronation（足の外側縁をあげる）と**回外** supination（足の内側縁をあげる）が行われる．この軸は後下外側から前上内側へ走る．

背屈（**A**）に協力するものは：前脛骨筋 tibialis anterior（赤，深腓骨神経 deep fibular nerve），長指伸筋 extensor digitorum longus（青，深腓骨神経 deep fibular nerve）および長母指伸筋 extensor hallucis longus（黄，深腓骨神経 deep fibular nerve）．

底屈（**B**）を行う筋は：下腿三頭筋 triceps surae（赤，脛骨神経 tibial nerve），長腓骨筋 peroneus longus（青，浅腓骨神経 superficial fibular nerve），短腓骨筋 peroneus brevis（黄，浅腓骨神経 superficial fibular nerve），長母指屈筋 flexor hallucis longus（オレンジ），長指屈筋 flexor digitorum longus（緑，脛骨神経 tibial nerve）および後脛骨筋 tibialis posterior（茶，脛骨神経 tibial nerve）．
底屈に際しては下腿三頭筋が最も影響の大きな筋であるのに対して，その他の筋はわずかな働きを有するにすぎない．

回内（**C**）すなわち足の外側縁の挙上に関与する筋は：長腓骨筋 peroneus longus（赤，浅腓骨神経 superficial fibular nerve），短腓骨筋 peroneus brevis（青，浅腓骨神経 superficial fibular nerve），長指伸筋 extensor digitorum longus（黄，深腓骨神経 deep fibular nerve）および第3腓骨筋 peroneus tertius（オレンジ，深腓骨神経 deep fibular nerve）．

回外（**D**）すなわち足の内側縁の挙上に協力するものは：下腿三頭筋 triceps surae（赤，脛骨神経 tibial nerve），後脛骨筋 tibialis posterior（青，脛骨神経 tibial nerve），長母指屈筋 flexor hallucis longus（黄，脛骨神経 tibial nerve），長指屈筋 flexor digitorum longus（オレンジ）および前脛骨筋 tibialis anterior（緑，深腓骨神経 deep fibular nerve）．

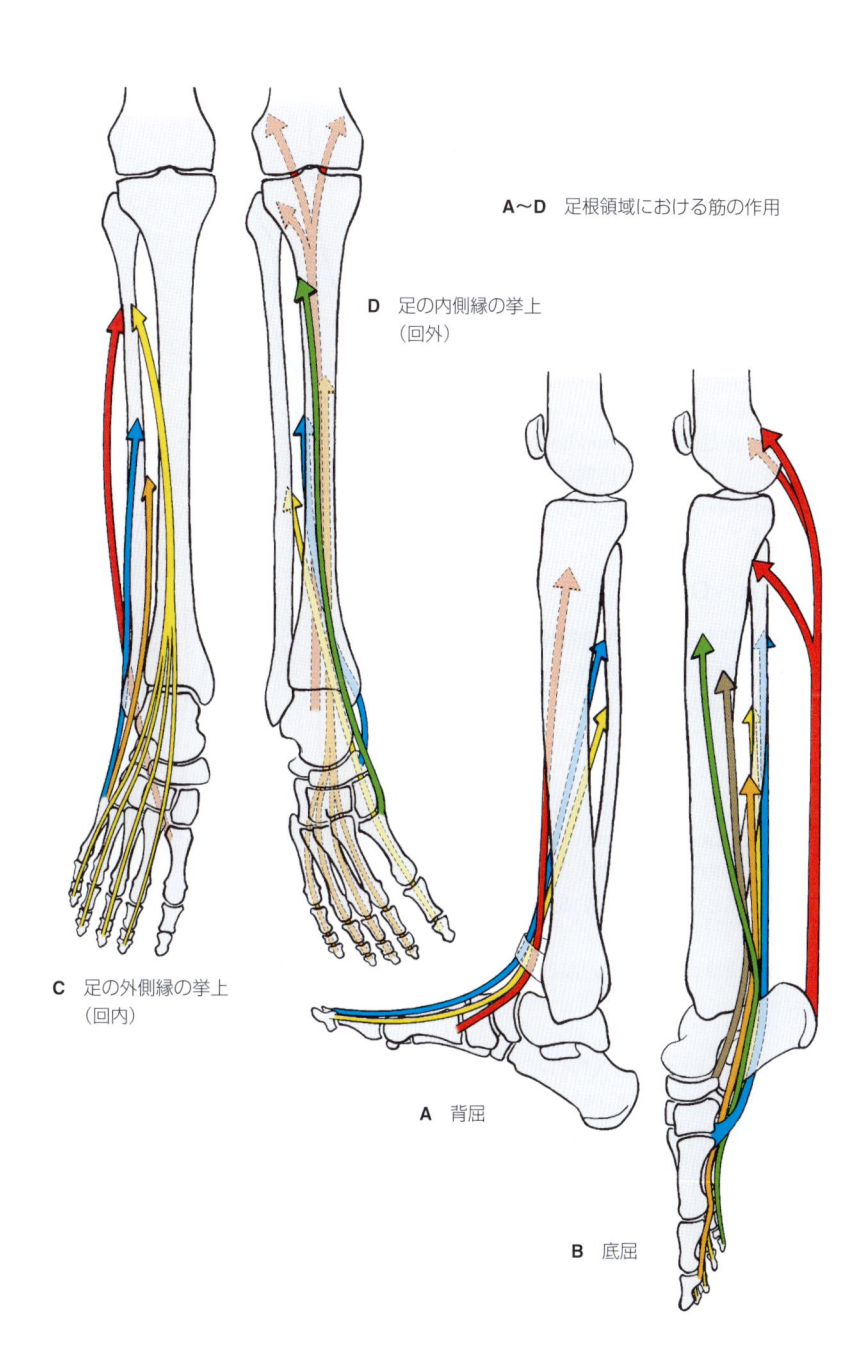

A～D 足根領域における筋の作用

C 足の外側縁の挙上（回内）

D 足の内側縁の挙上（回外）

A 背屈

B 底屈

矢印の色は個々の運動における筋の重要度が次の順序であることを示す：
赤，青，黄，オレンジ，緑，茶

括弧内の中は筋肉の支配神経．

*背屈のことを伸展というのは，伸筋がこの運動に関与するからである．

足の短い筋

手と同様に足の長い筋は腱だけが足にみられる．これらの腱が属する筋腹は下腿にある．これらの腱に加えて，足背と足底には足の短い筋が現れる．

この局所的な分類のほかに，足の短い筋はその神経支配によっても分類することができる．すなわち足背の筋は神経叢の背側層によって，足底の筋はその腹側層によって支配されている．

足底の筋では手の場合と同様に，
- 外側足底隆起* lateral plantar eminence をつくる群，中足底隆起** middle plantar eminence をつくる群および内側足底隆起*** medial plantar eminence をつくる群の3群に区別される．

足背の筋（A〜C）

長指伸筋（**1**，127頁）と**長母指伸筋**（**2**，127頁）の2つは足の指を伸ばす長い筋で，足背の短い筋の表層にみられる．これらの長い筋は上伸筋支帯（**3**，136頁）と下伸筋支帯（**4**，136頁）によってそれぞれの位置に保たれている．これら2筋はその腱で**指背腱膜** dorsal aponeurosis (of digits of foot) をつくっており，この中へ足の指を伸ばす短い筋ならびに底側と背側の骨間筋（**5**，135頁）も入り込む．

支配神経：深腓骨神経 deep fibular nerve ($L_5〜S_1$)

短指伸筋（**6**）は足根洞の入口の近くの踵骨（**7**）および下伸筋支帯（**4**）の1脚から起こる．この筋は3本の腱となって第2〜4指の指背腱膜（**8**）に行く．この筋はこれらの指の背屈に役立つ．

神経支配：深腓骨神経 deep fibular nerve (S_1とS_2)

変異：3本の腱がすべて存在するとは限らない．また，ごく例外的に第5指へ行く腱がみられることがある．

短母指伸筋（**9**）は第1指（母指）の指背腱膜へ行っており，短指伸筋から分裂したものである．この短母指伸筋は，踵骨に短指伸筋と共通の起始をもつ．上記の短指伸筋と同様に，この筋も背屈すなわち母指の背屈に役立っている．

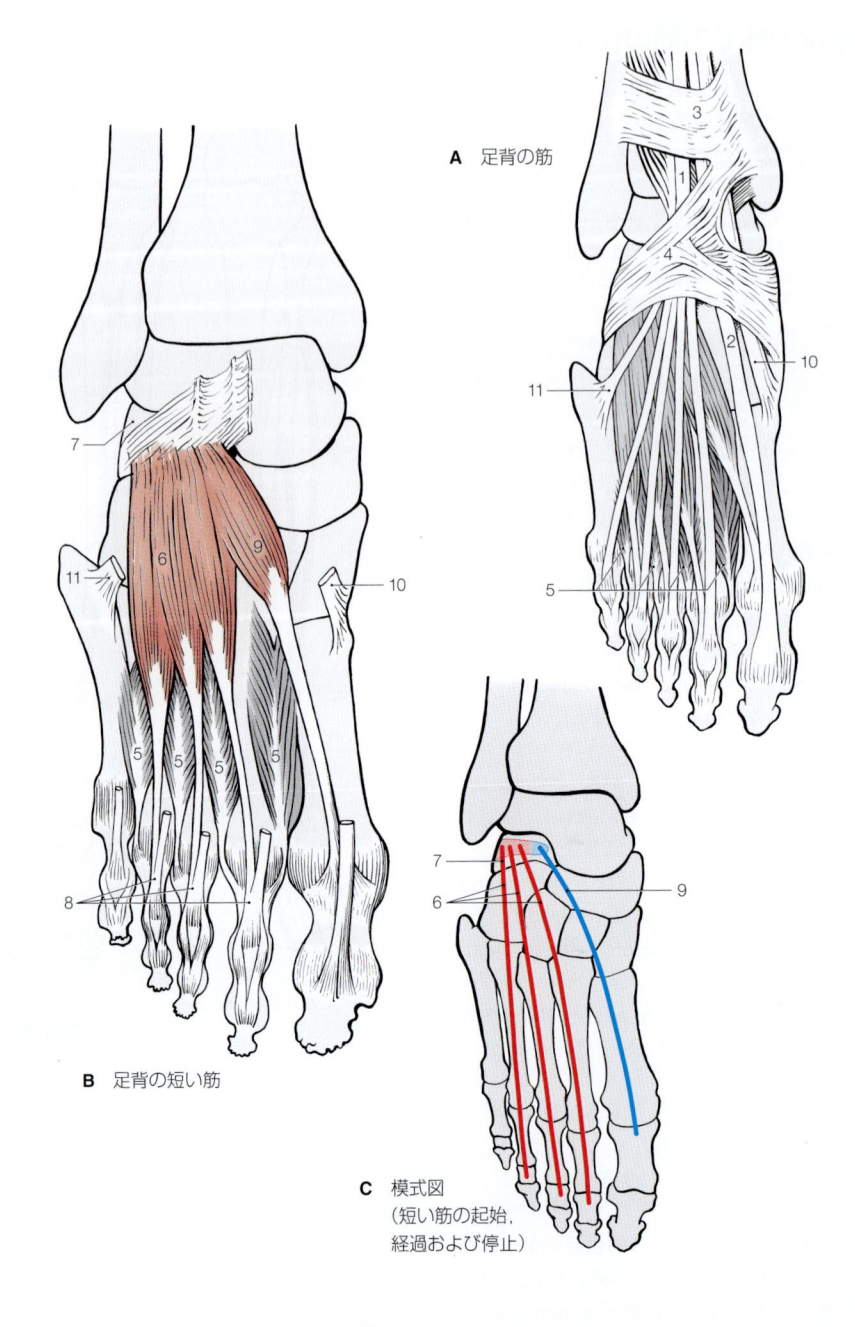

神経支配：深腓骨神経 deep fibular nerve (S_1とS_2)

A 足背の筋

B 足背の短い筋

C 模式図（短い筋の起始，経過および停止）

*手の小指球に相当する．
**中足部のこと．
***手の母指球に相当する．

---

1 長指伸筋 extensor digitorum longus　**2** 長母指伸筋 extensor pollicis longus　**3** 上伸筋支帯 superior extensor retinaculum　**4** 下伸筋支帯 inferior extensor retinaculum　**5** 背側骨間筋 dorsal interossei　**6** 短指伸筋 extensor digitorum brevis　**7** 踵骨（短指伸筋と短母指伸筋の起始）calcaneum　**8** 第2〜4指の指背腱膜 dorsal aponeurosis of digits of foot II〜IV　**9** 短母指伸筋 extensor hallucis brevis　**10** 前脛骨筋 tibialis anterior　**11** 第3腓骨筋 fibularis tertius

足の短い筋　133

足底の筋（A〜C）

足底では3つの筋群すなわち
- 母指領域の筋，
- 小指領域の筋および
- 中央部の筋が区別される．

母指領域の筋には母指外転筋と短母指屈筋が属している．広義には母指内転筋もこれに属すことになるが，この筋はもともとは固有の系をつくるものである．

小指領域には小指外転筋，短小指屈筋および小指対立筋がある．
中央部の筋群は虫様筋，足底方形筋，骨間筋および短指屈筋からなっている．

足底の筋はすべて，厚く丈夫な表在性の筋膜から生じた**足底腱膜**（**1**）に覆われている．足底腱膜は踵骨隆起から起こり足の指へ放散する**縦走線維束**（**2**）からなる．**横（線維）束**（**3**）がこれら縦走線維束を結びつけている．足の内側および外側縁で，足底腱膜は薄い足背筋膜 dorsal fascia of foot に移行する．よく発達した2つの中隔が表面から深部へ入る．これらを内側足底中隔および**外側足底中隔**（**4**）という*．前者は第1中足骨，内側楔状骨および舟状骨に，後者は第5中足骨と長足底靱帯に固定されている．

これらの中隔と足底腱膜によってつくられる3つの結合組織性の腔にはそれぞれ上記の3つの筋群と脂肪組織が含まれている．これらのものがクッションとなって体重が地面へ伝えられる．足底腱膜，中隔，筋，脂肪組織および足の骨は一つの機能単位をつくっている．同時に足底腱膜は縦足弓（111頁）の維持に大いに貢献している．そのほか，足底腱膜は足底に作用する圧から血管や神経を保護する役目ももっている．

母指の筋

母指外転筋（**5**）は踵骨隆起の内側突起（**6**），屈筋支帯および足底腱膜（**7**）から起こる．その起始に起因して腱弓がつくられ，その下を長指および長母指屈筋が足根管に納まって走っている．この筋は内側種子骨（**8**）および基節骨底（**9**）に終わる．多くの場合この停止腱と中足指節関節との間に滑液包がみられる．この筋は（母指を）外転し，軽く屈曲するように働き，また足弓を維持している．

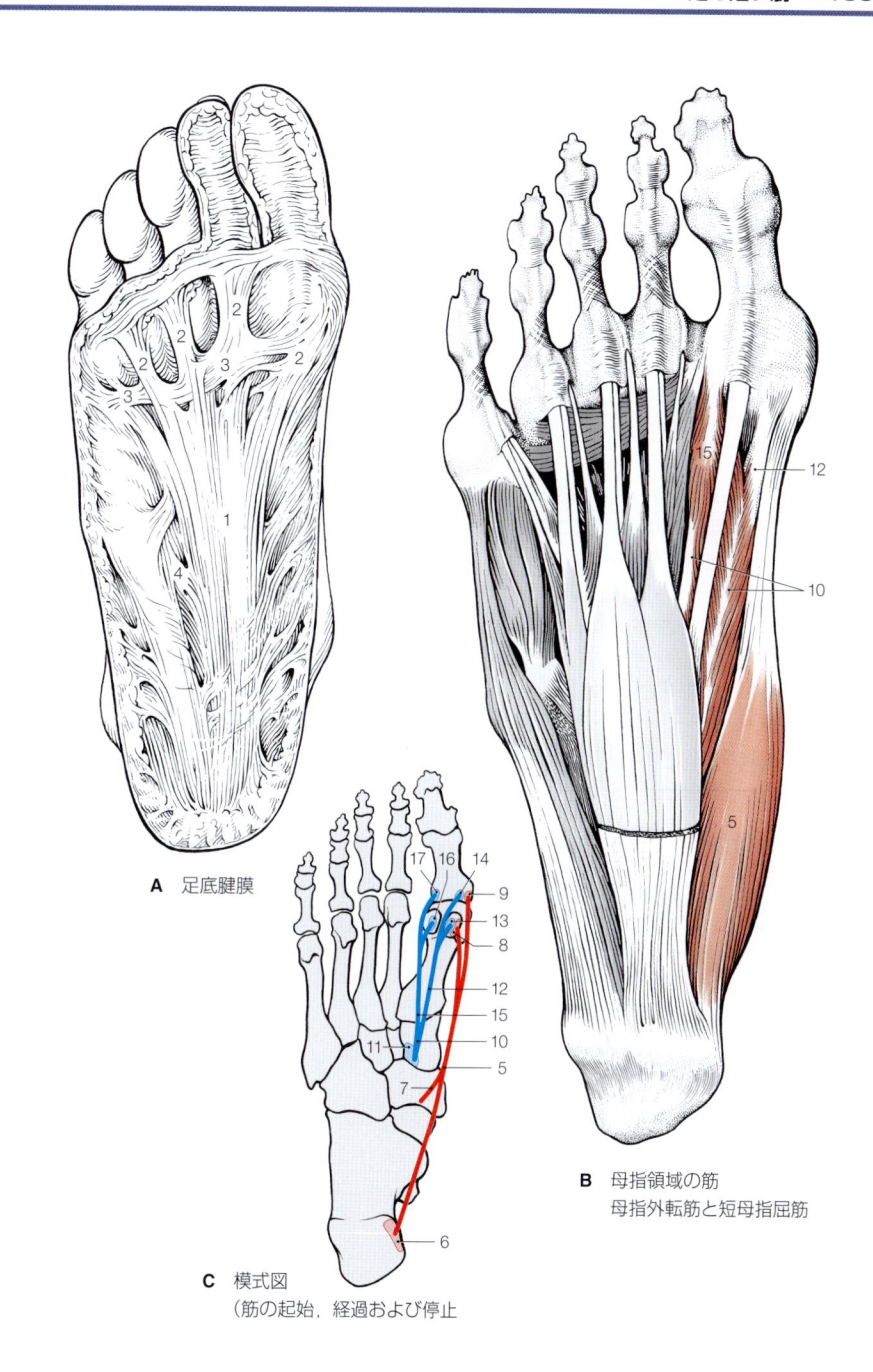

A　足底腱膜

B　母指領域の筋
　母指外転筋と短母指屈筋

C　模式図
　（筋の起始，経過および停止）

神経支配：内側足底神経 medial plantar nerve（L₅とS₁）

短母指屈筋（**10**）は内側楔状骨（**11**），長足底靱帯および後脛骨筋の腱から起こる．この筋は2頭をもつ．**内側頭**（**12**）は母指外転筋と癒着して内側種子骨（**13**）と基節骨（**14**）に，**外側頭**（**15**）は母指内転筋と癒着し，外側種子骨（**16**）と基節骨（**17**）に達している．

この筋は底屈に重要な筋で，とりわけトー・ダンスのとき必要とするものである．

神経支配：内側頭は内側足底神経（L₅とS₁），外側頭は外側足底神経 lateral plantar nerve（S₁とS₂）

*これらの中隔は P.N.A. には特に採用されていない．

---

1 足底腱膜 plantar aponeurosis　2 縦走線維束 longitudinal fiber bundle　3 横（線維）束 transverse fibers, *Fasciculi transversi*　4 外側足底中隔 lateral plantar septum　5 母指外転筋 abductor hallucis　6 踵骨隆起の内側突起（母指外転筋の起始）medial process of calcaneal tuberosity　7 舟状骨と足底腱膜（母指外転筋の一部の起始）navicular, plantar aponeurosis　8 内側種子骨（母指外転筋の停止）medial sesamoid bones　9 母指基節骨底（母指外転筋の停止）base of proximal phalanx [I]　10 短母指屈筋 flexor hallucis brevis　11 内側楔状骨（短母指屈筋の起始）medial cuneiform　12 内側頭（短母指屈筋の）medial head of flexor pollicis brevis　13 内側種子骨（短母指屈筋内側頭の停止）　14 母指基節骨（短母指屈筋内側頭の停止）proximal phalanx [I]　15 外側頭（短母指屈筋の）lateral head of flexor pollicis brevis　16 外側種子骨（短母指屈筋外側頭の停止）lateral sesamoid bones　17 母指基節骨（短母指屈筋外側頭の停止）proximal phalanx [I]

足底の筋（続き）

母指の筋（続き）（A〜C）

母指内転筋（**1**）は2頭をもち，長指屈筋と短指屈筋（**2**）を除去すると初めて見えるようになる（**A**）．

この筋は強大な斜頭（**3**）をもって，立方骨（**4**），外側楔状骨（**5**）および第2，3中足骨底（**6**）から起こる．もっと広く第4中足骨，底側踵立方靱帯，長足底靱帯（**7**）および長腓骨筋の腱鞘（**8**）にも起始面がみられることがある．

横頭（**9**）は第3〜5指の中足指節関節の関節包とその部の靱帯（**10**）から起こるが，そのほか深横中足靱帯からも起こる．

両頭は合して母指の外側種子骨（**11**）に付着する．この母指内転筋はことに足弓を緊張させる筋として役立っている．そのほかこの筋は母指を内転し，その基節を底側へ曲げることができる．

神経支配：外側足底神経の深枝 deep branch of lateral plantar nerve（S_1とS_2）

小指の短い筋（A〜C）

小指対立筋（**12**）は長足底靱帯（**7**）と長腓骨筋の腱鞘（**13**）から起こる．この筋は第5中足骨（**14**）に終わる．機能的にはこの筋は第5中足骨を底側へ動かすのに役立つ．そのほかこの筋は足弓を保持する役割をもっている．この筋はしばしば欠けることがある．

神経支配：外側足底神経 lateral plantar nerve（S_1とS_2）

短小指屈筋（**15**）は第5中足骨底（**16**），長足底靱帯（**7**）および長腓骨筋の腱鞘から起こる．この筋は小指の基節骨底（**17**）へ行き，多くの場合は小指外転筋と融合している．この筋は小指の底屈に役立つ．

神経支配：外側足底神経（S_1とS_2）

小指外転筋（**18**）は小指の筋のうちで最大で最長の筋である．この筋は主に足の外側縁を形づくっている．この筋は踵骨隆起の外側突起（**19**），踵骨の下面（**20**），第5中足骨粗面（**21**）および足底腱膜から起こり，第5指（小指）の基節骨（**22**）に達する．ほかの筋と同様にこの筋は足弓を保護する．そのほかこの筋は小指を足底側へ曲げ，わずかではあるが外転するように働く．

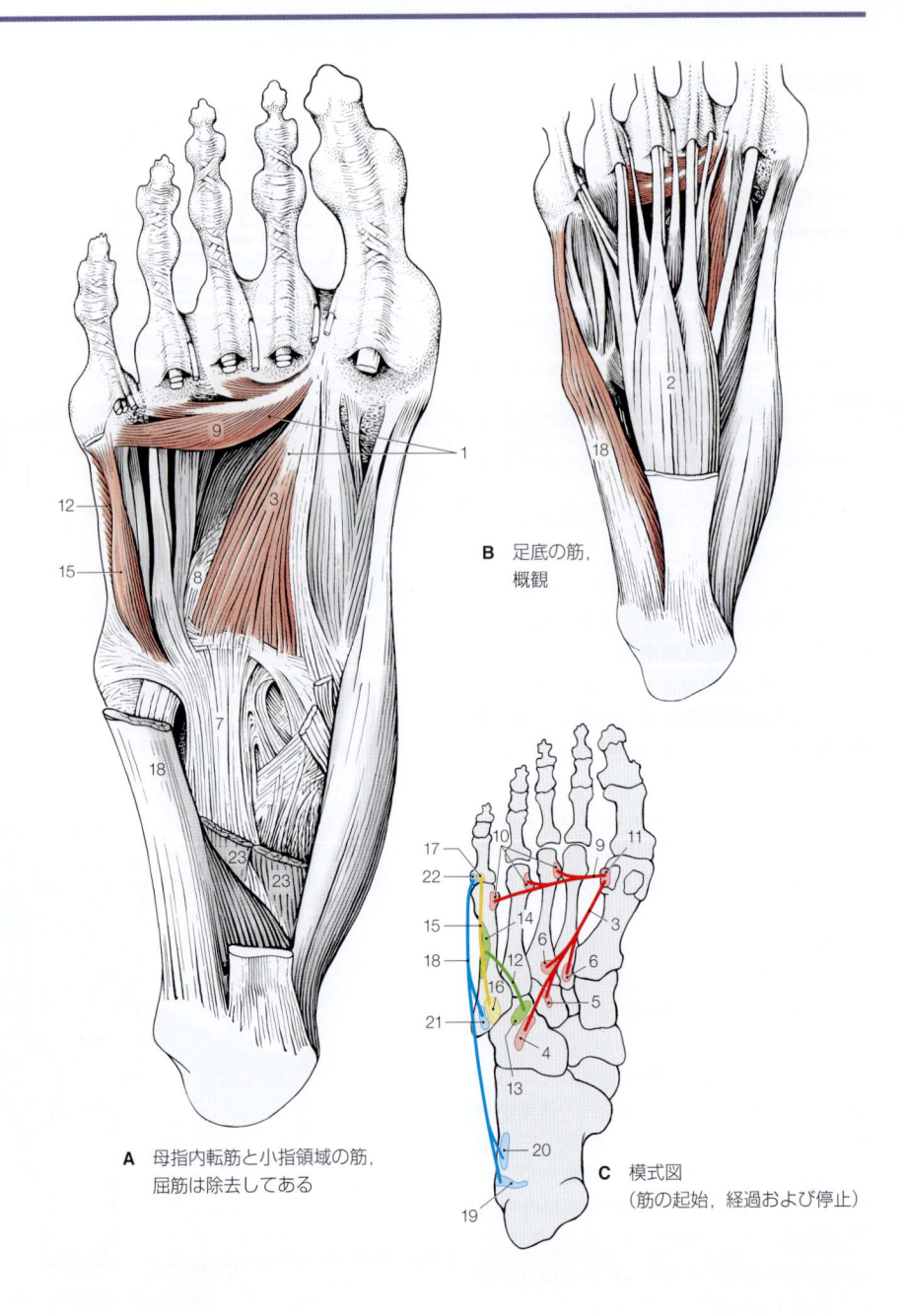

神経支配：外側足底神経（S_1とS_2）

A 母指内転筋と小指領域の筋，屈筋は除去してある

B 足底の筋，概観

C 模式図（筋の起始，経過および停止）

---

1 母指内転筋 adductor hallucis　2 短指屈筋 flexor digitorum brevis　3 斜頭（母指内転筋の）oblique head of adductor hallucis　4 立方骨（母指内転筋斜頭の起始）cuboid　5 外側楔状骨（母指内転筋斜頭の起始）lateral cuneiform　6 第2，3中足骨底（母指内転筋斜頭の起始）base of metatarsal bone II, III　7 長足底靱帯（母指内転筋斜頭，小指対立筋および短小指屈筋の起始）long plantar ligament　8 長腓骨筋の足底腱鞘（母指内転筋斜頭の起始）plantar tendinous sheath of fibularis longus　9 横頭（母指内転筋の）transverse head of adductor hallucis　10 第3〜5指の中足指節関節の関節包とその部の靱帯（母指内転筋横頭の起始）　11 母指の外側種子骨（母指内転筋の停止）lateral sesamoid bones　12 小指対立筋 opponens digiti minimi　13 長腓骨筋の足底腱鞘（小指対立筋の起始）plantar tendinous sheath of fibularis longus　14 第5中足骨（小指対立筋の停止）metatarsal bone V　15 短小指屈筋 flexor digiti minimi brevis　16 第5中足骨底（短小指屈筋の起始）base of metatarsal bone V　17 小指の基節骨底（短小指屈筋の停止）base of proximal phalanx V　18 小指外転筋 abductor digiti minimi　19 踵骨隆起の外側突起（小指外転筋の起始）lateral process of calcaneal tuberosity　20 踵骨の下面（小指外転筋の起始）inferior surface of calcaneum　21 第5中足骨粗面（小指外転筋の起始）tuberosity of fifth metatarsal bone [V]　22 第5指（小指）の基節骨（小指外転筋の停止）proximal phalanx V　23 足底方形筋 quadratus plantae

足底の筋（続き）

中央部の短い筋（A～C）

4個の虫様筋（**1**）は長指屈筋の個々の腱（**2**）の内側縁から起こる．これらの筋は第2～5指の基節骨の内側縁へ行き，指背腱膜へ入り込む．これらの筋は底屈を助け，外側の4本の指を母指の方へ内転する．そのほか虫様筋は足弓を硬くするのを助ける．

神経支配：内側足底神経 medial plantar nerve は第1，2，3虫様筋へ，外側足底神経 lateral plantar nerve は第4虫様筋へ（L_5～S_2）

特異事項：手の虫様筋と異なり，足の虫様筋には変異が多くみられる．足の虫様筋は欠如したり，逆に数多く存在していることもある．これらの筋は中足指節関節の関節包にも，基節骨自身にも終わる．

足底方形筋（**3**）は長指屈筋の足底頭ともいわれる（副屈筋 accessory flexor）．この筋は踵骨の足底面の内側および外側縁からそれぞれ筋頭をもって始まり，長指屈筋の腱（**4**）の外側縁にさし込んでいる．

神経支配：外側足底神経（S_1とS_2）

特異事項：この筋は長指屈筋の共通腱（総腱）へ刺入するか，4本に分岐した個々の腱へ刺入するかのいずれかである．後者の場合にはこの筋は外側の2本の腱にだけ到達する．

骨間筋では底側骨間筋（**5**，青）と背側骨間筋（**6**，赤）とが区別される．これらの筋は第2指を中軸として配置されている．

3個の底側骨間筋はそれぞれ第3～5中足骨の内側（**7**）で1頭をもって起こるほか，これらの筋は長足底靱帯からの線維をも含むことがある．底側骨間筋は第3～5指の基節骨底の内側（**8**）へ行く．4個の背側骨間筋はすべての中足骨の対向面（**9**）と長足底靱帯から2頭をもって起こる．これらの筋は第2～4指の基節骨底（**10**）に終わる．

底側骨間筋は指を内転するように働き，第3，第4および第5指を第2指に引き寄せる．背側骨間筋は指を外転するように働くが，それは第2指の基節骨に第1と第2背側骨間筋の2個が終わり，第3および第4背側骨間筋は第3ならびに第4指の基節骨の外側面に終わるためである．

手の骨間筋と異なり，足の骨間筋は普通は指背腱膜までは届かない．これらの筋は外転および内転作用のほか一緒になって中足指節関節で指を屈底するように働く．

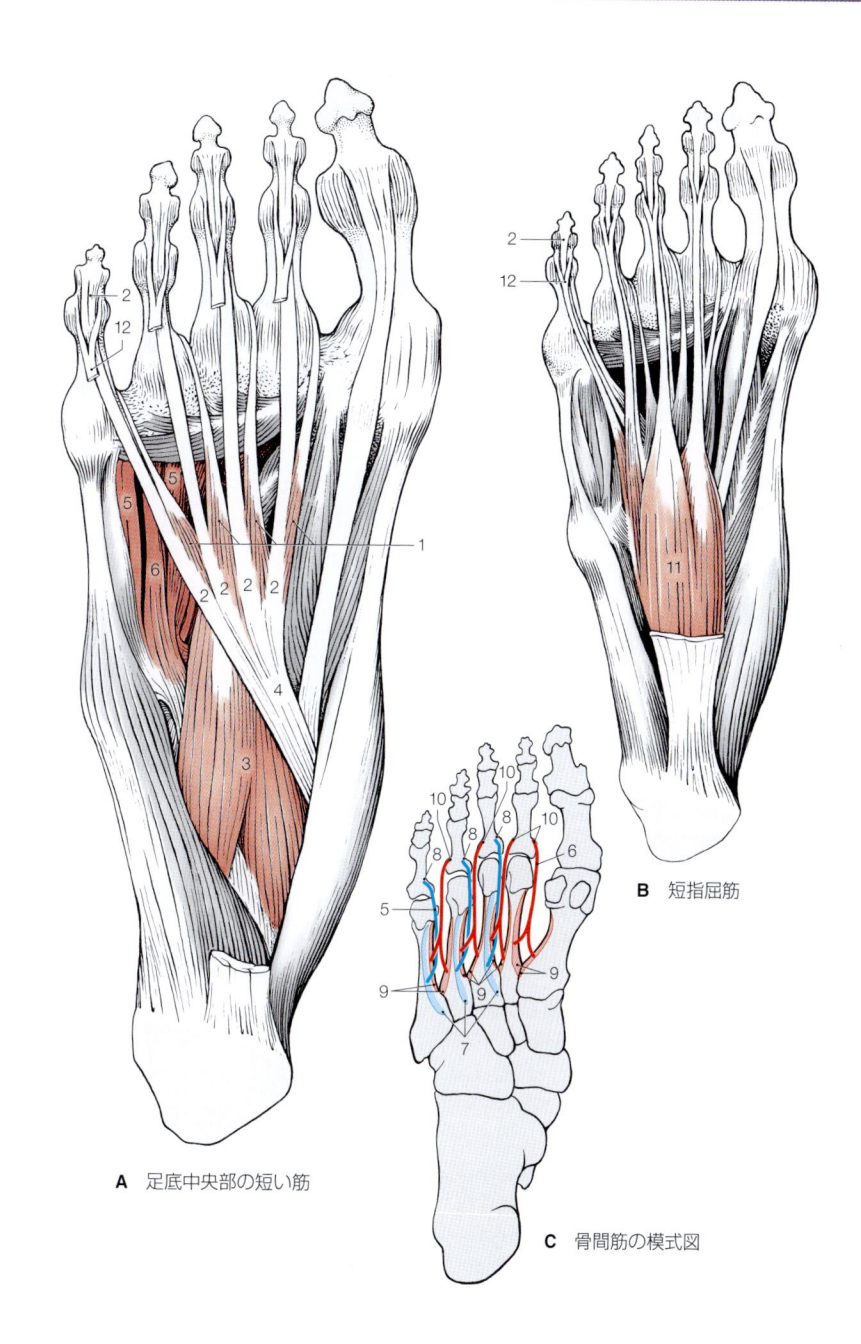

神経支配：外側足底神経の深枝（S_1とS_2）

短指屈筋（**11**）は踵骨隆起の下面と足底腱膜の近位部に始まる．この筋の腱は第2～4（5）指の中節骨に終わるが，付着部の手前で2分している（**12**）．これらの2分した腱の間を長指屈筋の腱（**2**）が通り抜ける．そのためこの短指屈筋は被貫通筋 perforating muscle ともいわれる．これらの腱はこの部で長指伸筋の腱とともに滑液鞘に包まれている．短指屈筋は中節骨を足底側へ曲げる．

神経支配：内側足底神経（L_5とS_1）

特異事項：第5指へ行く腱は欠けていることが非常に多い．時にはこの筋全体が欠如することさえある．

A 足底中央部の短い筋
B 短指屈筋
C 骨間筋の模式図

---

1 虫様筋（4個）lumbricals **2** 長指屈筋の個々の腱（の内側面；虫様筋の起始）tendinous sheath of flexor digitorum longus **3** 足底方形筋 quadratus plantae **4** 長指屈筋の腱（の外側縁；足底方形筋の停止）tendinous sheath of flexor digitorum longus **5** 底側骨間筋（3個）plantar interossei **6** 背側骨間筋（4個）dorsal interossei **7** 第3～5中足骨（の内側面；底側骨間筋の起始）metatarsal bone Ⅲ～Ⅴ **8** 第3～5指の基節骨底（の内側面；底側骨間筋の停止）base of proximal phalanx Ⅲ～Ⅴ **9** 中足骨（の対向面；背側骨間筋の起始） **10** 第2～4指の基節骨底（背側骨間筋の停止）base of proximal phalanx Ⅱ～Ⅳ **11** 短指屈筋 flexor digitorum brevis **12** 短指屈筋の腱（2分している）tendinous sheath of flexor digitorum brevis

下腿と足の筋膜（A～D）

浅層にある**下腿筋膜**（**1**）は，大腿筋膜に由来する膝窩筋膜の続きである．下腿筋膜は下腿の浅在性の筋層を包んでいる．この下腿筋膜の中へ補強線維が織り込まれている．右の図にはそれら個々の詳しい状態がみえるようにしてある．さて，下腿の遠位前面には伸筋の上に斜めの補強線維がみられ，これは上伸筋支帯（**2**）ともいわれる．また足背の足根部には下伸筋支帯（**3**）があって，同様に補強線維によって筋膜内で特に目立っている．両支帯は手を加えることによって筋膜から表出することができる．

外側面には腓骨筋の前後に，それぞれ下腿筋膜から深部へ向かう筋間中隔があって，腓骨へ入り込む．ここに**前下腿筋間中隔**（**4**）と**後下腿筋間中隔**（**5**）が区別されることになる．外果のところで遠位端には強靱な線維束が筋膜に織り込まれ，上および下腓骨筋支帯（**6**）をつくっているが，これらの支帯を分離するには同様に手を加えなければならない．

後面で腓腹の筋を覆う筋膜は薄い．ただ遠位部ではやはり強化されており，内果と踵骨との間には丈夫な線維構造，すなわち屈筋支帯（破裂靱帯*）（**7**）がみられる．その浅層は下腿後面深層の諸筋の腱を境界するのに役立っている．

腓腹にある筋は浅筋層と深筋層に分けられる．この両筋層の間に**深下腿筋膜**（**8**）がみられる．この筋膜はヒラメ筋腱弓 tendinous arch of soleus の近位に始まる．この筋膜からヒラメ筋の一部も起こっている．遠位端でこの筋膜は強い線維をつくり，内側面では屈筋支帯の深層，外側面では上腓骨筋支帯となっている．下腿での結合組織の状態と骨間膜によって，異なった4つの筋群が互いに分けられることになる（126頁）．

下伸筋支帯（**3**）より遠位の足背では，浅在性の**足背筋膜**（**9**）は非常に薄くて弱い．この筋膜は下腿筋膜に直接続くものであって，遠位へ向かっては指背腱膜に入り込んでいく．内および外側ではこの筋膜は足縁に固定されている．近位ではこの筋膜は上伸筋支帯に接して，十字形をした下伸筋支帯を形成する．この支帯ももちろん念入りに解剖しないと表出することは困難であり，またこの支帯では外側にある近位脚はしばしば欠けている．この場合，これらの補強された線維束は筋膜内でY字形にみえる．

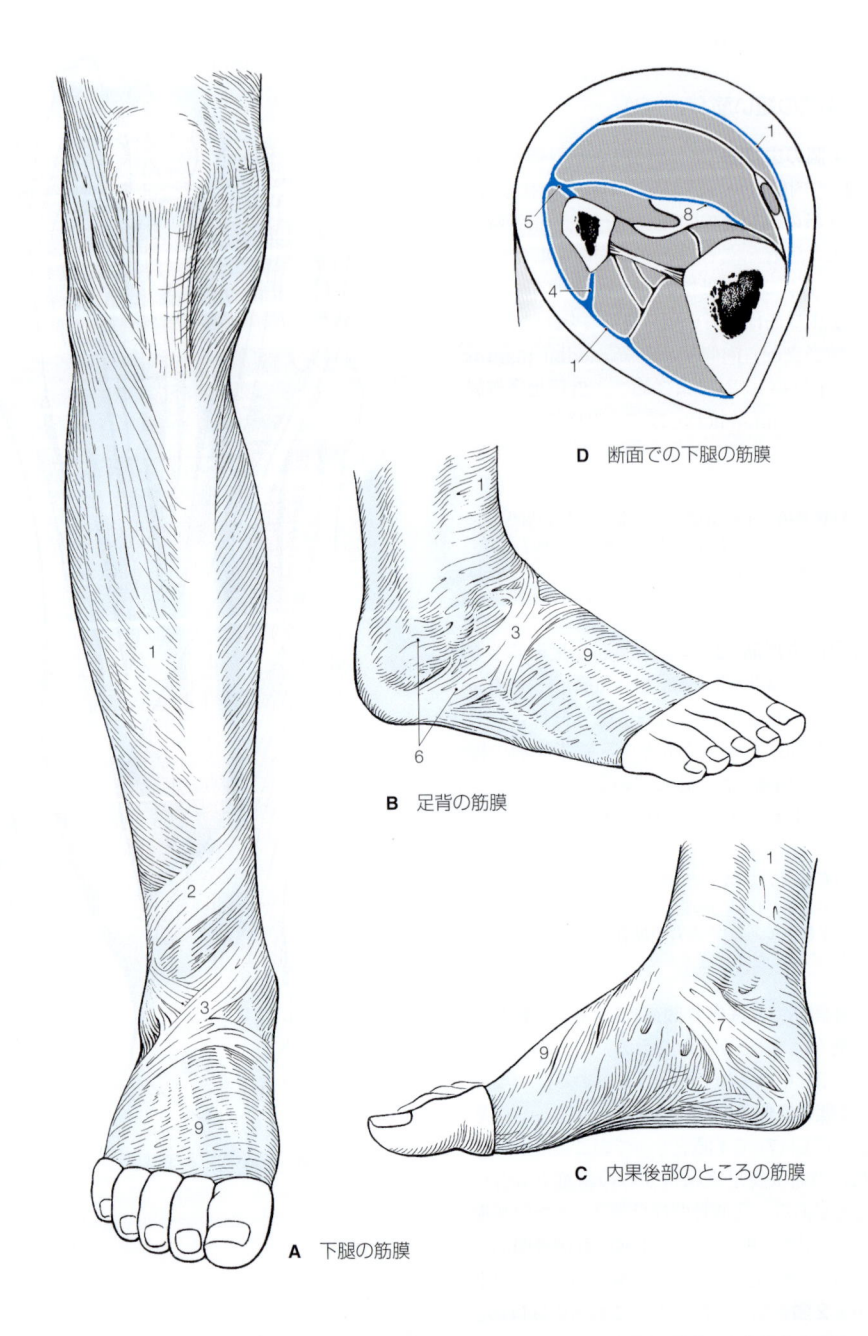

長指伸筋および長母指伸筋の腱の下方には深部に結合組織層がある．これは**深足背筋膜** deep dorsal fascia of foot といわれ，厚く丈夫であって，同様に足縁に固定されている．

* B.N.A. および J.N.A. 用語．

A 下腿の筋膜
B 足背の筋膜
C 内果後部のところの筋膜
D 断面での下腿の筋膜

---

1 下腿筋膜 deep fascia of leg　**2** 上伸筋支帯 superior extensor retinaculum　**3** 下伸筋支帯 inferior extensor retinaculum　**4** 前下腿筋間中隔 anterior intermuscular septum of leg　**5** 後下腿筋間中隔 posterior intermuscular septum of leg　**6** 上および下腓骨筋支帯 posterior & inferior fibular retinaculum　**7** 屈筋支帯 flexor retinaculum（破裂靱帯 laciniate ligament）　**8** 深下腿筋膜 deep fascia of leg　**9**（浅）足背筋膜 dorsal fascia of foot（superficial）

足領域の腱鞘

手の領域と同様に，足でもいろいろな**腱鞘** tendon sheath が区別される．

足背 dorsum of foot では
前脛骨筋（**1**），
長母指伸筋（**2**），
長指伸筋（**3**）および（存在する場合には）
第3腓骨筋のそれぞれのための**滑液鞘** synovial sheath がみられる．これら足背の腱および腱鞘は上伸筋支帯（**4**）と下伸筋支帯（**5**）によってその位置に保たれている．

足根の外側では踵骨の腓骨筋滑車のところに腓骨筋のための腓骨筋の総腱鞘（**6**）があり，この腱鞘は長腓骨筋の腱の足底部を包み長腓骨筋の足底腱鞘（**7**）として足底へと続く．外側では腓骨筋の総腱鞘が上腓骨筋支帯（**8**）と下腓骨筋支帯（**9**）によって固定されている．

屈筋の腱は足の内側面の内果のすぐ後ろにある．それらの腱鞘は屈筋支帯 retinaculum of flexor muscles（＝破裂靱帯 Lig. laciniatum）の下をくぐる．この支帯は下腿筋膜の補強された浅層（**10**）と深層（**11**）とからなる．この深層の下を後脛骨筋の腱が後脛骨筋の腱鞘（**12**）の中を，また長指屈筋の腱が長指屈筋の腱鞘（**13**）に包まれて走っている．長母指屈筋の腱を包む長母指屈筋の腱鞘（**14**）も同様に深層の下を通り抜ける（214頁も参照）．

足底 sole には個々の指に応じて**足の指の滑液鞘**（**15**）が5つみられる．これらの滑液鞘は普通互いに交通していない．これらの腱の滑液鞘は厚い足の指の**線維鞘**（**16**）によって補強されている．

各指の線維鞘は関節のところにある輪状の線維束からなる輪状部（**17**）をもつ．また指節間関節の間には十字形の結合組織からなる十字部（**18**）がある．滑液鞘の中には，手の指と同様に腱のヒモがみられる．手と異なり足底の中部では腱鞘はみられない．

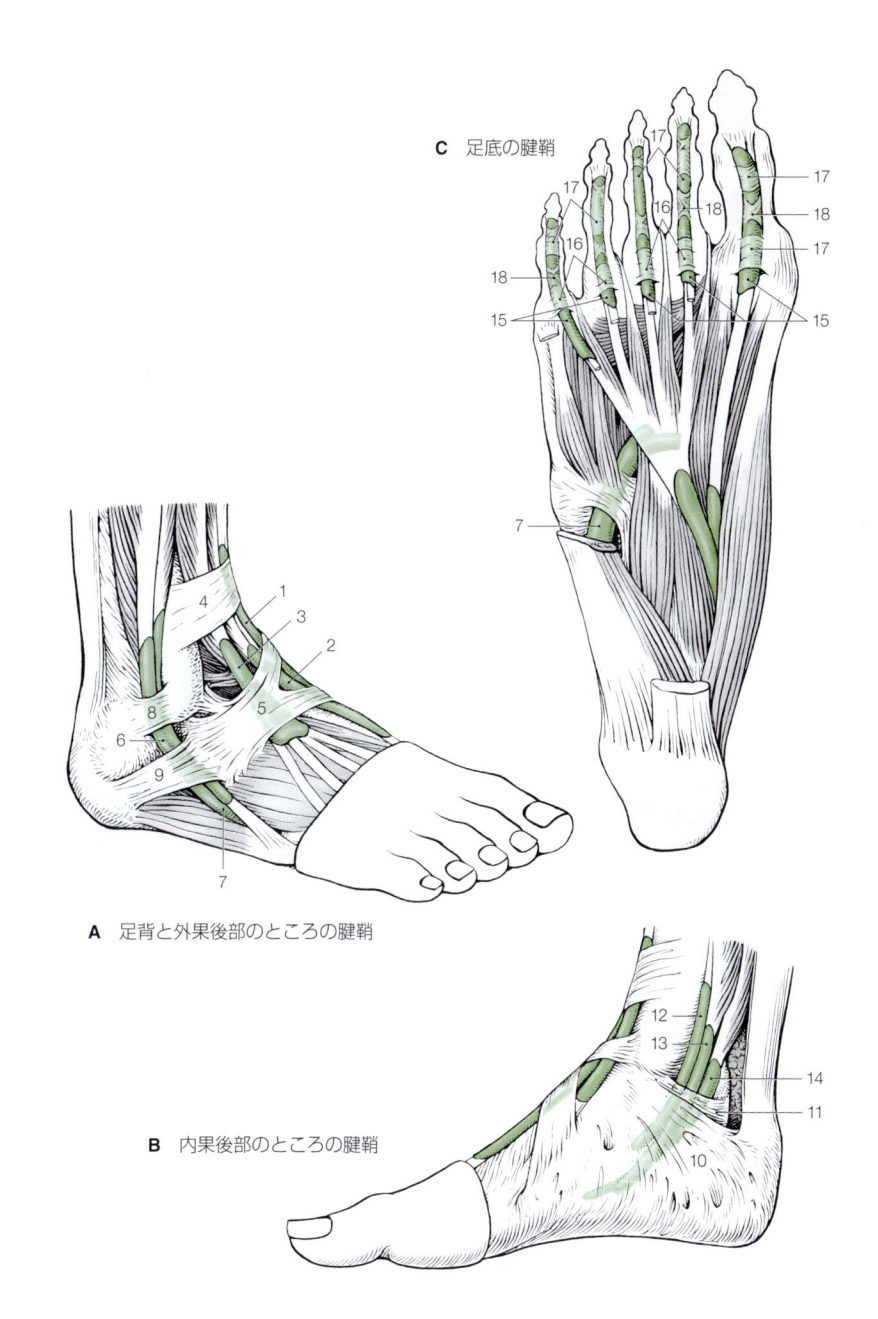

C 足底の腱鞘

A 足背と外果後部のところの腱鞘

B 内果後部のところの腱鞘

ただ上記の長母指屈筋（**14**）と長指屈筋（**13**）のための2つの腱鞘だけが中足部に達しているに過ぎない（**C**）*．

*足底の中部では，これら2つの腱鞘のほか長腓骨筋の足底腱鞘（**7**）もみられる．

---

1 前脛骨筋の腱鞘 tendinous sheath of tibialis anterior **2** 長母指伸筋の腱鞘 tendinous sheath of extensor hallucis longus **3** 長指伸筋の腱鞘 tendinous sheath of extensor digitorum longus **4** 上伸筋支帯 superior extensor retinaculum **5** 下伸筋支帯 inferior extensor retinaculum **6** 腓骨筋の総腱鞘 common tendinous sheath of fibulares **7** 長腓骨筋の足底腱鞘 plantar tendinous sheath of fibularis longus **8** 上腓骨筋支帯 superior fibular retinaculum **9** 下腓骨筋支帯 inferior fibular retinaculum **10** 浅層（屈筋支帯の）superficial layer **11** 深層（屈筋支帯の）deep layer **12** 後脛骨筋の腱鞘 tendinous sheath of tibialis posterior **13** 長指屈筋の腱鞘 tendinous sheath of flexor digitorum longus **14** 長母指屈筋の腱鞘 tendinous sheath of flexor hallucis longus **15** 足の指の滑液鞘 synovial sheaths of toes **16** 足の指の線維鞘 fibrous sheaths of toes **17** 線維鞘の輪状部 anular part of fibrous sheath **18** 線維鞘の十字部 cruciform part of fibrous sheath

A) 頭　蓋

頭の基本的な骨組みすなわち**頭蓋** skull, cranium は上方で体幹を閉じている．頭蓋は一方では脳の容れ物として役立ち，他方では顔面の基礎をつくり，消化管と呼吸路の起始部を含んでいる．多様な使命をもつため，頭蓋の構造はそれに応じて分化している．

頭蓋の区分（A，B）

頭蓋は2つの部分すなわち脳頭蓋（**神経頭蓋** neurocranium）と顔面頭蓋（**内臓頭蓋** viscerocranium）からなっている．

これら両部分の間の境界は鼻根のところから眼窩の上縁を経て外耳道にまで達している．

頭蓋の形は，骨に一定の変化を引き起こすことができるような作用をもつ筋と，頭蓋の内容によってきまる．そして神経頭蓋とその中に含まれる脳の間には相関がみられる．すなわち両者は相互に影響し合う．一方で脳の過剰な発育は神経頭蓋の拡大の原因となることがあり（水頭症 hydrocephaly，152頁），他方では神経頭蓋の早期の発育停止は脳の奇形を引き起こすことがある．しかしながら単に神経頭蓋内部での相互作用のみならず，顔面頭蓋との密接な関係も存在する．したがって筋の完成度と神経頭蓋内部にある張材系としての脳硬膜の完成度とは相互に依存性がある．

頭蓋の発生

基本的には2つの発生過程が頭蓋内で確認されている．この発生学的に異なる2つの部分は骨化の様式の相異によって生じる．一つの部分は**軟骨性頭蓋** chondrocranium，もう一つの部分は**結合組織性頭蓋** desmocranium である．軟骨性頭蓋では置換骨の形成がみられ，結合組織性頭蓋では個々の骨が被蓋骨として結合組織から直接発生してくる．この二様の発生過程が機能的に分かれた2つの部分（神経頭蓋と内臓頭蓋）に現れる．その際，一方では結合組織性の，他方では軟骨性基盤の上に発生してくる両部分が互いに融合し，一つのまとまった骨をつくることもある．例えばこの発生過程は側頭骨でみられる．

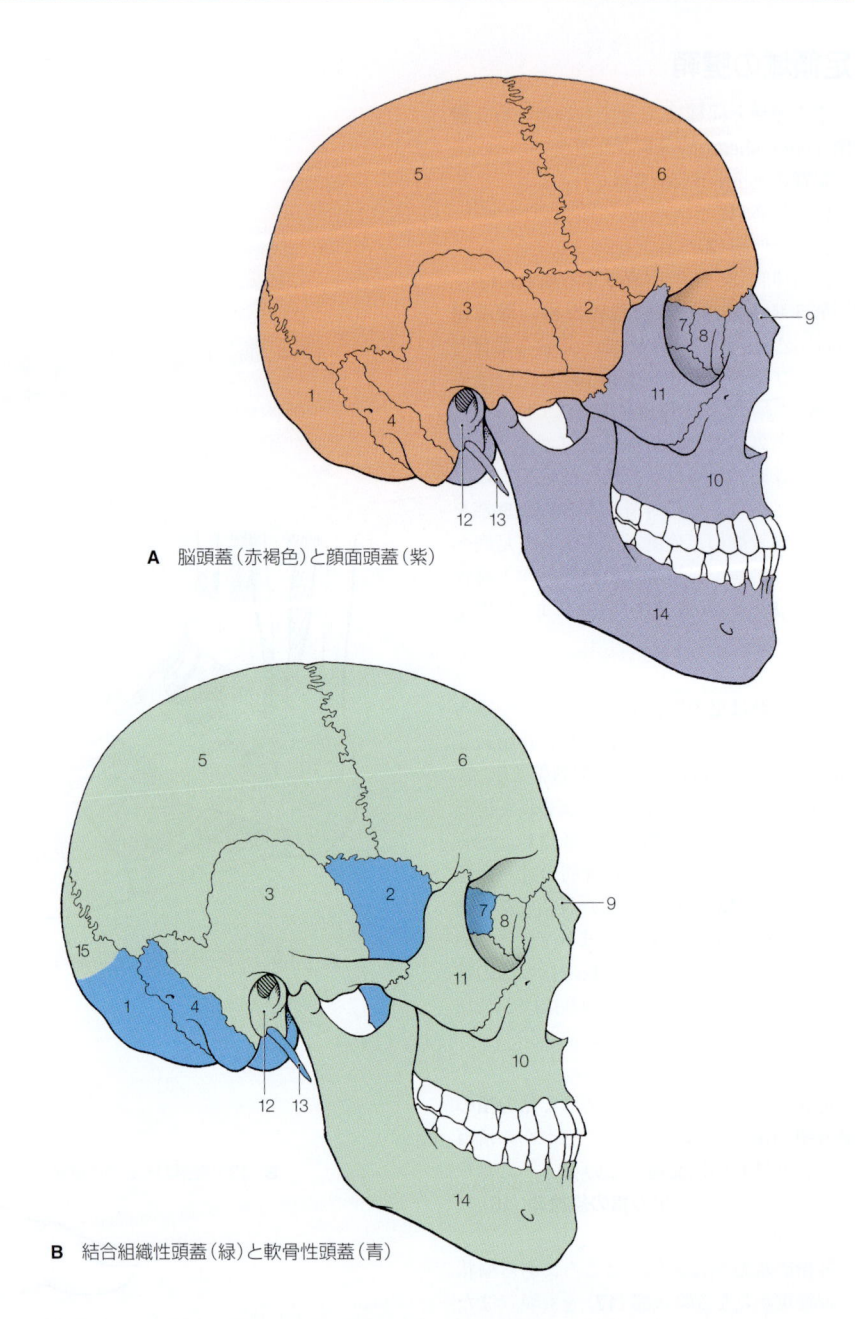

A 脳頭蓋（赤褐色）と顔面頭蓋（紫）

B 結合組織性頭蓋（緑）と軟骨性頭蓋（青）

脳頭蓋（**A**，オレンジ）は後頭骨（**1**），蝶形骨（**2**），両側の側頭骨の鱗部（**3**），両側の側頭骨の岩様部（**4**），両側の頭頂骨（**5**）および前頭骨（**6**）からなる．

顔面頭蓋（**A**，紫）は篩骨（**7**），両側の下鼻甲介，両側の涙骨（**8**），両側の鼻骨（**9**），鋤骨，両側の上顎骨（**10**）とその切歯骨，両側の口蓋骨，両側の頬骨（**11**），両側の側頭骨の鼓室部（**12**）と茎状突起（**13**），下顎骨（**14**）および舌骨（図示されていない）に分けられる．

軟骨性基盤の上につくられる骨（**B**，青）は：後頭骨（**1**，後頭鱗の上部（**15**）を除く），蝶形骨（**2**，翼状突起の内側板を除く），側頭骨の岩様部（**4**）と耳小骨，篩骨（**7**），下鼻甲介および舌骨．

結合組織性基盤の上に被蓋骨として発生してくる骨（**B**，緑）は：後頭骨後頭鱗の上部（**15**），蝶形骨甲介，翼状突起の内側板，側頭骨の鼓室部（**12**）と鱗部（**3**），頭頂骨（**5**），前頭骨（**6**），涙骨（**8**），鼻骨（**9**），鋤骨，上顎骨（**10**），口蓋骨，頬骨（**11**）および下顎骨（**14**）．

---

1 後頭骨 occipital bone　**2** 蝶形骨 sphenoidal bone　**3** 側頭骨の鱗部 squamous part of temporal bone　**4** 側頭骨の岩様部 petrous part of temporal bone　**5** 頭頂骨 parietal bone　**6** 前頭骨 frontal bone　**7** 篩骨 ethmoidal bone　**8** 涙骨 lacrimal bone　**9** 鼻骨 nasal bone　**10** 上顎骨 maxilla　**11** 頬骨 zygomatic bone　**12** 側頭骨の鼓室部 tympanic part of temporal bone　**13** 茎状突起 styloid process　**14** 下顎骨 mandible　**15** 後頭鱗（の上部）squamous part of occipital bone

頭蓋の発生（続き）

頭蓋骨発生領域の特殊性（A～D）

結合組織を基盤として発生してくる頭蓋冠には骨化点があり，それから骨形成が放射状にすべての方向へ広がっていく．そのため対をなす高まりが生じ，前頭部には2つの結節すなわち前頭結節（**1**），頭頂部にも2つの結節すなわち頭頂結節（**2**）が生じる．これらの結節から骨が発生してくる．出生時には個々の骨の間にはまだかなり広い結合組織性の部分が残っており，**頭蓋泉門** fontanelles と呼ばれる．

泉門のうち無対で結合組織で閉ざされた大泉門（**3**）はほぼ四角形をしており，出生時には2.5～3cmの縦径を示す．一方，これより小さく無対で結合組織で閉ざされた小泉門（**4**）は三角形をしている．大泉門は両側の前頭骨原基と両側の頭頂骨原基とにはさまれている．小泉門は両側の頭頂骨原基と後頭骨の後頭鱗上部の原基の間にある．対をなす泉門が側方にもあり，結合組織で閉ざされた大きい方の前側頭泉門（**5**）と軟骨で閉ざされた小さい方の（軟骨結合に相当する）後側頭泉門（**6**）とが区別される．前側頭泉門は前頭骨，頭頂骨および蝶形骨の三者の間にあり，後側頭泉門の方は頭頂骨，側頭骨および後頭骨の三者の間にみられる．

泉門は生後に閉じるもので，小泉門が生後3ヵ月で最初に融合し，前側頭泉門は6ヵ月で，後側頭泉門は18ヵ月で，最後に大泉門が36ヵ月で閉じる．

> **臨床関連**：大泉門は新生児と乳児で脳硬膜の静脈洞系からの採血に重要な意義をもつ．同様に大泉門を使って（硬膜下血腫など）の穿刺を行うことができる．

縫合と軟骨結合

頭蓋骨の間に残っている結合組織は**縫合** suture（12頁）をつくり，頭蓋骨が引き続き成長しうるようになっている．完全な骨の融合すなわち骨結合ができ上がると，初めて頭蓋の成長は止まる．

軟骨が前もってつくられる2,3の骨（軟骨性頭蓋）の間には**軟骨結合** cartilaginous juncturae（synchondrosis）がみられる．臨床上興味のあるのは蝶後頭軟骨結合 spheno-occipital synchondrosis で，18歳ごろに骨化する（三基底骨 os tribasilare）．蝶形骨体のところには蝶形骨間軟骨結合 intersphenoidal synchondrosis* があって，これは早期に骨化する．一方，蝶形骨と篩骨との間にある蝶篩軟骨結合 spheno-ethmoidal synchondrosis は成人期に至ってやっと骨結合をするようになる．そのほか，側頭骨の岩様部と隣り合う骨との間には，一生を通じて軟骨結合のままとどまるものがある．蝶錐体軟骨結合 sphenopetrosal synchondrosis と錐体後頭軟骨結合 petro-occipital synchondrosis がそうである．

頭蓋の発育はすでに述べたように，（顔面の）筋の作用と頭蓋の内容に依存している．そして，脳頭蓋と顔面頭蓋の発育は同じ速さで起こるのではない．生後初めのうちは成長しないでいた顔面頭蓋は，生後数年たつとやっと二次的に加速度的な成長がみられるようになるのである．

*J.N.A.用語．

A 新生児の頭蓋を側方からみたところ

D 2歳の幼児の頭蓋を上方からみたところ

B 新生児の頭蓋を上方からみたところ

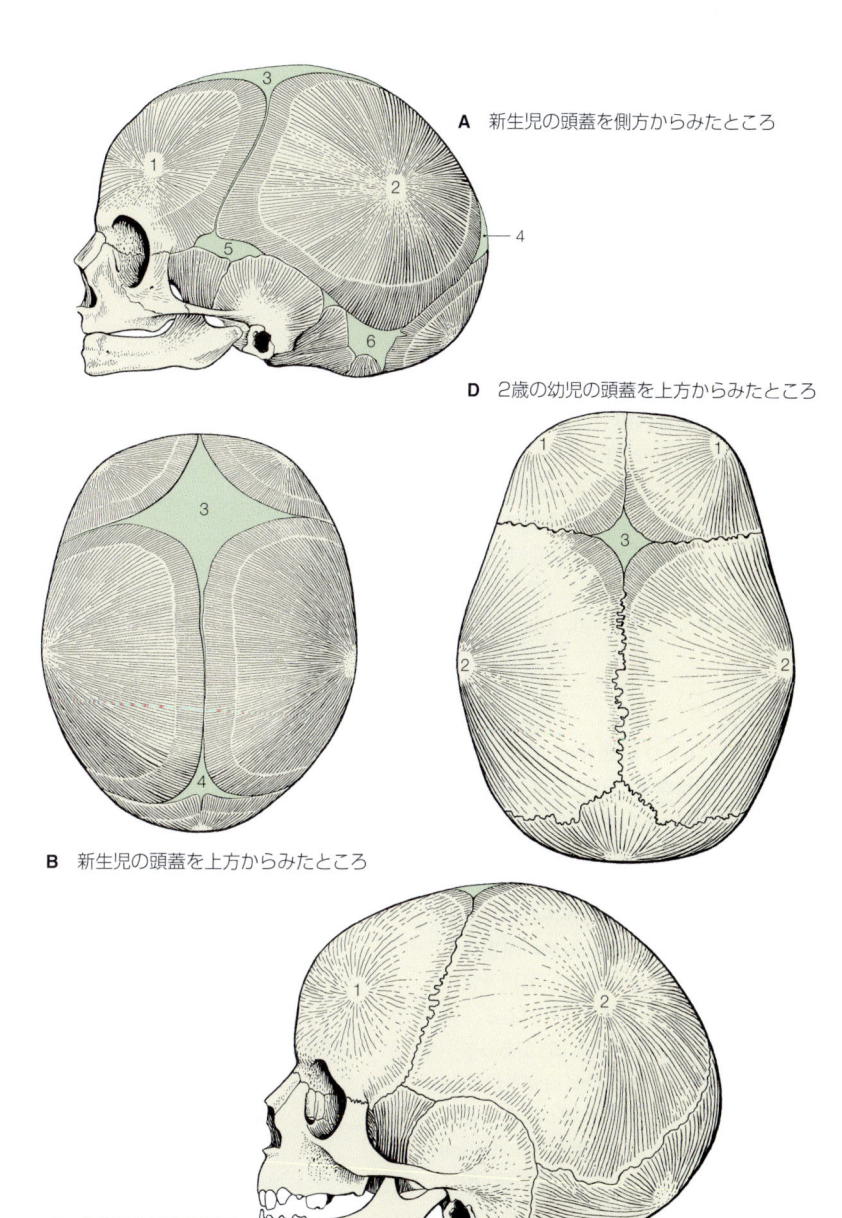

C 2歳の幼児の頭蓋を側方からみたとろ

---

1 前頭結節 frontal tuber　**2** 頭頂結節 parietal tuber　**3** 大泉門 anterior fontanelle　**4** 小泉門 posterior fontanelle　**5** 前側頭泉門 sphenoidal fontanelle (anterolateralis)
6 後側頭泉門 mastoid fontanelle (posterolateralis)

頭蓋骨の構造

扁平な頭蓋骨は外面にある緻密質板すなわち**外板** external table，内面の緻密質板である**内板** internal table およびそれらの間にあって数多くの静脈を容れている**板間層** diploë（海綿質）からなっている．

扁平でない頭蓋骨は部分的に含気性の腔をもち，鼻腔と交通している．また側頭骨には聴覚および平衡覚器を容れるための感覚嚢がある．

頭蓋は外面を**頭蓋骨膜** pericranium に覆われ，頭蓋腔は**頭蓋内膜** endocranium すなわち**脳硬膜** dura mater で内張りされている．

まず頭蓋を全体として種々の方向から観察することは，形態を機能と関連づけてよりよく認識し，さらに個々の頭蓋骨の特殊性を理解するためにも大切なことである．それに続いて特殊な腔について述べることにする．

頭蓋冠（A～C）

頭蓋冠 calvaria は**前頭骨** frontal bone（黄），両側の**頭頂骨** parietal bone（褐色），両側の**側頭骨** temporal bone（赤）の一部および**後頭骨** occipital bone（オレンジ）の最上部からなっている．頭蓋冠を外から観察すると，まず第1に縫合 suture がみえる．前頭結節（**3**）のある前頭鱗（**2**）と両側の頭頂骨を分けるのは冠状縫合（**1**）である．頭頂骨には同様に頭頂結節（**4**）という高まりがある．両側の頭頂骨の間には矢状縫合（**5**）があって，これは冠状縫合から両側の頭頂骨と後頭鱗（**7**）の間にあるラムダ縫合（**6**）にまで達している．頭頂部には側方に側頭線 temporal line がみられ，下方のものを下側頭線（**8**），上方のものを上側頭線（**9**）という．矢状縫合のすぐ近くで，ラムダ縫合の直前には頭頂孔（**10**）がある（詳しくは142頁参照）．

成人の頭蓋冠の内面には前述の縫合がみられる．頭蓋冠の断面では外板（**11**），板間層（**12**）および内板（**13**）がみえる．前頭鱗の最前部には，頭頂へ向かって突き出す前頭稜（**14**）がある．矢状縫合のところには上矢状洞溝（**15**）という浅い溝がみられる．下から正中と後方へ向かって上行する動脈溝（**16**）があって，中硬膜動脈とその伴行静脈を容れている．上矢状洞溝の側方と前頭稜の側方には，数と大きさはまちまちであるがクモ膜顆粒小窩（**17**）という小さなくぼみがあり，この中へクモ膜顆粒が入り込んでいる．

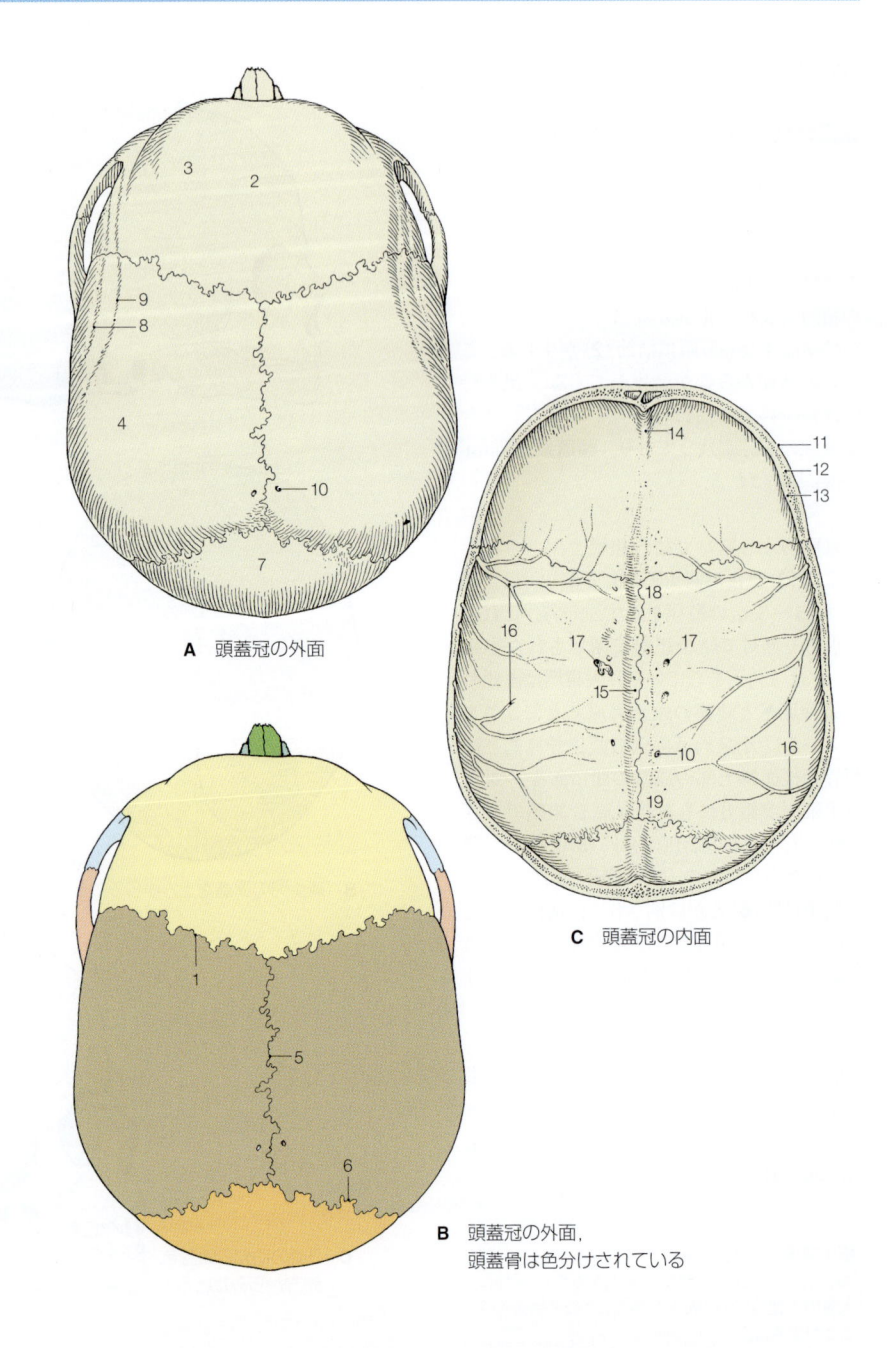

頭蓋冠の内面でも外面でも，頭頂骨には前頭角（**18**）と後頭角（**19**）がみられる．これに対し，蝶形骨角 sphenoidal angle と乳突角 mastoid angle は頭蓋底まできて初めて見いだすことができる．

A 頭蓋冠の外面

B 頭蓋冠の外面，頭蓋骨は色分けされている

C 頭蓋冠の内面

---

1 冠状縫合 coronal suture　**2** 前頭鱗 squamous part　**3** 前頭結節 frontal tuber　**4** 頭頂結節 parietal tuber　**5** 矢状縫合 sagittal suture　**6** ラムダ縫合 lambdoid suture　**7** 後頭鱗 squamous part of occipital bone　**8** 下側頭線 inferior temporal line　**9** 上側頭線 superior temporal line　**10** 頭頂孔 parietal foramen　**11** 外板 external table　**12** 板間層 diploe　**13** 内板 internal table　**14** 前頭稜 frontal crest　**15** 上矢状洞溝 groove for superior sagittal sinus　**16** 動脈溝 grooves for arteries　**17** クモ膜顆粒小窩 granular foveolae　**18** 前頭角 frontal angle　**19** 後頭角 occipital angle

側方からみた頭蓋（A～C）

ドイツ水平面（眼窩の下縁と外耳道の上縁を通る水平面）に定位した頭蓋では，**神経頭蓋**のところに**側頭窩**（**1**）がみえる．この側頭平面をつくるのに関与するのは**側頭骨** temporal bone（**B**，淡赤）のほか，**頭頂骨** parietal bone（淡茶），**前頭骨**（黄）の一部および**蝶形骨** sphenoidal bone（赤）である．側頭平面は上方では幾分よく発達した**下側頭線**（**2**）と，発達のあまりよくない**上側頭線**（**3**）によって境されている．**側頭骨鱗部**（**4**）からは**頰骨突起**（**5**）が前方へ伸び出し，これが**頰骨** zygomatic bone（青）の**側頭突起**（**6**）とつながって**頰骨弓**（**7**）をつくる．頰骨突起の根部の下方には**外耳道**（**8**）があり，この大部分は**側頭骨** temporal bone（**B**，淡赤）の**鼓室部**（**9**と**C**の淡青），一部分はその**鱗部**（**4**と**C**の淡赤）で囲まれている．そのすぐ上にはしばしば小さな**道上棘**（**10**）と道上小窩 suprameatal triangle という小さなくぼみがある．外耳道の後ろには筋のための骨突起として生じた**乳様突起**（**11**）がみられる．この突起と鼓室部との間に発達の程度に著しく差のある**鼓室乳突裂**（**12**）という裂隙がある．乳様突起の根部には**乳突孔**（**13**）がある．鼓室部（**9**）の下方には大きさに変化の多い**茎状突起** styloid process（**C**の淡緑）がみられる．

顔面頭蓋を観察すると，眼窩の上には**眉弓**（**14**）が堤状の高まりとしてみられる．その下には**眼窩上縁**（**15**）がある．この眼窩上縁は外側縁 lateral margin を経て，眼窩口 orbital opening の外方および下方の境界をなす**眼窩下縁**（**16**）に続いていく．眼窩下縁は**頰骨**と**上顎骨前頭突起**（**17**）とからつくられている．内側壁には**涙囊窩**（**18**）というくぼみがある（眼窩 orbit については150頁参照）．

頰骨には一つ（または２つ）の小孔があって，**頰骨顔面孔**（**19**）といわれる．眼窩下縁の下方には**眼窩下孔**（**20**）がある．鼻の開口の下端には**前鼻棘**（**21**）がみられる．**上顎骨** maxilla（淡緑）には下方へ向かう歯をもつ**歯槽突起**（**22**）がある．歯槽突起の後方には**上顎結節**（**23**）がもり上がっている（下顎骨については148頁参照）．

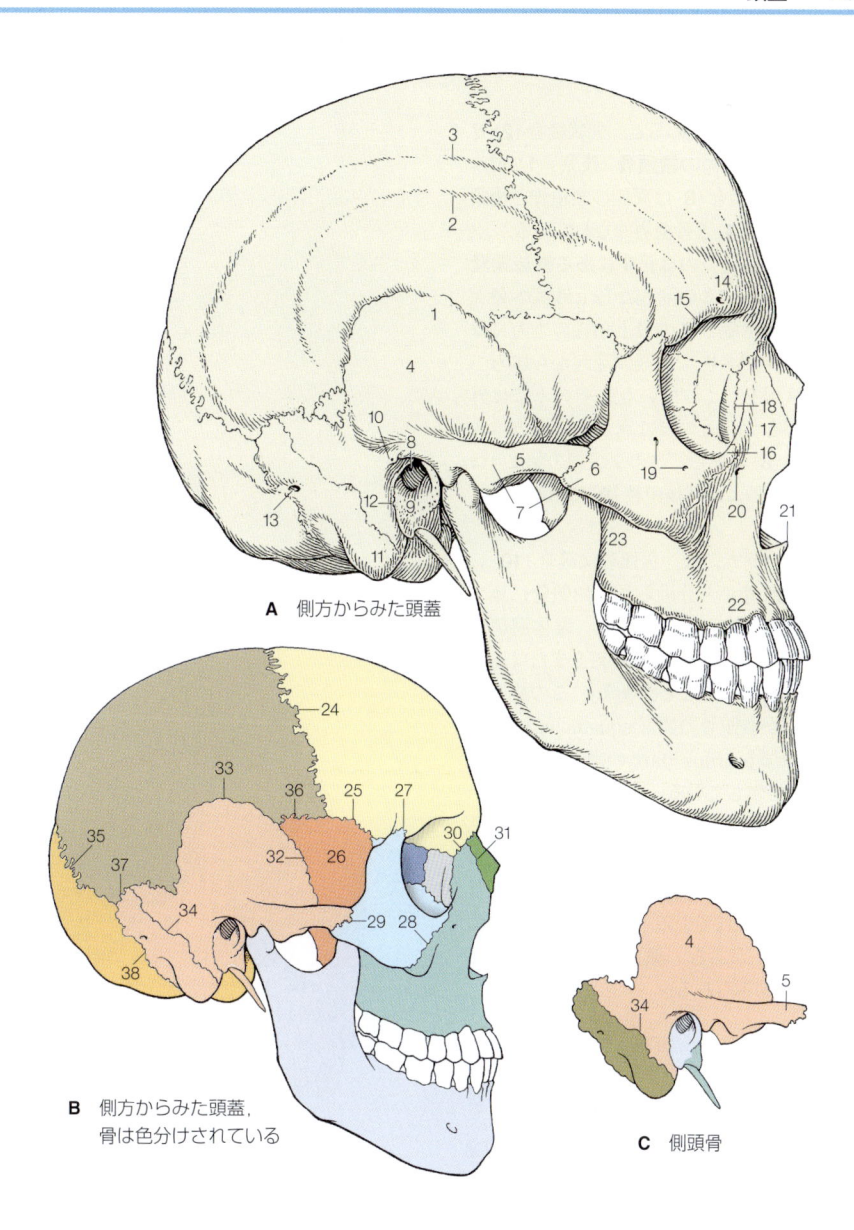

A 側方からみた頭蓋

B 側方からみた頭蓋，骨は色分けされている

C 側頭骨

縫合

冠状縫合（**24**）は前頭骨と頭頂骨とを境する．この縫合は蝶形骨大翼（**26**）と前頭骨との間に横たわる**蝶前頭骨縫合**（**25**）に合流する．前頭骨は**前頭頰骨縫合**（**27**）によって頰骨と分けられる．頰骨と上顎骨の間には**頰骨上顎縫合**（**28**），頰骨と側頭骨の間には**側頭頰骨縫合**（**29**），そして前頭骨と上顎骨の間には**前頭上顎縫合**（**30**）がある．上顎骨と鼻骨 nasal bone（濃緑）の間には**鼻骨上顎縫合**（**31**）がある．**蝶鱗縫合**（**32**）は蝶形骨大翼と側頭骨鱗部の間の境界をつくる．側頭骨（淡赤）は頭頂骨と**鱗状縫合**（**33**）を介して結合している．この鱗状縫合は乳様突起の方へ続いていき，鱗部（**C**の淡赤）と岩様部（**C**の濃緑）の間では**鱗乳突縫合** squamosomastoid suture（**34**）となる．

頭頂骨と後頭骨（オレンジ）との間には**ラムダ縫合**（**35**）がある．

蝶形骨大翼はそのごく小部分が頭頂骨と接しているため，ここに**蝶頭頂縫合**（**36**）という縫合がみられる．乳様突起と頭頂骨の間には**頭頂乳突縫合**（**37**），乳様突起と後頭骨の間には**後頭乳突縫合**（**38**）がある．

---

1 側頭平面 temporal plane　2 下側頭線 inferior temporal line　3 上側頭線 superior temporal line　4 側頭骨鱗部 squamous part of temporal bone　5 頰骨突起 zygomatic process　6 側頭突起 temporal process　7 頰骨弓 zygomatic arch　8 外耳道 external acoustic meatus　9 鼓室部 tympanic part　10 道上棘 suprameatal spine　11 乳様突起 mastoid process　12 鼓室乳突裂 tympanomastoid fissure　13 乳突孔 mastoid foramen　14 眉弓 superciliary arch　15 眼窩上縁 supra-orbital margin　16 眼窩下縁 infra-orbital margin　17 上顎骨前頭突起 frontal process of maxilla　18 涙囊窩 fossa for lacrimal sac　19 頰骨顔面孔 zygomaticofacial foramen　20 眼窩下孔 infra-orbital foramen　21 前鼻棘 anterior nasal spine　22 歯槽突起 alveolar process　23 上顎結節 maxillary tuberosity　24 冠状縫合 coronal suture　25 蝶前頭骨縫合 sphenofrontal suture　26 蝶形骨大翼 greater wing of sphenoidal bone　27 前頭頰骨縫合 frontozygomatic suture　28 頰骨上顎縫合 zygomaticomaxillary suture　29 側頭頰骨縫合 temporozygomatic suture　30 前頭上顎縫合 frontomaxillary suture　31 鼻骨上顎縫合 nasomaxillary suture　32 蝶鱗縫合 sphenosquamous suture　33 鱗状縫合 squamous suture　34 錐体鱗縫合 petrosquamous suture　35 ラムダ縫合 lambdoid suture　36 蝶頭頂縫合 sphenoparietal suture　37 頭頂乳突縫合 parietomastoid suture　38 後頭乳突縫合 occipitomastoid suture

後方からみた頭蓋（A，B）

頭蓋を後ろから眺めると，矢状縫合（2）で結合している両側の**頭頂骨**（淡茶，1）がみえる．ラムダ縫合（3）は両側の頭頂骨と**後頭骨**（オレンジ，4）との境界をなしている．

後頭骨で目立つのは正中にある外後頭隆起（5）である．この隆起から上外側へ最上項線（6）が走る．この最上項線の下方には上項線（7）があり，外後頭隆起から側方へ伸びる横堤をつくっている．その下には外後頭隆起と大孔とのほぼ真ん中に側方へ走る下項線（8）がある．この下項線の始まりはかなり発達のよい外後頭稜（9）にある．

後頭骨の側方には，後頭乳突縫合（10）によって後頭骨から分けられた側頭骨に属する乳様突起（11）がみられる．錐体鱗縫合（12）が乳様突起のところに完全または不完全に存在していることがある．この縫合は乳様突起が側頭骨の鱗部 squamous part および岩様部 petrous part の両部からつくられることを示している．後頭乳突縫合（10）のところには乳突孔（13）があり，ここを乳突導出静脈 mastoid emissary veins が通り抜けている．乳様突起の内側には乳突切痕（14）がつくられている．その内側には後頭動脈溝（15）がある．頭頂骨のところには頭頂孔（16）がみられる．

変異：時おり，大後頭隆起が特に強大なことがある．後頭鱗上部が固有の骨として独立して存在することがある．これを**インカ骨** Inca bone, os incae（154頁）という．

頭頂孔がことに大きくなっているとき，これは**過大頭頂孔** foramina parietalia permagna といわれ，X線像で誤診（穿孔）の原因となることがある．

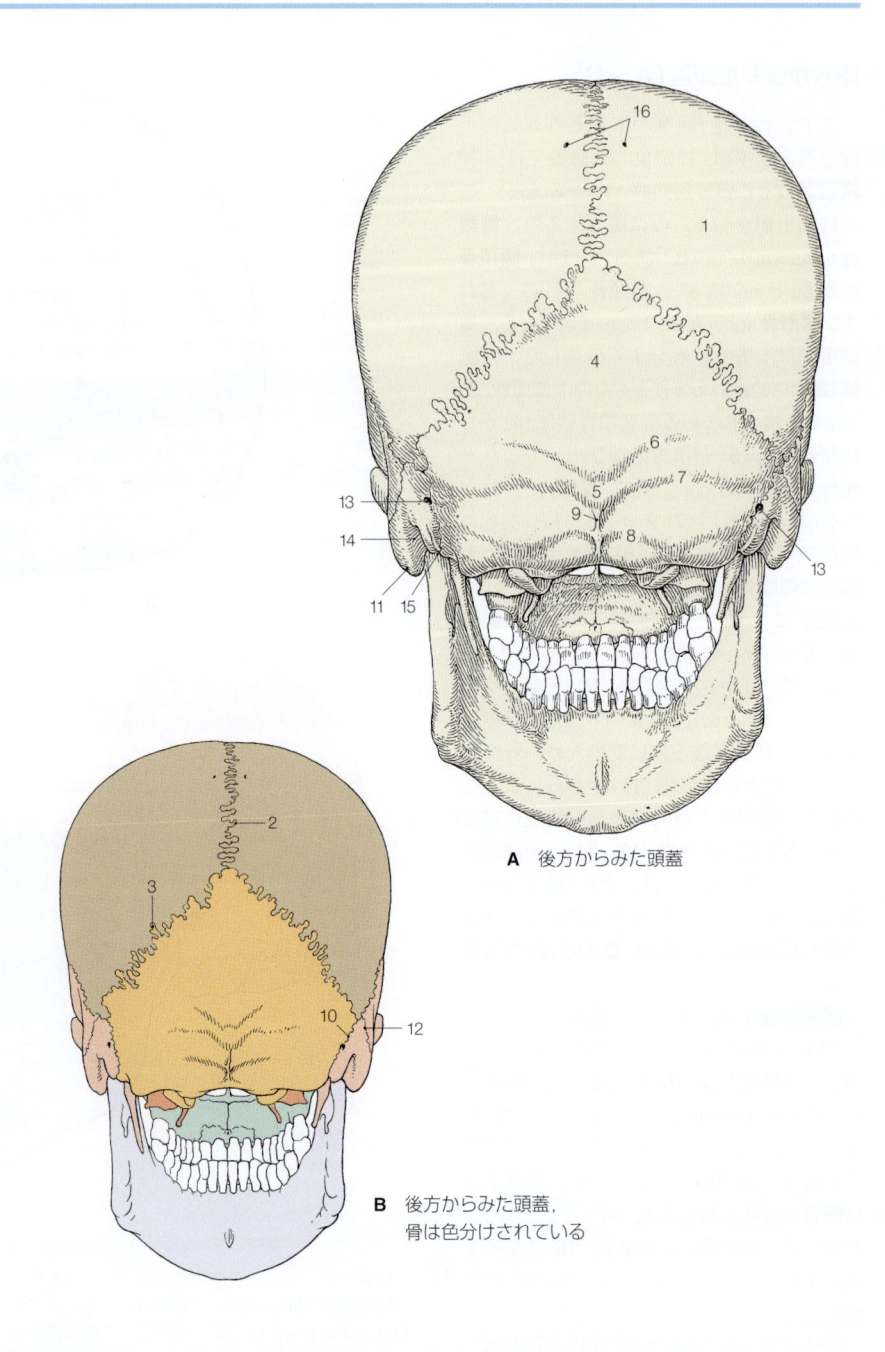

A 後方からみた頭蓋

B 後方からみた頭蓋，骨は色分けされている

1 頭頂骨 parietal bone　2 矢状縫合 sagittal suture　3 ラムダ縫合 lambdoid suture　4 後頭骨 occipital bone　5 外後頭隆起 external occipital protuberance　6 最上項線 highest nuchal line　7 上項線 superior nuchal line　8 下項線 inferior nuchal line　9 外後頭稜 external occipital crest　10 後頭乳突縫合 occipitomastoid suture　11 乳様突起 mastoid process　12 錐体鱗縫合 petrosquamous suture　13 乳突孔 mastoid foramen　14 乳突切痕 mastoid notch　15 後頭動脈溝 occipital groove　16 頭頂孔 parietal foramen

前方からみた頭蓋（A, B）

前から眺めると，頭蓋はその全体像を概観することができる．前方部は**前頭骨** frontal bone（黄）でつくられている．この骨は前頭鱗（**1**）のところでは冠状縫合（**2**）によって両側の**頭頂骨** parietal bone（淡茶）と分けられている．

前頭部では眉弓（**3**）の間に眉間（**4**）がある．前頭骨は眼窩上縁（**5**）でもって眼窩口を囲んでおり，その中には，発達の程度のまちまちの眼窩上切痕 supra-orbital notch がみられる．時にはこの切痕は眼窩上孔（**6**）につくり変えられている．その内側に時に小さな前頭切痕（**7**）もしくは前頭孔 frontal foramen があることがある．

両側の眼窩の間では，前頭骨は前頭鼻骨縫合（**8**）によって**鼻骨** nasal bone（濃緑）と，また前頭上顎縫合（**9**）によって**上顎骨** maxilla（淡緑）と接している．両側の鼻骨は鼻骨間縫合（**10**）によって接合している．眼窩口の外側には前頭頬骨縫合（**11**）がみられ，この縫合は前頭骨と頬骨の間の境界をなしている．**頬骨** zygomatic bone（淡青）は上顎骨とともに眼窩口を広範囲に囲んでいる（眼窩については150頁参照）．

上顎のところでは眼窩下縁（**12**）の少し下方で，頬骨上顎縫合（**13**）の近くに眼窩下孔（**14**）がみられる．この孔は上顎神経 maxillary nerve の一枝（眼窩下神経 infraorbital nerve）と眼窩下動・静脈が通り抜けるためのものである．上顎骨体には眼窩下孔の下方にくぼみがみえるが，これは犬歯窩（**15**）といわれる．

上顎体 body of maxilla から外側へ向かって頬骨突起（**16**）が出る．前頭骨との接合は上顎体から上行する前頭突起（**17**）によって行われ，また鼻骨上顎縫合（**18**）によって鼻骨と連結する．内方へ向かう口蓋突起 palatine process（144頁）が硬口蓋の前方での基礎をつくっている．最後に，歯の生えている上顎では下方へ向かう歯槽突起（**19**）がみられる．

前頭突起には眼窩下縁の続きとして前涙嚢稜（**20**）がみられる．上顎骨の中心は既述の上顎体であって，これが鼻切痕（**21**）をもって鼻腔への入口である梨状口 piriform aperture の境界をつくっている．この梨状口の下縁で，上顎間縫合（**22**）の上端には，前方へ向かう棘すなわち前鼻棘（**23**）が突出している．頬骨のところでは頬骨顔面孔（**24**）が一つないし2つみられる．

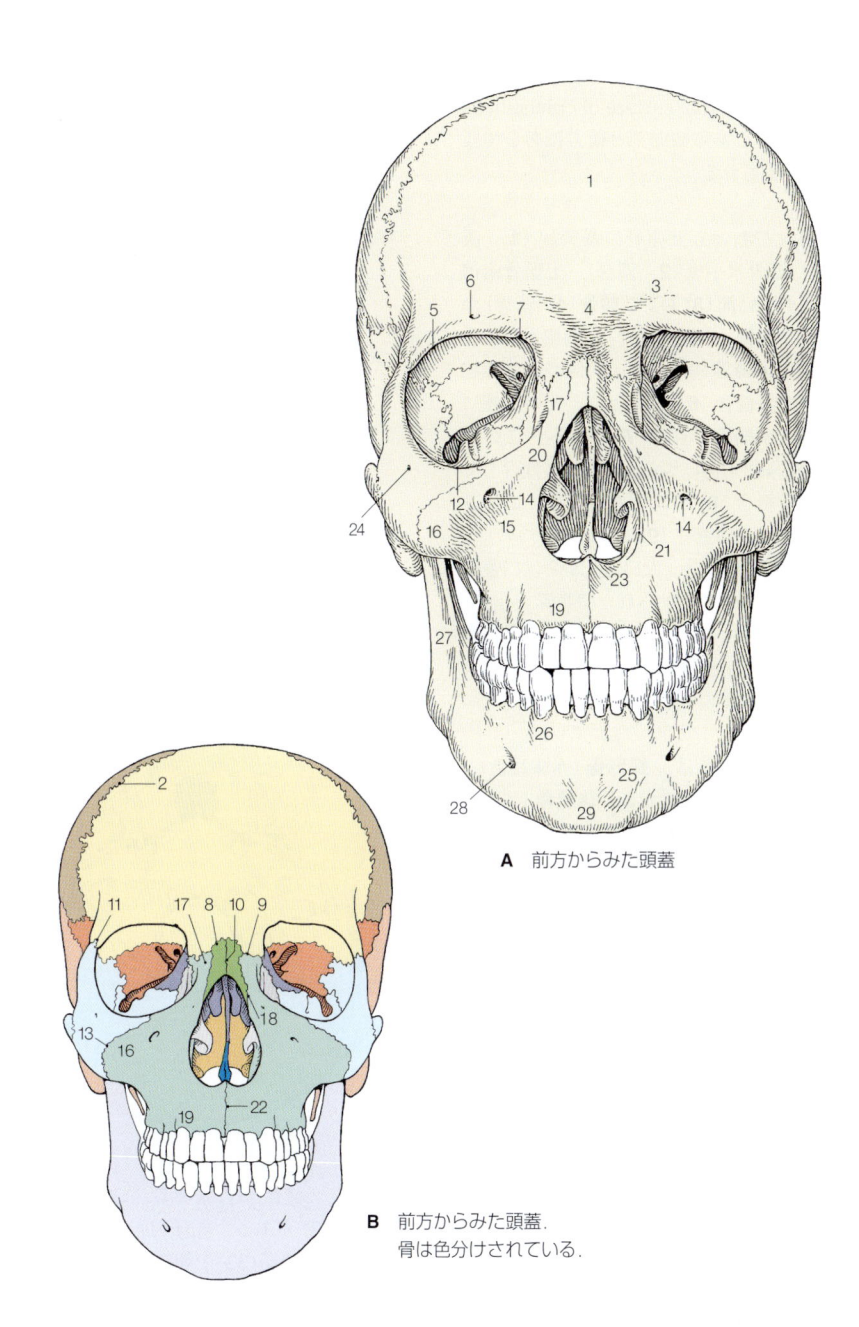

下顎骨 mandible（淡紫）は前からみると下顎体（**25**），歯槽部（**26**）および下顎枝（**27**）がみえる．下顎体のところでは，第2小臼歯を通るように設定された垂直線上にオトガイ孔（**28**）がみられる．下顎骨の中央部にはオトガイ隆起（**29**）が形成されている（148頁）．

A 前方からみた頭蓋

B 前方からみた頭蓋．骨は色分けされている．

1 前頭鱗 squamous part　**2** 冠状縫合 coronal suture　**3** 眉弓 superciliary arch　**4** 眉間 glabella　**5** 眼窩上縁 supra-orbital margin　**6** 眼窩上孔 supra-orbital notch　**7** 前頭切痕 frontal notch　**8** 前頭鼻骨縫合 frontonasal suture　**9** 前頭上顎縫合 frontomaxillary suture　**10** 鼻骨間縫合 internasal suture　**11** 前頭頬骨縫合 frontozygomatic suture　**12** 眼窩下縁 infra-orbital margin　**13** 頬骨上顎縫合 zygomaticomaxillary suture　**14** 眼窩下孔 infra-orbital foramen　**15** 犬歯窩 canine fossa　**16** 上顎骨頬骨突起 zygomatic process of maxilla　**17** 上顎骨前頭突起 frontal process of maxilla　**18** 鼻骨上顎縫合 nasomaxillary suture　**19** 歯槽突起 alveolar process　**20** 前涙嚢稜 anterior lacrimal crest　**21** 鼻切痕 nasal notch　**22** 上顎間縫合 intermaxillary suture　**23** 前鼻棘 anterior nasal spine　**24** 頬骨顔面孔 zygomaticofacial foramen　**25** 下顎体 body of mandible　**26** 歯槽部 alveolar part　**27** 下顎枝 ramus of mandible　**28** オトガイ孔 mental foramen　**29** オトガイ隆起 mental protuberance

下方からみた頭蓋底（外頭蓋底）(A, B)

外頭蓋底 external surface of cranial basis では，前方にある顔面部と後方にある神経部とが区別される．

前部は左右とも上顎骨口蓋突起（**1**，淡緑），口蓋骨水平板（**2**，濃緑），上顎骨歯槽突起，上顎結節（**3**）および頬骨（**4**，淡青）からなる．鋤骨 vomer（濃青）は内側からの後鼻孔（**5**）の境界をつくる．両側の口蓋突起は正中口蓋縫合（**6**）で接合し，その前端には切歯管が開く切歯窩（**7**）がある．この切歯窩から第2切歯に至るところに，残存している切歯縫合（**8**）が時折みられる．口蓋骨の水平板は大口蓋孔（**9**）と（通常2つの）小口蓋孔（**10**）をもつ．大口蓋孔からは口蓋棘 palatine spines で仕切られた口蓋溝 palatine groove が前方へ走る．上顎骨（淡緑）と口蓋骨 palatine bone（濃緑）の間には横口蓋縫合（**11**）がみられる．

後部に属する骨は，蝶形骨（赤煉瓦色），両側の側頭骨（淡赤）および後頭骨（オレンジ）である．翼状突起 pterygoid process は外側からの後鼻孔の境界をつくる．翼状突起に翼突鉤 pterygoid hamulus をもつ内側板（**12**）と外側板（**13**）を区別する．その両板の間には翼突窩 pterygoid fossa がある．内側板の根部には舟状窩（**14**）とその後内側には破裂孔（**15**）がある．

蝶形骨体（**16**）は中央部にあり，側方には側頭下稜（**18**）をもつ大翼（**17**）がある．大翼は蝶形骨棘（**19**）をもち，棘孔（**20**）に貫かれている．棘孔と破裂孔との間には卵円孔（**21**）が開く．蝶形骨と側頭骨岩様部との間には蝶錐体裂（**22**）がある．そこから耳管溝（**23**）が後外側へ伸び出す．頸動脈管外口*（**24**）に蝸牛小管外口 external opening of cochlear canaliculus が連絡し，これはまた頸静脈窩（**25**）と隣接している．頸静脈窩と頸動脈管外口の間には錐体小窩 petrosal fossula がある．この錐体小窩には鼓室部（**26**）と茎状突起鞘 sheath of styloid process で覆われた茎状突起（**27**）が接している．この突起のすぐ後ろには茎乳突孔（**28**）がある．乳様突起（**29**）には乳突切痕（**30**），その内側に後頭乳突縫合（**31**）がある．ここには後頭動脈溝（**32**）がある．乳様突起の前方には鼓室部（**26**）と鱗部（**33**）で囲まれた外耳孔（**34**）がある．

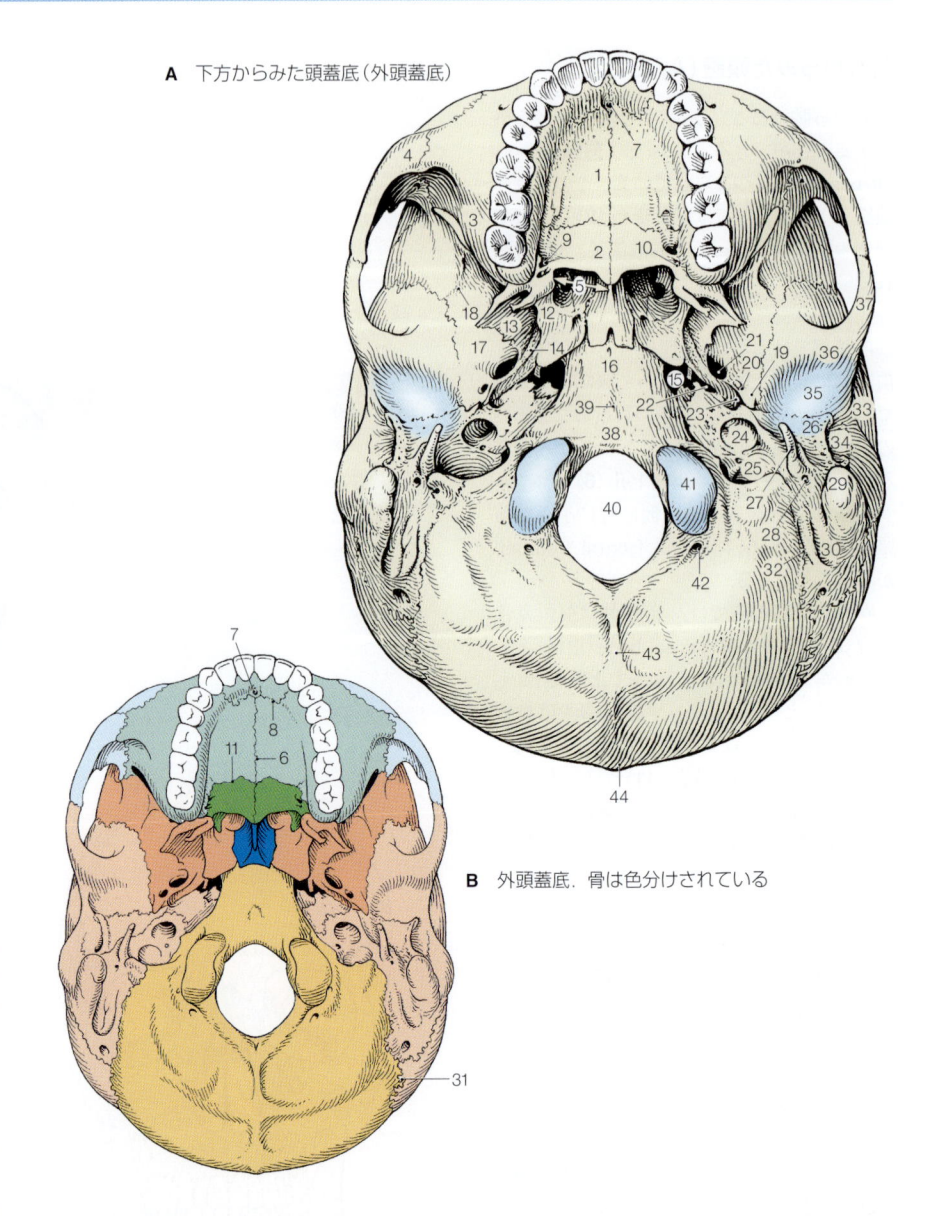

鼓室部と鱗部，ならびに錐体鼓室裂 petrotympanic fissure と錐体鱗裂 petrosquamous fissure によって囲まれる鼓室蓋稜 tegmental crest* という岩様部にある小稜が，下顎窩（**35**）をつくる．この下顎窩は前方は関節結節（**36**）で境される．外側へは側頭骨頬骨突起（**37**）が伸び出す．

咽頭結節（**39**）をもつ後頭骨の底部（**38**）は蝶形骨体（**16**）と融合している．側頭骨岩様部と後頭骨の間には錐体後頭裂 petro-occipital fissure が走る．頸静脈窩はそれに隣接する後頭骨によって拡大されて頸静脈孔 jugular foramen となる．大［後頭］孔（**40**）は側方では後頭顆（**41**）によって境される．後頭顆の後縁には顆窩 condylar fossa に開くそれぞれ1本の顆管（**42**）がみられる．外後頭稜（**43**）は大孔に始まって，上方へ向かい外後頭隆起（**44**）に至る．

*J.N.A.用語．

A 下方からみた頭蓋底（外頭蓋底）

B 外頭蓋底．骨は色分けされている

---

1 上顎骨口蓋突起 palatine process of maxilla　**2** 口蓋骨水平板 horizontal plate of palatine bone　**3** 上顎結節 maxillary tuberosity　**4** 頬骨 zygomatic bone　**5** 後鼻孔 choana　**6** 正中口蓋縫合 median palatine suture　**7** 切歯窩 incisive fossa　**8** 切歯縫合 incisive suture　**9** 大口蓋孔 greater palatine foramen　**10** 小口蓋孔 lesser palatine foramina　**11** 横口蓋縫合 transverse palatine suture　**12** 内側板 medial lamina　**13** 外側板 lateral lamina　**14** 舟状窩 scaphoid fossa　**15** 破裂孔 foramen lacerum　**16** 蝶形骨体 body of sphenoidal bone　**17** 大翼 greater wing　**18** 側頭下稜 infratemporal crest　**19** 蝶形骨棘 spine of sphenoidal bone　**20** 棘孔 foramen spinosum　**21** 卵円孔 foramen ovale　**22** 蝶錐体裂 sphenopetrosal fissure　**23** 耳管溝 sulcus of auditory tube　**24** 頸動脈管外口 external opening of carotid canal　**25** 頸静脈窩 jugular fossa　**26** 鼓室部 tympanic part　**27** 茎状突起 radial styloid process　**28** 茎乳突孔 stylomastoid foramen　**29** 乳様突起 mastoid process　**30** 乳突切痕 mastoid notch　**31** 後頭乳突縫合 occipitomastoid suture　**32** 後頭動脈溝 occipital groove　**33** 鱗部 squamous part　**34** 外耳孔 external acoustic opening　**35** 下顎窩 mandibular fossa　**36** 関節結節 articular tubercle　**37** 側頭骨頬骨突起 zygomatic process of temporal bone　**38** 後頭骨の底部 basilar part (of occipital bone)　**39** 咽頭結節 pharyngeal tubercle　**40** 大［後頭］孔 foramen magnum　**41** 後頭顆 occipital condyle　**42** 顆管 condylar canal　**43** 外後頭稜 external occipital crest　**44** 外後頭隆起 external occipital protuberance

内方からみた頭蓋底（A，B）

内頭蓋底 internal surface of cranial base は

前頭蓋窩 anterior cranial fossa,
中頭蓋窩 middle cranial fossa および
後頭蓋窩 posterior cranial fossa の3つの窩に分けられる．

次の諸骨が頭蓋底の内面をつくる：**篩骨** ethmoid（青紫），**前頭骨**（黄），**蝶形骨**（赤煉瓦色），両側の**側頭骨**（淡赤），**後頭骨**（オレンジ）および両側の**頭頂骨**（淡茶）．

前頭蓋窩は中頭蓋窩とは蝶形骨小翼（**1**）と蝶形骨隆起（**2**）によって分けられ，中および後頭蓋窩は両側の錐体上縁（**3**）と鞍背（**4**）によって分けられる．

前頭蓋窩．篩骨の篩板（**5**）は数多くの小さな裂口をもち，正中には前下端に鶏冠翼 ala of crista galli をもつ鶏冠（**6**）がのっている．その前には盲孔（**7**），側方には指圧痕 digitate impressions のある前頭骨眼窩部（**8**）がみられる．篩板には蝶篩骨縫合（**9**）をつくって蝶形骨が接している．中央部には両側の視神経管（**10**）の間に［視神経］交叉前溝（**11**）がある．この視神経管は前床突起（**12**）で境されている．

中頭蓋窩では，真ん中に下垂体窩（**13**）のあるトルコ鞍 sella turcica がみえ，そのトルコ鞍の側方には頸動脈管 carotid canal に続く頸動脈溝（**14**）がある．頸動脈管は側頭骨岩様部の前壁にあって，この管の内側部の破裂孔（**15**）の近くで開く．その内側端には境となる蝶形骨小舌（**16**）がある．頸動脈溝の側方には卵円孔（**17**），その前には正円孔（**18**），その外側には棘孔（**19**）がある．棘孔からは中硬膜動脈溝（**20**）が外側へ向かう．

岩様部では錐体尖の近くに三叉神経圧痕（**21**）があり，外側やや後方に大錐体神経管裂孔（**22**）があり，これは大錐体神経溝（**23**）に続いて蝶錐体裂へ行く．小錐体神経管裂孔（**24**）は前記の大錐体神経管裂孔の直前にある．錐体上縁（**3**）にはかなりよく発達した上錐体洞溝（**25**）がある．弓状隆起（**26**）という明らかな高まりは前半規管によって生じる．側頭骨鱗部は蝶形骨と蝶鱗縫合（**27**）をつくって結合している．

後頭蓋窩の真ん中には大［後頭］孔（**28**）がある．大孔からは斜台（**29**）が上方へ伸び，鞍背（**4**）で後床突起（**30**）をつくって終わる．

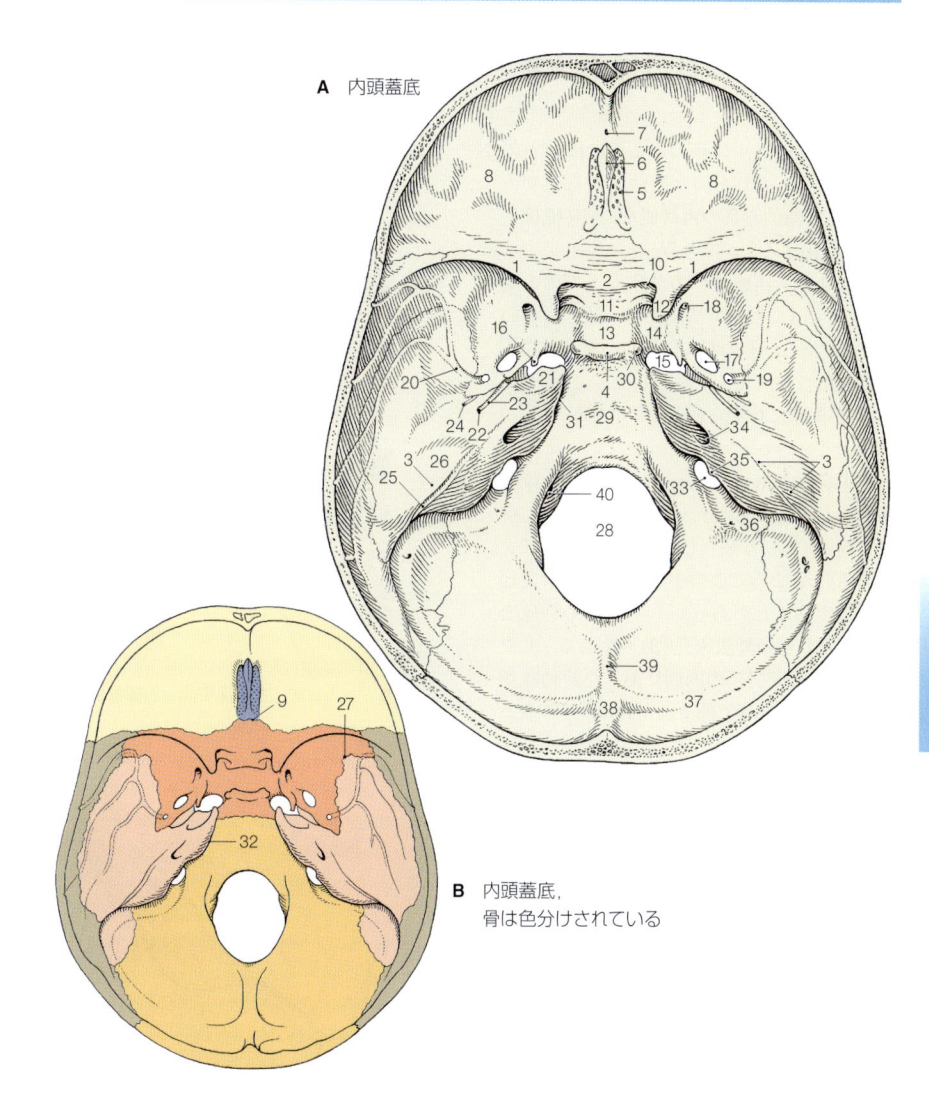

後頭骨と岩様部の間には下錐体洞溝（**31**）に続いて錐体後頭軟骨結合 petro-occipital synchondrosis がある．この軟骨結合は浸軟した頭蓋では錐体後頭裂（**32**）として現れる．下錐体洞溝は頸静脈孔（**33**）に終わる．岩様部の後面には内耳孔（**34**）がある．その外側には小さな骨縁の下にかくれた前庭水管外口 external opening of vestibular canaliculus がある．

頸静脈孔（**33**）は側頭骨と後頭骨の同名の切痕からつくられる．後頭骨の頸静脈切痕 jugular notch は前方では頸静脈結節 jugular tubercle という高まりで境され，頸静脈孔は側頭骨の［頸静脈］孔内突起（**35**）により不完全に仕切られている．頸静脈孔には外側からS状洞溝（**36**）が注ぐ．この溝は後方へは横洞溝（**37**）となって続く．横洞溝は内後頭隆起（**38**）まで走る．この隆起からは内後頭稜（**39**）が大孔（**28**）にまで達している．大孔の前縁には両側に舌下神経管（**40**）の内頭蓋底への開口がある．斜台は蝶形骨体と後頭骨の底部 basilar part からつくられている．両骨は思春期に融合するが（**三基底骨** *os tribasilare），それ以前はこの両骨は蝶後頭軟骨結合 spheno-occipital synchondrosis によって結合していたのである．

* 発生学的に対をなす蝶形骨体の後部と無対の後頭骨底部をまとめて三基底骨という．

A 内頭蓋底

B 内頭蓋底，骨は色分けされている

---

1 蝶形骨小翼 lesser wing of sphenoidal bone　2 蝶形骨隆起 sphenoidal yoke　3 錐体上縁 superior border of petrous part　4 鞍背 dorsum sellae　5 篩骨の篩板 cribriform plate　6 鶏冠 crista galli　7 盲孔 foramen caecum　8 （前頭骨）眼窩部 orbital part　9 蝶篩骨縫合 spheno-ethmoidal suture　10 視神経管 optic canal　11 ［視神経］交叉前溝 prechiasmatic sulcus　12 前床突起 anterior clinoid process　13 下垂体窩 hypophysial fossa　14 頸動脈溝 carotid sulcus　15 破裂孔 foramen lacerum　16 蝶形骨小舌 sphenoidal lingula　17 卵円孔 foramen ovale　18 正円孔 foramen rotundum　19 棘孔 foramen spinosum　20 中硬膜動脈溝 groove for middle meningeal artery　21 三叉神経圧痕 trigeminal impression　22 大錐体神経管裂孔 hiatus for greater petrosal nerve　23 大錐体神経溝 groove for greater petrosal nerve　24 小錐体神経管裂孔 hiatus for lesser petrosal nerve　25 上錐体洞溝 groove for sperior petrosal sinus　26 弓状隆起 arcuate eminence　27 蝶鱗縫合 sphenosquamous suture　28 大［後頭］孔 foramen magnum　29 斜台 clivus　30 後床突起 posterior clinoid process　31 下錐体洞溝 groove for inferior petrosal sinus　32 錐体後頭裂 petro-occipital fissure　33 頸静脈孔 jugular foramen　34 内耳孔 internal acoustic opening　35 ［頸静脈］孔内突起 intrajugular process　36 S状洞溝 groove for sigmoid sinus　37 横洞溝 groove for transverse sinus　38 内後頭隆起 internal occipital protuberance　39 内後頭稜 internal occipital crest　40 舌下神経管 hypoglossal canal

頭蓋底内側面にしばしば現れる変異（A～E）

中頭蓋窩のトルコ鞍のところには種々の変異が現れ，これらの変異はX線写真で，さらにCT断面写真の再構成や，MR撮像によって見出すことができる．

蝶形骨から側頭骨の方へ向かって出る蝶形骨小舌（**1**）は，時に側頭骨と融合していることがある．その際には，この融合によって頸動脈管内口 internal opening of carotid canal が明瞭に仕切られることになる．

前床突起 anterior clinoid process と後床突起 posterior clinoid process との間に，中床突起（**2**）という独立した突起が現れることがある．ところでこの中床突起は前床突起と融合することがあって，そのため特殊な孔，すなわち頸動脈床孔（**3**）が生じる．したがって，前床突起の内側にあった頸動脈切痕は，まわりを骨で囲まれた孔につくり変えられることになる．

もう一つの変異は前および後床突起の間の床突起間ヒモ（**4**）が存在することである．この両突起の骨性融合は放射線科医からは鞍橋（**4**）と呼ばれているものである．鞍橋は一側性にも両側性にも現れることがあり，中床突起が存在する場合にはこれとも融合することがある（**5**）．

また，ごくまれな変異として下垂体窩に頭咽頭管（**6**）がみられることもある．

卵円孔と蝶形骨体の間には，時に静脈を通すのに役立つ孔がみられる．この孔は蝶形骨導出静脈孔（**7**）であって，ベザリウス孔 foramen Vesalii ともいわれる．この孔はそんなにまれなものではなく，この孔によって海綿静脈洞 cavernous sinus と頭蓋の外にある静脈との結合が生じる．ベザリウス孔は一側性または両側性に現れる．

鞍背は時おり，比較的強く曲がった内頸動脈によって侵蝕されて，鞍背が斜台とは全く骨性の結合をもたないようになっていることがある．その場合，浸軟した頭蓋では鞍背は欠如することになる（**D**）．

時に，内後頭稜が2つに分かれ，その間にはっきりした後頭洞溝 groove for occipital sinus がつくられる．この溝は大孔（**9**）のわきを走る辺縁洞溝（**8**）に続くことがある．辺縁洞溝は頸静脈孔（**10**）に達している．顆管（**11**）が特に大きな開口部を有してS状静脈洞 sigmoid sinus に開くこともある．

左右の頸静脈孔は同じ大きさではなく，左の頸静脈孔の方が右よりも小さいことが多い．まれに下錐体洞溝（**12**）が強烈に発達していることがある．舌下神経管 hypoglossal canal は2つに仕切られていることがある（**13**）．

側頭骨岩様部の先端が鞍背と骨性に結合していることがある．この骨性の橋はその下を外転神経 abducent nerve が通り抜けるので外転神経橋（**14**）と呼ばれる．

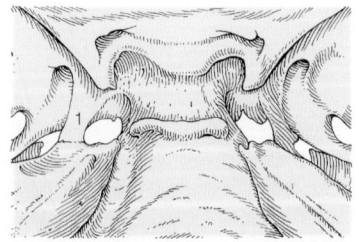

A トルコ鞍．左の蝶形骨小舌は側頭骨とつながって骨化している

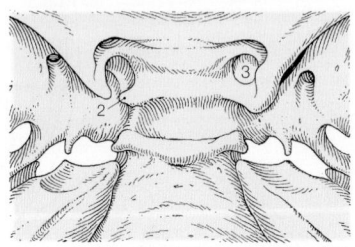

B トルコ鞍，左中床突起，右頸動脈床孔

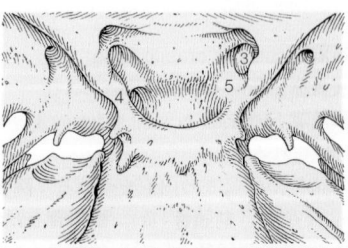

C トルコ鞍，床突起間ヒモ，右頸動脈床孔

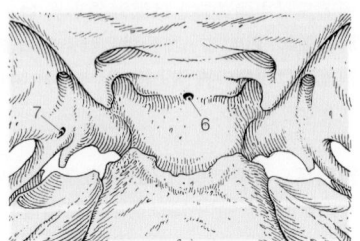

D トルコ鞍，鞍背は欠如．ベザリウス孔，頭咽頭管

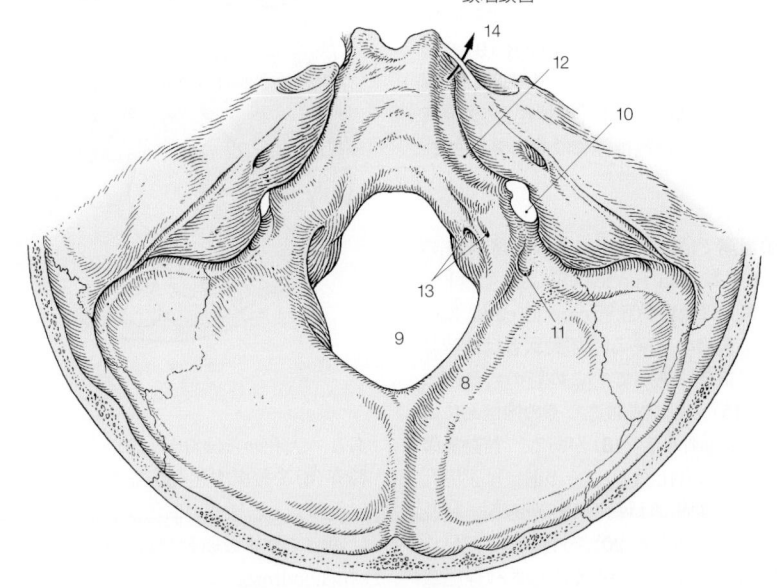

E 右後頭洞溝．右の舌下神経管は2分されている

---

1 蝶形骨小舌 sphenoidal lingula　**2** 中床突起 middle clinoid process　**3** 頸動脈床孔 caroticoclinoid foramen　**4** 床突起間ヒモ（＝鞍橋）interclinoid tenia（＝bridging of sella turcica）　**5** 床突起間ヒモと中床突起との融合　**6** 頭咽頭管 craniopharyngeal canal　**7** 蝶形骨導出静脈孔 sphenoid emissary foramen, Foramen venosum　**8** 辺縁洞溝 groove for marginal sinus　**9** 大孔 foramen magnum　**10** 頸静脈孔 jugular foramen　**11** 顆管 condylar canal　**12** 下錐体洞溝 groove for inferior petrosal sinus　**13** 舌下神経管（2分）hypoglossal canal　**14** 外転神経橋 abducens bridge

血管と神経の通過部位（A，B）

頭蓋底の管，孔などの開口は血管と神経が通過するのに役立つ．

前頭蓋窩のところでは嗅神経（**1**）と前篩骨動脈（**2**）が，**篩板** cribriform plate を通って鼻腔へ行く．

視神経管 optic canal を通るのは視神経（**3**）と眼動脈（**4**）である．

この視神経管と並んで，**上眼窩裂** superior orbital fissure も頭蓋腔と眼窩を結んでいる．その外側部を上眼静脈（**5**），涙腺神経（**6**），前頭神経（**7**）および滑車神経（**8**）が通る．内側を走るものは外転神経（**9**），動眼神経（**10**）および鼻毛様体神経（**11**）である．

上顎神経（**12**）は**正円孔** foramen rotundum を通る．これに対し下顎神経（**13**）は，海綿静脈洞 cavernous sinus と翼突筋静脈叢 pterygoid plexus を結ぶ静脈網 venous plexus とともに**卵円孔** foramen ovale を通る．下顎神経の反回枝である硬膜枝（**14**）は中硬膜動脈（**15**）とともに**棘孔** foramen spinosum を通って再び頭蓋腔へ入る．

中頭蓋窩内で一番の大物は内頸動脈（**16**）で，**頸動脈管** carotid canal を通って頭蓋腔に達する．内頸動脈は交感神経の内頸動脈神経叢（**17**）と頸動脈管静脈叢 internal carotid venous plexus にまといつかれている．**大錐体神経管裂孔** hiatus for greater petrosal nerve の中には大錐体神経（**18**）がみられる．これに対し小錐体神経（**19**）は上鼓室動脈（**20**）とともに**小錐体神経管裂孔** hiatus for lesser petrosal nerve を通る．

後頭蓋窩では**大孔** foramen magnum を通って延髄（**21**），ならびにその両外側を副神経の脊髄根（**22**）が通る．2本の太い椎骨動脈（**23**），前脊髄動脈（**24**）および1対の細い後脊髄動脈（**25**）ならびに脊髄静脈（**26**）も同様に大孔を通っている．

舌下神経管 hypoglossal canal を通るのは，舌下神経管静脈叢（**28**）を伴う舌下神経（**27**）である．舌咽神経（**29**），迷走神経（**30**），副神経（**31**）は下錐体静脈洞（**32**），内頸静脈（**33**）および後硬膜動脈（**34**）とともに**頸静脈孔** jugular foramen を通る．

内耳孔 internal acoustic opening は迷路動・静脈（**35**）および内耳神経（**36**）と顔面神経（**37**）が通過するための孔である．

外頭蓋底では顔面神経 facial nerve が**茎乳突孔** stylomastoid foramen の中にみられ，茎乳突動脈（**38**）はこの孔へ進入する．

錐体鼓室裂 petrotympanic fissure を通るものは鼓索神経（**39**）と前鼓室動脈（**40**）である．

硬口蓋では大口蓋動脈（**41**）と大口蓋神経（**42**）が**大口蓋孔** greater palatine foramen を通過する．これに対し小口蓋動脈ならびに神経（**43**）は**小口蓋孔** lesser palatine foramina を通り抜ける．**切歯管** incisive canals を通って鼻口蓋神経（**44**）が動脈とともに口蓋の下面へ出てくる．

顆管 condylar canal を顆導出静脈（**45**）が通り抜ける．

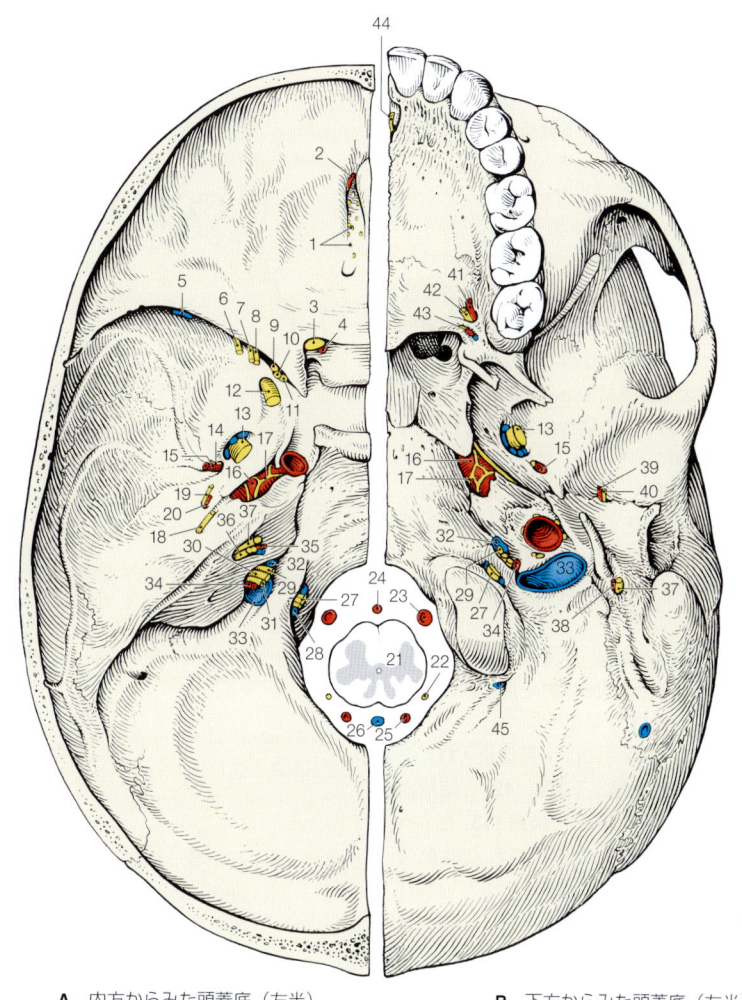

A 内方からみた頭蓋底（左半）　　**B** 下方からみた頭蓋底（左半）

血管と神経が頭蓋底を通過するところ

---

1 嗅神経 olfactory nerve　2 前篩骨動脈 anterior ethmoidal artery　3 視神経 optic nerve　4 眼動脈 ophthalmic artery　5 上眼静脈 superior ophthalmic vein　6 涙腺神経 lacrimal nerve　7 前頭神経 frontal nerve　8 滑車神経 trochlear nerve　9 外転神経 abducent nerve　10 動眼神経 oculomotor nerve　11 鼻毛様体神経 nasociliary nerve　12 上顎神経 maxillary nerve　13 下顎神経 mandibular nerve　14 硬膜枝（下顎神経の）meningeal branch　15 中硬膜動脈 middle meningeal artery　16 内頸動脈 internal carotid artery　17 内頸動脈［交感］神経叢 [sympathetic] internal carotid plexus　18 大錐体神経 greater petrosal nerve　19 小錐体神経 lesser petrosal nerve　20 上鼓室動脈 superior tympanic artery　21 延髄 medulla oblongata　22 副神経脊髄根 spinal root of accessory nerve　23 椎骨動脈 vertebral artery　24 前脊髄動脈 anterior spinal artery　25 後脊髄動脈 posterior spinal artery　26 脊髄静脈 spinal vein　27 舌下神経 hypoglossal nerve　28 舌下神経管静脈叢 venous plexus of hypoglossal canal　29 舌咽神経 glossopharyngeal nerve　30 迷走神経 vagus nerve　31 副神経 accessory nerve　32 下錐体静脈洞 inferior petrosal sinus　33 内頸静脈 internal jugular vein　34 後硬膜動脈 posterior meningeal artery　35 迷路動・静脈 labyrinthine arteries & veins　36 内耳神経 vestibulocochlear nerve　37 顔面神経 facial nerve　38 茎乳突動脈 stylomastoid artery　39 鼓索神経 chorda tympani　40 前鼓室動脈 anterior tympanic artery　41 大口蓋動脈 greater palatine artery　42 大口蓋神経 greater palatine nerve　43 小口蓋動脈ならびに神経 lesser palatine arteries & nerves　44 鼻口蓋神経 nasopalatine nerve　45 顆導出静脈 condylar emissary vein

下顎骨 (A〜C)

下顎骨 mandible は他の頭蓋骨とは関節によって連結しているだけである．結合組織を基盤として発生してくる下顎骨は，**下顎体**(**1**) と両側に直立する**下顎枝**(**2**) とに分けられる．

下顎体には成人では歯槽部 (**3**) があり，外方へ膨出する歯槽隆起 (**4**) が特徴的である．老人の顎では（歯の脱落後）この歯槽部は退縮する (149頁)．下顎体では前方へ突出するオトガイ隆起 (**5**) がつくられており，その両側にはオトガイ結節 mental tubercle という高まりがある．外側面には，第2小臼歯を通る垂直線にほぼ一致してオトガイ孔 (**6**) と呼ぶ開口がある．下顎体の下面を下顎底 base of mandible という．下顎体からは斜線 (**7**) が下顎枝にまで達する．下顎体は後方の下顎角 (**8**) で下顎枝に移行している．

下顎枝は2つの突起，すなわち筋の停止となっている前方の筋突起 (**9**) と関節面のある後方の関節突起 (**10**) をもっている．これら両突起の間には下顎切痕 (**11**) がみられる．関節突起は下顎頸 (**12**) と関節面 articular surface のある下顎頭 (**13**) をもっている．下顎頭はその圧延された外形の姿から下顎顆 head of mandible ともいわれる．下顎頭の内面には関節面の下方に，翼突筋窩 (**14**) という小さなくぼみがあり，ここに外側翼突筋の一部が停止している．下顎角の近くには時に粗面がみられる．これは咬筋粗面 (**15**) で咬筋が停止するためにある．下顎骨の内面では下顎枝のところに下顎孔 (**16**) がある．これは下顎管 mandibular canal の外口（入口）である．この下顎孔は下顎小舌 (**17**) という薄い骨小板によって一部覆われている．ちょうど下顎孔のところから顎舌骨筋神経溝 (**18**) が始まり，下方へ走っている．この顎舌骨筋神経溝の下で下顎角のところに翼突筋粗面 (**19**) があって，内側翼突筋の停止部として役立っている．

下顎体はその内面で，斜走する顎舌骨筋線 (**20**) という隆線によって上下に分けられる．顎舌骨筋が始まるこの筋線の下方には顎下腺窩 (**21**) がある．これに対し，上方で幾分前方には舌下腺窩 (**22**) がつくられている．歯槽の間には槽間中隔 (**23**) があり，歯槽を互いに隔てている．臼歯の歯槽内には根間中隔 interradicular septa が認められる．最終大臼歯の後方に大きさに差のある臼後三角 retromolar triangle がある．

下顎体の内面には前方にオトガイ棘 (**24**) があり，オトガイ舌筋とオトガイ舌骨筋がここから始まる．その少し下外側には両側に二腹筋窩 (**25**) があり，顎二腹筋（の前腹）の停止部となっている．

変異：しばしば，上下二本のオトガイ棘が存在することがある．

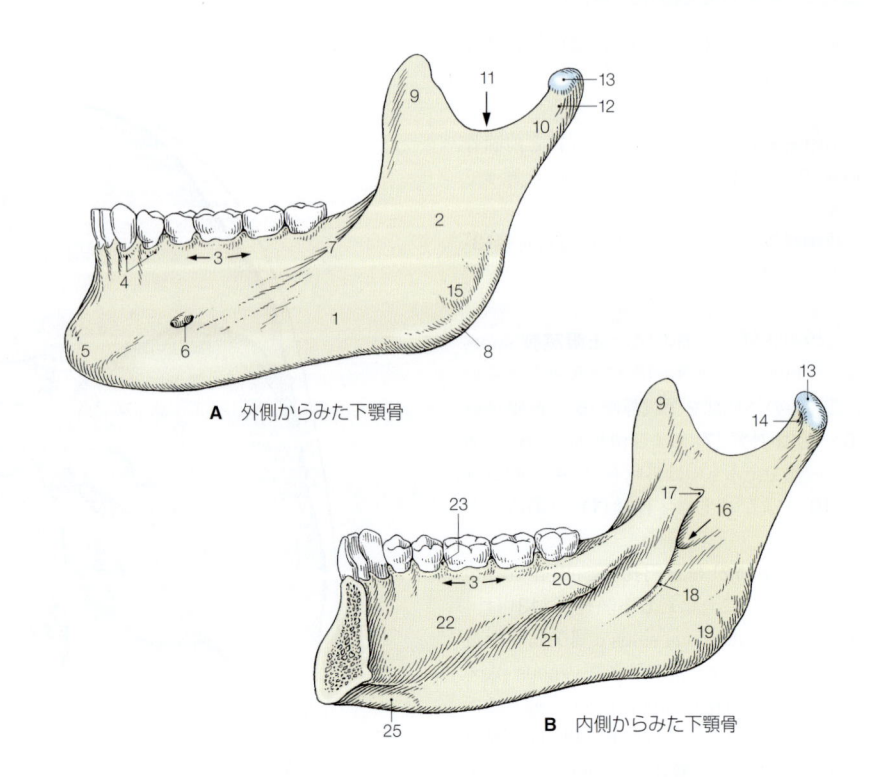

A 外側からみた下顎骨
B 内側からみた下顎骨
C 後方からみた下顎骨 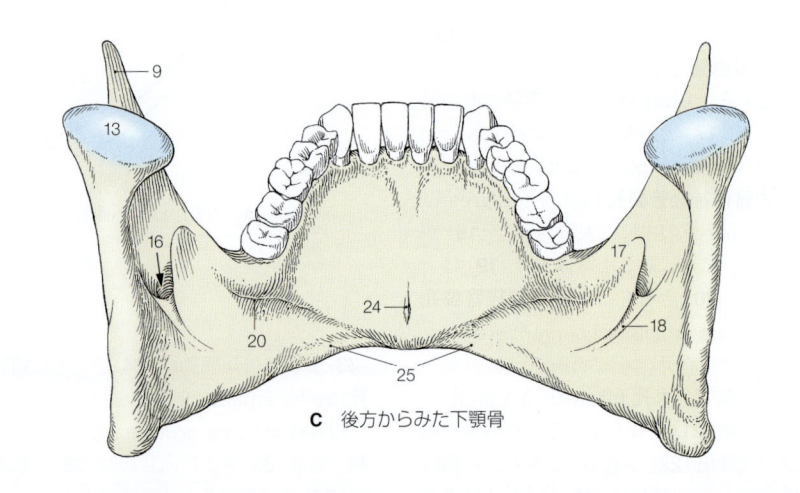

---

1 下顎体 body of mandible　2 下顎枝 ramus of mandible　3 歯槽部 alveolar part　4 歯槽隆起 alveolar yokes　5 オトガイ隆起 mental protuberance　6 オトガイ孔 mental foramen　7 斜線 oblique line　8 下顎角 angle of mandible　9 筋突起 coronoid process　10 関節突起 condylar process　11 下顎切痕 mandibular notch　12 下顎頸 neck of mandible　13 下顎頭 head of mandible　14 翼突筋窩 pterygoid fovea　15 咬筋粗面 masseteric tuberosity　16 下顎孔 mandibular foramen　17 下顎小舌 lingula　18 顎舌骨筋神経溝 mylohyoid groove　19 翼突筋粗面 pterygoid tuberosity　20 顎舌骨筋線 mylohyoid line　21 顎下腺窩 submandibular fossa　22 舌下腺窩 sublingual fossa　23 槽間中隔 interalveolar septa　24 オトガイ棘 mental spine　25 二腹筋窩 digastric fossa

下顎骨の形（A〜E）

下顎角の角度は一生の各時期で変化する．すなわち下顎角は新生児（**A**）ではまだ比較的大きく，150°に達する．しかし子供（**B**）では少し小さくなる．成人（**C**）では下顎角は約120〜130°まで減少する．老人（**D**）ではこの角度は再びほぼ140°まで増大する．

下顎角の変化は歯槽部すなわち歯の有無にかかっている．歯が生えてくるにつれて，子供の下顎角に変化が起こってくる．そして下顎角は老人になって歯が脱落するとまた変化がみられるのである．

各年齢における下顎角の変化以外にも，下顎体にはいろいろの変化がみられる．下顎体は歯槽部をもっているが，老人になって歯が脱落するとこの歯槽部は退縮してくる．それによって下顎体は小さくなり，場合によっては扁平となり，そのためオトガイ部が一層前方へずれ出るようになる．

> **臨床関連**：現代の歯科学は，"歯科インプラント"によって，上・下顎骨の形態の変化・変形を抑えることができるようになっている．"歯科インプラント"とは，上顎骨・下顎骨の中へ手術によって金属製のソケットを植え込むことである．このソケットに対し，対応する歯冠を被せるのである．この方法によって，いつまでも"異物"のままであり続ける"義歯"を患者に対して使わないで済ますことができる．しかし，歯科インプラント術施行に際しては十分な経験が要求される．

歯槽部の向きはいろいろである．多くの場合殊にヒト以外の霊長類 non-human primates では前方へ突出する歯槽部がみられ，そのため現代人とは異なった歯の配列を示す．

発生：すでに138頁で述べたように，下顎骨は結合組織を基盤として発生する．下顎骨は，メッケル軟骨 Meckel's cartilage（小メッケル，1781-1833）の周囲につくられる被蓋骨として第1鰓弓の中に両側性に生じてくる．オトガイ結合のところ，つまり前方で，メッケル軟骨の一部が軟骨を基礎にして生じる複数のオトガイ小骨 mental ossicle となることがある *．これら小骨は下顎骨と融合する．最初の骨細胞は6週齢胚子に現れる．鎖骨と同様，この下顎骨はヒトのからだで最初につくられる骨の一つである．生後2ヵ月で，それまで別々であった左右の下顎体の骨結合が始まる．

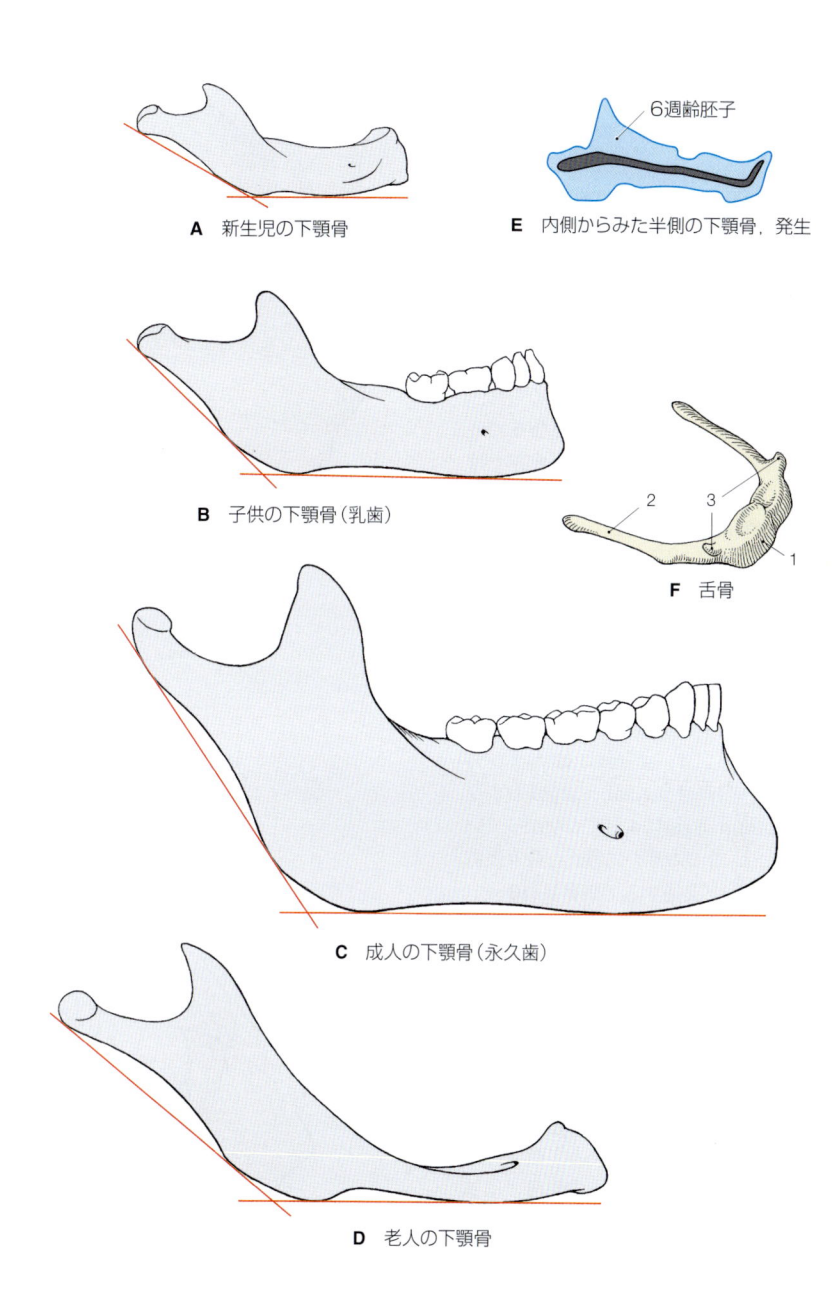

A 新生児の下顎骨

E 内側からみた半側の下顎骨，発生（6週齢胚子）

B 子供の下顎骨（乳歯）

F 舌骨

C 成人の下顎骨（永久歯）

D 老人の下顎骨

舌骨（F）

頭蓋骨に数えられる舌骨 hyoid bone は頭蓋と直接骨性の連なりがあるのではなく，ただ筋と靱帯だけで頭蓋と結合している．舌骨は舌骨体（**1**）からなるが，これは両側にある大角（**2**）の間にある前部のことである．後方へ向かう大きい大角（**2**）と，その根部に上方へ向かう小さな小角（**3**）がみられる．

発生：舌骨体には軟骨を基盤とする大角と同様に，出生直前に複数の骨核が現れる．これに対し，小角ではかなり遅く（20歳ぐらい）一つの骨核が出現することがある．もちろん小角は骨化せずに，軟骨のままで止まっていることもある．下顎骨の一部と同じく，舌骨も（第2および第3）鰓弓軟骨から発生する．

* このほかメッケル軟骨の背側部から耳小骨のキヌタ骨とツチ骨が生じるが，残りの大部分は退化し消失してしまう．

---

1 舌骨体 body of hyoid bone　**2** 大角 greater horn　**3** 小角 lesser horn

眼窩（A，B）

眼窩 orbit は4面をもつ錐体の形をとる．その先端は深部にあり，基底は眼窩口でつくられている．眼窩は種々の骨で囲まれている．

眼窩の**上壁** roof は前方では前頭骨眼窩部（**1**）と後方は蝶形骨小翼（**2**）からつくられている．

外側壁 lateral wall をつくるのに，頬骨（**3**）のほか蝶形骨大翼（**4**）が関与する．

下壁（**底**）floor は前方では大部分上顎体 body of maxilla の眼窩面（**5**）からつくられ，後方では口蓋骨眼窩突起（**6**）からなっている．眼窩下縁のところ，すなわち前方では頬骨（**3**）も底の構成に関与してくる．

薄い**内側壁** medial wall は篩骨眼窩板（**7**），涙骨（**8**）および蝶形骨（**9**）からつくられている．そのほか前頭骨（**1**）と上顎骨 maxilla も内側壁の構成にあずかる．

眼窩口．眼窩の入口，すなわち眼窩口 orbital opening を囲む眼窩上縁および下縁 supra- and infra-orbital margins はすでに述べた（143頁）．これら両縁は内側および外側でそれぞれ**内側縁** medial margin および**外側縁** lateral margin によってつながっている．後方には，2つの互いに移行し合う裂隙がある．頭蓋腔と交通する上眼窩裂（**10**）と，翼口蓋窩と連絡をもつ下眼窩裂（**11**）がそれである．内側壁の後方で両裂は合して一つになる．上眼窩裂のすぐ上には視神経管（**12**）がある．下眼窩裂からは前方へ行く眼窩下溝（**13**）が出て，これは眼窩下管 infra-orbital canal に移行し，眼窩下縁の下方で眼窩下孔（**14**）に開く．外側壁には頬骨眼窩孔（**15**）という小さな開口があって頬骨神経の通路として役立っている．内側壁には篩骨と前頭骨の境界のところに，前篩骨孔（**16**）と後篩骨孔（**17**）がある．これらの孔を同名の神経と動脈が通過する．前篩骨孔は頭蓋腔に，後篩骨孔は篩骨蜂巣に通じている．眼窩口の近くには涙嚢窩（**18**）があり，前涙嚢稜（**19**）と後涙嚢稜（**20**）によって境されている．涙嚢窩は鼻腔（151頁）に開く鼻涙管 nasolacrimal canal に通じる．

眼窩にすぐ隣接して**副鼻腔** paranasal sinus がある．上壁に接していろいろな大きさの前頭洞 frontal sinus の眼窩陥凹（**21**）が伸び出している．内側には篩骨蜂巣 ethmoid cells があり，背側には蝶形骨洞 sphenoidal sinus がある．下方では眼窩は1枚の骨層板によって上顎洞（**22**）と隔てられている．

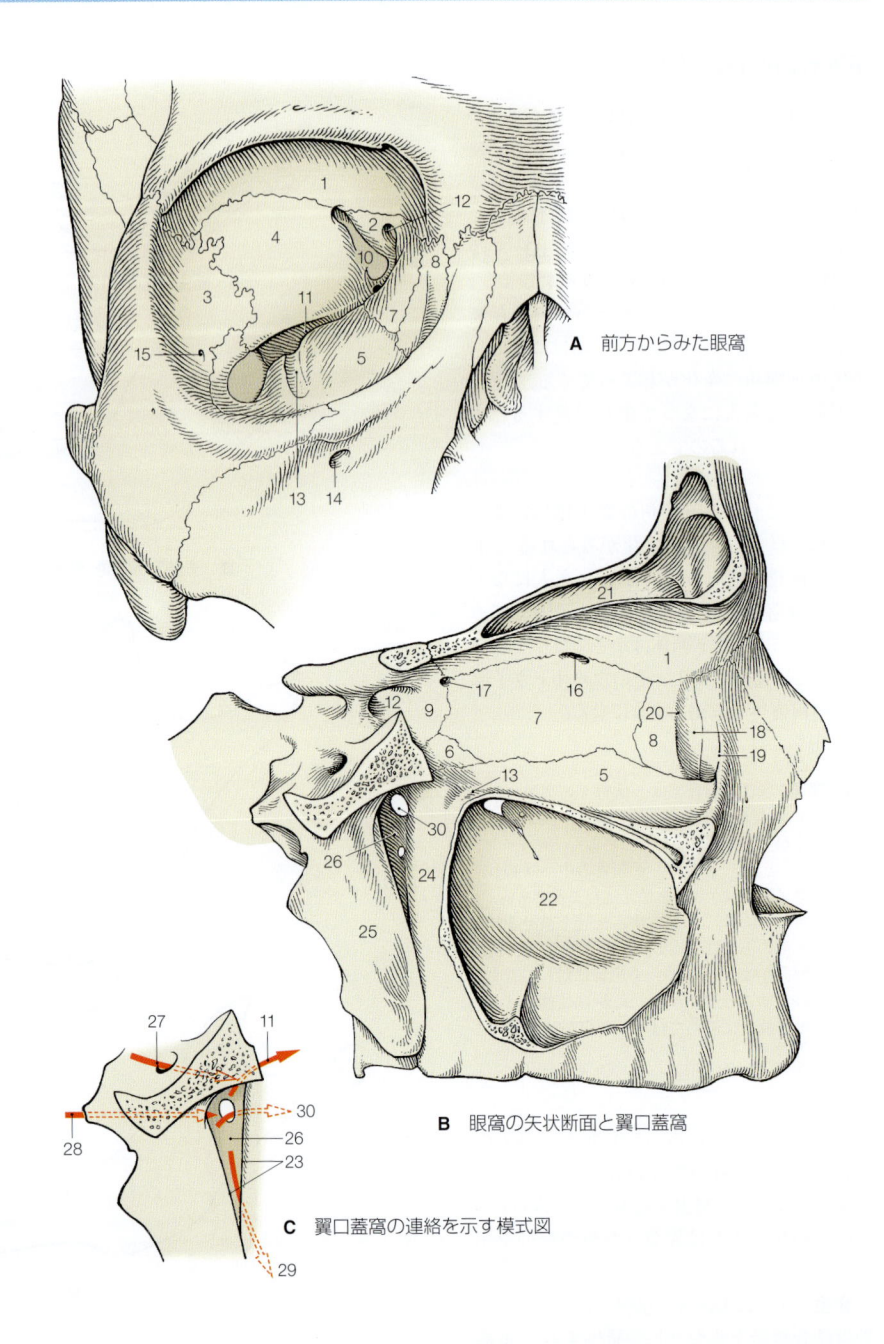

翼口蓋窩（B，C）

翼口蓋窩 pterygopalatine fossa は外側からは翼上顎裂（**23**）を通って到達することができる．翼口蓋窩は前は上顎骨（**24**）により，後ろは翼状突起（**25**）により，そして内側は口蓋骨の垂直板（**26**）によって囲まれている．この窩は血管と神経が通るための大切な腔であって，頭蓋腔とは正円孔（**27**）により，頭蓋底の下面とは翼突管（**28**）によって連絡している．大口蓋管（**29**）と小口蓋管 lesser palatine canal は口蓋に，蝶口蓋孔（**30**）は鼻腔に，そして下眼窩裂（**11**）は眼窩に通じている．

A 前方からみた眼窩

B 眼窩の矢状断面と翼口蓋窩

C 翼口蓋窩の連絡を示す模式図

---

1 前頭骨眼窩部 orbital part of frontal bone　2 蝶形骨小翼 lesser wing of sphenoidal bone　3 頬骨 zygomatic bone　4 蝶形骨大翼 greater wing of sphenoidal bone　5 眼窩面 orbital surface　6 口蓋骨眼窩突起 orbital process of palatine bone　7 篩骨眼窩板 orbital plate　8 涙骨 lacrimal bone　9 蝶形骨 sphenoidal bone　10 上眼窩裂 superior orbital fissure　11 下眼窩裂 inferior orbital fissure　12 視神経管 optic canal　13 眼窩下溝 infra-orbital groove　14 眼窩下孔 infra-orbital foramen　15 頬骨眼窩孔 zygomatico-orbital foramen　16 前篩骨孔 anterior ethmoidal foramen　17 後篩骨孔 posterior ethmoidal foramen　18 涙嚢窩 fossa for lacrimal sac　19 前涙嚢稜 anterior lacrimal crest　20 後涙嚢稜 posterior lacrimal crest　21 眼窩陥凹 Recessus orbitalis　22 上顎洞 maxillary sinus　23 翼上顎裂 pterygomaxillary fissure　24 上顎骨 maxilla　25 翼状突起 pterygoid process　26 口蓋骨の垂直板 perpendicular plate of palatine bone　27 正円孔 foramen rotundum　28 翼突管 pterygoid canal　29 大口蓋管 greater palatine canal　30 蝶口蓋孔 sphenopalatine foramen

鼻腔（A～C）

左右の**骨鼻腔** bony nasal cavity は正中に位置する**鼻中隔** nasal septum によって隔てられている．鼻中隔はしばしば正中から偏った彎曲を示す．これを鼻中隔彎曲 deviation of nasal septum という．両側の鼻腔は前方へ向かって**梨状口** piriform aperture (143頁) に開き，後方では両側の鼻腔は**後鼻孔** choana (posterior nasal aperture) を経て咽頭に通じている（Ⅱ章参照）．

鼻中隔（A）は軟骨性および骨性の要素からなる．**鼻中隔軟骨**（1）は後突起（2）を出して骨性の隔壁を補完している．鼻中隔軟骨は両側で**大鼻翼軟骨内側脚**（3）が重なって外鼻孔の内側の境界をつくる．**骨性の隔壁**（**骨鼻中隔** bony nasal septum）は篩骨垂直板（4），蝶形骨稜（5）ならびに鋤骨（6）からなる．

鼻腔の底（下壁）をつくるのは上顎骨（7）と口蓋骨（8）である．

鼻腔の上壁は，前上方では鼻骨（9）が，上方では篩骨篩板（10）が境界をつくっている．

各鼻腔の**外側壁**（B, C）は 3 つの**鼻甲介** nasal concha とその背後に位置している多数の篩骨蜂巣 ethmoidal cells から構成されている．上鼻甲介（11）と中鼻甲介（12）は篩骨に属しているのに対し，下鼻甲介（13）は独立した骨である．

上鼻甲介の後ろには蝶篩陥凹（14）があり，ここに蝶形骨洞が注いでいる．鼻腔の外側壁でこの陥凹のところに翼口蓋窩（150頁）と連絡のある蝶口蓋孔（15）がある．3 つの鼻甲介を除去すると，上鼻道 superior nasal meatus，中鼻道 middle nasal meatus および下鼻道 inferior nasal meatus がみえてくる．同様に口蓋骨垂直板（16）も完全にみえるようになる．上鼻道には篩骨蜂巣後部の開口（17）がある．

中鼻道では鉤状突起（18）が，鼻腔と上顎洞とを交通する上顎洞裂孔（19）を部分的に覆っている．この鉤状突起の上方には篩骨胞（20）があるが，これは篩骨蜂巣前部が特に大きくなったものである．篩骨胞の上方と

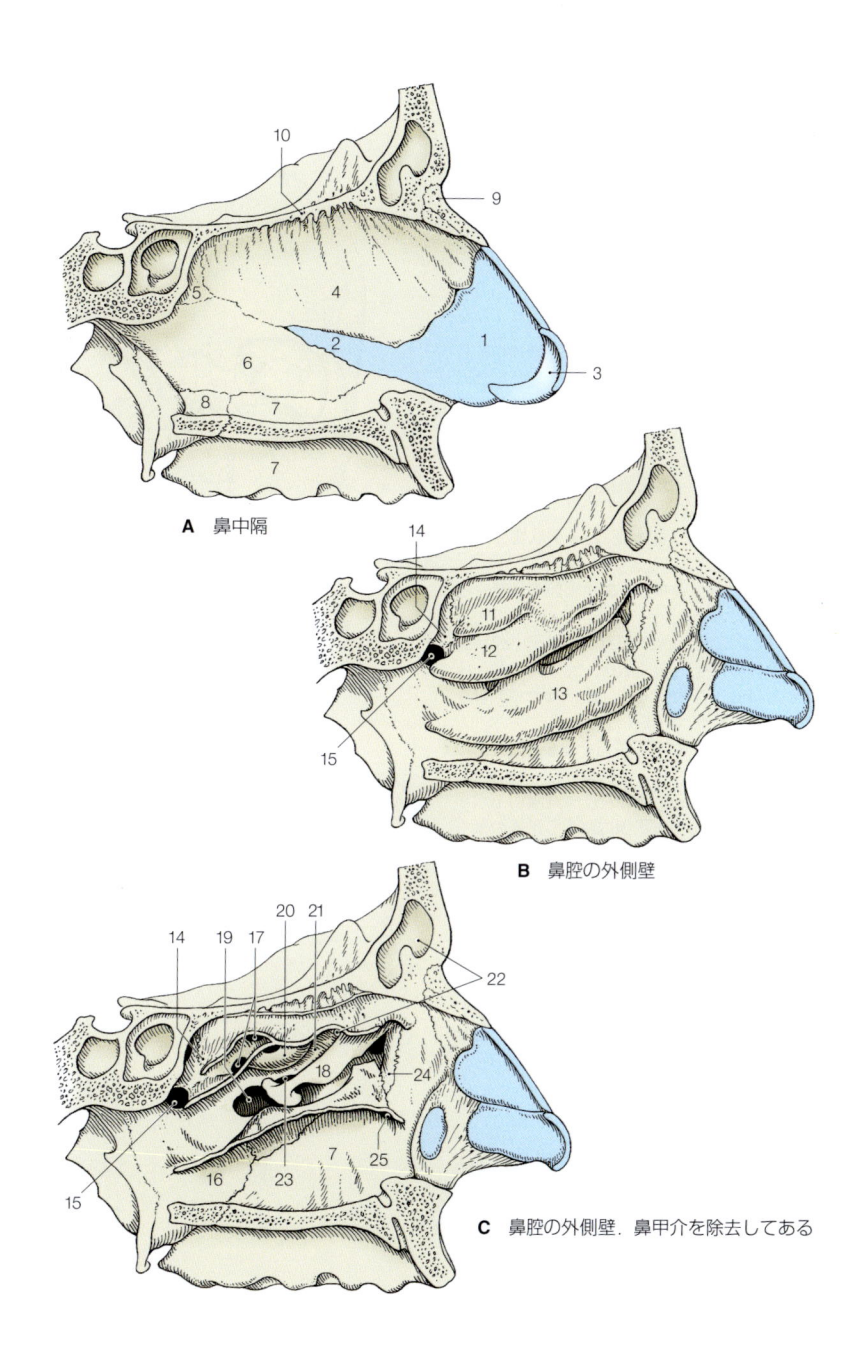

A 鼻中隔

B 鼻腔の外側壁

C 鼻腔の外側壁．鼻甲介を除去してある

下方には，篩骨蜂巣の中部と前部の鼻腔への開口がみられる．

篩骨胞と鉤状突起の間には篩骨漏斗（21）があって，これを介して前頭洞（22），上顎洞（23）および篩骨蜂巣前部が鼻腔と連絡をもっている．鉤状突起はまた，上顎骨（7）と篩骨以外に外側壁をつくるのに関与している涙骨（24）をも部分的に覆う．

下鼻道には鼻涙管 nasolacrimal canal の鼻腔への開口部である鼻涙管口（25）が認められる．

---

1 鼻中隔軟骨 septal nasal cartilage　**2** 後突起（鼻中隔軟骨の）posterior process of septal nasal cartilage　**3** 大鼻翼軟骨内側脚 medial crus of major alar cartilage　**4** 篩骨垂直板 perpendicular plate of ethmoidal bone　**5** 蝶形骨稜 sphenoidal crest　**6** 鋤骨 vomer　**7** 上顎骨 maxilla　**8** 口蓋骨 palatine bone　**9** 鼻骨 nasal bone　**10** 篩骨篩板 cribriform plate　**11** 上鼻甲介 superior nasal concha　**12** 中鼻甲介 middle nasal concha　**13** 下鼻甲介 inferior nasal concha　**14** 蝶篩陥凹 spheno-ethmoidal recess　**15** 蝶口蓋孔 sphenopalatine foramen　**16** 口蓋骨垂直板 perpendicular plate of palatine bone　**17** 篩骨蜂巣後部の開口 openings of posterior ethmoidal sinuses　**18** 鉤状突起（篩骨の）uncinate process of ethmoidal bone　**19** 上顎洞裂孔 maxillary hiatus　**20** 篩骨胞 ethmoidal bulla　**21** 篩骨漏斗 ethmoidal infundibulum　**22** 前頭洞とその開口 frontal sinus and its opening　**23** 上顎洞の開口 opening of maxillary sinus　**24** 涙骨 lacrimal bone　**25** 鼻涙管口 opening of nasolacrimal canal, *Ostium canalis nasolacrimalis*

頭蓋型（A～C）

解剖学と人類学 anthropology では，頭蓋について一連の計測点・線および角を設定している．これらによって一方では種々の正常の頭蓋型（**A**）の比較をすることができ，他方では病的な頭蓋型（**B, C**）を確認することができる．

若干の重要な計測点として次のものがある：
- グラベラ（glabella, 眉間点, **1**）＝眉間の外表面にあって最も前方に突出する点．
- オピストクラニオン（opisthocranion, 後頭最突出点）＝正中矢状面内で後頭骨の最も後方へ突出した点．
- バジオン（basion）＝大後頭孔の前縁で正中矢状面と交叉する点．
- ブレグマ（bregma, 泉門点, **2**）＝矢状縫合と冠状縫合との接点．
- ナジオン（nasion, 鼻根点, **3**）＝前頭鼻骨縫合と正中矢状面との交点．
- グナティオン（gnathion, 頦点, **4**）＝正中矢状面内で下顎体の最も下方へ突出した点．
- ジギオン（zygion, 頬骨弓点, **5**）＝頬骨弓の最も外側へ突出した点．
- ゴニオン（gonion, **6**）＝下顎角で最も下後外の点．
- ベルテックス（vertex, 頭頂点）＝耳眼面を水平に調節して，正中矢状面内にある頭蓋の最も高い点．
- イニオン（inion）＝外後頭隆起の尖端

もっと詳しい計測点，計測線，計測角については人類学の教科書を参照．

個々の計測点間の距離を比較することによって，いろいろの指数が定められる．そのうち最も重要なものだけをあげておく．

脳頭蓋の長幅指数：

$$\frac{最大頭蓋幅}{最大頭蓋長（眉間点－オピストクラニオン）} \times 100$$

長頭 dolichocephalic＝指数（I.）75以下，
中頭 mesocephalic＝I. 75～80，
短頭 brachycephalic＝I. 80以上．

脳頭蓋の長高指数：

$$\frac{バジオン－ブレグマ高}{最大頭蓋長} \times 100$$

低頭 platycephalic＝I. 70以下，
中頭 orthocephalic＝I. 70～75，
高頭 hypsicephalic＝I. 75以上．

顔面指数：

$$\frac{顔面高}{左右頬骨弓幅} \times 100$$

顔面高＝鼻根点から頦点に至る直線距離．
広顔 euryprosopic＝I. 85以下，
中顔 mesoprosopic＝I. 85～90，
狭顔（長顔）leptoprosopic＝I. 90以上．

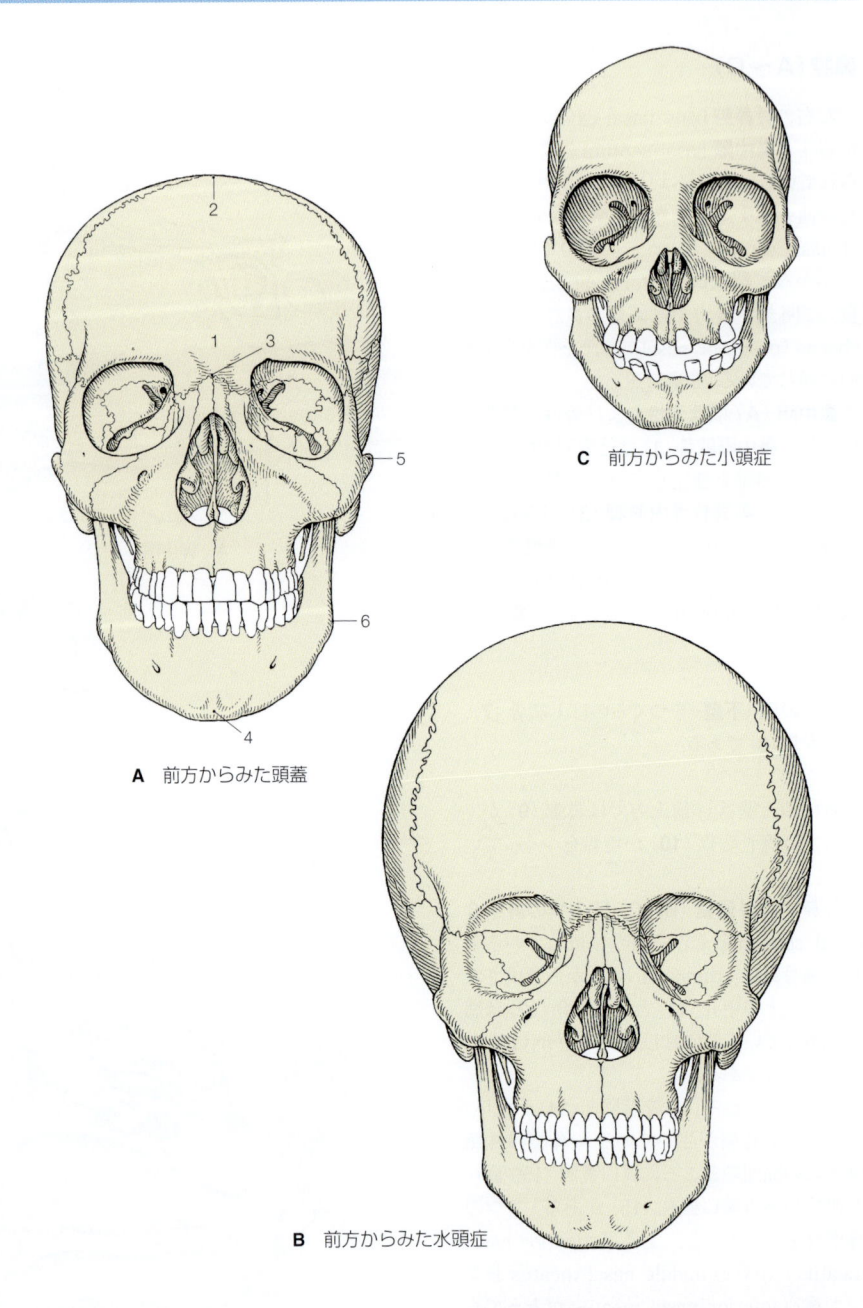

A 前方からみた頭蓋

C 前方からみた小頭症

B 前方からみた水頭症

脳の発育と頭蓋の発育との間には原則的に相互作用が認められる．頭蓋内容が病的に増大してくると，同時に骨性頭蓋の拡大が起こってくる．病的な脳の増大は脳脊髄液で満たされた脳室系の拡大，すなわち脳脊髄液の産生過剰によって引き起こされるのである（Ⅲ章も参照）．

臨床関連：奇形：正常な大きさの顔面頭蓋に比較して強大な脳頭蓋がみられるとき，これを**水頭症** hydrocephaly（**B**）という．水頭症のときの頭蓋骨は薄く弱い．泉門は拡大して閉鎖が遅れ，（前頭および頭頂）結節は殊によく目立ってくる．眼窩は平たく，小さい．

縫合が早期に骨化すると**小頭症** microcephaly（**C**）が起こる．この早期の縫合の骨化は，例えば脳の発育が悪い場合などにみられる．小頭症では眼窩は深く，頬骨弓は強大である．

その他の奇形として**舟状頭蓋** scaphocephaly と**尖頭** oxycephaly がある．前者では矢状縫合の早期の骨結合化が起こり，後者では冠状縫合が早期に骨化する．

これら種々の奇形は人為的に変形した頭蓋とは区別されなければならない．

---

1 眉間点（＝眉間の外表面にあって最も前方に突出する点）glabella **2** 泉門点（＝矢状縫合と冠状縫合の接点）bregma **3** 鼻根点（＝前頭鼻骨縫合と正中面との交点）nasion **4** 頦点（＝下顎骨下縁で最も下方へ突出した正中面上の点）gnathion **5** 頬骨弓点（＝頬骨弓の最も外側へ突出した点）zygion **6** ゴニオン（＝下顎角で最も下後外側の点）gonion

特殊な頭蓋型と頭蓋縫合（A～D）

一般に，脳頭蓋の大きさと形は脳の発育により，顔面頭蓋の大きさは咀嚼装置のはたらきにより影響を受ける．しかしほかの要素（例えば張材系としての硬膜など）の影響も無視することはできない．それにはまた頭蓋縫合の種々の型も関与してくる．

頭蓋では結合組織性骨の領域に3種の異なった縫合が区別される（12頁）．**直線縫合** plane suture（＝Harmonia*），**鋸状縫合** serrate suture および**鱗状縫合** squamous suture がそれらである．

発生途上ではすべての縫合は初めはかなり直線的であって，縫合はすべて直線結合であるともいえよう．頭蓋の形成がさらに進んでくると，いろいろな形の縫合が生じてくる．付加的な副形態，例えば特別な鱗状縫合と表現することができる"辺縁縫合 Sutura limbosa"が現れてくる．そのほか新生児の頭蓋骨発生の経過中には，成人にみられるよりも多くの縫合が現れる．すなわち対をなして前頭骨の原基が生じることから前頭縫合（**1**）が存在する．この縫合は通常1ないし2歳で閉じてしまう．この縫合が残っている（前頭縫合開存 metopism）と（**A**），この頭蓋を**十字頭蓋** metopic suture という．それは冠状縫合（**2**）が前頭縫合および矢状縫合（**3**）と交叉するからである．前頭縫合の遺残はしばしば鼻根のところにみられることがある（**4**）．前頭縫合が残っている場合には，ヒタイの部分が両側の前頭骨の強い成長によって殊によく発達しているものである．

臨床関連：非定型的な骨原基により，**付加的縫合**が出現することがある．インカ骨のところの横後頭縫合（154頁）がよく知られている．水平頭頂縫合（**5**）は特殊なものであって，上頭頂骨（**6**）と下頭頂骨（**7**）の原基によって生じる（**B**）．これらの非定型的な縫合はX線写真を観察するさい誤診の原因となることがある（骨折！）．

だいたい30歳を過ぎると個々の縫合は骨化し始め，そのため骨の成長は停止する．多くはまず第1に矢状縫合が融合するが，まれには冠状縫合の骨化が最初に始まることがある．

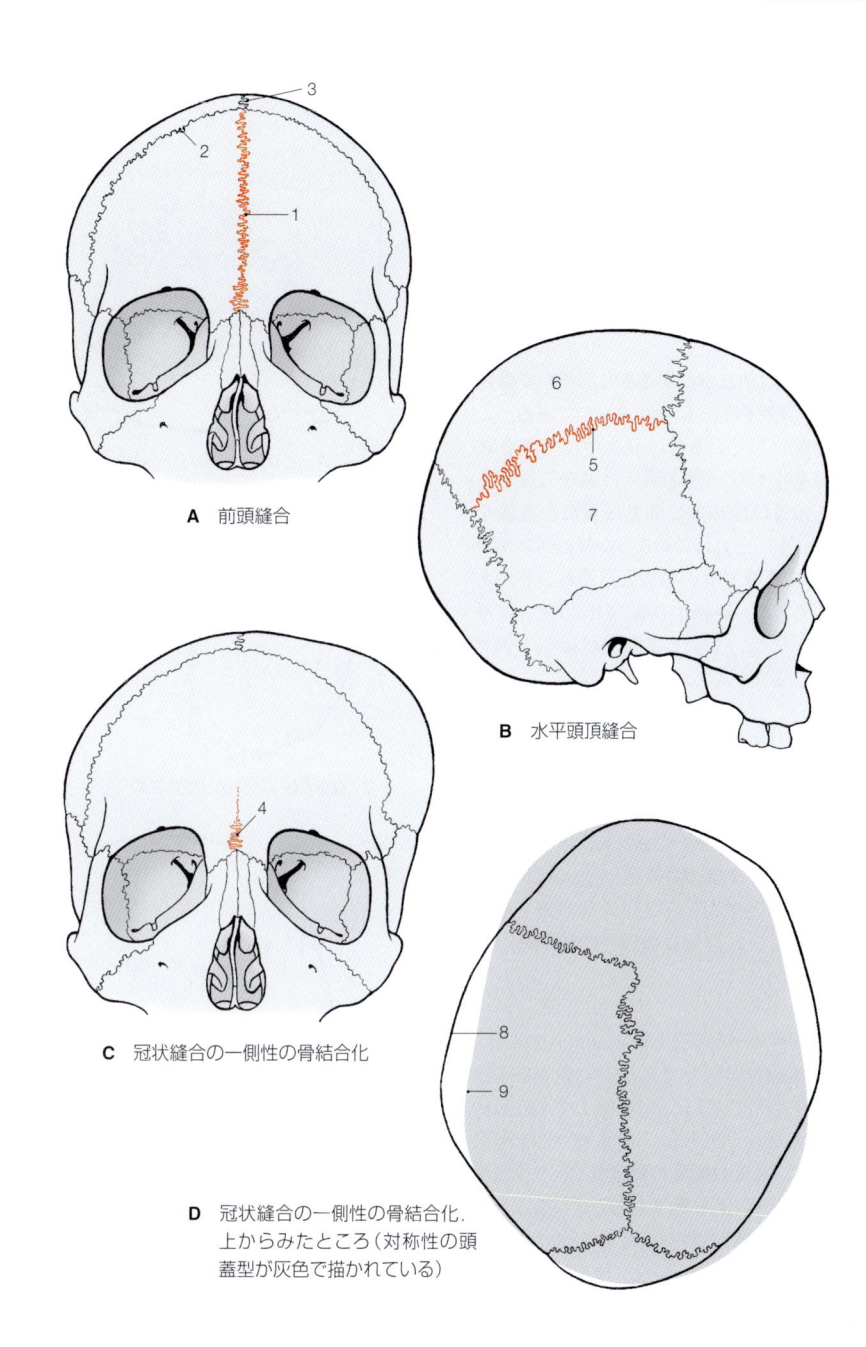

A 前頭縫合

B 水平頭頂縫合

C 冠状縫合の一側性の骨結合化

D 冠状縫合の一側性の骨結合化．上からみたところ（対称性の頭蓋型が灰色で描かれている）

臨床関連：一般に縫合閉鎖が早期に起こると小頭症が生じる．ある一つの縫合だけの骨化が起こると，種々の非定型的な頭蓋型が現れてくる．例えば舟状頭蓋や尖頭などがそれである（152頁）．ある縫合の一部だけが融合すると，冠状縫合の場合にみられるように，**斜頭［蓋］** plagiocephaly（**C, D**）が生じてくる．斜頭は人為的に変形した頭蓋とは区別する必要がある．

*B.N.A.用語．

1 前頭縫合 frontal suture (*Sutura metopica*)　**2** 冠状縫合 coronal suture　**3** 矢状縫合 sagittal suture　**4** 前頭縫合の遺残 remnants of the frontal suture　**5** 水平頭頂縫合 horizontal parietal suture　**6** 上頭頂骨 superior parietal bone　**7** 下頭頂骨 inferior parietal bone　**8** 斜頭の輪郭 contour of a plagiocephalic skull　**9** 正常に発達した頭蓋の輪郭 contour of a normally developed skull

頭蓋の副骨（A～E）

非常に高頻度に異なる頭蓋骨の間またはそれらの中に余分な独立した骨がみられる．これらの骨は**介在骨**（間挿骨）epactal bones，または他の頭蓋骨の間の縫合内にある場合には**縫合骨** sutural boneといわれる．過剰なこれらの骨は多くは結合組織から発生し2群に分けられる．

第1の群は決まったところに，そして場合によっては対称的に出現するものである．ここで問題にしている骨は発生中に分離された骨原基をもち，他の骨とは融合しない．これらの骨は臨床的に非常に重要な意義をもっている．それはこのような骨の間にある縫合はX線像で骨の亀裂と見誤ることがあるからである．過剰骨の第2の群は数，位置および形について全く規則性がなく，個々に非常な変異がみられるものである．

第1群に属するものとして，特に**インカ骨**（1）があげられる．インカ骨という名称は，古代ペルー人の頭蓋において殊に高いパーセント（20％）で見いだされることによっている．この骨は頭頂間骨 interparietal boneの上部に相当するもので，結合組織を基盤として発生し，普通は後頭骨の後頭鱗上部をつくる．

頭頂間骨の下部（三角板 triangular plate）は結合組織性の部分であって，軟骨を基盤にして発生してくる部分（後頭上骨 supraoccipital bone）と融合し，後頭鱗下部を形成する．インカ骨は両側の頭頂骨（2）と後頭骨の後頭鱗下部（3）に囲まれることになる．インカ骨と後頭鱗の間の縫合は胎児の偽縫合 sutura mendosaに相当し，横後頭縫合（4）といわれる．インカ骨はまた2つあるいは3つに分かれていることがある．

これ以外に決まった部位にみられる骨は泉門のところに出現する骨である．インカ骨にじかに接して小泉門に**尖頂骨**（5）がみられることがある．この骨は独立した骨としてそのまま残ることがある．大泉門のところには，**前頂骨**（6）という一種の介在骨があるが，これは前頭頭頂骨 frontoparietal boneとも呼ばれ，円形または菱形で，比較的まれにしか現れない．

もう一つの典型的な介在骨は**翼上骨**（7）と呼ばれ，この骨は前翼上骨 os epitericum anteriusと後翼上骨 os epitericum posteriusとに分けられることがある．この翼上骨は前側頭泉門にあって，前頭骨（8），頭頂骨（2），側頭骨鱗部（9）および蝶形骨（10）に接している．前翼上骨は必ずしも頭頂骨に接するとは限らず，また後翼上骨は前頭骨には達していない．翼上骨は場合によって，単一の骨であったり，前述のように前後の2部に分かれていたり，またどちらか一つしかみられないことがある．終わりに，後側頭泉門のところにも，独立した骨原基（11）があることがある．

第2群は特に縫合骨を包括するもので，これらの骨は殊にしばしばみられる．縫合骨はラムダ縫合，矢状縫合および冠状縫合（12）に現れる．そのほか縫合骨は横後頭縫合（上記参照）にもみられることがある．

非常にまれにはさらに独立した骨原基（13）が頭蓋骨内に（島状に）存在する．このような介在骨は頭頂骨（2）内に時おり現れ，ごくまれには前頭骨にもみられる．

> **臨床関連**：介在骨と縫合骨は頭蓋冠の全層にわたって存在していることもあるが，外表面だけまたは頭蓋冠の内面だけにしかみられないこともある．

A インカ骨．後方からみた頭蓋
B 尖頂骨．後方からみた頭蓋
C 頭頂骨内の独立した介在骨
D 種々の介在骨と縫合骨
E 前頂骨．上方からみた頭蓋

---

1 インカ骨 interparietal bone, os incae　**2** 頭頂骨 parietal bone　**3** 後頭鱗（の下部）squamous part of occipital bone　**4** 横後頭縫合 transverse occipital suture　**5** 尖頂骨 apical bone　**6** 前頂骨 bregmatic bone　**7** 翼上骨 epipteric bone　**8** 前頭骨 frontal bone　**9** 側頭骨鱗部 squamous part of temporal bone　**10** 蝶形骨 sphenoidal bone　**11** 後側頭泉門骨（の骨原基）bone in the mastoid fontanelle　**12** 冠状縫合にある縫合骨 sutural bone in the coronal suture　**13** 介在骨（の骨原基）epactal bone

顎関節（A～C）

　顎関節 temporomandibular joint は**関節円板**（**1**）によって2つの部分に分けられる．関節体の一方は**下顎頭**（**下顎顆**，**2**），もう一つの関節体は**関節結節**（**4**）を伴った**下顎窩**（**3**）がつくっている．

　下顎頭はほぼ左右に長い楕円球状を呈し，その左右の下顎頭の長軸が大孔の直前の正中面で約160°の角度をなして交わるように定位している．下顎頭は線維軟骨で覆われており，同様に下顎窩も線維軟骨で内張りされている．

　関節円板（**1**）は下顎頭のための可動性関節臼窩の役割を果たしている．この関節円板は前部では散在性の軟骨細胞を含む線維軟骨からなっている．その後部は2層性を示す．下顎窩の後壁に固着する上層（**5**）は弾性線維を含む疎性線維性結合組織からなるが，下顎頭の後壁に付着している下層（**6**）は非常に丈夫な密性線維性結合組織からなっている．両層の間には関節後静脈叢 retroarticular venous plexus がみられて可塑性をもったパッドとして働いている（Zenker）．前方では関節円板は関節包ならびに外側翼突筋の側頭下頭（**7**）と強固に結びついている．

　関節包（**8**）は比較的ゆるくて薄く，外側面ではとくに外側靱帯（**9**）によって補強されている．この靱帯は頬骨弓から下顎頭の直下の関節突起に張っている．付着部位にはしばしば小結節が認められ，多くの場合靴型様の高まりを呈するが，まれには窩状のくぼみを呈することもある．古い参考書ではこれを顆結節 condylar tuberculum もしくは顆稜 condylar crista または顆窩 condylar fossa と呼んでいる．そのほか**茎突下顎靱帯**（**10**）と**蝶下顎靱帯**（**11**）も指示靱帯として働く．これら両者はしかしながら関節包とは直接の関連をもたない．蝶下顎靱帯は蝶形骨棘（**12**）から下顎小舌（**13**）まで伸びている．これに対し，茎突下顎靱帯は茎状突起（**14**）から下顎角（**15**）にまで達している．この靱帯は茎突舌骨靱帯（**16**）とつながっており，同様に下顎角から舌骨に達する線維束を舌骨下顎靱帯（**17**）と呼ぶことができる．

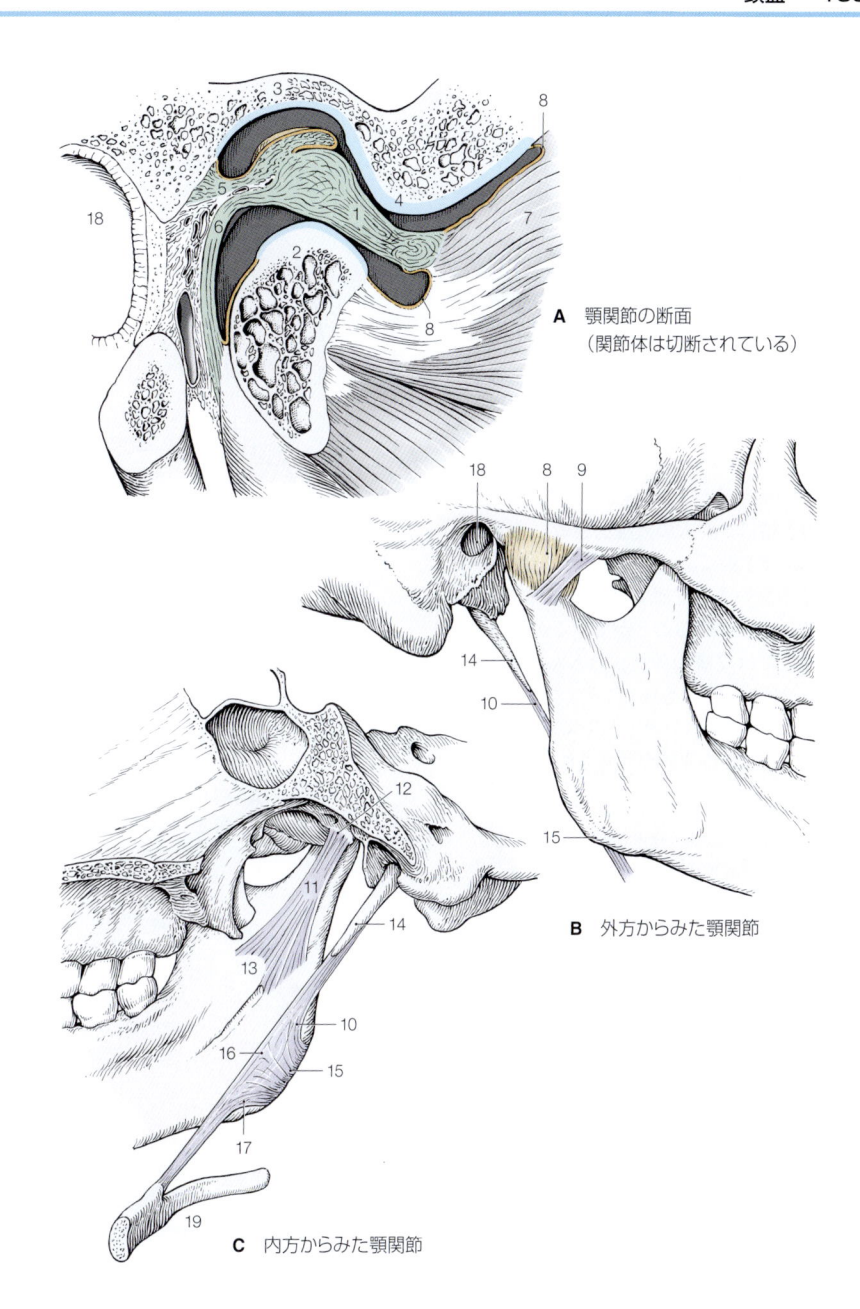

　機能的には顎関節は2つの関節の組み合わさったものである．一つの関節は関節円板と下顎頭の間にあり，もう一つの関節は関節円板と下顎窩の間にある．口を大きく開くときには，常に下の関節部分で**回旋運動**が起こり，上の関節部分では前方への**滑走運動**が起こる．この滑走運動はことに外側翼突筋の働きによって生じる．開口運動のほかに外側への運動または**磨砕運動**が起こる．

　顎関節ないし，その関節体の形は，歯の完成度，それに年齢と関係がある．歯がないと（乳児と老人），下顎窩は平たくなり，関節結節は目立たなくなる．

　顎関節のすぐ後ろには外耳道（**18**）があり，そのすぐ上には中頭蓋窩がある．耳下腺（Ⅱ章参照）と種々の血管や神経も顎関節と密接な関係をもっている．

A 顎関節の断面（関節体は切断されている）

B 外方からみた顎関節

C 内方からみた顎関節

---

1 関節円板 articular disk　**2** 下顎頭（下顎顆）head of mandible (mandibular fossa)　**3** 下顎窩 mandibular fossa　**4** 関節結節 articular tubercle　**5** 関節円板の後部の上層（下顎窩の後壁に付着している）　**6** 関節円板の後部の下層（下顎頭の後壁に付着している）　**7** （外側翼突筋の）側頭下頭 infratemporal head　**8** 関節包 articular capsule　**9** 外側靱帯 lateral ligament　**10** 茎突下顎靱帯 stylomandibular ligament　**11** 蝶下顎靱帯 sphenomandibular ligament　**12** 蝶形骨棘 spine of sphenoidal bone　**13** 下顎小舌 lingula　**14** 茎状突起 radial styloid process　**15** 下顎角 angle of mandible　**16** 茎突舌骨靱帯 stylohyoid ligament　**17** 舌骨下顎靱帯 hyomandibular ligament　**18** 外耳道 external acoustic meatus　**19** 舌骨 hyoid bone

B) 筋および筋膜

頭部の筋

表情筋（顔面筋）

表情筋 mimetic muscles（**顔面筋** facial muscles）は顔または頭の皮膚の中へ放散する．それによってこれらの筋が収縮すると皮膚のずれが起こる．この皮膚のずれはシワと溝の形で現れ，顔の表情 facial expression すなわち語るに匹敵する顔つきの基礎をつくる．

顔の表情はその人の人種的特徴，精神的所産および年齢によって変わるものである．若い弾力性のある皮膚では筋の収縮で生じた変化はもとに戻ることができるが，年をとった人では皮膚の弾性がほとんどないため，シワはいつまでも残ることになる．以下の各節で個々の筋について述べる際には表情という意味での機能が考慮されている．

臨床関連：顔の表情は健康状態によっても左右される．心臓，甲状腺，胃，肝臓などさまざまな罹病によって顔つきは大いに影響される．とりわけ顔面神経の麻痺は影響を及ぼす．

表情筋は

- **頭蓋冠の筋** muscles of the scalp
- **眼瞼裂周囲の筋** muscles around the palpebral fissure
- **鼻部の筋** muscles of the nose および
- **口裂周囲の筋** muscles around the oral fissure

に分けることができる．

頭蓋冠の表情筋（A，B）

頭蓋冠の筋は**頭蓋表筋** epicranius を形成する．この頭蓋表筋は骨膜とはゆるく結合するにすぎないが，頭の皮膚とは非常に強く結合している．対をなして前・後にある筋腹の間には**帽状腱膜**（**1**）という丈夫な腱が張っている．しかしこの腱膜へ放散するのは単にこの前後の筋腹だけではなく，側頭頂筋の筋線維もこの腱膜を起始野として利用している．

後頭前頭筋 occipitofrontalis は後頭筋（**2**）と前頭筋（**3**）とからなっている．前者は最上項線の外側2/3から起こるが，後者は骨性の起始をもたず，眉部と眉間の皮膚と皮下から起こる．前頭筋はそのほか眼輪筋（**4**）と密接な関係をもっている．

側頭頂筋（**5**）は帽状腱膜のところから起こり，耳介軟骨に達する．この筋の最後部は上耳介筋 auricularis superior ともいわれる．

頭蓋表筋，特にその前腹である前頭筋によって，額の皮膚にシワがつくられる．そのほか両側の前頭筋が収縮すると，眉毛と上眼瞼が引き上げられる．それによって驚きの表情が生じる．

神経支配：顔面神経 facial nerve

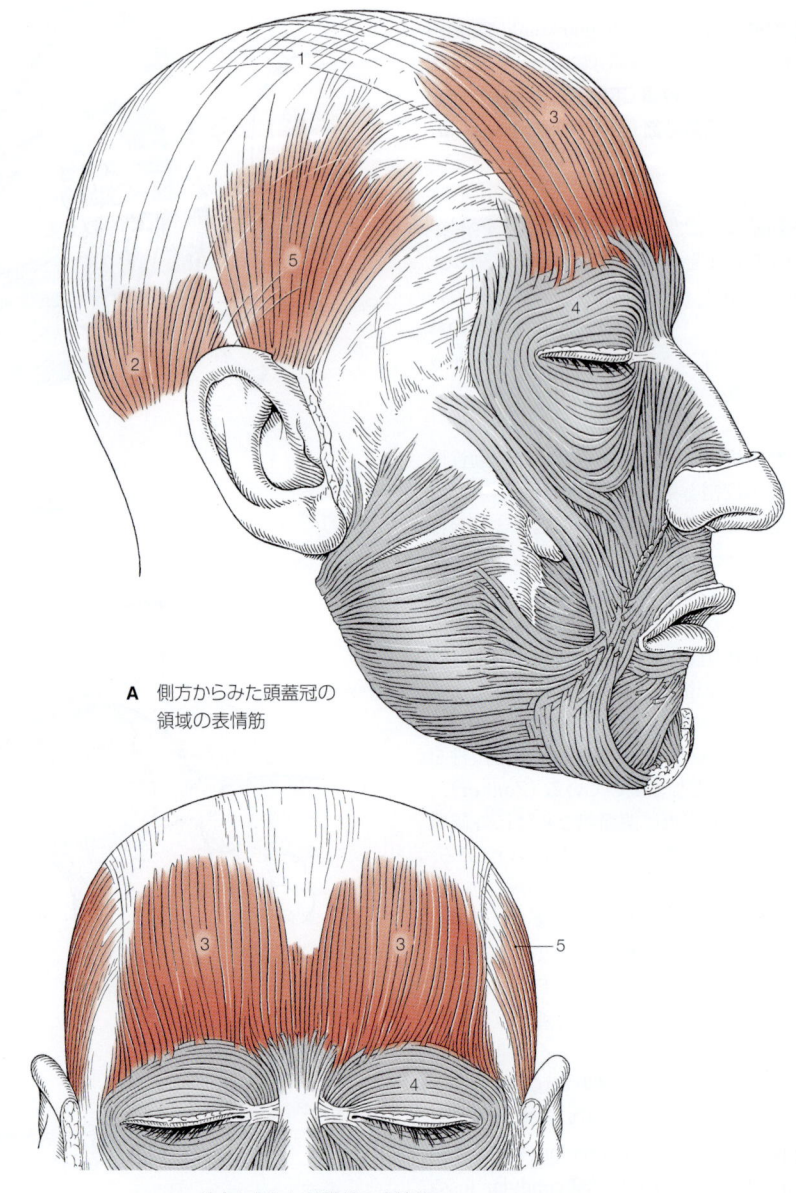

A 側方からみた頭蓋冠の領域の表情筋

B 前方からみた前頭部の表情筋

---

1 帽状腱膜 epicranial aponeurosis **2** 後頭筋（後頭前頭筋の）occipital belly (occipitofrontalis) **3** 前頭筋（後頭前頭筋の）frontal belly (occipitofrontalis) **4** 眼輪筋 orbicularis oculi **5** 側頭頂筋 temporoparietalis

眼瞼裂周囲の表情筋（A～F）

眼輪筋 orbicularis oculi は**眼窩部**（**1**），**眼瞼部**（**2**）および**涙嚢部**（**3**）の3部からなっている．涙嚢部は眼瞼部の深頭 deep part ともいわれる．

眼窩部（**1**）は厚くて，眼窩のまわりを輪状に取り巻いている．この部の筋が固定されているところは内側眼瞼靱帯（**4**），上顎骨前頭突起および前涙嚢稜である．上眼瞼では眼窩部の内側筋線維は扇状に放散して眉毛の方へ向かっている．これらの筋線維は眉毛下制筋 depressor supercilii とも呼ばれることがある．**眼瞼部**（**2**）はきゃしゃで眼瞼内にあり，同様に内側眼瞼靱帯に達している．この部の筋の一部は瞼板（**5**）に，また一部は眼窩隔膜 orbital septum に接している．**涙嚢部**（**3**，一名，ホルネル筋または眼瞼部の深頭）は内側眼瞼靱帯の内側にあり，主に後涙嚢稜（**6**）から起こっている．

眼窩部は眼瞼をしっかり閉じる作用があり，これに対し眼瞼部はまず瞬目反射 winking reflex に役立つ．涙嚢部の作用は完全に明らかにされているわけではないが，一説では涙嚢を拡張するように働くとも，また他の説ではその内容（涙）を押し出すともいわれている．

筋と皮膚との密接な関係によって外眼角のところに放射状のシワが生じる．これらのシワは老人では烏の足跡 crow's feet といわれている．眼輪筋はなにかを懸念するような表情（**D**），そして未来を思うような表情を顔に表す働きをもつものと解される．

皺眉筋（**7**）は眼輪筋と前頭筋（**8**）に混じり合っている．この皺眉筋は眉間と眼窩上縁から起こり，眉毛の皮膚に入り込んでいく．

この筋は眉毛の皮膚を内下方へ寄せ，縦に走る溝をつくる．この筋はまばゆい日光を防ぐ作用をもち，また激しい苦悩を表す筋ともいわれる．この筋の収縮によってつくられる表情は思索家の額 thinker's brow ともいわれるものである（**E**）．

鼻部の表情筋（A～F）

鼻根筋（**9**）は鼻背から起こり，額の皮膚の中へ入り込んでいく．この筋は比較的薄い筋板であって，収縮すると鼻根の上に一条の横シワをつくる．

この筋は脅しの顔の表情を表す．老人ではこのシワはしばしばずっと残ることもある．

鼻筋 nasalis は**横部**（**10**）と[**鼻**]**翼部**（**11**）とからなる．この筋は犬歯と外側切歯の歯槽隆起から起こり，鼻翼の皮膚に達している．横部は薄く広い筋板で，対側の同筋の横部と腱板によって結合されているのに対し，鼻翼部は鼻翼の皮膚の中へ放散する．

この筋が収縮すると，鼻翼は下後方へ下げられ，外鼻孔はせばめられる．この筋の収縮はよろこばしい驚きの際の顔の表情をつくり出し，欲求，熱望および物ほしさといった印象（**F**）をよび起こす．

上唇鼻翼挙筋（**12**）は眼窩下縁に始まり上唇と鼻翼の皮膚の中へ放散する．この筋は単に鼻翼の皮膚だけでなく，上唇の皮膚をも引き上げる．左右の筋が同時に収縮すると，鼻尖が少しもち上げられ気味となる．

この筋は鼻翼を引き上げるように働き，外鼻孔を拡げる．強く収縮すると，この筋は皮膚に鼻唇溝 nasolabial sulcus というシワをつくる．このとき生じる顔の表情は不快や不満を表すわけである（**G**）．

C では，右の眼輪筋が瞼板とともに内方へ反転されており，その後面が示されている．

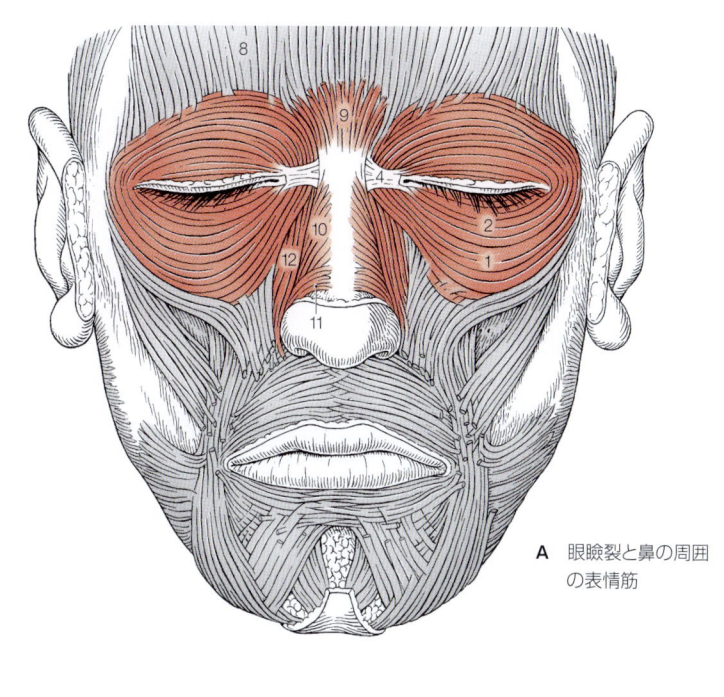

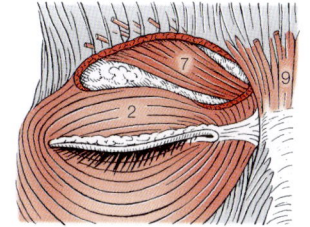

A 眼瞼裂と鼻の周囲の表情筋

B 皺眉筋

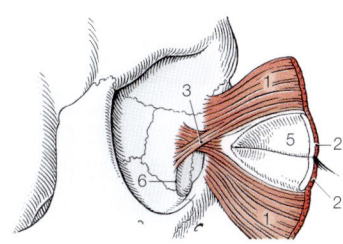

C 眼輪筋涙嚢部．眼窩内部からみたところ

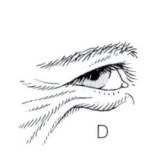

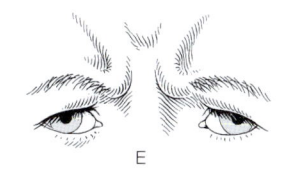

D～F 顔の表情に対する筋の働き（Rouilléによる）

---

1 眼窩部 orbital part　2 眼瞼部 palpebral part　3 涙嚢部 lacrimal part（muscle of Horner）　4 内側眼瞼靱帯 medial palpebral ligament　5 瞼板 tarsus　6 後涙嚢稜 posterior lacrimal crest　7 皺眉筋 corrugator supercilii　8 前頭筋 frontal belly　9 鼻根筋 procerus　10 横部 transverse part　11 [鼻]翼部 alar part　12 上唇鼻翼挙筋 levator labii superioris alaeque nasi

口裂周囲の表情筋（A～L）

口輪筋（1）は外見上は単に輪状筋であるが，実際には4部からなっている（**A**）．そのほか内部の**唇部** labial part と周辺にある**縁部** marginal part とにも区別される．口の形はこの筋の緊張とこの筋の下にある骨と歯の形によって決められる．

この筋が弱く収縮すると口唇は互いに重なり合うが，強く収縮すると口唇は前方へずれ出し，そのため吻状となって前方へ突出する．この筋の主な作用はものを飲み食いするときに明らかになる．この筋が収縮すると表情においては寡黙の印象が与えられる（**D**）．

四角形の**頰筋**（2）は深在性で第1および第2大臼歯の領域の下顎骨と，翼突下顎縫線（3）から起こる．この筋は口角へ行き，口腔前庭 oral vestibule の外側壁をつくっている．

この筋は息を吹き出すことを可能ならしめ，口角を外側へ引いて，頰粘膜を拡張してヒダをなくす作用がある．この筋は笑ったり泣いたりするときに協力的に働き，顔の表情は満足を表す（**E**）．

大頰骨筋（4）は頰骨から出て口角へ行くが，その際この筋の一部は口角下制筋 depressor anguli oris の線維の上を横切る．

この筋は口角を上外方へあげる．表情としては，この筋が収縮すると笑いと喜びの表情が現れる（**F**）．

小頰骨筋（5）は頰骨の外面から出て鼻唇溝 nasolabial sulcus へ行く．

笑筋（6）は咬筋筋膜 masseteric fascia から起こり口角へ行く表在性の筋線維からなっている．

この筋は大頰骨筋とともに鼻唇溝をつくる．またこの筋は大頰骨筋と同じように笑いの筋と呼ばれる．この筋が収縮すると，商いのときの表情が顔に現れる（**G**）．また，えくぼをつくる．

上唇挙筋（7）は上唇鼻翼挙筋と関係をもっている．この上唇挙筋は眼窩下縁から出て，上唇の皮膚の中へ放散する．

口角挙筋（犬歯筋，8）は深部にあって眼窩下縁の下方から出て，口角の皮膚に達する．

この筋は口角を挙上し，この筋の収縮によって自負の表情が現れる（**H**）．

三角形をした**口角下制筋**（三角筋，9）は下顎骨の下縁から起こり，同じく口角へ行く．

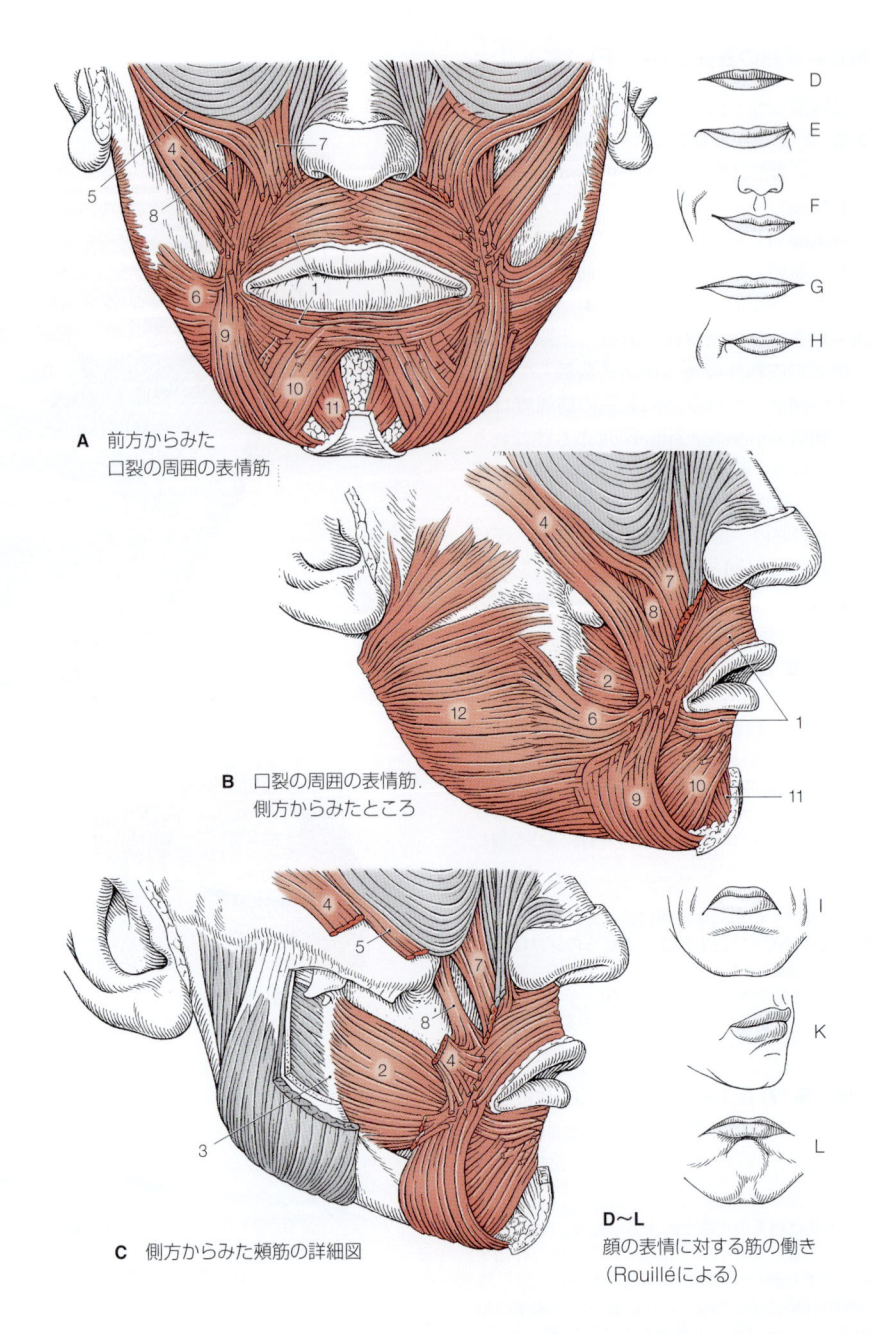

A 前方からみた口裂の周囲の表情筋

B 口裂の周囲の表情筋．側方からみたところ

C 側方からみた頰筋の詳細図

D～L 顔の表情に対する筋の働き（Rouilléによる）

この筋は口角を下方へ引き，悲しみの筋といわれる（**I**）．

オトガイ横筋 transversus menti は口角下制筋がよく発達している場合にのみ存在し，オトガイ部を横に走り，二重アゴをつくるのに関係するという．

下唇下制筋（下唇方形筋，10）は下顎骨のオトガイ孔の下方から出て，下唇の皮膚の中へ入り込んでいく．

この筋は下唇を下げ，誠実の表情を表す（**K**）．

オトガイ筋（11）は外側切歯の歯槽隆起のところで下顎骨から起こり，オトガイの皮膚の中へ入り込んでいく．

この筋はオトガイ唇溝 mentolabial sulcus をつくり，疑惑と不決断の表情を表す（**L**）．

広頸筋（12）は頸から顔の領域へ放散していき，笑筋，口角下制筋および下唇下制筋と関係をもつ．

表情筋はすべて顔面神経 facial nerve **の支配を受けている．**

---

1 口輪筋 orbicularis oris　2 頰筋 buccinator　3 翼突下顎縫線 pterygomandibular raphe　4 大頰骨筋 zygomaticus major　5 小頰骨筋 zygomaticus minor　6 笑筋 risorius　7 上唇挙筋 levator labii superioris　8 口角挙筋（犬歯筋）levator anguli oris（M.caninus）　9 口角下制筋（三角筋）depressor anguli oris（deltoid）　10 下唇下制筋（下唇方形筋）depressor labii inferioris（M.quadratus labii inferioris）　11 オトガイ筋 mentalis　12 広頸筋 platysma

咀嚼筋（A～E）

咀嚼筋 muscles of mastication はいずれも下顎神経 mandibular nerve の枝の支配を受けている．これらの筋は発生学的には第1鰓弓から生じる．

狭義の咀嚼筋に属するのは，**咬筋**（**1**），**側頭筋**（**2**），**外側翼突筋**（**3**）および**内側翼突筋**（**4**）である．

咬筋（**1**）は頬骨弓（**5**）から起こり，下顎角の咬筋粗面（**6**）に終わる．この筋は斜走する筋線維からなる強大な**浅部**（**7**）と，側頭骨の頬骨突起の内面と側頭筋膜から起始して垂直に走る筋線維からなる**深部**（**8**）に分けられる．この咬筋は側頭筋と同様に口を閉じる強力な筋であって，下顎骨をあげ（て歯をかみ合わせ）る．

神経支配：咬筋神経 masseteric nerve

側頭筋（**2**）は下顎を引き上げる最も強大な筋である．この筋は下側頭線を上限とする側頭平面（**9**）と側頭筋膜（**10**）から起こる．強力な腱をもってこの筋は下顎骨筋突起（**11**）に達し，ここに終わる．その際この付着部は下顎枝の内面と前面を下方へ向かって広がっている．

神経支配：深側頭神経 deep temporal nerve

外側翼突筋（**3**）は下顎骨のすべての運動を助けるように働く筋である．この筋は顎関節の指示筋とみなされる．この外側翼突筋は2部からなっている．すなわちこの筋の**下頭**（**12**）は蝶形骨翼状突起の外側板（**13**）の外側面から起こり，**上頭**（**14**）は上顎骨の側頭下面と蝶形骨大翼の側頭下稜から起こる．上部は顎関節円板に付着するが，下部は下顎骨関節突起の翼突筋窩（**15**）に終わる．

神経支配：外側翼突筋神経 lateral pterygoid nerve

内側翼突筋（**4**）は前記の筋に対してほぼ垂直に走る．この筋は蝶形骨の翼突窩 pterygoid fossa に始まる．詳しくは，この筋は**大部**（深頭 deep head）をもって翼状突起の外側板の内側面から，**小部**（浅頭）は外側板の外側面から始まるが，少数の線維は上顎結節からも始まる．この筋は下顎角まで行き，翼突筋粗面 pterygoid tuberosity に終わるので，下顎角は一方では咬筋によって，他方ではこの内側翼突筋によってつくられる筋のワナにつるされた格好になる．この筋は下顎骨を上げ，また下顎骨を前方へ移動するのを助ける．そのほかこの筋は下顎を外方へずらしたり，回旋したりする際にも協力的に働く．

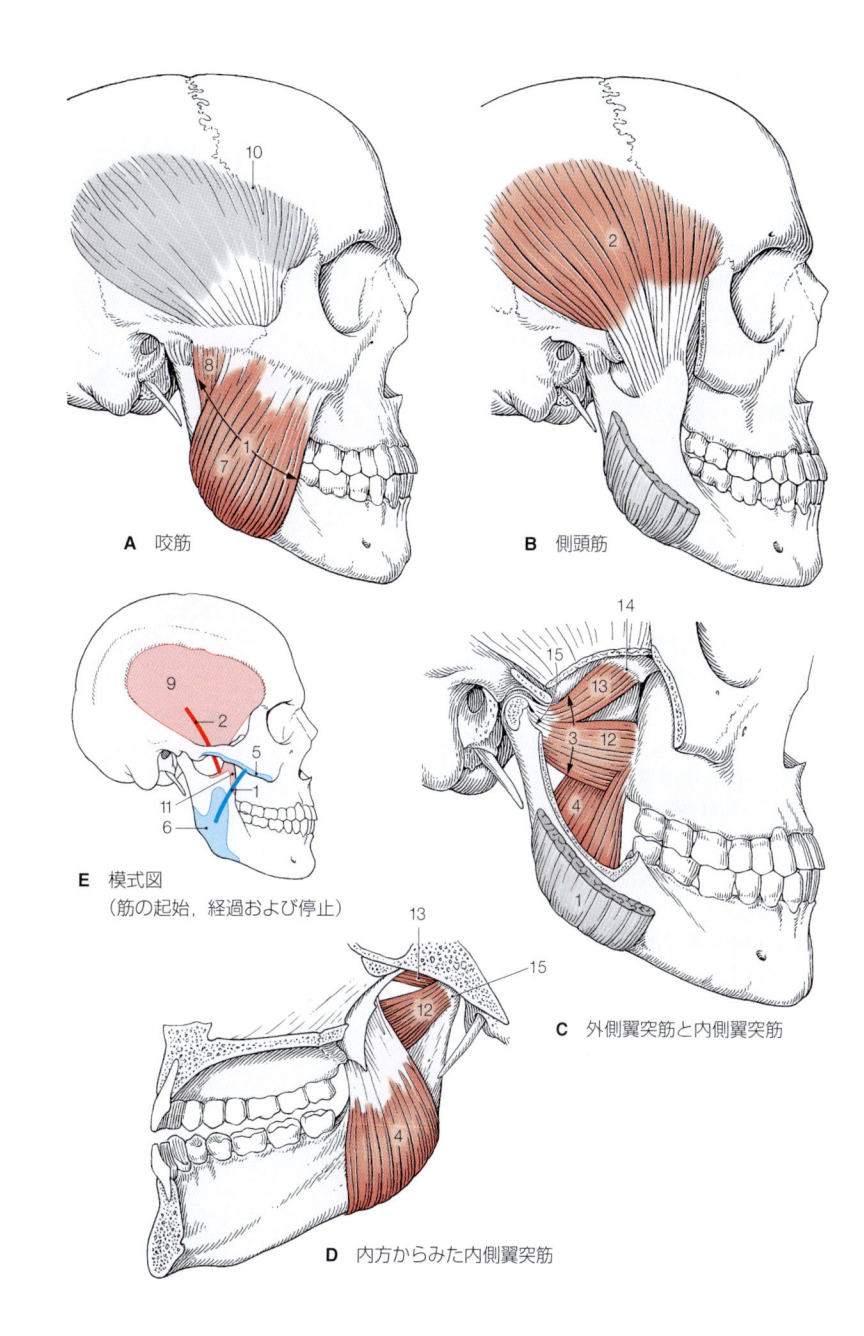

神経支配：内側翼突筋神経 medial pterygoid nerve

A 咬筋　　B 側頭筋

E 模式図（筋の起始，経過および停止）

C 外側翼突筋と内側翼突筋

D 内方からみた内側翼突筋

1 咬筋 masseter　2 側頭筋 temporalis　3 外側翼突筋 lateral pterygoid　4 内側翼突筋 medial pterygoid　5 頬骨弓（咬筋の起始）zygomatic arch　6 咬筋粗面（咬筋の停止）masseteric tuberosity　7 浅部 superficial part　8 深部 deep part　9 側頭平面（側頭筋の起始）temporal plane　10 側頭筋膜 temporal fascia　11 下顎骨筋突起（側頭筋の停止）coronoid process　12 （外側翼突筋の）下頭 lower head　13 （蝶形骨翼状突起の）外側板 lateral lamina　14 （外側翼突筋の）上頭 upper head　15 翼突筋窩 pterygoid fovea

前頸筋

舌骨下筋（A，B）

舌骨下筋 infrahyoid muscles は舌骨，ひいては下顎骨に作用するが，頸部脊柱にも作用が及ぶ．

舌骨下筋に属するものは，**胸骨舌骨筋**，**肩甲舌骨筋**，**胸骨甲状筋**および**甲状舌骨筋**である．発生学的にはこれらの筋は腹側縦筋系 ventral longitudinal muscle column に数えられている．肩甲舌骨筋はまた上肢帯の筋にも属している（72頁）．

胸骨舌骨筋（1）は胸骨柄（2）の後面と胸鎖関節から起こるが，時には鎖骨の胸骨端からも起こる．この筋は舌骨体内面の外側部（3）に終わる．

肩甲舌骨筋（4）は**上腹** superior belly と**下腹** inferior belly の2腹をもち，これらは中間腱（腱画）を介して互いにつながっている．**下腹** inferior belly は肩甲骨上縁の肩甲切痕（5）のすぐそばから始まり，斜めに上行する．そのさい，下腹は外側頸三角部 lateral cervical region で中頸筋膜と密接な関係をもっている．この部位で下腹は中間腱（腱画）に移行し，頸部の血管-神経索の上を横切っていく．この中間腱で**上腹** superior belly が始まり，斜めに上行して舌骨に達する．この上腹はたいていは筋性であって，舌骨体下縁の外側1/3のところに付着しているが，少数の線維は舌骨体の内面にも終わっている（6）．

胸骨甲状筋（7）はこの筋の上にある胸骨舌骨筋よりも幅が広い．この胸骨甲状筋は胸骨柄の後面（8）から始まり，甲状軟骨 thyroid cartilage の斜線（9）に達する．この筋は甲状腺の被膜にじかに接している．

甲状舌骨筋（10）は胸骨甲状筋に続き，甲状軟骨の斜線（9）に始まり，舌骨体の外側1/3の内面（11）と大角の内側面の下縁に終わる（Fischer）．

すべての舌骨下筋は協力的に働く．すなわち，これらの筋は甲状軟骨を舌骨に近づけ，さらに口を開ける際には喉頭軟骨と舌骨を固定し，あるいはこれらを下方へ引く．肩甲舌骨筋はそのほか血管-神経索および中頸筋膜（＝頸筋膜気管前葉）と密接な関係のあることから，その下を走る大静脈の負担を軽くする筋としてのもう一つの働きをもっている．この肩甲舌骨筋は内頸静脈を広げ，頭部の血液が上大静脈へ還流しやすくしているのである．

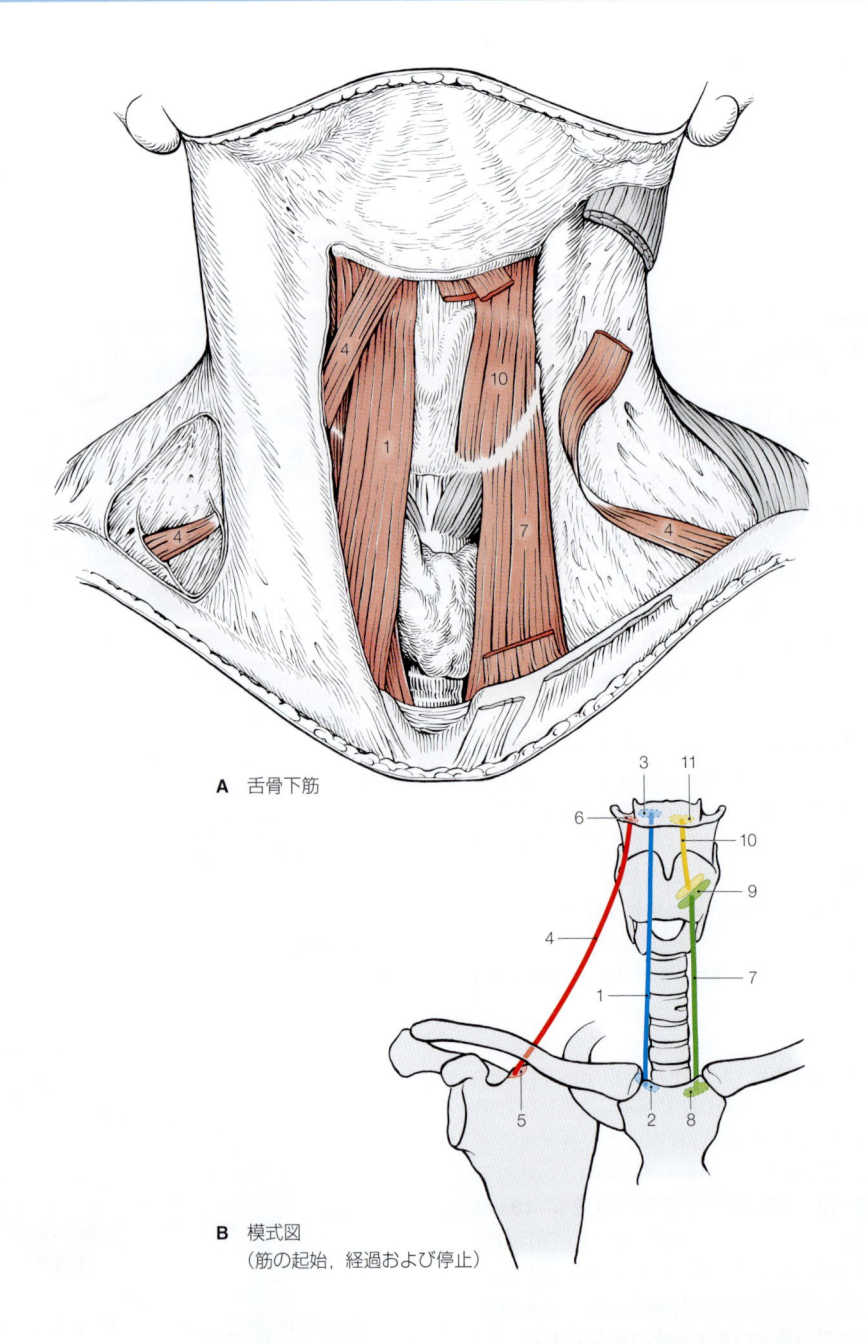

舌骨下筋は舌骨上筋 suprahyoid muscles（顎二腹筋，茎突舌骨筋，顎舌骨筋およびオトガイ舌骨筋；Ⅱ章参照）とともに，口を閉ざしているとき頭を前方へ曲げることができる．肩甲舌骨筋は，口を開けたり，頭を前屈したり，側屈して回転するときに関与する（Fischer と Ransmayr）．

神経支配：（深）頸神経ワナ deep ansa cervicalis と甲状舌骨筋枝 thyrohyoid branch（C_1，C_2およびC_3）

A 舌骨下筋

B 模式図
（筋の起始，経過および停止）

---

1 胸骨舌骨筋 sternohyoid　2 胸骨柄（の後面；胸骨舌骨筋の起始）manubrium of sternum　3 舌骨（後面の上端；胸骨舌骨筋の停止）hyoid bone　4 肩甲舌骨筋 omohyoid　5 肩甲切痕のそば（肩甲舌骨筋下腹の起始）suprascapular notch　6 舌骨体（肩甲舌骨筋上腹の停止）body of hyoid bone　7 胸骨甲状筋 sternothyroid　8 胸骨柄（の後面；胸骨甲状筋の起始）　9 甲状軟骨の斜線（胸骨甲状筋の停止ならびに甲状舌骨筋の起始）oblique line of thyroid cartilage　10 甲状舌骨筋 thyrohyoid　11 舌骨体（の内面；甲状舌骨筋の停止）

上肢帯に停止する頭部の筋（A～C）

上肢帯に停止をもつ2つの頭部の筋は僧帽筋 trapezius と胸鎖乳突筋 sternocleidomastoid である．僧帽筋の筋腹は頸部およびそれ以下にわたっている．

僧帽筋（**1**，72頁も参照）は**下行部**（**2**），**横行部**（**3**）および**上行部**（**4**）に分けられる．

下行部（**2**）は上項線，外後頭隆起（**5**）および項靱帯（**6**，28頁）から起こり，鎖骨の外側1/3（**7**）に終わる．

横行部（**3**）は第7頸椎から第3胸椎までの間から（**8**，棘突起と棘上靱帯から）起こり，鎖骨の肩峰端（**9**），肩峰（**10**）および肩甲棘（**11**）に達する．

上行部（**4**）はその起始が第2または第3胸椎から第12胸椎までの間にあり（**12**，棘突起と棘上靱帯から），棘三角およびそれに隣接する肩甲棘（**13**）に終わる．

僧帽筋はまず第1に静力学的な役割をもっている．すなわちこの筋は肩甲骨を保持し，ひいては上肢帯を固定しているのである．能動的にはこの筋は肩甲骨と鎖骨を脊柱側へ向かって内後方へ引き寄せる．下行部と上行部は肩甲骨を回旋する．下行部は肩を内転する（内下方に引き下げる）ほか，わずかではあるが肩をあげることができる．したがってこの筋は前鋸筋 serratus anterior を助けることになる．もし前鋸筋が麻痺して機能しなくなっても，僧帽筋下行部によって水平を少し越えるまで腕をあげることは可能である．

神経支配：副神経 accessory nerve と頸神経叢の僧帽筋枝 trapezius branch（C_2～C_4）

胸鎖乳突筋（**14**，72頁も参照）は **1頭**（胸骨頭）でもって胸骨（**15**）から，**他頭**（鎖骨頭）でもって鎖骨（**16**）から起こる．この筋は乳様突起と上項線に終わる．そこでは僧帽筋の起始との腱性の結合がみられる．

一側性の支配ではこの胸鎖乳突筋は頭を他側へ回旋し，同時に同側へ頭を傾ける．**両側の筋が収縮すると頭は後方へ傾く**（首をすくめたような格好となる）．胸鎖乳突筋のことを"Kopfnicker"（うなずき筋）と呼ぶのは誤っている．最後にこの胸鎖乳突筋は呼吸の際の補助筋としての作用がある．しかしそれには頭が静止位にあり，また肋間筋が麻痺しているといったことが前提条件となる．肋間筋がその機能を失っていないときには，胸鎖乳突筋はその作用を発揮するに至らない．

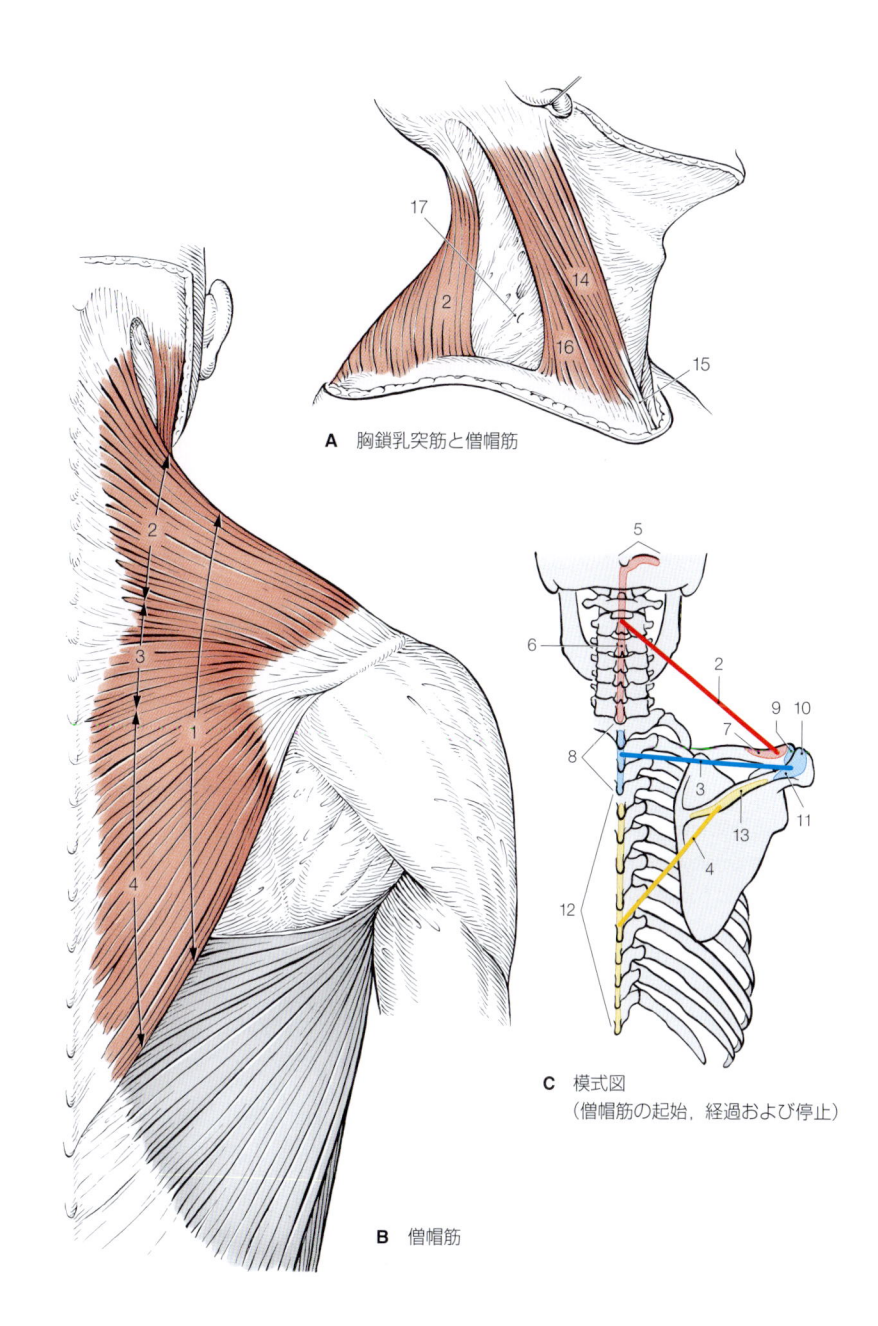

神経支配：副神経 accessory nerve と頸神経叢のC_1とC_2からの線維

変異：胸鎖乳突筋と僧帽筋は同じ原基から発生してくるから，両者の間には時に密接な関係が保たれたままで残っている．すなわち，一方では鎖骨における僧帽筋の停止がずっと内側へ寄ってきて，また他方では胸鎖乳突筋の起始が外側へずれていることがある．したがってこれら両筋と鎖骨で囲まれる大鎖骨上窩 greater supraclavicular fossa というくぼみは狭く小さくなる．

> **臨床関連**：鎖骨の上約3cmで胸鎖乳突筋の後縁1～2cm背方にエルブ（Erb）の第2点（**17**）がある．ここは，腕神経叢の上半部（Ⅲ章参照）を電気刺激できる場所である．

A 胸鎖乳突筋と僧帽筋

B 僧帽筋

C 模式図（僧帽筋の起始，経過および停止）

---

1 僧帽筋 trapezius　2 下行部 descending part　3 横部 transverse part　4 上行部 ascending part　5 外後頭隆起（下行部の起始）external occipital protuberance　6 項靱帯（下行部の起始）nuchal ligament　7 鎖骨（の外側1/3；下行部の停止）clavicle　8 第7頸椎～第3胸椎（横行部の起始）vertebrae CⅦ～ThⅢ　9 鎖骨の肩峰端（横行部の停止）acromial end of clavicle　10 肩峰（横行部の停止）acromion　11 肩甲棘（の外側部；横行部の停止）spine of scapula　12 第3～12胸椎（上行部の起始）thoracic vertebrae Ⅲ～Ⅻ　13 棘三角（およびそれに続く肩甲棘；上行部の停止）Trigonum spinae (spine of scapula)　14 胸鎖乳突筋 sternocleidomastoid　15 胸鎖乳突筋の胸骨頭 sternal head of the sternocleidomastoid　16 胸鎖乳突筋の鎖骨頭 clavicular head of the sternocleidomastoid　17 エルブの点 Erb's point

頸部の筋膜（A，B）

舌骨と上肢帯の間の頸部では3葉の頸筋膜が区別される．

頸筋膜浅葉（**1**＝浅頸筋膜）は広頸筋（**2**）を除く頸のすべての構造物を表面から包んでおり，背側へ向かって項筋膜 nuchal fascia に続く．胸鎖乳突筋（**3**）と僧帽筋（**4**）はこの浅葉のつくる鞘の中に納まっている．浅頸筋膜は舌骨から胸骨柄と両側の鎖骨にまで広がっている．舌骨と下顎骨の間の筋膜は，この浅頸筋膜の上方への広がりのことである（下記参照）．

浅葉に続くものは**頸筋膜気管前葉**（**5**＝中頸筋膜）で，これがつくる鞘の中には舌骨下筋（160頁）が納まっている．この筋膜は舌骨下筋（**6**）のところでは丈夫なつくりになっているが，肩甲舌骨筋の外側縁に終わらず，薄い葉となってさらに外側へ続いていく．この筋膜は頸筋膜椎前葉（**7**＝深頸筋膜）に至り，これと融合する．そのほかこの中頸筋膜は血管‐神経索（総頸動脈 common carotid artery，内頸静脈 internal jugular vein，迷走神経 vagus nerve）を包む結合組織すなわち**頸動脈鞘**（**8**）とも連絡がある．

気管前葉は上下の方向に舌骨から胸骨柄と両側の鎖骨にまで及んでいる．舌骨より上ではこの気管前葉は浅葉と融合して1枚の頸筋膜となっている．

頸の正中部 middle cervical region では浅葉（**1**）と気管前葉（**5**）との間に胸骨上筋膜間隙（**9**，173頁も参照）がある．

頸筋膜椎前葉（**7**＝深頸筋膜）は脊柱および脊柱と結合している深頸筋（後頸筋ともいう）を覆っている．この深頸筋に属するのは，頭長筋，頸長筋（**10**）および斜角筋（**11**）である．椎前葉は頭蓋底に始まり，胸腔の中まで下行し，胸腔内で胸内筋膜 endothoracic fascia に移行する．

中頸筋膜と深頸筋膜の間には，喉頭，咽頭，食道（**12**），気管（**13**）および上皮小体を伴った甲状腺（**14**）などの頸部内臓が含まれている．

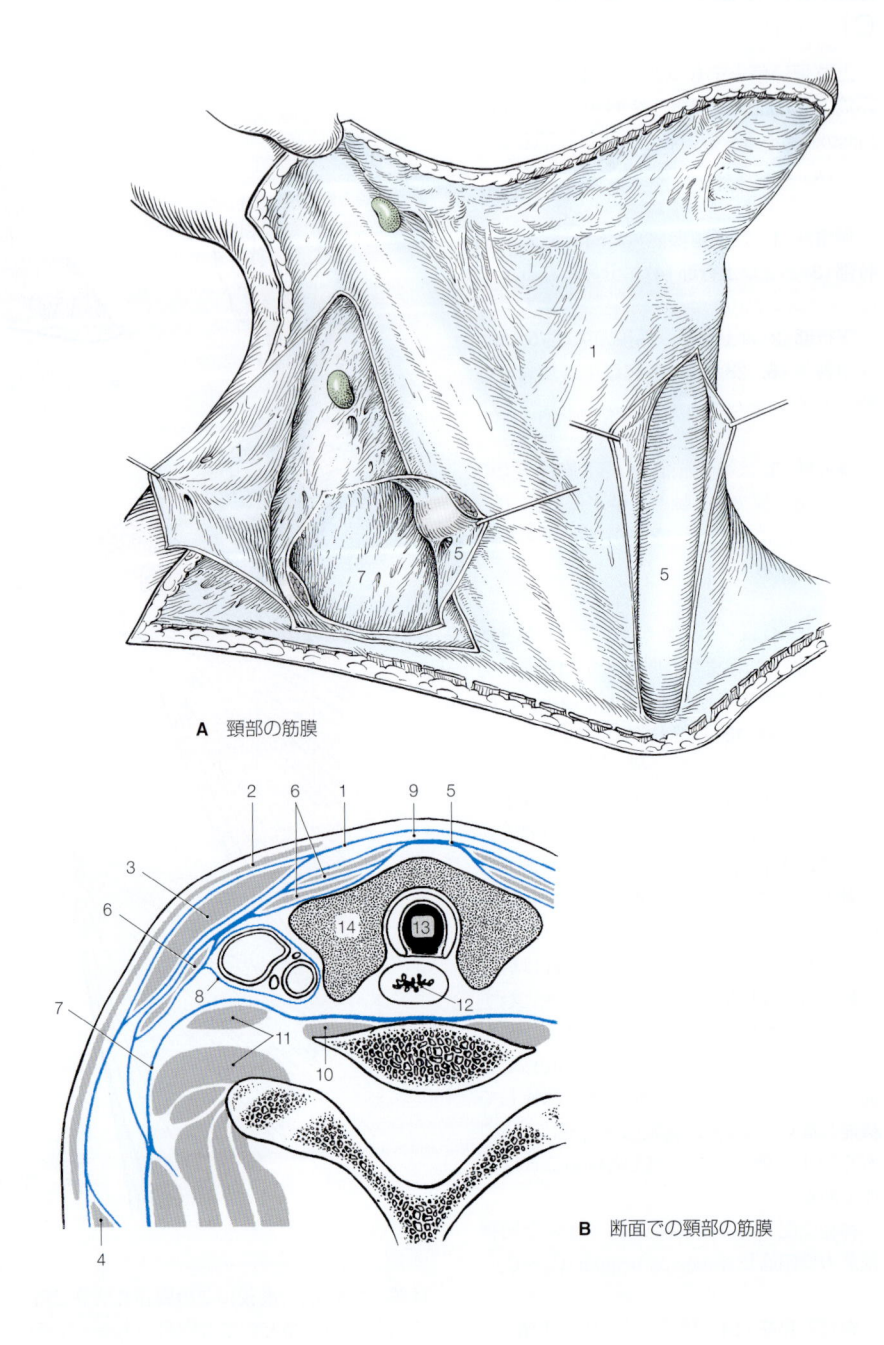

A 頸部の筋膜

B 断面での頸部の筋膜

1 頸筋膜浅葉 posterior layer of cervical fascia（＝浅頸筋膜 superficial cervical fascia）　2 広頸筋 platysma　3 胸鎖乳突筋 sternocleidomastoid　4 僧帽筋 trapezius　5 頸筋膜気管前葉 anterior pretracheal layer of cervical fascia（＝中頸筋膜 middle cervical fascia）　6 舌骨下筋 infrahyoid muscles　7 頸筋膜椎前葉 prevertebral layer of cervical fascia（＝深頸筋膜 deep cervical fascia）　8 動脈鞘 carotid sheath　9 胸骨上筋膜間隙 suprasternal interfascial space　10 頸長筋 longus colli　11 斜角筋 scalenus　12 食道 oesophagus　13 気管 trachea　14 甲状腺 thyroid gland

頭と頸

頭頸部の部位（A，B）

頭は，オトガイに始まり，下顎角，乳様突起および上項線に沿って走り，外後頭隆起に達する一線によって，頸と分けられる．

頸は体幹とは胸骨の頸切痕と鎖骨とによって境されている．しかし背側では正確な境界を設定することはできない．

頭の部位 regions of head

前頭部（**1**）は冠状縫合までの額の領域を囲む．この部に接して両側に頭頂骨に相当して**頭頂部**（**2**）があり，側頭骨鱗部のところには**側頭部**（**3**）がある．**側頭下部**（**4**）は頬骨弓に覆われている部分である．背側には後頭骨の領域に**後頭部**（**5**）がある．

顔の部位 facial regions としては，鼻の領域を**鼻部**（**6**），口の領域を**口部**（**7**），オトガイのあたりを**オトガイ部**（**8**）という．**眼窩部**（**9**）は眼の領域を，**眼窩下部**（**10**）は鼻の側方の部分を，**頰部**（**11**）は口部の側方の領域を占めている．**頬骨部**（**12**）は頬骨に相当しており，**耳下腺咬筋部**（**13**）には咬筋と耳下腺が納まっている．

頸の部位 regions of neck

頸の領域では，**後頸部**（＝項部）（**14**）と**前外側頸部** ventrolateral cervical regions に分けることができる．前外側頸部はさらに**胸鎖乳突筋部**（**15**）によって，無対の**前頸部** anterior cervical region と対をなす**外側頸三角部** anterior triangle とに分けられる．前頸部は下顎骨と両側の胸鎖乳突筋の前縁の間の小区域を囲み，さらに細かな部位に分けられる．正中には**頸正中部**（**16**）があって，この部は舌骨，両側の肩甲舌骨筋および胸鎖乳突筋，下方は胸骨の頸切痕によって境されている．正中部で胸骨頸切痕のすぐ上のくぼんだ部分は，**胸骨上窩**（**17**）であって特によく目立っている．

舌骨とオトガイ部の間には**オトガイ下三角**（＝オトガイ下部）（**18**）が広がっていく．外方では，この部位は顎二腹筋の前腹によって**顎下三角**（**19**）と境界を接している．この顎下三角の部分は上方は下顎骨によって境されており，頸筋膜の下顎角靱帯 angular tract of cervical fascia によって，その三角の後部，すなわち頸部に達している耳下腺と顔面神経の幹を含む**下顎後窩**（**20**）とを分離するほうが目的に適っている．**頸動脈三角**（**21**）は臨床的に特に重要な部位であって，総頸動脈の分岐部を含んでいる．この三角は上方は顎二腹筋の後腹，前方は肩甲舌骨筋の上腹，後方は胸鎖乳突筋によってそれぞれ境されている．

外側頸三角部（＝後頸三角）（**22＋23**）は前方は胸鎖乳突筋に，後方は僧帽筋に，下方では鎖骨に達する．この部には特に肩甲鎖骨三角 omoclavicular triangle が**大鎖骨上窩**（**23**）として目立っている．この肩甲鎖骨三角は胸鎖乳突筋，肩甲舌骨筋の下腹および鎖骨に囲まれている．やせたヒトではそのほか**小鎖骨上窩**（**24**）が胸鎖乳突筋の2つの起始の間にみられる．

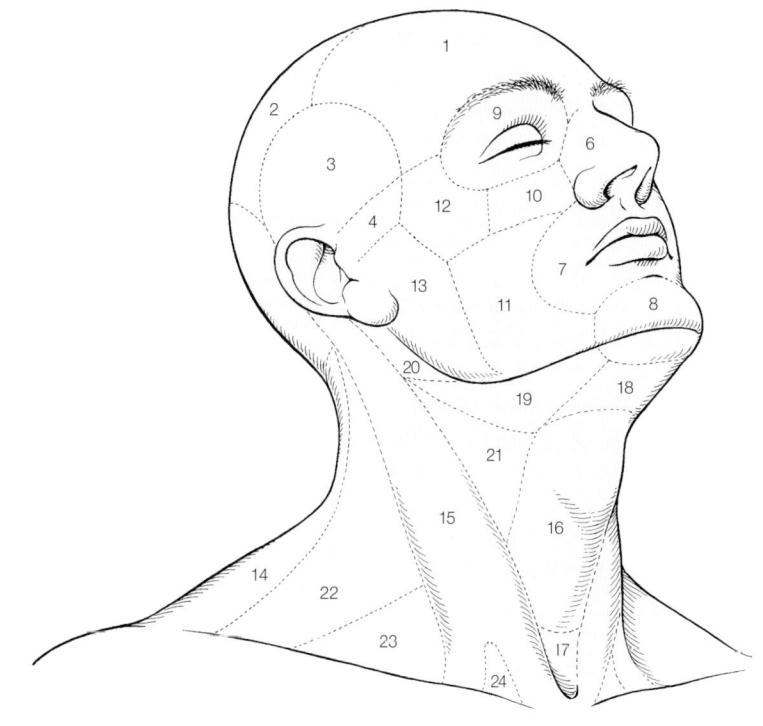

A 側方からみた頭と頸の諸部位

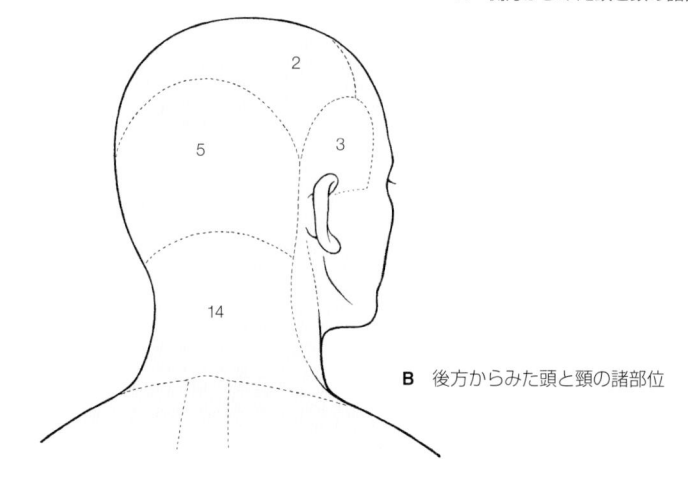

B 後方からみた頭と頸の諸部位

---

1 前頭部 frontal region **2** 頭頂部 parietal region **3** 側頭部 temporal region **4** 側頭下部 infratemporal region **5** 後頭部 occipital region **6** 鼻部 nasal region **7** 口部 oral region **8** オトガイ部 mental region **9** 眼窩部 orbital part **10** 眼窩下部 infra-orbital region **11** 頰部 buccal region **12** 頬骨部 zygomatic region **13** 耳下腺咬筋部 parotid region **14** 後頸部 posterior cervical region（＝項部 nucha） **15** 胸鎖乳突筋部 sternocleidomastoid region **16** 頸正中部 median cervical region **17** 胸骨上窩 suprasternal fossa **18** オトガイ下三角 submental triangle（＝オトガイ下部 submental region） **19** 顎下三角 submandibular triangle **20** 下顎後窩 retromandibular fossa **21** 頸動脈三角 carotid triangle **22＋23** 外側頸三角部 lateral cervical region（＝後頸三角 posterior triangle） **23** 大鎖骨上窩 greater supraclavicular fossa **24** 小鎖骨上窩 lesser supraclavicular fossa

前顔部（A，B）

顔の部位への血液の供給は主に外頸動脈 external carotid artery の枝によって行われるが，一部は内頸動脈 internal carotid artery の枝によっても行われる．咬筋（**1**）の前縁を顔面動脈（**2**）が上行し，眼角動脈（**3**）を経て，眼動脈 opthalmic artery の終枝である鼻背動脈（**4**）と吻合する．顔面動脈はその顔面部で比較的太い枝を口唇部へ送っている（166頁）．顔の外側部は顔面動脈または浅側頭動脈（**6**）の枝である顔面横動脈（**5**）によって血液の供給を受けている．

前顔部の深層は顎動脈 maxillary artery の終枝の眼窩下動脈（**7**）から血液の供給を受ける．浅側頭動脈（**6**）は側頭部と頭頂部に血液を送るが，これらの部にすぐ接している額のところは，いずれも眼動脈の終枝である滑車上動脈（**8**）と眼窩上動脈（**9**）によって血液の供給を受けている．顔部の比較的太い静脈としては，浅いところでは眼角静脈（**11**）を介して鼻背静脈*と吻合する顔面静脈（**10**），および浅側頭静脈（**12**）があるのみである．

表情筋は顔面神経 facial nerve の諸枝の支配を受けている．これらの枝は側頭枝（**13**），頬骨枝（**14**），頬筋枝（**15**）および下顎縁枝（**16**）である．

顔の皮膚の知覚は**三叉神経** trigeminal nerve の3枝すなわち眼神経，上顎神経および下顎神経によって司どられている．

眼神経 ophthalmic nerve：額の部分の皮膚は滑車上神経（**17**）と眼窩上神経（**18**）に分かれる前頭神経 frontal nerve に支配されている．外眼角のところでは涙腺神経（**19**）が2，3の枝を出し，眼輪筋（**20**）を貫いてこの部の皮膚を支配している．鼻毛様体神経由来の前篩骨神経の枝である外鼻枝（**21**）は鼻背と鼻尖の知覚を受けもっている．

上顎神経 maxillary nerve：下眼瞼，頬部，側鼻部，上唇および側頭部の前の方は，眼窩下神経（**22**）の諸枝，頬骨顔面枝 zygomaticofacial branch および頬骨側頭枝 zygomaticotemporal branch（後二者は頬骨神経 zygomatic nerve の枝）によって支配されている．

下顎神経 mandibular nerve：下唇，下顎体の領域（下顎角を除く）およびオトガイ部の皮膚はオトガイ神経（**23**）によって支配され，また下顎枝の領域，耳甲介腔，外耳道の大部分，鼓膜の外面および側頭部の後ろの方は耳介側頭神経（**24**）によって支配を受けている．オトガイ神経はオトガイ孔から出てくるが，耳介側頭神経は耳介の前で浅側頭動・静脈と一緒になって上行する．

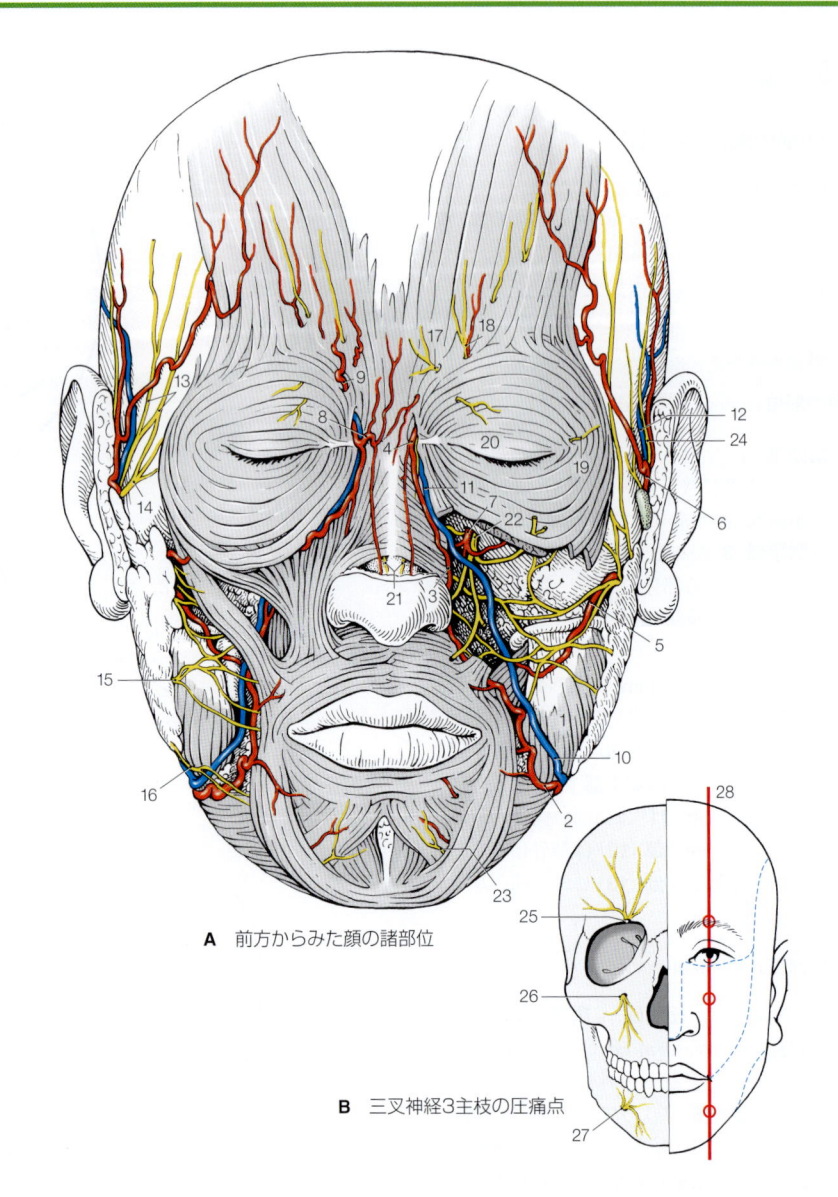

臨床関連：重要なのは眼角静脈と鼻背静脈を介した顔面静脈（**10**）と上眼静脈（165頁）との間の吻合である．なぜなら，この吻合によって海綿静脈洞 cavernous sinus（Ⅱ章参照）との直接の連絡が生じ，このため例えば口唇にできた癰（フルンケル）furuncle の際には，病原菌が頭蓋内へ侵入することが起こりうるからである．

A 前方からみた顔の諸部位

B 三叉神経3主枝の圧痛点

三叉神経の圧痛点（B）と臨床関連

三叉神経の3主枝の鋭敏度はこれらの細枝のところで検査することができる．圧痛点としては，**眼窩上神経**（**18**）に対しては眼窩上切痕（**25**）が，**眼窩下神経**（**22**）に対しては眼窩下孔（**26**）が，また**オトガイ神経**（**23**）に対してはオトガイ孔（**27**）が利用される．これら3つの圧痛点はすべて正中面から2～3cm外側を走る垂直線（**28**）上にあり，ほぼ瞳孔の中央を通る．

青い破線は三叉神経3主枝の枝で支配される領域の境界を示している．

* 鼻背静脈 dorsal vein of nose（NAには記載されていない）は，滑車上静脈と眼窩上静脈とが合して眼角静脈に移行するまでの短い部分を指す．この部分へ鼻前頭静脈（上眼静脈の支脈）が合流する．

---

1 咬筋 masseter　2 顔面動脈 facial artery　3 眼角動脈 angular artery　4 鼻背動脈 dorsal nasal artery　5 顔面横動脈 transverse facial artery　6 浅側頭動脈 superficial temporal artery　7 眼窩下動脈 infra-orbital artery　8 滑車上動脈 supratrochlear artery　9 眼窩上動脈 supra-orbital artery　10 顔面静脈 facial vein　11 眼角静脈 angular vein　12 浅側頭静脈 superficial temporal veins　13 側頭枝 temporal branches　14 頬骨枝 zygomatic branches　15 頬筋枝 buccal branches　16 下顎縁枝 marginal mandibular branch　17 滑車上神経 supratrochlear nerve　18 眼窩上神経 supra-orbital nerve　19 涙腺神経 lacrimal nerve　20 眼輪筋 orbicularis oculi　21 外鼻枝 external nasal nerve　22 眼窩下神経 infra-orbital nerve　23 オトガイ神経 mental nerve　24 耳介側頭神経 auriculotemporal nerve　25 眼窩上切痕 supra-orbital notch　26 眼窩下孔 infra-orbital foramen　27 オトガイ孔 mental foramen　28 三叉神経の圧痛点を結んだ線

眼窩部（A，B）

眼窩部 orbital region は前からみるとほぼ眼輪筋のあるところに相当する．この部位で顔面の血管と頭蓋内の血管との結合が行われる．これらの吻合は側副循環としても，また顔の表面から静脈を経て頭蓋内へ病原菌が侵入する際にも，臨床的に重要な意義をもつものである．

眼窩部（**A**）にあっては，眼窩隔膜（**1**）が浅在する組織と眼窩の内容とを分け隔てている．浅在する血管としては，眼角動・静脈（**3**）が顔面動・静脈（**2**）の続きとしてみられる．内側眼瞼靱帯（**4**）の前には鼻背動・静脈（**5**）がある．この鼻背動脈は眼窩外（図を参照）または内で，滑車上動脈（**6**）から枝分かれする．鼻背動脈とともに滑車下神経（**7**）も眼窩隔膜を貫いて出てくる．しばしばこの神経は滑車上神経（**8**）と吻合するが，これらの神経はただ滑車（**B, 9**）によって隔てられているに過ぎない．

額の内側部の皮膚と鼻根を支配している滑車上神経は，滑車上動脈と滑車上静脈（**10**）とともに走っている．滑車上神経の外側では眼窩上神経の内側枝（**11**）が，さらにそのすぐ外側では外側枝（**12**）が，眼窩上動脈（**13**）に伴われて，いずれも眼窩隔膜を貫いて出る．この動脈と神経は骨に眼窩上切痕という切れ込みを残すが，これは時に眼窩上孔 supra-orbital foramen として円い孔となる（143頁）．

外眼角では涙腺神経の枝（**14**）が眼窩隔膜を破って出てくる．上眼瞼はこの神経と前頭神経の枝によって支配されるが，下眼瞼には眼窩下神経（**15**）の下眼瞼枝 inferior palpebral branches が分布している．この眼窩下神経は眼窩下動脈（**16**）とともに眼窩下孔 infra-orbital foramen から出てくる．

眼窩 orbit（**B**）の内部には，眼窩隔膜を除去すると，滑車（**9**）をまわってワナをつくる上斜筋（**17**）がみえる．また同じく上眼瞼挙筋（**18**）と上瞼板筋（**19**）もみえる．上眼瞼挙筋の腱の外側端の部分が涙腺 lacrimal gland を眼窩部（Gallenの腺）（**20**）と眼瞼部（**21**）とに分ける．これらは，以前には，間違って，Rosenmüller の腺もしくは Cloquet の腺と記載されていた．眼球の下方には眼窩下縁から下斜筋（**22**）が起始している．

内眼角で内側眼瞼靱帯の外脚を切断すると，涙嚢（**23**）がこれに開く涙小管（**24**）を伴っているのがみえるようになる．

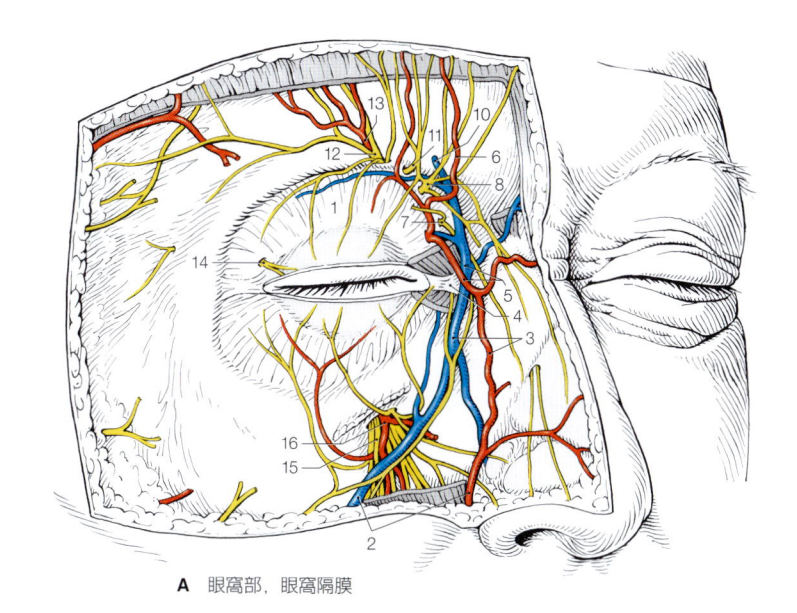

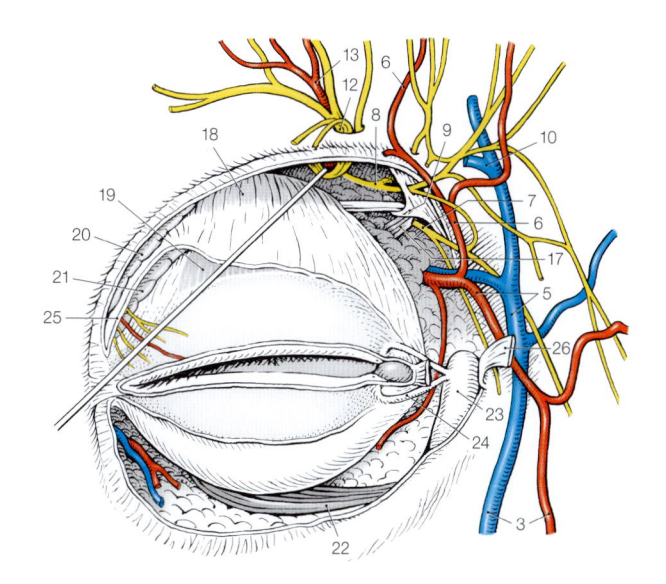

A 眼窩部，眼窩隔膜

B 眼窩部，眼窩内の涙器と血管および神経

---

1 眼窩隔膜 orbital septum　2 顔面動・静脈 facial artery & vein　3 眼角動・静脈 angular artery & vein　4 内側眼瞼靱帯 medial palpebral ligament　5 鼻背動・静脈 dorsal nasal artery & vein　6 滑車上動脈 supratrochlear artery　7 滑車下神経 infratrochlear nerve　8 滑車上神経 supratrochlear nerve　9 滑車 trochlea　10 滑車上静脈 supratrochlear vein　11 内側枝（眼窩上神経の）medial branch (supra-orbital nerve)　12 外側枝（眼窩上神経の）lateral branch　13 眼窩上動脈 supra-orbital artery　14 涙腺神経（の枝）lacrimal nerve　15 眼窩下神経 infra-orbital nerve　16 眼窩下動脈 infra-orbital artery　17 上斜筋 superior oblique　18 上眼瞼挙筋 levator palpebrae superioris　19 上瞼板筋 superior tarsal muscle　20 眼窩部（涙腺の）orbital part　21 眼瞼部（涙腺の）palpebral part　22 下斜筋 inferior oblique　23 涙嚢 lacrimal sac　24 涙小管 lacrimal canaliculus　25 上眼瞼挙筋腱（の外側部の切断面）tendon of levator palpebrae superioris　26 内側眼瞼靱帯（の外脚）medial palpebral ligament

側顔部（A，B）

耳下腺咬筋部（A）

側顔部では**耳下腺咬筋部** parotid region が最も重要な部位である．ここには耳下腺 parotid gland（Ⅱ章参照）があるが，この耳下腺は浅部と深部に分けられる．前方では耳下腺（**1**）は咬筋（**2**）の上に存在するが，後方では下顎後窩を満たしている．耳下腺の前縁で耳下腺管（**3**）は腺体を離れ，咬筋の前縁で内方に曲がり，頬脂肪体（**4**）を貫いて深部へ向かう．この耳下腺管と一緒に走るのは，発達の程度がまちまちの顔面横動脈（**5**）であって，これは浅側頭動脈（**6**）の一枝である．顔面横動脈は顔の諸部へ血液を供給する．

耳下腺の浅部と深部の間には，顔面神経の耳下腺神経叢 parotid plexus of facial nerveがあり，これから出る枝は側頭枝（**7**），頬骨枝（**8**），頬筋枝（**9**）および下顎縁枝（**10**）として，この腺の上縁や前縁に現れ，表情筋にまで達する．耳下腺の下縁には顔面神経頸枝（**11**）がみえ，これは時に下顎縁枝としばらくの間同行することがあり，頸横神経 transverse cervical nerve（175頁）と浅頸神経ワナ superficial ansa cervicalis をつくっている．

耳下腺の下縁では顔面神経の頸枝あるいは下顎縁枝とともに下顎後静脈（**12**）が走っている．この静脈と，咬筋（**2**）の前縁を走る顔面静脈（**13**）とは合流する．多くの場合，顔面静脈の前で顔面動脈（**14**）が下顎骨をまわってやってくる（**骨への圧迫点！**）．この動脈は眼角動脈 angular artery（164頁）となって内眼角へ達し，また下唇動脈（**15**）および上唇動脈（**16**）を出す．

耳下腺の上縁で耳介のすぐ前には，浅側頭動脈（**6**）がみられ，ここでこの動脈は耳介へ前耳介枝 anterior auricular branch を出すほか，外眼角の方へ頬骨眼窩動脈 zygomatico-orbital artery を出す．引き続いて浅側頭動脈は中側頭動脈 middle temporal artery を出した後，最終的に前頭枝（**17**）と頭頂枝（**18**）とに分かれる．浅側頭動脈は著しく蛇行することがあり，浅側頭静脈（**19**）と一緒に走っている．頭頂枝（**18**）には下顎神経の枝であって側頭部の後部に分布する耳介側頭神経（**20**）が同行する．浅耳下腺リンパ節（**21**）は数はまちまちであるが，多くの場合耳介のすぐ前にある．

耳下腺神経叢（B）

耳下腺の浅部を取り去ると，通常では上顔面神経（**22**）と下顔面神経（**23**）がみられる．前者からは側頭枝（**7**）と頬骨枝（**8**）を分枝し，一方後者からは頬筋枝（**9**），下顎縁枝（**10**）および頸枝（**11**）を分枝する．耳下腺内で上，下顔面神経ならびにそれらの諸枝が吻合して連結されることによって耳下腺神経叢 parotid plexus がつくられる．

下顎後静脈（**12**）が下顔面神経と平行に走っている．時として，非常に小さな副耳下腺（**24**）が存在し，その折には耳下腺の浅部によって覆われる場合が多い．副耳下腺が比較的大きいときは，これは耳下腺の前で耳下腺管に密着している．

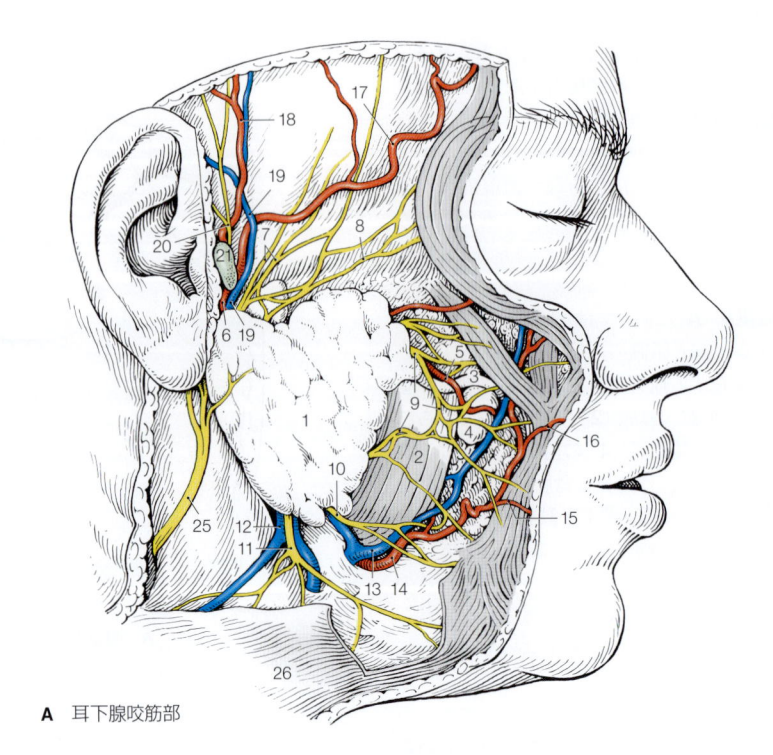

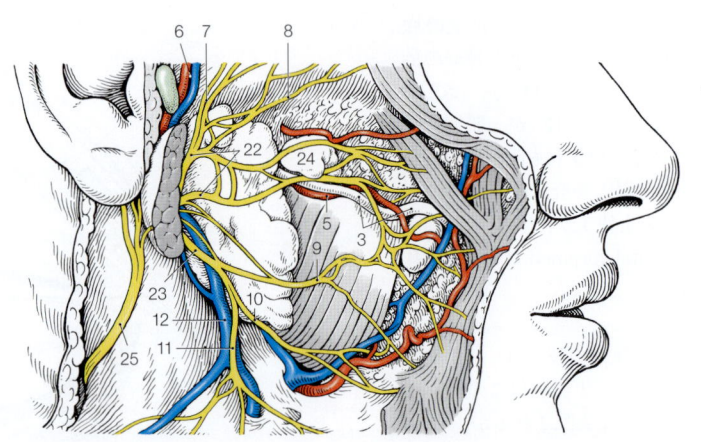

A 耳下腺咬筋部

B 耳下腺神経叢

> **臨床関連**：耳下腺の悪性腫瘍は顔面神経もしくはその諸枝を侵害することもある．耳下腺の上縁で外耳道の前方では，浅側頭動脈の拍動を，また，咬筋の前縁で，下顎骨底のところでは，顔面動脈の拍動をそれぞれ触れることができる．

---

1 耳下腺 parotid gland　**2** 咬筋 masseter　**3** 耳下腺管 parotid duct　**4** 頬脂肪体 buccal fat pad　**5** 顔面横動脈 transverse facial artery　**6** 浅側頭動脈 superficial temporal artery　**7** 側頭枝 temporal branches　**8** 頬骨枝 zygomatic branches　**9** 頬筋枝 buccal branches　**10** 下顎縁枝 marginal mandibular branch　**11** 顔面神経頸枝 cervical branch of facial nerve　**12** 下顎後静脈 retromandibular vein　**13** 顔面静脈 facial vein　**14** 顔面動脈 facial artery　**15** 下唇動脈 inferior labial branch　**16** 上唇動脈 superior labial branch　**17** 前頭枝 frontal branch　**18** 頭頂枝 parietal branch　**19** 浅側頭静脈 superficial temporal veins　**20** 耳介側頭神経 auriculotemporal nerve　**21** 浅耳下腺リンパ節 superficial parotid nodes　**22** 上顔面神経 upper part of facial nerve　**23** 下顔面神経 lower part of facial nerve　**24** 副耳下腺 accessory parotid gland　**25** 大耳介神経 great auricular nerve　**26** 広頸筋 platysma

頭と頸 167

側頭下窩（A～G）

第1層（A）

　側頭下窩 infratemporal fossa は頬骨弓と下顎骨筋突起を除去することによって，よくわかるようにすることができる．ここでは外側翼突筋（**1**）と内側翼突筋（**2**）がみえる．前方へ向かって，この側頭下窩は上顎結節（**3**）と翼突下顎縫線（**4**）によって境されている．

　顎動脈（**5**）は外側翼突筋の両頭の間を走る．この動脈はここで咀嚼筋への諸枝のほか，頬動脈（**6**）と後上歯槽動脈（**7**）を送り出してから，翼口蓋窩 pterygopalatine fossa へ深く進入する．顎動脈は翼突筋静脈叢 pterygoid plexus によってまわりを囲まれ，この静脈叢は顎静脈 maxillary veins に続いている．

　外側翼突筋の両頭の間を頬神経（**8**）も走るが，この筋の下方には舌神経（**9**）と下歯槽神経（**10**）が，またこの筋の上方では咬筋神経（**11**）がみえる．

第2層（B）

　外側翼突筋と下顎骨の関節突起を除去するとはじめて，側頭下窩のすべての血管と神経が完全にみえるようになる．顎動脈（**5**）は蝶下顎靱帯（**12**）と下顎神経（**13**）の太い枝の外側でその全長にわたってたどることができる．この動脈は下顎部で前鼓室動脈（**14**）と深耳介動脈（**15**）および中硬膜動脈（**16**）を出す．この中硬膜動脈は棘孔 foramen spinosum を通って頭蓋腔へ入る．

　中硬膜動脈は耳介側頭神経（**17**）の2根にはさまれている．この耳介側頭神経はしばしば下歯槽神経（**10**）からの線維（**18**）をも余分に受け入れることがある．耳介側頭神経（**17**）は，顔面神経（**20**）の諸枝と，顔面神経との交通枝（**19**）でもって吻合する．これらの吻合は浅側頭動脈（**21**）のまわりでワナをつくることがある．そしてこれらの吻合を経て舌咽神経からの副交感線維が耳神経節 otic ganglion から顔面神経に達し，この神経を通って耳下腺へ入っていく（III章参照）．

　下歯槽神経（**10**）は下顎管に達する前に，顎舌骨筋神経（**22**）を出す．この神経は下歯槽動脈（**24**）から分かれた顎舌骨筋枝（**23**）に伴われている．舌神経（**9**）へ背側から，副交感および味覚線維をもつ鼓索神経（**25**）が入り込む．下顎神経（**13**）の前部からは頬神経（**8**）が出て，これが頬の粘膜に分布するほか，耳神経節からの副交感神経を頬腺 buccal gland へ送り込む．同じくこの神経の前部からは，咬筋神経（**11**），内側および外側翼突筋神経ならびに深側頭神経（**26**）といった純運動性の諸枝も出る．

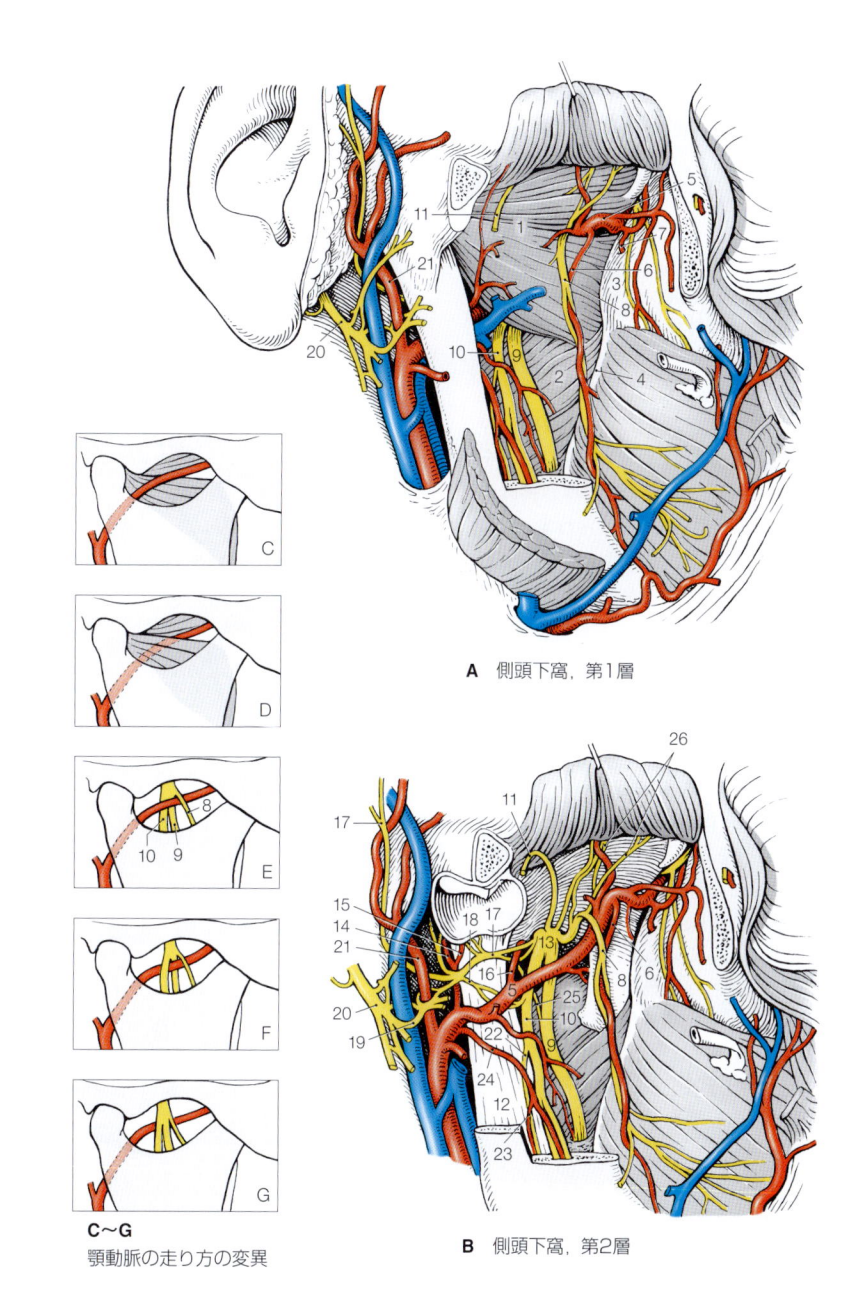

特異事項（C～G）

　顎動脈の走向は発生過程に基づいて大きな変異を生じる．すなわちこの顎動脈（**5**）は非常に高頻度で外側翼突筋の外側にみられ（**C**），この筋の内側を走る場合（**A**, **D**）の頻度は低い．内側にある場合は通常この動脈は下歯槽神経（**10**）と舌神経（**9**）の外側で，頬神経（**8**）の内側を走って（**E**）翼口蓋窩へ行く．もちろんこの動脈がこれらの神経の間を走ったり（**F**），または（まれに）下顎神経の幹の内側を走る（**G**）こともある．

A 側頭下窩，第1層

B 側頭下窩，第2層

C～G 顎動脈の走り方の変異

> **臨床関連**：側頭下窩は，三叉神経節への臨床的経路になる．三叉神経痛の場合，治療の一つとして三叉神経節への薬物注入などの侵襲を加えることもあるが，その場合，卵円孔を通って神経節に到達する．

---

1 外側翼突筋 lateral pterygoid　**2** 内側翼突筋 medial pterygoid　**3** 上顎結節 maxillary tuberosity　**4** 翼突下顎縫線 pterygomandibular raphe　**5** 顎動脈 maxillary artery　**6** 頬動脈 buccal artery　**7** 後上歯槽動脈 posterior superior alveolar artery　**8** 頬神経 buccal nerve　**9** 舌神経 lingual nerve　**10** 下歯槽神経 inferior alveolar nerve　**11** 咬筋神経 masseteric nerve　**12** 蝶下顎靱帯 sphenomandibular ligament　**13** 下顎神経 mandibular nerve　**14** 前鼓室動脈 anterior tympanic artery　**15** 深耳介動脈 deep auricular artery　**16** 中硬膜動脈 middle meningeal artery　**17** 耳介側頭神経 auriculotemporal nerve　**18** 神経線維（下歯槽神経から耳介側頭神経へ行く）nerve fibers from the inferior alveolar nerve　**19** 顔面神経との交通枝 communicating branches with facial nerve　**20** 顔面神経 facial nerve　**21** 浅側頭動脈 superficial temporal artery　**22** 顎舌骨筋神経 nerve to mylohyoid　**23** 顎舌骨筋枝 mylohyoid branch　**24** 下歯槽動脈 inferior alveolar artery　**25** 鼓索神経 chorda tympani　**26** 深側頭神経 deep temporal nerves

導通路

上方からみた眼窩（A，B）

眼窩の血管と神経は前から観察する際には，ほんのわずかの部分しかみえない．眼窩上壁を除去すると，初めてこれらの位置関係を概観することができるようになる．

第1層（A）

眼窩上壁と眼窩骨膜 periorbita を除去すると，上眼窩裂の外側部を通過するいろいろな神経がみえる．すなわち，最も内側には滑車神経（**1**）が通るが，これは上斜筋（**2**）を支配している．そのそばには比較的太い前頭神経（**3**）があり，上眼瞼挙筋（**4**）の上を走っている．眼窩上動脈（**5**）は前頭神経の外側枝である眼窩上神経（**6**）に伴行するが，その内側枝である滑車上神経（**7**）は滑車上動脈（**8**）とともに走っている．最も外側には涙腺神経（**9**）がみられ，この神経は一方では頬骨神経 zygomatic nerve から受けとった線維を涙腺（**10**）に送り，他方では外眼角の皮膚をも支配している．

上眼窩裂の外側部を通って，上眼静脈（**11**）も眼窩に達する．この静脈は一脚が上直筋（**12**）の下をくぐって，滑車（**13**）のところで顔の表層の静脈と吻合している（164頁）．この上眼静脈のもう一脚は涙腺動脈（**14**）とともに走っているが，この動脈は小さな筋枝と短後毛様体動脈（**B15**）などを出すことがある．眼窩の内側にはそのほか上斜筋（**2**）におおわれて，前篩骨動脈と同名の神経（**16**）がみられる．またこの筋のさらに少し後部でその表層を，後篩骨動脈および神経（**17**）が越えていく．

第2層（B）

上眼瞼挙筋（**4**）と上直筋（**12**）を切断すると，視神経（**18**），眼動脈（**19**）および上眼窩裂の内側部を通って出る諸神経がみえるようになる．これらの神経のうち，外転神経（**20**）は最も外側を走り，外側直筋（**21**）に至りこれを支配する．この外転神経に続いて内側には動眼神経（**22**）がみられ，これは2枝に分かれる．上枝（**23**）は上眼瞼挙筋（**4**）と上直筋（**12**）を支配する．下枝（**24**）は内側直筋（**25**），下直筋および下斜筋を支配する．そのほか下枝は視神経（**18**）のそばにある毛様体神経節（**27**）へ，動眼神経からの根（**26**）を送り込む．鼻毛様体神経からの知覚根（**28**）を介して，この神経節は鼻毛様体神経（**29**）と結合する．

この神経節からは短毛様体神経（**30**）が出て眼球（**31**）に達する．これら短毛様体神経は毛様体筋 ciliary muscle と瞳孔括約筋 sphincter pupillae を支配するための節後性副交感神経線維を含んでいるほか，知覚性および交感性線維をももっている．この場合，これら交感性線維は眼動脈の周囲の交感神経叢（ここには描かれていない）から，交感神経根 sympathetic root を介して毛様体神経節に達したものである．鼻毛様体神経の知覚線維は長毛様体神経（**32**）を経ても眼球に達する．鼻毛様体神経は前・後篩骨神経を出したのち，滑車下神経（**33**）として続いていく．

A 上方からみた眼窩，第1層

B 上方からみた眼窩，第2層

*ふつうは視神経の上を横切る

> **臨床関連**：重要な意義をもつものは，鼻背静脈と吻合し海綿静脈洞に開く上眼静脈である．この静脈を経て，顔の部位における感染巣の菌が海綿静脈洞へ侵入することがある．

変異：時に涙腺動脈と中硬膜動脈とを結ぶ硬膜眼窩動脈（**34**）がみられる（＝涙腺動脈との吻合枝 anastomotic branch with lacrimal artery）．

---

1 滑車神経 trochlear nerve　2 上斜筋 superior oblique　3 前頭神経 frontal nerve　4 上眼瞼挙筋 levator palpebrae superioris　5 眼窩上動脈 supra-orbital artery　6 眼窩上神経 supra-orbital nerve　7 滑車上神経 supratrochlear nerve　8 滑車上動脈 supratrochlear artery　9 涙腺神経 lacrimal nerve　10 涙腺 lacrimal gland　11 上眼静脈 superior ophthalmic vein　12 上直筋 superior rectus　13 滑車 trochlea　14 涙腺動脈 lacrimal artery　15 短後毛様体動脈 short posterior ciliary artery　16 前篩骨動脈および神経 anterior ethmoidal artery & nerve　17 後篩骨動脈および神経 posterior ethmoidal artery & nerve　18 視神経 optic nerve　19 眼動脈 ophthalmic artery　20 外転神経 abducent nerve　21 外側直筋 lateral rectus　22 動眼神経 oculomotor nerve　23 上枝 superior branch　24 下枝 inferior branch　25 内側直筋 medial rectus　26 動眼神経からの副交感根 parasympathetic root from oculomotor nerve　27 毛様体神経節 ciliary ganglion　28 鼻毛様体神経からの知覚根 sensory root from nasociliary nerve　29 鼻毛様体神経 nasociliary nerve　30 短毛様体神経 short ciliary nerves　31 眼球 eyeball　32 長毛様体神経 long ciliary nerve　33 滑車下神経 infratrochlear nerve　34 硬膜眼窩動脈 meningo-orbital artery

後頭部と後頸部（項部）（A）

　後頸部（項部）posterior cervical regionの皮下には皮膚に分布する血管と神経がみられる．後頭動脈（**1**）は，胸鎖乳突筋（**3**）と僧帽筋（**4**）の付着部の間に張っている腱弓（**2**）の上方で項筋膜を貫通する．この後頭動脈は程度の差はあるがよく発達した後頭静脈（**5**）と同行するが，時にはそうでなく，"項奇静脈"（**6**）が完全にこの後頭静脈の代わりをしていることがある．

　後頭動静脈のすぐ近くで，大後頭神経（**7**）が皮下に現れる．この神経は第2脊髄神経の後枝である．この神経は，頸神経叢から出る小後頭神経（**8**）とともに，後頭部 occipital regionの皮膚に分布する．大小の後頭神経の枝の間での吻合はほとんどいつもみられる．耳のすぐ後ろの皮膚は大耳介神経の後枝（**9**）によっても支配されている．そのほかさらに下の脊髄節からの後枝も，それらのうちでは第3後頭神経（**10**）が比較的よく発達しているものであるが，いずれも後頭部の皮膚の神経支配に関与している．後頭リンパ節（**11**）は血管と神経が項筋膜 nuchal fasciaを貫いて出てくるところにみられる．

椎骨動脈三角（B）

　この椎骨動脈三角 triangle of vertebral arteryは浅いところにあるすべての筋（A，胸鎖乳突筋［**3**］，僧帽筋［**4**］，頭板状筋［**12**］および頭半棘筋［**13**］）を取り除いた後に，初めて明確にすることができる．ここには椎骨動脈（**14**）がみられるが，この動脈は上部6個の頸椎の横突孔 foramen transversariumを通り抜けてきて，環椎後弓（**15**）の椎骨動脈溝 groove for vertebral arteryを走り，後環椎後頭膜 posterior atlanto-occipital membraneを貫通して頭蓋腔へ入る．

　この三角は大後頭直筋（**16**），上頭斜筋（**17**）および下頭斜筋（**18**）で囲まれている．この領域では椎骨動脈はこれらの周囲の筋に血液を供給する1本の枝（**19**）を出している．椎骨動脈と環椎後弓との間には後頭下神経（**20**）がみられる．この神経は第1脊髄神経の後枝であって，上記の諸筋と小後頭直筋（**21**）を支配する．

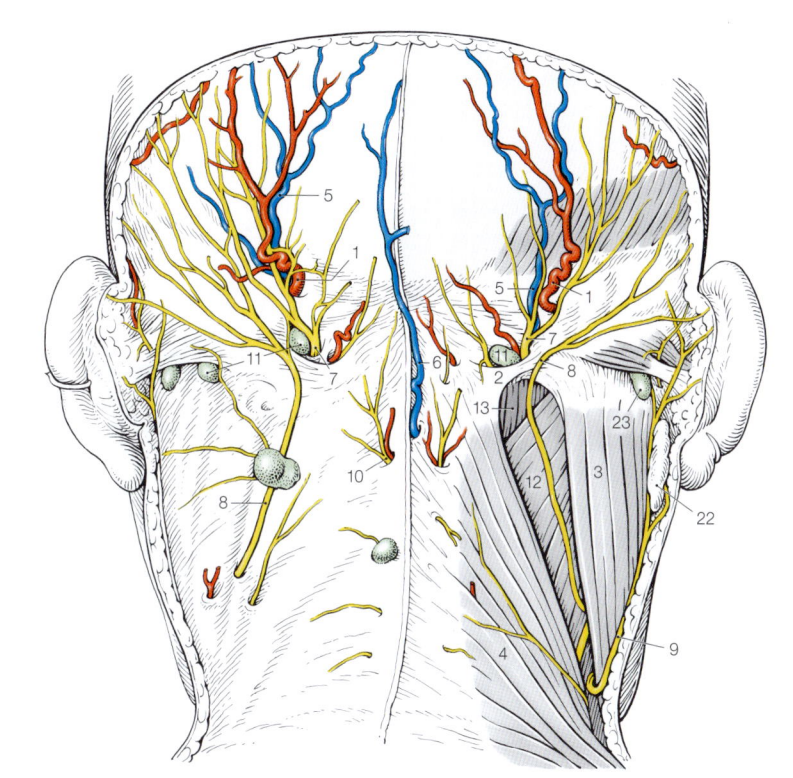

A 後頭部と後頸部（項部）
左：皮下層
右：筋膜下層

B 椎骨動脈三角

臨床関連：この領域は後頭下穿刺のとき貫通される．これは，小脳延髄槽（Ⅲ章参照）から脳脊髄液を採取する手技である．重大な禁忌（例えばうっ血乳頭や頭蓋内容の腫大を伴う病態）のある場合は腰椎穿刺が望ましい（21頁参照）．穿刺の部は，正中線上で外後頭隆起と軸椎の棘突起の間である．穿刺針の先を鼻根に向ける．この際，針は小後頭直筋を貫き，後環椎後頭膜と硬膜を通るが，硬膜ははっきりした抵抗感を与える．硬膜の直下に小脳延髄槽がある．成人で穿刺の深さは4～5cmを超えてはいけない！

---

1 後頭動脈 occipital artery　**2** 腱弓 tendinous arch　**3** 胸鎖乳突筋 sternocleidomastoid　**4** 僧帽筋 trapezius　**5** 後頭静脈 occipital vein　**6** 項奇静脈 nuchal azygos vein　**7** 大後頭神経 greater occipital nerve　**8** 小後頭神経 lesser occipital nerve　**9** 大耳介神経の後枝 posterior branch of great auricular nerve　**10** 第3後頭神経 third occipital nerve　**11** 後頭リンパ節 occipital nodes　**12** 頭板状筋 splenius capitis　**13** 頭半棘筋 semispinalis capitis　**14** 椎骨動脈 vertebral artery　**15** 環椎後弓 posterior arch of atlas　**16** 大後頭直筋 rectus capitis posterior major　**17** 上頭斜筋 obliquus capitis superior　**18** 下頭斜筋 obliquus capitis inferior　**19** 筋枝（椎骨動脈からでる）muscular branches　**20** 後頭下神経 suboccipital nerve　**21** 小後頭直筋 rectus capitis posterior minor　**22** 耳下腺 parotid gland　**23** 耳介後リンパ節 retroauricular nodes

咽頭後隙と咽頭傍隙（A）

咽頭の側方と後方，すなわち**咽頭傍隙** parapharyngeal space，**咽頭後隙** retropharyngeal space には，頭と体幹の間で頸を通って血管と神経が走っている．

最も背側には交感神経幹（**1**）があり，上頸神経節（**2**）で頸静脈神経（**3**）と内頸動脈神経（**4**）とを分枝する．内頸動脈神経は内頸動脈（**5**）に同行し，頸静脈神経は迷走神経（**7**）の下神経節（**6**）に向かう．そのほか舌下神経（**8**）との結合および頸動脈小体（**9**）との結合も存在する．この頸動脈小体は舌咽神経の頸動脈洞枝（**10**）からも線維を受けとる．そのほか上頸神経節は繊細で下降する枝である外頸動脈神経 external carotid nerves（図示されていない）を外頸動脈神経叢 external carotid plexus に出しているし，また喉頭咽頭枝と上頸心臓枝も出る．

迷走神経（**7**）は頸静脈孔を通り抜けるところで上神経節 superior ganglion，少し下で下神経節（**6**）をつくり，内頸動脈（**5**）と内頸静脈（**11**）の間を下方に向かう．小さな枝や交通枝のほかに，迷走神経は内頸動脈の内側を走る上喉頭神経（**12**）を出す．この神経はやがて外枝（**13**）と内枝（**14**）に分かれる．そのほかの枝としては耳介枝，硬膜枝それに咽頭枝（**15**）があり，舌咽神経（**17**）の咽頭枝（**16**）とともに咽頭の諸筋と粘膜を支配している．

舌咽神経（**17**）は硬膜の架橋（**18**）によって迷走神経（**7**）および副神経の外枝（**19**）から分けられて，頸静脈孔を出て咽頭枝（**16**）と頸動脈洞枝（**10**）を与えた後，内頸動脈（**5**）と外頸動脈（**20**）の間を下前方へ向かって走る．

副神経の外枝（**19**）はたいていは内頸静脈（**11**）の上球（**21**）の後ろを外側へ向かい，胸鎖乳突筋（**22**）を貫通（図の右側）し，またはこの筋の内側（図の左側）を通って外側頸三角部へ行く（175頁）．

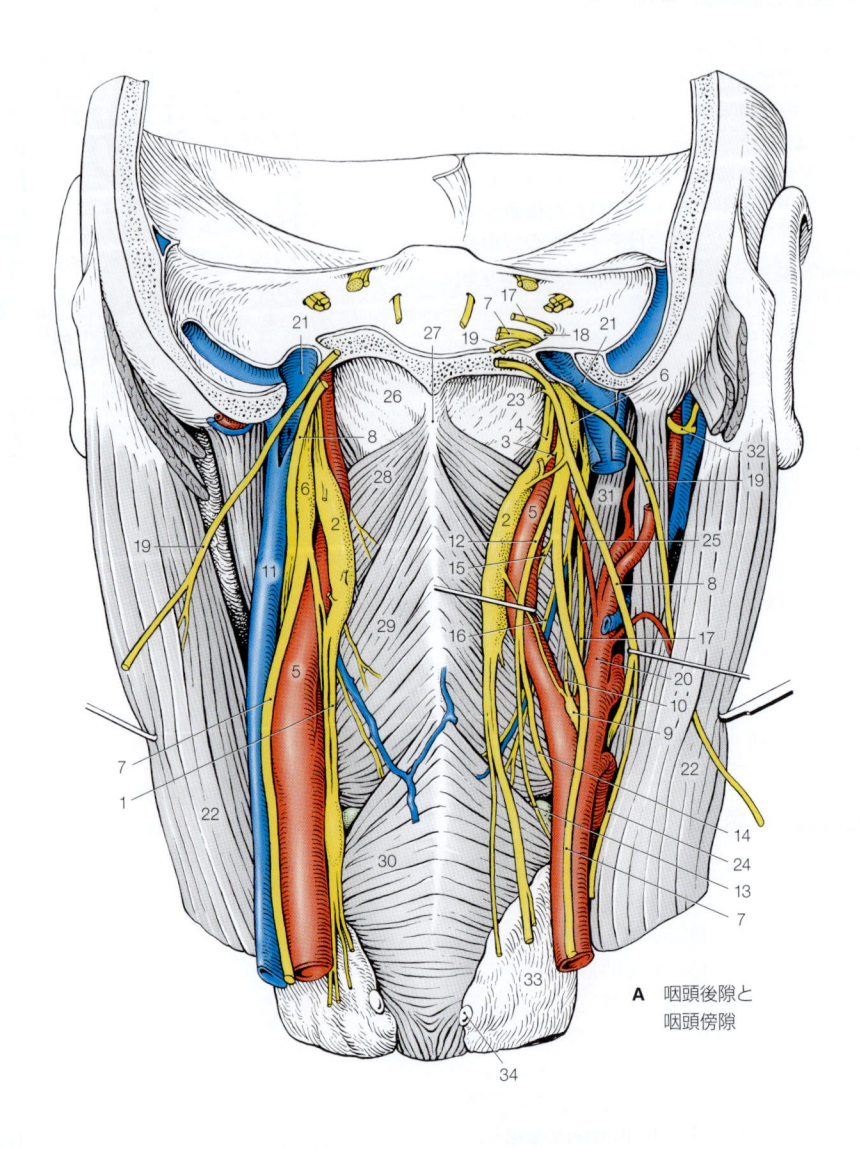

舌下神経（**8**）は舌下神経管を通って，まず咽頭後隙に出て，そこから咽頭傍隙に達し，次いで内頸および外頸動脈の外側を前方へ向かう．頭蓋底の直下でこの神経は第1および第2頸神経からの線維（**23**）を受け入れている．この舌下神経はこれらの線維の大部分を深頸神経ワナの上根（**24**, 177頁）として送り出す．

外頸動脈はその内方への枝として1本の上行咽頭動脈（**25**）を出す．この上行咽頭動脈は咽頭側壁を上行して頭蓋底に達する．この動脈の枝に頸静脈孔を通る後硬膜動脈 posterior meningeal artery がある．

A 咽頭後隙と咽頭傍隙

---

1 交感神経幹 sympathetic trunk　2 上頸神経節 superior cervical ganglion　3 頸静脈神経 jugular nerve　4 内頸動脈神経 internal carotid nerve　5 内頸動脈 internal carotid artery　6 下神経節（迷走神経の）inferior ganglion (vagus nerve)　7 迷走神経 vagus nerve　8 舌下神経 hypoglossal nerve　9 頸動脈小体（糸球）carotid body　10 頸動脈洞枝 carotid branch　11 内頸静脈 internal jugular vein　12 上喉頭神経 superior laryngeal nerve　13 外枝 external branch　14 内枝 internal branch　15 咽頭枝（迷走神経の）pharyngeal branch　16 咽頭枝（舌咽神経の）　17 舌咽神経 glossopharyngeal nerve　18 硬膜の架橋 dural bridging　19 副神経の外枝 external branch of accessory nerve　20 外頸動脈 external carotid artery　21 頸静脈上球 superior bulb of jugular vein　22 胸鎖乳突筋 sternocleidomastoid　23 第1および第2頸神経からの線維 fibers from the 1st and 2nd cervical segments　24 深頸神経ワナの上根 superior root of deep ansa cervicalis　25 上行咽頭動脈 ascending pharyngeal artery　26 咽頭頭底板 pharyngobasilar fascia　27 咽頭縫線 pharyngeal raphe　28 上咽頭収縮筋 superior constrictor　29 中咽頭収縮筋 middle constrictor　30 下咽頭収縮筋 inferior constrictor　31 茎突咽頭筋 stylopharyngeus　32 顔面神経 facial nerve　33 甲状腺 thyroid gland　34 上上皮小体 superior parathyroid gland

顎下三角（A，B）

顎下三角 submandibular triangle（**A**）は下顎底（**1**），顎二腹筋前腹（**2**）および頸筋膜の下顎角靱帯の腺間中隔（**3**）に囲まれている．この腺間中隔は下顎角靱帯から出て深部で顎下腺を容れるところと耳下腺を容れるところを仕切っている．この中隔を除去すると，顎下三角と下顎後窩 retromandibular fossa とがつながるようになる（**B**）．

顎下三角の浅層（A）

顎下腺（**4**）は顎舌骨筋（**5**）の表面に接しており，この筋の後縁を顎下腺管（**6**）が，まちまちの大きさの鉤状突起 uncinate process を伴いワナをつくって迂回する．

したがって顎舌骨筋は顎下三角を浅層と深層とに分けることになる．顎下腺を貫いて顔面動静脈（**7**）が走っている．顔面動脈はこの腺のところでオトガイ下動脈（**8**）を出すが，この動脈は同名の静脈とともに顎舌骨筋（**5**）の表面を通ってオトガイに行く．この同じ層には顎舌骨筋神経（**9**）が下歯槽神経から分かれてきて，顎舌骨筋と顎二腹筋の前腹（**2**）を支配している．

1ないし数個のオトガイ下リンパ節（**10**）は顎舌骨筋の外面に接してみられ，オトガイおよび下唇部からのリンパを集める．顎舌骨筋の深部内面では舌神経（**11**）が弓なりに走って舌に行くが，途中で神経節枝 ganglionic branches を介して顎下神経節（**12**）と交通する．この神経節からは腺枝 glandular branches が出て顎下腺に達している．この神経節のすぐ近くには，顎下腺管（**6**）と舌下神経伴行静脈 vena comitans of hypoglossal nerve を伴った舌下神経（**13**）が走っている．

顎下三角の深層（B）

顎二腹筋の前腹（**2**）と顎舌骨筋（**5**）を切断すると，オトガイ舌骨筋（**14**）と舌骨舌筋（**15**）がみえるようになる．後方からは茎突舌筋 styloglossus が舌の中へ入り込んでいく．舌下神経（**13**）の下方で舌骨舌筋（**15**）の筋線維を押し分けると，深部に舌動脈（**16**）をみつけることができる．この舌動脈はときに細い1本の舌静脈を伴っている．この舌動脈を探し出すところは**舌動脈三角** triangle of lingual artery ともいわれ，これは舌下神経，顎二腹筋前腹および顎舌骨筋後縁（**A**を参照）によってつくられる．

舌骨舌筋の内側には下顎後窩から下行する舌咽神経（**17**）がみられる．この舌咽神経は顔面動脈の枝である上行口蓋動脈（**18**）の内側（下）をくぐって走る．この舌咽神経と平行して茎突舌骨靱帯（**19**，155頁）が走る．

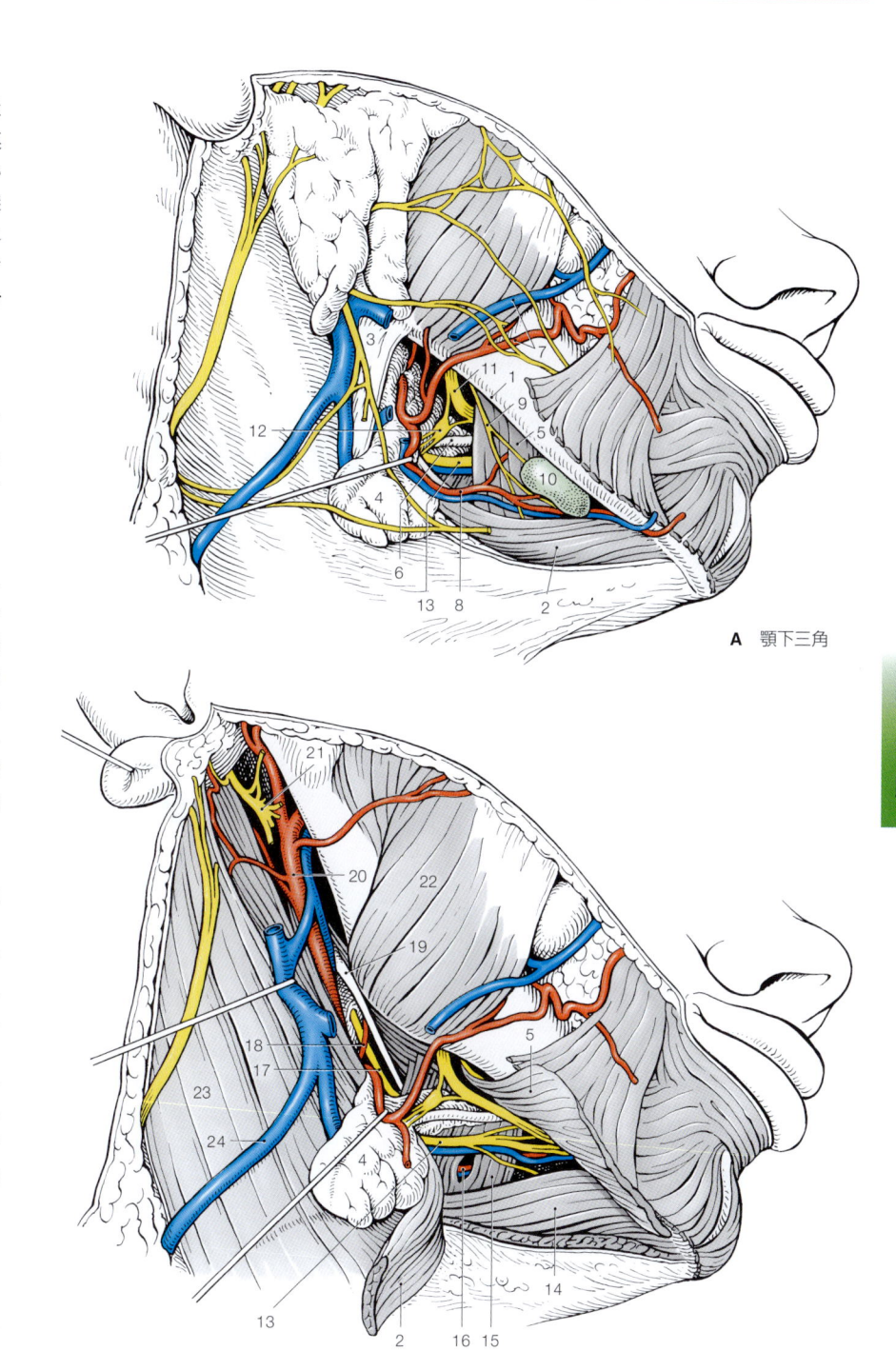

A 顎下三角

B 顎下三角（深層）と下顎後窩

---

1 下顎底 base of mandible **2** 顎二腹筋の前腹 anterior belly of digastric **3** 下顎角靱帯腺間中隔（頸筋膜の）angular tract of cervical fascia, *Septum interglandulare* **4** 顎下腺 submandibular gland **5** 顎舌骨筋 mylohyoid **6** 顎下腺管 submandibular duct **7** 顔面動・静脈 facial artery & vein **8** オトガイ下動脈 submental artery **9** 顎舌骨筋神経 nerve to mylohyoid **10** オトガイ下リンパ節 submental nodes **11** 舌神経 lingual nerve **12** 顎下神経節 submandibular ganglion **13** 舌下神経 hypoglossal nerve **14** オトガイ舌骨筋 geniohyoid **15** 舌骨舌筋 hyoglossus **16** 舌動脈 lingual artery **17** 舌咽神経 glossopharyngeal nerve **18** 上行口蓋動脈 ascending palatine artery **19** 茎突舌骨靱帯 stylohyoid ligament **20** 外頸動脈 external carotid artery **21** 顔面神経 facial nerve **22** 咬筋 masseter **23** 胸鎖乳突筋 sternocleidomastoid **24** 外頸静脈 external jugular vein

下顎後窩（A）

　下顎後窩 retromandibular fossa は下顎枝（**1**），顎二腹筋後腹および頸筋膜の下顎角靱帯（**2**）に囲まれている．この中には耳下腺の深部 deep part が存在する．

　耳下腺を取り除くと，茎乳突孔から出て枝分かれしている顔面神経（**3**）がみえる．顔面神経は頭蓋外の最初の枝として後耳介神経（**4**）を出すが，その後頭枝 occipital branch は後頭前頭筋の後頭筋 occipital belly を，耳介枝 auricular branch は後部の諸耳介筋を支配する．次いで二腹筋枝（**5**）と茎突舌骨筋枝（**6**）（前者は顎二腹筋の後腹を，後者は同名の筋を支配）が後耳介神経とともに顔面神経の幹から離れた後，顔面神経幹はさらに枝分かれして耳下腺の浅部と深部の間にある耳下腺神経叢（**7**）をつくる．この神経叢はまた近隣の血管を囲むワナをつくり，表情筋へは側頭枝（**8**），頰骨枝（**9**），頰筋枝（**10**）および下顎縁枝（**11**）を送っている．そのほかこの神経叢からは頸枝（**12**）が出て広頸筋を支配し，頸横神経とともに浅頸神経ワナをつくる（175頁）．

　下顎後窩の深いところには，外頸動脈（**13**）が走っており，顎動脈（**14**）と浅側頭動脈（**15**）に分かれる．多くの場合，浅側頭動脈は第1枝として顔面横動脈（**16**）を出すが，この動脈は外頸動脈の直接の枝として出ることもある（図を参照）．外頸動脈に伴われる静脈は下顎後静脈（**17**）であって，浅側頭静脈（**18**）と顎静脈（**19**）が合流してつくられたものである．

　下顎後静脈が浅いところを走るようになると，この静脈は顔面静脈（**20**）と吻合し，外頸静脈（**21**）に続いていく．この場合には深いところには外頸動脈の伴行静脈（**22**）がみられる．下顎後静脈の後ろには，後耳介動脈（**23**）が上行している．下顎後窩の上縁では浅側頭動静脈が，側頭下窩から出てくる耳介側頭神経（**24**）の上を越えて走る．この耳介側頭神経は側頭部の後ろの方の皮膚に分布している．

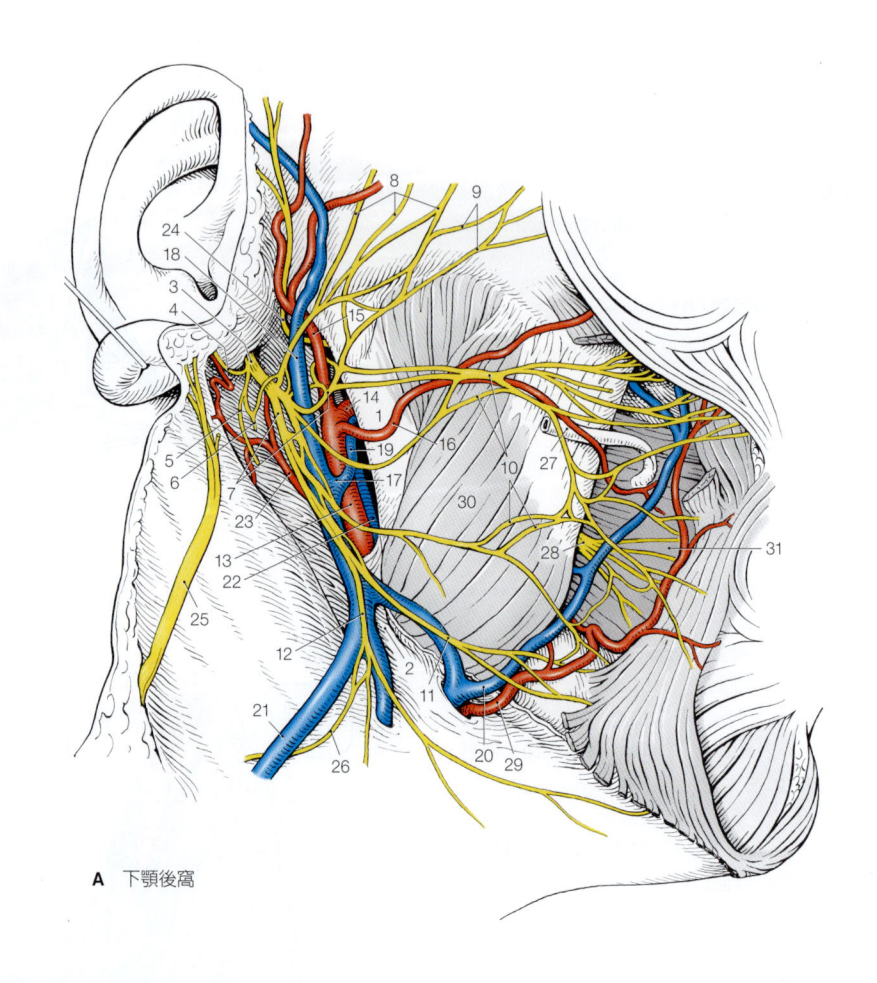

A 下顎後窩

---

1 下顎枝 ramus of mandible　**2** 下顎角靱帯（頸筋膜の）angular tract of cervical fascia　**3** 顔面神経 facial nerve　**4** 後耳介神経 posterior auricular nerve　**5** 二腹筋枝 digastric branch　**6** 茎突舌骨筋枝 stylohyoid branch　**7** 耳下腺神経叢 parotid plexus　**8** 側頭枝 temporal branches　**9** 頰骨枝 zygomatic branches　**10** 頰筋枝 buccal branches　**11** 下顎縁枝 marginal mandibular branch　**12** 頸枝（顔面神経の）cervical branch of facial nerve　**13** 外頸動脈 external carotid artery　**14** 顎動脈 maxillary artery　**15** 浅側頭動脈 superficial temporal artery　**16** 顔面横動脈 transverse facial artery　**17** 下顎後静脈 retromandibular vein　**18** 浅側頭静脈 superficial temporal veins　**19** 顎静脈 maxillary vein　**20** 顔面静脈 facial vein　**21** 外頸静脈 external jugular vein　**22** 伴行静脈 vena comitans　**23** 後耳介動脈 posterior auricular artery　**24** 耳介側頭神経 auriculotemporal nerve　**25** 大耳介神経 great auricular nerve　**26** 浅頸神経ワナ superficial ansa cervicalis　**27** 耳下腺管 parotid duct　**28** 頰神経 buccal nerve　**29** 顔面動脈 facial artery　**30** 咬筋 masseter　**31** 頰筋 buccinator

頸正中部（A，B）

頸正中部 median cervical region では頸筋膜によって層の区分がことに明瞭である．

胸骨上筋膜間隙 suprasternal interfascial space（A）

広頸筋（**1**）は，その広がりの程度はいろいろであるが，皮膚のすぐ下にある．この皮筋を除去すると頸筋膜の浅葉（**2**＝浅頸筋膜）がみえ，これを分けていくと舌骨下筋を包んでいる頸筋膜の気管前葉（**3**＝中頸筋膜）が視野に入ってくる．下方ではこの正中部は両側の胸鎖乳突筋（**4**）に囲まれている．胸骨の頸切痕のやや上方では，頸静脈弓（**5**）が右の前頸静脈（**6**）と左の同名静脈を結合している．これらの静脈は深部から頸筋膜の気管前葉（**3**）を貫いて出る支流を受け入れていることがある．

深層（B）

頸筋膜の気管前葉を除去すると舌骨下筋と甲状腺（**7**）がみえる．甲状腺とこの正中部をもっとよく観察することができるようにするには，2，3の筋を切断せざるを得ない．最も内側で浅層には胸骨舌骨筋（**8**）が，その外側には肩甲舌骨筋（**9**）がみられる．より深部には甲状舌骨筋（**10**）と胸骨甲状筋（**11**）がある．これらすべての舌骨下筋はいずれも深頸神経ワナ（**12**），あるいはその上根に由来する線維（甲状舌骨筋枝 thyrohyoid branch）の支配を受けている（160頁）．

甲状腺（**7**）は輪状軟骨と気管（**13**）の前にある．その左右の葉（174頁）は甲状軟骨（**14**）に達している．甲状軟骨と輪状軟骨の間には正中輪状甲状靱帯（**15**＝円錐靱帯）が広がっており，これは側方では輪状甲状筋（**16**）に覆われている．この筋は左右とも上喉頭神経（**18**）の外枝（**17**）に支配されている．上喉頭神経の内枝（**19**）は，上甲状腺動脈（**20**）から出る上喉頭動脈とともに甲状舌骨膜（**21**）を貫いて喉頭へ入り，その粘膜を支配する．

甲状腺からの血液の流出（174頁）は，種々の静脈を介して行われるが，それらのうちこの正中部では上甲状腺静脈（**22**）のほか不対甲状腺静脈叢（**23**）がみえる．この静脈叢は気管の前を"下甲状腺静脈" inferior thyroid vein となって，通常の場合は左腕頭静脈へ行く．気管のすぐ前にある腕頭動脈（**24**）は斜めに上行する．気管の外側で，食道の前を反回神経（**25**）が上行して喉頭へ至る．

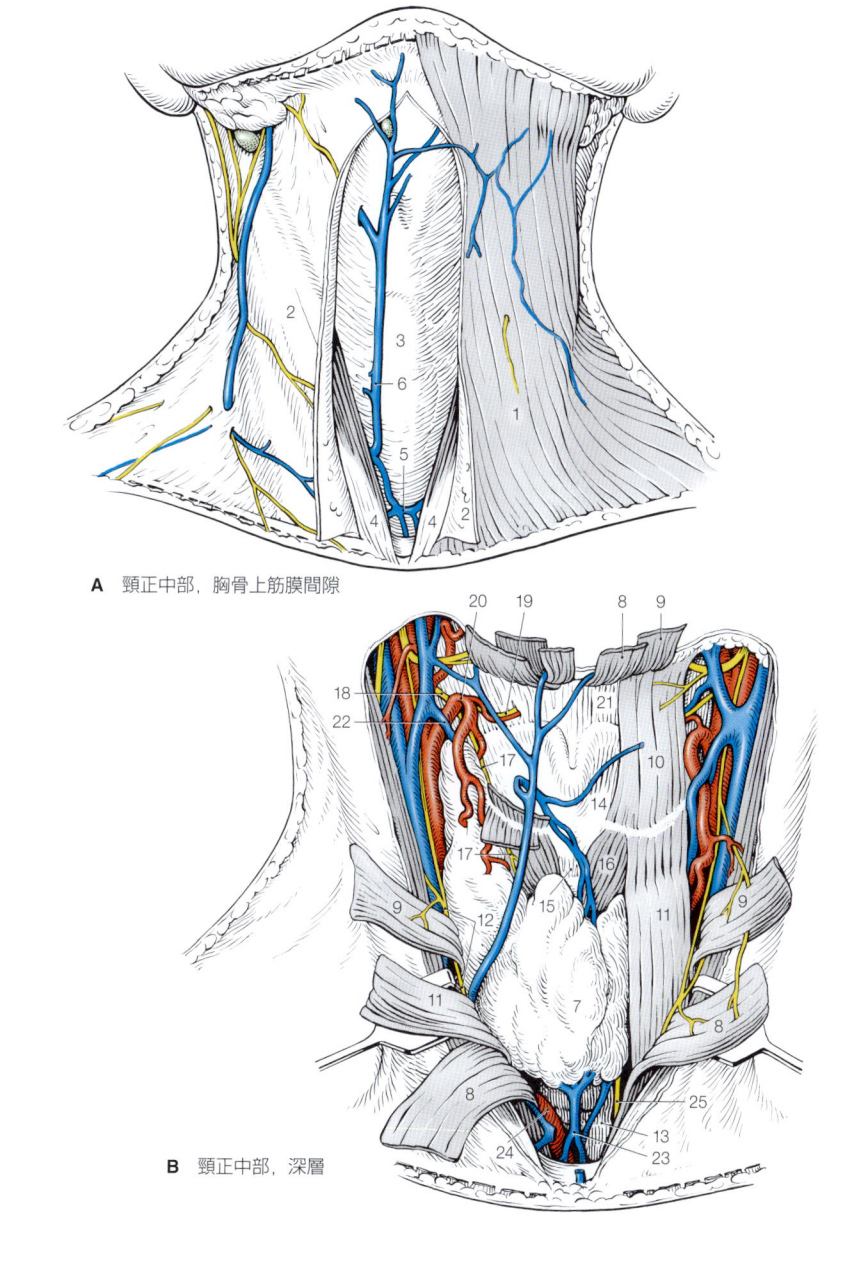

変異：頸静脈弓は舌骨と胸骨の頸切痕の間のいろいろの高さを走っていることがある．舌骨のすぐ下にある場合にはこの静脈弓は**舌骨下静脈弓** subhyoid venous arch と呼ばれる．まれには甲状腺から上行する静脈がみられ，これは頸筋膜の気管前葉を貫いて出て前頸静脈に開く．時には腕頭動脈または大動脈から出る最下甲状腺動脈 thyroid ima artery がみられる．

A 頸正中部，胸骨上筋膜間隙

B 頸正中部，深層

---

1 広頸筋 platysma **2** 頸筋膜の浅葉 posterior layer of cervical fascia（＝浅頸筋膜 superficial cervical fascia） **3** 頸筋膜の気管前葉 anterior pretracheal layer of cervical fascia（＝中頸筋膜 middle cervical fascia） **4** 胸鎖乳突筋 sternocleidomastoid **5** 頸静脈弓 jugular venous arch **6** （右）前頸静脈 anterior jugular vein（right） **7** 甲状腺 thyroid gland **8** 胸骨舌骨筋 sternohyoid **9** 肩甲舌骨筋 omohyoid **10** 甲状舌骨筋 thyrohyoid **11** 胸骨甲状筋 sternothyroid **12** 深頸神経ワナ deep ansa cervicalis **13** 気管 trachea **14** 甲状軟骨 thyroid cartilage **15** 正中輪状甲状靱帯 median cricothyroid ligament（＝円錐靱帯 conoid ligament） **16** 輪状甲状筋 cricothyroid **17** 上喉頭神経の外枝 external branch of superior laryngeal nerve **18** 上喉頭神経 superior laryngeal nerve **19** 上喉頭神経の内枝 internal branch of superior laryngeal nerve **20** 上甲状腺動脈 superior thyroid artery **21** 甲状舌骨膜 thyrohyoid membrane **22** 上甲状腺静脈 superior thyroid vein **23** 不対甲状腺静脈叢 unpaired thyroid plexus **24** 腕頭動脈 brachiocephalic trunk **25** 反回神経 recurrent laryngeal nerve

甲状腺部（A～G）

甲状腺部 thyroid region にある**甲状腺** thyroid gland は峡部（**1**），右葉（**2**）および左葉（**3**）に分けられる．各葉には上極（**4**）と下極（**5**）がある．左右両葉はその上極が甲状軟骨（**6**）にまで達しているが，峡部は輪状軟骨と気管の前に横たわっている．したがって輪状軟骨と甲状軟骨を結ぶ正中輪状甲状靱帯（**7**）は，錐体葉 pyramidal lobe が存在しない限りは，甲状腺に覆われない．この錐体葉は時に存在し，峡部から上方へ伸びている（甲状舌管 thyroglossal duct の遺残）．

甲状腺は左右の上甲状腺動脈（**8**）と下甲状腺動脈（**9**）から血液を受け入れる．上甲状腺動脈（**8**）は外頸動脈（**10**）から出て，甲状腺の上極に達し，この領域で前枝，後枝および外側枝の腺枝に分かれる．前枝からはさらに発達の程度には差があるが輪状甲状枝 cricothyroid branch を出して正中輪状甲状靱帯にまで達している．下甲状腺動脈（**9**）は鎖骨下動脈（**12**）から出る甲状頸動脈（**11**）の枝であって，甲状腺の後面に達する．ここでは特に反回神経（**13**）の下甲状腺動脈に対する位置関係を注意する必要がある（B～D）．

甲状腺からの血流は上甲状腺静脈（**14**）を経て流出し，（総）顔面静脈（**15**）を介して内頸静脈（**16**）に達する．甲状腺の外側縁からは中甲状腺静脈（**17**）が直接内頸静脈へ注ぐ．中甲状腺静脈と上甲状腺静脈との間には時によく発達した吻合がみられる．甲状腺の下縁にはそのほか不対甲状腺静脈叢（**18**）が形成されており，これはいわゆる"下甲状腺静脈" inferior thyroid vein として血液を左腕頭静脈（**19**）に導く．時にはもう1本の静脈が峡部の上縁から前頸静脈へ行くことがある（173頁のBを参照）．

> **臨床関連**：気道が閉塞したときには救急処置として円錐靱帯切開術 coniotomy（甲状軟骨下切開，甲状輪状間切開）が実施される．その時には，弾性円錐 conus elasticus の自由部であって弾力性のある正中輪状甲状靱帯（**7**）は横に切開される．これは切開部の切り口がパックリ開くようにするためである．緊急手術として**気管切開術** tracheotomy が施行される．そのときには，気管は縦に切開される．気管切開には，甲状腺峡の上方で行う上気管切開，峡の高さで行う中気管切開および峡の下方で行う下気管切開が区別される．子供の場合には下気管切開が施行されるが，これは甲状腺峡と胸骨との間に十分な間隔があるからである．成人の場合には他の2つの方法も選択される．そのほかに，頸静脈弓にも注意しなければいけないし，頸筋膜の気管前葉（中頸筋膜）の切開後に不対甲状腺静脈叢（**18**）を傷めてはいけない．さらに，左方から右方に上行する**腕頭動脈**（**20**）が気管と高い位置で交差することもある．また，甲状腺手術に際しては胸管（**21**）に注意すべきであり，この管は甲状腺の左側の下極のところを通って左の静脈角（**22**）に開いている．

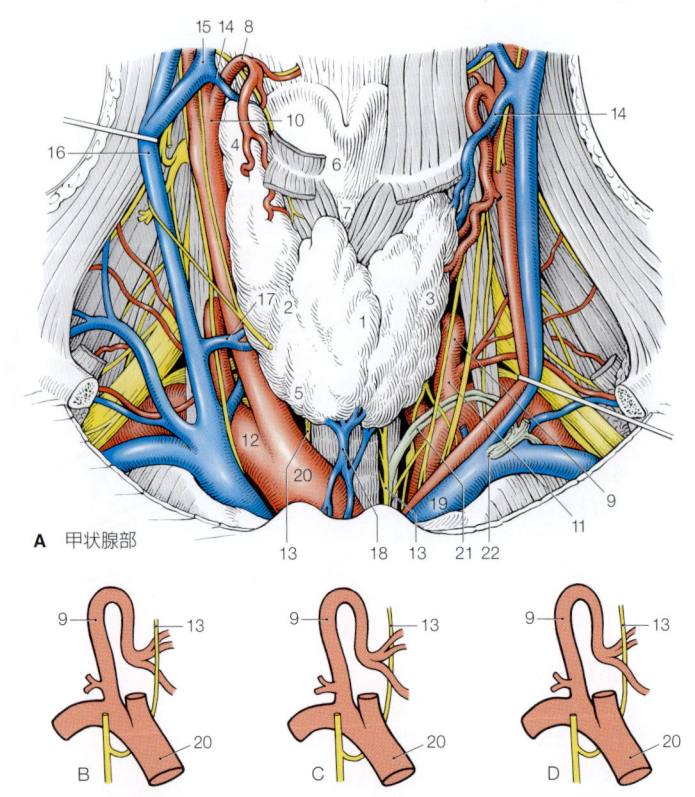

A 甲状腺部

B～D 下甲状腺動脈に対する反回神経の位置の変異（Lanz-Wachsmuthによる）

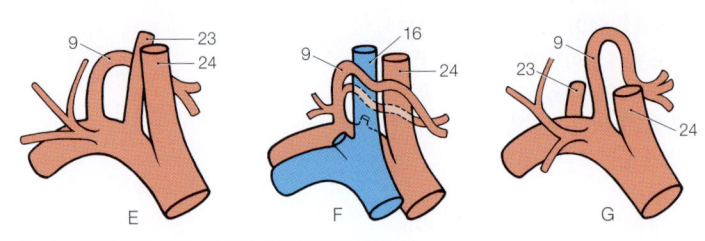

E～G 鎖骨下動脈の枝の変異（著者自身の所見）

反回神経の位置の変異（B～D）：反回神経（**13**）は声門下腔の粘膜のほか，輪状甲状筋を除くすべての喉頭筋を支配している．特殊な場合を除くと，この神経はLanzによれば，ほぼ同じ頻度で下甲状腺動脈（**9**）の諸枝の前（**B**, 27%），後ろ（**C**, 36%）またはそれらの間（**D**, 32%）を走る．手術の前に甲状腺に触れて精査する際にも，この反回神経の走向に注意しなければならない．それはこの神経を引っぱるだけでも喉頭筋の麻痺が起こることがあるからである．

下甲状腺動脈の変異（E～G）：下甲状腺動脈（**9**）はその起始や走行に殊に変異が多い．すなわちこの動脈が椎骨動脈（**23**）の後ろを内側へ向かうことがある（**E**）．ときには（**F**）この動脈の早い枝分かれが，甲状頸動脈から出た直後に起こる．この場合，一枝は総頸動脈（**24**）と内頸静脈（**16**）の前方を走り，他の一枝は後方を走ることがある．最後に（**G**），この動脈が鎖骨下動脈からの第1枝として直接出てくることもある（8%）．下甲状腺動脈が椎骨動脈や内胸動脈から起こることはめったにない．約3％に下甲状腺動脈は欠如し，その際にはこの血管の供給領域は上甲状腺動脈と最下甲状腺動脈の両者かまたは一方の動脈によって代償される．最下甲状腺動脈は大動脈弓または腕頭動脈から直接起こっている．

---

1 甲状腺峡部 isthmus　2 右葉 lobe (right)　3 左葉 lobe (left)　4 上極 superior pole　5 下極 inferior pole　6 甲状軟骨 thyroid cartilage　7 正中輪状甲状靱帯 median cricothyroid ligament　8 上甲状腺動脈 superior thyroid artery　9 下甲状腺動脈 inferior thyroid artery　10 外頸動脈 external carotid artery　11 甲状頸動脈 thyrocervical trunk　12 鎖骨下動脈 subclavian artery　13 反回神経 recurrent laryngeal nerve　14 上甲状腺静脈 superior thyroid vein　15 （総）顔面静脈 facial vein (common)　16 内頸静脈 internal jugular vein　17 中甲状腺静脈 middle thyroid veins　18 不対甲状腺静脈叢 unpaired thyroid plexus　19 左腕頭静脈 left brachiocephalic vein　20 腕頭動脈 brachiocephalic trunk　21 胸管 thoracic duct　22 左の静脈角 left venous angle　23 椎骨動脈 vertebral artery　24 総頸動脈 common carotid artery

頭と頸　175

前外側頸部（A，B）

前外側頸部 ventrolateral cervical region は神経点のある表層の皮下部，外側頸三角部，頸動脈三角および胸鎖乳突筋部に分けられる．

皮下前外側頸部（A）

皮下前外側頸部 subcutaneous ventrolateral cervical region は上方は下顎骨 mandible，前方は正中面，後方は触知しうる僧帽筋 trapezius の縁，そして下方は鎖骨（1）に囲まれている．この皮下層には皮筋である広頸筋，比較的太い静脈および頸神経叢から出る皮枝がみられる．これらの皮枝が頸筋膜の浅葉を破って出てくるところは**神経点** Punctum nervosum とも呼ばれる．この神経点は広頸筋の後縁が胸鎖乳突筋を越えていくところにほぼ一致してみられる．広頸筋を除去すると浅在性のすべての血管と神経がみえるようになる．

胸鎖乳突筋の後縁の最も上方では，小後頭神経（2）が皮下をこの筋にほぼ平行して走っている．後頭の皮膚の知覚の感受に関与するこの神経は，頸筋膜の浅葉を貫通した直後2枝に分かれることがある．この部で最も太い神経は大耳介神経（3）であって，この神経は前枝（4）と後枝（5）に分かれて，斜めに上行しながら胸鎖乳突筋と交叉し，ともに耳介の知覚を司っている．この神経とほぼ同じところで頸横神経（6）が頸筋膜の浅葉を破って出て，外頸静脈（7）の下をくぐり，その上枝は顔面神経の頸枝（8）とともに浅頸神経ワナ（9）をつくる．この神経ワナによって広頸筋とその上に横たわる皮膚が支配されている．下方では種々の高さで，内側（10），中間（11）および外側鎖骨上神経（12）が頸筋膜の浅葉を貫いて出て，肩のあたりの皮膚を支配している．

> **臨床関連**：右肩の外側部には**アイゼルスベルク現象** Eiselsberg's phenomenon が現れる．この現象はいわゆる"偽投射" false projection である．肝臓および胆嚢疾患では痛みが右肩へ放散することがある．痛みの感覚は $C_3 \sim C_5$ の皮節（Ⅲ章参照）へ広がる．膵臓疾患では痛みが左肩の領域へ放散する．

外側頸三角部，第1層（B）

頸筋膜の浅葉を除去すると，胸鎖乳突筋（13）の後縁と僧帽筋（14）の前縁がみえてくる．頸筋膜の気管前葉（15）はこの外側頸三角部 lateral cervical region では頸筋膜の椎前葉（＝深頸筋膜）prevertebral layer of cervical fascia（＝deep cervical fascia）と融合しており，第1層とこれに続く深層とを分けている．すでに前述した血管や神経以外に，この層には副神経の外枝（16）と頸神経叢から出る僧帽筋枝（17）が走っており，これら両神経は僧帽筋を支配する．そのほか外頸静脈へ開口する浅頸静脈*（18）および浅頸動脈（19）もみられる．この浅頸動脈**と下行肩甲動脈**descending scapular artery がともに甲状頸動脈 thyrocervical trunk から出ている場合には，この共通幹は頸横動脈 transverse cervical artery といわれる．数個の浅外側頸リンパ節（20）がこれらの静脈に沿って並んでいる．

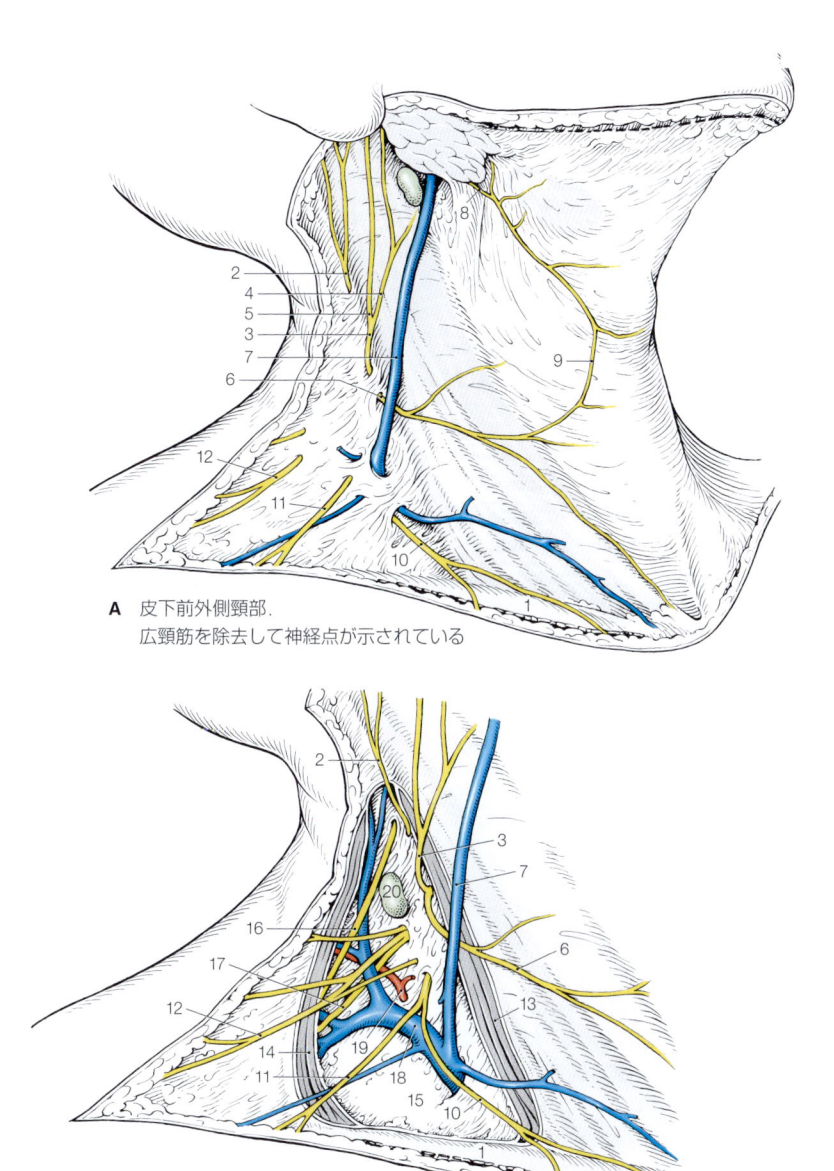

* 頸横静脈 transverse cervical veins の1本を指す．
** 浅頸動脈と下行肩甲動脈が頸横動脈を構成するとき，浅頸動脈は頸横動脈の浅枝 superficial branch また下行肩甲動脈は頸横動脈の深枝 deep branch とも呼ばれる．なお，頸横動脈は鎖骨下動脈から直接出る場合もみられる．

頸神経叢
- 根：前根（$C_1 \sim C_4$）
- 枝：小後頭神経，大耳介神経，頸横神経，鎖骨上神経，横隔神経

A 皮下前外側頸部．広頸筋を除去して神経点が示されている

B 外側頸三角部，第1層

---

1 鎖骨 clavicle　2 小後頭神経 lesser occipital nerve　3 大耳介神経 great auricular nerve　4 前枝 anterior branch　5 後枝 posterior branch　6 頸横神経 transverse cervical nerve　7 外頸静脈 external jugular vein　8 顔面神経の頸枝 cervical branch of facial nerve　9 浅頸神経ワナ superficial ansa cervicalis　10 内側鎖骨上神経 medial supraclavicular nerve　11 中間鎖骨上神経 intermediate supraclavicular nerve　12 外側鎖骨上神経 lateral supraclavicular nerve　13 胸鎖乳突筋（の後縁）sternocleidomastoid　14 僧帽筋（の前縁）trapezius　15 頸筋膜の気管前葉 anterior pretracheal layer of cervical fascia　16 副神経の外枝 external branch of accessory nerve　17 僧帽筋枝 branch to trapezius　18 浅頸静脈 superficial cervical vein　19 浅頸動脈 superficial cervical artery　20 浅外側頸リンパ節 superficial lateral cervical nodes

前外側頸部（続き）（A, B）

外側頸三角部, 第2層（A）

頸筋膜の気管前葉（**1**）を取り去ると，この筋膜に包まれていた肩甲舌骨筋（**2**）がみえるようになる．この頸筋膜の気管前葉は肩甲舌骨筋の上方と下方で頸筋膜の椎前葉（**3**）と融合している．この両筋膜の合わさった膜は，**肩甲鎖骨三角** omoclavicular triangle（肩甲舌骨筋の下腹[**2**]，胸鎖乳突筋[**4**]および鎖骨[**5**]で形成される）では強固である．

この肩甲鎖骨三角では，外頸静脈（**6**）と浅頸静脈*（**7**）が鎖骨下静脈（**8**）や内頸静脈（**9**）と（右）静脈角 right venous angle で合流して，（右）腕頭静脈 right brachiocephalic vein になる．肩甲上静脈（**10**）もこの静脈角に入る．これら前述のすべての静脈の流入する順序は変異が多く，さまざまである．肩甲上動脈（**11**）は同名の静脈とともに鎖骨のやや上を走っている．肩甲舌骨筋の下腹の上方には浅頸動脈*（**12**）の幹がみえる．

外側頸三角部, 第3層（B）

頸筋膜の椎前葉（**3** = 深頸筋膜）を除去すると，前斜角筋（**13**），中斜角筋（**14**），後斜角筋（**15**），肩甲挙筋（**16**）および背筋群の固有背筋に属する頸板状筋（**17**）といった深部に位置する頸部の筋がみえてくる．前斜角筋と中斜角筋の間に生じる"斜角筋隙" scalene space の中を，腕神経叢（**18**）と鎖骨下動脈（**19**）が走っている．この動脈はこの斜角筋隙のところで下行肩甲動脈（**20**）を出すが，この動脈は中斜角筋の後ろでみえることがある．下行肩甲動脈はまた頸横動脈から出ることもある（178頁）．神経については，脊髄の分節C4からの頸神経叢の枝として横隔神経（**21**）がみられる．この神経は前斜角筋（**13**）の上を斜めに越えて下行する．腕神経叢（**18**）からは種々の鎖骨上枝が出るが，そのうちの肩甲上神経（**22**），長胸神経（**23**）および肩甲背神経（**24**）がみえる．

頸のリンパ節（**25**）は全体として1本のリンパ索をつくり，静脈角に達している．右静脈角は頭と頸の右半分（右リンパ本幹 right jugular trunk），右上肢（右鎖骨下リンパ本幹 right subclavian trunk）および胸郭の右半分（右気管支縦隔リンパ本幹 right bronchomediastinal trunk）からのリンパ管を受け入れている．からだの他の部分からのリンパ管はすべて左静脈角 left venous angle に流れ込む（II章参照）．

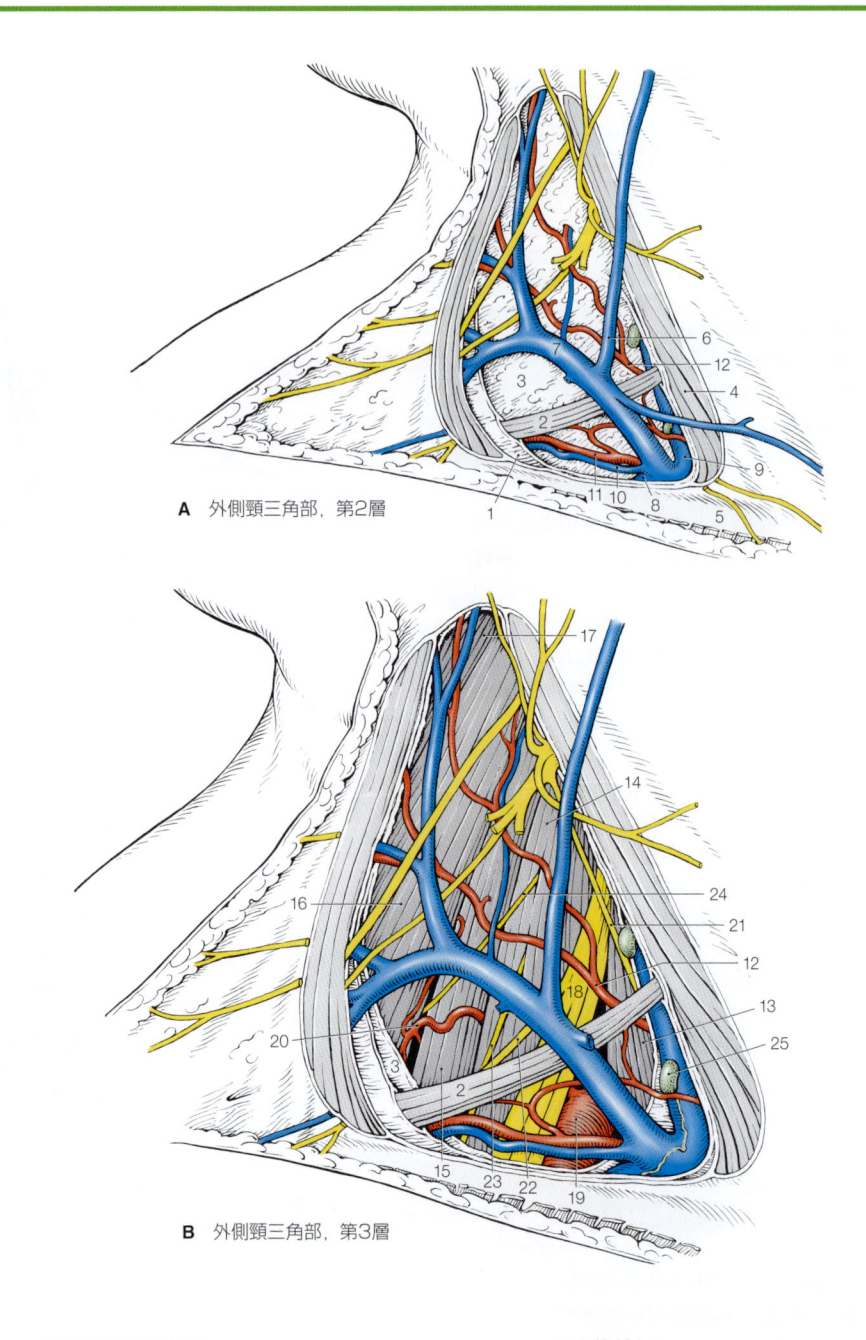

A 外側頸三角部, 第2層

B 外側頸三角部, 第3層

*175頁の注を参照．

腕神経叢
根：C_5〜Th_1前枝
 - 上頭（C_3, C_5）
 - 中主幹（C_{11}）
 - 下幹（C_8, Th_1）
枝：鎖骨上部
 - 肩甲背神経
 - 長胸背神経
 - 鎖骨下神経
 - 肩甲上神経
 - 肩甲下神経
 - 胸背神経
 - 中胸筋神経
 - 外胸筋神経
 - 筋枝（鎖骨下部：182頁参照）

臨床関連：腕神経叢は，様々な原因（出産時障害，頸肋，外部からの圧迫！）で障害される．この場合，上部病変と下部のそれに分ける．
　上部腕神経叢麻痺（デュシェンヌ・エルプ型 Duchenne-Erb）はC_5とC_6の根の障害によって肩関節の内転と外旋ができなくなる．一方，肘関節の屈曲と回外（筋？）も麻痺する．肩領域と前腕の橈側に軽度の知覚麻痺も出現する．

---

1 頸筋膜の気管前葉 anterior pretracheal layer of cervical fascia (= 中頸筋膜 middle cervical fascia)　**2** 肩甲舌骨筋の下腹 inferior belly of omohyoid　**3** 頸筋膜の椎前葉 prevertebral layer of cervical fascia (= 深頸筋膜 deep cervical fascia)　**4** 胸鎖乳突筋 sternocleidomastoid　**5** 鎖骨 clavicle　**6** 外頸静脈 external jugular vein　**7** 浅頸静脈 superficial cervical vein　**8** 鎖骨下静脈 subclavian vein　**9** 内頸静脈 internal jugular vein　**10** 肩甲上静脈 suprascapular vein　**11** 肩甲上動脈 suprascapular artery　**12** 浅頸動脈 superficial cervical artery　**13** 前斜角筋 scalenus anterior　**14** 中斜角筋 scalenus medius　**15** 後斜角筋 scalenus posterior　**16** 肩甲挙筋 levator scapulae　**17** 頸板状筋 splenius cervicis　**18** 腕神経叢 brachial plexus　**19** 鎖骨下動脈 subclavian artery　**20** 下行肩甲動脈 descending scapular artery　**21** 横隔神経 phrenic nerve　**22** 肩甲上神経 suprascapular nerve　**23** 長胸神経 long thoracic nerve　**24** 肩甲背神経 dorsal scapular nerve　**25** 頸のリンパ節 cervical lymph nodes

頭と頸　177

前外側頸部（続き）（A～F）

頸動脈三角（A）

頸動脈三角 carotid triangle は胸鎖乳突筋（**1**），肩甲舌骨筋（**2**）および顎二腹筋の後腹（**3**）に囲まれている．顎二腹筋の中間腱は茎突舌骨筋（**4**）の停止部近くで線維性の滑車によって舌骨（**5**）に固定されている．

浅層には（総）顔面静脈（**6**）が走っており，舌下神経伴行静脈（**7**）と上甲状腺静脈（**8**）を受け入れ，内頸静脈（**9**）に流れ込む．内頸静脈の前には頸動脈洞（**11**，Ⅱ章参照）をもつ総頸動脈（**10**）がある．

総頸動脈はヒトでは約67％において第4頸椎の高さで，多くの場合後外方にある内頸動脈（**12**）と前方にみられる外頸動脈（**13**）に分かれる．約20％の例ではこの分岐が約1椎体だけ高く，また11％では1椎体低くで起こる．そして残りの2％では頸動脈三角をはずれたもっと高くまたは低くでこの枝分かれがみられることがある．

内頸動脈（**12**）は通常枝を出さないが，外頸動脈（**13**）は第1の前方枝として上甲状腺動脈（**14**）を出す．この動脈は直接には甲状腺（**15**）に，また上喉頭動脈（**16**）を経て喉頭にも血液を送る．時に上甲状腺動脈は胸鎖乳突筋枝（**17**）を出すことがあるが，この動脈枝は高い頻度で外頸動脈から直接出て，その走行の途中で舌下神経（**18**）に絡みつく．第2の前方枝は舌動脈（**19**）で，舌骨舌筋（**20**）の内側を通って舌へ行く．頸動脈三角での最後の枝は顔面動脈（**21**）で，顎二腹筋の後腹（**3**）の内側を通り顔面へと上行する．頸動脈分岐部には頸動脈小体（**22**）がある．これはパラガングリオン（傍節）paraganglion（Ⅱ章参照）であって，ここには交感および副交感線維がきている．副交感線維はまた舌咽神経の枝である頸動脈洞枝（**23**）の中をも走っており，頸動脈小体のほか頸動脈洞（**11**）にも行く．

舌下神経（**18**）は内および外頸動脈の外側を走り，その弓なりになった起始部での枝として深頸神経ワナの上根（**24**）を出す．この根の成分をなす線維は頸髄の上部2分節に由来するものであって，甲状舌骨筋を支配する甲状舌骨筋枝（**25**）の線維も同様である．総頸動脈の外側を下行した上根は，内頸静脈の外側または内側を走る C_2 および C_3 由来の同神経ワナの下根（**26**）と合して，深頸神経ワナ（**27**）となる．この深頸神経ワナは甲状舌骨筋以外の諸舌骨下筋を支配する．

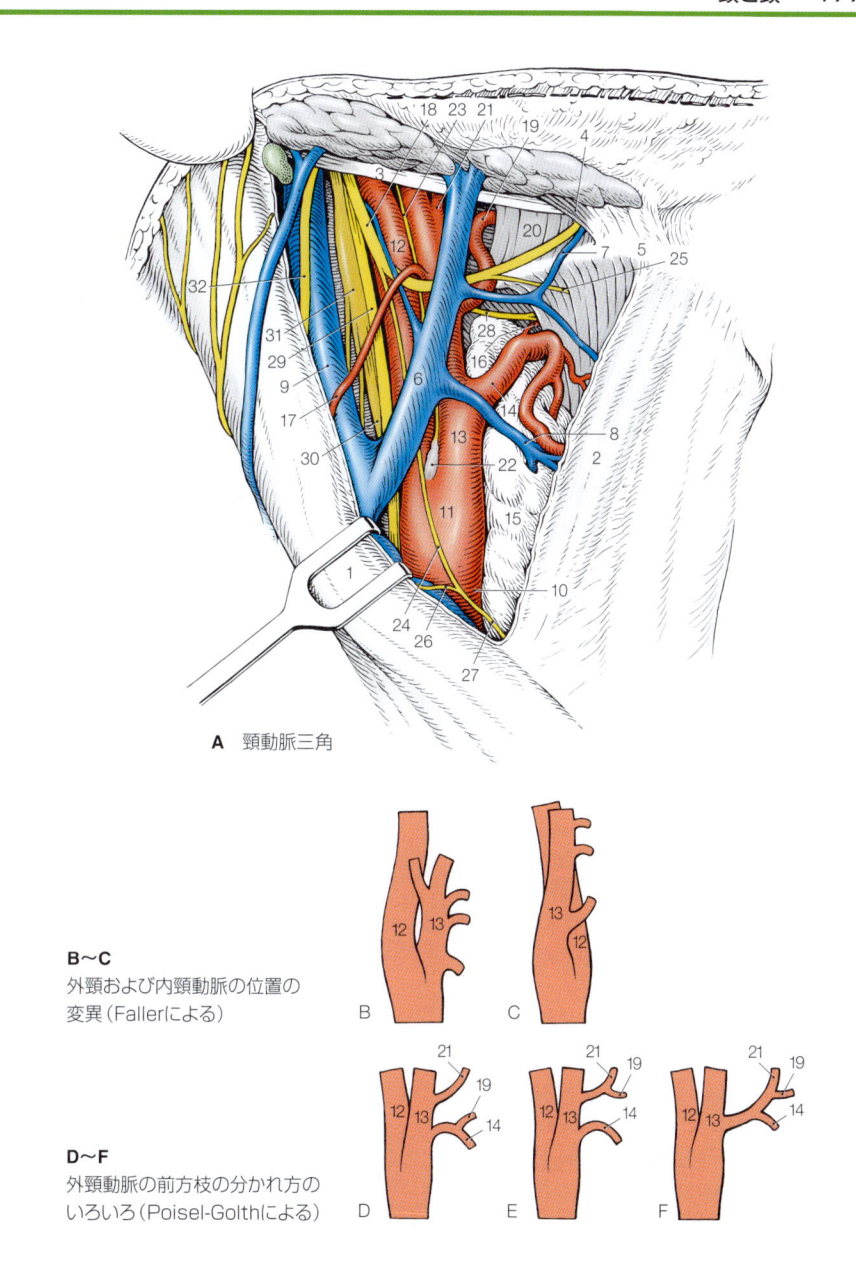

外頸動脈の内側には上喉頭神経 superior laryngeal nerve が走っており，その内枝（**28**）は上喉頭動脈とともに喉頭へ至る．上喉頭神経は内頸動脈と内頸静脈の間を走る迷走神経（**29**）の枝であるが，この迷走神経は交感神経幹（**30**）とその上頸神経節（**31**）からは頸動脈鞘の椎前葉のみによって分けられる．この頸動脈三角の後上方の角では副神経の外枝（**32**）をみつけることができる．

A 頸動脈三角

B～C 外頸および内頸動脈の位置の変異（Fallerによる）

D～F 外頸動脈の前方枝の分かれ方のいろいろ（Poisel-Golthによる）

変異（B～F）：ここではただ外頸および内頸動脈の位置関係と外頸動脈の3つの前方枝についてだけ述べられる．Fallerによるとヒトの内頸動脈は49％においては外頸動脈の背外側で（**B**），9％はその腹内側で（**C**）総頸動脈から分かれる．これら以外の中間位も種々起こり得る．甲状舌動脈 thyro-lingual trunk を形成している場合（**D**）が約4％にみられ，約23％は舌顔面動脈 linguofacial trunk（**E**），また0.6％では甲状舌顔面動脈 thyro-linguo-facial trunk の形成（**F**）がみられる．

臨床関連：総頸動脈は第6頸椎の前結節（Chassaignacsの結節）に向かって圧迫できる．この部位では動脈穿刺や脈圧の測定も行われる．

---

1 胸鎖乳突筋 sternocleidomastoid　2 肩甲舌骨筋 omohyoid　3 顎二腹筋の後腹 posterior belly of digastric　4 茎突舌骨筋 stylohyoid　5 舌骨 hyoid bone　6 （総）顔面静脈 facial vein (common)　7 舌下神経伴行静脈 vena comitans of hypoglossal nerve　8 上甲状腺静脈 superior thyroid vein　9 内頸静脈 internal jugular vein　10 総頸動脈 common carotid artery　11 頸動脈洞 carotid sinus　12 内頸動脈 internal carotid artery　13 外頸動脈 external carotid artery　14 上甲状腺動脈 superior thyroid artery　15 甲状腺 thyroid gland　16 上喉頭動脈 superior laryngeal artery　17 胸鎖乳突筋枝 sternocleidomastoid branches　18 舌下神経 hypoglossal nerve　19 舌動脈 lingual artery　20 舌骨舌筋 hyoglossus　21 顔面動脈 facial artery　22 頸動脈小体（糸球） carotid body　23 頸動脈洞枝 carotid branch　24 深頸神経ワナの上根 superior root of deep ansa cervicalis　25 甲状舌骨筋枝 thyrohyoid branch　26 深頸神経ワナの下根 inferior root of deep ansa cervicalis　27 深頸神経ワナ deep ansa cervicalis　28 内枝（上喉頭神経の）internal branch of superior laryngeal nerve　29 迷走神経 vagus nerve　30 交感神経幹 sympathetic trunk　31 上頸神経節 superior cervical ganglion　32 副神経の外枝 external branch of accessory nerve

前外側頸部（続き）

胸鎖乳突筋部（A）

胸鎖乳突筋部 sternocleidomastoid region は胸鎖乳突筋（**1**）と肩甲舌骨筋（**2**）を取り除くと初めてみえるようになる．この部は頸動脈三角と外側頸三角部の間にあって，これらを結んでいる．この胸鎖乳突筋部で余分なものを取り去ると，大きな血管や神経が頸を走っているのがみえる．

最も大きな動脈として総頸動脈（**3**）が斜め上方へ走る．この動脈は外頸動脈（**4**）と内頸動脈（**5**）とに分かれる．分岐の高さと位置の変異については177頁参照．

総頸動脈に覆われて，弓なりに走る下甲状腺動脈（**6**）が甲状腺（**7**）に達している．この動脈は，鎖骨下動脈（**9**）が斜角筋隙を通り抜ける直前に送り出す甲状頸動脈（**8**）の枝である．この甲状頸動脈はそのほか，前斜角筋（**10**）の前を越えて走る肩甲上動脈（**11**），同様に浅層を走っている浅頸動脈（**12**）および上行頸動脈 ascending cervical artery を出す．第1上行枝としては椎骨動脈（**13**）が鎖骨下動脈（**9**）から出る．鎖骨下動脈は斜角筋隙を通り抜けてから，多くの場合（約60%）下行肩甲動脈（**14**）を出す．この動脈はまず中斜角筋（**15**）の後ろを通り，ついで後斜角筋（**16**）の前を走り，上行枝と下行枝に分かれる．残りの場合には下行肩甲動脈は浅頸動脈（**12**）と一緒に甲状頸動脈から出る．その時，その共通の起始部は頸横動脈 transverse cervical artery といわれる．

総頸動脈の後ろを太い内頸静脈（**17**）が下方へ走っており，顔面静脈（**18**）と中甲状腺静脈（**19**）がこの静脈に注ぎ込んでいる．内頸静脈は鎖骨下静脈（**20**）と合流して右腕頭静脈（**21**）となる．右の静脈角へは，頸横静脈（**23**）と合流した外頸静脈（**22**）および肩甲上静脈（**24**）も注ぎ込む．

右の静脈角へはまた頭と頸の右半分，右の上肢および胸郭の右半分からくるリンパ管（**25**）も流入する．

総頸動脈（**3**）の上には，舌骨下筋を支配する深頸神経ワナ（**26**）がのっている．この神経ワナは，起始部では舌下神経（**28**）とともに走る神経ワナ上根（**27**）と下根（**29**）からつくられる．内頸静脈の後ろには，脊髄の第4頸髄節から出てくる横隔神経（**30**）が走っている．この横隔神経は前斜角筋を伝って下行する（目印筋！）．迷走神経（**31**）は血管−神経索を構成する要素であって，上頸心臓枝（**32**）および下頸心臓枝（**33**）を送り出す．

この迷走神経とは頸筋膜の椎前葉（深頸筋膜）によって分けられて，上頸神経節（**35**），中頸神経節（**36**）（これはいつも存在するとは限らない）および下頸神経節 inferior cervical ganglion をもつ交感神経幹（**34**）が走っている．下頸神経節は多くの場合第1胸神経節 thoracic ganglion primum と融合して星状神経節（＝頸胸神経節）（**37**）を形成しており，第1肋骨頭のところで椎骨動脈（**13**）の内側にある．交感神経幹（**34**）は下甲状腺動脈（**6**）をはさんで甲状腺動脈ワナ（**38**）をつくり，また上・中・下の頸心臓神経（**39**）を出す．深部では気管のそばに反回神経（**40**）がみられる．

A 胸鎖乳突筋部
（総頸動脈は前内方へ牽引されている）

---

1 胸鎖乳突筋 sternocleidomastoid　**2** 肩甲舌骨筋 omohyoid　**3** 総頸動脈 common carotid artery　**4** 外頸動脈 external carotid artery　**5** 内頸動脈 internal carotid artery　**6** 下甲状腺動脈 inferior thyroid artery　**7** 甲状腺 thyroid gland　**8** 甲状頸動脈 thyrocervical trunk　**9** 鎖骨下動脈 subclavian artery　**10** 前斜角筋 scalenus anterior　**11** 肩甲上動脈 suprascapular artery　**12** 浅頸動脈 superficial cervical artery　**13** 椎骨動脈 vertebral artery　**14** 下行肩甲動脈 descending scapular artery　**15** 中斜角筋 scalenus medius　**16** 後斜角筋 scalenus posterior　**17** 内頸静脈 internal jugular vein　**18** 顔面静脈 facial vein　**19** 中甲状腺静脈 middle thyroid veins　**20** 鎖骨下静脈 subclavian vein　**21** 右腕頭静脈 right brachiocephalic vein　**22** 外頸静脈 external jugular vein　**23** 頸横静脈 transverse cervical veins　**24** 肩甲上静脈 suprascapular vein　**25** リンパ管 lymphatic vessel　**26** 深頸神経ワナ deep ansa cervicalis　**27** 神経ワナ上根 superior root of ansa cervicalis　**28** 舌下神経 hypoglossal nerve　**29** 神経ワナ下根 inferior root of ansa cervicalis　**30** 横隔神経 phrenic nerve　**31** 迷走神経 vagus nerve　**32** 上頸心臓枝 superior cervical cardiac branches　**33** 下頸心臓枝 inferior cervical cardiac branches　**34** 交感神経幹 sympathetic trunk　**35** 上頸神経節 superior cervical ganglion　**36** 中頸神経節 middle cervical ganglion　**37** 星状神経節 stellate ganglion（＝頸胸神経節 cervicothoracic ganglion）　**38** 甲状腺動脈ワナ ansa thyroidea　**39** 頸心臓神経 cervical cardiac branches　**40** 反回神経 recurrent laryngeal nerve

斜角筋椎骨三角（A）

斜角筋椎骨三角 scalenovertebral triangle は頸長筋（**1**），前斜角筋（**2**）および胸膜頂 pleural cupula に囲まれている．頸筋膜の椎前葉がこの斜角筋椎骨三角を覆っており，この筋膜を取り除くと初めて三角内部の諸構造がみえるようになる．

鎖骨下動脈（**3**）は胸膜頂の上にのっており，これから結合組織の束が肋骨胸膜靱帯 costopleural ligament として第1肋骨へ行っている．鎖骨下動脈は第1上行枝として椎骨動脈（**4**）を出す．この動脈は前では Th_1（**5**）および C_8（**6**）からくる腕神経叢の根と交叉し，脊柱に達し第6頸椎の横突孔に入る．この椎骨動脈（**4**）の後ろには椎骨静脈（**7**）が走っており，第7頸椎の横突孔で脊柱から離れる．椎骨動脈に接して，甲状頸動脈（178頁）が上行し，これに続いて肋頸動脈（**8**）も上行している．この肋頸動脈は深頸動脈（**9**）と最上肋間動脈 supreme intercostal artery を出すが，時には（まれではあるが）破格として下行肩甲動脈（**10**）をも出す．鎖骨下動脈から下方へ向かって内胸動脈（**11**）が出るが，これは胸骨のそばを内胸静脈（**12**）とともに走り上腹壁動脈 superior epigastric artery となって腹直筋鞘（195頁）に達する．

左側では胸管（**13**）が上へ凸の弓を描いて胸管弓 arch of thoracic duct となって，鎖骨下動脈とその諸枝の前を通り過ぎる．この胸管は，内頸静脈（**15**）と鎖骨下静脈（**16**）の合流によってつくられる左静脈角（**14**）に注ぎ込んでいる．

この三角の深いところにあるのは，C_5〜Th_1 からくる腕神経叢の根で，交感神経幹（**17**）は，これらの根より浅いところを走っている．交感神経幹はしばしば第6頸椎の高さに，前斜角筋（**2**）の上にのった中頸神経節（**18**）をもっている．この神経節の下方で交感神経幹は上［頸］心臓神経（**19**）と甲状腺動脈ワナ（**20**）をつくるが，この神経ワナを下甲状腺動脈が通り抜ける（178頁）．交感神経幹は鎖骨下動脈（**3**）を抱える鎖骨下ワナ（**21**）を出す．この鎖骨下ワナは，第1胸神経節と合して星状神経節（**22**）になった下神経節 inferior cervical ganglion に入っている．この神経節は第1肋骨頭のところにある．またこの神経節からは下［頸］心臓神経（**23**）が出る．この神経の内側を反回神経（**24**）が喉頭へ向かって上行する．この反回神経は気管（**25**）と食道（**26**）でつくられるくぼみを走っている．

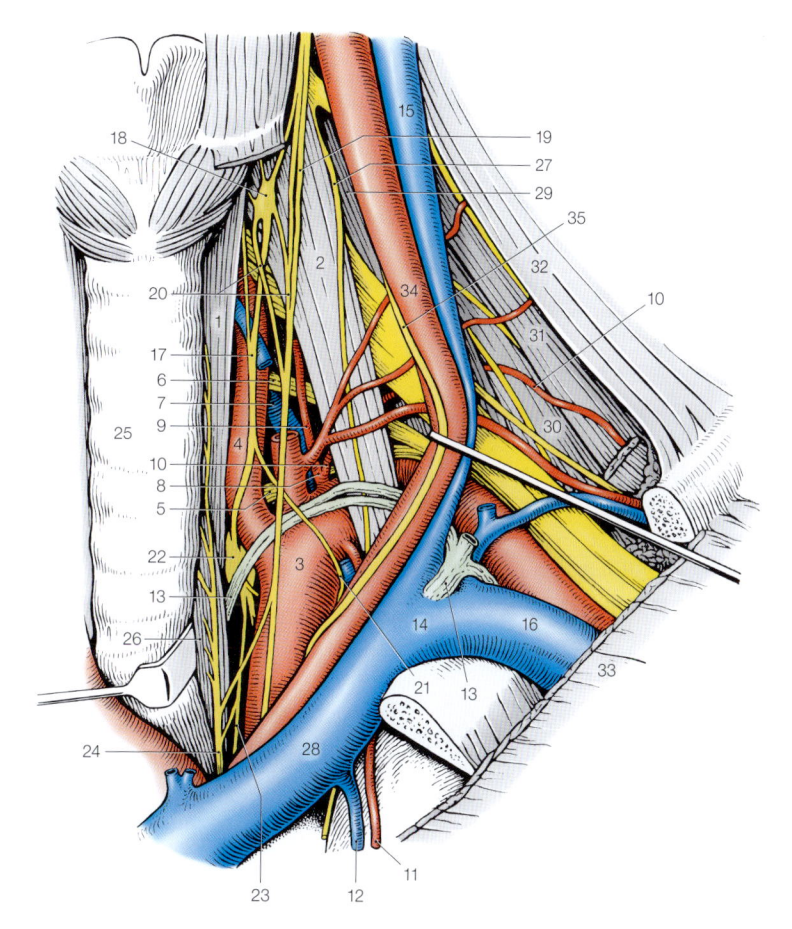

A 斜角筋椎骨三角
（総頸動脈，内頸静脈および迷走神経は側方に牽引されている）

臨床関連：頸肋が存在するときは**頸肋症候群** cervical rib syndrome（Naffiziger 症候群）をおこすことがある．この際には，上腕の血管に起因する障害および腕神経叢の3本の神経束の諸枝，特に尺骨神経支配領域，に障害が出現する．

むろん，頸肋が存在しなくてもこれらの血管や神経の障害は出現しうる．例えば前斜角筋症候群 scalenus anticus syndrome の際には，前斜角筋の肥大と過緊張によって疼痛を引き起こす．

鎖骨上リンパ節 supraclavicular nodes は，輸出管が左静脈角のすぐ左側に開き，胃癌の際にリンパ行性遠隔転移の可能性をもっている（**ウィルヒョウ・トロワジェのリンパ節** Virchow-Troisier's lymph nodes）．ある腫瘍の最初の転移として特定のリンパ節が腫大するとき，臨床家は信号リンパ節もしくは**シグナルリンパ節**と表現する．他の領域のリンパ節についても同様である．

---

1 頸長筋 longus colli　2 前斜角筋 scalenus anterior　3 鎖骨下動脈 subclavian artery　4 椎骨動脈 vertebral artery　5 第1胸神経（の前枝）Th_1　6 第8頸神経（の前枝）C_8　7 椎骨静脈 vertebral vein　8 肋頸動脈 costocervical trunk　9 深頸動脈 deep cervical artery　10 下行肩甲動脈 descending scapular artery　11 内胸動脈 internal thoracic artery　12 内胸静脈 internal thoracic vein　13 胸管 thoracic duct　14 左静脈角 left venous angle　15 内頸静脈 internal jugular vein　16 鎖骨下静脈 subclavian vein　17 交感神経幹 sympathetic trunk　18 中頸神経節 middle cervical ganglion　19 上［頸］心臓神経 superior cervical cardiac nerve　20 甲状腺動脈ワナ ansa thyroidea　21 鎖骨下ワナ ansa subclavia　22 星状神経節 stellate ganglion　23 下［頸］心臓神経 inferior cervical cardiac nerve　24 反回神経 recurrent laryngeal nerve　25 気管 trachea　26 食道 oesophagus　27 横隔神経 phrenic nerve　28 左腕頭静脈 left brachiocephalic vein　29 中斜角筋 scalenus medius　30 後斜角筋 scalenus posterior　31 肩甲挙筋 levator scapulae　32 僧帽筋 trapezius　33 大胸筋の鎖骨部 clavicular part of pectoralis major　34 左総頸動脈 left common carotid artery　35 左迷走神経 left vagus nerve

上肢

上肢の部位（A～C）

表面からは自由上肢または上肢帯と胸郭との境界は明確ではない．解剖していくと，主に筋による結合を切断することによって，自由上肢を上肢帯とともに胸郭からはずすことができる．末梢の導通路（脈管と神経）の局所解剖を理解するために，上肢帯と自由上肢とをまとめて述べることにする．上肢の部位 regions of upper limb の区分は実用的な目的にかなった区分であり，決して発生学的な理由に基づくものではない．

肩の領域の部位

前方では**鎖骨下部**（**1**）がみられる．ここには鎖骨胸筋三角（**2**）がある．この鎖骨下部を通って末梢の導通路は腕，すなわち腋窩（**4**）のある**腋窩部**（**3**）の中央部に達する．肩関節の外側には**三角筋部**（**5**）があり，それに接して後方には**肩甲部**（**6**）がみられる．

上腕の部位

上腕は屈筋が基礎となっている**前上腕部**（**7**）と，伸筋のある**後上腕部**（**8**）に分けられる．前上腕部では内側上腕筋間中隔の前を，**内側二頭筋溝**（**9**）が腋窩から肘窩へ行く上腕の血管と神経の主な通路として浮き彫りされている．外側上腕筋間中隔の前には外側二頭筋溝があって，その表層の皮下を橈側皮静脈が走っている．

肘の部位

前上腕部に接して屈側には**前肘部**（**10**）があり，その中央には肘窩 cubital fossa がある．肘窩内では血管の束と神経束が扇を開くように分かれる．後ろにある**後肘部**（**11**）は筋のほかには小さな血管網があるにすぎない．

前腕の部位

肘窩より遠位には，内側と外側に細分される**前前腕部**（**12**）があり，この部は屈筋の間に太い血管と神経を含んでいる．後面は**後前腕部**（**13**）である．

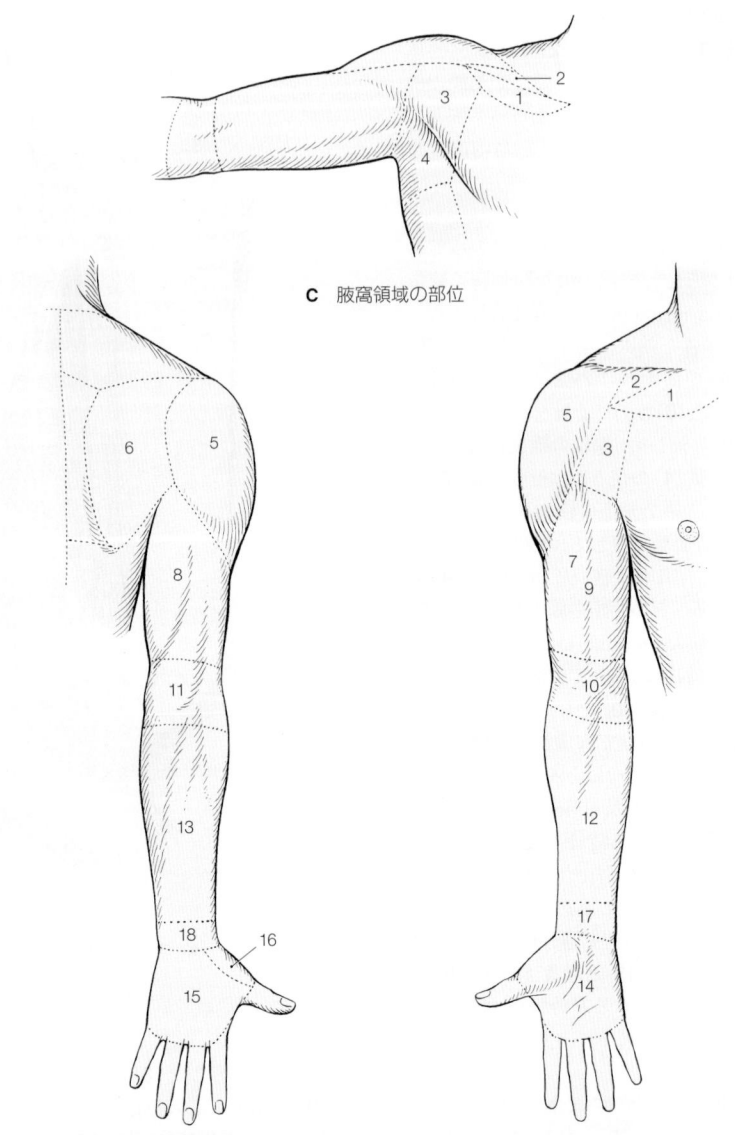

手の部位

手掌（**手掌部**）（**14**）は手の部位に属し，遠位手根関節（＝手根中央関節 mediocarpal joint）から中手指節関節までである．**手背**（**手背部**）（**15**）も同じくこの境界に一致する．手背と手掌の間には外側に**橈側窩**（**16**）がはさまれる．この小窩には橈骨動脈 radial artery が走っている．

手根の部位

手掌面では前前腕部と手掌との間に**前手根部**（**17**）がある．手背面でこれに対応するのが**後手根部**（**18**）である．

C 腋窩領域の部位

B 上肢の部位．後方からみたところ

A 上肢の部位．前方からみたところ

---

1 鎖骨下部 infraclavicular part　2 鎖骨胸筋三角 clavipectoral triangle　3 腋窩部 axillary region　4 腋窩 axillary fossa　5 三角筋部 deltoid region　6 肩甲部 scapular region　7 前上腕部 anterior region of arm　8 後上腕部 posterior region of arm　9 内側二頭筋溝 medial bicipital groove　10 前肘部 anterior region of elbow　11 後肘部 posterior region of elbow　12 前前腕部 anterior region of forearm　13 後前腕部 posterior region of forearm　14 手掌（手掌部）palma (palmar region)　15 手背（手背部）dorsum of hand　16 橈側窩 radial fovea　17 前手根部 anterior region of wrist　18 後手根部 posterior region of wrist

鎖骨胸筋三角（A，B）

鎖骨胸筋三角 *clavipectoral triangle は近位では鎖骨（**1**），外側では三角筋（**2**），そして内側では大胸筋（**3**）に囲まれている．遠位に向かってはこの三角は三角筋胸筋溝 deltoideopectoral sulcus に移行していく．この三角の底の幅はまちまちであるから，よく観察できるようにするには，大胸筋の鎖骨部（**4**）を鎖骨のところで切断し反転することが目的に適っている．

浅層（A）

浅層には（浅）胸筋筋膜（superficial）pectoral fascia があり，この三角のところでは幾分陥没したようになっている．鎖骨（**1**），烏口突起（**B5**）および小胸筋（**B6**）の間には，三角筋の内面から大胸筋の内面へ向かって鎖骨胸筋筋膜（**7**）が張っており，この鎖骨胸筋三角を2層に分けている．

浅層にみられるのは，三角筋胸筋溝を通ってこの三角に達した橈側皮静脈（**8**）であって，鎖骨胸筋筋膜を貫いて腋窩静脈（**B9**）へ流れ込む．この橈側皮静脈へは周囲から細い静脈が注ぐ．橈側皮静脈の外側には腋窩動脈の枝である胸肩峰動脈（**B10**）が鎖骨胸筋筋膜（**7**）を貫いて出る．この動脈は鎖骨枝（**11**），肩峰枝（**12**），三角筋枝（**13**）および胸筋枝（**B14**）に分かれる．これら胸筋枝とともに胸筋神経 pectoral nerves が走っているが，これらの神経は枝分かれする前の共通幹（**15**）のまま鎖骨胸筋筋膜を貫いて出ることがある．

深層（B）

深層には腕を支配する血管束と神経束がみられる．鎖骨下筋（**16**）の遠位には，内側から外側へ向かって腋窩静脈（**9**），腋窩動脈（**17**）および3本の神経束がみられる．腕神経叢の鎖骨下部 infraclavicular part と呼ばれる3本の神経束は，ここでは浅いところにある外側神経束（**18**）（この神経束はすでに枝分かれしていることがある），後神経束（**19**）および内側神経束（**20**）に分かれる．小胸筋（**6**）の上縁で血管束と神経束が深部へ入り込む．この三角の外側部には深部に肩甲上動・静脈および神経（**21**）がみられる．

時にはすでに浅層にリンパ節（ここでは描

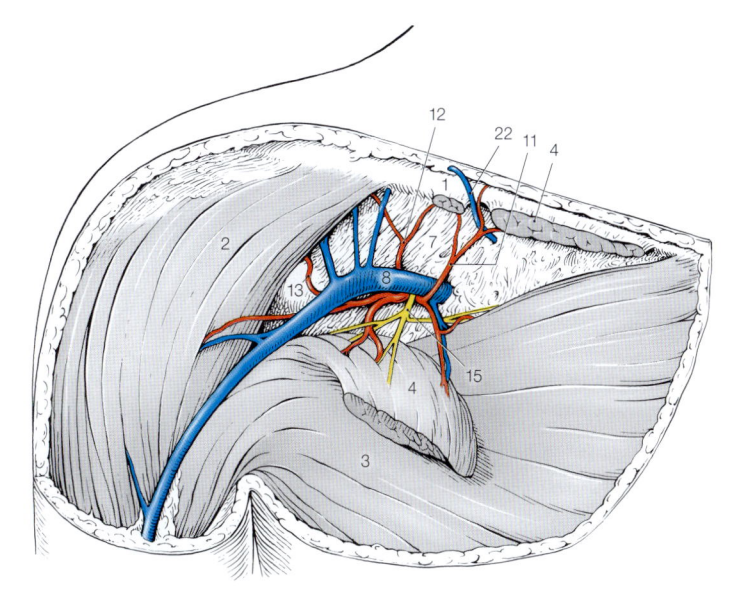

A 鎖骨胸筋三角，浅層

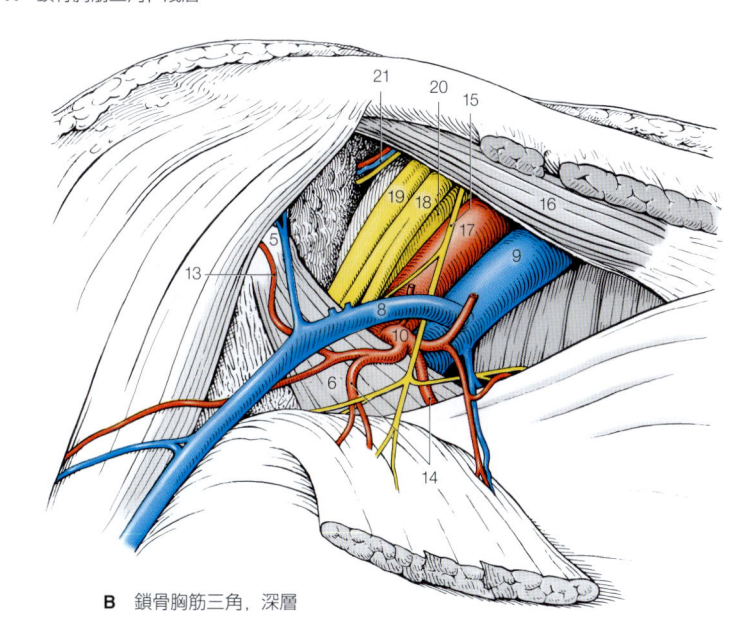

B 鎖骨胸筋三角，深層

かれていない）がみられる．これらのリンパ節は橈側皮静脈に沿って走るリンパ管を経て，橈側の2指からのリンパを受け入れる．これらのリンパ節は深鎖骨下リンパ節（描かれていない）と結合している．

変異：そんなにまれではないが，浅層で鎖骨をまわる1本の静脈（**22**）がみられることがある．この静脈は鎖骨下静脈へ流入する諸静脈と腋窩静脈とを結んでおり，したがってここに一つの静脈輪が形成されることになる．時には橈側皮静脈の発達の程度がごく弱いことがある．

* この三角を覆う皮膚は少しくぼんでいて鎖骨下窩 infraclavicular fossa（Mohrenheim窩）となる．

---

1 鎖骨 clavicle　**2** 三角筋 deltoid　**3** 大胸筋 pectoralis major　**4** 鎖骨部 clavicular part　**5** 烏口突起 coracoid process　**6** 小胸筋 pectoralis minor　**7** 鎖骨胸筋筋膜 clavipectoral fascia　**8** 橈側皮静脈 cephalic vein　**9** 腋窩静脈 axillary vein　**10** 胸肩峰動脈 thoraco-acromial artery　**11** 鎖骨枝 clavicular branch　**12** 肩峰枝 acromial branch　**13** 三角筋枝 deltoid branch　**14** 胸筋枝 pectoral branch　**15** 共通幹（胸筋神経の）common trunk of the pectoral nerve　**16** 鎖骨下筋 subclavius　**17** 腋窩動脈 axillary artery　**18** 外側神経束 lateral cord　**19** 後神経束 posterior cord　**20** 内側神経束 medial cord　**21** 肩甲上動・静脈および神経 suprascapular artery, vein & nerve　**22** 静脈（鎖骨をまわる）vein

腋窩部（A）

腋窩部 axillary region では，腋窩を通って腕の血管‐神経索が走る．腋窩 axillary fossa は前方は大胸筋（**1**）と小胸筋（**2**），そして後方は広背筋（**3**）で境される．内側には前鋸筋（**4**）のある胸壁，外側には上腕二頭筋短頭（**5**）と烏口腕筋（**6**）のついた上腕骨がある．

最も内側には上腕静脈 brachial veins が集まってできた腋窩静脈（**7**）が多数の小さな静脈を受け入れて中心方向へ走る．この静脈へは鎖骨胸筋三角（181頁）のところで，橈側皮静脈（**8**）が流入している．腋窩静脈の外側にある腋窩動脈（**9**）は胸肩峰動脈（**10**）を出しており，この動脈は胸筋枝（**11**），肩峰枝（**12**）および三角筋枝 deltoid branch に分かれる．外側胸動脈（**13**）は約10％においては胸肩峰動脈から出る（図参照）が，腋窩動脈から直接出ることもある．腋窩動脈の第2の枝である肩甲下動脈（**14**）は胸背動脈（**15**）と肩甲回旋動脈（**16**）とに分かれる．腋窩動脈の最後の枝は前上腕回旋動脈（**17**）と後上腕回旋動脈（**18**）である．

広背筋（**3**）の付着腱の高さで，腋窩動脈（**9**）は上腕動脈（**19**）に続く．この上腕動脈は第1枝として上腕深動脈（**20**）を出す．

腕神経叢の3本の神経束は腋窩のところでは腋窩動脈の内側，外側および背側に位置し，ここで分枝する．すなわち後神経束 posterior cord は腋窩神経（**21**）と橈骨神経（**22**）に分かれる．腋窩神経（**21**）は後上腕回旋動静脈（**18**）に伴われて，外側腋窩隙（183頁）を通って三角筋（**23**）と小円筋 teres minor を支配する．橈骨神経（**22**）は内側二頭筋溝へ達し，ここで上腕深動脈（**20**）とともに上腕骨の橈骨神経溝の中へ進む．

内側神経束（**24**）と外側神経束（**25**）は（しばしば重複した）正中神経叉 median nerve fork（Medianusgabel）（内側根 medial root と外側根 lateral root からなる）をつくり，この続きが腋窩動脈にのって走る正中神経（**26**）となる．この正中神経はそののち上腕動脈とともに内側二頭筋溝の中へ入る．この溝へはまた内側神経束のその他の枝である尺骨神経（**27**），内側前腕皮神経（**28**）および内側上腕皮神経（**29**）も入る．この内側上腕皮神経に接しているのは，第II〜III肋間神経の枝である肋間上腕神経（**30**）である．

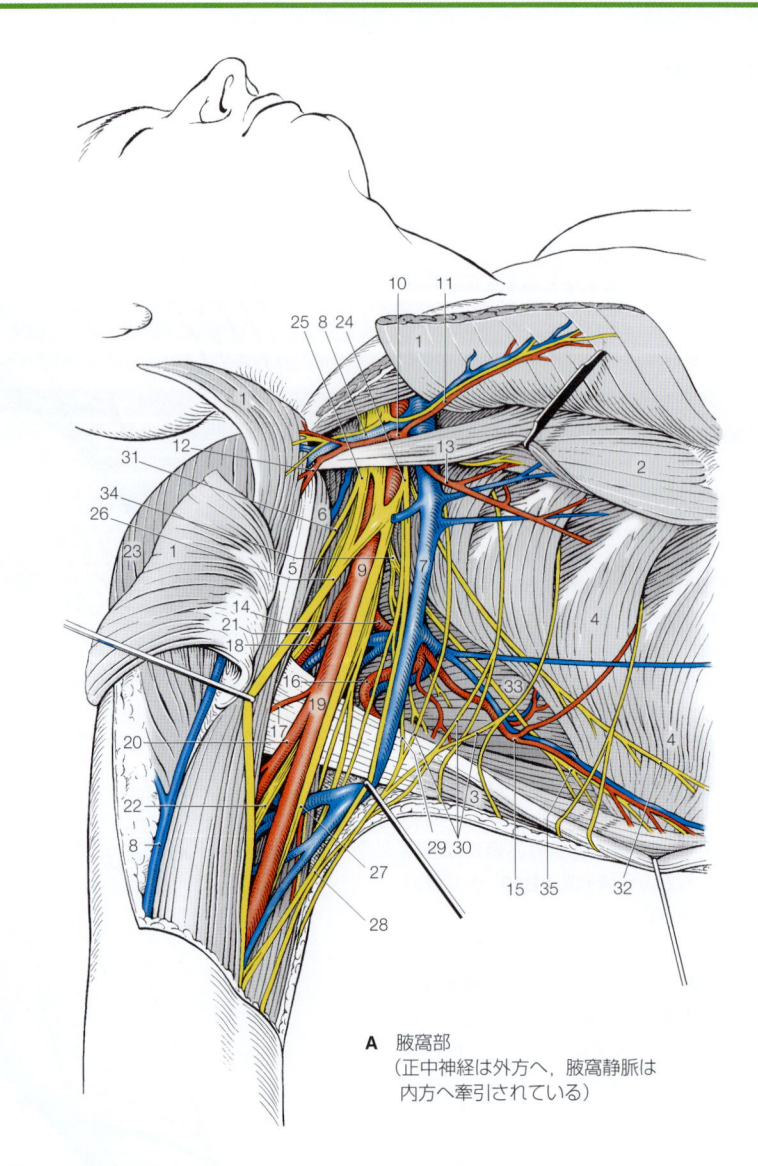

外側神経束は正中神経の外側根（図では2本ある）のほかに筋皮神経（**31**）を出す．この神経は烏口腕筋を貫通して走る．

腕神経叢の鎖骨上部から出た長胸神経（**32**）が胸壁の前鋸筋の外側を下行し，この筋を支配している．肩甲下筋（**33**）に接して肩甲下神経（**34**）がみられるが，この神経は広背筋（**3**）を支配する胸背神経（**35**）と同一幹をなすことがある．

> **臨床関連**：腕神経叢下方麻痺（デジュリン・クルンプケ Dejerine-Klumpke）は C_8 と Th_1 の神経根の障害を生ずる．この際は，小手筋と長指屈筋が麻痺に陥る．知覚障害は手と前腕の尺側で発現する．

A　腋窩部
（正中神経は外方へ，腋窩静脈は内方へ牽引されている）

腕神経叢
（根と鎖骨上部については176頁参照）
- 鎖骨下部
  - 外側束
    - 筋皮神経
    - 正中神経外側根
  - 内側束
    - 正中神経内側根
    - 尺骨神経
    - 内側上腕皮神経
    - 内側前腕皮神経
  - 後束
    - 腋窩神経
    - 橈骨神経

---

1 大胸筋 pectoralis major　2 小胸筋 pectoralis minor　3 広背筋 latissimus dorsi　4 前鋸筋 serratus anterior　5 上腕二頭筋短頭 short head of biceps brachii　6 烏口腕筋 coracobrachialis　7 腋窩静脈 axillary vein　8 橈側皮静脈 cephalic vein　9 腋窩動脈 axillary artery　10 胸肩峰動脈 thoraco-acromial artery　11 胸筋枝 pectoral branch　12 肩峰枝 acromial branch　13 外側胸動脈 lateral thoracic artery　14 肩甲下動脈 subscapular artery　15 胸背動脈 thoracodorsal artery　16 肩甲回旋動脈 circumflex scapular artery　17 前上腕回旋動脈 anterior circumflex humeral artery　18 後上腕回旋動脈 posterior circumflex humeral artery　19 上腕動脈 brachial artery　20 上腕深動脈 profunda brachii artery　21 腋窩神経 axillary nerve　22 橈骨神経 radial nerve　23 三角筋 deltoid　24 内側神経束 medial cord　25 外側神経束 lateral cord　26 正中神経 median nerve　27 尺骨神経 ulnar nerve　28 内側前腕皮神経 medial antebrachial cutaneous nerve　29 内側上腕皮神経 medial brachial cutaneous nerve　30 肋間上腕神経 intercostobrachial nerves　31 筋皮神経 musculocutaneous nerve　32 長胸神経 long thoracic nerve　33 肩甲下筋 subscapularis　34 肩甲下神経 subscapular nerve　35 胸背神経 thoracodorsal nerve

腋窩隙（A〜D）

小円筋（**1**），大円筋（**2**）および上腕骨（**3**）の間に生じる細隙状の孔は，上腕三頭筋長頭（**4**）によって四角形の**外側腋窩隙** lateral axillary space（四角隙 quadrangular space）と三角形をした**内側腋窩隙** medial axillary space（三角隙 triangular space）とに分けられる．

四角形の**外側腋窩隙**を通って腋窩神経（**5**）が背面に達する．この神経は小円筋へ行く筋枝（**6**）を出し，三角筋（**7**）の中へ入る．そのほかこの神経は上腕の上外側の皮膚野に分布する上外側上腕皮神経（**8**）を出す．
腋窩神経は通常は後上腕回旋動脈（**9**）とたいていは対をなす後上腕回旋静脈とともに走っている．この動脈は三角筋，上腕三頭筋長頭（**4**）および上腕三頭筋外側頭（**10**）を栄養している．

三角形の**内側腋窩隙**を通って肩甲回旋動脈（**11**）が肩甲骨の背面に達し，そこでこの動脈は肩甲上動脈と吻合する．肩甲回旋動脈は同名の静脈 circumflex scapular vein とともに走る．深部には大円筋（**2**）へ行く肩甲下神経の1枝（**12**）がみえる．しかしながらこの神経は腋窩隙を通り抜けない．

変異（B〜D）：通常は（**B**）外側腋窩隙を通り抜ける後上腕回旋動脈（**9**）は，腋窩動脈からの最終枝の一つとして出てくる．その際この動脈の起始部は非常に高い頻度で肩甲下動脈と共通である．大円筋の腱より遠位では上腕深動脈（**13**）が上腕動脈（**14**）の第1枝として出てくる．Lanz と Wachsmuth によれば，ヒトでは7%において上腕深動脈（**13**）が後上腕回旋動脈（**9**）から出ることがあるという（**C**）．これらの場合，上腕深動脈は大円筋の腱の背側を遠位に向かって走る．16%の例では後上腕回旋動脈（**9**）が定型的な上腕深動脈（**13**）から始まっているのが観察される（**D**）．これらの例ではいずれも後上腕回旋動脈（**9**）は外側腋窩隙を通り抜けない．

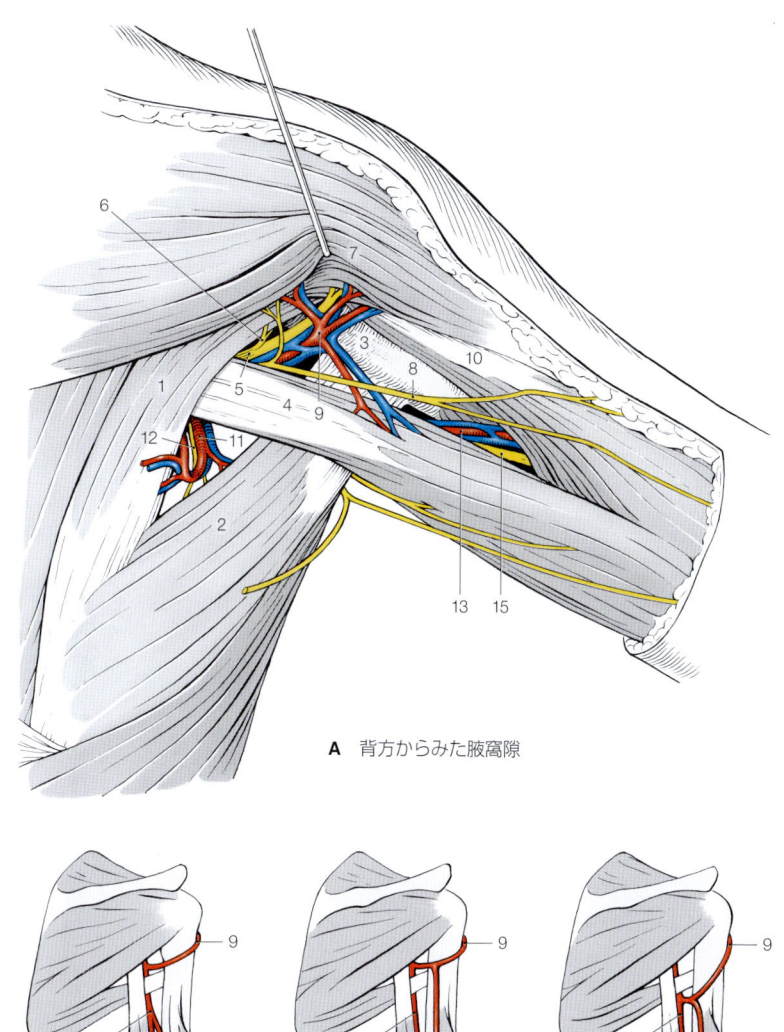

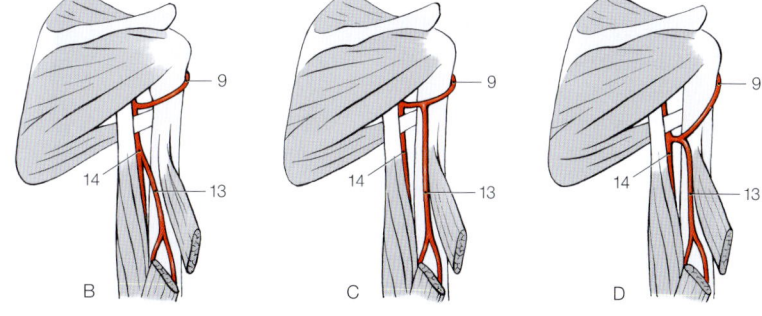

A 背方からみた腋窩隙

B〜D 動脈の変異（Lanz-Wachsmuth による）

1 小円筋 teres minor　**2** 大円筋 teres major　**3** 上腕骨 humerus　**4** 上腕三頭筋長頭 long head of triceps brachii　**5** 腋窩神経 axillary nerve　**6** 筋枝（小円筋へ行く）muscular branches　**7** 三角筋 deltoid　**8** 上外側上腕皮神経 superior lateral brachial cutaneous nerve　**9** 後上腕回旋動脈 posterior circumflex humeral artery　**10** 上腕三頭筋外側頭 lateral head of triceps brachii　**11** 肩甲回旋動脈 circumflex scapular artery　**12** 肩甲下神経（の枝）subscapular nerve　**13** 上腕深動脈 profunda brachii artery　**14** 上腕動脈 brachial artery　**15** 橈骨神経 radial nerve

前上腕部（A）

皮下層（A）

　目のつんだ丈夫な上腕筋膜（**1**）が上腕の筋を包んでいる．上腕骨の内側と外側にはそれぞれ筋間中隔があって上腕筋膜へ放散する（89頁）．そのため上腕は前後の2つの区画に仕切られることになる．この上腕筋膜の表面には皮静脈と皮神経ならびにリンパ管がみられる．リンパ管は炎症の際，細く赤い線条として皮膚を通してみえることがある．

　上腕二頭筋の外側縁には橈側皮静脈（**2**）が走っている．この橈側皮静脈には手と前腕の橈側からの血液が流れており，三角筋胸筋溝を通って鎖骨胸筋三角（181頁）に達する．この静脈は，橈側の2本の指と手および前腕の橈側からくるリンパを運ぶ外側浅リンパ管 lateral superficial lymph vessel（図には描かれていない）を伴っている（181頁）．

　上腕二頭筋の内側では上腕筋膜が内側二頭筋溝を型どっている．この遠位1/2の皮下には，多くの場合よく発達した尺側皮静脈（**3**）がみられる．この静脈は**尺側皮静脈裂孔**（**4**）で上腕筋膜を貫いて，深部にある上腕動脈に伴行する静脈（＝上腕静脈 brachial veins）の1本に注ぎ込む．この尺側皮静脈は上腕の皮下にある部分では，内側前腕皮神経 medial cutaneous nerve of forearm およびその枝とともに走っている．この皮静脈の外側でしかもこの静脈に密接して走るのは前枝（**5**）であり，内側でそれからやや離れて走るのは後枝（**6**）である．

　尺側皮静脈裂孔の近くにはヒトの約1/3で肘リンパ節（**7**）がみられる．これらのリンパ節は尺側の3本の指と手および前腕の尺側からのリンパの最初の濾過場である．内側浅リンパ管 medial superficial lymph vessel は内側二頭筋溝に沿って，あるものは尺側皮静脈に伴って（この裂孔に入り），またあるものは皮下を通って腋窩に達する．これらのリンパ管はふつうは橈側皮静脈に伴うものよりは数も多く，また太い．

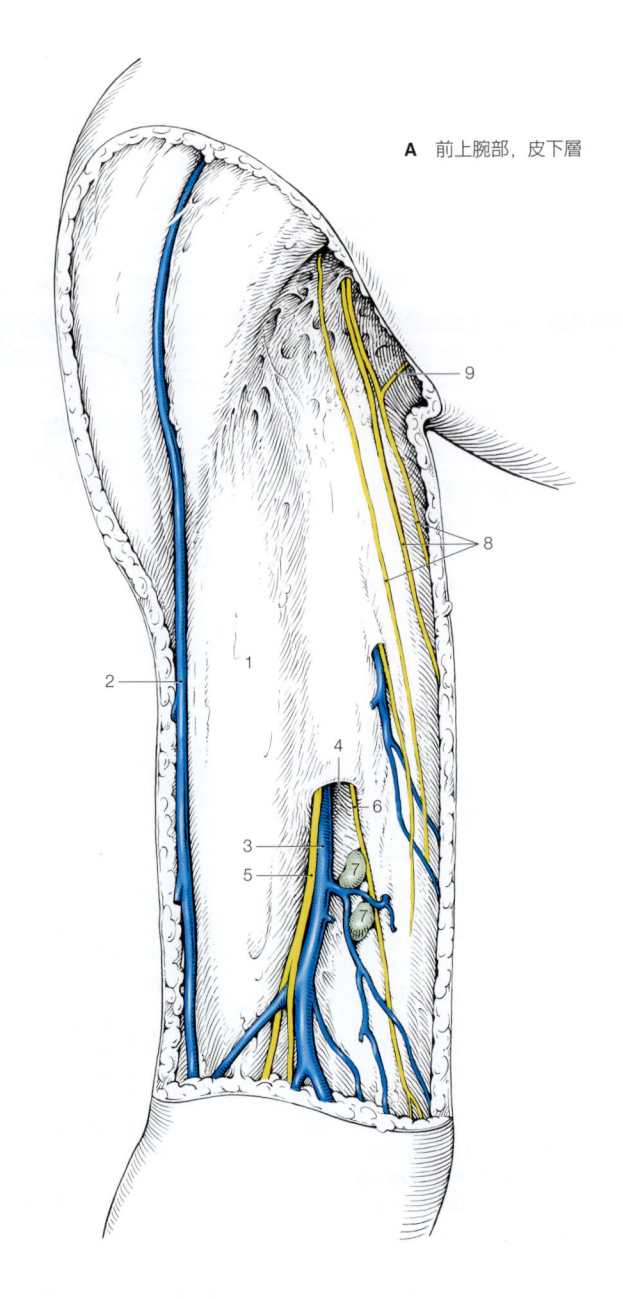

A 前上腕部，皮下層

　皮神経については，内側上腕皮神経（**8**）の諸枝が腋窩から下方へ走っている．そのほか，Th_2 と Th_3 に由来する肋間上腕神経（**9**）がこれらの神経に接続している．この肋間上腕神経は上腕内側面の皮膚の小部分を支配する．

変異：尺側皮静脈裂孔の位置には変異が多い．この裂孔は肘部と上腕との移行部にあることがある．橈側皮静脈は時に欠けることがある．

---

1 上腕筋膜 brachial fascia　**2** 橈側皮静脈 cephalic vein　**3** 尺側皮静脈 basilic vein　**4** 尺側皮静脈裂孔 basilic hiatus　**5** 前枝 anterior branch　**6** 後枝 posterior branch　**7** 肘リンパ節 cubital nodes　**8** 内側上腕皮神経 medial brachial cutaneous nerve　**9** 肋間上腕神経 intercostobrachial nerves

上肢 185

前上腕部（続き）(A〜E)

内側二頭筋溝（A，B）

内側二頭筋溝 medial bicipital groove は一方で上腕二頭筋（**1**）によって，他方では内側上腕筋間中隔 medial intermuscular septum of arm（図には描かれていない）と上腕三頭筋（**2**）によって境されており，上腕の血管−神経索を容れている．最も表層には内側前腕皮神経（**3**）が走っており，その掌側枝 anterior branch は尺側皮静脈（**4**）の上にのっている．これら両者は高さの不定の尺側皮静脈裂孔で内側二頭筋溝を離れる．尺側皮静脈は上腕静脈（**5**）に注ぎ込んだり，または腋窩でようやく腋窩静脈に接続することもある（**A**を参照）．

最内側には尺骨神経（**6**）が内側上腕筋間中隔の上にのって走っている．この神経は上腕の中間部1/3と遠位部1/3との境界で内側二頭筋溝を離れ，そこで内側上腕筋間中隔を貫いてこの中隔の背側に出て，さらにこの中隔の後ろを走って上腕骨の内側上顆の背面に達する．

尺側皮静脈の外側には正中神経（**7**）が走り，上腕動脈（**8**）の上を外側から内側へ横切る．上腕動脈は内側二頭筋溝の全長にわたって最も深いところに横たわっており，一連の枝を送り出している．

上腕動脈は，筋枝（**9**）のほか，内側二頭筋溝の近位部で上腕深動脈（**10**）を出す．この上腕深動脈は，ここでは橈骨神経（**11**）に寄り添って走り，ともに上腕の近位部1/3と中間部1/3との境界の高さで内側二頭筋溝を離れる．上腕深動脈はその後，橈骨神経とともに橈骨神経溝の中を上腕骨の背側に密接して走り，中側副動脈 medial collateral artery を出してから橈側側副動脈 radial collateral artery となって終わる．上腕動脈のそのほかの枝は，尺骨神経の背側に沿って一緒に走る上尺側側副動脈（**12**）と下尺側側副動脈 inferior ulnar collateral artery（図ではみえない）である．

変異（C〜E）：正中神経（**7**）の上腕動脈（**8**）およびその諸枝に対する位置関係にはいろいろな変異がみられる．Lanz によれば，正中神経は74％の例においては型通りに走っているが（**C**），上腕動脈から出る浅上腕動脈（**13**）という動脈が正中神経の前を平行して走ることがある．そのさい上腕動脈＊が完全に退縮していたり（**D**：Lanz によると12％），あるいはこの浅上腕動脈がいろいろの高さで2本の動脈＊＊に分岐していることもある（**E**，14％）．

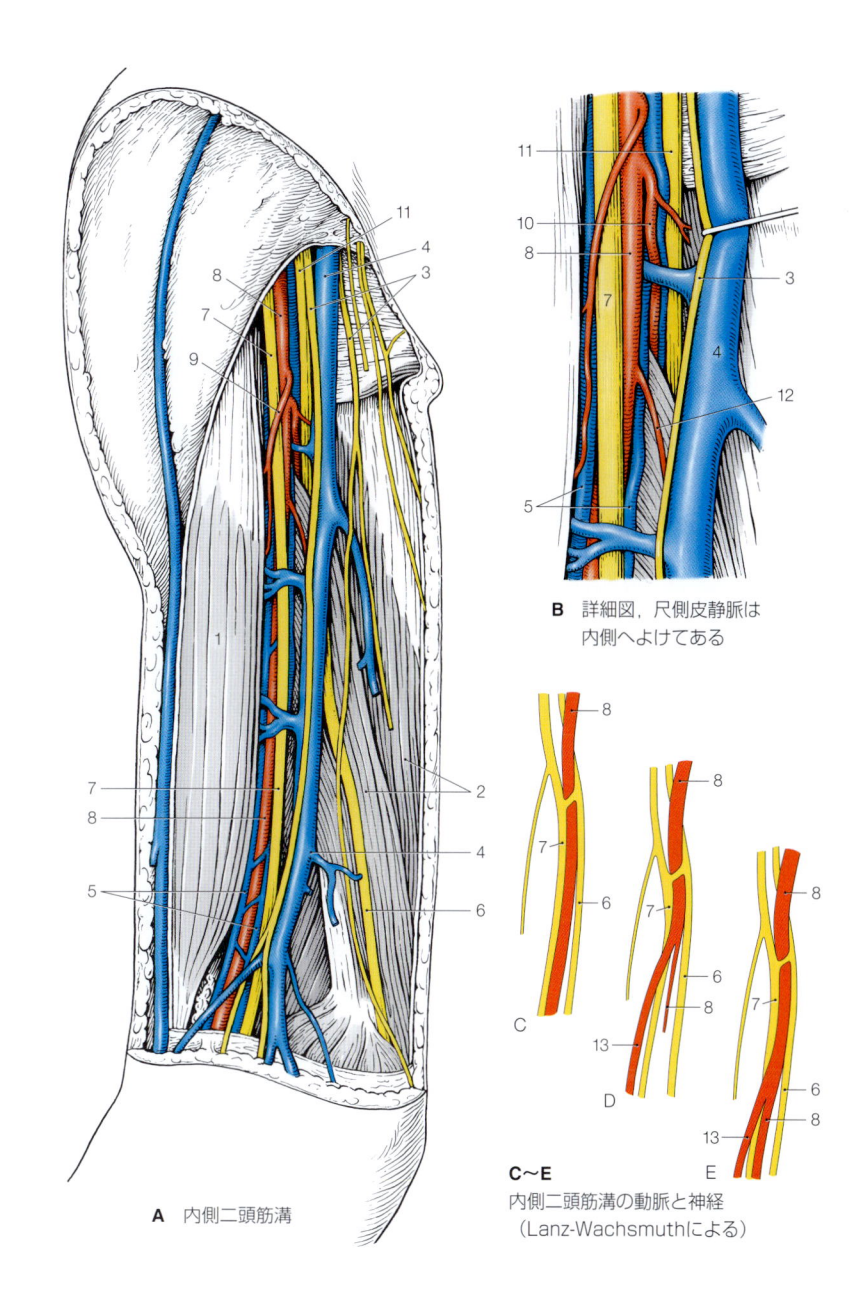

上腕深動脈が後上腕回旋動脈 posterior circumflex humeral artery とともに上腕動脈から出てくることがある（183頁）．

＊本来の上腕動脈，いわゆる"深"上腕動脈 A. brachialis "profunda" であって，上腕深動脈ではない．
＊＊これらの動脈が前腕での橈骨動脈と尺骨動脈となる．

A 内側二頭筋溝

B 詳細図，尺側皮静脈は内側へよけてある

C〜E 内側二頭筋溝の動脈と神経（Lanz-Wachsmuthによる）

---

1 上腕二頭筋 biceps brachii　**2** 上腕三頭筋 triceps brachii　**3** 内側前腕皮神経 medial antebrachial cutaneous nerve　**4** 尺側皮静脈 basilic vein　**5** 上腕静脈 brachial veins　**6** 尺骨神経 ulnar nerve　**7** 正中神経 median nerve　**8** 上腕動脈 brachial artery　**9** 筋枝 muscular branches　**10** 上腕深動脈 profunda brachii artery　**11** 橈骨神経 radial nerve　**12** 上尺側側副動脈 superior ulnar collateral artery　**13** 浅上腕動脈 superficial brachial artery

後上腕部（A，B）

皮下層（A）

　三角筋筋膜（**1**）と上腕筋膜（**2**）が筋を包みかくしている．皮下には動脈の細枝や微細な静脈のほかに主として皮神経がみられる．三角筋の下縁には腋窩神経 axillary nerve から分岐する上外側上腕皮神経（**3**）の諸枝が筋膜を貫いて出てくる．これらの枝は特に三角筋を覆う領域の皮膚を支配するが，さらに下外側上腕皮神経（**4**）によって支配される皮膚野との境界までを支配している．この境界については個体によって変化が多い．

　橈骨神経（**5**）から分岐する下外側上腕皮神経（**4**）は，上腕外側の遠位部の皮膚領域を肘まで支配する．また後前腕皮神経（**18**）が橈骨神経から分枝し，筋膜を貫通する際にしばしば小さな動静脈に伴われて，上腕下部および前腕背側の皮膚に分布する．この皮神経は上腕筋膜を貫いて皮下に出て，外側上顆と尺骨頭との間を下って前腕に達し，手関節の近くまで伸びている．内側からは，橈骨神経（**5**）から最も近位（橈骨神経溝に入る前）で分岐する後上腕皮神経（**7**）の諸枝（**6**）が上腕の背面に達して，この領域を支配する．

筋膜下層（B）

　橈骨神経溝 radial groove の中にある構成物を剖出するために，上腕筋膜を除去して上腕三頭筋（**10**）の長頭（**8**）と外側頭（**9**）を切断＊する．橈骨神経（**5**）は上内側から下外側に向かって走っている．

　橈骨神経は最初の枝として近位で後上腕皮神経（**7**）を出す．橈骨神経溝の領域で，橈骨神経は筋枝（**11**）を与え，その遠位で下外側上腕皮神経（**4**）と後前腕皮神経（**18**）を出す．

　上腕深動脈（**12**）が橈骨神経と一緒に走り，この動脈は通常の場合2本の伴行静脈 vena comitans に伴われる．この動脈は，上腕動脈（378頁）から分岐直後に，多くの場合三角筋に小枝（三角筋枝 deltoid branch）を与えまた同様に上腕骨栄養動脈 humeral nutrient arteries を与える．橈骨神経溝の中で中側副動脈（**13**）が分枝し，これは橈骨神経筋枝（**11**）に伴われる．中側副動脈は，橈側側副動脈（**14**）と同じく，上腕深動脈の終枝であって肘関節動脈網 cubital anastomosis に達している．橈側側副動脈の1枝は，上腕筋と腕橈骨筋の間の前面で橈骨神経と一緒にみられ，橈側反回動脈 radial recurrent artery と吻合する（188頁）．

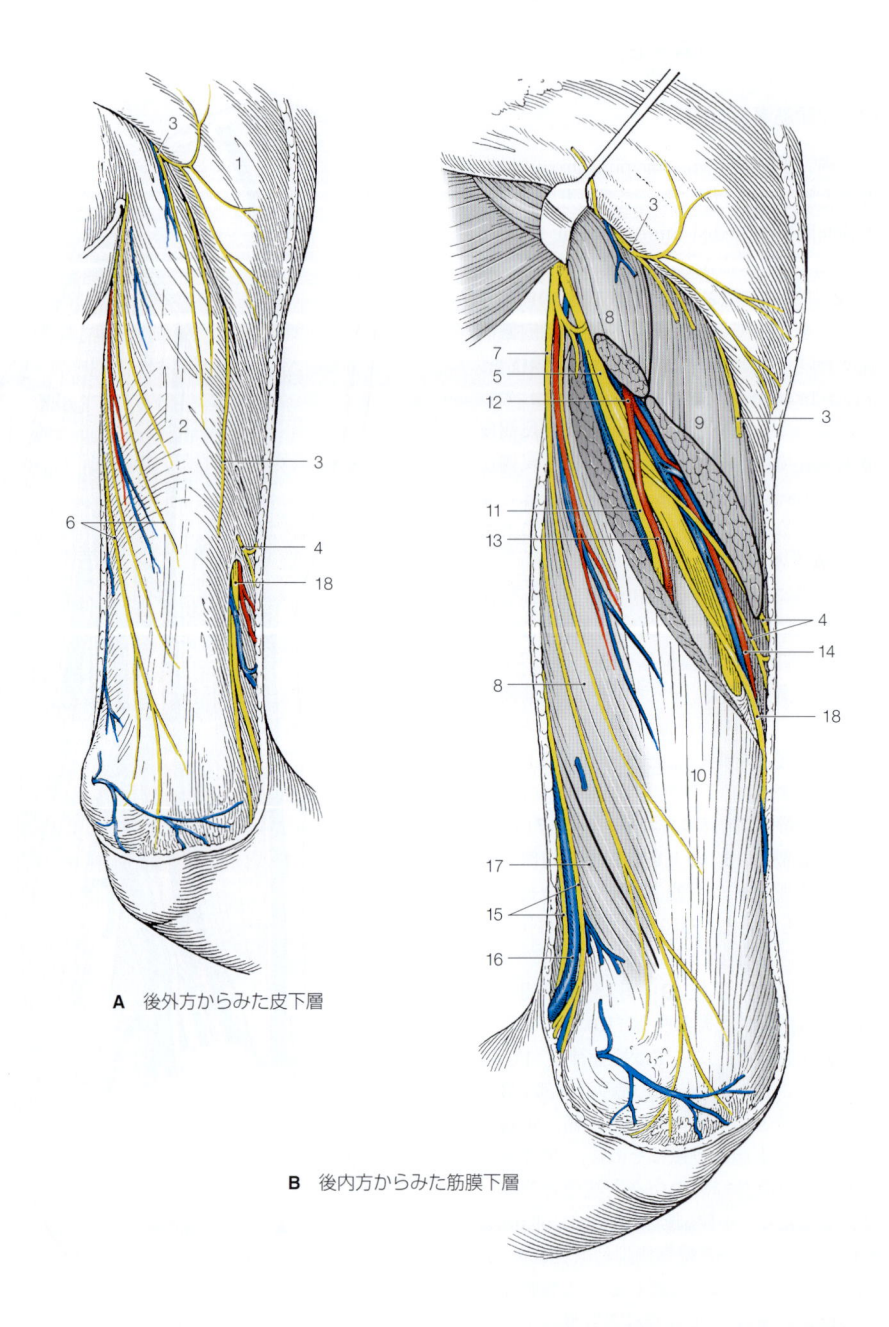

臨床関連：上腕骨体 shaft of humerus の骨折に際しては，橈骨神経は危険にさらされている．骨折片を整復するときには特にこの神経には注意すべきである（73頁も参照）．

A 後外方からみた皮下層

B 後内方からみた筋膜下層

＊解剖学実習では，橈骨神経溝を剖出する際には，腋窩隙との関係もあって上腕三頭筋の外側頭のみを切断するのが一般的である．

---

1 三角筋筋膜 deltoid fascia　**2** 上腕筋膜 brachial fascia　**3** 上外側上腕皮神経 superior lateral brachial cutaneous nerve　**4** 下外側上腕皮神経 inferior lateral brachial cutaneous nerve　**5** 橈骨神経 radial nerve　**6** 後上腕皮神経の枝　**7** 後上腕皮神経 posterior brachial cutaneous nerve　**8**（上腕三頭筋の）長頭 long head of triceps brachii　**9**（上腕三頭筋の）外側頭 lateral head of triceps brachii　**10** 上腕三頭筋 triceps brachii　**11** 橈骨神経筋枝 muscular branches of radial nerve　**12** 上腕深動脈 profunda brachii artery　**13** 中側副動脈 medial collateral artery　**14** 橈側側副動脈 radial collateral artery　**15**（内側前腕神経の）前枝 anterior branch と後枝 posterior branch　**16** 尺側皮静脈 basilic vein　**17**（上腕三頭筋の）内側頭 medial head　**18** 後前腕皮神経 posterior antebrachial cutaneous nerve

上肢 187

肘窩（A～G）

皮下層（A）

前肘部 anterior region of elbow すなわち肘窩 cubital fossa は前上腕部の続きであるが，はっきりした境界はない．また同様に前腕との境界も明瞭ではない．多くは肘関節の関節腔から2～3横指ほど上下に広がった小領域を肘窩と呼んでいるのである．

皮下には発達の程度の異なった脂肪組織があって，その中には静脈，神経，リンパ管およびリンパ節がみられる．皮下組織にある皮静脈は医師にとって非常に関心のある血管である．というのは肘窩は静脈内注射 intravenous injections を行い，また採血などを行うところであるからである．

肘窩では静脈系の発達の程度に応じて，個々の静脈の走向と大きさについて幅広い変動がみられる*．

内側には通常よく発達して皮膚を通してよくみえる尺側皮静脈（**1**）がある．この静脈は多くの場合前腕尺側皮静脈（**2**）から直接続くものであるが，前腕正中皮静脈 median antebrachial** vein からも起こることがある．さらにこのほか無数の変異が起こり得る（**B ～ G**）．

尺側皮静脈は尺側皮静脈裂孔（**3**）のところで筋膜下にもぐる．この静脈に伴って内側前腕皮神経の枝（**4**）が走っている．しばしば（約33％）この尺側皮静脈裂孔の近くにリンパ節がみられる（184頁）．肘窩の外側縁には，必ずしもみえるとは限らないが，触れることのできる橈側皮静脈（**5**）が走っている．この静脈は多くの場合尺側皮静脈よりは発達がよくない．肘窩の遠位部には筋皮神経の終枝である外側前腕皮神経（**6**）が橈側皮静脈とともに走るのがみられる．

肘正中皮静脈（**7**）が多くの場合尺側皮静脈と橈側皮静脈を結びつけている．ほとんどの場合，浅層の皮静脈と深層の静脈とは"深肘正中静脈"（**8**）を介して交通している．

変異（B～G）：皮下の静脈の変異は非常に数多く存在する．橈側皮静脈（**5**）と尺側皮静脈（**1**）がともに前腕正中皮静脈 median antebrachial vein の続きであることがある．さらにこれらの主な両皮静脈の管径は変動が非常に大きい．時には肘正中皮静脈 median cubital vein がみられないことがある（**E**）．

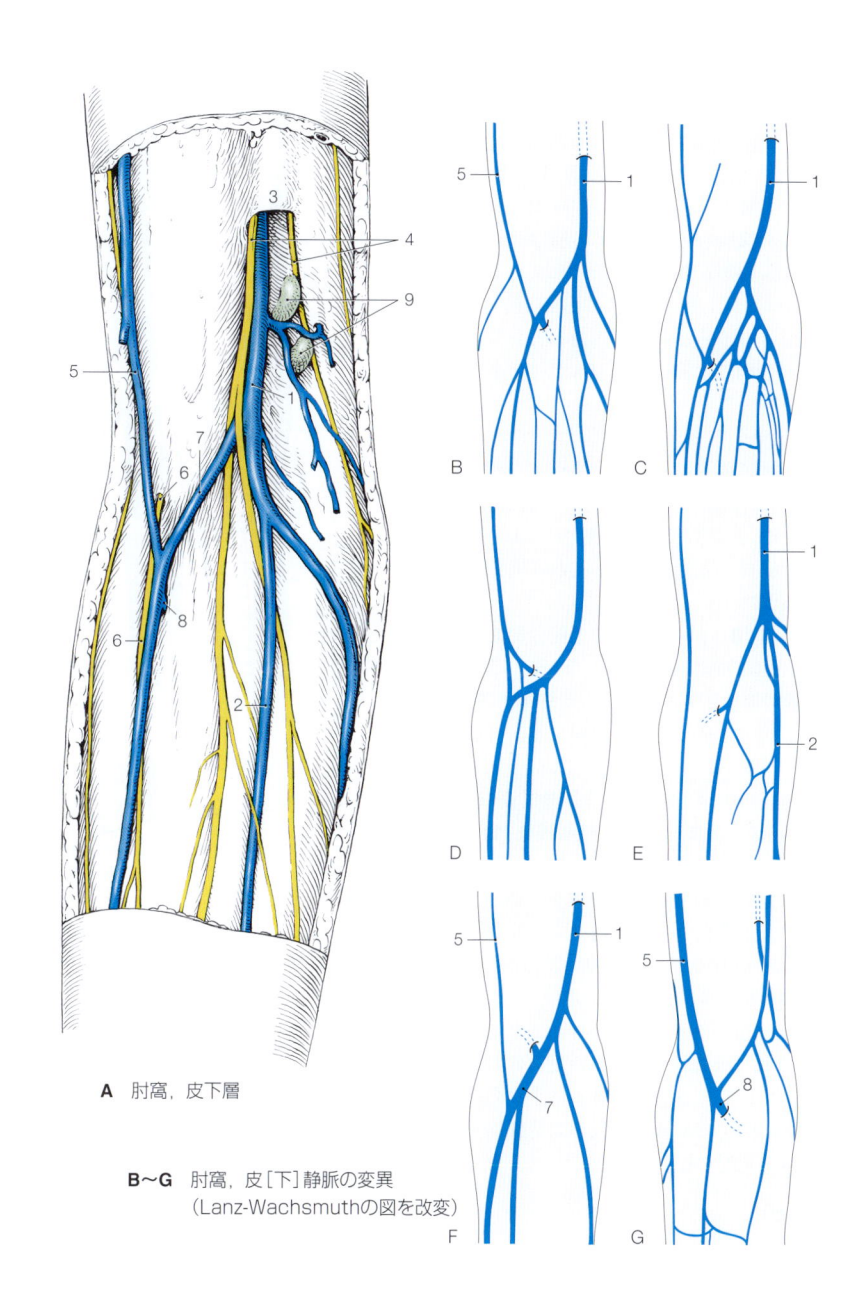

A 肘窩，皮下層

B～G 肘窩，皮[下]静脈の変異
（Lanz-Wachsmuthの図を改変）

臨床関連：静脈内注射は，橈側皮静脈で行われるときは，（そのほかの静脈で行うときよりも）痛みははるかに少ない．というのは，この静脈では神経と直接密接な関係がないからである．尺側皮静脈は内側前腕皮神経の枝と密接な関係がある．留置カニューレ（venflensとも呼ぶ）を設置する際は，多くの場合，肘関節の可動性を容易にするために手背の静脈が選ばれる．

多くのヒトでは，特に皮下脂肪組織の発達の悪いヒトでは，皮静脈は容易にずれ動く．臨床医はこのような静脈のことを"ころがり静脈"Rollvenenといい，注射の際には動かないように固定する必要がある．

* これらの皮静脈の名称は最新のNomina Anatomica（12th ed.）によらず，原著のままにしてある．
** **A**の例では欠如している．

---

1 尺側皮静脈 basilic vein　**2** 前腕尺側皮静脈 antebrachial basilic vein　**3** 尺側皮静脈裂 basilic hiatus　**4** 内側前腕皮神経（の枝）medial antebrachial cutaneous nerve　**5** 橈側皮静脈 cephalic vein　**6** 外側前腕皮神経 lateral antebrachial cutaneous nerve　**7** 肘正中皮静脈 median cubital vein　**8** 深肘正中静脈 deep median cubital vein　**9** 肘リンパ節 cubital nodes

肘窩（続き）（A～E）

深層1（A）

　筋膜を取り除くと，肘窩を囲む筋がみえるようになる．近位には上腕二頭筋（**1**）の橈骨粗面へ行く腱と，前腕筋膜へ放散する上腕二頭筋腱膜（**2**）がみられる．この筋は尺骨粗面に終わる上腕筋（**3**）の一部を覆っている．内側面には内側上顆から起こる円回内筋（**4**）と手の浅層の屈筋とが下方へ走っており，一方，外側面では腕橈骨筋（**5**）が肘窩を境している．

　内側二頭筋溝（185頁）から下行する血管-神経束は肘窩の中で分かれる．上腕動脈（**6**）は上腕二頭筋腱膜（**2**）に覆われており，前腕の屈筋群の表層を下方へ向かう橈骨動脈（**7**）を出す．

　正中神経（**8**）は肘窩の中で上腕動脈から離れて，円回内筋にも枝を出しながら，この筋の両頭の間を下方へ向かう．尺骨神経（**9**）は肘窩に達する前にすでに内側二頭筋溝を離れて，内側上顆の後ろを走っていく．

　橈骨神経（**10**）は上腕筋（**3**）と腕橈骨筋（**5**）の間でみられ，細い方の知覚性の浅枝（**11**）と太い運動性主体の深枝（**12**）とに分かれる．浅枝は手背の橈側半分，母指および第2と第3指の基節背面へ皮枝を送っている．深枝は回外筋（**13**）を貫通し，橈骨頸のまわりではその外側を巻きつくように走り，後骨間神経 posterior interosseous nerve として終わる．深枝は前腕橈側の筋と前腕背側の筋を支配している．またこの神経は手根の関節，骨間膜ならびに橈骨と尺骨の骨膜の一部の知覚を支配する．

深層2（B）

　上腕二頭筋腱膜（**2**）を切断すると，上腕動脈（**6**）の分岐がみえるようになる．上腕動脈が分かつ最初の枝は橈骨動脈（**7**）である．橈骨動脈からかまたはすでに上腕動脈から，橈側反回動脈（**14**）が出て橈骨神経（**10**）に沿って上方に向かう．この動脈は橈側側副動脈の前枝と吻合する．回外筋（**13**）の上縁の高さで，上腕動脈は尺側反回動脈（**15**）を出す．続いて，上腕動脈は総骨間動脈（**16**）と尺骨動脈（**17**）に分かれる．尺骨動脈は円回内筋（**4**）と正中神経（**8**）の下を交差する．通常，個々の動脈は有対の静脈を伴っている．

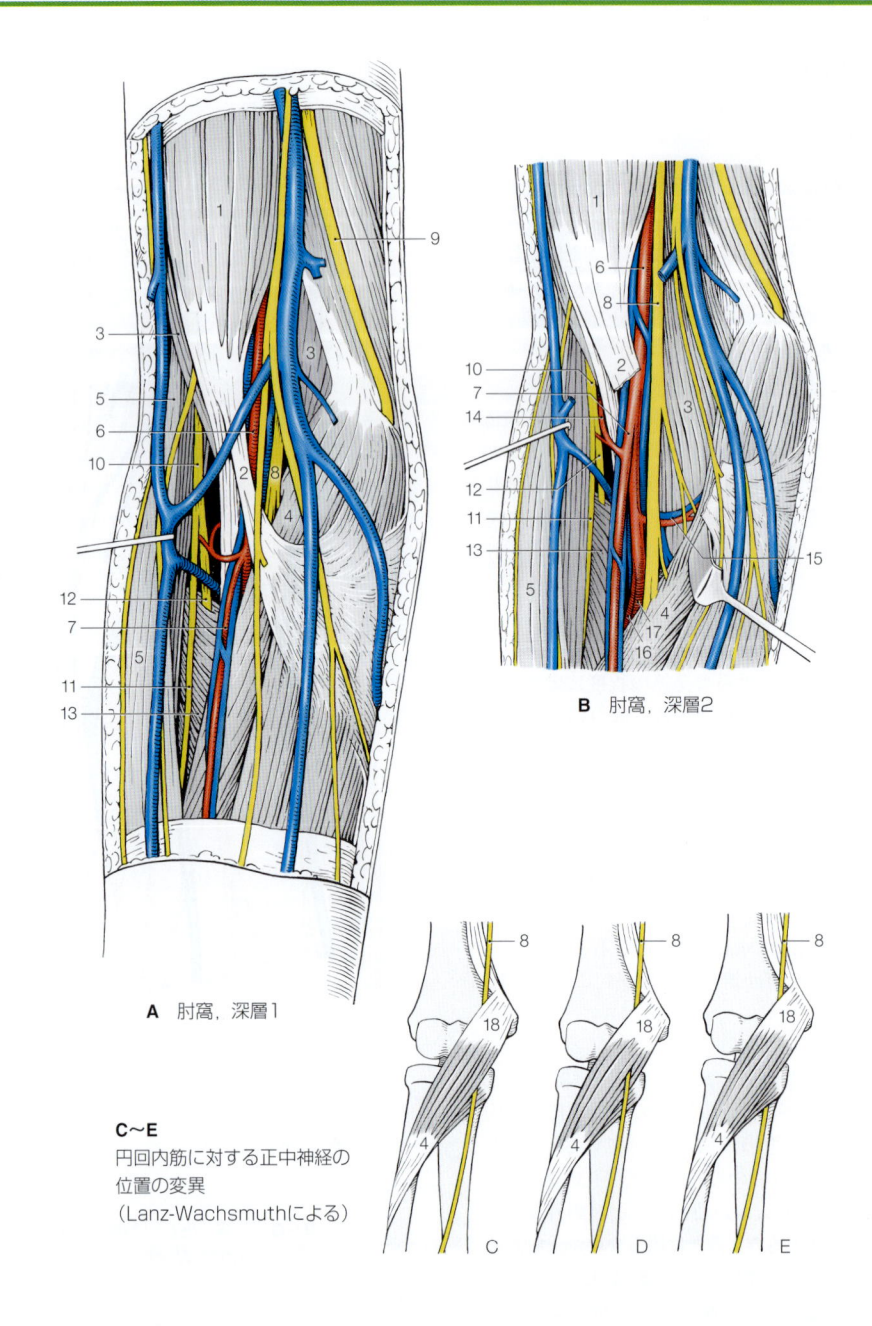

A 肘窩，深層1

B 肘窩，深層2

C～E
円回内筋に対する正中神経の位置の変異
（Lanz-Wachsmuthによる）

変異（C～E）：正中神経はたいていは（約95％）円回内筋の両頭の間を走る（**C**）．まれにこの神経は円回内筋の上腕頭（**18**）を貫いている（約2％，**D**）．約3％の例では正中神経は直接尺骨に接しながら，円回内筋の両頭の下を走る（**E**）．この場合，橈骨と尺骨の近位部での骨折に際し正中神経が傷害されることがある．

　上腕動脈およびその枝の変異も知られているが，ごくまれである（例えば，上腕動脈が時折みられる上腕骨の顆上突起 supracondylar process の後ろを走るなど）．

　今日最もしばしば用いられている命名法では，上腕動脈が橈骨動脈と尺骨動脈に分かれるようになっている．また，尺骨動脈から総骨間動脈が出ることになっている．この分類は腕の動脈の発生とは一致しないし，種々の変異，例えば橈骨動脈がもっと高位で出てくることなどを考慮に入れると，この分類をさけた方がよいと思われる．この理由から，ここでは発生学的見地からの分類がなされている（191頁）．

臨床関連：橈骨頸の領域における脱臼，関節包の損傷ならびに骨折の際には，橈骨神経深枝は危険にさらされている．

---

1 上腕二頭筋 biceps brachii　**2** 上腕二頭筋腱膜 aponeurosis of biceps brachii　**3** 上腕筋 brachialis　**4** 円回内筋 pronator teres　**5** 腕橈骨筋 brachioradialis　**6** 上腕動脈 brachial artery　**7** 橈骨動脈 radial artery　**8** 正中神経 median nerve　**9** 尺骨神経 ulnar nerve　**10** 橈骨神経 radial nerve　**11** 浅枝（知覚性の）superficial branch　**12** 深枝（運動性主体の）deep branch　**13** 回外筋 supinator　**14** 橈側反回動脈 radial recurrent artery　**15** 尺側反回動脈 ulnar recurrent artery　**16** 総骨間動脈 common interosseous artery　**17** 尺骨動脈 ulnar artery　**18** 上腕頭（円回内筋）humeral head (pronator teres)

前前腕部（A，B）

皮下層（A）

皮下の脂肪組織にはよく発達した皮静脈があるが，もちろんその走向については大きな変動がみられる．皮膚の動脈は細くあまり大切ではない．皮神経は静脈とは無関係に走るが，その位置と太さに応じてはっきりした規則性が認められる．

橈側には前腕橈側皮静脈（**1**）が走っている．この静脈は遠位部では，多くの場合吻合枝（**2**）によって前腕のその他の静脈と交通している．近位ではこの静脈はしばしば肘正中皮静脈（**3**）を送り出すが，これは場合によっては前腕正中皮静脈 median antebrachial vein から出てくることがある．筋皮神経の終枝である外側前腕皮神経（**4**）は，肘窩で橈側皮静脈の下を通り抜ける．前腕の遠位部では皮下を走る橈骨神経浅枝（**5**）が前腕橈側皮静脈（**1**）のすぐそばにみられる．

前前腕部 anterior region of forearm の内側には前腕尺側皮静脈（**6**）がみられ，この静脈は内側と外側で内側前腕皮神経の掌側枝（**7**）と尺側枝（**7**）に伴われている．

尺骨神経の掌皮枝（**8**）が前腕の遠位1/3のところで皮下に出てくる．そこから橈側で，前手根部 anterior region of wrist の直上に，正中神経の掌枝（**9**）が筋膜を貫いて出てくる．

筋膜下層（B）

近位の内側では上腕二頭筋腱膜によっても補強されている丈夫な前腕筋膜を切断すると，深部にある血管と神経がみえてくる．これらの血管と神経は本質的には3つの束または路にまとめられる．すなわち橈側，中間および尺側の3束である．

橈側血管神経束 radial neuro-vascular bundle は橈骨動脈（**10**）と橈骨静脈（**11**）からなっており，腕橈骨筋（**12**）と橈側手根屈筋（**13**）の間を下方へ向かう．近位部でこの血管束に接してみられるのは，橈骨神経浅枝（**14**）である．前腕で後骨間神経 posterior interosseous nerve を出す橈骨神経深枝（**15**）は，すでに肘窩で回外筋（**16**）の中へ入り込む．

中間血管－神経路 middle neurovascular tract は浅指屈筋と深指屈筋の間にあり，この中を正中神経（**17**）が走っているが，場合によっては正中神経伴行動脈 comitans artery of median nerve に伴われていることがある（変異，191頁）．正中神経は多くの場合円回内筋（**18**）の両頭の間を走って，手根のところでは浅指屈筋（**19**）の腱の橈側に現れる．この中間路の深層で深指屈筋と骨間膜の間には，前骨間動脈と正中神経の枝である前骨間神経が存在する．

尺側血管-神経束 ulnar neurovascular bundle は前腕の中間および遠位1/3では，浅指屈筋（**19**）と尺側手根屈筋（**20**）の間にみられる．この血管-神経束は尺骨神経（**21**），尺骨動脈（**22**）および尺骨静脈（**23**，図では切断されている）からなっている．近位部で尺骨動脈は上腕動脈から出た後に，正中神経（**17**），円回内筋（**18**）および浅屈筋群の総頭 common head の下を斜めにくぐる．尺骨神経（**21**）にとって尺側手根屈筋（**20**）は目印筋として役立つ．

> **臨床関連**：脈拍は一定の部位（52頁参照），すなわち前腕の遠位で触診できる．腕橈骨筋の腱の内側で，橈骨の茎状突起のすぐ前方を，橈骨動脈が手掌方向に向かって走っている．
> **注意！** 血管の狭窄が疑われる場合には，すぐに他の場所で脈拍を触診すべきである．例えば，足背動脈（215頁参照），浅側頭動脈（166頁），総頸動脈（178頁）である．

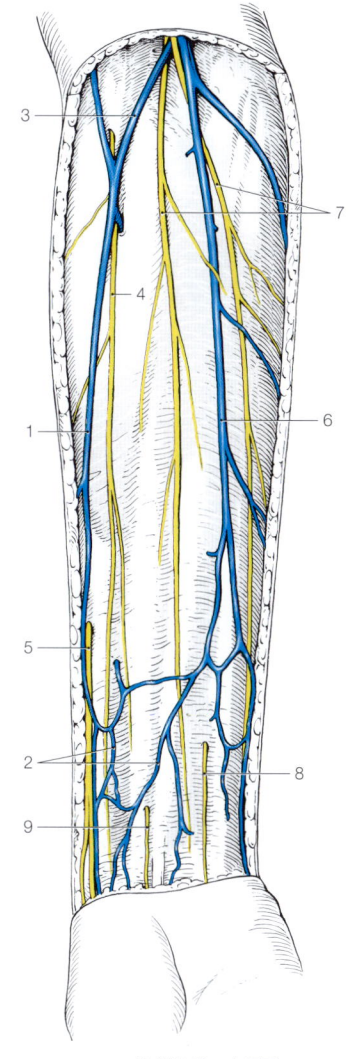

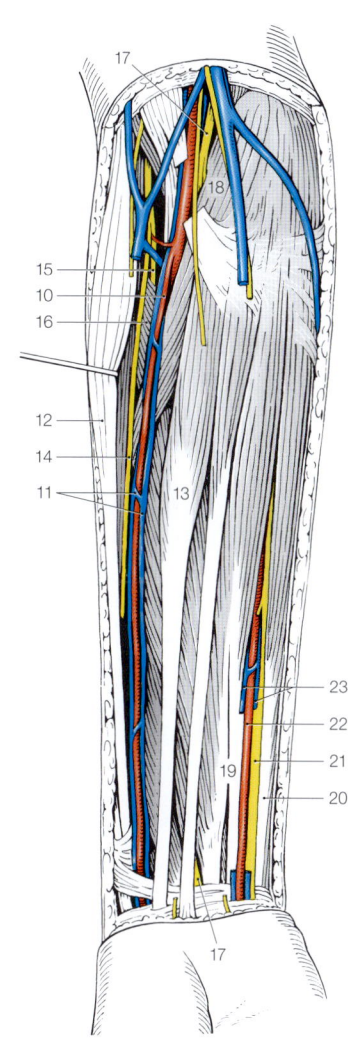

A 前前腕部，皮下層

B 前前腕部，筋膜下層

---

1 前腕橈側皮静脈 antebrachial cephalic vein　**2** 吻合枝 anastomotic branch　**3** 肘正中皮静脈 median cubital vein　**4** 外側前腕皮神経 lateral antebrachial cutaneous nerve　**5** 橈骨神経浅枝 superficial branch of radial nerve　**6** 前腕尺側皮静脈 antebrachial basilic vein　**7** 掌側枝と尺側枝（内側前腕皮神経）anterior branch, ulnar branch（medial antebrachial cutaneous nerve）　**8** 尺骨神経掌皮枝 palmar cutaneous branch of ulnar nerve　**9** 正中神経掌枝 palmar branch of median nerve　**10** 橈骨動脈 radial artery　**11** 橈骨静脈 radial veins　**12** 腕橈骨筋 brachioradialis　**13** 橈側手根屈筋 flexor carpi radialis　**14** 橈骨神経浅枝 superficial branch of radial nerve　**15** 橈骨神経深枝 deep branch of radial nerve　**16** 回外筋 supinator　**17** 正中神経 median nerve　**18** 円回内筋 pronator teres　**19** 浅指屈筋 flexor digitorum superficialis　**20** 尺側手根屈筋 flexor carpi ulnaris　**21** 尺骨神経 ulnar nerve　**22** 尺骨動脈 ulnar artery　**23** 尺骨静脈 ulnar veins

前手根部（A）

遠位での前手根部 anterior region of wrist の境界は［手の］屈筋支帯とされ，また近位ではその境界は皮膚でのみみられる上手根溝 proximal carpal groove によって与えられる．

［手の］屈筋支帯 flexor retinaculum の近位では前腕筋膜（**1**）の線維束が強化されている．これらの線維束はまた深層（**2**）をつくっており，さらに前腕骨ともつながりをもつようになる．浅層にはすでに189頁で述べたような静脈と神経，ならびに長掌筋の腱（**3**）が走っている．深層では最も橈側に方形回内筋（**4**）の上にのって，橈骨動脈（**5**）が伴行静脈とともに走るのがみられる．

尺側へ向かっては，橈側手根屈筋の腱を入れた固有の腱鞘（**6**）が続き，次いで長母指屈筋の腱鞘（**7**）が並んでいる．この筋と，浅指屈筋 flexor digitorum superficialis と深指屈筋 flexor digitorum profundus に共通の指屈筋の総腱鞘（**8**）との間を正中神経（**9**）が走る．これらのものは**手根管**（61頁）を通って手掌に達する．

> **臨床関連**：手根管症状は最もしばしば正中神経の掌枝が靱帯の間を下行する部位で起こる．手根管とそこを通る内容との関係不全が原因となって，母指球の近辺の強い疼痛や知覚鈍麻や異常知覚が生ずる．

伴行静脈を伴った尺骨動脈（**10**）と尺骨神経（**11**）は尺側手根屈筋（**12**）の橈側にみられ，屈筋支帯の上を越えて手掌に達する．もちろんその際，これらの血管と神経は前腕筋膜の深層（**2**）と浅層との間を走る．この浅層はふつう尺側手根屈筋の腱線維束によって強化されているため（79頁），尺骨動脈と尺骨神経は固有の筋膜の仕切り（**ギヨンの仕切り** Guyon's loge）の中を通って手掌に達することになる．

手掌

浅層（B）

手掌 palm は母指球 thenar，中手 metacarpus および小指球 hypothenar の三部に分けられる．筋膜は母指球と小指球を包んでいるが，中手は厚くて丈夫な手掌腱膜（**13**）によって覆われている．この腱膜は長掌筋（**A3**）の続きであって，その尺側縁には発達度に非常に変異の多い短掌筋（**14**）が入り込む．

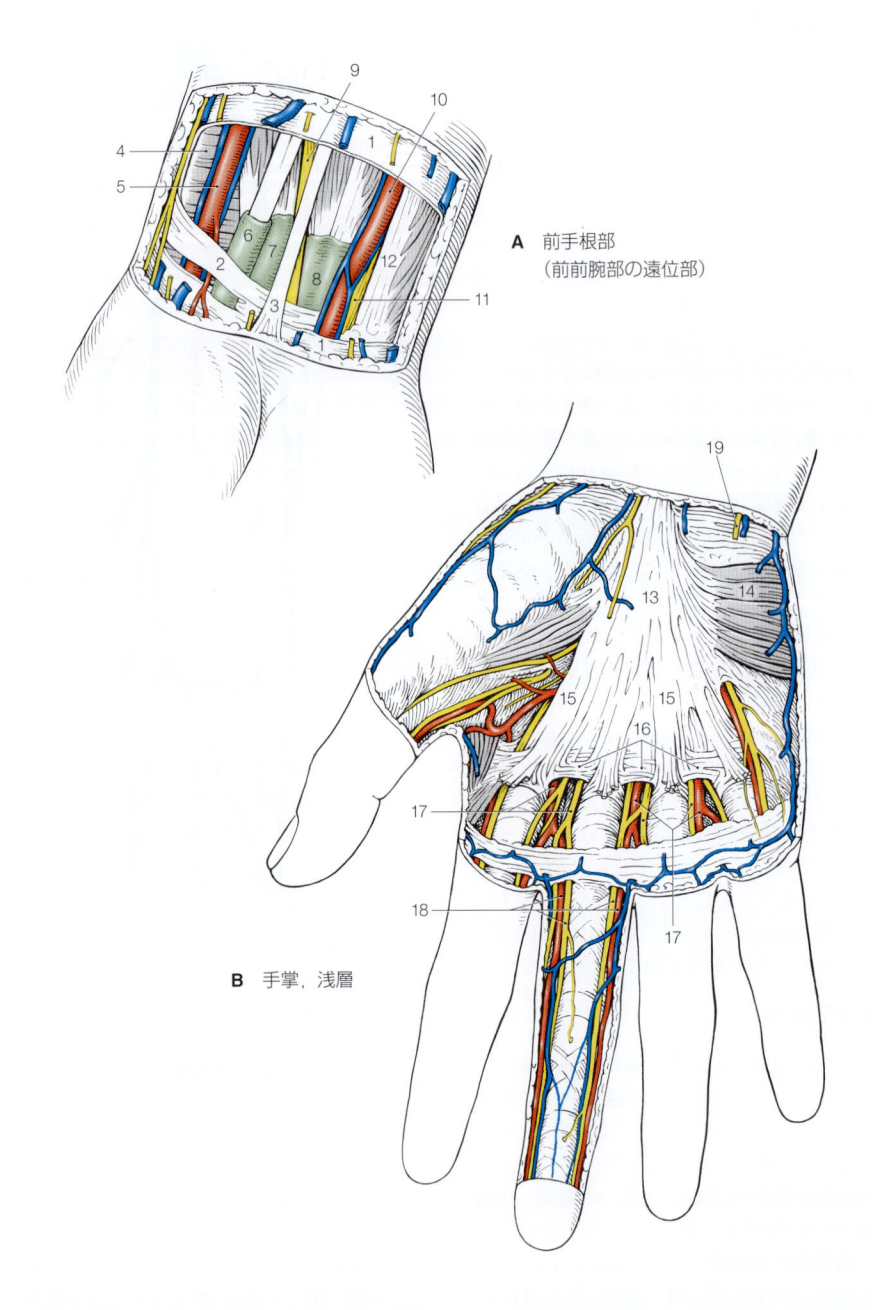

手掌腱膜は縦束（**15**）と横束（**16**, 88頁）で構成されている．手掌腱膜の橈側，尺側および遠位端では，総掌側指動脈および同名の神経（**17**）が皮下にみられる．これらの動脈は固有掌側指動脈（**18**）に分かれ，固有掌側指神経（**18**）に伴われて指の末節へ行く．固有掌側指静脈 palmar digital vein proper は指根の浅層にある浅掌静脈弓 superficial venous palmar arch に注ぐ．

前腕で（189頁）尺骨神経から出てきた掌皮枝（**19**）が小指球の皮膚知覚に関与している．

> **臨床関連**：指の側面を走る神経は**オーベルストの伝達麻酔** Oberst's nerve block によって鈍麻させることができる．その際に思い出さなければならないことは，母指の末節ならびに示指と中指での中節と末節の皮膚は，手背面でも固有掌側指神経（正中神経に由来する）によって支配されているということである．

A 前手根部（前前腕部の遠位部）

B 手掌，浅層

---

1 前腕筋膜 antebrachial fascia　**2** 筋膜の深層 deep layer of the fascia　**3** 長掌筋（腱）palmaris longus　**4** 方形回内筋 pronator quadratus　**5** 橈骨動脈 radial artery　**6** 橈側手根屈筋の腱鞘 tendon sheath of flexor carpi radialis　**7** 長母指屈筋の腱鞘 tendinous sheath of flexor hallucis longus　**8** 指屈筋の総腱鞘 common flexor sheath　**9** 正中神経 median nerve　**10** 尺骨動脈 ulnar artery　**11** 尺骨神経 ulnar nerve　**12** 尺側手根屈筋 flexor carpi ulnaris　**13** 手掌腱膜 palmar aponeurosis　**14** 短掌筋 palmaris brevis　**15** 縦束 longitudinal bands　**16** 横束 transverse fascicles　**17** 総掌側指動脈と総掌側指神経 common palmar digital arteries, common palmar digital nerves　**18** 固有掌側指動脈と固有掌側指神経 proper palmar digital arteries, proper palmar digital nerves　**19** 尺骨神経掌皮枝 palmar cutaneous branch of ulnar nerve

手掌（続き）（A～H）

深層，浅掌動脈弓（A）

筋膜と手掌腱膜を除去すると，浅掌動脈弓（1）ならびに母指球と小指球の筋がみえるようになる．浅掌動脈弓（1）は主に屈筋支帯（3）の表面を走る尺骨動脈（2）でつくられる．この動脈弓は橈骨動脈の浅掌枝（4）と吻合している．浅掌動脈弓は総掌側指動脈（5）を出す．これらの動脈は最初のうちは長い浅指屈筋の腱（6）の表面を，指根のところではこれらの腱の間を走る．

尺骨神経（8）の浅枝（9）は，やがて深枝（7）を出す尺骨動脈（2）の内側を走って手掌に達する．この尺骨神経の浅枝 superficial branch of ulnar nerve はふつう尺側の1本半の指の皮膚の知覚を司っている．しばしばこの浅枝は吻合枝（10）を介して正中神経（11）の諸枝と結合している．屈筋支帯（3）のところで深枝（12）は尺骨神経から分かれて，小指外転筋（13）と短小指屈筋（14）の間を深部へ進入する．

正中神経はしばしば手根管（61頁）の中ですでに総掌側指神経（15）に分かれ，母指球の筋へも枝を出している（しかし短母指屈筋の深頭と母指内転筋を除く）．

深掌動脈弓（B）

指屈筋の腱（6）を取り除くと，骨間筋（16）の上に存在して，多くの場合母指内転筋の横頭（17，Bでは切断されている）の近位を走る，深掌動脈弓（18）がみえる．この動脈弓は尺骨動脈深掌枝（7）と橈骨動脈によってつくられており，掌側中手動脈（19）を出す．この動脈弓は尺骨神経の深枝（12）を伴っている．

浅掌動脈弓の変異（C～H）

浅掌動脈弓の形成には非常に多くの変異がみられる．典型的な浅掌動脈弓（C）は Lanz-Wachsmuth によるとただ27％の例にみられるにすぎない．同じ頻度で（27％），この動脈弓が尺骨動脈でのみつくられている（D）．

かなりの例では，正中神経伴行動脈 comitans median artery が元の正中動脈 median artery として残存しており，これが尺骨動脈と吻合しつつ，あるいは尺骨動脈と動脈弓をつくることなく（E），指の動脈を送り出す．正中動脈は発生の途中で，最初に設けられた総骨間動脈に代わって，手への血液の供給を引き受ける．この発生段階は低級な哺乳動物でしばらくの間みられるが，霊長類では橈骨動脈と尺骨動脈が正中動脈と交替するようになる．したがって発生学的には，正中動脈が遺残していることは先祖返り atavism ともいえるのである．

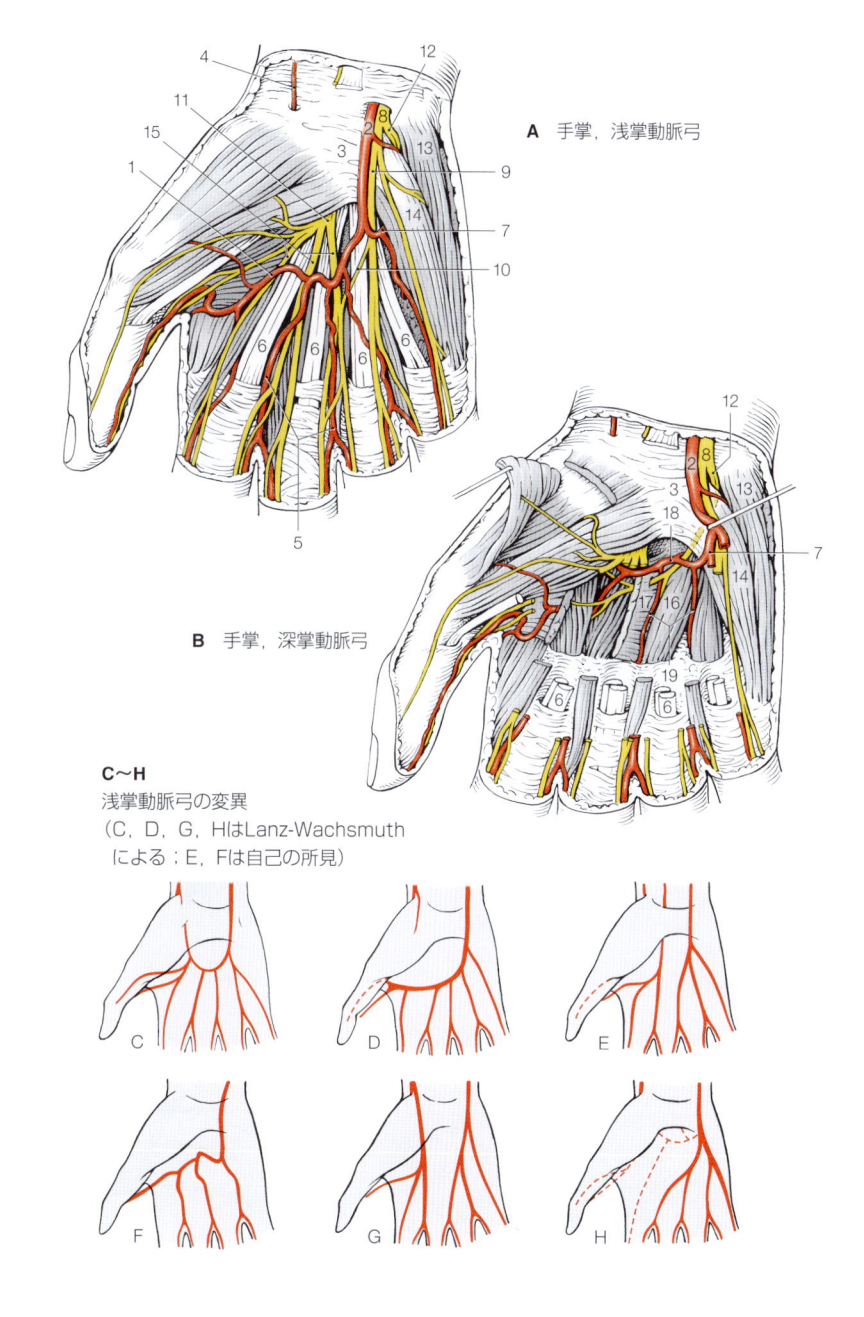

時には（6％），指の動脈がすべてではないが，尺骨動脈だけでつくられる浅掌動脈弓から出ることもある（F）．浅掌動脈弓がしかも完全に欠如していることがあり，指の動脈が橈骨動脈と尺骨動脈（4.5％）から出ていたり（G），あるいは指の動脈が深掌動脈弓と尺骨動脈とから（12％）出ていたりする（H）．

A 手掌，浅掌動脈弓

B 手掌，深掌動脈弓

C～H 浅掌動脈弓の変異（C，D，G，HはLanz-Wachsmuthによる；E，Fは自己の所見）

---

1 浅掌動脈弓 superficial palmar arch　2 尺骨動脈 ulnar artery　3 屈筋支帯 flexor retinaculum　4 浅掌枝（橈骨動脈）superficial palmar branch（radial artery）　5 総掌側指動脈 common palmar digital arteries　6 浅指屈筋（腱）flexor digitorum superficialis　7 深掌枝（尺骨動脈）deep palmar branch（ulnar artery）　8 尺骨神経 ulnar nerve　9 浅枝（尺骨神経）superficial branch（ulnar nerve）　10 吻合枝 anastomotic branch　11 正中神経 median nerve　12 深枝（尺骨神経）deep branch（ulnar nerve）　13 小指外転筋 abductor digiti minimi　14 短小指屈筋 flexor digiti minimi brevis　15 総掌側指神経 common palmar digital nerves　16 骨間筋 interosseous muscles　17 横頭（母指内転筋）transverse head（adductor pollicis）　18 深掌動脈弓 deep palmar arch　19 掌側中手動脈 palmar metacarpal arteries

手背(A, B)

皮下層(A)

手背dorsum of handの近位部は伸筋支帯(**1**)という多量の横走する線維で強化された筋膜部によって境されている．

皮下では指からやってくる静脈（多くの場合2本で吻合枝によって連絡している）が，背側中手静脈(**2**)に続いていく．このうちの3本は一般に特によく発達している．最も太いのは第4指の指根にある背側中手静脈であって，2本が合流して副橈側皮静脈(＝小指背側皮静脈*，**3**)となり前腕へ行く．第5指の背側中手静脈(**4**)は尺側皮静脈の始まりであり，一方第1指の背側中手静脈は母指橈側皮静脈(**5**)とみなすことができる．多数の吻合枝によって連絡され，すべての静脈が関与して手背静脈網(**6**)を形成する．

尺側には静脈に覆われて，尺骨神経手背枝(**7**)が走っている．この神経は尺側半の手背皮膚を支配するほか，5本の背側指神経dorsal digital nervesとなって尺側半の指縁に向かい，ほぼ基節領域までの5背側指縁に分布する．また橈側には橈骨神経浅枝(**8**)の枝分かれがみられる．この神経は橈側半の手背皮膚を支配するほか，5本の背側指神経(**19**)を出してほぼ基節領域までの橈側の5背側指縁を支配する**．ただし，手背および指背の皮神経支配は複雑で変異もきわめて多い．

筋膜下層(B)

筋膜を除去すると，伸筋群の腱と橈骨動脈(**9**)の枝分かれがみえてくる．橈骨動脈は橈側窩のところで背側手根枝(**10**)を出し，第1背側骨間筋(**11**)の2頭の間を通って手掌へ行く．この背側手根枝は背側中手動脈(**12**)を出し，これらの動脈はまた背側指動脈(**13**)に分かれるが，その発達はよくない．

橈側窩(C)

三角形をした橈側窩***Fovea radialisは，手背側は長母指伸筋の腱(**14**)，手掌側は短母指伸筋の腱(**15**)と長母指外転筋の腱(**16**)に境されている．底をつくるのは舟状骨と大菱形骨である．近位側では伸筋支帯(**1**)がこの小窩を閉じる．

この小窩には長橈側手根伸筋の腱(**17**)，短橈側手根伸筋の腱(**18**)および橈骨動脈(**9**)がある．橈骨動脈は橈側窩の中で背側手根枝(**10**)を出す．橈骨神経の浅枝(**8**)から分かれた諸枝はこの橈側窩の上（表面）を横切っていく．

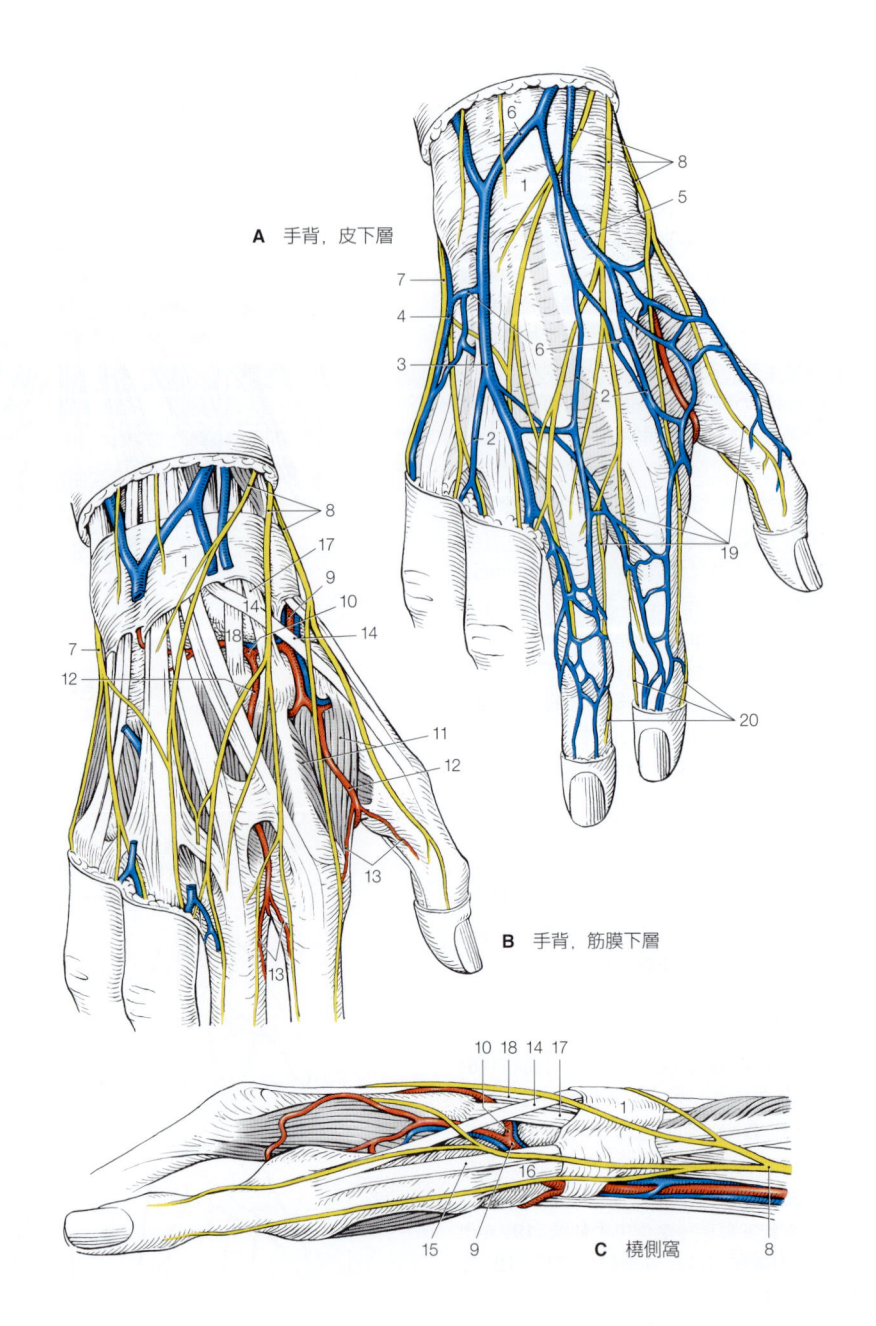

* かつてうつ病melancholyの治療に，この静脈からしゃ血を行ったという．
** 指背末梢部の知覚支配には注意しなければいけない．すなわち母指の爪部および示指，中指ならびに薬指橈側縁の中節と末節領域では正中神経からの固有掌側指神経(**20**)に支配され，また薬指尺側縁および小指の中節と末節領域では尺骨神経浅枝からの固有掌側指神経に支配されている．
*** 嗅ぎタバコ入れtabatièreともいう．

A 手背, 皮下層
B 手背, 筋膜下層
C 橈側窩

> 臨床関連：橈側窩は大変しばしば，間違って"解剖学的嗅ぎタバコ入れ"と表されることがある．

---

1 伸筋支帯 extensor retinaculum 2 背側中手静脈 dorsal metacarpal veins 3 副橈側皮静脈 accessory cephalic vein 4 背側中手静脈 5 母指橈側皮静脈 cephalic vein of thumb 6 手背静脈網 dorsal venous network of hand 7 尺骨神経手背枝 dorsal branch of ulnar nerve 8 橈骨神経浅枝 superficial branch of radial nerve 9 橈骨動脈 radial artery 10 背側手根枝（橈骨動脈）dorsal carpal branch (radial artery) 11 第1背側骨間筋 dorsal interossei [I] 12 背側中手動脈 dorsal metacarpal arteries 13 背側指動脈 dorsal digital arteries 14 長母指伸筋（腱）extensor pollicis longus 15 短母指伸筋（腱）extensor pollicis brevis 16 長母指外転筋（腱）abductor pollicis longus 17 長橈側手根伸筋（腱）extensor carpi radialis longus 18 短橈側手根伸筋（腱）extensor carpi radialis brevis 19 背側指神経 dorsal digital nerve 20 固有掌側指神経（正中神経）proper palmar digital nerves (median nerve)

体幹

体幹の部位（A，B）

体幹と上肢帯や下肢帯との境界は表面的には明確ではない．体幹の部位の区分は実用的な合目的性の見地から決められたものであり，発生学的な理由に関連づけられたものではない．この不十分な境界づけに基づく体幹の区分では，体肢との境界領域において部分的な重なりが生じている．体幹の部位は胸郭領域の部位と腹部領域の部位とに分けられる．

胸郭領域の部位

自由上肢への移行部として三角筋部（**1**），鎖骨胸筋三角（**3**）を含む鎖骨下部（**2**）ならびに腋窩部（**4**）が180頁に記述されている．

乳房部（**5**）は乳腺の存在する領域を含み，その下方では**乳房下部**（**6**）と，またその外方では**側胸部**（**7**）と隣接している．この3つの部位は全体として**胸筋部** pectoral region としてまとめられる．側胸部は腋窩部に接続している．**前胸骨部**（**8**）は左右の乳房部ないしは乳房下部の間にある．

背側では，正中部に**脊柱部**（**9**）があり，その左右に**肩甲上部**（**10**），**肩甲間部**（**11**），**肩甲部**（**12**）および**肩甲下部**（**13**）が位置している．

A 胸と腹の部位

B 背と殿部領域の部位

腹部領域の部位

胸と腹の移行部として外側に**下肋部**（**14**）がみられる．両側の下肋部の間で胸骨下角の領域に**上胃部**（**15**）がある．これら3つの部位の下縁は，胸骨の頸切痕と恥骨結合上縁間の距離を2等分した点を通る横面によって境される．**臍部**（**16**）は両側の鎖骨中間線の間で，上胃部の下縁をつくる面と両側の上前腸骨棘を結ぶ面によって囲まれる領域である．最後に述べられた両側の上前腸骨棘を結ぶ面は棘間面といわれ，骨盤計測時には棘間隔 interspinous distance がわかる（93頁）．

側腹部（**17**）が臍部の両側に位置する．側腹部の下方には両外側に鼠径溝に至るまでの**鼠径部**（**18**）が隣接し，また臍部の下方には恥骨結合上縁と両側の恥骨稜に至るまでの**恥骨部**（**19**）がある．

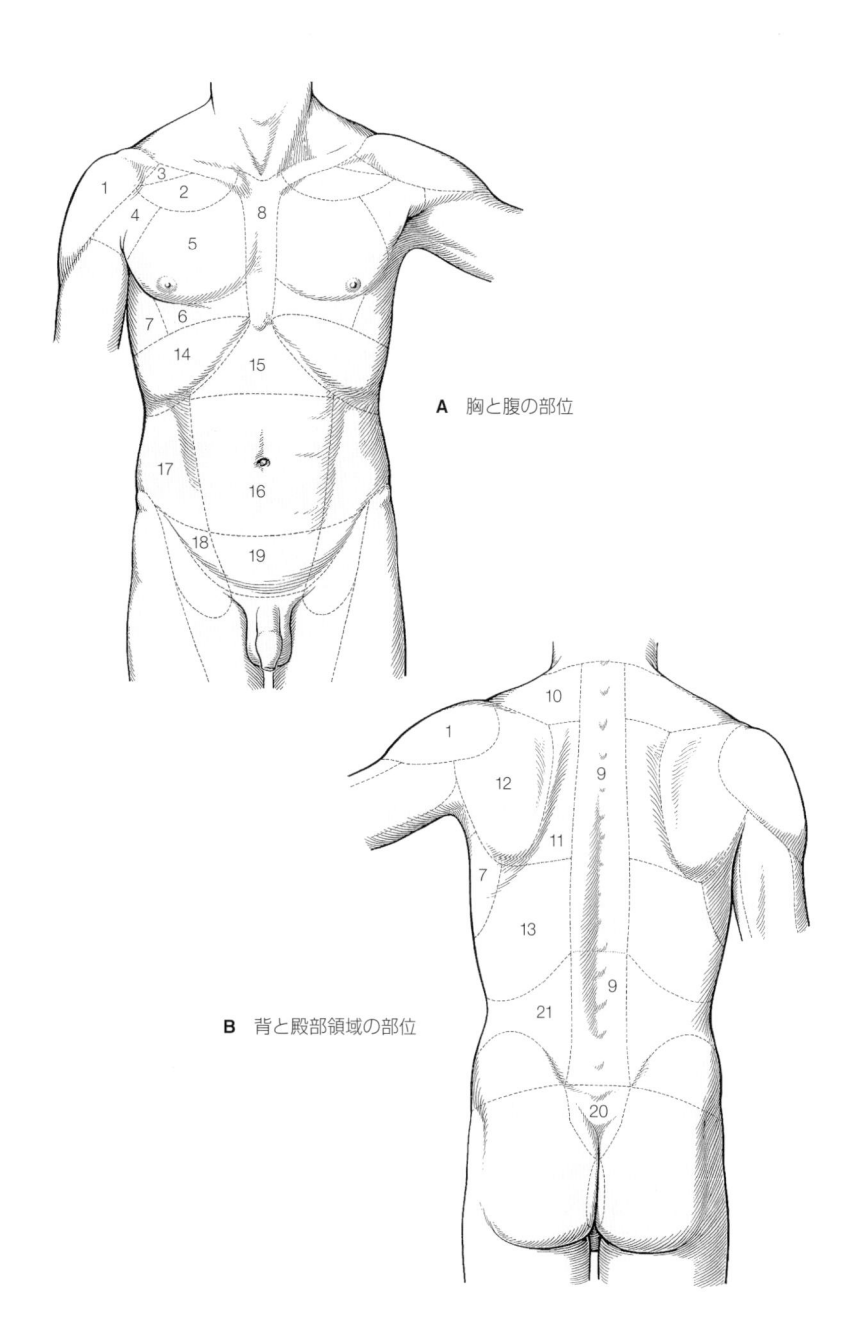

背側では，正中部の脊柱部に続いて**仙骨部**（**20**）があり，この部は仙骨を覆う領域である．下部脊柱部の両側に**腰部**（**21**）が続き，この腰部は腸骨稜で殿部（205頁）に移行する．

恥骨部は尿生殖部 urogenital region（図には描かれていない）と接続し，尿生殖部は肛門部 anal region（図には描かれていない）に接続している．尿生殖部と肛門部は合わせて**会陰部** perineal region と呼ばれ，この会陰部を介して腹の部位と背の部位は連結されている．

---

1 三角筋部 deltoid region　**2** 鎖骨下部 infraclavicular part　**3** 鎖骨胸筋三角 clavipectoral triangle　**4** 腋窩部 axillary region　**5** 乳房部 mammary region　**6** 乳房下部 inframammary region　**7** 側胸部 lateral pectoral region　**8** 前胸骨部 presternal region　**9** 脊柱部 vertebral region　**10** 肩甲上部 suprascapular region　**11** 肩甲間部 interscapular region　**12** 肩甲部 scapular region　**13** 肩甲下部 infrascapular region　**14** 下肋部 hypochondrium　**15** 上胃部 epigastric region　**16** 臍部 umbilical region　**17** 側腹部 lateral region　**18** 鼠径部 inguinal region　**19** 恥骨部 pubic region　**20** 仙骨部 sacral region　**21** 腰部 lumbar region

胸の部位（A，B）

前部胸郭領域（A）

皮下層では殊に女性での乳房部 mammary region の形成物が重要である．乳房 breast は胸筋筋膜(**1**)の上にのっていて外見上は乳頭 nipple と乳房体(**2**)からなり，内部は乳腺 mammary gland，結合組織索および脂肪体で構成されている．大きさや発達の程度には差があるが，乳腺の突起である腋窩葉(**3**)は腋窩部にまで届くこともある．結合組織索である乳房提靱帯 suspensory ligament of breast は腺葉 lobes of mammary gland の間にあって胸筋筋膜を真皮と結びつけている．

乳輪(**4**)のまわりに乳輪静脈叢(**5**)がみられる．血液はこの静脈叢から，一方では前皮枝(**6**)を経由して前肋間静脈 anterior intercostal veins へ，他方では外方に向かって胸腹壁静脈(**7**)と外側胸静脈(**8**)に，還流する．

血液供給は外側からも内側からも行われる．外側からは外側胸動脈 lateral thoracic artery の枝である外側乳腺枝(**9**)が腋窩筋膜(**10**)を貫いて乳房体に伸びている．一方，内胸動脈 internal thoracic artery は貫通枝 perforant branches を発し，この貫通枝は胸骨の横で第1～第6肋間隙を通って皮下層に到達している．より強く発達した貫通枝が内側乳腺枝(**11**)として内側から乳房に達する．

乳房のそばに乳房傍リンパ節 paramammary lymph node と腋窩に腋窩リンパ節(**12**)がみられる．

上方で，頸神経叢からの内側鎖骨上神経(**13**)と中間鎖骨上神経(**14**)が鎖骨の表層を交差して鎖骨胸筋三角（鎖骨下窩）に達している．乳房部は，2～4本の肋間神経の前皮枝(**16**)からの内側乳腺枝(**15**)と，2～4本の肋間神経の外側皮枝(**18**)からの外側乳腺枝(**17**)によって支配される．1ないし2本の肋間上腕神経(**19**)が，通常では第2（第3）肋間神経の外側皮枝から出て，腋窩部を通って上腕に達している．

筋膜下層では三部に分けられる大胸筋がみられる．外側には鎖骨胸筋三角（181頁）に入る橈側皮静脈 cephalic vein が走る．

後部胸郭領域（B）

皮下層には胸筋膜 thoracic fascia の表層に動脈，静脈および神経の皮枝がみられる．重要なことは肩甲線 scapular line が脊髄神経の後枝 posterior ramus と前枝 anterior ramus の供給領域間の境界を示していることである．

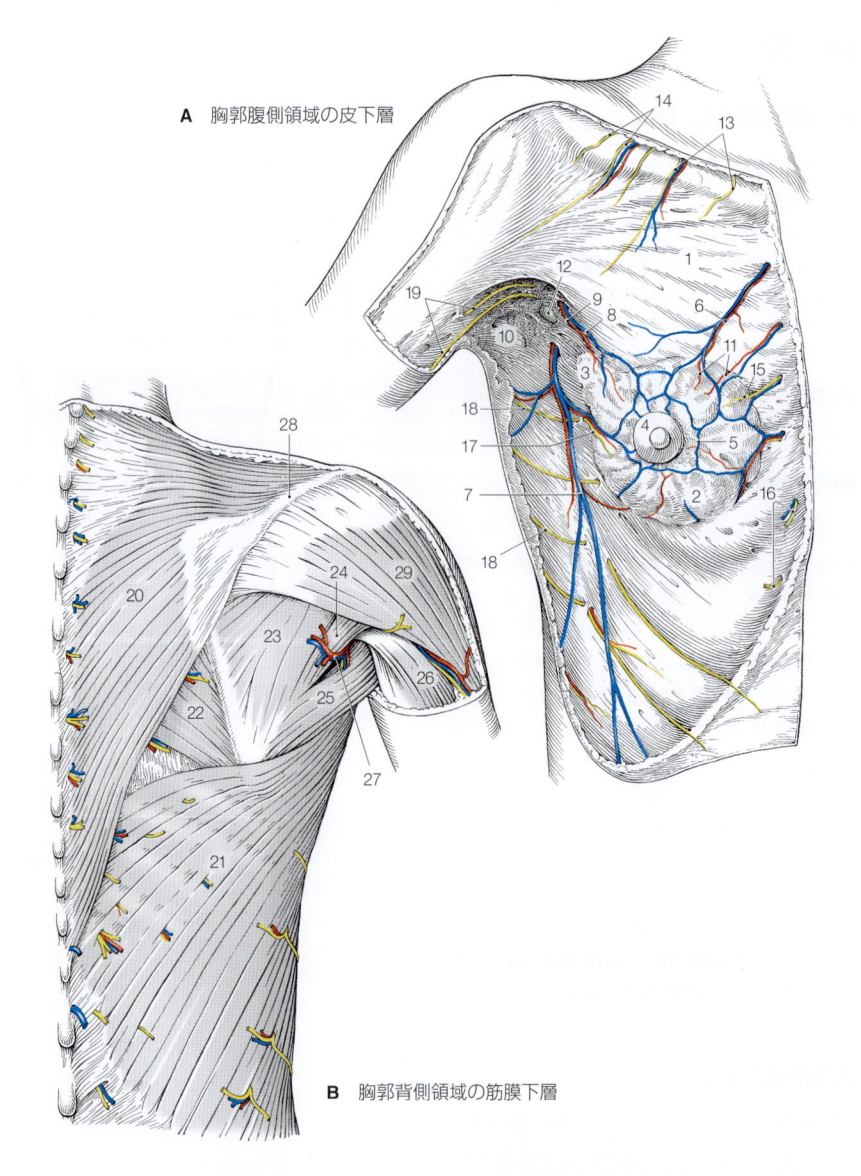

筋膜下層には僧帽筋(**20**)，広背筋(**21**)および大菱形筋(**22**)がみられる．肩甲骨の上には棘下筋(**23**)があり，肩甲骨外側縁から小円筋(**24**)が起こり，その下部に大円筋(**25**)がある．最後に名前をあげた2つの筋と上腕三頭筋長頭(**26**)の間には内側腋窩隙(183頁)があり，そこに肩甲回旋動静脈(**27**)がみられる．肩甲棘(**28**)からは三角筋の肩甲棘部(**29**)が上腕に伸びている．

A 胸郭腹側領域の皮下層

B 胸郭背側領域の筋膜下層

> **臨床関連：乳癌罹患の頻度**からも，乳腺からのリンパの流出は特に重要である．乳腺からのリンパはいろいろな流出路を経由して静脈角に流れる．
>
> 主な流出路に次の4経路がある．第1の流出路は，乳房傍リンパ節を経由してか，または腋窩の血管索に沿って直接に腋窩リンパ節に達する．ここから鎖骨下リンパ節と鎖骨上リンパ節を経由して静脈角に達する．
>
> 第2の流出路は，乳房傍リンパ節から直接に鎖骨下リンパ節に達し，さらに鎖骨上リンパ節を経て静脈角に達する．
>
> 第3の流出路は，胸筋間リンパ節 interpectoral lymph nodes や鎖骨下リンパ節もしくは鎖骨上リンパ節と交通していて，これによって静脈角に達する．
>
> 第4の流出路は，腺の内側部からのリンパが内胸動静脈に沿って存在する胸骨傍リンパ節 parasternal lymph nodes を経由して静脈角に達する．

1 胸筋筋膜 pectoral fascia　2 乳房体 body of breast　3 （乳腺の）腋窩葉 axillary lobe　4 乳輪 areola　5 乳輪静脈叢 areolar venous plexus　6 （前肋間静脈の）前皮枝 anterior cutaneous branch　7 胸腹壁静脈 thoraco-epigastric veins　8 外側胸静脈 lateral thoracic vein　9 外側乳腺枝 lateral mammary branches　10 腋窩筋膜 axillary fascia　11 内側乳腺枝 medial mammary branches　12 腋窩リンパ節 axillary lymph nodes　13 内側鎖骨上神経 medial supraclavicular nerve　14 中間鎖骨上神経 intermediate supraclavicular nerve　15 内側乳腺枝 medial mammary branches　16 （肋間神経の）前皮枝　17 外側乳腺枝 lateral mammary branches　18 （肋間神経の）外側皮枝 lateral branch　19 肋間上腕神経 intercostobrachial nerves　20 僧帽筋 trapezius　21 広背筋 latissimus dorsi　22 大菱形筋 rhomboid major　23 棘下筋 infraspinatus　24 小円筋 teres minor　25 大円筋 teres major　26 上腕三頭筋長頭 long head of triceps brachii　27 肩甲回旋動静脈 circumflex scapular artery & vein　28 肩甲棘 spine of scapula　29 （三角筋の）肩甲棘部 spinal part

体幹　195

腹の部位（A）

腹部の皮下組織 subcutaneous tissue of abdomen（46頁）を取り除くと，薄い（浅）腹筋膜の表層に皮下を走る血管と神経がみられる．その際に，臍のまわりを回る臍傍静脈 para-umbilical veins に特に注意を払うべきで，この静脈は一方では浅腹壁静脈（**1**）と他方では胸腹壁静脈 thoraco-epigastric veins と吻合している．

浅腹壁静脈は，同名の細い動脈に伴行されて，鼠径靱帯の表層を交差して伏在裂孔（204頁）に達し，ここで大腿静脈に入る．胸腹壁静脈は臍から外上方に向かって上昇して腋窩静脈に入る．鼠径靱帯の外側領域には上昇して伸びる浅腸骨回旋動静脈（**2**）がある．

正中傍には第8～第12肋間神経（**4**）の前皮枝（**3**）が腹直筋鞘と（浅）腹筋膜を貫いて出てくる．その外側には第9～第12肋間神経の外側皮枝（**5**）がみられる．浅鼠径輪のすぐ上方に腸骨下腹神経の前皮枝（196頁）が皮下に現れる．また，腸骨下腹神経の外側皮枝（**6**）が上前腸骨棘の近くの（浅）腹筋膜を貫いている．

（浅）腹筋膜を除去して，それに続く腹直筋鞘（44頁）の前葉 anterior layer を切開すると両側の腹直筋（**7**）がみられる．腹直筋の背側で，しかも腹直筋鞘の中を下腹壁動静脈（**8**）が走り，この血管は臍の上方で上腹壁動静脈（**9**）と吻合している．

腹直筋鞘 rectus sheath は腹直筋を容れており，この筋は腱画（**10**）の所で前葉と癒着している．そのほかに，腹直筋鞘の中を上下の腹壁動静脈ならびに第8～第12肋間神経が走るが，後者は腹直筋鞘の後葉（**11**）を貫いて中に入ってくる．

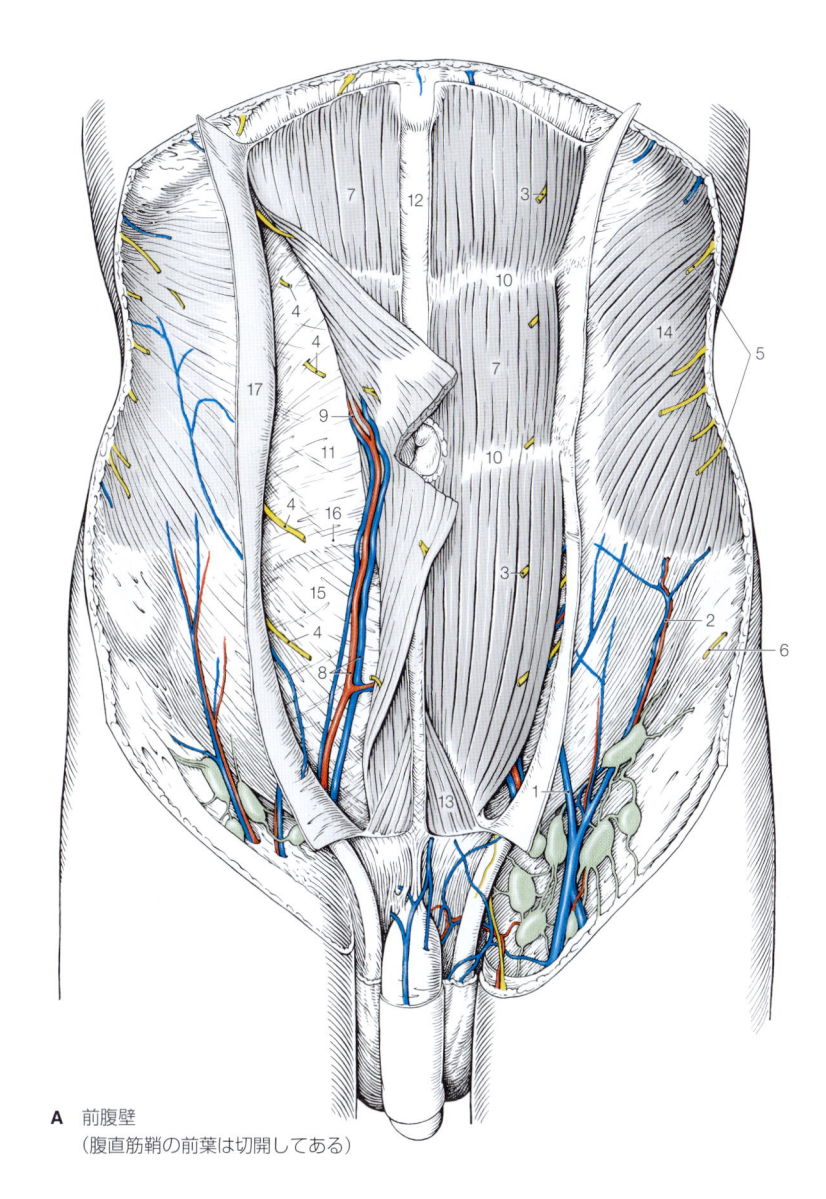

A　前腹壁
（腹直筋鞘の前葉は切開してある）

臨床関連：臍傍静脈は，肝円索 round ligament ot the liver（Ⅱ章参照）に沿って門脈の左枝に達する静脈で，臍の周囲で浅腹壁静脈および胸腹壁静脈と吻合している．このことは皮下において門脈系と大静脈系の間に吻合があることを意味する．肝疾患に罹病したときに，静脈支流に血液の逆流が起こって拡張をきたしたこれらの皮下静脈が皮膚を通してみえるようになることがある．臨床的にはこの臍周囲の皮下静脈の怒張を"メズサの頭 caput medusae"という．

そのほかに，実際上重要な門脈系と大静脈系の吻合には，食道の下1/3における食道粘膜下静脈叢と直腸における直腸粘膜下静脈叢とがある．さらに後腹膜での吻合について言及する．特に重要なのは，ここで記載する皮下の吻合で，直接に門脈の左の枝と結合している唯一の吻合である．他の枝のすべては，門脈の基幹部に達する．メズサの頭の発現は第一に左の肝葉に循環障害のあることを示している．

導通路

1 浅腹壁静脈 superficial epigastric vein　**2** 浅腸骨回旋動静脈 superficial circumflex iliac artery & vein　**3**（肋間神経の）前皮枝 anterior cutaneous branch　**4** 第8～第12肋間神経 intercostal nerves　**5**（肋間神経の）外側皮枝 lateral branch　**6** 腸骨下腹神経外側皮枝 lateral branch of iliohypogastric nerve　**7** 腹直筋 rectus abdominis　**8** 下腹壁動脈 inferior epigastric artery（vein）　**9** 上腹壁動静脈 superior epigastric artery & vein　**10** 腱画 tendinous intersection　**11** 腹直筋鞘後葉 posterior lamina of rectus sheath　**12** 白線 linea alba　**13** 錐体筋 pyramidalis　**14** 外腹斜筋 external oblique　**15** 横筋筋膜 transversalis fascia　**16** 弓状線 arcuate line　**17** 腹直筋鞘前葉 anterior lamina of rectus sheath

鼠径部

鼠径管（A〜C）

第1層（A）

鼠径部 inguinal region と恥骨部 pubic region の表層は腹部の皮下組織 abdominal subcutaneous tissue（46頁）によって覆われている．膜状層 membranous layer を除去すると，初めて皮下を走る血管や神経がみえてくる．（浅）腹筋膜（**1**）の上には鼠径管 inguinal canal の表層を交差して浅腹壁動静脈（**2**）が走り，また外上方に向かって浅腸骨回旋動静脈（**3**）が走っている．

両血管束は鼠径下部に位置する伏在裂孔（204頁）に達する．外陰部動静脈（**4**）が同様に伏在裂孔に達しており，この血管はしばしば重複した枝をもっていて伏在裂孔で結合している場合が多い．外陰部動静脈は精索（**5**）と交差して外陰部 pudendal region に達している．

浅鼠径輪（**6**）の上方に腸骨下腹神経前皮枝（**7**）がみられ，また精索ないしは子宮円索と一緒に走る腸骨鼠径神経（**8**）が大腿の近位内側面，恥丘，男性では陰嚢皮膚および女性では大陰唇へ知覚枝を与えている．

> **臨床関連**：浅鼠径リンパ節（**9**）には注意すべきである．女性では**子宮底と子宮体からのリンパ管**が鼠径管を通ってこのリンパ節に達している．したがって，子宮体癌のリンパ行性播種に際してこのリンパ節は重要な意味をもっている（sentinel "シグナルリンパ節"については179頁を参照）．さらなる播種は，腸骨間リンパ節や，直接大動脈リンパ節への広がりである．
> 子宮頸部癌からのリンパ行性播種は，鼠径リンパ節へは行かず，腸骨リンパ節，腸骨間リンパ節，殿部，仙骨部，直腸部のリンパ節を経るか，直接に大動脈周囲のリンパ節に行く．

第2層（B, C）

男性では，浅鼠径輪（**6**）の境界をより明確にしたあと，精索（**5**）の外側被膜である外精筋膜（**10**）を切開する．この手段を経ると鼠径管の外口が外側脚（**11**），内側脚（**12**），脚間線維（**13**）および反転靱帯（**14**）とともに明らかになる．外腹斜筋（**15**）の腱膜を切開すると内腹斜筋（**16**）がみえてくる．内腹斜筋の下部の線維は精巣挙筋（**17**）となって精索へ伸びており，精索の中間被膜である精巣挙筋膜（**18**）を構成する．この膜と一緒に陰部大腿神経の陰部枝（**19**）が走り，一方では精巣挙筋を支配するほか，他方では腸骨鼠径神経の支配領域の近くの知覚に関与している．繊細な精巣挙筋動静脈 cremasteric artery & vein が精巣挙筋に進入するが，この血管は注意しないと見落とすことが多い．

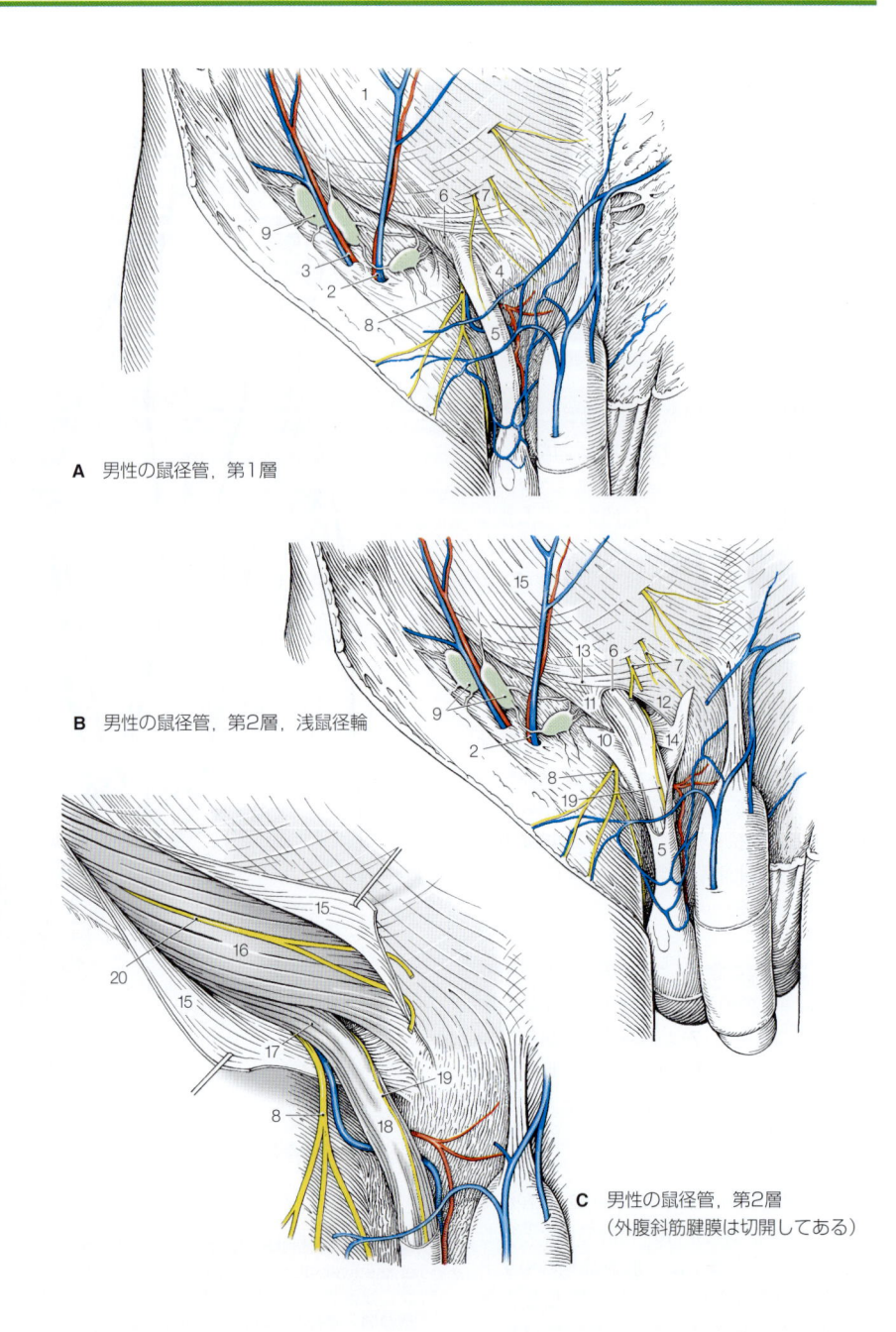

内腹斜筋の表層にある腸骨下腹神経（**20**）が内方に走って，浅鼠径輪の上方で外腹斜筋腱膜と（浅）腹筋膜を貫いて，前皮枝（**7**）となる．時にこの前皮枝は皮下に出てくる前に2本の枝に分かれている．この前皮枝は鼠径部領域の皮膚知覚を支配している．

女性では，浅鼠径輪の境界づけをより明らかにしていると子宮円索がみられる．この子宮円索は大陰唇の結合組織の中に入射して終わる．この靱帯に密接して微細な子宮円索動静脈 artery and vein of round ligament of uterus ならびに陰部大腿神経の陰部枝が走っている．また子宮円索の外側下方には腸骨鼠径神経が伴行し，この神経は大陰唇と大腿近位内側面に分布している．

鼠径管を開くと内腹斜筋の線維が子宮円索の上に移行しているのがわかる．これは内腹斜筋円索部 round ligamentous part of internal oblique と呼ばれるもので，男性の精巣挙筋に相当するものである．

A 男性の鼠径管，第1層

B 男性の鼠径管，第2層，浅鼠径輪

C 男性の鼠径管，第2層（外腹斜筋腱膜は切開してある）

---

1 （浅）腹筋膜 abdominal fascia（superficial）　**2** 浅腹壁動静脈 superficial epigastric artery & vein　**3** 浅腸骨回旋動静脈 superficial circumflex iliac artery & vein　**4** 外陰部動静脈 external pudendal arteries & veins　**5** 精索 spermatic cord　**6** 浅鼠径輪 superficial inguinal ring　**7** 腸骨下腹神経前皮枝 anterior cutaneous branch of iliohypogastric nerve　**8** 腸骨鼠径神経 ilio-inguinal nerve　**9** 浅鼠径リンパ節 superficial inguinal nodes　**10** 外精筋膜 external spermatic fascia　**11** 外側脚 lateral crus　**12** 内側脚 medial crus　**13** 脚間線維 intercrural fibres　**14** 反転靱帯 reflected ligament　**15** 外腹斜筋 external oblique　**16** 内腹斜筋 internal oblique　**17** 精巣挙筋 cremaster　**18** 精巣挙筋膜 cremasteric fascia　**19** （陰部大腿神経の）陰部枝 genital branch　**20** 腸骨下腹神経 iliohypogastric nerve

体幹　197

鼠径管（続き）（A〜C）

第3層（A，B）

精巣挙筋膜（**1**）を切開すると，精索の最終的な最内層の薄い被膜である内精筋膜（**2**）をみることができる．さらに内腹斜筋（**3**）を切開していくと，鼠径管 inguinal canal の上壁をつくる腹横筋（**4**）がみられ，同時に後壁をつくる横筋筋膜（**5**）が明らかになる．内精筋膜（**2**）は横筋筋膜の続きとして外方へ折り曲げられたものであって，それがどこかを知ることによって深鼠径輪（**6**）の位置が明確になる．深鼠径輪の内側には発達の程度には個体差のある窩間靱帯（**7**，49頁も参照）がみられる．

第4層（C）

内精筋膜（**2**）を切開すると，一方では精索の内容物が明らかになり，他方では深鼠径輪が開かれる．精索には白っぽい精管（**8**），精巣動脈（**9**）および蔓状静脈叢（**10**）を容れている．

精管（**8**）は精巣上体管 duct of epididymis の続きとして剖出され，これは鼠径管を通って小骨盤に達している．そこで精管膨大部 ampulla of ductus deferens と精囊 seminal vesicle の排出管が合して射精管 ejaculatory duct になる．精巣動脈（**9**）は腹大動脈から直接に起こっている．蔓状静脈叢（**10**）は精巣静脈へ続き，左側の精巣静脈は左腎静脈を経て下大静脈に達する．右の精巣静脈は直接に下大静脈に還流する．

内精筋膜の切開と同時に横筋筋膜の一部を除去すると，一方では腹膜の前を走る構成物である下腹壁動静脈（**11**）と臍動脈索（**12**）が明らかになる．他方ではこの領域における腹壁の抵抗減弱部がみられる．すなわち，下腹壁動静脈の外側は外側鼠径窩（**13**）に属し，この窩の中に深鼠径輪がある．また，下腹壁動静脈と臍動脈索の間に内側鼠径窩（**14**）があり，臍動脈索の内側に膀胱上窩（**15**）がある．最後に名前のあがった両窩の位置は体表からの浅鼠径輪の投影に一致する．

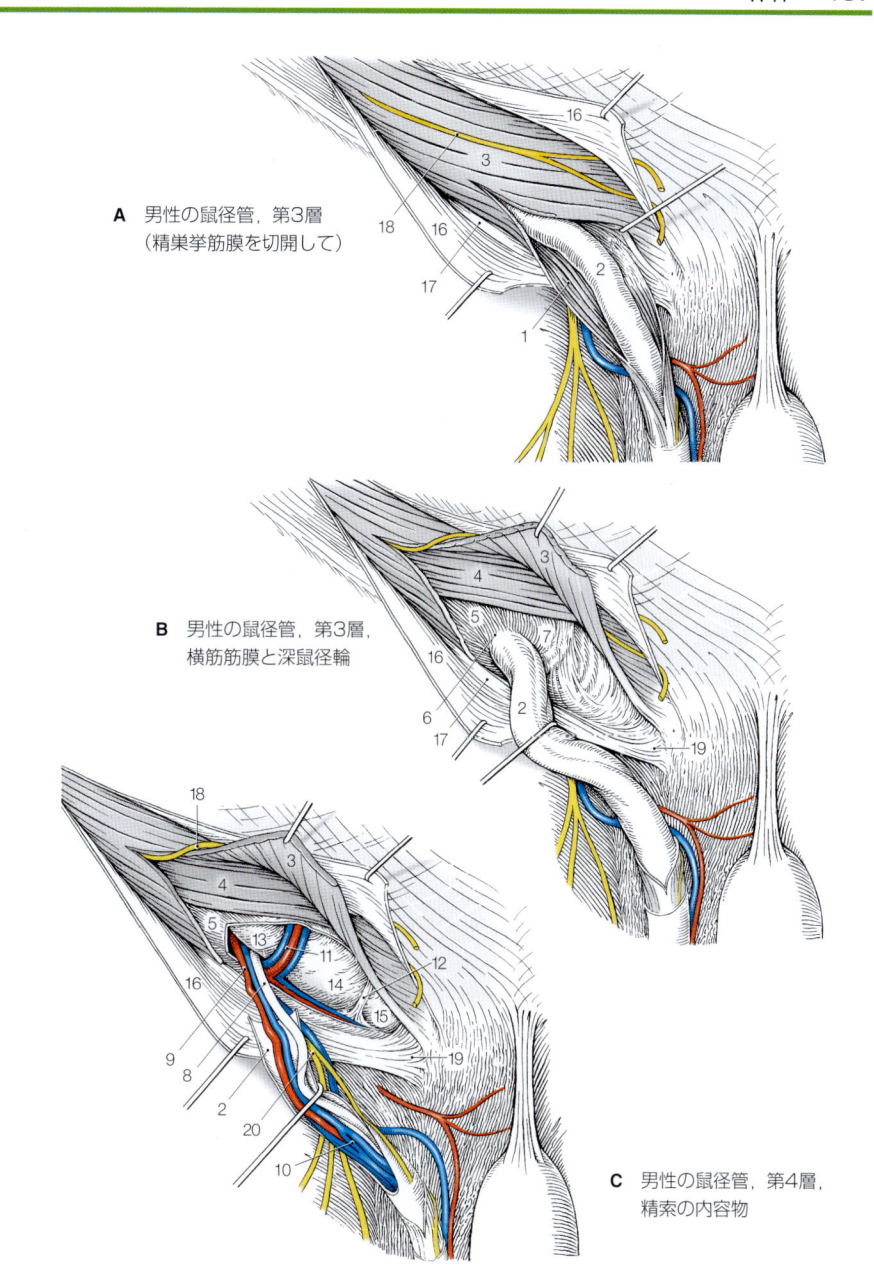

A　男性の鼠径管，第3層（精巣挙筋膜を切開して）

B　男性の鼠径管，第3層，横筋筋膜と深鼠径輪

C　男性の鼠径管，第4層，精索の内容物

臨床関連：外側鼠径窩，内側鼠径窩および膀胱上窩の3つの窩は腹壁の抵抗減弱部であって，鼠径ヘルニア inguinal hernia（50頁）が生じる部位である．3つの窩内の位置によって，したがって内方の破裂（脱出）門の部位により，鼠径ヘルニアは区別できる．詳しく言うと，
1）間接鼠径ヘルニア（外側）：下腹壁動脈の拍動が，ヘルニアの下内方に触れる．
2）直接鼠径ヘルニア（内側）：動脈の拍動がヘルニアの外側で触れる．
3）膀胱上ヘルニア：臍動脈索の内側にあるため，拍動を触れない．
侵襲を最小にし，したがって内視鏡的介入によって容易に脱出部位を見ることができ，ヘルニアの種類の診断も簡単になる．

---

1 精巣挙筋膜 cremasteric fascia　**2** 内精筋膜 internal spermatic fascia　**3** 内腹斜筋 internal oblique　**4** 腹横筋 transverse abdominal　**5** 横筋筋膜 transversalis fascia　**6** 深鼠径輪 deep inguinal ring　**7** 窩間靱帯 interfoveolar ligament　**8** 精管 ductus deferens　**9** 精巣動脈 testicular artery　**10** 蔓状静脈叢 pampiniform plexus　**11** 下腹壁動静脈 inferior epigastric artery（vein）　**12** 臍動脈索 cord of umbilical artery　**13** 外側鼠径窩 lateral inguinal fossa　**14** 内側鼠径窩 medial inguinal fossa　**15** 膀胱上窩 supravesical fossa　**16**（外腹斜筋の）腱膜 aponeurosis　**17** 鼠径靱帯 inguinal ligament　**18** 腸骨下腹神経 iliohypogastric nerve　**19** 反転靱帯 reflected ligament　**20** 腸骨鼠径神経 ilio-inguinal nerve

腰部（A，B）

第1層（A）

腹部内臓を取り除いて，さらに壁側の腹壁筋膜を剥離すると，まず最初に腰神経叢 lumbar plexus の諸枝が明らかになる．

上方で，胸神経前枝の最後の枝である肋下神経（**2**）が第12肋骨（**1**）の下縁を走っている．その際，肋下神経は外側弓状靱帯（**3**）から起こる横隔膜腰椎部（**4**）の部分によって多少ともおおわれている．外側弓状靱帯の下に腰方形筋（**5**）がみられ，また内側弓状靱帯（**6**）の下には大腰筋（**7**）の第12胸椎体から起こる部分がみられる．

大腰筋の外側縁に腰神経叢からの最初の枝である腸骨下腹神経（**8**）がみられ，この神経は腰方形筋の表層を交差して走って腸骨稜の上方で腹壁筋を貫く．続いて，腸骨鼠径神経（**9**）が多くの場合大腰筋を貫いて現れ，前神経とほとんど平行に走って深鼠径輪に達する．次に大腰筋を貫いてくる陰部大腿神経（**10**）はいろんな高さで陰部枝（**11**）と大腿枝（**12**）に分岐する．前者は鼠径管に達して精索に伴って陰嚢に至り，後者は血管裂孔を通って鼠径下部にまで達する．

引き続いての腰神経叢の枝として，大腰筋の外側縁で腸骨窩の近くに外側大腿皮神経（**13**）がみられ，この神経は外方の上前腸骨棘の方に向かって走り筋裂孔に達する．最も強大な枝である大腿神経（**14**）が腸骨筋（**15**）と大腰筋との間の溝を走り，筋裂孔を通り抜けて大腿にまで伸びている．腰神経叢の最後の枝で唯一大腰筋の内側を走る閉鎖神経（**16**）が外腸骨動静脈（**17**）の下を交差して閉鎖管に達する．

第2層（B）

大腰筋の浅部を取り除くと，初めて第1～第4腰神経の前枝（**18**）が明らかになる．これらは大腰筋の深部（**19**）の上に位置していて腰神経叢 lumbar plexus を構成している．第4腰神経の前枝は頭方枝 cranial branch と尾方枝（**20**）に分岐して，尾方枝は第5腰神経の前枝と結合して腰仙骨神経幹 lumbosacral trunk となり小骨盤に入って仙骨神経叢 sacral plexus の構成に参加する．

前枝の内側には交感神経幹（**21**）が走り，また右側では下大静脈（**22**）も走っている．

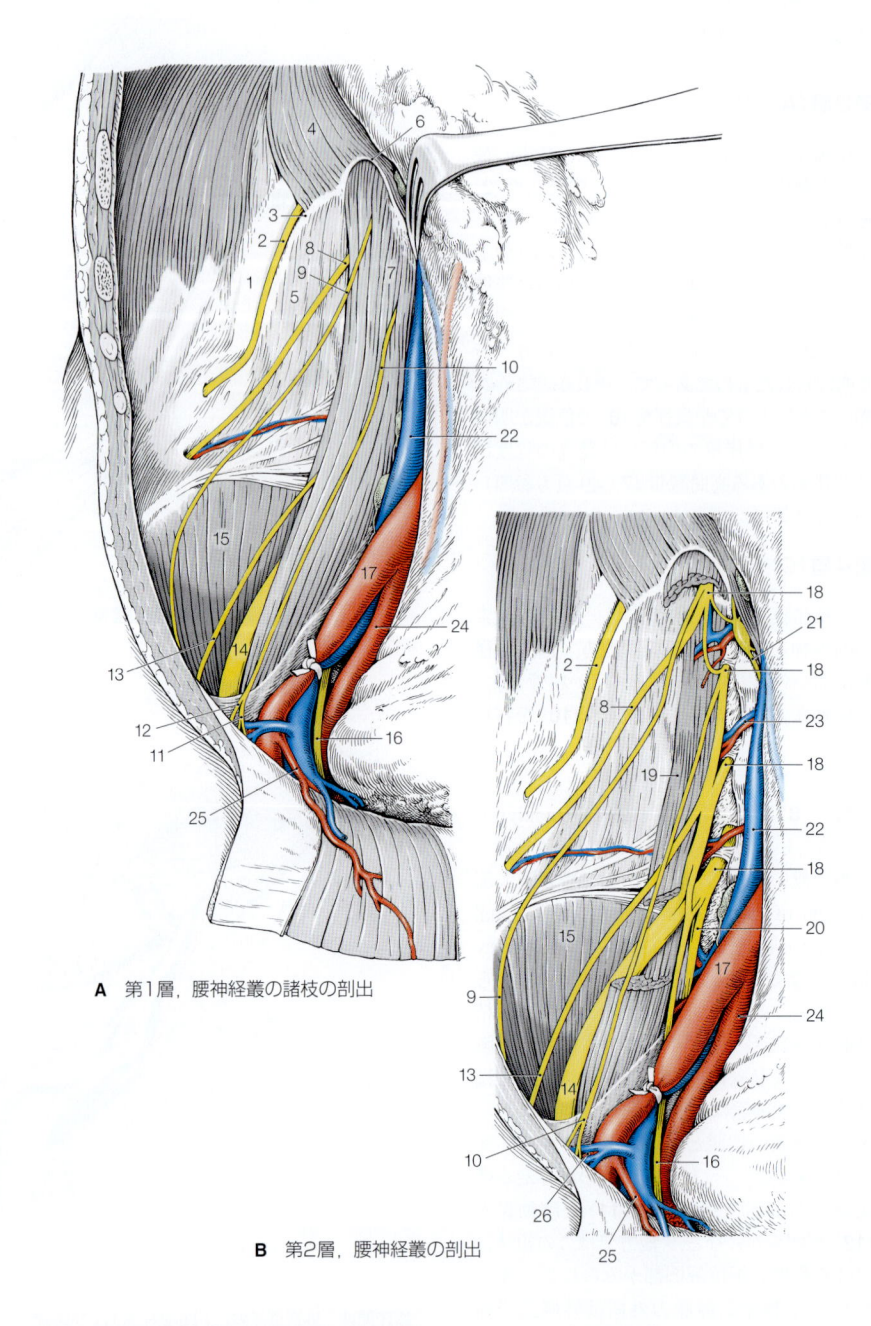

分節血管である腰動静脈（**23**）が脊柱に密着して走り，これらの血管は腰神経の前枝および大腰筋深部の下を交差している．

仙骨神経叢と腰神経叢は，一緒にして**腰仙骨神経叢**ということもある．

腰神経叢
- 根：L₁～L₄の前枝
- 枝
  - 腸骨下腹神経
  - 腸骨鼠径神経
  - 陰部大腿神経
  - 外側大腿皮神経
  - 閉鎖神経
  - 大腿神経

仙骨神経叢
- 根：L₄～S₃の前枝
- 枝：殿神経
  - 筋枝
  - 下殿皮神経
  - 後大腿皮神経
  - 陰部神経
  - 尾骨神経
  - 坐骨神経

A 第1層，腰神経叢の諸枝の剖出

B 第2層，腰神経叢の剖出

---

1 第12肋骨 rib XII 2 肋下神経 subcostal nerve 3 外側弓状靱帯 lateral arcuate ligament 4 横隔膜腰椎部 lumbar part of diaphragm 5 腰方形筋 quadratus lumborum 6 内側弓状靱帯 medial arcuate ligament 7 大腰筋 psoas major 8 腸骨下腹神経 iliohypogastric nerve 9 腸骨鼠径神経 ilio-inguinal nerve 10 陰部大腿神経 genitofemoral nerve 11 陰部枝 genital branch 12 大腿枝 femoral branch 13 外側大腿皮神経 lateral femoral cutaneous nerve 14 大腿神経 femoral nerve 15 腸骨筋 iliacus 16 閉鎖神経 obturator nerve 17 外腸骨動静脈 external iliac artery & vein 18 （腰神経の）前枝 anterior rami 19 （大腰筋の）深部 deep part 20 （第4腰神経前枝の）尾方枝 caudal branch 21 交感神経幹 sympathetic trunk 22 下大静脈 inferior vena cava 23 腰動静脈 lumbar artery & vein 24 内腸骨動脈 internal iliac artery 25 下腹壁動脈 inferior epigastric artery 26 深腸骨回旋動静脈 deep circumflex iliac artery & vein

女性会陰部（A，B）

会陰部 perineal region は前方の尿生殖部 urogenital region と後方の肛門部 anal region に分けられる．この部位は筋膜や筋によって2〜3の層を区別することができる．

浅層と中間層（A）

尿生殖部：浅会陰筋膜（**1**）は恥骨下枝と坐骨枝に沿う外側部では外葉 external lamina と内葉 internal lamina の2葉に分けられる（A，R側）．両葉は腟前庭（**2**）の近くで結合する．この浅会陰筋膜を除去すると浅会陰隙 superficial perineal space が開かれる（A，L側）．

会陰動脈（**4**）から出る後陰唇枝（**3**）が，同名静脈を伴行して，しばしば浅会陰筋膜の内葉を貫いて腟前庭と会陰体 perineal body もしくは会陰腱中心（**5**）に達する．会陰神経（**6**）が尿生殖隔膜 urogenital diaphragm の後縁の表層を交差して動脈の諸枝とともに腟前庭と会陰腱中心に達する．

浅会陰隙には内側に球海綿体筋（**7**），外側に坐骨海綿体筋（**8**），また背側に浅会陰横筋（**9**）がある．

肛門部：閉鎖筋膜（**10**）は坐骨直腸窩 ischiorectal fossa の外側の境をなしている．この窩は前方に向かって続き，そこでは尿生殖隔膜と骨盤隔膜 pelvic diaphragm との間にある．骨盤隔膜は下骨盤隔膜筋膜（**11**）に覆われている．この窩には脂肪が満ちており坐骨直腸窩脂肪体 fat body of ischiorectal fossa を容れている．閉鎖筋膜（**10**）が重複することによってできる陰部神経管（アルコック管）（**12**）がみられる．下直腸動脈（**13**）ならびに下直腸神経（**14**）が外肛門括約筋（**15**）と肛門の皮膚に枝を与える．さらに追加的な不定枝として陰唇の皮膚に対して会陰枝 perineal branches（図には描かれていない）が，また肛門の皮膚に対して仙結節靱帯貫通神経 perforating nerve of sacrotuberous ligament が存在することもある．この2つの神経が存在する場合は後大腿皮神経の枝として分枝する．中直腸静脈と吻合をもつ幾本もの下直腸静脈（**16**）が内陰部静脈に達している．

下骨盤隔膜筋膜（**11**）を除去すると，外肛門括約筋（**15**）と肛門挙筋（**17**）が明らかになる（A，L側）．中央で肛門（**18**）の背側に肛門尾骨靱帯（**19**）がみられ，これは肛門挙筋の一部に入射している．陰部神経管の中を内陰部動静脈（**20**）と陰部神経（**21**）が前後の方向に走っており，これらは小坐骨孔を通ってこの管に達する．

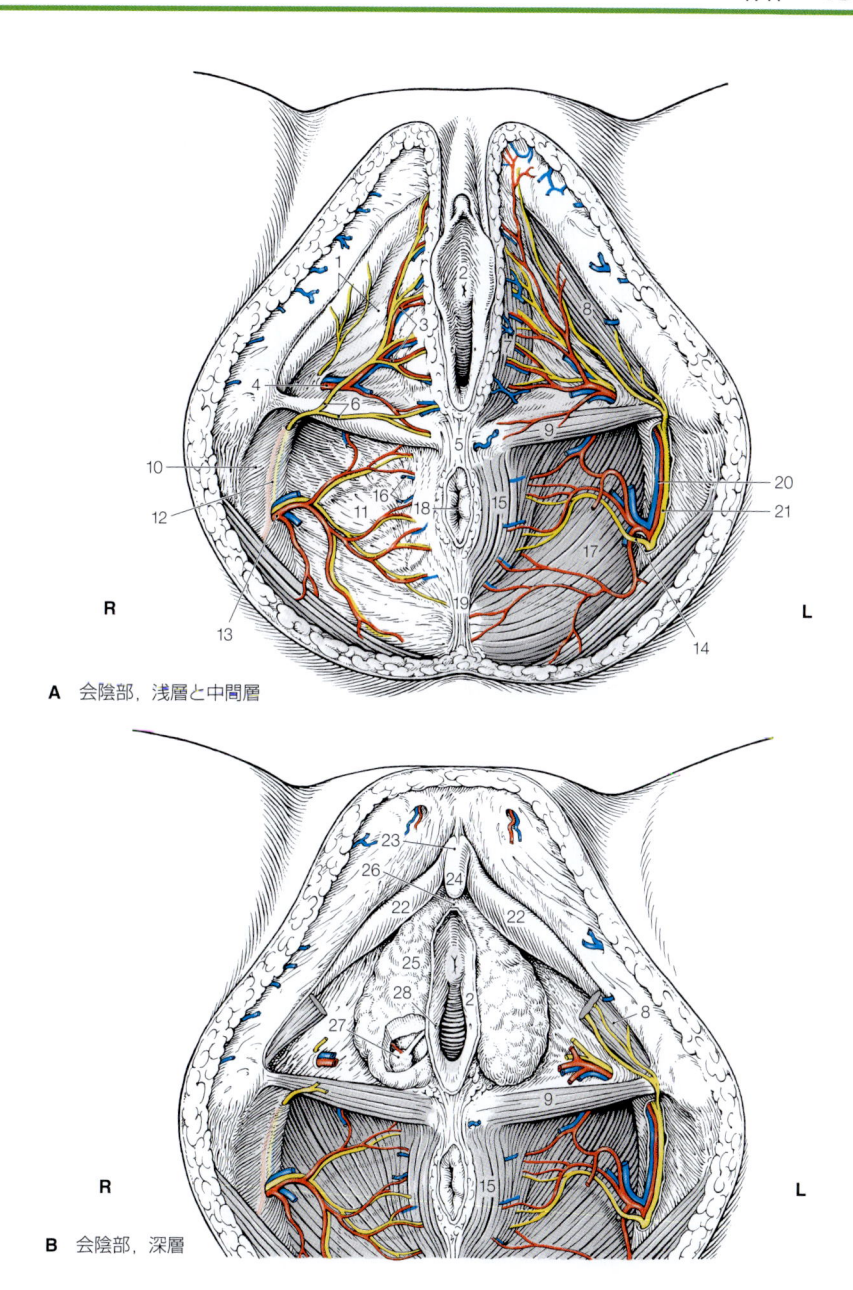

深層（B）

尿生殖部：球海綿体筋，坐骨海綿体筋（**8**）および下尿生殖隔膜筋膜（会陰膜 perineal membrane）を除去すると，深会陰隙 deep perineal space に達する．この隙には筋（深会陰横筋と尿道括約筋）のほかに，陰核脚（**22**）がみられ，これは陰核体（**23**）に結合し，陰核亀頭（**24**）に終わる．

腟前庭（**2**）の両側に一種の海綿体である前庭球（**25**）があり，これは左右の陰核脚の間で球交連（**26**）によって連結されている．尿生殖隔膜の内部で前庭球に覆われて，両側に大前庭腺（バルトリン腺）（**27**）がある．この腺は導管を経由して小陰唇と腟口の間で腟前庭に開口している（**28**）．

臨床関連：浅会陰筋膜の内葉 internal lamina はしばしば深会陰筋膜 deep perineal fascia ともいわれるが，今日でも会陰膜と呼ぶ場合がある．"尿生殖隔膜"の概念は（臨床的でなく）解剖学的命名であり，完全に正しいのであるが，使われないでいる．

A 会陰部，浅層と中間層

B 会陰部，深層

---

1 浅会陰筋膜 superficial perineal fascia　2 腟前庭 vestibule　3 後陰唇枝 posterior labial branches　4 会陰動脈 perineal artery　5 会陰腱中心 perineal body　6 会陰神経 perineal nerves　7 球海綿体筋 bulbospongiosus　8 坐骨海綿体筋 ischiocavernosus　9 浅会陰横筋 superficial transverse perineal muscle　10 閉鎖筋膜 obturator fascia　11 下骨盤隔膜筋膜 inferior fascia of pelvic diaphragm　12 陰部神経管（アルコック管）pudendal canal（Alcock's canal）　13 下直腸動脈 inferior rectal artery　14 下直腸神経 inferior rectal nerve　15 外肛門括約筋 external anal sphincter　16 下直腸静脈 inferior rectal vein　17 肛門挙筋 levator ani　18 肛門 anus　19 肛門尾骨靱帯 anococcygeal ligament　20 内陰部動静脈 internal pudendal artery & vein　21 陰部神経 pudendal nerve　22 陰核脚 crus of clitoris　23 陰核体 body of clitoris　24 陰核亀頭 glans of clitoris　25 前庭球 bulb of vestibule　26 球交連 commissure of bulbs　27 大前庭腺 greater vestibular gland　28 大前庭腺の開口部

男性会陰部（A）

浅層（R側）

尿生殖部 urogenital region：外葉と内葉（＝深会陰筋膜）をもつ浅会陰筋膜＝下尿生殖隔膜，もしくは会陰膜（colles）（**1**）は大腿では大腿筋膜（**2**），陰茎（**3**）では浅陰茎筋膜（**4**）として続いている．そのほかに，陰嚢皮下の浅筋膜は前腹壁皮下の浅筋膜に連続しているが，陰嚢部では脂肪層が平滑筋層に置き換えられて肉様膜 dartos fascia を構成している．

内陰部動脈から出る会陰動脈（**5**）がしばしば尿生殖隔膜の後縁近くを貫いて現れて後陰嚢枝（**6**）を出している．この動脈枝は後陰嚢静脈（**7**）に伴される．陰部神経からの後陰嚢神経（**8**）が陰嚢 scrotum ならびに尿生殖部の筋および皮膚に達している．後大腿皮神経からの会陰枝（**9**）が同様に陰嚢に達し，また下殿皮神経（**10**）が殿部の下部領域の皮膚に達している．

肛門部 anal region：この部位は，外方は閉鎖筋膜（**11**），後方は殿筋筋膜をもつ大殿筋（**12**），また内方は会陰腱中心（会陰体）（**13**）と肛門（**14**）および肛門尾骨靱帯（**15**）によって境される．坐骨直腸窩 ischio-rectal fossa は深さがあって坐骨直腸窩脂肪体で満たされている．この窩の天井は下骨盤隔膜筋膜（**16**）で構成される．

中間層（L側）

尿生殖部：浅会陰筋膜を除去すると，浅会陰隙 superficial perineal space が開かれる．内側には球海綿体筋（**17**）が尿道海綿体 corpus spongiosum penis と陰茎海綿体 corpus cavernosum penis を覆っている．外側には坐骨枝から起始する坐骨海綿体筋（**18**）がある．後方は浅会陰横筋（**19**）がこの隙を境し，その天井は会陰膜＝下尿生殖隔膜筋膜（**20**）が構成する．

内陰部動静脈（**21**）が尿生殖隔膜を貫いて現れて前述の諸枝を与える．陰部神経（**22**）が尿生殖隔膜の後縁から浅会陰隙（コールスの腔 Colles' space）に入る．

肛門部：下骨盤隔膜筋膜（**16**）を除去すると，肛門挙筋（**23**）と尾骨筋（**24**）が明らかになる．内陰部動脈が陰部神経管（アルコック管）（**25**）の内部で下直腸動脈（**26**）を分枝する．この動脈はしばしば2枝でもって分岐している．下直腸静脈（**27**）が同名動脈に伴行して内陰部静脈に還流する．下直腸神経（**28**）が外肛門括約筋（**29**）と肛門の皮膚を支配している．

> **臨床関連**：会陰は外科的に後部尿道に到達しようとする際，特にこの部の尿路に狭窄がある場合，普通の経路になっている．また，前立腺の全剔除を行うときにも，この経路が選ばれる．この場合には会陰腱中心（会陰楔）に分け入れられねばならない．

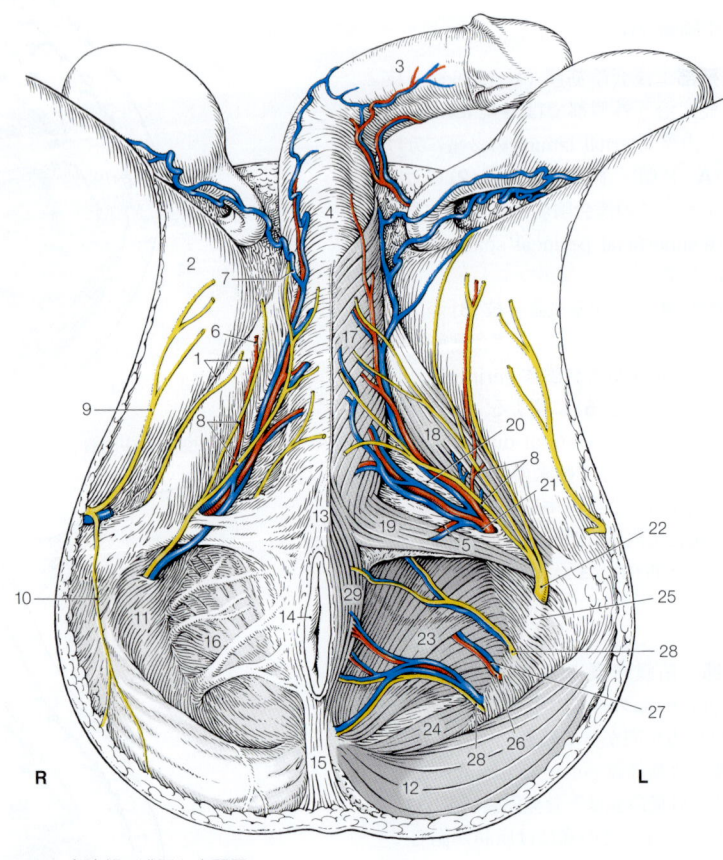

A 会陰部，浅層と中間層

---

1 浅会陰筋膜 superficial perineal fascia　2 大腿筋膜 fascia lata　3 陰茎 penis　4 浅陰茎筋膜 fascia of penis　5 会陰動脈 perineal artery　6 後陰嚢枝 posterior scrotal branches　7 後陰嚢静脈 posterior scrotal veins　8 後陰嚢神経 posterior scrotal nerves　9 会陰枝 perineal branches　10 下殿皮神経 inferior clunial nerves　11 閉鎖筋膜 obturator fascia　12 大殿筋 gluteus maximus　13 会陰腱中心 central tendon　14 肛門 anus　15 肛門尾骨靱帯 anococcygeal ligament　16 下骨盤隔膜筋膜 inferior fascia of pelvic diaphragm　17 球海綿体筋 bulbospongiosus　18 坐骨海綿体筋 ischiocavernosus　19 浅会陰横筋 superficial transverse perineal muscle　20 会陰膜 perineal membrane（＝下尿生殖隔膜筋膜 inferior urogenital diaphragmatic fascia）　21 内陰部動静脈 internal pudendal artery & vein　22 陰部神経 pudendal nerve　23 肛門挙筋 levator ani　24 尾骨筋 coccygeus　25 陰部神経管（アルコック管）pudendal canal（Alcock's canal）　26 下直腸動脈 inferior rectal artery　27 下直腸静脈 inferior rectal vein　28 下直腸神経 inferior rectal nerve　29 外肛門括約筋 external anal sphincter

男性会陰部（続き）

深層（A，B）

尿生殖部：会陰膜＝下尿生殖隔膜筋膜を除去すると（R 側），深会陰隙 deep perineal space が開かれる．深会陰横筋（**1**）が尿生殖裂孔 urogenital hiatus（＝挙筋門）と会陰腱中心（**2**）に達しており，腱中心にはこの筋の最背側の線維が入る．坐骨枝から起こった坐骨海綿体筋（**3**）が陰茎脚（**4**）の白膜 tunica albuginea に入射している．

内陰部動脈（**5**）は，尿生殖隔膜の後縁で会陰動脈（**6**）を出した後，陰茎動脈 artery of penis となって陰茎脚に覆われて前進する．陰茎動脈は左右の陰茎脚が合する近くで尿道動脈 urethral artery を出した後，陰茎深動脈 deep artery of penis と陰茎背動脈 dorsal artery of penis に分かれる．内陰部動脈は内陰部静脈（**7**）により伴行されるが，この静脈は後陰嚢静脈（**8**）も受け入れている．

球海綿体筋（**9**）を除去すると（L 側），尿道海綿体（**10**）がみられる．この海綿体の後端すなわち尿道球（**11**）の背側でその両側にはほぼエンドウ豆大の尿道球腺（カウパー腺）（**12**）がみられる．

肛門部：閉鎖筋膜（**13**）を除去すると，陰部神経管が開かれて内陰部動静脈と陰部神経（**14**）が明らかになる．内閉鎖筋（**15**）の上に肛門挙筋腱弓（**16**）が坐骨棘（**17**）まで伸びている．この坐骨棘から仙棘靱帯（**18**）が仙骨の下部に達していて，小坐骨切痕を含む小坐骨孔 lesser sciatic foramen をつくっている．

恥骨直腸筋（**20**），恥骨尾骨筋（**21**）および腸骨尾骨筋（**22**）からなる肛門挙筋（**19**）が外肛門括約筋と肛門尾骨靱帯（**23**）に達している．恥骨直腸筋の最前部の線維である直腸前線維（＝恥骨会陰筋）（**24**）が挙筋門（**25**）の左右の境をなしながら会陰腱中心（**2**）の中に入射する．挙筋門の内部には前立腺（**26**）がみられる．外肛門括約筋（**27**）は3部構成（皮下部，浅部，深部）で肛門（**28**）を取り囲んでいる．尾骨筋（**29**）は肛門挙筋とともに骨盤隔膜 pelvic diaphragm をつくっている．

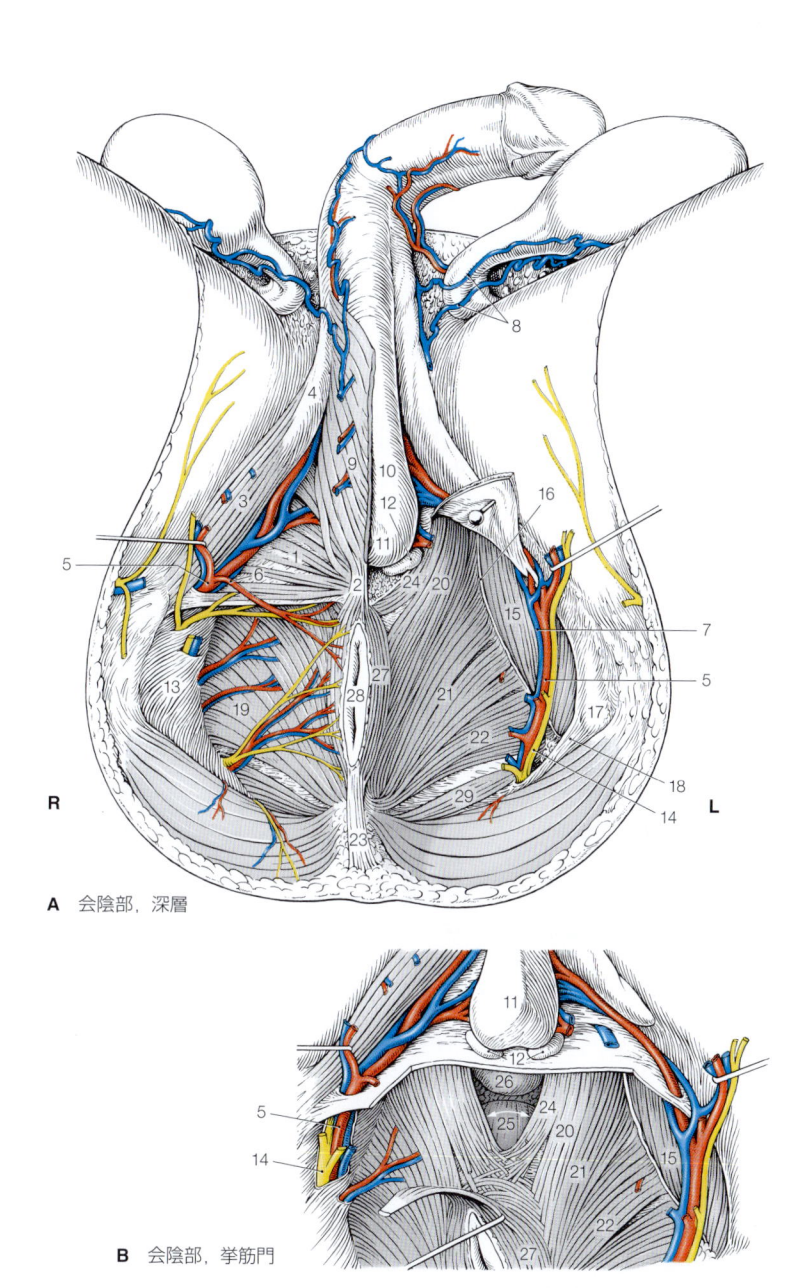

A 会陰部，深層

B 会陰部，挙筋門

---

1 深会陰横筋 deep transverse perineal muscle **2** 会陰腱中心 perineal body **3** 坐骨海綿体筋 ischiocavernosus **4** 陰茎脚 crus of penis **5** 内陰部動脈 internal pudendal artery **6** 会陰動脈 perineal artery **7** 内陰部静脈 internal pudendal vein **8** 後陰嚢静脈 posterior scrotal veins **9** 球海綿体筋 bulbospongiosus **10** 尿道海綿体 corpus spongiosum penis **11** 尿道球 bulb of penis **12** 尿道球腺（カウパー腺）bulbo-urethral gland（Cowper's gland）**13** 閉鎖筋膜 obturator fascia **14** 陰部神経 pudendal nerve **15** 内閉鎖筋 obturator internus **16** 肛門挙筋腱弓 tendinous arch of levator ani **17** 坐骨棘 ischial spine **18** 仙棘靱帯 sacrospinous ligament **19** 肛門挙筋 levator ani **20** 恥骨直腸筋 puborectalis **21** 恥骨尾骨筋 pubococcygeus **22** 腸骨尾骨筋 iliococcygeus **23** 肛門尾骨靱帯 anococcygeal ligament **24** 直腸前線維（＝恥骨会陰筋）prerectal fibers（＝ puboperinealis）**25** 挙筋門 levator gate（*Levatortor*）**26** 前立腺 prostate **27** 外肛門括約筋 external anal sphincter **28** 肛門 anus **29** 尾骨筋 coccygeus

下肢

下肢の部位（A, B）

上肢の場合と同様に，下肢の部位 region of inferior limb でも個々の境界はそんなに明確なものではなく，まず何よりも実用的な見地から決められているのである．

股関節領域の部位

股関節領域の部位は前方ではもう大腿の部位に属する．ここでは，鼠径靱帯，縫工筋および恥骨筋に囲まれた**鼠径下部**(1)が，広い**大腿三角**(2)の一部として特に区別される．**大腿三角**(2)はさらに遠位へ伸びており，鼠径靱帯，縫工筋および長内転筋に囲まれている．背側にはほぼ大殿筋の広がりに一致して殿溝 gluteal sulcus にまで達する**殿部**(3)がある．

大腿の部位

大腿三角に接して**前大腿部**(4)がある．この部位は下方へは膝の領域に，外側は大腿筋膜張筋にまで達する．後ろには殿部に接して**後大腿部**(5)がみられ，この部は膝窩の上方で終わる．

膝領域の部位

前では**前膝部**(6)が前大腿部の下縁からほぼ脛骨粗面にまで達している．後ろには**後膝部**(7)がある．この部位の中央部はまた**膝窩** popliteal fossa ともいわれる．

下腿の部位

前下腿部(8)は脛骨粗面から内・外両果にまで広がっている．内側では，この部位は皮膚の上から触れることのできる脛骨の後ろで**後下腿部**(9)に移行する．この部位の近位と遠位の境界は前下腿部と同じ高さにある．内果の後ろには**内果後部** medial retromalleolar region が，外果の後ろには**外果後部**(10)がある．

足の部位

内および外果後部の後ろには**踵部**(11)がある．その前上には**足背（足背部）**(12)が，下には**足底（足底部）**(13)がみられる．

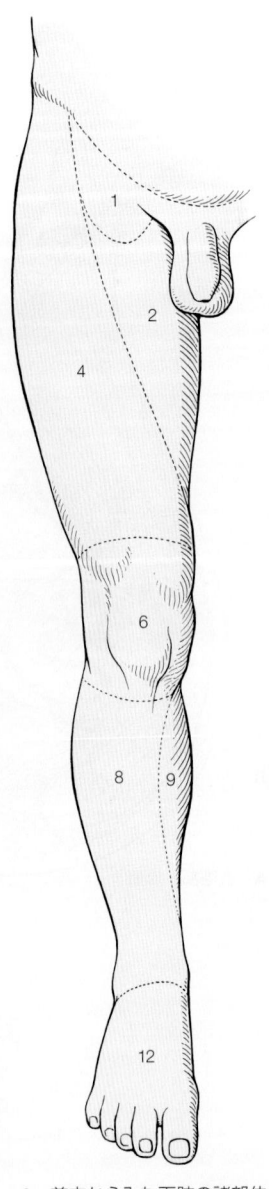

A 前方からみた下肢の諸部位 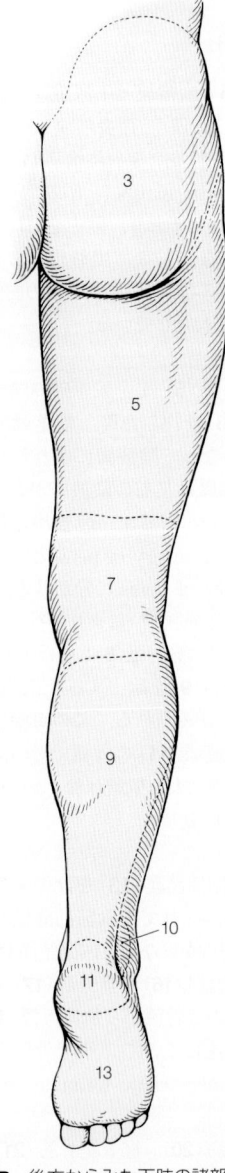　　B 後方からみた下肢の諸部位

---

1 鼠径下部 subinguinal region　**2** 大腿三角 femoral triangle　**3** 殿部 gluteal region　**4** 前大腿部 anterior region of thigh　**5** 後大腿部 posterior region of thigh　**6** 前膝部 anterior region of knee　**7** 後膝部 posterior region of knee　**8** 前下腿部 anterior region of leg　**9** 後下腿部 posterior region of leg　**10** 外果後部 lateral retromalleolar region　**11** 踵部 heel region　**12** 足背（足背部）dorsum of foot, dorsal region of foot　**13** 足底（足底部）sole, plantar region

鼠径下部

皮下層(A, B)

鼠径下部 subinguinal region の豊富な皮下脂肪組織は丈夫な線維層(**1**)によって2層に分けられる．これは結合組織の層板で，以前は大腿浅筋膜 superficial fascia of thigh またはスカルパの筋膜 Scarpa's fascia といわれていたものであって，一部は皮下の血管や神経を覆い隠しており，伏在裂孔の下方にまで及んでいる．全部の皮下脂肪組織とこれらの線維層を除去すると，初めて大腿筋膜(**2**)がみえるようになる．この大腿筋膜は伏在裂孔のあたりを除いて一般に腱膜様の強靱さをもっている．この伏在裂孔のところでは，篩状筋膜(**3**, 125頁)といわれる粗い網状の構造がみられる．

篩状筋膜のところに星状に四方から集まってきた皮下の諸静脈が，この筋膜を貫いて入り込む．大腿からは必ず決まって現れる最も太い静脈として大伏在静脈(**4**)がこの篩状筋膜(**3**)に達している．この静脈にはしばしば外側副伏在静脈(**5**)が接続する．恥骨部からは外陰部静脈(**6**)が，腹部の臍の付近からは浅腹壁静脈(**7**)がこの篩状筋膜のところへやってくる．鼠径靱帯と平行して浅腸骨回旋静脈(**8**)も上記のところへ到達する．これらすべての静脈の集まり方には種々の変異がみられ，これについては204頁で述べられている．小さな動脈としては外陰部動脈(**9**)，浅腹壁動脈(**10**)および浅腸骨回旋動脈(**11**)がみられ，それぞれ同名の静脈とともに走っている．

篩状筋膜の上には浅鼠径リンパ節 superficial inguinal nodes があり，これらのリンパ節は2群に分けられる(196頁参照)．一群は水平索 horizontal tract であって，鼠径靱帯と平行してみられる．もう一つの群は垂直索 vertical tract であって，大伏在静脈と平行して並んでいる．水平索は上内側浅鼠径リンパ節(**12**)と上外側浅鼠径リンパ節(**13**)とに分けられる．垂直索のリンパ節は下浅鼠径リンパ節(**14**)と呼ばれる．

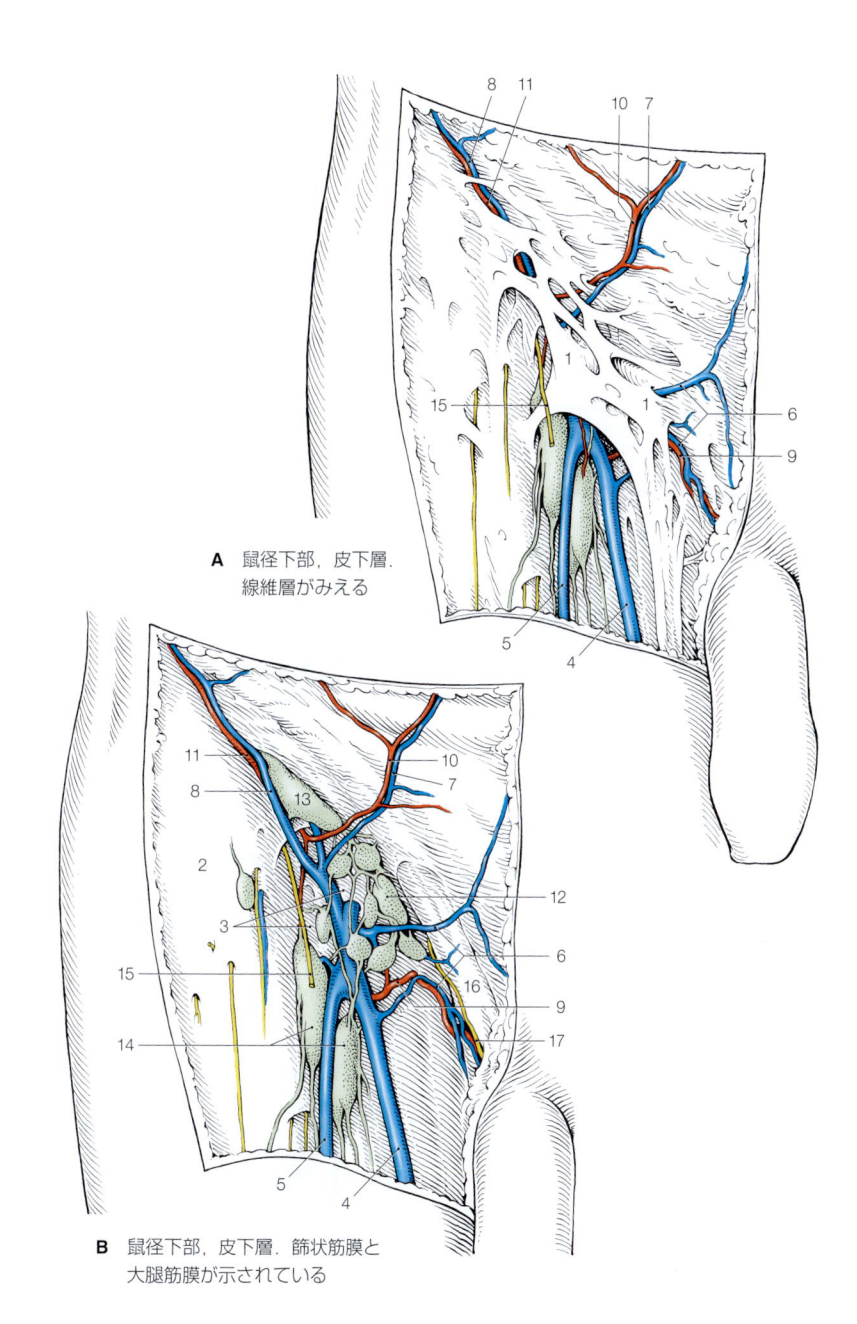

A 鼠径下部，皮下層．線維層がみえる

B 鼠径下部，皮下層．篩状筋膜と大腿筋膜が示されている

この領域の皮神経は陰部大腿神経の大腿枝(**15**)に由来するものである．鼠径靱帯の上方の鼠径部 inguinal region を，男性では精索(**16**)が腸骨鼠径神経(**17**)を伴って走り，陰嚢に達している．篩状筋膜の外側の皮膚は大腿神経の前皮枝 anterior cutaneous branches of femoral nerve に支配されている．

---

1 線維層 membranous layer　**2** 大腿筋膜 fascia lata　**3** 篩状筋膜 cribriform fascia　**4** 大伏在静脈 great saphenous vein　**5** 外側副伏在静脈 lateral accessory saphenous vein　**6** 外陰部静脈 external pudendal veins　**7** 浅腹壁静脈 superficial epigastric vein　**8** 浅腸骨回旋静脈 superficial circumflex iliac vein　**9** 外陰部動脈 external pudendal arteries　**10** 浅腹壁動脈 superficial epigastric artery　**11** 浅腸骨回旋動脈 superficial circumflex iliac artery　**12** 上内側浅鼠径リンパ節 superomedial nodes　**13** 上外側浅鼠径リンパ節 superolateral nodes　**14** 下浅鼠径リンパ節 inferior nodes　**15** 陰部大腿神経の大腿枝 femoral branch of genitofemoral nerve　**16** 精索 spermatic cord, *Funiculus spermaticus*　**17** 腸骨鼠径神経 ilio-inguinal nerve

伏在裂孔（A〜R）

篩状筋膜を除去すると，鎌状縁（**1**）の上角（**2**）と下角（**3**）により境された**伏在裂孔 saphenous opening**がみえてくる．その裂孔の中には，内側に深鼠径リンパ節（**4**），その外側に接して大腿静脈（**5**），そして最も外側には大腿動脈（**6**）がある．伏在裂孔の中または外側には，陰部大腿神経の大腿枝（**7**）が皮下にみられる．またさらに外側には大腿神経の前皮枝（**8**）が大腿筋膜を貫いて現れる．

伏在裂孔のところで，Lanz-Wachsmuthによれば，最も高頻度（37％）に次の諸静脈が大腿静脈に流れ込んでいる（**A**）：大伏在静脈（**9**），外側副伏在静脈（**10**），浅腸骨回旋静脈（**11**），浅腹壁静脈（**12**）および1本または数本の外陰部静脈（**13**）．このいわゆる"**静脈星 venous star**"には変異が多くみられる．これらのいろいろな変異が詳細図で示されている．

変異（B〜R）：外側副伏在静脈（B〜E）．この静脈は伏在裂孔より近位で（**B**）流入することがある（1％）．9％の例においては，浅腹壁静脈と浅腸骨回旋静脈との共通管に一緒になって（**C**）開口したり，また同様の率でこの外側副伏在静脈が単に浅腸骨回旋静脈と一緒になって開口したりする（**D**）．まれには外側副伏在静脈と浅腹壁静脈が合流してから開口する（**E**）．

大伏在静脈（F, G）は内側副伏在静脈（**14**）を受け入れてから，伏在裂孔より遠位で（1％）筋膜を破るか（**F**），あるいはそうでなく伏在裂孔の中で大腿静脈に合流する（**G**）．

外陰部静脈（H, I）は1％の例で内側副伏在静脈と合流しているが（**H**），この外陰部静脈は2％の例では浅腹壁静脈と一緒になっている（**I**）．

ことに変異が目立つのは**浅腹壁静脈**の走り方である（**J〜N**）．この静脈は外陰部静脈と合して大伏在静脈へ流入することがある（**J**）．たまに（1％）浅腹壁静脈は伏在裂孔より近位で大腿静脈に注いでいる（**K**）．また（9％においては）この浅腹壁静脈は浅腸骨回旋静脈と合して1本の幹となり，この幹が外側副伏在静脈に注ぎ（**L**），そののち伏在裂孔で大伏在静脈に開口している．時には，浅腹壁静脈と浅腸骨回旋静脈が一緒になったものが，さらに外陰部静脈および外側副伏在静脈と合流して1本の幹となり，これが伏在裂孔の中で大伏在静脈に流れ込んでいる（**M**）．6％のヒトにおいては，浅腹壁静脈と浅腸骨回旋静脈は合流しており，この幹がじかに大腿静脈に開口している（**N**）．

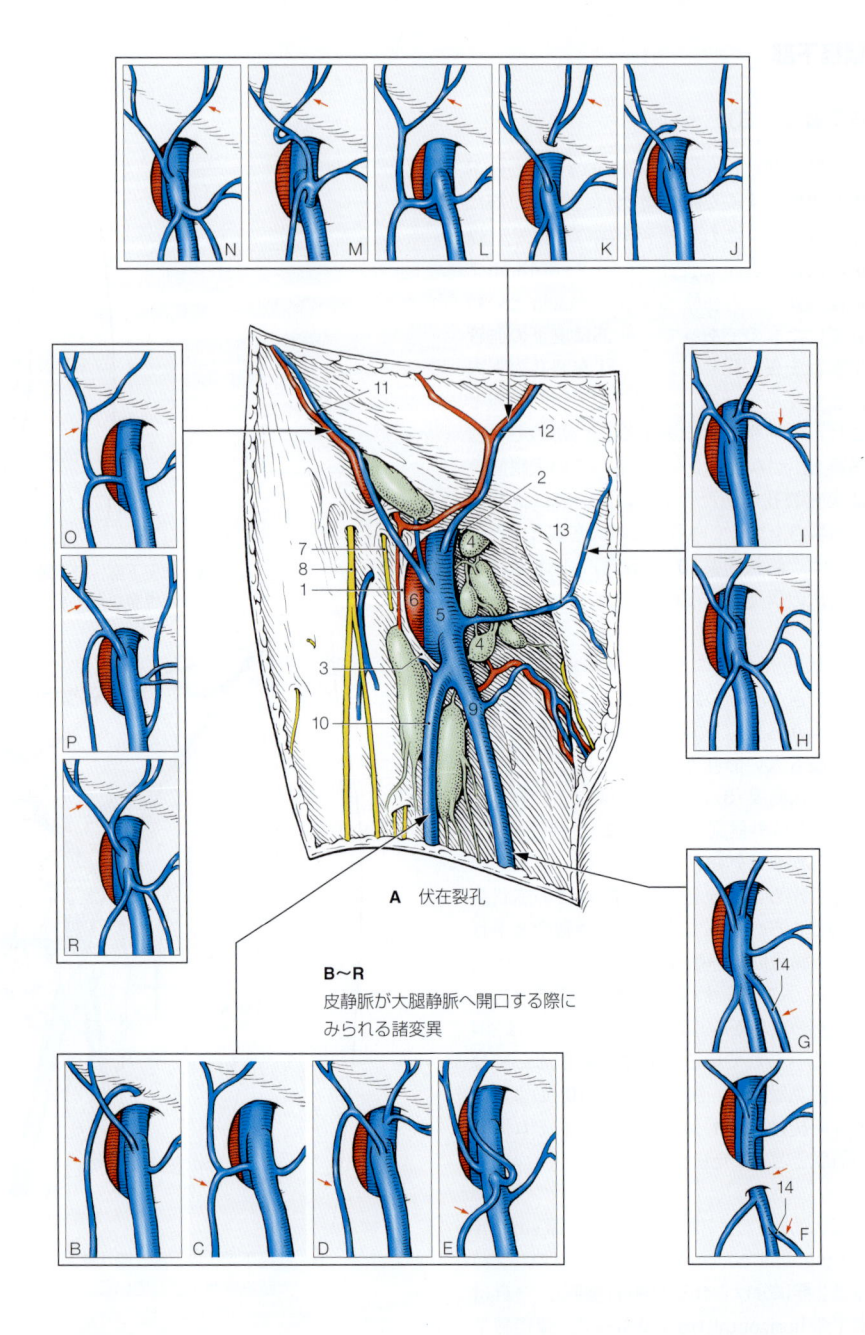

浅腸骨回旋静脈（O〜R）は，すでに述べたように，9％の例でまず浅腹壁静脈と，次いで外側副伏在静脈と一緒になって，大伏在静脈に注ぐことがあり（**O**），さらに9％は外側副伏在静脈が浅腸骨回旋静脈へ開口したり（**P**），時には浅腸骨回旋静脈が浅腹壁静脈と合して大伏在静脈に開いている（**R**）．

ここで述べられた変異のいろいろはほんの概観にすぎないが，これらはLanz-Wachsmuthの記載のほか，著者自身による多数の観察がもとになっている．

> **臨床関連：動脈内注射**のために大腿動脈を探すには，鼠径靱帯の下方ほぼ1cmのところを目指す．まず前上腸骨棘に恥骨結節を結ぶ直線を二等分する点を探す．この点の0.5cmのところに，穿刺針を垂直に刺す．針を通して脈圧により垂直方向に動く針の動きを触れることで，大腿動脈の存在を験する．動脈壁を貫いたことは，脈圧に対応して血液が注射筒に噴出することでわかる．

A 伏在裂孔

B〜R 皮静脈が大腿静脈へ開口する際にみられる諸変異

---

1 鎌状縁 falciform margin　**2** 上角 superior horn　**3** 下角 inferior angle　**4** 深鼠径リンパ節 deep inguinal nodes　**5** 大腿静脈 femoral vein　**6** 大腿動脈 femoral artery　**7** 大腿枝（陰部大腿神経の）femoral branch (of genitofemoral nerve)　**8** 前皮枝（大腿神経の）anterior cutaneous branch (femoral nerve)　**9** 大伏在静脈 great saphenous vein　**10** 外側副伏在静脈 lateral accessory saphenous vein　**11** 浅腸骨回旋静脈 superficial circumflex iliac vein　**12** 浅腹壁静脈 superficial epigastric vein　**13** 外陰部静脈 external pudendal veins　**14** 内側副伏在静脈 medial accessory saphenous vein

殿部（A，B）

皮下層（A）

皮膚と脂肪の多い皮下組織を取り除くと殿筋筋膜*（**1**）がみえる．この殿筋筋膜は大殿筋の上縁で丈夫で強い殿筋腱膜*（**2**）に続いている．

この殿部 gluteal region の皮膚は殿皮神経 clunial nerve と腸骨下腹神経の外側皮枝（**3**）に支配されている．殿部上方の皮膚は上殿皮神経（**4**）に支配されている．この上殿皮神経は上部3腰髄節に由来する脊髄神経の後枝 posterior ramus である．中間部では中殿皮神経（**5**）がみられる．この神経は上部3仙髄節から出た脊髄神経の後枝である．大殿筋の下縁を下殿皮神経（**6**）がワナをつくって迂回する．この神経は仙骨神経叢からの直接または間接の枝である．間接枝の場合，これらは後大腿皮神経 posterior cutaneous nerve of thigh の枝なのである．

皮膚への血液供給は主に上殿動脈と下殿動脈の枝によって行われる．内側部では腰動脈の枝も関与し，外側の大転子のところには第1貫通動脈 first perforating artery の枝が分布している．この動脈は大腿深動脈から起こっている．

筋膜下層（B）

殿筋筋膜を除去すると，大殿筋（**7**）とその下縁に大内転筋（**8**）および坐骨－下腿筋群がみえる．この筋群に属するのは坐骨結節から起こり下腿へ行く筋であって，半膜様筋（**9**），半腱様筋（**10**）および大腿二頭筋の長頭（**11**）がそうである．半腱様筋や大腿二頭筋の外側から，これらの筋の表面を横切って後大腿皮神経（**12**）が走る．

深部では坐骨神経（**13**）が下方へ向かって走る．この坐骨神経は，坐骨結節から大転子に至る線を引きこれを3分すると，比較的容易に探し出すことができる．すなわち，内側の1/3と中間の1/3との境界の延長線上で，大殿筋の下縁のところに坐骨神経がみつかるのである．坐骨神経の外側を第1貫通動脈（**14**）の枝が伴行静脈とともに小内転筋（**15**）の上を斜めに横切って上行している．

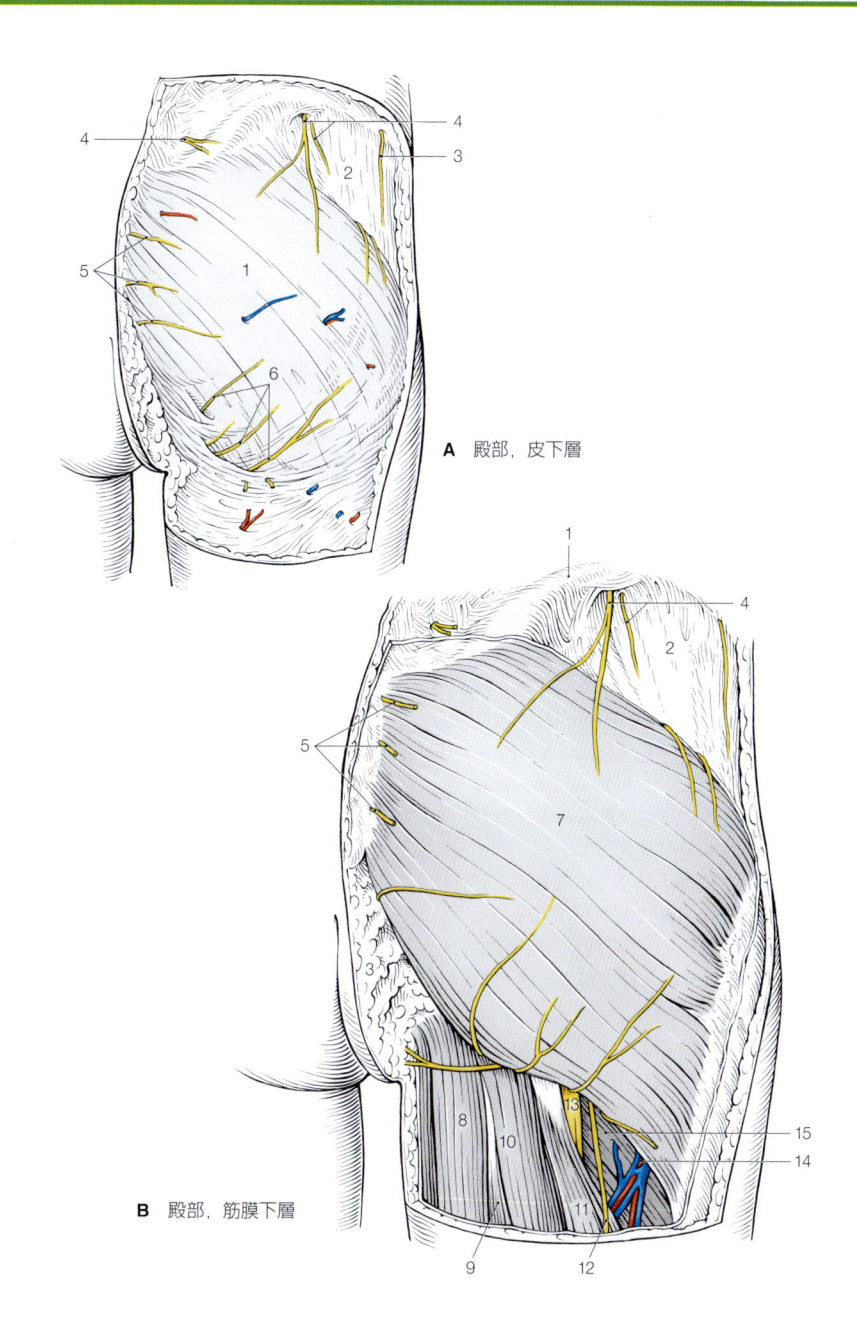

*P.N.A. には記載されていない．

---

1 殿筋筋膜 gluteal aponeurosis　**2** 殿筋腱膜 gluteal aponeurosis　**3** 腸骨下腹神経の外側皮枝 lateral branch of iliohypogastric nerve　**4** 上殿皮神経 superior clunial nerves　**5** 中殿皮神経 medial clunial nerves　**6** 下殿皮神経 inferior clunial nerves　**7** 大殿筋 gluteus maximus　**8** 大内転筋 adductor magnus　**9** 半膜様筋 semimembranosus　**10** 半腱様筋 semitendinosus　**11** 大腿二頭筋の長頭 long head of biceps femoris　**12** 後大腿皮神経 posterior femoral cutaneous nerve　**13** 坐骨神経 sciatic nerve　**14** 第1貫通動脈 perforating arteries I　**15** 小内転筋 adductor minimus

殿部（続き）（A～C）

深層（A）

大殿筋（**1**）を切断すると，梨状筋上孔と梨状筋下孔を通る血管や神経がみえてくる．

これら両孔は，**大坐骨孔** greater sciatic foramen を2分する梨状筋（**2**）によってつくられる（92頁参照）．

梨状筋上孔 suprapiriform foramen を通って上殿動・静脈（**3**）と上殿神経（**4**）が外側へ向かって走っている．この動脈は静脈を伴う1枝（**5**）を大殿筋（**1**）へ送った後，静脈と神経とともに中殿筋（**6**）と小殿筋（**7**）の間を走っていく．上殿神経は中殿筋，小殿筋および大腿筋膜張筋を支配している．

梨状筋下孔 infrapiriform foramen を通って下殿動・静脈（**8**）と下殿神経（**9**）が大殿筋（**1**）へ行く．内陰部動・静脈（**10**）と陰部神経（**11**）は坐骨棘をぐるりと回って，小坐骨孔を通り坐骨直腸窩 ischiorectal fossa に達する．その際これら動・静脈および神経は上双子筋（**12**）の背側を通ってから，内閉鎖筋（**13**）に接して走る．さらに後大腿皮神経（**14**）と坐骨神経（**15**）も梨状筋下孔を通って小骨盤を離れ，上双子筋（**12**），内閉鎖筋（**13**），下双子筋（**16**）および大腿方形筋（**17**）の背側を通って大腿に至る．

後大腿皮神経（**14**）は梨状筋下孔から出てきた直後，下殿皮神経（**18**）を出し，続いて会陰枝（**19**）を出す．この後大腿皮神経はその後，大腿二頭筋の長頭（**20**）の表面を走る．一方，坐骨神経（**15**）はこの筋と大内転筋（**21**）の間を下行する．

変異：坐骨神経は約85％の例で梨状筋下孔を通り抜けている（**A**）．約15％の例では，この坐骨神経はすでに骨盤の中で2枝，すなわち脛骨神経と総腓骨神経とに分かれてしまう．その際，12％においては総腓骨神経が梨状筋を貫通しており，3％においては梨状筋上孔を通って骨盤から出てくることさえある．

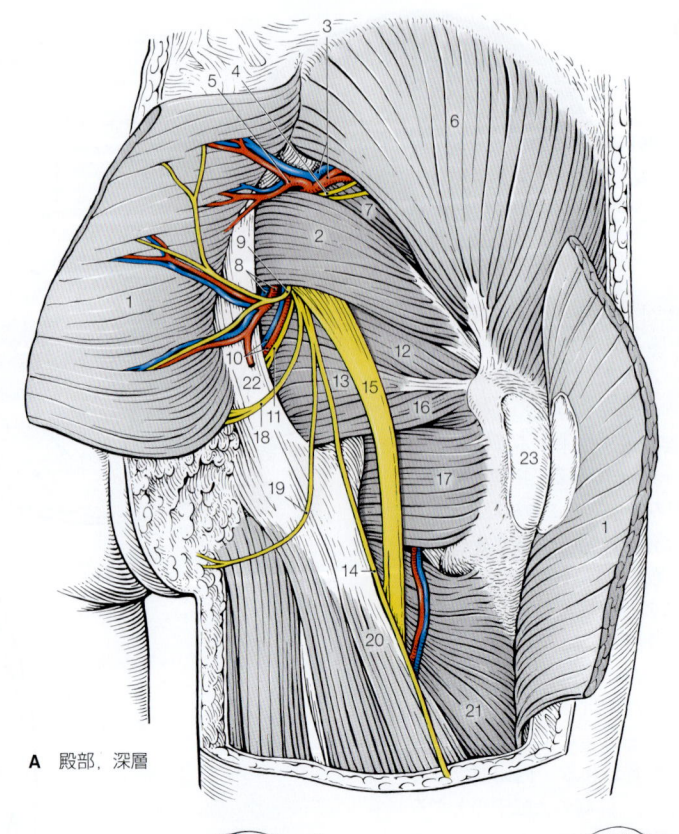

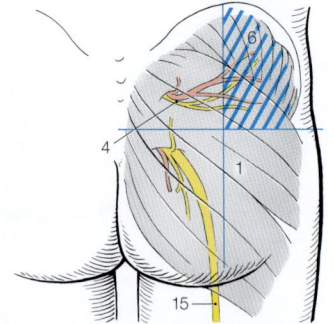

A 殿部，深層

B 殿筋内注射の際，傷つけやすい血管と神経の模式図

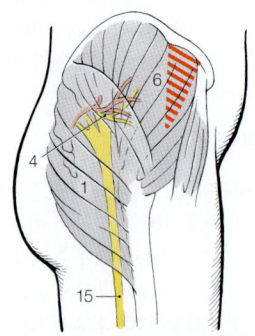

C A. v. Hochstetterの推奨する殿筋内注射の部位

臨床関連（B, C）：殿部は**筋肉内注射** intramuscular injections のための代表的な場所とされている．しばしば殿部の上外側1/4（青で斜線が引かれている）で（**B**），殿筋内注射が大殿筋（**1**）あるいは中殿筋（**6**）の中へ行われる．しかしながらその際には浅すぎれば薬液が皮下にとどまる危険性があるし，あるいはまたあまりに深すぎて大殿筋と中殿筋の間の筋間脂肪層へ達し，場合によっては上殿神経（**4**）を傷つける危険性もある．この神経を損傷すると，中殿筋，小殿筋，そして大腿筋膜張筋が麻痺する．

A. v. Hochstetterの方法では，外側から（**C**）三角野（赤で斜線が引かれている）の中へ注射が行われる．もちろんこの際は上前腸骨棘の後ろで中殿筋と小殿筋内へ薬液が注入されるのである．この場合，筋肉を弛緩（股関節を軽く前屈させ，膝関節を緩く屈曲）させると患者に苦痛を与えることが少ない．

---

1 大殿筋 gluteus maximus　2 梨状筋 piriformis　3 上殿動・静脈 superior gluteal artery & vein　4 上殿神経 superior gluteal nerve　5 浅枝（上殿動脈の）superficial branch (superior gluteal artery)　6 中殿筋 gluteus medius　7 小殿筋 gluteus minimus　8 下殿動・静脈 inferior gluteal artery & vein　9 下殿神経 inferior gluteal nerve　10 内陰部動・静脈 internal pudendal artery & vein　11 陰部神経 pudendal nerve　12 上双子筋 gemellus superior　13 内閉鎖筋 obturator internus　14 後大腿皮神経 posterior femoral cutaneous nerve　15 坐骨神経 sciatic nerve　16 下双子筋 gemellus inferior　17 大腿方形筋 quadratus femoris　18 下殿皮神経 inferior clunial nerves　19 会陰枝（後大腿皮神経の）perineal branches (posterior femoral cutaneous nerve)　20 大腿二頭筋の長頭 long head of biceps femoris　21 大内転筋 adductor magnus　22 仙結節靱帯 sacrotuberous ligament　23 大殿筋の転子包 trochanteric bursa of gluteus maximus

前大腿部

皮下層（A）

前大腿部 anterior region of thigh の皮下層はところによって種々異なった状態を呈する．近位部すなわち鼠径下部のところでは，強靱な結合組織の層板＝線維層 membranous layer があって（203頁），皮下の脂肪組織を2層に分けている．そのほか，**伏在裂孔**（**1**）は疎性線維性結合組織の層すなわち篩状筋膜に覆われている．

篩状筋膜を除去すると，伏在裂孔の鋭利な縁すなわち鎌状縁 falciform margin がみえるようになる．この鎌状縁は上角と下角の形をとって（125頁）内側へ向かい，大腿筋膜に移行していく．伏在裂孔のところを除いては，完全に大腿を包む**大腿筋膜**（**2**）も部位によってやはり発達の程度が異なる．外側大腿部では大腿筋膜は強靱であって，この中へさし込んでくる大腿筋膜張筋によってぴんと張られている．大腿筋膜のこの部分は腸脛靱帯（**3**）ともいわれる．大腿の内側部では筋膜はより疎になっている．

皮下には大伏在静脈（**4**）が走るが，この静脈はしばしば外側副伏在静脈（**5**）によって，またまれには内側副伏在静脈（**6**）によっても補足されている．伏在裂孔に入るこれら以外の静脈はすでに204頁で述べられている．

外側で，ほぼ近位1/3と中間1/3の間の境界のあたりで，外側大腿皮神経（**7**）が筋膜上に現れる．一方，大腿神経の前皮枝（**8**）はいろいろ異なる高さで筋膜を破って出てくる．陰部大腿神経の大腿枝（**9**）は伏在裂孔を通って出てくるか，またはその外側で大腿筋膜を貫いて現れる．内側大腿部の上方の皮膚の小領域は腸骨鼠径神経（**10**）によって支配されている．

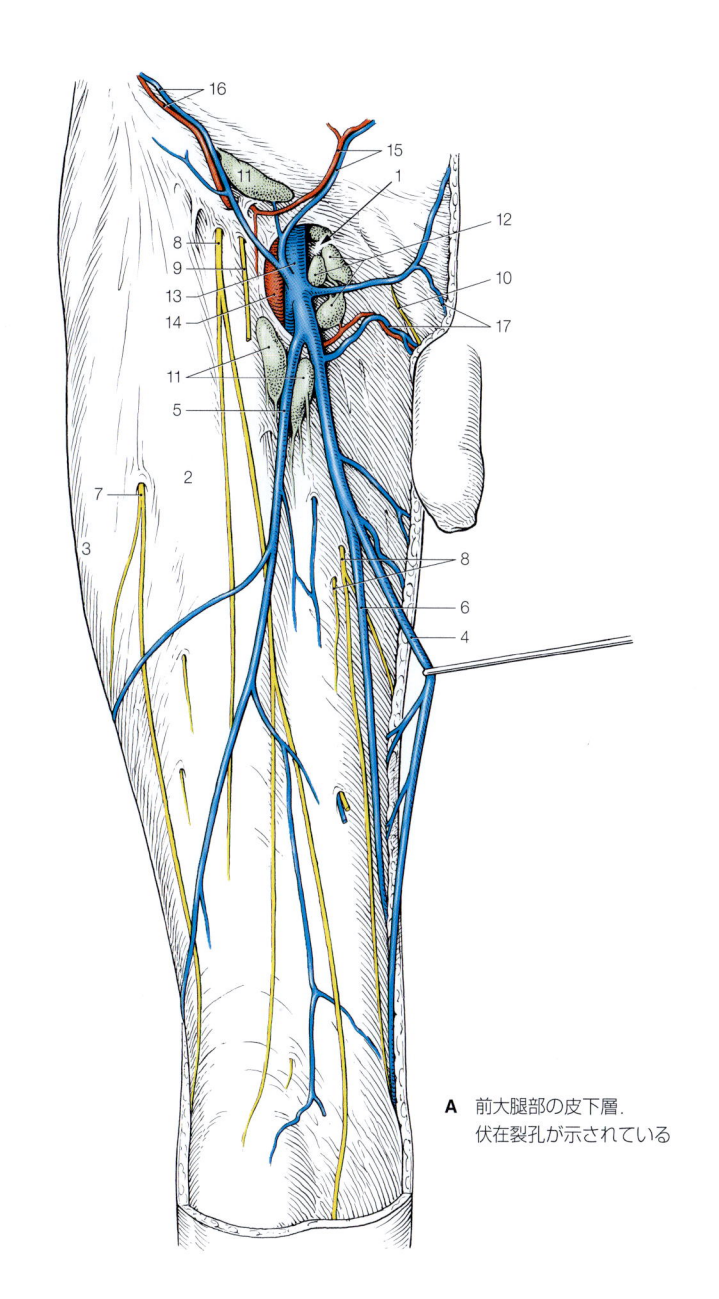

A 前大腿部の皮下層．伏在裂孔が示されている

---

1 伏在裂孔 saphenous opening **2** 大腿筋膜 fascia lata **3** 腸脛靱帯 iliotibial tract **4** 大伏在静脈 great saphenous vein **5** 外側副伏在静脈 lateral accessory saphenous vein **6** 内側副伏在静脈 medial accessory saphenous vein **7** 外側大腿皮神経 lateral femoral cutaneous nerve **8** 前皮枝（大腿神経の）anterior cutaneous branch (femoral nerve) **9** 大腿枝（陰部大腿神経の）femoral branch (of genitofemoral nerve) **10** 腸骨鼠径神経 ilio-inguinal nerve **11** 上外側浅鼠径リンパ節と下浅鼠径リンパ節 superolateral nodes & inferior nodes **12** 深鼠径リンパ節 deep inguinal nodes **13** 大腿静脈 femoral vein **14** 大腿動脈 femoral artery **15** 浅腹壁動・静脈 superficial epigastric artery & vein **16** 浅腸骨回旋動・静脈 superficial circumflex iliac artery & vein **17** 外陰部動・静脈 external pudendal arteries & veins

前大腿部（続き）（A～H）

深層（A）

　大腿筋膜を除去すると大きな血管と神経がみえる．鼠径靱帯，縫工筋（**1**）および長内転筋（**2**）で囲まれた**大腿三角** femoral triangle の中では，リンパ管のそばを大腿静脈（**3**）と大腿動脈（**4**）が血管裂孔を通って，また大腿神経（**5**）と腸腰筋（**6**）が筋裂孔を通っていずれも大腿へ出てくる．

　種々の浅層への枝を出した後（203頁），大腿動脈（**4**）は筋枝と強大な枝である大腿深動脈（**7**）を深部へ送り出す．この大腿深動脈は（58％の例で）内転筋群と大腿骨頭へ行く内側大腿回旋動脈（**8**）および外側大腿回旋動脈（**9**）とを出す．この外側大腿回旋動脈はその上行枝（**10**）が大腿骨頭へ，下行枝（**11**）は大腿四頭筋（**12**）へ行く．大腿深動脈は多くの場合，大腿の内転筋群と背側筋群へ行く3本の貫通動脈（**13**）となって終わる．大腿動脈の内側を大腿静脈（**3**）が血管裂孔に達する．この大腿静脈は皮下の静脈（204頁）のほか，動脈にそう伴行静脈をも受け入れる．

　大腿神経（**5**）は筋裂孔を通って大腿に出て，皮枝（大腿神経の前皮枝 anterior cutaneous branches）を出してから，縫工筋（**1**），大腿四頭筋（**12**）および恥骨筋（**14**）を支配する．その最も長い純知覚性の枝は伏在神経（**15**）であって，この神経は大腿動脈（**4**）の外側をこの動脈と大腿静脈とともに**内転筋管** adductor canal に達する．その際には上記の血管と神経は長内転筋（**2**）の上を走る．この筋はまた一部で広筋内転筋板を，また一部は内転筋管の後壁をつくるのを助ける．結局，この内転筋管の形成には長内転筋のほか，内側広筋（**16**）と大内転筋（**17**）および広筋内転筋板（**18**）が関与することになる．伏在神経（**15**）は多くの場合（62％）下行膝動脈（**19**）とともにこの広筋内転筋板を貫いて下腿に至り，その内側面を支配する．その際この神経は膝蓋下枝（**20**）を出す．

　変異（B～H）：伏在神経（**15**）は大腿神経からの起こり方についても，大腿での走り方についても，非常に変異が多い（Sirang）．多くの場合にこの神経は外側大腿回旋動脈（**9**）よりも近位で大腿神経（**5**）から出てくる（**B**）．その際この神経は2根でもって外側大腿回旋動脈をかかえていることがある（**C**）．頻度はそれほど高くないが，まだ大腿神経として外側大腿回旋動脈の上を横切った後，やっとこの神経が大腿神経を離れ出たりする（**D, E**）．この神経は内転筋管に達すると，広筋内転筋板（**18**）を貫き，縫工筋（**1**）の上を横切って（**B, C**），またはこの筋の下を横切って（**D**），あるいはこの筋を貫いて（**E**）膝蓋下枝（**20**）を送り出す．さらにまれな場合には（**E**），膝蓋下枝が閉鎖神経の前枝の皮枝（**21**）からの線維をも受けとることがある．

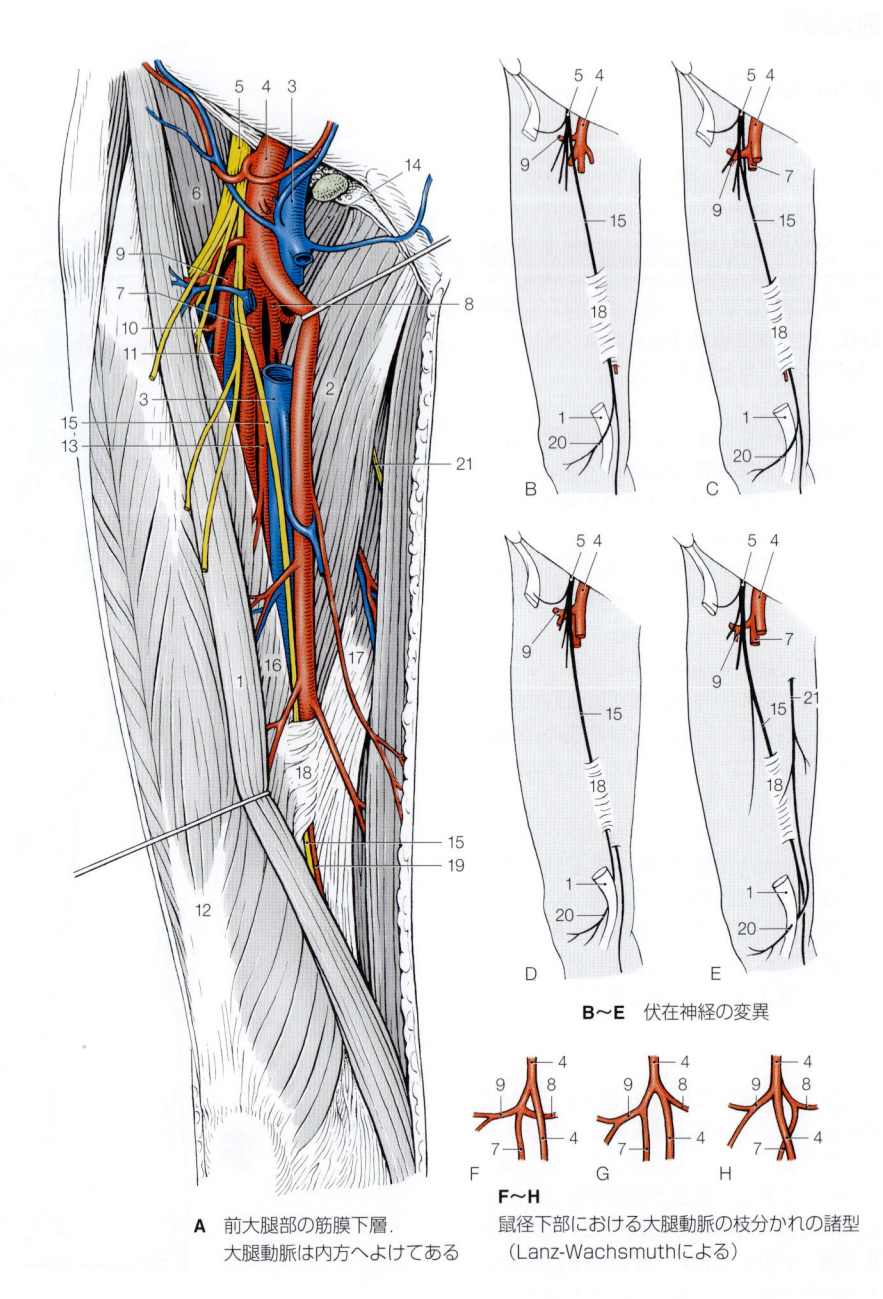

　大腿動脈（**4**）の枝分かれについても同様に非常に多くの変異が生じる．最も高頻度（Lippertによると58％）に内側大腿回旋動脈（**8**）と外側大腿回旋動脈（**9**）は大腿深動脈から出る（**F, 7**）．外側大腿回旋動脈（**9**）の起始が大腿深動脈（**7**）にある例は，Lippertによると18％においてみられる（**G**）．一方，内側大腿回旋動脈（**8**）が大腿深動脈（**7**）から出ている例は，同じ著者によれば15％の割で存在するに過ぎない（**H**）．残りの8％はごくまれな変異として種々の型がみられる．

A 前大腿部の筋膜下層．大腿動脈は内方へよけてある

B～E 伏在神経の変異

F～H 鼠径下部における大腿動脈の枝分かれの諸型（Lanz-Wachsmuthによる）

---

1 縫工筋 sartorius　2 長内転筋 adductor longus　3 大腿静脈 femoral vein　4 大腿動脈 femoral artery　5 大腿神経 femoral nerve　6 腸腰筋 iliopsoas　7 大腿深動脈 deep artery of thigh　8 内側大腿回旋動脈 medial circumflex femoral artery　9 外側大腿回旋動脈 lateral circumflex femoral artery　10 上行枝 ascendinfg branch　11 下行枝 descending branch　12 大腿四頭筋 quadriceps femoris　13 貫通動脈 perforating arteries　14 恥骨筋 pectineus　15 伏在神経 saphenous nerve　16 内側広筋 vastus medialis　17 大内転筋 adductor magnus　18 広筋内転筋板 vastoadductor layer　19 下行膝動脈 descending genicular artery　20 膝蓋下枝 infrapatellar branch　21 （閉鎖神経前枝の）皮枝 cutaneous branch (anterior branch of obturator nerve)

後大腿部（A，B）

後大腿部posterior region of thighで腸脛靱帯（**1**）を残して大腿筋膜を除去すると，大殿筋（**2**）の下縁に，大腿二頭筋長頭（**4**）の表面を走る後大腿皮神経（**3**）の筋膜の下を走る部分がみえる．

大腿二頭筋の長頭（**4**）と短頭（**5**）の間を坐骨神経（**6**）が下方へ向かって走っている．いろいろな高さでこの神経は脛骨神経（**7**）と総腓骨神経（**8**）に分かれる．坐骨神経はこの分岐の前に，大腿二頭筋へ行くもう1本の枝（**9**）を出す．脛骨神経は腓腹筋（**10**）の両頭の間を通るが，そのとき種々の枝を送り出す（211頁）．総腓骨神経は大腿二頭筋（**11**）の後縁に沿って下行する．

第1貫通動脈（**12**）は大腿深動脈の枝であるが，大腿背側に至り恥骨筋と短内転筋の間を走り，次いで小内転筋と大内転筋の間を通り抜ける．この動脈は腹側で（しかし小および大内転筋よりは背側で），その伴行静脈とともに坐骨神経を横切り，大腿二頭筋長頭（**4**）と半腱様筋（**13**）に枝を送る．第1貫通動脈は大内転筋の背側で，第2貫通動脈（**14**）の諸枝および第3貫通動脈 third perforating artery of thigh の諸枝とも交通する．この第3貫通動脈は大腿深動脈の終枝であって，［内転筋］腱裂孔の近くで大内転筋を貫通する．第3貫通動脈は半膜様筋と大腿二頭筋短頭とに給血している．

半膜様筋（**15**）を押し分けると，深部に［内転筋］腱裂孔（**16**）がみえてくる．大内転筋の一部は粗線の内側唇に，他の部は内側上顆の内転筋結節に付着しているが，腱裂孔（**B**）は大内転筋（**17**）のこの2つの部分に囲まれている．内転筋管を通る大腿動脈はこの腱裂孔を通り抜けて膝窩動脈（**18**）となり，大腿の後面へ出て膝窩に至る．この膝窩動脈は筋枝のほか，内側上膝動脈と外側上膝動脈 medial & lateral superior genicular artery を送り出す．膝窩動脈はたいていは対をなす膝窩静脈（**19**）に伴われて走る．

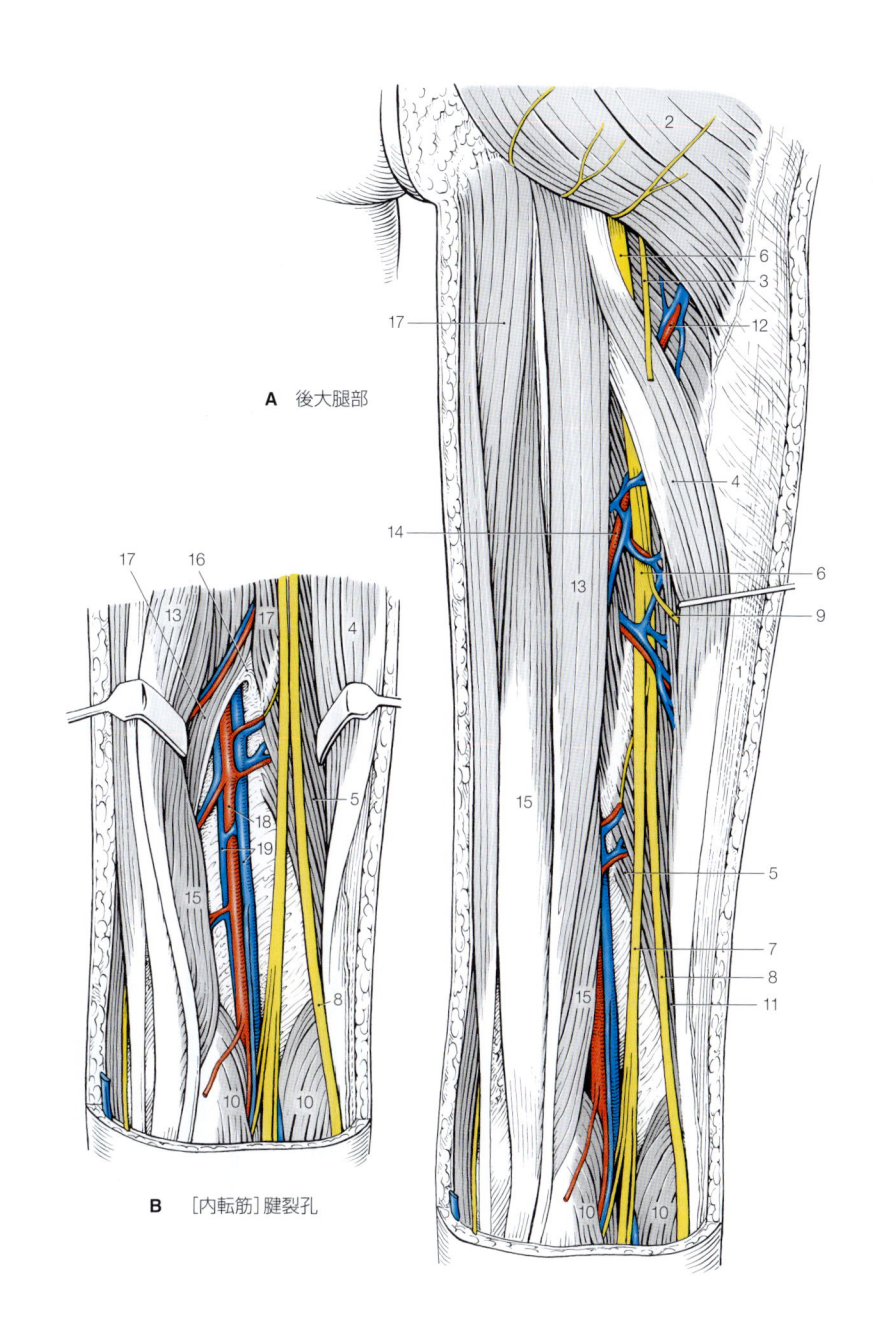

A 後大腿部

B ［内転筋］腱裂孔

変異：ごくまれに坐骨動脈 sciatic artery がみられるが，この動脈は発生学的にはもともと下肢へ給血する主要な動脈であったものである．多くの場合は，坐骨神経伴行動脈 artery to sciatic nerve として残っているにすぎない．

---

1 腸脛靱帯 iliotibial tract　2 大殿筋 gluteus maximus　3 後大腿皮神経 posterior femoral cutaneous nerve　4 大腿二頭筋の長頭 long head of biceps femoris　5 大腿二頭筋の短頭 short head of biceps femoris　6 坐骨神経 sciatic nerve　7 脛骨神経 tibial nerve　8 総腓骨神経 common fibular nerve　9 筋枝（大腿二頭筋へ行く）muscular branches　10 腓腹筋 gastrocnemius　11 大腿二頭筋 biceps femoris　12 第1貫通動脈 perforating arteries I　13 半腱様筋 semitendinosus　14 第2貫通動脈 perforating arteries II　15 半膜様筋 semimembranosus　16 ［内転筋］腱裂孔 adductor hiatus　17 大内転筋 adductor magnus　18 膝窩動脈 popliteal artery　19 膝窩静脈 popliteal vein

後膝部（A～K）

皮下層（A）

後膝部 posterior region of knee の皮下層の内側縁には大伏在静脈（**1**）がある．この静脈は下腿では伏在神経（**2**）に伴われている．この神経は膝窩の下縁で皮下に現れる．膝窩下縁では時に（下記を参照）小伏在静脈（**3**）が筋膜を貫いている．この静脈は内側腓腹皮神経（**4**）とともに走っている．内側腓腹皮神経はやがて腓腹神経 sural nerve（213頁）となって下行する．そのほか膝窩では後大腿皮神経が多くの枝（**5**）に分かれて終わっている．

小伏在静脈の走行の変異（B～E）

小伏在静脈は静脈学 phlebology では大切な静脈であるが，下腿筋膜に関して非常にまちまちの走行を示す．Moosmann と Hartwell によれば，小伏在静脈（**3**）がすでに下腿の遠位1/3で（**B**）下腿筋膜を貫いて（7％），筋膜下を走り膝窩まで行き，ここで膝窩静脈（**6**）に流入することがある．しかしながら，小伏在静脈（**3**）が下腿の中間1/3で（**C**）筋膜を貫いている場合が最も頻度が高い（51.5％）．

次に高い頻度で（32.5％），小伏在静脈（**3**）が近位1/3のところ（**D**）で筋膜を貫く．またこの静脈が膝窩の中で（**E**）筋膜を突き破るのは，ほんの9％の例にすぎない．

小伏在静脈の開口変異（F～K）

Mercier と共同研究者らによると，小伏在静脈（**3**）のより大きな静脈への開口についても，いろいろな変異が多くみられる．膝窩静脈（**6**）への定型的な開口（**F**）のほか，この小伏在静脈は1枝を出して大伏在静脈（**1**）にも合流することがある（**G**）．この枝が存在する場合には，小伏在静脈（**3**）はまたじかに大腿静脈（**7**）へ注ぎ込むことがある（**H**）．そのほかの変異はもっぱら大伏在静脈へ開口する（**I**）か，あるいは大腿静脈へ開口する（**J**）かのいずれかである．後者の場合にはその開口部で三角州状になっていることもある（**K**）．

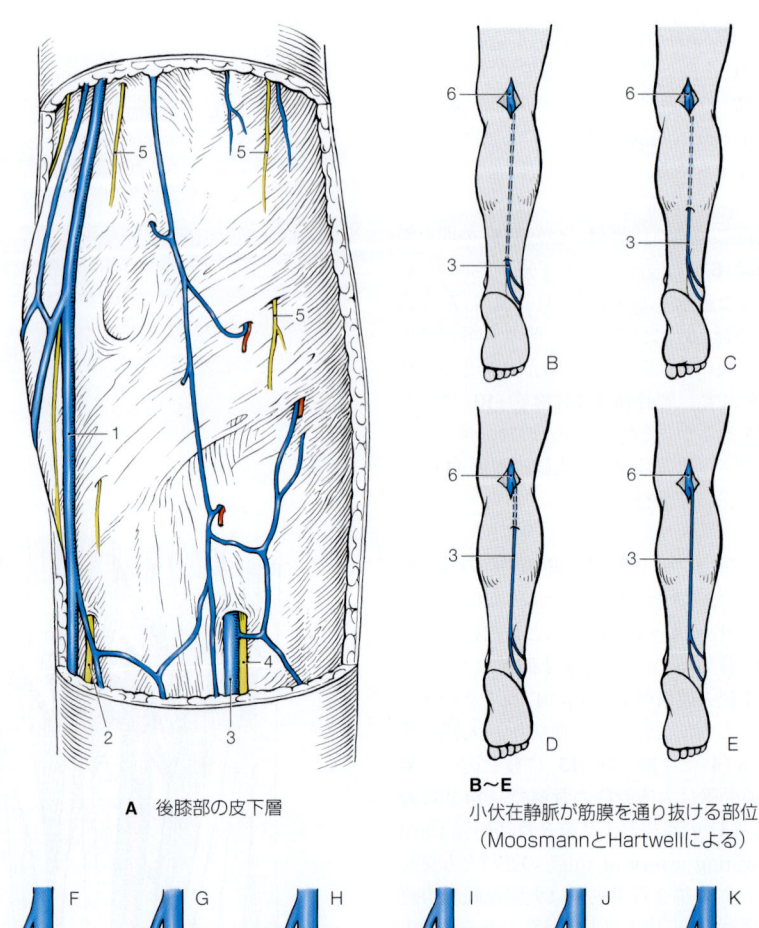

A 後膝部の皮下層

B～E 小伏在静脈が筋膜を通り抜ける部位（Moosmann と Hartwell による）

F～K 起こり得る小伏在静脈の開口状態の諸型（Mercier と共同研究者による）

---

1 大伏在静脈 great saphenous vein　**2** 伏在神経 saphenous nerve　**3** 小伏在静脈 small saphenous vein　**4** 内側腓腹皮神経 medial sural cutaneous nerve　**5** 後大腿皮神経（の枝）posterior femoral cutaneous nerve　**6** 膝窩静脈 popliteal vein　**7** 大腿静脈 femoral vein

膝窩（A〜G）

深層（A）

後膝部の筋膜を除去すると，筋で囲まれた菱形の膝窩 popliteal fossa がみえてくる．近位内側では半膜様筋（**1**）が，近位外側では大腿二頭筋（**2**）が，また遠位では，腓腹筋 gastrocnemius がその外側頭（**3**）と内側頭（**4**）とで膝窩を囲んでいる．近位には半膜様筋と大腿二頭筋の間に坐骨神経ないしはその諸枝がみえる．

総腓骨神経（**5**）は大腿二頭筋の後縁に沿って表層を下方へ走る．一方，第2の枝である脛骨神経（**6**）は腓腹筋の両頭の間を走って下方へ行く．脛骨神経は筋枝（**7**）と内側腓腹皮神経（**8**）を出すが，後者は総腓骨神経から出る腓腹神経との交通枝 peroneal communicating branch と合して腓腹神経 sural nerve（213頁）となる．

膝窩の深部には，膝窩静脈（**9**）を伴った膝窩動脈（**10**）がみられる．この動脈はいろいろの高さで（下記を参照）前脛骨動脈（**11**）を出す．小伏在静脈は多くの場合は膝窩静脈の1本に合流するが，この標本におけるように，膝窩より近位でやっとより大きな静脈に開口することがある．

動脈の分岐の変異（B〜G）：

膝窩動脈（**10**）はたいていの場合（B），すなわち90％のヒトにおいては，膝窩筋（**12**）の背側で第1枝として前脛骨動脈（**11**）を出し，さらに遠位へ行ってから後脛骨動脈（**13**）と腓骨動脈（**14**）に分かれる．約4％のヒトでは（C），これらの動脈が1ヵ所から起始している．まれには（1％）膝窩筋の下端で（D），前脛骨動脈と腓骨動脈との共通の起始（前腓骨脛骨動脈，**D15**）をみることがある．

3％の例では膝窩動脈（**10**）がすでに膝窩筋より近位で前脛骨動脈を出す（E, Aをも参照）．1％ずつの頻度で，前脛骨動脈（**11**）はいずれも前記の高さから起こるが，ある場合には前腓骨脛骨動脈（**F15**）が存在し（F），また他の場合には前脛骨動脈（**11**）が膝窩筋（**12**）の腹側を走っていることがある（G）．

> **臨床関連**：腓腹筋の筋線維が大腿骨膝窩面や粗線の内側唇から変則的にまたは過剰に起始するときや，膝窩動静脈の血管鞘が異常な場合には**膝窩動脈圧迫症候群** popliteal artery's compression syndrome の原因になることがある．この症候群は前脛骨動脈が膝窩筋の腹側を走る前記のまれな症例（G）でも起こりえる．

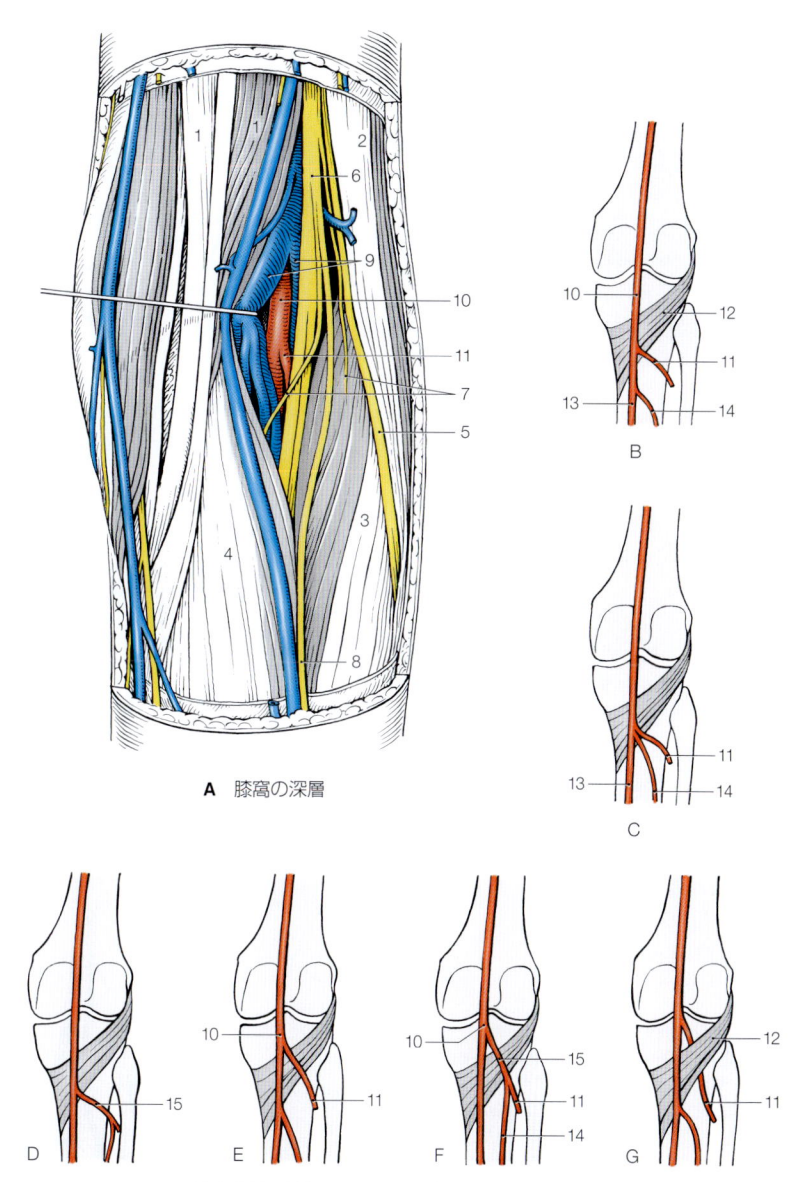

A 膝窩の深層

B〜G 膝窩動脈の枝分かれの多様性（Lanz-Wachsmuthによる）

---

1 半膜様筋 semimembranosus　**2** 大腿二頭筋 biceps femoris　**3** 外側頭（腓腹筋の）lateral head of gastrocnemius　**4** 内側頭（腓腹筋の）medial head of gastrocnemius　**5** 総腓骨神経 common fibular nerve　**6** 脛骨神経 tibial nerve　**7** 筋枝 muscular branches　**8** 内側腓腹皮神経 medial sural cutaneous nerve　**9** 膝窩静脈 popliteal vein　**10** 膝窩動脈 popliteal artery　**11** 前脛骨動脈 anterior tibial artery　**12** 膝窩筋 popliteus　**13** 後脛骨動脈 posterior tibial artery　**14** 腓骨動脈 fibular artery　**15** 前腓骨脛骨動脈 anterior peroneotibial trunk

前下腿部（A，B）

前下腿部 anterior region of leg の皮下の導通路（脈管と神経）は主として下腿の内側を走っている．大伏在静脈（**1**）は足の内側縁と足背からの血液を集め，下腿三頭筋の表面を走って上行する．この静脈とともに伏在神経（**2**）が走っている．伏在神経は下腿の内側面から足の内側縁に至るまでの皮膚を支配しており，さらに膝蓋下枝（**3**）を介して膝蓋下部の皮膚も支配している．次いでこの神経は内側下腿皮枝（**4**）を出す．

外側部で下腿筋膜を除去すると，脛骨（**6**）の近位部に接して前脛骨筋（**5**）がみられる．この前脛骨筋の外側には長指伸筋（**7**）が，これら両筋の間の深部には長母指伸筋（**8**）がある．外側にはさらに長腓骨筋（**9**）と短腓骨筋（**10**）がみえる．

長指伸筋（**7**）と長・短両腓骨筋との間を浅腓骨神経（**11**）が下方へ走り，足背で枝分かれしている．この神経は下腿の下半分で筋膜を貫いて皮下に出る．前脛骨筋（**5**）の腱と長母指伸筋（**8**）の間の深部を，伴行静脈である前脛骨静脈（**13**）を伴った前脛骨動脈（**12**）と深腓骨神経（**14**）が走っている．この深腓骨神経は運動性線維のほか，第1（足）指と第2（足）指の間の皮膚領域からやってくる知覚性線維も含んでいる．

> **臨床関連**：無理に長いあいだ歩行を続けると，"前脛骨筋症候群" anterior tibial [compartment] syndrome が現れることがある．これは前脛骨動脈の閉塞とそれによる前脛骨筋の障害が原因で，強い痛みと腫脹が脛骨の外側に沿って感じられる．たいていは深腓骨神経の障害も併発する．この場合には腓骨神経麻痺と誤診されやすい．

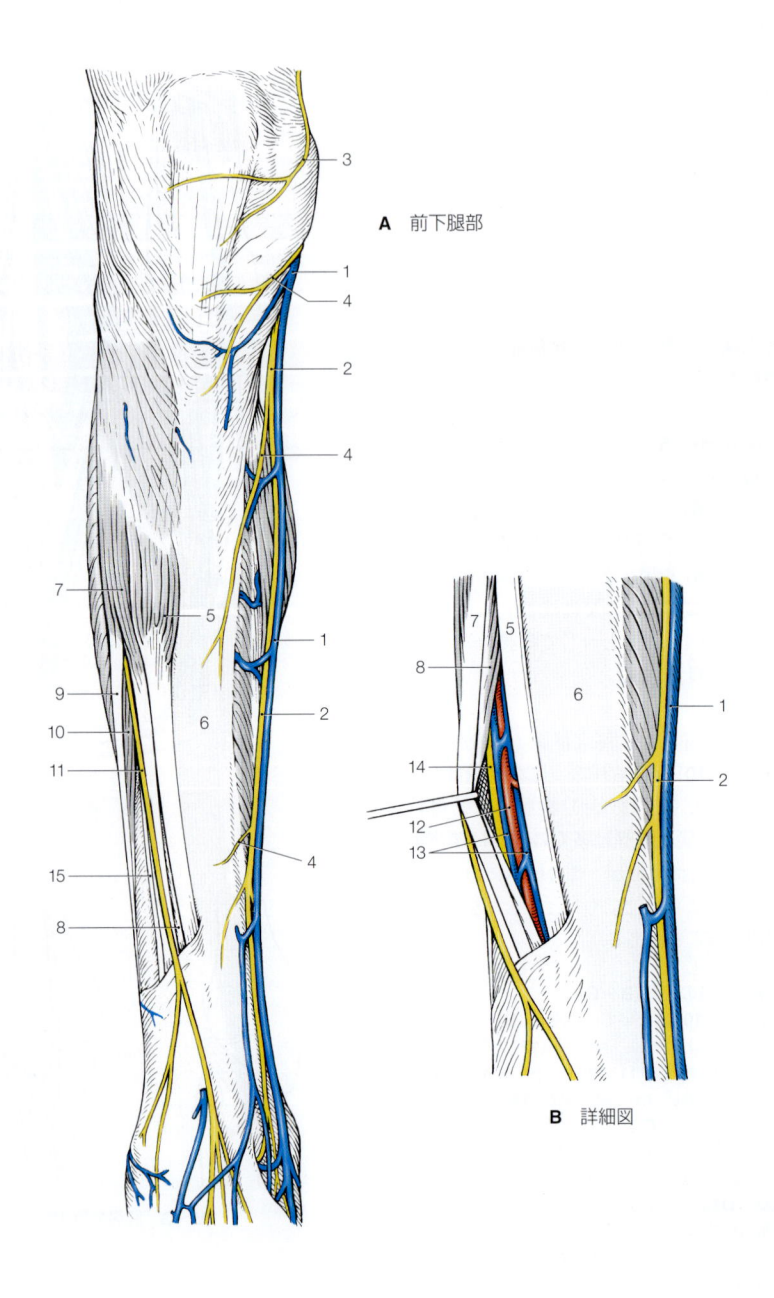

A 前下腿部

B 詳細図

---

1 大伏在静脈 great saphenous vein　**2** 伏在神経 saphenous nerve　**3** 膝蓋下枝 infrapatellar branch　**4** 内側下腿皮枝 medial crural cutaneous nerve　**5** 前脛骨筋 tibialis anterior　**6** 脛骨 tibia　**7** 長指伸筋 extensor digitorum longus　**8** 長母指伸筋 extensor pollicis longus　**9** 長腓骨筋 peroneus longus　**10** 短腓骨筋 peroneus brevis　**11** 浅腓骨神経 superficial fibular nerve　**12** 前脛骨動脈 anterior tibial artery　**13** 前脛骨静脈 anterior tibial veins　**14** 深腓骨神経 deep fibular nerve　**15** 第3腓骨筋 fibularis tertius（127頁）

下肢 213

後下腿部（A～E）

後下腿部posterior crural regionの皮下には，比較的大きなものとしては，静脈と神経がみられるだけである．血液の供給は深部から後脛骨動脈の比較的細い枝によって行われる．下腿筋膜を除去しても，所見は本質的には変わらず，ただ下腿三頭筋（**1**）が腓腹筋（**2**）の両頭とヒラメ筋（**3**）を伴って現れてくるだけである．下腿三頭筋はアキレス腱（＝踵骨腱）（**4**）となって踵骨に停止している．

内側には伏在神経（**5**）と大伏在静脈（**6**）がみえる．ここで最も目立つものは，足の外側縁に始まって上行し膝窩に至る小伏在静脈（**7**）である．筋膜との関係については210頁に述べられている．大伏在静脈と小伏在静脈は数多くの吻合によりたがいにつながっている．そのほか，貫通静脈（**8**）がみられ，これらは皮静脈と深部の静脈（前および後脛骨静脈，ならびに腓骨静脈）をつないでいる．血液は静脈弁の働きで皮静脈から深部の静脈へと流れていく．

小伏在静脈とともに走るのは内側腓腹皮神経（**9**）で，多くの場合下腿の真ん中で下腿筋膜を貫いて出てくる．この皮神経は腓腹神経との交通枝（**10**）と一緒になって腓腹神経（**11**）と名が変わる．この神経は後下腿部の皮膚を支配し，その続きの外側足背皮神経（**12**）は足背の外側縁を，また外側踵骨枝（**13**）は外側踵部をそれぞれ支配する．内側踵骨枝（**14**）は脛骨神経から直接出てカカトの内側部の皮膚を支配する．腓骨頭のすぐ後ろを総腓骨神経（**15**）が下方へ向かうが，この神経はごく表層に位置することから損傷の危険にさらされているわけである．

腓腹筋内側頭（**16**）を部分切除すると，筋膜に覆われた膝窩筋（**17**）がみえてくる．この操作によって膝窩動脈（**18**），膝窩静脈（**19**）および脛骨神経（**20**）をヒラメ筋腱弓（**21**）への入口部まで剖出することができる．この入口部は足底筋（**22**）によって覆い隠されていることもある．

後下腿部の深部には，ヒラメ筋（**3**）に覆われて，後脛骨動脈（**23**）と腓骨動脈（**24**）が走る．これらの動脈は，膝窩動脈（**18**）が二分して生じるのであるが，その枝分かれは，膝窩動脈が前脛骨動脈（**25**）を出してからのことである．

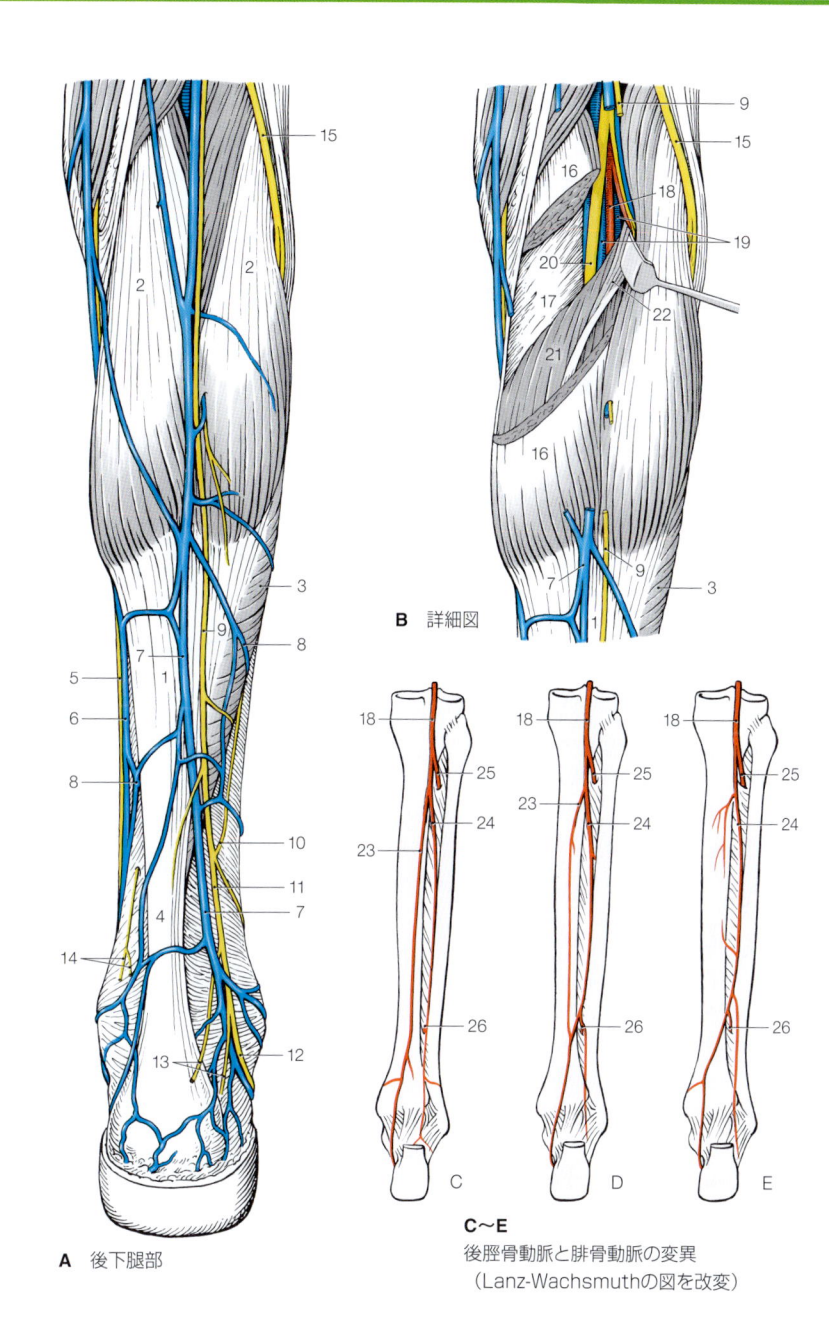

A 後下腿部

B 詳細図

C～E 後脛骨動脈と腓骨動脈の変異（Lanz-Wachsmuthの図を改変）

変異（C～E）：これらの動脈はここでも例外なくある一定の変異を示すことが多い．その知識は臨床的な理由（動脈造影術arteriography，結紮ligatures）から必要とされる．たいていの場合（**C**），後脛骨動脈（**23**）は脛骨の後面に沿って下行して内果後部（214頁）に達し，内側および外側の足底動脈plantar arteriesに分かれる．腓骨動脈（**24**）は腓骨の近くを下行し，貫通枝（**26**）（骨間膜を貫く）を出し，外果のところで終わる．時に（**D**），系統発生学的に古い腓骨動脈（**24**）が，発達のごく弱い後脛骨動脈（**23**）の代わりをしていることがある．よりまれには（**E**），後脛骨動脈が完全に欠如し，腓骨動脈（**24**）がその動脈の全支配領域を引き受けていることがある．

臨床関連：実際問題として，**交通静脈**を**貫通静脈**と区別することが大事である．交通静脈は表在性（筋膜上）の静脈と深部（筋膜下）の静脈を直接つないでいる．一方，貫通静脈は間接的な結合で，専ら筋静脈とのみ連絡している．

基本的には，すべての静脈弁は血液が表在性の静脈から深部の静脈に導かれるようになっている．弁の働きがうまくいかないと，血液還流が逆流して静脈瘤が生ずる．血栓症は専ら深い静脈で発生する．血栓症は静脈瘤を，浮腫を，さらには下腿潰瘍を引き起こす．

---

1 下腿三頭筋 triceps surae　2 腓腹筋 gastrocnemius　3 ヒラメ筋 soleus　4 アキレス腱（＝踵骨腱）calcaneal tendon　5 伏在神経 saphenous nerve　6 大伏在静脈 great saphenous vein　7 小伏在静脈 small saphenous vein　8 貫通静脈 perforating veins　9 内側腓腹皮神経 medial sural cutaneous nerve　10 腓腹神経との交通枝 sural communicating branch　11 腓腹神経 sural nerve　12 外側足背皮神経 lateral dorsal cutaneous nerve　13 外側踵骨枝 lateral calcaneal branch　14 内側踵骨枝 medial calcaneal branch　15 総腓骨神経 common fibular nerve　16 腓腹筋内側頭 medial head of gastrocnemius　17 膝窩筋 popliteus　18 膝窩動脈 popliteal artery　19 膝窩静脈 popliteal vein　20 脛骨神経 tibial nerve　21 ヒラメ筋腱弓 tendinous arch of soleus　22 足底筋 plantaris　23 後脛骨動脈 posterior tibial artery　24 腓骨動脈 fibular artery　25 前脛骨動脈 anterior tibial artery　26 貫通枝 perforating branch

内果後部（A，B）

内果後部 medial retromalleolar region は内果とアキレス腱（踵骨腱）の間の部を囲んでいる．この部位は遠位は**屈筋支帯** flexor retinaculum（破裂靱帯*Lig. laciniatum）によって境されている．この屈筋支帯は浅層 superficial layer と深層 deep layer（下記を参照）からなっている．

浅層（**1**）は下腿筋膜（**2**）の補強されたものである．この層は内果からアキレス腱の後面と踵骨隆起にまでのびている．しかし近位の境界も遠位の境界もともに明確ではない．

皮下層（A）

この層には静脈，皮神経および小さな皮下の動脈（ここには描かれていない）がある．内果のところには（ここの薄い）皮膚を通してよくみえる大伏在静脈（**3**）が走っており，この部にある皮静脈網と深部から上行してくる静脈（**4**）からの血液を受け入れている．この領域の知覚性支配はここで多数の枝（**5**）に分かれている伏在神経によって行われる．

筋膜下層（B）

下腿筋膜を除去すると屈筋支帯より近位に，血管－神経索と足底へ向かう長い筋群が現れる．同様にまた屈筋支帯の深層（**6**）もみえる．この層は内果から踵骨にまでのびており，足の長い筋を容れる骨溝を補って骨線維性の管につくりあげている．

内果のすぐ後ろには，後脛骨筋の腱（**7**）とそれに接して長指屈筋の腱（**8**）がみえる．長母指屈筋の腱（**9**）はこれらより深いところにあり，距骨後突起の内側結節のために後方へずらされたようになっている．これら3つの筋すべて固有の別々の腱鞘をもっている（137頁）．ここではこれらの腱鞘は描かれていない．

屈筋支帯の浅層（**1**）と深層（**6**）との間には足底へ行く血管－神経索が走っている．長指屈筋の腱（**8**）に接して，後脛骨動脈（**10**）が伴行静脈である後脛骨静脈（**11**）とともに走っている．この静脈の後ろには脛骨神経（**12**）がみられ，この神経は多くの場合，浅層と深層の間で2本の終枝，すなわち内側足底神経 medial plantar nerve と外側足底神経 lateral plantar nerve に分かれる．

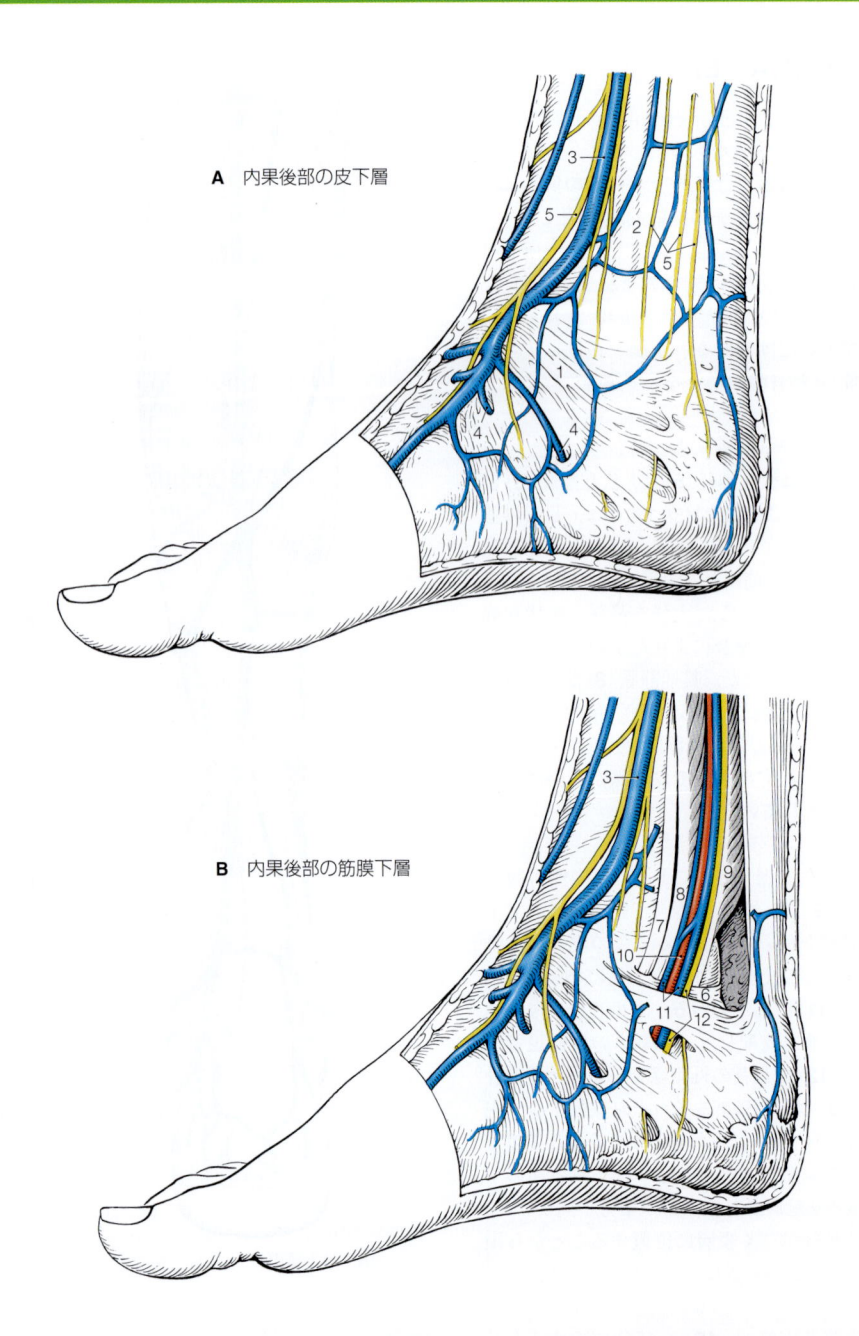

時には，この分岐が屈筋支帯より近位でも起こることがあり，そのときには内側足底神経は長指屈筋（**8**）のすぐ後ろに位置するようになる．

A 内果後部の皮下層

B 内果後部の筋膜下層

臨床関連：この部の皮膚は疎でよく動きやすいことから，ここには組織液の貯留が起こる．すなわち**浮腫**（水腫）が起こるのである．指でおしたあとクボミ（圧痕）pits が残るが，このクボミは理由は何であれ体内に水分の貯留が起こっていることを示唆する．そのほかこの部位で後脛骨動脈の拍動を触れることができる．

*B.N.A.およびJ.N.A.用語.

---

1 浅層（屈筋支帯の）superficial layer (flexor retinaculum)　**2** 下腿筋膜 deep fascia of leg　**3** 大伏在静脈 great saphenous vein　**4** 深部からくる交通静脈 deep communicating vein　**5** 伏在神経（の枝）saphenous nerve　**6** 深層（屈筋支帯の）deep layer (flexor retinaculum)　**7** 後脛骨筋（腱）tibialis posterior　**8** 長指屈筋（腱）flexor digitorum longus　**9** 長母指屈筋（腱）flexor pollicis longus　**10** 後脛骨動脈 posterior tibial artery　**11** 後脛骨静脈 posterior tibial veins　**12** 脛骨神経 tibial nerve

足背（A〜G）

皮下層（A）

足背 dorsum of foot では，密な静脈網すなわち足背静脈網（**1**）が中足骨のところで足背静脈弓（**2**）をつくっている．この浅在性の静脈へは，単に浅在する足背中足静脈（**3**）のみならず，深部の静脈である貫通静脈（**4**）や中足骨頭間静脈（**5**）も流入する．血液の流出は主に大伏在静脈（**6**）を経由して行われ，ごく小部分だけが外果静脈網（**7**）を経て小伏在静脈 small saphenous vein へ流れ込む．

動脈については，深部にある動脈からのごく小さな枝だけが皮下に達しているほかは，ただ第1背側中足動脈（**8**）がみえるだけである．この動脈の起始はさまざまである（下記を参照）．

内側足背皮神経（**9**）は足背の内側部の皮膚を支配しているが，多くの場合足の内側縁を支配する伏在神経（**10**）がこれを助けている．ときにこの伏在神経（**10**）は内果のあたりにも終わることがある．ただ第1指と第2指の向かい合った皮膚の小部分は深腓骨神経（**11**）により支配されているが，この神経は内側足背皮神経の枝と吻合している（**12**）ことがある．足背の皮膚の外側半分を支配するのは中間足背皮神経（**13**）であるが，足の外側縁だけは腓腹神経の終枝の外側足背皮神経（**14**）によって支配されている．

筋膜下層（B）

筋膜を除去すると，下伸筋支帯 retinaculum of inferior extensors によって保持された足背動脈（**15**）がみえる．この動脈は前脛骨筋の腱（**16**）と長母指伸筋の腱（**17**）との間，または長母指伸筋の腱と長指伸筋（**18**）との間を，深腓骨神経（**11**）に伴われて走り足背へ移る．この足背動脈は下伸筋支帯のところで（遠位で）外側足根動脈 lateral tarsal artery を出してから弓状動脈（**19**）をつくる．この弓状動脈からは背側中足動脈（**20**）が出る．これらの動脈は単に背側指動脈（**21**）を出すだけでなく，足底へ行く貫通枝 perforating branches を出している．その際とくに第1中足骨間隙を通る深足底枝（**22**）は重要である．足背動脈は静脈を伴って走っているが，これらの静脈は浅層の（皮下の）静脈と連絡がある．

臨床関連：足背動脈の**拍動**は長母指伸筋の腱の外側で触れることができる．足背の疎な皮下組織は循環障害のあるときには，水分が貯留し，ここに**浮腫**が形成されることになる．

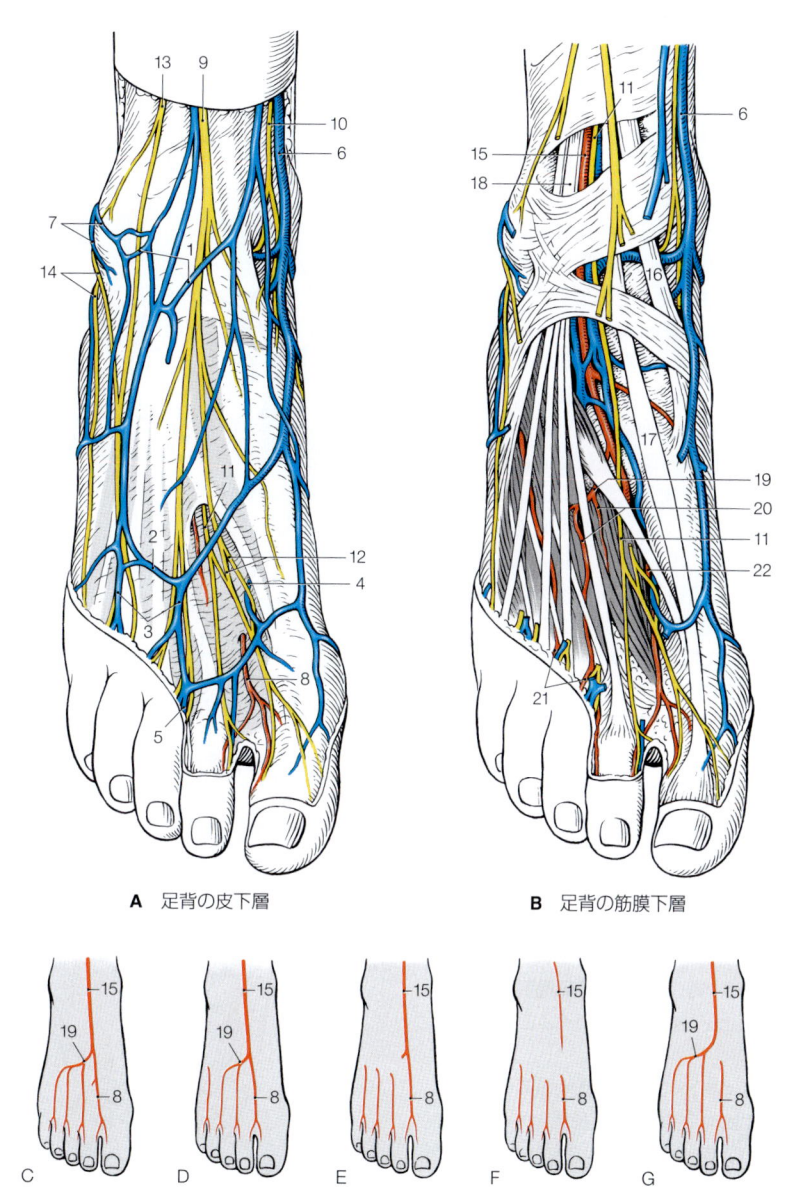

A 足背の皮下層　**B** 足背の筋膜下層

C〜G 足背の動脈の諸型（Lippertによる）

動脈の変異（C〜G）：背側中足動脈（**20**）には，したがって弓状動脈（**19**）にもいろいろの程度の変異がみられる．20％の例においてのみ（**C**），これらの背側中足動脈がすべて足背動脈から出ているが，6％においては（**D**）第4背側中足動脈は足底からの貫通枝にとって代わられている．40％においては（**E**），第1背側中足動脈のみが足背動脈に由来し，その他の背側中足動脈はすべて足底の動脈からやってくる．10％においては（**F**），すべての背側中足動脈が足底からきており，5％では（**G**）第1背側中足動脈のみが足底の動脈から出てくる．

---

1 足背静脈網 dorsal venous network of foot　**2** 足背静脈弓 dorsal venous arch of foot　**3** 足背中足静脈 dorsal metatarsal veins　**4** 貫通静脈 perforating veins　**5** 中足骨頭間静脈 intercapitular veins　**6** 大伏在静脈 great saphenous vein　**7** 外果静脈網 lateral malleolar venous plexus　**8** 第1背側中足動脈 dorsal metatarsal arteries I　**9** 内側足背皮神経 medial dorsal cutaneous nerve　**10** 伏在神経 saphenous nerve　**11** 深腓骨神経 deep fibular nerve　**12** 内側足背皮神経と深腓骨神経の吻合　**13** 中間足背皮神経 intermediate dorsal cutaneous nerve　**14** 外側足背皮神経 lateral dorsal cutaneous nerve　**15** 足背動脈 dorsalis pedis artery　**16** 前脛骨筋（腱） tibialis anterior　**17** 長母指伸筋（腱） extensor pollicis longus　**18** 長指伸筋（腱） extensor digitorum longus　**19** 弓状動脈 arcuate artery　**20** 背側中足動脈 dorsal metatarsal arteries　**21** 背側指動脈 dorsal digital arteries　**22** 深足底枝 deep plantar branch

足底（A～G）

浅層（A）

　足底腱膜（**1**）は足縁を除いて足底 sole の深部にある諸構造を覆っており，したがって足の末梢の導通路（脈管と神経）の幹をも包むことになる．足底の皮膚はことに血行がよく，多数の足底皮動脈（**2**）と足底皮静脈（**3**）がみられる．これらの動脈は踵骨のところで踵骨動脈網 calcaneal anastomosis をつくっているが，この動脈網は後脛骨動脈 posterior tibial artery と腓骨動脈 peroneal artery の諸枝から血液を受け入れている．そのほかの枝は内側足底動脈 medial plantar artery と外側足底動脈 lateral plantar artery から出てくる．内側足底動脈は浅枝（**4**）を送り出すが，これは足底腱膜の内側縁を第1固有底側指神経（**5**）に伴われて走るのがみえる．足底腱膜の外側にしばしば皮下に，外側足底動脈の1本の枝（**6**）が固有底側指神経（**7**）に伴われて走り，小指の外側縁へ行く．

　足底腱膜（**1**）の縦束の間には，総底側指動脈（**8**）と総底側指神経（**9**）が皮下に現れる．総底側指動脈はやがて固有底側指動脈（**10**）に分かれるのであるが，普通は底側中足動脈 plantar metatarsal arteries（217頁）の続きである．しかしながら（非常にまれには）総底側指動脈が"浅"足底動脈弓 "superficial" plantar arch から出てくることもある．

　しばしば確かに内側足底動脈の浅枝（**4**）が，第1固有底側趾（指）動脈（**11**）として，第1指（母指）の内側面への血液の供給を引き受けていることがある．浅枝と足底中趾（指）動脈とが，この場合には，一諸になって固有足底趾（指）動脈（**11**）となっている．総底側指神経（**9**）は皮下で固有底側指神経（**12**）に分かれる．

深足底動脈弓の変異（B～G）

　27％のヒトでは（**B**）4本の底側中足動脈は足背動脈の深足底枝（**13**）から出るが，26％においては（**C**）深足底動脈弓（**14**）は完全にこの深足底枝からつくられる．19％では（**D**），第4底側中足動脈が外側足底動脈の深枝（**15**）から出ており，13％では（**E**）さらに第3底側中足動脈も同様で，残りの底側中足動脈が深足底枝（**13**）から出ている．ただ7％の例で（**F**），すべての底側中足動脈が外側足底動脈の深枝（**15**）だけに由来する深足底動脈弓から出る．6％においては（**G**）第2～4底側中足動脈は深足底動脈弓（**14**）に由来するが，第1底側中足動脈だけは深足底枝（**13**）から起こる．

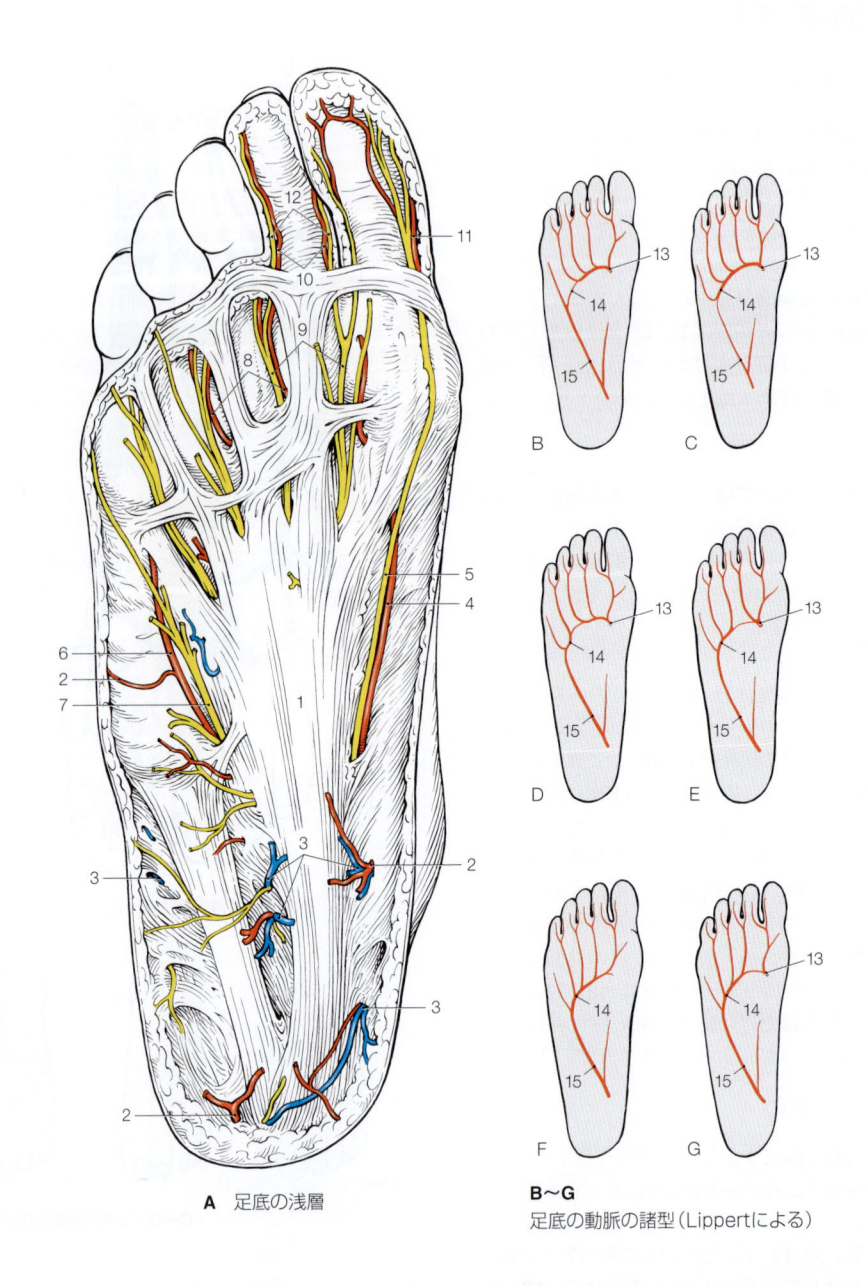

A 足底の浅層

B～G 足底の動脈の諸型（Lippertによる）

---

1 足底腱膜 plantar aponeurosis　**2** 足底皮動脈 plantar cutaneous artery　**3** 足底皮静脈 plantar cutaneous vein　**4** 浅枝（内側足底動脈）superficial branch (medial plantar artery)　**5** 第1固有底側指神経 proper plantar digital nerves I　**6** 浅枝（外側足底動脈）superficial branch (lateral plantar artery)　**7** 固有底側指神経 proper plantar digital nerves　**8** 総底側指動脈 common plantar digital arteries　**9** 総底側指神経 common plantar digital nerves　**10** 固有底側指動脈 plantar digital arteries proper　**11** 第1固有底側指動脈 plantar digital arteries proper I　**12** 固有底側指神経　**13** 深足底枝（足背動脈）deep planter branch (dorsalis pedis artery)　**14** 深足底動脈弓 deep plantar arch　**15** 深枝（外側足底動脈）deep branch (lateral plantar artery)

足底（続き）(A, B)

深層 (A)

　足底腱膜と短指屈筋 (**1**) を除去すると，足底の内側および外側にある血管–神経索がみえる．内側には母指外転筋 (**2**) に接して，内側足底動脈 (**3**)，その伴行静脈および内側足底神経 (**4**) が足底に現れる．内側足底動脈 (**3**) は同名神経の外側 (より高頻度に) か内側 (よりまれに) を走り，短母指屈筋 (**6**) の表面を走る浅枝 (**5**) と深枝 deep branch (図ではみえない) とに分かれる．

　浅枝は，まれ (2%) であるが，第1固有底側指動脈 (**7**) に続いて行くことがあり，そのさい第1固有底側指神経 (**8**) を伴う．ちなみにこの神経は早期に内側足底神経 (**4**) から分かれることがある．内側足底神経はさらに順々に第1, 第2および第3総底側指神経 (**9**) に枝分かれする．なおこれらの神経は虫様筋に枝 (**10**) を与える．第1〜第3総底側指神経は固有底側指神経 (**11**) へと続く．時には第4指の外側縁を支配する固有底側指神経 (**12**) が内側足底神経から出ることがある．しかしこの部分は通常ほとんど外側足底神経 (**13**) の枝に支配されている．

　小指外転筋 (**14**) の内側を足指に向かって走る外側の血管・神経索は，内側にある外側足底神経 (**13**)，外側足底動脈 (**15**) およびその伴行静脈 (**16**) とからなる．外側足底動脈は浅枝 (**17**) と深枝 (**18**) に分かれる．浅枝は足底および小指の外側縁を支配し，深枝は深足底動脈弓 (**19**) の形成に関与する．

　外側足底神経 (**13**) は踵骨から起こる諸筋に筋枝を与えるほか，足の外側縁の皮膚に皮枝を出す．この神経はやがて浅枝 (**20**) と深枝 (**21**) に分かれる．浅枝は皮膚の小領域のほか，筋枝を介して短小指屈筋 (**22**) と第4虫様筋 (**23**) を支配する．小指と第4指の対向縁の皮膚は，やがて分かれて固有底側指神経 (**25**) になる第4総底側指神経 (**24**) に支配される．さらに小指の外側縁は，もともと1本の固有底側指神経によって支配される．深枝 (**21**) は深足底動脈弓を伴って走り，骨間筋のほか母指内転筋 (**28, 34**) と小指対

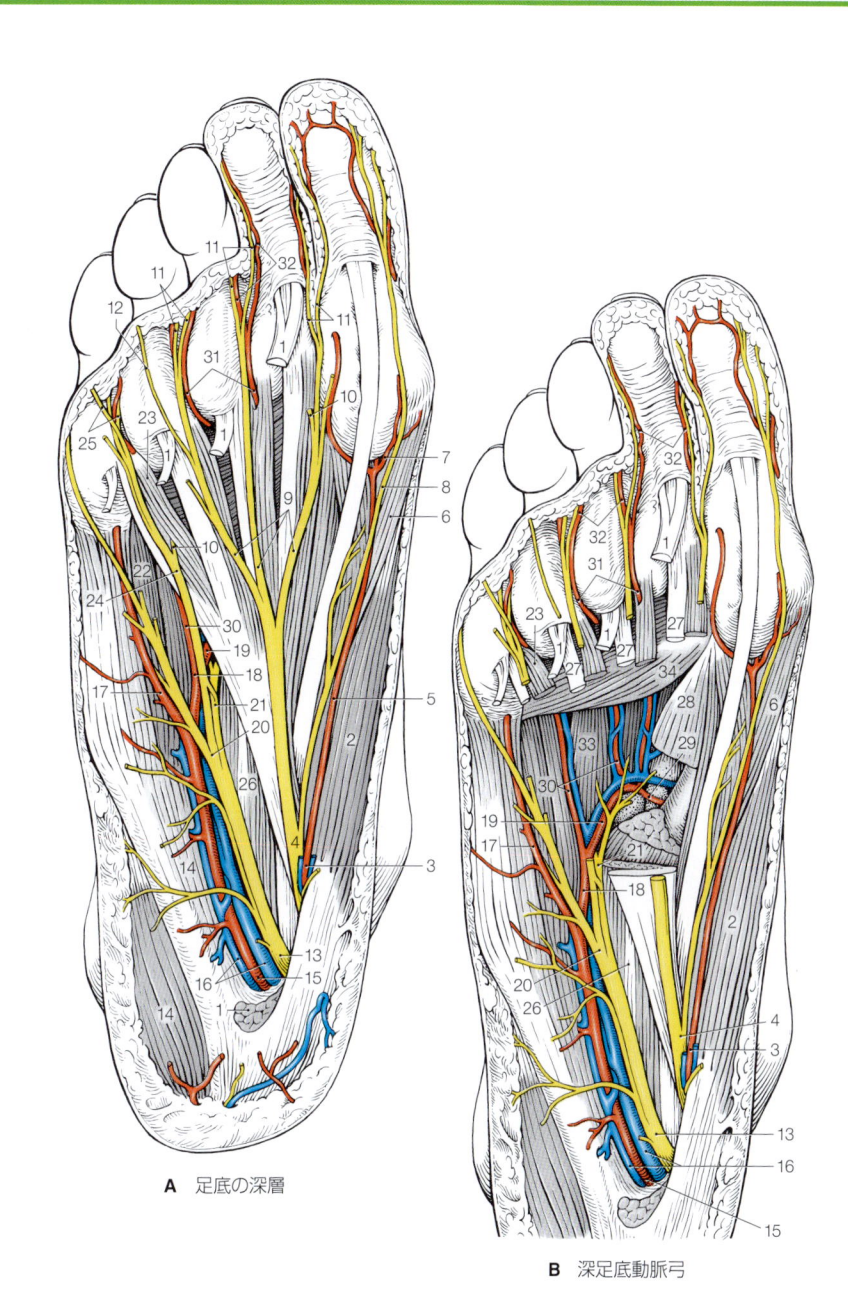

向筋 opponens digiti minimi を支配する．

深足底動脈弓 (B)

　足底方形筋 (**26**)，長指屈筋の腱 (**27**) ならびに母指内転筋の斜頭 (**28**) を切除すると，深足底動脈弓 (**19**) がみえるようになる．

　この動脈弓は深部では骨間筋 interossei にじかに接して走り，足背動脈の深足底枝 (**29**) と吻合している．深足底動脈弓から3〜4本の底側中足動脈 (**30**) が生じ，この動脈は普通には総底側指動脈 (**31**) になる．この総底側指動脈は固有底側指動脈 (**32**) に分岐する．

　深足底動脈弓の変異については216頁を参照．

A 足底の深層

B 深足底動脈弓

---

1 短指屈筋（の断端）flexor digitorum brevis　**2** 母指外転筋 abductor hallucis　**3** 内側足底動脈 medial plantar artery　**4** 内側足底神経 medial plantar nerve　**5** 浅枝（内側足底動脈）superficial branch (medial plantar artery)　**6** 短母指屈筋 flexor hallucis brevis　**7** 第1固有底側指動脈 plantar digital arteries proper I　**8** 第1固有底側指神経 proper plantar digital nerves I　**9** 第1, 2および第3総底側指神経 common plantar digital nerves I, II, III　**10** 筋枝（虫様筋へ行く）muscular branches　**11** 固有底側指神経 proper plantar digital nerves　**12** 固有底側指神経（例外的に第4指の外側面へ）　**13** 外側足底神経 lateral plantar nerve　**14** 小指外転筋 abductor digiti minimi　**15** 外側足底動脈 lateral plantar artery　**16** 伴行静脈（＝外側足底静脈）vena comitans (= lateral plantar veins)　**17** 浅枝（外側足底動脈）superficial branch (lateral plantar artery)　**18** 深枝（外側足底動脈）deep branch (lateral plantar artery)　**19** 深足底動脈弓 deep plantar arch　**20** 浅枝（外側足底神経）superficial branch (lateral plantar nerve)　**21** 深枝（外側足底神経）deep branch (lateral plantar nerve)　**22** 短小指屈筋 flexor digiti minimi brevis　**23** 第4虫様筋 lumbricals IV　**24** 第4総底側指神経 common plantar digital nerves IV　**25** 固有底側指神経　**26** 足底方形筋 quadratus plantae　**27** 長指屈筋（腱）flexor digitorum longus　**28** 斜頭（母指内転筋）oblique head (adductor pollicis)　**29** 深足底枝（足背動脈）deep plantar branch (dorsalis pedis artery)　**30** 底側中足動脈 plantar metatarsal arteries　**31** 総底側指動脈 common plantar digital arteries　**32** 固有底側指動脈 plantar digital arteries proper　**33** 底側骨間筋 plantar interossei　**34** 横頭（母指内転筋）transverse head (adductor hallucis)

II 内　臓

心臓-循環器系

呼吸器系

消化器系

泌尿器系

男性生殖器系

女性生殖器系

妊娠とヒトの発生，発達

内分泌系

血液-リンパ系

皮膚

内臓の概説

内臓 viscera とは頸部，胸腔，腹腔および骨盤腔の中に存在するいわゆる身体の内部に位置する器官を一括して総称したものである．これらの器官の活動によって個体の生命の維持が可能となる．

機能的分類

本章では基本的な機能の観点から，以下のような内容が記載されている．**心臓-循環器系** circulatory system：この系には心臓，血管，リンパ管が属している．**血液および防御系** blood and defense systems：骨髄，血球，リンパ球，リンパ性器官で構成される．**内分泌系** endocrine system：多くの内分泌腺と散在性内分泌細胞で構成され，これらからの産生物すなわち特異的なホルモンは血中およびリンパ路に放出されて全身に配布される．**呼吸器系** respiratory system：これは上気道，下気道，および肺のガス交換面からなるいろいろな構成物が区別される．**消化器系** digestive system：この器官系は**頭腸** cephalogaster と**胴腸** truncal part of the gut が区別され，大きな消化腺である肝臓と膵臓は胴腸の一部である．**泌尿器系** urinary system：この系は尿を生成する腎臓と尿を排出する導尿器官とが区別される．**男性生殖器系** male genital system：これには精巣，精巣上体，精管，精囊，陰茎，および付属生殖腺が属している．**女性生殖器系** female genital system：これは小骨盤の中に納まっている内生殖器と骨盤底の外部にある外生殖器で構成される．なお**皮膚** skin は内臓に属するものではないが，生命に必須の器官であるので本章で論じられている．

局所的分類

器官系は各器官が存在する体区域の位置によっても区別することができる（**A**）．頭および頸の領域には呼吸器系器官と消化器系器官の初部が存在し，それらの大半は鼻腔（**A1**）と口腔（**A2**）の中に納まっている．頸には頭と胸腔の間の連絡路としてこれらの器官系の一部が存在する．頸部器官は頸筋膜の中頸筋膜（中葉）と深頸筋膜（深葉）の間に位置して存在している（162頁参照）．

体幹では**胸部内臓**，**腹部内臓**，および**骨盤内臓**が区別される．**胸腔**（**A3**）は，左肺と右肺を入れている各々の胸膜がつくる腔とその中間にできる独立した結合組織腔すなわち**縦隔** mediastinum の3部が区分される．縦隔には心膜に包まれた心臓，そのほかの器官が納まっている．腹部の腔（広義の腹腔）は，腹膜で内張られた本来の**腹膜腔**（**A4**）とその後ろに位置する腹膜後結合組織腔すなわち**腹膜後隙** retroperitoneal space とに区分けされる．骨盤内臓は腹膜の下部で小骨盤（**A5**）の腹膜下結合組織腔すなわち**腹膜下隙** subperitoneal space の中に存在している．

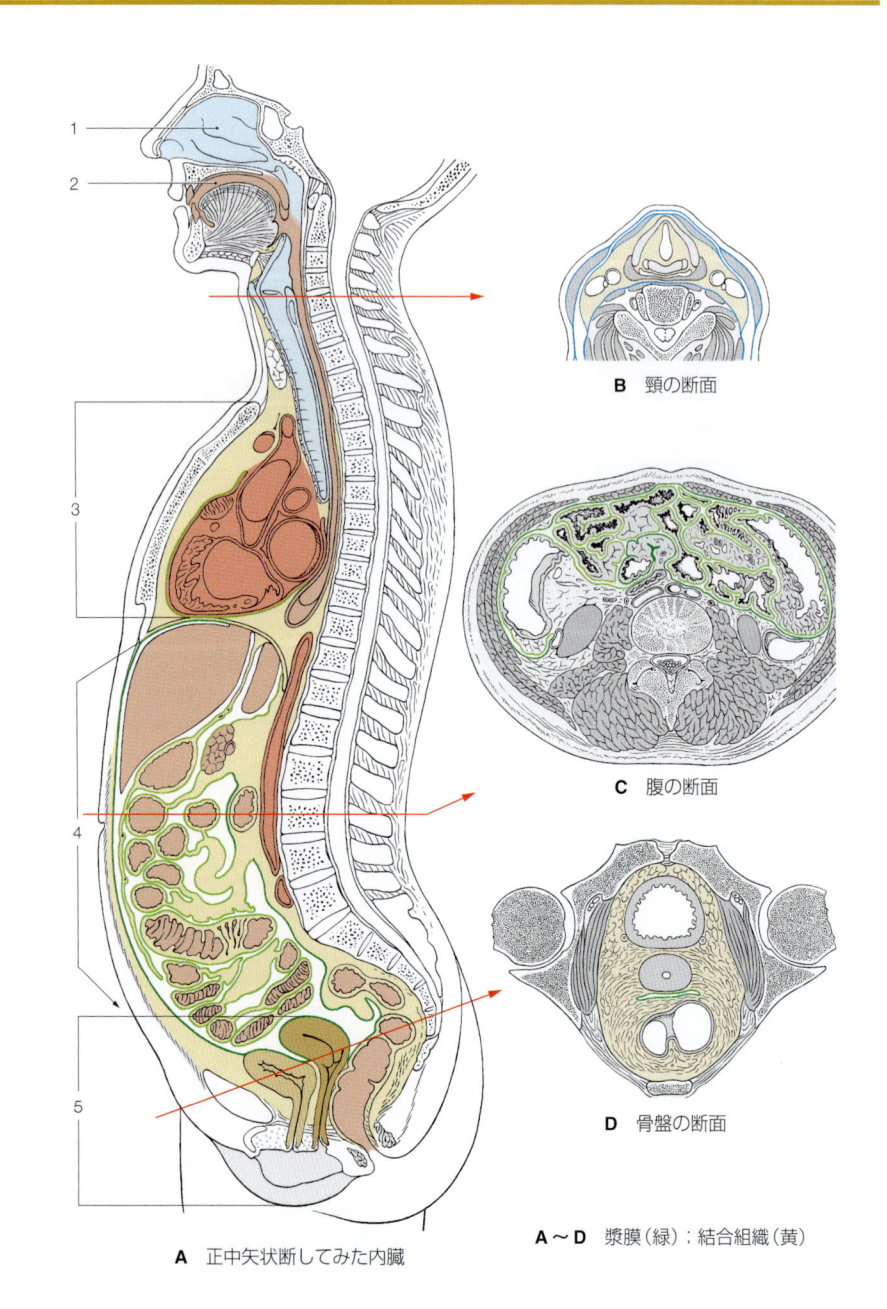

漿膜腔と結合組織腔

各々の体領域の中で器官がどのように組み込まれているかについては，漿膜腔の中につくられる場合と結合組織腔の中につくられる場合の2つの可能性がある．漿膜腔の中につくられるときは器官の内容量が強く変化するものもある（例；肺，心臓）．**漿膜腔**はあらゆる側に閉鎖された細隙である．**漿膜** serosa は光ってみえる平滑な膜で，**中皮** mesothelium と少量の結合組織で構成され，少量の漿液を分泌する．漿膜は**臓側板** visceral layer と**壁側板** parietal layer からなり，前者は内臓をおおって器官に密着し，後者は漿膜腔の壁を外側からおおう．臓側板と壁側板は折り返し部または折り返しヒダのところで互いに移行している．漿膜腔には，肺を入れている**胸膜腔** pleural cavity，心臓を入れている**心膜腔** pericardial cavity および多くの腹部内臓と関係している**腹膜腔** peritoneal cavity（**C**）がある．

多くの器官または器官の一部は，漿膜腔の中に納まっていなくて，**結合組織腔**の中に存在している．この腔は周囲器官との関係で小さな結合組織腔（**B**）であることもあるし，縦隔や腹膜後隙および腹膜下隙のように大きな結合組織腔（**D**）であることもある．

A 正中矢状断してみた内臓
B 頸の断面
C 腹の断面
D 骨盤の断面
A〜D 漿膜（緑）：結合組織（黄）

1 鼻腔 nasal cavity **2** 口腔 oral cavity **3** 胸腔 thoracic cavity **4** 腹膜腔 peritoneal cavity **5** 小骨盤 lesser pelvis (true pelvis)

概　説

血液循環とリンパ管

　血液循環は**血管で構成される閉鎖管系**で行われ，その中心に**ポンプの役割**を果たす**心臓** heart, Cor が組み込まれている．心臓は右心系と左心系とに二分され，各半は心房 cardiac atrium と心室 ventricle からなっている．血液の酸素含有量とは関係なく，血液を心臓から身体末梢へ送るすべての血管を**動脈** artery といい，逆に身体末梢から心臓に導くすべての血管を**静脈** veins という．

　ヒトの血液循環系は高度に分化しており，生後では**小循環**（＝**肺循環**）と**大循環**（＝**体循環**）とが区別される．体循環においては動脈が酸素に富んだ血液を運び，静脈が酸素に乏しい血液を運ぶ．肺循環と体循環は機能的に順序よく直列に接続している．ヒトの生後の血液循環は8字形回転のように模式化されて表され，その交点に吸引ポンプおよび押し出しポンプとして働く心臓がある（**A**）．血液循環のための駆動力は，動脈血圧（＝心臓分時泊出量×末梢血管抵抗）である．

　肺循環（**小循環**）pulmonary circulation (lesser circulation)．体循環からの酸素に乏しい血液（静脈血）が**右心房**（**A1**）に返ってきて，次いで右心室に達する．肺循環は**右心室**（**A2**）に始まり，血液は**肺動脈**（**幹**）（**A3**）に入り，**右肺動脈**（**A4**）と**左肺動脈**（**A5**）に分かれて左右の肺に達する．これらの血管は**肺**（**A6**）の内部で気道の分岐に伴行して**毛細血管**にまで分岐し，呼吸路の終部である肺胞の周りを囲む．血液は肺胞で酸素を与えられ，二酸化炭素が気道に放出される．酸素を得た血液（動脈血）は肺から**肺静脈**（**A7**）を経由して**左心房**（**A8**）に流れる．

　体循環（**大循環**）systemic circulation (greater circulation)．肺で酸素を得た血液は**左心房**（**A8**）から左心室に達する．体循環は**左心室**（**A9**）に始まり，血液は**大動脈**（**A10**）を経由して全身の器官および組織に送り出され，身体の各部で並列に連結された多くの**部分循環**（**A11～14**）を行う．大動脈からは個々の部分循環に対して大きな**動脈** artery が分岐し，これは何回も分岐を重ねて**小動脈** arteriole となり，これは最終的に**毛細血管** capillary に通じている．毛細血管を通る間にガス交換と物質代謝生産物の交換が行われる．毛細血管網では，体循環の動脈脚は静脈脚に移行し，その中にある脱酸素された血液（静脈血）は**小静脈** venule に導かれ，これは常により大きな**静脈** vein に合流していく．下肢と体幹下半分からの静脈血は**下大静脈**（**A15**）に，頭，上肢および体幹上半分からのそれは**上大静脈**（**A16**）に注ぐ．上大静脈と下大静脈は右心房（**A1**）に開口する．

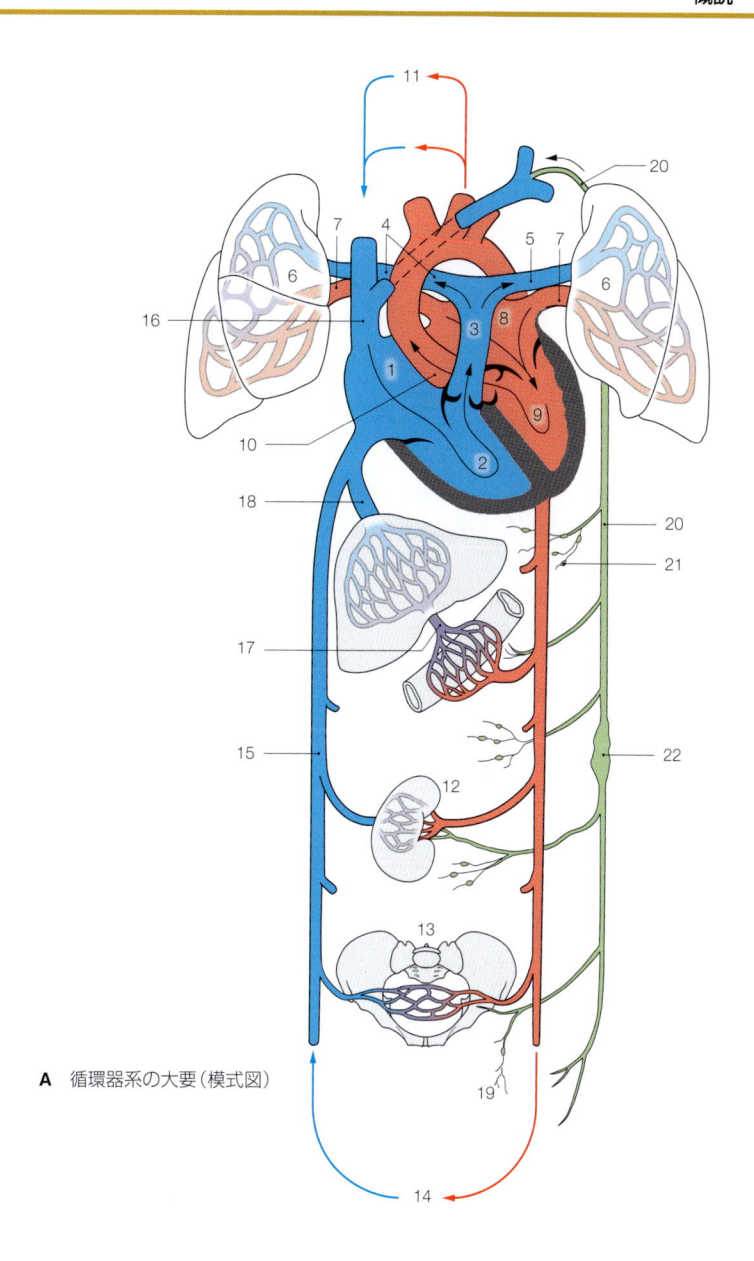

　体循環において**門脈循環** portal circulation は特殊な態度をとる．**不対性の腹部内臓**（胃，腸，膵臓，胆嚢および脾臓）からの**静脈血**は直接には下大静脈に入らない．門脈循環は腸で吸収された栄養物を含み，**門脈**（**A17**）を経由して肝臓の毛細血管床に導かれ，血液は物質交換をした後に**肝静脈**（**A18**）に集められてから**下大静脈に注ぐ**．

　リンパ管系 lymphatic vessel system．リンパ管系（緑）（257頁）は大循環系の静脈脚の副路として存在する．リンパ管系は血管系と対照的に流出系を構成する．末梢の細胞外隙にある組織液の一部は，盲管に始まる**毛細リンパ管**（**A19**）に吸収され，次いでより太い**リンパ管** lymphatic trunks に合流しながら，最終的に**リンパ主幹** lymphatic duct なわち**胸管**（**A20**）と**右リンパ本幹** right lymphatic duct を経由して，左右の腕頭静脈に導かれる．リンパ管の途中には生物学的濾過装置である**リンパ節**（**A21**）が挿入されている（258～260頁）．

> **臨床関連**：臨床的な言葉では，酸素に富む血液（＝酸素で飽和された血液）を**動脈血** arterial blood，酸素に乏しい血液（＝脱酸素された血液）を**静脈血** venous blood という．

A 循環器系の大要（模式図）

---

1 右心房 right atrium　**2** 右心室 right ventricle　**3** 肺動脈(幹) pulmonary trunk　**4** 右肺動脈 right pulmonary artery　**5** 左肺動脈 left pulmonary artery　**6** 肺 lungs　**7** 肺静脈 pulmonary veins　**8** 左心房 left atrium　**9** 左心室 left ventricle　**10** 大動脈 aorta　**11～14** 部分循環の部分（並列回路 parallel circuit）　**15** 下大静脈 inferior vena cava　**16** 上大静脈 superior vena cava　**17** 門脈 hepatic portal vein　**18** 肝静脈 hepatic veins　**19** 毛細リンパ管 lymphatic capillary　**20** 胸管 thoracic duct　**21** リンパ節 lymph node (Lymphonodus)　**22** 乳糜槽 cisterna chyli

胎生期の血液循環（A）

胎児期 fetal period（受精後第9週から出生までの期間）における胎児 Fetus は，胎児にとって必要な酸素と栄養素を母体の血液から受け取り，胎児に不必要な二酸化炭素と老廃物を血中に放出している．この母体と胎児間を連結する物質交換器官が**胎盤（A1）**である．

酸素と栄養素に富んだ血液は臍帯の中を通る**臍静脈（A2）**を経て胎盤から胎児に達する．臍静脈は**臍（A3）**から胎児の腹腔内に入って**肝臓（A4）**の臓側面に達して，そこで**門脈（A5）**の左枝と接続している．したがって臍静脈からの血液の一部は門脈循環に入ることになる．しかし，血液の大部分は肝臓に入らないで短絡路である**静脈管（アランチウス管）（A6）**を経て**下大静脈（A7）**に直接導かれる．その際，静脈管からの血液は下大静脈と**肝静脈（A8）**からの酸素に乏しい血液と混ざり合うことになる．この血液は，下大静脈を経て**右心房（A9）**に送られるが，比較的に少量の酸素に乏しい血液との混和であるために未だ高い酸素飽和度を有している．右心房では下大静脈からの血液の大部分は下大静脈弁 valve of inferior vena cava の働きによって，右左の心房間にある隔壁（心房中隔）に存在して両心房を互いに連絡している**卵円孔（A10）**の方向に誘導される．**左心房（A11）**に達した血液は**左心室（A12）**に送られ，ここから**大動脈（A13）**に入る．大動脈では，その基部から心臓に分布する枝，大動脈弓から頭と上肢に分布する枝が出ている．したがって，心筋と脳は十分に酸素に富んだ血液を受けることになる．

胎児の頭と上肢から**上大静脈（A14）**を経て右心房に流れる酸素に乏しい血液は，下大静脈からくる血流の一部と混合して，**右心室（A15）**に達し，ここから**肺動脈幹（A16）**に入る．肺動脈幹からは，ごく少量の血液が左右の**肺動脈（A17）**を経て未だ肺呼吸を行っていない肺に達し，肺から**肺静脈（A18）**を経て**左心房（A11）**に達する．肺動脈幹からの血液の大部分（90％以上）は，肺動脈幹と大動脈弓の末端部を直接連結している短絡路すなわち**動脈管（ボタロー管）（A19）**を経て，**下行大動脈**に導かれる．したがって，動脈管の開口後に分岐する大動脈の枝は開口前に位置する頭および上肢に分布する動脈枝よりも酸素に乏しい血液を入れていることになる．胎児の下行大動脈からの血液の相当量が内腸骨動脈から出る1対の**臍動脈（A20）**を経由して胎盤に戻っている．

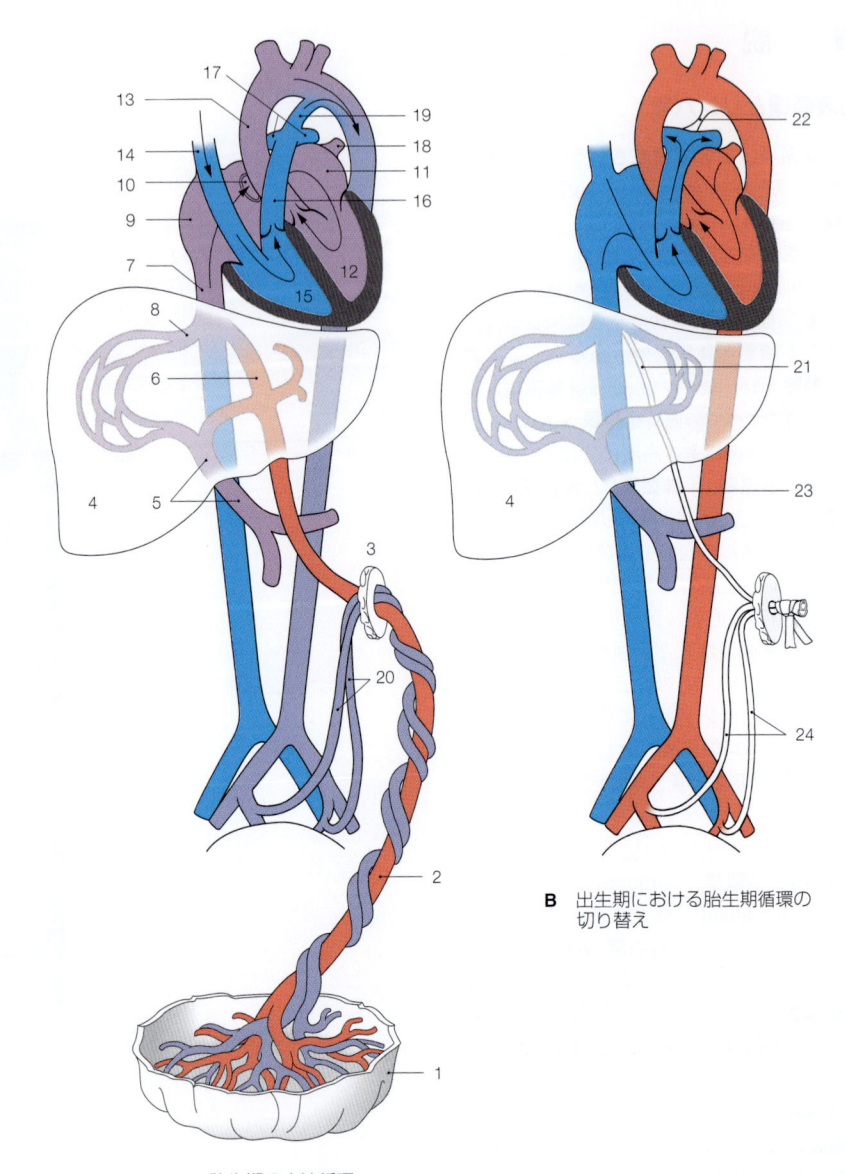

A 胎生期の血液循環

周産期の血液循環の切り替え（B）

胎生循環は出生と同時に生後の循環への切り替えが起こる．出生時の新生児の産声とともに肺は急に膨らみ，肺呼吸が始まる．その結果，肺循環における抵抗が弱まり，肺動脈幹から左右の肺動脈に流れる血液は増量する．血液は肺で動脈血化され，肺静脈を経て左心房に導かれる．肺からの血液の還流によって左心房の圧が高まり卵円孔の機械的閉鎖をひき起こし，この閉鎖は卵円孔弁が右方に押しつけられてこの孔を閉じ，遂にはこの弁が卵円孔の周縁と癒着することによって生じる．卵円孔は多くの場合完全に閉鎖して**卵円窩** oval fossa となる．短絡路である静脈管と動脈管は自身の血管壁の筋性収縮により閉塞し，静脈管は**静脈管索（B21）**，動脈管は**動脈管索（B22）**となる．また臍帯を切断することによって胎盤と臍帯血管との連結は遮断されることになり，臍血管は徐々に閉塞する．臍静脈は**肝円索（B23）**，臍動脈は**臍動脈索（B24）**となる．

B 出生期における胎生期循環の切り替え

> **臨床関連**：心臓の中隔壁形成不全がある例では，シャントによって血流の反転が生じえる．この際，シャントを通った血液が直接大循環に入ることによって動脈血の酸素飽和度が下がりチアノーゼを伴う心不全が生ずる．

---

1 胎盤 placenta　**2** 臍静脈 umbilical vein　**3** 臍 umbilicus　**4** 肝臓 liver　**5** 門脈 hepatic portal vein　**6** 静脈管（アランチウス管）ductus venosus（Arantius duct）　**7** 下大静脈 inferior vena cava　**8** 肝静脈 hepatic veins　**9** 右心房 right atrium　**10** 卵円孔 foramen ovale　**11** 左心房 left atrium　**12** 左心室 left ventricle　**13** 大動脈 aorta　**14** 上大静脈 superior vena cava　**15** 右心室 right ventricle　**16** 肺動脈（幹）pulmonary trunk　**17** 右，左肺動脈 right, left pulmonary artery　**18** 肺静脈 pulmonary veins　**19** 動脈管（ボタロー管）ductus arteriosus（Botallo duct）　**20** 臍動脈 umbilical artery　**21** 静脈管索 ligamentum venosum　**22** 動脈管索 ligamentum arteriosum　**23** 肝円索 round ligament of liver　**24** 臍動脈索 cord of umbilical artery

心臓

心臓（**A1**）は筋性の中腔性器官であり，その形は丸みを帯びた円錐を呈する．心臓は胸腔内の縦隔に存在している（**A**）．体軸に対して斜めに位置し，**心尖**（**AB2**）は左・下・前方に向き，**心底**（**A3**）は右・上・後方に向いている．胸部空間内で心臓は斜めにおかれているために，心臓は1/3が正中線の右に，2/3が左にある．心臓の大きさは性別，年齢，個人の鍛錬状態などによって影響されるが，通常はその個人の手拳大といわれる．

心臓の外形

前面観

構造．心膜を切開して心臓を自然の位置で前方から観察すると，心臓の前面である**胸肋面，前面** sternocostal surface, anterior surface が観察できる（**B**）．胸肋面は殊に**右心室**（**B4**）の前壁が大部分を占め，**左心室**（**B5**）壁の小部分が左方にみられる．右心房につづく三角形の心耳と左心室の狭い中の壁もみえる．左心室の先端は左方に向かって突出して**心尖**（**B2**）となる．両心室の境界は**前室間溝**（**B6**）によって示され，この溝には脂肪組織に埋まって左冠状動脈の枝（前室間枝 anterior interventricular branch）と伴行静脈（前室間静脈 anterior interventricular vein）が走っている．これらの血管は前室間溝を充塡するので，心臓の前表面は平滑になっている．右心室の右方には，**右心房**（**B7**）と上大静脈（**B8**）の輪郭がみられ，下大静脈はこの方向からの見方では隠されていてみえない．右心房からは**右心耳**（**B9**）という膨出部が張り出しており，これは上大静脈と大動脈（**B10**）の基部との間のくぼみを充塡している．右心房と右心耳は**冠状溝**（**B11**）によって右心室から隔てられている．この溝もまた脂肪組織で埋められ，その中を右冠状動脈が心臓の後面に向かって走り，脂肪組織は表面の均一化（平滑化）に役だっている．左側の心臓輪郭線には左心房から膨れ出す**左心耳**（**B12**）の一部がみられ，この左心耳の部分は肺動脈の幹である肺動脈幹（**B13**）に接して存在する．

隣接血管．心底の胸肋面を観察する際，右心室から起こる**肺動脈幹**（**B13**）が左心室から起こる**大動脈**（**B10**）の前方に位置しているのがわかる．大動脈と肺動脈幹は根部では互いに相手とラセン状に巻きつき合っている．起始部において肺動脈起始部よりも後方に位置している大動脈は**上行大動脈**（**B10a**）となって腹側に現れ，**大動脈弓**（**B10b**）に続き，その際上行大動脈と大動脈弓は肺動脈幹とその分岐部を部分的におおう．肺動脈幹は大動脈弓の下で左肺動脈（**B14**）と右肺動脈（この血管は腹側からはみえない）に分岐する．左肺動脈の下方に**左肺静脈**（**B15**）の切断縁がみえる．大動脈弓から頭および上肢に分布する3本の幹血管が起こる：すなわち，すぐに右鎖骨下動脈（**B17**）と右総頸動脈（**B18**）に分岐する腕頭動脈（**B16**），左総頸動脈（**B19**），左鎖骨下動脈（**B20**）である．

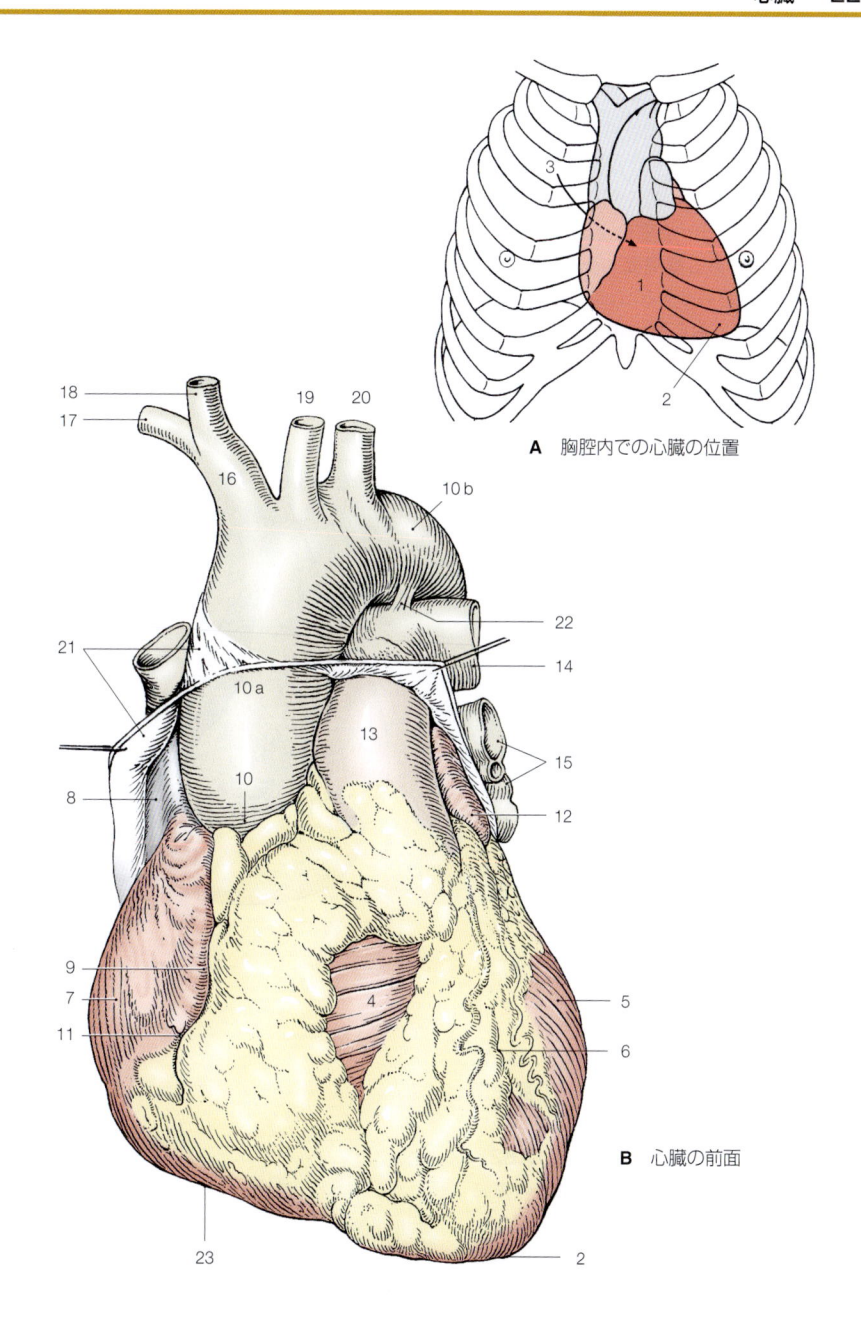

上大静脈（**B8**），上行大動脈（**B10a**）および肺動脈幹（**B13**）の大血管の領域には**心膜**（**B21**）（233頁）の切断縁が示されている．大動脈弓の下壁と肺動脈分岐部の上面の間に1本の短いヒモすなわち**動脈管索**（**B22**）がのびている．これは胎生期の動脈管の遺残である（222頁）．胸肋面と横隔面との境界は**右縁**（**B23**）によってしめされる．

心臓の外面および内部の構造を描画して色分けしようとする時は，生体における色の対比に十分に似せて描くのがよい．

A 胸腔内での心臓の位置

B 心臓の前面

---

1 心臓 heart, Cor **2** 心尖 apex of heart **3** 心底 base of heart **4** 右心室 right ventricle **5** 左心室 left ventricle **6** 前室間溝 anterior interventricular sulcus **7** 右心房 right atrium **8** 上大静脈 superior vena cava **9** 右心耳 right auricle **10** 大動脈（の根部）aorta **10a** 上行大動脈 ascending aorta **10b** 大動脈弓 aortic arch **11** 冠状溝 coronary sulcus **12** 左心耳 left auricle **13** 肺動脈幹 pulmonary trunk **14** 左肺動脈 left pulmonary artery **15** 左肺静脈 left pulmonary veins **16** 腕頭動脈 brachiocephalic trunk **17** 右鎖骨下動脈 right subclavian artery **18** 右総頸動脈 right common carotid artery **19** 左総頸動脈 left common carotid artery **20** 左鎖骨下動脈 left subclavian artery **21** 心膜 pericardium **22** 動脈管索 ligamentum arteriosum **23** 右縁 right border

心臓の外形（続き）

後面観（A）

構造と隣接血管．心膜を切開して心臓を後方から観察すると，**心底** base of heart（Ⅰ）と心臓の下面である**横隔面** diaphragmatic surface（Ⅱ）が観察できる．ほとんど垂直に立った状態にある**右心房**（**AB3**）に**上大静脈**（**AB1**）と**下大静脈**（**AB2**）が開いているのがわかる．この2つの大静脈の縦軸はわずかに腹側に傾いている．上大静脈と下大静脈は**分界溝**（**A4**）によって右心耳の底と隔てられる．この溝は右心房の固有の部分と上下両大静脈を受け入れる**大静脈洞** sinus of venae cavae との境をなす．ほぼ水平に位置する**左心房**（**A5**）に**右肺静脈**（**AB6**）と**左肺静脈**（**AB7**）が開口する．左心房の後壁に**心膜**（**A8**）の切断縁が示されている．左心房の上で**肺動脈幹** pulmonary trunk が右肺動脈（**A9**）と左肺動脈（**A10**）に分岐する．肺動脈分岐部では**大動脈弓**（**A11**）が上を後左方に横切り，大動脈弓からは右鎖骨下動脈（**A13**）と右総頸動脈（**A14**）をもつ腕頭動脈（**A12**），左総頸動脈（**A15**）および左鎖骨下動脈（**A16**）の3本の幹動脈を出している．大動脈は肺動脈分岐部を横断した後，下行していく**下行大動脈**（**A17**）に移行する．

底面観（B）

横隔面（Ⅱ）は下面の平たい面で，その大部分は横隔膜の上にのっている．心臓を下方からみると十分に観察できる．その際には，上下両大静脈の軸を**下大静脈**（**AB2**）の開口部の方から**上大静脈**（**AB1**）の方に向かって**右心房**（**AB3**）に注目するとよい．横隔面の大部分は**左心室**（**B18**）で占められているが，少しの部分が右室の壁に接している．左心室は**冠状溝**（**B19**）によって左心房と隔てられ，この溝には**冠状静脈洞**（**B20**）と左冠状動脈の枝（回旋枝 circumflex branch）が走っている．また心臓を後面からみると，左心室と右心室（**B21**）との境界に幅の広い**後室間溝**（**B22**）が観察され，この溝には右冠状動脈の後室間枝 posterior interventricular branch と中心静脈 middle cardiac vein が走っている．

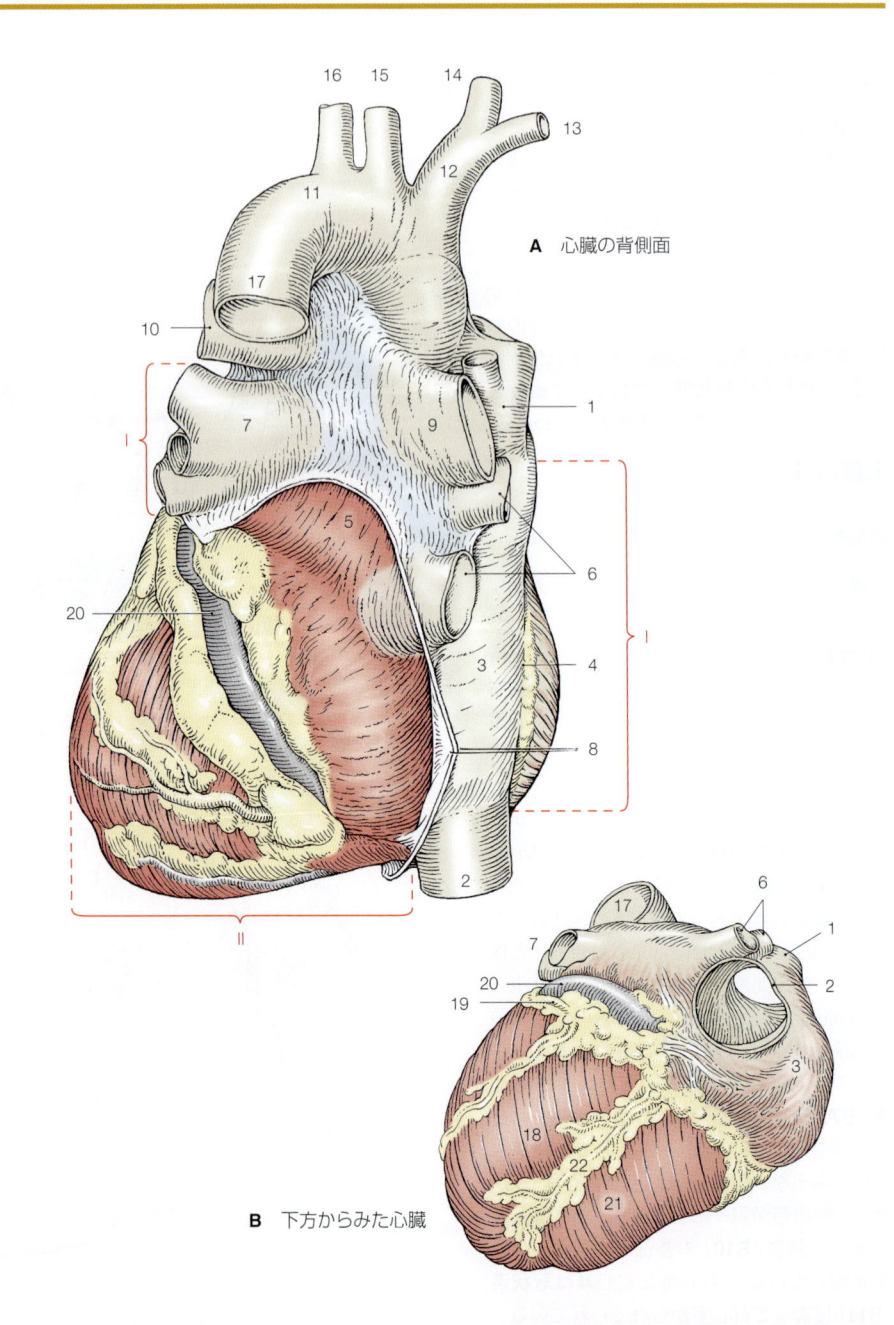

A 心臓の背側面

B 下方からみた心臓

臨床関連：臨床的診断，殊に**心筋梗塞** myocardial infarction の**診断**においては，**左心室**の前壁および後壁と関連して表現される．**前壁**は左心室壁の胸肋面で形成される部分をいい，**後壁**は主として横隔面で形成される部分をいう．**前壁梗塞**には前壁基底部 anterobasal，前壁側壁 anterolateral，前壁中隔 anteroseptal，および心尖部梗塞 apical infarction が区別される．**後壁梗塞**に関しては下壁（横隔面）と左心室の真の後壁の梗塞をいい，後壁基底部 posterobasal，後壁側壁 posterolateral および後壁中隔梗塞 posteroseptal infarction が後壁下壁梗塞 posteroinferior infarction（横隔膜側梗塞 diaphragmatic infarction）から仕切られる．

心臓の梗塞の診断は心電図 electrocardiogram（ECG）の所見に基づく．さらに梗塞に限った左室の心筋部位は，心エコーや拍動が失われている，もしくは異常な動きを示す部位として示される．梗塞による左室の拍出機能の影響は，収縮物質の相対的消失の程度によって決まる．

---

1 上大静脈 superior vena cava　2 下大静脈 inferior vena cava　3 右心房 right atrium　4 分界溝 sulcus terminalis cordis　5 左心房 left atrium　6 右肺静脈 right pulmonary veins　7 左肺静脈 left pulmonary veins　8 心膜 pericardium　9 右肺動脈 right pulmonary artery　10 左肺動脈 left pulmonary artery　11 大静脈弓 aortic arch　12 腕頭動脈 brachiocephalic trunk　13 右鎖骨下動脈 right subclavian artery　14 右総頸動脈 right common carotid artery　15 左総頸動脈 left common carotid artery　16 左鎖骨下動脈 left subclavian artery　17 下行大動脈 descending aorta　18 左心室 left ventricle　19 冠状溝 coronary sulcus　20 冠状静脈洞 coronary sinus　21 右心室 right ventricle　22 後室間溝 posterior interventricular sulcus

心臓の内腔

本章では，心臓の内腔に関する説明については血液の流れる順序に従って記載される．

右心房

右心房 right atrium（**A**）は2つの部分で構成される．後方部に上大静脈（**A1**）と下大静脈（**A2**）が開口する．この後方部は胎児期の起源に起因して内壁は平滑で，**大静脈洞** sinus of venae cavae といわれる（胎児期に静脈洞 sinus venosus があった部位に相当）（372頁）．前方部に**固有の心房**があり，これは胎児期の原始心房に由来する部分である．この部位では心筋組織すなわち櫛状筋（**A3**）が小梁柱状に内腔に隆起している．固有心房は前方に向かって**右心耳**（**A4**）に移行する．

大静脈洞． 上大静脈の開口部すなわち**上大静脈口**（**A1a**）は前下方に向き，弁は備えていない．下大静脈は右心房の最も低い部位に開口し，**下大静脈口**（**A2a**）は前方に向かって一種の鎌状の弁すなわち下大静脈弁（**A5**）によって縁どられている．この弁は成人では退化して痕跡的であるが，胎生期には大きな弁であって，血流を下大静脈から**心房中隔**（**A6**）にある卵円孔（222頁）を通って左心房に直接導いている．この卵円孔のあったところは生後では"くぼみ"すなわち**卵円窩**（**A7**）として認められ，その周縁を縁どる隆起を卵円窩縁（**A7a**）という．下大静脈弁の下内側に冠状静脈洞 coronary sinus が右心房に開いている．これは心臓自身から還流する大部分の静脈血を運び戻してくる血管で，その開口部を**冠状静脈口**（**A8**）といい，ここも同様に弁様のヒダすなわち冠状静脈弁 valve of coronary sinus によって縁どられている．そのほか右心房の内面には所々にごく小さな開口部でもって心臓に分布する微細な静脈が独自に開いているが，これらを細小静脈孔 openings of smallest cardiac veins という．

固有心房と右心耳． 内面で垂直方向に走る稜線すなわち**分界稜**（**A9**）によって，固有心房の領域は平滑な内壁を呈する大静脈洞と境される．この分界稜は上下両大静脈の開口部を前方から弓状に取り巻き，また櫛状筋が起こっている．分界稜は外面では浅い溝を呈する分界溝（224頁）に相当する．固有心房は前方に膨れ出して**右心耳**となる．

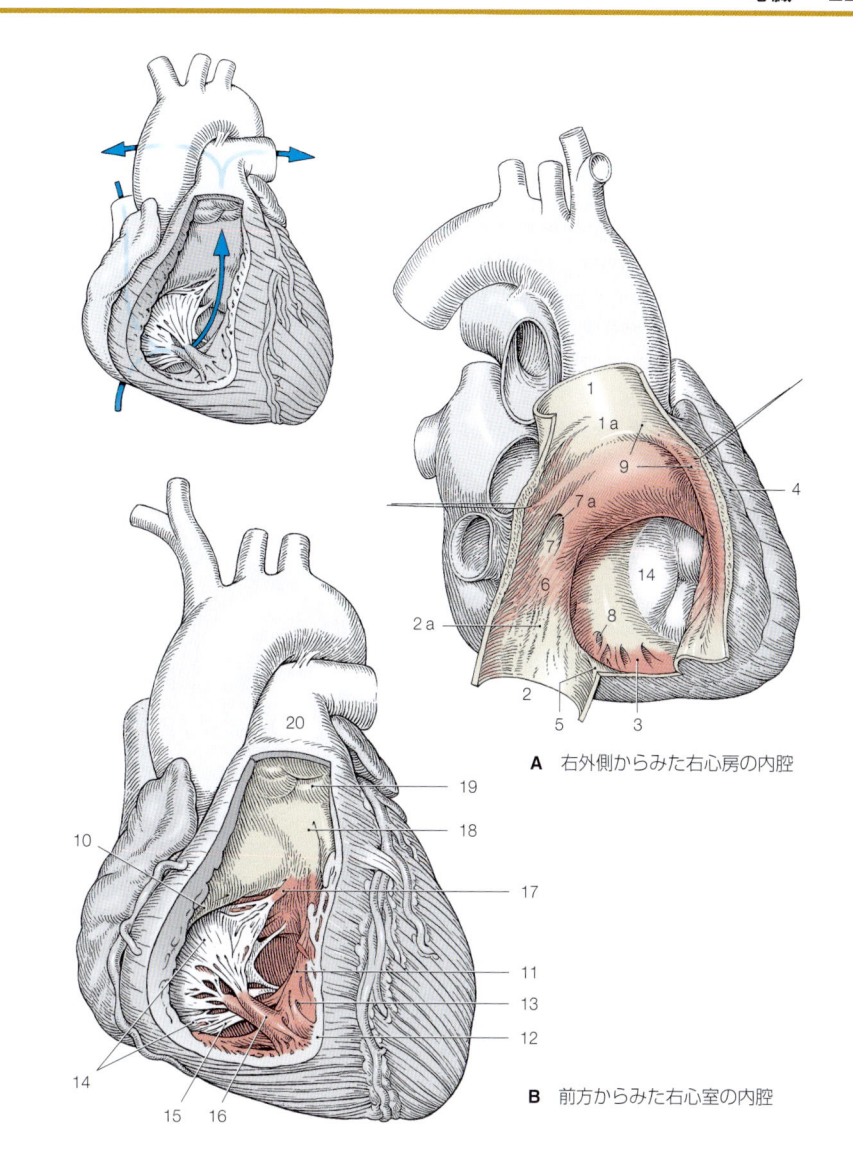

右心室

右心室（**B**）の内腔は筋肉がつくる2つの稜線，室上稜（**B10**）と中隔縁柱（**B11**），によって，後下部に位置する**流入路**（矢印）と前上部に位置する**流出路**（矢印）に分けられる．右心室の筋壁（**B12**）は左心室のそれに比して薄い．

流入路． 流入路の壁から網状に交差する筋線維束が内腔に突出しており，これを**肉柱**（**B13**）という．血液は房室口にある**右房室弁（三尖弁）**（**AB14**）を通って右心房から右心室の流入路に流れる．三尖弁は3枚の帆状弁（229頁）で，この帆は**腱索**（**B15**）を介して**乳頭筋** papillary muscles（**B16～17**）に固定されている．乳頭筋は肉柱の特殊型で，その一部が円錐状に隆起したものである．前乳頭筋（**B16**）と後乳頭筋の位置は一定しているが，中隔乳頭筋（**B17**）の位置は変化する．

流出路． 右心室腔の上方部は平滑な内面を呈し，漏斗状に少し細くなっている．この部を**動脈円錐**（**B18**）または漏斗 infundibulum と称し，血流は肺動脈幹がある肺動脈口 opening of pulmonary trunk に導かれる．**肺動脈弁**（**B19**）は肺動脈幹（**B20**）の起始部に存在し，3個の袋状弁すなわち**半月弁**（229頁）で構成されている．

心室中隔中，心室腔内に弓なりに膨隆しているが，約12cmの強い筋性部 muscular part と，1mmほどしか厚さのない，心房近くの結合織性の薄い膜性部 membranous part に分けられる．後者からは三尖弁の中隔尖が帆性に伸びている．

A 右外側からみた右心房の内腔

B 前方からみた右心室の内腔

---

1 上大静脈 superior vena cava　1a 上大静脈口 opening of superior vena cava　2 下大静脈 inferior vena cava　2a 下大静脈口 opening of inferior vena cava　3 櫛状筋 pectinate muscles　4 右心耳 right auricle　5 下大静脈弁 valve of inferior vena cava　6 心房中隔 interatrial septum　7 卵円窩 oval fossa　7a 卵円窩縁 border of oval fossa　8 冠状静脈口 opening of coronary sinus　9 分界稜 crista terminalis　10 室上稜 supraventricular crest　11 中隔縁柱 septomarginal trabecula, moderator band　12 右心室の筋壁の厚さ　13 肉柱 trabeculae carneae　14 右房室弁（三尖弁）right atrioventricular valve (tricuspid valve)　15 腱索 tendinous cords　16 前乳頭筋 anterior papillary muscle　17 中隔乳頭筋 septal papillary muscle　18 動脈円錐 conus arteriosus　19 肺動脈弁 pulmonary valve　20 肺動脈（幹）pulmonary trunk

心臓の内腔（続き）

左心房

ほとんどが平滑な壁で占められる**左心房** left atrium の内腔（**A**）は右心房のそれよりは少しだけ小さい．左心房の内腔の大部分は発生学的には肺静脈 pulmonary veins すなわち**右肺静脈**（**A1**）と**左肺静脈**（**A2**）によってつくられたもので，これらの肺静脈が個体発生の成長過程で左心房に取り込まれたものである．肺静脈は各側2条計4条の肺静脈でもって左心房の上部に開口している．肺静脈の入口部を**肺静脈口** openings of pulmonary veins といい，弁は存在しない．左心房は腹側方に向かって**左心耳** left auricle として膨れ出しており，この部の内壁には小さな**櫛状筋** pectinate muscles がみられる．左心房では平滑な部と筋性壁の部の間に明瞭な境界は存在しない．左右の心房間の隔壁すなわち**心房中隔** interatrial septum の領域に，右心房の卵円窩の位置に一致して胎生期の**卵円孔弁**（**A3**）が癒着した痕跡が認められ，これは**中隔鎌** valve of foramen ovale といわれる．

左心室

左心室 left ventricle の内腔（**B**）は，右心室の内腔と同様に，**肉柱**（**B4**）によって網状構造を示す**流入路**（矢印）と平滑な壁をもつ**流出路**（矢印）に区分される．左心室の筋壁の厚さ（**B5**）は右心室の約3倍である．

流入路． 左房室口 left atrioventricular orifice にある二尖弁を**左房室弁（僧帽弁）**（**B6**）といい，血液を左心房から左心室の流入路に導いている．この**二尖弁** bicuspid valve は2枚の大きな帆，すなわち**前尖**（**AB7**）と**後尖**（**AB8**）を備えている．これらの帆は丈夫な**腱索**（**B9**）を介して，各々**前乳頭筋**（**B10**）および**後乳頭筋**（**B11**）と呼ばれる肉柱から突出する**乳頭筋** papillary muscles の先端にしっかりと結びつけられている．前乳頭筋は左心室の胸肋面側から，後乳頭筋は横隔面側から起こっている．二尖弁の前尖はその起始部で大動脈壁に移行しており，これによって流入路を流出路から隔てている．

流出路． 流出路の内壁は平滑で，血液は**心室中隔**（**B12**）に沿って大動脈に導かれる．

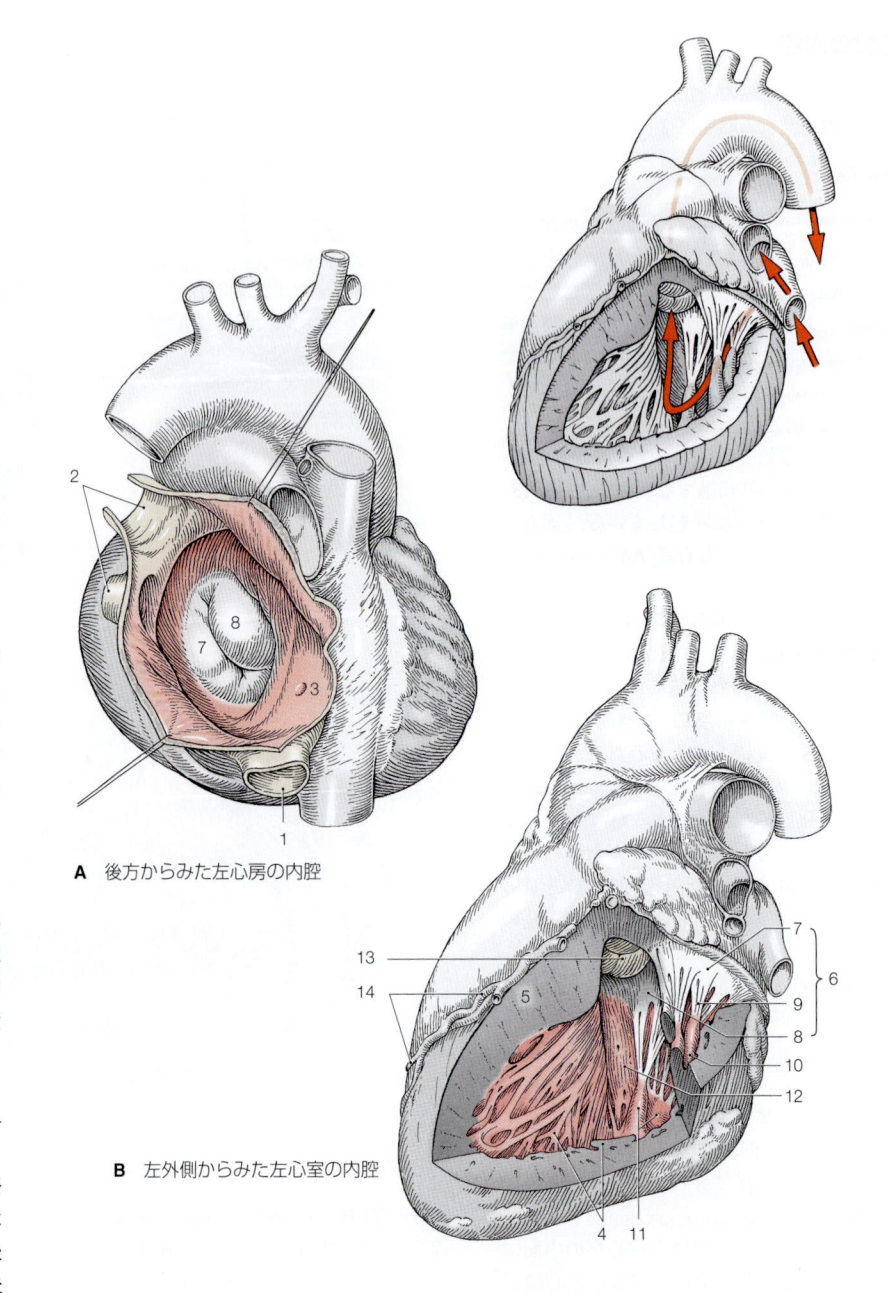

大動脈の起始部に**大動脈弁**（**B13**）がある．この弁は袋状弁すなわち半月弁である．**心室中隔**（**B12**）は，その大部分は心筋組織でつくられる**筋性部** muscular part であるが，上部の房室境界に近い小部分すなわち大動脈弁直下の右後部では筋層を欠いて結合組織性の**膜性部** membranous part となっている（238頁）．心室壁の先天性欠損は多くの場合ここにみられる．心室中隔の縁は心臓表面では**前室間溝**（**B14**）と後室間溝に一致する．

A 後方からみた左心房の内腔

B 左外側からみた左心室の内腔

臨床関連：心臓弁の炎症後に，弁縁に瘢痕形成を起こすことがある．これが原因となって弁開口部に狭窄が生じたものを**弁狭窄症** valvular stenosis（例，僧帽弁狭窄症）という．瘢痕によって弁縁が短縮して**弁閉鎖不全** valvular insufficiency になると，弁閉鎖の際に弁縁が互いに完全に接着しなくなり，血液の逆流が起こる．心臓弁膜症の診断領域では**心エコー**が重症度の評価や手術的治療法の選択の是非を決定する際に重要なものになっている．

---

1 右肺静脈 right pulmonary veins　**2** 左肺静脈 left pulmonary veins　**3** 卵円孔弁（中隔鎌）valve of foramen ovale　**4** 肉柱 trabeculae carneae　**5** 左心室の筋壁の厚さ　**6** 左房室弁（僧帽弁）left atrioventricular valve（mitral valve）　**7** 前尖 anterior cusp　**8** 後尖 posterior cusp　**9** 腱索 tendinous cords　**10** 前乳頭筋 anterior papillary muscle　**11** 後乳頭筋 posterior papillary muscle　**12** 心室中隔 interventricular septum　**13** 大動脈弁 aortic valve　**14** 前室間溝 anterior interventricular sulcus

心臓骨格

すべての心臓の弁はほぼ同一平面上，いわゆる**弁平面** valve plane にあって，これを剖出して観察するためには冠状溝の上部にある両心房を取り払って頭方から心室底をみればよい（**A**）．弁平面は**心臓骨格** cardiac skeleton（**AB**）を形成するために周囲を結合組織で固められている．この結合組織は心房筋と心室筋の筋組織を完全に分け隔てている．最も強く結合組織が肥厚する部位は，大動脈弁（**AB1**），三尖弁（**AB2**）および二尖弁（**AB3**）が会合するところで，この領域を**右線維三角**（**B4**）または中心結合組織体という（ここを刺激伝導系の房室束幹が貫いている）．また，大動脈弁と二尖弁が隣り合っている部位の端を**左線維三角**（**B5**）という．三尖弁と二尖弁がある房室口は2つの不完全な結合組織輪すなわち**右線維輪**（**B6**）と**左線維輪**（**B7**）に囲まれており，これらの線維輪 anulus fibrosus は弁の帆の起始部としての役を果たしている．肺動脈弁（**A8**）は心臓骨格には全く固定されていない．左右の線維輪からは，心房・心室の動作筋が始まっている．

心臓壁の層

心臓壁は**心内膜** endocardium，**心筋層** myocardium，**心外膜** epicardium の異なる3層でつくられている．その際，心臓壁の厚さはほとんどが心筋すなわち心筋層の厚さで決められる．心臓の個々の部位での心筋層の厚さはその部位の負荷の程度に一致する：すなわち，心房壁の筋の発達は弱く，心室壁は筋層の発達はよいが右心室の壁は左心室の壁と比べるとかなり薄い（約1：3）．

心筋層

心房の筋組織（**CD**）．心房の筋組織は浅層と深層の2層に分けることができる．浅層では，一部は前から後ろに弓状に走り，一部は斜走して左右の心房にまたがってのびている．その際，腹側面（**C**）の方が背側面（**D**）よりより強くつくられている．深層では各々の心房で主に縦走してワナ状または輪状に走る筋束をもっているのが特徴的で，これらの筋束は各々の房室口にまで走って線維輪に終わり，また静脈の入口部ではこれを環状に取り巻いている．

心室の筋組織（**C～E**）．心室壁における心筋層の立体的な配列は非常に複雑であるが，形態的には心外膜下層（外層），中層，心内膜下層（内層）の3層に区別できる．外層の**心外膜下層**（**C～E**）の筋束は両心室を共通に取り巻くが，右心室表層の筋束はおおよそ水平方向に走り，左心室の筋束は横隔面上ではほとんど縦方向に走っている．心外膜下層の表層の筋束は心尖でラセン状をなして集まり，一種の"渦巻き"すなわち**心渦**（**E9**）を形成して筋束は奥に入り込んでいる．左心室と心室中隔はよく発達した**中筋層**を備えており，大部分が輪走している．右心室壁では中筋層を欠く．内層の**心内膜下層**は主に縦走するが，肉柱 trabeculae carneae と乳頭筋 papillary muscles は内層筋に属する．心臓の筋標本では冠状溝（**CD10**），前室間溝（**CE11**），後室間溝（**DE12**）などの溝が明瞭に観察できる．

心内膜と心外膜

心筋層は内方から**心内膜**によって内張られている．心内膜は血管壁の内膜の続きであり（261頁），内皮 endothelium の層と薄層の結合組織で構成される．弁はこの層が膜状に突出したものである．また心筋層は外方から光沢をもった平滑な**心外膜**で被覆されている．心外膜は中皮 mesothelium と薄層の結合組織でつくられる．この心外膜に心外膜下の多少の脂肪層が付随して心臓表面の凹凸を平滑にしている．

A 頭方からみた弁平面

B 分離して頭方からみた心臓骨格

C 前方からみた心臓，心筋層

D 後方からみた心臓，心筋層

E 心尖における心筋の走向

> **臨床関連**：心臓の内膜の炎症性の病変は，心内膜炎と呼ばれる．心臓疾患のうち，最も頻度が高い，起因子から直接由来する感染性の心内膜炎と，他のメカニズム（血栓性，リウマチ性心内膜炎）によってひき起こされるものがある．感染性心内膜炎の場合，弁膜の内膜がまず最初に罹患する．

---

1 大動脈弁 aortic valve　2 三尖弁 tricuspid valve　3 二尖弁 bicuspid valve　4 右線維三角 right fibrous trigone　5 左線維三角 left fibrous trigone　6 右線維輪 right fibrous ring　7 左線維輪 left fibrous ring　8 肺動脈弁 pulmonary valve　9 心渦 vortex of heart　10 冠状溝 coronary sulcus　11 前室間溝 anterior interventricular sulcus　12 後室間溝 posterior interventricular sulcus　13 左心耳 left auricle　14 左心室 left ventricle　15 右心室 right ventricle　16 右心房 right atrium　17 右心耳 right auricle　18 上大静脈 superior vena cava　19 下大静脈 inferior vena cava　20 肺静脈 pulmonary veins　21 左心房 left atrium

心臓の層，組織学と微細構造

作業筋

作業筋とは**一般心筋細胞** ordinary cardiac muscle cells のことで，骨格筋線維と同様に筋原線維 myofibrils を含み，**横紋** cross striation がみられる．心筋の横紋は骨格筋のそれと本質的には同様につくられ，収縮性タンパク（アクチン細糸とミオシン細糸）は筋節 sarcomere の中に骨格筋と同じように配列している（10頁参照）．

光顕像（**AB**）．個々の**心筋線維**（**AB1**）は，健康な成人の場合，120μmまでの長さをもち，平均直径は約20μmである．心筋線維は，枝分かれして隣接の細胞と結合することが多く，また細胞どうしは端−端連結をして，束をなして横たわっている．心筋線維はこの方法で複雑な**三次元の立体格子構造**をつくり，その間隙には，密な毛細血管網をもった疎性結合組織（**AB2**）を入れている．染まりの薄い細胞核（**AB3**）が心筋細胞の中央に位置する．核は**筋原線維がみられない核周囲帯**（**A4**）で囲まれ，この領域は筋形質 sarcoplasm と小器官 organelles が豊富で，その中にグリコーゲン顆粒とリポフスチン小顆粒が集積していることがある．相対する心筋細胞間の境界は，しばしば階段状を呈する太い横線としてみられ，**介在板**（**A5**）または光輝線と呼ばれる．

電顕像（**C**）．1つの介在板の部位を電顕像でみると，互いに向き合っている相隣る心筋細胞の**筋形質膜**（**C6**）は，複雑な陥凹に合致して精巧にかみ合わさった連結をつくっているのがわかる．また形質膜上には興奮の伝播にとって重要な**細胞接着**がデスモゾーム（**C7**）や細隙結合（ネクサス）（**C8**）の形をとってつくられて特殊化されている．介在板では，1つの細胞のアクチン細糸（**C9**）が肥厚した**境界層**（**C10**）に終わっていて（形質膜には達していないが），その伸長方向は隣接細胞のアクチン細糸によって継続されている．心筋細胞には**ミトコンドリア**（**C11**）が多量にみられ，これらは筋原線維の間に存在し，筋原線維の収縮に対する高度なエネルギー需要を保証している．心筋細胞には2系の細胞内小管が認められ，これらは膜で包み込まれて細胞内を横切って配置されている．1つの系は**横細管**（**C12**）で，これは筋形質膜が特殊化した派生物である．他の1つの系は**縦細管**（**C13**）で，これは心筋細胞の滑面小胞体である筋小胞体 sarcoplasmic reticulum でつくられている．

特殊心筋線維（D）

特殊心筋線維に属する細胞（**D14**）（231頁）は，一般に作業筋の細胞よりもより大きな直径をもっており，通常，**心内膜**（**D15**）直下の結合組織の中に埋めこまれて存在している．この細胞は筋原線維に乏しく，グリコーゲンに富んでいる．また特殊心筋線維の細胞は嫌気的なエネルギー産出が可能である．さらに詳しいことは組織学の参考書を参照．

> **臨床関連**：心筋線維には再生能はない．一時的な血液供給不足では可逆的な障害で済むが，長期に持続する供給不足すなわち**虚血** ischemia では，壊死を起こして結合組織性の瘢痕で補充され，不可逆的な障害に陥る．

A 心筋組織，縦断像（光顕的次元）
B 心筋組織，横断像（光顕的次元）
C 心筋組織（電顕的次元）
D 刺激伝導系の細胞（光顕的次元）

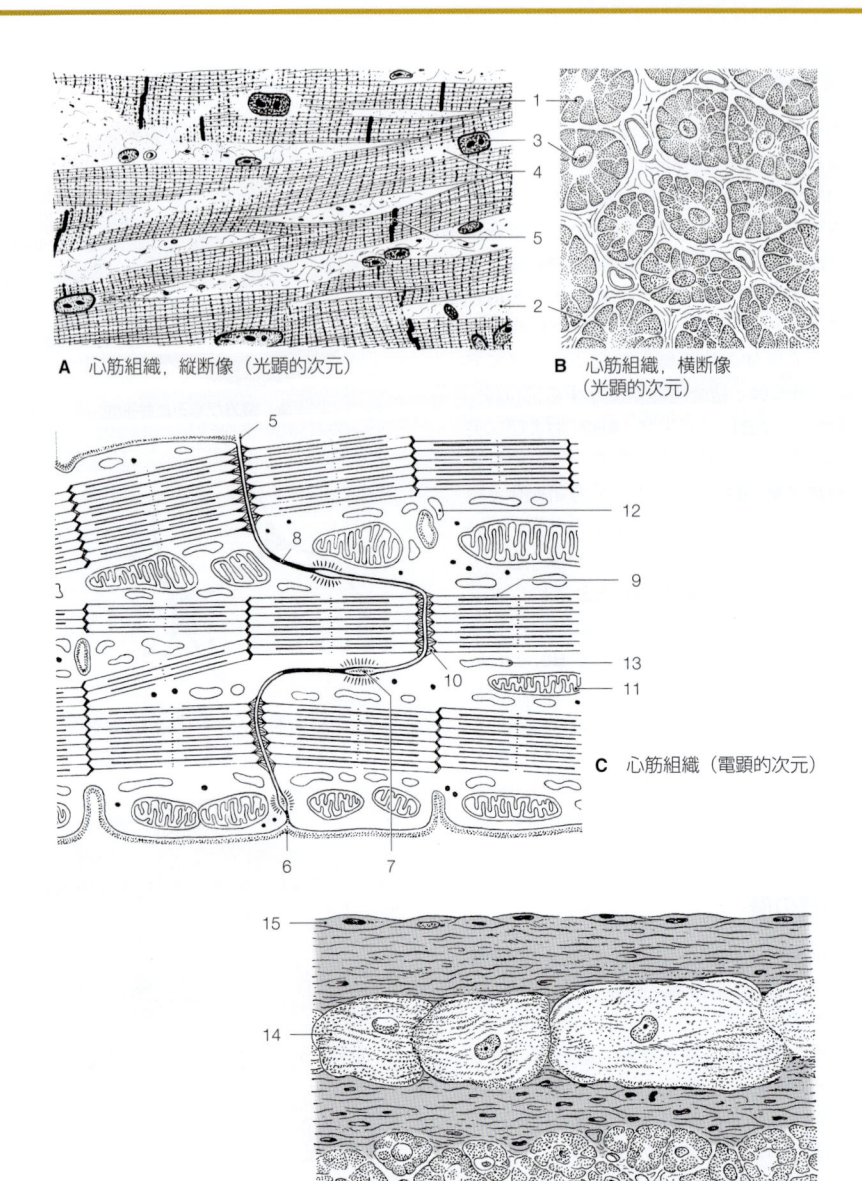

1 （一般）心筋細胞（ordinary）cardiac muscle cell　2 疎性結合組織 loose connective tissue　3 核 nucleus　4 核周囲帯 perinuclear zone　5 介在板（光輝線）intercalated disc（Glanzlinie）　6 筋形質膜 sarcolemma　7 デスモゾーム desmosome　8 細隙結合（ネクサス）gap junction（nexus）　9 アクチン細糸 actin filament　10 境界層 zonula adherens, Grenzschicht　11 糸粒体（ミトコンドリア）mitochondria　12 横細管 transverse tubuli（T-tubuli）　13 縦細管 longitudinal tubuli（L-tubuli）　14 特殊心筋細胞 specialized cardiac muscle cells　15 心内膜 endocardium

心臓の弁

帆状弁（尖弁）

帆状弁（房室弁）は収縮期には，心房と心室の間を閉鎖する役割を担う．尖弁は1枚の結合組織板とそれを両面からおおう心内膜 endocardium でつくられ，これには血管は全く含まれていない．帆の心房面は平滑であるが，その遊離縁と下面からは腱索が出ている．

三尖弁（右房室弁）．この弁には3枚の帆が存在して，前方のものを**前尖**（**A～C1**），後方のものを**後尖**（**A～C2**），心室中隔側のものを**中隔尖**（**A～C3**）という．前尖は最も大きく，その腱索は中隔縁柱から起こる強い前乳頭筋（**C4**）にしっかりと固定されている．中隔尖の付着部（**C5**）は心室中隔の膜性部の高さにあり，この帆は左右の心室の間にある前方部の心室間部 interventricular portion と，右心房と左心室の間にある後方部の房室部 atrioventricular portion に細区分される．3枚の大きな帆の間には小さな**結合帆**（**A～C6**）が存在して，これらは線維輪までには達していない．

二尖弁（左房室弁）．この弁は形状から**僧帽弁**ともいわれ，臨床ではこの名称がよく使われる．この二尖弁は前内側にある帆すなわち**前尖**（**AB7**）と後外側にある帆すなわち**後尖**（**AB8**）を備えている．これらの帆からは強くて短い腱索が出て前乳頭筋と後乳頭筋に固定されており，したがって各乳頭筋は両弁尖の隣接する部分を互いに支えることになる．前尖はその中隔起始部で大動脈の壁に移行している．僧帽弁は前尖および後尖の大きな帆のほかに2つの小さな帆をもっており，これらは**交連尖**（**AB10**）といわれるが，線維輪までには達していない．

機能解剖．充満期すなわち**心室拡張期** diastole においては，血液は両心房からそれぞれの心室に流入し，弁縁は互いに離れて房室弁は開く（**A**）．駆出期すなわち**心室収縮期** systole においては，心室筋が収縮して血柱は流出路に押し出される（**B**）．その際，房室弁につくられている精巧な固定装置の働きによって弁尖が心房の方に翻転するのを防いでいる．

袋状弁（半月弁）

袋状弁は動脈口に存在する弁で，肺動脈弁（**AB11**）と大動脈弁（**AB9**）がこれに属し，各々3個のほとんど同大のポケット状の弁，

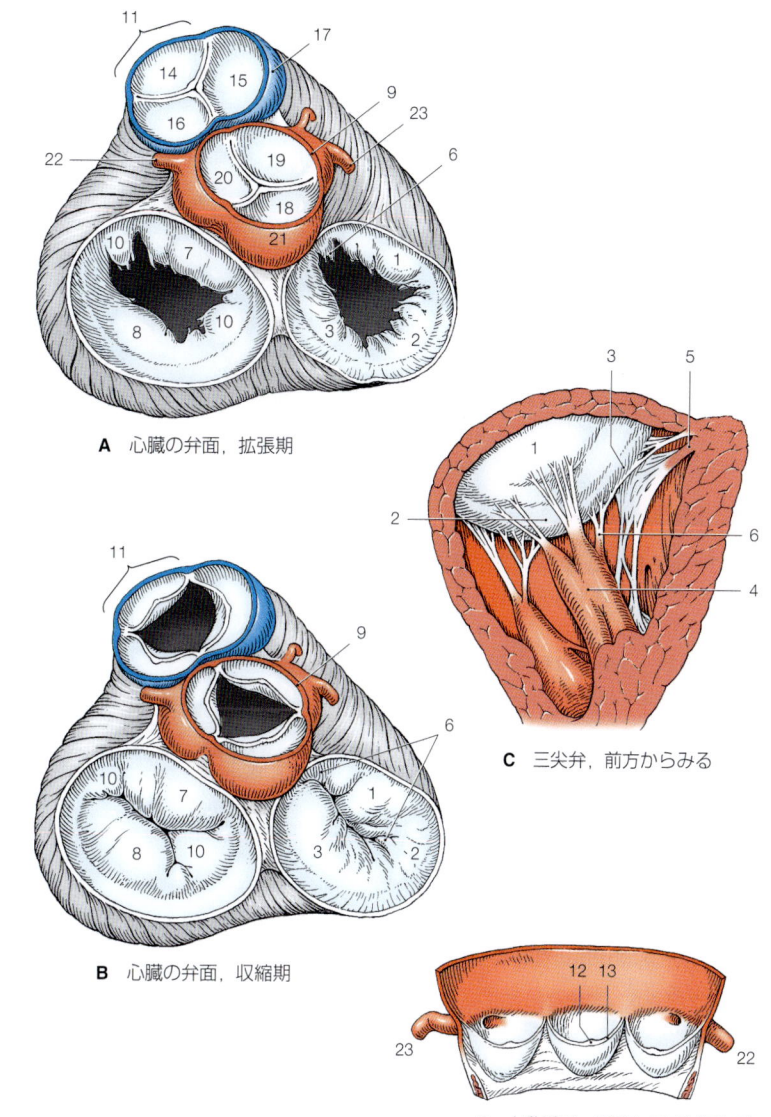

いわゆる**半月弁** semilunar valve で構成される．これらは**心内膜の二重構造物**である．半月弁の付着部は弓状を呈し，動脈壁は少し薄くなっていて，全体的に動脈壁が外方に膨れ出している（**D**）．各半月弁にはその遊離縁の中央に線維性の小結節である**半月弁結節**（**D12**）を有し，その小結節から両側に弁縁に沿って薄い三日月状の"縁どり"すなわち**半月弁半月**（**D13**）がのびている．弁が閉じたときにはこの半月が隣り合った半月と互いに密着する（**A**）．

肺動脈弁（**AB11**）．この弁は動脈円錐と肺動脈幹の境界にあり，前方の**前半月弁**（**A14**），右方の**右半月弁**（**A15**），左方の**左半月弁**（**A16**）で構成される．弁は向かい合う肺動脈幹の壁との間に浅い**肺動脈洞**（**A17**）をつくる．

大動脈弁（**AB9**）．この弁は，大動脈前庭と大動脈の境界にあり，後方の**後半月弁**（**A18**），右方の**右半月弁**（**A19**），左方の**左半月弁**（**A20**）からなる．弁が存在する領域の血管壁は外方に膨出して**大動脈洞**（**A21**）をつくり，血管壁の横断面は全体として拡張して大動脈球となる．

左半月弁の大動脈洞（**D**）から**左冠状動脈**（**AD22**）が起こり，右半月弁の大動脈洞から**右冠状動脈**（**AD23**）が起こる．

機能解剖．心室拡張期（**A**）には，肺動脈幹内および大動脈内の血柱が血管壁に圧力を加え，袋は広げられて弁は閉じる．半月弁結節は弁縁の閉鎖を強化している．心収縮期（**B**）には，心室の圧が上昇して弁縁は互いに離れるが，弁縁は袋の中に渦が生じるために血管壁には接触しない．

A 心臓の弁面，拡張期

B 心臓の弁面，収縮期

C 三尖弁，前方からみる

D 大動脈口，切開して広げている

---

1 前尖 anterior cusp　2 後尖 posterior cusp　3 中隔尖 septal cusp　4 前乳頭筋 anterior papillary muscle　5 中隔尖の付着部　6 結合帆（結合尖）connective cusps　7 前尖 anterior cusp　8 後尖 posterior cusp　9 大動脈弁 aortic valve　10 交連尖 commissural cusps　11 肺動脈弁 pulmonary valve　12 半月弁結節 nodules of semilunar cusps　13 半月弁半月 lunules of semilunar cusp　14 前半月弁 anterior semilunar cusp　15 右半月弁 right semilunar cusp　16 左半月弁 left semilunar cusp　17 肺動脈洞 sinus of pulmonary trunk　18 後半月弁 posterior semilunar cusp　19 右半月弁 right semilunar cusp　20 左半月弁 left semilunar cusp　21 大動脈洞 aortic sinus　22 左冠状動脈 left coronary artery　23 右冠状動脈 right coronary artery

心臓の血管

　心筋の栄養は心臓の**固有血管** vasa privata あるいは心臓の栄養血管 vasa nutricia といわれる血管で行われる．これに対して心底にある"機能的"な大血管を**公的血管** vasa publica と称する．固有血管はその主幹が冠状溝を通るゆえに**冠状血管** coronary vessels ともいわれる．**冠状循環** coronary circulation は短い循環で，冠状動脈（大動脈の最初の枝），心筋層に密に分布する毛細血管網，および冠状静脈で構成され，血液の大部分は冠状静脈洞に集められて右心房に開口する．

心臓の動脈，冠状動脈（A～C）

　主幹動脈である**右冠状動脈**（**A1**）と**左冠状動脈**（**A2**）が大動脈弁の右半月弁と左半月弁の大動脈洞から起こる．

　右冠状動脈（**A1**）．本動脈は右側の冠状溝（**A3**）に入り，その際に初めは右心耳（**A4**）によっておおわれる．右心房および右心室の前面へ枝を与え，さらに**右辺縁枝**（**A5**）を分枝したあと，本動脈は冠状溝を背方に向かって後室間溝（**B6**）に達し，この溝を下る**後室間枝**（**B7**）となって心尖に向かう．右冠状動脈は通常の場合（いわゆる**平均分布型** balanced type）では，右心房，刺激伝導系，右心室の大部分，心室中隔の後部および横隔面隣接部を栄養する．

　左冠状動脈（**A2**）．主幹は短く，最初は肺動脈幹（**A8**）と左心耳（**A9**）の間を走り，すぐに**前室間枝**（**A10**）と**回旋枝**（**A12**）とに分かれ，前者は前室間溝（**A11**）を心尖に向かって下り，後者は冠状溝を左回りして心臓後面に走る．これらの血管は表面近くでは多量の心外膜下脂肪組織におおわれて溝の中を走る．この際，これらの枝は，しばしば心筋や心筋架橋に取り囲まれる．左冠状動脈は**平均分布型**では，左心室の大部分，心室中隔の前部，胸肋面での右心室の一部および左心房を栄養する．

> **臨床関連**：冠状動脈は細い動脈間に互いの吻合を有しているが，ある血管が閉塞したときに側副循環（=迂回循環）collateral circulation を形成するほど十分なものではない．ゆえに冠状動脈は**機能的終動脈** functional end-artery といわれる．血管が閉塞したときには，それで栄養される心筋部分は十分に血液が供給されなくなって**心筋梗塞** myocardial infarction をひき起こす．急性の心筋梗塞は，症例の 90 % 以上が動脈硬化のプラークが基礎になって新しくできた冠状動脈血栓によって生ずる．

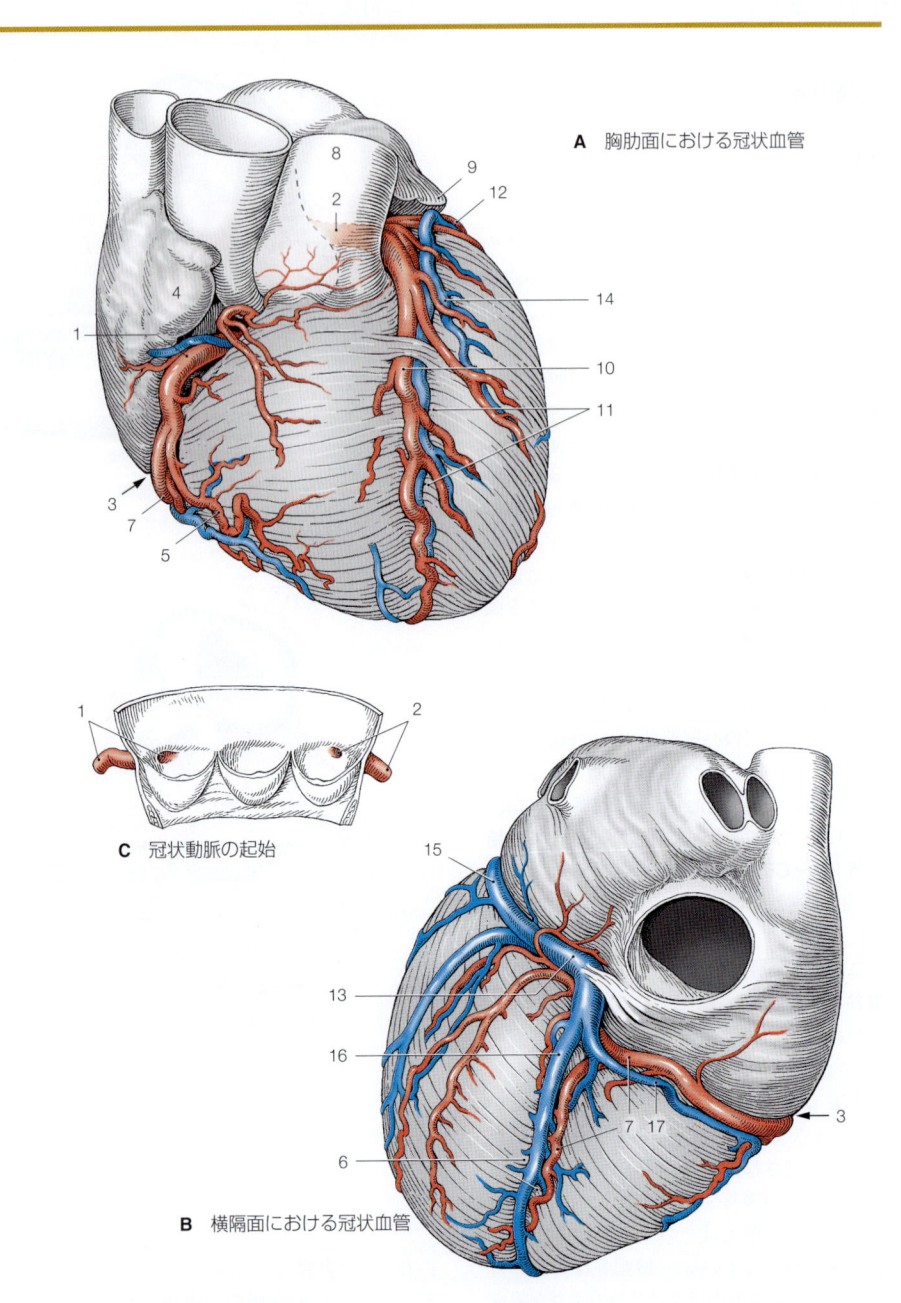

A 胸肋面における冠状血管

C 冠状動脈の起始

B 横隔面における冠状血管

心臓の静脈，冠状静脈（AB）

　心臓壁からの静脈血の大部分は，動脈に伴行して走る静脈を経由して**冠状静脈洞**（**B13**）に流れる．冠状静脈洞は心臓後側に位置し，冠状溝（**AB3**）の後部の中にある．冠状静脈洞に還流する大きな静脈には，①前室間溝を上行する**前室間静脈**（**A14**），これは左冠状溝に入ると**大心（臓）静脈**（**B15**）となる，②後室間溝を上行する**中心（臓）静脈**（**B16**），③右方からこの静脈洞に入る**小心（臓）静脈**（**B17**），がある．心臓の静脈血の約 2/3 はこれらの大きな血管と冠状静脈洞を経由して右心房に達しているが，これらのほかにも右心室前面を上行して右心房に直接開く右心室静脈 right ventricular veins（=前心静脈 anterior cardiac veins）や，心臓内腔に直接開口する最小心（臓）静脈 small cardiac vein といわれる小さな静脈もある．

リンパ管

　心臓に密に分布するリンパ管網は深層の**心内膜網**，中層の**心筋層網**，浅層の**心外膜網**に分かれている．これらのリンパは心外膜下でより大きな集合管に集められて，大動脈と肺動脈幹に伴行して走る．これに付属する所属リンパ節は**前縦隔リンパ節** anterior mediastinal nodes（259頁）の一部である．

---

1 右冠状動脈 right coronary artery　**2** 左冠状動脈 left coronary artery　**3** 冠状溝 coronary sulcus　**4** 右心耳 right auricle　**5** 右辺縁枝 right marginal branch　**6** 後室間溝 posterior interventricular sulcus　**7** 後室間枝 posterior interventricular branch　**8** 肺動脈（幹）pulmonary trunk　**9** 左心耳 left auricle　**10** 前室間枝 anterior interventricular branch　**11** 前室間溝 anterior interventricular sulcus　**12** 回旋枝 circumflex branch　**13** 冠状静脈洞 coronary sinus　**14** 前室間静脈 anterior interventricular vein　**15** 大心（臓）静脈 great cardiac vein　**16** 中心（臓）静脈 middle cardiac vein　**17** 小心（臓）静脈 small cardiac vein

刺激伝導系

心臓は**特殊心筋細胞** specialized cardiac muscle cellsを備えており，**自発的且つ律動的に興奮を発生させ**，これをさらに先へ伝達して心拍動をつかさどっている．この系は興奮発生系と興奮伝導系からなり，一括して**刺激伝導系** conducting system of heartといわれる．特殊心筋細胞は一般心筋細胞 ordinary cardiac muscle cells（いわゆる作業筋）とは組織的にも機能的にも異なるものである．

刺激伝導系には2ヵ所に**洞［房］結節（A1）**と**房室結節（A3）**といわれる結節性の構成物がつくられており，これらから**束**の形で興奮伝導系が出ていく．房室結節からの**房室束**は右左の心室への興奮伝導脚である**右脚**と**左脚**に分かれる．この経路でもって興奮はその発生部位から機能的に継続して**作業筋**にまで伝えられるのである．次に形態学的に証明できる構成物について順を追って記載する．**洞［房］結節**（キース・フラック結節）（**A1**）は上大静脈（**A2**）の開口部近くで，分界溝の中の心外膜下に存在する．紡錘形のこの結節は**心拍動の"歩調とり"** pacemaker，といわれ，正常では約60～80/minの興奮を発生させて放散して心房の一般心筋を収縮させ，さらに，興奮発生系と興奮伝導系のそのほかの部分に興奮を伝えて次の段階に移行していく．特殊心筋組織の第2の結節は房室境界に位置する**房室結節**（アショフ・田原結節）（**A3**）である．この結節は，冠状静脈洞（**A5**）の開口部と三尖弁の中隔尖（**A6**）との間で，心房中隔（**A4**）下部の心内膜下に存在している．

洞［房］結節で発生した興奮は右心房の作業筋を介して房室結節に伝えられ，房室結節からは新しい興奮伝導系の束が始まる．この束は**房室束（ヒス束）（A7）**を形成し，この幹を**房室束幹（ヒス束幹）** trunk of atrioventricular bundleと称し，線維三角で心臓骨格を心室に向かって貫いている．房室束は右心室の側で心室中隔筋性部の上縁に達して右脚と左脚に二分し，両脚は心室中隔の心内膜下をそれぞれ心尖に向かってのびている．

右脚（A8）は弓状に下方に向かって走り，**中隔縁柱（A9）**の中に入って，これを経由して**前乳頭筋（A10）**に達する．この興奮伝導脚の末梢枝は心内膜下で網状叢を形成しながら下行し，ここからプルキンエ線維が始まる．**プルキンエ線維（A11）**は右心室の作業筋と機能的に連結して終わるが，まず乳頭筋群および心尖近くの心室筋と連結し，右心室底の心筋には肉柱の中を逆行性に走って達する．**左脚（B12）**は通常前後の一次束に分かれ，これらはすぐに扇状に広がって心室中隔を下行する．これらは心内膜下網を形成しながら分枝して乳頭筋群の基底部に向かって走る．**プルキンエ線維**は心尖近くの心室筋および左心室底の心筋に機能的に連結して終わる．

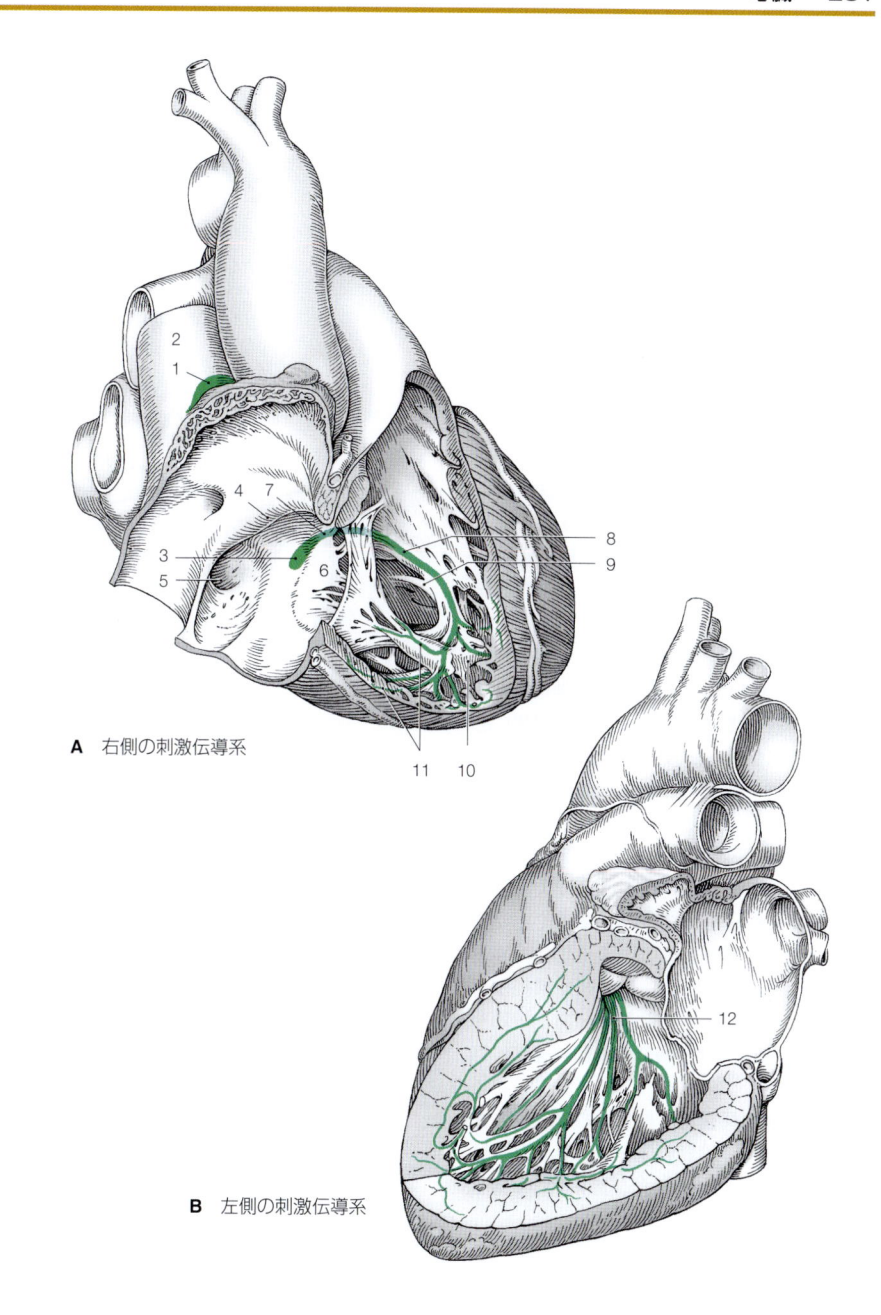

機能解剖．自発的な興奮は基本的に刺激伝導系のすべての部位から起こりうる．しかし洞結節の興奮頻度は約70/minで房室結節の50～60/minや心室の25～45/minよりも大であるため，原則として洞結節の指定によって調整された心拍動が進行しており（**洞調律** sinus rhythm），後続の興奮発生源は休止した状態にとどまっているのである．洞結節やヒス束での断絶（**ブロック** block）の際には遅い心室調律 ventricular rhythmが発現してくる．

臨床関連：興奮発生系および興奮伝導系の障害による疾患は，**心電図** electrocardiogram（**ECG**）を用いて解析できる．とくに心臓内から直接誘導されるECGによって正確に疾患部位と関係づけることができる．

A 右側の刺激伝導系

B 左側の刺激伝導系

1 洞［房］結節（キース・フラック結節）sinu-atrial node（Keith-Flack's node）　2 上大静脈 superior vena cava　3 房室結節（アショフ・田原結節）atrioventricular node（Aschoff-Tawara's node）　4 心房中隔 interatrial septum　5 冠状静脈洞 coronary sinus　6 中隔尖（三尖弁の）septal cusp（tricuspid valve）　7 房室束（ヒス束）atrioventricular bundle（His's bundle）　8 右脚 right bundle　9 中隔縁柱 septomarginal trabecula　10 前乳頭筋 anterior papillary muscle　11 プルキンエ線維 Purkinje's fibers　12 左脚 left bundle

心臓の神経支配

洞結節からの調律に由来する心活動は植物（自律）神経系の影響を受けている（植物神経系については568頁以下を参照）．心臓に対する神経支配（**A**）は自律神経系の**交感神経[部]** sympathetic part と**副交感神経[部]** parasympathetic part により行われる．これらの心臓への神経は自律神経性の遠心性線維 efferent nerve fibers ならびに内臓性知覚性の求心性線維 afferent nerve fibers を運んでいる．

交感神経．両側の頸部交感神経幹から頸神経節の高さで通常3本ずつの心臓神経 cardiac nerves，すなわち**上頸心臓神経**（**A1**），**中頸心臓神経**（**A2**）および**下頸心臓神経**（**A3**）が起こる．これらの心臓神経は頸部の血管神経索の背側を下行して**心臓神経叢**（**A4**）に入る．さらに上部の胸神経節から**胸心臓神経**（**A5**）が起こり，これも同様に心臓神経叢に加わる．交感神経性の心臓神経は節後線維を運んでおり，これらの節前線維は上部脊髄節の側角から出て，それぞれ上頸（**A12**）・中頸（**A13**）・頸胸神経節（**A14**）および第2〜4胸神経節（**A15**）で大部分がニューロン neuron を換えている．さらに交感神経性の心臓神経には内臓性知覚性線維 viscerosensory fibers，殊に痛覚線維が含まれており，これらの細胞体である核周部 perikaryon は頸部と胸部の脊髄神経節に存している．

交感神経の興奮は一般に心機能に対して促進的に働き，拍動頻度を高め，拍動の強さや興奮性を増強し，AV結節における興奮伝導を速めている．

副交感神経．副交感性の心臓への神経は**迷走神経**（**A6**）から来ている．これは**上頸心臓枝**（**A7**）および**下頸心臓枝**（**A8**）として頸部迷走神経のいろいろな高さで分岐して**心臓神経叢**に向かって走る．さらに胸部迷走神経から**胸心臓枝**（**A9**）が加わり，同様に心臓神経叢に入射している．迷走神経からの心臓枝 atrial branches は大部分が節前線維からなり，これは心底の領域に存在する心外膜下の神経細胞で節後線維に切り替えられている．副交感神経性の心臓枝に含まれている内臓性知覚性線維はとくに圧受容器と伸展受容器からの興奮を伝えている．

副交感神経の興奮は心機能に対して抑制的に働き，拍動頻度を減少させ，拍動の強さや興奮性を弱め，AV結節における興奮伝導を遅くしている．

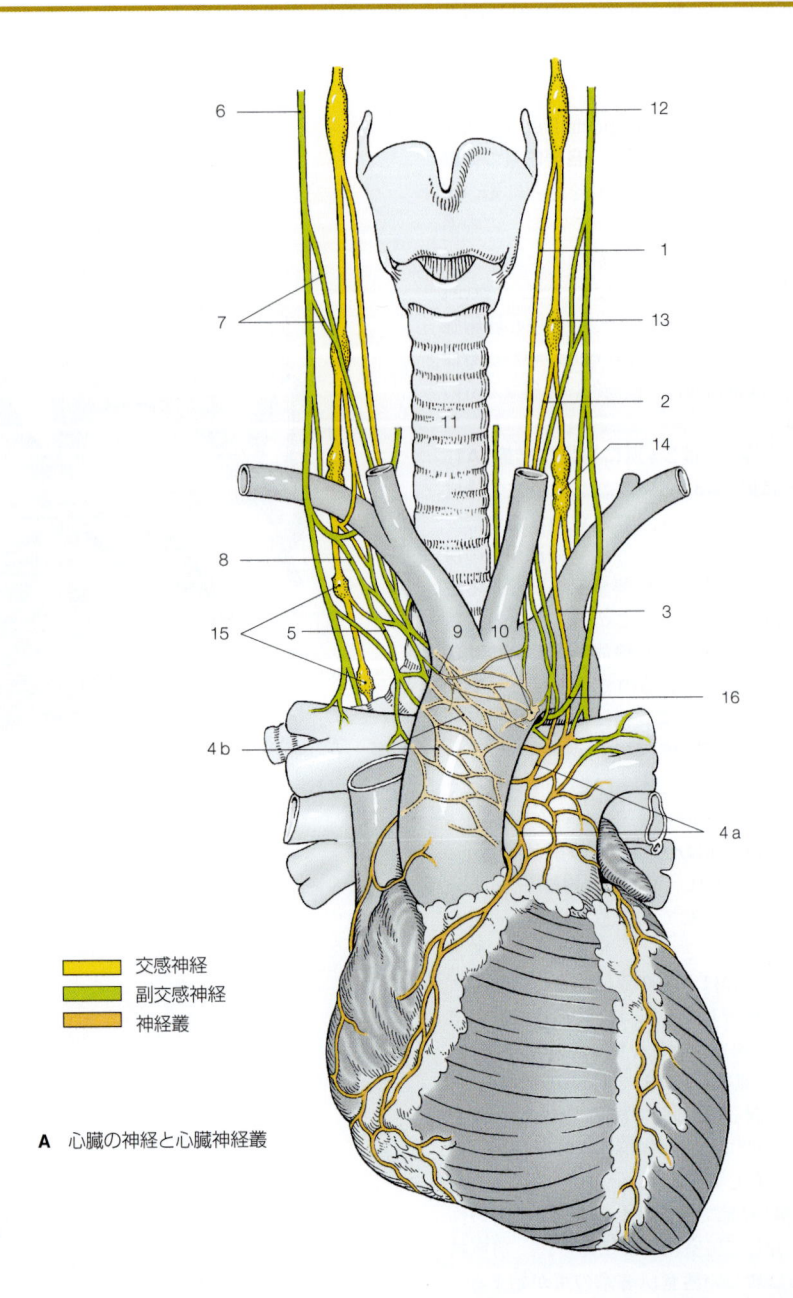

心臓神経叢

交感神経性の**心臓神経** cardiac nerves と副交感神経性の**心臓枝** atrial branches は分岐し，心底で合流して**心臓神経叢**（**A4**）をつくる．この叢は局所的にみれば浅層部と深層部とに分けることができる．神経叢内には心臓神経節（**A10**）といわれる大小の神経細胞の集積物がみられる．腹側部を構成する**浅心臓神経叢**（**A4a**）は，右肺動脈の前で大動脈弓の下方に存して，圧倒的に左側から心臓へくる神経線維から供給されている．背側部を構成する**深心臓神経叢**（**A4b**）は，大動脈弓の後部と気管（**A11**）の分岐部の腹側に存して，両側から心臓にくる神経線維を含んでいる．心臓神経叢の両部は互いに結合し合って，最終的に実際に心臓に分布する枝となる．その際，これらは神経叢を経由して，あるものは両心房壁に分布し，あるものは冠状動脈に沿って走り，心臓のすべての供給領域に達している．

感覚性（求心性）神経支配．心臓神経叢は求心性の神経線維も含む．これらの線維は，頸髄（C_3，C_4）と胸髄，とくにTh_1〜Th_7に終わる．この頸髄，胸髄に終わっていることが，心筋梗塞の際の心臓の痛みが，左の肩から首にかけて，さらには左上腕の尺側に広がることを説明できる．

凡例：
- 交感神経（黄）
- 副交感神経（緑）
- 神経叢（橙）

A 心臓の神経と心臓神経叢

---

1 上頸心臓神経 superior cervical cardiac nerve　**2** 中頸心臓神経 middle cervical cardiac nerve　**3** 下頸心臓神経 inferior cervical cardiac nerve　**4** 心臓神経叢 cardiac plexus　**4a** 浅心臓神経叢 superficial cardiac plexus　**4b** 深心臓神経叢 deep cardiac plexus　**5** 胸心臓神経 thoracic cardiac branches　**6** 迷走神経 vagus nerve　**7** 上頸心臓枝 superior cervical cardiac branches　**8** 下頸心臓枝 inferior cervical cardiac branches　**9** 胸心臓枝 thoracic cardiac branches　**10** 心臓神経節 cardiac ganglion　**11** 気管 trachea　**12** 上頸神経節 superior cervical ganglion　**13** 中頸神経節 middle cervical ganglion　**14** 頸胸神経節（星状神経節）cervicothoracic ganglion (stellate ganglion)　**15**（第2〜4）胸神経節 thoracic ganglia　**16** 反回神経 recurrent laryngeal nerve

心　囊

心臓は，肺や胃腸管の大部分と同じように，強い容積変化を示し，隣接器官に対して可動性をもっている．このような器官は一般に漿膜腔の中に納まっている．心臓は**心膜腔** pericardial cavity（**B**）の中に納まっている．

心膜（＝**心囊**）（**AB1**）は心臓と心底近くの大血管の基部を包んでおり，外層の線維性心膜と内層の漿膜性心膜でできている．**線維性心膜** fibrous pericardium は膠原線維に富んだ結合組織性の袋で，心臓を包んでいるが自身は心臓とは結合していない．**漿膜性心膜** serous pericardium は線維性心膜の内部にある2葉性の閉鎖系で，ほかのすべての漿膜 serosa と同じように，臓側板と壁側板で構成される．**臓側板** visceral layer（または**心外膜** epicardium）は心臓表面に直接密着しているが，大血管の基部で折り返して**壁側板**（**B2**）に移行する．壁側板は線維性心膜（**B3**）の内面を裏打ちしている．

線維性心膜．線維性心膜はいろいろな部位で周囲の構成物と緊密に結ばれており，そのために胸腔内での心臓の位置は固定されている．**下方**では横隔膜の腱中心と癒着しており，**前方**では変異性は多いが胸骨心膜靱帯 sternopericardial ligaments によって胸骨（**B4**）の後面と結ばれている．**後方**には気管や脊柱に向かって強化された結合線維束が存在し，**側方**では疎性結合組織によって胸膜の壁側板（縦隔胸膜）から隔てられている．なお，心臓の位置固定という観点からみれば，心臓が大血管に係留されているという事実から，これらの大血管が心臓の位置固定に多大に関与していることはいうまでもない．

漿膜性心膜．心膜腔を切開すると壁側板と臓側板が初めて概観できるが，さらにこれら2葉間の反転部も観察できるようになる．折り返し部（縁）は上方で上大静脈（**A〜C5**），大動脈（**A〜C6**）および肺動脈幹（**A〜C7**）に縁をつけている（**A**）．大動脈と肺動脈は約3cmほど心膜腔の内部に存在して，心外膜で直接包まれている（**B**）．これに対して下大静脈（**BC8**）と各肺静脈（**BC9**）が心膜によっておおわれる部分は短い．心膜の折り返し部は全体的に2つの複雑な形を呈し，心臓に出入りする大血管の端を互いに結ぶようにつくられている（**C**）．1つは**動脈門** Porta arteriosa（図の赤線）で大動脈と肺動脈幹を取り巻き，他の1つは**静脈門** Porta venosa（図の青線）で肺静脈と上・下大静脈を取り巻いている．動脈門と静脈門の反転縁の間には**心膜横洞** transverse pericardial sinus（**C**矢印）という一種の横管（溝）ができている．大動脈と肺動脈幹はこの横管の腹側に，大きな静脈は背側に位置する．静脈門は**心膜陥凹** pericardial recess といわれる幾つかの陥凹部をつくるが，左右の下肺静脈および下大静脈と左心房の後面との間に大きな**心膜斜洞**（**B10**）（**B**矢印）ができている．

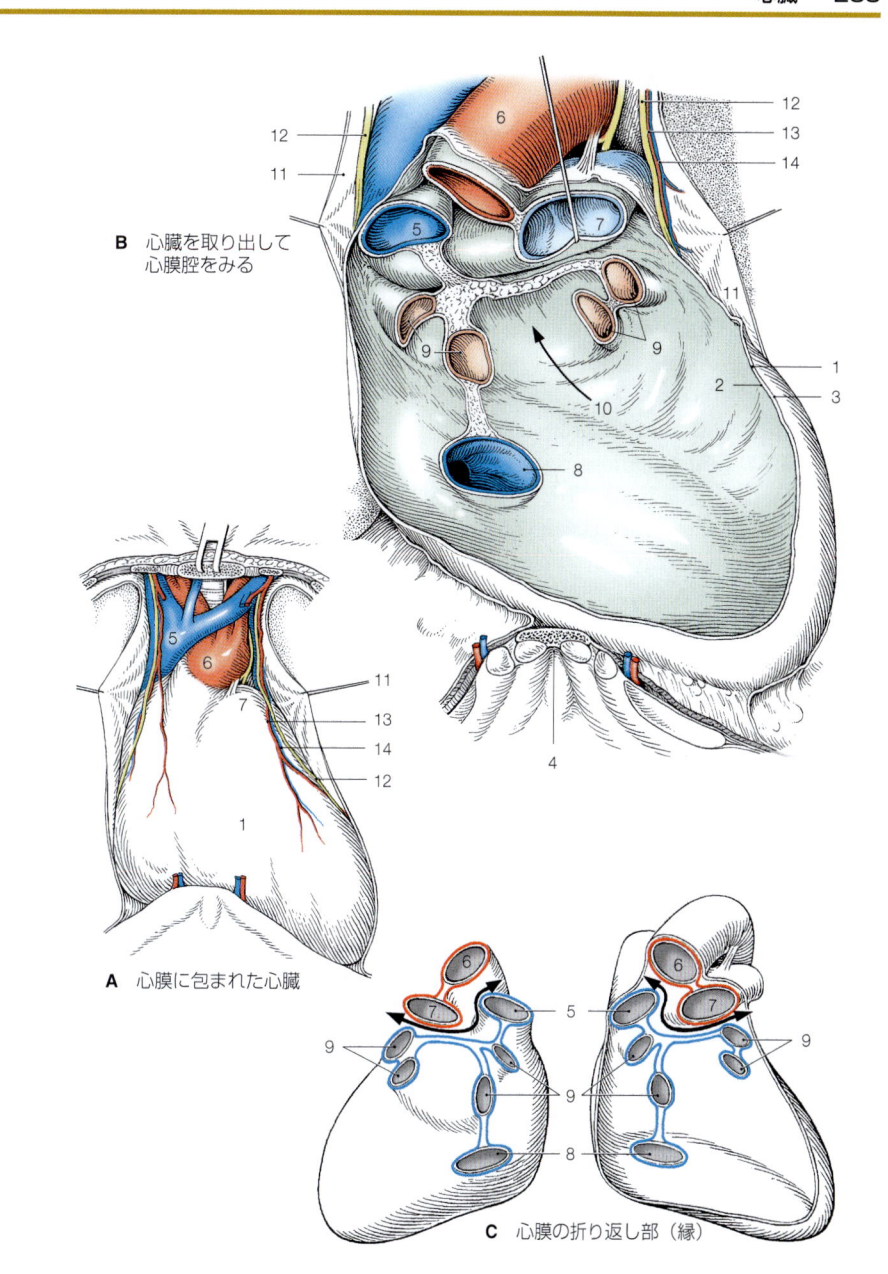

心膜の側面は左右から**胸膜**（**A11**）によって包みこまれているが，胸膜と心膜の間を**横隔神経**（**A12**）が**心膜横隔動脈**（**A13**）と同名静脈（**A14**）を伴って走る．右側は上大静脈と右心房に沿って，左側は左心室の側縁の後ろを走る．

血管および神経支配．心膜への動脈血供給はほとんど内胸動脈からの**心膜横隔動脈**（**A13**）で行われる（後壁の一部は胸大動脈からの心膜枝 pericardial branches による）．静脈血は**心膜横隔静脈**（**A14**）を経て腕頭静脈に還流する．心膜の神経支配は**横隔神経**（**A12**），**迷走神経** vagus nerve および**交感神経幹** sympathetic trunk からのそれぞれの枝を介して支配される．

B　心臓を取り出して心膜腔をみる

A　心膜に包まれた心臓

C　心膜の折り返し部（縁）

> **臨床関連：**ある種の病気では心膜陥凹に大量の血性滲出液がたまることがある（**出血性心膜炎**）．**線維性心膜炎** fibrinous pericarditis の際には，漿膜性心膜の両葉が癒着して心運動を著しく制限することがある．そのような癒着は，あとで石灰化を起こして"甲冑"心膜となり，重篤な心機能障害に陥る．大動脈壁の破裂では心膜腔内に血液が急速に流入して**心（嚢）タンポナーデ** cardiac tamponade をひき起こす．

---

1 心膜 pericardium　**2** 壁側板 parietal layer　**3** 線維性心膜 fibrous pericardium　**4** 胸骨 sternum　**5** 上大静脈 superior vena cava　**6** 大動脈 aorta　**7** 肺動脈幹 pulmonary trunk　**8** 下大静脈 inferior vena cava　**9** 肺静脈 pulmonary veins　**10** 心膜斜洞 oblique pericardial sinus　**11** 胸膜 pleura　**12** 横隔神経 phrenic nerve　**13** 心膜横隔動脈 pericardiacophrenic artery　**14** 心膜横隔静脈 pericardiacophrenic veins

心臓の位置と心臓境界

縦隔（A）．**縦隔** mediastinum は胸腔内の中央に位置する結合組織性の腔であり，心臓と心嚢はこの縦隔内にある．縦隔の**上方**は胸郭上口（**A1**）の高さに及び，そこで頸部内臓腔に連続的に移行している．縦隔の**下方**は横隔膜（**A2**）によって境される．縦隔は**矢状面**では胸骨（**A3**）の後面から胸部脊柱（**A4**）の前面にまで広がる縦隔の左右の**側面**は壁側胸膜と縦隔胸膜で境される．

縦隔は**縦隔の上部** superior mediastinum（**A**赤）と**縦隔の下部** inferior mediastinum（**A**青）に分けられる．上縦隔と下縦隔との境界は胸骨角 sternal angle を通る横断面（**A5**）によって決定される．上縦隔には導通路と胸腺（413頁）を入れている．下縦隔は心膜の前壁と後壁によって**縦隔の前部** anterior mediastinum（緑青），**縦隔の中部** middle mediastinum（中青），**縦隔の後部** posterior mediastinum（濃青）にさらに区分けされる．縦隔前部は結合組織で埋められた幅の狭い腔で，前胸壁と心膜の前面によって境される．縦隔中部は心臓と心膜を入れている．上縦隔に向かって広くなり，深部に移行し疎性結合組織だけでなく変形した脂肪体，乳腺からのリンパ管，および内胸動静脈が通っている．縦隔後部は心嚢後壁胸部脊柱（胸椎の第5～12）の前面に広がり，大きな導通路（血管と神経）と食道（304頁）を入れている．

心臓境界（B）．生体での心臓と心嚢はただ細隙によって隔てられているだけで，その輪郭はほとんど一致している．したがって，それらの位置関係を描写するときには心臓だけの輪郭として取り扱われる．

心臓境界は健康人でも年齢，性別，体位によって変化する．次に示されている状況は成人の平均的な状態である：正常な心臓ではその2/3が正中線より左側に位置する．心臓境界を**前胸壁上に投射**するとほぼ台形を呈する．心臓の**右の境界**は，第3肋骨の胸骨付着部から第6肋骨の胸骨付着部まで，胸骨右縁から約2cm離れて，これと平行に走る．この線は右心房の外側面に相当する．この線の上方への延長は上大静脈の右側縁を示し，一方，下方への延長は下大静脈の右側縁に相当する．この右の境界は第6肋骨の胸骨付着部で心臓の右縁 right border によってつくられる輪郭に移行し，心尖へ向かう．心臓の**左の境界**は，第3肋骨胸骨付着部の外側2cmの点から左右に凸弓をなして心尖へ向かって走る．心尖 apex of heart は左側の第5肋間で鎖骨中線（乳頭線）の内側約2cmに位置する．

心臓は，一部は前胸壁すなわち胸骨のすぐ後ろに接して存在している．この小領域での打診 percussion は**絶対心濁音** absolute cardiac dullness を生じる．心臓の前部へ両側から胸膜洞 pleural recesses（赤）が入りこんで，心臓の外側の一部をおおっている．この胸膜洞の中には肺組織（青）が呼吸相に応じて多少出入りしている．ここでの打診音は，隣接する肺組織で得られる打診音ほどよく響く音ではないが，絶対心濁音に比して明るく澄んだ音である．これが**相対心濁音** relative cardiac dullness といわれる由縁であり，相対心濁音は実際の心臓の大きさを再現し，その領域は胸壁上に投影した心臓の境界と一致する．

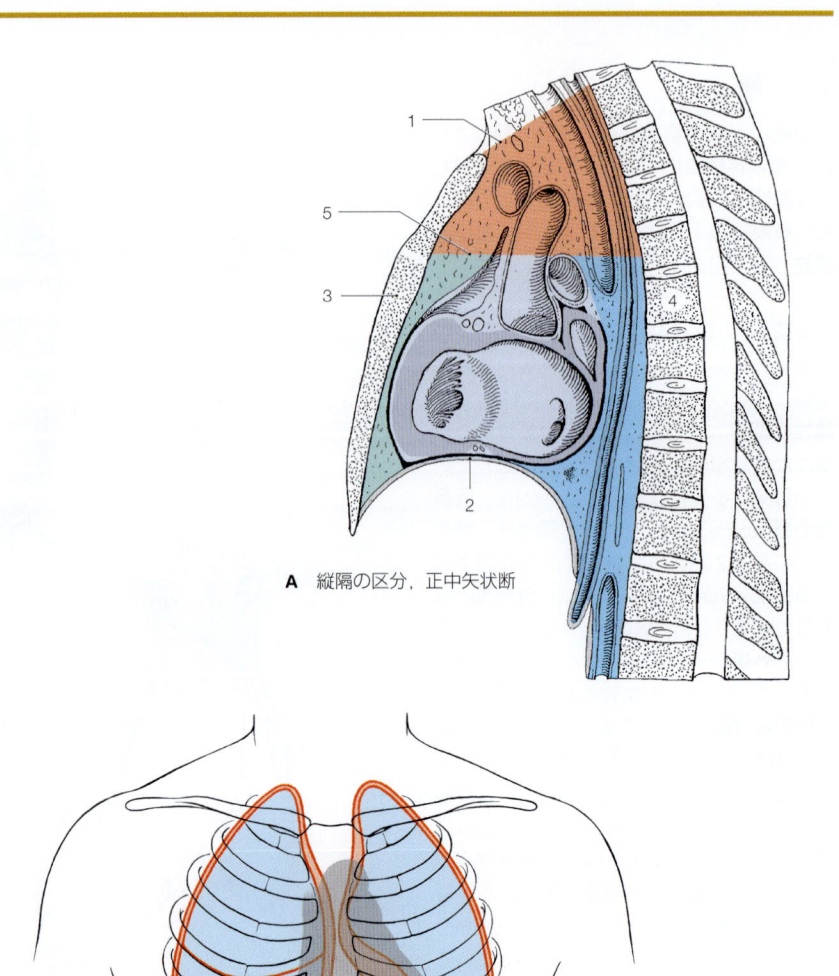

A 縦隔の区分，正中矢状断

B 心臓境界，胸膜境界および肺境界の胸郭への投影

1 胸郭上口 superior thoracic aperture　2 横隔膜 diaphragm　3 胸骨 sternum　4 胸椎柱の前面 anterior surface of thoracic vertebral column　5 胸骨角を通る横断面（縦隔の上部と縦隔の下部の境界を示す）

X線解剖

通常の胸郭のレントゲン（X線）検査は心臓疾患の診断に役立つ基礎的検査の1つである．通常の方法では**背腹像**（**A**）が用いられ，被検者は胸を蛍光板につけて立ち，後方からX線を**平行**に背-腹投射する**心遠距離撮影**がなされる．このほか，斜位および側位による撮影は背腹像を補足する．

背腹像

心臓の大部分は**縦隔陰影**の中に位置し，この陰影は主として脊柱，胸骨，心臓，および大血管によってつくられている．縦隔陰影は，上方へは頸部の，下方へは肝臓の陰影へと続く．縦隔陰影の両側には明るい**肺野** lung fields があり，その中へ左右の心臓縁が突出してみえる．縦隔陰影における心臓と血管の輪郭は，通常では**右側は2弓**，**左側は4弓**からなっている．

右縁．X線像と前胸壁上に投影した心臓の位置（234頁**B**）と対比照合すると，上方の平坦な第1弓（上弓）は上大静脈（**A1**）によってつくられ，下方の第2弓（下弓）は右心房（**A2**）の縁に相当することを示している．さらに加えて，深い吸気に際しては下大静脈が右下縁にみえることがある．

左縁．第1弓（上弓）は大動脈弓（**A3**）の遠位部によってつくられる．大動脈弓の下方にみられる第2弓は肺動脈幹（**A4**）の突出によって生じるもので，その突出度はまちまちである．その下に続く第3弓は，小さい境界弓（しばしばみえないことも多い）で，左心耳（**A5**）に相当する（第2弓と第3弓は"中弓"として一括されることもある）．第4弓（下弓）は左方に凸をなす弓で，左心室（**A6**）の縁を示している．心室弓の上縁で少し凹んだ部位があり，心臓の腰 Herztaille と呼ばれることがある．

心臓の陰影は下方では横隔膜（**A7**）と上腹部器官の陰影の中に移行して続き，したがって下縁の陰影は正確な境界は明らかでない．

聴　診

心音 heart sound の聴診 auscultation によって，心活動（239頁）の機能状態に関する重要な情報を得ることができる．心音は心活動の間に生じた振動であって，これが胸壁上に導かれたものである．**第1心音**は**収縮期の緊張期**に心室壁の振動によって生じ，**第2心音**は拡張期の始めに大動脈と肺動脈の袋状弁の閉鎖によって生じる．**心雑音** cardiac murmur が聞かれるときは病的状態であることが多く，ある弁の狭窄や閉鎖不全でひき起こされる．房室弁の雑音は第1心音の中に，動脈弁のそれは第2心音の中に，各々当該の聴診部位で聞かれる（下記参照）．

心臓弁（**B**）の最適な**聴診部位**は胸壁上に投影した弁の位置と同一ではない．心音または心雑音は，該当する弁から出ていく血流が胸壁に最も近づくところで最もよく聞こえる．したがって，実験上で確かめられた聴診の最良部位は弁から少し離れたところにある：すなわち，

— **大動脈弁**（**B8**）は右第2肋間の胸骨傍，
— **肺動脈弁**（**B9**）は左第2肋間の胸骨傍，
— **二尖弁**（**B10**）は左第5肋間で鎖骨中線上（ほぼ心尖に相当する），
— **三尖弁**（**B11**）は右第5肋間で胸骨体の下端．

A 模式化した心臓のX線像

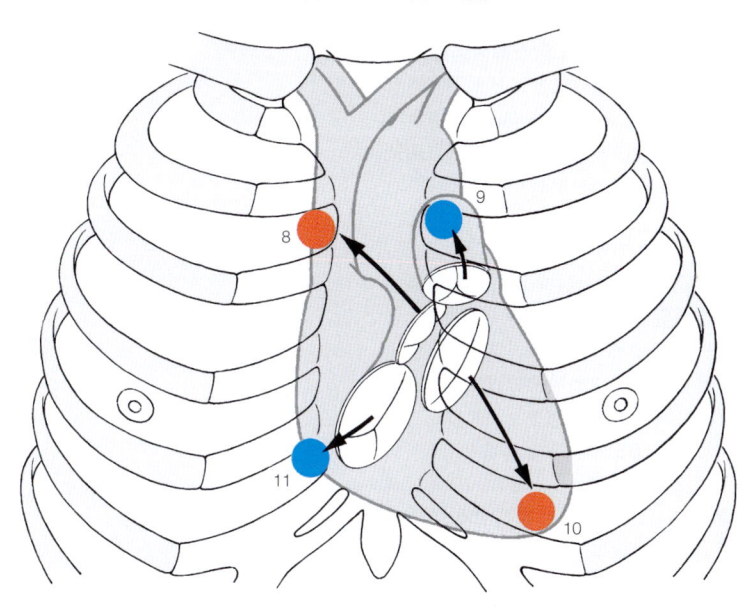

B 心臓弁の前胸壁への投影と聴診部位

> **臨床関連：エルプの点** Erb's point，ときに第5点とも表されるが，大動脈弁と肺動脈弁の閉鎖不全のときに聴かれる高音の心雑音の聴取に重要な聴診部位で，左の傍胸骨線上で第3肋間にある．

---

1 上大静脈 superior vena cava　2 右心房 right atrium　3 大動脈弓 aortic arch　4 肺動脈幹 pulmonary trunk　5 左心耳 left auricle　6 左心室 left ventricle　7 横隔膜 diaphragm　8 大動脈弁 aortic valve　9 肺動脈弁 pulmonary valve　10 二尖弁 bicuspid valve　11 三尖弁 tricuspid valve

断面解剖

今日では**断面画像**を用いた心臓の検査が増えており，コンピュータ断層撮影法 computed tomography（CT），磁気共鳴断層撮影法 magnetic resonance tomography（MRT），超音波検査法 ultrasonography（US）は最新の画像を与える方法で，有効な画像が得られ，普遍的な検査法として広く行き渡っている．その際，一般に用いられる検査面は**横断面**で，臨床的には**軸面**ともいう．検者による断面像の観察は，被検者を背臥位にして尾方から行われる．したがって，その断面は，背側にある脊柱が下方に，腹側にある胸部骨格が上方に示されて描写される．さらに，解剖学的に右側に存在する構造物は左に描写され，解剖学的に左側に存在する構造物は右に描写される．

次に掲げる三枚の基本的な解剖図は，心臓と大血管を通る面でほとんど水平断された横断面を示し，頭-尾の方向に検討されている．この断面の高さは心臓と胸郭に関連し心臓の位置像（**A**）の中に示されている．

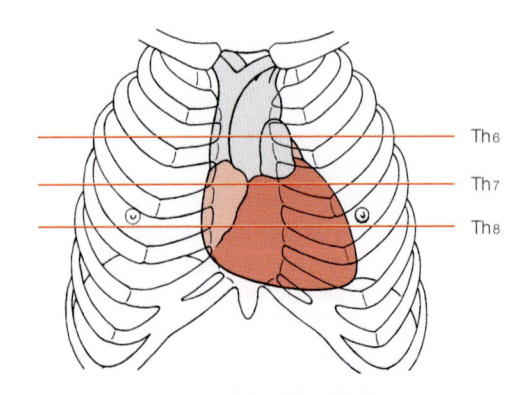

A 横断面の位置

第6胸椎の高さにおける横断面（B）

この断面像は，肺動脈幹（**B1**）が右肺動脈（**B2**）と左肺動脈（**B3**）に分岐する高さのところがうまくとらえられており，気管分岐部の直下に相当する．肺動脈幹の腹側には心外膜下脂肪組織（**B4**）があって，これは右方では上行大動脈（**B5**）の切断面にまで達している．大動脈と心外膜下脂肪組織の腹側には切断時に少し広げられた心膜腔（**B6**）がみられ，さらにこの腹側には結合組織と脂肪組織からなる胸骨後脂肪体（**B7**）と胸骨（**B8**）が隣接し，胸骨の傍に内胸動静脈 internal thoracic artery and veins の切り口がみられている．上行大動脈の右方には上大静脈（**B9**）がみられる．大動脈と上大静脈の間に心膜横洞（**B10**）がつくられている．肺動脈幹の分岐部の背側には，左主気管支（**B11**）と右主気管支（**B12**）の切り口がみられ，後者では，分岐して右肺（**B13**）に入る際，右肺動脈（**B2**）の枝が直接伴行しているが，右肺静脈（**B14**）の根は気管支から幾らか離れて走っているのが観察される．両側の主気管支の分岐に伴ってリンパ節すなわち気管支肺リンパ節（**B15**）が存在している．主気管支の背側には，食道（**B16**）の切断面が認められ，食道は右後部に奇静脈（**B17**）によって，左後部に下行大動脈（**B18**）によって伴行されている．下行大動脈は左肺（**B19**）の下葉に溝をつくりながら密接して走る．

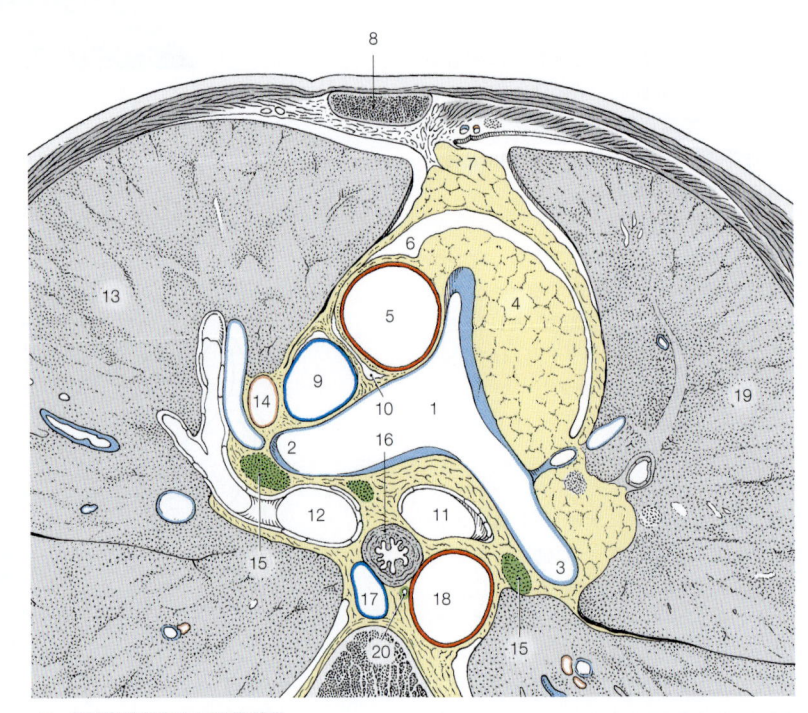

B 第6胸椎の高さでの横断面

1 肺動脈幹 pulmonary trunk　2 右肺動脈 right pulmonary artery　3 左肺動脈 left pulmonary artery　4 心外膜下脂肪組織 subepicardial adipose tissue　5 上行大動脈 ascending aorta　6 心膜腔 pericardial cavity　7 胸骨後脂肪体 retrosternal adipose body　8 胸骨 sternum　9 上大静脈 superior vena cava　10 心膜横洞 transverse pericardial sinus　11 左主気管支 left main bronchus　12 右主気管支 right main bronchus　13 右肺 right lung　14 右肺静脈 right pulmonary veins　15 気管支肺リンパ節 bronchopulmonary nodes　16 食道 oesophagus　17 奇静脈 azygos vein　18 下行大動脈 descending aorta　19 左肺 left lung　20 胸管 thoracic duct

断面解剖（続き）

第7胸椎の高さにおける横断面（A）

この高さの断面像は，大動脈半月弁（**A1**）の高さにおける状況をうまくとらえる．大動脈の腹側には，右心室の循環流出路である動脈円錐（**A2**）が識別できる．大動脈は右方から右心房の右心耳（**A3**）によって包み込まれている．左方では，心外膜下脂肪組織（**A4**）の中に，大動脈の近くに左冠状動脈（**A5**）の切り口と左心耳（**A6**）の切り口が識別できる．心臓の後方の切り口は左心房（**A7**）であって，その平滑な内壁中に右上肺静脈（**A8**）が開口しているのが見出される．左心房の背側にはこれと近接して走る食道（**A9**）の切り口がある．

A10 右肺動脈（の枝）right pulmonary artery
A11 左肺動脈（の枝）left pulmonary artery
A12 心膜腔 pericardial cavity
A13 肋軟骨 costal cartilage
A14 右肺 right lung
A15 右下肺静脈 right inferior pulmonary vein
A16 奇静脈 azygos vein
A17 下行大動脈 descending aorta
A18 左肺 left lung
A19 （右肺の）葉気管支 lobar bronchi
A20 （左肺の）葉気管支 lobar bronchi
A31 胸管 thoracic duct

第8胸椎の高さにおける横断面（B）

この高さの断面像は，左右の房室弁を通る流入路の高さで，心臓の4つの部屋のすべてをうまくとらえている．左心室（**B21**）によってつくられる心尖（**B22**）が右上方に向かってこの像から想像される．左心室と右心室（**B23**）は，心室心筋層の切断面の厚さの相違に基づいて，容易に区別することができる．心外膜下脂肪組織（**B4**）の中に，右冠状動脈（**B24**）と左冠状動脈（**B5**）の切り口を識別できる．右心室の流入路内には三尖弁の前尖（**B25**）が突出し，これに対応して左心室の流入路内には二尖弁の前尖（**B26**）が突出している．そのほかに，左心室内には強力な前乳頭筋（**B27**）が認められる．両心房の間に心房中隔（**B28**）が，両心室の間には心室中隔（**B29**）が見出される．左心房（**B7**）に近接して走る食道（**B9**）が心膜斜洞（**B12**）の後方に認められる．食道には左後方で下行大動脈（**B17**）が隣接している．奇静脈（**B16**）は第8胸椎のすぐ前で切断されている．

B10 右肺動脈（の枝）right pulmonary artery
B11 左肺動脈（の枝）left pulmonary artery
B12 心膜腔（心膜斜洞）pericardial cavity (oblique pericardial sinus)
B14 右肺 right lung
B15 右下肺静脈 right inferior pulmonary vein
B16 奇静脈 azygos vein
B17 下行大動脈 descending aorta
B18 左肺 left lung
B19 （右肺の）葉気管支 lobar bronchi
B20 （左肺の）葉気管支 lobar bronchi
B30 右心房 right atrium
B31 胸管 thoracic duct

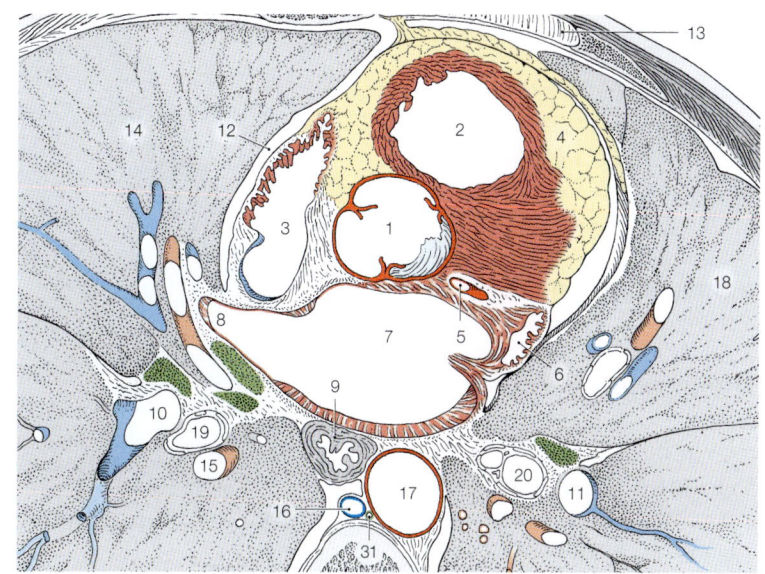

A 第7胸椎の高さでの横断面

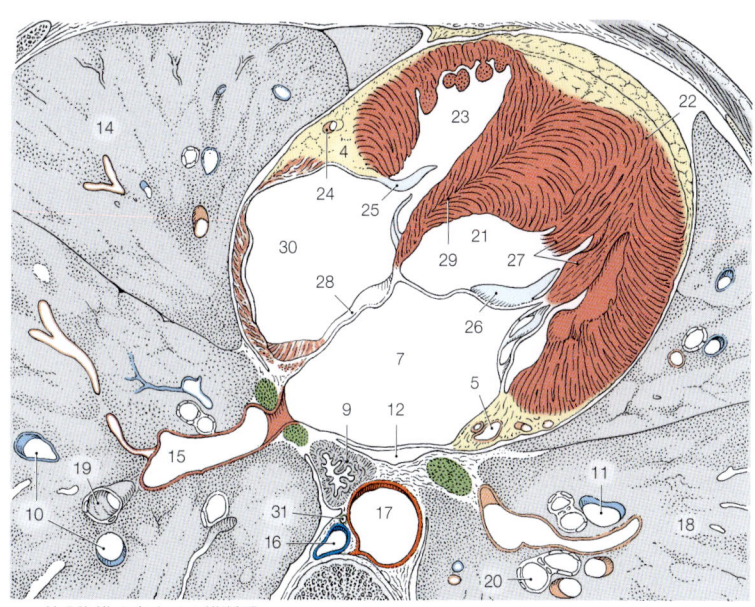

B 第8胸椎の高さでの横断面

> **臨床関連**：食道と右心房が位置的に近接していることで，**経食道エコー**が近年実施されている．これは心臓弁膜症，シャント側路がある心臓奇形，中隔欠損などの診断にきわめて有用である．上記のような位置関係から，左心房の肥大による僧帽弁狭窄の際，食道を押しつけたり，位置を変更して心臓の後ろの空間を狭めたりすることができる．患者はこのあと嚥下障害 dysphagy を訴えることがある．

---

1 大動脈半月弁 aortic semilunar valve　2 動脈円錐 conus arteriosus　3 右心耳 right auricle　4 心外膜下脂肪組織 subepicardial adipose tissue　5 左冠状動脈 left coronary artery　6 左心耳 left auricle　7 左心房 left atrium　8 右上肺静脈 right superior pulmonary vein　9 食道 oesophagus　10～20 は本文参照　21 左心室 left ventricle　22 心尖 apex of heart　23 右心室 right ventricle　24 右冠状動脈 right coronary artery　25 （三尖弁の）前尖 anterior cusp (tricuspid valve)　26 （二尖弁の）前尖 anterior cusp (bicuspid valve)　27 前乳頭筋 anterior papillary muscle　28 心房中隔 interatrial septum　29 心室中隔 interventricular septum　30, 31 は本文参照

心エコーの断面画像

心臓の超音波検査すなわち**心エコー** echocardiography は，反射してくる音波 echo に含まれるさまざまな情報を処理して画像化したものである．心エコーの二次元画像を利用して，心臓や血管の相異なる面の瞬時の断面像をとらえることができるので，医師は患者の心筋，弁，腱索の動きや病変をリアルタイムで非侵襲的に知ることができる．超音波は骨に対しては無能なので，超音波検査では骨性の胸郭内にある心臓への接近路，いわゆる**窓** window，は幾つかに限られている．一般に行われている検査では，**胸骨傍** parasternal（Ⅰ），**心尖** apical（Ⅱ），**肋骨下** subcostal（Ⅲ），**胸骨上** suprasternal（Ⅳ）の音響窓が使用されている．その際，探触子はある窓の内部を動かしながらいろいろと位置を変えることができるから，重要な二次元の心エコー面が部分的に得られ，方向を変えることによって通常の検査すべき横断面を得ることができる．

心室の4相（A）．心室の4つの相は**心尖**および**肋骨下**から探触子を操作することによって得られる．この断面は，両心室の流入路を通って心臓の前壁と後壁にほぼ平行に走り，したがって，心臓の4室すべてをとらえることができる．左心房（**A1**）と左心室（**A2**）は画像の右側に，心尖（**A3**）は上方に向かって，右心房（**A4**）と右心室（**A5**）は画像の左側に位置している．そのほか，心房中隔（**A6**）と心室中隔（**A7**），および二尖弁（**A8**）と三尖弁（**A9**）を通る流入路が観察される．両心室は，心筋層が左心室の方が右心室よりも基本的に厚いことで容易に区別される．さらに左心室では前乳頭筋（**A10**）と後乳頭筋（**A11**）が明瞭に認められる．この断面で特記すべき特徴は，二尖弁と三尖弁の位置が中隔の膜性部 membranous part に対して異なる位置に存在することが一瞥してわかることである．断面像では三尖弁がより高くみられ，すなわち三尖弁は二尖弁と比べてより心尖側に位置している．そのために膜性中隔の一部は右心房と左心室との間で房室中隔（**A12**）の状態になる．

> **臨床関連**：心室の4つの相は**先天性心疾患の診断**にとって意義がある．さらに僧帽弁，殊に後尖の状態を判断するのに重要である．

心尖の縦断面（B）．心尖窓で探触子を操作するとこの断面像がえられる．断面は心尖領域をとらえており，心尖部と左心室（**B2**）が像の左上方に向かって示されている．左心房（**B1**）から二尖弁（**B8**）を経て心尖に至る流入路だけでなく，心尖から大動脈弁（**B13**）に至る流出路も描出されている．像では，大動脈（**B15**）の前外方に右心室（**B5**）の流出路がある．左心室では二尖弁の前尖（**B14**）が識別できる．また，閉鎖した状態での大動脈の半月弁（**B13**）がみえている．断面は，僧帽弁の前尖がほとんど左心室の流入路と流出路を分けていることを，明らかにしている．

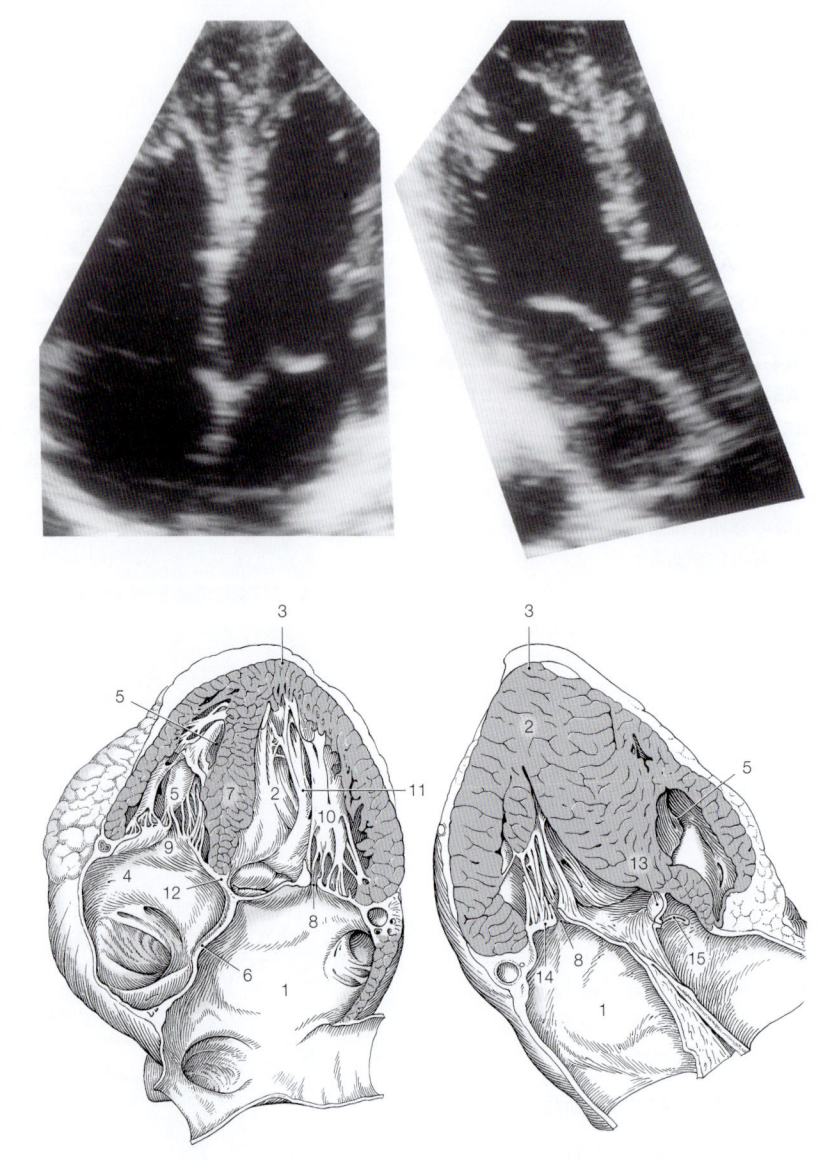

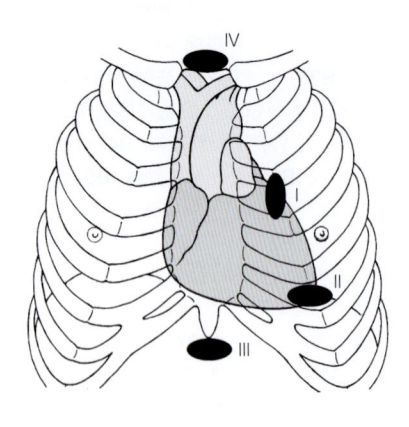

> **臨床関連**：心尖の縦断像を解析する意義は，**心尖領域の機能**の判定，殊に心筋梗塞後の機能の判定にとって重要である．

A 心エコーの際，心室の4相に相当する解剖学的断面

B 心エコーの際，心尖の縦断に相当する解剖学的断面

---

1 左心房 left atrium **2** 左心室 left ventricle **3** 心尖 apex of heart **4** 右心房 right atrium **5** 右心室 right ventricle **6** 心房中隔 interatrial septum **7** 心室中隔 interventricular septum **8** 二尖弁 bicuspid valve **9** 三尖弁 tricuspid valve **10** 前乳頭筋 anterior papillary muscle **11** 後乳頭筋 posterior papillary muscle **12** 房室中隔 atrioventricular septum **13** 大動脈弁 aortic valve **14**（二尖弁の）前尖 anterior cusp **15** 大動脈 aorta

心臓の働き

心機能

　心機能は収縮期と拡張期による**2相性の心臓周期**でもって，生涯にわたる活動を繰り返している．その際，左右の心室は同期して且つ調和して働き，それぞれが大動脈と肺動脈幹へ少しずつトコロテン式に血液を送り込んでいる．**収縮期** systole には，両心室はそれぞれ長さと幅を減じ，弁平面は心尖に向かって移動し，両心房はそれぞれ相応して拡張する（**A**）．**拡張期** diastole には，両心室は長さと幅を再び増大し，弁平面は心底に向かって移動し，両心房は収縮する（**B**）．1回の収縮期の間に右心室ならびに左心室から送り出される血液量を**拍出量** stroke volume といい，各々約70mlである．心機能が健全な機能を果たすためには，作業筋を含めて興奮発生系と興奮伝導系が正常に働くことと連関している（さらに詳しいことは生理学の参考書を参照）．

　収縮期． 収縮期のはじめに心筋層の収縮によって心室に急激な圧上昇が起こる．まず最初は房室弁も動脈の袋状弁も閉じており，心室内の血液量は変化しないでとどまっている（**等容積性収縮** isovolumic contraction＝**緊張期** isometric phase）（**C**）．次いで，心室内の圧が大動脈圧ならびに肺動脈幹圧より大きくなると，動脈弁は開かれて**駆出期** ejection phase（**D**）が始まり，血液の一部いわゆる心拍出量が心室から動脈へ送り出される．駆出期には弁平面（**D1**）は房室弁とともに心尖（**D2**）の方へ引っ張られる．この弁平面の運動は心房の拡張を生じ，静脈血に対して上大静脈や下大静脈への吸引作用が起こり，他の要素と相まって静脈血の還流を促進する．

　拡張期． 駆出期における血液の拍出後，心室筋は弛緩し，心室圧は大動脈ならびに肺動脈幹の圧以下に急速に降下するため動脈弁は閉じる（**等容積性弛緩** isovolumic relaxation＝**弛緩期** relaxation phase）（**E**）．このとき，弁平面（**E1**）は出発点に戻る方向に運動する．次いで，心室の圧が心房の圧以下に下がると，房室弁は開き，心房から心室への受動的な血液の流入が起こる（**受動的心室充満期** passive inflow phase）（**F**）．心室拡張期の間，心房筋の収縮は心室の充満が完了するまでなお続き，心房血液の少量が能動的に心室内に送られる（能動的心室充満期 active inflow phase）．

　冠状動脈は，収縮期では緊張した心室筋組織によって強く締めつけられ，心筋層殊に左心室への血液供給が反応して増加し，拡張期ではわずかの血液供給にしかすぎない．逆に，収縮期の冠状静脈の血液は搬出されて空になる．

心臓の内分泌機能

　伸展に対して鋭敏な心房，殊に右心房は，ホルモン産生能のある分化した**筋内分泌細胞** myoendocrine cells をもっている．この細胞は**心房性ナトリウム利尿ペプチド**（**ANP**）（または**カルジオジラチン**）を産生する（402頁）．このホルモンは血管壁の収縮状態を調節し，また腎臓によるナトリウムと水の排出を促進する．このホルモンは心房の伸展刺激によって遊離される．

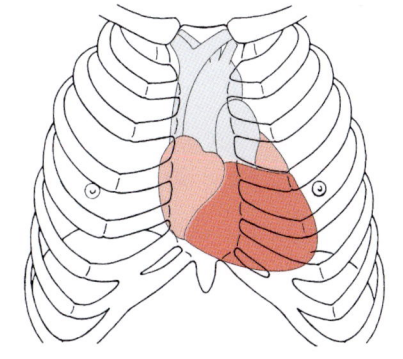

A 収縮期における胸郭内の心臓の姿
B 拡張期における胸郭内の心臓の姿
C 収縮期，緊張期
D 収縮期，駆出期
E 拡張期，弛緩期
F 拡張期，充満期

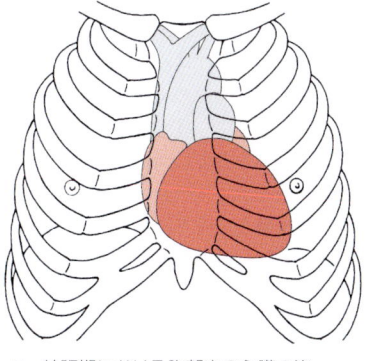

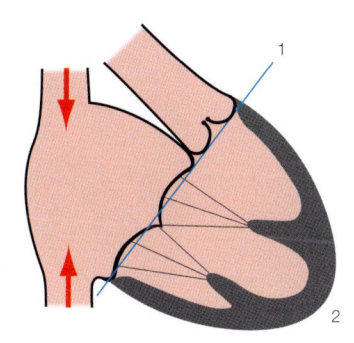

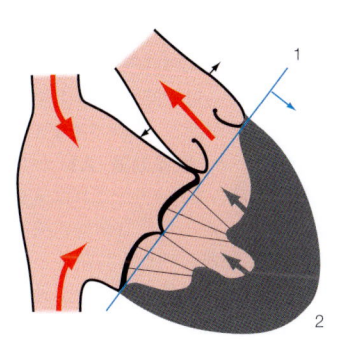

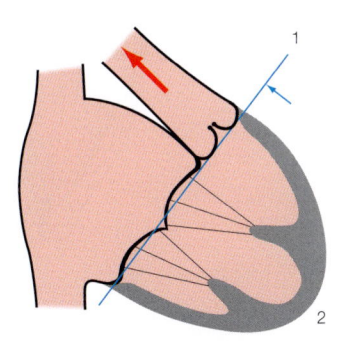

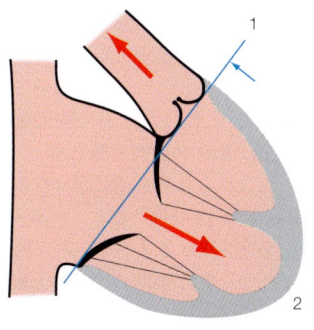

> **臨床関連**：心機能低下（心不全）の早期の症候に，血中のBNPレベルの上昇がある．B-タイプのナトリウム利尿ペプチドに対応するBNPは，心不全のとき，左室の内分泌機能をもつ心筋細胞で作られるホルモンである．

1 弁平面 valve plane　**2** 心尖 apex of heart

動脈系

大動脈

大動脈は心臓の左心室から起こり，最初は肺動脈幹の後ろを右方に向かって上行し（**上行大動脈** ascending aorta；Ⅰ），やがて弓状に左の肺根を越えて後方に向かい（**大動脈弓** aortic arch；Ⅱ），次いで第4胸椎の左側から次第に脊柱の前を下行して走る（**下行大動脈** descending aorta；Ⅲ）．体循環のすべての動脈は直接または間接に大動脈に由来する．大動脈の直接枝には次のものがあげられる：

上行大動脈． 最初の分枝として**右冠状動脈** right coronary artery と**左冠状動脈** left coronary artery を出す（230頁）．

大動脈弓． ここからは頭部，頸，上肢に分布する大きな血管が出る．右側でまず4〜5cm長の幹血管である**腕頭動脈**（**A1**）が右側第2胸肋関節の高さで起こり，これは気管の前を斜め右上方に走って，右側胸鎖関節の高さで肩および上腕に向かう**右鎖骨下動脈**（**A2**）と右頭部と頸右半への**右総頸動脈**（**A3**）に分岐する．左側では正中面近くから左頭部と左半頸部へ向かう**左総頸動脈**（**A4**）と肩，上腕に向かう**左鎖骨下動脈**（**A5**）が大動脈弓からこの順に出ている．

下行大動脈． 大動脈は左鎖骨下動脈を分枝した遠位でわずかに細くなって**大動脈峡部**（**A6**）となり，ここから引き続いて下行大動脈となる．下行大動脈は**胸大動脈** thoracic aorta（Ⅲ**a**）と**腹大動脈** abdominal aorta（Ⅲ**b**）に分けられ，前者は第4胸椎の高さに始まり，第12胸椎の高さで横隔膜の大動脈裂孔を通り抜けるまでをいい，後者は大動脈裂孔から第4腰椎の高さの大動脈分岐部（**A20**）に達する．

胸大動脈． 壁側枝 parietal branches として，分節血管である9対の**後肋間動脈**（**A7**）が起こり，これらは第3〜11肋間を走って，体幹壁，脊髄および皮膚を栄養する多くの枝に分枝する．第12肋骨の下方を走るものは独立して**肋下動脈** subcostal artery と称する．胸大動脈の下部から横隔膜上面に至る**上横隔動脈** superior phrenic arteries が起こる．

臨床関連：肋間動脈は肋骨の下縁にそって走る．胸腔穿刺は，このため肋骨の上縁にそって行わなければならない．

臓側枝 visceral branches として，気管分岐部の高さで気管支壁および肺の実質を栄養する**気管支動脈** bronchial branches が分岐し，さらに遠位から**食道動脈** oesophageal branches が起こる．縦隔枝 mediastinal branches が後縦隔へ，心膜枝 pericardial branches が心膜の後壁へ走る．

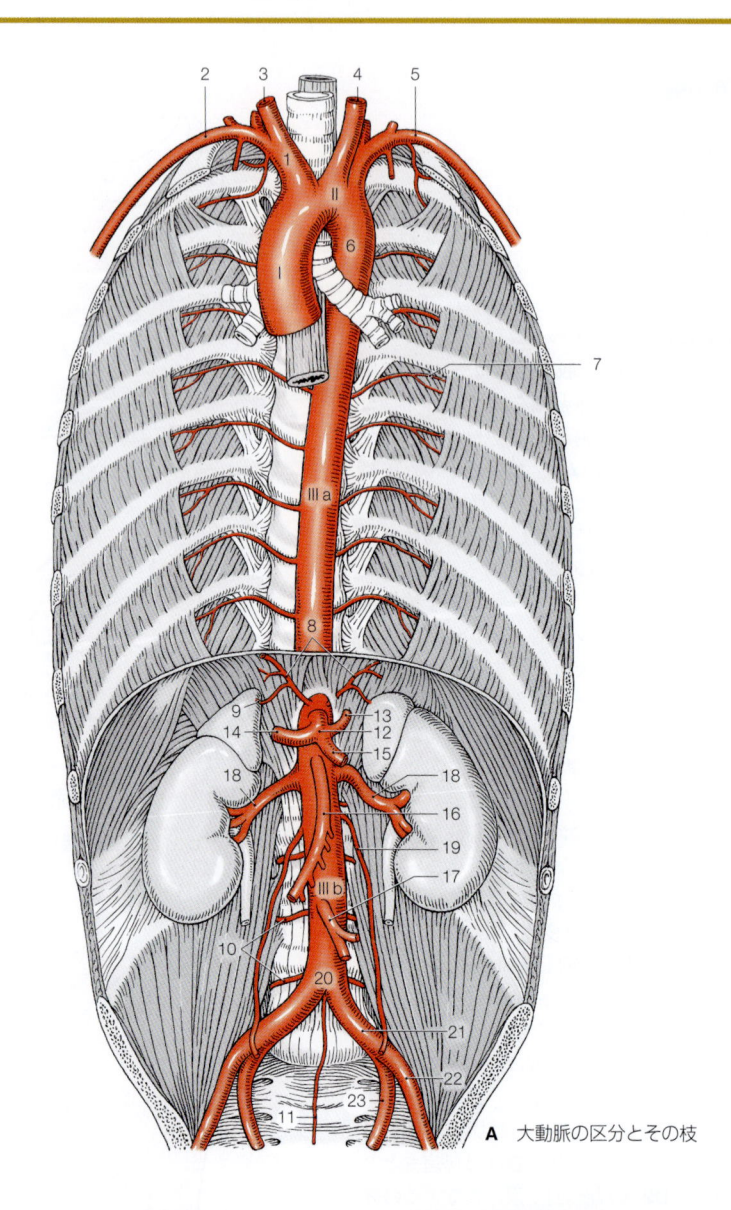

腹大動脈． 壁側枝として，**下横隔動脈**（**A8**）が横隔膜の直下で大動脈から直接起こり，これは**上副腎動脈**（**A9**）を出す．**腰動脈**（**A10**）は4対の分節動脈で，肋間動脈の系列に続いている．**正中仙骨動脈**（**A11**）は大動脈主幹の下方への続きで，大動脈の末端が著しく細くなったものである．

臓側枝には以下のものが属している．**腹腔動脈**（**A12**）は**左胃動脈**（**A13**），**総肝動脈**（**A14**）および**脾動脈**（**A15**）に対する共通幹として第12胸椎の高さにつくられる．腹腔動脈の約1〜2cm下方で**上腸間膜動脈**（**A16**）が起こり，これから距離を隔てて第3腰椎の高さで**下腸間膜動脈**（**A17**）が出る．以上の3つの幹動脈は不対性の大きな血管で消化器と脾臓に分布する．対性の臓側枝として，**中副腎（腎上体）動脈** middle suprarenal artery，**腎動脈**（**A18**），**卵巣動脈**または**精巣動脈**（**A19**）がこの順に大動脈から分岐している．

大動脈は第4腰椎の高さの**大動脈分岐部**（**A20**）で左右の**総腸骨動脈**（**A21**）に分かれ，これは各々仙腸関節の前で外腸骨動脈（**A22**）と内腸骨動脈（**A23**）となる．

臨床関連：大動脈弓の領域には発生時に起因する多数の変異がみられる．例えば右鎖骨下動脈が大動脈弓の最終枝として起こり，食道の後ろを通って右側に達するものもみられる（遊走動脈 arteria lusoria）．症例の約10％に**最下甲状腺動脈** thyroid ima artery がみられるが，ごくまれに大動脈弓から起こって甲状腺に至るものもある．

A 大動脈の区分とその枝

---

1 腕頭動脈 brachiocephalic trunk **2** 右鎖骨下動脈 right subclavian artery **3** 右総頸動脈 right common carotid artery **4** 左総頸動脈 left common carotid artery **5** 左鎖骨下動脈 left subclavian artery **6** 大動脈峡部 aortic isthmus **7** 後肋間動脈 posterior intercostal artery **8** 下横隔動脈 inferior phrenic artery **9** 上副腎（腎上体）動脈 superior suprarenal arteries **10** 腰動脈 lumbar artery **11** 正中仙骨動脈 median sacral artery **12** 腹腔動脈 coeliac trunk **13** 左胃動脈 left gastric artery **14** 総肝動脈 common hepatic artery **15** 脾動脈 splenic artery **16** 上腸間膜動脈 superior mesenteric artery **17** 下腸間膜動脈 inferior mesenteric artery **18** 腎動脈 renal artery **19** 卵巣動脈（精巣動脈）ovarian artery (testicular artery) **20** 大動脈分岐部 aortic bifurcation **21** 総腸骨動脈 common iliac artery **22** 外腸骨動脈 external iliac artery **23** 内腸骨動脈 internal iliac artery

頸部および頭部の動脈

総頸動脈

総頸動脈（**A1**）は右側では腕頭動脈（**A2**）から起こり，左側では大動脈弓から直接起こる．総頸動脈はその経過中に枝を出すことなく気管ならびに喉頭の両側を上方に走る．

総頸動脈は内頸静脈および迷走神経と一緒に**頸部の血管神経索**をつくり，これらは独自の結合組織鞘すなわち**頸動脈鞘** carotid sheath に包まれ，その下部領域は胸鎖乳突筋におおわれている．総頸動脈は中間の高さでこの筋の前縁に達し，筋肉におおわれていない**頸動脈三角** carotid triangle （177頁参照）に入る．この三角は表面からは皮膚，広頸筋，浅頸筋膜だけでおおわれている（脈拍をよく触れる）．第6頸椎の前結節は**頸動脈結節**（**A3**）と呼ばれ，これが強く発達して総頸動脈を圧縮することがある．

総頸動脈は通常第4頸椎の高さで前方の**外頸動脈**（**A4**）と後外方の**内頸動脈**（**A5**）に分かれる．この分岐部は**頸動脈洞**（**B6**）をつくるため拡張しており，ここには血圧変動を感受するきわめて重要な受容体領域を含んでいる（洞神経）．さらに分岐部には米粒大の**頸動脈小体**（**B7**）が存在し，これは血液の酸素含有量を察知する化学的受容器で，呼吸調節に作用している．なお，内頸動脈は分岐したあと頭蓋内に入るまで枝を出さないのに対して，外頸動脈は頸，顔面および頭蓋に多くの枝を出している．

外頸動脈

前方枝

上甲状腺動脈（**AC8**）．舌骨の高さで最初の前方枝として起こり，弓をなして下方に向かい，甲状腺の前面に至る．上甲状腺動脈は甲状腺の一部を栄養すると同時にその枝である上喉頭動脈（**AC9**）は甲状舌骨膜を貫いて喉頭の一部も栄養する．そのほかにも小さな枝（胸鎖乳突筋枝や輪状甲状筋枝など）が付近の筋に分布している．

舌動脈（**AC10**）．舌骨の大角の近くで第2の前方枝として起こる．この動脈は舌骨舌筋におおわれて舌に走り，前下方に向かって舌下動脈（**C11**）を出して，終枝である舌深動脈（**C12**）となって舌尖にまで達する．

顔面動脈（**AC13**）．舌動脈の直上で分岐する最後の前方枝である．初めは下顎骨の内側にあるが，咬筋停止部の前面で下顎骨の下縁をまわって顔面に出る．この部は顔面動脈の脈拍を触れる部で，この動脈はこ

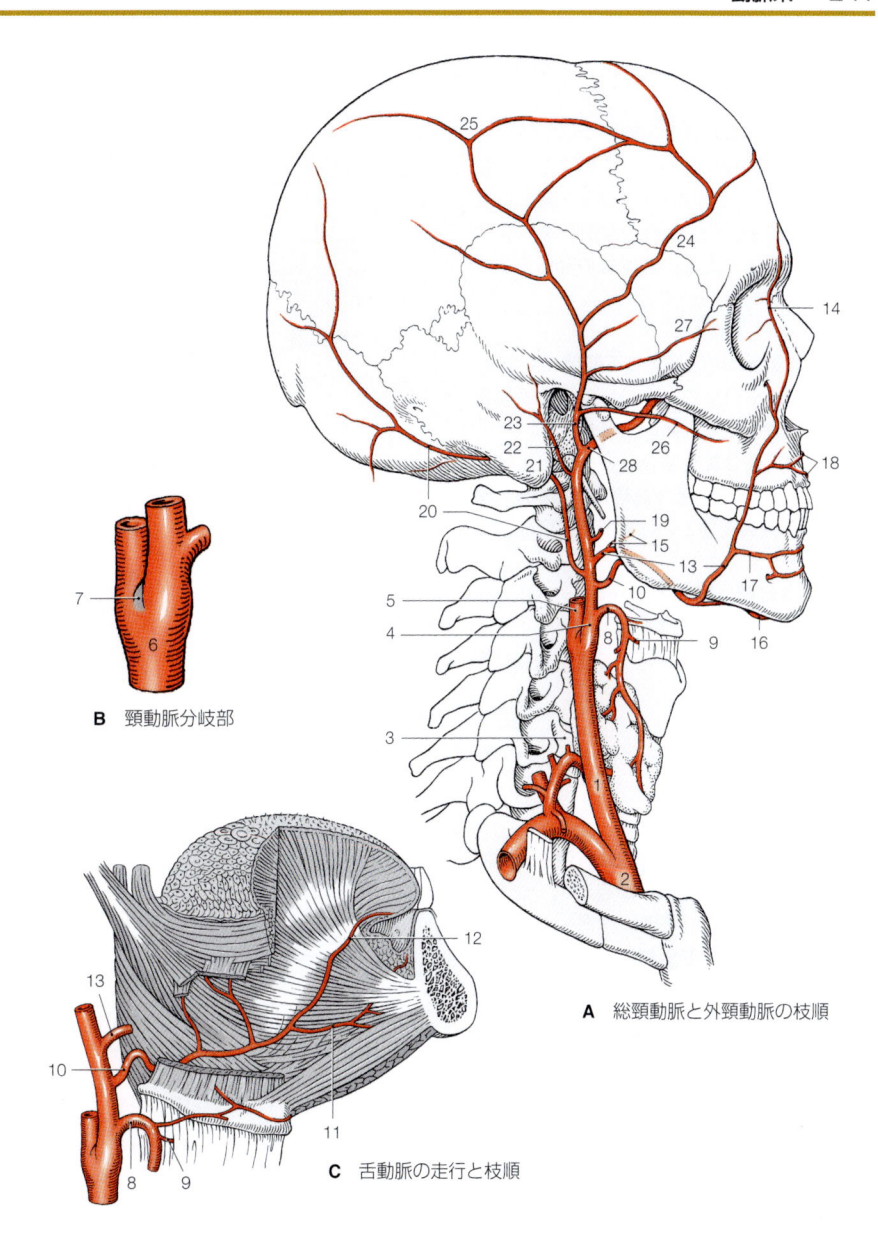

こで圧縮されている．顔面動脈はさらに内眼角に向かって蛇行しながら上行して走り，終枝である眼角動脈（**A14**）となる．顔面動脈の枝に上行口蓋動脈（**A15**），オトガイ下動脈（**A16**），下唇動脈（**A17**），上唇動脈（**A18**）がある．顔面動脈の終枝は眼動脈の末梢枝と吻合する（243頁）．

内方枝および後方枝，終枝

上行咽頭動脈（**A19**）．この動脈は上甲状腺動脈の上部で内方に向かって外頸動脈を離れ，咽頭側壁に沿って頭蓋底に達する．本動脈の主要な枝として後硬膜動脈 posterior meningeal artery と下鼓室動脈 inferior tympanic artery を出す．

後頭動脈（**A20**）．外頸動脈の後方枝として分岐し，乳様突起（**A21**）の内側に達し，後頭動脈溝を通って後頭部に至る．

後耳介動脈（**A22**）．最も高い位置で分岐する後方枝である．乳様突起と耳介の間にあって，主要な枝として茎乳突孔動脈 stylomastoid artery と後鼓室動脈 posterior tympanic artery を出す．

終枝．外頸動脈の終枝は**浅側頭動脈**（**A23**）と**顎動脈**（**A28**）である．浅側頭動脈は側頭部で前頭枝（**A24**）と頭頂枝（**A25**）に分岐し，大きな枝として顔面横動脈（**A26**）と頬骨眼窩動脈（**A27**）を出す．顎動脈は最も強力な終枝として顔面深部に分布する（242頁）．

B 頸動脈分岐部

A 総頸動脈と外頸動脈の枝順

C 舌動脈の走行と枝順

---

1 総頸動脈 common carotid artery　2 腕頭動脈 brachiocephalic trunk　3 頸動脈結節 carotid tubercle　4 外頸動脈 external carotid artery　5 内頸動脈 internal carotid artery　6 頸動脈洞 carotid sinus　7 頸動脈小体 carotid body　8 上甲状腺動脈 superior thyroid artery　9 上喉頭動脈 superior laryngeal artery　10 舌動脈 lingual artery　11 舌下動脈 sublingual artery　12 舌深動脈 deep lingual artery　13 顔面動脈 facial artery　14 眼角動脈 angular artery　15 上行口蓋動脈 ascending palatine artery　16 オトガイ下動脈 submental artery　17 下唇動脈 inferior labial branch　18 上唇動脈 superior labial branch　19 上行咽頭動脈 ascending pharyngeal artery　20 後頭動脈 occipital artery　21 乳様突起 mastoid process　22 後耳介動脈 posterior auricular artery　23 浅側頭動脈 superficial temporal artery　24 前頭枝 frontal branch　25 頭頂枝 parietal branch　26 顔面横動脈 transverse facial artery　27 頬骨眼窩動脈 zygomatico-orbital artery　28 顎動脈 maxillary artery

顎動脈

顎動脈（A～C1）は顎関節の下部で外頸動脈（A2）の最も強い終枝として起こる．下顎頸（A3）の後方で顔面深部に向きを変え，咀嚼筋の間を通って，上行しながら翼口蓋窩（A4）に向かって走る．顎動脈の経過を3つの部分区間に分ける：

— この動脈の第1区間は**下顎部** mandibular part（Ⅰ）で，水平に走り，下顎頸の内面を走る区間に相当する．
— 第2区間は**翼突部** pterygoid part（Ⅱ）で，斜めに上行して走り，咀嚼筋，殊に外側翼突筋との位置関係に変異が多い．
— 第3区間は**翼口蓋部** pterygopalatine part（Ⅲ）で，引き続いて斜めに上行して走り翼上顎裂を通って翼口蓋窩に至る．

顎動脈の枝はこの3つの部分区間に一致したグループに分けられる：

下顎部の枝．最初の部位から**深耳介動脈**（A5）と**前鼓室動脈**（A6）が起こり，前者は顎関節と外耳道へ，後者は鼓室へ走る．下方に向かって強い**下歯槽動脈**（A7）が分岐し，この血管は下顎管（A8）に入る前に**顎舌骨筋枝**（A9）を同名筋に出す．下歯槽動脈は下顎の歯，骨，および軟部組織を栄養し，前端はオトガイ孔を出て**オトガイ動脈**（A10）となってオトガイ部の皮下に走る．

発育のよい上行枝として**中硬膜動脈**（A11）が顎動脈の第1区間から出る．この血管は棘孔を通って中頭蓋腔内に入り前頭枝（A11a）と頭頂枝（A11b）に分岐する．中硬膜動脈は脳硬膜の大部分を栄養する大きな動脈であるが，鼓室にいく上鼓室動脈 superior tympanic artery など2, 3の小さな枝を出している．

翼突部の枝．第2区間からは**咀嚼筋へ行く動脈**が起始している．これらには咬筋動脈（A12），前深側頭動脈（A13），後深側頭動脈（A14），翼突筋枝 pterygoid branches がある．**頰動脈**（A15）は頰筋と頰粘膜へ分布するが，顔面動脈との吻合枝もある．

翼口蓋部の枝．第3区間の領域ではどの方向にも分枝する．**後上歯槽動脈**（A16）は上顎骨および上顎洞に入り込み，臼歯を養う歯枝 dental branches および歯周枝 peridental branches となって後方の歯に終わる．また，鼻，下眼瞼そして口唇に至る小枝も出る．前方に向かって**眼窩下動脈**（A17）が下眼窩裂を通って眼窩に入る．この動脈はさらに眼窩底の眼窩下溝，眼窩下管を通って眼窩下孔（A18）から顔面に出る．この経過中に眼窩下管の中で**前上歯槽動脈**（A19）を分枝し，これは切歯と犬歯を養う歯枝および歯周枝となる．下方に向かって**下行口蓋動脈**（A～C20）が起こり，これは大口蓋管の中を下行して**大口蓋動脈**（B22）と**小口蓋動脈** lesser palatine arteries に分かれ，前者は大口蓋孔（B21）を出て硬口蓋の粘膜中を前進し，後者は小口蓋孔を出て軟口蓋に分布する．後方に向かって**翼突管動脈** artery of pterygoid canal が翼突管を通って耳管と咽頭上部に走る．顎動脈の終枝として**蝶口蓋動脈**（A～C23）がみられ，これは蝶口蓋孔を通って鼻腔の後上部に走り，そこで鼻腔外側壁の後下部に分布する外側後鼻枝（B24）と鼻中隔の後下部に分布する中隔後鼻枝（C25）に分岐する．中隔後鼻枝の1枝は**鼻口蓋動脈** nasopalatine artery となって切歯管を通って大口蓋動脈の枝と吻合する．

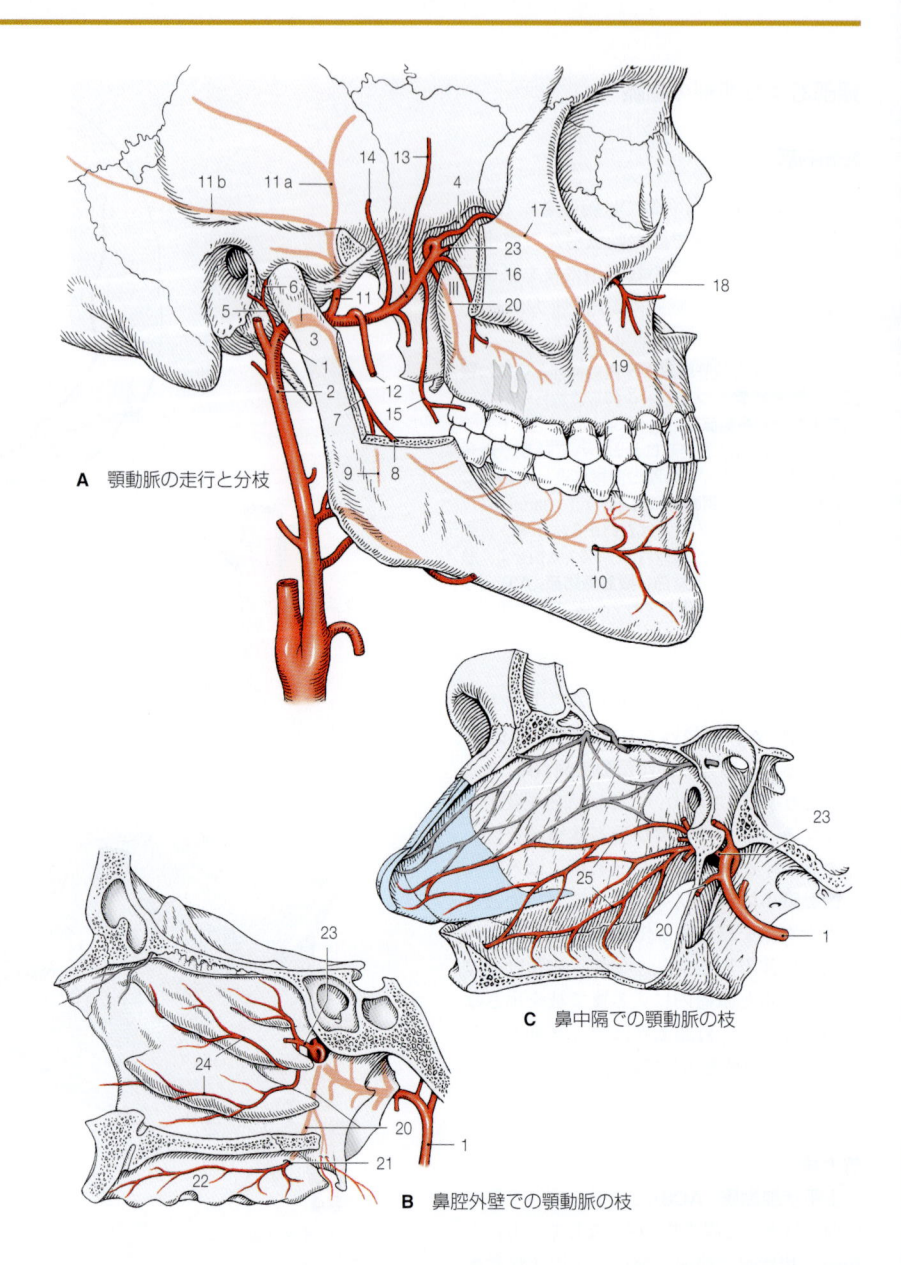

顎動脈の局所解剖と変異は167頁を参照せよ．

A 顎動脈の走行と分枝
B 鼻腔外壁での顎動脈の枝
C 鼻中隔での顎動脈の枝

---

1 顎動脈 maxillary artery　2 外頸動脈 external carotid artery　3 下顎頸 neck of mandible　4 翼口蓋窩 pterygopalatine fossa　5 深耳介動脈 deep auricular artery　6 前鼓室動脈 anterior tympanic artery　7 下歯槽動脈 inferior alveolar artery　8 下顎管 mandibular canal　9 顎舌骨筋枝 mylohyoid branch　10 オトガイ動脈 mental branch　11 中硬膜動脈 middle meningeal artery　11a 前頭枝 frontal branch　11b 頭頂枝 parietal branch　12 咬筋動脈 masseteric artery　13 前深側頭動脈 anterior deep temporal artery　14 後深側頭動脈 posterior deep temporal artery　15 頰動脈 buccal artery　16 後上歯槽動脈 posterior superior alveolar artery　17 眼窩下動脈 infra-orbital artery　18 眼窩下孔 infra-orbital foramen　19 前上歯槽動脈 anterior superior alveolar arteries　20 下行口蓋動脈 descending palatine artery　21 大口蓋孔 greater palatine foramen　22 大口蓋動脈 greater palatine artery　23 蝶口蓋動脈 sphenopalatine artery　24 外側後鼻枝 posterior lateral nasal arteries　25 中隔後鼻枝 posterior septal branches

内頸動脈

内頸動脈はその経過（**A**）に基づいて４つの部分区間に分けられる：すなわち，

頸部 cervical part（Ⅰ）．この血管区は頸動脈分岐部（**A1**）に始まり，咽頭壁の後外側を迷走神経および内頸静脈と同行して外頭蓋底にまで走り，そこで頸動脈管 carotid canal の外口を通って側頭骨の中に入り込む．内頸動脈はこの血管区では通常，枝を分枝することはない．

岩様部 petrous part（Ⅱ）．頸動脈管の中にある内頸動脈の部分区間は岩様部と呼ばれる．内頸動脈はここでは初め上行し，次いでほとんど直角に曲がって（いわゆる頸動脈管膝）前内方へ向かって走り，破裂孔の直上で錐体尖にできる内口を通って頭蓋腔に入る．岩様部の主要な枝として鼓室に至る**頸動脈鼓室枝** caroticotympanic arteries を出す．

海綿静脈洞部 cavernous part（Ⅲ）．この部は海綿静脈洞の中に位置する血管区で，通常２つの血管弓がつくられている．とくに前床突起の近くにできる血管弓は，脳部の初部と共同して前方に凸の強い弓となっていて**頸動脈サイホン**（**A2**）といわれる．海綿静脈洞部の枝は付近の脳硬膜，三叉神経節，および**下下垂体動脈** inferior hypophysial artery を経て神経下垂体（後葉）を栄養する．

大脳部 cerebral part（Ⅳ）．内頸動脈は前床突起の内側で脳硬膜を貫いて脳部に移行する．第１の枝として**眼動脈**（**B3**）が起こり，これは視神経と一緒に眼窩に入って眼球，眼筋および補助装置に分布する多くの枝に分岐する（592頁参照）．脳部から**上下垂体動脈** superior hypophysial artery が出て，これは下垂体門脈系という特別な血管系を形成する．通常，後方に向かって**後交通動脈**（**B4**）が出て，これによって内頸動脈は椎骨動脈（**B5**）の供血領域と接続をもつことになる（下記参照）．引き続いて**前脈絡叢動脈** anterior choroidal artery を分枝する．内頸動脈は２本の太い終枝すなわち**前大脳動脈** anterior cerebral artery（**B6**）と**中大脳動脈** middle cerebral artery（**B7**）に分岐し，これらによって終脳の大部分を栄養する（これらの血管のさらなる分枝および分布領域については558頁以下を参照せよ）．

大脳動脈輪

左右の**前大脳動脈**は**前交通動脈**（**B8**）によって互いに連結しており，また**後交通動脈**（**B4**）が両側で内頸動脈の血管領域と椎骨動脈の血管領域を結びつけているため，その結果として脳底でトルコ鞍の周りに閉ざされた動脈の輪ができることになる．これを**大脳動脈輪（ウイリスの動脈輪）** cerebral arterial circle（Willis' circle）と呼び，脳髄への血液供給を安全に保つ重要な血管輪となっている．

この動脈輪の後部は椎骨動脈によって供給され，次のごとく構成されている：すなわち，鎖骨下動脈（244頁）から起こる左右の**椎骨動脈**（**B5**）は各々大後頭孔を通って頭蓋腔に達し，延髄の上縁で合一して斜台 clivus の上を走る大きな**脳底動脈**（**B9**）となる．脳底動脈から内耳，小脳へ行く枝と**後大脳動脈**（**B10**）が分岐する（動脈輪のさらなる分枝および分布領域については558頁以下を参照せよ）．

椎骨動脈の枝順

- **B11** 後脊髄動脈　posterior spinal artery
- **B12** 前脊髄動脈　anterior spinal artery
- **B13** 後下小脳動脈　posterior inferior cerebellar artery

脳底動脈の枝順

- **B14** 前下小脳動脈　anterior inferior cerebellar artery
- **B15** 迷路動脈　labyrinthine artery
- **B16** 上小脳動脈　superior cerebellar artery

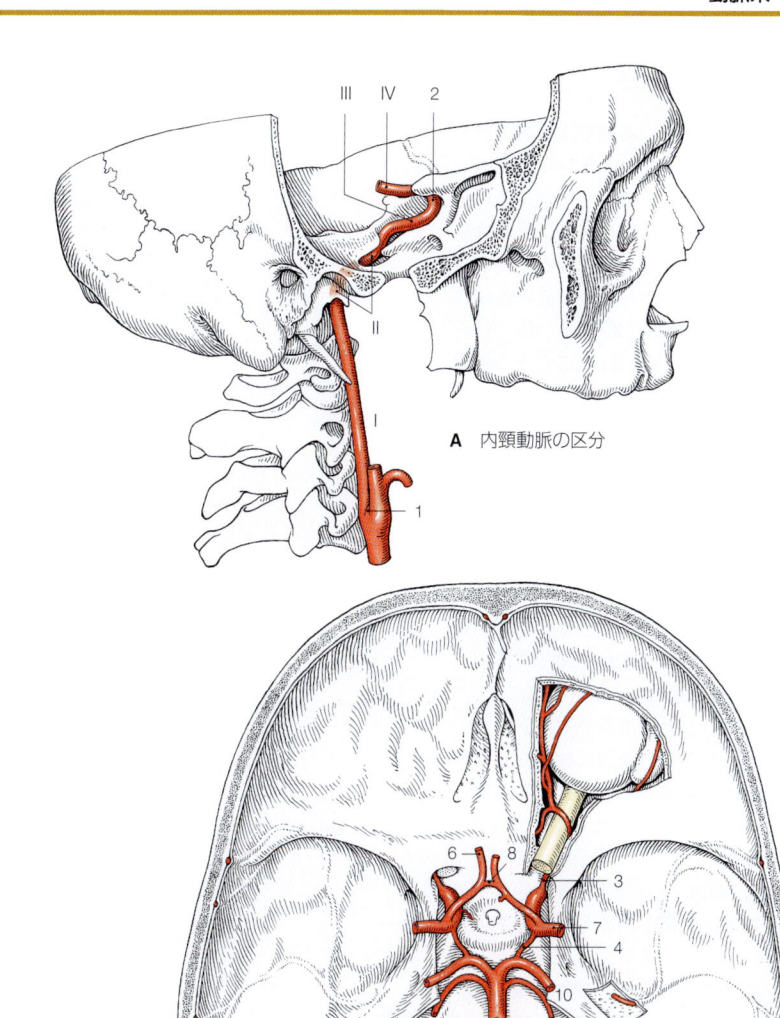

A 内頸動脈の区分

B 大脳動脈輪

1 頸動脈分岐部 carotid bifurcation　2 頸動脈サイホン carotid siphon　3 眼動脈 ophthalmic artery　4 後交通動脈 posterior communicating artery　5 椎骨動脈 vertebral artery　6 前大脳動脈 anterior cerebral artery　7 中大脳動脈 middle cerebral artery　8 前交通動脈 anterior communicating artery　9 脳底動脈 basilar artery　10 後大脳動脈 posterior cerebral artery

鎖骨下動脈

鎖骨下動脈（**A1**）は，**右側では腕頭動脈**から起こり，**左側では大動脈弓から直接**起こる．鎖骨下動脈の経過区間は3区間に分けられる．その際，目印となる重要な関連構造物は前斜角筋（**A2**）である：すなわち，**第1区間**（Ⅰ）はこの血管の起始から前斜角筋の内側縁まで，**第2区間**（Ⅱ）はこの筋の後ろにある部分，**第3区間**（Ⅲ）はこの筋の外側縁から第1肋骨の下縁までの3区間が区分され，それから先は腋窩動脈と呼ばれる．鎖骨下動脈は次のような大きな枝を出している：

椎骨動脈（**A3**）．後上方に向かって分岐し，通常第6頸椎の横突孔に入って，以後第1頸椎までの横突孔を通って上行する．環椎に至ると後弓の前端上面にできる椎骨動脈溝 groove for vertebral artery を通って内方に向きを変え，大後頭孔から頭蓋腔内に入り，対側の同名血管と合して脳底動脈となる．椎骨動脈の区間をその経過に相応して椎骨前部（**A3a**），横突孔部（**A3b**），環椎部（**A3c**），頭蓋内部（**A3d**）に分ける（243頁および558頁も参照せよ）．

内胸動脈（**AB4**）．鎖骨下動脈の起始部の凹部から始まり，第1肋軟骨の後面を下前方に向かって走り，胸骨外側縁と平行して約1cmの距離のところを，**前肋間枝**（**A5**）を分枝しながら，横隔膜に向かって下行する．この動脈は，横隔神経と同走して心膜と横隔膜の前部に分布する**心膜横隔動脈** pericardiacophrenic artery（233頁）など多くの枝を分枝して周囲の構成物を栄養し，さらにほぼ第6肋軟骨の高さで2終枝である**筋横隔動脈** musculophrenic artery と **上腹壁動脈** superior epigastric artery に分岐する．筋横隔動脈は肋骨弓の後ろを下外方に走って胸腔外側壁の下部および横隔膜に分布する．上腹壁動脈（**B**）は横隔膜の胸肋三角を通って腹壁に達し，腹直筋鞘の後葉の前面に出て腹直筋の後面を下行し，臍の高さで外腸骨動脈からの下腹壁動脈と吻合する．

甲状頸動脈（**A6**）．この動脈は通常（以下の）3つの大きな血管に対する短い共通幹として起こり，前上方に向かって分岐する：**下甲状腺動脈**（**A7**）ははじめ上行し，次いで弓状をなして内方に向かい甲状腺の後面に達する．この動脈の枝に下喉頭動脈 inferior laryngeal artery として喉頭の一部に分布するほか咽頭，食道，気管にも小枝を出す．

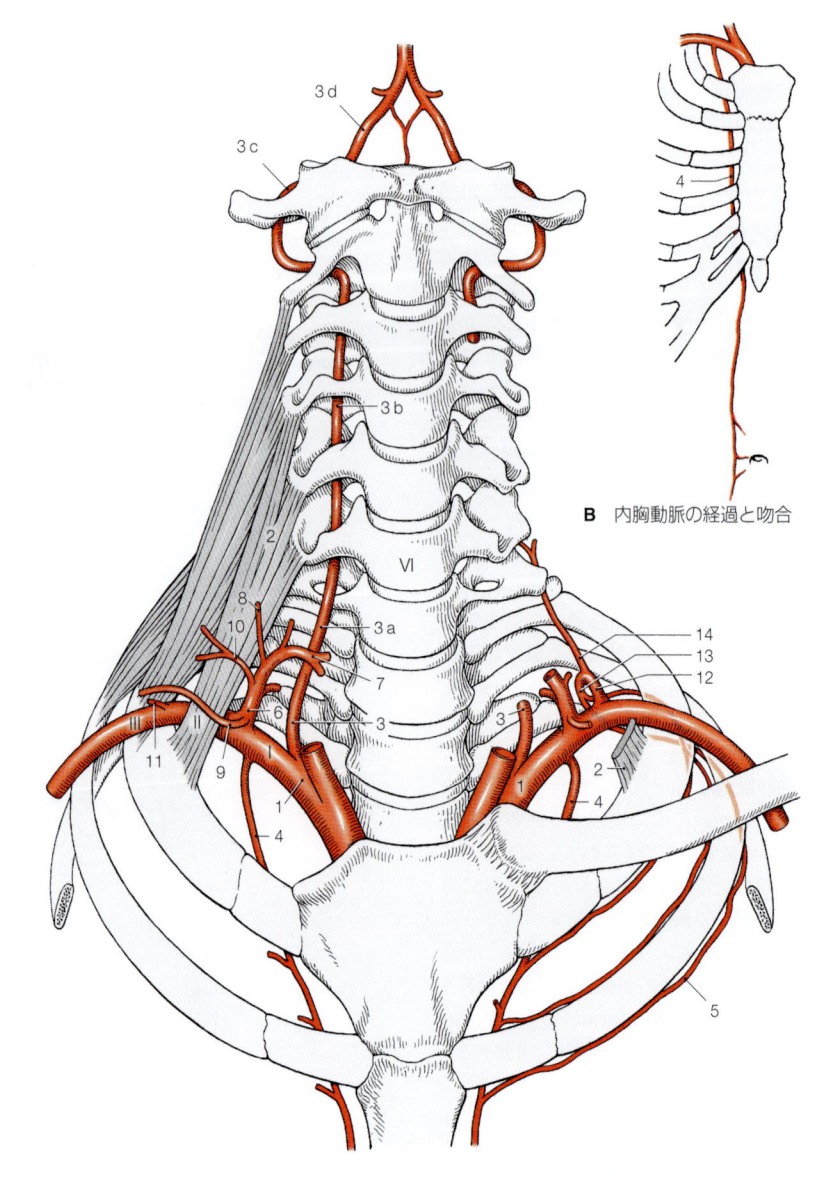

また小さな上行枝である上行頸動脈（**A8**）も通常下甲状腺動脈から起こる．

外後方に向かって肩甲上動脈（**A9**）が分枝し，この動脈は前斜角筋の前を走り，鎖骨の後ろを通って肩甲切痕にできる上肩甲横靱帯の上部を通って棘上窩に入る．さらに肩甲頸をまわって棘下窩に入り，肩甲下動脈（245頁）からの肩甲回旋動脈と吻合する．

頸横動脈（**A10**）が腕神経叢の神経幹の間を貫くかまたは上を越えて表層に現れ，頸部の大鎖骨上窩を横走する．この血管は構成態度，分岐状態，走行経過に著しく変化が多い．**下行肩甲動脈**（**A11**）は鎖骨下動脈から独自の血管として起こったり，頸横動脈の深枝として起始したりして，肩甲挙筋の前縁から背部の深部へ走る．

肋頸動脈（**A12**）．この血管は後下方に向かって弓状に分岐する幹血管でまもなく2枝に分かれる．前下方に向かって**最上肋間動脈**（**A13**）を出し，これは2枝に分岐して第1および第2肋間動脈となる．後上方に向かって**深頸動脈**（**A14**）を出し，これは項筋に分布する．

> **臨床関連**：頸肋 cervical rib が存在する場合には，鎖骨下動脈が斜角筋間隙のところで特定の動作の際に狭くなり，血流障害を起こし，肩，上腕に疼痛などの症状をきたす（斜角筋症候群）．

A 鎖骨下動脈の区分とその枝

B 内胸動脈の経過と吻合

---

1 鎖骨下動脈 subclavian artery　2 前斜角筋 scalenus anterior　3 椎骨動脈 vertebral artery　3a 椎骨前部 prevertebral part　3b 横突孔部 transversal part　3c 環椎部 atlantic part　3d 頭蓋内部 intracranial part　4 内胸動脈 internal thoracic artery　5 前肋間枝 anterior intercostal branches　6 甲状頸動脈 thyrocervical trunk　7 下甲状腺動脈 inferior thyroid artery　8 上行頸動脈 ascending cervical artery　9 肩甲上動脈 suprascapular artery　10 頸横動脈 transverse cervical artery　11 下行肩甲動脈 dorsal scapular artery　12 肋頸動脈 costocervical trunk　13 最上肋間動脈 supreme intercostal artery　14 深頸動脈 deep cervical artery

肩部および上肢の動脈

腋窩動脈

腋窩動脈(**A1**)は鎖骨下動脈の続きで第1肋骨の下縁から大胸筋の下縁または広背筋の腱(**A2a**)までをいう．腋窩動脈は腹側から小胸筋(**A2b**)と大胸筋におおわれている．

腋窩動脈の最初の部分から変異に富む**最上胸動脈**(**A3**)が分岐して第1および第2肋間の筋肉と周辺の筋(大および小胸筋，鎖骨下筋，前鋸筋)に分布する；さらに遠位で短い幹血管である**胸肩峰動脈**(**A4**)が起始し，これから四方に走る多くの枝を出す(鎖骨枝，胸筋枝，三角筋枝，肩峰枝)．肩峰枝は肩甲上動脈の肩峰枝とともに肩峰の周りに**肩峰動脈網** acromial anastomosis を形成する；**外側胸動脈**(**A5**)が胸部の側壁で前鋸筋の上を走る．婦人の場合はこの血管がよく発達していて乳腺の栄養に関係している；**肩甲下動脈**(**A6**)が肩甲下筋の側縁で強い血管として起始し，これは基本的には**肩甲回旋動脈**(**A7**)と**胸背動脈**(**A8**)の2枝に分かれる．前者は内側腋窩隙を通って棘下窩に出て肩甲上動脈と吻合し(183頁，244頁参照)，後者は同名神経とともに広背筋(**A2a**)へ向かって走る；細い**前上腕回旋動脈**(**A9**)が腋窩動脈から外方に向かって起こり，外科頸 surgical neck の前をまわって走り，より太い**後上腕回旋動脈**(**A10**)が後方へ向かって外科頸の後ろをまわり，外側腋窩隙(183頁参照)を通って，肩関節および付近の筋に分布する．両動脈は比較的に多い上腕骨外科頸骨折の際に損傷されることがある．

上腕動脈

上腕動脈(**A11**)は腋窩動脈の続きで，大胸筋の下縁から肘窩で前腕の動脈である橈骨動脈(**A17**)と尺骨動脈(**A18**)に分岐するまでをいう．上腕動脈は正中神経と一緒に内側二頭筋 medial bicipital groove の中を走る．ここは脈拍を触れるところで，緊急の場合には止血のためにこの動脈を上腕骨に向かって強く押さえつけることができる．上腕動脈の枝は上腕骨に上腕骨栄養動脈 humeral nutrient arteries を与え，また**肘関節動脈網** cubital anastomosis の形成に関係している．

上腕深動脈(**A12**)が，橈骨神経に伴って上腕骨体の後面にできる橈骨神経溝を通って下外方に走り，肘関節動脈網に加わる中側副動脈 medial collateral artery と橈側側副動脈 radial collateral artery を出す．上腕深動脈起始部の少し遠位で**上尺側側副動脈**(**A13**)が分岐し，これは尺骨神経と同走して内側上顆の後ろを通って肘関節動脈網に加わる．

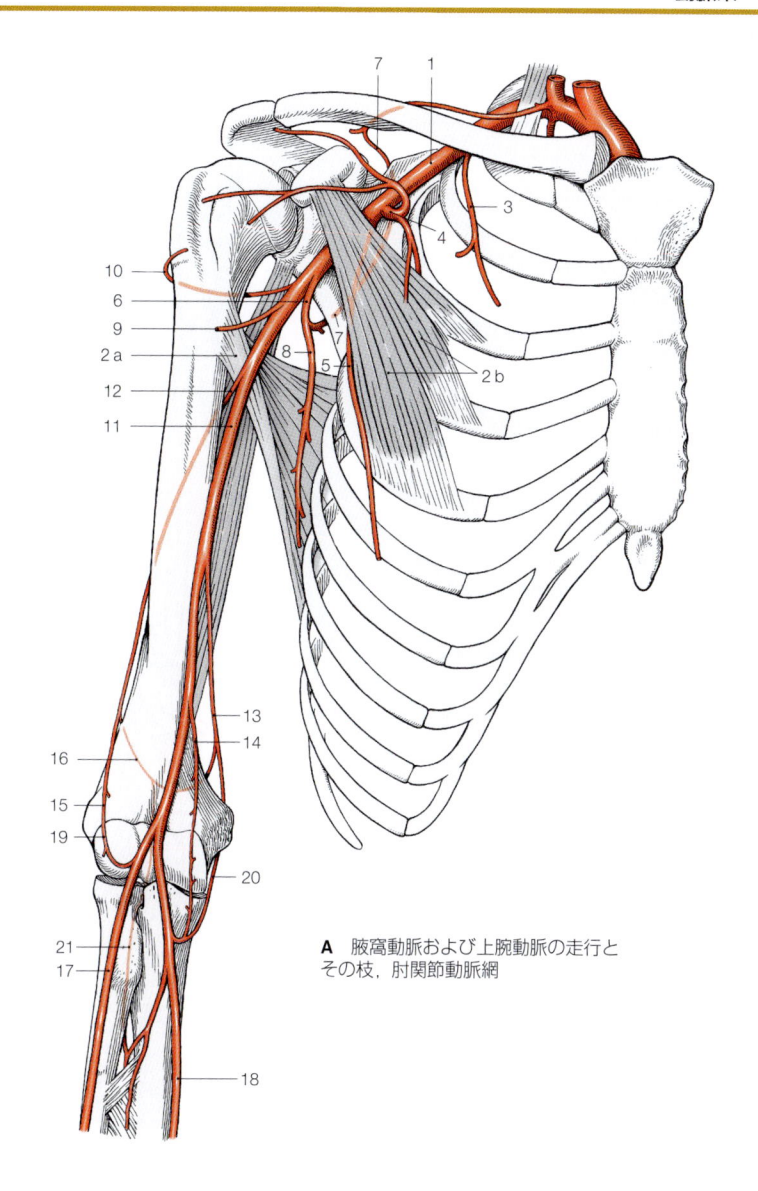

さらに遠位の内側上顆の上部で**下尺側側副動脈**(**A14**)が起こり肘関節動脈網に加わる．

鎖骨下動脈，腋窩動脈，上腕動脈の領域では，その分枝状態に非常に多くの変異型がみられるところである．

肘関節動脈網

肘関節の周りにはよく発達した動脈網が存在し，これは多くの動脈枝の吻合で構成されている．この血管網は下行する諸枝と上行する諸枝で構成される．**下行枝**は上腕深動脈および上腕動脈から起こる(上記参照)：すなわち，上尺側側副動脈(**A13**)，下尺側側副動脈(**A14**)，橈側側副動脈(**A15**)，中側副動脈(**A16**)．さらに**上行枝**(246頁)は前腕の動脈である橈骨動脈(**A17**)と尺骨動脈(**A18**)に由来し，反転してこの血管網に達する：すなわち，橈側反回動脈(**A19**)，尺側反回動脈(**A20**)，反回骨間動脈(**A21**)．

> **臨床関連**：この肘関節動脈網が存在するゆえに，上腕動脈は上腕深動脈起始部の遠位で結紮することが可能である．さらに，種々に交通しているこの動脈網は，前腕の動脈(例えば橈骨動脈)の遠位の一部分を移植片として取り出すことも可能にしている．というのは，前腕のもう1つの大きな動脈(尺骨動脈)を介して反回している血管に沿う側副路が保証されているからである．

A 腋窩動脈および上腕動脈の走行とその枝，肘関節動脈網

---

1 腋窩動脈 axillary artery　2a 広背筋 latissimus dorsi　2b 小胸筋 pectoralis minor　3 最上胸動脈 superior thoracic artery　4 胸肩峰動脈 thoraco-acromial artery　5 外側胸動脈 lateral thoracic artery　6 肩甲下動脈 subscapular artery　7 肩甲回旋動脈 circumflex scapular artery　8 胸背動脈 thoracodorsal artery　9 前上腕回旋動脈 anterior circumflex humeral artery　10 後上腕回旋動脈 posterior circumflex humeral artery　11 上腕動脈 brachial artery　12 上腕深動脈 profunda brachii artery　13 上尺側側副動脈 superior ulnar collateral artery　14 下尺側側副動脈 inferior ulnar collateral artery　15 橈側側副動脈 radial collateral artery　16 中側副動脈 medial collateral artery　17 橈骨動脈 radial artery　18 尺骨動脈 ulnar artery　19 橈側反回動脈 radial recurrent artery　20 尺側反回動脈 ulnar recurrent artery　21 反回骨間動脈 recurrent interosseous artery

橈骨動脈

上腕動脈（**A1**）は上腕二頭筋腱膜の下で分かれて橈骨動脈と尺骨動脈になる．橈骨動脈（**A2**）は上腕動脈の経過方向を引き継いで橈骨に沿って走る．橈骨動脈は近位では円回内筋と腕橈骨筋（目印筋！）の間にあり，遠位では腕橈骨筋腱と橈側手根屈筋腱の間に位置し，その手根部は脈拍を最も触れやすいところである．次いで茎状突起の下で向きを変えて手背に出て第1中手骨間隙に達し，第1背側骨間筋の両頭の間を通って手掌に至る（下記参照）．

橈骨動脈の主要な枝に次のものがある：**橈側反回動脈**（**A3**）は反転して肘関節動脈網に加わる（245頁）．**掌側手根枝**（**A6a**）は手根骨の掌面で尺骨動脈の同名枝と**掌側手根動脈網** palmar carpal arch を形成する．**浅掌枝**（**A4**）は橈骨動脈が手背に曲がるところで出て，浅掌動脈弓（**A5**）に向かう（下記参照）．**背側手根枝**（**B7a**）は手根骨の背面で尺骨動脈の同名枝と**背側手根動脈網** dorsal carpal arch を形成する（**B**）．**母指主動脈**（**A8**）は橈骨動脈の2終枝の1つで，第1背側骨間筋の間を通って母指の屈側へ走る．**示指橈側動脈**（**A9**）は橈骨動脈から直接起こるかまたは母指主動脈から起こり，示指の橈側縁に向かう．この動脈枝は浅掌動脈弓から起こることも多い．**深掌動脈弓**（**A10**）は橈骨動脈の続きであって2終枝の1つである．この弓は中手骨底の高さに位置して深指屈筋腱の下で骨間筋の上につくられる．これは尺骨動脈の深掌枝と吻合する（191頁参照）．

尺骨動脈

尺骨動脈（**A11**）は橈骨動脈より太い．この動脈は初め円回内筋の下を走り，次第に尺側に向かい，次いで尺側手根屈筋にそって走る．尺骨動脈は次の枝を出す：**尺側反回動脈**（**A12**）が反転して肘関節動脈網に加わる．**総骨間動脈**（**A13**）は発生学的にみれば上腕動脈の終枝の1つであり，後骨間動脈（**A14**），反回骨間動脈（**A15**）および前骨間動脈（**A16**）に分かれる．

遠位で掌側手根動脈網へ向かう**掌側手根枝**（**A6b**）が起こる．

背側手根動脈網へ向かう**背側手根枝**（**AB7b**）が起こる．

深掌動脈弓をつくるため**深掌枝**（**A17**）が分岐する．

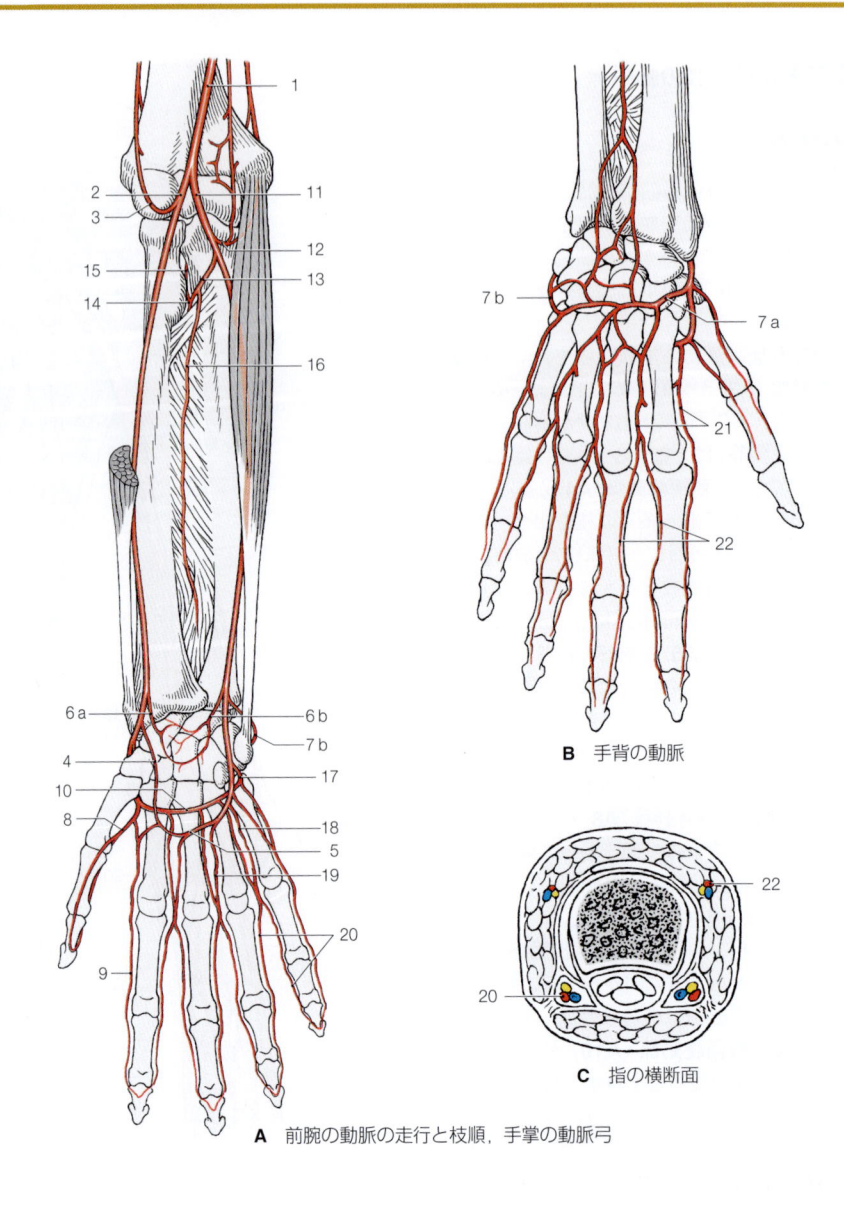

浅掌動脈弓（**A5**）は尺骨動脈の本来の終枝であって，これは手掌腱膜と浅指屈筋腱の間に存在し，橈骨動脈の浅掌枝（**A4**）と吻合する．

手の動脈弓

深掌動脈弓． 深掌動脈弓は橈骨動脈の終枝と尺骨動脈の深掌枝でつくられ，主として橈骨動脈から供給される．この動脈弓から中手骨間隙に3～4本の細い**掌側中手動脈**（**A18**）を出して総掌側指動脈と吻合し，また貫通枝 perforating branches を介して手背に行く．

浅掌動脈弓． 浅掌動脈弓の構成には非常に多くの変異がみられるが，通常は**尺骨動脈の終枝**と橈骨動脈の浅掌枝でつくられ，主として尺骨動脈から供給される．この動脈弓から3本の**総掌側指動脈**（**A19**）が出て，これらは中手指節関節の高さで各々2本の**固有掌側指動脈**（**AC20**）に分かれて指の尺側および橈側の屈側（掌側）面に至る．

背側手根動脈網（**B**）．手背は橈骨動脈の**背側手根枝**（**B7a**）によって栄養され，これに尺骨動脈の背側手根枝（**B7b**）が加わって背側手根動脈網を形成し，この動脈網から4本の**背側中手動脈**（**B21**）が起こり，各々2本の**背側指動脈**（**BC22**）となって指に分布する．

A 前腕の動脈の走行と枝順，手掌の動脈弓

B 手背の動脈

C 指の横断面

---

1 上腕動脈 brachial artery　2 橈骨動脈 radial artery　3 橈側反回動脈 radial recurrent artery　4（橈骨動脈）浅掌枝 superficial palmar branch　5 浅掌動脈弓 superficial palmar arch　6a 掌側手根枝（橈骨動脈）palmar carpal branch（radial artery）　6b 掌側手根枝（尺骨動脈）palmar carpal branch（ulnar artery）　7a 背側手根枝（橈骨動脈）dorsal carpal branch（radial artery）　7b 背側手根枝（尺骨動脈）dorsal carpal branch（ulnar artery）　8 母指主動脈 princeps pollicis artery　9 示指橈側動脈 radialis indicis artery　10 深掌動脈弓 deep palmar arch　11 尺骨動脈 ulnar artery　12 尺側反回動脈 ulnar recurrent artery　13 総骨間動脈 common interosseous artery　14 後骨間動脈 posterior interosseous artery　15 反回骨間動脈 recurrent interosseous artery　16 前骨間動脈 anterior interosseous artery　17（尺骨動脈）深掌枝 deep palmar branch　18 掌側中手動脈 palmar metacarpal arteries　19 総掌側指動脈 common palmar digital arteries　20 固有掌側指動脈 proper palmar digital arteries　21 背側中手動脈 dorsal metacarpal arteries　22 背側指動脈 dorsal digital arteries

動脈系　247

骨盤および下肢の動脈

大動脈（腹部 abdominal part）（A1）は第4腰椎の前で2本の大きな幹動脈すなわち総腸骨動脈（A2）に分岐し，これらは主要な枝を分枝することなく骨盤入口面の方に走って仙腸関節の前で内腸骨動脈（AC3）と外腸骨動脈（AC4）に分岐する．

内腸骨動脈

内腸骨動脈は分界線を越えて小骨盤に達し，大坐骨孔の高さで通常前と後の2本の血管に分かれ，これらから出る壁側枝でもって小骨盤壁と殿部を栄養し，臓側枝を経て骨盤内臓を栄養する．内腸骨動脈の枝は非常に変異が多いが，基本的には次の諸枝が記載される．

壁側枝

腸腰動脈（A5）は大腰筋の下を腸骨窩に走り，腸骨筋に腸骨枝 iliacus branch を与えて，外腸骨動脈の深腸骨回旋動脈 deep circumflex iliac artery と吻合する．

外側仙骨動脈（A6）は仙骨前面の外側を下行し，仙骨管へ脊髄枝 spinal branches を出す．

閉鎖動脈（A7）は骨盤側壁に沿って前進し，閉鎖管 obturator canal に入る直前で恥骨枝 pubic branch を出して下腹壁動脈（A24）の同名枝と吻合する．閉鎖管を通って骨盤外に出ると前枝と後枝に分かれ，前枝 anterior branch は大腿の内転筋に分布し，後枝 posterior branch は外側深部の殿筋に分布する枝と大腿骨頭靱帯に導かれて大腿骨頭に至る寛骨臼枝 acetabular branch とを出す．

上殿動脈（AB8）は内腸骨動脈の最大の枝で，梨状筋の上部で梨状筋上孔 suprapiriform foramen を通って殿部に至り，浅枝と深枝に分かれる．浅枝 superficial branch は大殿筋と中殿筋の間を通ってこれらに分布し，深枝 deep branch は中殿筋と小殿筋の間を通ってこれらに分布する．

下殿動脈（AB9）は梨状筋の下部で梨状筋下孔 infrapiriform foramen を通り，大殿筋下部とその付近の筋に分布する．下殿動脈から坐骨神経伴行動脈（B10）が出て，坐骨神経に同行する．この血管は系統発生的には下肢の主幹動脈であって，ごくまれな例ではこの血管が太く発達して膝窩動脈に連結し，その役割を果たしているものもみられる．

臓側枝

臍動脈（A11）は胎児期には臍を通って胎盤に向かう血管である（222頁）．生後には近位部の血液を通している開存部（A11a）と閉鎖している閉塞部（A11b）が区分され，後者の部分が臍動脈索 cord of umbilical artery となる．開存部から膀胱の上部へ上膀胱動脈（A12），尿管枝 ureteric branches，男の骨盤では精管動脈 artery to ductus deferens が起こる．

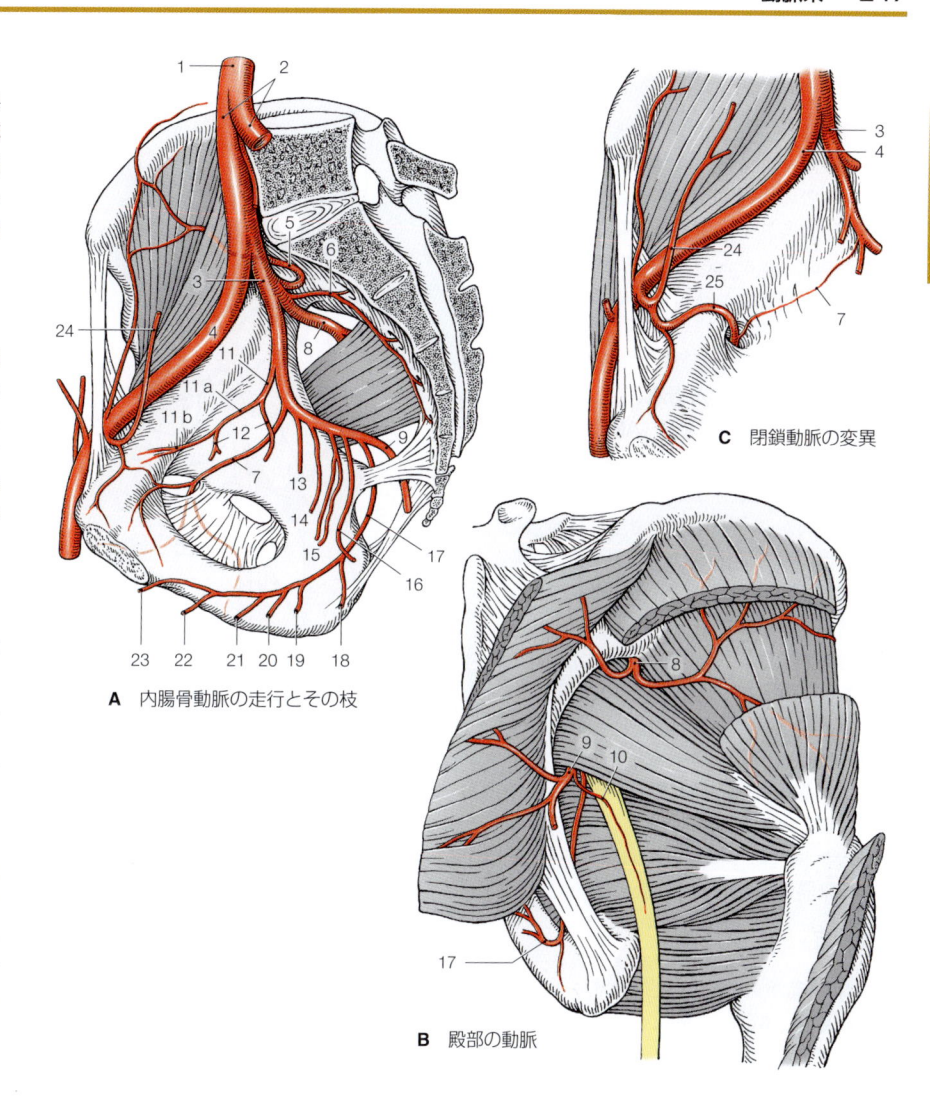

子宮動脈（A13）は精管動脈に相当するが，通常内腸骨動脈の前枝から直接起こり，その枝を経て腟（腟動脈 vaginal artery），卵巣（卵巣枝 ovarian branches），卵管（卵管枝 tubal branch）も栄養する．

下膀胱動脈（A14）は膀胱の下部に向かい，女では腟へ腟枝 vaginal branches，男では前立腺と精嚢へ前立腺枝 prostatic branches を与える．

しばしば2～3条の腟へ走る**腟動脈**（A15）がみられる．

中直腸動脈（A16）は変異に富む動脈で，通常骨盤底を直腸へ走り，直腸中部の筋組織と付近の構成物を栄養する．

内陰部動脈（AB17）は通常内腸骨動脈から起こるが，まれな例では下殿動脈から起こることもある．この動脈ははじめ梨状筋下孔を通り，坐骨棘をまわって小坐骨孔を通り，坐骨直腸窩の外側壁に達する．内陰部動脈の枝に次のものがある：下直腸動脈（A18），会陰動脈（A19），後陰唇枝または後陰嚢枝，尿道動脈（A20），前庭球動脈または尿道球動脈（A21），陰核深動脈または陰茎深動脈（A22），陰核背動脈または陰茎背動脈（A23）．

臨床関連（C）：閉鎖動脈（AC7）の枝と下腹壁動脈（AC24）の枝との吻合が太く発達していて，閉鎖動脈があたかも下腹壁動脈から起こっているようにみえることがある．鼠径部領域の手術（殊に大腿ヘルニア）の際，この吻合血管を傷つけて致命的な結果をきたすことがあり，この血管に対して**死冠（C25）**という名称が付けられている．

A　内腸骨動脈の走行とその枝
B　殿部の動脈
C　閉鎖動脈の変異

---

1 大動脈 aorta　2 総腸骨動脈 common iliac artery　3 内腸骨動脈 internal iliac artery　4 外腸骨動脈 external iliac artery　5 腸腰動脈 iliolumbar artery　6 外側仙骨動脈 lateral sacral arteries　7 閉鎖動脈 obturator artery　8 上殿動脈 superior gluteal artery　9 下殿動脈 inferior gluteal artery　10 坐骨神経伴行動脈 artery to sciatic nerve　11 臍動脈 umbilical artery　11a（臍動脈の）開存部 patent part　11b（臍動脈の）閉塞部 occluded part　12 上膀胱動脈 superior vesical arteries　13 子宮動脈 uterine artery　14 下膀胱動脈 inferior vesical artery　15 腟動脈 vaginal artery　16 中直腸動脈 middle rectal artery　17 内陰部動脈 internal pudendal artery　18 下直腸動脈 inferior rectal artery　19 会陰動脈 perineal artery　20 尿道動脈 urethral artery　21 前庭球動脈または尿道球動脈 artery of bulb of vestibule/artery of bulb of penis　22 陰核深動脈または陰茎深動脈 deep artery of clitoris/deep artery of penis　23 陰核背動脈または陰茎背動脈 dorsal artery of clitoris/dorsal artery of penis　24 下腹壁動脈 inferior epigastric artery　25 死冠 corona mortis

外腸骨動脈

外腸骨動脈（**AC2**）は総腸骨動脈（**AC1**）の第2の枝で内腸骨動脈（**AC3**）より管径は大きい．この血管は分界線 linea terminalis と平行に腸腰筋の内側を鼠径靱帯の下の血管裂孔 vascular space（208頁参照）へ走る．この管を通過すると外腸骨動脈は大腿動脈（**AC4**）となる．

外腸骨動脈はその経過中に付近の筋へ小枝を与えるが，その末端部すなわち血管裂孔を出る直前で**下腹壁動脈**（**AB5**）が鼠径靱帯の背方で起始する（**A** および **B**）．下腹壁動脈は弓状に曲がりながら上行して腹直筋の背面に向かい，臍の高さで上腹壁動脈の末端と吻合する（244頁）．下腹壁動脈は恥骨枝 pubic branch を出し，その中の1枝は**閉鎖動脈との吻合枝** anastomotic branch として閉鎖動脈恥骨枝と吻合する．下腹壁動脈はさらに精巣挙筋動脈 cremasteric artery または子宮円索動脈 artery of round ligament of uterus を出している．

ほぼ下腹壁動脈と同じ高さで**深腸骨回旋動脈**（**AB6**）が出て，弓状に腸骨稜に外腸骨動脈の外壁に沿って後方に向かって走り，その枝は腸腰動脈の枝と吻合する．

大腿動脈

外腸骨動脈の続きは鼠径靱帯を過ぎると**大腿動脈**（**AC4**）と呼ばれる．この動脈は初め股関節の内前方を通って腸恥窩 ilio-pectineal fossa を通るが，ここでは皮膚と大腿筋膜のみにおおわれている．次いで，縫工筋（目印筋！）におおわれて内側広筋と内転筋群の間の溝を下行して内転筋管 adductor canal に入り，この管を通って大腿の背側に向かい，[内転筋]腱裂孔 adductor hiatus を経て膝窩 popliteal fossa に達する．大腿動脈は膝窩に入ると膝窩動脈となる．

大腿動脈は次の枝を出す：

浅腹壁動脈（**AB7**）が鼠径靱帯の下で伏在裂孔 saphenous opening の近くから出て，鼠径靱帯の表層を越えて前腹壁の皮下を上行する．

浅腸骨回旋動脈（**AB8**）が同様に皮下を上前腸骨棘に向かって走る．

外陰部動脈（**B9**）が内方に向かって走り外陰部に達する．この血管の枝に鼠径枝 inguinal branches と男では前陰嚢枝 anterior scrotal branches および女では前陰唇枝 anterior labial branches がある．

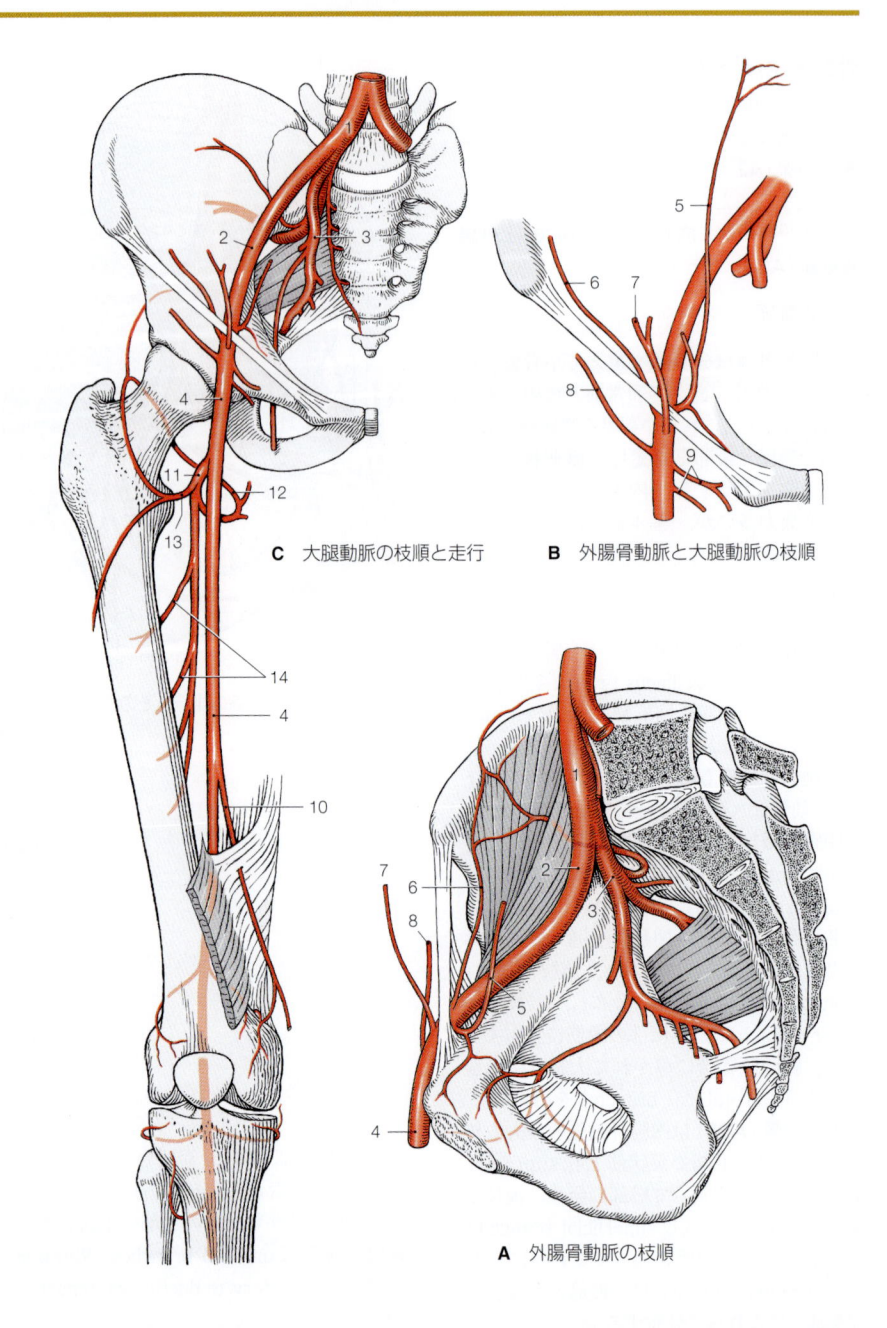

下行膝動脈（**C10**）が内転筋管の中で分岐し，広筋内転筋板を貫いて伏在枝 saphenous branch と関節枝 articular branches に分かれる．前者は伏在神経に伴行して下腿に至り，後者は膝関節動脈網に加わる．

大腿深動脈（**C11**）は大腿動脈の最大の枝で，鼠径靱帯の下方約3～6cmの範囲で外後方に向かって分岐する．この血管の枝およびその分枝態度は非常に変異に富むが，一般に次の枝が区別される：**内側大腿回旋動脈**（**C12**）ははじめ内方へ次いで後方へ向かって走り，その枝は付近の筋と股関節の栄養に関与する．**外側大腿回旋動脈**（**C13**）は外方に向かって走り，上行枝と下行枝に分かれ，上行枝は通常内側大腿回旋動脈と大腿骨頸の周りに血管ワナをつくる．**貫通動脈**（**C14**）は大腿深動脈の終枝である（通常3本，4本まで）．これらは大腿骨にほとんど接してまわり，大内転筋の停止腱膜を貫いて大腿の後面に達し，その枝でもって大腿屈筋を栄養する．

臨床関連：鼠径靱帯の後ろを弓状に外側に向かい前上腸骨棘に至る．ここからの枝の一本は，腸腰動脈 iliolumbar artery の流域と吻合を形成する．

C 大腿動脈の枝順と走行

B 外腸骨動脈と大腿動脈の枝順

A 外腸骨動脈の枝順

---

1 総腸骨動脈 common iliac artery　2 外腸骨動脈 external iliac artery　3 内腸骨動脈 internal iliac artery　4 大腿動脈 femoral artery　5 下腹壁動脈 inferior epigastric　6 深腸骨回旋動脈 deep circumflex iliac artery　7 浅腹壁動脈 superficial epigastric artery　8 浅腸骨回旋動脈 superficial circumflex iliac artery　9 外陰部動脈 external pudendal arteries　10 下行膝動脈 descending genicular artery　11 大腿深動脈 deep artery of thigh　12 内側大腿回旋動脈 medial circumflex femoral artery　13 外側大腿回旋動脈 lateral circumflex femoral artery　14 貫通動脈 perforating arteries

動脈系　249

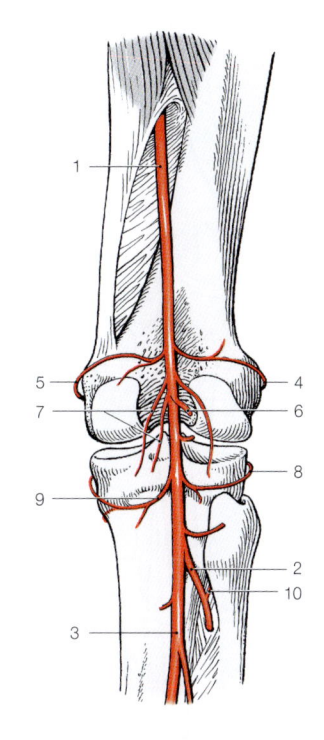

膝窩動脈

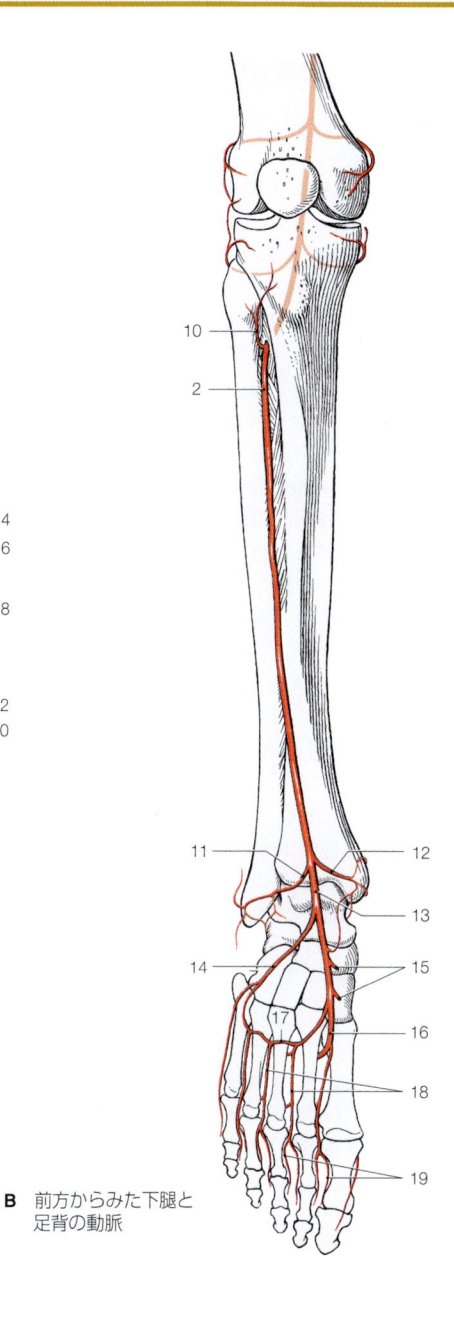

内転筋管の終端（内転筋腱裂孔）から膝窩筋の下縁で下腿の動脈に分岐するまでの下肢の主幹動脈を**膝窩動脈**（A1）と呼ぶ．膝窩動脈は膝窩の深部で膝関節包にほとんど接して存在し，下腿の上部で**前脛骨動脈**（AB2）と**後脛骨動脈**（A3）に分かれる．

膝窩動脈は次の枝を周囲の構成物へ送り出す：

外側上膝動脈（A4）および**内側上膝動脈**（A5）は外方および内方から前方に向かい，膝関節の前面につくられる動脈網すなわち膝関節動脈網に加わる．

中膝動脈（A6）は関節包の後面に向かい，これを貫いて十字靱帯に分布する．

腓腹動脈（A7）はふくらはぎの筋（主に腓腹筋の外側頭と内側頭）を栄養する．

外側下膝動脈（A8）および**内側下膝動脈**（A9）は腓腹筋両頭の下を前方にまわり膝関節動脈網に達する．

膝関節動脈網

膝関節動脈網 genicular anastomosis は多数の小動脈枝を受け入れている（上記参照）．しかし，止血の目的で膝窩動脈を結紮するときにはこの動脈網への安全且つ十分な側副循環は保証されない．

膝関節動脈網への**下行枝**は：外側上膝動脈（A4），内側上膝動脈（A5），下行膝動脈からは伏在枝がある．**上行枝**は：外側下膝動脈（A8），内側下膝動脈（A9），前脛骨反回動脈（AB10），後脛骨動脈からの腓骨回旋枝（250頁）．

> **臨床関連**：膝窩動脈を結紮してはいけない．というのは膝関節の動脈の側副循環は十分でないからである．

下腿および足の動脈

前脛骨動脈

前脛骨動脈（AB2）は膝窩動脈の2終枝の1つで，通常膝窩筋の下縁の高さでヒラメ筋腱弓の下で分岐し，下腿骨間膜の上端にできる穴を通って下腿の前面に出る．下腿では伸筋群の間を下行して足背に向かう．前脛骨動脈は筋枝以外に次の枝を出す：

後脛骨反回動脈 posterior tibial recurrent artery は膝窩へ向かう不定枝である．**前脛骨反回動脈**（AB10）は反転して膝関節動脈網へ向かう．**前外果動脈**（B11）と**前内果動脈**（B12）はそれぞれ外果と内果の動脈網すなわち外果動脈網 lateral malleolar network および内果動脈網 medial malleolar network に加わる枝である．

足背動脈．足背動脈（B13）は前脛骨動脈の足背上への続き（境界：距腿関節の関節隙）である．表層にあり，長母指伸筋の腱と長指伸筋の腱との間で，その拍動を触れることができる（足脈）．足背動脈からは次の枝が出る：

外側足根動脈（A14）と**内側足根動脈**（B15）は足根部の背外側と背内側の部域に分布する．

深足底動脈（B16）は足底の深部を走り，深足底動脈弓に参加する．

足根中足関節の近くで不定の**弓状動脈**（B17）から**背側中足動脈**（B18）が出て，中足骨の骨間に入る．これらは遠位で**背側指動脈**（B19）となりそれぞれの指に行く．

> **臨床関連**：強い圧迫や，鈍器による外傷の際の前脛骨動脈からの出血の結果，筋の壊死を生ずることがある（伸筋区画のコンパートメント症候群）．

A 膝窩動脈

B 前方からみた下腿と足背の動脈

---

1 膝窩動脈 popliteal artery　2 前脛骨動脈 anterior tibial artery　3 後脛骨動脈 posterior tibial artery　4 外側上膝動脈 superior lateral genicular artery　5 内側上膝動脈 superior medial genicular artery　6 中膝動脈 middle genicular artery　7 腓腹動脈 sural arteries　8 外側下膝動脈 inferior lateral genicular artery　9 内側下膝動脈 inferior medial genicular artery　10 前脛骨反回動脈 anterior tibial recurrent artery　11 前外果動脈 anterior lateral malleolar artery　12 前内果動脈 anterior medial malleolar artery　13 足背動脈 dorsalis pedis artery　14 外側足根動脈 lateral tarsal artery　15 内側足根動脈 medial tarsal arteries　16 深足底動脈 deep plantar artery　17 弓状動脈 arcuate artery　18 背側中足動脈 dorsal metatarsal arteries　19 背側指動脈 dorsal digital arteries

下腿および足の動脈（続き）

後脛骨動脈

後脛骨動脈（**A1**）は膝窩動脈の2終枝の1つで，ヒラメ筋腱弓の下で起こり，下腿では膝窩動脈の方向を継続して浅層屈筋群の腹側を下行する．遠位で内果の後ろを通って足底に入るが，ここで脈拍を触れる．後脛骨動脈は筋枝の他に次の枝を出す：

腓骨回旋枝（**A2**）は腓骨をまわって前方に向かい膝関節動脈網に加わる（249頁）．

腓骨動脈（**A3**）は後脛骨動脈とほぼ平行して起こり，長母指屈筋におおわれて腓骨に沿って下行し，外果を経て踵骨の外側面に走る．基本的に腓骨動脈は，腓骨体への**腓骨栄養動脈**（**A4**），足背へ行く**貫通枝**（**A5**），後脛骨動脈と結合する**交通枝**（**A6**），および外果へ行く**外果枝**（**A7**）とこれから出る踵骨枝を，出している．外果枝と踵骨枝は外果動脈網（**A8**）と踵骨動脈網（**A9**）の形成に関与する．

脛骨栄養動脈（**A10**）が腓骨動脈起始部の遠位で分岐して脛骨体へ入る．

内果枝（**A11**）が内果の後面に走り，そこで内果動脈網（**A12**）に供給する．

踵骨枝（**A13**）は踵骨の内側面へ走り，腓骨動脈の同名枝と一緒に，踵骨の後面に踵骨動脈網（**A9**）をつくる．

後脛骨動脈は内果の後ろを通り過ぎると，母指外転筋起始部の下で**内側足底動脈**（**B14**）と**外側足底動脈**（**B15**）の2終枝に分かれる．

内側足底動脈．これは内方の通常弱い方の終枝で，母指外転筋と短指屈筋の間で足底の内側を走る．内側足底動脈は**浅枝**（**B16**）と**深枝**（**B17**）に分かれ，前者は短母指屈筋の表層を走って母指にまで達し，後者は通常深足底動脈弓（**B18**）に終わっている．

外側足底動脈．これは後脛骨動脈の強い方の終枝で，短指屈筋と足底方形筋の間を足底の外側に向かって弓状に走り，第5中足骨頭の辺りで浅枝と深枝に分かれる．浅枝は足底および小指の外側縁を支配し，深枝は深足底動脈弓（**B18**）の形成に関与する．

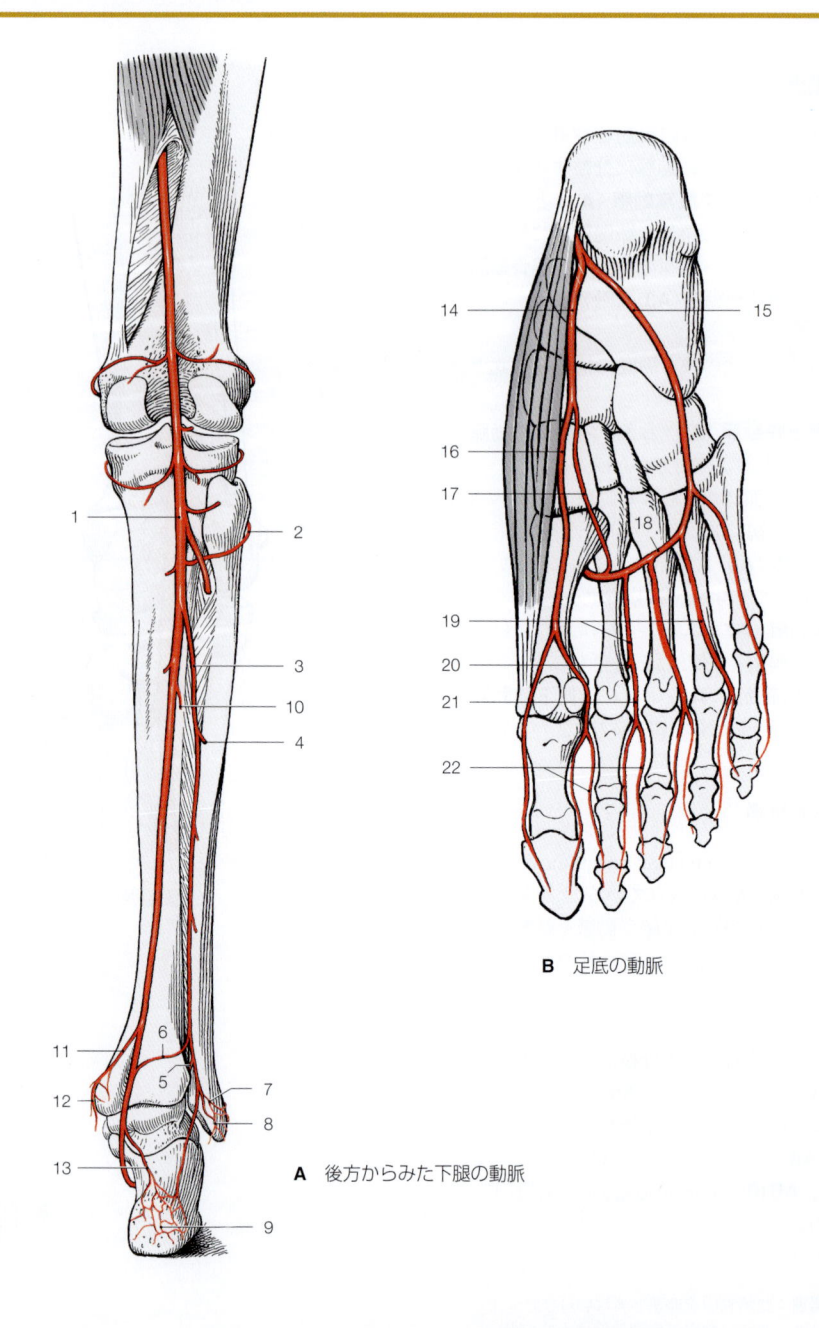

足の動脈弓

深足底動脈弓（**B18**）．深足底動脈弓は手掌の深掌動脈弓に相当し，外側足底動脈の深枝と足背動脈の深足底枝（249頁）が交通してつくられる（深足底動脈弓の変異については216頁参照）．この動脈弓から3～4本の**底側中足動脈**（**B19**）を中足骨間隙に出す．底側中足動脈は**貫通枝**（**B20**）を足背へ与えて**総底側指動脈**（**B21**）に移行し，これらは**固有底側指動脈**（**B22**）に分岐する．

手掌の浅掌動脈弓に相当する典型的な浅足底動脈弓 superficial plantar arch はヒトでは通常形成されない．

臨床関連：後脛骨動脈からの出血や腓骨動脈からのそれで，屈筋区画のコンパートメント症候群を起こすことがある．該当筋は深部の屈筋である．

A 後方からみた下腿の動脈

B 足底の動脈

1 後脛骨動脈 posterior tibial artery　2 腓骨回旋枝 circumflex fibular branch　3 腓骨動脈 fibular artery　4 腓骨栄養動脈 fibular nutrient artery　5 貫通枝 perforating branch　6 交通枝 communicating branch　7 外果枝 lateral malleolar branches　8 外果動脈網 lateral malleolar network　9 踵骨動脈網 calcaneal anastomosis　10 脛骨栄養動脈 tibial nutrient artery　11 内果枝 medial malleolar branches　12 内果動脈網 medial malleolar network　13 踵骨枝 calcaneal branches　14 内側足底動脈 medial plantar artery　15 外側足底動脈 lateral plantar artery　16 浅枝 superficial branch　17 深枝 deep branch　18 深足底動脈弓 deep plantar arch　10 底側中足動脈 plantar metatarsal arteries　20 貫通枝 perforating branches　21 総底側指動脈 common plantar digital arteries　22 固有底側指動脈 plantar digital arteries proper

静脈系

静脈系は小循環（221頁）の**肺静脈系**と大循環の**大静脈系**が区別される．大循環には無対性の腹部器官からの静脈血を肝臓に運ぶ特有な**門脈系**が含まれる(324頁)．

体系的な大循環の静脈は動脈と常に平行に走っているものではない．浅層すなわち皮膚と筋膜の間（筋膜上）に存在する**皮下静脈網** subcutaneous venous network は動脈とは全く無関係に走り，これに対して深層の筋膜下を走る**筋膜下静脈網** subfascial venous network は同名動脈の伴行静脈として動脈の供給回路と大体において一致している．深静脈系と表層静脈系は通常**貫通静脈** perforating veinsを介して交通している．

体循環系の静脈主幹（A）は上大静脈（**A1**）と下大静脈（**A2**）である（**大静脈系**）．そのほかに胸腔内の大動脈は奇静脈（**A3**）と半奇静脈（**A4**）に伴行されているが，これらは胎生期の発生における対をつくっている縦走幹の名残とみなすことができる（**奇静脈系**）．

上大静脈と下大静脈間の交通および迂回路を**上大-下大静脈吻合**といい，門脈と大静脈とのそれを**門脈-大静脈吻合**という．

大静脈系

上大静脈（**A1**）．右腕頭静脈（**A5**）と左腕頭静脈（**A6**）の合流によって生じ，各々内頸静脈（**A7**）を介して頭部と頸部からの血液ならびに鎖骨下静脈（**A8**）を介して上肢からの血液を心臓へ導いている．鎖骨下静脈と内頸静脈の合流部は"**静脈角** venous angle"といわれ，リンパ管の主幹すなわち右側では右リンパ本幹（**A9**），左側では胸管（**A10**）が開口している．

下大静脈（**A2**）．左右の総腸骨静脈（**A11**）の合流によって生じ，各々内腸骨静脈（**A12**）を介して骨盤からの血液，および外腸骨静脈（**A13**）を介して下肢からの血液を受け取っている．さらに下大静脈に流入する静脈に次のものがある：不対性の正中仙骨静脈（**A14**）；右側の精巣静脈または卵巣静脈（**A15**）；両側の腰静脈（**A16**）；両側の腎静脈（**A17**）；右側の副腎（腎上体）静脈（**A18**）；横隔膜の直下で肝静脈（**A19**）と下横隔静脈（**A20**）が下大静脈へ注ぐ．

奇静脈系

奇静脈．右側に位置している奇静脈（**A3**）は腹腔後壁において上行腰静脈（**A21**）に始まり，第3または第4胸椎の高さで奇静脈弓（**A22**）を経て上大静脈に注ぐ．**胸腔内で奇静脈に流入するものに直接入る肋間静脈以外に次のものがある：第2および第3肋間からの右上肋間静脈（A23）；半奇静脈（A4）（下記参照）；左側の第4～第8肋間静脈（A25）**からの血液を集めるが変異に富む副半奇静脈（**A24**）；さらに加えて，食道静脈，気管支静脈，心膜静脈，縦隔静脈，上横隔静脈が入る．奇静脈の**腹部**とみなされる上行腰静脈（**A21**）は腰静脈（**A16**）と肋下静脈 subcostal veinを受け入れている．

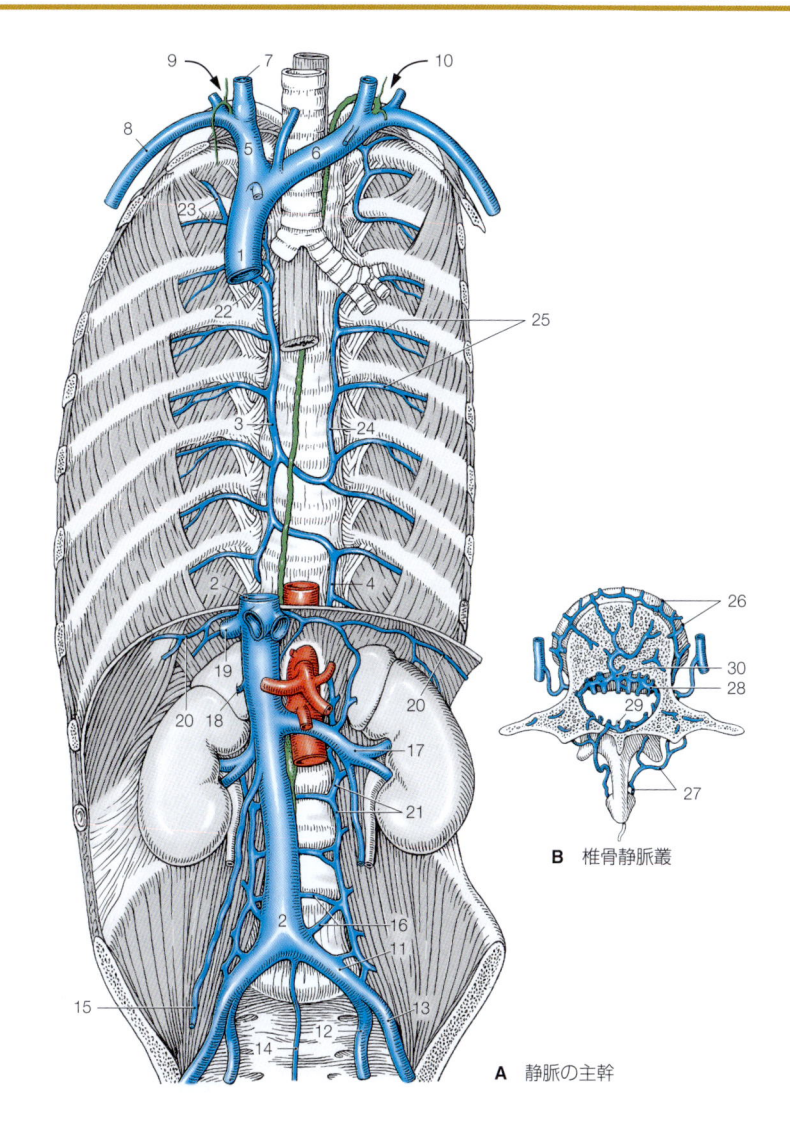

半奇静脈．左側を上行する半奇静脈（**A4**）は同様に**上行腰静脈**に始まり，腹部では奇静脈と同じであるが，胸部に入って第7または第8胸椎の高さで奇静脈に注ぐ．

> **臨床関連：**胸壁と腹壁の分節的な静脈からの血液を導く奇静脈系は，上および下の大静脈との間の側副静脈を形成しており，門脈閉鎖時に上大静脈への側副循環を成り立たせる．

脊柱の静脈

脊柱はきわめてよく発達した静脈叢を備えており，これは**内椎骨静脈叢**と**外椎骨静脈叢**の2つのグループに分けられる（**B**）．

前外椎骨静脈叢（**B26**）は椎体の腹側をおおい，**後外椎骨静脈叢**（**B27**）は背側に存在して椎弓と靱帯の周りにある．外椎骨静脈叢は椎骨静脈，肋間静脈および腰静脈を経由して還流され，内椎骨静脈叢とも交通している．**前**（**B28**）**および後内椎骨静脈叢**（**B29**）は脊柱管内で硬膜上腔 epidural spaceにあって，外椎骨静脈叢よりも強く発達している．内椎骨静脈叢は**椎体静脈**（**B30**）を介して外椎骨静脈叢と交通している．

A 静脈の主幹

B 椎骨静脈叢

---

1 上大静脈 superior vena cava **2** 下大静脈 inferior vena cava **3** 奇静脈 azygos vein **4** 半奇静脈 hemi-azygos vein **5** 右腕頭静脈 right brachiocephalic vein **6** 左腕頭静脈 left brachiocephalic vein **7** 内頸静脈 internal jugular vein **8** 鎖骨下静脈 subclavian vein **9** 右リンパ本幹 right lymphatic duct **10** 胸管 thoracic duct **11** 総腸骨静脈 common iliac vein **12** 内腸骨静脈 internal iliac vein **13** 外腸骨静脈 external iliac vein **14** 正中仙骨静脈 median sacral vein **15** 右精巣（または卵巣）静脈 right testicular (or ovarian) vein **16** 腰静脈 lumbar veins **17** 腎静脈 renal veins **18** 右副腎（腎上体）静脈 right suprarenal vein **19** 肝静脈 hepatic veins **20** 下横隔静脈 inferior phrenic veins **21** 上行腰静脈 ascending lumbar vein **22** 奇静脈弓 arch of azygos vein **23** 右上肋間静脈 right superior intercostal vein **24** 副半奇静脈 accessory hemi-azygos vein **25** 第4～8肋間静脈 intercostal veins（Ⅳ～Ⅷ） **26** 前外椎骨静脈叢 anterior external vertebral venous plexus **27** 後外椎骨静脈叢 posterior external vertebral venous plexus **28** 前内椎骨静脈叢 anterior internal vertebral venous plexus **29** 後内椎骨静脈叢 posterior internal vertebral venous plexus **30** 椎体静脈 basivertebral veins

上大静脈の還流領域

上大静脈（**AB1**）の幹は**右**（**AB2**）および**左腕頭静脈**（**A3**）の合流によってつくられる．左腕頭静脈は右よりも長く，大動脈弓（**A4**）とその枝の上を左上から右下に向かって斜めに走る．

腕頭静脈

腕頭静脈は両側で**内頸静脈**（**AB5**）と**鎖骨下静脈**（**AB6**）が合してつくられる．腕頭静脈に注ぐ静脈には通常次のものがある：

下甲状腺静脈（**A8**）が甲状腺の尾部領域につくられる発達のよい**不対甲状腺静脈叢**（**A7**）から出て左腕頭静脈へ注ぐ．

周囲の構成物すなわち胸腺，心膜，気管支，気管および食道などからの**小さな静脈**が注ぐ．

椎骨静脈（**AB9**）は通常第7頸椎横突孔から出てくる．この静脈は頭蓋腔および椎骨静脈叢と交通している．

深頸静脈 deep cervical vein が後頭骨と環椎の間にできる**後頭下静脈叢**から起こる．

内胸静脈（**A10**）は内胸動脈に伴行する対の静脈である．

最上肋間静脈 supreme intercostal vein と**左上肋間静脈** left superior intercostal vein が腕頭静脈に注ぐ．

頸部の静脈

内頸静脈．内頸静脈（**AB5**）は頸部の主幹静脈であり，総頸動脈，迷走神経とともに血管-神経-索をつくって共通の結合組織鞘の中を走る．内頸静脈は頸静脈孔に始まり静脈角 venous angle に達する．頸静脈孔内にある初部は膨大しており**頸静脈上球**（**B11**）といわれ，鎖骨下静脈と合流する直前で再び膨大して**頸静脈下球**（**B12**）と呼ばれる．この静脈は頭蓋腔，頭部，および頸部の大部分からの血液を受け入れており，頭蓋腔以外から還流するものに次の静脈がある：

咽頭側壁にある咽頭静脈叢からの**咽頭静脈** pharyngeal veins；脳硬膜からの小さな静脈である**硬膜静脈** meningeal veins；同名動脈の経過および分布領域にほぼ一致する**舌静脈**（**B13**）；上喉頭静脈 superior laryngeal vein を受け入れている**上甲状腺静脈**（**B14**）；**中甲状腺静脈** middle thyroid veins；**胸鎖乳突筋静脈** sternocleidomastoid vein；**顔面静脈**（**B15**）は内眼角で眼角静脈（**B16**）として始まり，これを介して眼静脈 ophthalmic vein と吻合している．顔面静脈は顔面の浅層および深部領域からの血液を受け取り，大きな血管として**下顎後静脈**（**B17**）を受けている．下顎後静脈には頭蓋冠からの浅側頭静脈（**B18**）と翼突筋静脈叢（**B19**）からの顎静脈 maxillary veins が注ぎ込んでいる．翼突筋静脈叢は顎動脈の分布領域に広がっており，咀嚼筋群の間に存在する．なお，下顎角のところで顔面静脈と下顎後静脈が合して内頸静脈に注ぐ短管の部を総顔面静脈 common facial vein と呼ぶことがある．

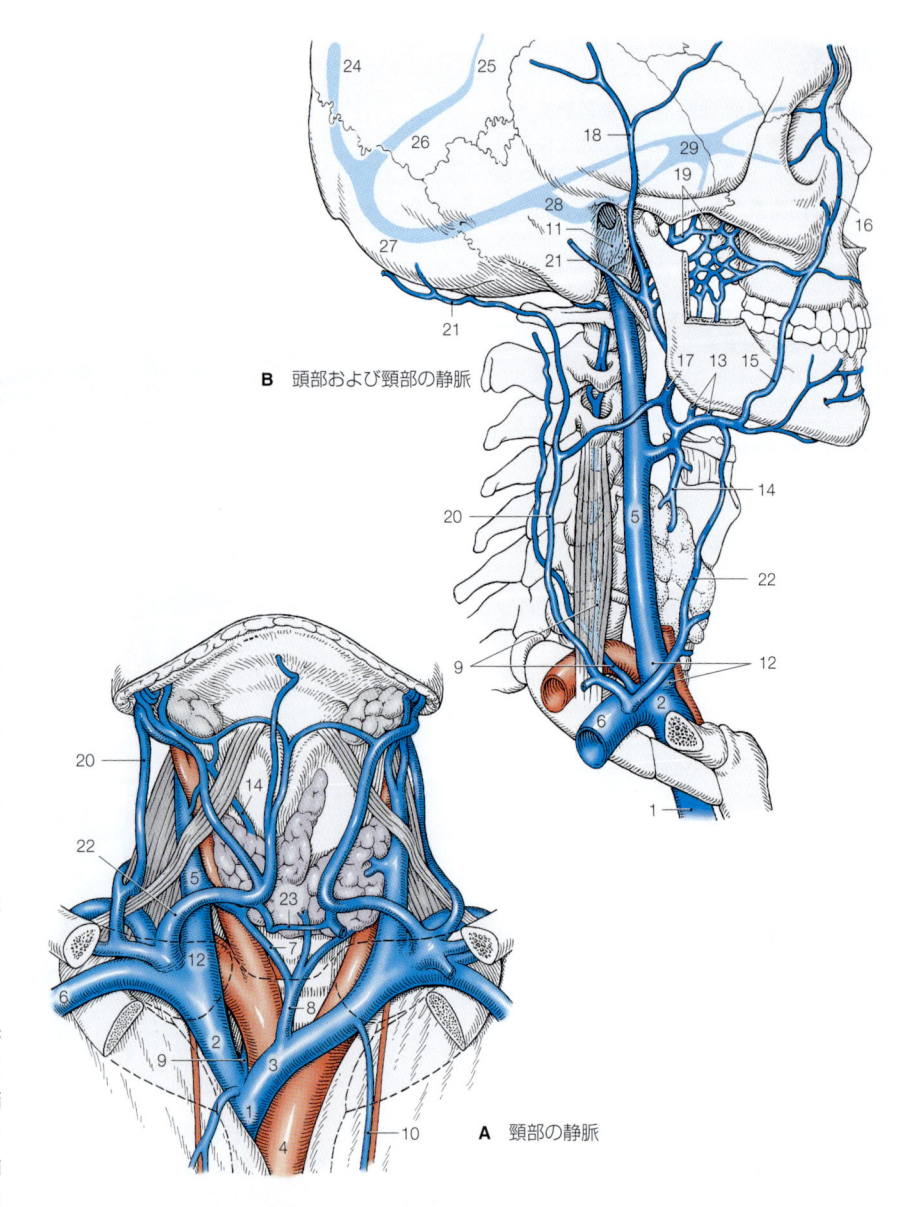

外頸静脈．外頸静脈（**AB20**）は後頭静脈（**B21**）と**後耳介静脈** posterior auricular vein が合流して生じ，頸部の表層すなわち筋膜の上につくられる**皮静脈**の幹である．この静脈は胸鎖乳突筋の表層を交叉しながら下行し，静脈角の近くで内頸静脈かまたは鎖骨下静脈に開く．また，**頸横静脈** transverse cervical veins と**肩甲上静脈** suprascapular vein が通常外頸静脈に注ぐ．

頸部での第2の皮静脈の幹として**前頸静脈**（**AB22**）がしばしば外頸静脈に開く．この静脈は舌骨の高さに始まり，胸骨の直上で対側の同名静脈と横走する吻合すなわち**頸静脈弓**（**A23**）をつくっている．

B 頭部および頸部の静脈

A 頸部の静脈

---

1 上大静脈 superior vena cava　2 右腕頭静脈 right brachiocephalic vein　3 左腕頭静脈 left brachiocephalic vein　4 大動脈弓 aortic arch　5 内頸静脈 internal jugular vein　6 鎖骨下静脈 subclavian vein　7 不対甲状腺静脈叢 unpaired thyroid plexus　8 下甲状腺静脈 inferior thyroid vein　9 椎骨静脈 vertebral vein　10 内胸静脈 internal thoracic vein　11 頸静脈上球 superior bulb of jugular vein　12 頸静脈下球 inferior bulb of jugular vein　13 舌静脈 lingual vein　14 上甲状腺静脈 superior thyroid vein　15 顔面静脈 facial vein　16 眼角静脈 angular vein　17 下顎後静脈 retromandibular vein　18 浅側頭静脈 superficial temporal veins　19 翼突筋静脈叢 pterygoid plexus　20 外頸静脈 external jugular vein　21 後頭静脈 occipital vein　22 前頸静脈 anterior jugular vein　23 頸静脈弓 jugular venous arch　24 上矢状静脈洞 superior sagittal sinus　25 下矢状静脈洞 inferior sagittal sinus　26 直静脈洞 straight sinus　27 横静脈洞 transverse sinus　28 S状静脈洞 sigmoid sinus　29 海綿静脈洞 cavernous sinus

硬膜静脈洞

頭蓋内部からの静脈血の大部分は**硬膜静脈洞** dural venous sinusesという導血路を経て内頸静脈に注いでいる．硬膜静脈洞は脳硬膜 cranial dura materの内葉と外葉の間にある間隙で，頭蓋骨内面の骨膜に接してつくられている．この静脈洞の内面は内皮で内張りされているが弁は備えていない．

幾つかの大きな硬膜静脈洞が内後頭隆起の高さで**静脈洞交会**（AB1）に合流する．静脈洞交会から**横静脈洞**（AB2）が始まり，これは後頭骨の横洞溝の中を小脳テントの付着部に沿って外前方に走って**S状静脈洞**（AB3）に移行する．S状静脈洞は側頭骨錐体の後部でその下縁をS字状に走って頸静脈孔に達し，ここから始まる内頸静脈に注ぐ．

辺縁静脈洞（AB4）が大後頭孔の周りに存在し，この静脈洞は椎骨静脈叢と交通している．

大後頭孔の周辺で無対の**後頭静脈洞**（AB5）が始まり，小脳鎌 falx cerebelliの根部を走って辺縁静脈洞と静脈洞交会との交通をつくっている．

斜台 clivusの上面につくられている静脈叢は**脳底静脈叢**（AB6）といわれ，前方の海綿静脈洞と後方の辺縁静脈洞の間に位置して，これらと交通している．

海綿静脈洞（AB7）は蝶形骨トルコ鞍および下垂体（A8）の両側に存在する．海綿静脈洞を通って内頸動脈と外転神経 abducent nerveが走り，その外側壁を動眼神経 oculomotor nerve，滑車神経 trochlear nerve，眼神経 ophthalmic nerveおよび上顎神経 maxillary nerveが走っている．

海綿静脈洞の洞腔と交通しているものに次のものがある：

— 上眼静脈（A9）を介して眼角静脈（顔面静脈），
— 蝶形骨頭頂静脈洞（AB10）を介して上矢状静脈洞，これは両側で蝶形骨小翼の縁に沿って走る．
— 海綿間静脈洞（AB11）を介して対側の海綿静脈洞，
— 下錐体静脈洞（AB12）を介して内頸静脈，これは両側で側頭骨錐体の下縁を走り，内耳からの迷路静脈 labyrinthine veinsを受け入れている．
— 上錐体静脈洞（AB13）を介してS状静脈洞．

上矢状静脈洞（B15）は無対の大きな静脈洞で，鶏冠に始まる大脳鎌（AB14）の上縁に沿って内後頭隆起に達し，静脈洞交会（AB1）に合流する．

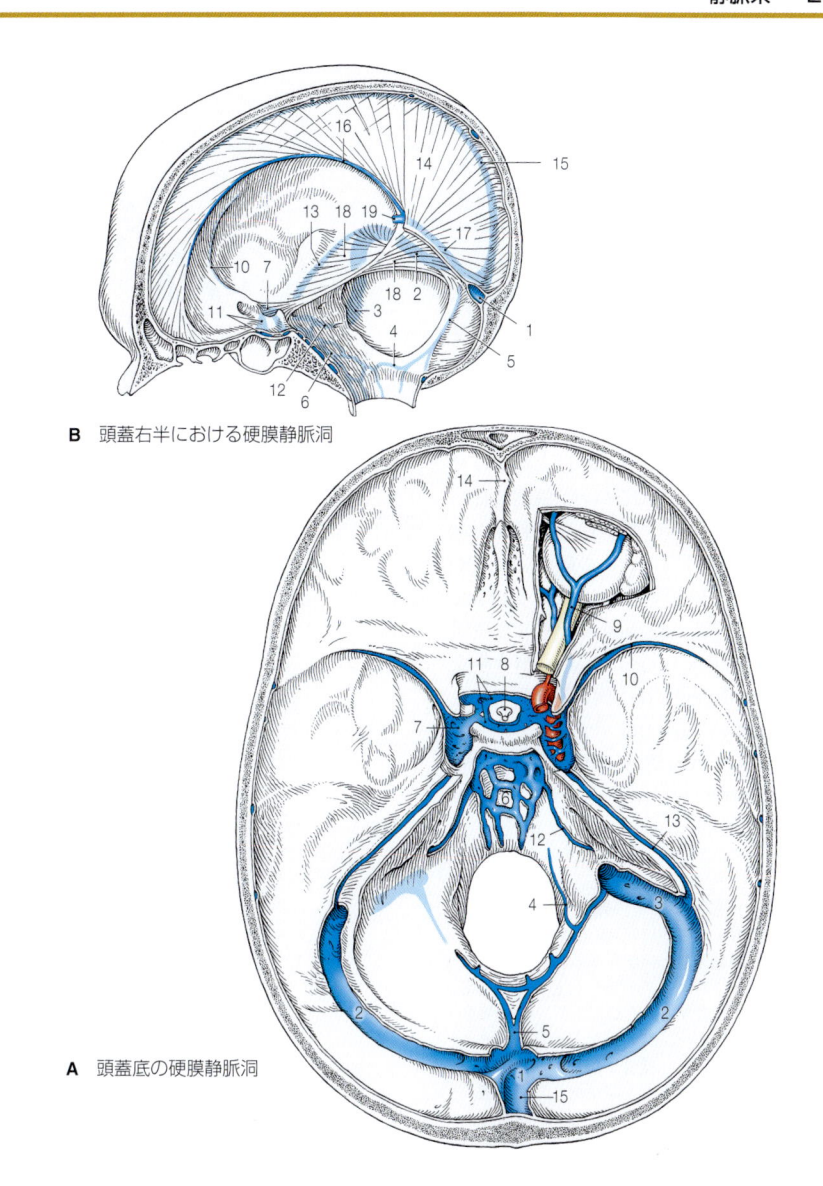

下矢状静脈洞（B16）は大脳鎌の下縁中を後方へ走り，**直静脈洞**（B17）を介して静脈洞交会に終わる．直静脈洞は大脳鎌と小脳テント（B18）が合するところにある静脈洞で，その前端で大大脳静脈（B19）を受け入れている．

その他の頭蓋内および頭蓋外の還流路

大脳静脈 cerebral veins．大脳の静脈は大脳の表面にある**浅大脳静脈** superficial cerebral veinsと内部にある**深大脳静脈** deep cerebral veinsが区別される．前者は直接に硬膜静脈洞へ注ぎ，後者は大大脳静脈を介して硬膜静脈洞に還流する（大脳の静脈の名称と還流領域については560頁以下を参照せよ）．

板間静脈 diploic veins．これは頭蓋骨の板間層（海綿質）を走る静脈で硬膜静脈洞だけでなく頭蓋表層の静脈とも交通している．板間静脈は硬膜および頭蓋冠の血液を受け入れ次のものがある：前頭板間静脈，前側頭板間静脈，後側頭板間静脈，後頭板間静脈．

導出静脈 emissary veins．これは頭蓋骨にできる孔または管を貫いて硬膜静脈洞と頭蓋外の静脈とを直接連結するもので次のものがある：

— 頭頂導出静脈 parietal emissary vein（上矢状静脈洞―浅側頭静脈）
— 乳突導出静脈 mastoid emissary vein（S状静脈洞―後頭静脈）
— 顆導出静脈 condylar emissary vein（S状静脈洞―外椎骨静脈叢）
— 後頭導出静脈 occipital emissary vein（静脈洞交会―後頭静脈）
— その他，舌下神経管静脈叢，卵円孔静脈叢，頸動脈管静脈叢など．

B 頭蓋右半における硬膜静脈洞

A 頭蓋底の硬膜静脈洞

---

1 静脈洞交会 confluence of sinuses　2 横静脈洞 transverse sinus　3 S状静脈洞 sigmoid sinus　4 辺縁静脈洞 marginal sinus　5 後頭静脈洞 occipital sinus　6 脳底静脈叢 basilar plexus　7 海綿静脈洞 cavernous sinus　8 下垂体 pituitary gland　9 上眼静脈 superior ophthalmic vein　10 蝶形骨頭頂静脈洞 sphenoparietal sinus　11 海綿間静脈洞 intercavernous sinus　12 下錐体静脈洞 inferior petrosal sinus　13 上錐体静脈洞 superior petrosal sinus　14 大脳鎌 cerebral falx　15 上矢状静脈洞 superior sagittal sinus　16 下矢状静脈洞 inferior sagittal sinus　17 直静脈洞 straight sinus　18 小脳テント cerebellar tentorium　19 大大脳静脈 great cerebral vein

上肢の静脈

鎖骨下静脈．鎖骨下静脈（**A1**）は腋窩静脈（**A2**）の続きとして上肢の血液を静脈角へ導く．この静脈は胸鎖乳突筋と前斜角筋との間に存在して，胸鎖関節の後ろで腕頭静脈をつくるために内頸静脈と合流する．鎖骨下静脈には，頸部の皮静脈のほかに，**胸筋枝** pectoral veins，**背側肩甲静脈** dorsal scapular vein（時々），および**胸肩峰静脈** thoraco-acromial vein（時々）が注いでいる．

腋窩静脈．腋窩静脈（**AC2**）は大胸筋の下縁から第1肋骨の下までをいい，腋窩においては腋窩動脈と伴行しており，この動脈からの供給領域からの血液を次の静脈を介して還流している：外側胸静脈 lateral thoracic vein；肩甲下静脈 subscapular vein；肩甲回旋静脈 circumflex scapular vein；胸背静脈 thoracodorsal vein；後上腕回旋静脈 posterior circumflex humeral vein；前上腕回旋静脈 anterior circumflex humeral vein；胸腹壁静脈 thoraco-epigastric veins；乳頭の周りの乳輪静脈叢 areolar venous plexus．

> **臨床関連**：深静脈である内頸静脈と鎖骨下静脈はその位置が比較的に安定しているので，しばしば**中心静脈穿刺** central venous puncture (CVP) に利用される．内頸静脈は初心者でも比較的に容易に到達することができて，合併症もめったに発生しないことからCVPの穿刺部位として選択されている．鎖骨下静脈の穿刺には鎖骨上または鎖骨下からの入路があり，その際，腕神経叢，鎖骨下動脈，さらには胸膜を損傷する恐れがあり，後者の場合には引き続いて気胸 pneumothoraxをひき起こすこともある．

上肢の深静脈．上肢の**深静脈** deep veinは動脈に伴行する1対の静脈となっており，次のものがある：

上腕動脈に伴行し，近位で一本の腋窩静脈に合一する**上腕静脈**（**A3**）；尺側の血管-神経路を走る**尺骨静脈**（**A4**）；橈骨動脈の伴行静脈としての**橈骨静脈**（**A5**）；骨間膜に沿って同名動脈に伴行する**前骨間静脈**（**A6**）と**後骨間静脈**（**A7**）；手掌における**深掌静脈弓**（**A8**）と**掌側中手静脈**（**A9**）．

上肢の皮静脈．**皮静脈** cutaneous vein（=浅静脈 superficial vein）は，深静脈とは逆に動脈とは全く関係なく走り，皮下で筋膜より浅層に存在していて，豊富な**静脈網** venous plexusを形成している．上肢の皮静脈は基本的にその起始を手背のよく発達した静脈叢 venous plexusすなわち**手背静脈網**（**B10**）に起こるが，さほど発達していない手掌の浅掌静脈弓（**C11**）からの血液も流れ込んでいる．

手背静脈網の橈側から**橈側皮静脈**（**BC12**）が起こり（**B**），この静脈は屈側に向かい，前腕では橈側を近位方に上行し，上腕では外側二頭筋溝を走って（**C**），鎖骨胸筋三角で筋膜を貫いて腋窩静脈に注ぐ（181頁参照）．

尺骨の遠位端で手背静脈網の尺側から**尺側皮静脈**（**C13**）が起こり，前腕の尺側を上行する．この静脈は上腕の中ほどで筋膜を貫いて内側二頭筋溝に達し，通常2本ある上腕静脈の1つに注ぐ．

橈側皮静脈と尺側皮静脈は肘窩の高さで，多くの場合**肘正中皮静脈**（**C14**）を介して結ばれており，これは外下方から内上方に向かって走る．肘窩にはほかにも深静脈と交通する皮静脈がある．上肢での皮静脈の形成はきわめて変異に富んでいる（187頁参照）．

> **臨床関連**：手背および肘窩における皮静脈はしばしば**静脈内注射** intravenous injection または**採血** blood withdrawalの際に使用される．

A 上肢の深静脈

B 手背の皮静脈

C 上肢の皮静脈と手掌の皮静脈

---

1 鎖骨下静脈 subclavian vein　2 腋窩静脈 axillary vein　3 上腕静脈 brachial veins　4 尺骨静脈 ulnar veins　5 橈骨静脈 radial veins　6 前骨間静脈 anterior interosseous veins　7 後骨間静脈 posterior interosseous veins　8 深掌静脈弓 deep venous palmar arch　9 掌側中手静脈 palmar metacarpal veins　10 手背静脈網 dorsal venous network of hand　11 浅掌静脈弓 superficial venous palmar arch　12 橈側皮静脈 cephalic vein　13 尺側皮静脈 basilic vein　14 肘正中皮静脈 median cubital vein

下大静脈の還流領域

腸骨静脈

総腸骨静脈

下大静脈（**B1**）は左右の総腸骨静脈が合一して起こるが，この**総腸骨静脈**（**AB2**）は仙腸関節から第4腰椎にまで達しており，仙腸関節の前でその側の**内腸骨静脈**と**外腸骨静脈**が合流して生じる．下大静脈が大動脈の右側を上行するために左側の総腸骨静脈は右総腸骨動脈の後ろを交差する．総腸骨静脈には，両側で**腸腰静脈** iliolumbar vein を受け入れ，左側で**正中仙骨静脈**（**AB3**）が注いでいる．

内腸骨静脈

内腸骨静脈（**AB4**）は弁が無く，短い静脈幹で，骨盤内臓，骨盤壁，会陰の静脈を受け入れている．

体幹壁の静脈

上殿静脈（**AB5**）は上殿動脈の伴行静脈として梨状筋上孔を通って骨盤内に達し，内腸骨静脈に注ぐ．

下殿静脈（**AB6**）は下殿動脈の分布域に相当した静脈血を集めて梨状筋下孔を通って骨盤内に入る．

閉鎖静脈（**B7**）は大腿の内転筋群からの血液を集め，閉鎖孔を通って骨盤内に達する．

外側仙骨静脈（**B8**）は仙骨の前面につくられる仙骨静脈叢（**B9**）からの血液を集める．

骨盤内臓の周囲には発達した静脈叢が存在する：**直腸静脈叢**（**AB10**）の血液はその大部分が中直腸静脈（**AB11**）を経て還流し，上直腸静脈 superior rectal vein と交通している．

内臓枝

膀胱静脈叢（**AB12**）は前立腺静脈叢または腟静脈叢（**B13**）ならびに深陰茎背静脈または深陰核背静脈を受け入れている；**子宮静脈叢**（**AB14**）は子宮静脈 uterine vein を経て還流する；これらの尿生殖器の静脈叢は互いの間で交通している．

骨盤底領域および会陰の静脈血は**内陰部静脈**（**B15**）によって集められる．この枝に次の静脈枝がある：
— 陰茎深静脈または陰核深静脈（**B16**），
— 下直腸静脈 inferior rectal veins，
— 後陰嚢静脈 posterior scrotal veins または後陰唇静脈 posterior labial veins，
— 尿道球静脈 vein of bulb of penis または前庭球静脈 vein of bulb of vestibule.

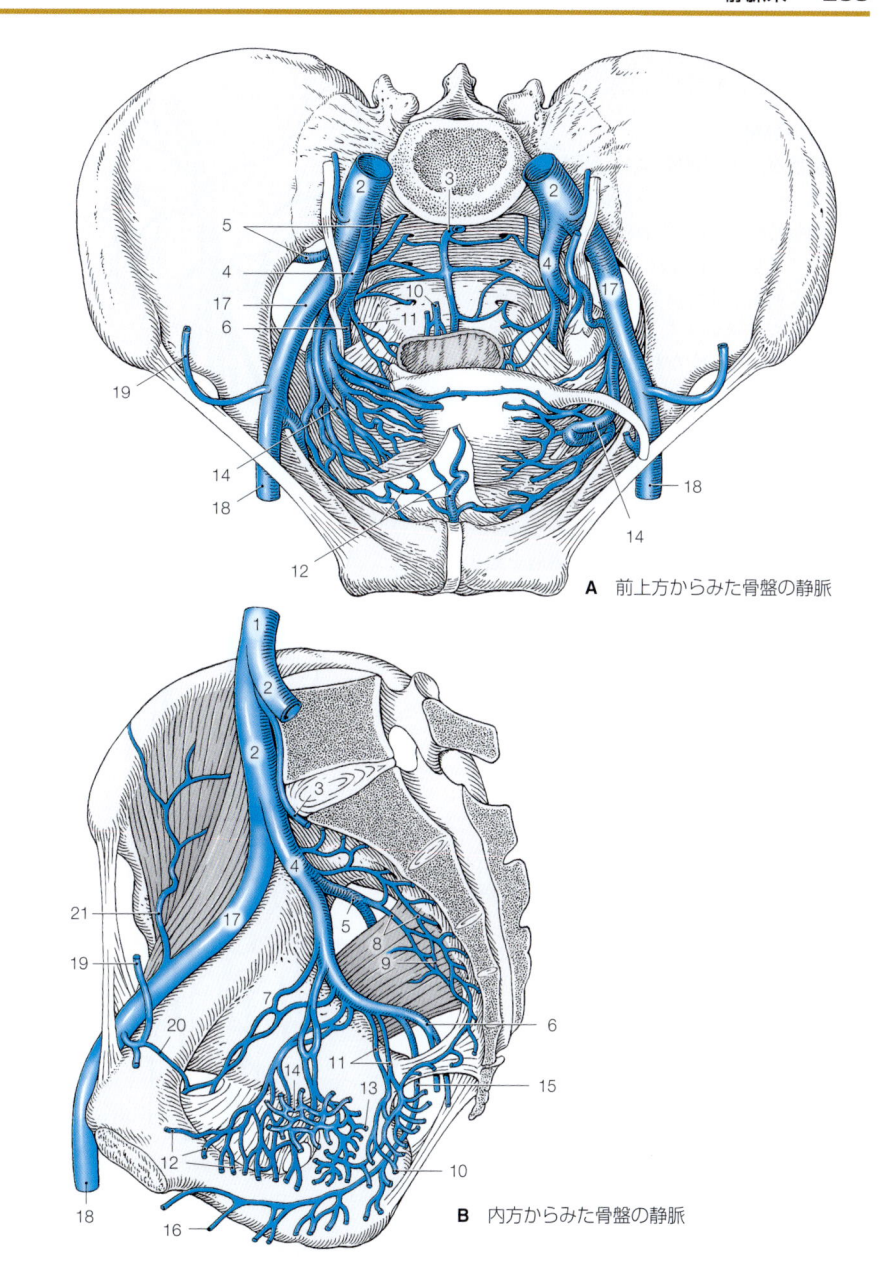

外腸骨静脈

外腸骨静脈（**AB17**）は大腿静脈（**AB18**）の近位への続きで，その経過は鼠径靱帯の下部（血管裂孔）に始まり，内腸骨静脈と合一するまでをいう．次の三つの還流域の血液のみを受け入れている：

下腹壁静脈（**AB19**）は同名動脈の分布域の血液を集め，前腹壁の後面を走る．

恥骨枝（**B20**）は閉鎖静脈と吻合している．まれな症例では閉鎖静脈にとって代わることもある（副閉鎖静脈 accessory obturator vein）．

深腸骨回旋静脈（**B21**）は同名動脈の伴行静脈である．

A 前上方からみた骨盤の静脈

B 内方からみた骨盤の静脈

1 下大静脈 inferior vena cava　2 総腸骨静脈 common iliac vein　3 正中仙骨静脈 median sacral vein　4 内腸骨静脈 internal iliac vein　5 上殿静脈 superior gluteal veins　6 下殿静脈 inferior gluteal veins　7 閉鎖静脈 obturator veins　8 外側仙骨静脈 lateral sacral veins　9 仙骨静脈叢 sacral venous plexus　10 直腸静脈叢 rectal venous plexus　11 中直腸静脈 middle rectal veins　12 膀胱静脈叢 vesical venous plexus　13 前立腺（または腟）静脈叢 prostatic (vaginal) venous plexus　14 子宮静脈叢 uterine venous plexus　15 内陰部静脈 internal pudendal vein　16 陰茎（または陰核）深静脈 deep veins of penis (clitoris)　17 外腸骨静脈 external iliac vein　18 大腿静脈 femoral vein　19 下腹壁静脈 inferior epigastric vein　20 恥骨枝 pubic branch　21 深腸骨回旋静脈 deep circumflex iliac vein

下肢の静脈

下肢の深静脈

大腿静脈． 大腿静脈（**A1**）は大腿における深静脈の幹であり，大腿動脈の伴行静脈として内転筋管の腱裂孔から鼠径靱帯にまで達する．大腿静脈は伏在裂孔（204頁参照）の領域で直接かまたは大伏在静脈（**ABDE2**）を経由していろいろな領域からの皮静脈を受け入れている：すなわち，

外陰部静脈（**AB3**）は浅陰茎（または陰核）背静脈および前陰嚢（または陰唇）静脈を経て外生殖器からの血液を還流する．

浅腸骨回旋静脈（**AB4**）は鼠径部領域における同名動脈の伴行静脈である．

浅腹壁静脈（**AB5**）は前腹壁の表層を走り（**B**），臍の周囲で胸腹壁静脈（**B6**）および臍傍静脈（**B7**）と吻合する．したがって，浅腹壁静脈は胸腹壁静脈を介して下大静脈の流域と上大静脈の流域との交通（**下大-上大静脈吻合**）をつくり，また臍傍静脈を介して門脈循環（324頁）との交通（**門脈-下大静脈吻合**）をもつことになる．

大腿深静脈（**A8**）は大腿静脈に注ぐ最大の枝で，同名動脈に伴行する次の静脈を受ける：
— 股関節の領域からの内側大腿回旋静脈（**A9**）と外側大腿回旋静脈（**A10**），
— 大腿後側からの貫通静脈 perforating veins．

膝窩静脈． 膝窩静脈（**AC11**）は膝窩動脈の伴行静脈で，同名動脈に伴行する**前脛骨静脈**（**AC12**）と**後脛骨静脈**（**AC13**）の合流によってつくられる．膝窩静脈は下腿からの**腓腹静脈** sural veins および膝からの**膝静脈** genicular veins を受け，また皮静脈である小伏在静脈が流入する．なお，後脛骨静脈に**腓骨静脈**（**AC14**）が注いでいる．

下肢の大きな動脈に伴行する静脈は膝窩静脈より近位では単一の静脈であるが，それより遠位では対性の伴行静脈となっている．また，下腿の深静脈は足背および足底から起こって筋膜の表層を上行する皮静脈と貫通静脈（**C15**）を介して交通している．

下肢の皮静脈

大伏在静脈． 大伏在静脈（**ABDE2**）は筋膜上を走る大きな皮静脈で，足の内側縁に始まり，内果の前を通って，下肢の内側を上行し，伏在裂孔で大腿静脈に注ぐ．この皮静脈は小伏在静脈（**ACE17**）としばしば交通している**副伏在静脈**（**A16**）を受け入れ，また**貫通静脈**（**C15**）を介して深静脈と交通している．伏在裂孔で**外陰部静脈，浅腸骨回旋静脈，**および**浅腹壁静脈**が大腿静脈に直接開口しないときは大伏在静脈を経て注ぐことになる（上記も参照）．

小伏在静脈． 小伏在静脈（**ACE17**）は足の外側縁に起こり，外果の後ろをまわって，下腿の後面を上行し，膝窩で膝窩静脈に注ぐ．足背および足底から小伏在静脈に（部分的には大伏在静脈，前および後脛骨静脈に）注ぐものに次のものがある：すなわち，

足背の**足背静脈網**（**D18**）と**足背静脈弓**（**D19**），これらは背側指静脈（**D20**）および背側中足静脈 dorsal metatarsal veins から生じる；足底の**足底静脈網**（**E21**）と**足底静脈弓**（**E22**），これらは底側指静脈（**E23**）および底側中足静脈（**E24**）から起こる．なお，足背および足底の静脈弓は中足骨頭間静脈 intercapitular veins を介して交通している．**外側足縁静脈**（**E25**）は小伏在静脈と，**内側足縁静脈**（**E26**）は大伏在静脈と交通している．

> **臨床関連：**大および小伏在静脈の拡張と蛇行をひき起こして**静脈瘤** varix が生じることがある．静脈弁が閉鎖に陥ると，静脈血の心臓への還流が低下する．

A 大腿と膝の深静脈と皮静脈
B 体壁の皮静脈
C 下腿の深静脈と皮静脈
E 足底の静脈
D 足背の静脈網

---

1 大腿静脈 femoral vein　2 大伏在静脈 great saphenous vein　3 外陰部静脈 external pudendal veins　4 浅腸骨回旋静脈 superficial circumflex iliac vein　5 浅腹壁静脈 superficial epigastric vein　6 胸腹壁静脈 thoraco-epigastric veins　7 臍傍静脈 para-umbilical veins　8 大腿深静脈 deep vein of thigh　9 内側大腿回旋静脈 medial circumflex femoral veins　10 外側大腿回旋静脈 lateral circumflex femoral veins　11 膝窩静脈 popliteal vein　12 前脛骨静脈 anterior tibial veins　13 後脛骨静脈 posterior tibial veins　14 腓骨静脈 fibular (peroneal) veins　15 貫通静脈 perforating veins　16 副伏在静脈 accessory saphenous vein　17 小伏在静脈 small saphenous vein　18 足背静脈網 dorsal venous network of foot　19 足背静脈弓 dorsal venous arch of foot　20 背側指静脈 dorsal digital veins　21 足底静脈網 plantar venous network　22 足底静脈弓 plantar venous arch　23 底側指静脈 plantar digital veins　24 底側中足静脈 plantar metatarsal veins　25 外側足縁静脈 lateral marginal vein　26 内側足縁静脈 medial marginal vein

リンパ管とリンパ節

リンパ管

リンパ管は基本的には次のような部分が区別される：
- 毛細リンパ管 lymphatic capillary
- 集合リンパ管 lymphatic vessels
- 大リンパ本幹 lymphatic trunks

リンパ管系． リンパ管系は末梢において盲端で始まり，弁をもたない**毛細リンパ管**によってリンパを受け取っている．**リンパ** lymph は透明な液体で，動脈性毛細血管の血液から間質の中に濾過されて生じる．リンパはリンパ管系を介して静脈角に運ばれ，したがって再び血管系に戻っていく．毛細リンパ管はその起始部では**毛細リンパ管網** lymphatic rete を形成しており，これらは幾度も分枝・吻合を繰り返し，毛細リンパ管の合流によって本来の薄壁の**リンパ管** lymphatic vessel がつくられる．リンパ管はやがて弁をもつようになり，リンパ流をリンパ路の途中に介在している**リンパ節** lymph node に定期的に導く．リンパ管は一般的な筋膜との位置関係に応じて，表層にある**浅リンパ管** superficial lymphatic vessels と深層にある**深リンパ管** deep lymphatic vessels とが区別されるが，すべてのリンパ管のリンパは最終的には2本の大きなリンパ主幹すなわち左側の**胸管**（**AB1**）と右側の**右リンパ本幹**（**B17**）に集められる．

リンパ管の主幹

胸管． 胸管（**AB1**）はリンパ管系の主幹であり，**横隔膜**（**A2**）の下で，いつも**大動脈**（**A4**）の右にある紡錘形の膨らみ，すなわち**乳糜槽**（**AB3**）から始まる．胸管は長さ40cmで次の部分が区別される（**B**）：すなわち，第1腰椎の前にある短い**腹部** abdominal part（**I**）；長い**胸部** thoracic part（**II**）；第7頸椎の前にある短い**頸部** cervical part（**III**）；膨大部様に少し拡張して左静脈角（**AB5**）に開口する直前の弓状に走る部分すなわち**胸管弓** arch of thoracic duct（**IV**）．

胸管は身体下半のすべてのリンパと左上半身のリンパを集めており，これに流入するものに次のものがある：すなわち，**右腰リンパ本幹**（**B11**）ならびに**左腰リンパ本幹**（**B12**）は両下肢，骨盤内臓，骨盤壁，腹部内臓（腎臓，副腎，尿管など）と腹壁の一部からのリンパを集めて乳糜槽に運ぶ．

腸リンパ本幹（**B13**）は腸管およびそのほかの不対性の腹部内臓（膵臓，脾臓，一部を除く肝臓）からのリンパを集めて胸管に達している．腸リンパ本幹は通常腰リンパ本幹と合流して胸管に入る．

左気管支縦隔リンパ本幹（**B14**）は胸腔からのリンパを集め，左側での幾本ものリンパ本幹の合流によって生じ，直接胸管に入る．

左鎖骨下リンパ本幹（**B15**）は左上肢と胸壁左半の軟部組織からのリンパを胸管へ導く．

左頸リンパ本幹（**B16**）は頭と頸のリンパを導き，胸管に入るかまたは静脈角で2つの大きな血管のどちらかに直接入る．

右リンパ本幹（右胸管）． 右リンパ本幹（**B17**）は右上半身のリンパを集め，右静脈角に注ぐ．これは**右気管支縦隔リンパ本幹**（**B18**），**右鎖骨下リンパ本幹**（**B19**），および**右頸リンパ本幹**（**B20**）を受け取り，それぞれの還流領域は左側での身体部位に対応している．

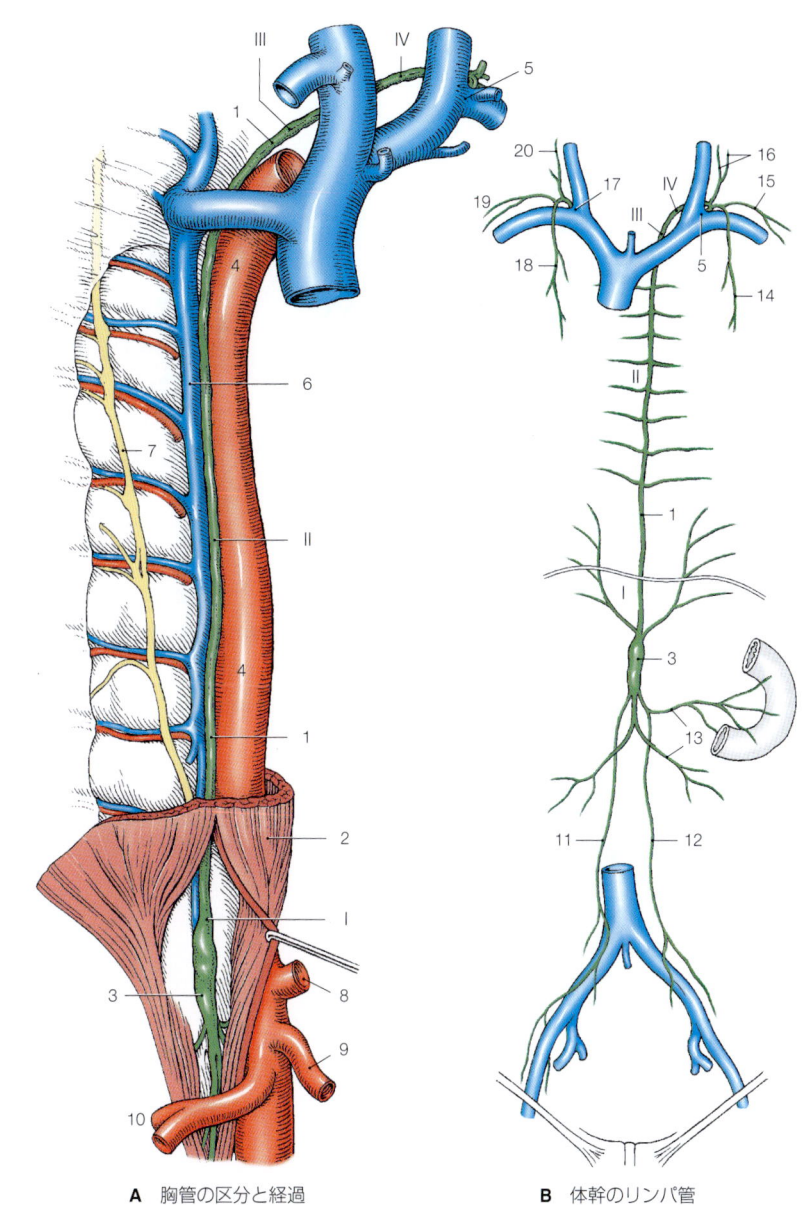

A 胸管の区分と経過

B 体幹のリンパ管

---

1 胸管 thoracic duct　2 横隔膜 diaphragm　3 乳糜槽 cisterna chyli　4 大動脈 aorta　5 左静脈角 left venous angle　6 奇静脈 azygos vein　7 右交感神経幹 right sympathetic trunk　8 腹腔動脈 coeliac trunk　9 上腸間膜動脈 superior mesenteric artery　10 右腎動脈 right renal artery　11 右腰リンパ本幹 right lumbar (lymphatic) trunk　12 左腰リンパ本幹 left lumbar trunk　13 腸リンパ本幹 intestinal trunks　14 左気管支縦隔リンパ本幹 left bronchomediastinal trunk　15 左鎖骨下リンパ本幹 left subclavian trunk　16 左頸リンパ本幹 left jugular trunk　17 右リンパ本幹（右胸管）right lymphatic duct (right thoracic duct)　18 右気管支縦隔リンパ本幹 right bronchomediastinal trunk　19 右鎖骨下リンパ本幹 right subclavian trunk　20 右頸リンパ本幹 right jugular trunk

頭，頸，上肢の所属リンパ節

限局した身体領域あるいはある器官に割り振られた**リンパ節** lymph node のグループを**所属リンパ節** regional lymph nodes（最初の濾過部）といい，所属リンパ節からのリンパを集める後続のリンパ節を**集合リンパ節** collecting lymph nodes という．

頭．僧帽筋起始腱の表層にある**後頭リンパ節（A1）**は後頭および項部からの，乳様突起の上にある**乳突リンパ節（A2）**は耳介と頭皮の一部からのリンパを受け取る．耳下腺筋膜の上にある**浅耳下腺リンパ節（A3）**と筋膜の下にある**深耳下腺リンパ節（A4）**は耳下腺，眼瞼の一部，外耳道，および外鼻からのリンパを集める．以上の3群のリンパ節からの輸出管は共通して深頸リンパ節に流れる．

顔面リンパ節（A5）は一定していないが，これは眼瞼，鼻，口蓋，および咽頭からのリンパを受け取る．**舌リンパ節（B6）**は舌からのリンパの大部分を導き，**オトガイ下リンパ節（B7）**は口腔底，舌尖，および下唇の中央部からのリンパを集める．以上の3群のリンパ節群は通常**顎下リンパ節（B8）**を経由して還流する．顎下リンパ節は下顎骨と顎下腺の間にあり，第1または第2の濾過部位としての機能を果たしている．顎下リンパ節に直接流入するリンパは内眼角，頬，鼻，口唇，歯肉，および舌の一部があり，これらはさらに深頸リンパ節を経由して還流する．

頸．**前頸リンパ節** anterior cervical nodes は**浅前頸リンパ節（A9）**と**深前頸リンパ節（B10）**とが区分され，前者は前頸静脈に沿って存在し，後者は頸部内臓に一致していろいろな亜群に細分類される．前頸リンパ節を流れるリンパは最終的には深頸リンパ節を経て還流する．

外側頸リンパ節 lateral cervical nodes は同様に**浅外側頸リンパ節（A11）**と**深外側頸リンパ節** deep lateral cervical lymph nodes とが区分され，前者は外頸静脈に沿って存在して耳介および耳下腺の下部からのリンパを集める．深外側頸リンパ節は内頸静脈に沿って存在し，これは**上深外側頸リンパ節（B12）**と**下深外側頸リンパ節（B13）**に再区分され，前者はほとんどすべての頭部リンパ節に対する第2の濾過部であり，後者はほとんどすべての頸部リンパ節に対する

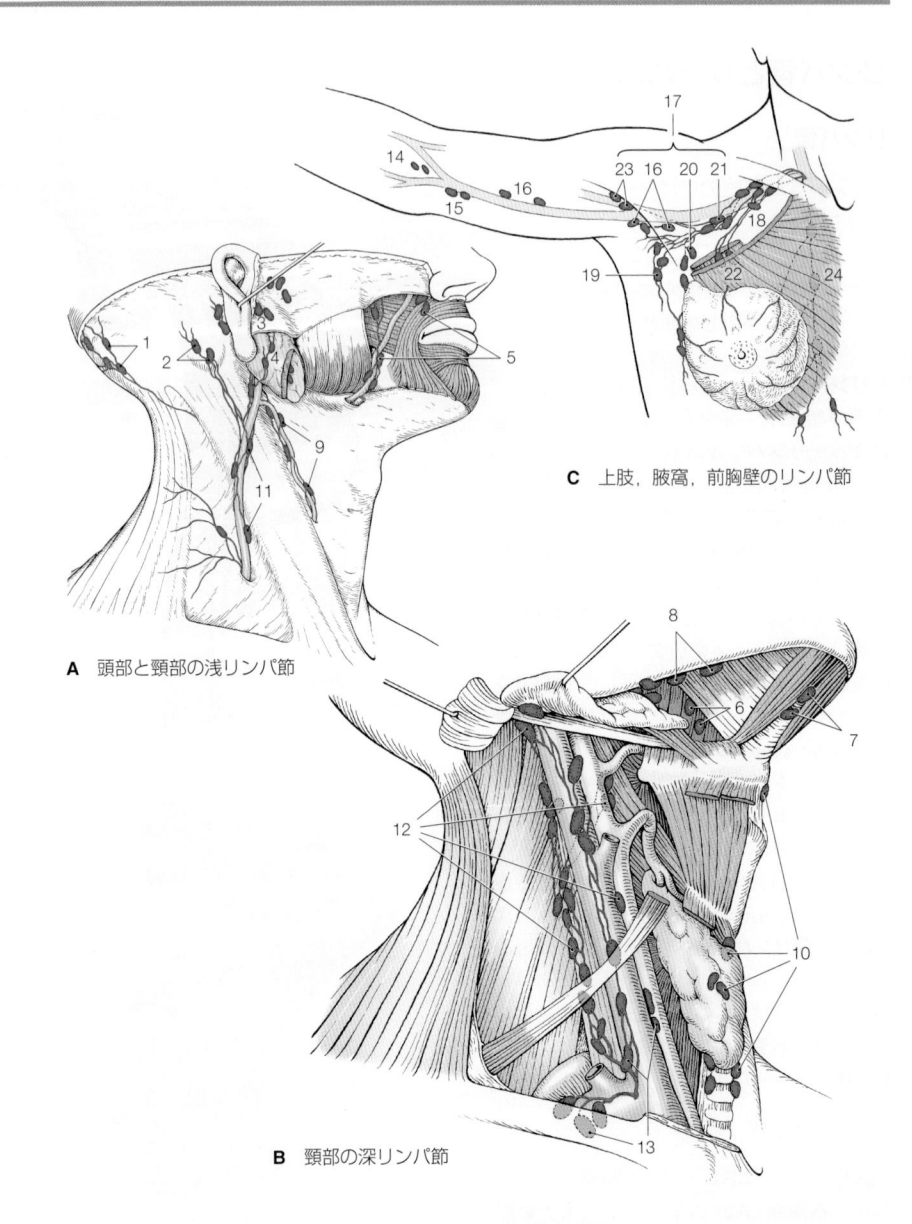

A 頭部と頸部の浅リンパ節

B 頸部の深リンパ節

C 上肢，腋窩，前胸壁のリンパ節

第2の濾過部であるとともに頭部リンパ節の最後の濾過部となっている．深外側頸リンパ節を流れるリンパは**頸リンパ本幹** jugular trunk を経て還流する．

上肢．手および前腕のリンパは最初に肘窩にある浅，深の**肘リンパ節（C14）**に流れる．上腕静脈の内側に1〜2個の**滑車上リンパ節（C15）**がみられる．時たま上腕動静脈の遠位部に沿って**上腕リンパ節（C16）**の一部が現れることがある．

上肢と前胸壁に対する本質的なリンパ濾過部は腋窩に存在する**腋窩リンパ節（C17）**である．腋窩リンパ節は腋窩の脂肪組織の中でリンパ管が互いに結合し合って**腋窩リンパ叢** axillary lymphatic plexus を形成している．腋窩リンパ節はいろいろなグループに区分され，その分類は参考書によってまちまちであるが，解剖学的用語に従って区分すると次のように細区分される：すなわち，小胸筋の上縁にある**上リンパ節（C18）**；上腕および腋窩動静脈に沿う**上腕リンパ節（C16）**；肩甲下動脈に沿う**肩甲下リンパ節（C19）**；小胸筋の下縁にある**胸筋リンパ節（C20）**；腋窩のほぼ中央に位置する**中心リンパ節（C21）**；大胸筋と小胸筋の間にある**胸筋間リンパ節（C22）**；三角筋胸筋溝にある**三角筋胸筋リンパ節（C23）**．

腋窩リンパ節は乳腺（乳房）に対する所属リンパ節で臨床的に重要な意義をもっている．

---

1 後頭リンパ節 occipital nodes **2** 乳突リンパ節 mastoid nodes **3** 浅耳下腺リンパ節 superficial parotid nodes **4** 深耳下腺リンパ節 deep parotid nodes **5** 顔面リンパ節 facial nodes **6** 舌リンパ節 lingual nodes **7** オトガイ下リンパ節 submental nodes **8** 顎下リンパ節 submandibular nodes **9** 浅前頸リンパ節 superficial anterior cervical nodes **10** 深前頸リンパ節 deep anterior cervical nodes **11** 浅外側頸リンパ節 superficial lateral cervical nodes **12** 上深外側頸リンパ節 superior deep lateral cervical nodes **13** 下深外側頸リンパ節 inferior deep lateral cervical nodes **14** 肘リンパ節 cubital nodes **15** 滑車上リンパ節 supratrochlear nodes **16** 上腕リンパ節 brachial nodes **17** 腋窩リンパ節 axillary lymph nodes **18** 上リンパ節 apical nodes **19** 肩甲下リンパ節 subscapular nodes **20** 胸筋リンパ節 pectoral nodes **21** 中心リンパ節 central nodes **22** 胸筋間リンパ節 interpectoral nodes **23** 三角筋胸筋リンパ節 deltopectoral nodes **24** 胸壁内部の胸骨傍リンパ節 parasternal nodes on internal surface of thoracic wall（259頁）

胸腔と腹腔の所属リンパ節

体腔におけるリンパ節群は基本的に**壁側リンパ節と臓側リンパ節**に分けられる．

胸腔

胸壁の外面で乳腺の外側縁に**乳腺傍リンパ節** paramammary nodes がある；胸壁の内面で内胸動静脈に沿って**胸骨傍リンパ節** parasternal nodes（258頁）があり，これは乳腺，肋間隙，胸膜，肝臓と横隔膜の一部のリンパを受け取る；肋間隙の後部にある**肋間リンパ節**（**A1**）は胸膜と肋間隙のリンパを受け取り，輸出管は胸管に入る；脊柱と食道の間にある**脊椎前リンパ節**（**AC2**）は周囲からのリンパを受け取る；大きな横隔膜貫通部の近傍にある**上横隔リンパ節**（**A3**）は横隔胸膜，横隔膜および肝臓からのリンパを受け取る；胸骨と心膜の間にある**心膜前リンパ節**（**B4**）と縦隔胸膜と心膜の間にある**心膜外側リンパ節**（**B5**）は各々付近のリンパ（心膜前壁，縦隔胸膜）を受け取る；**前縦隔リンパ節**（**B6**）は縦隔の前部で大動脈弓の腹側および腕頭静脈の周辺にあって，付近の構成物（心臓，心膜，胸腺）のリンパを受け取る；**後縦隔リンパ節**（**C7**）は縦隔の後部にある．これは周囲器官に相応して亜群が分類され，肺門にある気管支肺リンパ節（臨床的には肺門リンパ節），気管分岐部にある気管気管支リンパ節，気管の両側にある気管傍リンパ節，および食道の両側にある食道傍リンパ節などが属する．後縦隔リンパ節は肺，気管支，気管，食道，心膜後壁，横隔膜，および肝臓のリンパを受け取る．以上のリンパ節のうち1～5は壁側リンパ節，6～7は臓側リンパ節に属している．

腹腔

壁側リンパ節．これには**腰リンパ節** lumbar nodesが属し，大動脈に接して存在する**左腰リンパ節**（**D8**）と下大静脈に沿って存在する**右腰リンパ節**（**D9**）に分けられる．これらのリンパ節群はさらに亜群に分類されるが，主に腹膜後器官すなわち副腎，腎臓，尿管，精巣または卵巣，子宮底と体，および後腹壁からのリンパを受け取る．大動脈と下大静脈の間にあるリンパ節群を**中間腰リンパ節**（**D10**）といい同じ還流域をもっている．腰リンパ節からの輸出管は次第に合流して，最後には両側とも1本の腰リンパ本幹 lumbar trunkとなって胸管の起始端に入る；**下横隔リンパ節**（**D11**）は横隔膜の下面にあって，そこからのリンパを受け取る；**下腹壁リンパ節** inferior epigastric nodesは前腹壁の内面で下腹壁動脈に沿って存在し，輸出管は外腸骨リンパ節に向かう．

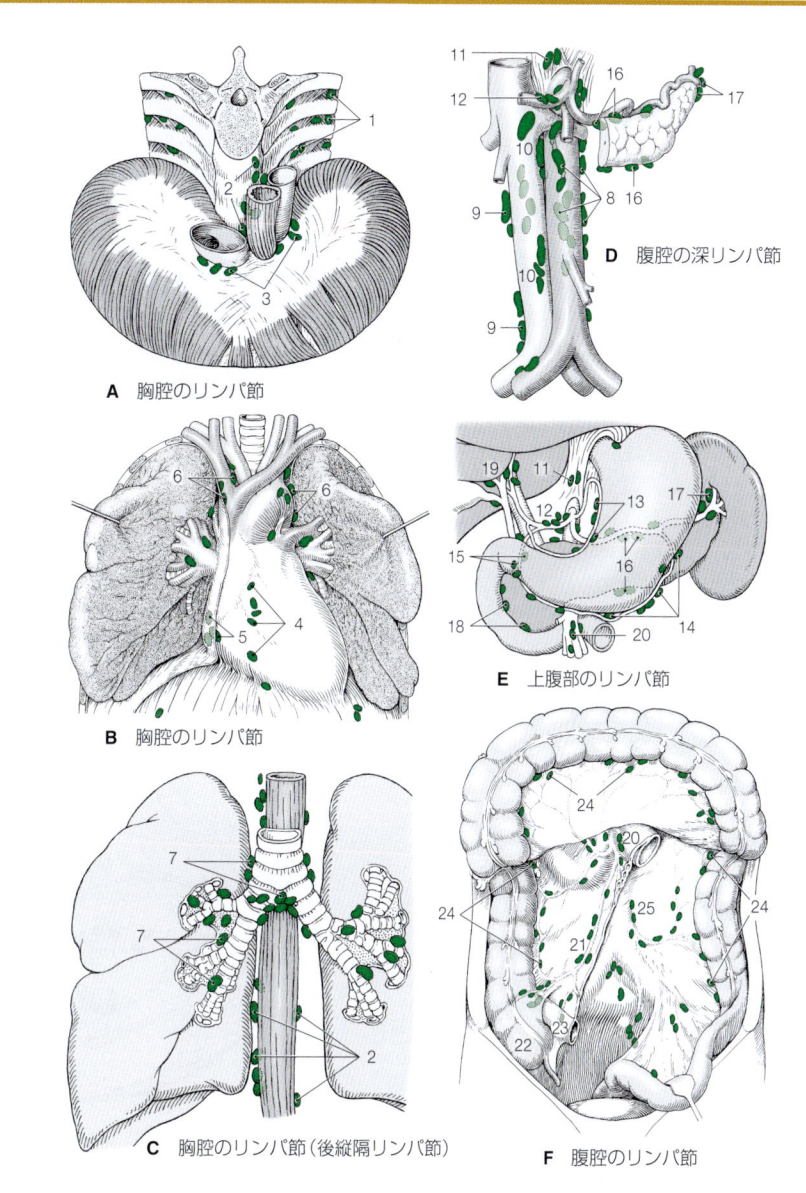

臓側リンパ節．腹腔リンパ節（**DE12**）は腹腔動脈の周りにあって，上腹部器官に対して第2の濾過部を形成し，主な輸出部位は腸リンパ本幹 intestinal trunksである；右および左**胃リンパ節**（**E13**）が小彎に沿って，右および左**胃大網リンパ節**（**E14**）が大彎に沿って存在し，**幽門リンパ節**（**E15**）が通常幽門の後部に位置している；**膵リンパ節**（**DE16**）が膵臓の上縁と下縁につくられている；**脾リンパ節**（**DE17**）が脾門にある；**膵十二指腸リンパ節**（**E18**）が膵臓と十二指腸との間にある；**肝リンパ節**（**E19**）は肝門の領域にある；**上腸間膜リンパ節**（**EF20**）は上腸間膜動脈の流域にある100～150個の大群からなり，小腸の傍の外群，空・回腸動脈に沿う中間群，上腸間膜動脈に沿う内群に分けられ，ここでは内群のみが図示されている．小腸からのリンパを還流し，腹腔リンパ節を経て，腸リンパ本幹に入る；**回結腸リンパ節**（**F21**）が回結腸動脈に伴行している；**盲腸前リンパ節**（**F22**）と**盲腸後リンパ節** retrocaecal nodesが盲腸の前後に位置し，**虫垂リンパ節**（**F23**）が虫垂動脈の周りにある；**結腸間膜リンパ節**（**F24**）が結腸間膜に沿ってつくられ大腸からのリンパを受け取る；**下腸間膜リンパ節**（**F25**）は下腸間膜動脈の流域にあり，下行結腸，S状結腸および直腸からのリンパを受け取る．

---

1 肋間リンパ節 intercostal nodes **2** 脊椎前リンパ節 prevertebral nodes **3** 上横隔リンパ節 superior diaphragmatic nodes **4** 心膜前リンパ節 prepericardial nodes **5** 心膜外側リンパ節 lateral pericardial nodes **6** 前縦隔リンパ節 anterior mediastinal nodes **7** 後縦隔リンパ節 posterior mediastinal nodes **8** 左腰リンパ節 left lumbar nodes **9** 右腰リンパ節 right lumbar nodes **10** 中間腰リンパ節 intermediate lumbar nodes **11** 下横隔リンパ節 inferior diaphragmatic nodes **12** 腹腔リンパ節 coeliac nodes **13** (右／左)胃リンパ節 right/left gastric nodes **14** (右／左)胃大網リンパ節 right/left gastro-omental nodes **15** 幽門リンパ節 pyloric nodes **16** 膵リンパ節 pancreatic nodes **17** 脾リンパ節 splenic nodes **18** 膵十二指腸リンパ節 pancreaticoduodenal nodes **19** 肝リンパ節 hepatic nodes **20** 上腸間膜リンパ節 superior mesenteric nodes **21** 回結腸リンパ節 ileocolic nodes **22** 盲腸前リンパ節 precaecal nodes **23** 虫垂リンパ節 appendicular nodes **24** 結腸間膜リンパ節 mesocolic nodes **25** 下腸間膜リンパ節 inferior mesenteric nodes

骨盤と下肢の所属リンパ節

骨盤

骨盤（**A**）においても同様に**壁側**リンパ節群と**臓側**リンパ節群とが区別される．

壁側リンパ節． 両側の総腸骨動静脈の血管索に沿って多数の壁側リンパ節群があり，これらを総称して**総腸骨リンパ節**（**A1**）という．このリンパ節は第2の濾過部として骨盤内臓の大部分，内腹壁，下肢帯の筋および殿筋からのリンパを受け取り，腰リンパ節を経て腰リンパ本幹に還流する．

外腸骨動静脈の周りにかなりの量のリンパ節群があり，これらを一括して**外腸骨リンパ節**（**A2**）という．このリンパ節は鼠径リンパ節に対しては第2の濾過部として働き，膀胱および腟の一部に対しては最初の濾過部として働いている．

内腸骨動静脈に伴行して**内腸骨リンパ節**（**B3**）があり，骨盤内臓，会陰の深層，内・外の骨盤壁からのリンパを受け取る．

臓側リンパ節． 臓側リンパ節は各々の骨盤内臓の近くに存在している：

膀胱傍リンパ節（**B4**）は膀胱の周りで前，後，外側につくられており，膀胱と前立腺のリンパを受け入れる．

子宮傍リンパ節（**B5**）は子宮の傍に認められ，主として子宮頸からのリンパを受け入れる．

腟傍リンパ節（**B6**）は腟の傍にあってこの器官のリンパの一部を受け取る．

直腸傍リンパ節（**B7**）は直腸の外側と後部の結合組織中に存在し，直腸遠位部からのリンパを受け入れる．これは下腸間膜リンパ節の方に還流する．

肛門直腸リンパ節（**B8**）はドイツの解剖学用語集には記載されていない用語で，直腸傍リンパ節の同義語として使用されている．つまり，このリンパ節は肛門管からのリンパを受け入れて浅鼠径リンパ節を経由して還流するリンパ節を指している．

下肢

浅鼠径リンパ節（**C9**）は下肢と体幹の境界にある重要なリンパ濾過部である．このリンパ節は鼠径部の皮下結合組織の中に位置しており，したがって肥大した際には容易に触知できる．浅鼠径リンパ節は下肢浅層のリンパならびに肛門，会陰，外生殖器のリンパならびに臍より下方の腹壁からのリンパを受け取り，深鼠径リンパ節を経て外腸骨リンパ節へ還流する．

深鼠径リンパ節（**C10**）は大腿筋膜の下層にあり，下肢深層のリンパを受け取り，輸出管は外腸骨リンパ節へ向かう．このグループの中で最上位にあるリンパ節が殊に大きくなっていることがあり，大腿管の中にみられてローゼンミュラーのリンパ節 lymphatic node of Rosenmüller という．

下肢の領域では，膝窩においてリンパ節が恒常的にみられ，ここでは小伏在静脈の近位端にある**浅膝窩リンパ節**（**D11**）と膝窩動脈に沿う**深膝窩リンパ節**（**D12**）が区別される．また前脛骨リンパ節，後脛骨リンパ節，腓骨リンパ節が各々同名動脈に沿って不定期的に認められる．

A 骨盤のリンパ節

B 女性骨盤のリンパ節

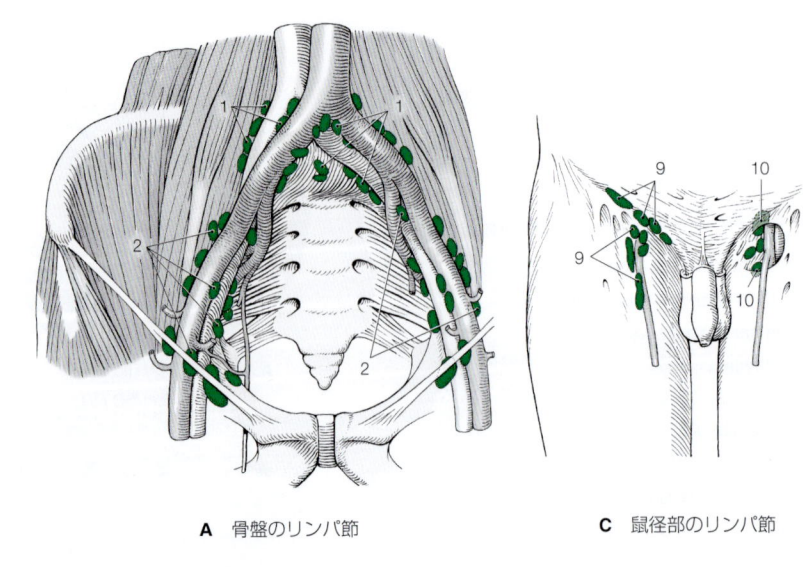

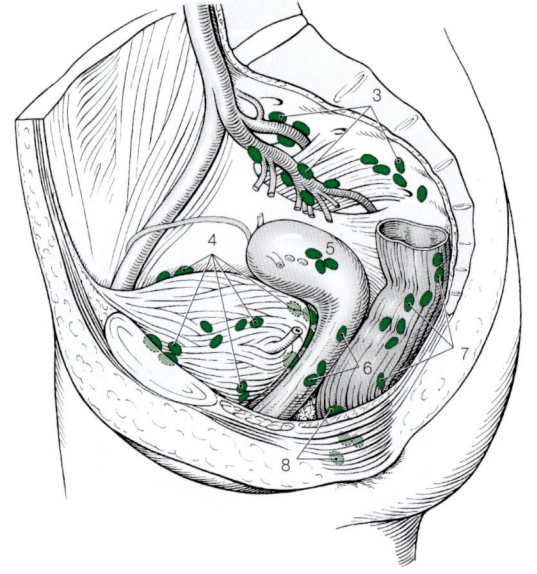

C 鼠径部のリンパ節

D 膝窩のリンパ節

臨床関連： ある器官の所属リンパ節についての正確な専門的知識をもつことは腫瘍外科においては非常に重要な意義がある．通常，悪性腫瘍の際には侵されている器官の腫瘍だけでなく，その所属リンパ節も除去する．これはリンパ節が娘腫瘍（転移）によってすでに侵襲されている可能性があるからである．しかし，悪性腫瘍のすべてがリンパ路を介して転移するとは限らないし，個々の器官を検討する際には各々の所属リンパ節に関する臨床的意義を再度考慮してみる必要がある．

---

1 総腸骨リンパ節 common iliac nodes　2 外腸骨リンパ節 external iliac nodes　3 内腸骨リンパ節 internal iliac nodes　4 膀胱傍リンパ節 paravesical nodes　5 子宮傍リンパ節 para-uterine nodes　6 腟傍リンパ節 paravaginal nodes　7 直腸傍リンパ節 pararectal nodes　8 肛門直腸リンパ節 pararectal nodes　9 浅鼠径リンパ節 superficial inguinal nodes　10 深鼠径リンパ節 deep inguinal nodes　11 浅膝窩リンパ節 superficial nodes　12 深膝窩リンパ節 deep nodes

血管とリンパ管の構造と機能

血管およびリンパ管の壁においては基本的に共通な構築様式が認められる．また心臓からの距離に応じて，換言すればその部位における負荷と機能に応じて，血管壁は特徴的に改変された構造を有している．

血管の壁構造

血管の壁は基本的には**内膜**（**A1**），**中膜**（**A2**），**外膜**（**A3**）の3層が区別される：

内膜．これは一層の，背の低い，血管の長軸方向に配列した**内皮細胞**（**A1a**）で，一層の基底膜とわずかの結合組織（**内皮下層**（**A1b**））が裏打ちしている．動脈ではこれらに加えて窓をもった弾力性のある膜すなわち**内弾性膜**（**A1c**）が付け加わっている．内膜は主に物質，液成分およびガス交換に働き，そばを通り過ぎる血流の推進作用に直接影響されている．

すべての血管の内皮細胞は**細胞間接触**（詳細は組織学の参考書を参照せよ）によって互いにつながっている．しかし，血管には特異性があって，この細胞間接着は個別的な血管部位および器官によって数も異なり密度も異なっている．動脈では内皮細胞の細胞間接着は一般に密であり，多くの器官の毛細血管と毛細血管後細静脈では一般に透過性がより高くつくられている．ある種の器官の毛細血管においては，細胞間接着がとくに密であって関門 barrier をつくっている（血液-脳関門，血液-胸腺関門，血液-精巣関門，その他）．

中膜．中膜はほぼ輪状またはラセン状に配列する**平滑筋線維**（**A2a**）と弾性線維網で構成される．動脈での中膜は殊によく発達して厚いが，多くの静脈での中膜は動脈と比べてはるかに薄い．中膜は血液動力学的に推進機能をもち，血圧が生み出す血管壁の拡張に対抗して働き，平滑筋の緊張状態によって血管内腔を変化させることができねばならない．

中膜には**外弾性膜**（**A3a**）があり，これが外膜との境界をつっている．

外膜（**A3**）．結合組織（**A3b**）で構成され，静脈壁では平滑筋を含んでいる．

外膜に存する細胞と線維網は血管の長軸方向に向いている．

外膜は血管を周囲に取りつける役を果たし，外力の影響（例えば長軸方向への伸展）に対抗しなければならない．したがって，静脈における外膜は通常ではとくに発達している．長軸方向への伸展が生じないような領域（例えば脳）の静脈では，その外膜を欠くか，あっても弱くつくられている．

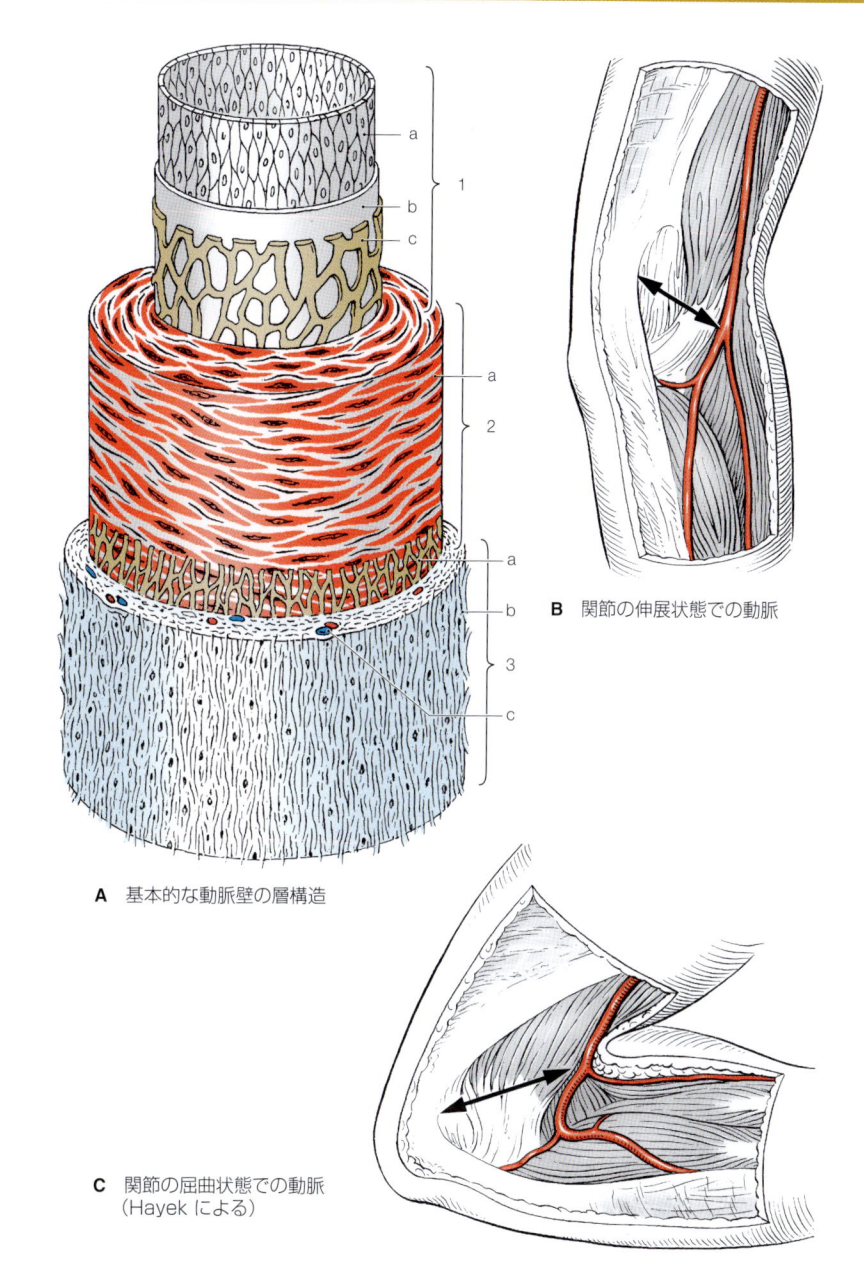

大きい血管では，壁の内層1/3は血流によって栄養されるが，それより外側の層は外膜を通って血管壁の固有血管 vasa privata，いわゆる**脈管の脈管**（**A3c**）が周囲から入って栄養する．また血管の筋組織を支配する**植物神経線維**が外膜を通って血管壁に入る．

運動装置における血管の設置状態．動脈は一般に静脈を伴って**関節の屈側を走る**（**B**）．したがって関節が屈曲する際にも，血管は過度に引き伸ばされたりまた圧迫されたりすることはない．しかも血管は屈側での巧妙な取り付け方によって過剰に折り曲げられる危険からも免れている．血管はこれに伴う神経とともに変形しうる脂肪体の中に取り付けられており，この脂肪体は，関節が伸展したときはクッションの役を果たし，強く屈曲するとき（**C**）は血管の縦方向の張力によってその絶対的長さを縮めて危険地帯から血管を引き戻すことを可能にしている．血管と骨との間隔は屈曲状態では伸展状態よりも大きい．

動脈の特別なタイプ

多くの小動脈は，積極的に内腔を狭めることで微小循環への血流を減らしたり，時には止めてしまうので**遮断血管**と呼ばれる．このような血管の中膜は厚く，内弾性板がなくて，血流方向の筋線維束が特徴的である．最初から曲がりくねってコルク栓抜き様の形になっている小動脈は**蔓動脈** pampiniform artery と呼ばれ，陰茎や子宮に存在する．

A 基本的な動脈壁の層構造

B 関節の伸展状態での動脈

C 関節の屈曲状態での動脈（Hayek による）

---

1 内膜 tunica intima　**1a** 内皮細胞（内皮）endothelial cells (endothelium)　**1b** 内皮下層 subendothelial layer　**1c** 内弾性膜 internal elastic membrane　**2** 中膜 tunica media　**2a** 平滑筋線維 smooth muscle fibers　**3** 外膜 tunica externa　**3a** 外弾性膜 external elastic membrane　**3b** （外膜の）結合組織 connective tissue　**3c** 脈管の脈管 vasa vasorum

局所的な壁構造の差異－動脈脚

動脈性血管の壁構造はその機能と心臓との隔たりに応じて変化している：

大動脈と心臓に近い大きい動脈は"弾性型の動脈"arteries of elastic typeであり，明瞭な3層構造を有している．内膜(**A1**)は厚く，内膜下層がよく発達している．中膜(**A2**)は主として密な弾性線維網(有窓弾性膜fenestrated elastic membrane)からなる．中膜の平滑筋線維はこの膜に付着しており，その収縮によって弾性線維の張力を生み出し且つ調節する．外膜(**A3**)にはその結合組織中に脈管の脈管vasa vasorumと植物神経がみられる．

機能解剖．大動脈と心臓に近い動脈は心臓からの不連続的な血液駆出を直に受ける．拍出量stroke volumeの一部は収縮期(**B**)の間，血管壁の弾性膜の伸展によって一時的に大動脈に貯留される．拡張期(**C**)には血管壁が収縮して弾性膜が蓄えたエネルギーを血流に与え，これによって血液は末梢へ前進して流れることになる(**ウインドケッセル理論**Windkessel theory)．

心臓から遠い動脈は末梢の大きな動脈(**D**)ならびに大循環系の中等大および小さい動脈(**E**)である．これらは"**筋型の動脈**"arteries of muscular typeに属する．内膜はしばしば内皮endotheliumとわずかの内皮下結合組織だけでつくられている．内膜と中膜の間に弾性線維網でできている**内弾性膜**(**D4**)が明瞭に認められる．中膜では心臓から遠ざかるにつれて，弾性線維網は減少し，平滑筋が優勢になってくる．外膜は中等大の動脈で最もよく発達しており，しばしば中膜との境は**外弾性膜**(**D5**)によって仕切られている．

細動脈arteriole(**F**)は約20～40μmの直径をもつ毛細血管前動脈precapillary arteriesであって，その内膜は内皮と部分的に不完全な内弾性膜からなる．中膜は1～2層の平滑筋線維を備えており，これらは規則的に輪状に配列しているのが特徴的である．細動脈はこれによって**毛細血管前括約筋**precapillary sphincterとして働いている：すなわち，この括約筋は血圧を制御し，同時に後に続く毛細血管床 capillary bedの血流を調整している．

毛細血管capillary(**G**)．細動脈は筋組織を失いながら分岐して毛細血管に移行する．毛細血管は通常5～15μmの管径を有し，**毛細血管網**capillary networksを形成し，これはしばしば数本の動脈枝から供給されている．毛細血管の管壁(**H**)は内皮細胞(**H6**)でつくられ，これに電顕的に可視的な基底膜(**H7**)と外周に存在する周皮細胞(**H8**)によって補足されている．管壁の**構成様式**には器官の機能に応じて次のようなものが区別されている：すなわち，①内皮細胞は細胞どうしが密着して，また窓をもたず，基底膜は連続している(Ⅰ，**連続型毛細血管**continuous capillary)；②内皮細胞内に窓があり隔膜diaphragmで仕切られ(Ⅱ)，または小孔pores をつくり(Ⅲ)，基底膜は連続している(**有窓性毛細血管**fenestrated capillaries)；③内皮細胞間に隙間があり，より大きな孔をもち，基底膜は途切れたりまたは欠いたりしている(Ⅳ，**洞様毛細血管** sinusoidal capillaries)；(出現部位の例：Ⅰ多くの毛細血管，骨格筋；Ⅱ胃-腸管；Ⅲ腎糸球体；Ⅳ肝の類洞)．

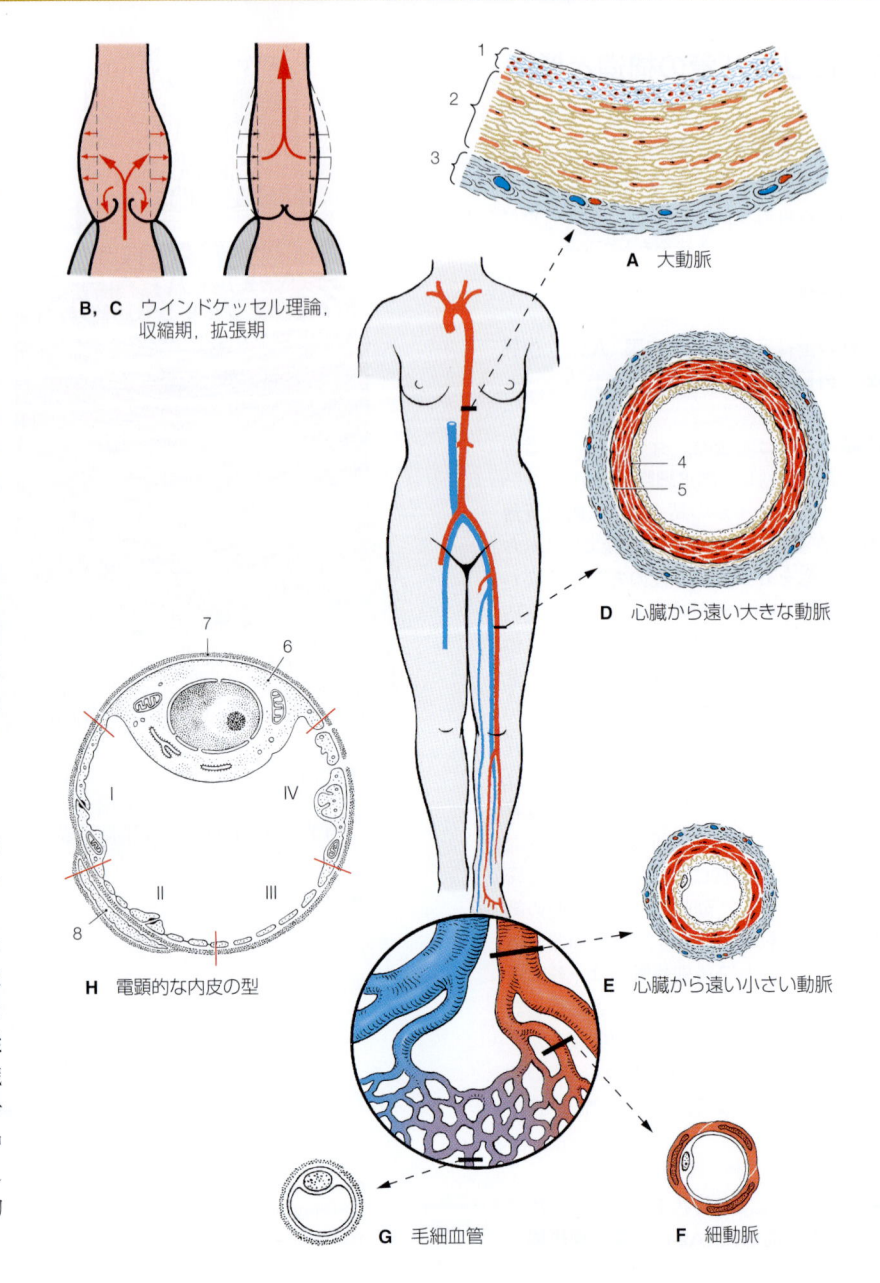

ある種の器官，例えば肝臓，骨髄，脾臓，および若干の内分泌器官では，管腔が著しく拡大した毛細血管をもっているのが特徴的で，これは洞様毛細血管または**洞様血管**sinusoidといわれる．

細動脈と毛細血管後細静脈(263頁)との間に毛細血管を経ないで短絡路 bypathが存在し，これは**動静脈吻合**arteriovenous anastomosisといわれて，殊に身体の突出部(鼻，指尖，その他)や海綿体にみられる．

A 大動脈
B, C ウインドケッセル理論，収縮期，拡張期
D 心臓から遠い大きな動脈
E 心臓から遠い小さい動脈
F 細動脈
G 毛細血管
H 電顕的な内皮の型

---

1 内膜 tunica intima　2 中膜 tunica media　3 外膜 tunica externa　4 内弾性膜 internal elastic membrane　5 外弾性膜 external elastic membrane　6 内皮細胞 endothelial cells　7 基底膜 basal lamina　8 周皮細胞(外膜細胞) pericytes (adventitial cells)

局所的な壁構造の差異－静脈脚

細静脈（B）．毛細血管床の静脈脚は最初に細静脈 venule に移行する．細静脈は原則的に3つの異なる部分が区別される：すなわち，**毛細血管後細静脈** postcapillary venules は 30 μm までの直径をもち，まだその壁に平滑筋線維を備えていない．**集合細静脈** collecting venule は直径 50 μm までをいい，すでに線維細胞と収縮性の細胞からなる中膜をもっている．集合細静脈は直径 100μm までの**筋性細静脈** muscular venule（**B**）に移行し，これはその薄壁の中膜の中に不規則に配列する平滑筋線維を備えており，その働きによって血管腔は狭くなったり，広くなったりする．多くの器官では，細静脈は湖沼状に拡大した血液貯蔵庫，いわゆる**洞様静脈** sinusoidal vein の形をとっている．

心臓から遠い静脈．細静脈は血液を**心臓から遠い小さい静脈**（**C**）に導く．基本的にその壁構造は血管の大きさおよび身体での存在領域に応じて異なっている．一般に静脈壁は相応する動脈壁より薄く，その壁はしばしば明らかな3層構造を欠いている．

小静脈においては，内膜（**C1**）は内皮下結合組織の発達が悪くごく弱くつくられ，中膜（**C2**）は結合組織に伴われてラセン状に走る扁平な平滑筋線維からなる．外膜（**C3**）は膠原線維，弾性線維網，および静脈の内径が増すとともに増えてくる平滑筋束を備えている．

小静脈は合して**心臓から遠い大きい静脈**（**D**）となる．これは原則として小さい静脈と類似の壁構造を有するが，外膜の平滑筋の量は静脈血管の内径が増すとともに増えてくる．体壁および四肢の静脈の内部には**静脈弁** venous valve（**DE**）がみられる．静脈弁は内膜の突出によってつくられ，すなわち内膜から続く結合組織とそれを両面からおおう内皮細胞によってつくられている．その形は袋状（ポケット状）を呈している．

機能解剖．ある種の器官（例えば，脳，腎臓，肝臓）では静脈弁がないが，下半身の静脈には高頻度にみられる：すなわち，下肢での静脈の主な通路は筋肉間にあり，静脈壁は骨格筋の収縮に際して押しつけられ，静脈の内容物は袋状弁を通って心臓の方に誘導される．いわゆる**筋ポンプ** muscular pump である．そのほかに，心臓への静脈還流は**動静脈連結** arteriovenous coupling（**F**）によって促進される：すなわち，通常2本の伴行静脈は小さい動脈を中央に挟んで走り，動脈壁とは結合組織によって連結されている．これによって動脈の脈波が静脈の内腔を狭め，静脈内の血液を心臓の方へ押し出すことになる．

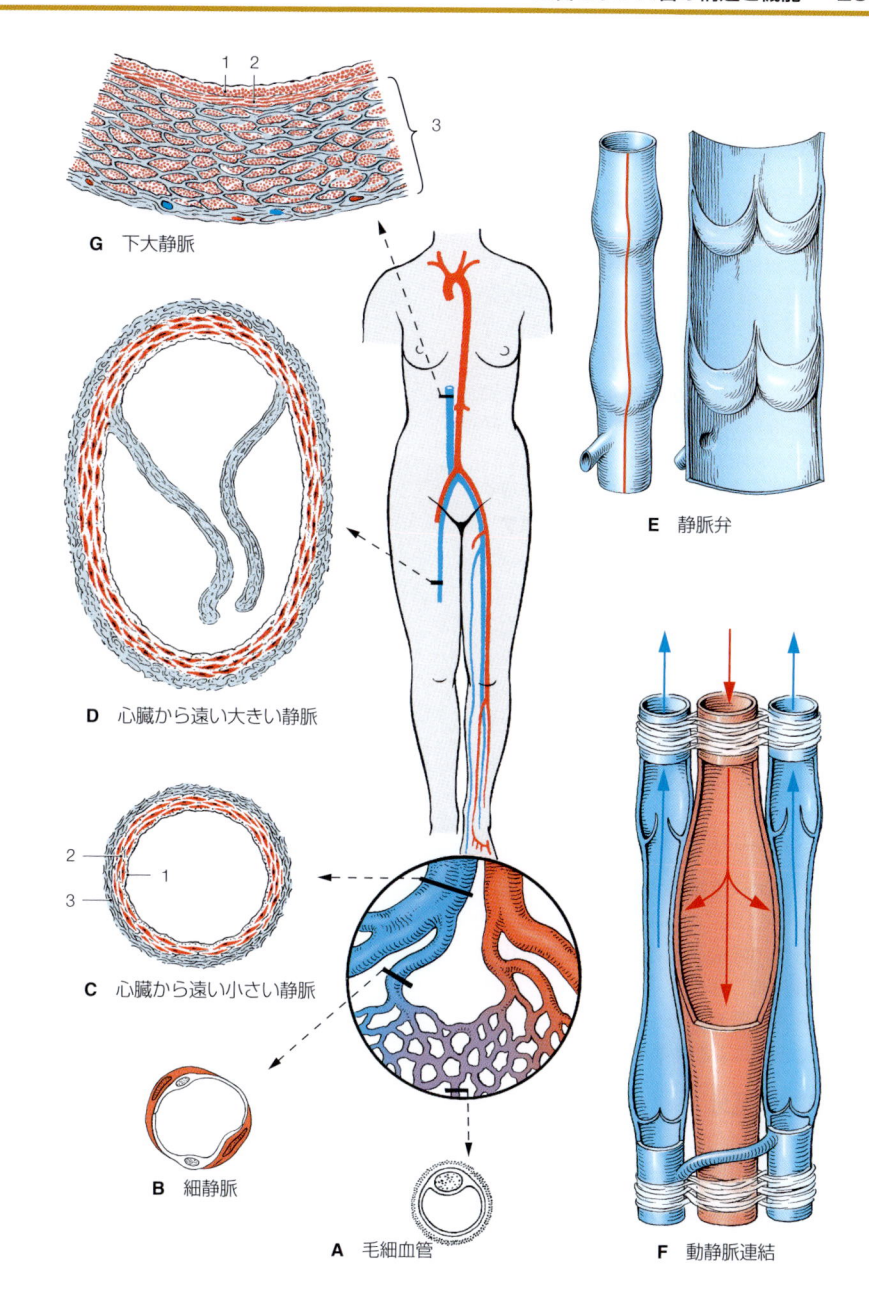

心臓に近い大きい静脈．上半身における大きい静脈の壁は少量の平滑筋束しかもっていない．それに反して，下半身の静脈の主幹である下大静脈（**G**）は大量の平滑筋線維を備えている：すなわち，内膜（**G1**）の内皮下結合組織には縦走する筋束がみられ，幅の狭い中膜（**G2**）には若干の輪走する筋束があり，非常に幅の広い外膜（**G3**）には縦走する平滑筋線維束が豊富にみられる．

全体的にみると，静脈は**容量血管** capacity vessel といわれ，静脈には血液全体の約65％が貯蔵されており，わずかの圧力変動によって大量の血液を受け取っている．

臨床関連：静脈の過度の拡張により（通常，下肢でみられる），静脈弁の機能不全をきたして静脈壁が怒張する**静脈瘤** varix をみることがある．

リンパ管．リンパ管とリンパ本幹の壁構造は，基本的には静脈のそれと同様であるが，リンパ管壁の方がより薄い．毛細リンパ管は一層の内皮細胞からなり，しばしば基底膜を欠いている．

G 下大静脈
E 静脈弁
D 心臓から遠い大きい静脈
C 心臓から遠い小さい静脈
B 細静脈
A 毛細血管
F 動静脈連結

1 内膜 tunica intima　2 中膜 tunica media　3 外膜 tunica externa

概説

解剖学的構成区分

呼吸器系器官 respiratory apparatus の第一義的な使命は**外呼吸**にある：すなわち，呼吸器 respiratory organs を仲立ちとして大気から酸素を受け入れ，血液から二酸化炭素を放出する．呼吸器系はこの目的を遂行するためのガス交換面（呼吸表面）と大気を導く通路からなる．**ガス交換面**はその全表面積が約 200m² と非常に大きく，盲端に終わる**肺胞** alveoli で構成され，この肺胞が肺（**A1**）の大部分を形成している．**大気を導く通路**である鼻 nose，鼻腔（**A2**），咽頭（**A3**），喉頭（**A4**），気管（**A5**）および何度も分岐を重ねる気管支樹（**A6**）を経由して呼吸気は肺胞に到達する．気管支樹の内，主気管支は肺の外部にあるのに対して，それが分枝する気管支樹の大部分は肺の内部にある．吸い込まれた大気は肺胞に達するまでの**大気を導く器官** air conducting organs を通る途中で浄化され，湿り気を与えられ，温められる．

呼吸器は**ガス交換**の任務のほかにも別の役目をもっている．これについては，大気を導くすべての呼吸装置の働きによる**浄化作用**と**防御作用**，喉頭とその隣接器官の働きによる**発声**と**調音**，ならびに鼻の中にある嗅覚器の働きによる**嗅覚**があげられる．

臨床的構成区分

呼吸器系器官はこのような機能的な構成区分による分け方とは別に，臨床的な必要性から上部気道と下部気道とに分けることができる．**上部気道** upper airway は主として頭部にあって，喉頭より上方にある器官がこれに属し，**鼻腔**とこれに接続している**副鼻腔** paranasal sinuses および**咽頭（鼻部）**からなる．副鼻腔は頭蓋骨にできる空気を含んだ空洞で鼻腔と交通路をもっている．咽頭では気道路と食物路が交叉する．**下部気道** lower airway は頸部と胸腔内にあって，**喉頭**，**気管**，および**肺胞**の呼吸表面に至るまでのすべての**気管支樹**の分枝からなる．左右の肺は胸腔内で漿膜がつくる胸膜腔（**A7**）の中に納められ，内方は縦隔に隣接している．

呼吸器は**内胚葉** endoderm からの頭腸 cephalogaster の派生物として生じる（374頁参照）．

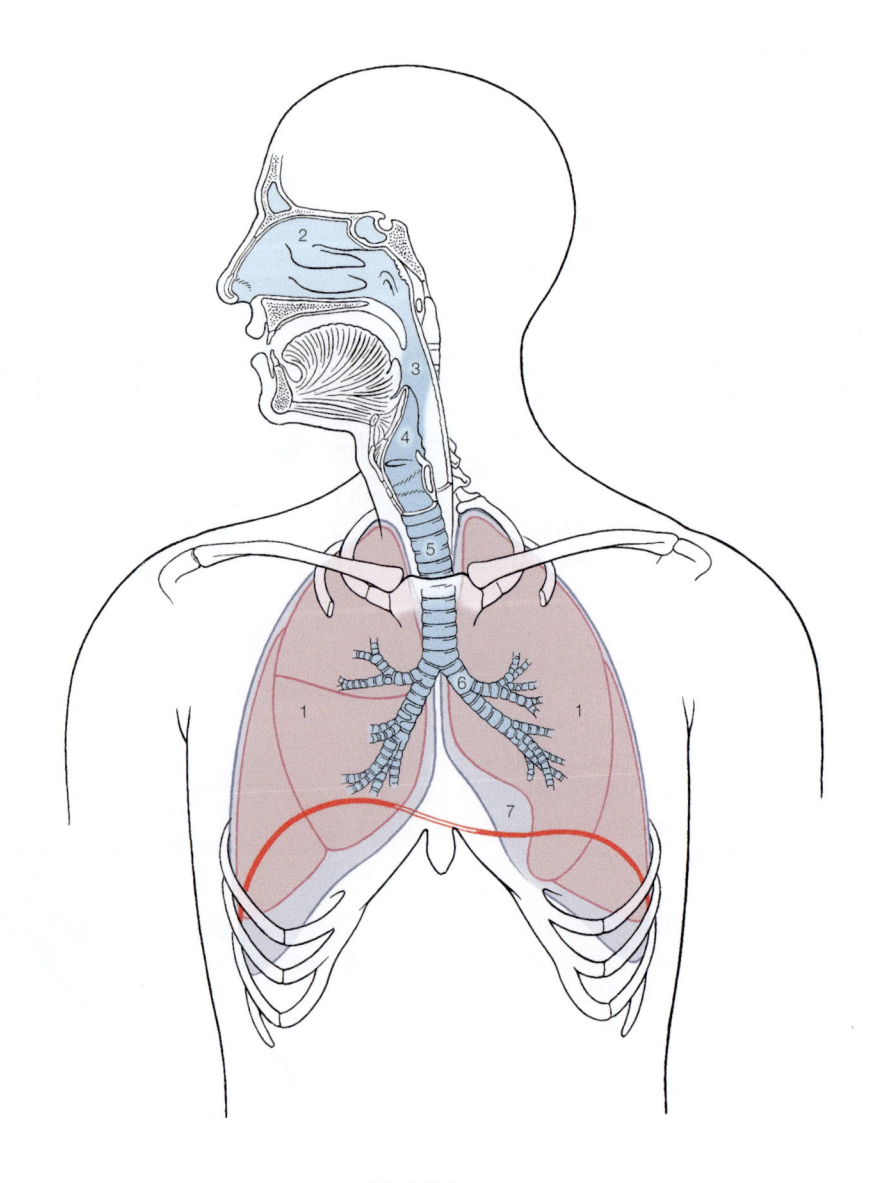

A 呼吸器系の器官

注意：鼻腔と副鼻腔の複雑な局所解剖を簡単に学ぶには，内臓頭蓋と，それの個々の骨を復習することが勧められる．鼻腔，副鼻腔の構成には，下鼻甲介，上顎骨，篩骨，鼻骨，口蓋骨，蝶形骨などが加わっている．

---

1 肺 lungs　**2** 鼻腔 nasal cavity　**3** 咽頭 pharynx　**4** 喉頭 larynx　**5** 気管 trachea　**6** 気管支樹 bronchial tree　**7** 胸膜腔 pleural cavity

鼻

外鼻

　顔面から前方に突出する**外鼻** external nose (**A**) は，骨性および軟骨性の骨組みをもっていて，ヒトの顔貌を特徴付けるものの1つである．**鼻根** (**A1**) の領域での鼻の骨組みは骨性である (**B**)．ここは2種の骨すなわち鼻骨 (**B2**) と上顎骨の前頭突起 (**B3**) (143頁参照) で構成され，前方では骨鼻腔の入口である梨状口 (**B4**) を縁どっている．梨状口は硝子軟骨から成る鼻軟骨 nasal cartilages で補充されている (**C**)：すなわち，有対性で三角形の軟骨板である外側鼻軟骨 (**C5**) が**外鼻の側壁**と**鼻背** (**AC6**) の基盤をなしている．外側鼻軟骨は鼻中隔軟骨の方に内方に向かって折れ曲がっている (267頁)．**鼻翼** (**AC7**) を支持する骨組みは各側とも大きな大鼻翼軟骨 (**C8**) と3〜4個までの小さな小鼻翼軟骨によってつくられている．大鼻翼軟骨は強く彎曲した軟骨で，蹄鉄状に**外鼻孔** (**C9**) を囲み，外側に位置する外側脚 (**C8a**) と鼻中隔の方に向いた内側脚 (**C8b**) からなり，**鼻尖** (**AD10**) の領域では，彎曲した両側の大鼻翼軟骨の間に小さな溝が生じている．鼻の軟骨は上下に重なりあっていて，隣接する骨とは線維に富んだ結合組織を介して連結されている．これらの軟骨は外鼻に確かな剛性を与え，対性の鼻腔と外鼻孔がいつも開かれていることを保証している．

　鼻の領域の皮下には**表情筋** (157頁参照) が存在し，これらの線維は主として鼻翼と鼻唇溝 (**A11**) の皮膚に付着する．これらの筋は鼻の表情に影響力をもつばかりでなく，外鼻孔の拡張と狭小化にも働いている．**外鼻の皮膚**は薄いが，ただ鼻翼と鼻尖に関してのそれは厚くなっていて，多数の皮脂腺を含んでいる．

　多くの場合楕円形を呈する**外鼻孔** (**D**) は左右の**鼻腔** nasal cavity の入口をつくるが，鼻腔は前方に鼻前庭 (**D12**) を備えている．鼻前庭は皮膚の続きによって内張りされ，短くて剛毛状の鼻毛 (**D13**) が生えている．鼻毛は魚を捕る梁のように吸い込まれた空気から粗大な粒子の侵入を防止している．

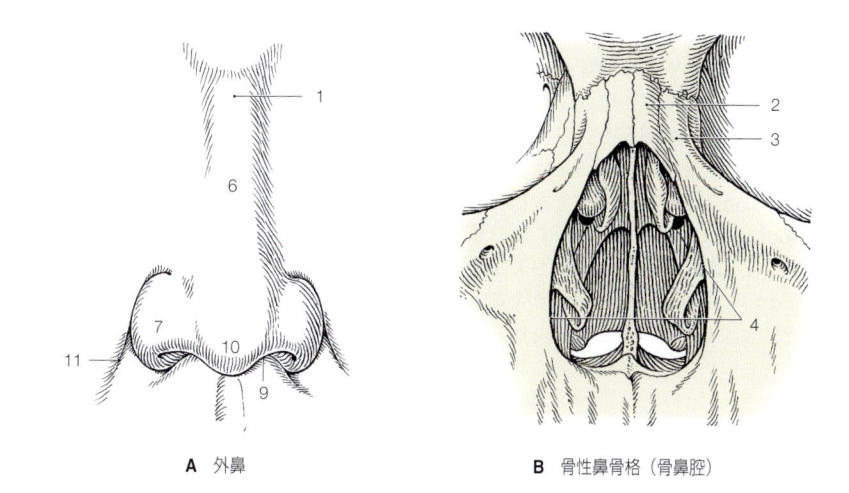

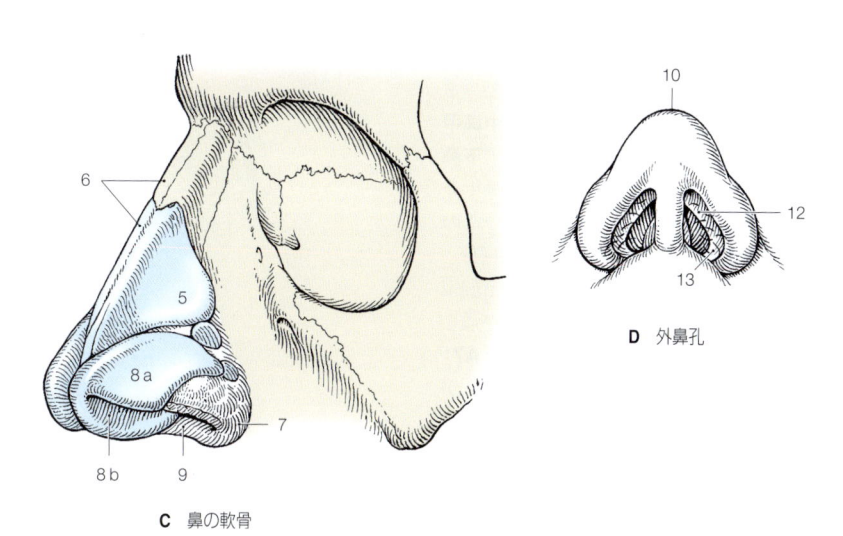

A 外鼻

B 骨性鼻骨格（骨鼻腔）

C 鼻の軟骨

D 外鼻孔

外鼻孔の穴はほぼ水平面上にある．

血管および神経支配

　外鼻への血液給血は顔面動脈からの**眼角動脈** angular artery，眼動脈からの**鼻背動脈** dorsal nasal artery，および顎動脈からの**眼窩下動脈** infra-orbital artery により供給される：静脈血の還流は**顔面静脈** facial vein と**上眼静脈** superior ophthalmic vein を経由して行われる (164頁参照)．

　外鼻の皮膚の知覚支配は**眼神経** ophthalmic nerve と**上顎神経** maxillary nerve (164頁参照) の枝によって支配され，鼻周囲の表情筋の運動支配は**顔面神経** facial nerve の頬筋枝 buccal branches による．

　リンパ流は，上・下の口唇のそれに頬のそれと共に下顎リンパ節 mandibular node に向かう．

> **臨床関連**：内眼角と鼻根との間で顔面静脈と眼静脈の流域間に静脈性の吻合が存在する．顔面領域および外鼻の炎症に際しては，病原菌がこの経路を通じて頭蓋腔の硬膜静脈洞に達して**洞性静脈血栓症**を起こすことがある．

---

1 鼻根 root of nose　**2** 鼻骨 nasal bone　**3** 前頭突起（上顎骨）frontal process (maxilla)　**4** 梨状口 piriform aperture　**5** 外側鼻軟骨 lateral nasal cartilage　**6** 鼻背 dorsum of nose　**7** 鼻翼 ala of nose　**8** 大鼻翼軟骨 major alar cartilage　**8a** 外側脚 lateral crus　**8b** 内側脚 medial crus　**9** 外鼻孔 nares　**10** 鼻尖 apex of nose　**11** 鼻唇溝 nasolabial sulcus　**12** 鼻前庭 nasal vestibule　**13** 鼻毛 hairs of vestibule of nose

鼻腔

鼻腔 nasal cavity は**鼻中隔** nasal septum によって**右半**と**左半**に仕切られている．対性の鼻腔は両側の外鼻孔を経て前下外方に向かって開き，後方に向かっては両側とも**後鼻孔** choanae を経て上咽頭である咽頭鼻部 nasopharynx に連続的に移行する．鼻腔の両半は各々**底**，**天蓋**，**外側壁**および**内側壁**をもっている．鼻腔は底では幅があるが，天蓋ではもはや細長い溝として現れるにすぎない．

外側壁

骨性構築（A）．鼻腔の骨性外側壁は，前方は**上顎骨（A1）**，後方は**口蓋骨垂直板（A2）**，および上方は**篩骨（A3）**によってつくられている．篩骨は多数の大きさの異なる**篩骨蜂巣** ethmoidal cells をもっていて，鼻腔と眼窩の間の骨性境界となっている．また薄い骨板である**上鼻甲介（AB4）**と**中鼻甲介（AB5）**の2つは篩骨の一部である．**下鼻甲介（AB6）**は独立した骨である．各鼻甲介は同名の**鼻道** nasal meatus をおおい，この鼻道に副鼻腔と鼻涙管が開口する（269頁）．小さな上鼻甲介は**上鼻道** superior nasal meatus をおおい，ここに後篩骨蜂巣が通じている．上鼻甲介，隣接する蝶形骨体（A7）および鼻中隔の間には狭い**蝶篩陥凹（A8）**があって，ここに蝶形骨洞が開いている．蝶篩陥凹から少し下方に**蝶口蓋孔（A9）**がみられ，この孔は翼口蓋窩と交通している．中鼻甲介は大きな甲介で**中鼻道** middle nasal meatus をおおい，ここに前頭洞，上顎洞および前篩骨蜂巣が開口する．中鼻道には篩骨の下部構成物である鉤状突起が突出していて上顎洞の開口部をおおっている．この突起の上方に前篩骨蜂巣がつくる篩骨胞（269頁）が前方に膨らんでいる．薄い骨板である下鼻甲介が**下鼻道** inferior nasal meatus をおおい，ここに鼻涙管が開口している．

粘膜像（B）．鼻腔粘膜は3部を区別することができる：すなわち，鼻前庭，呼吸部および嗅部の粘膜である．**鼻前庭** nasal vestibule は外鼻孔の内部に位置する鼻腔の入口であって，ここは外部の皮膚の続き（多層角化扁平上皮）で内張りされている．鼻前庭は呼吸部に対して弓形の高まりである**鼻限（B10）**によって境される．**呼吸部** respiratory region は鼻外側壁の骨像，殊に張り出している鼻甲介像を反映している．この部の粘膜は多列線毛上皮によっておおわれ，粘膜下組織には混合腺である**鼻腺** nasal glands が多数含まれている．**嗅部** olfactory region は鼻外側壁では上鼻甲介より上方の限られた狭い領域にある（**AB4**）．

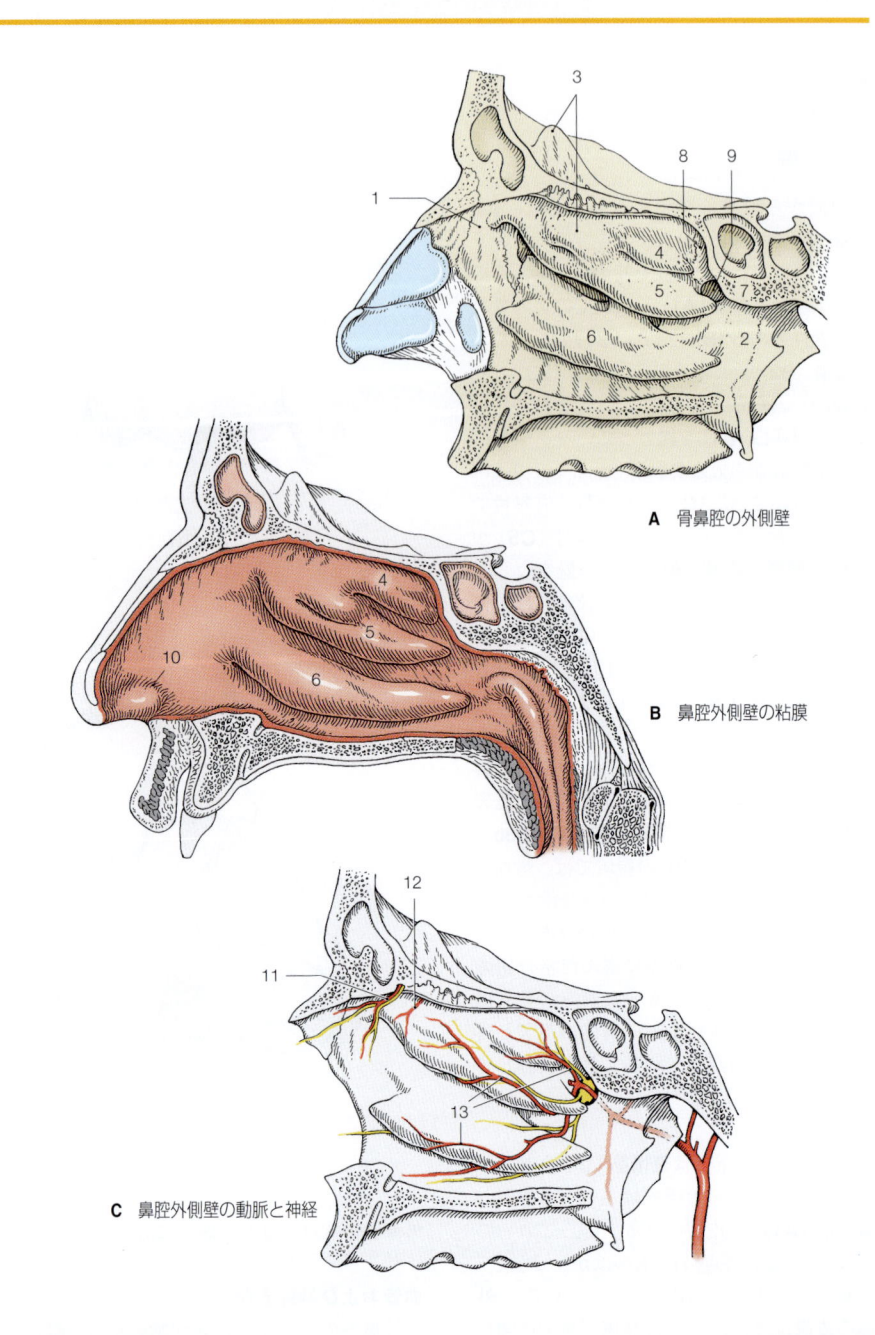

血管および神経支配（C）．鼻腔の外側壁は前部と上部が眼動脈からの**前篩骨動脈（C11）**と**後篩骨動脈（C12）**の枝によって，後部と下部が顎動脈からの**蝶口蓋動脈（C13）**の枝によって供給される．静脈血還流は動脈に沿って行われ，**篩骨静脈** ethmoidal veins を経由して眼静脈へ，蝶口蓋孔を通って**翼突筋静脈叢** pterygoid plexus へ，および鼻前庭から**顔面静脈** facial vein へ還流する．鼻粘膜の知覚枝は前部と上部が**眼神経** ophthalmic nerve からの枝，後部と下部は**上顎神経** maxillary nerve からの枝に支配される．これらの神経枝は動脈に伴行して走り，同じ名称で呼ばれる．鼻腺の神経支配は涙腺のそれと同じである（490頁参照）．

A 骨鼻腔の外側壁

B 鼻腔外側壁の粘膜

C 鼻腔外側壁の動脈と神経

> **臨床関連**：鼻前庭と固有鼻腔との移行部に約1.5mmの広さの粘膜域があり，毛細血管網が著しく発達しており，**キーゼルバッハの部位** Kiesselbach area と呼ぶ．鼻出血の好発部位である．

---

1 上顎骨 maxilla　2 口蓋骨垂直板 perpendicular plate of palatine bone　3 篩骨 ethmoidal bone　4 上鼻甲介 superior nasal concha　5 中鼻甲介 middle nasal concha　6 下鼻甲介 inferior nasal concha　7 蝶形骨体 body of sphenoidal bone　8 蝶篩陥凹 spheno-ethmoidal recess　9 蝶口蓋孔 sphenopalatine foramen　10 鼻限 limen nasi　11 前篩骨動脈（の枝）anterior ethmoidal artery　12 後篩骨動脈（の枝）posterior ethmoidal artery　13 蝶口蓋動脈 sphenopalatine artery

内側壁

鼻中隔 nasal septum（**A**）は鼻腔から前方の外鼻の中にのびている広い部分である．これは，後部と下部で骨からなる部の**骨部** bony part と，前部で軟骨と結合組織からなる部の**軟骨部** cartilaginous part と**膜部** membranous part で，構成されている．

骨部（**A**）．骨部の上部は**篩骨垂直板**（**A1**）によってつくられる．矢状位に位置するこの骨板は鼻腔の骨性天蓋の中にはめ込まれ，前上方には**鼻骨**（**A2**）と**前頭骨鼻部**（**A3**）があり，中央上部には**篩骨篩板**（**A4**）がつくられ，後方には**蝶形骨体**（**A5**）が存在する．骨部の下部は**鋤骨**（**A6**）によってつくられ，篩骨垂直板はその後下縁で鋤骨に接している．この不対性骨である鋤骨は下方では上顎骨の**口蓋突起**（**A7**）と**口蓋骨水平板**（**A8**）とでつくられている骨性の鼻腔底の中に埋め込まれている．鋤骨は後上方で蝶形骨に接している．また，鋤骨の後部自由縁は**後鼻孔**（**A9**）の内側境界をつくっている．

軟骨部と膜部（**A**）．鼻中隔骨部の2つの薄い骨板の間に，前方に広い間隙が残っていて，そこに鼻中隔骨部である**鼻中隔軟骨**（**A10**）がはめ込まれている．この鼻中隔軟骨はいろいろな程度に発達した細い**後突起**（**A11**）をもっていて薄い2つの骨板の間に入り込んでいる．鼻中隔軟骨は鼻背では外鼻の外側鼻軟骨にT字状に連なり（265頁），下前方では鼻翼軟骨の**内側脚**（**A12**）と隣接している．鼻中隔軟骨の前下縁で軟骨部と骨部の間にごく小さい角材状の鋤鼻軟骨 vomeronasal cartilage が存在する．この部位で鼻中隔はほとんどの成人で片側にそれていて，すなわち鼻中隔彎曲を形成し，したがって両側の鼻腔の大きさは多くの場合正確には同じではない．

粘膜像（**B**）．下鼻甲介と中鼻甲介の向かい合わせに位置する粘膜区域は**呼吸部** respiratory region の一部である．この部にはよく発達した海綿腫脹体を含んでいて，その最前方部はしばしば粘膜肥厚部として識別され，鼻出血の好発部である（キーゼルバッハの部位 Kiesselbach area）．**嗅部** olfactory region は上方で篩骨篩板に境されている鼻中隔の狭い部分に存在している．

血管および神経とリンパ還流（**C**）．鼻中隔は，外側鼻壁と同様に，前部と上部は眼動脈からの**前篩骨動脈**（**C13a**）および**後篩骨動脈**（**C13b**）の枝により供給され，後部と下部は顎動脈からの**蝶口蓋動脈**（**C14**）の枝によって栄養される．蝶口蓋動脈は**切歯管**（**C15**）を通り抜けて硬口蓋で大口蓋動脈と吻合する．鼻中隔の静脈血還流は外側鼻壁のそれに対応して還流する．知覚支配は**眼神経** ophthalmic nerve と**上顎神経** maxillary nerve の枝を経て支配されている．上顎神経の中隔終枝の一枝は**鼻口蓋神経**（**C16**）として切歯管を通り抜けて口蓋の下面にまでのびている．鼻粘膜の前部からのリンパは顎下リンパ節および浅頚リンパ節に導かれ，**後部**と副鼻腔からは咽頭後リンパ節および深頚リンパ節に流れる．

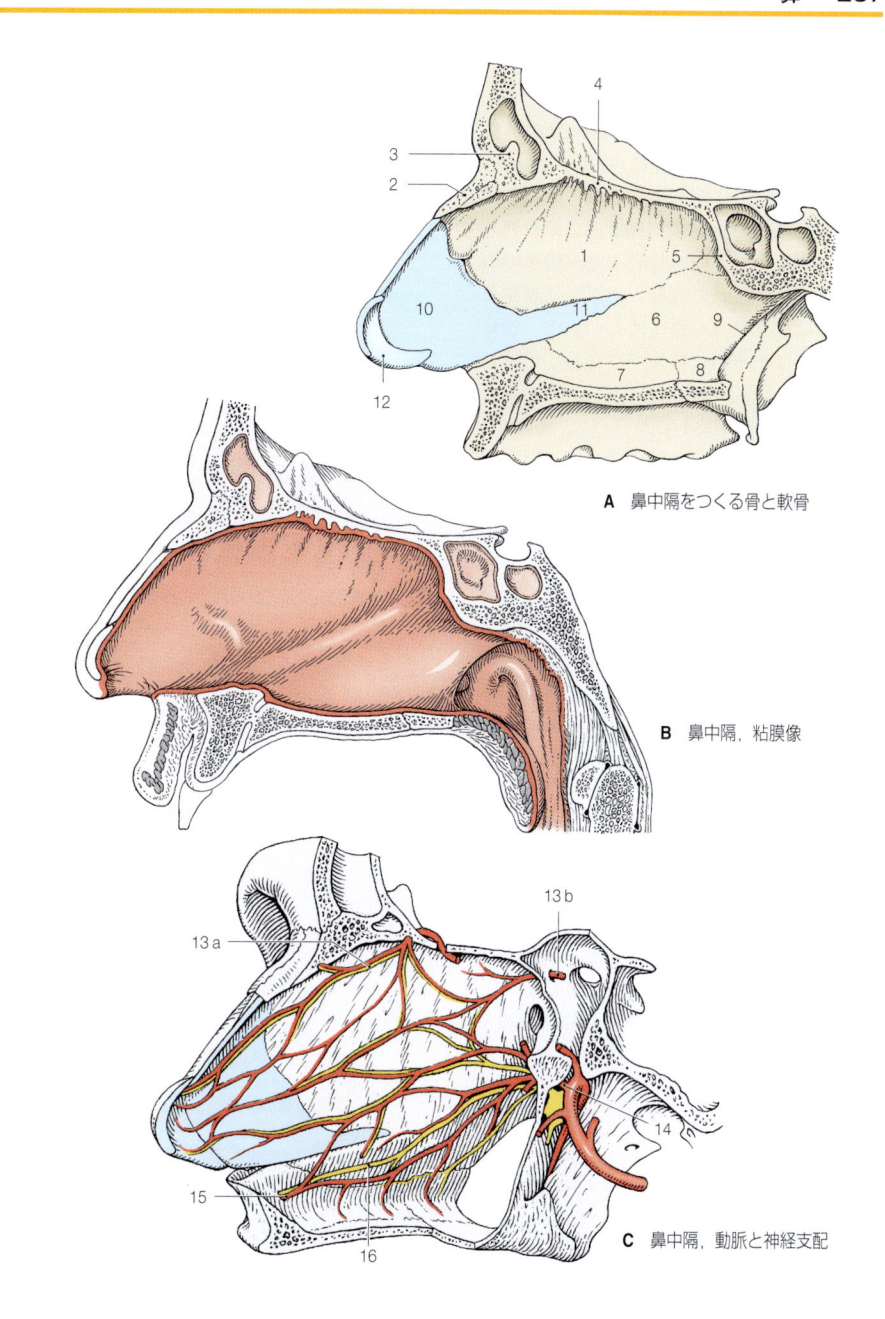

鼻粘膜の組織学．呼吸部の粘膜は多列線毛上皮（呼吸上皮）でおおわれ，この線毛は咽頭の方に向かって運動し，また杯細胞と鼻腺 nasal glands によってつくられる粘液が適当に表面を湿らせている．粘膜中，殊に中鼻甲介と下鼻甲介の粘膜中には，海綿静脈叢である鼻甲介海綿叢 cavernous plexus of conchae が発達している．嗅部の上皮は**嗅細胞**，**支持細胞**および**基底細胞**で構成される（587頁参照）．

臨床関連：片側への強度の鼻中隔彎曲症 deviation of nasal septum（鼻中隔彎曲症）の際には，その側での鼻呼吸が著しく障害されることがある．

A 鼻中隔をつくる骨と軟骨

B 鼻中隔，粘膜像

C 鼻中隔，動脈と神経支配

---

1 篩骨垂直板 perpendicular plate of ethmoidal bone　**2** 鼻骨 nasal bone　**3** 前頭骨鼻部 nasal part of frontal bone　**4** 篩骨篩板 cribriform plate of ethmoidal bone　**5** 蝶形骨体 body of sphenoidal bone　**6** 鋤骨 vomer　**7** 口蓋突起（上顎骨）palatine process　**8** 口蓋骨水平板 horizontal plate of palatine bone　**9** 後鼻孔 choanae　**10** 鼻中隔軟骨 septal nasal cartilage　**11** 後突起 posterior process　**12** （鼻翼軟骨の）内側脚（alar cartilage）medial crus　**13a** 前篩骨動脈 anterior ethmoidal artery　**13b** 後篩骨動脈 posterior ethmoidal artery　**14** 蝶口蓋動脈 sphenopalatine artery　**15** 切歯管 incisive canals　**16** 鼻口蓋神経 nasopalatine nerve

副鼻腔

副鼻腔 paranasal sinuses（A～C）は鼻腔に隣接する骨の中に対性につくられ，内面を粘膜で内張られた空洞である．これらは鼻腔外側壁での狭い開口部を通して鼻腔と交通しており，鼻腔の呼吸上皮が副鼻腔の中に連続して続いている．ただし副鼻腔の粘膜ははなはだ薄く発達はよくない．副鼻腔の原基は出生時にはすでに存在しているが，十分な大きさや形を形成するのは前もって永久歯の発生が終わった後のことである．

前頭洞（AB1）．前頭洞は両側性に前頭骨の眉弓（AB2）の後方に存在する．左右の前頭洞の間には**前頭洞中隔（A3）**があって，その発達は変異に富み，多くの場合この洞を非対称性に分けて，しばしば正中線から外れている．前頭洞の**天蓋**と**後壁**は前頭蓋窩と境を接し，**底**ではしばしば薄い骨板のみが眼窩（A4）と前頭洞とを分けている．前頭洞からの分泌物は中鼻道に排出される．

篩骨洞（AB5）．篩骨洞は篩骨蜂巣ともいわれ，篩骨にできる多数の，不規則に分割された，薄壁の小室であり，これらが集まって篩骨迷路 ethmoidal labyrinth をつくっている．左右の各側で，**篩骨蜂巣は前部，中部および後部**のグループが区別される．しかし，これらグループの形成は蜂巣の数や大きさなどきわめて変異に富んでいる．最も大きな篩骨蜂巣である**篩骨胞** ethmoidal bulla は鼻腔外側壁で半月裂孔の上方にある．篩骨蜂巣は，**内方**では鼻腔（A6）の上部と，**外方**では眼窩と隣接している．これらの隣接部では篩骨蜂巣はただ紙様の薄い骨板によって分けられているにすぎない．また，篩骨蜂巣は**上方**では前頭蓋窩に，**外下方**では上顎洞に隣接している．篩骨蜂巣グループはそれらの位置に応じて中鼻道または上鼻道に開いている．

上顎洞（A～C7）．上顎洞は最も大きな副鼻腔で上顎骨体の内部の大部分を占めている．上顎洞の**上壁**は同時に眼窩の下壁であり，**前壁と側壁**は上顎骨体の前面 anterior surface で囲まれ，**後壁**は上顎骨体の側頭下面 infratemporal surface でつくられて背方に向かって上顎結節（B8）が膨らんでいる．**内側壁**は鼻腔に隣接し，**下壁（底）**は歯槽突起にまで入りこんで歯列弓に達し，最深部は小臼歯と第1大臼歯の間にある．上顎洞の開口部は洞の上部に存在して中鼻道に開く．

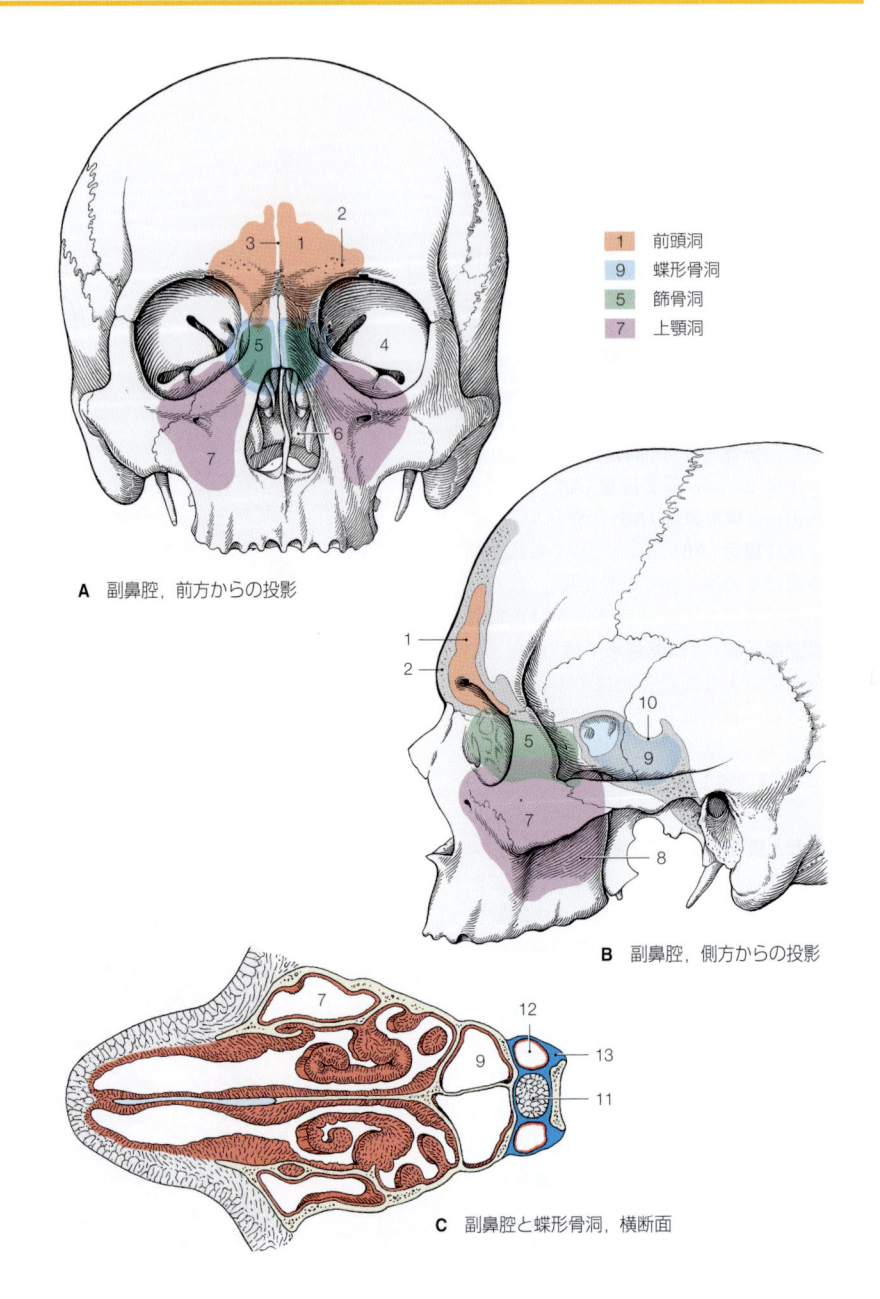

蝶形骨洞（BC9）．対性の蝶形骨洞は鼻腔の後方で蝶形骨体の内部にあり，もともとこの洞は発生的には鼻腔の後部に由来するものである．左右の蝶形骨洞の間にはいろいろな程度に発達した**蝶形骨洞中隔** septum of sphenoidal sinuses があって，これは非対称性に片側にずれていることが多い．蝶形骨洞は，**前方**で後篩骨蜂巣と，**前上方**で視神経管 optic canal と，**後上方**で下垂体（C11）を入れた下垂体窩（B10）と，**外方**では局所的に内頸動脈（C12）および海綿静脈洞（C13）と関連している頸動脈溝 carotid sulcus と，各々隣接している．蝶形骨洞は蝶篩陥凹に開いている．

血管および神経支配，リンパ還流．副鼻腔の動脈血供給，静脈血還流およびリンパ還流については鼻腔のそれに一致している．

1	前頭洞
9	蝶形骨洞
5	篩骨洞
7	上顎洞

A　副鼻腔，前方からの投影

B　副鼻腔，側方からの投影

C　副鼻腔と蝶形骨洞，横断面

臨床関連：鼻腔と副鼻腔間の交通路を通じて，鼻腔粘膜の感染症が副鼻腔にも伝播することがある（副鼻腔炎）．血行不良や開口部の不都合な位置異常は副鼻腔からの分泌物の排出を妨げる原因となり，そのために**慢性炎症**が起こることがある．篩骨洞の炎症が篩骨の薄い眼窩板を通って眼窩へ入ることもある．鼻腔と蝶形骨洞は手術のときに下垂体への接近路としても利用される（C参照）．

---

1 前頭洞 frontal sinus　**2** 眉弓 superciliary arch　**3** 前頭洞中隔 septum of frontal sinuses　**4** 眼窩 orbit　**5** 篩骨洞（篩骨蜂巣）ethmoidal cells　**6** 鼻腔 nasal cavity　**7** 上顎洞 maxillary sinus　**8** 上顎結節 maxillary tuberosity　**9** 蝶形骨洞 sphenoidal sinus　**10** 下垂体窩 hypophysial fossa　**11** 下垂体 pituitary gland　**12** 内頸動脈 internal carotid artery　**13** 海綿静脈洞 cavernous sinus

副鼻腔の開口と鼻道

上鼻甲介（A〜C1）の後縁と蝶形骨体の間に蝶篩陥凹（A2）があり，この陥凹に蝶形骨洞（AB3）が開く．しばしば後篩骨蜂巣（A4）の円蓋がこの開口部をおおっていて，接近し難い開口部となっている．

上鼻甲介の下に位置する上鼻道（AC5）に1〜2個の開口部をもって後篩骨蜂巣が開いている．

中鼻甲介（BC6）の下に位置する中鼻道（A〜C7）の複雑な関係は，中鼻甲介の一部を切除すると初めてみえるようになる．中鼻道には弓形の裂隙である半月裂孔（AB8）がある．この裂孔は，下方からは粘膜ヒダでおおわれた篩骨の鉤状突起（A9）によって，上方からはそれ自身が前方に向かって膨らむ篩骨胞（A10）によって，境されている．この半月裂孔を経由して，その前上部に前頭洞（AB11）が，その後方に前篩骨蜂巣が，また最深部に上顎洞（C12）が開口している．中篩骨蜂巣は篩骨胞の表面で直接中鼻道に開いている．

下鼻甲介（A〜C13）の下に位置する下鼻道（AC14）の前部に鼻涙管（A15）が開口している．この開口部は，粘膜のヒダによって狭くなっている．

各鼻甲介の内側端は鼻中隔に達していないので，鼻中隔の両側には上下の方向にのびる共通の腔所ができている．ここを総鼻道 common nasal meatus という．

鼻甲介の後縁から後鼻孔までの領域は鼻咽道（A16）と呼ばれる．ここには中鼻甲介の高さに翼口蓋窩に通じる蝶口蓋孔（A17）がある．

鼻腔の前額断（C）

鼻腔の前1/3と中1/3の間での前額断像では，外側壁にはただ下鼻甲介（C13）と中鼻甲介（C6）および鉤状突起（C9）が見出されるのみである．この領域での鼻中隔（C18）は軟骨部と骨部とで構成されている．副鼻腔については上顎洞（C12）とその開口が中鼻道であることだけが識別できる．

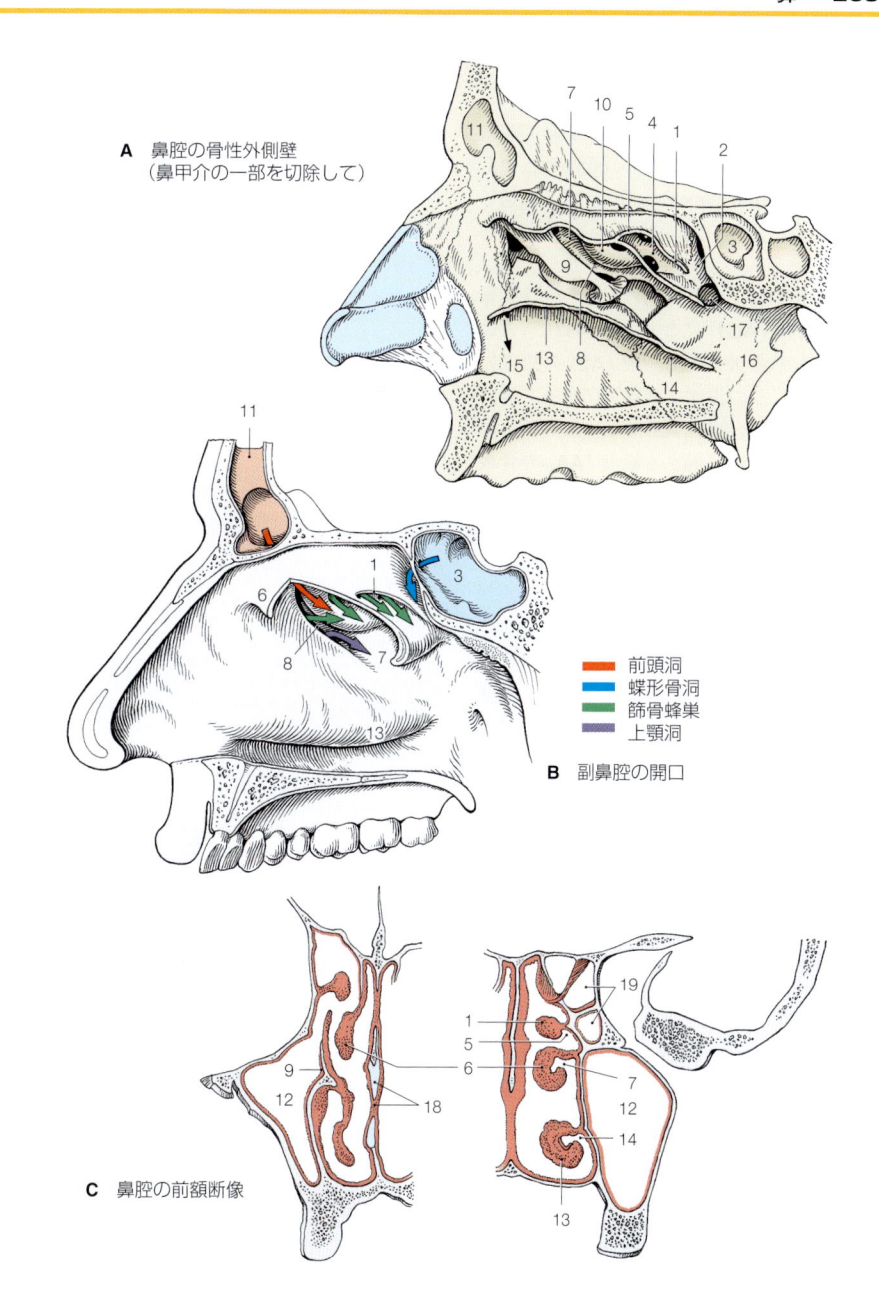

鼻腔の後方1/3を通る前額断像では，外側壁にはすべての鼻甲介を認め，鼻中隔はもっぱら骨部だけでつくられている．副鼻腔に関しては上顎洞の後部のほかに後篩骨蜂巣が識別される．

鼻甲介の静脈叢は広くひろがっており，臨床場面で重要である．膨張すると副鼻腔の開口部を詰めるように働き，開口部を狭くしたり，ときには広げたりもする．

臨床関連：中鼻道は慢性の前頭洞炎，上顎洞炎，篩骨洞炎に対し，内視鏡を使っての手術を行うときの通路となる．

A　鼻腔の骨性外側壁（鼻甲介の一部を切除して）

■ 前頭洞
■ 蝶形骨洞
■ 篩骨蜂巣
■ 上顎洞

B　副鼻腔の開口

C　鼻腔の前額断像

---

1 上鼻甲介 superior nasal concha　2 蝶篩陥凹 spheno-ethmoidal recess　3 蝶形骨洞 sphenoidal sinus　4 後篩骨蜂巣 posterior ethmoidal cells　5 上鼻道 superior nasal meatus　6 中鼻甲介 middle nasal concha　7 中鼻道 middle nasal meatus　8 半月裂孔 semilunar hiatus　9 鉤状突起 uncinate process　10 篩骨胞 ethmoidal bulla　11 前頭洞 frontal sinus　12 上顎洞 maxillary sinus　13 下鼻甲介 inferior nasal concha　14 下鼻道 inferior nasal meatus　15 鼻涙管 nasolacrimal canal　16 鼻咽道 nasopharyngeal meatus　17 蝶口蓋孔 sphenopalatine foramen　18 鼻中隔 nasal septum　19 篩骨洞 ethmoidal cells

後鼻孔

各側の鼻腔は**後鼻孔** choanae を経て咽頭鼻部 nasopharynx（鼻咽頭 nasopharynx または上咽頭 epipharynx とも呼ばれる）に通じている．

骨性境界（A）．後鼻孔の**上方**の骨性境界は蝶形骨体（**AC1**）によってつくられ，これは上外方で翼状突起内側板（**A2**）の根部に移行する．この根部には前方に走って翼口蓋窩に通じる翼突管（**A3**）が貫いている．**内側壁**は矢状位に位置する鋤骨（**A4**）の骨板によってつくられ，これは頭方では鋤骨翼（**A5**）となって後鼻孔の天蓋にはめ込まれている．鋤骨の後部自由縁は**下方**では口蓋骨の後鼻棘（**A6**）に連なり，口蓋骨はその水平板（**A7**）でもって後鼻孔の下方の境界をつくっている．後鼻孔の**外方**の縁どりは口蓋骨垂直板でつくられ，そのすぐ外側に翼状突起内側板が隣接している．後鼻孔を後方からみると下鼻甲介（**A8**），中鼻甲介（**A9**），篩骨胞（**A10**）および鈎状突起（**A11**）が観察できる．

粘膜のレリーフ（B）．粘膜のレリーフは周囲の骨性の構造と軟口蓋の筋や腱膜によって縁どられている．

鼻咽頭

咽頭 pharynx については消化器の項で論じられる．ここではもっぱら気道として働いている**咽頭鼻部** nasopharynx（**C**）の粘膜像についてだけ述べる．

咽頭鼻部は後鼻孔に接続して，**上方**は頭蓋底，**側方**と**後方**は咽頭壁に囲まれる．**下方**には軟口蓋（**BC17**）（289頁）があって，中咽頭である咽頭口部 oropharynx との境となっている．咽頭の丸天井すなわち**咽頭円蓋**（**C18**）の中，ならびに鼻咽頭の上部後壁と上部側壁の中にはリンパ組織があって，これらは全体的に**咽頭扁桃**（**C19**）（418頁）と呼ばれる．側壁内で下鼻甲介の後縁から1〜1.5cm 離れたところに耳管の開口部である**耳管咽頭口**（**C20**）がある．耳管 auditory tube は鼻咽頭腔から鼓室に通じている．この耳管開口部は耳管軟骨の自由縁によって囲まれ，開口部の前，上，後方の粘膜は**耳管隆起**（**C21**）として強く隆起している．耳管隆起の後方に**咽頭陥凹**（**C22**）がある．耳管開口部の前下方には弱いが明らかな粘膜隆起である**挙筋隆起**（**C23**）があり，これは軟口蓋の筋である口蓋帆挙筋 levator veli palatini によってつくられる．リンパ組織が強力に発達するとき，咽頭扁桃が耳管開口部の周辺領域に及んで耳管扁桃 tubal tonsil（418頁）をつくる．

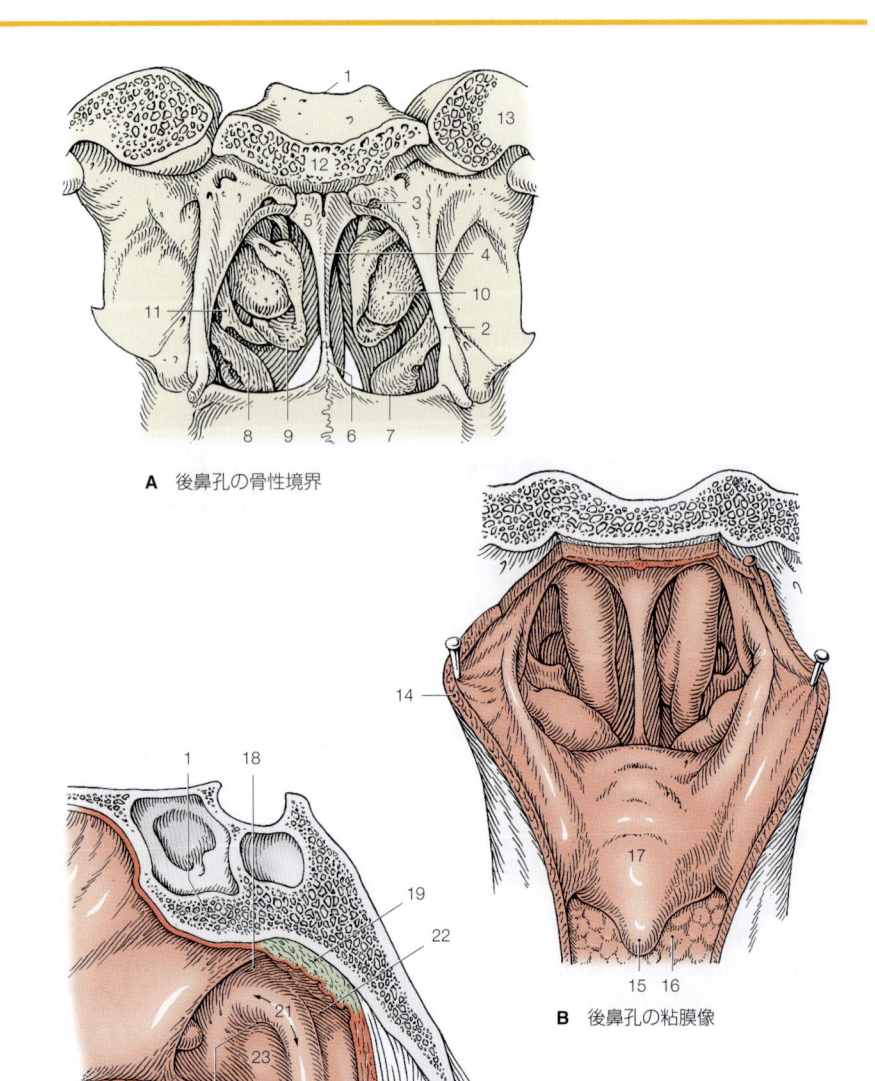

A 後鼻孔の骨性境界

B 後鼻孔の粘膜像

C 鼻咽頭の粘膜（矢状断）

臨床関連：子供のときに巨大化した咽頭扁桃が生じて後鼻孔を塞ぎ，そのために鼻呼吸が妨げられることがある．全く同様に，耳管開口部が塞がれて耳管の通気障害を起こすことがある．耳管開口部は下鼻道に沿ってカテーテルを挿入することで検査することができるが，そのとき方位確認の指標として耳管隆起が役立つ．

1 蝶形骨体 body of sphenoidal bone　2 翼状突起内側板 medial plate of pterygoid process　3 翼突管 pterygoid canal　4 鋤骨 vomer　5 鋤骨翼 ala of vomer　6 後鼻棘 posterior nasal spine　7 口蓋骨水平板 horizontal plate of palatine bone　8 下鼻甲介 inferior nasal concha　9 中鼻甲介 middle nasal concha　10 篩骨胞 ethmoidal bulla　11 鈎状突起 uncinate process　12 後頭骨底部 basilar part of occipital bone　13 側頭骨岩様部 petrous part of temporal bone　14 咽頭後壁の切断縁 cut surface of posterior pharyngeal wall　15 口蓋垂 uvula　16 舌根 root of tongue　17 軟口蓋 soft palate　18 咽頭円蓋 vault of pharynx　19 咽頭扁桃 pharyngeal tonsil　20 耳管咽頭口 pharyngeal opening of auditory tube　21 耳管隆起 torus tubarius　22 咽頭陥凹 pharyngeal recess　23 挙筋隆起 torus levatorius

喉頭

喉頭 larynx は大気を導く器官（気道）の一部であり，下咽頭である咽頭喉頭部 laryngopharynx の高さにあって気管にまでのびている（A）．喉頭は下部気道の始まりという重要な使命のほか，発声器としての役目も果たしている．喉頭は成人男性では第3～第6頸椎の高さにあるが女性や子供ではより高く位置する．

喉頭の骨組みである**喉頭骨格**は軟骨で構成され，これらの軟骨は靱帯や膜によって連結され，また筋によって動かされる．

喉頭骨格

甲状軟骨（B）． 硝子軟骨である甲状軟骨 thyroid cartilage には四辺形の2枚の板すなわち**右板**（B1）と**左板**（B2）があり，両側の板の下半部は前方の正中線で船の舳先のように互いに結合している．舳先の上部は，板の形に起因して，頸部の体表から最も突出した状態をつくりだし，とくに男では**喉頭隆起**（B3）（アダムの林檎 Adam's apple という）といわれて可視的で触知可能である．喉頭隆起の上縁には両板間の深い切れこみである**上甲状切痕**（B4）がある．右板と左板は後方に向かって互いに離れるように開き，その後縁からは細い一対の突起が上下に突出しており，これを**上角**（B5）および**下角**（B6）という．下角には輪状軟骨と連結するための**輪状関節面**（B7）がある．各板の外側面は，後上方から前下方に走る**斜線**（B8）によって，前後の小面に分けられ，前部から甲状舌骨筋が起こり，後部には胸骨甲状筋と下咽頭収縮筋が付着する．

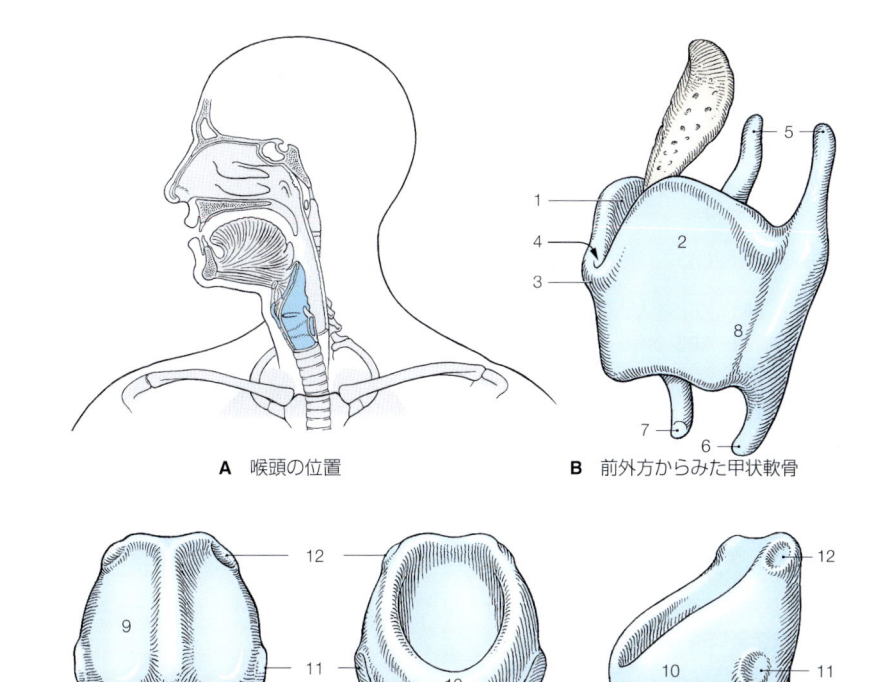

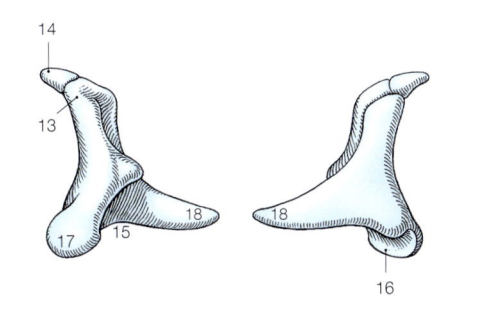

輪状軟骨（C）． 硝子軟骨である輪状軟骨 cricoid cartilage は指輪のように気道の周りを一周している．この軟骨は印章付き指輪の形を呈していて，後方の幅のある**輪状軟骨板**（C9）と前方の幅の狭い**輪状軟骨弓**（C10）とをもっている．各側とも板と弓の間に，その下方に甲状軟骨の下角に対する関節面である**甲状関節面**（C11）がある．また，この軟骨の上縁には両側の披裂軟骨に対する関節面である**披裂関節面**（C12）がある．輪状軟骨は，成人では第6頸椎の高さにある．

披裂軟骨（D）． ほとんどが硝子軟骨でつくられている披裂軟骨 arytenoid cartilage は三角錐形のピラミッド状を呈している．この軟骨は4面すなわち前外側面，内側面，後面および底面と3稜を有し，これに加えて尖と2つの突起をもっている．**尖**（D13）は内後方に傾斜しており，その上に小角軟骨（D14）をのせている．各々の披裂軟骨はその**底**（D15）に輪状軟骨板と連結するための関節面（D16）をもっている．底からは**2つの突起**が出ている：すなわち，外後方にのびる**筋突起**（D17）と前方にのびる**声帯突起**（D18）で，前者に喉頭の2つの筋（後および外側輪状披裂筋）が付着し，後者に声帯靱帯が付着する．

喉頭蓋軟骨（E）． 弾性軟骨である喉頭蓋軟骨 epiglottic cartilage は木の葉の形をしていて**喉頭蓋** epiglottis の中にあり，**喉頭蓋茎**（E19）を経て甲状軟骨の内面に付着する（Bを参照）．口腔方向に向く喉頭蓋の**前面**（E20）は凸面状に彎曲して角化しない重層扁平上皮でおおわれ，一方，喉頭口に向いた**後面**は凹面を呈して呼吸上皮（多列線毛上皮）を備えている．喉頭蓋軟骨板には茶漉し器のような多数の小さい穴が開いているが，この穴には通りぬける血管や腺組織が入っている．

喉頭軟骨の中で硝子軟骨であるものは，思春期の終わりとともに**石灰沈着**が起こって柔軟性を失ってくる．これは女よりも男に早期に始まり，また十分に進行する．弾性軟骨である喉頭蓋軟骨は退行性変化は出現するが骨化を起こすことはない．

臨床関連：軟骨膜や骨膜の炎症（軟骨膜炎，骨膜炎）が外傷や放射線照射のあとで起こることがある．喉頭骨の骨折により発声障害をきたしたり，気道の閉塞で窒息の危険が迫ることがある．

A 喉頭の位置　B 前外方からみた甲状軟骨　C 後方，前方，外方からみた輪状軟骨　D 外方と内方からみた右の披裂軟骨　E 前方と外方からみた喉頭蓋軟骨

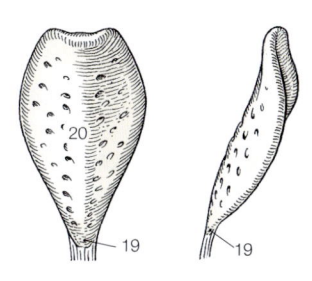

1 右板 right lamina　2 左板 left lamina　3 喉頭隆起 laryngeal prominence　4 上甲状切痕 superior thyroid notch　5 上角 superior horn　6 下角 inferior horn　7 輪状関節面 cricoids surface of cricoids cartilage　8 斜線 oblique line　9 輪状軟骨板 lamina of cricoid cartilage　10 輪状軟骨弓 arch of cricoid cartilage　11 甲状関節面 thyroid articular surface　12 披裂関節面 arytenoid articular surface　13 披裂軟骨尖 apex of arytenoid cartilage　14 小角軟骨 corniculate cartilage　15 披裂軟骨底 base of arytenoid cartilage　16 関節面 articular surface　17 筋突起 muscular process　18 声帯突起 vocal process　19 喉頭蓋茎 stalk of epiglottis　20 喉頭蓋軟骨の前面 anterior surface of epiglottic cartilage

喉頭軟骨の連結

喉頭軟骨 laryngeal cartilage はそれ自体が関節をつくって互いに連結するほか，靱帯，筋，および結合組織膜を介して連結している．また舌骨および気管とも連結する．

喉頭の靱帯（A〜C）

甲状軟骨（**A1**）の上縁と舌骨（**A2**）との間には**甲状舌骨膜**（**AB3**）が張っている．この膜の中央部で，上甲状切痕（**A4**）と舌骨体（**A5**）との間の強化された線維束の部分は**正中甲状舌骨靱帯**（**A6**）といわれる．ここから外側にある部分はより薄い膜となっており，その中に上喉頭動静脈と上喉頭神経の内枝が通り抜ける穴（**A7**）がある．甲状舌骨膜の甲状軟骨の上角（**A8**）と舌骨の大角（**AB9**）後端との間には，同様に強化された**外側甲状舌骨靱帯**（**A〜C10**）があり，この靱帯の中に小さな軟骨である麦粒軟骨（**A〜C11**）が埋め込まれている．甲状軟骨の下縁は前方で輪状軟骨の弓と**正中輪状甲状靱帯**（**AC12**）によって連結され，この部の大部分は弾性線維でできている．この靱帯は**弾性円錐**（**AC13**）の構成成分でもある（下記参照）．輪状軟骨の下縁と第1気管軟骨とは**輪状気管靱帯**（**AC14**）を介して連結している．甲状軟骨の後面では，**甲状喉頭蓋靱帯**（**BC15**）を介して喉頭蓋茎が連結している．前上方では**舌骨喉頭蓋靱帯**（**C16**）が喉頭蓋と舌骨体とを連結している．

喉頭の関節（A〜C）

甲状軟骨の下角と輪状軟骨板の下部側面との間に両側で**輪状甲状関節**（**A〜C17**）がつくられる．これによって，左右2つの関節を通る横軸の周りを輪状軟骨は甲状軟骨に対して傾くことができる．この傾斜運動によって甲状軟骨の内面と声帯突起との間隔（距離）の変化が可能となる．披裂軟骨の底と輪状軟骨の上縁との間には両側で**輪状披裂関節**（**BC18**）がある．この関節はゆるんだ関節包で周りを取り囲まれ，後方からは**後輪状披裂靱帯**（**C19**）によって補強されている．この両側の輪状披裂関節では2つの異なった運動が可能である．披裂軟骨は回転運動と滑走運動を行い，それによって声帯突起は内方または外方に滑ることが可能となる．回転運動の際には披裂軟骨は同時に傾斜運動を行う．滑走運動によって左右の披裂軟骨は互いに相手を近づけたり，または遠ざけたりすることができる．これらの個々の運動はともに一緒になって連係し合い，その結果として，両側の声帯突起 vocal process は非常に重要な運動活動を行うことになる．

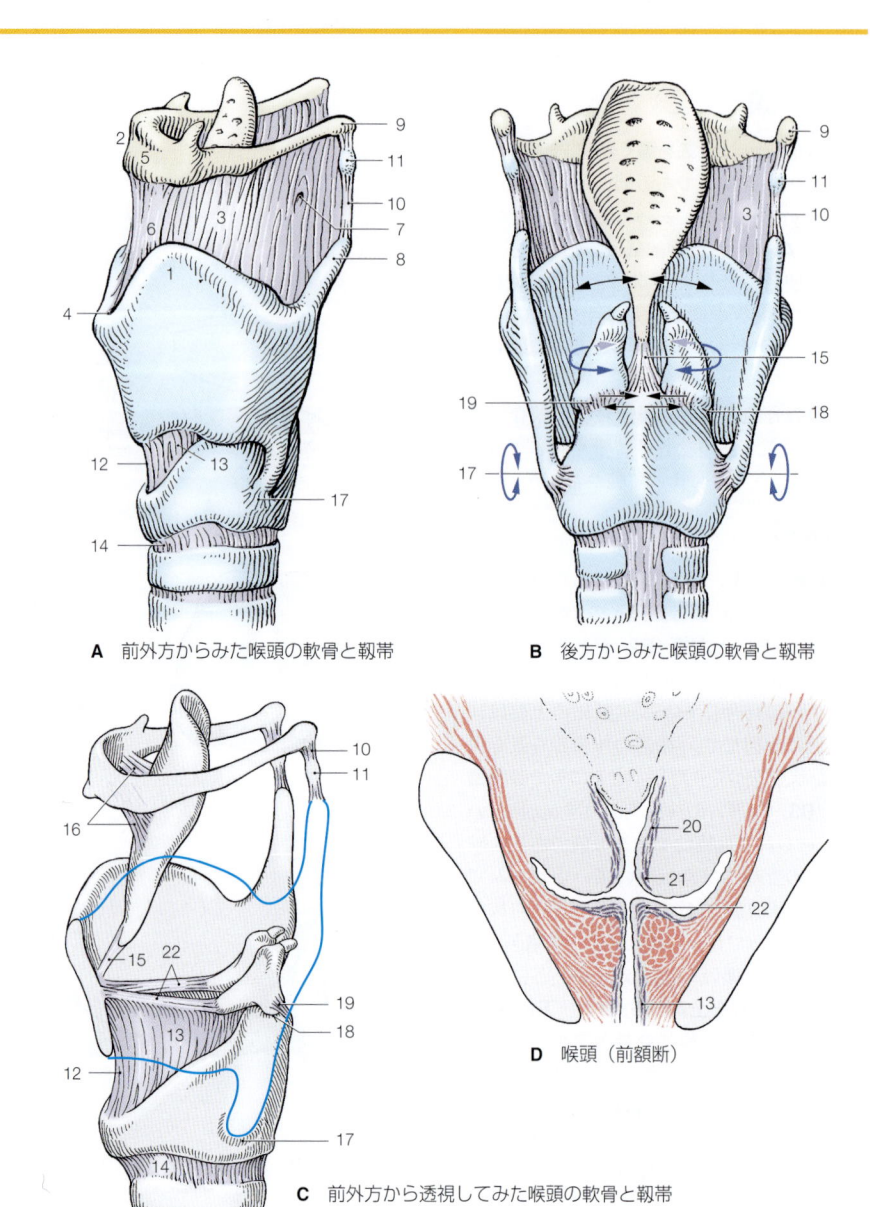

臨床関連：高齢者では，輪状披裂関節に変性性の変化（骨関節症 arthrosis）が生じていることがある．

喉頭の膜（CD）

喉頭の粘膜下にある結合組織は弾性線維に富み，総称して**喉頭弾性膜** fibro-elastic membrane of larynx という．喉頭弾性膜の上部は前庭ヒダ（274頁）に至るまでの喉頭粘膜を裏打ちして発達の弱い**四角膜**（**D20**）を構成している．この膜の下部自由縁に前庭ヒダ（＝仮声帯，**D21**）がつくられる．喉頭弾性膜の**下部**はより強い**弾性円錐**（**D13**）を構成する．この膜は輪状軟骨の内面から起こって上端の声帯ヒダ vocal fold（＝声帯 vocal cord）の中に続き，そこで肥厚したヒダの中に**声帯靱帯**（**CD22**）をつくる：すなわち，声帯靱帯は弾性円錐の上端が肥厚した部分である．弾性円錐の前部は丈夫につくられていて，先述の正中輪状甲状靱帯（**AC12**）となり，輪状軟骨と甲状軟骨の間に張っている．

臨床関連：正中輪状甲状靱帯は声門裂 rima glottidis よりも下方に位置するので，生命の危険を及ぼす声門裂の閉鎖に対して声門を切開したり，穿刺を行って人工的に気道を開けてやること（**輪状甲状切開術** coniotomy）がある．

A 前外方からみた喉頭の軟骨と靱帯

B 後方からみた喉頭の軟骨と靱帯

C 前外方から透視してみた喉頭の軟骨と靱帯

D 喉頭（前額断）

---

1 甲状軟骨 thyroid cartilage　2 舌骨 hyoid bone　3 甲状舌骨膜 thyrohyoid membrane　4 上甲状切痕 superior thyroid notch　5 舌骨体 body of hyoid bone　6 正中甲状舌骨靱帯 median thyrohyoid ligament　7 上喉頭動静脈および上喉頭神経内枝が通る穴 perforation for superior laryngeal vessels and internal branch of superior laryngeal nerve　8 上角（甲状軟骨）superior horn (thyroid cartilage)　9 大角（舌骨）greater horn (hyoid bone)　10 外側甲状舌骨靱帯 lateral thyrohyoid ligament　11 麦粒軟骨 triticeal cartilage　12 正中輪状甲状靱帯 median cricothyroid ligament　13 弾性円錐 conus elasticus　14 輪状気管靱帯 cricotracheal ligament　15 甲状喉頭蓋靱帯 thyro-epiglottic ligament　16 舌骨喉頭蓋靱帯 hyo-epiglottic ligament　17 輪状甲状関節 cricothyroid joint　18 輪状披裂関節 crico-arytenoid joint　19 後輪状披裂靱帯 crico-arytenoid ligament　20 四角膜 quadrangular membrane　21 前庭ヒダ vestibular fold (pocket band)　22 声帯靱帯 vocal ligament

喉頭筋

本来の喉頭筋 laryngeal muscles は相対する喉頭軟骨の運動に働いて，声帯の緊張とその調整に影響を与える．喉頭筋はその位置と由来に応じて**喉頭外筋**と**喉頭内筋**とに分けられる．このほかにも喉頭全体を動かす筋として多くの筋がある（舌骨下筋，160頁参照；舌骨上筋，292頁；下咽頭収縮筋，300頁）．

喉頭外筋

輪状甲状筋（A1）は喉頭軟骨の枠組みの外側にある唯一の喉頭外筋で，臨床的には短く前筋 anticus ともいわれる．この筋は輪状軟骨弓の前面から両側性に起こり，2部すなわち**直部（A1a）**と**斜部（A1b）**に分かれて，甲状軟骨の下縁とその下角の内面に付着する．輪状甲状筋は，甲状軟骨が固定されているときには，甲状軟骨に対して輪状軟骨を後方に傾けて声帯を緊張させる．輪状甲状筋は上喉頭神経 superior laryngeal nerve の外枝 external branch によって支配される．

喉頭内筋

喉頭内筋に属する筋は甲状軟骨の内側にあって，迷走神経 vagus nerve の下喉頭神経 inferior laryngeal nerve に支配される．次のような筋群で構成される：すなわち，

後輪状披裂筋（B～D2）．短く後筋 posticus ともいわれる．この筋は両側性に輪状軟骨板の後面から起こり，披裂軟骨筋突起（B3）の外側面に付着する．この筋は筋突起を後方に引っぱる働きがあり，それによって声帯突起が外方に動かされて声門裂 rima glottidis が広げられる．この筋は以下の筋が声門を閉じるのに働く（声門閉鎖筋）のに対して唯一の声門開大筋である．

外側輪状披裂筋（BD4）．短く側筋 lateralis ともいわれる．この筋は輪状軟骨弓の外面と上縁から起こり，披裂軟骨の筋突起に付着する．この筋は"後筋"に拮抗して働き，筋突起を前方に引っぱり，それによって声帯突起が正中の方に移動して声門裂は狭くなる．

声帯筋（B5）．この筋は両側性に甲状軟骨の後面から起こって披裂軟骨の声帯突起にのびている．この筋は甲状軟骨を声帯突起に近づけ，この筋が収縮に際して太く（厚く）なることによって声門裂を十分に閉鎖する．さらにはこの筋の等尺性収縮が声帯ヒダの緊張とその微調整に働いている．声帯筋は外方に向かって幅は広いが薄い甲状披裂筋の筋肉板に続いている．

甲状披裂筋（CD6）．短く内筋 internus ともいわれる．この筋は甲状軟骨の内面に起こり，披裂軟骨の側面に付着する．この筋が収縮すると披裂軟骨は前方に引っ張られ，声帯は縮む．そして声門の前方の大部分（膜間部 intermembranous part）が閉じる．この筋の一部の筋束は喉頭蓋に走り，この部を**甲状喉頭蓋筋（D6a）**という．この筋束は喉頭口を狭くするのを助ける．

横披裂筋（C7）．この筋は単独の不対性の筋で，一方の披裂軟骨後面から対側の披裂軟骨の後面にのびている．この筋は両側の披裂軟骨を互いに近づけ，声門裂の後方部すなわち軟骨間部 intercartilaginous part を閉じる．そのほかにこの筋は声帯を緊張させることに役立っている．

斜披裂筋（C8）．この筋は横披裂筋の表層にあり，一方の披裂軟骨筋突起の後面から起こり，対側の披裂軟骨尖に付着する．斜披裂筋は，披裂軟骨と喉頭蓋間の粘膜ヒダである両側の披裂喉頭蓋ヒダ ary-epiglottic fold を互いに近づけることによって，喉頭口を狭くすることを助けている．また同じ意味で，斜披裂筋の走行に続いて補助線維が**披裂喉頭蓋筋（D9）**として分束し，これは粘膜ヒダである披裂喉頭蓋ヒダの基礎をつくっている．

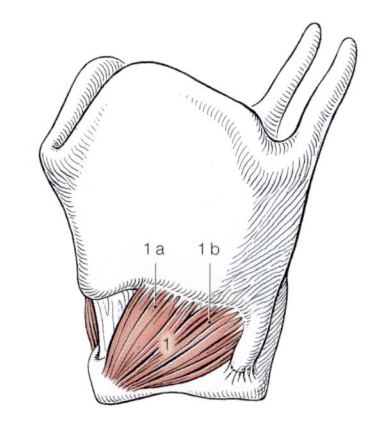

A 輪状甲状筋

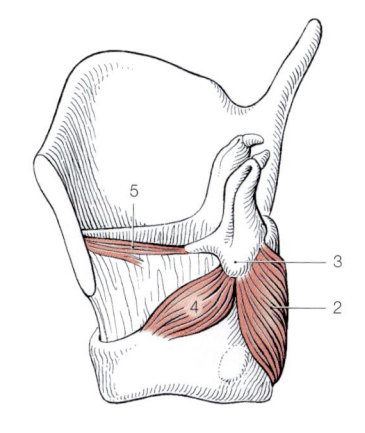

B 後および外側輪状披裂筋

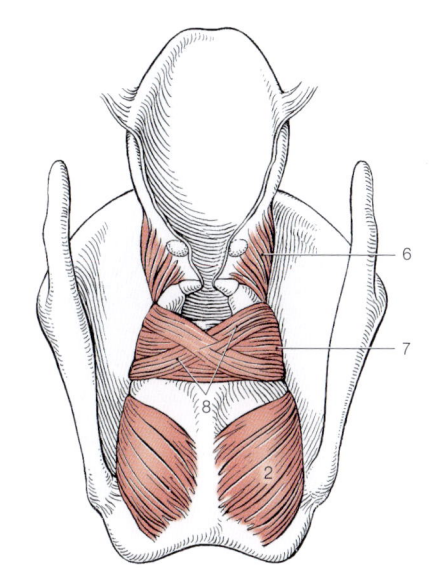

C 後方からみた喉頭筋

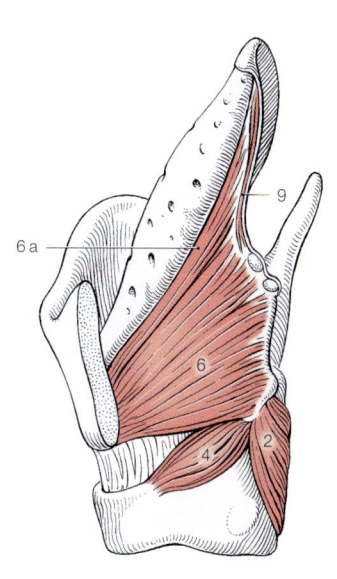

D 外方からみた喉頭筋

---

1 輪状甲状筋 cricothyroid　**1a** 直部 straight part　**1b** 斜部 oblique part　**2** 後輪状披裂筋 posterior crico-arytenoid　**3**（披裂軟骨の）筋突起 muscular process　**4** 外側輪状披裂筋 lateral crico-arytenoid　**5** 声帯筋 vocalis　**6** 甲状披裂筋 thyro-arytenoid　**6a** 甲状喉頭蓋筋 thyro-epiglotticus　**7** 横披裂筋 transverse arytenoid　**8** 斜披裂筋 oblique arytenoid　**9** 披裂喉頭蓋筋 aryepiglotticus

喉頭の内腔

喉頭腔

粘膜で内張られた喉頭口から輪状軟骨の下縁までの腔所は**喉頭腔** laryngeal cavity（**AB**）と呼ばれる．この喉頭腔は2種類の上下に重なりあった対性のヒダによって**上，中**および**下階層**に3区分される：

上階層（喉頭前庭）．傾斜した状態にある**喉頭口**（**A1**）は**喉頭前庭**（**I**）の始まりで，喉頭前庭は**前庭ヒダ**（**AB2**）まで続く．喉頭口の境界は**喉頭蓋**（**A3**）と粘膜ヒダである両側の**披裂喉頭蓋ヒダ**（**A4**）によってつくられており，この披裂喉頭蓋ヒダは喉頭蓋の側縁から披裂軟骨の尖に納まっている小角軟骨 corniculate cartilage までのびている．またこの両側のヒダの中には小さな軟骨である楔状軟骨 cuneiform cartilage があり，これら2種類の小軟骨は披裂喉頭蓋ヒダの中で小角結節（**A5**）と楔状結節（**A6**）をつくっている．喉頭口の背側で，左右の披裂軟骨の間には粘膜の中に溝がつくられていて，この溝を披裂間切痕 interarytenoid notch という．喉頭口すなわち披裂喉頭蓋ヒダの両外側には，咽頭喉頭部の粘膜の溝である**梨状陥凹**（**A7**）（300頁）があり，食物が喉頭口の傍を通って食道に導かれる．

喉頭前庭の**前壁**は喉頭蓋によってつくられ，舌根とは粘膜ヒダ（正中および外側舌喉頭蓋ヒダ）で連結されている．前壁の高さは4～5 cmである．披裂間切痕の領域にある平坦で低い**後壁**はほとんど前庭ヒダと同じ高さにある．

中階層（中間喉頭腔）．中階層は最も小範囲の部分で，**前庭ヒダ**（**AB2**）から**声帯ヒダ**（**AB8**）までの広がりをいい，**中間喉頭腔**（**II**）とも呼ばれる．ここでは，両側に側室である**喉頭室**（**BC9**）がつくられている．この喉頭室は上方では前庭ヒダに下方では声帯ヒダに境されて，前上方にのびて行きづまりの盲嚢である**喉頭小嚢**（**C10**）に終わる．

下階層（声門下腔）．下階層は**声帯ヒダ**から**輪状軟骨の下縁**に達し，**声門下腔**（**III**）と呼ばれる．この腔は頭方から尾方に向かって拡張し，続いて気管に移行する．粘膜で内張られた声門下腔の壁はほとんど**弾性円錐**（**C11**）だけでつくられている．

組織学．喉頭腔の粘膜は，声帯ヒダの部分を除いて，呼吸上皮である多列線毛上皮でおおわれ，喉頭前庭と前庭ヒダの領域には多数の**混合腺**が含まれている．

前庭ヒダ，声帯ヒダ（C）

前庭ヒダ（**A2**）（**仮声帯** false vocal cord）．

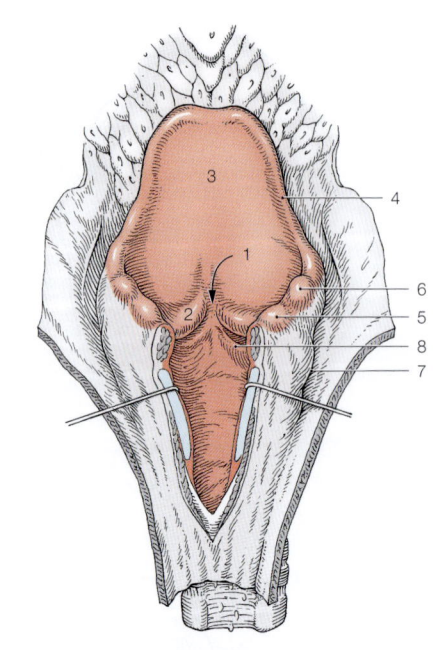

A 後方からみた喉頭の内腔

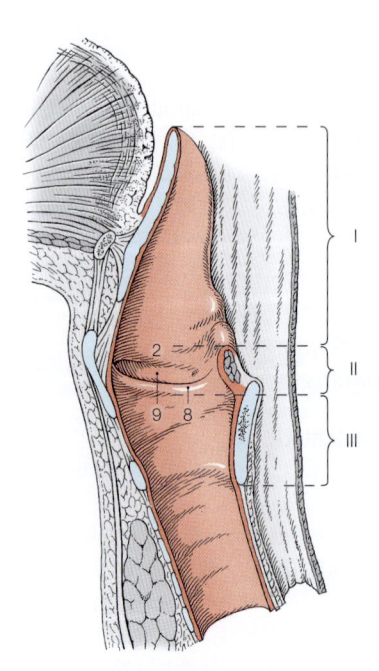

B 喉頭の内腔（正中矢状断）

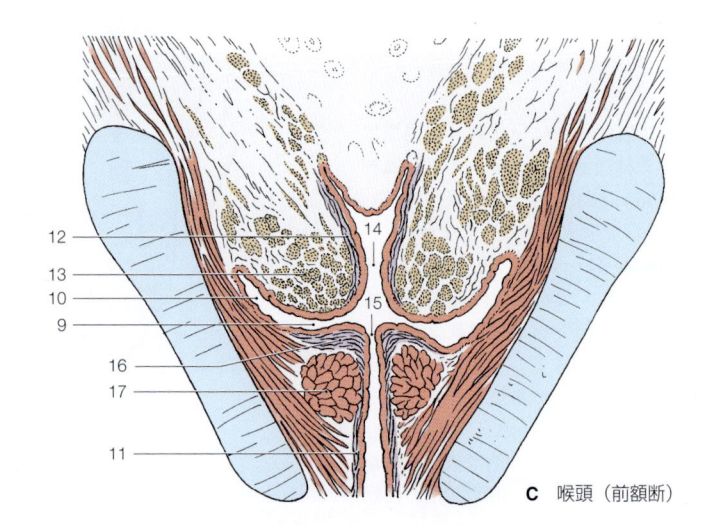

C 喉頭（前額断）

これは四角膜（**C12**）の下部自由縁に相当し，ここには室靱帯 vestibular ligament と多くの**喉頭腺**（**C13**）を含んでいる．前庭ヒダは声帯ヒダと比較して喉頭腔の中に突出していないので，両側の前庭ヒダ間の間隙すなわち**前庭裂**（**C14**）はその下に位置している両側の声帯ヒダの間にできる間隙すなわち**声門裂**（**C15**）よりも広い．

声帯ヒダ（声帯）．声帯ヒダ（**AB8**）は**声帯靱帯**（**C16**）と**声帯筋**（**C17**）を含み，声門裂の前部を境している．

組織学．声帯ヒダは角化しない重層扁平上皮によっておおわれ，下層の声帯靱帯とは移動（"ずれ"）ないように結合している．声帯ヒダの領域では粘膜下組織と血管が少なく，ここの粘膜は白っぽくみえて，そのほかの赤みがかった粘膜とは異なっているのが特徴である．

臨床関連：喉頭口周囲の粘膜中にある疎性結合組織は血管外に出た相当量の水分を貯留する傾向がある．そのために炎症や虫刺されに際して，事情によっては生命にも危険が及ぶこの粘膜の腫脹をきたすこともある（**喉頭水腫** edema of the larynx）．喉頭水腫は多くの場合**声門水腫**と混同されて呼ばれていることが多い．

I 喉頭前庭 laryngeal vestibule **II** 中間喉頭腔 intermediate laryngeal cavity **III** 声門下腔 infraglottic cavity
1 喉頭口 laryngeal inlet **2** 前庭ヒダ vestibular fold **3** 喉頭蓋 epiglottis **4** 披裂喉頭蓋ヒダ ary-epiglottic fold **5** 小角結節 corniculate tubercle **6** 楔状結節 cuneiform tubercle **7** 梨状陥凹 piriform recess **8** 声帯ヒダ vocal fold **9** 喉頭室 laryngeal ventricle **10** 喉頭小嚢 laryngeal saccule **11** 弾性円錐 conus elasticus **12** 四角膜 quadrangular membrane **13** 喉頭腺 laryngeal glands **14** 前庭裂 rima vestibuli **15** 声門裂 rima glottidis **16** 声帯靱帯 vocal ligament **17** 声帯筋 vocalis

声門

喉頭で声を作り出す部分は**声門** glottis (**A**) と呼ばれ，声門裂も含めて両側の**声帯ヒダ**と声門裂をつくる**壁の構成物**からできている．各側の声帯ヒダは前方の長い部分（前 2/3）をつくり，その中に声帯靱帯 (**A1**) と声帯筋 (**A2**) を入れている．後方の短い部分（後 1/3）の中には声帯突起 (**A4**) をもつ披裂軟骨 (**A3**) がある．**声門裂**(**AD5**) はこの長い前方部と短い後方部に一致して区分される．声帯靱帯が裏打ちしている前部は**膜間部** (**A6**) といわれ，両側の披裂軟骨の間に位置する後部を**軟骨間部** (**A7**) という．声門裂の両部はいろいろな隔たりをもって開くことができる．

臨床関連：喉頭を検査するために喉頭鏡を咽頭に挿入する（**喉頭鏡検査法** laryngoscopy, **B**）．喉頭鏡に映る像は反射像であり，上方に喉頭口領域の前方部（喉頭蓋と膜間部）が，下方に喉頭口領域の後方部（軟骨間部）が映る．左右は被検者の左右に一致する．

機能解剖

声門裂の形は機能に応じて変化する．安静時呼吸や小声で話すときには膜間部は閉じており，軟骨間部は三角形状に開いている (**C**)．呼吸の深さが増してくるとすなわち中等度の呼吸位では前方部も開いてくる (**D**)．深い吸気時には声門裂は最大限に拡張する (**E**)．このような声門裂の開口は，咳をするときの激しい呼気によっても爆発的に起こる．

発声 phonation のためには，声門裂はまず初めは閉じていて（発声位，**F**），声帯は緊張している．次いで，声門裂は呼気の気流によって開かれて声帯ヒダに振動がひき起こされ，それによって振動波が生じる．声の強さ（声量）は気流の強さによる振動波に左右され，声の高さは振動の振動数によって決められる．この両者は声帯の長さ，厚さおよび緊張度に強く関係している（楽器の弦と比較せよ！）．**声帯の長さ**は性差や年齢差によって異なり，緊張度と厚さは輪状甲状筋と披裂軟骨の筋突起に付着する諸筋によって大まかに調整され，さらに声帯筋によって微調整される．

異物の侵入に際しては声門裂は初めに反射的に閉鎖するが，次いで反射性の咳によって声門裂は再び開かれる．

血管，神経，リンパ還流

喉頭のすべての構造物は上甲状腺動脈から出る**上喉頭動脈** superior laryngeal artery と下甲状腺動脈から出る**下喉頭動脈** inferior laryngeal artery によって供給される．静脈血還流は動脈と同名の伴行静脈を経由して内頸静脈に還流する．

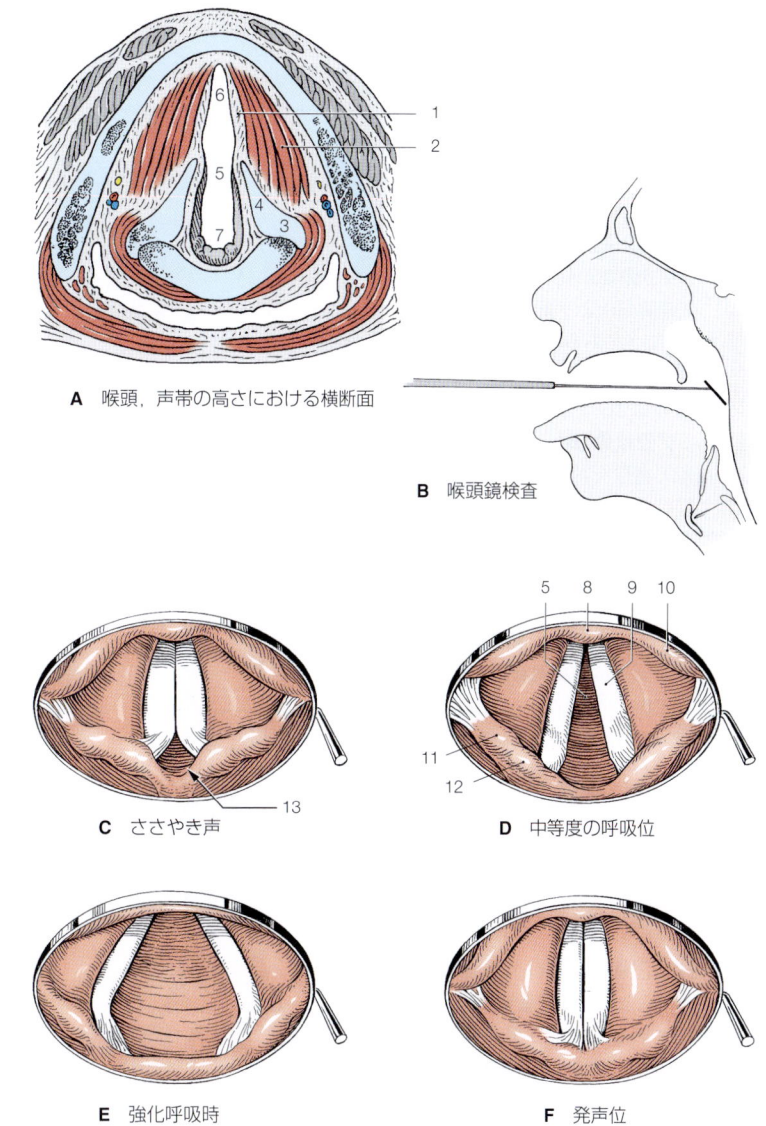

声帯ヒダより上の喉頭の粘膜（喉頭前庭と喉頭室）は**上喉頭神経** superior laryngeal nerve の純知覚性の内枝 internal branch に支配され，声帯ヒダより以下では**反回神経**の最終枝である**下喉頭神経** inferior laryngeal nerve に支配される．喉頭の内筋群はすべて下喉頭神経に支配され，唯一の喉頭の外筋である輪状甲状筋は上喉頭神経の外枝 external branch に支配される．

A 喉頭，声帯の高さにおける横断面

B 喉頭鏡検査

C ささやき声

D 中等度の呼吸位

E 強化呼吸時

F 発声位

臨床関連：片側の反回神経の障害では，その側のすべての喉頭内筋群は麻痺し，患側の声帯ヒダは内転して傍正中位をとる．急性の両側性反回神経の障害では，声門裂の中に麻痺した両側の声帯ヒダが接合して並び，喘鳴（狭窄音）や呼吸困難をひき起こす．このときは気管切開が必須の処置となる (277頁)．

声帯ヒダに至るまでの上部喉頭からのリンパは深頸リンパ節の**上群**へ還流し，声帯ヒダ以下の喉頭下半からのリンパは深頸リンパ節の**中群**と**下群**および気管前リンパ節と気管傍リンパ節に還流する．

臨床関連：喉頭粘膜のリンパ管は表在性の毛細リンパ管網を形成する．そしてこれらは，粘膜固有層の深部にあるリンパ集合管に集まる．進行した喉頭癌では，上深リンパ節 superior deep nodes に転移することが最も多い．

1 声帯靱帯 vocal ligament　2 声帯筋 vocalis　3 披裂軟骨 arytenoid cartilage　4 声帯突起 vocal process　5 声門裂 rima glottidis　6 膜間部 intermembranous part　7 軟骨間部 intercartilaginous part　8 喉頭蓋 epiglottis　9 声帯ヒダ vocal fold　10 披裂喉頭蓋ヒダ ary-epiglottic fold　11 楔状結節 cuneiform tubercle　12 小角結節 corniculate tubercle　13 披裂間切痕 interarytenoid notch

気　管

気管と肺外主気管支

気管 trachea（**A**）は長さ10〜12cmの弾力性のある管で，これは輪状軟骨から気管分岐部までのびており，頸の区域にある**頸部**（Ⅰ）と胸の区域にある**胸部**（Ⅱ）に区分される．気管頸部は第6頸椎から第7頸椎までの高さにあり，気管胸部はより長く第1胸椎から第4胸椎までの高さにある．

気管の**壁**（**B**）には16〜20個の馬蹄形の硝子軟骨である**気管軟骨**（**B1**）があり，これらは気管の前壁と側壁を補強し，**輪状靱帯**（**B2**）によって互いに上下に連結されている．後壁では（**C**），気管軟骨は完全な輪を構成しておらず，平滑筋を含む結合組織板からなる**膜性壁**（**C3**）によって閉ざされて輪を形成する．非対称性になっている**気管分岐部**（**BC4**）において，気管は**右主気管支**（**BC5**）と**左主気管支**（**BC6**）に分かれる．右主気管支は左主気管支よりも短くて広い内腔をもつ．これは気管に対して約20°傾斜して走り，そのために右主気管支の経過方向はほとんど気管の走向を引き継いでいる．左主気管支は長くて狭い内腔をもち，気管に対して約35°傾斜している．

気管が分岐する部位（**D**）には，矢状位に軟骨で基礎がつくられている**気管竜骨**（**D7**）が内腔に突出している．これが吸気の際，空気の流れを左右に分ける．気管の横径は矢状径よりも大きい．

組織学．気管と主気管支は同じ壁構造を有し3層からなる（**E**）：内層は粘膜（**E8**）で呼吸上皮（杯細胞を伴う多列線毛上皮）と混合性の気管腺 tracheal glands を含む；中層は**線維-筋-軟骨性膜** fibromusculocartilaginous membrane で，前壁と側壁は気管軟骨と輪状靱帯からなり，後壁は平滑筋である気管筋（**E9**）を入れた結合組織からなる；外層は疎性結合組織からなる**外膜**（**E10**）で，気管は周囲の器官に対しては可動性をもちながら固定されている．気管壁の結合組織，殊に輪状靱帯では弾性線維網に富んでいる．また，壁中にも膠原線維と弾性線維が埋め込まれていて，その結果，気管軟骨は横方向と縦方向の張力のもとに静止しているのである（気管腔の確保）．

血管，神経支配，リンパ還流．気管は気管支 bronchi を通して**下甲状腺動脈** inferior thyroid artery から，主気管支は**気管支動脈** bronchial branches から供給される．静脈還流は同名静脈を経て行われる．平滑筋の気管筋は迷走神経の**反回神経** recurrent laryngeal nerve に支配され，またこの神経は知覚と分泌支配も担っている．リンパ還流は，気管に沿っている**気管傍リンパ節** paratracheal nodes と，気管分岐部の領域では**上**および**下気管気管支リンパ節** superior and inferior tracheobronchial nodes とを経由して行われる．

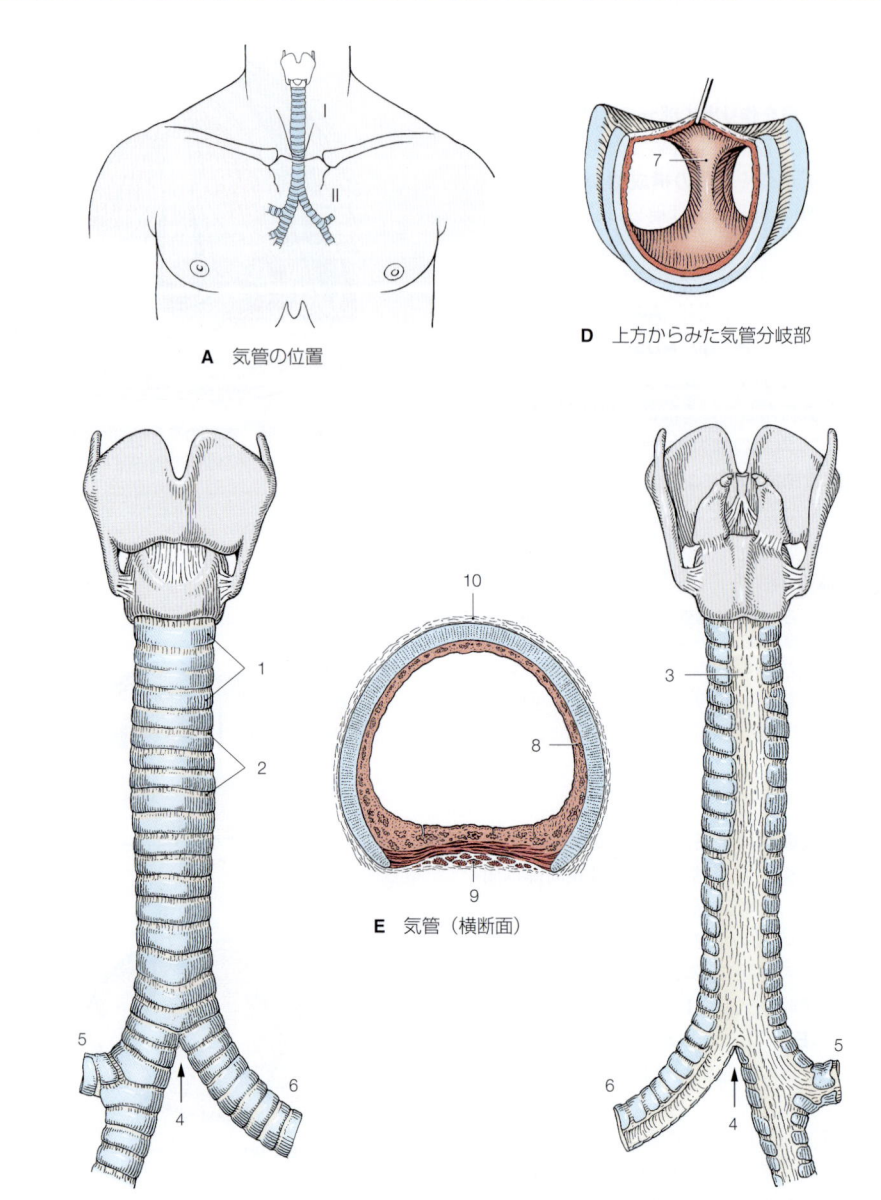

多列呼吸上皮は表面に線毛をもっているが，その波動は吸引された粒子や，それに伴って体の非特異的免疫系にとって重要な要素を体の外へ排出する方向に向かう．重度喫煙者では，呼吸上皮が転換して多列扁平上皮になる（気管の扁平上皮化生 squamous metaplasia）．喫煙はさらに線毛の癒着や消失をきたして，有害物質の排出力（mucocilliary clearanceが）保証できない状態になる．また，排出力の障害は気道感染の再発につながる．

臨床関連：左右の主気管支の太さおよび走り方の相異に起因して，**吸入された異物は**，とくに小児の場合には急勾配をなしている右の主気管支ひいては右肺に入って誤嚥性肺炎を起こす頻度が高い．

A 気管の位置
D 上方からみた気管分岐部
B 前方からみた喉頭，気管および主気管支
C 後方からみた喉頭，気管および主気管支
E 気管（横断面）

Ⅰ（気管）頸部 cervical part　Ⅱ（気管）胸部 thoracic part
1 気管軟骨 tracheal cartilages　2 輪状靱帯 anular ligaments　3 膜性壁 membranous wall　4 気管分岐部 tracheal bifurcation　5 右主気管支 right main bronchus　6 左主気管支 left main bronchus　7 気管竜骨 carina of trachea　8 粘膜 mucous membrane　9 気管筋 trachealis　10 外膜 adventitia

気管と喉頭の局所解剖

喉頭 larynx と気管の頸部 cervical part of trachea は頸部内臓索の構成要素の1つであり，前頸部の中央部に位置している（**A**）．甲状軟骨（**A2**）のある領域では喉頭は皮膚に接して存在しているから，この部の外部輪郭には個体差のある喉頭隆起（**A1**）が形成されて目立っている．喉頭隆起，甲状軟骨および輪状甲状靱帯（**A3**）は皮膚を通して触知できる．頸部内臓索は遠位方の胸郭上口に向かって徐々に表層から離れて行き，その走り具合は脊柱の彎曲に適合している．

頸部内臓索は**頸筋膜** cervical fascia の**気管前葉**（＝中頸筋膜，**AB4**）と椎前葉（＝深頸筋膜，**AB5**）の間にできる頸部内臓腔の中にあり（**B**），この結合組織腔の中を通って頭部器官が胸部器官に移行している．喉頭は腹側では直接気管前葉におおわれ，この部位では，この膜の直前にある頸筋膜の**浅葉**（＝浅頸筋膜，**B6**）がほとんど密着している．喉頭の背側には咽頭喉頭部（**A7**）がある．気管はその前に位置している甲状腺（**A～C8**）によって，頸筋膜の気管前葉および浅葉とからは隔てられている．気管の背側には食道がある．

機能解剖． 頸部内臓は頭部と胸腔の結合組織腔につながる頸部内臓腔の中にあって，周囲に組み込まれているから，上昇したり沈下したりすることができる．頸部内臓はまた相互に可動性をもっている．喉頭は舌骨につり上げられており，間接的には頭蓋底に固定されている．また気管や気管支樹から出る弾力性のある構造物の束を通して胸郭に支えられている．**喉頭の身体の長軸での**運動は嚥下運動時（約2～3cmの上昇），発声時，深呼吸時に起こる．頭と頸部脊柱を伸展させると喉頭はほぼ1椎体以上高くなり，頭と頸部脊柱を屈曲させると輪状軟骨（**A10**）は胸郭上口の中にまで沈下する．この移動の可能性の範囲は最大4cmに達する．

臨床関連：生命にも危険が及ぶような声門裂の閉鎖（例えば粘膜の腫脹）に際しては，声門裂より下部で気道を人工的に確保しなければならない．1つは正中輪状甲状靱帯の切開で**円錐靱帯切開術** coniotomy（赤矢印）である．他の1つは気管における切開すなわち気管切開術 tracheotomy で，これには甲状腺峡の上部で切開する**上気管切開術** superior tracheotomy（黒矢印）と峡の下部で行う**下気管切開術** inferior tracheotomy（青矢印）とがある．

喉頭神経の局所解剖（C）

喉頭と気管の神経支配は**迷走神経**（**BC11**）からの諸枝によって支配されている．**上喉頭神経**（**C12**）は下神経節の下方で迷走神経本幹から分かれて，内頸動脈（**BC13**）と外頸動脈（**C14**）の内側に沿って下り，ほぼ舌骨（**AC9**）の高さで2枝に分岐する．1枝は運動性の**外枝**（**C12a**）で，これは輪状甲状筋（**C15**）と下咽頭収縮筋（**C16**）を支配する．ほかの1枝は知覚性の**内枝**（**C12b**）で，これは甲状舌骨膜（**C17**）を貫いて梨状陥凹の粘膜下に達し，そこで**下喉頭神経**（**C18**）と吻合して終わる．内枝は声門裂までの喉頭の粘膜を支配する．**反回神経**（**C19**）は胸郭内で迷走神経から分岐する．この神経は，左側では大動脈弓を，右側では鎖骨下動脈（**C20**）を前から後ろに回り，食道と気管の間の溝をこれらに枝を与えながら喉頭まで上行する．反回神経は喉頭に至るまでの経過の途中で甲状腺（**A～C8**）の後ろを走る．反回神経は下咽頭収縮筋（**C16**）の下縁に達し，その終枝である**下喉頭神経**（**BC18**）となって喉頭内に入り，**前枝** anterior branch と**後枝** posterior branch に分かれる．下喉頭神経は，輪状甲状筋を除くすべての喉頭筋の運動支配と声門裂以下の粘膜知覚を支配している．

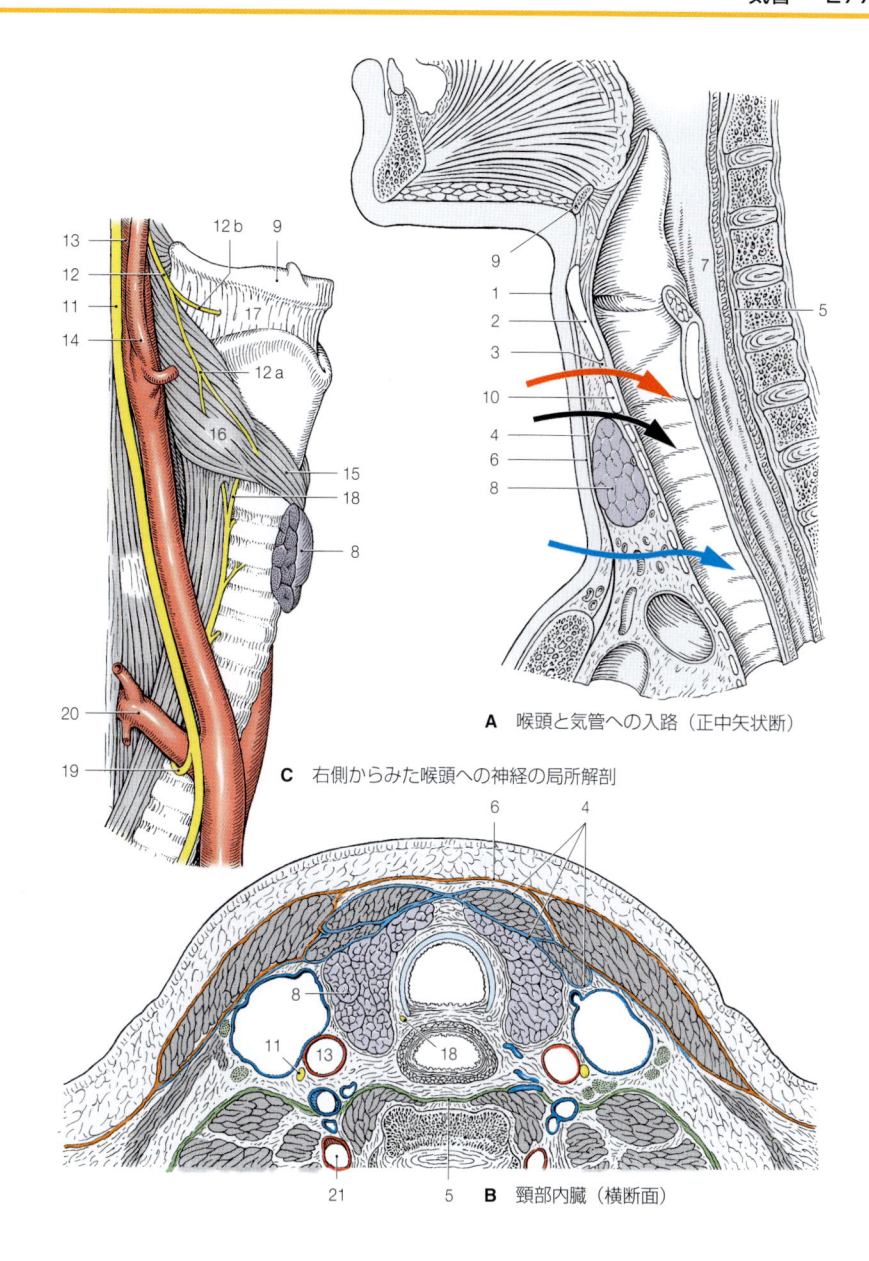

臨床関連：甲状腺の手術の際，反回神経を引っぱったり傷つけたりすることがある（275頁参照）．

A 喉頭と気管への入路（正中矢状断）

C 右側からみた喉頭への神経の局所解剖

B 頸部内臓（横断面）

---

1 喉頭隆起 laryngeal prominence　2 甲状軟骨 thyroid cartilage　3 輪状甲状靱帯 cricothyroid ligament　4 （頸筋膜の）気管前葉 pretracheal layer (cervical fascia)　5 （頸筋膜の）椎前葉 prevertebral layer (cervical fascia)　6 （頸筋膜の）浅葉 superficial layer (cervical fascia)　7 咽頭喉頭部 laryngopharynx　8 甲状腺 thyroid gland　9 舌骨 hyoid bone　10 輪状軟骨 cricoid cartilage　11 迷走神経 vagus nerve　12 上喉頭神経 superior laryngeal nerve　12a （上喉頭神経の）外枝 external branch (superior laryngeal nerve)　12b （上喉頭神経の）内枝 internal branch (superior laryngeal nerve)　13 内頸動脈 internal carotid artery　14 外頸動脈 external carotid artery　15 輪状甲状筋 cricothyroid　16 下咽頭収縮筋 inferior constrictor　17 甲状舌骨膜 thyrohyoid membrane　18 下喉頭神経 inferior laryngeal nerve　19 反回神経 recurrent laryngeal nerve　20 鎖骨下動脈 subclavian artery　21 椎骨動脈 vertebral artery

肺

対性の**肺** lungs は胸郭内で縦隔の両側に位置して，漿膜でつくられている**胸膜腔** pleural cavity の中にある（位置については 264 頁参照）．

肺の表面

肺の形は半円錐に相当する．肺の表面は子供では淡いバラ色であるが，年をとるとともに呼吸気の汚染物の沈着によって灰青色に染まってくる．

外表面．肺の外表面は周りを取り囲む構造物すなわち胸郭壁，横隔膜および縦隔によって型付けされているが，これはとくにそのままの位置（本来の場所）に固定された肺で明瞭に識別される．各肺は丸屋根状の頂きである**肺尖**（**AB1**）があり，これは胸郭上口よりも若干突出している．**肺底**（**AC2**）すなわち**横隔面**（**AC3**）は凹面を呈し，横隔膜にのっている．肋骨に対向している肺外面は著しい凸面を呈し**肋骨面** costal surface（**AB**）という．正中面が移動した面にある**内側面** mediastinal surface（**CD**）は**肺門**（**CD4**）を境として前方の**縦隔部**（**CD5**）と後方の**椎骨部**（**CD6**）に分けられる．内側面は全体としてややくぼむが心臓に接するところは**心圧痕**（**CD7**）のために深いへこみをなす．殊に左肺では著明である．

肺の表面には上記の心圧痕のほか周囲の構造物による圧痕や溝がみられる．肋骨面では肋骨による圧痕をみる．右肺の内側面には**右鎖骨下動脈**（**C8a**），**奇静脈**および**食道**（**C9**），および**上大静脈**による溝がつくられ，左肺内側面では**大動脈弓**（**D10a**），**胸大動脈**（**D10b**）および**左鎖骨下動脈**（**D8b**）による溝がみられる．

肺門．肺の内側面中央にある**肺門**（**CD4**）に出入りする血管や気管支などすべてのものを一括して**肺根** root of lung と呼ぶ．肺根は心臓と気管をつなぎ，基本的には両側で同じように配列している．

肺静脈は前方に，**気管支**は後方に，**肺動脈**は中間位に位置している．しかし，肺門を上下の方向にみるとその配列には次のことが識別できる：すなわち，右の肺門では**上葉気管支**（**C11**）の横断面がすでに**肺動脈**（**C12a**）の切り口の上部にあり（動脈上の位置），その下に**右主気管支**（動脈下の位置，**C13a**）と**右下肺静脈**（**C14a**）の切り口が続く．左の肺門では**肺動脈**（**D12b**）の横断面が最上位に，それに続いて**左主気管支**（動脈下の位置，**D13b**）と**左下肺静脈**（**D14b**）の切り口が続く．

肺門を出入りする構成物は胸膜の折り返しヒダで周囲をぐるっと取り囲まれ，このヒダは心圧痕の後ろを下方に向かってのびて，いわゆる**肺間膜**（**CD15**）をつくり，ここでは前後の折り返しヒダはほとんど互いに隣接している．肺門の構成物はこの折り返しヒダを通って胸膜腔の範囲外に出る．胸膜外に出た肺門の構成物は直接縦隔の結合組織に包まれている．

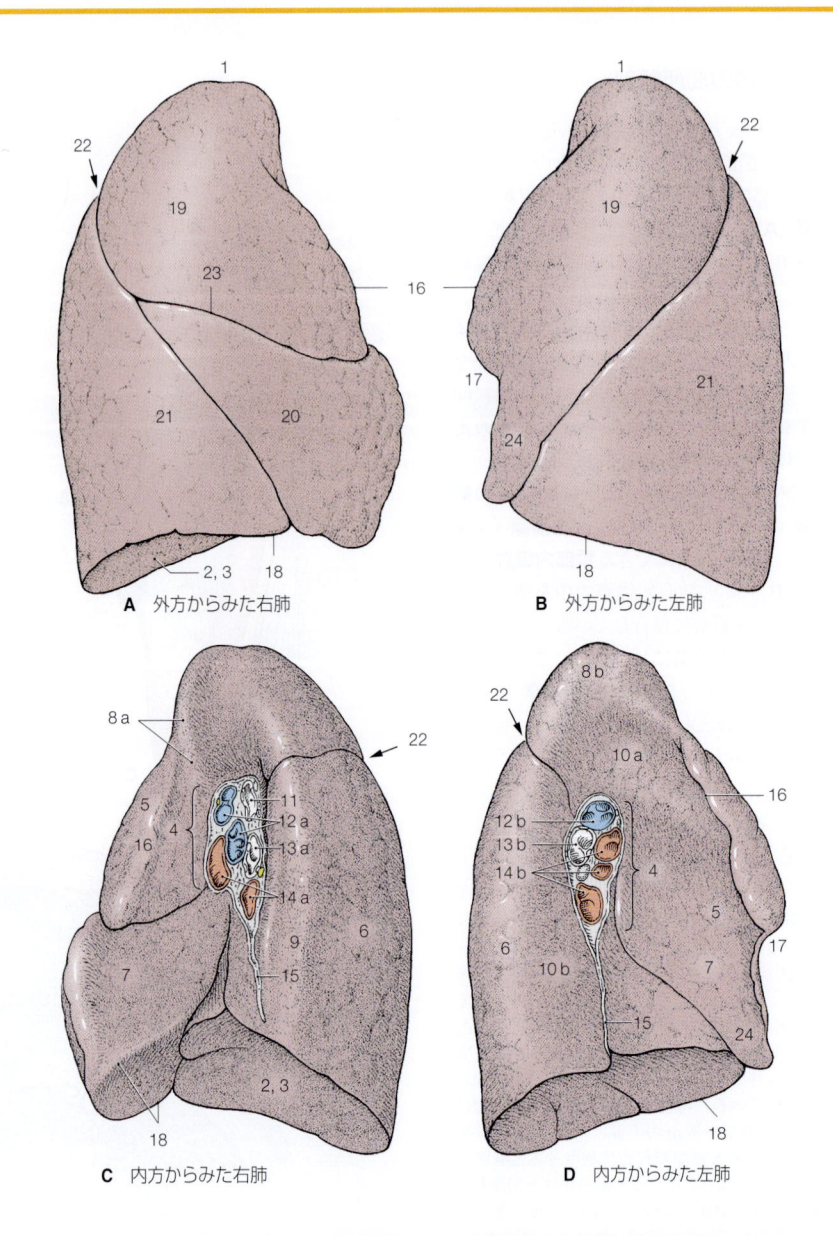

肺の縁．肺面は前方と下方では鋭い縁によって境されている．肋骨面と内側面の縦隔部とは前方で縁の角ばった**前縁**（**A～D16**）で互いに移行する．左肺での前縁は心圧痕のためにつくられる**心切痕**（**BD17**）という彎入をもっている．肋骨面と横隔面の間には**下縁**（**A～D18**）がある．

肺葉と葉間裂．各肺は深い切れ込み，すなわち**葉間裂** interlobar fissure によって肺葉 pulmonary lobe に分けられる．原則として**右肺** right lung には**上葉**（**A19**），**中葉**（**A20**）および**下葉**（**A21**）がある．上葉と下葉は後上方から前下方に斜めに走る**斜裂**（**A22**）によって分けられ，上葉と中葉は側面を前方に走る**水平裂**（**A23**）によって分けられる．右肺よりやや小さな**左肺** left lung は**上葉**（**B19**）と**下葉**（**B21**）だけで構成され，右肺と同じように走る**斜裂**（**B22**）によって分けられる．右肺と左肺の容積比は約 4 : 3 である．左肺の上葉の前下端には多くの場合舌状を呈した**小舌**（**B24**）がみられる．各肺葉間の互いに対向する面は**葉間面** interlobar surface と呼ばれる．

A 外方からみた右肺　B 外方からみた左肺　C 内方からみた右肺　D 内方からみた左肺

1 肺尖 apex of lung　2 肺底 base of lung　3 横隔面 diaphragmatic surface　4 肺門 hilum of lung　5 （内側面の）縦隔部 mediastinal part　6 （内側面の）椎骨部 vertebral part　7 心圧痕 cardiac impression　8a 右鎖骨下動脈（による溝）right subclavian artery　8b 左鎖骨下動脈（による溝）left subclavian artery　9 食道（による溝）oesophagus　10a 大動脈弓（による溝）aortic arch　10b 胸大動脈（による溝）thoracic aorta　11 右上葉気管支 right superior lobar bronchus　12a 右肺動脈 right pulmonary artery　12b 左肺動脈 left pulmonary artery　13a 右主気管支 right main bronchus　13b 左主気管支 left main bronchus　14a 右下肺静脈 right inferior pulmonary vein　14b 左下肺静脈 left inferior pulmonary vein　15 肺間膜 pulmonary ligament　16 前縁 anterior border　17 心切痕 cardiac notch of left lung　18 下縁 inferior border　19 上葉 superior lobe　20 中葉 middle lobe　21 下葉 inferior lobe　22 斜裂 oblique fissure　23 （右肺の）水平裂 horizontal fissure of right lung　24 （左肺の）小舌 lingula of left lung

気管支の分岐と肺区域

左右の**主気管支**main bronchusは肺葉の数に応じて，右は3本の，左は2本の**葉気管支**lobar bronchi（下記参照）に分枝し，それぞれ8〜12mmの直径をもっている．主気管支からの分岐点は，**右側**では気管分岐部から上葉気管支が1〜2.5cm，中葉および下葉気管支は約5cm離れたところにある．**左側**では主気管支は同様に気管分岐部から約5cm離れて上葉と下葉気管支に分岐する．これらの葉気管支は右では10本の，左では9本の**区気管支**segmental bronchiを出している．**右側**では上葉気管支から区気管支1〜3が，中葉気管支から区気管支4と5が，下葉気管支から区気管支6〜10が分岐する．**左側**では上葉気管支は1〜5の区気管支に，下葉気管支は6, 8〜10の区気管支に分岐する（左肺では7+8は1本の区気管支からなる）．

肺区域と肺小葉

肺区域． 肺区域 bronchopulmonary segmentsは肺葉の亜単位であり，この分類原理は気管支樹の分岐様式に一致している．この肺区域は**気管系と肺動脈系の構成単位**とみなされ，したがって，1つの区域の中心（つまり区域内）には1本の**区気管支**が肺動脈の枝と一緒に走っている．区気管支の更なる分枝はそれが対応する区域にとどまり，区域の境界をなしている．**肺静脈の枝**は区域の表面にある結合組織の中（つまり区域間）を走り，区域境界の標識付けをしている．肺静脈の諸枝は肺門に向かって集まり大きな肺静脈となる．肺区域は三次元的にはくさび状ないしピラミッド状を呈する構造単位で，その先端は肺門の方に向いている．

肺小葉． 区気管支はさらに幾度も分岐して中等度および小さな**気管支枝** bronchial branchesとなる．これらの気管支枝は**細気管支** bronchiolesに移行する．各細気管支は1つの**肺小葉** lobule of lungを受けもっている．肺小葉は肺区域の亜単位である．

肺小葉は，肺の至るところにつくられているのではなく，主として肺の表面領域に存在し，中心部にはほとんどみられない．肺小葉は結合組織で境された一辺が0.5〜3cmの多角形の領域として見分けられ，その中に空気中の物質が吸い込まれて沈着する．したがって，成人での肺小葉は肺表面では境界が不完全な青ないし黒っぽい紋理として出現する．

細気管支は肺小葉の内部で3〜4回分岐し，結局は壁に肺胞を備えた気管支樹の終末分岐に移行する．終末分岐には幾つかの段階があり，その壁の所々に肺胞が膨れ出ている**呼吸細気管支** respiratory bronchioles，肺胞によって取り囲まれた管の部である**肺胞管** alveolar ductとなる．**肺胞** alveoliは直径0.1〜0.2mmの小袋でガス交換に適した薄い壁をもっていて吸気のときには著しく拡張する．

肺の結合組織には2つの異なった系統がある．1つは呼吸細気管支に至るまでの気管支樹ならびに肺動脈の分岐に伴う**気管支周囲**または**動脈周囲結合組織**といわれるもので，肺におけるガス交換にかかわる組織構造物の可動性に働いている．他の1つは外部系で**胸膜下結合組織**といわれ，これは肺葉の表面をおおい，これから肺区域間および肺小葉間に中隔を出している．この系の結合組織は可動性被膜としても働いているが，過伸展に対する防御にも役立っている．

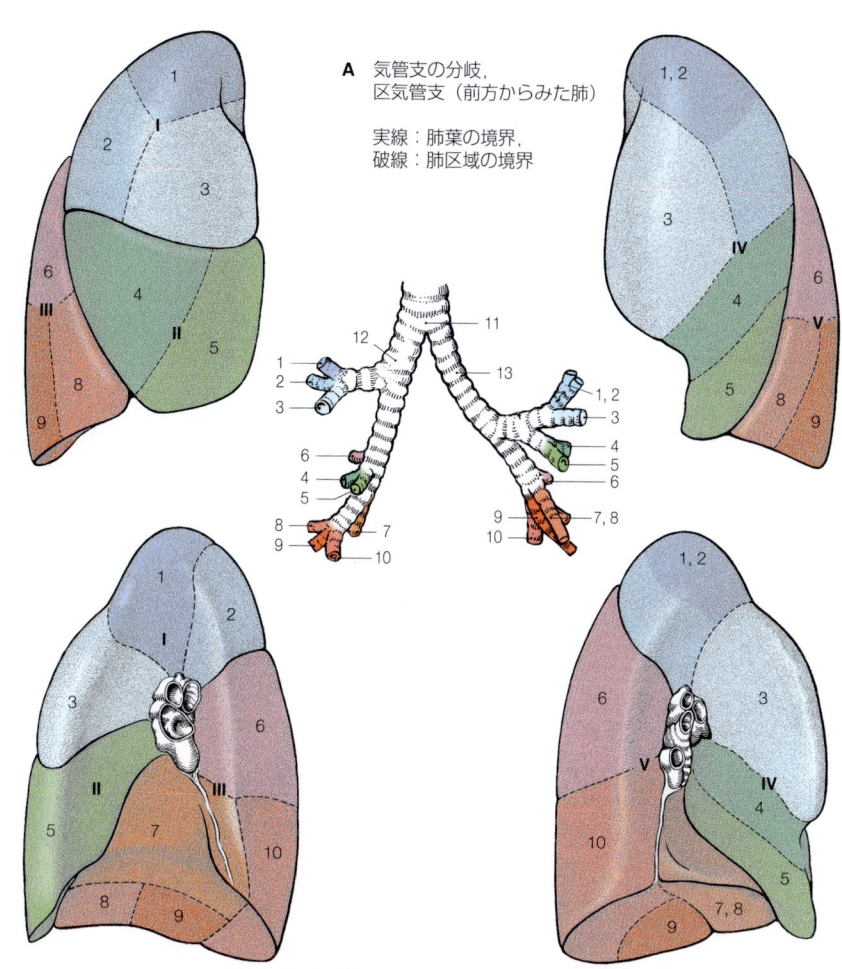

A 気管支の分岐，区気管支（前方からみた肺）
　実線：肺葉の境界，
　破線：肺区域の境界

B 気管支の分岐，区気管支（内方からみた肺）

青：上葉 superior lobe，緑：中葉 middle lobe，赤：下葉 inferior lobe.
I 右上葉気管支 right superior lobar bronchus, **II** 右中葉気管支 middle lobar bronchus, **III** 右下葉気管支 right inferior lobar bronchus, **IV** 左上葉気管支 left superior lobar bronchus, **V** 左下葉気管支 left inferior lobar bronchus, **1** 肺尖区，肺尖枝（右肺のみ） apical segment, apical segmental bronchus (of right lung alone), **2** 後上葉区，後上葉枝（右肺のみ） posterior segment, posterior segmental bronchus (of right lung alone), **1+2** 肺尖後区，肺尖後枝（左肺のみ） apicoposterior segment, apicoposterior segmental bronchus (left lung alone), **3** 前上葉区，前上葉枝 anterior segment, anterior segmental bronchus, **4** （右肺）：外側中葉区，外側中葉枝 (right lung) lateral segment, lateral segmental bronchus，（左肺）：上舌区，上舌枝 (left lung) superior lingular segment, superior lingular bronchus, **5** （右肺）：内側中葉区，内側中葉枝 (right lung) medial segment, medial segmental bronchus, （左肺）下舌区，下舌枝 (left lung) inferior lingular segment, inferior lingular bronchus, **6** 上-下葉区，上-下葉枝 superior segment, superior segmental bronchus, **7** 内側肺底区，内側肺底枝 medial basal segment, medial basal segmental bronchus, **8** 前肺底区，前肺底枝 anterior basal segment, anterior basal segmental bronchus, **9** 外側肺底区，外側肺底枝 lateral basal segment, lateral basal segmental bronchus, **10** 後肺底区，後肺底枝 posterior basal segment, posterior basal segmental bronchus, **11** 気管分岐部 tracheal bifurcation, **12** 右主気管支 right main bronchus, **13** 左主気管支 left main bronchus.

肺の微細構造

肺組織は気管支樹の空気伝導部とガス交換部，肺血管，結合組織および平滑筋組織で構成されている．気管支樹や血管はそれらの分岐とともに微細構造は変化する．気管支樹の総横断面積は各分岐に伴って増大する．

空気伝導部

肺内気管支（A）．**葉気管支** lobar bronchi と**区気管支** segmental bronchi および**気管支枝** bronchial branches の壁は基本的には三層構造で，**粘膜**（A1），**筋軟骨層**（A2）および**外膜**（A3）でつくられている．**粘膜**は呼吸性の線毛上皮（A1a）でおおわれ，結合組織性の粘膜固有層（A1b）は弾性線維に富んでいる．**筋軟骨層**では，肺外気管支とは反対に，ほとんどがラセン状に走る平滑筋であるラセン筋（A2a）によって閉じられた層が続いている．気管支壁の軟骨片すなわち気管支軟骨（A2b）は不規則に形成され，これらは扁平もしくは留め金状につくり出されて，大きな気管支壁では硝子軟骨でできているが，小さな気管支壁では弾性軟骨が増えて補っている．軟骨片の間には混合性の漿粘液腺である気管支腺（A2c）がある．そのほか筋軟骨層の結合組織中には静脈叢がある．**外膜**（A3）は薄い結合組織で，気管支壁を周囲組織に結合させ，栄養血管である気管支動脈（A3a）の通り道となっている．気管支枝の分岐部領域にはしばしば肺内リンパ節（A3b）がみられる．このレベルの気管支枝には常に肺動脈の枝が伴行している．

細気管支（B）．小さな気管支枝が分岐して直径 0.3〜0.5 mm の**細気管支** bronchioles が生じ，その壁には軟骨がなく，**粘膜，筋層，外膜**でつくられている．細気管支の壁は平滑筋と弾性線維を備えており，殊に弾性線維が豊富な系で，これは筋組織の弛緩に際して軟骨をもたない管壁の急激な萎縮を防止している（B）．細気管支は最終分岐によって**終末細気管支**（B4）に移行する．終末細気管支には肺動脈由来の小動脈が伴行している．

肺の気管支樹 bronchial tree は最も小さな細気管支に至るまで，空気の伝導路としての働きばかりでなく同時にいわゆる**解剖学的死腔**でもある．これらの任務は呼吸気の浄化，水蒸気の飽和および暖化にある．

ガス交換部

呼吸細気管支と肺胞管（B）．終末細気管支が分岐して**呼吸細気管支**（B5）となる．この部は空気伝導部とガス交換部との連結部とみなされ，平均直径 0.4 mm で，その壁は立方上皮で内張りされ，まだ平滑筋組織を含んでいる．呼吸細気管支の壁は，壁の薄い小袋状の肺胞が膨れ出ているため，所々で中断されている．呼吸細気管支には肺動脈由来の細動脈 arteriole が伴行し，3〜6 回分岐する．呼吸細気管支は連続的に**肺胞管**（B6）に移行し，その壁は肺胞（B7）のみで構成され，分岐した後に盲端となっている**肺胞嚢** alveolar sacs に終わる．肺胞管には前毛細血管 precapillary が伴行し，肺胞の

周りは毛細血管 capillary が取り巻いている．

肺胞．肺胞 alveoli でガス交換が行われる．その数は 1 側肺で約 3 億個，その総表面積は 140〜200 m² にも達する．隣接する 2 つの肺胞間には共通の薄壁である**肺胞間中隔** interalveolar septum があり，その中に結合組織と毛細血管を入れている．肺胞腔の面は単層扁平上皮で内張りされている．**肺胞上皮** alveolar epithelium は 2 つのタイプの細胞で構成され，Type Ⅰ の細胞は**呼吸肺胞細胞** respiratory alveolar cells といわれ，これは肺胞の被覆細胞で上皮細胞の 90％以上を占める．残りの 10％を占める Type Ⅱ の細胞は**大肺胞細胞** great alveolar cells と呼ばれ，表面活性物質（表面張力低下因子）の産生と Type Ⅰ 細胞の幹細胞である．血液ガスは**血液-ガス関門** blood-air barrier と呼ばれる肺胞腔と毛細血管の間を通らなければならない．この関門は厚さ 0.3〜0.7 μm で，肺胞上皮と互いに融合した基底膜および毛細血管内皮で構成される．そのほか肺胞腔内には大食細胞 macrophages もみられる（塵埃細胞 dust cells，心不全細胞 heart failure cells など）．

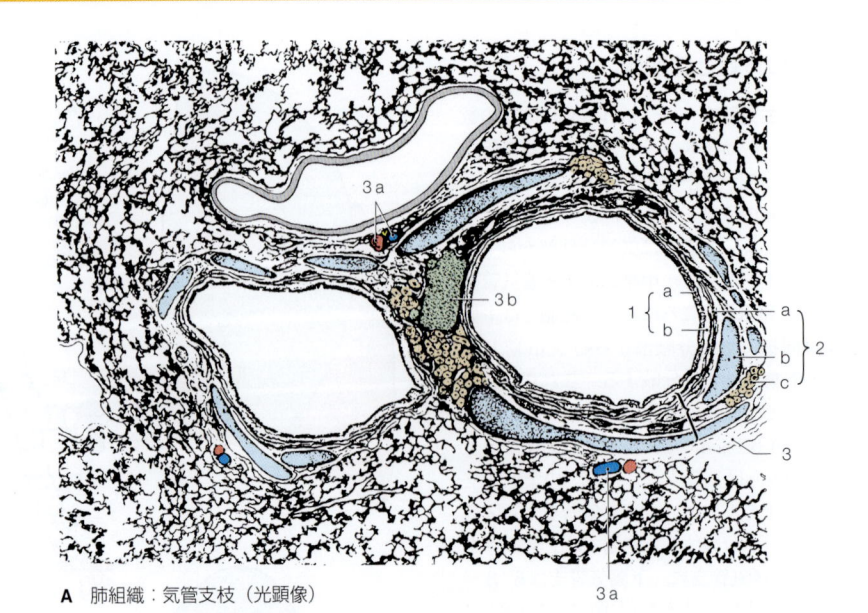

> **臨床関連**：気管支と肺胞隔膜の結合組織中には肥満細胞が存在している．この細胞は気道の気管支喘息などのアレルギー性疾患の際，重要な役割を果たす．
> 肺胞や肺胞間隔膜が減少したり破壊したりすると明瞭で特徴的な空気容量の減少（肺気腫）が起こる．肺胞隔膜の結合組織が増えると肺線維症となり，肺の拡散（ガス交換）の障害をもたらす．

A 肺組織：気管支枝（光顕像）

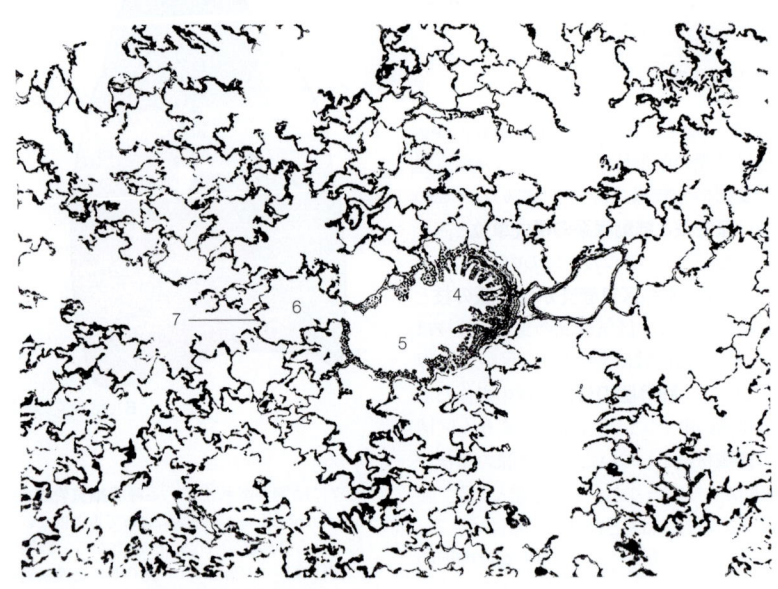

B 肺組織：細気管支と肺胞（光顕像）

---

1 粘膜 mucous membrane　**1a** 線毛上皮 ciliated epithelium　**1b** 粘膜固有層 propria mucosae　**2** 筋軟骨層 musculocartilaginous layer　**2a** ラセン筋 spiral muscle　**2b** 気管支軟骨 bronchial cartilage　**2c** 気管支腺 bronchial glands　**3** 外膜 adventitia　**3a** 気管支動脈（の枝）bronchial branches　**3b** 肺内リンパ節 intrapulmonary nodes　**4** 終末細気管支 terminal bronchioles　**5** 呼吸細気管支 respiratory bronchioles　**6** 肺胞管 alveolar ducts　**7** 肺胞 alveoli

肺の脈管と神経支配

肺は**公的血管** vasa publica と**固有血管** vasa privata をもっている．前者は機能血管で小循環に属し，後者は栄養血管で大循環に属する．

機能血管（A）． 気管分岐部（**A1**）の少し下方で肺動脈幹（**A2**）は左右の**肺動脈** pulmonary artery に分かれる．この血管は静脈血を肺胞に運んでいる．**右肺動脈（A3）**は**左肺動脈（A4）**より長くて大きい．両肺動脈は主気管支（**A5**）の腹側にあって，肺門に達する前にその枝に分かれ，これらの枝は気管支樹と平行して走りながらさらに分岐する．肺区域の中央では，**肺動脈の枝**は気管支樹の区気管支に近接して，多くの場合その背－外側に位置している．肺動脈とその大きな枝は構造的には弾性型の動脈であり，小さな気管支枝および細気管支に伴行している小さな動脈枝は筋型の動脈である．

肺からの動脈血の搬出は**肺小葉間と肺区域間を走る静脈**を経由して行われる．これらの枝は肺門に向かって走り，上下の**右肺静脈（A6）**と**左肺静脈（A7）**にまとめられる．肺門領域では肺静脈は肺動脈の腹側で下方に位置している．肺静脈には弁はない．

リンパ管系と所属リンパ節． 肺のリンパ管系は結合組織の骨組みに相応して 2 つの系に分けられる：すなわち，第一の系は**深**または**気管支周囲リンパ管系（B8）**で，これは気管支周囲結合組織に沿って広がっている．これは葉気管支の分岐部位から区気管支を分枝するところまでの所属リンパ節である**気管支肺リンパ節（B9）**をもっている．次のリンパ節は主気管支および気管分岐部にある**下気管気管支リンパ節（A10）**と**上気管気管支リンパ節（A11）**である．第二の系は**浅**または**区域リンパ管系（B12）**で，これは胸膜下の疎性結合組織ならびに小葉間と区域間の結合組織中隔の毛細リンパ管に始まり，肺静脈の周りのリンパ索にまとめられる．最初の所属リンパ節は気管気管支リンパ節で，これは気管に沿っている気管傍リンパ節 paratracheal nodes と関連している．

臨床関連：肺門の陥凹部領域のリンパ節は臨床的に**肺門リンパ節**と呼ばれている．これは主として気管支肺リンパ節がかかわっていて，気管支および血管の枝分かれしたところにみられる．肺門リンパ節と気管傍リンパ節は，肺結核や肺癌の際，最も重要な担当リンパ節である．

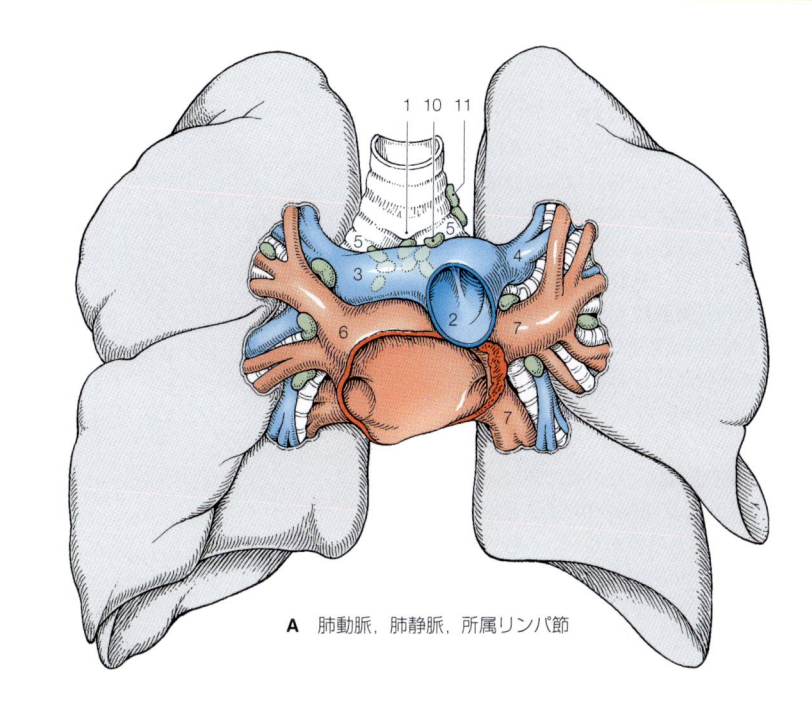

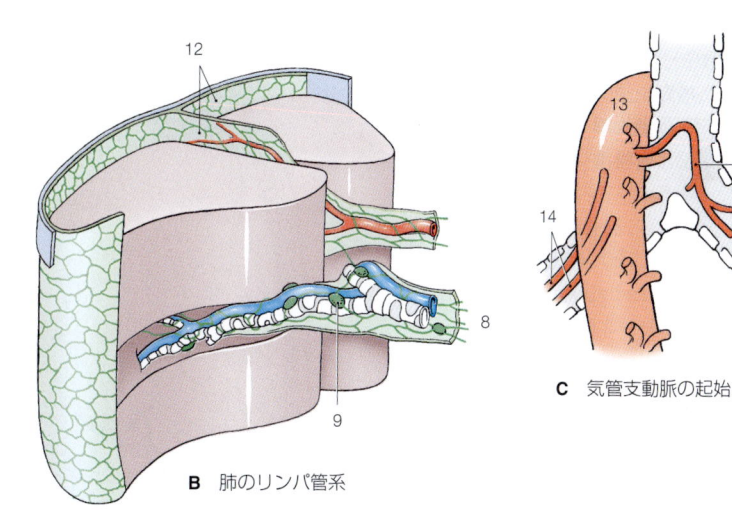

A 肺動脈，肺静脈，所属リンパ節

B 肺のリンパ管系

C 気管支動脈の起始

固有血管（C）． 肺組織への血液供給は胸大動脈（**C13**）からの**気管支動脈** bronchial branches によって行われる．左肺に対しては，通常，大動脈から 2 本の気管支動脈（**C14**）が直接起こり，右肺に対しては第 3 または第 4 肋間動脈から 1 本の気管支動脈（**C15**）が起こる．気管支動脈は気管支周囲結合組織の中を走り，気管支樹の壁および伴行している肺動脈壁を栄養する．静脈血還流は**気管支静脈** bronchial veins を経由して，奇静脈，半奇静脈に還流し，また部分的には肺静脈にも通じている．

神経支配． 迷走神経と交感神経幹からの枝は主気管支の周囲に**肺神経叢** pulmonary plexus（484 頁参照）をつくり，気管支と血管に導かれて肺の構成物と臓側胸膜を支配する．

迷走神経の**遠心性線維**は気管支を収縮し，交感神経の遠心性線維は逆に気管支と肺血管を拡張させる．迷走神経の**求心性線維**は，気管，気管支，細気管支および臓側胸膜にある伸展受容器からの興奮を伝える．交感神経の求心性線維は大部分が痛覚線維である．

臨床関連：**気管支喘息** bronchial asthma のときには，小さな気管支枝や細気管支にある平滑筋組織の筋収縮を機能的に制御できないため，筋の攣縮と粘膜浮腫が起こり，呼気相における管腔の強度の狭窄をきたす．

---

1 気管分岐部 tracheal bifurcation　2 肺動脈幹 pulmonary trunk　3 右肺動脈 right pulmonary artery　4 左肺動脈 left pulmonary artery　5 主気管支 main bronchus　6 右肺静脈 right pulmonary veins　7 左肺静脈 left pulmonary veins　8 深または気管支周囲リンパ管系 deep or peribronchial lymphatic vessel system　9 気管支肺リンパ節 bronchopulmonary nodes　10 下気管気管支リンパ節 inferior tracheobronchial nodes　11 上気管気管支リンパ節 superior tracheobronchial nodes　12 浅または区域リンパ管系 superficial or segmental lymphatic vessel system　13 胸大動脈 thoracic aorta　14（左肺への）気管支動脈 bronchial branches（to left lung）　15（右肺への）気管支動脈 bronchial branches（to right lung）

胸 膜

肺の漿膜は**胸膜** pleura（**AB**）と呼ばれる。胸膜は**臓側胸膜（肺胸膜ともいう）**（**A1**）と**壁側胸膜**（**A2**）からなり、前者は肺の表面をおおい、後者は胸郭の内面を内張っている。臓側胸膜と壁側胸膜は肺門の領域で連続的に互いに移行する。胸膜の両葉間には細隙状の腔すなわち**胸膜腔** pleural cavity がある。胸膜腔は少量（数ml）の漿液を含み、滑走隙として呼吸時に行われる肺の運動を可能にしている。

肺胸膜（臓側胸膜）。この膜は肺表面のほとんどをおおい、葉間裂の中にも入り込んでいて、肺の表面とは分かちがたく密着している。ただし、肺胸膜が壁側胸膜に移行する折り返しヒダで囲まれる領域すなわち肺門と肺間膜の間とでは肺胸膜を欠いている。

壁側胸膜。この膜は胸膜腔の外壁をつくり、部位によって異なる名称をもつ：すなわち、骨性の胸郭壁に接する**肋骨胸膜**（**AB3**）、横隔膜に接する**横隔胸膜**（**AB4**）、縦隔の結合組織腔に接する**縦隔胸膜**（**AB5**）である。肋骨胸膜の上端部は**胸膜頂**（**AB6**）と呼ばれ、肺尖によって充填され、前方は胸郭上口よりも突出し、後方は第1肋骨の肋骨頭に達している。壁側胸膜と胸壁の間には結合組織の層である**胸内筋膜** endothoracic fascia があり、これは胸膜頂のところでは強化されて**胸膜上膜** suprapleural membrane（＝シブソンの筋膜 Sibson fascia）となっている。

胸膜洞 pleural recesses。横隔膜頂と胸壁との間で、肋骨胸膜と横隔胸膜とで囲まれて肺の下縁に沿ってできる隙間は**肋骨横隔洞**（**AB7**）といわれ、深い吸気時には肺はこの中に伸展する。さらに胸壁と縦隔との間で、肺の前縁に沿ってみられる隙間は**肋骨縦隔洞**（**AB8**）といわれ、肋骨胸膜と縦隔胸膜に囲まれて、左側では心切痕の高さで幅広いが右側では細長くつくられている。

血管、神経支配、リンパ還流。肺胸膜は肺に統合された構成要素であるから肺と同じ血管で栄養されまた還流する。壁側胸膜は付近にある**胸壁の動脈**すなわち肋間動脈、内胸動脈および筋横隔動脈から出る枝によって供給される。静脈還流も相応する**胸壁の静脈**を経由して行われる。痛覚に鋭敏な壁側胸膜は**肋間神経** intercostal nerves と**横隔神経** phrenic nerve を経由して支配されている。肺胸膜には痛覚線維は存在しない。

胸膜境界と肺境界。胸壁に投影された肺と胸膜腔の境界線を理解することは、臨床的検査のためにも大いに重要である（**A**）。胸膜境界は位置を変えないのに対して、肺境界はその都度の呼吸相によって変化する。中等度の呼吸位では、両肺の下縁は胸膜境界より1～2肋間ほど上部にある（下表を参照）。

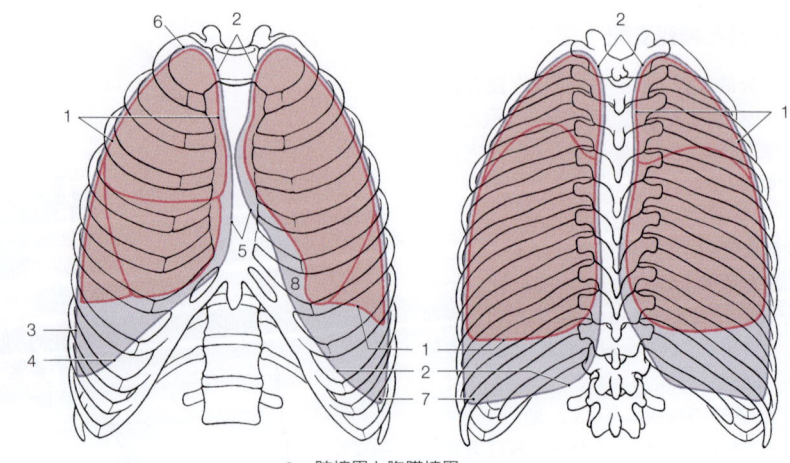

A 肺境界と胸膜境界

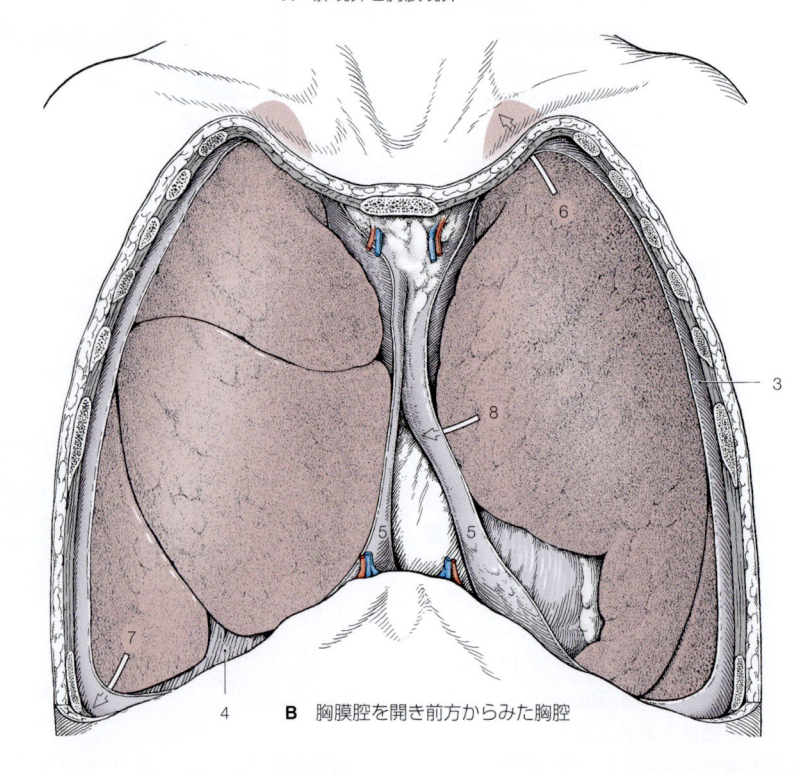

B 胸膜腔を開き前方からみた胸腔

臨床関連：炎症の際には胸膜腔にある漿液は増加し、タンパク質を含んでいるため胸膜両葉の癒着を起こす。結果的に肺伸展の制限を伴うことになる。

	胸骨線	鎖骨中間線	腋窩線	肩甲線	傍脊柱線
肺境界	6.	6.	8.	10肋骨	10胸椎棘突起
胸膜境界	6.	7.	9.	11肋骨	11胸椎棘突起

1 肺胸膜（臓側胸膜）pulmonary pleura（visceral pleura）　2 壁側胸膜 parietal pleura　3 肋骨胸膜 costal pleura　4 横隔胸膜 diaphragmatic pleura　5 縦隔胸膜 mediastinal pleura　6 胸膜頂 dome of pleura　7 肋骨横隔洞 costodiaphragmatic recess　8 肋骨縦隔洞 costomediastinal recess

断面解剖

最新の画像診断の断面像および断面解剖標本において、肺組織内の大きなまたは中等度の気管支や血管の分岐とその経過は容易に追跡できる．局所的な解剖を理解するためには，**胸膜頂の領域（A）と主気管および肺動脈が分岐する高さ（B）**における切断図は有益である．ほぼ横断された位置での肺の状況像（下記参照）が示されている．

第1/2胸椎の移行部での横断面（A）

この切断面は肺尖（**A1**）と胸膜頂（**A2**）をうまくとらえている．胸膜頂の外側には第1肋骨（**A3**）の切り口がみられる．この前外側に中斜角筋（**A4**）が識別できる．この筋とさらに前方に位置する前斜角筋（**A5**）との間に斜角筋隙 scalene space（176頁参照）が認められ，ここを鎖骨下動脈（**A6**）と腕神経叢（**A7**）が通りぬける．鎖骨下動脈と肺尖間の間隔の詰まった位置関係は，この動脈が肺表面上の前内側に圧痕を残すことを示している．鎖骨下静脈（**A8**）は鎖骨下動脈の前にあり，胸膜と肺尖の上に横たわっている．交感神経幹（**A9**）は肺の背内側にある．

- **A10** 気管 trachea
- **A11** 食道 oesophagus
- **A12** 腕頭動脈 brachiocephalic trunk
- **A13** 内頸静脈 internal jugular vein
- **A14** 甲状腺 thyroid gland
- **A15** 迷走神経 vagus nerve
- **A16** 総頸動脈 common carotid artery
- **A17** 胸管 thoracic duct
- **A18** 反回神経 recurrent laryngeal nerve

第5胸椎の高さにおける横断面（B）

この切断面は気管分岐部の下部で切断されて両側の肺門を見渡している．**右側**では，右肺門に向かう右肺動脈（**B19**）の経過が識別される．この動脈の前方に右肺静脈（**B20**）の1枝の切り口がみられている．動脈の背側には右主気管支（**B21**）が見出され，右上葉気管支はすでに頭方で分岐しており，この気管支の分枝は右上葉（**B22**）の組織中にみられる．右主気管支は下気管気管支リンパ節（**B23**）によって取り囲まれている．**左側**では，ちょうど分岐しかかっている左主気管支（**B24**）が概観できる．腹側には左肺静脈（**B25**）の1枝の切り口がみられ，この静脈の枝を左上葉（**B26**）の中に追跡できる．背側には気管支に伴行している左肺動脈（**B27**）が切られており，これは自身の枝に分岐している．左肺門領域にあるリンパ節で，大規模な方は下気管気管支リンパ節（**B23**）であり，小規模な方すなわち動脈の背内側で左下葉（**B28**）に限局しているリンパ節は気管支肺リンパ節（**B29**）である．

- **B30** 上大静脈 superior vena cava
- **B31** 上行大動脈 ascending aorta
- **B32** 心外膜下組織 subepicardial tissue
- **B33** 肺動脈幹 pulmonary trunk
- **B34** 下行大動脈 descending aorta
- **B35** 奇静脈 azygos vein
- **B11** 食道 oesophagus

臨床関連：肺尖部は，胸膜頂 dome of pleura の硬い組織構造のために換気量が少なく，そのため聴診や打診を鎖骨上窩から行う．ここは周囲の構造の病変と合併症を起こすことがある．肺尖部の浸潤性の腫瘍，たとえばパンコースト腫瘍（癌）Pancoast's tumor が腕神経叢の周壁を作り，そのため上腕に疼痛をひき起こす．

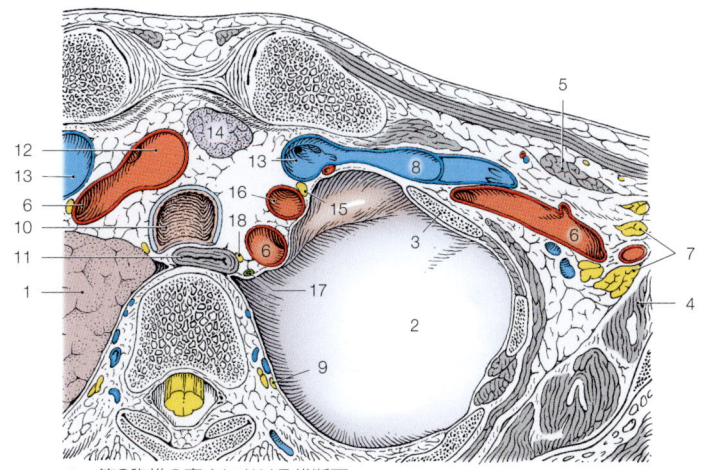

A 第2胸椎の高さにおける横断面

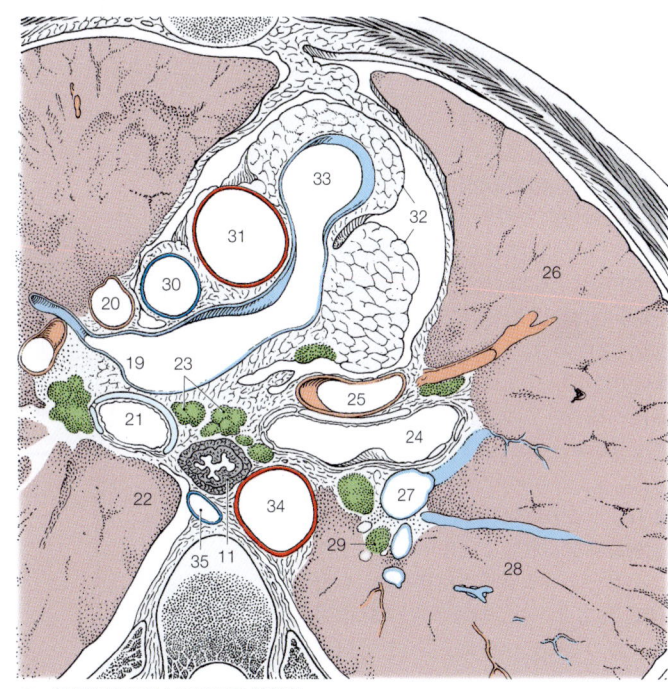

B 第5胸椎の高さにおける横断面

---

1 肺尖 apex of lung　2 胸膜頂 dome of pleura　3 第1肋骨 first rib　4 中斜角筋 scalenus medius　5 前斜角筋 scalenus anterior　6 鎖骨下動脈 subclavian artery　7 腕神経叢 brachial plexus　8 鎖骨下静脈 subclavian vein　9 交感神経幹 sympathetic trunk　10〜18は本文参照　19 右肺動脈 right pulmonary artery　20 右肺静脈 right pulmonary vein　21 右主気管支 right main bronchus　22 右上葉 right superior lobe　23 下気管気管支リンパ節 inferior tracheobronchial nodes　24 左主気管支 left main bronchus　25 左肺静脈 left pulmonary vein　26 左上葉 left superior lobe　27 左肺動脈 left pulmonary artery　28 左下葉 left inferior lobe　29 気管支肺リンパ節 bronchopulmonary nodes　30〜35は本文参照

呼吸の機構

肺の肺胞とその周囲組織との間で行われるガス交換のために不可欠な前提条件，つまり肺胞への適切な入気と肺胞からの適切な排気は，**胸腔内の圧変化**によって起こる．この圧変化は能動的または受動的な働きによって成立する．大気圧は気道を介して肺を胸壁に押しつけている．閉ざされた胸膜腔は大気圧より低い圧（ドンデルスの圧 Donders pressure）を示し，肺はそのため胸壁から離れることができず，胸郭と横隔膜の呼吸運動に従っている．

胸郭壁の骨性基盤は肋骨，胸椎および胸骨である．各肋骨は形，長さ，位置を各々異にして（32頁参照），弾力性をもちながらある高さでの姿勢を維持している．**骨性胸郭の運動筋**はとりわけ肋間を走る肋間筋 intercostal muscles（41頁参照），斜角筋群 scalenus（40頁参照）である．同様に，胸腔と腹腔の境にある横隔膜 diaphragm（51頁参照）は重要な呼吸筋である．吸息 inspiration と呼息 expiration に際しては，胸郭腔の拡張または狭小化と相関して，肺容積は増大したり減少したりしている（下記参照）．その際，肺は肺門の方に向かって縮もうとする肺自身の弾性をもっているにもかかわらず，肺表面は一種の分子間引力によって強制的な胸郭内運動を行っているのである．

吸息（A）．この呼吸相では胸腔および肺容積は増大する．肋骨は能動的に引き上げられ，それによって胸郭は横径（**A1**）も矢状径（**A2**）も広げられ，胸骨下角（**A3**）は開大する．このためには斜角筋群と外肋間筋 external intercostal muscle の働きが必須である．**横隔膜の収縮（A4）**は腱中心の低位移動，横隔膜頂の平坦化および胸腔の下方への拡張（**A5**）に導く．吸息が深ければ深いほど肋骨横隔洞は強く開大し，深ければ深いほど肺の下縁はこの補足腔（予備腔）の中に下降する．

呼息（B）．この呼吸相では胸腔および肺容積は再び減少する．静かに呼吸しているときは，弾性をもつ胸郭は吸息への出発位である呼吸休止位 resting phase at expiratory-inspiratory（EI）transition に受動的に戻る．強制的な呼息のとき，胸郭はその弾力に抗してさらに沈下する．横径（**B1**）と矢状径（**B2**）は減少し，結果的に胸骨下角（**B3**）も縮小する．呼息のときには内肋間筋 internal intercostal muscle が収縮して補助的に働く．横隔膜頂（**B4**）は高位に移動し，その

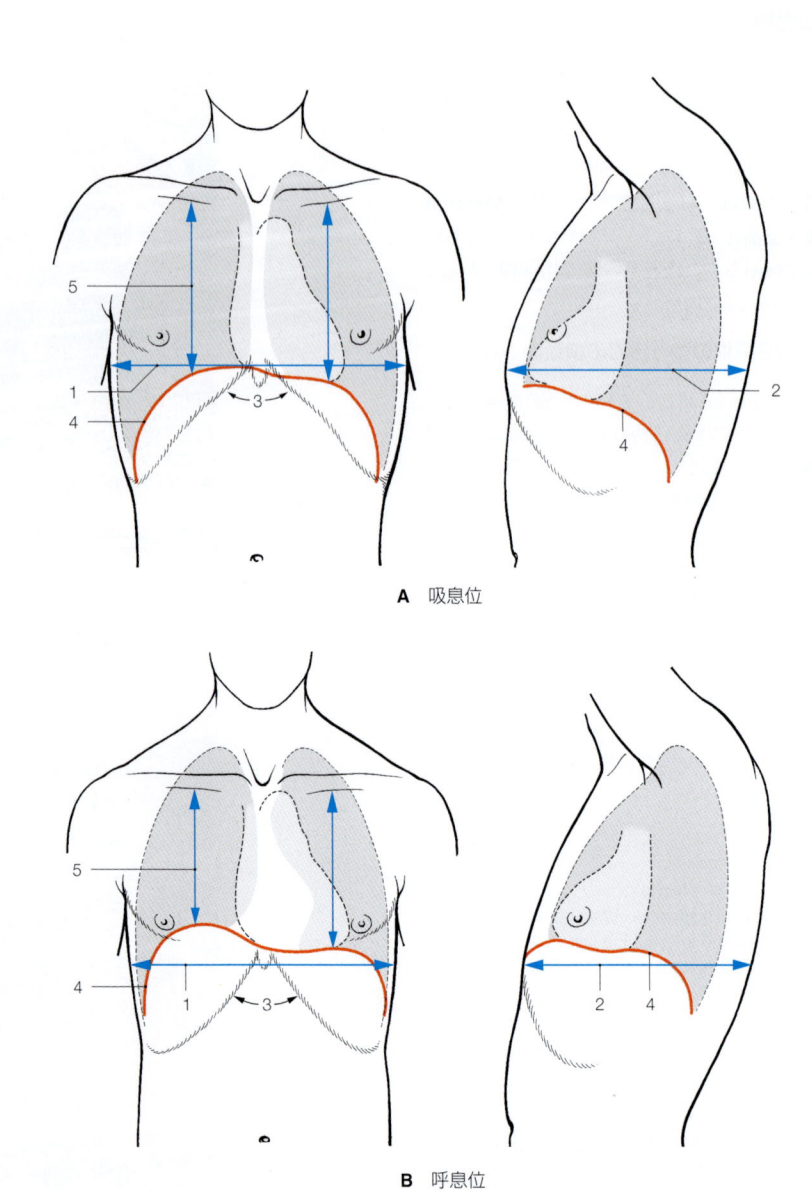

A 吸息位

B 呼息位

A, B 胸郭と横隔膜の呼吸位，写真とX線像を合成して描かれている

ため胸腔の下方部分が殊に減少する（**B5**）．強制的な呼息は腹圧によって助けられとりわけ腹横筋が協力している．横隔膜頂の運動範囲は呼吸の深さに応じて1.5〜7cmに達する．

肋骨呼吸と横隔膜呼吸

健康な成人の呼吸は前述のことからわかるように2つの呼吸機構がともに連係し合いながら行われている．

肋骨呼吸（＝胸式呼吸） costal respiration（＝thoracic respiration）では，肋骨の運動により胸腔容積が変化する（1〜3）．**横隔膜呼吸（＝腹式呼吸）** diaphragmatic respiration（＝abdominal respiration）では，胸腔底が移動するために胸腔容積が変化する（4, 5）．

乳児の場合は肋骨が水平位をとるために主として腹式呼吸に頼っている．全く同様に，老齢者の場合も弾性の喪失によって胸郭の可動性が減弱している．

> **臨床関連**：正常な呼吸をするためには胸膜腔に損傷がないことが前提条件である．胸膜腔の中に外部からまたは内部から空気が通ると，低圧は相殺されて**気胸** pneumothorax が起こる．肺はもはや胸郭壁と横隔膜の運動に従わなくなり，弾性をもつ肺はその退縮力に基づいて元の容積の1/3に萎縮する．

---

1 胸郭の横径（左右径） transverse diameter　**2** 胸郭の矢状径（前後径） sagittal diameter　**3** 胸骨下角 infrasternal angle　**4** 横隔膜 diaphragm　**5** 胸郭の縦径（上下径） longitudinal diameter

縦隔

縦隔 mediastinum は**胸腔内の中央に位置する結合組織性の腔**であり，両側の胸膜腔の間にある（区分については234頁）．縦隔の外側壁は両側の縦隔胸膜によってつくられる．胸腔半に納まっている両肺を除去して縦隔胸膜を剥離すると，縦隔のすべての構成物，殊に肺根 root of lung の構成物が本来の位置に概観できる．

右側からみた縦隔

右肺を取り去って縦隔を右方から観察すると，縦隔は上方から下方に向かって連続してつながっている1つの腔であることがわかる．また縦隔の上部と縦隔の下部の境界，ならびに縦隔下部の各部間の境界が正確に描写できる（234頁）．これらの区分は縦隔の局所解剖を記述する手引きとして大いに役立つ．

縦隔の上部． 縦隔の上部 superior mediastinum には，背側に食道（A1）と気管（A2）がみられる．これらに右迷走神経（A3）と気管傍リンパ節（A4）が伴行している．食道と気管の腹側には上大静脈（A5）があり，この静脈は右腕頭静脈（A6）と左腕頭静脈の合流によって生じる．右腕頭静脈は大動脈弓から起こる腕頭動脈（A7）をおおい，この動脈は右鎖骨下動脈（A8）を出している．右鎖骨下動脈には迷走神経から出る反回神経（A9）が巻きついている．上大静脈の腹側にはまだ心膜におおわれた上行大動脈（A10）の一部がみられる．これらの大血管は腹側から胸腺の遺残物でおおわれるがここでは取り除かれていてAには描かれていない．ちょうどそこには胸腺におおわれて隠されていた縦隔胸膜（A11）の一部がみえている．

右方から縦隔を観察するとき，縦隔の上部と縦隔の下部との境界は，おおよそ奇静脈（A12）の経過によって標識される．奇静脈は右の肺根の構成物を弓状に越えて走っている．

縦隔の下部． 縦隔の下部 inferior mediastinum は前部，中部，後部に区分けされる（234頁）．**縦隔の後部** posterior mediastinum には胸管（A13），食道（A1），右迷走神経（A3）および大内臓神経（A14）をいれている．

幅の広い**縦隔の中部** middle mediastinum には心膜（A15）と心臓ならびにまだ心膜内にある大血管を含む．心膜と取り除かれている縦隔胸膜の間には横隔神経（A16）が心膜横隔動静脈（A17）を伴って走っている．そのほか中縦隔には右主気管支とその分枝（A18），右肺動脈（A19），右肺静脈（A20）ならびに気管気管支リンパ節（A21）がある．

胸骨と心膜との間に位置する前方部すなわち**縦隔の前部** anterior mediastinum にはただ単に疎性結合組織，若干のリンパ節および内胸動静脈の枝を認めるにすぎない．

右肺の内側面は食道とごく近接して存在し，その中を迷走神経の枝が随伴して走っている．

背側の胸郭壁． Aでは部分的に背側の胸郭壁が描かれていて，傍脊柱に交感神経幹（A22）がみられて縦隔との境界索となっている．肋骨の下縁には肋間神経（A23）が肋間動静脈（A24）を伴って走っている．これらの構成物は胸内筋膜 endothoracic fascia の内部ないしは下に存在するので，もはや縦隔の構成物とはみなされない．胸内筋膜は後胸壁で壁側胸膜と融合している．

臨床関連：臨床でしばしば前方の縦隔と後方のそれを云々することが多いが，この区別は気管がこの境界になっている．

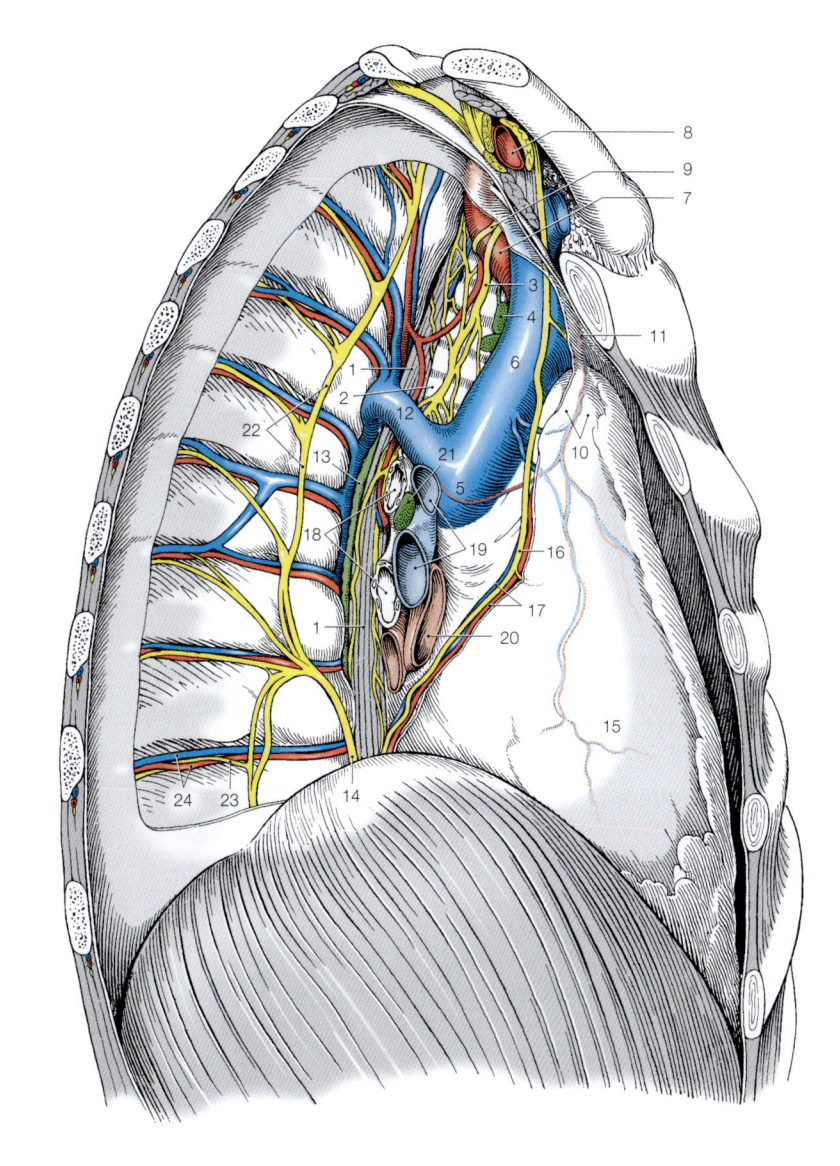

A 右側からみた縦隔

---

1 食道 oesophagus　2 気管 trachea　3 右迷走神経 right vagus nerve　4 気管傍リンパ節 paratracheal nodes　5 上大静脈 superior vena cava　6 右腕頭静脈 right brachiocephalic vein　7 腕頭動脈 brachiocephalic trunk　8 右鎖骨下動脈 right subclavian artery　9 反回神経 recurrent laryngeal nerve　10 上行大動脈 ascending aorta　11 縦隔胸膜 mediastinal pleura　12 奇静脈 azygos vein　13 胸管 thoracic duct　14 大内臓神経 greater splanchnic nerve　15 心膜 pericardium　16 横隔神経 phrenic nerve　17 心膜横隔動静脈 pericardiacophrenic artery and veins　18 右主気管支（とその枝）right main bronchus　19 右肺動脈 right pulmonary artery　20 右肺静脈 right pulmonary veins　21 気管気管支リンパ節 tracheobronchial nodes　22 交感神経幹 sympathetic trunk　23 肋間神経 intercostal nerves　24 肋間動静脈 intercostal artery and vein

縦隔（続き）

左側からみた縦隔

縦隔の上部． 左肺を摘出すると，縦隔の上部 superior mediastinum には大きな大動脈弓（**A1**）がみえる．この弓から左総頸動脈（**A2**）と左鎖骨下動脈（**A3**）が分岐している．大動脈弓の腹側には自律神経系に属する心臓神経叢の浅層部（**A4**）と左迷走神経（**A5**）がある．迷走神経からは左反回神経（**A6**）が分岐して，この神経は大動脈弓と動脈管索（**A7**）の周りを背方に巻きついてまわっている．なお，図では隠れているが，大動脈弓の腹側には左腕頭静脈（**A8**）がみられる．大動脈弓の背側には食道（**A9**）と胸管（**A10**）がある．

縦隔の下部． 縦隔の下部 inferior mediastinum における縦隔の後部 posterior mediastinum では，食道（**A9**）と下行大動脈（胸大動脈）（**A11**）が伴行して走り，食道が前内側に胸大動脈が後外側に位置する．両者の間を左迷走神経が神経叢をつくって下方に走る．左側でのさらに背側の後縦隔には半奇静脈（**A12**）と副半奇静脈（**A13**）がみられている．

縦隔の中部 middle mediastinum は心膜（**A14**）と心臓によって充填された広い領域である．心膜の上には左横隔神経（**A15**）が心膜横隔動静脈（**A16**）を伴って走っている．肺根 root of lung の構成物は中縦隔の上部で大動脈弓と胸大動脈に囲まれている．

左肺動脈（**A17**）は大動脈弓の彎曲部にぴったりと寄り添い，この動脈から動脈管索（**A7**）が大動脈弓の下面にのびる．肺動脈の下部には左主気管支（**A18**）と左肺静脈（**A19**）がある．

縦隔の前部 anterior mediastinum における少数の構成物は，**A** では個別的に識別することはできない．

左肺の内側面にはとくに大動脈弓と胸大動脈は明瞭な圧痕を残す．また後胸壁には交感神経幹が境界索となり，肋骨下縁には肋間神経が肋間動静脈を伴って走っている．

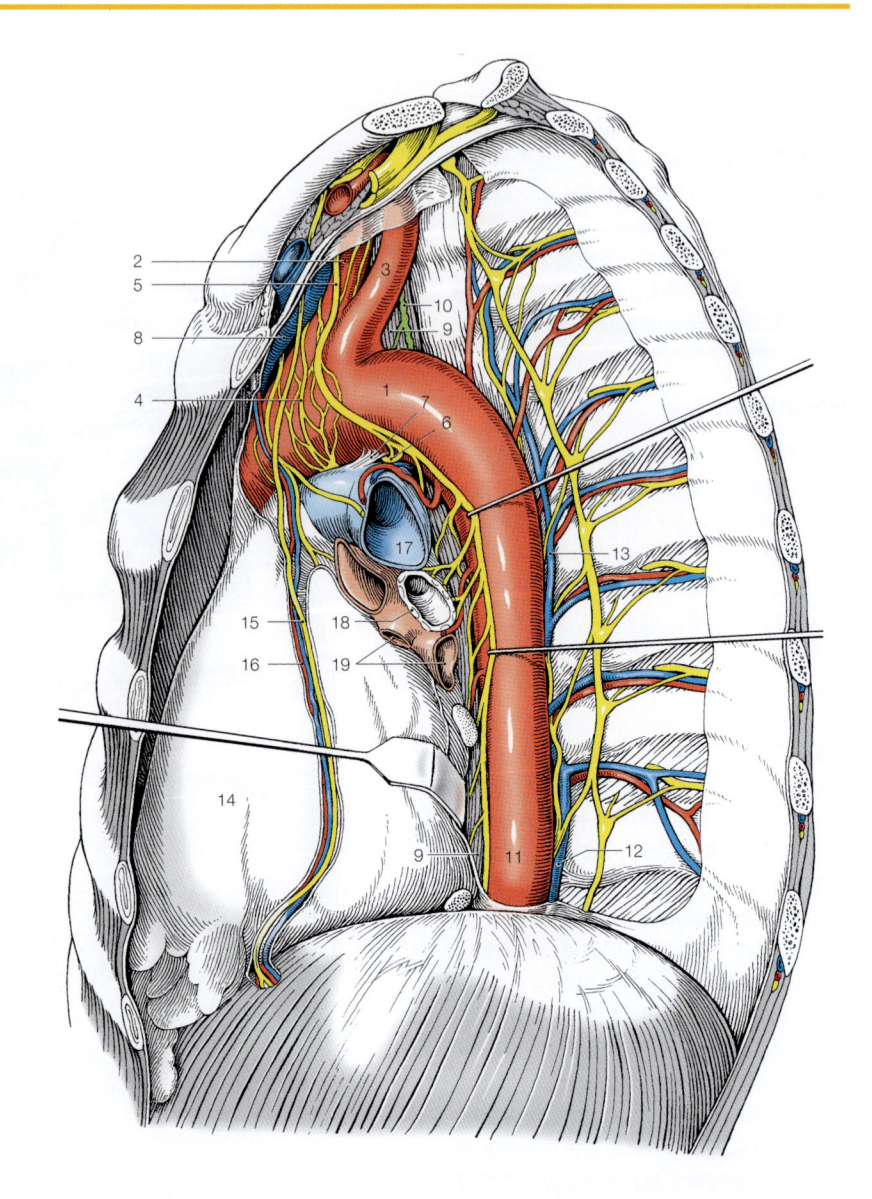

A　左側からみた縦隔

臨床関連： 頸部の結合組織腔内の炎症は阻止されずに縦隔内に伝播する．最近のコンピュータ断層撮影法 computed tomography（CT）や磁気共鳴断層撮影法 magnetic resonance tomography（MRT）などの画像を得ることによって，**縦隔内の進行過程**に関する診断法は旧来の X 線技術に比べて著しく進歩し改善されている．縦隔腫瘍の概念には，沢山の組織に由来するさまざまな腫瘍を含んでいる．発生部位によって，これらを区別することができる．まず上部縦隔では：胸骨後部の甲状腺腫 retrosternal struma，胸腺腫 thymoma，リンパ腫，血管腫，皮様細胞腫，小児の奇形腫．縦隔前部では：脂肪腫，縦隔中部では：肺門腫，肺門リンパ節への転移腫瘍，気管支嚢胞，心外膜嚢胞．後部縦隔には：食道腫瘍，リンパ腫，神経鞘腫，線維肉腫，神経節細胞腫．**縦隔鏡** mediastinoscopy によって，前上部の縦隔の直接観察が可能になり，さらには気管～気管支に近接した領域も対象になった．

---

1 大動脈弓 aortic arch　2 左総頸動脈 left common carotid artery　3 左鎖骨下動脈 left subclavian artery　4 心臓神経叢（浅心臓神経叢）cardiac plexus (superficial cardiac plexus)　5 左迷走神経 left vagus nerve　6 左反回神経 left recurrent laryngeal nerve　7 動脈管索 ligamentum arteriosum　8 左腕頭静脈 left brachiocephalic vein　9 食道 oesophagus　10 胸管 thoracic duct　11 下行大動脈（胸大動脈）descending aorta (thoracic aorta)　12 半奇静脈 hemi-azygos vein　13 副半奇静脈 accessory hemi-azygos vein　14 心膜 pericardium　15 左横隔神経 left phrenic nerve　16 心膜横隔動静脈 pericardiacophrenic artery and veins　17 左肺動脈 left pulmonary artery　18 左主気管支 left main bronchus　19 左肺静脈 left pulmonary veins

概　説

一般的構造と機能

消化器系 digestive system の第一の使命は，食物を摂取し，それを酵素によって分解し，それを組織で吸収して有効利用することにある．エネルギーは食物によって供給されるが，食物は主としてタンパク質，脂肪および炭水化物といった有機体から構成されている．そのほか，食物には生命に大切な微量物質，例えばビタミン類が含まれている．ヒトの消化器系は課せられた仕事に応じて2つの部分に区分される．1つは**頭部**で，これは食物の摂取と小さく砕く装置を備えている．つぎは**体幹の消化器**で，食物から酵素によって栄養分を遊離させ，化学的な構成成分に分解して吸収する．

頭部の消化器（A）．これには，数多くの小唾液腺と3対の大唾液腺を含む**口腔（A1）**および食道に至るまでの**咽頭（A2）**の中部と下部が属している．**頭腸** cranial part of the gut では，食物は口唇（A3），歯牙（A4）および舌（A5）の助けによって摂取され，小さく砕かれる．これは唾液によって滑りよくされ，小塊として飲みこまれて咽頭に送られる．

体幹の消化器（A）．**胴腸** truncal part of the gut は食道（A6）に始まり，胃-腸-管に続き，これには大きな消化腺である**肝臓（A7）**と**膵臓（A8）**が接続している．食道の中の食塊は**胃（A9）**に送られる．胃では酵素による食物の構成成分への分解が一部始まり，**小腸（A10）**で終わる．また小腸では栄養分の吸収も行われるが，栄養分を分解するためにいろいろな腺からの分泌物が準備されている．**大腸（A11）**の主な役目は腸内の水分と電解質の吸収であり，食物残渣の発酵と腐敗によって糞便 feces が形成されて腸管の出口である**肛門（A12）**に送られる．

消化器の壁構造

消化器系の大半は**上皮に内張された筋性の管**であり，その構造は局所的に異なる機能に適応している．この上皮性管の大部分は内胚葉に由来する（375頁参照）．

頭腸の器官．頭腸の器官は各々異なる機能をもち，それに適合して組織されている．例えば，舌は主として横紋筋組織で構成され，きわめて分化し特殊化した上皮によっておおわれている．全く同様に，口腔内に格納されている歯牙はさまざまな硬い物質でつくられている．

胴腸の器官．胴腸の器官の大半は吸収に対して働いており，原則的に同じような**多層の壁構造（B）**をもっている．すなわち，**粘膜（B13），粘膜下組織（B14），筋層（B15）**および漿膜下組織をもつ漿膜または外膜（**B16**）で構成される．**粘膜**は三層を有し，局所的に異なりまた機能に対しても特徴的な上皮 epithelium，結合組織の層である**粘膜固有層** propria mucosae，および粘膜固有の筋層である**粘膜筋板** muscularis mucosae からなる．**粘膜下組織**は結合組織でつくられている可動層である．**筋層**は二層からなる平滑筋組織で，内層は輪走する輪筋層 circular layer，外層は縦走する縦筋層 longitudinal layer でつくられている．腸管の外面は，腹膜で被覆された**漿膜**かまたは周囲の結合組織からなる**外膜**かによって，囲まれている．

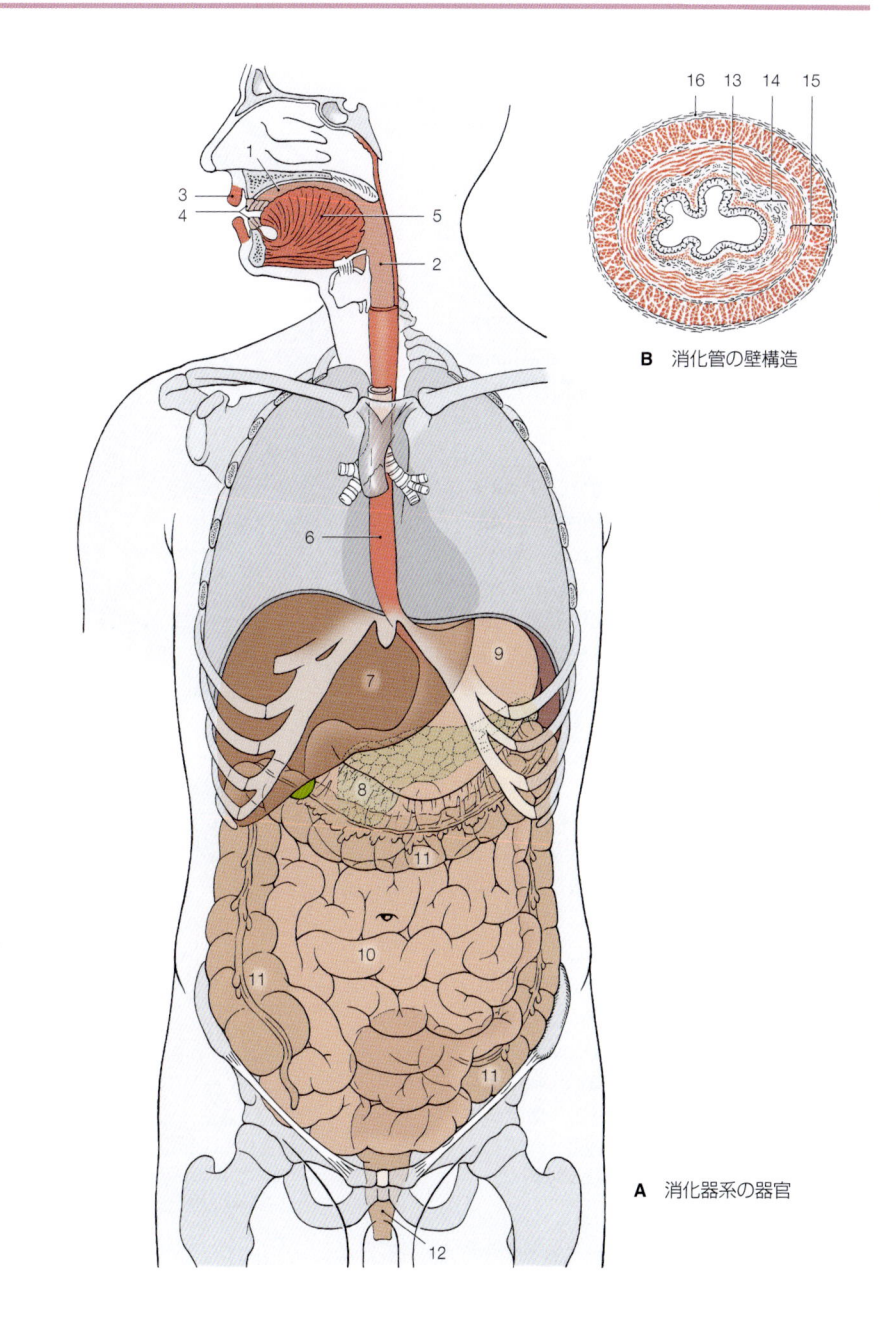

すべての腸管は**自律神経**によって支配される．粘膜下組織および筋層の層間には壁内の神経叢である**粘膜下神経叢（マイスナー神経叢）** submucous plexus（Meissner's plexus）と**筋層間神経叢（アウエルバッハ神経叢）** myenteric plexus（Auerbach's plexus）がある（571頁参照）．これらの神経叢は**内在性**の腸の神経系を形成し，腸管の外部にある**外在性**の自律神経系と直接に連結している．

---

1 口腔 oral cavity　2 咽頭 pharynx　3 口唇 lips　4 歯 teeth　5 舌 tongue　6 食道 oesophagus　7 肝臓 liver　8 膵臓 pancreas　9 胃 stomach（Gaster）　10 小腸 small intestine　11 大腸 large intestine　12 肛門 anus　13 粘膜 mucous membrane　14 粘膜下組織 submucosa　15 筋層 muscular layer　16 漿膜（または外膜）serosa（adventitia）

口腔

一般的構造

口腔 oral cavity は口腔粘膜 mucous membrane of mouth で内張られた腔であり，相前後して存在する2部が区別される：すなわち，**口腔前庭**(A1)と**固有口腔**(A2)である．口腔と咽頭との境を**口峡**(A3)といい，口峡の最も狭くびれた部分は**口峡峡部** isthmus of fauces と呼ばれて口腔と咽頭口部を連絡している．

口腔前庭．口腔前庭は，**前方**は口唇(A4)，**側方**は頬(A5)，**内方**は上下両顎の歯牙(A6)と歯槽突起(A7)によって境される．歯槽突起をおおう粘膜は**歯肉**(CD8)である．歯肉は骨と不動性に癒着しているが，**円蓋**(C9)をつくって非常に可動性に富む口唇と頬の粘膜に移行する．上下の口唇は中央で粘膜ヒダである**上唇小帯**(A10)と**下唇小帯**(A11)を介して上下両顎の歯肉に固定される．口腔前庭には多数の小唾液腺ならびに大唾液腺の導管(293頁)が開口している．上歯列と下歯列を閉じたときには，ただ単に第3大臼歯の後部と歯牙間の空隙を通してのみ口腔前庭は固有口腔に接続する．

固有口腔．前方と側方の境界は歯槽突起，歯牙および歯肉である．**後方**は口峡峡部を経て咽頭に続く．**上壁**は口蓋 palate すなわち**硬口蓋**(A12)と**軟口蓋**(A13)でつくられ，鼻腔との仕切り壁となっている．**底**は口腔底の筋群すなわち口腔隔膜(292頁)でつくられ，その上に舌(ACD14)がのっている．

顔面で口唇と頬との解剖学的な境界は**鼻唇溝**(B19)によって標示される．

口唇．上唇は外鼻の底に達し，下唇はオトガイ唇溝(B20)に達する．**上唇**(B21)と**下唇**(B22)は側方の**口角**(B23)で互いに会し(唇交連 labial commissure)，**口裂**(B24)を取り囲む．外部の顔面皮膚と内部の口腔粘膜とは中間帯である**唇紅** red lip を介して互いに移行する．上唇の中央には上唇結節 tubercle という隆起部があり，ここから皮膚にできる溝である**人中**(B25)が鼻に向かって上方にのびている．

組織学．口唇は皮膚-粘膜-ヒダであり，その基礎は表情筋の**口輪筋**(C26)がつくる．外部の皮膚部は毛，汗腺および脂腺をもつ表皮におおわれる．移行帯である**唇紅**(C27)は弱い角化上皮が特徴で，この部では口輪筋が外方へ折れ曲がっている（この部を口輪筋の縁部という）．唇紅は**内方**に向かって連続的に非角化重層扁平上皮で内張られた口腔粘膜に移行し，ここには漿粘液腺である**口唇腺**(C28)を含んでいる．

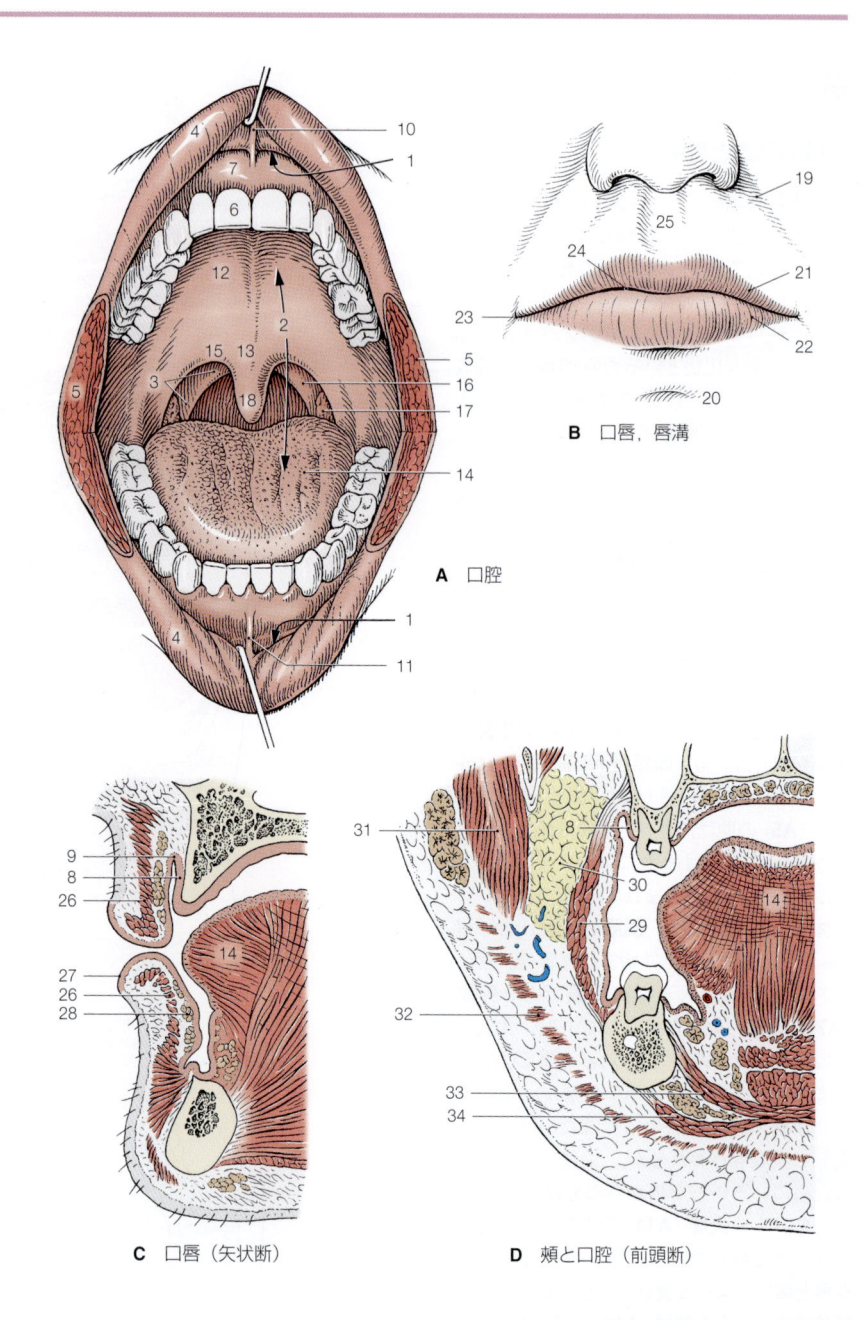

頬(D)．頬はその基礎を表情筋の**頬筋**(D29)によってつくられた一種の筋肉板である．内方は口腔粘膜によって内張られ，小唾液腺である**頬腺** buccal glands を含む．頬筋の外方には頬脂肪体（ビシャー頬脂肪体）(D30)が密着している．

血管，神経，リンパ．口唇と頬は**顔面動脈** facial artery から供給され，その静脈還流は**顔面静脈** facial vein を経て行われる．**知覚支配**は，上唇は眼窩下神経（上顎神経の枝），下唇はオトガイ神経（下顎神経の枝），頬粘膜は頬神経（下顎神経の枝）によってそれぞれ支配される．**リンパ**は，上唇からは顎下リンパ節と上頸リンパ節に，下唇の側部からは顎下リンパ節に，下唇の中央部からはオトガイ下リンパ節にそれぞれ還流する．

A 口腔
B 口唇，唇溝
C 口唇（矢状断）
D 頬と口腔（前頭断）

---

1 口腔前庭 oral vestibule 2 固有口腔 oral cavity proper 3 口峡 fauces 4 口唇 lips 5 頬 cheek 6 歯 teeth 7 歯槽突起 alveolar process 8 歯肉 gingiva 9 円蓋 fornix 10 上唇小帯 frenulum of upper lip 11 下唇小帯 frenulum of lower lip 12 硬口蓋 hard palate 13 軟口蓋 soft palate 14 舌 tongue 15 口蓋舌弓 palatoglossal arch 16 口蓋咽頭弓 palatopharyngeal arch 17 口蓋扁桃 palatine tonsil 18 口蓋垂 uvula 19 鼻唇溝 nasolabial sulcus 20 オトガイ唇溝 mentolabial sulcus 21 上唇 upper lip 22 下唇 lower lip 23 口角 angle of mouth 24 口裂 oral opening 25 人中 philtrum 26 口輪筋 orbicularis oris 27 唇紅 red lip 28 口唇腺 labial glands 29 頬筋 buccinator 30 頬脂肪体（ビシャー頬脂肪体）buccal fat pad (Bichat's fat) 31 咬筋 masseter 32 広頸筋 platysma 33 オトガイ舌骨筋 geniohyoid 34 顎舌骨筋 mylohyoid

口蓋

硬口蓋（A）．硬口蓋 hard palate は口腔上壁の前 2/3 を形成する．骨性基礎は上顎骨の口蓋突起と口蓋骨の水平板である（144 頁）．骨は**骨膜** periosteum と厚い粘膜におおわれている．粘膜は骨膜とずれないように固着し，前方では歯肉に続いている．粘膜の正中部には**口蓋縫線（A1）**という一条のヒダがつくられ，これは前方で小さな隆起となっている**切歯乳頭（A2）**に終わる．口蓋縫線は結合組織によって骨の正中口蓋縫合とつながっている．口蓋縫線の両側の粘膜には平坦な**横口蓋ヒダ（A3）**がつくられ，この領域のヒダと溝に向かって舌は食物を押しつけることになる．硬口蓋の粘膜の後部領域には中央線の左右に小唾液腺である**口蓋腺（A4）**がある．この腺は食物の滑りをよくするための粘液を分泌している．

軟口蓋（B）．口腔上壁の後 1/3 は軟口蓋 soft palate すなわち**口蓋帆** velum palatinum によって形成される．これは硬口蓋から帆のような形をして後方に向かって斜めに垂れ下がっている．口蓋帆の後縁からその中央に円錐状の**口蓋垂（ABC5）**が際立ってみえる．口蓋垂の側方からは両側性に 2 条のヒダすなわち**口蓋弓**が下方に向かって互いに次第に離れながらのびている．この口蓋弓は一側に 1 つのくぼみをつくり，その双方のくぼみの中に**口蓋扁桃（B6）**を入れている．前方の口蓋弓を**口蓋舌弓（B7）**といい，これは舌の側縁にのびる．後方の口蓋弓を**口蓋咽頭弓（B8）**といい，これは咽頭の壁の中にのびる．この 2 つの口蓋弓によって生じる**口峡峡部** isthmus of fauces は筋性の閉鎖可能な咽頭への入口である．硬口蓋の粘膜と腺は軟口蓋に続いている．

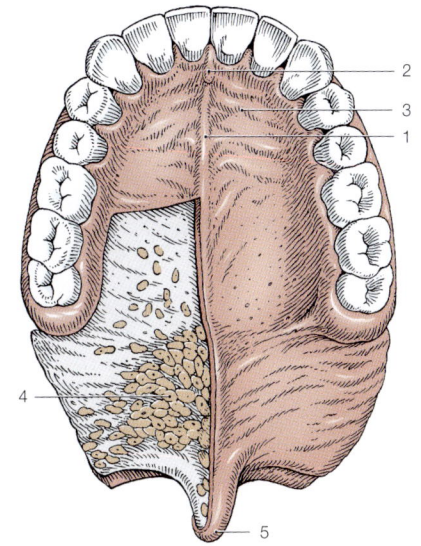

口蓋の筋

軟口蓋には筋の付着する骨や軟骨はない．したがって，軟口蓋の諸筋は丈夫な結合組織性の腱膜すなわち**口蓋腱膜（C9）**に入り，これらの筋が口蓋帆の基礎をつくっている．

口蓋帆張筋（C10）．この筋は口蓋帆の緊張筋である．この筋は薄い三角形の筋板として頭蓋底（蝶形骨棘から翼状突起の基部まで）および耳管軟骨部の膜性板から起こる．この筋は下方に下り 1 本の腱となって，**翼突鉤（C11）**の周りをまわり，次いで，水平に走って口蓋腱膜に入射する．本筋は嚥下のとき口蓋帆を水平になるまで持ち上げて緊張させる．この際，起始部の筋束は耳管の入口部を開口させる（嚥下による中耳腔の換気）．この筋は下顎神経の枝によって支配される．

口蓋帆挙筋（C12）．この筋は頭蓋底で口蓋帆張筋の背内側からと耳管隆起から起こり，前下内方に斜めに走って，口蓋腱膜の中に終わる．本筋は口蓋帆を持ち上げて後方に引っ張るとともにまた耳管咽頭口を広げている．この筋は咽頭神経叢からの枝で支配される．

口蓋帆張筋と口蓋帆挙筋は上咽頭収縮筋を補足して咽頭側壁の構成に参加している．

口蓋舌筋（B13）．この筋は口蓋舌弓の中にあり，口蓋腱膜から起こって，舌根の側縁に入射する．本筋は口峡峡部の閉鎖に働き，舌咽神経によって支配される．

口蓋咽頭筋（B14）．この筋は口蓋咽頭弓の中にあり，同様に口蓋腱膜から起こる．本筋は咽頭挙筋群の 1 つに数えられ，舌咽神経によって支配される．

口蓋垂筋（B15）．この筋は対性の筋で，硬口蓋（口蓋骨水平板の後縁と後鼻棘）と口蓋腱膜から起こり，口蓋帆挙筋の後方を走って口蓋垂の中に入り込む．本筋が収縮すると口蓋垂が短くなる．この筋は咽頭神経叢からの枝で支配される．

> **臨床関連**：口蓋裂の時は，軟口蓋の機能が失われて，その結果，中耳の耳管の通気が妨げられる．

A 口蓋，口蓋腺
B 口蓋弓，口蓋扁桃
C 口蓋帆

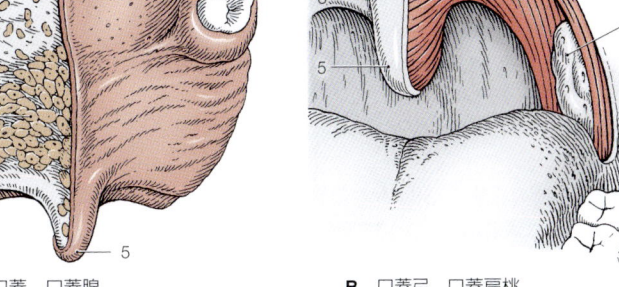

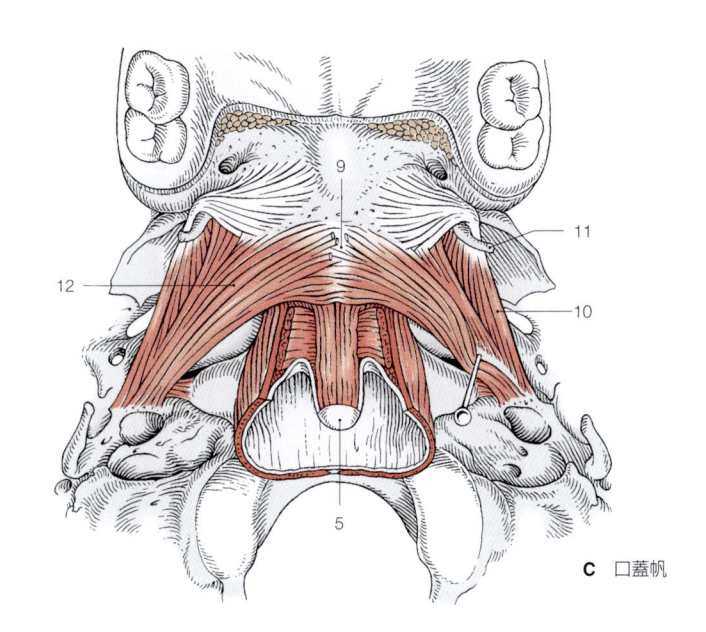

---

1 口蓋縫線 palatine raphe　**2** 切歯乳頭 incisive papilla　**3** 横口蓋ヒダ transverse palatine folds　**4** 口蓋腺 palatine glands　**5** 口蓋垂 uvula　**6** 口蓋扁桃 palatine tonsil　**7** 口蓋舌弓 palatoglossal arch　**8** 口蓋咽頭弓 palatopharyngeal arch　**9** 口蓋腱膜 palatine aponeurosis　**10** 口蓋帆張筋 tensor veli palatini　**11** 翼突鉤 pterygoid hamulus　**12** 口蓋帆挙筋 levator veli palatini　**13** 口蓋舌筋 palatoglossus　**14** 口蓋咽頭筋 palatopharyngeus　**15** 口蓋垂筋 musculus uvulae

舌

舌 tongue, Lingua の基礎は強力な**筋肉体**でつくられ，表面はすこぶる特殊化した**舌粘膜** mucous membrane of tongue によっておおわれている．

肉眼的に**舌体** body of tongue，**舌尖**（A1）および**舌根** root of tongue を区別し，舌は舌根で付近の骨性構造物に固定されている．凸面の舌表面を**舌背**（A2）といい，逆V字形の溝すなわち**分界溝**（A3）によって前後の2部に分けられる．分界溝の先端には舌盲孔（A4）があるが，これは甲状腺原基の起始部である．

分界溝より前の舌約2/3は舌の**口腔部**（A5）（前部または溝前部ともいう）を形成し，分界溝より後ろにある舌1/3は舌の**咽頭部**（A6）（後部または溝後部ともいう）を構成する．舌の咽頭部は口蓋舌弓の後ろで咽頭口部に面して限局した領域をいい，ほとんど垂直に位置している．舌の両部は粘膜の構造，神経支配および発生学的由来に関して違いがある．

舌の前部．舌の口腔部は口腔底の上にある；この部では舌背は口蓋に，舌尖は切歯に，**舌縁**（A7）は臼歯に各々隣接している．舌縁において舌背は舌下面 inferior surface of tongue（292頁）に移行する．舌背の**粘膜**は非角化重層扁平上皮で構成され，その下にある結合組織性の舌腱膜 lingual aponeurosis とずれないように結合している．舌腱膜は程度に差はあるが口腔部の正中部にできる明瞭な溝すなわち**舌正中溝**（A8）をつくる．舌背にはいろいろな**舌乳頭**（A9, B～E）が形成されるが，これは結合組織が基礎となって上皮に被覆されてつくられたものである．

舌乳頭．乳頭はその異なる形に基づいて4型に分類される：すなわち，**糸状乳頭**（B10, C）は糸状を呈し，その先端が裂けていて角化した上皮をもっている．これは舌背一面にみられ，殊に触覚に働いている．この乳頭に味蕾はない．**茸状乳頭**（B11, D）はきのこ状を呈し，角化しない上皮でおおわれて赤みがかっている．これは主に舌尖と舌縁に存在し，まれに味蕾をみるほか機械的受容器と温度受容器を備えている．幼児ではこの乳頭に多くの味蕾がみられる．**葉状乳頭**（A12）は舌縁の後部に列状に並んで存在し，多数の味蕾をもっている．**有郭乳頭**（B13, E）は分界溝の前に一列に並ぶ大きな乳頭で，周りを溝（乳頭溝）で囲まれ，その外方に乳頭郭という輪壁がある．この乳頭は非常に多くの味蕾（586頁参照）をもっている．また溝の底には漿液性のエブネル腺 Ebner's glands が開口している．

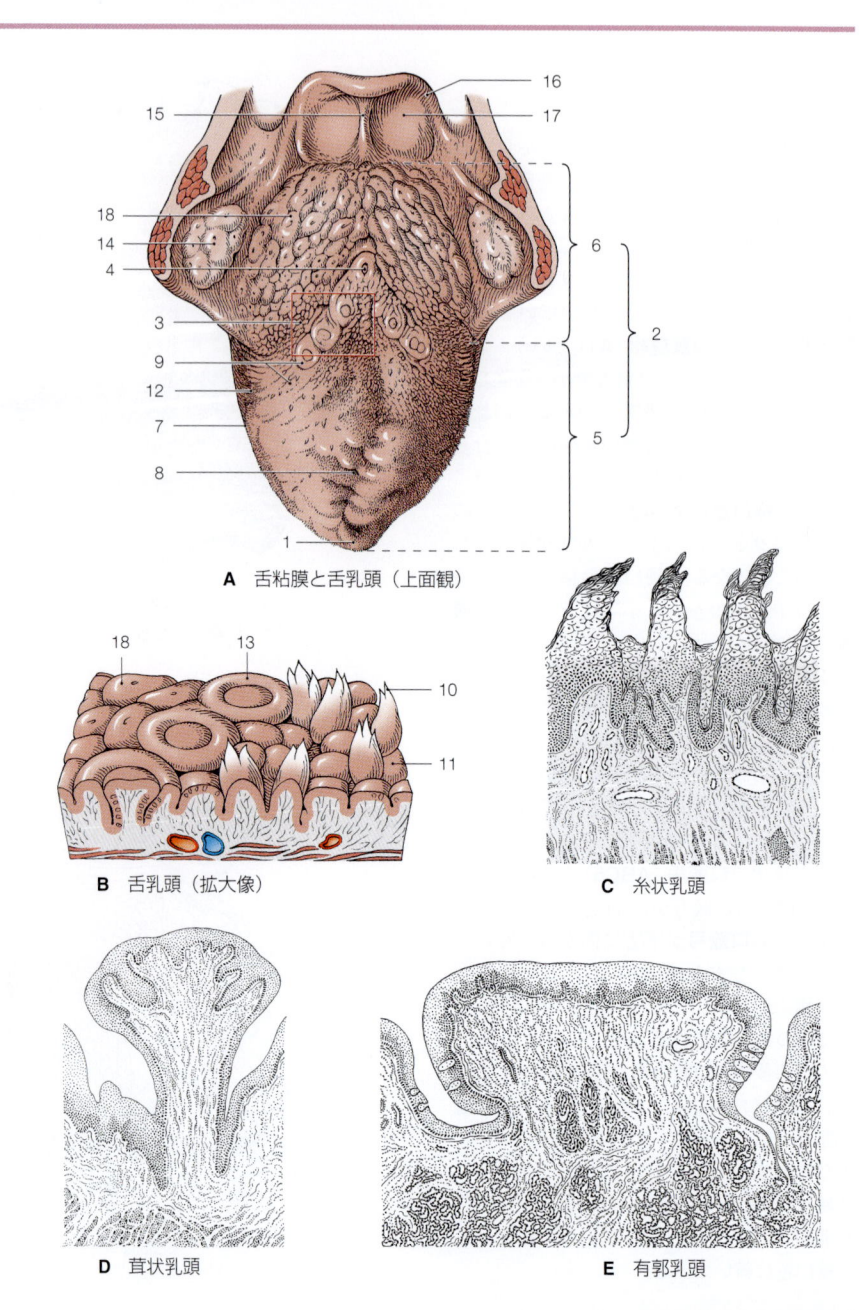

舌の後部．舌の溝後部すなわち咽頭部のことで舌根ともいわれ，咽頭口部の前壁をつくっている．舌根の外方には口蓋扁桃（A14）があり，次第に咽頭の外側壁に移行する．背方には3条の粘膜ヒダが喉頭蓋にのびていて，正中にあるものを**正中舌喉頭蓋ヒダ**（A15），両外側にあるものを**外側舌喉頭蓋ヒダ**（A16）という．これらのヒダの間に**喉頭蓋谷**（A17）という2つのくぼみがつくられる．舌根の表面には上皮下に存在するリンパ組織によってつくられた疣状の**舌小胞**（AB18）が不規則にならんでいる．これらの小胞は総称して**舌扁桃** lingual tonsil（418頁）と呼ばれる．ここでは乳頭がない．

舌粘膜の神経支配．知覚線維は溝前部では舌神経（下顎神経の枝）に，溝後部では舌咽神経に，喉頭蓋谷では迷走神経に支配される．味覚線維は溝前部では有郭乳頭の領域を除いて鼓索神経（中間神経の枝）に支配され，有郭乳頭の領域は舌咽神経による．舌の後1/3の味蕾から出る求心性線維は舌咽神経を経由して，また喉頭蓋領域の味蕾からは迷走神経を経由して支配されている．

A 舌粘膜と舌乳頭（上面観）

B 舌乳頭（拡大像）

C 糸状乳頭

D 茸状乳頭

E 有郭乳頭

1 舌尖 apex of tongue 2 舌背 dorsum of tongue 3 分界溝 terminal sulcus of tongue 4 舌盲孔 foramen caecum of tongue 5 （舌の）口腔部＝前部＝溝前部 oral part＝anterior part＝presulcal part 6 （舌の）咽頭部＝後部＝溝後部 pharyngeal part＝posterior part＝postsulcal part 7 舌縁 margin of tongue 8 舌正中溝 median sulcus of tongue 9 舌乳頭 lingual papillae 10 糸状乳頭 filiform papillae 11 茸状乳頭 fungiform papillae 12 葉状乳頭 foliate papillae 13 有郭乳頭 vallate papillae 14 口蓋扁桃 palatine tonsil 15 正中舌喉頭蓋ヒダ median glosso-epiglottic fold 16 外側舌喉頭蓋ヒダ lateralis glosso-epiglottic fold 17 喉頭蓋谷 epiglottic vallecula 18 舌小胞 lingual follicles

舌筋

舌筋 muscles of tongue は骨から起こる**外舌筋**と骨には付着せずに舌の中に局在する**内舌筋**とに分けられる.

外舌筋

外舌筋にはオトガイ舌筋，舌骨舌筋，茎突舌筋および口蓋舌筋が属している．口蓋舌筋についてはすでに軟口蓋の筋のところで記述されている（289頁）．

オトガイ舌筋（AB1）．下顎骨オトガイ棘から対をつくってオトガイ舌骨筋の上半から起こり，扇状をなして舌尖から後上方に向かって舌体の中に入る．その際，筋線維は内舌筋と混ざり合って舌腱膜につく．本筋は舌を前方に移動させるとともに口腔底の方に引く．本筋の外側は舌骨舌筋におおわれている．

舌骨舌筋（A2）．この筋は薄い四辺形の筋板として舌骨の大角（A3）および舌骨体（A4）から起こり，ほとんど垂直にオトガイ舌筋の外側を走って舌に入る．舌骨が動かないように固定されたときには，本筋は舌を後方に引く．

茎突舌筋（A5）．この筋は側頭骨の茎状突起から起こって，舌尖の方向に前方に向かって走り，舌の側縁に達する．本筋は舌を後上方に引く．

血管，神経支配．口蓋舌筋を除いて，外舌筋は**舌下神経（A6）**によって支配される．舌下神経は舌骨舌筋の外側に接して走り，この筋の前縁で前方に向かってオトガイ舌骨筋に小枝を分け与え，上行する太い枝はオトガイ舌筋と内舌筋を支配する．その際，舌下神経の上行する終枝は顎下腺の導管（A7）と舌神経（A8）の下を交叉する．舌筋への動脈供給は**舌動脈（A9）**によって行われ，この動脈は背方から舌骨舌筋の下に走ってきて，そこで終枝である舌深動脈と舌下動脈に分枝する．

内舌筋

内舌筋は舌の中で三次元的に走行する筋線維系からなり，これらの筋線維束は結合組織性の舌の骨組みにしっかりと固着されている．骨組みには2種類あって，1つは正中矢状面に位置する結合組織板である**舌中隔** lingual septum で，これによって舌は左右半に二分される．他の1つは丈夫な結合組織板で，舌背で粘膜と筋組織との間に広がっている**舌腱膜（C14）**である．舌中隔の両側に次のような筋束が識別できる．

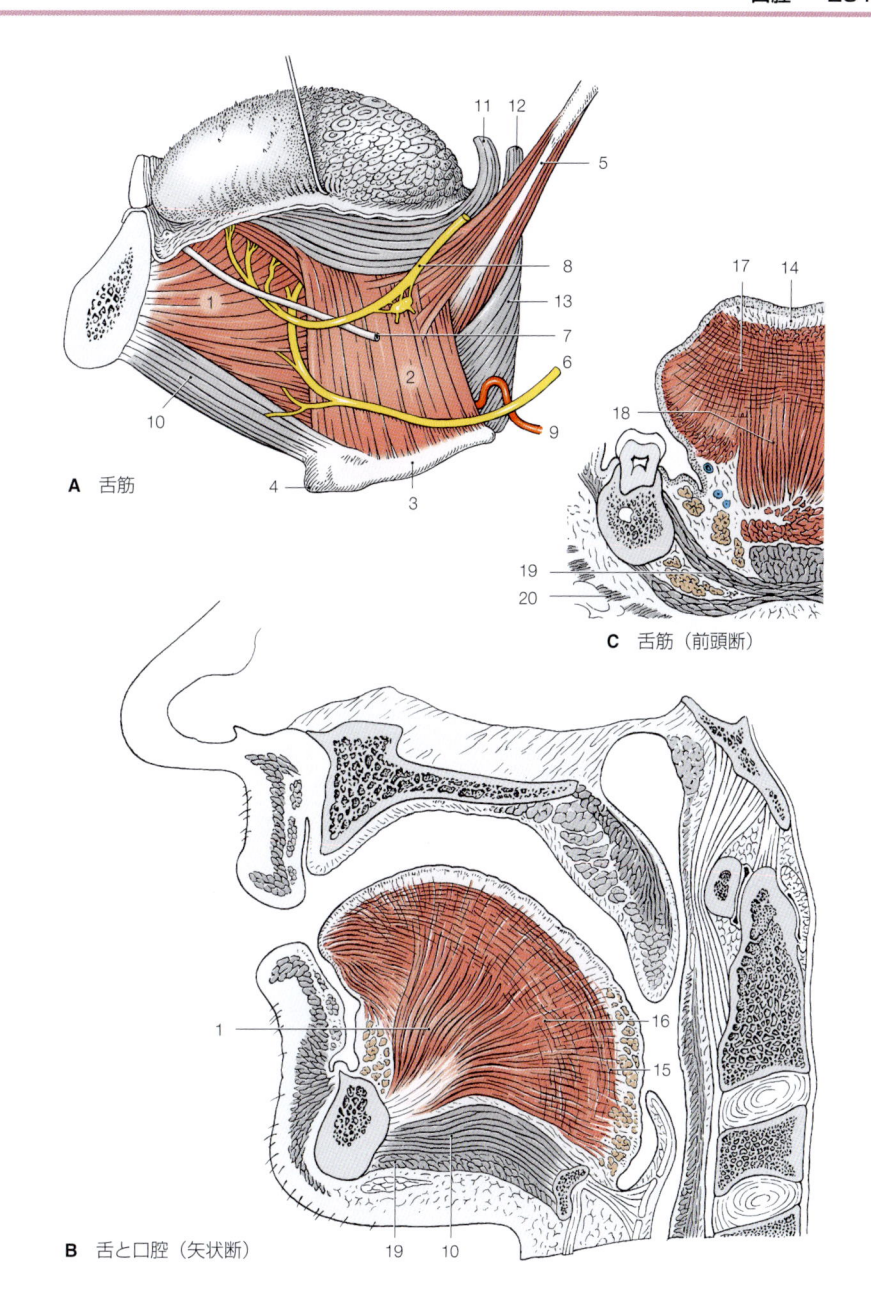

上縦舌筋（B15）および下縦舌筋（B16）．これらの筋は舌背に近いところ，ないしは口腔底に近いところを限局された筋束として舌尖から舌根まで走っている．

横舌筋（C17）．この筋は横走する筋線維の強大な系を構成し，その一部は舌中隔，舌腱膜および舌の側縁に放散し，さらに一部は舌中隔をも横切っている．

垂直舌筋（C18）．舌体の中にだけあって，舌背から舌下面へ走る筋線維束からなる．

内舌筋は舌の形を変える働きがある．その際たいていの場合，三種の系のうちの2つの系が協力的に作動して働き，第3の系は弛緩するように強いられる．例えば，垂直舌筋と横舌筋が両側性に収縮するときは，両側の縦舌筋は弛緩させられ，舌は細長くなる．内舌筋は**舌下神経**によって支配される．

> **臨床関連：舌下神経の障害**によって舌の半分が麻痺したときには，健側が患側に偏位して，舌尖は麻痺側に曲がる．当該側の舌表面は，舌固有筋の萎縮によって，しわが寄っている．

---

1 オトガイ舌筋 genioglossus　2 舌骨舌筋 hyoglossus　3 大角（舌骨の）greater horn (hyoid bone)　4 体（舌骨の）body of hyoid bone　5 茎突舌筋 styloglossus　6 舌下神経 hypoglossal nerve　7 顎下腺管 submandibular duct　8 舌神経 lingual nerve　9 舌動脈 lingual artery　10 オトガイ舌骨筋 geniohyoid　11 口蓋舌筋 palatoglossus　12 口蓋咽頭筋 palatopharyngeus　13 上咽頭収縮筋 superior constrictor　14 舌腱膜 lingual aponeurosis　15 上縦舌筋 superior longitudinal muscle　16 下縦舌筋 inferior longitudinal muscle　17 横舌筋 transverse muscle　18 垂直舌筋 vertical muscle　19 顎舌骨筋 mylohyoid　20 広頚筋 platysma

A 舌筋

B 舌と口腔（矢状断）

C 舌筋（前頭断）

舌の下面（A）

舌の下面 inferior surface of tongue は口腔底にのっていて，舌を高く持ち上げたときにのみ覗きみることができる．舌下面の粘膜は薄くて舌体とゆるく結合している．粘膜の正中に**舌小帯**（**A1**）をつくり，このヒダは下顎の歯肉にのびている．舌小帯の両側には粘膜を通して太い**舌深静脈**（**A2**）が青っぽくかすかにみえる．さらに外側には鋸歯状のヒダである**采状ヒダ**（**A3**）がある．このヒダは動物にみられる舌下舌 sublingua の名残りとみなされている．小さな前舌腺が舌尖の領域に粘膜のふくらみをつくっている．口腔底では後外側にのびる1条の細い**舌下ヒダ**（**A4**）が両側にみられ，その下に舌下腺（293頁）が隠れている．このヒダの先端には疣状の隆起をなす**舌下小丘**（**A5**）があり，ここに大舌下腺と顎下腺の導管が合一して，あるいは別々に相並んで開口している．

臨床関連：口腔底と舌の下面の粘膜が薄いため，ある種の薬物は速く作用物質の吸収がされる．例えば，狭心症の症状の改善薬であるニトロリンガル nitrolingual は，舌下投与－経舌吸収－をうたっている．

口腔底

口腔の底は両側の下顎枝の間でその前方にあり，筋肉板である**口腔隔膜** oral diaphragm により構成される．口腔隔膜は主として両側の顎舌骨筋によってつくられる．

顎舌骨筋（**B6**）．これは下顎骨体内面の**顎舌骨筋線**（**B7**）から起こり，後方，内方，そして背方に向かって走り，正中にある顎舌骨筋縫線と**舌骨体**（**B8**）につく．顎舌骨筋は顎舌骨筋神経 nerve to mylohyoid（下顎神経の枝）によって支配される．

オトガイ舌骨筋（**B9**）．この筋は口腔底の正中線の両側にあり，内側から口腔隔膜を補強している．この筋はオトガイ棘から起こり，舌骨体につく．オトガイ舌骨筋は第1，第2頸神経の前枝によって支配されるが，この神経枝は舌下神経を経由してこの筋に達する．

顎二腹筋．これは中間腱をもつ前後の二腹からなる筋で，**前腹** anterior belly は下顎骨の二腹筋窩から起こって中間腱に移行する．**後腹** posterior belly は乳突切痕から起こって中間腱に移行する．中間腱は舌骨小角の近くで結合組織性の滑車によって舌骨体に固定されている（293頁**A**）．前腹は下顎神経の顎舌骨筋神経 nerve to mylohyoid によって，後腹は顔面神経の二腹筋枝 digastric branch によって支配される．

茎突舌骨筋．これは茎状突起から起こって，舌骨大角の基部につく．この筋の停止腱は顎二腹筋の中間腱を挟むように裂けていることが多い．本筋は顔面神経から支配される．

上記の筋群は舌骨の上部に存在して，**舌骨上筋群** suprahyoid muscles としてまとめられる．舌骨上筋は口の能動的な開口に関与しており，また嚥下の際には舌骨を上前方に持ち上げる．

臨床関連：口腔底の粗性組織では，連鎖桿菌や連鎖球菌によって生じた炎症が広がりやすく，広がりを止めにくいため，病像は口腔底蜂窩織炎に至ることがある．蜂窩織炎の原因としては，齲歯（むしば），口内炎また，リンパ節の膿瘍がある．口腔底で触診でき，周囲と癒着した腫脹は嚥下障害や敗血症による全身症状をもたらす．

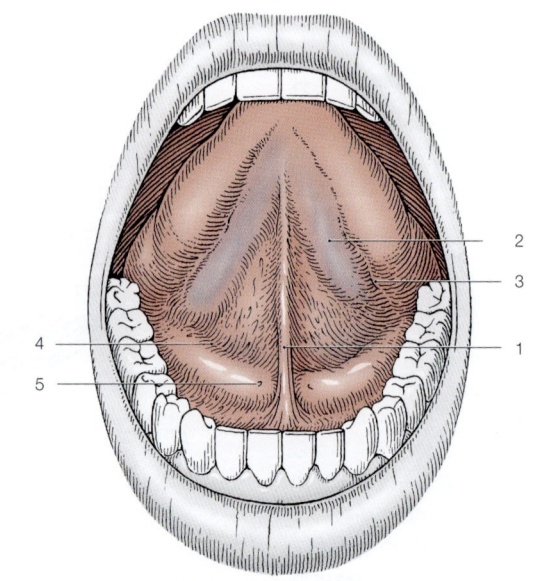

A 下方からみた舌の粘膜

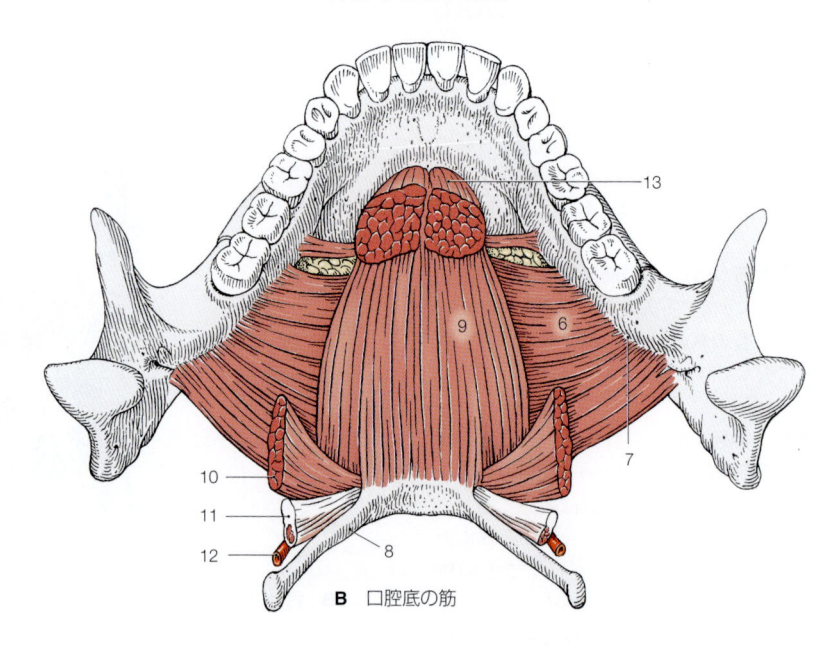

B 口腔底の筋

---

1 舌小帯 frenulum of tongue **2** 舌深静脈 deep lingual vein **3** 采状ヒダ fimbriated fold **4** 舌下ヒダ sublingual fold **5** 舌下小丘 sublingual caruncle **6** 顎舌骨筋 mylohyoid **7** 顎舌骨筋線 mylohyoid line **8** 舌骨（体）(body of) hyoid bone **9** オトガイ舌骨筋 geniohyoid **10** 舌骨舌筋 hyoglossus **11** 茎突舌骨筋 stylohyoid **12** 舌動脈 lingual artery **13** オトガイ舌筋 genioglossus

唾液腺

口腔の中には，多数の**小唾液腺** minor salivary glandsからの導管と3対存在する**大唾液腺** major salivary glandsからの導管が開口している．

小唾液腺

小唾液腺に属するものには，口唇，頬，舌および口蓋の粘膜の中に存在して，ほとんどが粘液性終末部（294頁）からなる腺と，これらに加えて舌尖の粘膜下に存在してヒトおよび一部の霊長類にみられる前舌腺 anterior lingual salivary glandがある．また，有郭乳頭と葉状乳頭の底には純漿液性終末部（294頁）をもつ小さなエブネル腺 Ebner's glandsが納まっており，この腺は味覚物質を洗い流す働きをもっていて洗浄腺 rinsing glandsとも呼ばれる．小唾液腺に課せられた役割はとくに**口腔粘膜を湿らせる**ことにある．

大唾液腺

耳下腺（**A1**）．耳下腺は最大の唾液腺で**純漿液腺**である．この腺は丈夫な**耳下腺筋膜** parotid fasciaに包まれて，外耳道の前下方にあって咬筋（**A2**）の後部の上にのっている．この腺は顎関節をおおい，**浅部** superficial partと**深部** deep partに区分けされ，その間を顔面神経の諸枝が貫いて走る．上方は頬骨弓（**A3**）に達し，下方は下顎角（**A4**）を越えてわずかに突出している．深部に向かっては下顎枝の後縁をまわって下顎後窩（172頁）に入り込んで咽頭壁にまでのびている．腺の前上部から太さ3〜4mmの腺外導管である**耳下腺管**（**A5**）が出て，この管は頬骨弓の下方を平行に咬筋の外面を前走し，その前縁で内方に曲がって頬脂肪体と頬筋（**A6**）を貫き，上顎第2大臼歯の高さにある**耳下腺乳頭** papilla of parotid ductで口腔前庭の中に開口する．耳下腺管に接してしばしば小さな**副耳下腺**（**A7**）がみられる．

耳下腺の分泌物形成と放出は自律神経によって制御される．**副交感性**の節前線維は舌咽神経（491頁参照）の中を走って，耳神経節で節後線維に切り替えられ，最終的には顔面神経の枝とともにこの腺に分布する．**交感性**の線維は外頸動脈神経叢に由来し，血管の分枝とともにこの腺に達する．

顎下腺（**AB8**）．これは**漿液性優勢な混合腺**で，下顎骨ならびに顎二腹筋の前腹（**A9**）および後腹（**A10**）によってつくられる顎下三角（171頁参照）にある．器官筋膜に包まれた腺体は顎舌骨筋（**A11**）の下方にあり，深部は舌骨舌筋（**B12**）と茎突舌筋にまで達する．導管である**顎下腺管**（**B13**）は，鉤状の腺突起に伴われて，顎舌骨筋の後縁をまわってその上面に達し，次いで舌下腺（**B14**）の内側を前進して**舌下小丘**（**B15**）に開口する．顎下腺に至る**副交感性**の節前線維は顔面神経の鼓索神経 chorda tympani（487頁参照）に由来し，顎下神経節で節後線維に切り替えられてこの腺に達する．**交感性**の線維は付近の血管を経由してこの腺に到達する．

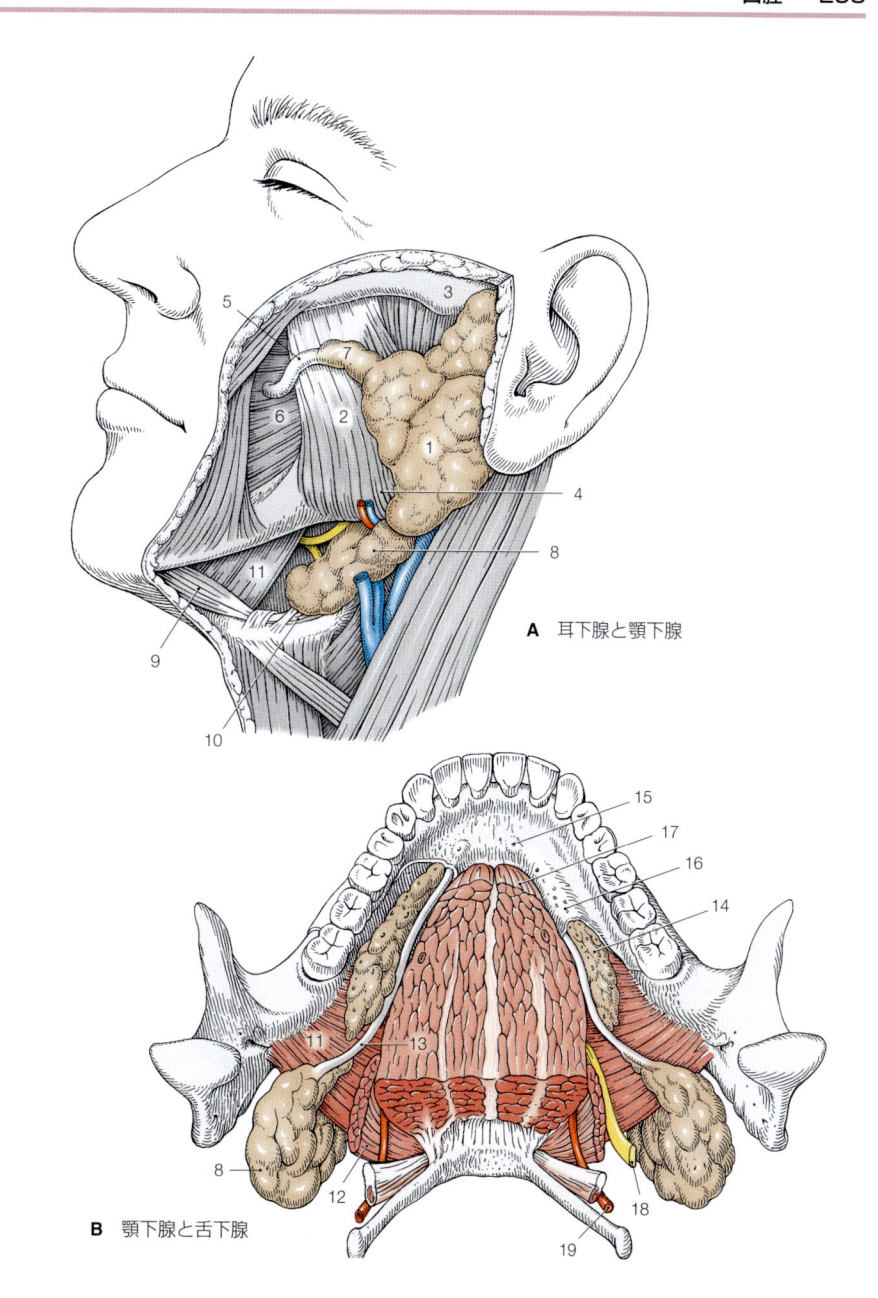

舌下腺（**B14**）．舌下腺は**粘液性優勢な混合腺**で，顎舌骨筋の上にあり，この腺があるために舌下ヒダ（**B16**）が生じる．この腺は外方は下顎骨にまで，内方はオトガイ舌筋（**B17**）にまで達する．舌下腺は大部分が粘液性の**主腺**である**大舌下腺**と多数の小さな粘液腺である**小舌下腺**とからなっている．導管である**大舌下腺管** major sublingual ductは顎下腺管と並んでまたは合一して舌下小丘に開口する．**小舌下腺**からの導管は短く，舌下ヒダに沿って直接口腔内に開口する．**副交感性**の線維は顎下腺に至る経路と全く同じ経路で舌下腺に達し，**交感性**の線維は舌動脈に沿う血管神経叢を経由してこの腺に達する．

A 耳下腺と顎下腺

B 顎下腺と舌下腺

1 耳下腺 parotid gland　2 咬筋 masseter　3 頬骨弓 zygomatic arch　4 下顎角 angle of mandible　5 耳下腺管 parotid duct　6 頬筋 buccinator　7 副耳下腺 accessory parotid gland　8 顎下腺 submandibular gland　9 （顎二腹筋の）前腹 anterior belly (digastric)　10 （顎二腹筋の）後腹 posterior belly (digastric)　11 顎舌骨筋 mylohyoid　12 舌骨舌筋 hyoglossus　13 顎下腺管 submandibular duct　14 舌下腺 sublingual gland　15 舌下小丘 sublingual caruncle　16 舌下ヒダ sublingual fold　17 オトガイ舌筋 genioglossus　18 舌下神経 hypoglossal nerve　19 舌動脈 lingual artery

唾液腺の微細構造

唾液腺は**外分泌腺** exocrine gland であり，その分泌物である**唾液** saliva は導管を経由して口腔内に放出される．唾液はかみ砕いた食物の滑りをよくし，殺菌能があり，炭水化物分解酵素を含んでいる．唾液は口の中の刺激や，咀嚼運動および精神的な刺激によって1日総量 0.5〜2.0l が分泌される．唾液の**組成成分**は各唾液腺によって，またその機能状態によって左右される．唾液にはさらさらした漿液性唾液とねっとりした粘液性唾液が区別され，前者は消化酵素のα-アミラーゼ，そのほかを含み，後者は粘液多糖類（ムチン）や糖タンパクを含んでいる．

個々の唾液腺の微細構造は各唾液腺によって異なる．唾液腺は漏出分泌腺 eccrine gland で，**終末部（分泌部）**（Ⅰ）と**導管系**（Ⅱ）で構成されている．終末部には漿液細胞（**A〜C1**）だけによってつくられるもの，ただ粘液細胞（**ACD2**）だけによってつくられるもの，漿液および粘液細胞の両者によってつくられるものがあり，その細胞成分の配分割合は唾液腺によって異なっている．

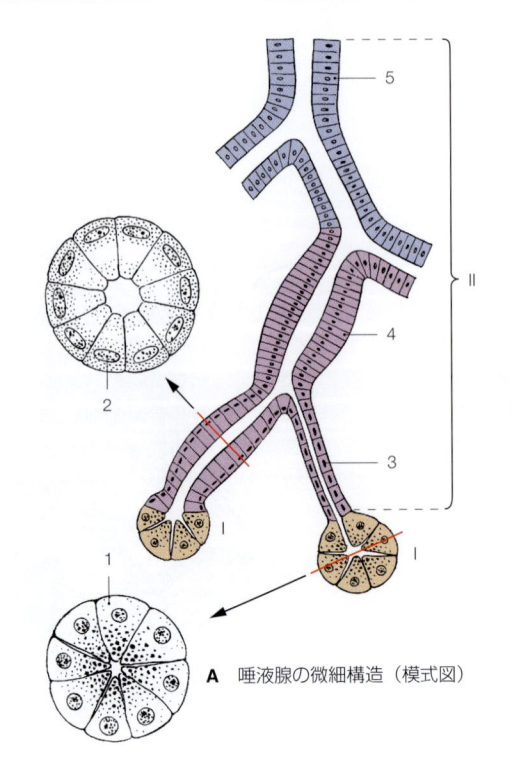

腺終末部（分泌部）．**漿液性**の腺細胞でつくられる終末部はブドウの房状であって**腺房** acinus といわれ，狭い腺腔をもっている（**A1**）．腺細胞は背が高く，細胞質は強い塩基好性を示し，核は円形で中央よりやや基底側に位置している．細胞内分泌細管 intercellular secretory canaliculus がみられる．細胞は腺腔の近くに分泌物の前駆物質である酸好性の酵素原顆粒をもっているが，細胞全体は塩基性色素でより強く染まって暗調を呈する．

粘液性終末部．**粘液性**の腺細胞からなる終末部は小管状であって**腺管** tubule といわれ，比較的広い腺腔をもっている（**A2**）．腺細胞は背が高く，細胞質はハチの巣状（泡沫状の網状構造）を呈する．核は平たく基底部へ押しやられている．終末部の腺細胞と基底膜との間には**筋上皮細胞（籠細胞）** myoepithelial cells (basket cells) が存在し，この細胞はその収縮によって分泌物の排出に関与している．

導管系．これは分泌物を出す終末部に続いている部分であるが，相異なる部分でつくられており，各唾液腺においてすべての導管系が全部揃って発達しているのではない．終末部に最初に続く**介在部**（**A3**）は小さな管径と単層の背の低い上皮をもっている．これに続いて接続する分泌管 secretory canal もしくは**線条部**（**ABC4**）は，やや大きな管径と基底部に基底線条 basal striation をもつ単層の背の高い円柱上皮を備えている．これは細胞膜が折り込まれた基底部の樹枝状構造のところに，垂直に糸粒体ミトコンドリアが入っている構造である．次いで，線条部はさらにより大きな導管（**A5**）に続き，導管は広い内腔と背の高い単層ないし二層円柱上皮をもっている．

唾液腺は結合組織によって葉 lobe および小葉 lobule に小分けされており，終末部，介在部および線条部は腺小葉の中すなわち**小葉内**にあり，導管は腺小葉間の結合組織の中すなわち**小葉間**にある．

耳下腺（**B**）は純漿液腺であり，導管系のすべての部をもっている．小葉間結合組織中には，しばしば脂肪細胞や形質細胞がみられる．
顎下腺（**C**）は漿液性優勢な混合腺である．その介在部の一部は粘液をつくる腺管に変化している．腺管の底にはしばしば漿液性終末部が上にのって半月状を呈する（エプネルの半月 Ebner's demilune）．そのほか，顎下腺には導管系のすべての部がみられる．
舌下腺（**D**）は粘液性優勢な混合腺であり，介在部と線条部はほとんどみられない．

A 唾液腺の微細構造（模式図）
B 純漿液腺（耳下腺）
C 混合腺，大部分は漿液腺（顎下腺）
D 混合腺，大部分は粘液腺（舌下腺）

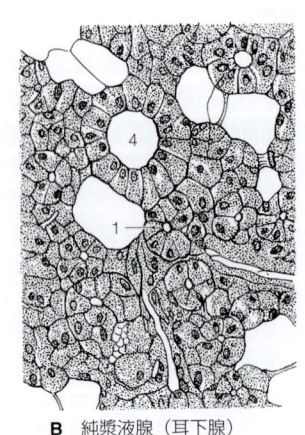

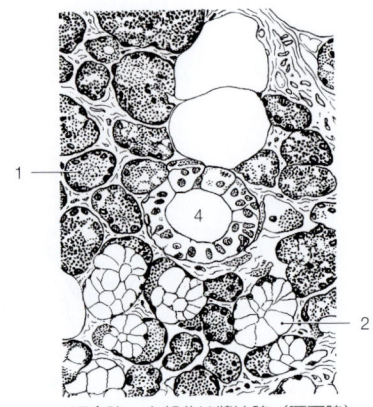

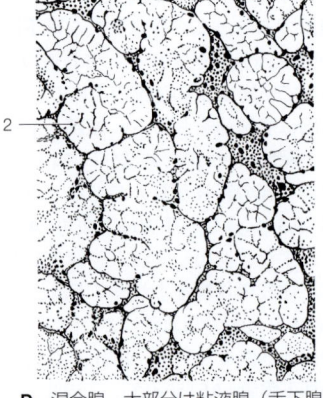

臨床関連：リン酸カルシウムもしくは炭酸カルシウムの沈着によって，大きな導管中に**唾石** sialolith が形成されることがある．その際に，分泌液の貯留や痛みを伴う腺の腫脹が起きる．歯石も唾液による生成物である．
流行性耳下腺炎 mumps は耳下腺炎ウイルスによる感染症で，腺の特徴的腫脹をひき起こす．咬合運動も強い痛みをきたす．それは，この腺が強い結合組織性の被膜に包まれ，伸展性がほとんどないからである．耳下腺炎はしばしば幼児の一側性の難聴の原因となる．随伴病変として耳下腺炎-精巣炎が起こることがあり，精巣の萎縮と不妊をもたらす危険がある．

Ⅰ 終末部（分泌部）terminal part (secretory part)　Ⅱ 導管系 system of excretory ducts
1 漿液細胞 serous cells　2 粘液細胞 mucous cells　3 介在部 intercalated part　4 線条部 striated part　5 導管 excretory duct
B 耳下腺 parotid gland　C 顎下腺 submandibular gland　D 舌下腺 sublingual gland

歯

ヒトの**歯** teeth, Dentes は上顎と下顎の歯槽の中に植え込まれていて、半環状に隙間なくつなぎ合わさっている。ヒトの歯は切歯、犬歯および臼歯が区別される**異形歯** heterodont であり、すなわち歯はその機能的な特殊化に左右されて異なった形につくられている。ヒトの歯では一度限りの生え替わり（歯牙交代）が起こり、**二生歯性** diphyodont である。最初に**乳歯** deciduous teeth が生じ、これが**永久歯** permanent teeth に取り替えられる。

歯の区分．それぞれの歯は**歯冠**（**A1**）、**歯頸**（**A2**）および**歯根**（**A3**）の3部に区分される。歯冠は歯肉の外にあらわれている歯の可視的な部分である。歯根は骨性の歯槽の中にあって歯の支持組織によって固定された部分である。歯冠と歯根の間の狭い移行部を歯頸といい、この部は歯槽からは突き出ているが歯肉によっておおわれている。歯肉によっておおわれている。歯頸はエナメル質-象牙質-境界に対応する。

歯冠．歯冠には多くの面が区別される：すなわち、向き合っている上・下顎の歯が接触する面を臼歯では**咬合面**（**B4**）という。外側面は**前庭面**（**B5**）といわれ、これには口唇に接している**口唇面**（**B5a**）と頬に接している**頬面**（**B5b**）がある。内側面は**口腔面** Facies oralis といわれ、下顎歯には**舌面**（**B6**）があり上顎歯には**口蓋面**（**B7**）がある。隣の歯に面した歯冠面を**接触面**（**B8**）といい、これは前方ないしは内方に向いた垂直な接触面である**近心面**（**B8a**）と後方ないしは外方に向いた垂直な接触面である**遠心面**（**B8b**）とに分けられる。

歯列弓．歯は上顎と下顎の中に各々1列の歯列弓、すなわち**上歯列弓** upper dental arcade と**下歯列弓** lower dental arcade をつくって植わっている。上歯列弓は半楕円形を呈し、下歯列弓は放物線の形をしている。**咬合** occlusion に際して、歯は正確に重なり合って立っているのではなく、上顎の前歯は下顎の前歯より突出している。各歯列弓内で、歯は正中面を境として鏡像的に2つのグループに分けられる。成人の歯列では、その役割に適した永久歯が正中から遠位に向かって次のように配列している：すなわち、2本の**切歯**（**B9**）、続いて1本の**犬歯**（**B10**）、これに続いて2本の**小臼歯**（**B11**）、最終的に3本の**大臼歯**（**B12**）が接続している（4×8＝32歯）。

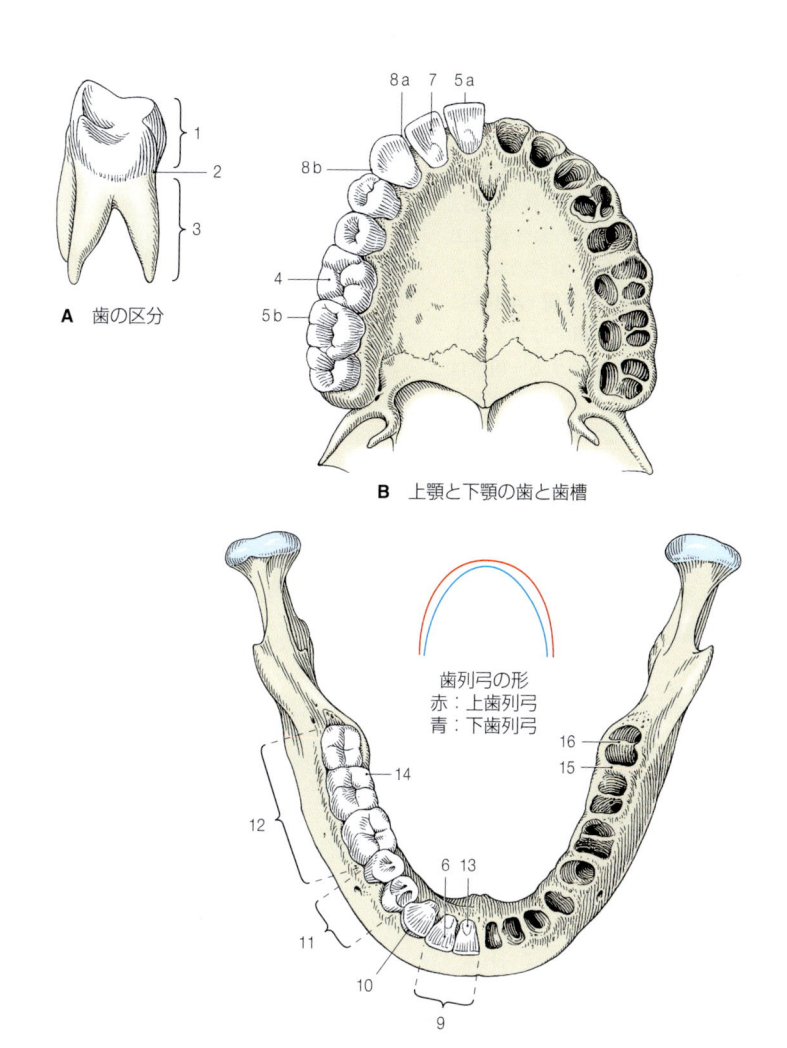

機能解剖．**切歯**は噛み切ることに役立っていて、水平な鋭い切縁 incisal margin のあるノミ状の歯冠をもっている。切歯の内面にはたいていの場合に小さな高まりがみられ、これを基底結節（**B13**）という。歯根は単一で長くて円錐形である。**犬歯**は引き裂くこととしっかり保持することに役立っている。犬歯は最長の歯で、歯冠は牙状に先が尖って（尖頭尖 apex of cuspid）いて2つの切縁をもっている。歯根は単一で非常に長い。**小臼歯**は噛み砕き運動を行っている。小臼歯の歯冠は咬合面に2つの歯冠結節（咬頭）（**B14**）がある。歯根は、上顎の第1小臼歯では約50％の割合で1本の頬側根と1本の舌側根に分割されており（第2小臼歯は5～10％が2根性）、下顎の小臼歯では単一である。**大臼歯**は咀嚼の仕事の大部分を担っていて、咬合面には通常4つの歯冠結節（咬頭）がある。歯根は、上顎の大臼歯は2本の頬側根と1本の舌側根を、下顎の大臼歯は1本ずつの近心根と遠心根をもっている。

歯槽．歯は上顎骨の歯槽突起および下顎骨の歯槽部につくられる骨性の**歯槽** dental alveolus (tooth socket) の中に入っている。個々の歯槽はくさび形の**槽間中隔**（**B15**）によって互いに隔てられている。複数の歯根をもつ歯では歯槽自体が**根間中隔**（**B16**）によって分割されている。

歯式 dental formula, Zahnformel. 永久歯を表示する方法にはいくつかの方式があり、国際的にも異なった方式がとられてきた。国際歯学会（**FDI**）ではコンピュータで判読可能な次のような方式を採用している：すなわち、四半歯列を時計回りに右上から右下に向かって1～4の第1位の数字で表し、歯を正中から遠位に向かって1～8の第2位の数字で表して通し番号をつけている。
右側上顎列：11, 12, 13, 14, 15, 16, 17, 18.
左側上顎列：21, 22, 23, 24, 25, 26, 27, 28.
左側下顎列：31, 32, 33, 34, 35, 36, 37, 38.
右側下顎列：41, 42, 43, 44, 45, 46, 47, 48.

A 歯の区分

B 上顎と下顎の歯と歯槽

歯列弓の形
赤：上歯列弓
青：下歯列弓

1 **歯冠** crown　2 **歯頸** neck　3 **歯根** root　4 **咬合面** occlusal surface　5 **前庭面** vestibular surface　5a **口唇面** labial surface　5b **頬面** buccal surface　6 **舌面** lingual surface　7 **口蓋面** palatal surface　8 **接触面** contact surface　8a **近心面** mesial surface　8b **遠心面** distal surface　9 **切歯** incisor tooth　10 **犬歯** canine tooth　11 **小臼歯** premolar tooth　12 **大臼歯** molar tooth　13 **基底結節** basal tubercle　14 **歯冠結節（咬頭）** tubercle　15 **槽間中隔** interalveolar septa　16 **根間中隔** interradicular septa

歯と歯の固定装置の構成要素

歯の主要部分は**象牙質**(**AB1**)で構成され，象牙質は**歯髄腔**(**AB2**)を包んでいる．歯髄腔は疎性結合組織である**歯髄** dental pulp によって満たされている．歯髄腔は歯冠にある**歯冠腔**(**B2a**)，歯根にある**歯根管**(**B2b**)，および根尖の開口部である**歯根尖孔**(**B2c**)でつくられている．歯冠領域の象牙質は**エナメル質**(**AB3**)でおおわれ，歯根の象牙質は層状の骨様質である**セメント質**(**AB4**)によっておおわれている．歯頸ではエナメル質とセメント質とが互いに隣接する．歯根は結合組織性の**歯根膜**(**B5**)によって歯槽骨と弾力性をもちながら結合している．歯根膜，セメント質，歯肉および歯槽壁をまとめて**歯周組織** parodontium ともいう．**歯肉**(**B6**)は歯槽縁に突出しているから，歯側の上皮側に**内縁上皮**(**B7**)が生じる．この内縁上皮は歯頸のエナメル質の下縁に付着し，歯と歯肉縁の間に**歯肉溝**(**B8**)という溝をつくっている．

歯と歯の固定装置の微細構造

象牙質，エナメル質およびセメント質は骨に似て硬い組織である．これらは，骨組織と同じ化学的構成を持っているが，その成分の量的比率が違っている．

象牙質．象牙質は黄色味を帯びている**象牙芽細胞** odontoblasts によってつくられる．この細胞は象牙質の内面に接して歯髄の最表層にほぼ1層に配列し，その突起である象牙芽細胞突起（トームス線維）odontoblastic process (Tomes' fibers) は**象牙細管**(**B9**)の中に入って，エナメル質との境界またはセメント質との境界(**B10**)にまで達しており，これが特徴的な放射状の線条の内容である．象牙細管は基質によって囲まれ，この**象牙基質** dentin matrix は骨と同じように有機的基質，膠原細線維およびカルシウム塩からつくられている．象牙質は全く血管を持っていない．象牙芽細胞は，歯が生えたあとでも歯髄の内側表面で新しい前象牙質 predentin を作りつづけている．

エナメル質．エナメル質は人体の中で最も硬い組織である．エナメル質には**細胞成分，血管成分，神経がない**；基質は約97％が無機質であって，90％はハイドロキシアパタイトの形である．膠原細線維は含まれていない．エナメル質は組織学的に主として直径約5μmの放射状に走る**エナメル小柱** enamel prisms, Prisma enameli からなる．これはエナメル芽細胞 enameloblast (ada-mantoblasts)に分化していく，内側のエナメル上皮から分かれ，石灰化した小柱間有機基質によって束ねられている．

セメント質．セメント芽細胞によって作られる．**細胞成分に乏しい層状の骨質**であって，その膠原線維を含む線維性結合組織は象牙質および歯槽壁と結合している．歯根膜(**B5**)の膠原線維（シャーピー線維 Sharpey's fibers）はセメント質と歯槽骨との間を走り，この2つの硬組織の中に進入して，しっかりと歯を固定している．

歯髄(**B11**)．疎性結合組織からなり，血管が豊富で，また有髄および無髄の神経が含まれている．象牙質との境界には矢来状に配列した象牙芽細胞があり，この細胞は歯が生きている間は活動するので高齢者でも象牙質をつくり出している．

臨床関連：歯肉溝が深くなると盲嚢形成や歯頸の露出が起こる．
解剖学的な定義があるにもかかわらず，臨床的な慣用言語では歯が歯肉から突き出ている部分を**臨床歯冠** clinical crown，歯肉縁から下方にある部分を**臨床歯根** clinical root と呼ぶ．**歯周炎**（歯根膜炎）periodontitis では，歯肉が歯から離れ，失われてできる"ポケット"が，バクテリアの棲処となり，長期間にわたって歯の固定装置の炎症や障害につながる（歯周疾患 parodontopathy）．

A 固定装置をもつ歯

B 歯と歯槽の微細構造

1 象牙質 dentine 2 歯髄腔 pulp cavity 2a 歯冠腔 pulp cavity of crown 2b 歯根管 root canal 2c 歯根尖孔 apical foramen 3 エナメル質 enamel 4 セメント質 cement 5 歯根膜 periodontium 6 歯肉 gum, gingiva 7 内縁上皮 inner marginal epithelium 8 歯肉溝 gingival sulcus 9 象牙細管 dentinal canaliculus 10 セメント質と象牙質の境界（象牙細管の末端部）border between cement and dentine (terminal part of dentinal canaliculus) 11 歯髄 dental pulp

乳　歯

乳歯 deciduous teeth は青みがかった白色で，磁器のような透明感がある．乳歯は歯列弓の各半に **2 本の乳切歯**（**A1**），**1 本の乳犬歯**（**A2**），**2 本の乳臼歯**（**A3**）が区別され，総計 **20 歯**である．乳歯は，基本的に後継永久歯に形が似ている．乳歯の象牙質は永久歯のそれより薄く，抵抗力が弱い．

乳歯と永久歯は別々の萌出によってできてくる．乳歯の原基はすでに第 2 胚子月に将来の上顎および下顎の領域に発生しはじめる(298 頁歯の発生参照)．

乳歯の歯式．国際歯学会（**FDI**）では永久歯の場合と同じ方式で（295 頁），乳歯群の歯に次のように番号をつけている：すなわち，四半歯列を右上から右下に向かって第 1 位の数字 5〜8 で表し，歯を正中から遠位に向かって第 2 位の数字 1〜5 で表す：

　　右側上顎列；51，52，53，54，55
　　左側上顎列；61，62，63，64，65
　　左側下顎列；71，72，73，74，75
　　右側下顎列；81，82，83，84，85

歯の萌出と歯の生えかわり

初めに生える歯を乳歯といい，また**第 1 生歯** first dentition の歯ともいう．乳歯の萌出は生後 6〜8 ヵ月に生えはじめ，約 2 年で生え揃う．最初に乳切歯が出現し，第 1 乳臼歯と乳犬歯がこれに続き，最後に第 2 乳臼歯が生えてくる．乳歯は歯冠の原基が完全に発達してから萌出してくるが，この時期には歯根はまだ十分に発達していなくて歯根管は広い．萌出部位では，歯肉が少し膨隆して青赤色に変色し，次いで歯肉の上皮下に白い歯尖が現れ，まもなく歯尖はその上を穿孔してくる．強い歯根の成長や歯根膜の組織的な完成は歯の萌出後に行われる．萌出した歯冠をおおっているエナメル小皮 enamel cuticle は徐々に吸収されて消失する．

乳歯の下には**代生歯** successional (succedaneous) teeth すなわち**第 2 生歯** secondary dentition の歯の歯冠が歯の歯冠が横たわっている（**B**）．上顎ではこれらの歯冠は，永久歯の萌出後に上顎洞ができてくるところに限局して存在している．小臼歯の歯冠は乳臼歯の歯根の間に位置している．乳臼歯の後ろには 3 本の永久歯の原基が続き，これらは乳歯と違って長い時期を隔てて生えてくる．大臼歯は本来の第 1 生歯の歯に属するが"**加生歯**"（**B4**）ともいわれる．これに対して，乳切歯，乳犬歯および乳臼歯の乳歯群は第 2 生歯である**代生歯**と生えかわる．

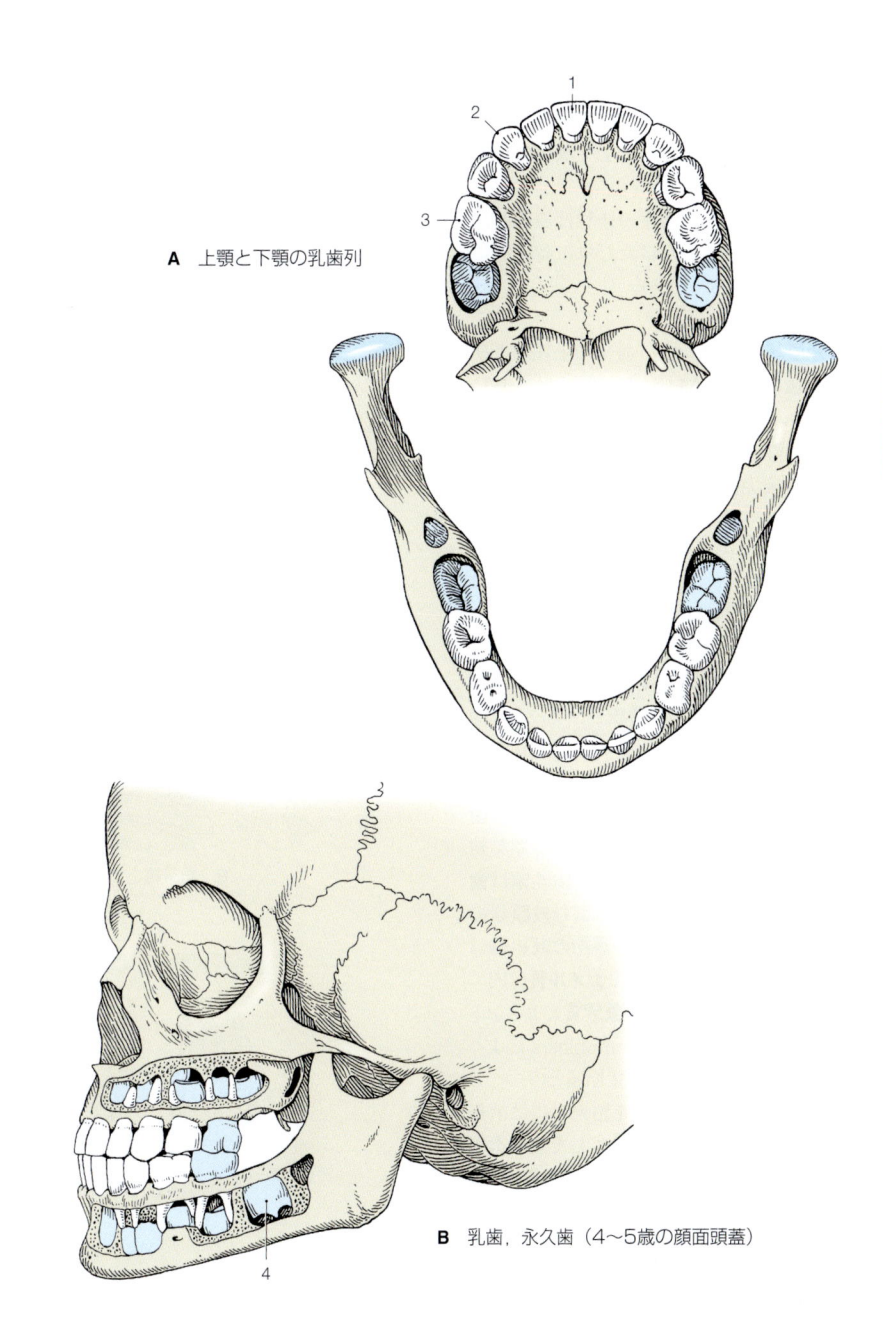

A 上顎と下顎の乳歯列

B 乳歯，永久歯（4〜5 歳の顔面頭蓋）

乳歯と永久歯の萌出時期と順序

歯	月（乳歯列）	年（永久歯列）
第 1 切歯	6〜8	7〜8
第 2 切歯	8〜12	8〜9
犬歯	16〜20	11〜13
第 1 小臼歯	12〜16	9〜11
第 2 小臼歯	20〜24	11〜13
第 1 大臼歯		6〜7
第 2 大臼歯		12〜14
第 3 大臼歯		17〜40

臨床関連：乳歯列の歯群は永久歯のための定位置を確保するという役目をもっている．したがって，乳歯の障害の際にはできるだけ長く修復保存に努めて，永久歯の優良な配列を保証すべきである．

乳歯が早めに抜けてしまうことは永久歯列に対して重大な影響をおよぼす．というのは，代生歯が何の制限もなく，したがって多くは間違った方向に導かれて空いた隙間に入ってくる．その結果，永久歯の歯列不全，さらにしばしば上顎，下顎の成長が障害され，それで上・下顎の異常な対向位置が生ずる．そのような場合には，顎骨に対して整形外科的な措置をとることが必要になる．

---

1 乳切歯 deciduous incisors　**2** 乳犬歯 deciduous canine　**3** 乳臼歯 deciduous molars　**4** 加生歯 additional (supplementary) teeth

歯の発生

各々の歯の形成には，2つの胚葉が関与している．外胚葉はエナメル質を作り出し，中胚葉は歯髄，前象牙質，そして象牙質を生み出す．

乳歯形成と永久歯発生の過程は原則的には同じであり，これらはただ単に時間的に別々に進行するものである．

歯牙原基の発生（A）．将来の上顎および下顎領域の上皮（A1）から，第2胚子月に1列ずつの弓状の上皮索である**歯堤**（A2）が，深部の結合組織（A3）の中に発生してくる．この歯堤から，乳歯の数に相当して，各々10個ずつの上皮性の結節：**エナメル器** enamel organ の原基が歯堤の口唇側の表面に芽を出してくる．エナメル器は最初はつぼみ状，次いでつり鐘状を呈してくる．この**エナメル器**は二重の壁をもっていて，その外壁は**外エナメル上皮**（A4），その内壁は**内エナメル上皮**（A5, B8）で構成されている．内エナメル上皮は鋳型としてではあるが，あたかも将来の歯冠の形状を呈している．このエナメル器の下では歯髄の前身である**歯乳頭**（AB6）が形成され，これは密な間葉結合組織からなる．エナメル器と歯乳頭は**歯小囊** dental sac という細胞に富む被膜状の結合組織で囲まれている．最初の硬組織は第4胎児月にできてくる．**エナメル質**は内エナメル上皮からつくられ，**象牙質**とセメント質は歯髄の象牙芽細胞 odontoblasts によりつくり出される．歯堤と歯牙原基との，そして口腔上皮との結合は第4胎児月には消失する．歯堤は乳歯歯胚を形成した後に次第に退縮する．乳歯の原基の舌側（内側）に歯堤の一部から永久歯を作るための代生歯の歯胚ができる．永久歯の原基は第6胎児月にはすでにできている．

歯牙原基の微細構造（B）

エナメル質の形成．エナメル器は次のものに分かれる．まず①**外エナメル上皮**：これは周囲の間葉組織との境界層を，そして歯歯小囊を作る．②**内エナメル髄**（B7），そして③**内エナメル上皮**（A5, B8）：エナメル質を作る**エナメル芽細胞** enameloblast（adamantoblasts）に分化する．この細胞は，はじめ有機エナメル基質（B9）を，ついでカルシウム塩とリン酸塩を分泌する．エナメル質形成は，象牙質形成が開始すると間もなく始まる．これは後の咬合面の領域で歯冠のところから開始される．エナメル器は，この後の発生過程でほぼ完全に退行する（下記参照）．

象牙質の形成．象牙質の形成は後の歯冠になる領域から始まり，歯乳頭（B6）の間葉細胞が分化した**象牙芽細胞**（B10）を出発点とする．象牙質基質は象牙芽細胞の先端極に分泌され，同じく象牙芽細胞から分泌されるコラーゲン細線維とともに非石灰化の**前象牙質**（B11）をつくり出し，これに石灰塩が沈着して**象牙質**（B12）となる．この際，前象牙質層のますますの肥厚とともに，象牙芽細胞はその細胞質突起を伸張させ前象牙質によって埋め込まれる．このようにして放射状の象牙細管 dentinal canaliculus がつくられ，象牙芽細胞突起はこの細管の中に**トームス線維**（B13）として閉じ込められる．象牙芽細胞は生涯にわたって非石灰化の前象牙質をつくり出している．

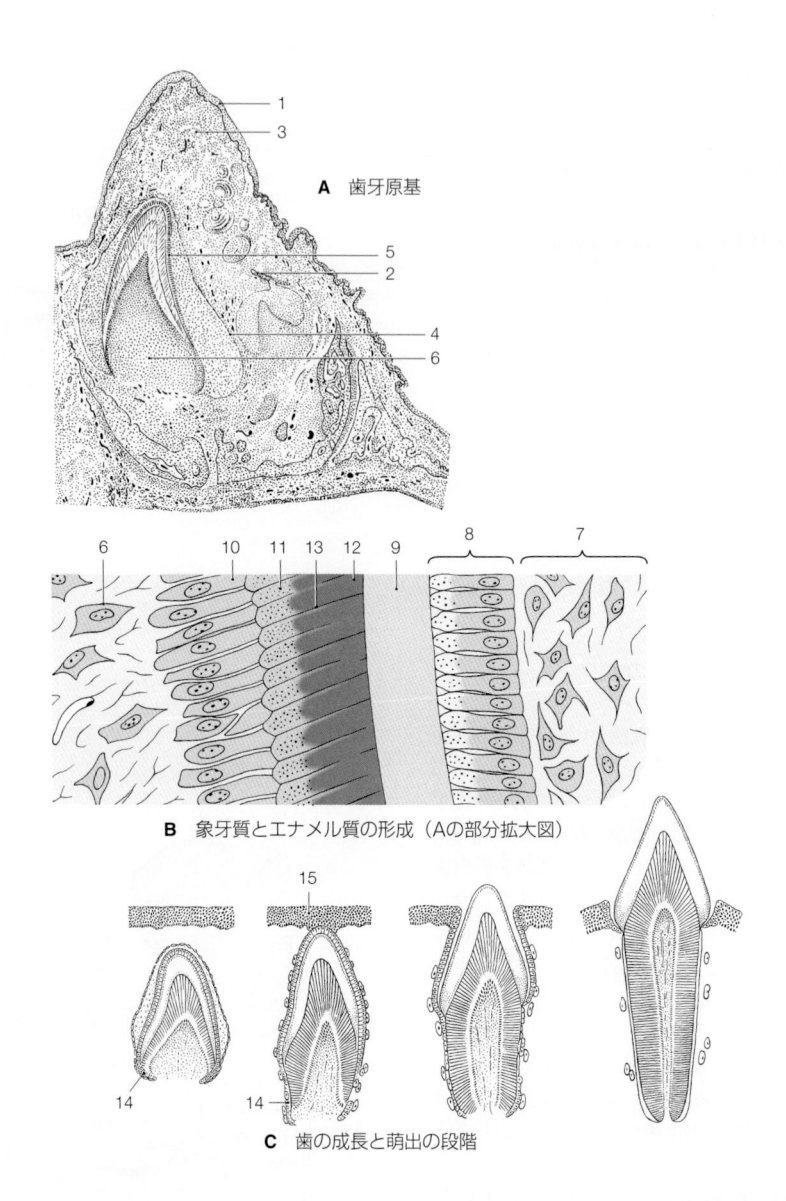

歯根形成と歯の萌出（C）．歯根は歯冠を形成した後にできてくる．深部で**内エナメル上皮が外エナメル上皮に移行**（C14）する部位からのび始め，歯根の数に応じた**歯根管** root canal をつくる．この際，内部からは新しい**象牙芽細胞**ができて象牙質を伸ばしていく．歯の萌出 dental eruption はエナメル器の退化に先行し，退化エナメル器は縁上皮（C15）の一部を形成する（内縁上皮）．歯根の伸張は歯の萌出を起こさせ，この際，歯冠の上にある組織（口腔上皮とエナメル小皮）は部分的に脱落する．

歯の固定装置の構造．セメント質，歯根膜および歯槽骨は歯小囊から生じ，これらは歯根と一緒に歯冠よりも遅れてできてくる．歯根と歯の支持装置の成長は前もって歯が萌出した後に完成する．**セメント質** cement は結合組織性骨化の様式でつくり出される（9頁参照）．歯牙原基の歯小囊に面した線維芽細胞から分化したセメント芽細胞 cementoblasts によってつくられる．**歯槽骨** dental alveolus（tooth socket）は歯小囊の外層に由来し，骨化の方式も同様に結合組織性骨化である．**歯根膜** periodontium の線維はその中間部からできてくる．

A 歯牙原基

B 象牙質とエナメル質の形成（Aの部分拡大図）

C 歯の成長と萌出の段階

---

1 口腔上皮 epithelium of oral cavity　**2** 歯堤 dental lamina　**3** 深部結合組織 deep connective tissue　**4** 外エナメル上皮 outer enamel epithelium　**5** 内エナメル上皮 inner enamel epithelium　**6** 歯乳頭（歯髄）dental papilla（dental pulp）　**7** エナメル髄 enamel pulp　**8** エナメル芽細胞 ameloblasts　**9** エナメル質 enamel, Enamelum　**10** 象牙芽細胞 odontoblasts　**11** 前象牙質 predentin　**12** 象牙質 dentine　**13** トームス線維 Tomes' fibers　**14** 内エナメル上皮と外エナメル上皮の移行部 transition between inner and outer enamel epithelium　**15** 縁上皮 marginal epithelium

咬合時の歯列位置

中立咬合 neutral occlusion（**鋏咬合** scissors occlusion）：正常な場合すなわち**顎正常** eugnathia では，前歯の歯冠は上顎では口腔前庭に向かって，下顎では舌に向かって，どちらも軽く傾斜していて，歯列を閉じると上顎切歯の切縁は下顎のそれらの前に位置する（**A**）．このため上顎と下顎の前歯の切縁は恰もハサミの刃のように接し合って挟み切ることができる．

小臼歯と大臼歯では上顎歯の外側咀嚼縁が下顎歯の外側咀嚼縁をおおい，一方，下顎歯の内側咀嚼縁は上顎歯の同縁からはみ出している（**B**）．その際，上顎と下顎の対応する歯は厳密に相対しているのではなく，どの歯も2本の歯すなわちより大きな接触面をもつ**主拮抗歯**と接触面の小さい**副拮抗歯**とが向き合って並んでいる（**C**）．しかし，下顎第1切歯と上顎第3大臼歯だけはただ1本の拮抗歯をもっているだけである．

切端咬合 edge-to-edge occlusion（**鉗子咬合** forceps occlusion）：まれには（人種的特徴による）上顎前歯の切縁が前方に出ていないで，下顎前歯の切縁と合っている．この咬合は鉗子のかみ合いに似ている．切端咬合はまた病的にも現れることがある．

互いに向かい合う上・下顎の歯列弓の運動を**咬合** occlusion, articulation といい，咬合には中心咬合 centric occlusion, 前方咬合 anterior occlusion および側方（頬側）咬合 lateral (buccal) occlusion が区別される．休止位（静止位）での中心咬合では，歯は**咬合面** occlusal (masticatory) surface で互いに接触している．ある歯の拮抗歯が脱落すると，その歯は咬合面を越えてのびることがある．生涯にわたって歯の生理的な研磨は行われており，それは中心咬合を維持するのに役立っている．

> **臨床関連：不正顎** dysgnathy は咬合系の発生異常のために生じた顎骨形成不全の際にみられる歯列の位置異常である．**上顎前突** maxillary protrusion では上顎骨の過成長により，また，**下顎前突** progenia では反対にオトガイの突出がある．このような咬合異常によって，嚥下運動，鼻呼吸，そして発語障害を生ずる．

血管，神経，リンパ

動脈． 上顎および下顎の歯には顎動脈の直接枝および間接枝によって供給される．上顎の歯と歯肉は後部では**後上歯槽動脈**（**C1**）により，前部では眼窩下動脈からの**前上歯槽動脈**（**C2**）により供給される．両動脈は上顎洞の壁中を走り，互いに吻合して歯枝 dental branches と歯周枝 peridental branches を出す．下顎では下歯槽動脈により供給され，この動脈は下顎管の中を走るとき，歯に対して歯枝（**C4**）を歯肉と歯根膜に対して歯周枝を出す．下歯槽動脈はオトガイ孔を通って終枝である**オトガイ動脈**（**B3**）となり，オトガイ部および下唇に分布する．

静脈． 上顎および下顎からの静脈血は動脈に伴行する小さな静脈を経由して還流し，静脈血のほとんどが**翼突筋静脈叢** pterygoid plexus に集められる．

神経． 三叉神経（V）の**上顎神経**（**V2**）と**下顎神経**（**V3**）によって支配される．**眼窩下神経** infra-orbital nerve（V2の枝）は数本の後上歯槽枝，1本の中上歯槽枝，2～3本の前上歯槽枝を出し，これらは上顎洞の底で**上歯神経叢**（**C5**）をつくり，上顎の歯と歯肉を支配する．下顎は**下歯槽神経**（**C6**）によって支配される．この神経は同名血管とともに下顎管に入り，管内で数枝に分かれて歯槽下で**下歯神経叢** inferior dental plexus をつくり，歯枝は歯根尖孔から歯髄に分布し，歯周枝は槽間中隔を通って歯肉および歯根膜に達する．

リンパ還流． 上顎および下顎からのリンパはオトガイ下リンパ節，顎下リンパ節および深頸リンパ節を経由して還流する．

> **臨床関連：** 上顎の小臼歯のところは歯根，神経および上顎洞の間隔が詰まっており，臨床的に重要な場所で，炎症の際には注意すべきである．

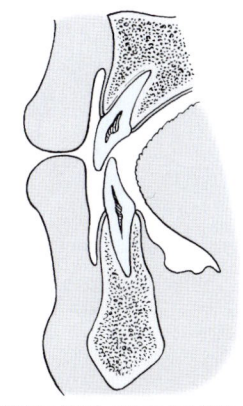

A 正常顎の歯列における第1切歯（拮抗歯）の咬合状態

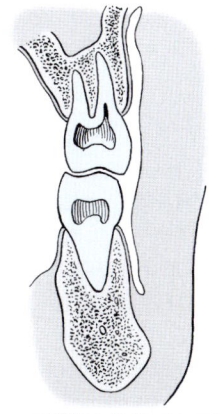

B 正常顎の歯列における第2大臼歯（拮抗歯）の咬合状態

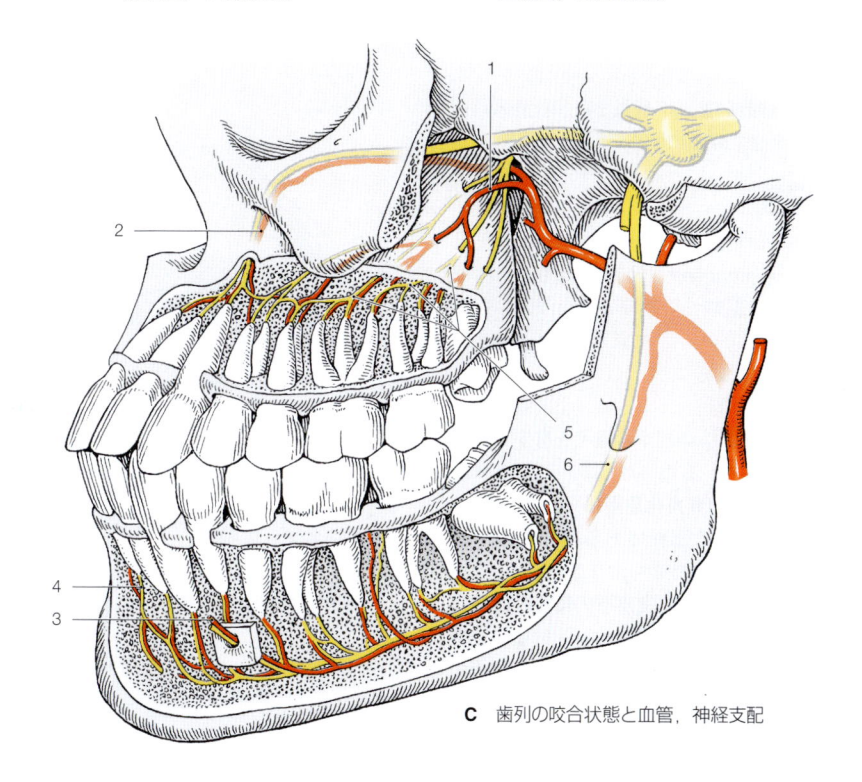

C 歯列の咬合状態と血管，神経支配

---

1 後上歯槽動脈 posterior superior alveolar artery　2 前上歯槽動脈 anterior superior alveolar arteries　3 オトガイ動脈 mental branch　4 歯枝 dental branches　5 上歯神経叢 superior dental plexus　6 下歯槽神経 inferior alveolar nerve

咽頭

区分と一般構造

咽頭 pharynx は長さ 12～15 cm の**筋性の管**で，上端は頭蓋底に接し，輪状軟骨（**A1**）の高さで食道（**A2**）に移行する．咽頭の後壁と側壁は隙間なく閉じられており，咽頭は前方に向かって鼻腔，口腔および喉頭に開いて接続している．その高さに相応して咽頭は次の3部に区分される：

咽頭鼻部（Ⅰ）（上咽頭または鼻咽頭）．後鼻孔を経て鼻腔と交通している．

咽頭口部（Ⅱ）（中咽頭または口部咽頭）．口峡峡部を経て口腔と交通している．この咽頭口部の領域で空気の通路と食物の通路が交叉する．

咽頭喉頭部（Ⅲ）（下咽頭または喉頭咽頭）．喉頭口を経て喉頭に開く．

壁の構造

咽頭壁は粘膜 mucous membrane，粘膜下組織 submucosa，筋層 muscular layer および結合組織性の外膜 adventitia の4層で構成されている．粘膜筋板 muscularis mucosae はない．

粘膜．鼻部は鼻腔から**線毛を有する呼吸上皮**が続いているのに対して，口部と喉頭部は口腔からの**非角化重層扁平上皮**が続き，その表面には粘液腺である多数の咽頭腺 pharyngeal glands から滑りをよくする分泌液が出されている．上皮下の**結合組織層**は弾性線維に富み，咽頭壁の可逆的な伸展性を可能にしている．喉頭部の食道へ移行するところの前・後壁の粘膜では，喉頭骨格と頸部脊柱に相対して結合組織と静脈叢が発達している（上食道狭窄部）．

粘膜像．鼻部（上咽頭）の粘膜像は鼻腔の後部開口との関連ですでに述べられている（270頁）．ここでは殊に耳管の開口部である耳管咽頭口（**A3**），耳管隆起（**A4**）および挙筋隆起が形成されている．口部（中咽頭）では，前方は舌根（**AB5**）によって，側方は口蓋弓と扁桃窩（**A6**）によって境され，ここには口峡峡部の構成物がみられる．喉頭部（下咽頭）では突出している喉頭口の両脇に食道に至る溝である梨状陥凹（**B7**）がある．

筋層．筋層は横紋筋で構成され，外層にあって輪走する咽頭収縮筋と内層にあって縦走する咽頭挙筋とに分けられる．**咽頭収縮筋** pharyngeal constrictors は3つの筋からなり，いずれも後方に向かって上昇し，正中線にできる肥厚した結合組織性の継ぎ目である**咽頭縫線**（**C8**）に集まる．3筋は互いに下位の筋が上位の筋を後方からおおう屋根瓦状を呈し，咽頭縫線は頭蓋底の咽頭結節（**C9**）に固定されている．咽頭収縮筋の横走する上縁は強靱な結合組織性の膜である**咽頭頭底板**（**C10**）を介して広く頭蓋底に固定されている．**上咽頭収縮筋**（**C11**）は主として翼状突起と翼突下顎縫線（翼突鈎と下顎骨の間に張る腱性の帯）から起こり，**中咽頭収縮筋**（**C12**）は舌骨（**C13**）の大角と小角から起こり，**下咽頭収縮筋**（**C14**）は甲状軟骨と輪状軟骨から起こる．これらの収縮筋は咽頭腔を狭くし，喉頭と舌骨をもち上げる働きがある．**咽頭挙筋** pharyngeal levators は発達の弱い筋群でこれには茎突咽頭筋（**C15**），口蓋咽頭筋（**B16**）および耳管咽頭筋 salpingopharyngeus がある．筋線維は上方から咽頭壁中に放散する．

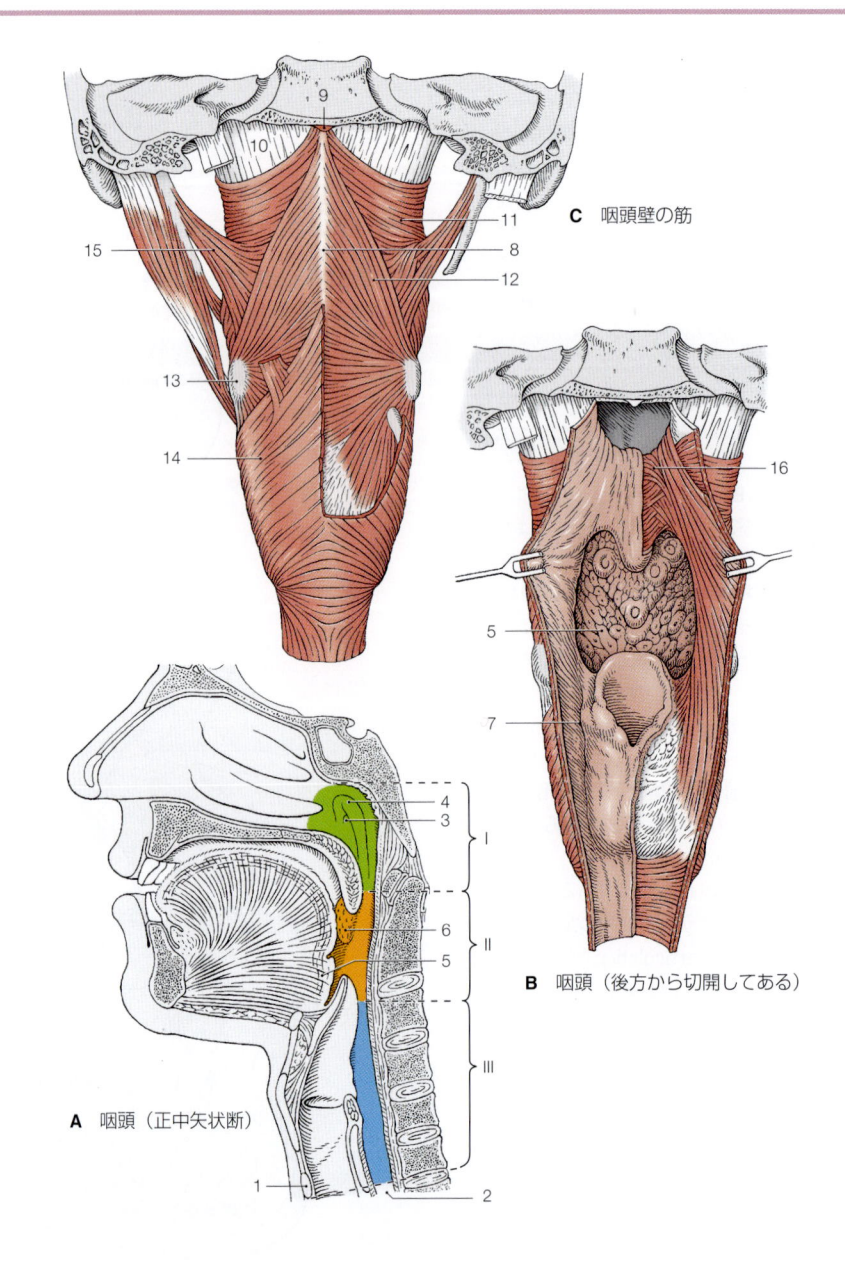

咽頭周囲隙 peripharyngeal space．筋性の管である咽頭の外壁は薄い筋膜である**頬咽頭筋膜** buccopharyngeal fascia によっておおわれている．この咽頭周囲にある結合組織性被膜は脊柱やほかの付近の構成物に対して咽頭の移動性を可能にしている．咽頭周囲隙は咽頭の後壁と頸筋膜椎前葉の間に位置する**咽頭後隙** retropharyngeal space と咽頭の側方に位置する**咽頭傍隙** parapharyngeal space とに分けられる．これらの両結合組織性腔は下方では縦隔と交通している．

C 咽頭壁の筋

B 咽頭（後方から切開してある）

A 咽頭（正中矢状断）

Ⅰ 咽頭鼻部（鼻咽頭，上咽頭）nasopharynx (nasopharynx, epipharynx) Ⅱ 咽頭口部（口部咽頭，中咽頭）oropharynx (oropharynx, mesopharynx) Ⅲ 咽頭喉頭部（喉頭咽頭，下咽頭）laryngopharynx (laryngopharynx, hypopharynx)
1 輪状軟骨 cricoid cartilage 2 食道 oesophagus 3 耳管咽頭口 pharyngeal opening of auditory tube 4 耳管隆起 torus tubarius 5 舌根 root of tongue 6 扁桃窩 tonsillar fossa 7 梨状陥凹 piriform recess 8 咽頭縫線 pharyngeal raphe 9 咽頭結節 pharyngeal tubercle 10 咽頭頭底板 pharyngobasilar fascia 11 上咽頭収縮筋 superior constrictor 12 中咽頭収縮筋 middle constrictor 13 舌骨 hyoid bone 14 下咽頭収縮筋 inferior constrictor 15 茎突咽頭筋 stylopharyngeus 16 口蓋咽頭筋 palatopharyngeus

血管, 神経, リンパ

咽頭への**動脈血供給**は主として外頸動脈からの上行咽頭動脈 ascending pharyngeal artery および上・下甲状腺動脈からの咽頭枝 pharyngeal branches によって行われる. **静脈血**は後壁につくられる咽頭静脈叢 pharyngeal plexus を経由して還流する. 咽頭筋および咽頭粘膜の**神経支配**は舌咽神経 (IX) と迷走神経 (X) の枝々によって支配され, これらの神経は咽頭の外側で**咽頭神経叢** pharyngeal plexus を構成する. **所属リンパ節**は咽頭後リンパ節 retropharyngeal nodes で, ここからのリンパは深頸リンパ節に導かれる.

嚥下運動

ヒトでは気道 (**A**の矢印) と食物の通路 (**B**の矢印) は中咽頭で交叉する. 大人では喉頭の入口は食物の通路の中にある (**A**). したがって嚥下運動に際しては (**B**), 食物が喉頭ならびに気道の中に入り込むことを防ぐために, 喉頭口は瞬時に閉鎖して, 気道は防護されなければならない. この運動は次のような 1 つの随意相と, それに続く 2 つの不随意相でもって進行する.

1. 随意的な嚥下開始. この相では, 口腔底 (**AB1**) は収縮し, 舌 (**AB2**) は食塊とともに軟口蓋 (**AB3**) へ押し付けられる. 口蓋粘膜にある知覚神経の受容器を介して以後の運動がひき起こされる.

2. 反射的な気道確保. 口蓋帆は挙上して緊張し (口蓋帆張筋および口蓋帆挙筋), 咽頭後壁に向かって押し付けられる. 同時に上咽頭収縮筋は収縮してパサヴァンの輪状隆起 (**B4**) といわれる前方への盛り上がりをつくる. その際には, 軟口蓋と上部の咽頭後壁とは触れ合って押し合い, このようにして上気道は食物の通路から遮断されることになる. 一方, 甲状舌骨筋 (**AB5**, 160 頁参照) の協力の下に, 口腔底の筋 (顎舌骨筋および顎二腹筋) の収縮によって, 舌骨 (**AB6**) と喉頭 (**AB7**) は可視的かつ触知可能なほど強く挙上し, 喉頭口は喉頭蓋に近づく. また喉頭蓋 (**AB8**) は披裂喉頭蓋筋の助力下に舌根 (**AB9**) に押されて沈下し, 喉頭口は不完全ではあるが閉鎖される. それと同時に声門裂の閉鎖と瞬時の呼吸停止が起こってくる. このようにして下気道は食物の通路から同様に遮断されることになる.

3. 咽頭および食道での食塊の輸送. 咽頭は喉頭の挙上に際して前方と上方に広げられる. 舌は, 茎突舌筋と舌骨舌筋の働きにより後方に引っ張られ, 食塊を口峡峡部を通って広がった咽頭へ押しやる. 食塊の大部分は梨状陥凹を滑っていくが, 一部は喉頭蓋の上も通る. 咽頭収縮筋の収縮は食塊を開大した食道を通って胃の入口部まで送り出す.

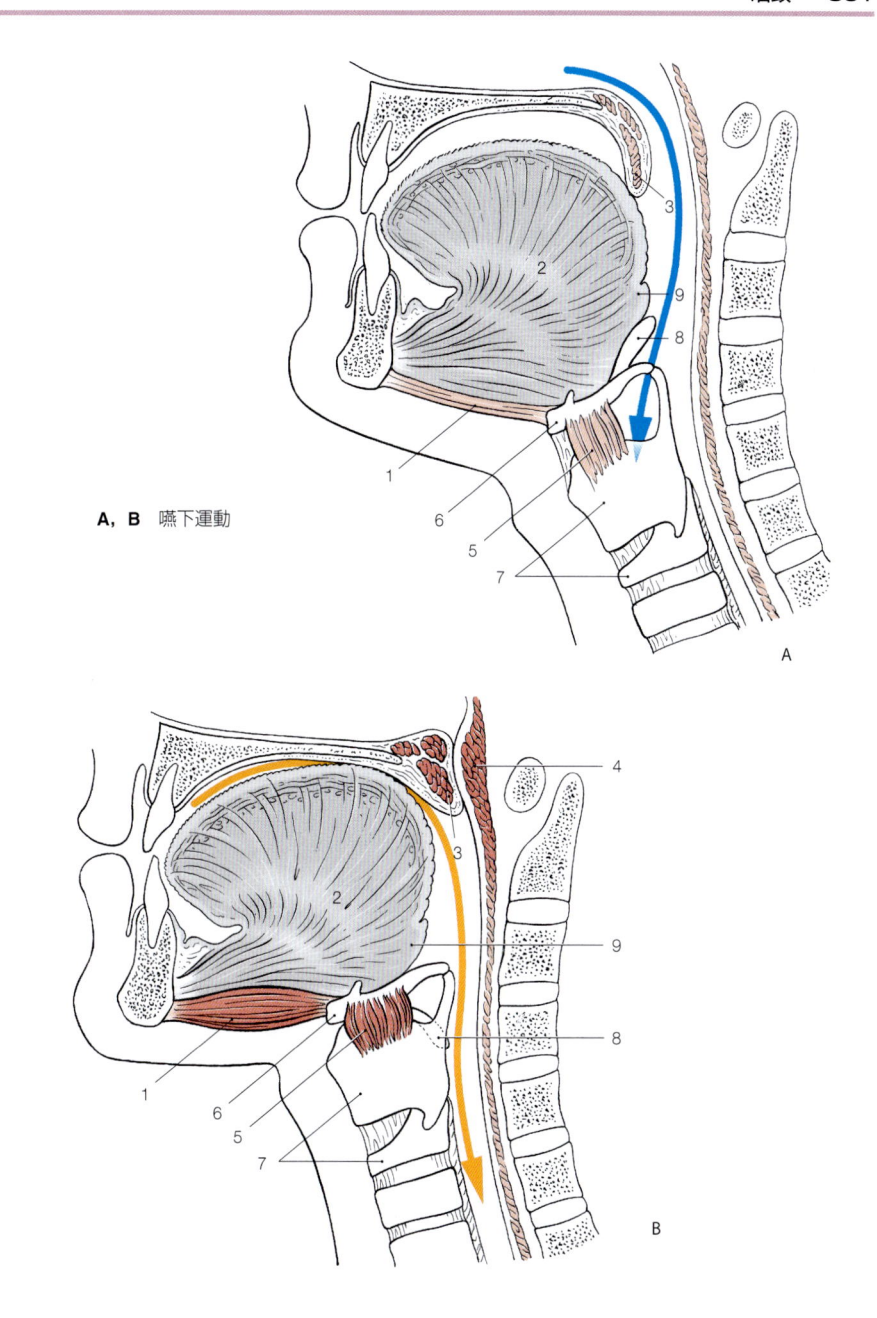

流動性の液体は舌がつくる樋状のゆるい斜面を伝って咽頭に達し, 直立した姿勢では口腔底が急速に収縮することによって胃の入口部に押しやられることになる. この際, 舌は注射器のピストンのように働く.

前述した**嚥下反射** swallowing reflex は睡眠中にも維持されている. 嚥下中枢は延髄で呼吸中枢の上方にある (497 頁参照). 嚥下反射をつかさどる求心性および遠心性の神経線維は数種の脳神経 (V, VII, IX, X, XII) を通っており, このため嚥下反射はよく保全されるのである.

新生児と**乳児**では, 喉頭はまだ咽頭の中で高い位置に直立していて喉頭蓋は舌根の上に位置している. それゆえ, 食物は気道を脅かすことなく喉頭蓋を通り過ぎて梨状陥凹を経て食道に達する. したがって, 乳児は飲むと同時に呼吸をすることができる. 後になって喉頭が低下してくると咽頭の方が高位になり, 喉頭の入口は食物の通路へ落ち込むことになる.

臨床関連: 口蓋帆の麻痺 (例えばジフテリーの時) があると, 食塊が鼻腔へ入ることがある. 咽頭粘膜の炎症 (**咽頭炎** pharyngitis) があると, 嚥下時疼痛, 掻痒感, 灼熱感, それに咽頭粘膜の発赤などが生ずる.

A, B 嚥下運動

1 口腔底 floor of the oral cavity　2 舌 tongue　3 軟口蓋 soft palate　4 パサヴァンの輪状隆起 Passavant's ring torus　5 甲状舌骨筋 thyrohyoid　6 舌骨 hyoid bone
7 喉頭 larynx　8 喉頭蓋 epiglottis　9 舌根 root of tongue

局所解剖（Ⅰ）

頭頸部の断面解剖

　頭および頸の中には狭いところに非常に多くの個々の構成物が入れられているので，この領域の断面解剖はひどく複雑である．これから以下に説明される頭と頸の断面はそれらの局所解剖に対応するいろいろな器官系の所属とは関係なく検討される．

　Aは，頭蓋底で両側の卵円孔の後縁と顎関節面の前縁を通る前頭断像が描写されている（B参照）．

脳頭蓋（神経頭蓋）

　図の上方には両側に側頭骨（A1）の切断面がみられ，頭蓋底の中頭蓋窩の領域に脳の側頭葉（A2）を入れているのがわかる．中央部に蝶形骨洞（A3）の後端が示された蝶形骨体がみられる．蝶形骨体はその窩の中に下垂体（A4）を入れている．これの両側に頸動脈管（478頁参照）を通ってきた内頸動脈の切り口が海綿静脈洞に包まれているのがみられる．

顔面頭蓋（内臓頭蓋）

　顔面頭蓋の領域では，両側に下顎頭（A6）と顎関節の関節包（A7）の前端をもつ下顎枝（A5）の切断面がみられる．下顎枝は外側から耳下腺（A8）によっておおわれている．この腺と骨の間に外頸動脈（A9）と下顎後静脈（A10）の切り口がある．下顎枝の内側には咀嚼筋である内側翼突筋（A11）と外側翼突筋（A12）が停止している．この両筋の間のくぼみの中には翼突筋静脈叢（A13）をつくる多くの静脈の切り口がみられる．図の左側では外側翼突筋の内側に卵円孔を通る下顎神経（A14）がみられ，これからの1つの枝として外方に向かって下顎枝外面に達する運動性の咬筋神経（A15）を出している．

　中央にみられる腔は咽頭鼻部（A16）で，その両側壁には耳管（A17）の開口部があって，この管は上方からは耳管軟骨（A18）によって，下方からは口蓋帆挙筋（A19）によって囲まれている．咽頭腔の下部には口蓋帆挙筋と口蓋帆張筋（A20）とが口蓋帆（軟口蓋）（A21）の中に入りこんでいるのが識別される．さらにこれより下部で茎突舌筋（A22）が舌の中に入りこんでいるのがみられる．内舌筋に関しては殊に横舌筋（A23）と垂直舌筋（A24）がよくわかる．舌の下部には舌骨（A25）があり，その両側には口腔の下壁を構成する顎舌骨筋（A26）が，また下方には舌骨下筋（A27）が付着している．顎舌骨筋の外側には顎下腺（A28）が識別され，この腺の外側に随伴して顔面動脈（A29）の切り口がみられている．皮下には表情筋の1つである広頸筋（A30）の切断面が認められる．この像では後口蓋弓および扁桃窩付近の構成物は識別できない．

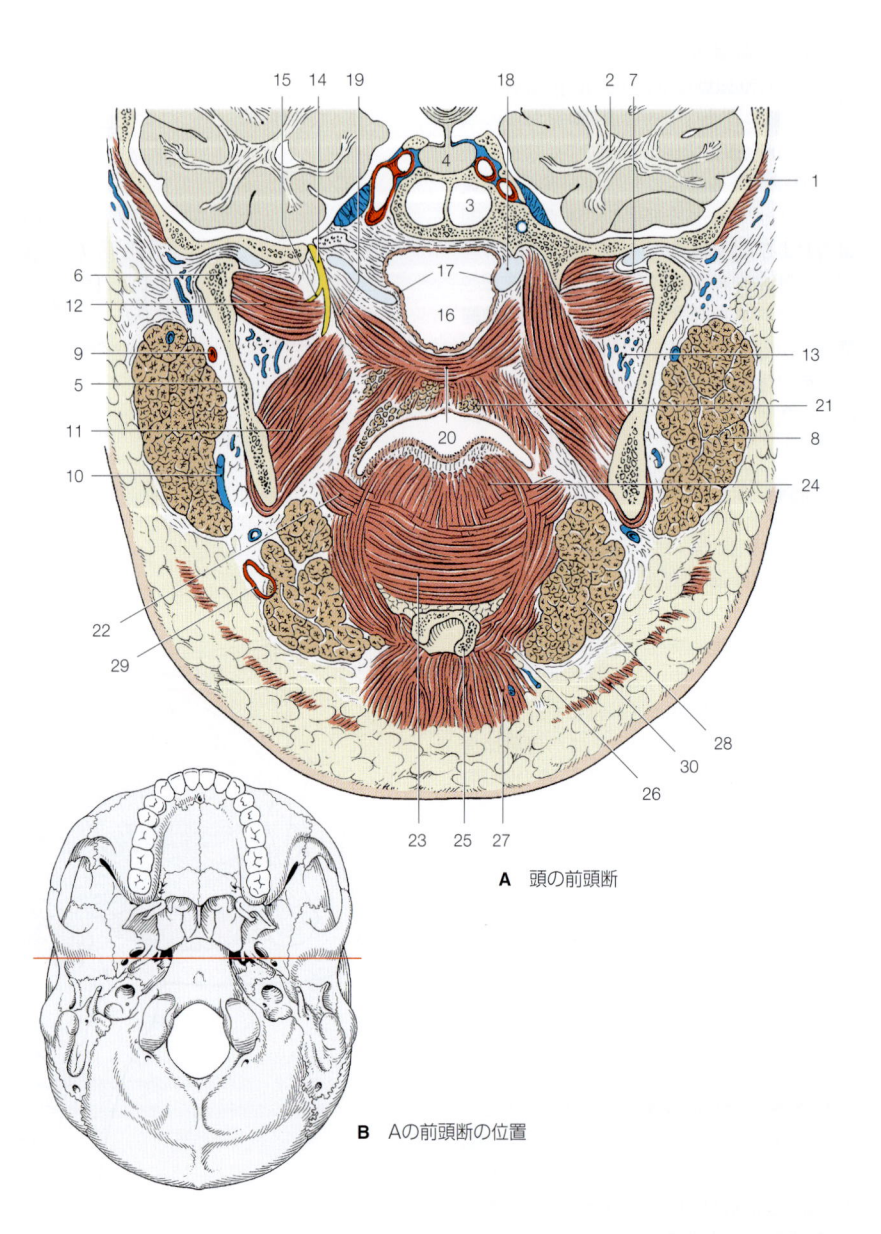

A 頭の前頭断

B Aの前頭断の位置

---

1 側頭骨 temporal bone　2 側頭葉 temporal lobe　3 蝶形骨洞 sphenoidal sinus　4 下垂体 pituitary gland　5 下顎枝 ramus of mandible　6 下顎頭 head of mandible　7 関節包（顎関節）articular capsule（temporomandibular joint）　8 耳下腺 parotid gland　9 外頸動脈 external carotid artery　10 下顎後静脈 retromandibular vein　11 内側翼突筋 medial pterygoid　12 外側翼突筋 lateral pterygoid　13 翼突筋静脈叢 pterygoid plexus　14 下顎神経 mandibular nerve　15 咬筋神経 masseteric nerve　16 咽頭鼻部 nasopharynx　17 耳管（の開口部）auditory tube　18 耳管軟骨 cartilage of auditory tube　19 口蓋帆挙筋 levator veli palatini　20 口蓋帆張筋 tensor veli palatini　21 口蓋帆（軟口蓋）velum palatinum（soft palate）　22 茎突舌筋 styloglossus　23 横舌筋 transverse muscle　24 垂直舌筋 vertical muscle　25 舌骨 hyoid bone　26 顎舌骨筋 mylohyoid　27 舌骨下筋 infrahyoid muscles　28 顎下腺 submandibular gland　29 顔面動脈 facial artery　30 広頸筋 platysma

頭頸部の断面解剖（続き）

環椎の高さでの横断面（A）

　切断面は正中環軸関節の背面（**A1**）をうまくとらえている．切断面の内容構成物を背側から腹側に向かって観察すると，まず環椎の横突孔（**A2**）の中に椎骨動脈（**A3**）がみられる．脊柱の腹側には椎前筋（**A4**）があり，その外側には頸部の血管神経索をつくる内頸静脈（**A5**），内頸動脈（**A6**）および迷走神経（**A7**）が伴行している．椎前筋の前方には口部咽頭（**A8**）の高さにあたる咽頭腔が識別され，その背側壁は中咽頭収縮筋（**A9**）によってつくられ，外側壁の中には口蓋咽頭筋（**A10**），口蓋扁桃（**A11**）および口蓋舌筋（**A12**）を備えた扁桃窩 tonsillar fossa がある．扁桃窩の背外側に横断された茎状突起（**A13**）が識別され，その外側に外頸動脈（**A14**）と下顎後静脈（**A15**）が伴行している．これらの両血管は耳下腺（**A16**）と隣接し，腺の内部には耳下腺管（**A17**）の大きな管腔がみられている．耳下腺は下顎枝（**A18**）の後縁を鉗子状に包んで，表層は皮下から深層は下顎後窩にまで達している．下顎枝の中には下顎管 mandibular canal がみられ，その中を走る下歯槽神経（**A19**）と下歯槽動脈（**A20**）が見出される．下顎枝は内方からは内側翼突筋（**A21**）によって，外方からは咬筋（**A22**）によってつくられる筋のワナに囲まれている．内側翼突筋の前方には舌神経（**A23**）とそれに密接している顎下神経節 submandibular ganglion が切断され，咬筋の前縁には顔面静脈（**A24**）と顔面動脈（**A25**）の切り口がみられる．下顎体は歯槽部の下縁の高さで切られているが，まだ犬歯（**A26**）の歯根がみられており，外方からは表情筋（**A27**）の諸筋によっておおわれている．下顎骨の前部から側方にかけて口腔前庭（**A28**）が狭い裂隙として認められる．この部の切断面は口腔底の直上にあたり，舌下腺（**A29**）と顎下腺管（**A30**）が開口する舌下小丘 sublingual caruncle が識別できる．この背側に蛇行して走る太い舌下静脈（**A31**）がうまくとらえられている．内舌筋に関しては，オトガイ舌筋（**A32**）の脇に，殊に横舌筋（**A33**）と下縦舌筋 inferior longitudinal muscle とが識別できる．

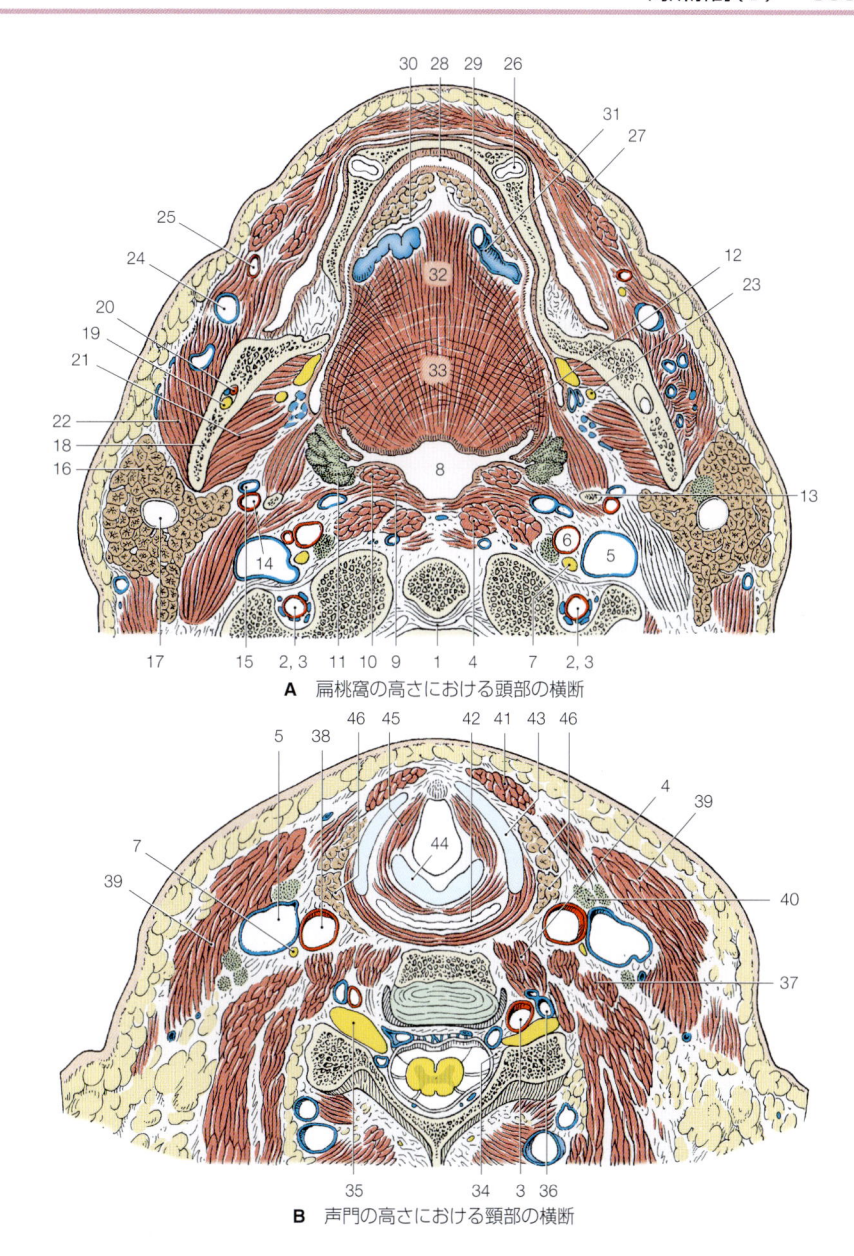

A 扁桃窩の高さにおける頭部の横断

第5頸椎の高さでの横断面（B）

　この切断面は椎間孔（**B34**）の高さで切られていて，図の背方で両側に脊髄神経（**B35**）を出している．これに加えて，すぐ近くの腹側には椎骨動脈（**B3**）と椎骨静脈（**B36**）を認め，これらの両血管は横突孔の外部にあって隣接する2つの椎骨間に位置している部である．脊柱の前方には**A**と同様に椎前筋（**B4**）が観察され，外方には斜角筋群（**B37**）がみられている．斜角筋群の前方には総頸動脈（**B38**），内頸静脈（**B5**）および迷走神経（**B7**）を容れた頸部の血管神経索が接して存在している．胸鎖乳突筋（**B39**）におおわれたこの血管神経索に随伴して深頸リンパ節群（**B40**）がみられる．中央には前方から舌骨下筋（**B41**）におおわれて頸部の内臓索が横たわっている．これは圧平された狭い裂隙腔としてみられる咽頭の喉頭部（**B42**）と声門裂の下方で切断された喉頭とで構成されている．甲状軟骨（**B43**）と披裂軟骨（**B44**）のそばにはいろいろな喉頭内筋（**B45**）が描写されている．喉頭の外側壁は両側とも外方から甲状腺（**B46**）の上極によっておおわれている．

B 声門の高さにおける頸部の横断

---

1 正中環軸関節（の背面）median atlanto-axial joint　2 横突孔（環椎）foramen transversarium（atlas）　3 椎骨動脈 vertebral artery　4 椎前筋 prevertebral muscles　5 内頸静脈 internal jugular vein　6 内頸動脈 internal carotid artery　7 迷走神経 vagus nerve　8 口部咽頭 oropharynx　9 中咽頭収縮筋 middle constrictor　10 口蓋咽頭筋 palatopharyngeus　11 口蓋扁桃 palatine tonsil　12 口蓋舌筋 palatoglossus　13 茎状突起 styloid process　14 外頸動脈 external carotid artery　15 下顎後静脈 retromandibular vein　16 耳下腺 parotid gland　17 耳下腺管 parotid duct　18 下顎枝 ramus of mandible　19 下歯槽神経 inferior alveolar nerve　20 下歯槽動脈 inferior alveolar artery　21 内側翼突筋 medial pterygoid　22 咬筋 masseter　23 舌神経 lingual nerve　24 顔面静脈 facial vein　25 顔面動脈 facial artery　26 犬歯 canine tooth　27 表情筋 mimetic muscles　28 口腔前庭 oral vestibule　29 舌下腺 sublingual gland　30 顎下腺管 submandibular duct　31 舌下静脈 sublingual vein　32 オトガイ舌筋 genioglossus　33 横舌筋 transverse muscle　34 椎間孔 intervertebral foramina　35 脊髄神経 spinal nerve　36 椎骨静脈 vertebral vein　37 斜角筋群 scalenus　38 総頸動脈 common carotid artery　39 胸鎖乳突筋 sternocleidomastoid　40 深頸リンパ節 deep cervical nodes　41 舌骨下筋 infrahyoid muscles　42 （咽頭の）喉頭部 laryngopharynx　43 甲状軟骨 thyroid cartilage　44 披裂軟骨 arytenoid cartilage　45 喉頭内筋群 internal laryngeal muscles　46 甲状腺 thyroid gland

食 道

区分と微細構造

食道 oesophagus は形がゆがんだ筋性の管で，食物を咽頭（AB1）から胃（A2）に送っている．食道は約25cmの長さで，第6頸椎と第7頸椎の間の高さで輪状軟骨（A3）の下縁に始まり，第10胸椎と第11胸椎の間の高さで胃の入口部である噴門口（A4）に通じている．したがって食道は異なる体領域を通って走り，それに相応して次の3部に区分される：すなわち，

頸部（A5）．この部は胸郭上口までの短い部分で，食道の後壁は脊柱に近接し，その前壁は気管（B8）に隣接している．

胸部（A6）．この部は約16cmの長さをもち，食道は徐々に脊柱から遠ざかる（食道胸部の下方は脊柱から7cmほど離れている）．食道は第5胸椎の高さの気管分岐部（B9）までは気管が前方を同走し，ほぼ同じ高さで大動脈弓（B10）が交叉する．胸大動脈ははじめ食道の左側を並んで走るが，下行するにつれて次第に食道の後ろに達する．心臓の左心房は食道胸部の一部と直接的に接している（305頁）．

腹部（A7）．この部は1〜3cmで非常に短く，横隔膜の食道裂孔（B11）に囲まれる部分から胃の入口部に至るまでをいう．食道裂孔のところでは"ずれ"が可能な結合組織によって固定されているが，胃の噴門口のところまでである．

食道狭窄部．食道はその経過中に3ヵ所の生理的狭窄部をもっている：**第1狭窄（上狭窄）（Ⅰ）は食道口**にあり，この部は輪状軟骨（AB3）の後ろに位置して，主として食道筋組織の輪状線維でつくられている．ここでの管腔は横方向の裂隙腔としてみられ，最大幅で約14mmの直径を示し，食道の中で最も狭い部位である．**第2狭窄（中狭窄）（Ⅱ）は，大動脈部狭窄**で大動脈と交叉する高さにあり，第1狭窄から約10cm離れたところにある．**第3狭窄（下狭窄）（Ⅲ）は，横隔膜部狭窄**で横隔膜の食道裂孔の中にある．ここでの食道壁はラセン状に配列された筋束と粘膜下によく発達した静脈叢を備えており，胃の入口部を密閉して隙間をなくすのに役立っている．

壁層と微細構造（C）．食道の壁構造は原則的には他の腸管と同じである（287頁）．**粘膜（C12）**は非角化重層扁平上皮（C12a）でおおわれ，その下に結合組織性の粘膜固有層（C12b）とよく発達した粘膜筋板（C12c）がある．安静状態では，粘膜層には5〜8条の縦ヒダがあり，食道の内腔は，星形に見える．食道の非角化重層扁平上皮は胃入口部への移行部で突然終わり，胃粘膜の単層円柱上皮に代わる．**粘膜下組織（C13）**は"ずれ"が可能な層であって疎性結合組織で構成され，ここには脈管とくに静脈叢，神経および若干の混合腺である食道腺（C13a）がみられる．**筋層（C14）**は内輪筋層（C14a）と外縦筋層（C14b）で構成され，前者は波状の収縮によって食物を胃の方に送り，後者は食道の縦方向の緊張に対して責を負うもので部分的に食道を短縮することができる．ヒトでの食道筋層は上1/3では咽頭筋由来の横紋筋であるが，中1/3で次第に平滑筋によって置き換えられ，下1/3では平滑筋からなっている．輪状筋層と縦走筋層の間にはアウエルバッハ神経叢（筋層間神経叢）がある．食道は**外膜（C15）**によって周囲組織と結合している．

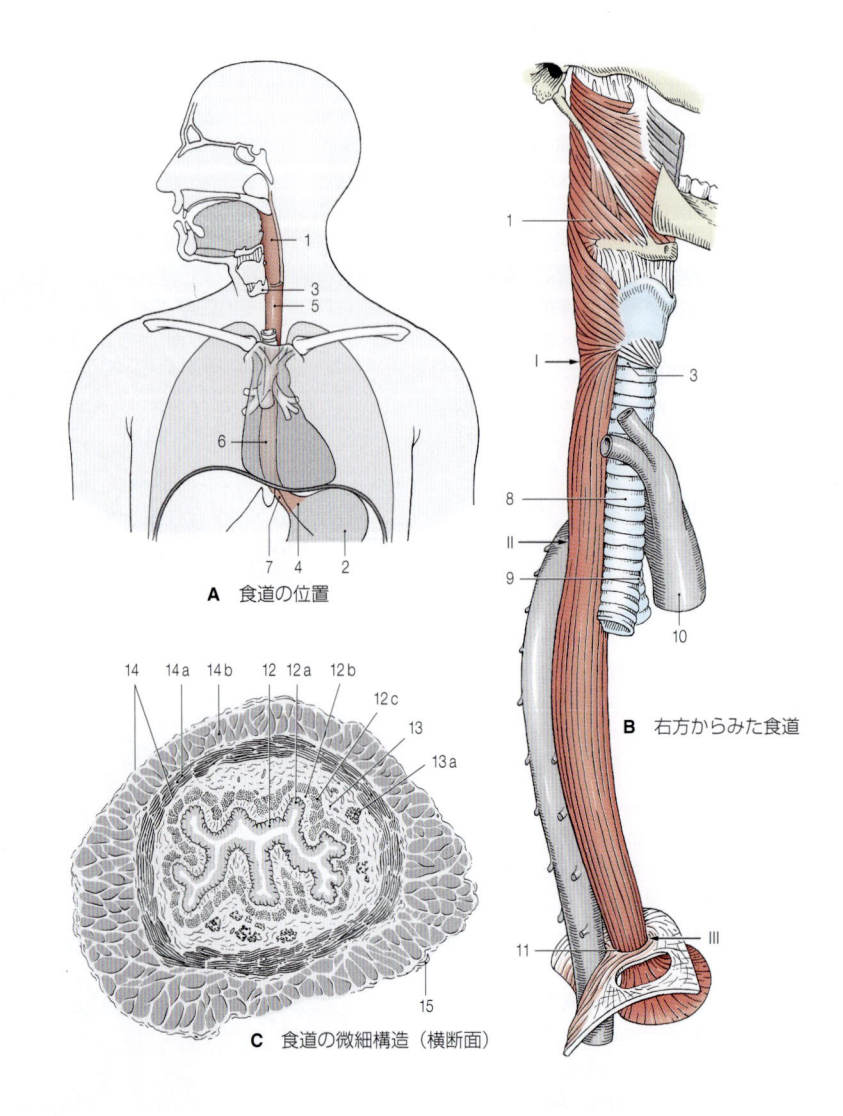

機能解剖．食道は縦方向の張力によってその走向の安定性を保つ状態にあり，嚥下の際に食物の通過を容易ならしめている：すなわち，食道口は嚥下運動時に瞬時の間（0.5〜1秒間）開き，固形食または流動食を通過させる．固形食は蠕動性の波動によって約3秒以内に胃まで運ばれ，流動食は0.2〜0.3秒で胃入口部に注入される．切歯から胃入口部までの総距離は約40cmである．

> **臨床関連**：下咽頭収縮筋の下部と食道輪状筋層の間（いわゆるライマーの三角 Laimer's triangle）は筋壁が薄くて弱いところで，食道壁が背側方へ嚢状に突出する**憩室**（内圧性憩室 pulsion diverticulum）を生ずる原因となる．食道裂孔における結合組織が疎である場合には**裂孔ヘルニア** hiatus hernia が起こることがあり，この際には腹部食道と胃の一部が胸腔内に脱出することになる．

A 食道の位置

B 右方からみた食道

C 食道の微細構造（横断面）

Ⅰ 上狭窄，輪状軟骨部狭窄 upper (or cricoid) narrow place　Ⅱ 中狭窄，大動脈部狭窄 middle (or aortic) narrow place　Ⅲ 下狭窄，横隔膜狭窄 lower (or diaphragmatic) narrow place
1 咽頭 pharynx　2 胃 stomach　3 輪状軟骨 cricoid cartilage　4 噴門口（胃入口部）cardiac orifice (entrance to the stomach)　5 頸部（食道）cervical part　6 胸部（食道）thoracic part　7 腹部（食道）abdominal part　8 気管 trachea　9 気管分岐部 tracheal bifurcation　10 大動脈弓 aortic arch　11 食道裂孔 oesophageal hiatus　12 粘膜 mucous membrane　12a 上皮（非角化重層扁平上皮）epithelium　12b 粘膜固有層 propria mucosae　12c 粘膜筋板 muscularis mucosae　13 粘膜下組織 submucosa　13a 食道腺 oesophageal glands　14 筋層 muscular layer　14a 内輪筋層 internal circular layer　14b 外縦筋層 external longitudinal layer　15 外膜 adventitia

局所解剖と後縦隔

頸部食道

食道（**A1**）の頸部は気管（**A2**）の後ろにあり（気管と喉頭の局所解剖も参照，277頁），正中線から少し左方に位置してみられる．したがって，この部分では左側では甲状腺の左葉（**A3**）と下甲状腺動脈（**A4**）とに直接接している．ここで，甲状腺の左葉が食道と気管の間の溝（esophagotracheal furrow）をおおっている．この中，もしくは近くを喉頭に向かって上行して行く反回喉頭神経が通る．頸部食道を栄養する下甲状腺動脈の枝はこの部の食道壁に腹側および背側から達している．左反回神経（**A5**）は，最初は食道の横に並んで，次いで食道のほとんど前を走るようになる．背方では頸筋膜の椎前葉によって頸部食道は深頸筋から隔てられている．

胸部食道

胸部食道は最初は上縦隔の中で少し左に偏し，それから後縦隔の後部に隠れる（**B**）．この部は食道で最も長い部分で，上部では腹側には気管（**AC2**）が同走し，左方には左鎖骨下動脈（**A6**）が右方では腕頭動脈（**A7**）が側面に並び，背後では胸管（**B8**）が交叉している．

気管分岐部の下方では，胸部食道は心膜の後ろにあり，この部は食道の心膜後部 retropericardiac part とも呼ばれる部分で，食道の左方には下行大動脈（**B9**）が，右方には奇静脈（**B10**）が伴行している．その際，食道は心膜後部ではまだ脊柱に密接している（**C**も参照）が，下方に行くにつれて脊柱から次第に前方に向かって遠ざかり，右側の壁側胸膜（**B11**）が食道と大動脈の間に押し入ってくることもある．大動脈と奇静脈の間で食道の後ろを胸管（**B8**）が後縦隔を通って上行する．胸管はほとんど正中線の右側にあるが，大動脈弓（**B12**）の高さで初めて左方に向かって方向を変える．食道の背面には植物神経性の食道神経叢と後迷走神経幹（**B13**）が密接して走っている．脊柱の両側には胸部交感神経幹（**B14**）と大内臓神経（**B15**）が走っている．

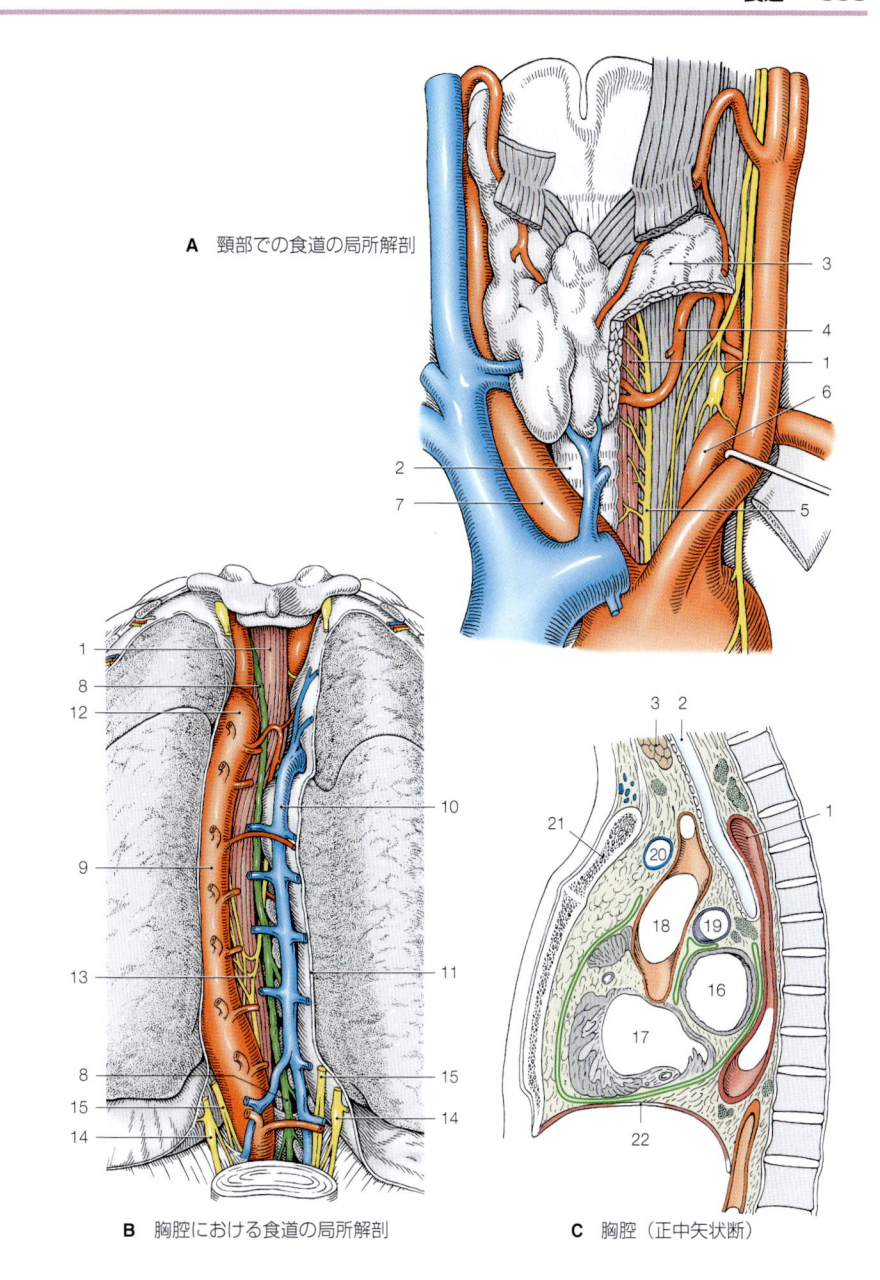

食道（**C1**），心膜および左心房（**C16**）間の密接な関係は，胸腔を通る傍正中矢状断（**C**）で明らかである．臨床ではこの密接な関係を経食道超音波心臓動態診断法 transesophageal echocardiography の際に利用する．

A 頸部での食道の局所解剖

B 胸腔における食道の局所解剖

C 胸腔（正中矢状断）

臨床関連：気管分岐の高さで食道の気管支上牽引憩室 epibronchial traction diverticulum がある．これは食道憩室のほぼ20％でみられるが，普通は症状はない．

---

1 食道 oesophagus **2** 気管 trachea **3** 左葉（甲状腺）left lobe（thyroid gland）**4** 下甲状腺動脈 inferior thyroid artery **5** 左反回神経 left recurrent laryngeal nerve **6** 左鎖骨下動脈 left subclavian artery **7** 腕頭動脈 brachiocephalic trunk **8** 胸管 thoracic duct **9** 下行大動脈 descending aorta **10** 奇静脈 azygos vein **11** 壁側胸膜 parietal pleura **12** 大動脈弓 aortic arch **13** 後迷走神経幹 posterior vagal trunk **14** 胸部交感神経幹 thoracic sympathetic trunk **15** 大内臓神経 greater splanchnic nerve **16** 左心房 left atrium **17** 左心室 left ventricle **18** 大動脈弓 aortic arch **19** 左肺動脈 left pulmonary artery **20** 左腕頭静脈 left brachiocephalic vein **21** 胸骨 sternum **22** 横隔膜 diaphragm

食道

血管，神経，リンパ

動脈． 食道頸部は**下甲状腺動脈** inferior thyroid artery により，食道胸部は胸大動脈からの**食道動脈** oesophageal branches により，食道腹部は**下横隔動脈** inferior phrenic artery と**左胃動脈** left gastric artery によって供給される．

静脈． 食道の静脈は，頭方からの静脈血は**上大静脈**（**A1**）の流域に，尾方からの静脈血は**門脈**（**A2**）の流域に還流する．頸部からの静脈血は**下甲状腺静脈**（**A3**）に集まり，**腕頭静脈**（**A4**）を経て上大静脈に注ぐ．胸部からの静脈血は各々その側の**奇静脈**（**A5**）と**半奇静脈**（**A6**）に直接入り，これらを経て上大静脈に還流する．腹部からの静脈血は胃の上縁に沿って走る**左胃静脈**（**A7**）に集められ，この静脈は**上腸間膜静脈**（**A8**）を経て門脈に注いでいる．

食道の静脈は外膜および粘膜下組織の中によく発達した**静脈叢**を構成しており，これを介して体循環系と門脈循環系の間に交通路がつくられることになる．（後大静脈吻合 postcaval anastomosis）

臨床関連：門脈圧亢進をきたす病変（例えば肝硬変）では門脈血の流れが食道下部の静脈の方に流路転換を起こすことがある：すなわち，門脈流域からの血液が代償として左胃静脈を経て食道の静脈，そして奇静脈と半奇静脈に還流する．このような状態になると不可避的に食道静脈叢の圧が亢進して**食道静脈瘤** esophageal varices が形成され，この静脈瘤が破裂すると生命にも危険を及ぼす大出血をひき起こすことがある．

神経． 副交感神経支配は**迷走神経**（**B9**）を介して行われる．頸部と胸部の上部は**反回神経** recurrent laryngeal nerve からの線維が分布する．気管分岐部より下方の胸部では，左右の迷走神経は外膜中に**食道神経叢** oesophageal plexus（484頁参照）をつくり，この神経叢から食道の前壁を走る**前迷走神経幹**（**B10**）と後壁を走る後迷走神経幹が生じる．これらの両神経幹は食道に伴って腹腔に入る．節後交感神経支配は頸胸神経節，胸部交感神経および腹大動脈神経叢に由来する．交感神経および副交感神経は食道の**腸管神経系** enteric nervous system に直接接続しており，これはほかの腸管壁と同じように筋層間神経叢と粘膜下神経叢とから構成されている．

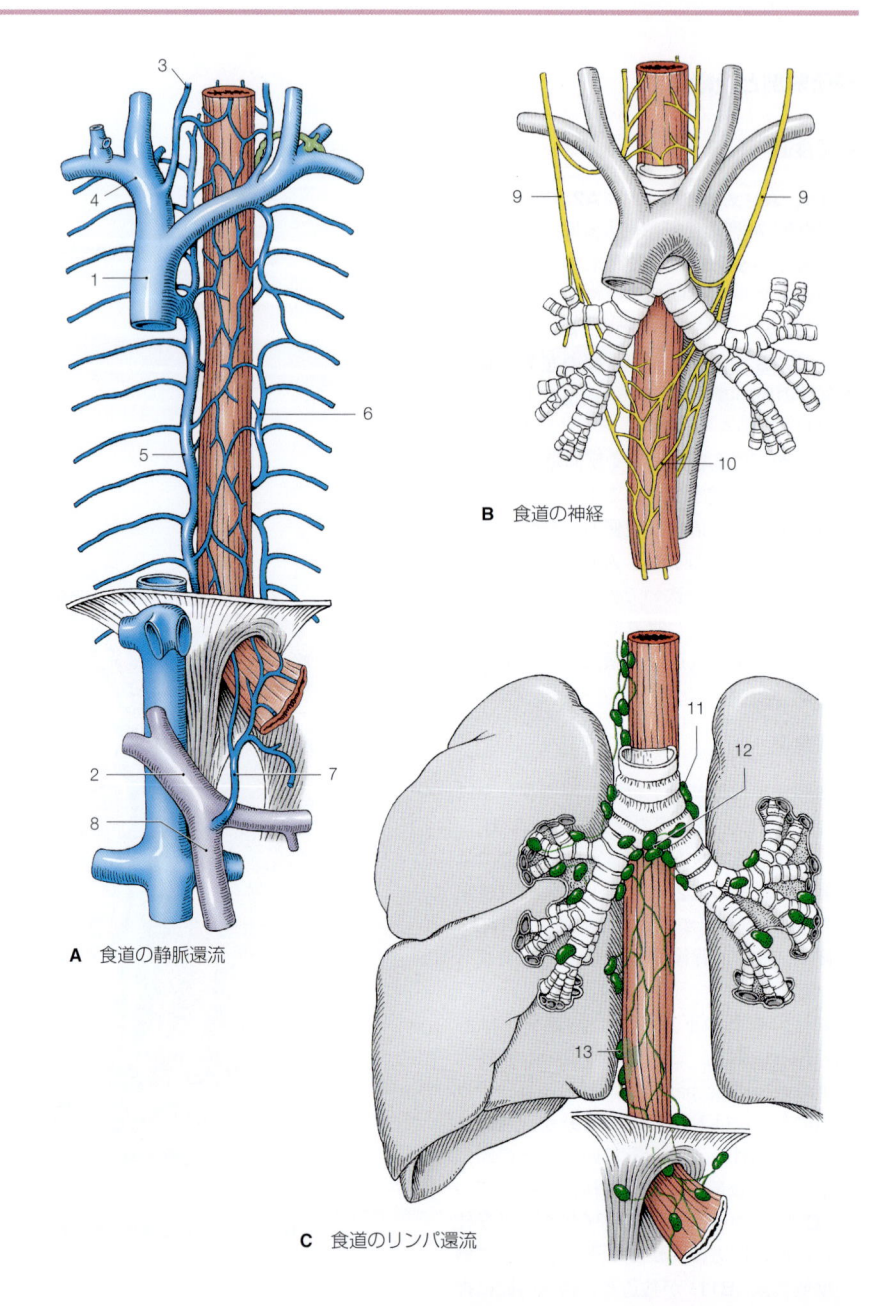

リンパ還流． 気管分岐部より上部の食道のリンパは上方に流れ，基本的には**下深頸リンパ節と気管傍リンパ節**（**C11**）を経由して還流する．気管分岐部より下部の食道のリンパは**気管気管支リンパ節**（**C12**）と**脊椎前リンパ節**（**C13**）に注ぐ．腹部食道からのリンパは付近にある**胃のリンパ節**や**横隔膜下のリンパ節**に流れる．

A 食道の静脈還流

B 食道の神経

C 食道のリンパ還流

臨床関連：食道と心臓が同じ自律神経から支配されていることから，心臓に由来する，また食道が原因である症状（"非心臓性の胸痛"）が存在し，臨床症候的にまったく同様に発現することがある．
食道の神経支配と，気管-気管支のそれとが結合していることで，胃酸が食道へ戻ってくること（酸逆流）によって反射性の咳が出現するとされている．
食道の悪性腫瘍は胃腸管のすべての悪性腫瘍の約5％を占める．男性の食道癌は女性のそれより2～3倍多い．発生部位から，頸部食道（15％），気管分岐部（50％），分岐部よりも下方（35％）のそれに区分する．
食道癌（扁平上皮癌もしくは脱分化細胞癌）は，典型的な場合，まず食道の壁内に発生し，縦方向に広がる．転移は早い時期にリンパ性に，頸部リンパ節，傍食道リンパ節，そして縦隔リンパ節に広がる．食道癌の古典的症状としては増強してくる嚥下障害である．

---

1 上大静脈 superior vena cava　**2** 門脈 hepatic portal vein　**3** 下甲状腺静脈 inferior thyroid vein　**4** 腕頭静脈 brachiocephalic vein　**5** 奇静脈 azygos vein　**6** 半奇静脈 hemi-azygos vein　**7** 左胃静脈 left gastric vein　**8** 上腸間膜静脈 superior mesenteric vein　**9** 迷走神経 vagus nerve　**10** 前迷走神経幹 anterior vagal trunk　**11** 気管傍リンパ節 paratracheal nodes　**12** 気管気管支リンパ節 tracheobronchial nodes　**13** 脊椎前リンパ節 prevertebral nodes

腹腔

概説

食道に続く消化器系の器官は腹腔内に存在する．ここでは前もって**腹腔** abdominal cavity について記載し，個々の器官についての系統的観察はそれらの項で記述する．

腹部の腔の境界（A）．腹部の腔（広義の腹腔）は，**上方**は横隔膜（**A1**）の天蓋によって胸腔から隔てられ，**後方**は腰椎柱（**A2**）と仙骨，そして後腹壁の筋（47頁参照）によって境され，**側方と前方**は腹壁筋の外側群と内側群および，それらの腱板（42頁参照）によって境されている．この腹腔の筋性壁は上方では肋骨弓と胸骨（**A3**）によって強化され，下方と側方では骨盤によってそれぞれ強化されている．腹腔は**下方**では骨盤底の筋，すなわち骨盤隔膜（53頁参照）によって閉鎖されている．

腹膜腔と結合組織腔（B）．腹部の腔は次のように区分される：すなわち，腹膜に内張りされた狭義の**腹腔** abdominal cavity（または**腹膜腔** peritoneal cavity）（緑），脊柱の前に位置した結合組織腔である**腹膜後隙** retroperitoneal space（黄），および小骨盤の中で腹膜の下方に位置した結合組織腔である**腹膜下隙** subperitoneal space（黄）に分けられる．腹膜腔は周囲をぐるっと壁側腹膜（**B4**）で内張りされている．この壁側腹膜は腹膜後隙の前面をおおい，これによって腹膜後隙は腹膜腔から隔てられている．小骨盤への入口面である分界線 linea terminalis（92頁参照）より下方では，壁側腹膜は骨盤内臓である直腸（**B5**），子宮（**B6**）および膀胱（**B7**）をおおい，次いで前腹壁（**B8**）に移行する．したがって，骨盤内臓をおおう部分の壁側腹膜は本来の腹膜腔から腹膜下隙を隔てることになる．腹膜後隙と腹膜下隙は互いに連続的に移行して**腹膜外隙** extraperitoneal space となる．

腹部の腔の中には大部分の消化器系器官を容れているが，腹部内臓は**腹膜との位置関係（C）**においてはいろいろな違いがある：すなわち，①腹膜腔の中にあって，臓側腹膜（**C9**）で直接おおわれる器官．これらは**腹膜内** intraperitoneal に位置する（例：胃 **C10**）．②腹膜腔の後壁すなわち壁側腹膜の後部にある器官．これらは**腹膜後** retroperitoneal に位置する（例：腎臓）．③出生前の発生の間に最初は腹膜内にあったものが成長過程を通して後腹壁に移動して壁側腹膜の後ろに入りこんだ器官．これらは**二次的腹膜後** secondary retroperitoneal に位置する（例：膵臓 **C11**）．④全く腹膜との関係をもたない器官．これらは**腹膜外** extraperitoneal に位置する．

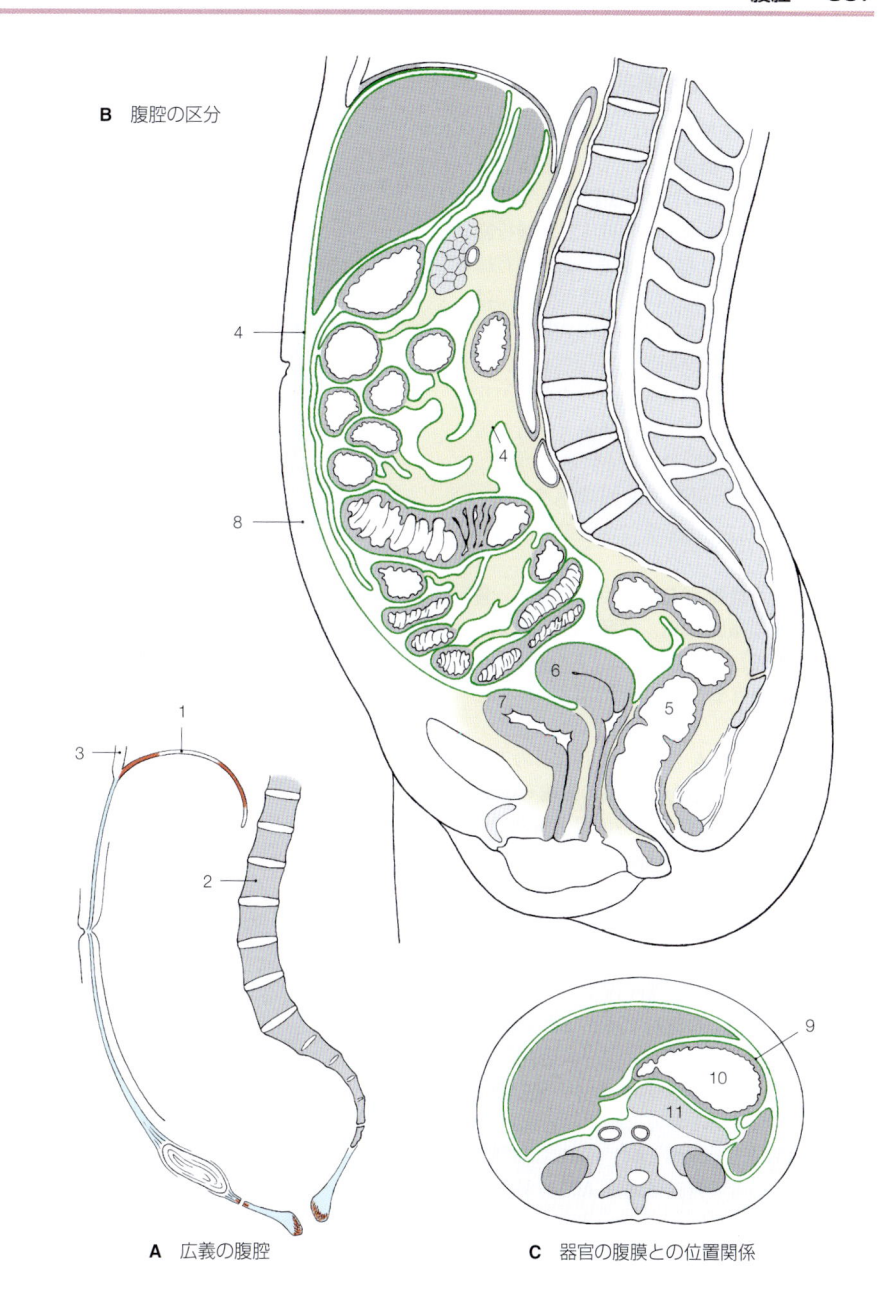

腹膜腔においては，ほかのすべての漿膜腔と同様に，**壁側葉と臓側葉**は**折り返し部**または**折り返しヒダ**でつながっている．この構成物は基本的には結合組織板で構成されているが，これは両面を腹膜でおおわれていて，いわゆる，腹膜の二重構造でつくられている．この腹膜の二重構造物は**間膜** meso または**靱帯** ligaments と呼ばれている．ある種の間膜またはヒダは腹膜内に位置する器官を**腹壁に連結**するのに役立ち，また導通路（脈管，神経）がその結合組織の中を走って腹膜内に存する各々の器官に達する通路ともなっている．

臍より上部にある腹膜内の腹部器官は前間膜 ventral meso と後間膜 dorsal meso を介して前腹壁と後腹壁に固定される．臍より下部の腹膜内に存する腸管は後間膜を介してのみ後腹壁に付着している（376頁参照）．

腹膜の微細構造．腹膜は**漿膜** serosa の一種で，表面に小皮縁を備えた丈の低い単層扁平上皮と，その下にたいていは疎な結合組織からなる**漿膜下組織** subserosa で構成されている．壁側腹膜だけが知覚神経に支配されている．

---

1 横隔膜 diaphragm　2 腰椎柱 lumbar vertebra　3 胸骨 sternum　4 壁側腹膜 parietal peritoneum　5 直腸 rectum　6 子宮 uterus　7 膀胱 urinary bladder　8 前腹壁 anterior abdominal wall　9 臓側腹膜 visceral peritoneum　10 胃 stomach　11 膵臓 pancreas

開腹した腹腔の局所解剖

開腹された腹膜腔では二部が区別される：すなわち，**結腸上部**（Ⅰ）と**結腸下部**（Ⅱ）である．これらは各々**上腹部，下腹部**ともいう．両部の水平面での境界は**横行結腸**（A1）とほぼ第1腰椎の高さにある横行結腸間膜によってつくられる．横行結腸には**大網**（A2）が付着しており，この大網は前掛けのように腸管ワナの上に広がっている．したがって，一般に開腹しただけの自然の状態での腹腔では，**上行結腸**（A3）と**下行結腸**（A4）の大腸の一部だけがみられる．大腸は，小腸の曲部全体を花輪のように囲んでいる．

結腸上部

上腹部には**肝臓**（AB5），**胆囊**（AB6），**胃**（AB7），**十二指腸**（B8），**膵臓** pancreas および**脾臓**（AB9）が入っている．これらは一括して上腹部器官または上腹部内臓といわれる．

開腹した腹腔（A）．右側の肋骨弓の下方に**肝右葉の下縁**（A10）と**胆囊の先端**（AB6）がみられる．左右の肋骨弓の間の領域には**肝左葉の下縁**が上胃部 epigastric region に突き出ている．肝臓の両葉間に**肝鎌状間膜**（A11）が前腹壁へのびており，この間膜の自由下縁には**肝円索**（AB12）が走っていて少し肥厚している．この肝円索は胎生期循環の臍静脈が閉鎖した遺残である（222頁）．左側の肋骨弓の下方，および左右の肋骨弓の間に，内容物が詰まった状態での**胃の前面**（AB7）の一部がみられる．胃の下縁すなわち**大彎**（B13）と横行結腸（A1）の間には腹膜の二重構造からなる**胃結腸間膜**（AB14）がある．

肝臓を持ち上げた状態（B）．この状態にすると上腹部内臓と**小網**（B15）を容易にみることができる．肝臓では**方形葉**（B16）と肝左葉の臓側面の大部分が概観できる．両葉の間に肝円索を入れた**肝円索裂**（B17）が続いている．肝臓の胆囊窩にはまっている**胆囊**（AB6）もほとんど全体が観察できて，これは**胆囊底**（B19），**胆囊体**（B20）および**胆囊頸**（B21）に分けられる．また**胃の前壁** anterior wall 全体が見渡せて，**噴門**（B22），**胃底**（B23），**胃体**（B24）および**幽門部**（B25）が概観できる．胃の左方には**脾臓**（B9）があって，その**上縁**（B26）がみられている．肝臓と胃の間には，ほとんど前額面に位置して，腹膜板からなる**小網**（B15）が広がっている．小網の右側部は肥厚していて，肝臓と十二指腸の初部（B8）（この部の十二指腸は腹膜内 intraperitoneal にある）との間にのびており，ここを**肝十二指腸間膜**（B27）という．この間膜の中に総胆管，門脈および肝動脈が入っている．肝十二指腸間膜に続いている小網の部分は，肝臓と胃の小彎（B28）との間に張っていて，これを**肝胃間膜**（B29）という．肝胃間膜の中央部には肝臓の**尾状葉**（B30）がかすかに透けてみえる．小網の背側には腹膜腔に続く細隙状の**網囊** omental bursa がある（B 矢印方向）．この網囊への狭い入口は，小網の右側自由縁の背側すなわち肝十二指腸間膜の背側にあり，**網囊孔** omental foramen といわれる（臨床用語ではウインスロー孔 Winslow foramen ともいわれる）．

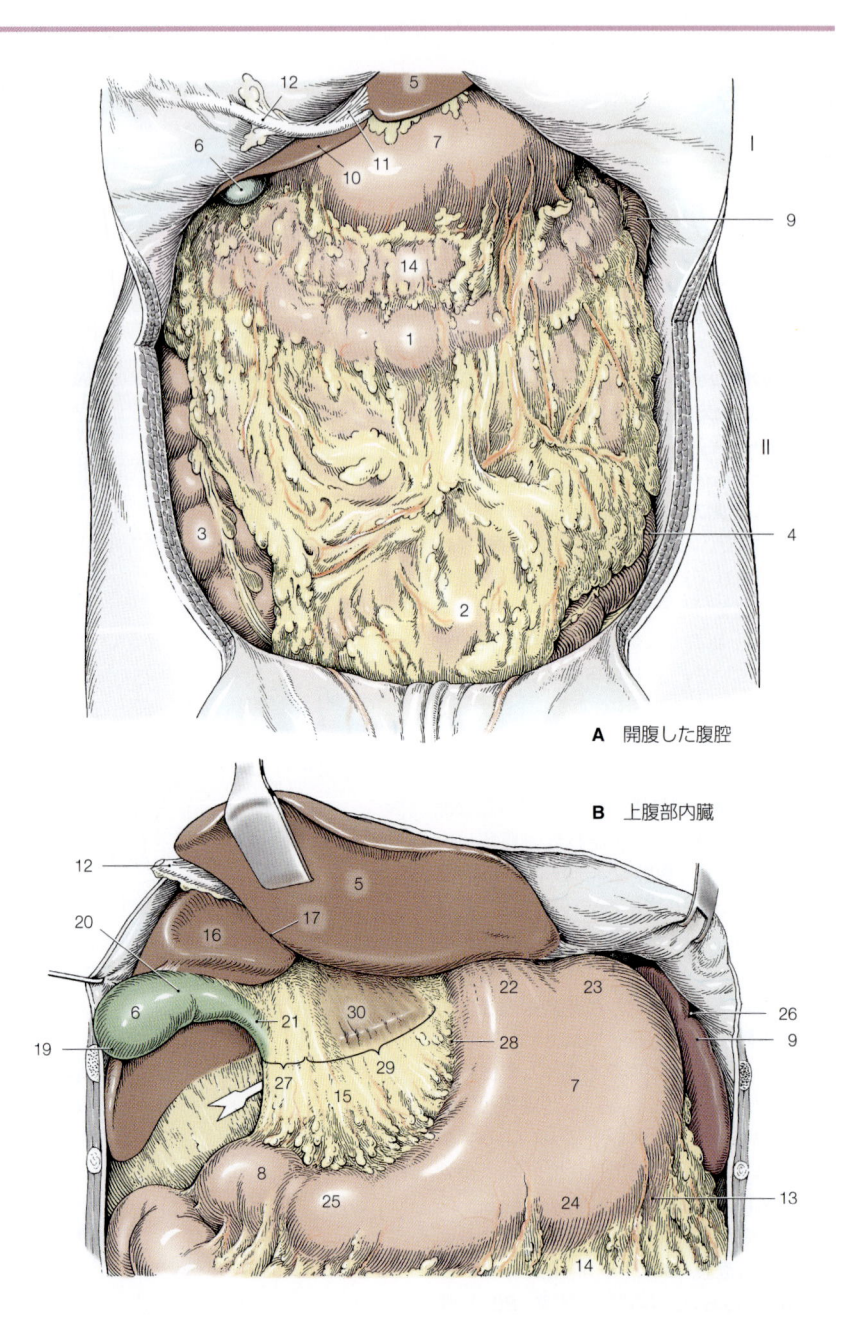

A 開腹した腹腔

B 上腹部内臓

> **臨床関連：**前述した腹膜腔の各部は，互いに閉ざされた腔ではなく，互いに広くつながっている．一つの腔のもしくは部位の感染は，したがって腹膜腔全体に広がって**腹膜炎** peritonitis を起こす．腹腔内の液体の貯留は，腹腔の各部が自由に繋がっているゆえにいろいろな原発病変にもとづくものでも**腹水** ascites という全腔的なものになる．

Ⅰ 結腸上部（上腹部）supracolic part (upper abdomen)　Ⅱ 結腸下部（下腹部）infracolic part (lower abdomen)
1 横行結腸 transverse colon　2 大網 greater omentum　3 上行結腸 ascending colon　4 下行結腸 descending colon　5 肝臓 liver　6 胆囊 gallbladder　7 胃 stomach　8 十二指腸 duodenum　9 脾臓 spleen　10 肝右葉（の下縁）right lobe of liver　11 肝鎌状間膜 falciform ligament　12 肝円索 round ligament of liver　13 大彎 greater curvature　14 胃結腸間膜 gastrocolic ligament　15 小網 lesser omentum　16 方形葉 quadrate lobe　17 肝円索裂 fissure for round ligament　19 胆囊底 fundus of gallbladder　20 胆囊体 body of gallbladder　21 胆囊頸 neck of gallbladder　22 噴門 cardia　23 胃底 fundus of stomach　24 胃体 body of stomach　25 幽門部 pyloric part　26 上縁（脾臓の）superior border　27 肝十二指腸間膜 hepatoduodenal ligament　28 小彎 lesser curvature　29 肝胃間膜 hepatogastric ligament　30 尾状葉 caudate lobe

腹腔 309

開腹した腹腔の局所解剖（続き）

結腸下部

横行結腸とその間膜の下方から小骨盤の入口面までには，下腹部内臓である**小腸** small intestineと**大腸** large intestineが入っている．開腹された腹腔ではこれらの腸管は大部分が大網におおわれている（308頁**A**参照）．

概観（A）．大網（**AB1**）と横行結腸（**AB2**）を持ち上げて，小腸塊を左右に翻すと，結腸下部のほとんどの器官がみえるようになる．小腸は**十二指腸**（**AB3**），**空腸**（**AB4**）および**回腸**（**AB5**）からなる．十二指腸は，その初部を除いて二次的腹膜後 secondary retroperitonealに位置する器官で，壁側腹膜の下にかすかに透けてみえる（**A3**）．空腸と回腸は腹膜内 intraperitonealに位置する器官で，幅のある**腸間膜**（**AB6**）を介して背側体壁に固定される．この間膜の根を**腸間膜根**（**A7**）といい，長さが約15〜18 cmあり，左上方（第2腰椎左側の高さ）から右下方の腸骨窩に向かって斜めに走っている．ここで回腸が大腸の初部である**盲腸**（**AB8**）に移行し，盲腸は**上行結腸**（**A9**）に続く．腹膜内にある回腸が通常は二次的腹膜後にある盲腸に移行するところには，腹膜ヒダと腹膜陥凹がつくられている．回腸の盲腸への開口部の上方に**上回盲陥凹**（**A10**）があり，ここには血管を通している腹膜ヒダである**盲腸血管ヒダ**（**A11**）がつくられている．盲腸と上行結腸ではほとんどすべての**結腸の典型的な肉眼的特徴**が識別できる：すなわち，腸管壁が規則的に外方に膨出した**結腸膨起**（**A12**），外層の縦走筋が肥厚した**結腸ヒモ**（**A13**）および腹膜におおわれて付随している脂肪塊である**腹膜垂**（**A14**）を識別できる．**右結腸曲**（**A15**）で上行結腸は腹膜内 intraperitonealに位置する**横行結腸**（**AB2**）に移行し，この横行結腸は**横行結腸間膜**（**AB16**）を介して後腹壁に吊されている．他の大腸の部分は**A**では左右に翻された小腸塊によっておおい隠されている．

概観（B）．小腸ワナとその腸間膜を右方に翻転すると，十二指腸（**AB3**）から空腸（**AB4**）への移行部と下行結腸の部分が概観できるようになる．十二指腸の二次的腹膜後にある部は**十二指腸空腸曲**（**B17**）で空腸へ移行する．この曲の近くには，回腸-盲腸移行部と同じように，腹膜ヒダと腹膜陥凹がある．1つは**上十二指腸ヒダ**（**B18**）でこれは**上十二指腸陥凹**（**B19**）をつくり，1つは**下十二指腸ヒダ**（**B20**）でこれは**下十二指腸陥凹**（**B21**）をつくる．また，小腸塊を右方に翻転すると**盲腸**（**AB8**）の盲端とそれから出る**虫垂**（**B22**）が現れる．細い虫垂は大腸の一部で，腹膜内にあって**虫垂間膜**（**B23**）によって後腹壁に固定されている．**横行結腸**（**AB2**）と**横行結腸間膜**（**AB16**）は**左結腸曲**（**B24**）すなわち**下行結腸**（**B25**）への移行部までほぼ全体がみえている．下行結腸は二次的腹膜後にあって，その前面は壁側腹膜によっておおわれており，左腸骨窩で腹膜内に位置する**S状結腸**（**B26**）に続く．S状結腸は**S状結腸間膜**（**B27**）を介して後腹壁に吊されており，この根の中に腹膜陥凹である**S状結腸間陥凹**（**B28**）がみられる．

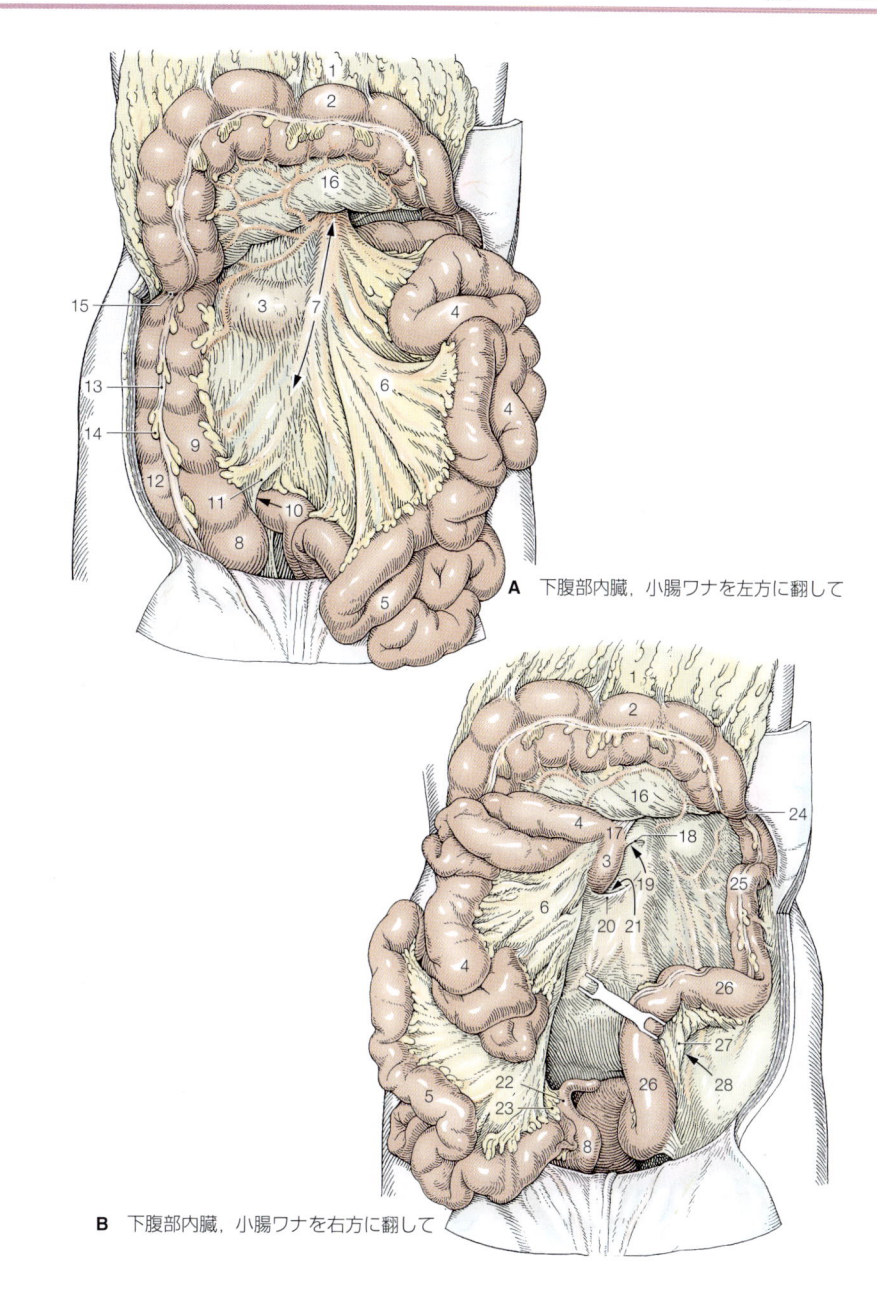

A 下腹部内臓，小腸ワナを左方に翻して

B 下腹部内臓，小腸ワナを右方に翻して

> **臨床関連**：前述の窪み，陥凹の内へ，腸管のループや大網の一部が入り込むことがあり，内ヘルニア（十二指腸陥凹ヘルニア，上および下回腸/盲腸陥凹ヘルニア，S字結腸間ヘルニア）と名付けられる．これらは，外部からは観察されにくく，多くは手術中にみつかる．腸管ループがしめつけられたりすると，腹痛，悪心，嘔吐のほか，消化器症状が出現する．まれではあるが，腸閉塞状態（腸管麻痺もしくは腸閉塞）に至ることもある．
>
> 多くのニッチェ（Nichet）やポケットが小腸や大腸のループの間にあり，その腸間膜に500mlほどの液体が隠れていることがあるが，臨床的な検査や超音波検査でも見逃されることがある．

1 大網 greater omentum　2 横行結腸 transverse colon　3 十二指腸 duodenum　4 空腸 jejunum　5 回腸 ileum　6 腸間膜 mesentery　7 腸間膜根 root of mesentery　8 盲腸 caecum　9 上行結腸 ascending colon　10 上回盲陥凹 superior ileocaecal recess　11 盲腸血管ヒダ vascular fold of caecum　12 結腸膨起 haustra of colon　13 結腸ヒモ taeniae coli　14 腹膜垂 fatty appendices of colon　15 右結腸曲 right colic flexure　16 横行結腸間膜 transverse mesocolon　17 十二指腸空腸曲 duodenojejunal flexure　18 上十二指腸ヒダ superior duodenal fold　19 上十二指腸陥凹 superior duodenal fossa　20 下十二指腸ヒダ inferior duodenal fold　21 下十二指腸陥凹 inferior duodenal fossa　22 虫垂 vermiform appendix　23 虫垂間膜 meso-appendix　24 左結腸曲 left colic flexure　25 下行結腸 descending colon　26 S状結腸 sigmoid colon　27 S状結腸間膜 sigmoid mesocolon　28 S状結腸間陥凹 intersigmoid recess

壁側腹膜の状態

後腹壁．腹膜内 intraperitoneal に存する器官（肝臓，胃，脾臓，空腸，回腸，横行結腸およびS状結腸）を摘出すると，腹膜が2枚合わさった付着線をもつ腹膜腔の後壁と肝臓の癒着部ならびに腹膜後 retroperitoneal に存する器官が概観できる（**A**）：すなわち，肝臓は腹膜におおわれていない**無漿膜野**（**A1**）の領域では直接横隔膜に癒着している．無漿膜野は肝臓の臓側腹膜と横隔膜の壁側腹膜の折り返し部によって縁どられ，これを**肝冠状間膜**（**A2**）といい，この間膜の右左の端部は先の尖った**右三角間膜**（**A3**）と**左三角間膜**（**A4**）に移行している．右側で右冠状間膜の一部が**右腎臓**（**A5**）との間にある部分を**肝腎間膜**（**A6**）という．肝臓の前部から上部にかけて**肝鎌状間膜**（**A7**）が横隔膜の壁側腹膜に向かって走っている．肝臓の背側には腹膜後に位置する**下大静脈**（**A8**）と**大動脈**（**A9**）がみられる．大動脈の左側に**胃入口部**（**A10**）を通る切断縁があり，ここから**胃横隔間膜**（**A11**）が横隔膜に走り，また大彎と脾臓の間に張る**胃脾間膜**（**A12**）に続いている．脾臓の下極の下方で横隔膜と下行結腸との間に**横隔結腸間膜**（**A13**）がのびている．

後腹壁の中央では**横行結腸間膜**（**A14**）の根が切断されており，その上方は壁側腹膜でおおわれた網嚢（327頁）の後壁にあたり，この腹膜下に**膵臓**（**A15**）がある．十二指腸（**A16**）の上縁には**肝十二指腸間膜**（**A17**）が切断され，その後ろに**網嚢孔**（**A18**）がある．結腸下部の後腹壁には斜めに走る**腸間膜根**（**A19**）とほぼS字状に走る**S状結腸間膜**（**A20**）の根がみられており，後者はS状結腸が**直腸**（**AB21**）に移行するところまで小骨盤の中に下降する．後腹壁の右側および左側には**上行結腸**（**A22**）と**下行結腸**（**A23**）がある．

骨盤．後腹壁の腹膜は分界線を越えて小骨盤の中に続き（**B**），ここでは**尿生殖腹膜** urogenital peritoneum と呼ばれる．この尿生殖腹膜は直腸（**AB21**）の前面の一部を広くおおい，女の骨盤では前頭面に位置する**子宮**（**B24**），**卵管**（**B25**）および**卵巣**（**B26**）からなる生殖板に向かって翻転する．子宮と直腸との間に深い陥凹部である**直腸子宮窩**（**B27**）をつくり，ここは腹膜腔の中で最も深い部位であって臨床的には**ダグラス窩** Douglas' pouch ともいわれる．子宮の側壁から小骨盤壁へ2枚の腹膜をもつ**子宮広間膜**（**B28**）が両側にのびており，この腹膜は平面状の**膀胱子宮窩**（**B29**）を形成しながら**膀胱**（**B30**）の背面に向かって翻転する．男の骨盤では尿生殖腹膜は直腸，膀胱および膀胱の後ろにある精嚢をおおい，直腸と膀胱の間に腹膜陥凹の1つである**直腸膀胱窩** recto-vesical pouch をつくっている．この外側には，骨盤壁の壁側腹膜が続いており，ここの腹膜下の結合組織中に内腸骨静脈と尿管が走っている．

前腹壁．前腹壁の内面は**前壁側腹膜** anterior parietal peritoneum でおおわれて特徴的な像を呈する．正中線に閉鎖した尿膜管を入れた腹膜ヒダである**正中臍ヒダ**（**B31**）が臍に向かってのびている．このヒダの両側に閉鎖した臍動脈を入れた**内側臍ヒダ**（**B32**）が同じく臍に向かって走る．この3本のヒダによって膀胱との間に両側性に**膀胱上窩**（**B33**）がつくられる．さらに外側には下腹壁動静脈をおおった**外側臍ヒダ**（**B34**）が内側臍ヒダとほぼ平行して上方にのびている．外側臍ヒダと内側臍ヒダの間の下方には小さなくぼみである**内側鼠径窩**（**B35**）があり，この位置は体表からの浅鼠径輪の投影に一致する．外側臍ヒダの外側には**外側鼠径窩**（**B36**）があり，この窩の中に深鼠径輪がある．

A 背側体壁の壁側腹膜の状態

B 腹側体壁と小骨盤の壁側腹膜の状態

1 無漿膜野 bare area　2 肝冠状間膜 coronary ligament　3 右三角間膜 right triangular ligament　4 左三角間膜 left triangular ligament　5 右腎臓 right kidney　6 肝腎間膜 hepatorenal ligament　7 肝鎌状間膜 falciform ligament　8 下大静脈 inferior vena cava　9 大動脈 aorta　10 胃入口部 entrance to the stomach　11 胃横隔間膜 gastrophrenic ligament　12 胃脾間膜 gastrosplenic ligament　13 横隔結腸間膜 phrenicocolic ligament　14 横行結腸間膜 transverse mesocolon　15 膵臓 pancreas　16 十二指腸 duodenum　17 肝十二指腸間膜 hepatoduodenal ligament　18 網嚢孔 omental foramen　19 腸間膜根 root of mesentery　20 S状結腸間膜 sigmoid mesocolon　21 直腸 rectum　22 上行結腸 ascending colon　23 下行結腸 descending colon　24 子宮 uterus　25 卵管 uterine tube　26 卵巣 ovary　27 直腸子宮窩 recto-uterine pouch　28 子宮広間膜 broad ligament of uterus　29 膀胱子宮窩 vesico-uterine pouch　30 膀胱 urinary bladder　31 正中臍ヒダ median umbilical fold　32 内側臍ヒダ medial umbilical fold　33 膀胱上窩 supravesical fossa　34 外側臍ヒダ lateral umbilical fold　35 内側鼠径窩 medial inguinal fossa　36 外側鼠径窩 lateral inguinal fossa

胃

胃 stomach は幅の広い，牛角形の，腹膜内 intraperitoneal にある中腔性の器官である．胃は上腹部にある器官で左側の横隔膜天蓋の下部にある（**A**）．胃はその大部分が左肋骨弓の後ろに位置しているが，胃の形や内容物の充満度によって上腹部 epigastric region の中でさまざまな広がりをもっている．多くの場合，噴門は正中線よりやや左方で第11胸椎の高さにあり，幽門は第1腰椎の右側に位置する．その最下端は成人で空虚のときに臍より約3横指上方にある．

肉眼的構造

食道の腹部（**B1**）は胃の入口である**噴門口**（**C2**）を経て漏斗状の**噴門**（**B3**）に開く．これに続いて胃の上端部である**胃底**（**B4**）がある．胃底は左側の横隔膜天蓋の下に位置し，胃で最も高い部位であって，立位の際にはここに空気（胃泡 stomach bubble）を入れている．食道と胃底の間にある切れこみを**噴門切痕**（**B5**）という．胃の主要部を**胃体**（**B6**）といい，胃の大部分を占める．胃体は**幽門部**（**BC7**）に続き，この部は**幽門洞**（**BC7a**）と**幽門管**（**BC7b**）に区分される．幽門管は幽門括約筋で囲まれた**幽門** pylorus を経て十二指腸（**BC9**）に続く．幽門は胃の形に従って，いろいろな高さにある．背臥位では幽門は多くの場合，第1腰椎の高さで正中線より右にある．立位では第4腰椎の高さまで下がるが，いつも下大静脈の前方にある．幽門の内腔は粘膜が輪状の高まりを示し，腔は著しく狭められていて**幽門口**（**C8**）をつくり，胃の出口となっている．

胃壁には**前壁** anterior wall と**後壁** posterior wall が区別される．胃壁は小さな彎曲と大きな彎曲すなわち**小彎**（**B10**）と**大彎**（**B11**）によって，またそこに付着する腹膜の二重構造物によって前壁と後壁とが互いに分けられている．小彎は右方および上方に向かう縁としてみられ，**角切痕**（**B12**）のところに小彎の最も深いか所がある．角切痕は幽門部が始まるところとしても標識されるが，X線写真では胃角 gastric angle として可視的である．大彎は左方およびその延長の上方に向かう縁としてみられ，角切痕の対岸に凸状の膨出部があり，ここは**胃膝**（**B13**）とも呼ばれている．小彎からは**小網** lesser omentum の大部分，詳しくいうと肝胃間膜が起こる．大彎からは**大網** greater omentum が起始し，これに関与するものに胃と横行結腸間の胃結腸間膜，胃底と横隔膜間の胃横隔間膜および大彎と脾臓間の胃脾間膜があげられる．肝臓の下縁を上方に引っぱりあげると，ほとんど前額面に立った小網を目にすることができる．

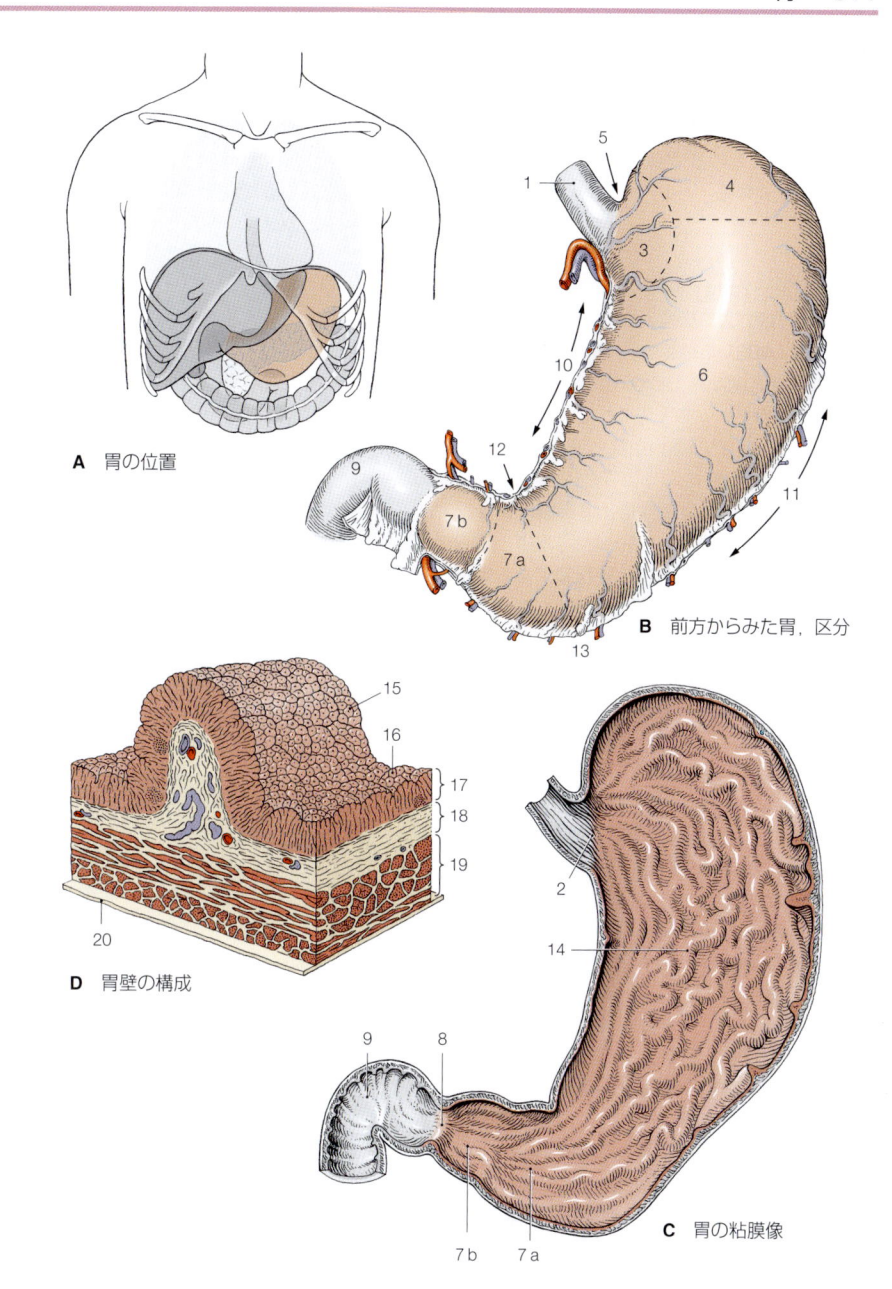

胃壁と胃粘膜．胃壁の外面は平滑で，臓側腹膜によっておおわれている．内面には胃粘膜が隆起した**胃粘膜ヒダ**（**C14**）がつくられていて，これは肉眼的にも容易に識別できる．粘膜像では，小彎に沿って噴門から角切痕にかけて数本の長い縦走ヒダがあり，粘膜のヒダによってできる通路（いわゆる，**胃体管** gastric canal または**胃道**）がつくられている．粘膜の他の部分では，ヒダは斜走または横走して不規則な網の目状を呈している．

胃粘膜の表面を**ルーペで拡大して観察**すると，粘膜の平面起伏が識別できる（**D**）：すなわち，胃粘膜は浅い溝で多数の小区画（直径平均2～3mm）に分かれており，これを**胃小区**（**D15**）という．その中には一定の間隔で無数の小陥凹があり，これを**胃小窩**（**D16**）という．数mmの厚さをもつ胃壁の構成はほかの腸管と基本的には同じで粘膜（**D17**），粘膜下組織（**D18**），筋層（**D19**），薄い漿膜下組織ならびに漿膜（**D20**）によって構成されている．

1（食道の）腹部 abdominal part（oesophagus）　**2** 噴門口 cardiac orifice　**3** 噴門 cardia　**4** 胃底 fundus of stomach　**5** 噴門切痕 cardial notch　**6** 胃体 body of stomach　**7** 幽門部 pyloric part　**7a** 幽門洞 pyloric antrum　**7b** 幽門管 pyloric canal　**8** 幽門口 pyloric orifice　**9** 十二指腸 duodenum　**10** 小彎 lesser curvature　**11** 大彎 greater curvature　**12** 角切痕 angular incisure　**13** 胃膝 knee of stomach　**14** 胃粘膜ヒダ gastric folds　**15** 胃小区 gastric areas　**16** 胃小窩 gastric pits　**17** 粘膜 mucosa　**18** 粘膜下組織 submucosa　**19** 筋層 muscular layer　**20** 漿膜 serosa

胃壁の微細構造

腸管に属する器官の壁構造は原則的には同じであり(287頁)，したがって個別的な器官に関してはその器官のもつ特殊性のみを強調して記述する．

粘膜

胃の約1～2mmの厚さの粘膜は，胃小窩(**AB1**)を含めて，その表面はどこでも**単層円柱上皮**(**AB2**)でおおわれている．胃の上皮と食道の上皮は胃入口部(噴門)ではっきりとした境界をもって区切られている．胃の表面上皮は粘着性の強い中性粘液を分泌し，この粘液は薄い膜のように胃の内面をおおい，胃壁が胃液の消化作用による損傷を受けないように保護している．粘膜の結合組織である粘膜固有層(**A3**)は管状腺である**胃腺**(**AB4**)が潜り込んでいるため著しく厚い．胃腺は粘膜筋板(**A5**)の近くにまで達し，数個の腺が1つの胃小窩の底に開口している．

胃にある腺は，その存在する位置，形，構成細胞の種類および機能に応じて類別され，胃底と胃体にある腺を**固有胃腺** principal gastric glands，噴門にある腺を**噴門腺** cardiac glands，幽門にある腺を**幽門腺** pyloric glandsという．

固有胃腺． この胃腺は胃底と胃体に分布する．腺は長さ約1.5mmで密に並び合って直立しており(**A**)，いろいろな種類の細胞を含んでいる．これらの細胞は腺の異なる部位に規則正しく配置されている(**B**)．腺頸は粘液を分泌する**副細胞**(**AB6**)もしくは粘膜頸腺によってほとんど占められ，表面上皮とはこの位置的観点から区別される．副細胞はしばしば有糸分裂を示し，ここから表面上皮が再生される．中間部(腺体)には多数の主細胞と壁細胞(傍細胞)とがみられる．**主細胞**(**AB7**)は立方形または円柱形の，強い塩基好性を示す細胞で，この細胞はタンパク質を分解する消化酵素ペプシンpepsinの前段階物質であるペプシノーゲンpepsinogenを分泌する．**壁細胞**(または**傍細胞**)(**AB8**)は頸部にもみられるが，大型の三角形状の細胞で，強い酸好性を示す．この細胞の先端は腺腔と接触部をもち，腺底は隣接する細胞を越えて外方に突出している．壁細胞は胃酸(塩酸)を分泌し，そのほかに回腸でのビタミンB_{12}の吸収に必要な**内因子** intrinsic factorも分泌している．**腺底**には主細胞のほかに**腸内分泌細胞** entero-endocrine cellsが存在している(403頁)．

噴門腺． 噴門にある噴門腺は管状であるが，強く分岐し，胞状に肥大している．この腺は基本的には**粘液産生細胞**でつくられており，抗菌性のリゾチーム，主細胞，壁

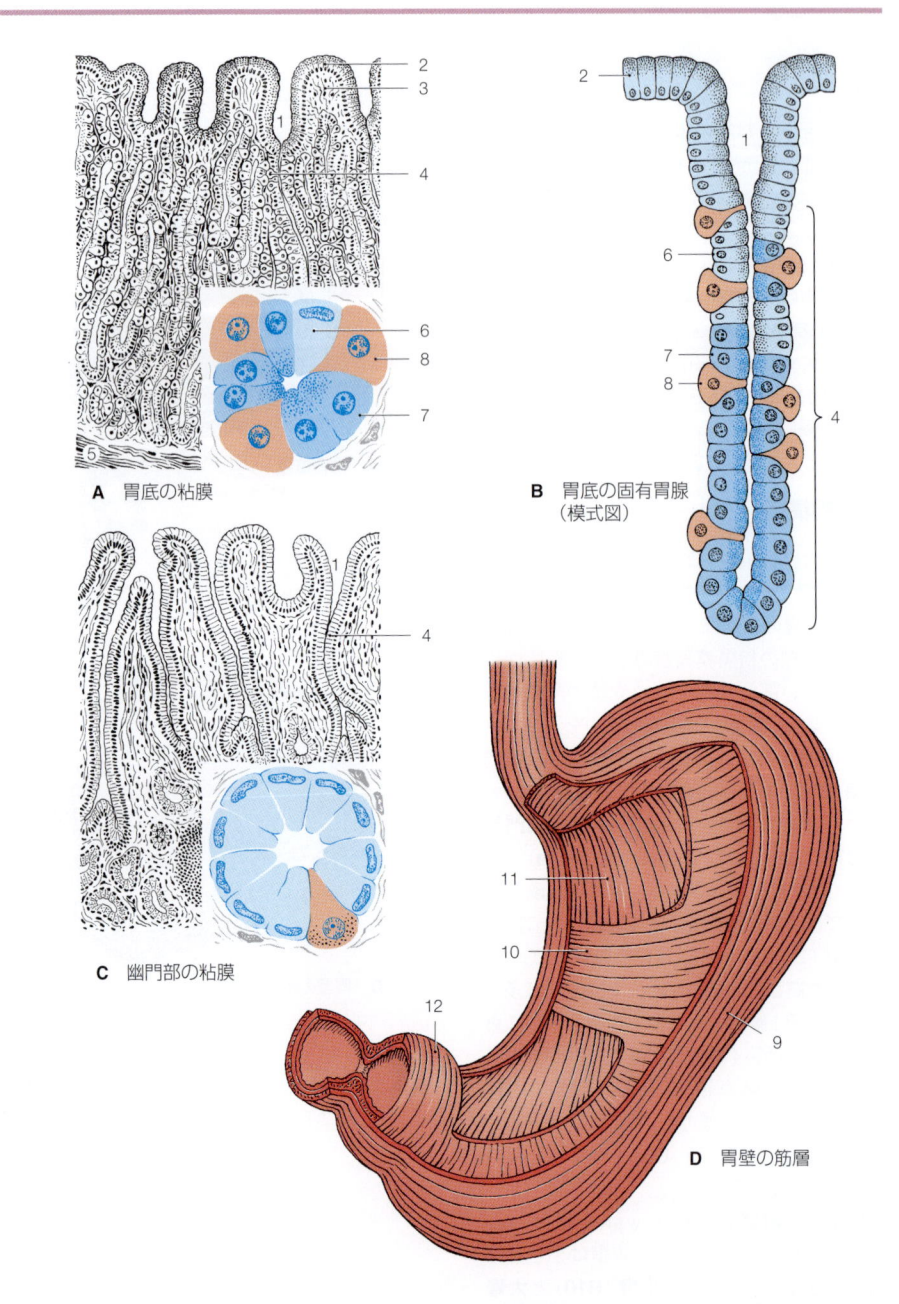

A 胃底の粘膜

C 幽門部の粘膜

B 胃底の固有胃腺(模式図)

D 胃壁の筋層

細胞はみられない．

幽門腺． 幽門部の粘膜(**C**)では胃小窩は他の部の粘膜より深い．したがって幽門腺は固有胃腺に比べて短く，また深部で胞状に分枝している．主に**円柱細胞**でおおわれ，この細胞は**中性ないし弱酸性の粘液**を分泌する．幽門部には，そのほかに**内分泌細胞**としてガストリン産生細胞であるG細胞が存在している(404頁)．

筋層(D)

筋層 muscular layerは平滑筋からなる**3層**でできている．一般の腸管壁に存在する**縦筋層**(**D9**)と**輪筋層**(**D10**)のほかに，最内層に第3の筋層である**斜線維**(**D11**)が加わる．外層の**縦筋層**では，とくに強い筋束が大彎では噴門から幽門まで，小彎では噴門から角切痕まで走っている．角切痕から遠位の小彎では新しい縦筋束が始まり，これは幽門部を越えて十二指腸壁に続いている．それに起因して，角切痕は胃のもっている異なる2つの機能の境界部位として重要である：すなわち，上部(胃体)は消化の役を果たしている消化嚢 digestive sacであり，下部(幽門部)は内容物の送り出しにあずかる排出管 egestoric canalである．全体的に，縦筋層は胃の縦方向の伸長を調節している．中層の**輪筋層**は3層中で最もよく発達し，殊に胃の出口(幽門)では幽門括約筋(**D12**)となって肥厚し，内方に突出している．最内層の筋束すなわち**斜線維**は噴門から胃体に斜走し，小彎ではこれを欠く．斜線維の終わる部分は輪走筋に移行していて，ほぼ胃体と幽門部の境にあたる．

---

1 胃小窩 gastric pits　2 単層円柱上皮 simple columnar epithelium　3 粘膜固有層 propria mucosae　4 胃腺(胃粘膜の腺)gastric glands (glands of the gastric mucosa)
5 粘膜筋板 muscularis mucosae　6 副細胞 accessory cells　7 主細胞 chief cells　8 壁(傍)細胞 parietal cells　9 縦筋層 longitudinal layer　10 輪筋層 circular layer
11 斜線維 oblique fibers　12 幽門括約筋 pyloric sphincter

血管，神経，リンパ

動脈．胃に分布する動脈は，正常では，**腹腔動脈**（**A1**）の枝に由来し，これらの枝は小彎と大彎の周りに**動脈冠**（**環**）を形成している．**小彎**では**左胃動脈**（**A2**）と**右胃動脈**（**A3**）によって動脈弓がつくられる．**左胃動脈**は腹腔動脈から出る．この動脈は腹膜ヒダである胃膵ヒダの中を最初は上行し，次いで小彎で弓状に走り，ここで食道に小枝（食道枝 oesophageal branches）を与え，大部分は胃に分布する．**右胃動脈**は通常では**固有肝動脈**（**A4**）から出て，最初は小網の肝十二指腸間膜の中の表層を走り，小彎で肝胃間膜の中に達し，そこで左胃動脈と吻合して動脈弓をつくる．**大彎**では左右の胃大網動脈によって動脈弓がつくられる．**左胃大網動脈**（**A5**）は**脾動脈**（**A6**）の枝として胃脾間膜を経て大彎に達し，そこから胃結腸間膜の中を走って右胃大網動脈と吻合する．**右胃大網動脈**（**A7**）は**胃十二指腸動脈**（**A8**）の枝である．加えて，胃底領域は脾動脈からの細い**短胃動脈** short gastric arteries によって供給されている．

静脈．静脈の多くは**動脈に伴行して走り**，動脈と同じ名前で呼ばれる．**左胃静脈**（**A9**）は多くの場合直接**門脈**（**A10**）に開口し，ときには脾静脈や上腸間膜静脈を経由して門脈に還流することもある．

神経．交感節後神経線維は**腹腔神経叢**（**A11**）からでて，動脈とともに胃壁に達する．交感神経刺激は血管収縮，胃運動の抑制に働く．**副交感神経線維は迷走神経の枝**であり，これは前迷走神経幹として胃の前面に，後迷走神経幹として胃の後面に分布する．副交感神経刺激は血流の増大，胃液および胃酸の分泌促進，胃運動の亢進に働く．

所属リンパ節（B）．胃の漿膜下にあるリンパ管網からのリンパは4方向に還流する：すなわち，①噴門と小彎に沿う前・後壁の大部分からのリンパは**胃リンパ節**（**B12**）に流れ，これはほぼ左胃動脈の流域に相当する．②胃底領域と大彎の脾臓に近い部からのリンパは**脾リンパ節**（**B13**）に流れる．③大彎の他の部からのリンパは**胃大網リンパ節**（**B14**）に流れる．これらに続いてのリンパ路は**腹腔リンパ節**（**B15**）を経由して行われる．④幽門領域のリンパは**胃大網リンパ節**（**B14**）と大部分は幽門の後ろにある**幽門リンパ節**（**B16**）に流れる．幽門リンパ節からは主に腹腔リンパ節を経由してさらに先へ送られるが，一部は上腸間膜リンパ節（**B17**）にも流れる．複雑なリンパ流域の個々の間には多数の結合があり，各流域の間には相互交流が可能である．

臨床関連：転移の際，幽門リンパ節はその後ろにある膵臓（**B18**）と癒着していて，手術が非常に難しくなることがある．

胃の働き．胃では，食道から送られてきた食物塊を層状に蓄積し，胃液によって化学的に細かく砕いて糜汁 chyme に変える．糜汁化は壁の緊張が増大しなくても胃壁に食物が包み込まれることによって行われる（化学的消化）．一方，緊張性の包み込みは**胃蠕動** peristalsis と呼ばれ，これは消化機能に関係のある胃の消化嚢だけの働きである（機械的消化）．糜汁に変えられた胃の内容物は徐々に遠位方に送られて胃の下部すなわち排出管に達し，蠕動性の収縮波が幽門に向かって走る中で，胃の内容物を幽門に押し込み，それを少しずつ十二指腸の中に送って胃内容を空にする．

臨床関連：胃粘膜の急性炎症のうち，最も多いのは**胃炎**で，胃粘膜に複数の点状の表面的な欠損がみられる．原因としては今日では基本的に幽門ヘリコバクター（*Helicobacter pylori*）（グラム陰性，スピロヘータ状の旋回装置をもつ，屈曲した形のバクテリアで接着子がある）の感染によると考えられている．
潰瘍という概念は，胃潰瘍のいくつかの異なった病型をひとまとめにしたものである．

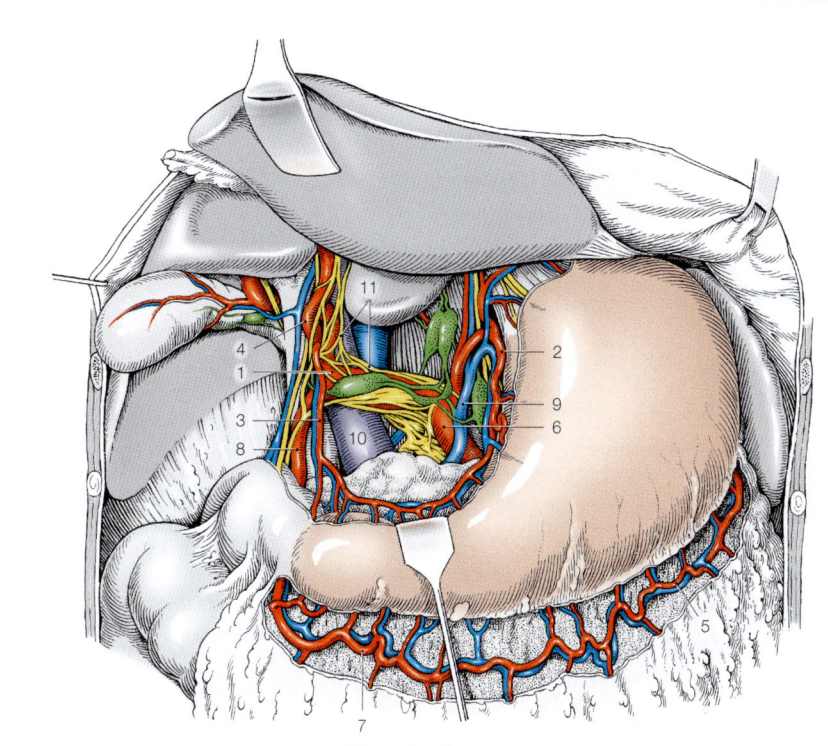

A 胃の血管と神経

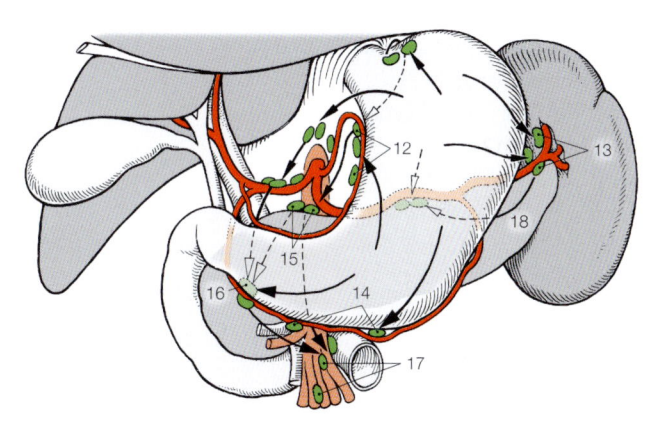

B 胃のリンパ節とリンパの流れ

1 腹腔動脈 coeliac trunk　2 左胃動脈 left gastric artery　3 右胃動脈 right gastric artery　4 固有肝動脈 hepatic artery proper　5 左胃大網動脈 left gastro-omental artery　6 脾動脈 splenic artery　7 右胃大網動脈 right gastro-omental artery　8 胃十二指腸動脈 gastroduodenal artery　9 左胃静脈 left gastric vein　10 門脈 hepatic portal vein　11 腹腔神経叢 coeliac plexus　12 胃リンパ節 gastric nodes　13 脾リンパ節 splenic nodes　14 胃大網リンパ節 gastro-omental nodes　15 腹腔リンパ節 coeliac nodes　16 幽門リンパ節 pyloric nodes　17 上腸間膜リンパ節 superior mesenteric nodes　18 膵臓 pancreas

小 腸

　小腸 small intestine は胃に続いている. 小腸は十二指腸（**A1**）, 空腸（**AC2**）および回腸（**AC3**）からなり, 右の腸骨窩で大腸（**A4**）に開く. 小腸の全長は平均値で約5mにも達する.

肉眼的構造

十二指腸

　25～30cmの長さの十二指腸は臍の上方に投影され, 蹄鉄状またはC字状をなして, 後腹壁に位置する. その大部分は脊柱の右側にあり, 膵臓（**B5**）の頭を取り囲んでいる.

　十二指腸は4部に区分される：すなわち, 上部（**B6**）は最初の部分であり, 第1腰椎の高さで胃の幽門（**B7**）に続いて始まり, わずかに上行しながら腹側から背側に走り, 上十二指腸曲（**B8**）で下行部に移行する. この十二指腸の初部はX線像では拡張してみえるので, 膨大部（ampulla もしくは duodenal cap）という. 下行部（**B9**）は脊柱と並んでその右側を第3腰椎の高さまで下行し, 下十二指腸曲（**B10**）で水平部に移行する. 水平部（**B11**）は横行部 transverse part ともいわれ, 膵頭の下方で第3腰椎の前を越えて左方に向かい, そこから上行部（**B12**）として第2腰椎の高さにある十二指腸空腸曲（**B13**）に向かって斜め左上方に上行する. 十二指腸は十二指腸空腸曲で急に前方に曲がって空腸に移行する.

　上部は腹膜内 intraperitoneal にある. ここは可動部で肝十二指腸間膜（**B14**）を介して肝臓と結ばれている. 下行部以下の十二指腸は二次的腹膜後 secondary retroperitoneal に位置する. 小腸は十二指腸空腸曲から以下では再び腹膜内に位置する. この曲では腹膜ヒダと腹膜陥凹が生じている. 上十二指腸陥凹（**B15**）は上十二指腸ヒダ（**B16**）によって囲まれ, 下十二指腸陥凹（**B17**）は下十二指腸ヒダ（**B18**）によって囲まれている. 十二指腸提筋 suspensory muscle of duodenum（**トライツの靱帯** Treiz's ligament）といわれる平滑筋を含んだ線維索が上行部と上腸間膜動脈の始まりの部分とを結んでいて, これはこの部をその位置に固定している.

> **臨床関連**：内ヘルニア internal hernia（トライツヘルニア Treitz's hernia）は, 小腸ワナが腹膜陥凹の中に嵌入して挟みつけられて動かなくなり, 腸壊死をきたして生命にも危険が及ぶことがある病態である.

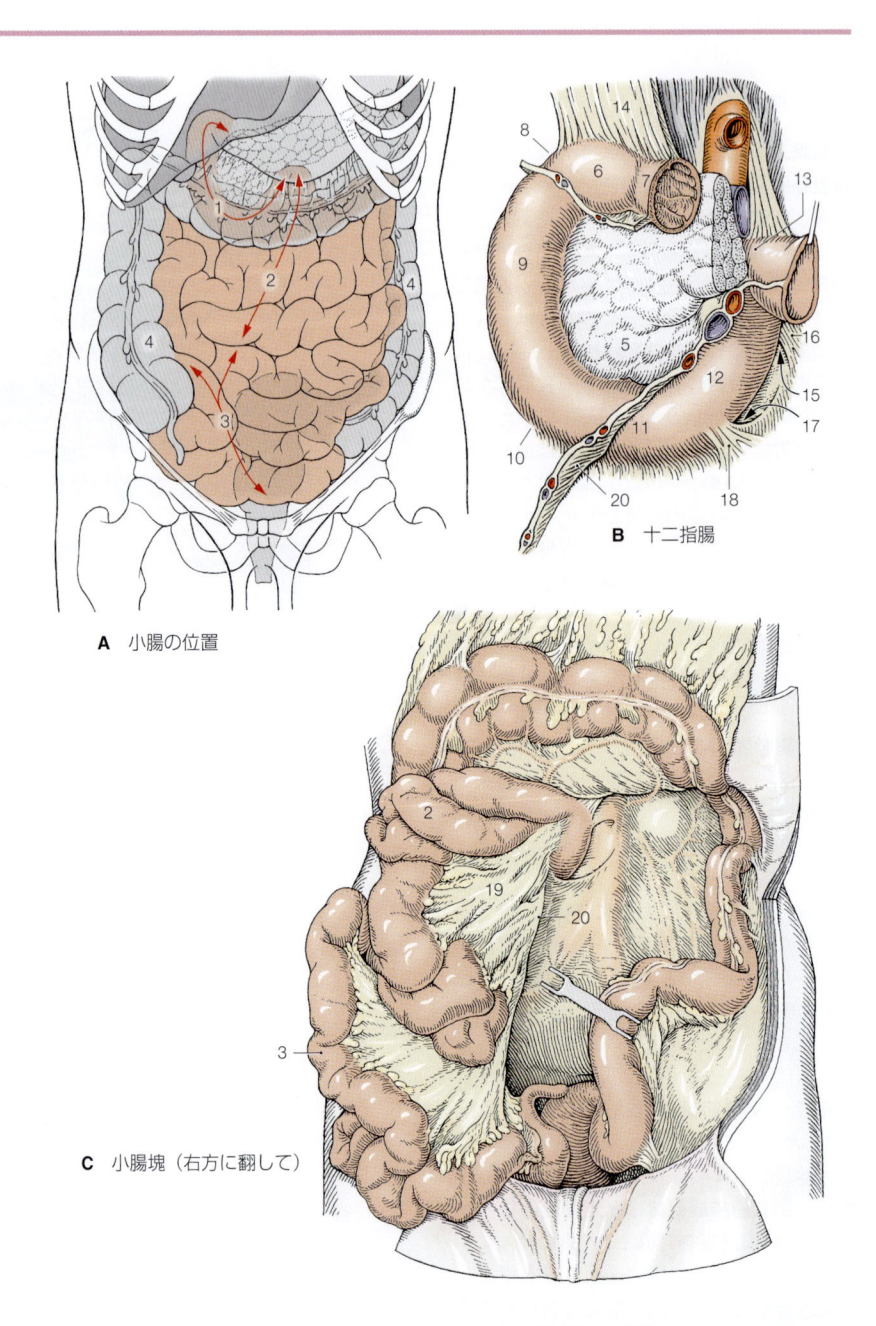

A 小腸の位置

B 十二指腸

C 小腸塊（右方に翻して）

空腸と回腸

　十二指腸空腸曲（**B13**）で小腸塊が始まり, これは全長の初めの約2/5が空腸（**AC2**）で, 終わりの約3/5が回腸（**AC3**）である. 小腸ワナは大腸（**A4**）に囲まれて腹腔の結腸下部 infracolic part に位置する. 回腸は右腸骨窩で回盲口 ileocaecal orifice を経て大腸に開いている. 症例の約2％の頻度で, この回盲口から50～100cm隔てた口側の回腸壁に盲囊様の付随物をみることがあり, これは**メッケル憩室（回腸憩室）**Meckel diverticulum（ileal diverticulum）といわれて胎生期の卵黄腸管の遺物である.

　空腸と回腸は腹膜内 intraperitoneal にあり, **腸間膜**（**C19**）を介して背側体壁に吊されている状態で可動性に富む. **腸間膜根**（**BC20**）は約15cmの長さで, 第2腰椎の左側に位置する十二指腸空腸曲から右腸骨窩まで後腹壁上を斜走している. 小腸で腸間膜が付着する長さは約4mもあるから, 付着部での腸間膜は襟に巻くひだ飾り（またはスカートの裾ひだ）のように折り畳まれている. 空腸と回腸の壁は, 外面は平滑で腹膜におおわれ, 肉眼的には区別できない.

> **臨床関連**：メッケル憩室の炎症は虫垂の炎症と混同されることがある.

---

1 十二指腸 duodenum **2** 空腸 jejunum **3** 回腸 ileum **4** 大腸 large intestine **5** 膵臓（膵頭）pancreas (head of pancreas) **6** 上部 superior part **7** 幽門 pylorus **8** 上十二指腸曲 superior duodenal flexure **9** 下行部 descending part **10** 下十二指腸曲 inferior duodenal flexure **11** 水平部（横行部）horizontal part (transverse part) **12** 上行部 ascending part **13** 十二指腸空腸曲 duodenojejunal flexure **14** 肝十二指腸間膜 hepatoduodenal ligament **15** 上十二指腸陥凹 superior duodenal fossa **16** 上十二指腸ヒダ superior duodenal fold **17** 下十二指腸陥凹 inferior duodenal fossa **18** 下十二指腸ヒダ inferior duodenal fold **19** 腸間膜 mesentery **20** 腸間膜根 root of mesentery

小腸壁の構造

粘膜像

十二指腸． 肉眼的に，十二指腸粘膜は密で背の高い**輪状ヒダ（ケルクリングヒダ）**（**A1**）をもっている．このヒダは粘膜と粘膜下組織が盛り上がって生じたもので，粘膜の表面積をおよそ1.5倍拡大する．下行部に肝臓と膵臓からの導管である総胆管（**A2**）と膵管（**A3**）が開口する．十二指腸には後内側壁の粘膜表面に縦走する一条の**十二指腸縦ヒダ**（**A4**）がみられ，このヒダの下端にできる疣状の隆起すなわち**大十二指腸乳頭**（**A5**）に総胆管と膵管は通常では合一して開口する．多くの場合，この乳頭の少し口側に**小十二指腸乳頭**がみられ副膵管が開口している．

空腸と回腸． 空腸粘膜（**B**）では，初めのうちはまだ背の高くて密な**輪状ヒダ**を備えているが，回腸（**C**）に近づくと輪状ヒダは低くなって且つ疎になってくる．回腸の終わりの1/4では輪状ヒダはほとんど欠いている．回腸では腸間膜付着部の対側に粘膜の膨らみをみることができる．これはリンパ小節が多数集まってつくられたもので**集合リンパ小節（パイエル板）**（**C6**）という．

微細構造

粘膜． 小腸粘膜の組織学的構造は腸管の一般的構造に一致する（287頁）．輪状ヒダのほかに，小腸部位の全面にわたって**腸絨毛** intestinal villi と**腸陰窩** intestinal crypts があり，それによって粘膜の表面積は拡大されている．

腸絨毛（D〜F7）． 腸絨毛は葉状または指状に上皮と粘膜固有層が突出したもので，小腸粘膜の表面はビロード様の外観を呈している．腸絨毛の表面は同じ幹細胞に由来する多種の細胞型を含んでいる．表面の上皮は，縁上皮 marginal epithelium と表現される．これは背の高い円柱上皮で吸収能が高い**腸細胞**（**E9**）と所々に混じっている杯細胞からできている．この腸細胞の自由縁には芝生のような印象を与える**微絨毛** microvilli がある．これは刷子（ブラシ）縁とも呼ばれ，表面積を著しく拡大している．**腸絨毛の内部**は粘膜固有層の結合組織で充めされており，その中に絨毛ポンプとして働く平滑筋線維ならびに特徴的な**血管とリンパ管**（乳糜管 chyle duct）（**E10**）さらにリンパ球，形質細胞，肥満細胞が入っている．

腸腺（D〜F8）． 腸腺はリーベルキューン腺ともいわれ，絨毛の底に開き，短い管状腺で粘膜固有層にまで達している．陰窩の上皮は**分泌**と**上皮細胞の新生**に働いている．上皮は，基本的には線条縁上皮からなり，その間に散在する粘液分泌性の**杯細胞**（**E11**），腺底に存在して酸好性の顆粒がみられてリゾチーム lysozyme を含む**パネート細胞** Paneth cells，およびホルモンを産生する**腸内分泌細胞** entero-endocrine cells（403頁）をもっている．

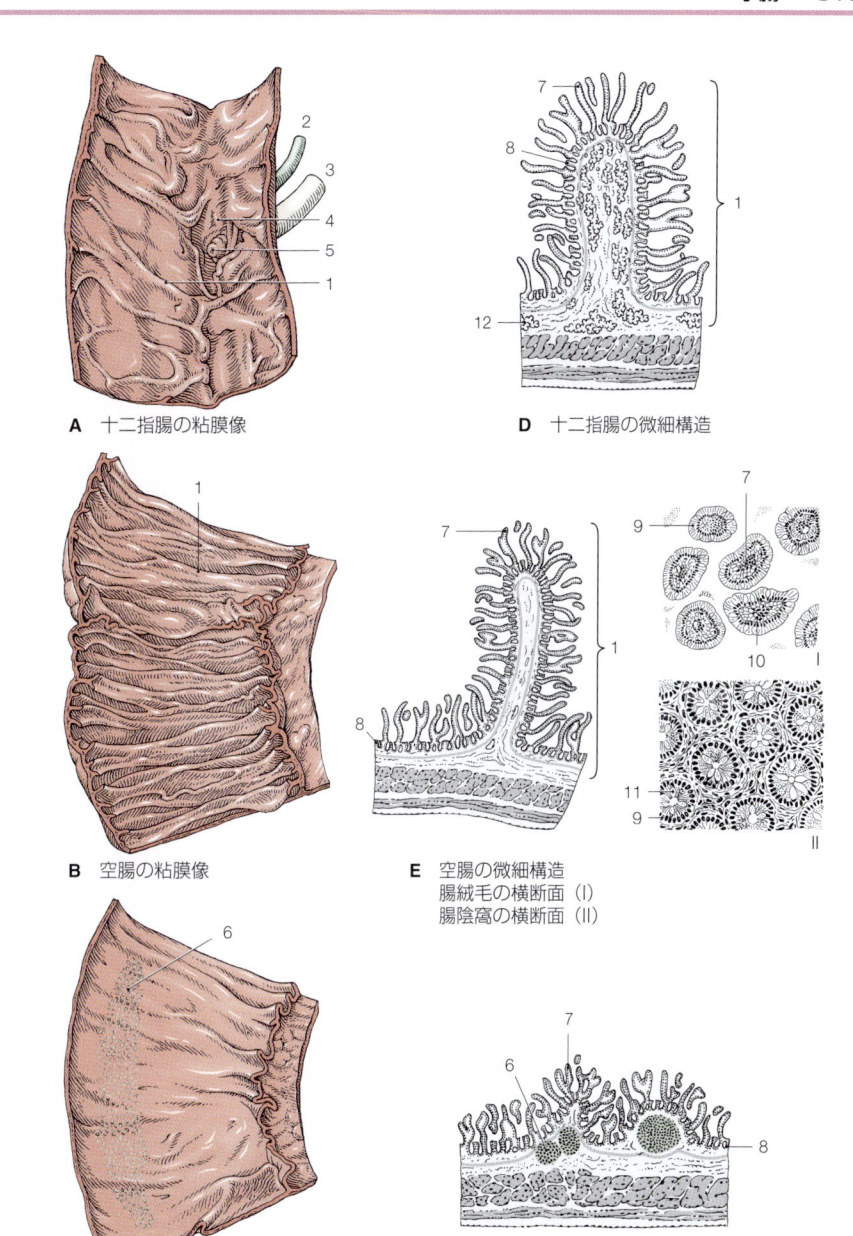

粘膜下組織． この層の結合組織の中には**粘膜下神経叢** submucous plexus および**血管とリンパ管**の目の粗い網目を入れている．十二指腸（**D**）では分枝管状胞状腺である**十二指腸腺（ブルンネル腺）**（**D12**）を含み，この腺からの粘液分泌物は胃からくる消化糜汁を中和している．

筋層． 筋層は小腸全体にわたって**内輪筋層**がよく発達し，**外縦筋層**は弱く発達している．両筋層間の結合組織中には植物神経性の**筋層間神経叢** myenteric plexus（アウエルバッハ神経叢 Auerbach's plexus）がある．両筋層は拮抗的に働き，縦筋層が収縮すると小腸部位は短く太くなり，輪筋層が収縮するとそれはのびて狭くなる．その際，腸内容物の混和に対して振子運動 pendular movement と分節運動 segmenting movement が起こり，内容物の先への移送に対して蠕動性の収縮すなわち蠕動波 peristaltic waves が起こってくる．

要約

十二指腸（**D**）は背の高い輪状ヒダと高くて葉状の絨毛をもち，陰窩は平坦である．粘膜下組織には十二指腸腺（ブルンネル腺）がある．**空腸**（**E**）の特徴は背が高くて密な輪状ヒダ，高くて指状の絨毛および徐々に深くなる陰窩である．**回腸**（**F**）では絨毛は短く，陰窩はさらに深くなる．粘膜下組織には粘膜固有層にも達する集合リンパ小節がある．

A 十二指腸の粘膜像
B 空腸の粘膜像
C 回腸の粘膜像
D 十二指腸の微細構造
E 空腸の微細構造
　腸絨毛の横断面（I）
　腸陰窩の横断面（II）
F 回腸の微細構造

---

1 輪状ヒダ（ケルクリングヒダ）circular folds（Kerckring's folds）　**2** 総胆管 bile duct　**3** 膵管 pancreatic duct　**4** 十二指腸縦ヒダ longitudinal fold of duodenum　**5** 大十二指腸乳頭 major duodenal papilla　**6** 集合リンパ小節（パイエル板）aggregated lymphoid nodules（Peyer's patches）　**7** 腸絨毛 intestinal villi　**8** 腸陰窩（腸腺，リーベルキューン腺）intestinal crypts（intestinal glands, Lieberkühn's glands）　**9** 腸細胞 enterocyte　**10** 絨毛の中の血管とリンパ管 blood and lymphatic vessels in villi　**11** 杯細胞 goblet cells　**12** 十二指腸腺（ブルンネル腺）duodenal glands（Brunner's glands）

小腸

血管，神経，リンパ

十二指腸

動脈． 十二指腸への動脈供給は膵頭への供給と大部分は同一である．**前上膵十二指腸動脈**（**A1**）と**後上膵十二指腸動脈**（**A2**）が胃十二指腸動脈（**A3**）（←総肝動脈（**A4**）←腹腔動脈（**A5**））からでて，十二指腸および膵頭の周りで，上腸間膜動脈（**AB7**）からの**下膵十二指腸動脈**（**A6**）と血管ワナをつくる．したがって腹腔動脈と上腸間膜動脈の流域間に吻合が生じていることになる．

静脈． 静脈血は**脾静脈**（**A8**）と**上腸間膜静脈**（**AB9**）を経由して門脈（**A10**）に還流する．

神経． 植物神経性の外在性支配は全小腸にわたって上腸間膜動脈の周囲にできる神経叢（腹腔神経叢と上腸間膜動脈神経叢）を経由して行われる．**副交感線維**は迷走神経幹に由来し，**交感神経線維**は腹腔神経節と上腸間膜動脈神経節に由来する．

所属リンパ節． 一部のリンパは幽門リンパ節 pyloric nodes（313頁）に流れるが，大部分は膵十二指腸リンパ節 pancreaticoduodenal nodes に流れる．第2の濾過部は肝リンパ節で，ここからのリンパは腹腔リンパ節に還流し，これは腸リンパ本幹に開口する．

空腸と回腸

動脈． 空腸と回腸は**上腸間膜動脈**（**AB7**）の枝によって支配される．約4〜5本の**空腸動脈**（**B11**）と約12条の**回腸動脈**（**B12**）が腸間膜の中を空腸と回腸に向かう．これらの各々の動脈はまずは隣接の動脈と結合する枝に2分枝し（1次アーケード），さらに遠位領域で横方向の結合が続いて起こり（2〜4次アーケード），このようにして次第により小さな動脈の網目である**血管アーケード**（**B13**）がつくられる．最終的な血管弓から腸壁に走る動脈枝は終動脈 endarteries であり，これが閉塞すると腸の局所的な障害をひき起こす．

静脈． 静脈は動脈に伴行して走り，上腸間膜静脈（**B9**）を経由して門脈（**A10**）に還流する．

神経． 十二指腸を参照．

所属リンパ節． 小腸の絨毛および空・回腸壁からのリンパは動脈に伴行するリンパ管を経由して流れ，まず最初は1次血管アーケードの高さにできる小腸傍リンパ節（**B14**）に入り，次いで上腸間膜リンパ節に流れる．ここからのリンパは，一部は近くの膵十二指腸リンパ節にも入るが，腹腔リンパ節を経由して腸リンパ本幹に還流する．

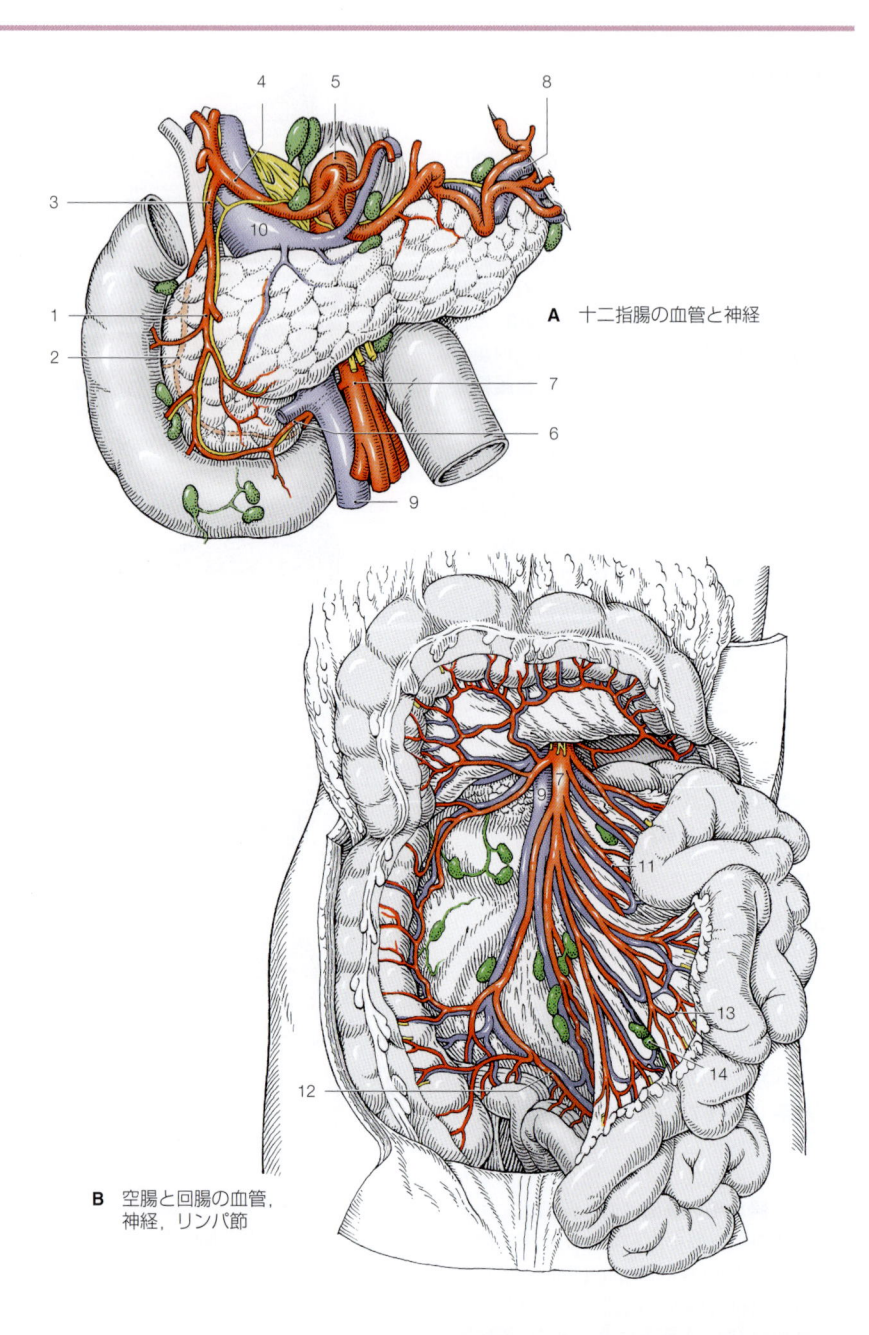

A 十二指腸の血管と神経

B 空腸と回腸の血管，神経，リンパ節

小腸の働き

小腸では**消化**と**吸収**が行われる．消化とは栄養素を吸収可能な構成要素にまで酵素的に分解することである：すなわち，炭水化物は単糖類に，タンパク質はアミノ酸に，脂肪は脂肪酸とグリセリンにまで分解される．酵素の重要な供給源は膵臓からの分泌物で，これは十二指腸に排出される．脂肪の消化に対しては胆汁酸によって乳化される必要があり，これも同様に十二指腸に排出される．一方，腸粘膜は吸収上皮，粘液産生上皮ならびに内分泌細胞をもっており，内分泌細胞からのホルモンは膵臓の分泌や胆嚢と小腸の運動を調節している．糜汁は混和運動と輸送運動を受けながら小腸を通過する．

臨床関連：十二指腸の上皮の細胞増殖は，胎生2〜3ヵ月に，一過性に完全に内腔が閉じている状態を起こす．再びこの後の発生段階で管腔か再開通が遅れると，先天性の**十二指腸**の部分的**狭窄**や，**十二指腸閉鎖**が生ずる．

小腸は，全ての栄養要素の素早い吸収に決定的な役割を果たしている．小腸は1日に7〜12lの液体を吸収する．小腸に炎症性の疾患が生ずると，腸の液体の，そして電解質の平衡失調を避けることができず，下痢の症状が発来する．

十二指腸の最も多い病気は**十二指腸潰瘍**である．これは普通，十二指腸膨大部に生じ，好発年齢は30〜50歳で男性が女性より4倍多く罹る．典型的症状としては，夜間もしくは空腹時の上腹部痛，腹部膨満感，悪心，鼓腸や嘔吐である．

---

1 前上膵十二指腸動脈 anterior superior pancreaticoduodenal artery　2 後上膵十二指腸動脈 posterior superior pancreaticoduodenal artery　3 胃十二指腸動脈 gastroduodenal artery　4 総肝動脈 common hepatic artery　5 腹腔動脈 coeliac trunk　6 下膵十二指腸動脈 inferior pancreaticoduodenal artery　7 上腸間膜動脈 superior mesenteric artery　8 脾静脈 splenic vein　9 上腸間膜静脈 superior mesenteric vein　10 門脈 hepatic portal vein　11 空腸動脈 jejunal arteries　12 回腸動脈 ileal arteries　13 血管アーケード arterial arcades　14 小腸傍リンパ節 juxta-intestinal mesenteric nodes

大腸

大腸の区分と概説

大腸 large intestine は長さ約1.5〜1.8mである．これは腹腔の結腸下部 infracolic part にあって，小腸塊の周りを額縁のように取り囲んでいる．大腸はこれに盲腸，結腸および直腸の3部を区分する；盲腸（**A1**）には虫垂（**AC2**）が付着し，結腸 colon はさらに上行結腸（**A3**），横行結腸（**A4**），下行結腸（**A5**）およびS状結腸（**A6**）に亜区分され，直腸（**A7**）は末端部で肛門管（**A8**）に続いている．発生学的には肛門管までのすべての大腸の部は内胚葉性起源であり，肛門管は外胚葉に由来する．

大腸の肉眼的特徴

盲腸と結腸には著しい外見的な特徴があり，これによって大腸と小腸を容易に区別することができる．結腸ヒモ（**B9**）は3本みられ，これは幅約1cmに外縦走筋が集まって肥厚したもので，その位置に応じて間膜ヒモ mesocolic taenia，大網ヒモ omental taenia および自由ヒモ（**B10**）と呼ばれる．大腸壁の層構成はどこでも常に一定の厚さにつくられているのではなく，内腔には突出する半月形の収縮ヒダすなわち結腸半月ヒダ（**B11**）がみられ，外壁では横走するくびれの線に一致する．2つの半月ヒダの間は袋状に外方に向かって膨れだして結腸膨起（**B12**）をつくる．また，ヒモのところに漿膜下の脂肪が集積した付随物がみられ，これを腹膜垂（**B13**）という．

盲腸と虫垂

盲腸．盲腸は大腸の初部で，長さ6〜8cmの細い袋状を呈して右腸骨窩に存在し，内側壁に回腸（**C14**）が開口している．盲腸では，間膜ヒモが後内側を，大網ヒモが外後側を，自由ヒモ（**C10**）がその中間を，各々虫垂の起始部に向かって走っている．自由ヒモは前方からみえているヒモである．

虫垂（AC2）．虫垂は盲腸の後内側端から起始する．その位置は正常位というものを決めがたいほど非常に変異に富んでいる（**D**）：すなわち，症例の約65％では虫垂は盲腸の後ろに打ち上げられ（盲腸後位上行型 ascending retrocecal position），31％では分界線を越えて小骨盤に達し（下行型 descending position），2％強では盲腸の後ろで水平に位置し（盲腸後横位型 transverse retrocecal position），1％では回腸端の前に上行し（盲腸傍位回腸前上行型 anterior ascending paracecal position），0.5％では回腸端の後ろに上行する（盲腸傍位回腸後上行型 posterior ascending paracecal position）．最も頻度の多い盲腸後位上行型の場合，虫垂の起始部は前腹壁上のいわゆるマックバーニー点 McBurney's point に投影される（**E**）．この点は右の上前腸骨棘と臍を結ぶ線の外1/3と中1/3の境界点にある．下行型での虫垂尖は左右の上前腸骨棘を結ぶ線の右1/3と中1/3の境界点に投射される（ランツ点 Lanz's point）．虫垂は平均して長さ10cm，太さ6mmである．盲腸からの3本の結腸ヒモ（**C**）は虫垂の起始部に星状に集まってきて，虫垂壁の全周にわたる縦筋層をつくっている．

腹膜との関係．腹膜は変異に富む．盲腸はほとんどすべての面で腹膜におおわれ，時には自身の間膜をもっている．これを移動盲腸 mobile caecum といい可動性がある．盲腸が後腹壁に固定されて存在するとき，すなわち二次的腹膜後にあるとき，これを固定盲腸 fixed caecum という．回腸が盲腸に開口する上下には腹膜ヒダである盲腸血管ヒダと回盲ヒダがあり，各々腹膜陥凹である上回盲陥凹と下回盲陥凹（**C15**）をつくる．しばしば盲腸の右後部に盲腸後陥凹（**C16**）がみられる．虫垂は腹膜内 intraperitoneal にあり，自身の虫垂間膜（**C17**）をもっている．

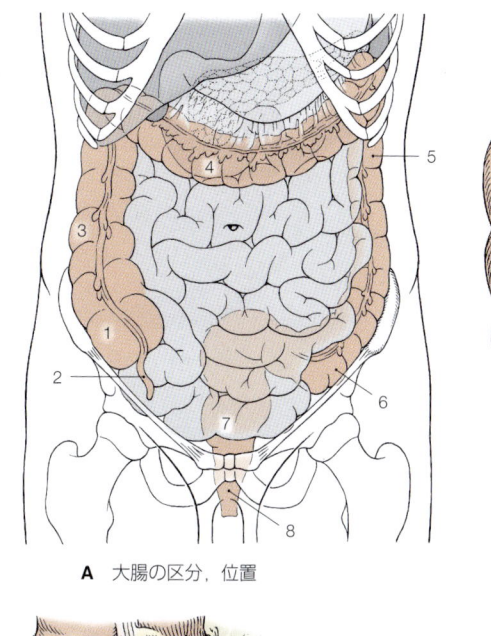

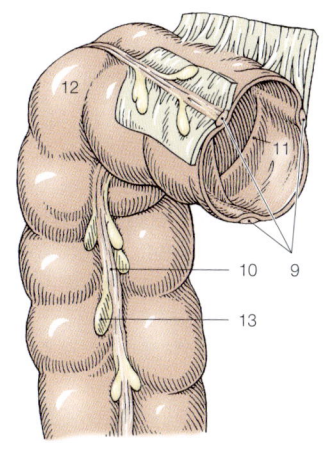

A 大腸の区分，位置

B 右結腸曲における大腸の特徴

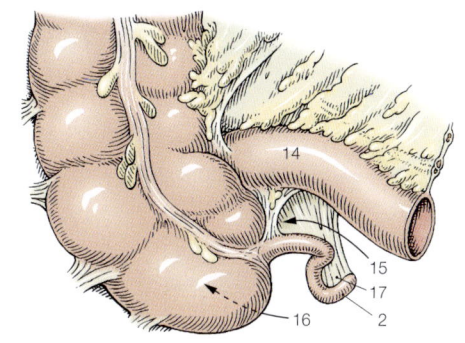

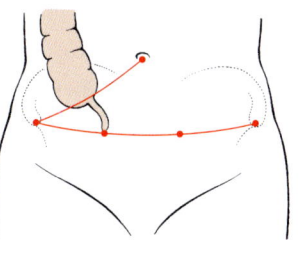

C 盲腸と虫垂

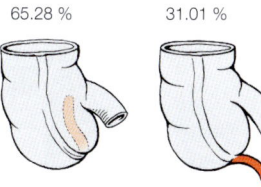

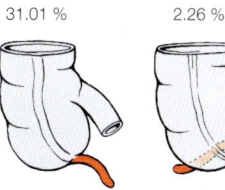

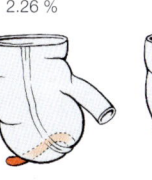

D 虫垂の位置の変異

E 虫垂の腹壁への投影

> 臨床関連：外科医は結腸ヒモの走向を手がかりとして虫垂を容易にみつけることができる．

---

1 盲腸 caecum　2 虫垂 vermiform appendix　3 上行結腸 ascending colon　4 横行結腸 transverse colon　5 下行結腸 descending colon　6 S状結腸 sigmoid colon　7 直腸 rectum　8 肛門管 anal canal　9 結腸ヒモ taeniae coli　10 自由ヒモ free taenia　11 結腸半月ヒダ semilunar folds of colon　12 結腸膨起 haustra of colon　13 腹膜垂 fatty appendices of colon　14 回腸 ileum　15 下回盲陥凹 inferior ileocaecal recess　16 盲腸後陥凹 retrocaecal recess　17 虫垂間膜 meso-appendix

盲腸と虫垂（続き）

粘膜像

盲腸の内面にはすでに**半月ヒダ**（**A1**）がみられている．回腸（**AB2**）の末端部は2つの粘膜唇すなわち**回盲腸唇（下唇）**（**AB3**）と**回結腸唇（上唇）**（**AB4**）でもって盲腸の中に折り返しており，横位にある卵円形の**回盲口**（**AB5**）の境界をつくっている．生体ではこれらの粘膜唇は盲腸の中に強く隆起して**回盲乳頭**（**B6**）としてみられる．上唇と下唇は合して左右に走るヒダである**回盲弁小帯**（**A7**）に終わる．**回盲弁** ileocecal valve（バウヒン弁 Bauhin's valve）はこれらの2つの粘膜唇とヒダで構成され，その土台となる基礎組織は殊に回腸末端部の折り返している筋層に関係している．回盲弁は大腸内容物の小腸への逆流を防止する．

回腸の開口部より少し下方で，虫垂が**虫垂口**（**AB8**）を経て盲腸に開いている．

微細構造

盲腸（**C**）．盲腸の組織学的構造は他の大腸の部と同じである．**粘膜には絨毛がなく，腸陰窩（腸腺）**（**C9**）だけをもっている．陰窩は殊に深くて（0.5mm），狭くつくられている．上皮は小皮縁（微絨毛）をもつ**線条縁細胞**（**C10**）と多数の**杯細胞**（**C11**）で構成される．**粘膜下組織**には孤立リンパ小節がみられる．**筋層**では，輪筋層は規則正しく均一であるが，縦筋層は基本的には3本のヒモに集約されている．

虫垂（**D**）．虫垂の微細構造も原則的には他の大腸と一致している．しかし，陰窩はそれほど深くない．虫垂で特徴的なことは多数のリンパ小節が集積した**集合リンパ小節**（**D12**）があることで，これは粘膜下組織から粘膜固有層にまで達している．虫垂は**免疫系の重要な一部**とみなされている（412頁）．**筋層**は連続した輪筋層と同様に縦筋層も連続してほぼ均一につくられている．

C17 粘膜筋板 muscularis mucosae，**C18** 粘膜下組織 submucosa，**C19** 筋層の輪層 circular layer，**C20** 筋層の縦層 longitudinal layer，**C21** 漿膜 serosa，**D22** 虫垂間膜 meso-appendix．

血管，神経，リンパ

動脈（**E**）．盲腸と虫垂は上腸間膜動脈の終枝として分岐する**回結腸動脈**（**E13**）によって栄養される．この動脈は次の枝を分枝する：すなわち，①虫垂間膜の中を走って虫垂に行く**虫垂動脈**（**E14**），②盲腸血管ヒダの中を走り，盲腸の前壁に向かう**前盲腸動脈**（**E15**），③盲腸の後壁に向かう**後盲腸動脈**（**E16**），④回腸の末端部を栄養する**回腸枝**（**E17**）．

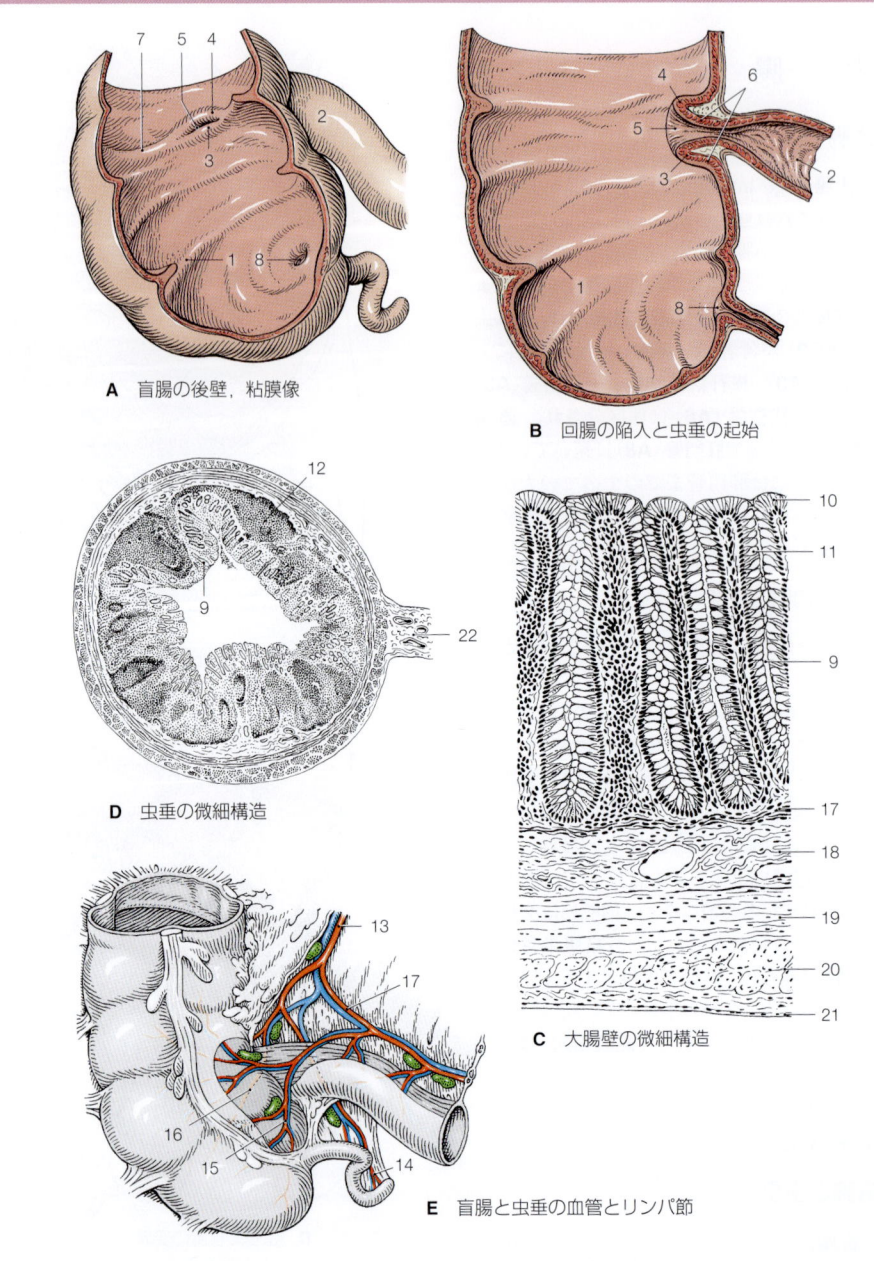

静脈．静脈還流は動脈と同名静脈によって上腸間膜静脈を経て門脈に入る．

神経．植物神経性の支配は小腸に一致する．

所属リンパ節．盲腸と虫垂からのリンパは，両者の角にある回結腸リンパ節，盲腸前リンパ節，盲腸後リンパ節および虫垂リンパ節に集まり，ここから腸間膜リンパ節を経由して腸リンパ本幹に達する．

機能．**盲腸と結腸**は殊に**水と電解質を再吸収する**という重要な使命をもっており，これらは消化液とともに大腸腔に到達する．また，大腸は回腸で栄養素の消化と吸収が終わった後の消化されなかった食物残渣を受け取り，これをバクテリアによって分解する．このような働きのために，大腸を通してゆるやかな蠕動と逆蠕動が起こり，腸内容物は移動し，また濃縮される．腸内容物を遠位結腸に運ぶためには弱い輸送運動が起これば十分である．**虫垂は局所的な感染防御の重要な場所**としてみなされている（419頁）．

臨床関連：虫垂は感染防御の器官として強烈にまた過剰に反応することがある．**虫垂炎** appendicitis のとき壁穿孔が起こり，そのため炎症が腹腔内に波及して**腹膜炎** peritonitis をひき起こすことがある．

終末部回腸炎，クローン病 Crohn's disease は，虫垂突起に場所的に近いことから，臨床的に虫垂炎と同じような症状を呈することがある．

A 盲腸の後壁，粘膜像
B 回腸の陥入と虫垂の起始
D 虫垂の微細構造
C 大腸壁の微細構造
E 盲腸と虫垂の血管とリンパ節

A1 半月ヒダ semilunar fold　**AB2** 回腸 ileum　**AB3** 回盲唇（下唇）ileocaecal lip (inferior lip)　**AB4** 回結腸唇（上唇）ileocolic lip (superior lip)　**AB5** 回盲口 ileocaecal orifice　**B6** 回盲乳頭 ileal papilla　**A7** 回盲弁小帯 frenulum of ileal orifice　**AB8** 虫垂口 orifice of vermiform appendix　**C9** 腸陰窩（腸腺）intestinal crypts (intestinal glands)　**C10** 線条縁細胞 striated border cells　**C11** 杯細胞 goblet cells　**D12** 集合リンパ小節 aggregated lymphoid nodules　**E13** 回結腸動脈 ileocolic artery　**E14** 虫垂動脈 appendicular artery　**E15** 前盲腸動脈 anterior caecal artery　**E16** 後盲腸動脈 posterior caecal artery　**E17** 回腸枝 ileal branch　**C17〜21, D22** は本文参照

結腸

上行結腸． 回腸の開口部で盲腸（**A1**）は連続して上行結腸（**A2**）に移行する．上行結腸は右側の下腹部に存在して，**右結腸曲**（**A3**）に達している．この曲は右腎の下極と肝右葉との間に位置している．上行結腸は**二次的腹膜後器官** secondary retroperitoneal organ である．

横行結腸（**A4**）．これは右結腸曲に始まる**腹膜内器官** intraperitoneal organ である．その一般的な存在部位はすこぶる変化に富み，臍の高さにあるものから小骨盤の中に達していることもある．横行結腸は**横行結腸間膜**（靱帯）（**B5**）を介して後腹壁に固定されているが（310頁 **A**），さらに，**肝結腸間膜**によって肝臓と，**胃結腸間膜**によって胃と，腹膜による結合をもっている．

下行結腸． 横行結腸は**左結腸曲**（**A6**）で鋭角に折り曲がって下行結腸（**A7**）に移行する．この強い屈曲部は左側の横隔膜天蓋の下部に位置し，**横隔結腸間膜**（靱帯）によってその位置に固定されている．この曲では腸内容物の通過障害を起こすことがある．下行結腸は左側の下腹部に存在する**二次的腹膜後器官**で後腹壁に癒着している．

S状結腸． 下行結腸は左の腸骨窩でS状結腸（**AB8**）に移行し，再び**腹膜内器官**となる．この部は**S状結腸間膜**（**A9**）を介して後腹壁に固定され，その根の中に腹膜陥凹である**S状結腸間陥凹**が生じている．S状結腸は中央線の方に向かってS字状に走り，第2または第3仙椎の高さに終わって直腸に移行する．

上記の結腸の各部は**大腸に特有な特徴**をすべて備えている．各部は3本のヒモをもっており，そのうち**自由ヒモ**だけ（**A10**）は遮る物がなく概観できる．二次的腹膜後器官では間膜ヒモと大網ヒモは後腹壁との間にあり，横行結腸では間膜ヒモは横行結腸間膜の付着部また大網ヒモは大網（**A11**）の付着部にある．

粘膜像と微細構造． 粘膜像は**半月ヒダ**が特徴的である．微細構造はすでに述べられた盲腸のそれに一致する（318頁）．**陰窩**は肛門の方に向かって徐々に平坦となる．

血管，神経，リンパ

動脈（**B**）．上行結腸と横行結腸の約2/3は上腸間膜動脈からの**右結腸動脈**と**中結腸動脈**（**B12**）によって栄養される（316頁 **B**）．右結腸動脈は回結腸動脈ともまた中結腸動脈とも吻合する．同様に，横行結腸の左1/3と下行結腸は下腸間膜動脈（**B14**）からの**左結腸動脈**（**B13**）によって供給される．中結腸動脈と左結腸動脈間―上腸間膜動脈の流域と下腸間膜動脈の流域間―には吻合が形成されている．S状結腸は**S状結腸動脈**（**B15**）に栄養され，この血管もまた吻合を経て左結腸動脈と連結している．

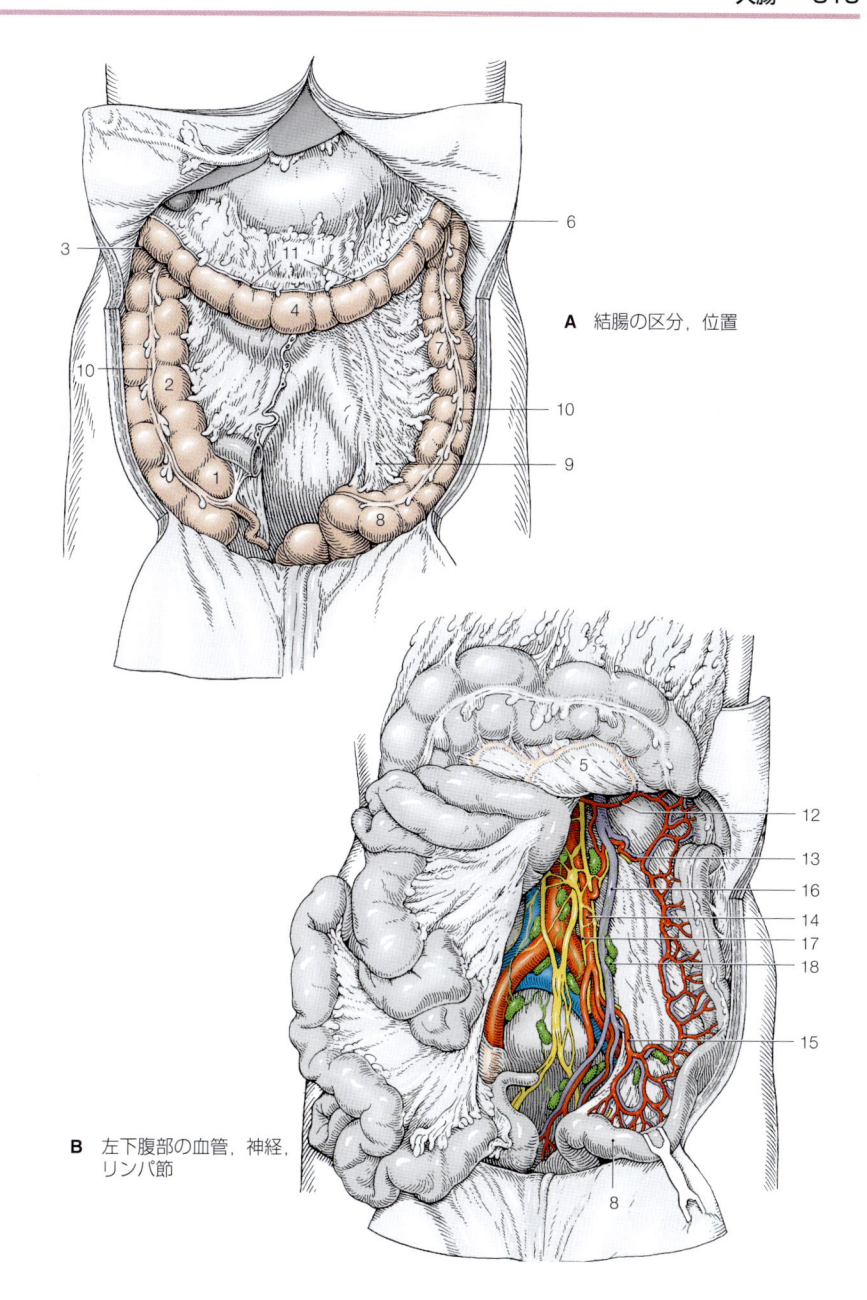

静脈． 同名静脈が動脈に伴行して走り，上腸間膜静脈または下腸間膜静脈（**B16**）を経由して門脈に還流する．

神経． 交感神経線維は上腸間膜動脈神経叢もしくは下腸間膜動脈神経叢（**B17**）に由来する．**副交感神経**支配は横行結腸の中1/3と左1/3の境界点（**キャノン・ベームの点** Cannon-Böhm's point）の前後で異なる．すなわち，この点までの副交感線維は迷走神経に由来し，この点から以下では $S_2 \sim S_5$ の仙髄節に起始をもつ骨盤内臓神経 pelvic splanchnic nerves に由来し，これから血管に沿って存在する植物神経性の神経叢に下から上に逆行性に走る（**B17**）．

所属リンパ節． 結腸からのリンパは**結腸傍リンパ節** paracolic nodes に直接入り，血管の幹に沿って存在する**結腸リンパ節**（**B18**）に集まり，腸間膜リンパ節を経て腹腔リンパ節に還流する．

A 結腸の区分，位置

B 左下腹部の血管，神経，リンパ節

1 盲腸 caecum　2 上行結腸 ascending colon　3 右結腸曲 right colic flexure　4 横行結腸 transverse colon　5 横行結腸間膜 transverse mesocolon　6 左結腸曲 left colic flexure　7 下行結腸 descending colon　8 S状結腸 sigmoid colon　9 S状結腸間膜 sigmoid mesocolon　10 自由ヒモ free taenia　11 大網（の付着部）greater omentum　12 中結腸動脈 middle colic artery　13 左結腸動脈 left colic artery　14 下腸間膜動脈 inferior mesenteric artery　15 S状結腸動脈 sigmoid arteries　16 下腸間膜静脈 inferior mesenteric vein　17 下腸間膜動脈神経叢 inferior mesenteric plexus　18 結腸リンパ節 colic nodes

直腸と肛門管

S状結腸（**A1**）は第2または第3仙椎の高さで**直腸**（**A2**）に移行する．直腸は長さ約15cmで小骨盤の中で前後の方向にS字状を呈している．直腸はまず仙骨前面の前方に開く凹面に一致した**仙骨曲**（**A3**）をつくり，次いで尾骨下端の高さで前方に凸の彎曲を示す**会陰曲**（肛門会陰曲）（**A4**）をつくり，骨盤隔膜 pelvic diaphragm を貫くために後方に曲がって肛門管に移行する．矢状面にあるこの2つの彎曲のほかに，直腸には前頭面にも軽い彎曲をもっている（**外側曲** lateral flexure）．直腸ではもはや大腸の典型的な特徴である膨起，腹膜垂およびヒモは備えておらず，肛門管より上の縦筋層は全周に均一につくられている．

肛門管（**A5**）は長さ約4cmで消化管の終端部である．ここは複雑な括約筋装置によって取り巻かれて**肛門**（**A6**）に開く．

直腸の上部ではその前面はまだ腹膜におおわれている．腹膜はここで，男性骨盤では腹膜陥凹の**直腸膀胱窩** recto-vesical pouch をつくりながら膀胱の上面に反転し，女性骨盤では**直腸子宮窩**（**A7**）をつくりながら子宮の上面に反転する．直腸上部は腹膜後 retroperitoneal にあり，また肛門管は腹膜下 subperitoneal にある．

直腸の粘膜像と微細構造． 肛門管の上方には内容物が充満したときに強く拡張することができる**直腸膨大部** rectal ampulla がある．通常，膨大部の内面には常在性の3本の**直腸横ヒダ** transverse folds of rectum がみられ，交互に段状に管腔に張り出している．上・下のヒダは左壁にあり，中間のヒダは最も大きなもので右壁にあって**コールラウシュヒダ（弁）**（**A8**）と呼ばれる．これは肛門から約6cmの距離にあり，女性骨盤では腹膜腔の最も深い点すなわち直腸子宮窩とほぼ同じ高さにある．

肛門管より上方では，直腸の壁構造は他の大腸に類似しており，上皮は単層円柱上皮である．

閉鎖筋（括約筋）装置

肛門管は複雑に構築された閉鎖筋系によって取り巻かれている．内層は平滑筋からなる**内肛門括約筋**（**B～D9**）でつくられ，外層は横紋筋からなる**外肛門括約筋**（**B～D10**）でつくられ，後者は骨盤底の筋組織を構成する肛門挙筋の尾部に続いている．

内肛門括約筋． この筋は腸壁筋層の輪筋層の続きで約2cmの高さがあり，そして**肛門皮膚線**に達し，そこは肛門輪としてかたい下縁を肛門から触診により触れることができる．

外肛門括約筋． この筋は平滑筋列の外側を取り巻き，その高さに応じて3部に区分されて皮下部（**B10a**），浅部（**B10b**）および深部（**B10c**）と呼ばれる．外肛門括約筋は肛門尾骨靱帯（**AD11**）によって尾骨と連結され，また上方では明確な境界なしに肛門挙筋の一部である恥骨直腸筋（**B12**）に移行している．

縦走する薄い平滑筋線維（**B～D13**）が内肛門括約筋と外肛門括約筋とを隔てている．この縦筋束は腸壁筋層の縦筋層の続きが現れたもので**肛門皺皮筋** corrugator cutis muscle of anus といわれ，その経過の途中で外肛門括約筋皮下部に潜り込み，肛門を中心とした会陰の皮膚に放散して終わる．

内肛門括約筋は通常状態では筋収縮時の状態にあり，基本的には交感神経によって支配されている．**外肛門括約筋**も同様に通常時には無意識的な筋緊張時の状態にある．しかし，この筋は陰部神経 pudendal nerve によって意識的にも支配される．

A 直腸と肛門管

B 括約筋装置

C 女の括約筋装置，（横断，皮下）

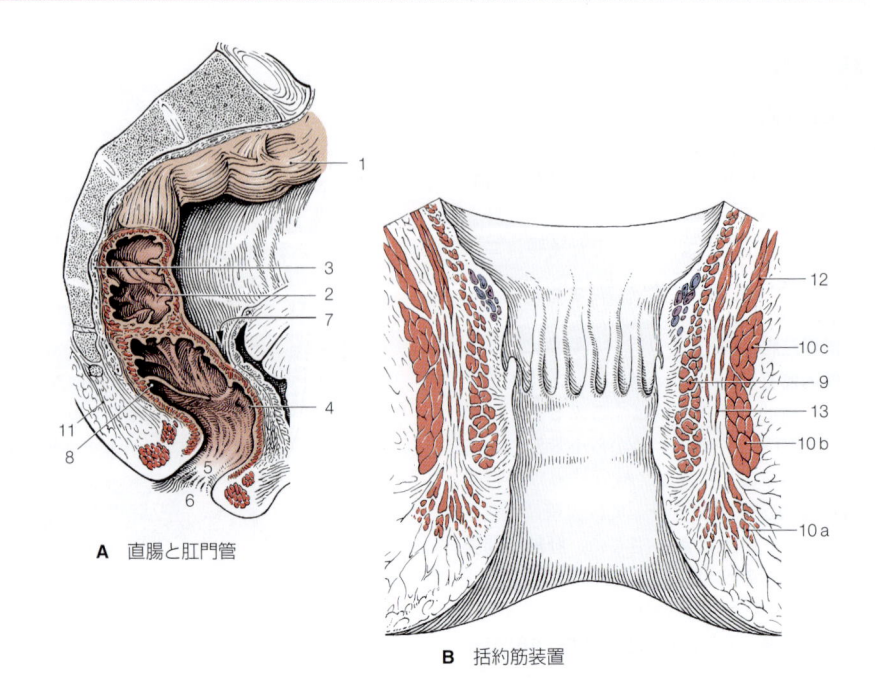

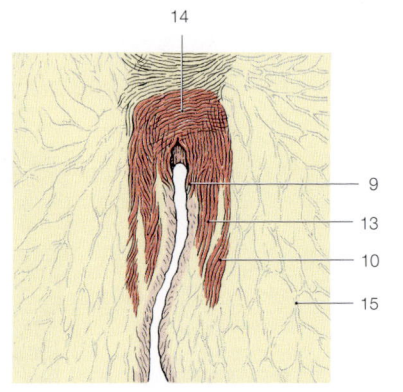

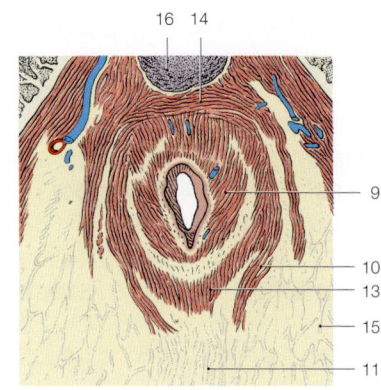

D 男の括約筋装置，（横断）

---

1 S状結腸 sigmoid colon　**2** 直腸 rectum　**3** 仙骨曲 sacral flexure　**4** 会陰曲（肛門会陰曲）perineal flexure (anorectal flexure)　**5** 肛門管 anal canal　**6** 肛門 anus　**7** 直腸子宮窩 recto-uterine pouch　**8** コールラウシュヒダ（弁）Kohlrausch's fold (valve)　**9** 内肛門括約筋 internal anal sphincter　**10** 外肛門括約筋 external anal sphincter　**10a** 皮下部 subcutaneous part　**10b** 浅部 superficial part　**10c** 深部 deep part　**11** 肛門尾骨靱帯 anococcygeal ligament　**12** 恥骨直腸筋 puborectalis　**13** 肛門皺皮筋 corrugator cutis muscle of anus　**14** 会陰腱中心 perineal body　**15** 坐骨直腸窩 ischiorectal fossa　**16** 尿道球 bulb of penis

直腸と肛門管（続き）

肛門管の粘膜像と微細構造

粘膜像． 本来の直腸から肛門管への移行部は**肛門柱**（**A1**）の上端を連ねる**肛門直腸線**（**A2**）で標識され，ここで本来の直腸粘膜は特異的な肛門管の粘膜に移行する．肛門柱は6〜10条の縦に走る粘膜ヒダで，その間にある凹みを**肛門洞**（**A3**）という．肛門柱の下端は横走するヒダで互いに連結されて**肛門弁**（**A4**）を形成し，全体として**櫛状線** pectinate line として標識される．肛門柱の基礎をなす土台は動静脈吻合であって，いわゆる**直腸海綿体**（**A5**）を形成し，これは上直腸動脈によって供給されている．

組織学． 肛門柱の領域で肛門管の粘膜上皮は単層円柱上皮から非角化重層扁平上皮に変化する（肛門柱：非角化重層扁平上皮，肛門洞：単層円柱上皮）．肛門の方に向かって粘膜領域である**肛門移行帯**（**A6**）が続き，ここはもっぱら非角化重層扁平上皮のみにおおわれて，肉眼的に白くみえる．この部の粘膜は痛覚が非常に鋭敏なところで，またその下に存在する基層としっかりと癒着している．肛門移行帯は内肛門括約筋の下縁の高さで**肛門皮膚線**（**A7**）に終わり，非角化重層扁平上皮は角化重層扁平上皮に代わって外部の皮膚に移行する．

> **臨床関連：** 肛門柱に由来する血管塊（動静脈吻合）すなわち**内痔核** internal hemorrhoid からの出血は淡赤色を呈し，動脈血に富んでいる．

血管，神経，リンパ

動脈． 直腸の大部分は下腸間膜動脈からの**上直腸動脈**（**B8**）によって栄養される．内腸骨動脈からの**中直腸動脈**（**B9**）は不定枝であるが，骨盤底の高さで直腸壁に入る．内陰部動脈からの**下直腸動脈**（**B10**）は肛門管と外肛門括約筋を栄養する．

静脈． 静脈は直腸の周囲に**直腸静脈叢** rectal venous plexus を形成している．静脈は動脈の供給領域に相応して，**上直腸静脈**は下腸間膜静脈を経て門脈に還流し，**中直腸静脈**と**下直腸静脈**は内腸骨静脈を経て下大静脈に還流する．

神経． 直腸と肛門管への植物神経は副交感神経の仙骨部と交感神経の腰部に由来する．これらは**下下腹神経叢**（**B11**）を経由して直腸と肛門管に達する．

所属リンパ節． 直腸からの大部分のリンパは上直腸動脈に沿って存在する**上直腸リンパ節** superior rectal nodes を経由して下腸間膜リンパ節に還流する．一方，肛門管からのリンパは**浅鼠径リンパ節** superficial inguinal nodes に還流する．

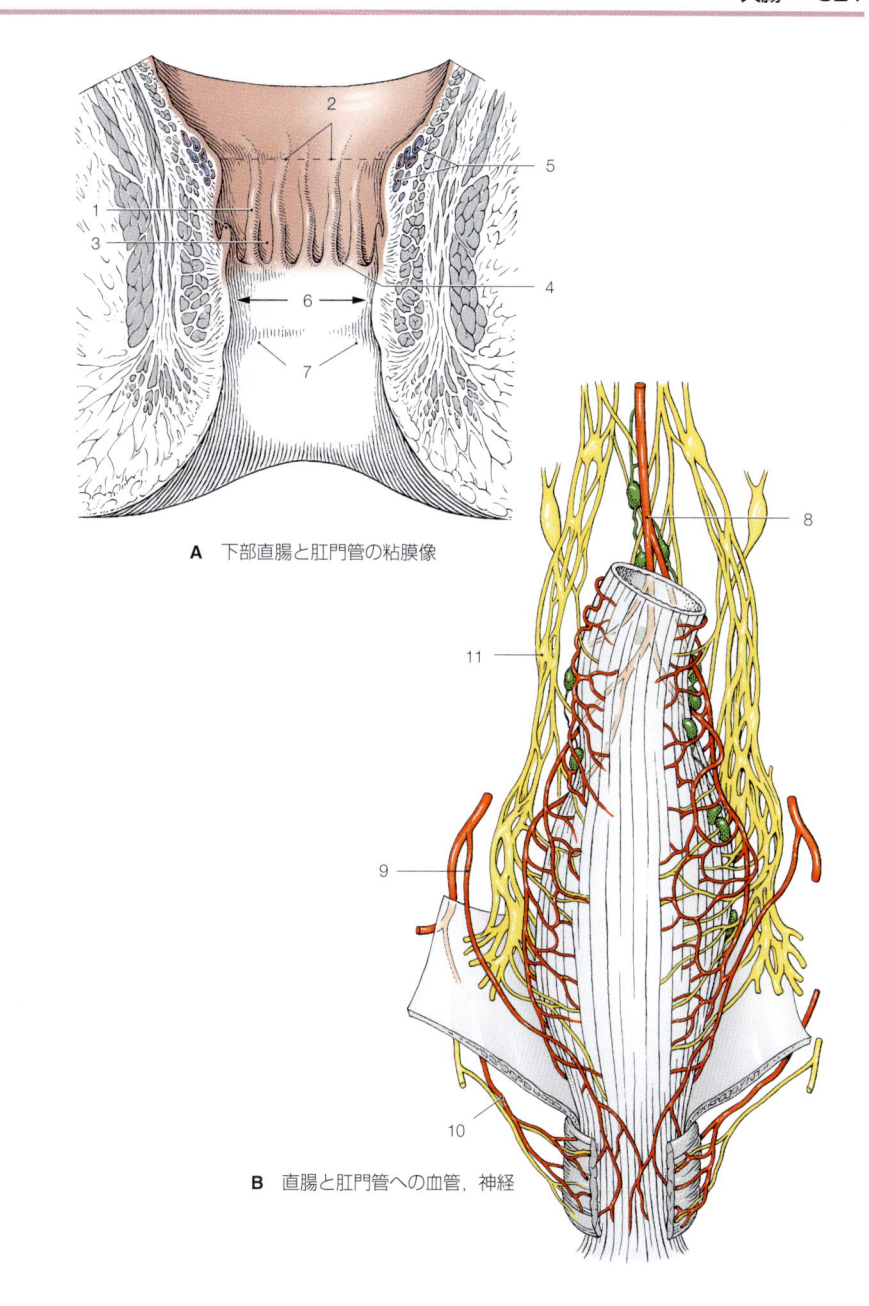

機能

直腸と肛門管の働きは**自制閉鎖** continence と**排便** defecation という二大概念に要約される．

自制閉鎖． 肛門口は通常では**括約筋群の筋緊張**によって閉鎖している．また，**恥骨直腸筋** puborectalis が直腸会陰曲の周りにワナを形成しており，これが会陰曲を前方に引っ張って肛門管を追加的に閉鎖している．そのほか，血管の詰め物である**直腸海綿体**が肛門管の閉鎖に補助的に協力している．

排便． 糞便の排泄に先だって結腸でできた糞便 feces が直腸の中に送られる．直腸に内容物が送られると直腸壁の緊張が増大して排便衝動をひき起こし，不随意性の内肛門括約筋が**反射的に弛緩**する．一方，**随意性の要因**として外肛門括約筋と恥骨直腸筋が弛緩し，これに腹圧が加わると意志的な排便の開始が起こってくる．

> **臨床関連：** 臨床的には，閉鎖装置のことを単に**自制閉鎖に関与する器官**（直腸，肛門管，括約筋装置，恥骨直腸筋，直腸海綿体および植物神経からなる）の一部，特に括約筋装置のことをいうことが多いが，全体的には終腸の正常な閉鎖すなわち便通の正常な統御を保証する装置のことである．

A 下部直腸と肛門管の粘膜像

B 直腸と肛門管への血管，神経

---

1 肛門柱 anal columns　2 肛門直腸線 anorectal line　3 肛門洞 anal sinuses　4 肛門弁 anal valves　5 直腸海綿体 cavernous body of rectum　6 肛門移行帯 anal transitional zone　7 肛門皮膚線 anocutaneous line　8 上直腸動脈 superior rectal artery　9 中直腸動脈 middle rectal artery　10 下直腸動脈 inferior rectal artery　11 下下腹神経叢 inferior hypogastric plexus

肝臓

肉眼的構造

肝臓 (**A1**) はその大部分が右の横隔膜円蓋の下にあり，赤褐色を呈する．肝臓の下縁は右側方では肋骨弓に重なり，鎖骨中間線が第8肋骨と交叉する点から上胃部を斜めに横切って左上方へ走る．

肝臓は三角形の無漿膜野 (**C7**) に至るまで臓側腹膜におおわれ，すなわち肝臓は**腹膜内** intraperitoneal にある．肝臓は肝鎌状間膜のところで前腹壁の壁側腹膜と連結し，小網すなわち肝十二指腸間膜を介して十二指腸と，また肝胃靱帯を介して胃の小彎と連結している．肝臓の表面は腹膜に被覆されることによって輝いてみえて平滑である．

肝臓は凸面をなす**横隔面** diaphragmatic surface と複雑に構成されている**臓側面** visceral surface が区別される．

横隔面．肝臓の横隔面はさらに前部，上部，右部および後部の4部に区分される．これらのうち前方に向いた最も広い面が**前部** anterior part である (**B**)．前部は矢状面に位置する腹膜の二重構造物すなわち**肝鎌状間膜** (**BC2**) によって**右葉** (**BC3**) と**左葉** (**BC4**) に分けられる．前部は明瞭で鋭い**下縁** (**B5**) において臓側面に移行している．肝臓が上方に向いた面を**上部** superior part といい (**C**)，下大静脈 (**CD6**) を取り巻く周辺にあたり，横隔膜の腱中心と癒着している．この癒着部の領域は臓側腹膜におおわれていなくて**無漿膜野** (**C7**) といわれ，取り出されて解剖された肝臓標本では臓側腹膜が壁側腹膜へ向かう折り返し部によって縁どられ，この縁を**肝冠状間膜** (**C8**) という．肝冠状間膜は右方では**右三角間膜** (**C9**) となり，左方では**左三角間膜** (**C10**) となる．後者は結合組織性の索である**肝線維性付着部** (**C11**) に終わる．肝冠状間膜の両脚が前方に向かって走り肝鎌状間膜 (**BC2**) に続く．下大静脈の左前方には横隔膜の心鞍 cardiac saddle に隔てられた心臓があり，肝臓の上部に心圧痕 cardiac impression がつくられる．胸郭に接する横隔面の右方の側部を**右部**といい，また後方に向いた丸い小部分を**後部**という．

臓側面．この面は，弱い凹面を呈し，後上方から前下方に向かって斜めに下っており，隣接器官と密接に関連している．臓側面はH字形に配列した溝によって区分けされる．**肝門** (**D12**) はH字の横脚をつくる．肝門では，門脈 (**D13**)，固有肝動脈 (**D14**) の2本の枝および神経が肝臓に入り，右肝管 (**D15**)，左肝管 (**D16**) およびリンパ管が肝臓から出ている．H字の左側の縦溝すなわち**左矢状裂** left sagittal fissure は前方の**肝円索裂** (**D17**) と後方の**静脈管索裂** (**D19**) からなり，いずれも胎生期血管の結合組織性遺残を入れている；すなわち，前者には臍静脈 umbilical vein の遺残である肝円索 (**D18**) を，後者には静脈管の遺残である静脈管索 (**D20**) を容れている．H字の右側にできる幅のある縦溝は**右矢状裂** right sagittal fissure といわれ，前方に胆嚢 (**D21**) を宿す**胆嚢窩** fossa for gallbladder と，後方に下大静脈 (**CD6**) が通る**大静脈溝** (**D22**) からなる．左矢状裂は肝臓を肉眼的に右葉と左葉に分け，右矢状裂との間に右葉の中で前方の**方形葉** (**D23**) と後方の**尾状葉** (**CD24**) の境界を作っている．尾状葉からは前下方に向かって乳頭突起 papillary process が，右葉の方に向かって尾状突起 caudate process が張り出している．ホルマリンで固定された肝臓では，その臓側面に目で見てわかる隣接器官の圧痕が残っている：すなわち，**左側**では，肝門に向かって張り出している小網隆起 (**D25**) のすぐ横に食道圧痕 (**D26**) と胃圧痕 (**D27**) が識別される．**右側**では，十二指腸圧痕 (**D28**)，結腸圧痕 (**D29**)，腎圧痕 (**D30**) および副腎圧痕 (**D31**) がある．

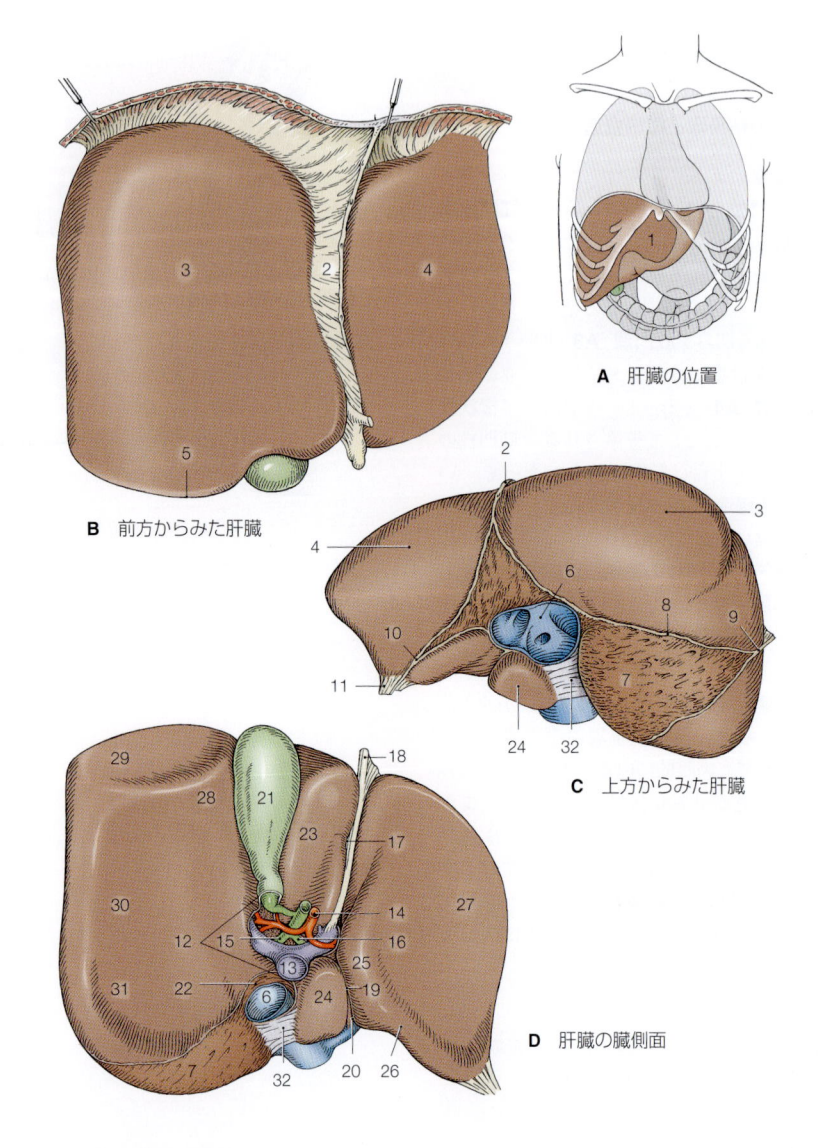

Dの註：肝臓は，CTの国際的な観察法に従って，背臥位の患者でみるように，背部が下方に，腹部が上方に図示される．

A 肝臓の位置
B 前方からみた肝臓
C 上方からみた肝臓
D 肝臓の臓側面

---

1 肝臓 liver　2 肝鎌状間膜 falciform ligament　3 右葉 right lobe of liver　4 左葉 left lobe of liver　5（肝臓の）下縁 inferior border　6 下大静脈 inferior vena cava　7 無漿膜野 bare area　8 肝冠状間膜 coronary ligament　9 右三角間膜 right triangular ligament　10 左三角間膜 left triangular ligament　11 肝線維性付着部 fibrous appendix of liver　12 肝門 porta hepatis　13 門脈 hepatic portal vein　14 固有肝動脈 hepatic artery proper　15 右肝管 right hepatic duct　16 左肝管 left hepatic duct　17 肝円索裂 fissure for round ligament　18 肝円索 round ligament of liver　19 静脈管索裂 fissure for ligamentum venosum　20 静脈管索 ligamentum venosum　21 胆嚢 gallbladder　22 大静脈溝 groove for vena cava　23 方形葉 quadrate lobe　24 尾状葉 caudate lobe　25 小網隆起 omental tuberosity　26 食道圧痕 oesophageal impression　27 胃圧痕 gastric impression　28 十二指腸圧痕 duodenal impression　29 結腸圧痕 colic impression　30 腎圧痕 renal impression　31 副腎圧痕 suprarenal impression　32 大静脈靱帯 ligament of vena cava

肝区域の構成

肝臓を肉眼的な肝葉に分ける記述法に対して，一方では**肝内脈管**すなわち門脈，肝動脈および肝管の**分岐様式**に従って肝臓を**肝区域**に区分することができる．この方法は変異に富み，文献においてもさまざまに記述されている．基本的には，右方への分布領域である**右肝部** right part of liver と，左方への分布領域である**左肝部** left part of liver とに分けられる．左肝部はさらに内側区と外側区に分けられる（324頁**A**）．したがって，肉眼的な肝葉の境界と機能的な肝区域境界とは正確には一致しない．

微細構造

肝臓の外面は強い結合組織性の被膜である**線維膜** fibrous capsule によっておおわれ，これから結合組織が肝実質内に入り込んで，血管とともに血管周囲線維鞘となる．この結合組織性骨格の網の目の中に肝上皮細胞すなわち**肝細胞**（**A1**）がある．結合組織，肝細胞および導通路は肝臓の構造上の構成単位である**肝小葉**（**AB2**）をつくる．

肝小葉

中心静脈小葉．この構成単位の中心に**中心静脈**（**AB3**）がある．小葉は多角形で，少量の結合組織で囲まれ，この結合組織は小葉間の隅角部では厚くなっていて三角形の**門脈周囲野**（**B4**）をつくる．ここには門脈の枝である**小葉間静脈**（**A5**），固有肝動脈の枝である**小葉間動脈**（**A6**）および胆汁を導く**小葉間胆管**（**A7**）が走り，これらはまとめて**グリソン鞘** Glisson's capsule といわれる．肝上皮細胞は連結して**肝細胞板**（**肝細胞索**）hepatic laminae（hepatic cord）をつくり，中心静脈を中心に放射状に小葉末梢に向かって配列している．肝細胞板の間には同様に放射状に走る**洞様血管**（**類洞**）（**A8**）がある．類洞には固有肝動脈の枝と門脈の枝が開口しており，したがって類洞の血液は酸素に富んだ血液と栄養分に富んだ血液を含んでいる．この血液は肝細胞と物質交換を行った後で中心静脈，集合静脈を経て，最終的には肝静脈を経由して下大静脈に還流する．類洞の壁と肝細胞表面の間には**類洞周囲腔**（**ディッセ腔**）（**CD9**）といわれる細隙があり，その中に肝細胞の微絨毛（**D10**）が突出し，さらにこの腔には脂肪摂取細胞いわゆる伊東細胞が存在する．類洞の血管壁は平らにひき伸ばされていて，細胞を貫く大きな孔（径約100nm）があるが，隔膜で閉ざされてはいないところの**有窓性の内皮細胞**（**D11**）からなる．基底膜はない．類洞の内腔表面には肝臓固有の食細胞である**クッペルの細胞** Kupffer cells がある．この細胞は単核性食細胞系（MPS：mononuclear phagocyte system）に属している．類洞周囲腔内に突出した微絨毛は血液によって洗われ，洞様血管の"窓"を通ってディッセ腔に入ってきた血液中の物質と直接接触して物質交換を行う．

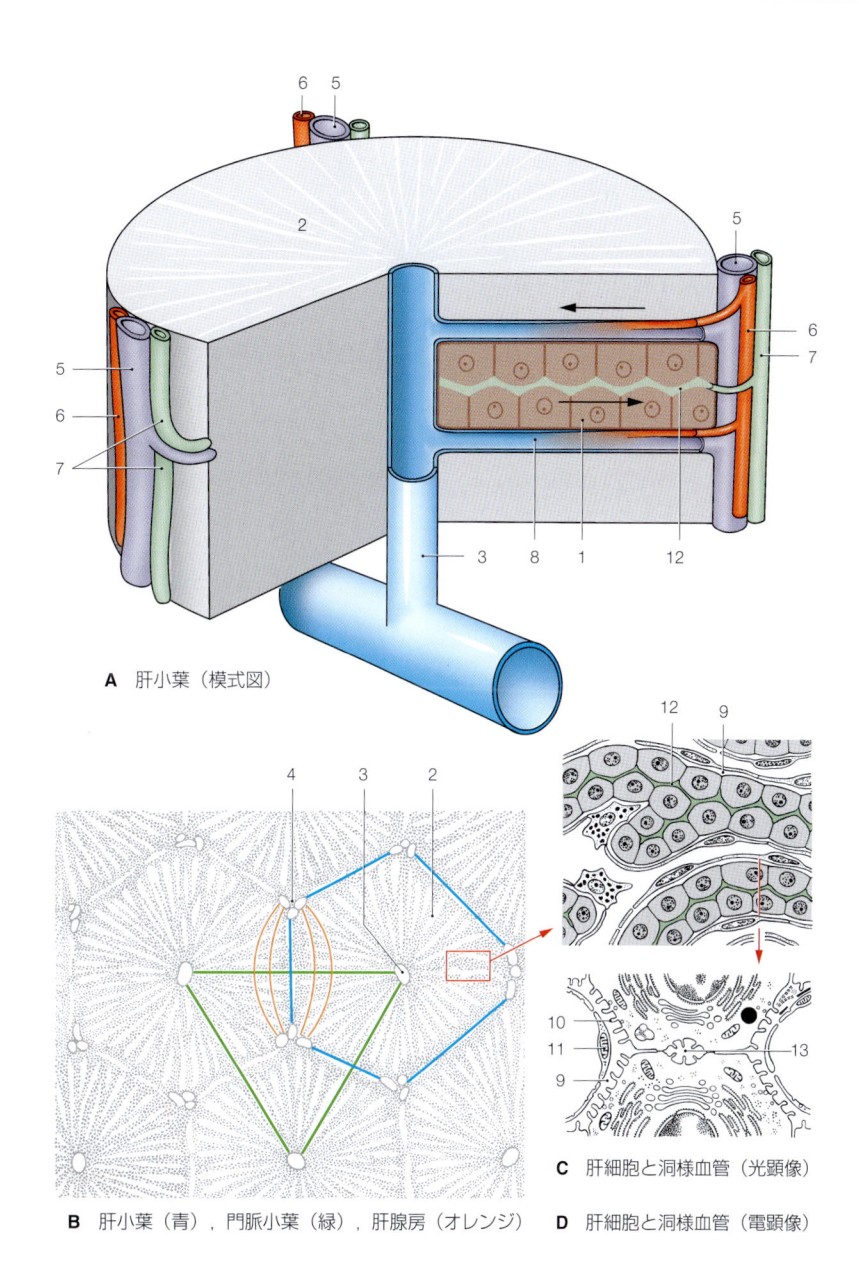

門脈小葉（**B**）．この考え方では**門脈周囲野**（**B4**）がこの肝小葉の中心に位置し，**胆汁の流れる方向**が決定的な要因となる．胆汁は肝細胞でつくられ，**毛細胆管**（**C12**）の中に引き渡される．この管は小筒状で固有の壁をもたず，2つの肝細胞が相接する面によって閉ざされた肝細胞間の細隙（**D13**）である．胆汁は中心静脈の方から**小葉間胆管**に流れ，**集合胆管** bile ducts に合流し，左右両葉から各々肝外に出ていく**右肝管**と**左肝管**となる．門脈小葉は三角形を呈し，その角に中心静脈が存在している．

固有肝動脈の枝は，ひし形を呈する**肝腺房** liver acinus（2本の中心静脈間にある肝細胞群）の軸の中にある（**B**）．栄養分と酸素濃度の勾配を考慮するとき，軸に隣接する**外帯**（zone 1）では肝細胞の物質代謝は非常に活発である．この領域の細胞は動脈枝に近いから多くの酸素を受け取る．一方，**内帯**（zone 3）では肝細胞の物質代謝活性ならびに酸素供給は減少している．この概念は病理学的見地から，肝腺房を肝臓の機能単位とみなす根拠となっている．

肝臓の機能．肝臓は**最大の代謝器官**として炭水化物，タンパク質および脂肪の代謝に関して重要な働きを行っており，また解毒作用がある．**外分泌腺**として胆汁を産生し，これは必要に応じて胆路系を経由して十二指腸に送られる．胎生期には血球産生に関与している．

A 肝小葉（模式図）

B 肝小葉（青），門脈小葉（緑），肝腺房（オレンジ）

C 肝細胞と洞様血管（光顕像）

D 肝細胞と洞様血管（電顕像）

---

1 肝細胞（肝上皮細胞）hepatocyte（liver epithelial cells） **2** 肝小葉 lobules of liver **3** 中心静脈 central veins **4** 門脈周囲野 periportal areas **5** 小葉間静脈 interlobular veins **6** 小葉間動脈 interlobular arteries **7** 小葉間胆管 interlobular bile ducts **8** 洞様血管（類洞）sinusoid **9** 類洞周囲腔（ディッセ腔）perisinusoid space（Disse's space） **10** 微絨毛 microvilli **11** 有窓性内皮細胞 fenestrated endothelial cells **12** 毛細胆管 bile canaliculus **13** 肝細胞間間隙 slits between liver cells

血管，神経，リンパ

動脈（B）．肝臓は酸素を含んだ血液（動脈血）を**固有肝動脈**（B1）（←総肝動脈←腹腔動脈幹）から受けとっている．この動脈は肝十二指腸間膜の中を通って肝門に達し，右枝（B2）と左枝（B3）の2枝に分岐する．

静脈．肝臓からの静脈血は3～4本の短い**肝静脈** hepatic veins を経由して下大静脈に還流する．

また，胃腸路からの栄養分に富んだ血液（静脈血）が**門脈** hepatic portal vein を経由して肝臓に送られる（下記参照）．

神経．神経支配は**腹腔神経叢** coeliac plexus に由来する肝神経叢 hepatic plexus によって支配される．

所属リンパ節．リンパは肝門に沿って存在する**肝リンパ節** hepatic nodes に集められ，上横隔リンパ節ないしは胸骨傍リンパ節を経由して先へ送られる．

門脈系（C）

門脈（BC4）．無対性の腹部器官（胃腸，膵臓，脾臓および胆嚢）からの静脈血を3本の根静脈（下記参照）を介して受け入れ，肝臓に運んでいる．したがって，腸で吸収された栄養分は最短路を通って肝臓に達することになる．門脈は肝門で右葉に入る**右枝** right branch と左葉に入る**左枝** left branch とに分岐して肝臓に入り，これらは各々肝内で小葉間静脈に至るまで分枝している．

門脈の支流．**脾静脈**（BC5）は，同名動脈に平行して，膵臓の上縁に沿って走り，膵静脈 pancreatic veins，短胃静脈 short gastric veins，および左胃大網静脈 left gastro-omental vein を受け入れ，また膵体の後部で下腸間膜静脈が脾静脈に開口する．**下腸間膜静脈**（BC6）は左結腸静脈（C7），S状結腸静脈 sigmoid veins および上直腸静脈 superior rectal vein を受け入れている．下腸間膜静脈は腹膜ヒダである上十二指腸ヒダの中を走り，十二指腸空腸曲を越えて膵臓の後部に達して脾静脈に開口する．脾静脈と上腸間膜静脈は膵頭の後部で合流して門脈となる．**上腸間膜静脈**（BC8）は空回腸静脈（C9），右胃大網静脈 right gastro-omental vein，膵静脈 pancreatic veins，膵十二指腸静脈 pancreaticoduodenal veins，回結腸静脈（C10），右結腸静脈（C11）および中結腸静脈（C12）を受け入れる．上腸間膜静脈とその支流は同名動脈に伴行して走っている．門脈本幹に直接注ぐ若干の周囲の小静脈として胆嚢静脈 cystic vein，左胃静脈 left gastric vein，右胃静脈 right gastric vein，幽門前静脈 prepyloric vein および臍傍静脈 para-umbilical veins がある．

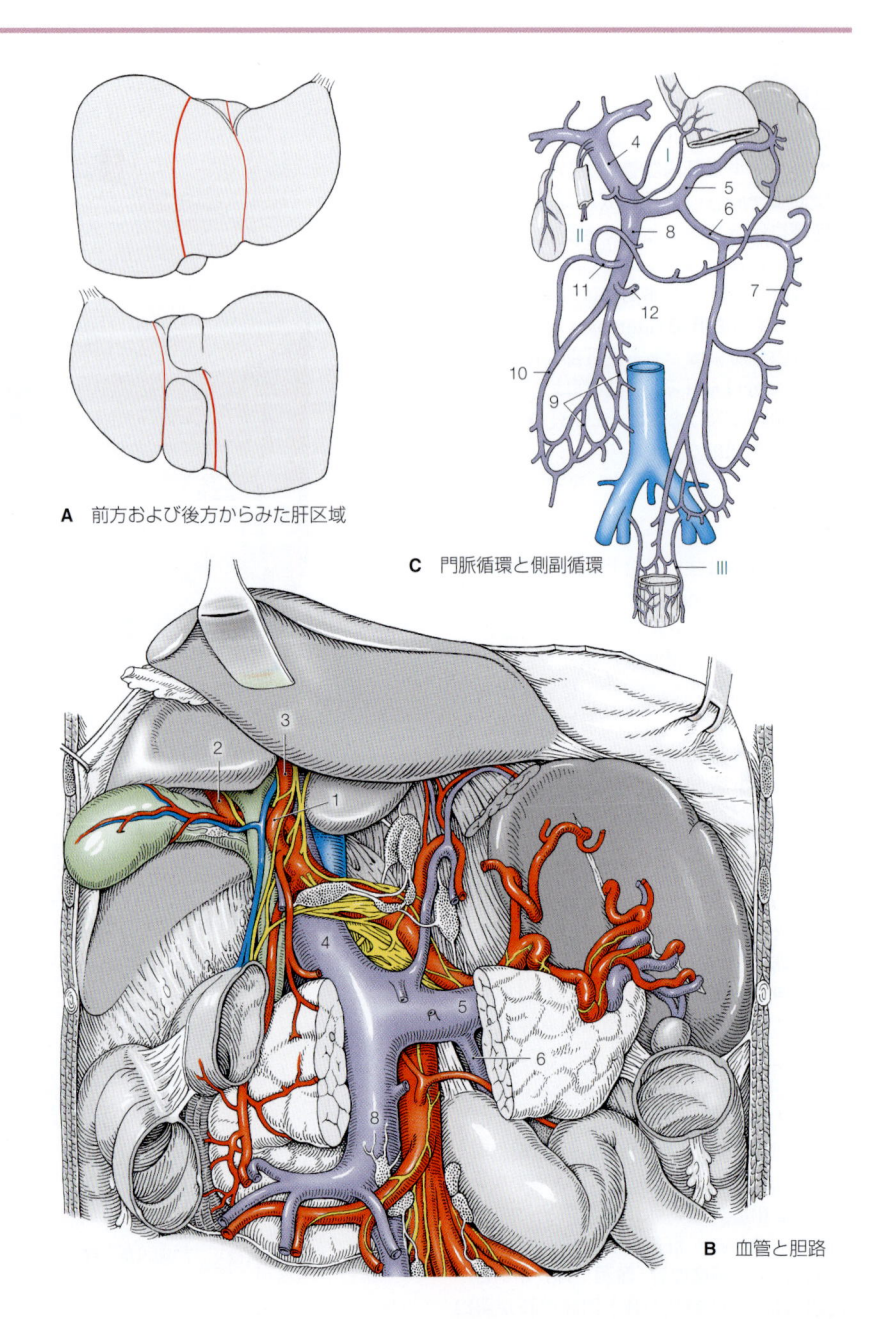

A 前方および後方からみた肝区域

C 門脈循環と側副循環

B 血管と胆路

最後の静脈は肝円索に伴行して走り，腹壁の皮静脈と門脈の間に吻合路をつくっている．

門脈-大静脈吻合（側副循環）

門脈の流域と上大静脈ならびに下大静脈の流域とは若干の場所で吻合している．

1. **食道**．胃の静脈は食道下端で**食道静脈**とつながっており，食道静脈 oesophageal veins は奇静脈と半奇静脈を経由して上大静脈に還流する（Ⅰ）．門脈血が滞留するときには，門脈血は食道静脈を経由して流出することができる．その際，食道静脈の血流量は増大し，血管壁に瘤様の拡張すなわち**食道静脈瘤** esophageal varices をつくることがある．

2. **腹壁**．門脈は**臍傍静脈** para-umbilical veins（Ⅱ）を介して腹壁の皮静脈である胸腹壁静脈 thoraco-epigastric veins および浅腹壁静脈 superficial epigastric vein と臍の周囲で吻合をもち，前者は上大静脈に，後者は下大静脈に連絡している．この領域の血流量が増大すると腹壁の皮静脈が怒張して**メズサの頭** caput medusae が現れる．

3. **直腸**．下腸間膜静脈を経て門脈に還流する**上直腸静脈**は，内腸骨静脈を経て下大静脈に還流する**中**および**下直腸静脈**と肛門周囲で吻合している（Ⅲ）．この領域における門脈血の滞留は**静脈性の痔核**をきたす．

> **臨床関連**：もし門脈血の心臓への還流が停滞すると，門脈の血圧は上昇し，門脈高血圧が発症する．この際には，最も危険なことは，食道静脈瘤からの出血であるが，これを止血するのは困難で，約60％が死に至る．

---

1 固有肝動脈 hepatic artery proper　2 右枝 right branch　3 左枝 left branch　4 門脈 hepatic portal vein　5 脾静脈 splenic vein　6 下腸間膜静脈 inferior mesenteric vein　7 左結腸静脈 left colic vein　8 上腸間膜静脈 superior mesenteric vein　9 空回腸静脈 jejunal and ileal veins　10 回結腸静脈 ileocolic vein　11 右結腸静脈 right colic vein　12 中結腸静脈 middle colic vein

胆路（胆道）

臨床的な考慮から，胆路は**肝内胆路** intrahepatic bile tract と**肝外胆路** extrahepatic bile tract に分けられる．

肝内胆路． これは2つの肝細胞間につくられる毛細胆管に始まり（323頁），短い介在部（ここをヘリング小管 canaliculus of Hering ともいう）を経て，**小葉間胆管**に注ぐ．小葉間胆管はより大きな胆管である**集合胆管**に合流し，これらは血管に伴行しながら**右肝管**と**左肝管**とにまとめられ，相応した肝葉から出てくる．右肝管と左肝管は尾状葉からの右尾状葉胆管 right duct of caudate lobe と左尾状葉胆管 left duct of caudate lobe を受け入れている．

肝外胆路． 肝門の領域で右肝管（**AB1**）と左肝管（**AB2**）は合流して**総肝管**（**AB3**）となり，これが肝外胆路の初部となる．総肝管は長さ約4～6cmで肝十二指腸間膜の中にあり，鋭角に開く**胆嚢管**（**AB4**）を受け入れた後，長さ6～8cmの**総胆管**（**AB5**）に続く．総胆管は初めは肝十二指腸間膜の中にあるが，次いで十二指腸上部の後ろを通って十二指腸下行部の後内側に達する．ここで通常では膵管（**B6**）と合一して**大十二指腸乳頭**（ファーター乳頭）（**B7**）に開く（315頁）．総胆管は膵管と合一する前に閉鎖筋である総胆管括約筋を備えている．また通常では両導管は合一して拡張した**胆膵管膨大部**（**B8**）をつくり，ここには膨大部括約筋（オッディの括約筋）を備えている．胆外胆路では，胆嚢管までは複雑につくられたラセンヒダ spiral fold を備えている以外，ほとんど粘膜ヒダはみられない．

微細構造． 肝外胆路は**単層円柱上皮**で内張りされ，上皮下の**粘膜固有層**は薄い結合組織層からなる．平滑筋線維からなる**筋層**は薄く，結合組織性の**外膜**には胆管粘液腺がある．

胆 嚢

胆嚢（**C9**）は西洋梨形を呈した長さ8～12cm，幅4～5cmの薄壁の袋で，約30～50mlの液を収容できる．胆嚢は**胆嚢底**（**C10**），**胆嚢体**（**C11**），**胆嚢頸**（**C12**）の3部に分けられる．胆嚢は肝臓の胆嚢窩の中にはまり込んでいて，肝臓とは結合組織によって結合している．底は肝臓下縁から少し飛び出し，頸は後上方に向かっていて十二指腸上部の上方に位置する．胆嚢の下面は腹膜によっておおわれている．内面の**粘膜**には格子状の予備ヒダがあって，肉眼的には多角形の紋理として観察される．

微細構造． 粘膜 mucous membrane は杯細胞がある単層の高円柱上皮と上皮下の血管の多い結合組織で構成される（粘膜筋板はない）．筋層 muscular layer はラセン状に配列した平滑筋線維からなる．外面は厚い漿膜下組織と漿膜 serosa によっておおわれている．

血管，神経，リンパ

動脈． 胆嚢は**胆嚢動脈** cystic artery（←固有肝動脈の右枝）から供給される．

静脈． **胆嚢静脈** cystic vein が直接門脈に流れる．

神経． 胆路および胆嚢を支配する植物神経は**腹腔神経叢** coeliac plexus に由来する．胆嚢と胆路の腹膜被覆部は右横隔神経からの知覚線維によって支配されている．

所属リンパ節． 胆嚢壁のリンパは肝門にある**肝リンパ節**に還流する．

機能． 胆嚢は胆汁 bile を貯蔵して濃縮し，必要に応じて排出している．胆路は胆汁の輸送器官である．

> **臨床関連：** 胆嚢と胆道は放射線学的に造影剤を用いても描出できるが，超音波でも優れた画像が描出される．

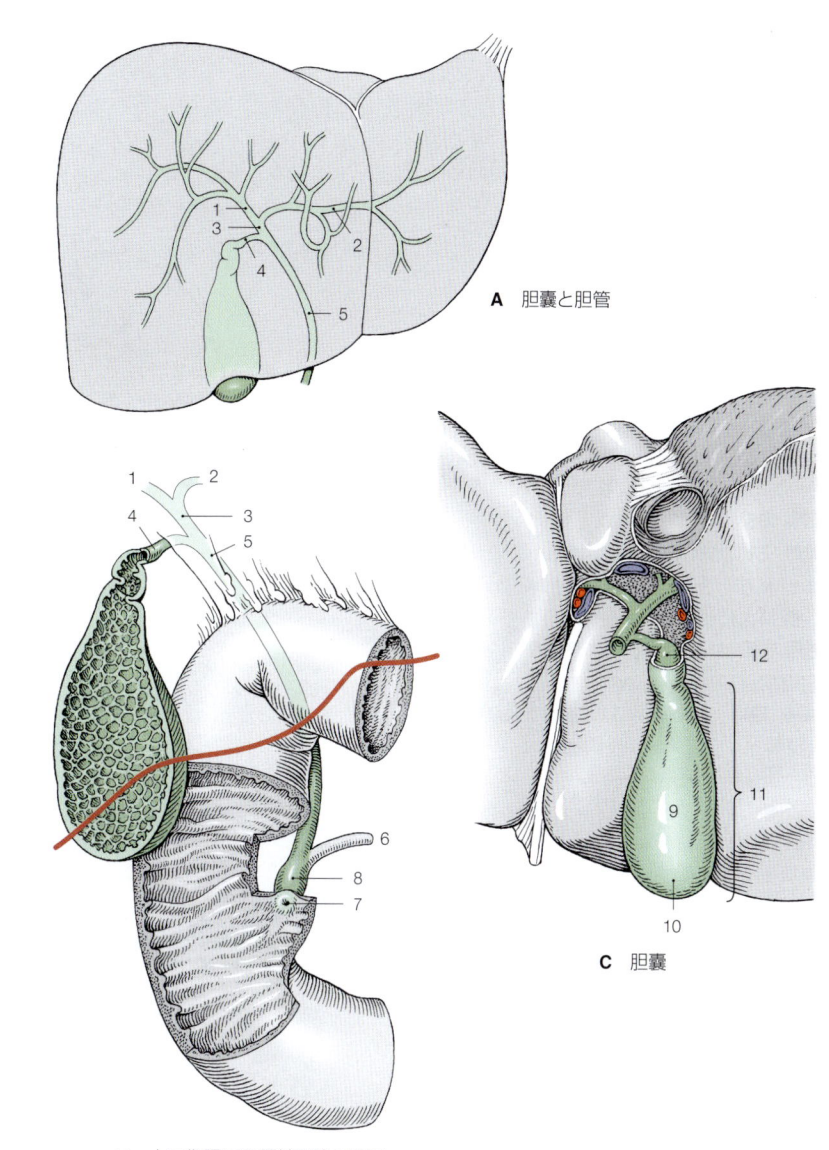

A 胆嚢と胆管

B 十二指腸での肝外胆路の開口

C 胆嚢

---

1 右肝管 right hepatic duct　**2** 左肝管 left hepatic duct　**3** 総肝管 common hepatic duct　**4** 胆嚢管 cystic duct　**5** 総胆管 bile duct　**6** 膵管 pancreatic duct　**7** 大十二指腸乳頭（ファーター乳頭）major duodenal papilla（Vater's papilla）　**8** 胆膵管膨大部 hepatopancreatic ampulla　**9** 胆嚢 gallbladder　**10** 胆嚢底 fundus of gallbladder　**11** 胆嚢体 body of gallbladder　**12** 胆嚢頸 neck of gallbladder

膵臓

肉眼的構造と微細構造

膵臓（**A1**）はくさび形を呈し，長さ約13～15cmの器官で，第1腰椎と第2腰椎の高さで腹膜後隙にある．膵臓は十二指腸の左方に開いた彎曲から脾門までほとんど水平にのびて，左へいくほど細くなる．肉眼的にはこれを3部に分ける：すなわち，

膵頭（B2）．膵頭は脊柱の右に位置して最も太い部であって十二指腸のCの字形のワナの中にはまっている．膵頭は後方および下方に向かって鉤状にのびる**鉤状突起（B3）**をもっていて，上腸間膜動・静脈（**B4**）を取り巻いている．膵頭と鉤状突起の間の溝を**膵切痕（B5）**という．

膵体（B6）．細長く，水平に走っている膵体は，脊柱を乗り越えて左へ向かうがこの時，腹部大動脈を横切る．頭に近い部に**小網隆起（B7）**があり，これは網嚢の中に突出する（327頁）．

膵尾（B8）．膵尾は膵体の尖端部をいい，これは脾腎ヒダ splenorenal ligament の中で脾門に達している．

膵臓は全面を結合組織によりおおわれ，壁側腹膜の後ろに位置する**腹膜後器官** retroperitoneal organ である．膵頭および膵体領域の前面には横行結腸間膜（**B9**）が横切り，この結腸間膜根 root of mesocolon によって膵臓の前面 anterior surface は上方に向いた**前面（B10）**と，下方に向いた**下面（B11）**とに分けられる．また，この根は腹腔を上腹部と下腹部に分ける境界ともなっている．

太さ2mmの導管すなわち**膵管（B12）**が**後面** posterior surface 近くをこの腺を貫いて，通常総胆管と一緒になって大十二指腸乳頭（**B13**）に開口する．少数例では両導管の合一は起こらないで，別々に十二指腸に開口する．この主膵管とは別に**副膵管（B14）**が膵頭近くで主膵管から分かれ，独立して小十二指腸乳頭に開口する．

微細構造．膵臓は主として**外分泌腺**である．内分泌部の島器官については別項で述べられる（383頁）．外分泌部（**C**）は**純漿液腺**で，極度に分化した腺上皮細胞からなる**腺終末部（C15）**を備えている．腺房は**長い介在部（C16）**に続き，この介在部は導管系の初部をつくり，腺終末部の中に陥入している．断面では陥入した介在部細胞がいわゆる腺房中心細胞（**CD17**）として現れる．介在部の多くが**より大きな小葉間導管**に開く．小葉間導管は合して最終的には**膵管**にまとめられ，腺の分泌物は十二指腸に導かれる．器官被膜の結合組織は繊細な線維性の中隔

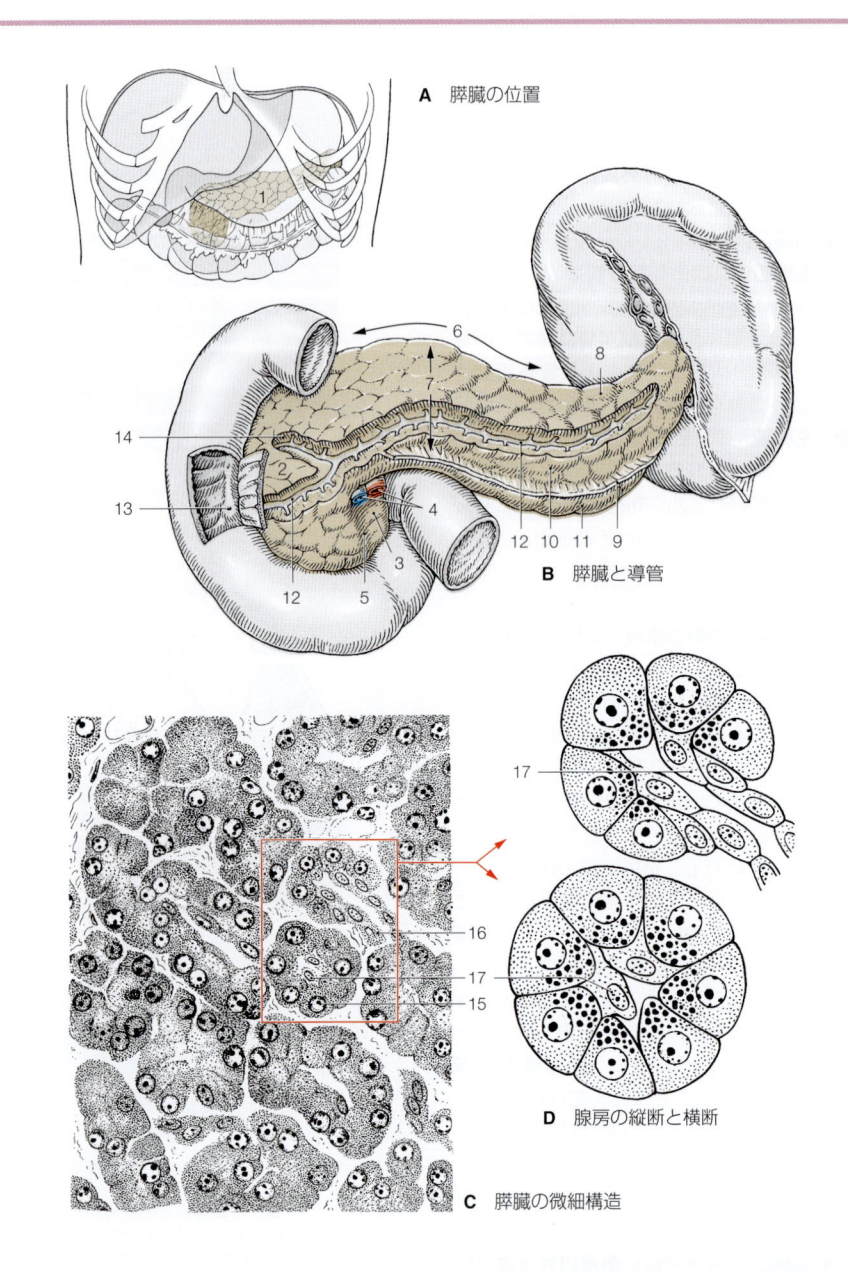

A 膵臓の位置

B 膵臓と導管

C 膵臓の微細構造

D 腺房の縦断と横断

となって器官内に入り，この器官の実質を葉および小葉に分けている．

血管，神経，リンパ

動脈．膵頭への動脈血供給は，十二指腸と同様に（316頁），**胃十二指腸動脈の枝**（←総肝動脈），つまり後上膵十二指腸動脈と前上膵十二指腸動脈によって供給される．この二枝は上腸間膜動脈からの下膵十二指腸動脈と吻合する．**脾動脈の枝**である膵枝 pancreatic branches が膵体と膵尾を栄養する．

静脈．静脈血の還流は同名の短い静脈を経て行われ，これは脾静脈と上腸間膜静脈を経由して門脈に注いでいる．

神経．交感神経線維は腹腔神経叢 coeliac plexus に由来し，副交感線維は迷走神経 vagus nerve に由来する．

所属リンパ節．膵頭からのリンパは**膵十二指腸リンパ節** pancreaticoduodenal nodes に集められ，ここから通常肝リンパ節に還流する．膵体と膵尾のリンパは，膵臓の上縁と下縁にある**膵リンパ節** pancreatic nodes に集められ，そこから腹腔リンパ節に流れる．

機能．膵臓の外分泌部は**膵液** pancreatic juice を分泌し，膵液には脂肪を分解するリパーゼ，炭水化物を分解するアミラーゼおよびタンパク質を分解するプロテアーゼの前駆物質を含んでいる．

> **臨床関連：急性膵臓炎**は，生命に関わる疾病であるが，これは膵臓の酵素の活性化がすでに器官自体に生じて，それによって膵臓の実質が破壊される（自己消化）のである．

---

1 膵臓 pancreas　2 膵頭 head of pancreas　3 鉤状突起 uncinate process　4 上腸間膜動・静脈 superior mesenteric artery and vein　5 膵切痕 pancreatic notch　6 膵体 body of pancreas　7 小網隆起 omental eminence　8 膵尾 tail of pancreas　9 横行結腸間膜 transverse mesocolon　10（膵臓の）前上面 anterosuperior surface　11（膵臓の）前下面 antero-inferior surface　12 膵管 pancreatic duct　13 大十二指腸乳頭 major duodenal papilla　14 副膵管 accessory pancreatic duct　15 腺終末部 terminal portion（end-piece）　16 介在部 intercalated part　17 腺房中心細胞 centroacinar cells

網嚢と膵臓の局所解剖

網嚢

網嚢はほとんど完全に閉鎖した**腹膜腔の薄隙腔**で, 胃 (**A1**) と小網の後方および壁側腹膜におおわれた膵臓 (**A2**) の前方に位置している. **網嚢孔**(ウインスロー孔)(矢印)が自然にできる唯一の入口である. 網嚢の中, および周囲の腹膜の状態についてはすでに他で論じられている (310頁).

小網, 胃結腸間膜および横行結腸間膜を切断して, 手術的に到達することによって露出させると, 網嚢は初めてそのすべての広がりが概観できるようになる.

網嚢孔(ウインスロー孔)omental foramen (Winslow foramen). 前方から小網の**肝十二指腸間膜**によって境され, この間膜の中を固有肝動脈 (**B7**), 総胆管 (**B8**) および門脈 (**B9**) が走っている. 網嚢孔の中に指を入れてみると, 前方には肝十二指腸間膜を触れ, またその中で最も背側に位置する門脈を触れ, 後方には下大静脈が触知できる. 胃膵ヒダ (**A4**) の中には左胃動脈 (**B10**) が走っている. 上方を探ると, 肝尾側葉に, 下方では十二指腸上部に達することができる.

網嚢前庭. 網嚢孔を通ると, 最初に前庭 vestibule に達する. これは腹側では小網によって, 背側では壁側腹膜によって境されている. 前庭の中に尾状葉の**乳頭突起**(**AB3**) が突出し, その左に腹膜ヒダが張り出した**胃膵ヒダ**(**A4**) があり, このヒダが網嚢の本来の主腔から前庭を区切っている.

主腔. 網嚢の主腔は, 上方に向かって食道と下大静脈との間に**上陥凹** superior recess が胃底まで, 左方に向かって脾索と胃との間に**脾陥凹**(**A5**) が, 下方に向かって胃の大彎と横行結腸との間に**下網陥凹**(**A6**) が広がっている.

膵臓

膵臓は**網嚢の後壁**に接して存在し, その**前面**は壁側腹膜によっておおわれ, 膵頭は十二指腸に囲まれている. 膵臓は**上腹部の大きな血管の幹**と密接に隣り合っている: すなわち, 膵臓の上縁 (**B11**) には脾動脈 (**B12**) が, 少し深部の脾静脈 (**B13**) と平行して走っている. 脾静脈は膵体の後方で下腸間膜静脈を受け入れ, 膵頭の後方で上腸間膜静脈 (**B14**) と合流して門脈 (**B9**) となる. 膵臓の後方で上腸間膜動脈 (**B15**) が大動脈から起始して, 十二指腸空腸曲 (**B16**) の横を下方に向かい, 鉤状突起の膵切痕を通り, 続いて十二指腸水平部の上縁を越えて, 腸間膜根の中を走っている.

膵臓の背側には前述の血管のほかに右から左に順を追って, 総胆管, 下大静脈, 大動脈および左側の副腎と腎臓ならびに腎動静脈がある. 膵尾は脾門の中に突出し, ここではまた左結腸曲ならびに下行結腸 (**B17**) と局所的な関係をもっている.

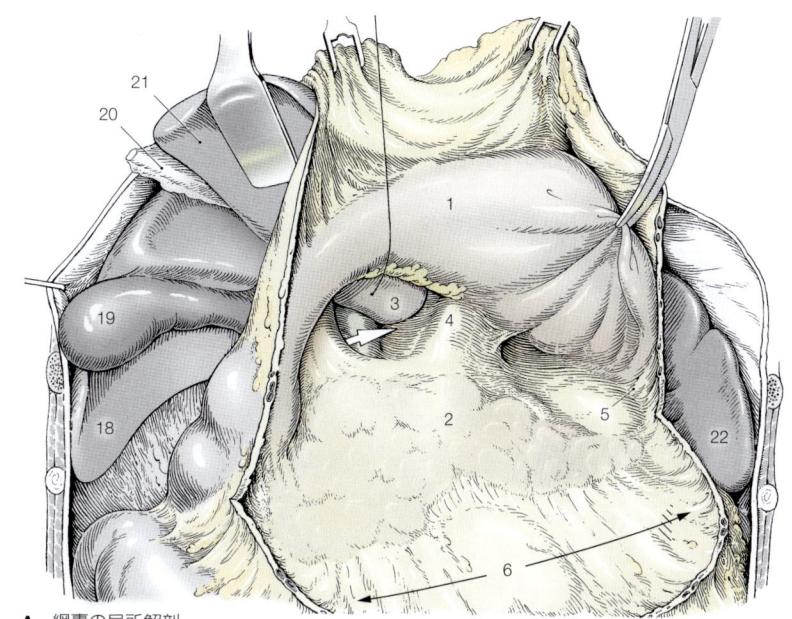

A 網嚢の局所解剖

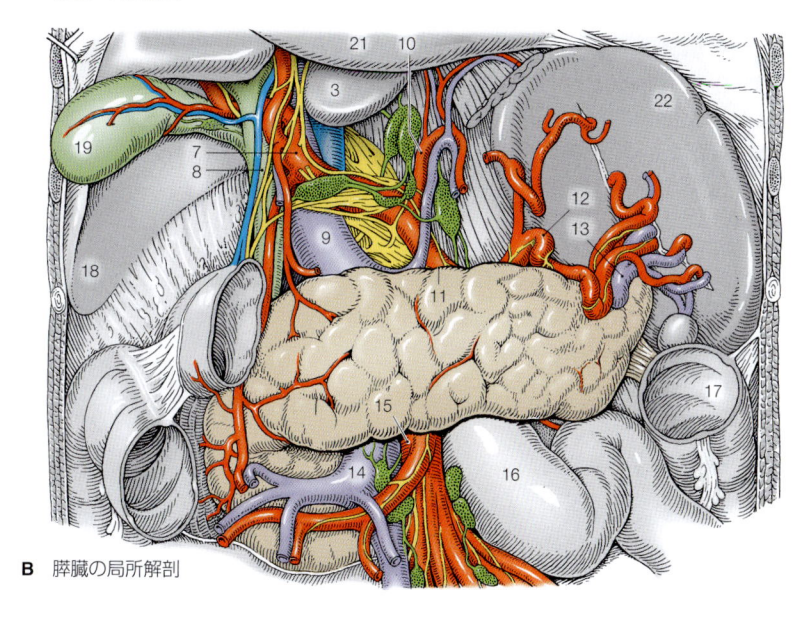

B 膵臓の局所解剖

> **臨床関連: 膵臓疾患**(炎症, 膵頭癌)は隣接の十二指腸に伝播することがある. また, 大きな胆路を閉ざして**閉塞性黄疸**をひき起こし, さらには門脈や下大静脈の中にも逆流をひき起こしたりして, 腹水や下肢の浮腫につながることがある.

膵臓疾患の診断は, 古くは深部にある臓器故に困難であったが, 近時は最新の画像診断, とくにコンピュータ断層撮影や超音波検査法の導入によってかなり容易になった.

---

1 胃 stomach　2 膵臓 pancreas　3 尾状葉(乳頭突起) caudate lobe (papillary process)　4 胃膵ヒダ gastropancreatic fold　5 脾陥凹 splenic recess　6 下陥凹 inferior recess　7 固有肝動脈 hepatic artery proper　8 総胆管 bile duct　9 門脈 hepatic portal vein　10 左胃動脈 left gastric artery　11 (膵臓の)上縁 superior border　12 脾動脈 splenic artery　13 脾静脈 splenic vein　14 上腸間膜静脈 superior mesenteric vein　15 上腸間膜動脈 superior mesenteric artery　16 十二指腸空腸曲 duodenojejunal flexure　17 下行結腸 descending colon　18 肝右葉 right lobe of liver　19 胆嚢 gallbladder　20 肝円索 round ligament of liver　21 肝左葉 left lobe of liver　22 脾臓 spleen

局所解剖（Ⅱ）

上腹部の断面解剖

腹腔，とくに上腹部における疾患の診断には，今日では熟練した画像診断が組み込まれている．**通常使われる検査面として横断面**が最も多く用いられる．そこで，ここでは順に3枚の上腹部を通る横断面と1枚の下腹部を通る横断面について検討する．

第11，12胸椎間での横断面

最初の断面は第11胸椎と第12胸椎の間にある椎間円板intervertebral discの高さでの横断面である．この断面では，背外側に胸膜洞の肋骨横隔洞（**A1**）がみられる．横隔膜（**A2**）の切断面は食道裂孔と大動脈裂孔の間で切られている．したがって，大動脈（**A3**）はまだ胸大動脈thoracic aortaの高さで切られており，それゆえ大動脈の前には横隔膜の切断面がみられる．肝臓は肝門porta hepatisより上方で切られており，肝右葉（**A4**）と肝左葉（**A5**）の傍に尾状葉（**A6**）が識別できる．尾状葉は下大静脈（**A7**）を包み込んでいる．肝実質内の結合組織中には，門脈が右枝（**A8**）と左枝（**A9**）に分岐しているのがわかる．胃は食道が胃に開口する直下で切られており（**A10**），まだ噴門（**A11**）の高さである．胃の背側には脾臓（**A12**）の上極が切られている．胃と脾臓の間には胃横隔間膜（**A13**）がみられる．

第12胸椎の高さでの横断面

第2の断面は第12胸椎の下縁の高さでの横断面である．この断面では肋骨横隔洞（**B1**）の下部切断面が認められ，大動脈（**B3**）は横隔膜の高さで切られている．この像では腹膜後隙retroperitoneal spaceの上部が切断されており，右方には副腎の切り口が，左方では副腎（**B14**）と腎臓（**B15**）の切り口がみられる．

肝臓は肝門の直下で切られ，胆嚢は胆嚢頸（**B16**）の高さである．胆嚢の横に門脈（**B17**）の切り口がみられ，さらに横には総肝動脈（**B18**）が隣接している．総肝動脈と脾動脈（**B19**）が腹腔動脈（**B20**）から起始しているところがうまくとらえられている．脾動脈は蛇行して走るために何回も切られている．腹腔動脈の付近には大きなリンパ節（**B21**）が識別され，門脈の背側には下大静脈の切り口がみられている．胃は胃体（**B22**）の領域にあたっており，粘膜像は典型的な縦走ヒダを示している．胃の左側と後方に位置して脾臓（**B12**）が識別される．背側で胃と脾臓の間に左結腸曲（**B23**）が切られている．この位置は左結腸曲の典型的な位置ではないが，起こりうる位置変異である．

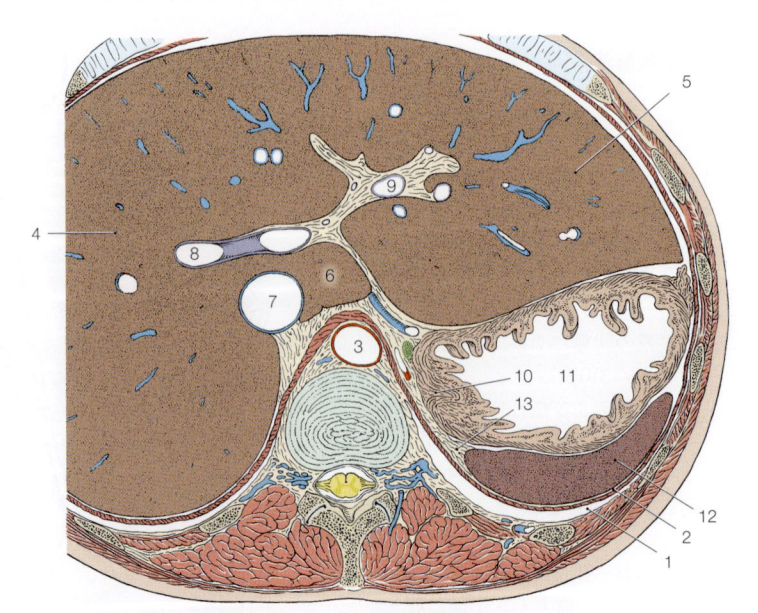

A 第11，12胸椎間の横断面

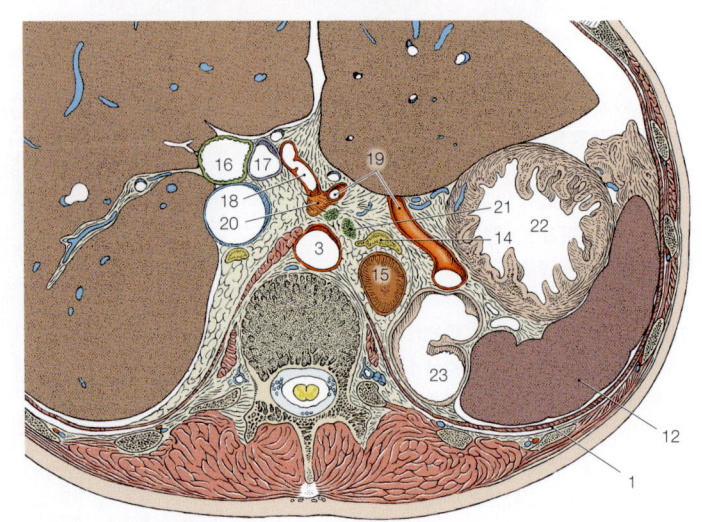

B 第12胸椎の高さでの横断面

臨床関連：上腹部の断面解剖を知っていると，CTやMRIなどの画像を診断と解釈の前提であり，その基礎となる．この場合，出発点となる構造は，第一に腹部の血管である．腹部血管は，しばしば造影剤の使用によって，良好な像を得ることができる．CTやMRIは水平断面の解剖をもとに描かれることがあり，複雑な計算を行って，三次元の構造に変換されるのであるが，超音波検査では，断面の高さとは独立して自由に設定して一般の解剖との対応を求めることができる．

固定した上腹部の臓器，たとえば肝，胆道，膵臓，それにリンパ節などは，前述した方法の何れを用いても，ある程度同等な感度，特異性でもって診断の役に立っている．下腹部では，超音波検査が実質臓器病変の診断に力を発揮するが，一方，小腸，大腸の病変については，むしろCT，MRIが使い良い．しかし例外的に腸管壁の変化，慢性的な腸管の炎症的疾患や大腸の憩室炎では，一部超音波像で把握しやすい．

---

1 肋骨横隔洞 costodiaphragmatic recess　2 横隔膜 diaphragm　3 大動脈 aorta　4 肝右葉 right lobe of liver　5 肝左葉 left lobe of liver　6 尾状葉 caudate lobe　7 下大静脈 inferior vena cava　8 （門脈の）右枝 right branch　9 （門脈の）左枝 left branch　10 食道の胃への開口部 oesophageal opening to stomach　11 噴門 cardia　12 脾臓 spleen　13 胃横隔間膜 gastrophrenic ligament　14 副腎 suprarenal gland　15 腎臓 kidney　16 胆嚢頸 neck of gallbladder　17 門脈 hepatic portal vein　18 総肝動脈 common hepatic artery　19 脾動脈 splenic artery　20 腹腔動脈 coeliac trunk　21 リンパ節 lymph node　22 胃体 body of stomach　23 左結腸曲 left colic flexure

上腹部と下腹部の断面解剖

第1腰椎の高さでの横断面

この断面は第1腰椎の肋骨突起（**A1**）の高さで得られている．胸膜腔の続きである肋骨横隔洞（**A2**）は今ではもはや側方にみられる狭い細隙にすぎないことが識別できる．腹膜後隙では第2の断面と反対に，今度は右側で副腎（**A3**）の切断面のほかに腎臓（**A4**）の上極の切断面が識別され，左側では腎臓（**A4**）の切断面だけがみられている．右の副腎に直接隣接して下大静脈（**A5**）があり，脊柱の直前には大動脈（**A6**）がある．肝臓に関しては今や肝右葉（**A7**）だけがみられ，その胆嚢窩 fossa of gallbladder の中に胆嚢（**A8**）がはめ込まれている．胆嚢は十二指腸下行部（**A9**）に隣接している．十二指腸については，さらに上部（**A10**）の一部が切られており，これは幽門括約筋（**A11**）を経て胃に帰着している．胃では前壁（**A12**）と後壁（**A13**）が概観できる．胃の後方には網嚢（**A14**）の細隙腔が容易に識別され，その後壁に接して膵臓（**A15**）がある．膵臓の鉤状突起（**A16**）は上腸間膜動脈（**A17**）と上腸間膜静脈（**A18**）を囲んでおり，上腸間膜静脈の傍には脾静脈（**A19**）の経過の一部が追跡できる．この断面像では，膵尾（**A20**）が脾臓（**A21**）の門にまで十分に達しているところをとらえていないが，膵尾と脾臓の間には左結腸曲（**A22**）の切り口が押し込まれている．肝臓と胃の腹側には膨らんだ横行結腸（**A23**）がみられ，これは胃結腸間膜（**A24**）を介して胃に連結されている．

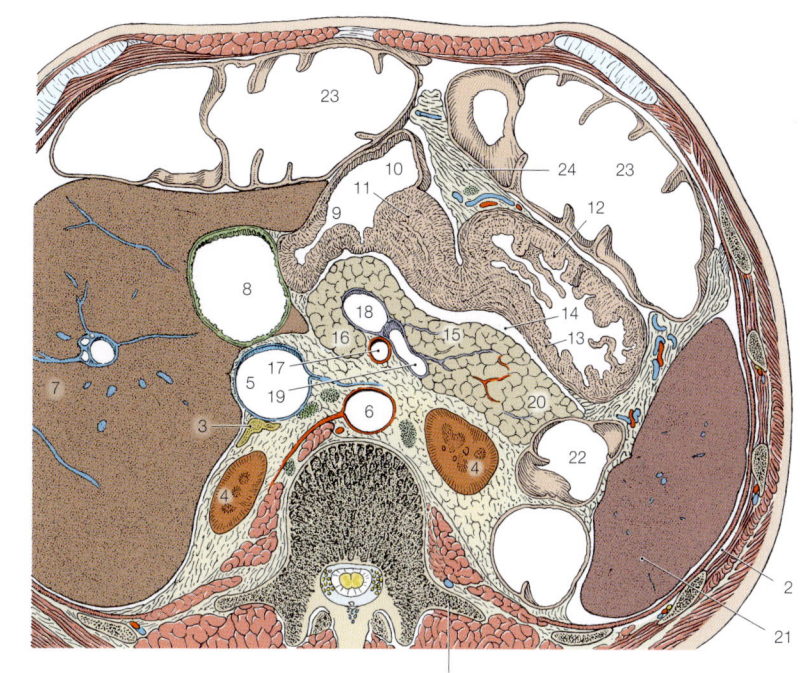

A 第1腰椎の高さでの横断面

第3腰椎の高さでの横断面

この断面は第3腰椎の高さで切られた像で，下腹部の器官群がみられている．後腹壁には，左右に大腰筋（**B25**）と腸骨筋（**B26**）の切断面が識別できる．脊柱の直前には総腸骨静脈（**B27**）と総腸骨動脈（**B28**）が横断されている．左側の腹膜後腔には下行結腸（**B29**）が切られている．腹膜腔は基本的に小腸ワナ（**B30**）と腸間膜（**B31**）によって埋められている．右方には膨らんだ盲腸（**B32**）の切断面がある．

この切断像では，前腹壁の層構成がよく描写されている：すなわち，側方に外腹斜筋（**B33**），内腹斜筋（**B34**）および腹横筋（**B35**）が概観できる．また，正中線の横には腹直筋（**B36**）があり，正中には臍（**B37**）の下縁がみられている．

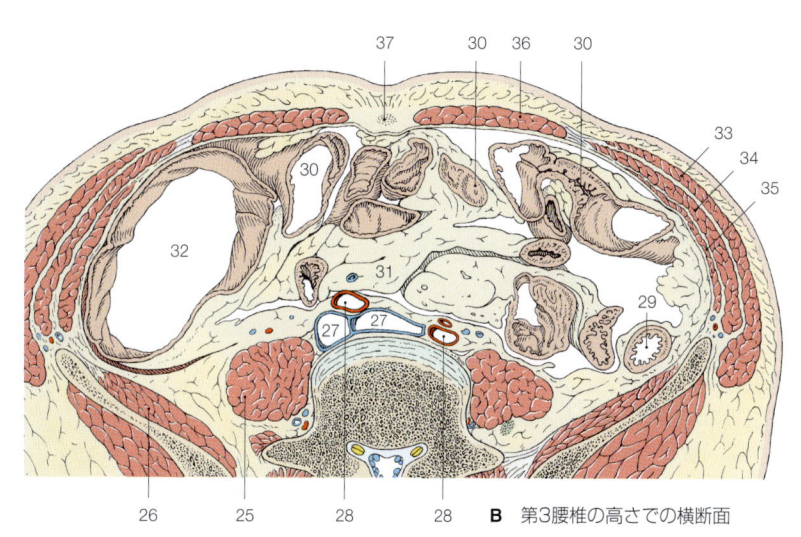

B 第3腰椎の高さでの横断面

臨床関連：下腹部については，超音波検査が第一の選択肢である．腎，尿管，膀胱，前立腺が対象である．小腸・大腸はこれに対して，望ましい対象ではない．この場合は**結腸スコープ**による，コンピュータやMRIを使っての腹腔三次元再構成が診断法に入ってくる．

1（第1腰椎の）肋骨突起costal process 2 肋骨横隔洞costodiaphragmatic recess 3 副腎suprarenal gland 4 腎臓kidney 5 下大静脈inferior vena cava 6 大動脈aorta 7 肝右葉right lobe of liver 8 胆嚢gallbladder 9 十二指腸下行部descending part of duodenum 10 十二指腸上部superior part of duodenum 11 幽門括約筋pyloric sphincter 12 （胃の）前壁anterior wall 13 （胃の）後壁posterior wall 14 網嚢omental bursa 15 膵臓pancreas 16 鉤状突起uncinate process 17 上腸間膜動脈superior mesenteric artery 18 上腸間膜静脈superior mesenteric vein 19 脾静脈splenic vein 20 膵尾tail of pancreas 21 脾臓spleen 22 左結腸曲left colic flexure 23 横行結腸transverse colon 24 胃結腸間膜gastrocolic ligament 25 大腰筋psoas major 26 腸骨筋iliacus 27 総腸骨静脈common iliac vein 28 総腸骨動脈common iliac artery 29 下行結腸descending colon 30 小腸small intestine 31 腸間膜mesentery 32 盲腸caecum 33 外腹斜筋external oblique 34 内腹斜筋internal oblique 35 腹横筋transversus abdominis 36 腹直筋rectus abdominis 37 臍umbilicus

概　説

今日まで泌尿器系器官と生殖器系器官を一緒にして尿生殖器系 urogenital system として論じられてきた．このことは発生学的な関わり（378頁以降参照）では根拠のあることだが，完成した器官系の形態学および機能を考えるとあまり意味のあることではない．したがって，泌尿器系器官ならびに男性および女性生殖器系器官は順番に別々に論じる．それに続いて，泌尿器系と生殖器系の多くの器官を納めている男性骨盤腔と女性骨盤腔の局所解剖学的な比較が行われる．

泌尿器の構成と位置

泌尿器系 urinary system に属する器官には，対性の重要な**腎臓**（A～C1），対性の**腎盤**（BC2），対性の**尿管**（A～C3），無対性の**膀胱**（AB4）と**尿道**（A5）が含まれる．

機能的構成．上記の器官群は**尿生成**に関わる器官と**尿排出**に関わる器官に分けられる．腎臓では血漿の限外濾過 ultrafiltration によって尿がつくられ，また濃縮されている．尿は腎盤と尿管を経由して膀胱に送られ，膀胱は尿を一時的に貯留する．最終的には尿道を経由して排尿される．

局所的構成．泌尿器系の器官は腹膜で内張りされた狭義の腹腔の外に位置する．これらの器官は腹膜後腔すなわち腹膜後隙の中か，または小骨盤の結合組織すなわち腹膜下隙の中のどちらかに納められている（220頁）．この局所的観点から泌尿器系を検討すれば，腎臓と尿管の近位部は**腹膜後隙** retroperitoneal space に位置する．尿管の遠位部，膀胱および女の尿道は**腹膜下隙** subperitoneal space に納まっている．男性尿道は短い距離を走ったのち小骨盤を去って，**陰茎** penis の中に向かう．

腹膜後隙

腹膜後隙（C）は脊柱の**前**で腹膜腔の**後ろ**にあり，脊柱の両側にある筋性の基盤は**腰方形筋**（C6）と**大腰筋**（C7）によってつくられている．これらの筋が存在する領域では，腹膜後隙はくぼみをつくって広がっている．この広がりを**腰窩** lumbar fossa といい，**上方**は横隔膜に達し，**下方**は小骨盤の腹膜下隙の中に連続して続いている．

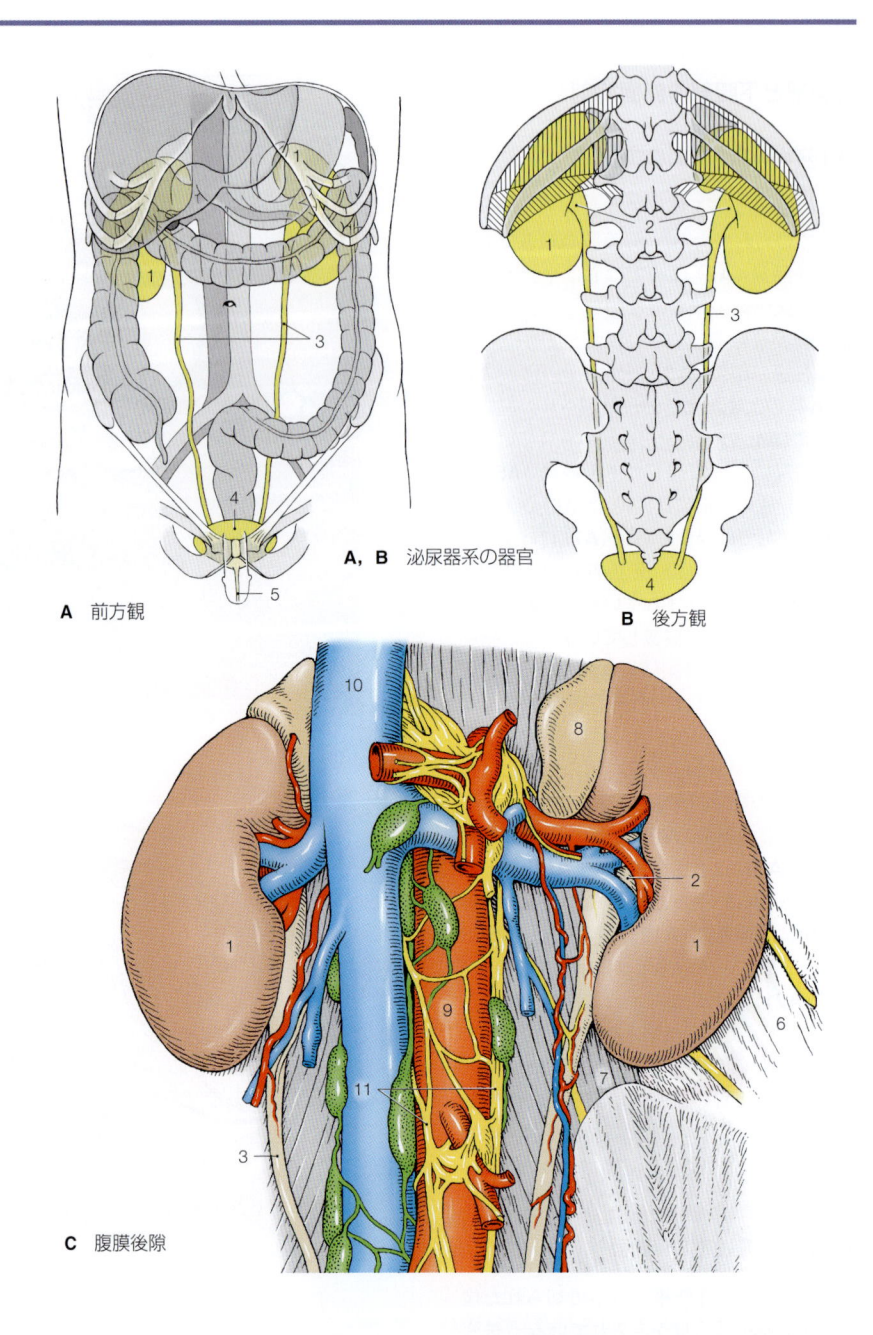

A 前方観　　**A, B** 泌尿器系の器官　　**B** 後方観

C 腹膜後隙

| 臨床関連：腹膜後腔の炎症は大腰筋に沿って筋裂孔 muscular space を経て大腿にまで伝播することがある．腎臓は呼吸運動に伴って位置を変えるし，また，立位では横になっている時よりも下方にある．腎臓の下極は，吸気の時，またまっすぐな姿勢で立っている時には，呼気時もしくは横臥位をとっている時より3cm下方にある． |

腹膜後隙の器官．腹膜後隙には，泌尿器系に属する器官のほかに，**副腎**（C8），大きな導通路である**大動脈**（C9）と**下大静脈**（C10）ならびに**交感神経叢**（C11）を入れている．腹膜後隙にある器官は疎性結合組織と脂肪組織で取り囲まれている．

腹膜後隙の局所解剖は335頁参照．

---

1 腎臓 kidney　**2** 腎盤 renal pelvis　**3** 尿管 ureter　**4** 膀胱 urinary bladder　**5** 尿道 urethra　**6** 腰方形筋 quadratus lumborum　**7** 大腰筋 psoas major　**8** 副腎 suprarenal gland　**9** 大動脈 aorta　**10** 下大静脈 inferior vena cava　**11** 交感神経叢（腸間膜動脈間神経叢）sympathetic plexus (intermesenteric plexus)

腎臓

肉眼的構造

外形

腎臓kidneyでは**前面**（A）と**後面**（B）ならびに幅のある**上端**（AB1）と先のとがった**下端**（AB2）が識別される．両面は2つの縁によって境され，**外側縁**（AB3）は凸面を呈して両端に続いている．中くぼみの縁である**内側縁**（A4）には**腎門**（A5）があり，血管，神経および腎盤が出入りしている．腎門（**C**）は，腎実質で囲まれた腔所すなわち**腎洞**（**C6**）の入口となっている．

成人の腎臓は長さ10～12cm，幅5～6cm，厚さ4cmの大きさで，重量は約120～300gである．右腎は左腎より小さいことが多い．

腎洞．腎洞は，血管，神経，脂肪および腎盤を除去すると初めて概観できるようになる．腎洞の入口は内側縁が唇状に入り込んだ縁（前唇と後唇）が境界となっている．腎洞の中には円錐状の高まりすなわち**腎乳頭**（**C7**）が突出している．ヒトの腎臓は数個の乳頭（7～14個）をもっており，すなわち**多乳頭腎**である．このことは，腎臓は起源的には数個の単独の腎組織すなわち**腎葉**kidney lobesが接着した形で存在していたものが発生の経過中に互いに融合したことを意味している．新生児の腎臓表面はまだ分葉しており，腎葉に由来する多くの区分構造を認めることができる（**葉状腎**lobated kidney）．

腎臓の表面．成人の腎臓表面は多くの場合平滑であり，**線維被膜**（**D8**）といわれる丈夫な膠原線維の被膜でおおわれている．この被膜は疎性結合組織によって腎実質と結びついている．

内部構造

腎臓を横断または縦断してみると，内方にある**髄質**（**D9**）と外方にある**皮質**（**D10**）とに区分されていることがわかる．この断面での肉眼的な外観の相異は，基礎組織が尿細管系と血管系との相異に基づいている（332～333頁）．

腎髄質 renal medulla．髄質は円錐状の**腎錐体**（**D11**）で構成され，断面では血色のない縞模様を呈する．腎臓の表面に向かって皮質に接している線状にみえる部分を錐体底（**D12**）といい，反対に腎門に向かって丸みを帯びた先端を**腎乳頭**（**D13**）という．腎乳頭は腎盤の腎杯の中に突出している．腎乳頭の表面は**篩状野** cribriform areaといわれ，尿細管系の乳頭孔openings of papillary ductsが目の細かい多数の穴として開口している．腎錐体はさらに仔細に観察してみると錐体底側の赤みを帯びた**外帯**outer stripeと乳頭側の白っぽい**内帯**inner stripeとに区分できる．

腎皮質 renal cortex．皮質は結合組織性の線維被膜のすぐ下にあり，幅約1cmで，固定されていない腎臓では褐赤色を呈する．皮質は一種の被膜のように髄質の腎錐体をおおうとともに，腎錐体の間に柱状をなして腎洞の方に突出しており，これを**腎柱**（**D14**）という．腎皮質には被膜の方に向かって錐体底を越えて縦走する線条が混じっており，これは髄質成分が放射状に続いて現れたもので**髄放線**（**D15**）といわれる．髄放線の間にある皮質を**皮質迷路** cortical labyrinthと呼び，個々の髄放線とそれを取り巻く皮質迷路の部分を**皮質小葉** cortical lobulesという．

腎葉．1つの腎葉は各**腎錐体**とそれを**取り巻く皮質**で構成される（上記参照）．腎葉間の境界は腎柱の中にある．

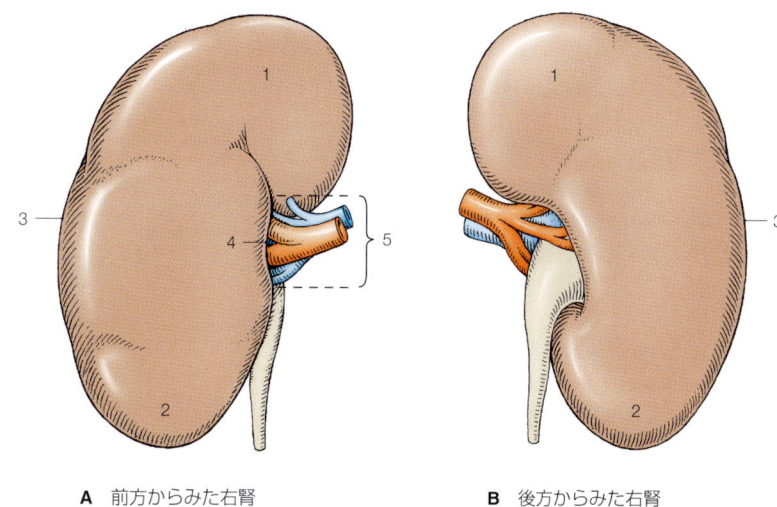

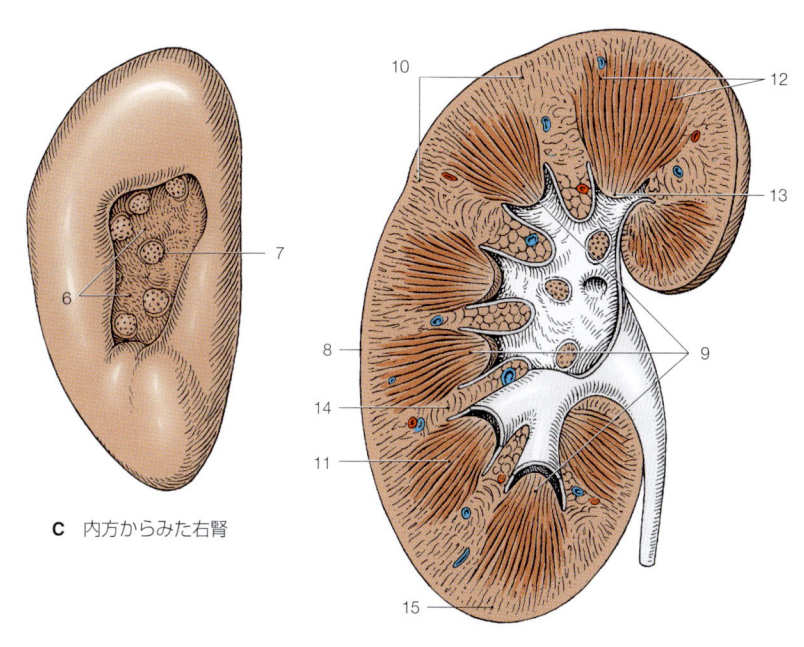

A 前方からみた右腎

B 後方からみた右腎

C 内方からみた右腎

D 右腎の前頭断

---

1 上端 superior extremity　**2** 下端 inferior extremity　**3** 外側縁 lateral border　**4** 内側縁 medial border　**5** 腎門 hilum of kidney　**6** 腎洞 renal sinus　**7** 腎乳頭 renal papilla　**8** 線維被膜 fibrous capsule　**9** （腎）髄質 renal medulla　**10** （腎）皮質 renal cortex　**11** 腎錐体 renal pyramids　**12** 錐体底 pyramidal base　**13** 腎乳頭 renal papilla　**14** 腎柱 renal columns　**15** 髄放線 medullary rays

微細構造

腎実質の構造で肉眼的に見分けのつく特徴的な事柄についてはすでに述べた（前頁参照）．さらに腎臓には，組織的に相異なる構成単位に基づいた腎に特有な構造をもっている．この特有な構成単位に**尿細管**，**血管**ならびに神経とリンパ管を伴う**結合組織**が属する．

尿細管

腎臓は血管のほかに複雑な細管系を備えている．この細管系はネフロンと集合管系からなり，両者は発生学的に異なった原基に由来し，二次的に連絡したものである．**ネフロン（腎単位）**nephron とは**腎小体とそれに所属する尿細管**からなる機能単位 functional unit をいう．腎小体は血液から1次尿（原尿）をつくり出す尿濾過器として働き，続いて尿細管では再吸収が行われて2次尿（終尿）がつくられる．

腎小体．腎小体（**A1**）は毛細血管の曲索すなわち**糸球体**（**A2**）とこれを包み込む二重壁の嚢すなわち**糸球体嚢（ボウマン嚢）**（**A3**）からできている．

尿細管．尿細管 renal tubule は腎小体の尿管極に始まり，次の各部が区分される．すなわち，近位尿細管，これが結びついている腎小体の近くでまず迂曲する**曲部（近位曲尿細管）**（**A4**），次いで髄質に向かって直走する**直部（近位直尿細管）**（**A5**）とがある．これに続いての**中間尿細管**（細管）（**A6**）は，主部の直部を受けて急に管径を減じて下行する**下行部**（**A6a**）となり，反転して**ヘンレ係蹄**をつくった後，髄質中を皮質に向かって上行する**上行部**（**A6b**）となる．自身の所属する腎小体がある皮質に帰る**直部（遠位直尿細管＝ヘンレ係蹄の太い部分）**（**A7**）と再度迂曲する**曲部（遠位曲尿細管）**（**A8**）がある．

遠位尿細管の曲部は短い**結合部**（**A9**）を経て**集合管**（**A10**）に注ぐ．各集合管は約10個のネフロンを受け入れてより太い**乳頭管**（**A11**）に注ぎ，乳頭管は腎乳頭の先端に開口する．

腎臓内部の血管

腎臓の働きは，ネフロン，集合管および腎内血管が互いに密接に関係して行われる．**腎動脈** renal artery によって尿の元になる材料が腎臓に運ばれる．腎動脈の枝である**葉間動脈**（**A12**）は腎錐体の間を埋める腎柱内を皮質に向かって走り，皮質と髄質の境界面で弓状に走る**弓状動脈**（**A13**）に移行する．弓状動脈は被膜に向かって放射状に**小葉間動脈**（**A14**）を出す．小葉間動脈はその経過中にほぼ一定の間隔で多数の**輸入管（糸球体輸入細動脈）**（**A15**）を分枝し，腎小体の毛細血管の曲索すなわち**糸球体**（**A2**）をつくる．糸球体から出る**輸出管（糸球体輸出動脈）**（**A16**）は再び毛細血管網となって皮質の尿細管周囲に分布する．皮質からの血液は**小葉間静脈**（**A17**）を経て，境界面で**弓状静脈**（**A18**）に注ぎ，**葉間静脈**（**A19**）に還流する．

髄質近くの糸球体から出る輸出管の分枝は**直細動脈**（**A20**）といわれ，髄質の中を下行して走る．この細動脈は直尿細管の周囲に毛細血管網を形成したあと**直細静脈**（**A21**）となって上行し，弓状静脈さらには葉間静脈を経て血液を運び去る．

注意：腎臓は1日にほぼ1,500lの血液を受け入れる（これは心臓の分時拍出量のほぼ20％）．腎実質の流入量と，尿作成量は同一の血管が担当している．したがって，この血管は固有血管 vasa privata であると同時に，公的血管 vasa publica でもある．

糸球体毛細血管は，局所循環の動脈脚にあり，動脈怪網 arterial rete mirabile を構成している．

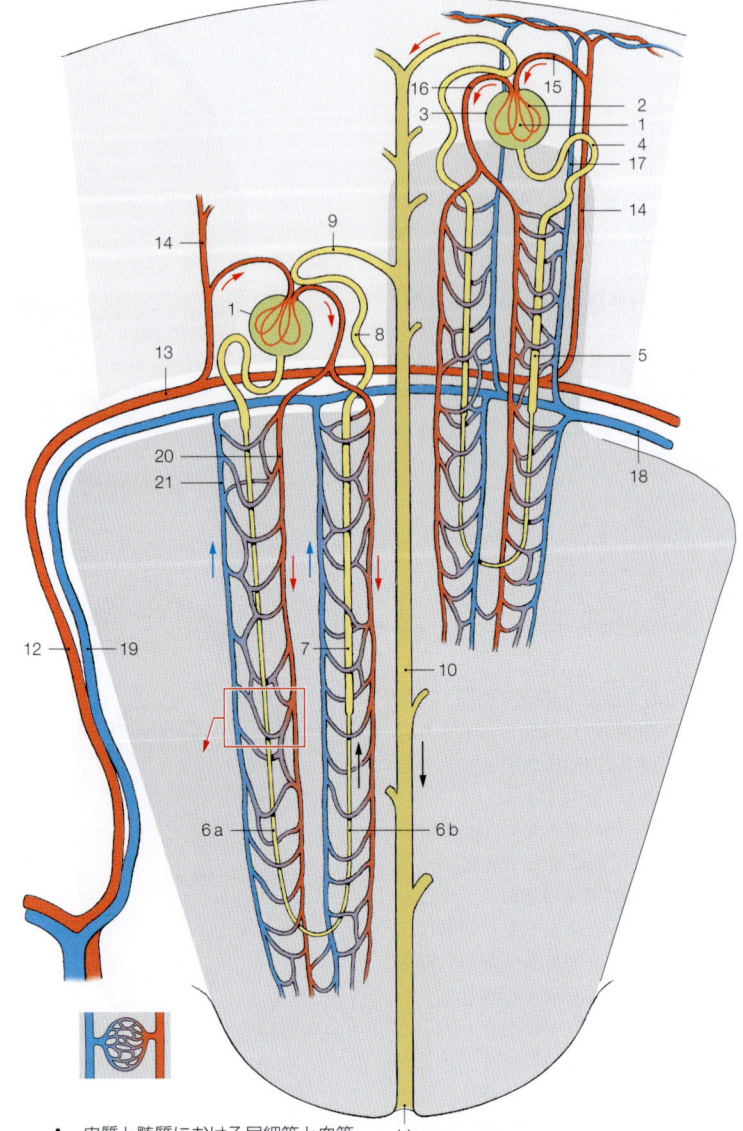

A 皮質と髄質における尿細管と血管

---

1 腎小体 renal corpuscle　**2** 糸球体 glomerulus　**3** 糸球体嚢（ボウマン嚢）glomerular capsule（Bowman's capsule）　**4**（主部の）曲部（近位曲尿細管）convoluted part　**5**（主部の）直部（近位直尿細管）straight part　**6** 中間尿細管（ヘンレ係蹄の細い部分）intermediate tubule（thin segment of Henle's loop）　**6a** 下行部 descending part　**6b** 上行部 ascending part　**7**（中部の）直部（遠位直尿細管＝ヘンレ係蹄の太い部分）straight part（distal straight tubules = thick segment of Henle's loop）　**8**（中部の）曲部（遠位曲尿細管）convoluted part（distal convoluted tubules）　**9** 結合部 reuniens tubule　**10** 集合管 collecting tubule　**11** 乳頭管 papillary duct　**12** 葉間動脈 interlobar arteries　**13** 弓状動脈 arcuate arteries　**14** 小葉間動脈 interlobular arteries　**15** 輸入管（糸球体輸入細動脈）afferent vessels（afferent glomerular arteriole）　**16** 輸出管（糸球体輸出動脈）efferent vessels（efferent glomerular arteriole）　**17** 小葉間静脈 interlobular veins　**18** 弓状静脈 arcuate veins　**19** 葉間静脈 interlobar veins　**20** 直細動脈 straight arterioles　**21** 直細静脈 straight venules

微細構造（続き）

腎小体

糸球体（A1）. 腎小体 renal corpuscle の血管糸球 vascular glomerular であって，約30〜40の毛細血管ワナからなり，血液が入ってくる**輸入細動脈（A2）**と，出ていく**輸出細動脈（A3）**の2つの細動脈の間にでき，互いに吻合している．両細動脈は同じところにあって腎小体の**血管極（A4）**をつくる．毛細血管の曲索は被膜すなわち**糸球体嚢（ボウマン嚢）**glomerular capsule (Bowman's capsule) に囲まれ，この被膜は毛細血管ワナをおおう**内臓葉（内壁）（A5）**と腎小体を周囲から仕切る**壁側葉（外壁）（A6）**の二重壁からなる．被膜の両葉の間には**糸球体腔（ボウマン腔）**ができて，この腔は1次尿を受け取り，**尿極**から尿細管系に送り込んでいる．

糸球体毛細血管（B）. 糸球体毛細血管の壁は内皮，基底膜および足細胞の3つの構造物で段階的に構成され，毛細血管内の血液が濾過される．**内皮（B7）**の壁はごく薄く，規則正しく開く**小孔** pores（直径50〜100 μm）を備えている．中層を構成する**基底膜**は，三層構造を有して機械的なフィルターとして働いている．ボウマン腔に面する外層は**足細胞（A8）**におおわれ，この細胞は長い**1次突起（A9）**とこれから出る2次突起（**足突起** foot processes/pedicels）をもち，足突起は異なる足細胞の足突起と手指を噛み合わせたように交互に接合して，その際に，足突起間には**濾過隙** filtration slits ができる．原尿はこの狭い間隙から出てくる．

糸球体の隣接する毛細血管の間には，特殊な結合組織性細胞であるメサンギウム細胞（**糸球体内血管間膜**）（**B10**）が存在する．同様に，輸入管と輸出管の間の血管極にもメサンギウム細胞（**糸球体外血管間膜**）（**AB11**）がある．これらの細胞は腎臓の**傍糸球体装置** juxtaglomerular apparatus に属するもので，このほかにも緻密斑と極枕がこの傍装置の範疇に属する．遠位直尿細管が血管極と接触する部で，糸球体嚢に接する部分の尿細管上皮はやや背が高く密に配列して特別に特殊化された細胞群からなり，この部を**緻密斑（AB12）**という．また，糸球体に接続する直前の輸入細動脈の中膜には，分泌顆粒をもった筋上皮細胞（**傍糸球体細胞**）がみられ，これを**極枕（AB13）**ともいう．極枕細胞にはレニン renin とアンギオテンシナーゼAの存在が証明されている．

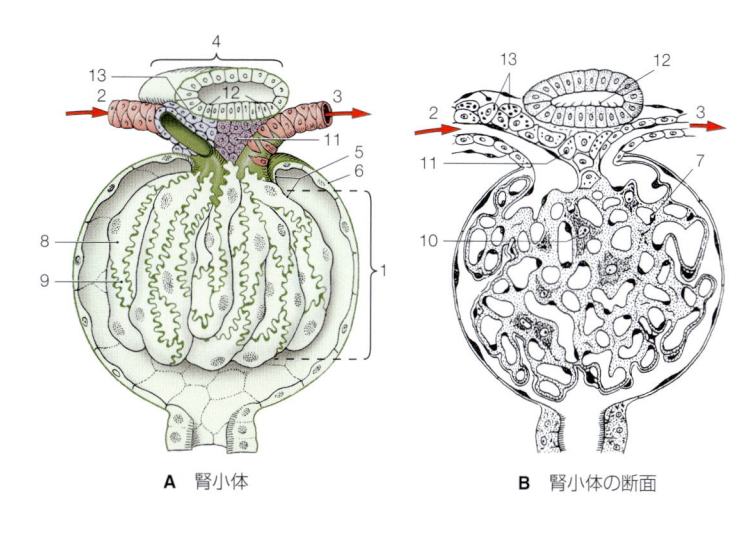

尿細管と集合管の上皮（C）

尿細管の壁は**単層上皮**で内張りされている．この上皮は尿細管の部位によって変化する．

近位尿細管（C14）. 暗調の立方上皮からなり，細胞の自由表面には刷子縁がよく発達している．基底側には基底線条が認められ，電顕的には基底線条に一致してミトコンドリアがあり，その間に基底細胞膜の陥入が認められる．

中間尿細管（C15）. 明調の扁平上皮からなり，短い微絨毛をもつ．

遠位尿細管（C16）. 基底線条をもつ背の高い立方上皮からなり，近位尿細管の上皮よりも明るくやや扁平である．自由表面には短い微絨毛がある．

集合管（C17）. 2/3は明調の上皮細胞からなり，明瞭な細胞境界をもつ．1/3は暗い中間型の細胞がある．上皮の高さが増して乳頭状となる．

腎臓の働き. 腎小体は尿濾過器として働き，血液から1日当たり約180 l の**1次尿（原尿）**primary urine をつくっている．これから尿細管系で178 l が再吸収されて**2次尿（終尿）**secondary urine がつくられるが，その量は1日当たり1.5〜2 l である．尿は導尿器官を通って体外へ排出される．傍糸球体装置はレニン-アンギオテンシン系を介して全身の**血圧の調節**に働いている．

A 腎小体　　B 腎小体の断面

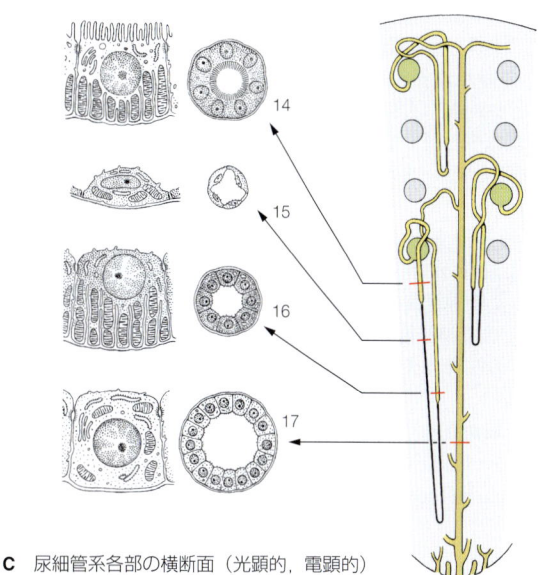

C 尿細管系各部の横断面（光顕的，電顕的）

---

1 糸球体 glomerulus　2 輸入細動脈 afferent glomerular arteriole　3 輸出細動脈 efferent glomerular arteriole　4 血管極 vascular pole　5 内臓葉（内壁）visceral layer (inner wall)　6 壁側葉（外壁）parietal layer (outer wall)　7 内皮 endothelium　8 足細胞 podocyte　9 1次突起 primary process　10 メサンギウム細胞（糸球体内血管間膜）intraglomerular mesangial cells　11 メサンギウム細胞（糸球体外血管間膜）extraglomerular mesangial cells　12 緻密斑 macula densa　13 極枕（傍糸球体細胞）polar cushion (juxtaglomerular cells)　14 近位尿細管 proximal tubule　15 中間尿細管（ヘンレ係蹄の細い部分）intermediate tubule (thin segment of Henle's loop)　16 遠位尿細管 distal tubule　17 集合管 collecting tubule

血管，神経，リンパ

動脈． 尿の原材料は**腎動脈**（**A1**）によって腎臓に運ばれる．右腎動脈はほぼ第1腰椎の高さで腹大動脈（**A2**）から起こり，下大静脈の後側を走って腎門に向かう．左腎動脈は多くの場合右腎動脈よりもいくらか高く起こり，また少し短い．この2本の主動脈から分枝する一次の腎内血管枝は**終動脈**であり，腎実質の限定された領域を栄養する．これらは**動脈区域**とよぶこともできる：すなわち上区，前上区，前下区，下区，後区である．上部動脈，上前部動脈，下前部動脈，下部動脈および後部動脈．しかし，腎臓は腎葉が融合してできるという複雑な発生を考慮するとき，上記の動脈区域には著しい変化があることと，しばしば腎動脈の血管経過にもまた変異が起こることは容易に理解できる．

静脈． 腎臓からの静脈血還流は**腎静脈**（**AC3**）を経由して行われる．右側では短くて直走するが，左側は少し長くて弓状をなして走り，左副腎静脈と精巣（または卵巣）静脈を受け入れる．

神経． 腎臓の植物神経支配は**腎神経叢** renal plexus を経由して行われ，これは腎動静脈に伴行して走る．腎神経叢の線維は主としてすぐ近くにある腹腔神経叢に由来し，腎臓内血管と糸球体の血管群まで支配している．

所属リンパ節． 腎臓からのリンパは血管周囲結合組織中のリンパ毛細管を流れて，**外側大動脈リンパ節** lateral aortic nodes に達する．

腎臓の局所解剖

位置． 腎臓は脊柱の左右で**腰窩** lumbar fossa の中に縦軸を後方に向かって収斂するように横たわる腹膜後器官である．両腎の縦軸は後上方に向かって交わる．その**上端** superior extremity は第12胸椎の高さに，**下端** inferior extremity は第3腰椎の高さに，**腎門**は第1腰椎の高さに位置する．その際，通常では，右腎は約1/2椎体だけ左腎よりも低く位置する．腎臓の位置は呼吸相や体位によっても左右され，深呼吸や立位のときには腎臓は下がる．腎の**背側**で，第12肋骨（**A4**）が上1/3と中2/3の境界を斜めに走る．第12肋骨と同じ走向をとって内上方から外下方に向かって肋下神経（**A5**），腸骨下腹神経（**A6**）および腸骨鼠径神経 ilio-inguinal nerve が横切っている．第12肋骨と腎臓の間には胸膜腔の肋横隔陥凹と横隔膜があるが，肋骨と腎の後面とは触れてはいない．

周囲器官と血管． 腎の上端には副腎（**A7**）がのっている．右腎では，前面は肝臓と右結腸曲に接触し，腎門近くに十二指腸下行部と下大静脈（**A8**）が位置する．左腎では，前面は胃，膵臓および左結腸曲に接触し，外側縁は脾臓に接している．腎門近くを大動脈（**A2**）が走る．

腎臓周囲の被膜

腎臓の位置固定に対して重要な働きをしているのは**腎筋膜**（**B10**）と脂肪被膜（**BC11**）である．**腎筋膜**は脂肪被膜の中にできる結合組織性の筋膜嚢で，薄い前葉と強い後葉からなる．両葉は上方と外方で互いに結合し，腎臓と副腎を包み込んでいる．この嚢は内方では腎門に出入りする太い血管を通すために開いており，また下方では単に脂肪組織によって閉じられているだけである．**脂肪被膜**は貯蔵脂肪でできているため個体差があり，その量は栄養状態に左右されて変化する．極端なる痩状態では脂肪量はほとんど無くなる．そうなると，腎臓は位置固定ができなくなり骨盤の方に移動する．このような場合，**沈下腎** sinking kidney という．

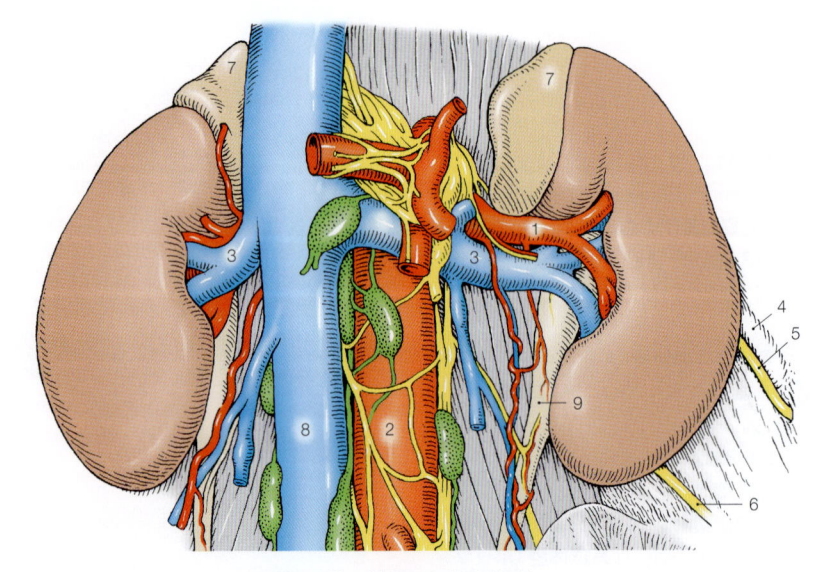

A 腎臓の血管，神経および局所解剖

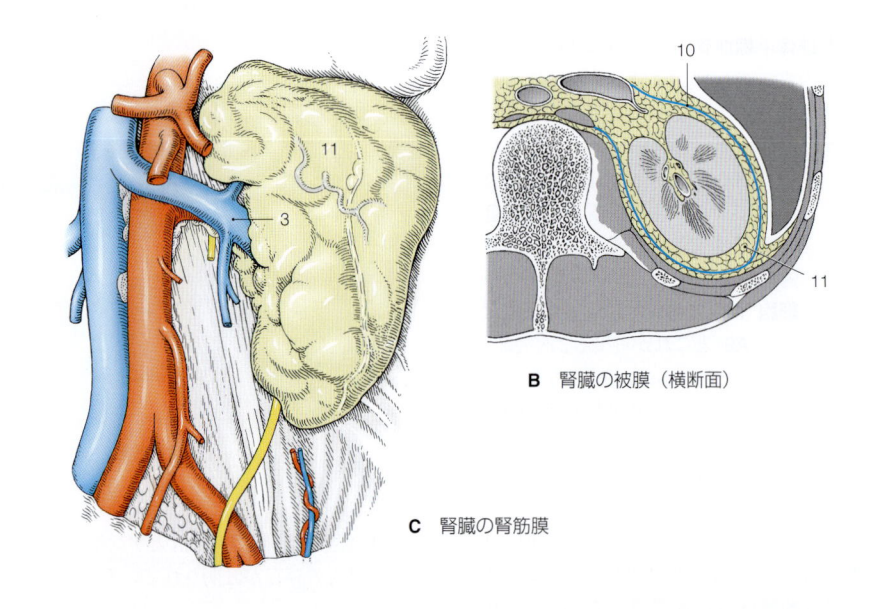

B 腎臓の被膜（横断面）

C 腎臓の腎筋膜

臨床関連：腎臓領域における**変異**と**奇形**はしばしばみられる．例えば，腎臓の転位（位置異常），過剰腎，馬蹄腎のような融合腎などがある．腎の不形成では一側の腎が完全に無かったり，また，腎低形成では発達不全（矮小腎 dwarf kidney）などがある．腎盤が二つある肥大腎，さらには尿管が複数あるもの，もしくは分岐尿管（fork ureter）など，複腎（double kidney）といわれる．

腎の炎症性疾患では，腎の背方を走っている肋下神経，腸骨下腹神経，腸骨鼠径神経などに同様の病変が併発し，放散性の痛みが鼠径部や外陰部に起こることがある．

---

1 腎動脈 renal artery　2 腹大動脈 abdominal aorta　3 腎静脈 renal veins　4 第12肋骨 twelfth rib　5 肋下神経 subcostal nerve　6 腸骨下腹神経 iliohypogastric nerve
7 副腎 suprarenal gland　8 下大静脈 inferior vena cava　9 尿管 ureter　10 腎筋膜 renal fascia　11 脂肪被膜 perirenal fat capsule

導尿器官

腎盤と尿管

肉眼的構造

腎盤と腎杯（A）．腎盤（腎盂）（AB1）は尿を集める腔であり，これは 8〜10 個の**腎杯**（A2）が合流してできる．腎杯には**小腎杯**（A2a）と**大腎杯**（A2b）が区別される．小腎杯は小さなトランペットの形をした腎杯で，1 個，まれに 2〜3 個の乳頭の先端を取り囲んでいるものであり，一方，大腎杯は小腎杯が互いに結合して 2〜3 個の大きな共通の筒となったもので，腎盤の集合腔に開口する．

腎盤の形は腎杯の分岐形態に左右されて個々でまちまちである（A）．小腎杯が多数の大腎杯をつくるときは，腎盤は分岐して管状を呈した**分岐腎盤 ramificated renal pelvis** をつくる．一方，小腎杯が直接腎盤に開くときは，腎盤は幅広の袋となって**膨大腎盤 ampullar renal pelvis** をつくる．両者の移行型もしばしばみられる．1 つの腎盤の容量は約 3〜8ml である．

尿管．尿管（B3）は腎盤と膀胱を結ぶ管で，軽度に圧平された厚い壁をもつ．長さ 25〜30cm で，体腔での経過に応じて**腹部**（B3a）と**骨盤部**（B3b）を区分する．尿管の終部は膀胱壁を斜めに貫き，ここを**壁内部 intramural part** という．

微細構造．腎盤の壁は薄く，尿管の壁は非常に厚い．横断面での尿管は星形の腔をもつ（C）．両器官の壁は 3 層からなる：すなわち，**粘膜**（C13）は導尿器官に特徴的な**移行上皮 transitional epithelium/urothelium** と疎性結合組織からなる固有層でできている．移行上皮は 5〜7 層の細胞層からなり，その器官の拡張状態によって高くまたは低くなり，細胞層の厚さや層を形成する細胞列の数が変化して順応している．最表層の細胞の表面には光顕的に可視的な**殻皮 crust** をもっており，これは高張な尿に対して表皮上皮を保護する働きがある．**筋層**は，腎盤では内縦層と外輪層からなる．また，腎杯と腎盤の境界および腎盤と尿管の移行部には括約筋様の構造がみられる（腎杯括約筋と腎盤括約筋）．尿管の筋層（C14）はとくに強く，上部では内縦層と外輪層からなるが，膀胱に近づくと最外層に縦走筋が加わり完結する．腎盤と尿管の周囲は**外膜**（C15）の疎性結合組織によって囲まれ，腎盤周囲の血管と神経に富んだ結合組織中には平滑筋線維を含み，これは腎盤の広がりを調節している．

血管，神経，リンパ

腎盤（B）の血管は腎動静脈（B6，B7）に由来し，リンパ還流は腎臓のそれに一致する．腎盤には知覚神経が分布しており，腎盤が拡張すると痛みを感じる．

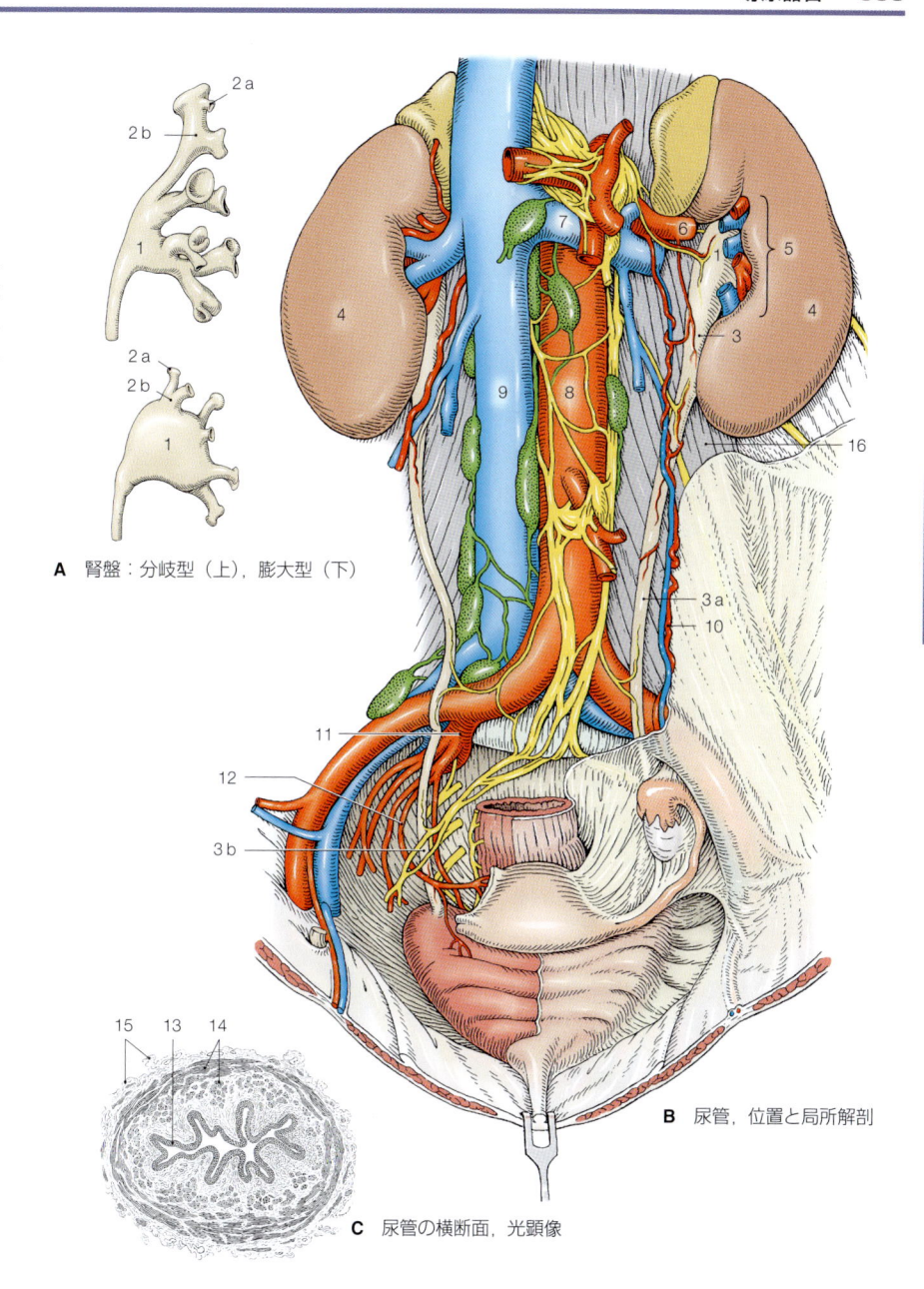

尿管はその経過中に周囲の大きな血管からの小さな枝（尿管枝 ureteric branches）によって栄養される：すなわち，腎動脈（B6），精巣動脈または卵巣動脈（B10），内陰部動脈，上膀胱動脈および下膀胱動脈である．静脈血は動脈とともに走る同名静脈により還流する．リンパは**腰リンパ節 lumbar nodes** に還流する．神経支配は**内臓神経 splanchnic nerve** を経由して副交感神経が壁の筋肉に入り，交感神経は血管壁に来る．知覚性の求心線維は，内臓神経の中を走る．

腎盤と尿管腹部の局所解剖

腎盤（A）はその大部分が腎洞の中に隠れている．

尿管の腹部は腎盤の出口に始まり，ここに**第1狭窄部**がある．次いで，尿管は大腰筋（B16）の内側を下方に向かって走り，その際，背側からは大腰筋筋膜に，腹側からは腹膜におおわれてその間に位置する．その経過中，尿管は精巣動脈または卵巣動脈（B10）の後ろを通ってこれと交叉する．また尿管自身が陰部大腿神経 genitofemoral nerve の前を交叉する．総腸骨動静脈もしくは外腸骨動静脈の高さで，尿管は小骨盤に入る．この交叉部に**第2狭窄部**がある（尿管の骨盤部の局所解剖は 337 頁参照）．

A 腎盤：分岐型（上），膨大型（下）

B 尿管，位置と局所解剖

C 尿管の横断面，光顕像

---

1 腎盤（腎盂）renal pelvis　**2** 腎杯 renal calyces　**2a** 小腎杯 minor calyces　**2b** 大腎杯 major calyces　**3** 尿管 ureter　**3a**（尿管の）腹部 abdominal part　**3b**（尿管の）骨盤部 pelvic part　**4** 腎臓 kidney　**5** 腎門 hilum of kidney　**6** 腎動脈 renal artery　**7** 腎静脈 renal veins　**8** 大動脈 aorta　**9** 下大静脈 inferior vena cava　**10** 卵巣動脈 ovarian artery　**11** 内腸骨動脈 internal iliac artery　**12** 子宮動脈 uterine artery　**13** 粘膜 mucous membrane　**14** 筋層 muscular layer　**15** 外膜 adventitia　**16** 大腰筋 psoas major

膀　胱

膀胱（A1）は中腔性の筋性器官であり，その大きさは蓄尿量の充満度によって変化する．膀胱は恥骨結合（A2）の後ろで，小骨盤の腹膜下結合組織隙に存在する．

膀胱の区分．　**膀胱体**（AB3）がこの器官の大部分を形成し，膀胱体は前上方に向かって細くなり**膀胱頂（尖）**（AB4）に移行する．膀胱頂からは，胎生期の尿膜管 urachus の遺残である**正中臍索**（AB5）が臍に向かって走る（310頁）．体の後下方に**膀胱底**（A6）が続き，底の後外側に両側の尿管（B7）が開口する．膀胱の下部は狭い漏斗状を呈して**膀胱頸**（B8）をなし，前下方に向かって尿道（AB9）に移行する．

膀胱内容が空になると，頂と上壁は皿状にへこみ，満ちてくると上前方に膨らんできて膀胱は卵形を呈する．充満した膀胱では恥骨結合の上縁を越えることもある．**膀胱の収容容量**は通常では約500mlで，約300mlで尿意が生じる．しかし，意識的にそれ以上の尿を溜めることができる．

臨床関連：強く膨満した膀胱は，腹腔に特別な損傷を与えることなく，恥骨結合の上方で腹壁を経て穿刺することができる（恥骨上導尿）．

内腔面（C）．粘膜は淡い赤味を帯びており，2つの部分が識別される：すなわち，内腔表面の大部分は粘膜ヒダをもっており，このヒダはその下にある筋層に対して"ずれ動く"ことができる．強く充満したときにはヒダは消失する．一方，膀胱底の領域には，両側の尿管開口部すなわち**尿管口**（CD10）と尿道の出口すなわち**内尿道口**（C11）を結ぶ三角に**膀胱三角**（CD12）ができる．膀胱三角には粘膜ヒダがなく平滑で，ここでの粘膜は下層の筋層と固く結合している．男性では内尿道口のところに，前方に張り出す小円錐状の隆起すなわち**膀胱垂**（D13）がみられ，これはこの下にある前立腺に取り囲まれることによってつくられる．

微細構造．膀胱壁は3層からなる．**粘膜**は移行上皮と可動性に富む疎性結合組織の粘膜固有層からなり，膀胱三角では固有層を欠く．**筋層**の大部分は配列がかなり不規則な3層からなるが，これらは総称して**膀胱排尿筋** detrusor muscle of urinary bladder と呼ばれる．一方，これに対して膀胱三角領域の筋組織は2層しかない．これは尿管の筋組織の続きとして現れる．尿管開口部には，平滑筋組織の複雑なワナが配列している．**漿膜**は，漿膜下組織の結合組織を伴って，膀胱の上面ならびに膀胱三角より上部の後面の一部をおおっている．

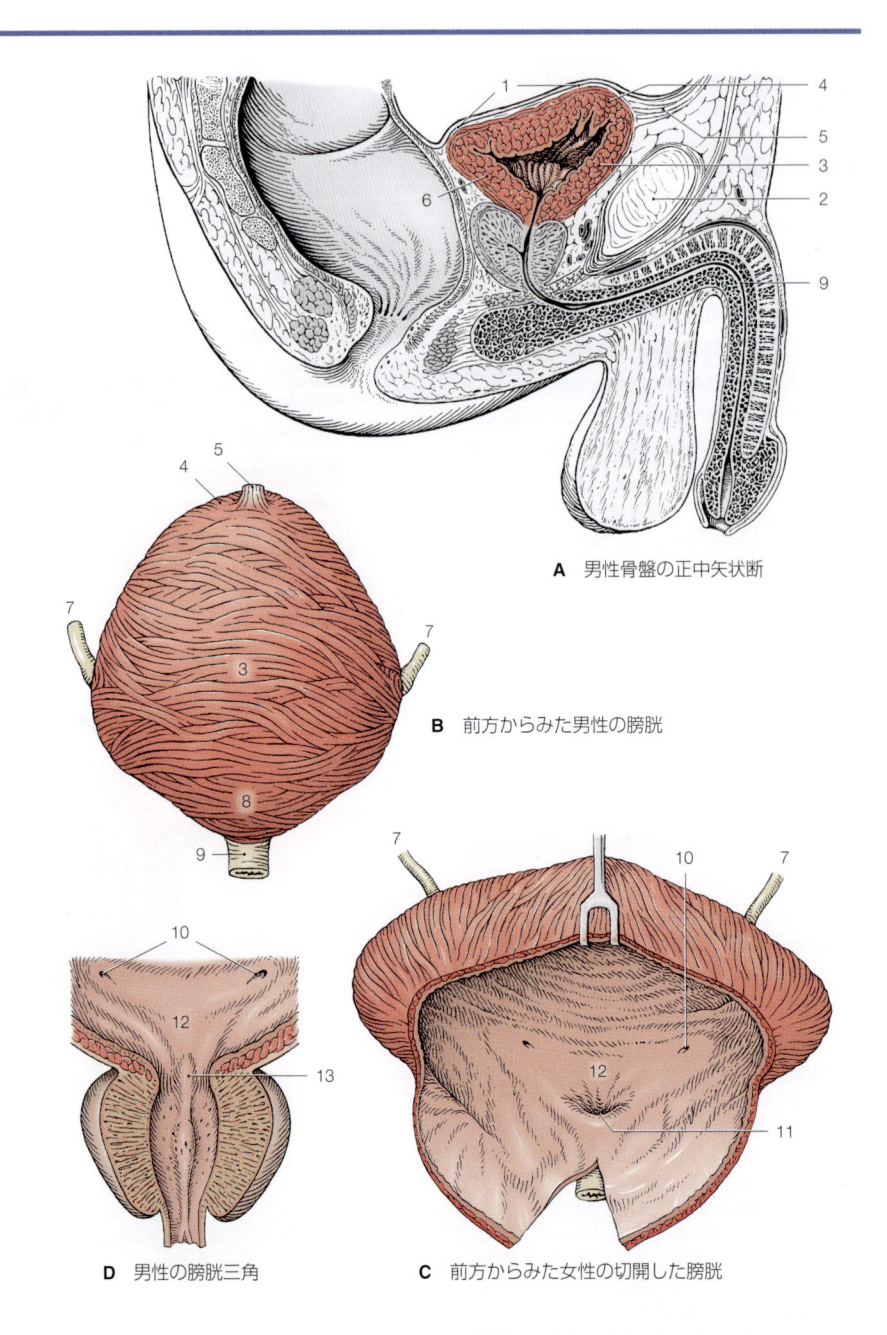

A　男性骨盤の正中矢状断

B　前方からみた男性の膀胱

D　男性の膀胱三角

C　前方からみた女性の切開した膀胱

血管，神経，リンパ

動脈．膀胱は**内腸骨動脈の枝**である上膀胱動脈 superior vesical arteries（←臍動脈）と下膀胱動脈 inferior vesical artery によって栄養される．

静脈．膀胱からの静脈血は，膀胱底の周りに形成される**膀胱静脈叢** vesical venous plexus に集められ，ここから大半は直接内腸骨静脈を経由して還流する．

神経．腸管系と同様に，外在性の**壁外神経系** extramural nervous system および内在性（一部は膀胱壁の外に，一部は内にある）の**壁内神経系** intramural nervous system が類別される．壁外系の**副交感神経線維**は第2〜4仙髄節から起こり，骨盤内臓神経を経て膀胱神経叢に達し，排尿筋の収縮に働いている（排尿促進）．**交感神経線維**は血管壁の平滑筋組織の支配と，まだ議論の余地はあるが恐らくは膀胱頸および尿道上部領域の筋組織の収縮に働いている．

所属リンパ節．膀胱からのリンパはいろいろな方向に還流する：すなわち，上壁と側壁からのリンパは**外腸骨リンパ節** external iliac nodes に，膀胱底と膀胱三角からのリンパは**内腸骨リンパ節** internal iliac nodes は集められる．膀胱前壁のリンパは膀胱前結合組織のリンパ節を経て最終的に内腸骨リンパ節に還流する．

---

1 膀胱 urinary bladder　**2** 恥骨結合 pubic symphysis　**3** 膀胱体 body of bladder　**4** 膀胱頂（尖）apex of bladder　**5** 正中臍索 median umbilical ligament　**6** 膀胱底 fundus of bladder　**7** 尿管 ureter　**8** 膀胱頸 neck of bladder　**9** 尿道 urethra　**10** 尿管口 ureteric orifice　**11** 内尿道口 internal urethral orifice　**12** 膀胱三角 trigone of bladder　**13** 膀胱垂 uvula of bladder

女の尿道

女の尿道（**A1**）は全長3～5cmで非常に短い。女の尿道は恥骨結合（**A2**）の後ろにあり、**内尿道口**（**A3**）に始まる。尿道は腟（**A4**）の前壁に密接して、幾らか前方に凹の弓状をなして下方に走り、腟の前壁では尿道隆起として突出する。尿道は縦長につくられた細隙口すなわち**外尿道口**（**A5**）に終わるが、これは腟前庭内で陰核亀頭（**A6**）の後方2～3cmのところに位置する。

微細構造

内腔は縦走ヒダに富み、**粘膜**は膀胱壁内部では移行上皮におおわれるが、他では非角化重層扁平上皮で内張りされている。固有層には尿道腺 urethral glands があり、よく発達した静脈叢は海綿層 spongy layer をつくる。2層からなる**筋層**は膀胱壁の筋組織の続きで、内縦層と外輪層で構成される。また、尿道は横紋筋からなる背方に向かって開いたワナすなわち**外尿道括約筋** external urethral sphincter に囲まれ、これは膀胱頸にまで達している。

男の尿道に関しては男性生殖器の項で尿－精路として記載される（345頁）。

導尿器官の機能。腎の乳頭尖から出てきた尿はまず**腎杯**に集められ、次いで、さらに**腎盤**に送られる。腎盤に尿がある程度充満してくると、速やかに運動が起こり、腎盤の尿は**尿管**に駆出される。尿管では蠕動波が起こって尿を遠位方に送り出し、**膀胱**は周期的に尿がひき渡されている。膀胱の充満量は人によって異なるが、神経の刺激を通して排出の開始すなわち**排尿** micturition が起こる。

導尿器官の局所解剖

女性骨盤。尿管は腎盤の出口（**第1狭窄部**）を出た後、腹膜後隙を経過して（335頁 **B**）、仙腸関節の前で小骨盤の中に入る。右側では総腸骨動脈の分岐部、左側では外腸骨動脈の前を通って小骨盤に入るが、ここに**第2狭窄部**がある。小骨盤内での女性の**尿管**（**B7**）は、まず腹膜直下の骨盤側壁の表層を走る。次いでほぼ坐骨棘の高さで骨盤側壁を離れて内前方に向かって子宮広間膜（**B8**）の底に走る。尿管はここで子宮動脈（**B9**）の下を通ってこれと交叉し、膀胱の後外側壁に達する。尿管は後外方から前内方に向かって膀胱壁を斜めに貫く。この尿管の**壁内部** intramural part は長さ約2cmで、ここに**第3狭窄部**をつくる。

膀胱（**AB10**）は恥骨結合の後方で腹膜下隙にある。膀胱の前方には疎性結合組織で満たされた**恥骨後隙**（**A11**）があり、この隙は前腹壁と腹膜との間を臍まで続き、充満した膀胱の滑り場所として役立っている。膀胱の上壁は腹膜におおわれ、後下方では周囲の構造物と緊密に結ばれている。**女の尿道**（**A1**）は恥骨結合と腟（**A4**）の前壁との間にある。

男性骨盤。小骨盤内での男性の**尿管**（343頁 **A**）は、まず腹膜直下の骨盤側壁を走る。次いで精嚢の上部で膀胱の後外側壁に達し、その際、精管の下を通ってこれと交叉する。

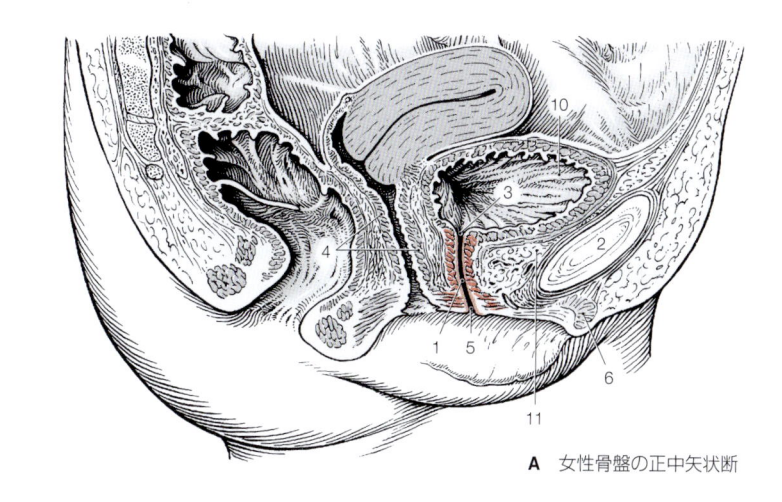

A 女性骨盤の正中矢状断

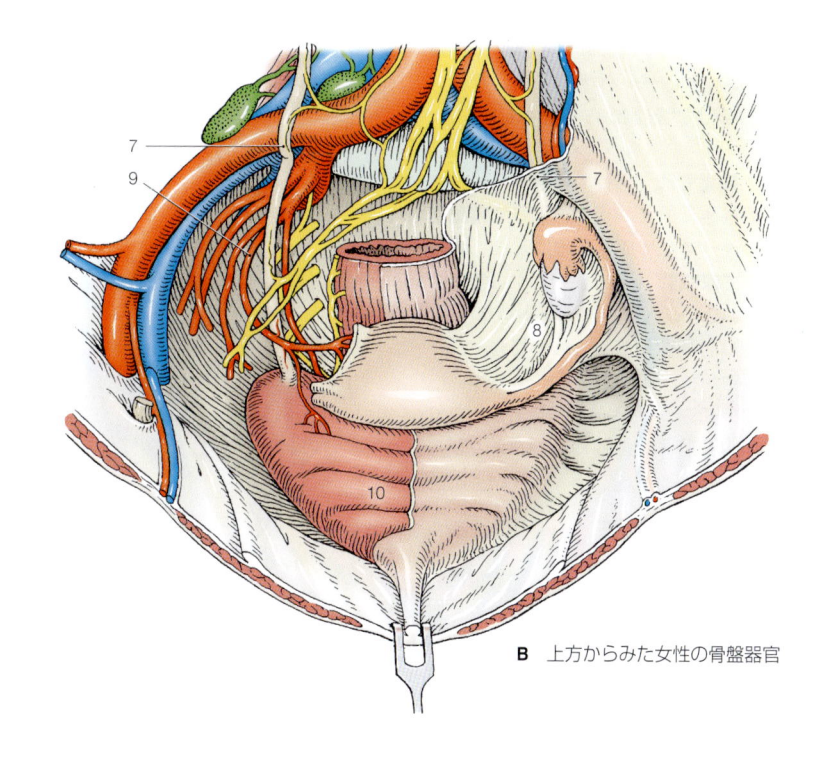

B 上方からみた女性の骨盤器官

> **臨床関連**：尿管の狭窄部で導尿器系に**結石**がつくられた際には、結石が嵌頓する危険性がある。結石を膀胱の方に押しやるために尿管は激しい蠕動運動をひき起こして激痛（疝痛 colic）が起こる。尿管開口部狭窄は、椎骨前尿管終末部の狭窄で、尿管の拡張（巨大尿管 megaureter）が生ずる。
>
> **重複尿管**が症例の約2％にみられる：これには完全重複尿管 complete ureteral duplication と部分重複尿管 partial ureteral duplication がある。

---

1 女の尿道 female urethra　**2** 恥骨結合 pubic symphysis　**3** 内尿道口 internal urethral orifice　**4** 腟 vagina　**5** 外尿道口 external urethral orifice　**6** 陰核亀頭 glans of clitoris　**7** 尿管 ureter　**8** 子宮広間膜 broad ligament of uterus　**9** 子宮動脈 uterine artery　**10** 膀胱 urinary bladder　**11** 恥骨後隙 retropubic space

概　説

男性生殖器の構成

男性生殖器 male genital systemの器官は局所的所在および発生学的過程に基づいて内生殖器と外生殖器に分けられる：

すなわち，**内生殖器** internal genital organsには精巣（睾丸）（**A1**），精巣上体（副睾丸）（**A2**），精管（**A3**）および付属生殖腺である前立腺（**A4**），精嚢（**A5**），尿道球腺（カウパー腺）（**A6**）が属する．

外生殖器 external genital organsとしては陰茎（**A7**），陰嚢（**A8**）および精巣の被膜があげられる．

内生殖器は，骨盤底より頭側で，尿生殖隆起から発生するが，外生殖器は，骨盤底の下方にある尿生殖洞から発生する．

機能．精巣では，男性の生殖細胞，即ち**精子**が形成され，精細管系を通って**精巣上体**に運ばれ，そこで成熟過程に入る．**輸精管**を通って尿精管へ入り，そこから体腔を出ることができる．その経路，導出精路中で，生殖細胞は**付属生殖腺**からの分泌物と混ざる最終産物が精液（**射出液**）である．精巣は，男性性ホルモン，テストステロンも作られる．これは血管系を通して，精巣から出ていく．

男性骨盤での腹膜の状態

腹腔は分界線 linea terminalisで骨盤腔に移行する．**壁側腹膜**は腹腔から小骨盤壁に沿って下行して続き，上方から骨盤内臓をおおう：すなわち，腹膜は前腹壁から膀胱頂（**AB9**）の上に反転し，膀胱の上面（**AB10**）のすべてをおおう．次いで，腹膜は下方および外方に向かって尿管開口部の高さにまで達し，膀胱の後面で上方に向かって折り返す．その際，通常では，腹膜は精嚢の先端と，精管の精管膨大部への移行部までをおおっている．まれな症例では腹膜はさらに深く達し，前立腺の一部をおおうこともある．一方，膀胱底は腹膜にはおおわれない．もっと正確にいうと，腹膜は膀胱の後壁から直腸の前壁（**B12**）に反転する．ついで直腸の仙骨曲の前壁をおおったのち，S_3の高さでS字結腸の外膜の中へ入っていく．

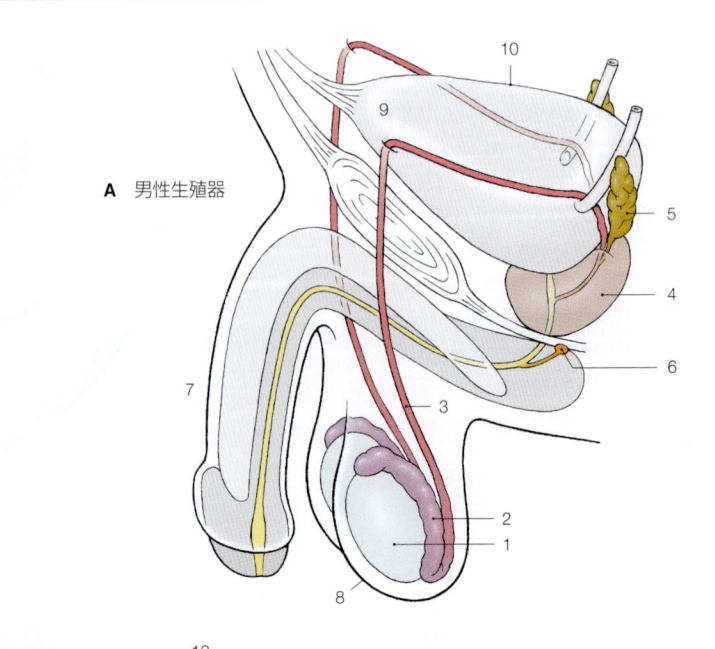

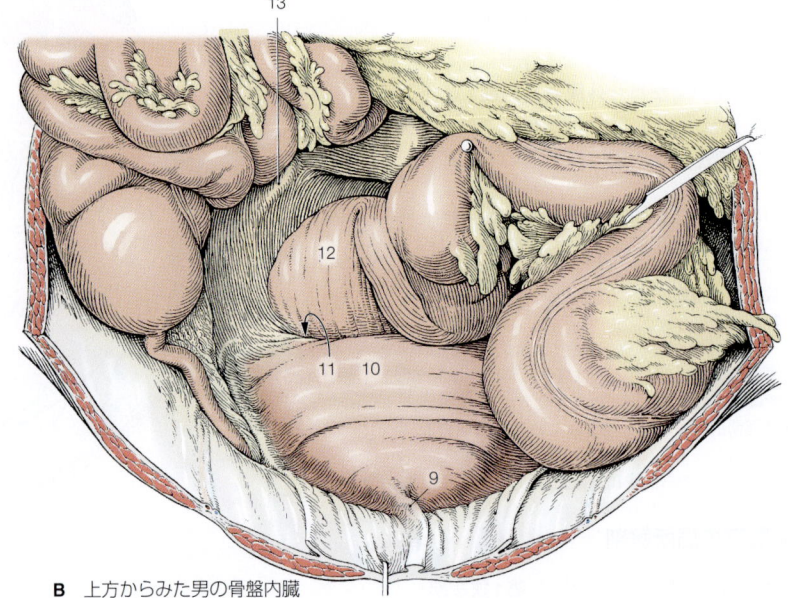

腹膜陥凹である直腸膀胱窩（**B11**）を形成するが，この窩は男性の腹腔の中で最も低い場所にあり，両側は矢状のヒダである直腸膀胱ヒダによって境されている．この腹膜ヒダの漿膜下結合組織の中には植物神経の下下腹神経叢が存在する．また，膀胱が充満したときには前腹壁と膀胱頂との間に一種の腹膜陥凹である膀胱前窩 prevesical space（恥骨後隙，レチウス腔 Retzius space）が出現する．

A 男性生殖器

B 上方からみた男の骨盤内臓

> **臨床関連**：尿閉のときには膀胱ははちきれそうに膨らんでくるが，この際には腹膜を傷つけることなく，また腹腔を切開することなしに，恥骨結合の上縁から直接穿刺したり，腹膜外開放（高位膀胱切開）を行い得る．

---

1 精巣（睾丸）testis　**2** 精巣上体（副睾丸）epididymis　**3** 精管 ductus deferens　**4** 前立腺 prostate　**5** 精嚢 seminal vesicle　**6** 尿道球腺（カウパー腺）bulbo-urethral gland (Cowper's gland)　**7** 陰茎 penis　**8** 陰嚢 scrotum　**9** 膀胱頂（尖）apex of bladder　**10**（膀胱の）上面 superior surface　**11** 直腸膀胱窩 recto-vesical pouch　**12** 直腸 rectum　**13** 尿管 ureterによって挙上された腹膜

精巣と精巣上体

肉眼的構造

精巣（睾丸）．対性に存在する男の生殖腺で精子の産生場所であり，体腔の外部で陰嚢の中に位置する．成人の精巣は長径約4～5cm，横径約3cmの卵形を呈し，弾力性のある堅固な固さをもつ．左の精巣は通常では右のそれより少し大きい．肉眼的に，精巣は上極である**上端**（A1）と下極である**下端**（A2）が区別され，側面は少し平たくなって**外側面**（A3）と**内側面**（B4）が識別できる．両面は幅の狭い**前縁**（AB5）と幅の広い**後縁**（B6）で互いに移行する．精巣は陰嚢の中でやや斜めに位置して，上極は前外方に，下極は後内方に向いている．精巣は厚い白色の結合組織性被膜である**白膜** tunica albuginea で包まれている．上極のところに発生学上のミュラー管の痕跡として**精巣垂**（B7）がみられる．

精巣上体（副睾丸）（AB8）．動物の尾のように精巣の背面にのっている．肉眼的には3部が区別される：すなわち，**精巣上体頭**（A8a）が精巣の上極の上に突出し，**精巣上体体**（A8b）と**精巣上体尾**（A8c）は精巣の後部に接している．精巣上体は精巣の白膜とは関係のない自身の結合組織性被膜をもち，この被膜は引き伸ばすと長さ約5mにも及ぶ強く迂曲した**精巣上体管**（AB9）を包んでいる．頭のところには発生的な中腎管（原腎）の痕跡として**精巣上体垂**（C10）が存在する．

精巣と精巣上体の被膜．精巣ははじめ腹腔の中に発生し，胎児発育の間に陰嚢の中に移動する（精巣下降）．その際，精巣は腹壁の鼠径管（48頁参照）を通過する．腹膜は突出して**鞘状突起** vaginal process をつくり，これは精巣が陰嚢に下降するときの道案内の役を果たしている．鞘状突起は生後には尖端部のみが残り，**精巣鞘膜**（C11）として精巣と精巣上体の周りに閉じた漿膜性の被膜をつくる．これは二重の袋で，**臓側板（精巣上膜）** visceral layer (epiorchium) は，精巣が精巣上体によっておおわれていない部分の白膜に密着している．臓側板はまた精巣上体を広範囲におおい，精索の起始部で**壁側板（精巣周膜）** parietal layer (periorchium) に反転する．精巣と精巣上体との間には**精巣上体洞**（C12）という腔所があり，この洞の入口は折り返しヒダである上および下**精巣上体間膜**（A13）によって境さ

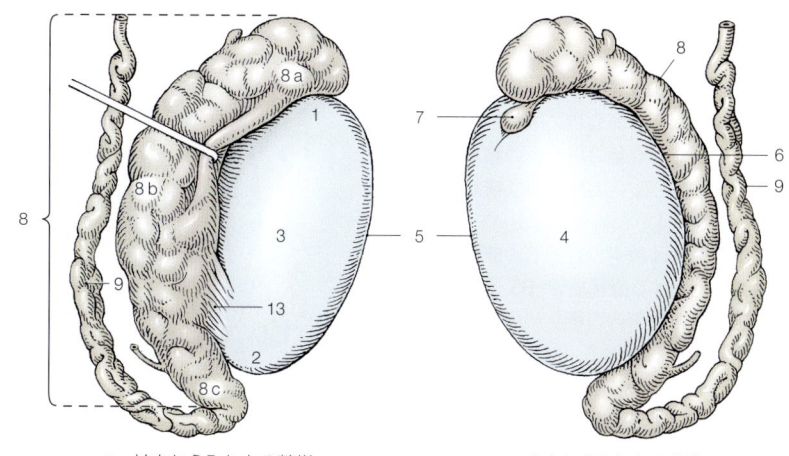

A 外方からみた右の精巣

B 内方からみた右の精巣

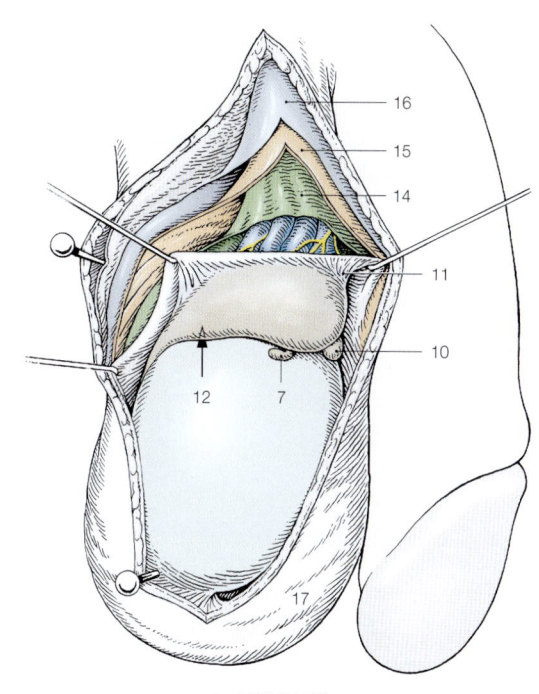

C 精巣の被膜

れている．精巣上膜と精巣周膜の間には漿液を含む精巣鞘膜腔がある．精巣鞘膜の壁側板の外側には，腹壁の筋層から続く**3枚の膜**が陰嚢に達して精巣，精巣上体ならびに精索をおおっている：すなわち，内層には横筋筋膜の続きである**内精筋膜**（C14）がある．内精筋膜はさらに外側から，内腹斜筋から分束する精巣挙筋の筋線維すなわち**精巣挙筋膜**（C15）の線維でおおわれる．外層には外腹斜筋腱膜の続きである**外精筋膜**（C16）がある．

陰嚢（C17）の皮膚は腹壁の皮膚の続きとみなされ，薄くて色素沈着が強くて暗褐色を呈し，皮脂腺と陰毛をもつ．皮下組織は脂肪組織を欠き，結合組織と平滑筋線維でつくられて**肉様膜** dartos fascia と呼ばれる．陰嚢は結合組織性の**陰嚢中隔** septum of scrotum によって二分され，これは外表面からは正中線で会陰にまで続く皮膚ヒダすなわち**陰嚢縫線** raphe of scrotum によって標識される．

> **臨床関連**：精巣は出生の時期には陰嚢の中に納まっていなければならない（男子新生児の**成熟徴候**）．
> 腹膜の膨出部にとどまっていると，先天性の鼠径ヘルニアとみなされる（379頁）．

---

1 上端 superior pole　2 下端 inferior pole　3 外側面 lateral surface　4 内側面 medial surface　5 前縁 anterior border　6 後縁 posterior border　7 精巣垂 appendix of testis　8 精巣上体 epididymis　8a 精巣上体頭 head of epididymis　8b 精巣上体体 body of epididymis　8c 精巣上体尾 tail of epididymis　9 精巣上体管 duct of epididymis　10 精巣上体垂 appendix of epididymis　11 精巣鞘膜 tunica vaginalis　12 精巣上体洞 sinus of epididymis　13 下精巣上体間膜 inferior ligament of epididymis　14 内精筋膜 internal spermatic fascia　15 精巣挙筋膜 cremasteric fascia　16 外精筋膜 external spermatic fascia　17 陰嚢 scrotum

微細構造

精巣と精巣上体の器官骨格． 精巣白膜から**精巣中隔**（**AB1**）が器官内に入り込み，精巣実質を250～370個の円錐形の**精巣小葉**（**A2**）に分けている．この中隔は**精巣縦隔**（**A3**）で収斂するように放射状に走っている．精巣小葉の中には数本の迂曲した**曲精細管**（**B4**）と短く直走する**直精細管**（**B5**）があり，直精細管は精巣縦隔内の網状の細管系である**精巣網**（**B6**）に移行する．精巣網は**精巣輸出管**（**AB7**）を経て1本の**精巣上体管**（**B8**）に接続する．各々の精巣輸出管は約20cmの長さで強く迂曲し，結合組織で分けられた約2cm長の曲索すなわち**精巣上体小葉円錐** conical lobules of epididymis をつくる．この小葉の尖は精巣網に，底は精巣上体管に向いている．

精巣の精細管（**C**）．精細管 seminiferous tubulesは直径180～280μmで，粗な間質結合組織（**C9**）に囲まれており，結合組織中にはテストステロンを作る間質細胞，ライディヒ細胞 Leydig cellsがある（399頁）．精細管に直接して7～10μmの厚さの筋線維芽細胞 myofibroblastと，線維芽細胞（**C10**）の層がある．精細管自体は，いわゆる胚上皮（精上皮）細胞とでできているが，これらの細胞は，精子形成細胞と支持細胞であるセルトリ細胞である．精巣細管の長さは300～350mと算定されている．

精子発生（精子生成） spermatogenesis. 精上皮では精子発生の幹細胞である精祖細胞から若干の段階を経て精子がつくられている．

精祖細胞 spermatogonium は基底膜に沿って存在し，2型が区別される：A型は幹細胞であり，この細胞は休止しているかあるいは有糸分裂を行って新たな幹細胞をつくっている（精祖細胞の増殖）．B型精祖細胞（**D11**）は精子の前駆細胞とみなされ，次の精母細胞への成熟分裂（減数分裂）が予定された細胞で，引き続いての分化過程に入る．その経過の期間中，精細胞は常に細胞間橋 intercellular bridgeによってつながれたままでいる．

B型精祖細胞の有糸分裂によってB型の**一次精母細胞Ⅰ**（**D12**）が生じ，この細胞はDNAを複製（4n DNA）した後，第一成熟分裂前期の種々の段階に入る．この成熟分裂（減数分裂）の前期は24日を要し，遺伝物質の新しい組み合わせをひき起こしている．組織標本での一次精母細胞Ⅰは精上皮の中の大形の細胞で，すぐに目につく．第一減数分裂の他の相は速やかに行われ，**二次精母細胞Ⅱ**（2n DNA）（**D13**）を生み出し，この細胞は第二減数分裂で精子細胞に分裂する．**精子細胞**（**D14**）は精上皮の中で最も小さな細胞で，染色体の単一のセット（22常染色体と1性染色体，1n DNA）だけを備えている．精子細胞はセルトリ細胞（**D15**）先端の網の目の中に埋まって精細管の非内腔側の区画に密集している．

精子細胞は**受精能をもった精子**（**D16**）に変態（変形）する．これを**精子変態** spermiogenesis（**E**）といい，長期間の変態過程の中で主に核質の濃縮，アクロゾーム（尖体）の形成および鞭毛（尾）の形成が行われ，細胞質橋でつながった細胞質を脱落して精上皮から解放される．しかし，この時期の精子は未だ自己の運動能には乏しい．結果的に，精子発生では1個の一次精母細胞から4個の精子がつくられることになる．

精子． 成熟した精子（**F**）は長さ約60μmで，**頭**（**F17**），**頸**（**F18a**），**尾**（**F18**）が区別され，尾はさらに中間部（**F18b**），主部（**F18c**）および終部end-pieceに分けられる．頭は濃縮した核（**F19**）とアクロゾーム（尖体）（**F20**）からなり，さらに外側を頭帽 head cap という薄い膜でおおわれている．尖体（**F20**）には卵細胞に進入するための重要な物質が含まれている．

セルトリ細胞（**D15**）．これは基底膜に固定され，その突起は精細管の内腔に突出している．セルトリ細胞の基底部は多数の細胞接着によって互いにつながっており，これによって**血液‐精巣関門** blood-testis barrier をつくっている．セルトリ細胞の接着部の間にある網目状の細胞間隙には，ゆっくりと精細管の内腔の方へ移動していく生殖細胞がある．これらの細胞は，セルトリ細胞から，栄養分を受け取り，これらは支持骨格となって，さらに液体成分を分泌し，この分泌物が精子の副精巣への輸送に役立っている．

A 精巣と精巣上体の断面
B 精巣と精巣上体の細管系
C 曲精細管，概観，Aの一部拡大
D 曲精細管，Cの強拡大
E 精子変態
F 成熟精子

1 精巣中隔 septa testis　2 精巣小葉 lobules of testis　3 精巣縦隔 mediastinum of testis　4 曲精細管 convoluted seminiferous tubules　5 直精細管 straight tubules　6 精巣網 rete testis　7 精巣輸出管 efferent ductules　8 精巣上体管 duct of epididymis　9 間質結合組織 interstitial connective tissue　10 基底膜 basal lamina　11 B型精祖細胞 spermatogonium type B　12 一次精母細胞 primary spermatocytes　13 二次精母細胞 secondary spermatocytes　14 精子細胞 spermatids　15 セルトリ細胞 Sertoli cells　16 精子 spermatozoon　17 頭 head　18 尾 tail　18a 頸 neck　18b 中間部 middle piece　18c 主部 principal piece　19 精子の核 nucleus of spermatozoon　20 アクロゾーム（尖体） acrosome

微細構造（続き）

精巣網，精巣輸出管，精巣上体管． 精巣と精巣上体を通る断面標本では（**A**），精巣網（**A1**）は精巣縦隔の中にあることがわかる．精巣網（**B**）は一層の扁平または立方上皮で内張りされた空隙系で，そこから12～20本の精巣輸出管（**A2**）が精巣上体（**A3**）にいく．精巣網の空隙からの**精巣輸出管**（**C**）は，高さの異なる多列の上皮を持っている．背の高い細胞群と背の低い細胞群が交互に並んでいる．低い上皮は吸収に働いており，高い上皮は動線毛 kinocilium を持っていて，まだ動けない精子細胞をさらに遠位にある移動部へ輸送する．**精巣上体管**（**D**）は2列の高円柱上皮で内張りされ，不動毛 stereocilium を備えているのが特徴である．この上皮はとくにステロイド-5α-還元酵素を産生する．この酵素は，テストステロンを活性型のジヒドロテストステロンに変換するための酵素である．さらに神経内分泌性のペプチドと分泌型のタンパク質を産生するが，これらは，精子の成熟と貯蔵に役立っている．精巣上体管の壁は薄層の平滑筋細胞からできている．

精巣と精巣上体の機能． 精子は精巣の曲精細管でつくられる．**精祖細胞**から**精子**になるまでは約74日を要する．精子が精巣上体を移動するにはさらに8～17日を要する．精巣上体は精子の**成熟過程**であって，精巣上体の中で受精能を持った精子に成熟する．さらに精巣上体は成熟精子の**貯蔵場所**ともなっている．精子発生に必要な内分泌および傍分泌 paracrine の過程については内分泌系の項で記載される（399頁）．

ホルモンによる調節のほかに，精子が成熟するためには**温度**が決定的な意味をもっており，体中心温度より少なくとも2℃は低くなければならない．

精巣の大きさは子供のときでも絶えず増え続けるが，20歳代から30歳代の間に最大となる．老年期には再び小さくなる．子供の精巣では，精細管はまだ管腔をもたない上皮索であって，セルトリ細胞と精祖細胞をもつにすぎない．精子発生は**思春期**にはじまり，多くの場合，高齢になるまで持続する．

臨床関連：鼠径管内に精子が留まったときには（**精巣停滞** retentio testis），そこでは陰嚢よりも温度が高いために精子は全く形成されない（**精巣下降不全**）．

血管，神経，リンパ

動脈． 精巣はほぼ第2腰椎の高さで大動脈から直接腎動脈の直下で分岐する**精巣動脈** testicular artery によって供給され，精巣上体はその枝によって栄養される．この血管は比較的長く後腹膜腔の中を下方へ走り，大腰筋および尿管と交叉する．精巣動脈は臍動脈（342頁）からくる**精管動脈**および精巣包を支配している下腹壁動脈からの**精巣挙筋動脈** cremasteric artery と吻合する．陰嚢は**内陰部動脈**からの後陰嚢枝によって供血される．

静脈． 精巣と精巣上体からの静脈叢である**蔓状静脈叢** pampiniform plexus は**右精巣静脈**を経由して下大静脈に，**左精巣静脈**を経由するものは左腎静脈に，還流する．精巣の被膜と陰嚢からの静脈血還流は大伏在静脈，下腹壁静脈および内陰部静脈を経由して行われる．

神経． 腹腔神経叢 coeliac plexus からの交感神経線維が動脈に沿って精巣と精巣上体に達している．腸骨鼠径神経と陰部神経からの**陰嚢神経** scrotal nerves が精巣挙筋と陰嚢を支配している．

所属リンパ節． 精巣と精巣上体からのリンパは**腰リンパ節** lumbar nodes に，精巣の被膜と陰嚢からのリンパは**鼠径リンパ節** inguinal lymph nodes に還流する．

臨床関連：蔓状静脈叢の静脈は弁がなくて広い管腔をもつ静脈で，原因は不明であるが強く拡張することがある．このときには**精索静脈瘤**が生じ，右側より左側に多くみられる．

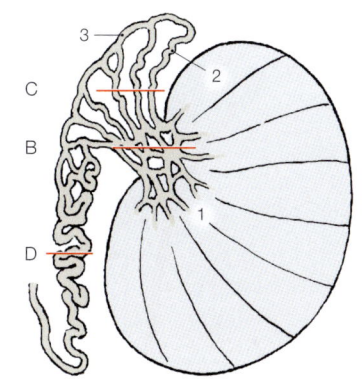

A 精巣と精巣上体の輸精路

B 精巣網

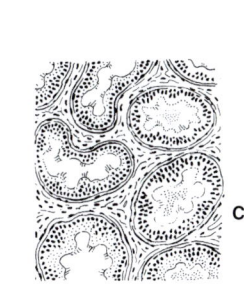

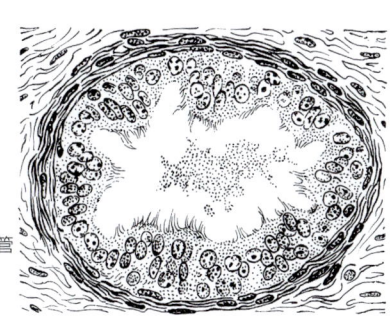

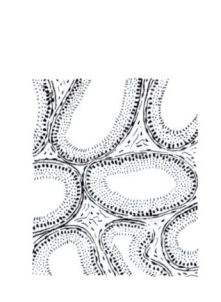

C 精巣輸出管

D 精巣上体管

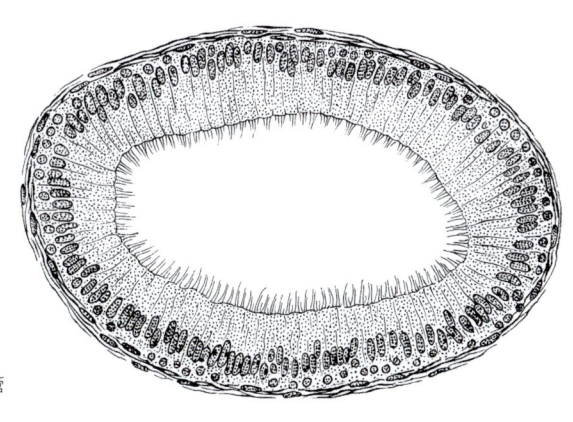

1 精巣網 rete testis　2 精巣輸出管 efferent ductules　3 精巣上体管 duct of epididymis

輸精路および副性腺

精　管

肉眼的構造（A）． 精管（**A1**）は長さ35〜40cmの精子の**輸送器官**で，精巣上体管に続いていており，尿道と関連が深い．精管太さ約3.0〜3.5mmであり，厚い筋性の壁をもつ．精管は精巣上体の頭部に始まり，起始部ではまだ迂曲しているが，次第に縦長に引き伸ばされた部分に移行する．精管はその末端部で紡錘状に拡張した**精管膨大部**（**A2**）をつくり，**射精管**（**A3**）を経て，男性尿道の前立腺部prostatic urethraに開口する．

微細構造（B）． 不釣り合いなほど小さい，星形の内腔には縦走する3〜4条の予備ヒダがある．精管は不動毛を備えた2列の高円柱**上皮**（**B4**）で内張りされ，固有層は薄い結合組織層であるが，弾性線維に富む．精管膨大部では粘膜は数多くのヒダがみられる．**筋層**（**B5**）は厚く，平滑筋線維束で構成され，この筋束は一定の上昇角で走るので横断面で外縦層，中輪層，内縦層の三層構造を示す．精管の**外膜**（**B6**）は結合組織によって周囲組織の中に組み込まれている．

機能． 精管は，筋性の収縮波によって，精子と精液を精巣上体から尿精路まで**輸送**するのに働いている．

血管，神経，リンパ

動脈． 精管は**精管動脈**（**C7**）によって供給され，この動脈は通常臍動脈から起こる．

静脈． 静脈還流は**蔓状静脈叢**（**C8**）と膀胱静脈叢および前立腺静脈叢を経由して行われる．

神経． 植物神経は**下下腹神経叢** inferior hypogastric plexusに由来する．

所属リンパ節． リンパは鼠径管を通って後腹膜にある傍大動脈リンパ節，すなわち**腰リンパ節** lumbar nodesを経由して還流する．

精管の区分と経過（A）

精管の第1部はまず精巣上体の内側を上行する（**陰嚢部** scrotal part），第2部（**精索部** funicular part）精索（下記参照）の中で静脈に囲まれている．第3部（**鼠径部** inguinal part）鼠径管の中で血管，神経の内側を走って深鼠径輪（**A9**）を通り抜ける．その後，精管は腹膜下隙 subperitoneal spaceを走り，下腹壁動静脈ならびに外腸骨動静脈の上を交叉する．精管は最終的には分界線を越えて小骨盤の中に入り，膀胱底の後面に至る（**骨盤部** pelvic part）．

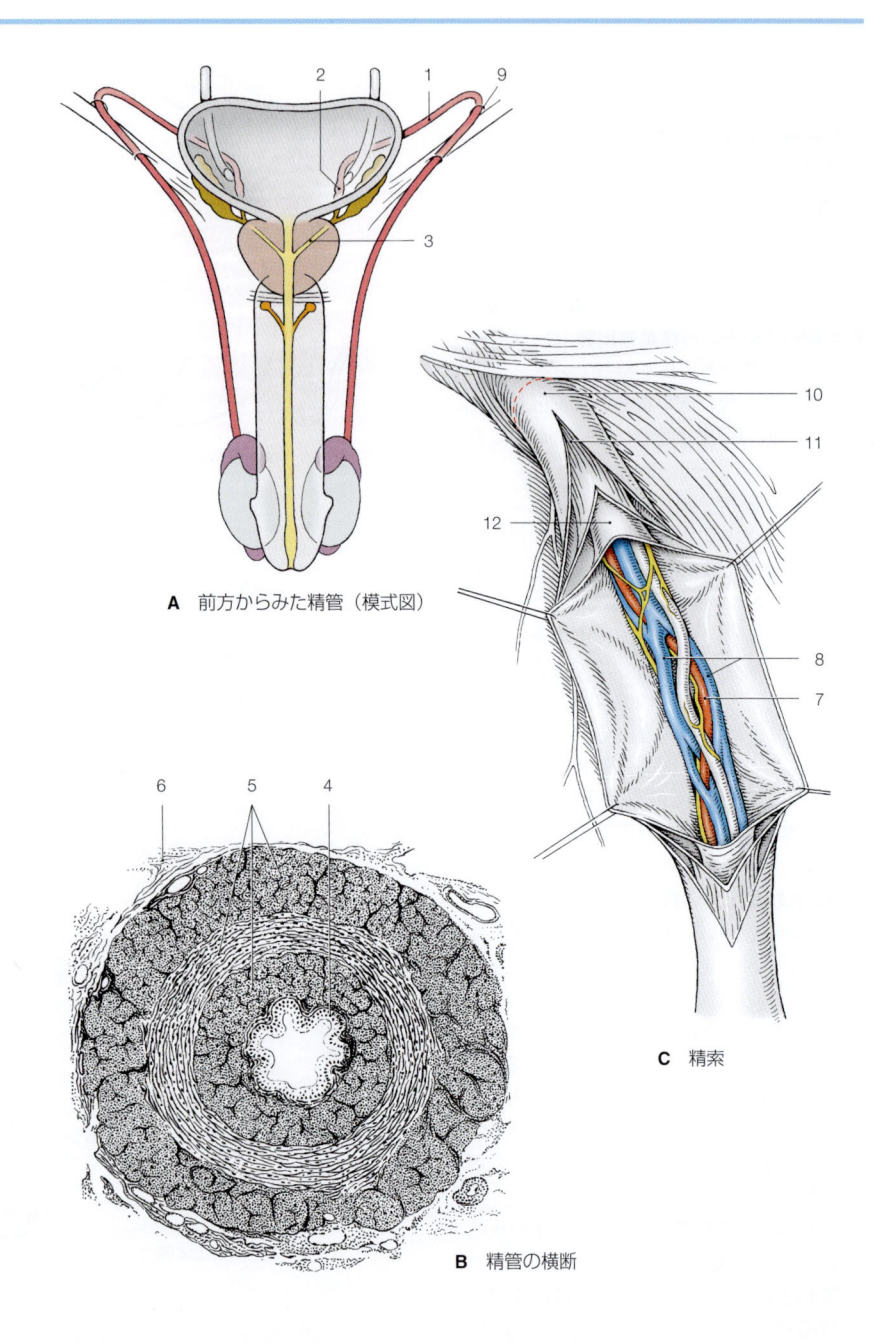

精索（C）

精巣は精巣下降の際に自身の血管や神経を引き連れて鼠径管を通って陰嚢に納まる．**精管とこれに伴行する鼠径路**（精巣動脈，精巣静脈，精管動脈，蔓状静脈叢，植物神経および陰部大腿神経の陰部枝）は**精索** spermatic cordという概念でまとめられる．

精索は長さ11〜12cmで，精巣上体頭の高さから深鼠径輪に達するまでをいい，精巣と腹腔を結んでいる．精索の内容物は外方から内方に向かって，以下の内容である：陰嚢の皮膚−肉様組織−外精筋膜（**C10**）−精巣挙筋（**C11**）−内精筋膜（**C12**）．

> **臨床関連：**精索中の精管はよく発達した筋性壁をもっているため容易に触知できる．皮膚の近くにあるため，外科的侵襲も容易で，**精管切開** vasectomyを行って受精を不能にすることができる．

A 前方からみた精管（模式図）

B 精管の横断

C 精索

---

1 精管 ductus deferens　2 精管膨大部 ampulla of ductus deferens　3 射精管 ejaculatory duct　4 上皮 epithelium　5 筋層 muscular layer　6 外膜 adventitia　7 精管動脈 artery to ductus deferens　8 蔓状静脈叢 pampiniform plexus　9 深鼠径輪 deep inguinal ring　10 外精筋膜 external spermatic fascia　11 精巣挙筋 cremaster　12 内精筋膜 internal spermatic fascia

精嚢（精嚢腺）

左右の**精嚢（精嚢腺）**（**A1**）は膀胱（**AC2**）の後ろで，精管膨大部（**A3**）の外側にある．精嚢の外方の先端部は腹膜におおわれるが，他の部分は腹膜外隙 extraperitoneal space に位置する．精嚢は長さ約5cmで表面はゴツゴツしており，内に長さ約15cmにわたった精管を宿している．精嚢の導管を**排出管** excretory duct といい，これは精管と一つになって尿道の前立腺部の高さで射精管（**AC4**）に移行する．

微細構造と機能．組織像では多数の粘膜ヒダをもつのが特徴で，断面標本では多数の小室と陰窩のある迷路にみえる．粘膜架橋 mucosal bridges がみられる．**上皮**は単層もしくは2層の円柱ないし立方上皮で，アルカリ性の果糖に富んだ分泌物をつくっている．これは前立腺からの分泌物とともに精液の大部分を形成する．排出管の壁は強い筋層で構成される．

前立腺

クリの実大の**前立腺**（**A～C6**）は膀胱の下方で骨盤底（尿生殖隔膜）の上にある．長さ約3cm，幅4cm，厚さは2cmある．**前面**（**B7**）は恥骨結合に向き，**後面** posterior surface は直腸に向いている．**下外側面** inferolateral surface は外下方に向いて，植物神経の骨盤神経叢すなわち下下腹神経叢と隣接している．さらに，上方の膀胱底と密接する**底**（**B8**）と下方の尿生殖隔膜の方を向く**尖**（**B9**）とが区別される．前立腺は尿道の初部（**BC10**）と射精管（**AC4**）に貫通されている．肉眼的には**右葉**と**左葉**ならびに尿道の前で両葉をつなぐ**峡部**が区別される．しかし，中央葉は発生学的および病理学的見地からの腺組織の区分との関連性はあまりない．

微細構造と機能．前立腺は約40の管状胞状腺からなる**外分泌器官**で，その導管である**前立腺管** prostatic ducts は多数あって精丘の周りの尿道に開口する．前立腺は丈夫な結合組織性の**前立腺被膜** capsule of prostate に囲まれ，被膜からの続きが典型的な**線維筋性**の間質をつくる．そして個々の腺は平滑筋に富む結合組織の中に埋め込まれている．腺上皮は高さの異なる単層円柱または多列上皮で，活動期には高さを増す．やや薄い**分泌物**は弱酸性（pH 6.4）で酸性ホスファターゼや，プロテアーゼのほか種々の酵素を含み，精液の約15～30％を形成している．

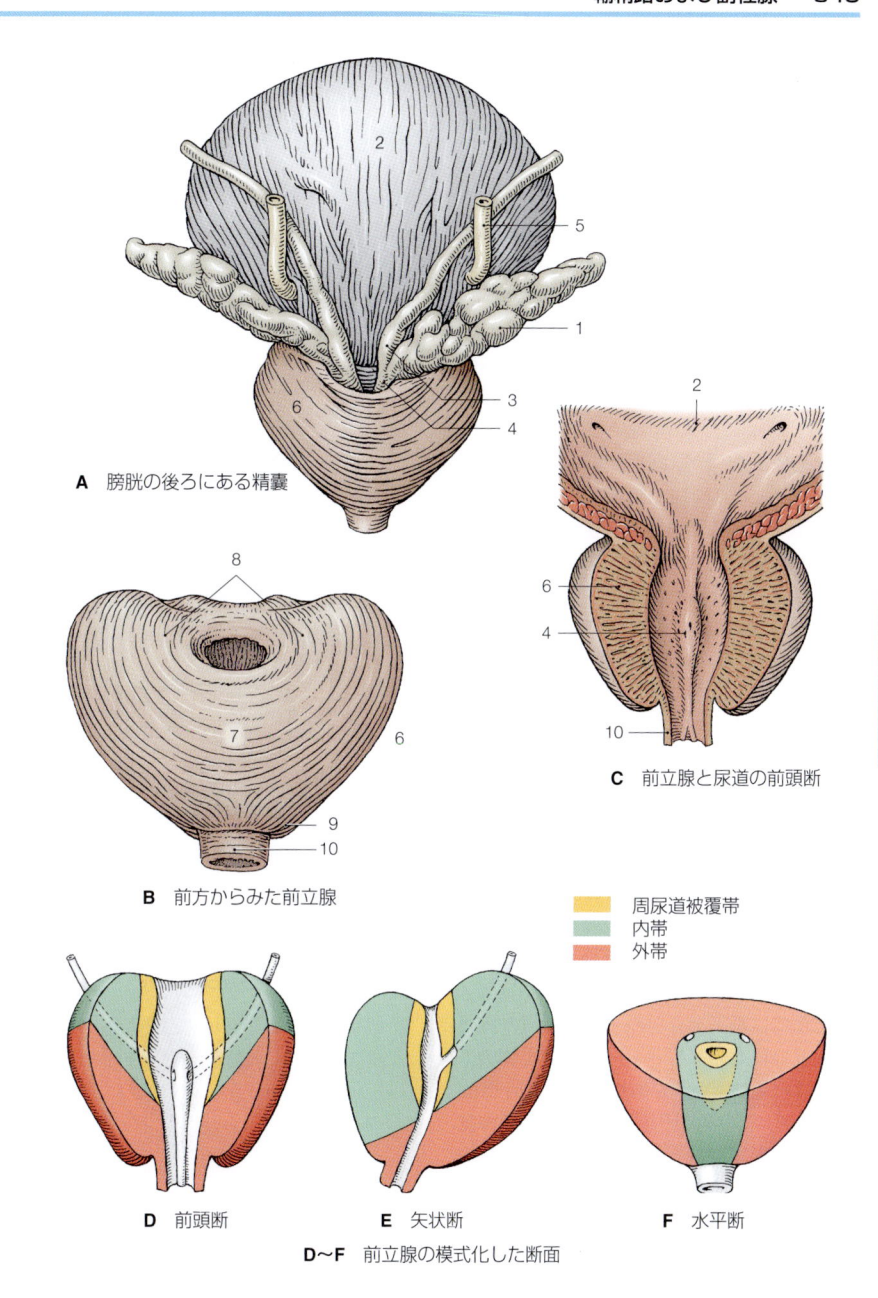

臨床関連：前立腺の腺組織は，臨床上の観点からは3帯（**D～F**）に区分され，尿道の周りに鉢状に配列している：すなわち**周尿道被覆帯**（黄）が尿道を射精管の開口の高さまで取り巻く．これは**内帯**（緑）の腺組織で取り巻かれ，射精管を囲んでいる．腺組織の大部分は**外帯**（赤）が形成している．老人では内帯の腺組織が良性に肥大する傾向がある（**前立腺肥大症** prostatic hypertrophy）．このときには貫通している尿道を圧迫して締めつけ，排尿障害が起こる．前立腺癌は主に外帯で生じ，老人では最も多い癌の一つである．

血管，神経，リンパ

動脈．精嚢への動脈血供給は下膀胱動脈，精管動脈および中直腸動脈を経由して行い，前立腺は内陰部動脈の枝，下膀胱動脈および中直腸動脈を経由して供給される．

静脈．静脈は前立腺の周りに**前立腺静脈叢**をつくり，これは膀胱静脈叢と交通している．前立腺静脈叢は精嚢からの静脈還流も受け入れ，内腸骨静脈を経由して還流する．

神経．精嚢の先端部に近接して，そして前立腺の背外側に**下下腹神経叢**の一部があり，ここから前立腺と精嚢に多数の神経線維がやってきている．

所属リンパ節．精嚢からのリンパは**内腸骨リンパ節**に，前立腺からのリンパは主に**内腸骨リンパ節と仙骨リンパ節**に還流する．

A 膀胱の後ろにある精嚢

B 前方からみた前立腺

C 前立腺と尿道の前頭断

周尿道被覆帯（黄）
内帯（緑）
外帯（赤）

D 前頭断　　E 矢状断　　F 水平断

D～F 前立腺の模式化した断面

---

1 精嚢（精嚢腺）seminal vesicle　**2** 膀胱 urinary bladder　**3** 精管膨大部 ampulla of dectus duferens　**4** 射精管 ejaculatory duct　**5** 尿管 ureter　**6** 前立腺 prostate　**7**（前立腺の）前面 anterior surface　**8** 前立腺底 base of prostate　**9** 前立腺尖 apex of prostate　**10** 尿道 urethra

外生殖器

陰茎

陰茎は2つの海綿体，すなわち，1対の**陰茎海綿体**（ABC1）と無対の**尿道海綿体**（ABC2）で構成されている．陰茎は**陰茎根**（A3）と**陰茎体**（A4）が区別され，前者は恥骨と会陰に固定され，後者は陰茎根の前方で可動性のある部をいう．陰茎体はさらに上面の**陰茎背**と下面の**尿道面**が区別される．

陰茎根．陰茎根は陰茎海綿体の起始部を囲んでいる：両側で恥骨下枝から**陰茎脚**（A5）が起こる．それぞれは横紋筋性の**坐骨海綿体筋**（A6）におおわれている．両側の陰茎脚の間に尿道海綿体の後端が肥厚した**尿道球**（A7）がある．尿道球は**尿生殖隔膜**（A8）と癒合しており，**球海綿体筋**（A9）におおわれている．陰茎根は腹壁および恥骨結合と陰茎ワナ靱帯および陰茎提靱帯によって結ばれている（46頁参照）．

陰茎体．両側の陰茎脚は恥骨結合の下で合一して2室の**陰茎海綿体**となり，陰茎体の大部分を占める．これは厚い結合組織性の被膜すなわち**陰茎海綿体白膜**（BC10）で囲まれ，両海綿体間の正中に不完全な隔壁すなわち**陰茎中隔**（B11）をつくる．この中隔は櫛状中隔 pectinate septum であって，前方部では不完全なため，左右の海綿体組織は互いに連絡している．陰茎海綿体の下面には一条の深い溝があり（尿道溝 urethral fissure），この溝は円錐形をなして陰茎海綿体の末端部まで続き，ここに尿道海綿体を受け入れている．白膜背面の浅い溝には静脈，動脈，神経が規則的に配列している（B）．尿道海綿体の被膜である**尿道海綿体白膜**（B12）は比較的薄い．陰茎海綿体と尿道海綿体は共通に丈夫な筋膜すなわち**深陰茎筋膜**（B13）に包まれている．

陰茎亀頭．尿道海綿体はそのバスケット状の起始部から約1cm離れたところで尿精路を受け入れて**陰茎亀頭**（AC14）で終わるが，亀頭では陰茎海綿体の終端を越えて突き出している．亀頭の先端には尿道の裂隙状の開口すなわち**外尿道口**（C15）が開き，亀頭底の鈍縁すなわち**亀頭冠**（AC16）は陰茎体とは溝によって分けられている．

陰茎の皮膚．陰茎は脂肪組織を欠く薄い皮膚で包まれている．陰茎の皮膚は薄い皮下筋膜すなわち**浅陰茎筋膜**（B17）の上にある．皮膚は陰茎体上を移動できるが，亀頭冠では皮下組織と固く付着している（C）．こ

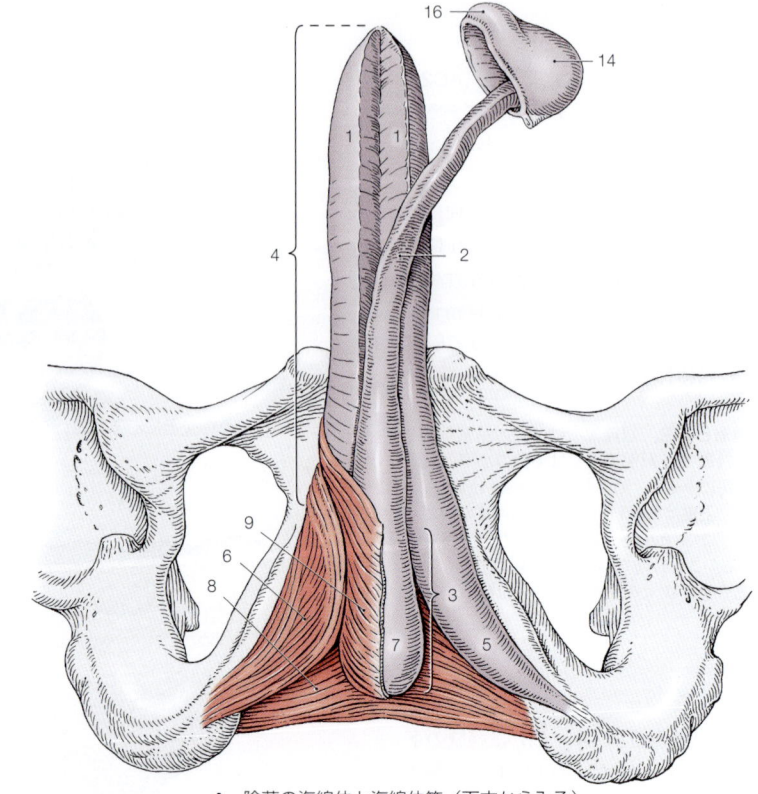

A 陰茎の海綿体と海綿体筋（下方からみる）

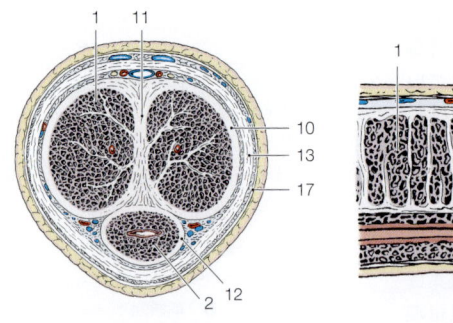

B 陰茎体の横断面

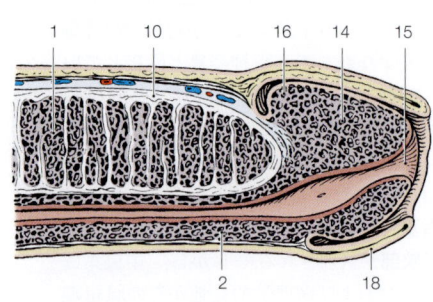

C 陰茎尖の矢状断面

の付着部から**包皮**（C18）として亀頭を包み込む．包皮は下面の正中で**包皮小帯** frenulum of prepuce といわれるヒダをつくって亀頭に固定されている．この小帯は包皮の内葉でつくられている．

海綿体の微細構造

陰茎海綿体（C）．陰茎海綿体は内皮で内張りされた空洞すなわち**陰茎海綿体洞** cavernous space of corpora cavernosa をもっており，これは膠原線維，弾性線維および平滑筋からなる基質すなわち**陰茎海綿体小柱** trabeculae of corpora cavernosa の中に埋め込まれている．海綿体洞はいろいろな量の血液を受け入れることができる：すなわち，空虚のときには細隙状であるが，勃起に際して血液が充満すると数mmの直径をもつようになる．それに加えて，洞間の平滑筋が収縮し，陰茎の硬直化をきたす．海綿体洞は蛇行して走るいわゆる**ラセン動脈** helicine arteries（←陰茎深動脈，345頁）によって供給され，この動脈は特別な閉鎖装置を備えている．海綿体洞からの血液は筋膜下および筋膜上の静脈を経由して還流する．

尿道海綿体．尿道海綿体も同様に内皮で内張りされた広い**海綿体洞**をもつが，これは**静脈が拡張した部分**とみなされている．陰茎体の領域では尿道と平行して走るが陰茎亀頭では拡大している．結合組織の基質や平滑筋叢の発達は陰茎海綿体のそれよりも弱い．尿道海綿体における血液の充満は単に"軟らかい"膨張をきたし，それによって尿道を通る精液の輸送が可能となる．

---

1 陰茎海綿体 corpus cavernosum penis 2 尿道海綿体 corpus spongiosum penis 3 陰茎根 root of penis 4 陰茎体 body of penis 5 陰茎脚 crus of penis 6 坐骨海綿体筋 ischiocavernosus 7 尿道球 bulb of penis 8 尿生殖隔膜 urogenital diaphragm 9 球海綿体筋 bulbospongiosus 10 陰茎海綿体白膜 tunica albuginea of corpora cavernosa 11 陰茎中隔 septum penis 12 尿道海綿体白膜 tunica albuginea of corpus spongiosum 13 深陰茎筋膜 deep fascia of penis 14 陰茎亀頭 glans penis 15 外尿道口 external urethral orifice 16 亀頭冠 corona of glans 17 浅陰茎筋膜 fascia of penis 18 包皮 prepuce

陰　茎

血管，神経，リンパ

動脈．海綿体への血液供給は内陰部動脈からの3対の動脈により行われる：すなわち，陰茎背で**深陰茎筋膜**（A1）の下を**陰茎背動脈**（A2）が走り，陰茎亀頭，包皮および陰茎皮膚に供給する．**陰茎深動脈** deep artery of penis は陰茎海綿体の中央を走り，これを栄養し，また枝として**ラセン動脈** helicine arteries を分枝する．**尿道球動脈** artery of bulb of penis が尿道海綿体と尿道に到達している．

静脈．静脈還流は主に有対の**浅陰茎背静脈**（A3）と無対の**深陰茎背静脈**（A4）が行う．前者は外陰部静脈に還流し，後者は前立腺静脈叢または膀胱静脈叢に開く．

神経．知覚性の神経支配は陰部神経の枝である**陰茎背神経** dorsal nerve of penis が行う．植物神経線維は**下下腹神経叢** inferior hypogastric plexus を経由して陰茎に達するが，これらの線維は腰部交感神経（腰髄第1～3髄節）および仙骨部副交感神経（勃起神経 pelvic splanchnic nerves）（脊髄節 S_2～S_4）に由来している．

所属リンパ節．陰茎のリンパは**鼠径リンパ節** inguinal lymph nodes に還流する．

機能．陰茎の**勃起** erection は性的な刺激によってひき起こされ，これは中枢神経系の植物神経中枢において処理される：すなわち，ラセン動脈が開かれ，同時に血液の流出が絞られると，陰茎海綿体は血液で満たされる．性的興奮が一定の限度に到達すると脊髄レベル（L_2/L_3）に存在する射精中枢が刺激されて，オルガスムス相で精液の体外への放出すなわち射精 ejaculation が始まる．

A　陰茎の血管と神経

B　男の尿道（背側壁を切開して）

C　男の尿道，正中矢状断

男の尿道

男の尿道 male urethra は長さ約20cmで，その大部分は尿路であり同時に精路でもある．男の尿道は4部が区分される：すなわち，尿道の初部は**壁内部** intramural part といわれ，狭くて短い膀胱壁で構成され，**内尿道口**（B5）に始まり膀胱壁内を通る．次いで前立腺の中を通る長さ約3.5cmの**前立腺部**（BC6）に続き，この部の内面には後壁にヒダ状の高まりすなわち尿道稜 urethral crest がみられ，その中央部に紡錘状に膨らんだ**精丘**（B7）がある．精丘には両側面に射精管（B8）が，頂部に盲嚢状の前立腺小室 prostatic utricle が開口している．精丘の両側にできる溝は前立腺洞（B9）といわれる．前立腺の下縁から尿道の**隔膜部（中間部）**（BC10）が始まり，ここは壁内部に次いで短く，また尿道の中で最も狭い部位で尿生殖隔膜を貫通して次の海綿体部に移行する．**海綿体部**（BC11）は尿道でも長い部分である．海綿体部の近位部は尿生殖隔膜と恥骨結合に固定され，その管腔は尿道膨大部をつくって拡張し，ここに尿道球腺（B12）の導管が開口している（下記参照）．海綿体部の第2の拡張部である尿道舟状窩（BC13）が陰茎亀頭の内部にみられ，この窩は長さ約2cmで，尿道の外部への開口部である**外尿道口**（B14）に向かって幅が狭くなっている．舟状窩の上壁にはしばしば1本のヒダである舟状窩弁がある．男の尿道は内尿道口，隔膜部（中間部）および外尿道口の**3ヵ所に狭窄部**があり，ほかの部では広い．

臨床関連：カテーテルを挿入するときには尿道の狭窄部と屈曲部を考慮するべきである．

微細構造．尿道壁は薄く，3層からなる．**粘膜**は縦走ヒダをもつ．上皮は前立腺部の半ばまで移行上皮が続き，次いで多列（重層）円柱上皮に変わる．これは海綿体部の舟状窩までをおおい，そこで重層扁平上皮となる．海綿体部の全長にわたって粘液腺である**尿道腺** urethral glands（リットレ腺 Littré glands）が存在する．

尿道球腺．尿道球腺（B12）はカウパー腺 Cowper's gland ともいわれ，尿生殖隔膜の中に両側性に存在するエンドウ豆大の背が高い円柱上皮をもった管状腺で，糸を引く粘液と弱アルカリ性の分泌物をつくっている．約4cm長の導管が前方に向かい，尿道海綿体を貫いて尿道海綿体部の近位部に開口する．

---

1 深陰茎筋膜 deep fascia of penis　2 陰茎背動脈 dorsal artery of penis　3 浅陰茎背静脈 superficial dorsal veins of penis　4 深陰茎背静脈 deep dorsal vein of penis　5 内尿道口 internal urethral orifice　6 （尿道）前立腺部 prostatic urethra　7 精丘 seminal colliculus　8 射精管（の開口）ejaculatory duct　9 前立腺洞 prostatic sinus　10 （尿道）隔膜部 membranous part　11 （尿道）海綿体部 spongy urethra　12 尿道球腺 bulbo-urethral gland　13 尿道舟状窩 navicular fossa　14 外尿道口 external urethral orifice

局所解剖

断面解剖

股関節の高さでの横断面（A）

　この断面は腹側上方から背側下方に向かって幾らか斜めに切られており，したがってこの断面像の腹側はまだ恥骨結合の上部に位置する．両側の骨盤壁には内閉鎖筋（AB1）と閉鎖管 obturator canal に入口する直上の閉鎖動静脈（A2）ならびに閉鎖神経（A3）がみられている．背外側には仙棘靱帯（A4）が坐骨棘（A5）に付着しているのが識別できる．尾骨（A6）の前方には直腸膨大部（A7）がみられ，これは外側および背側からわずかな周直腸脂肪結合組織で取り囲まれ，この中には上直腸動静脈や直腸神経およびリンパ管が走っている．直腸の腹側には精嚢（A8）と精管膨大部（A9）がみられている．精嚢の外側には，植物神経の骨盤神経叢すなわち下下腹神経叢（A10）と前立腺静脈叢（A11）の多数の切り口が識別できる．膀胱（A12）は両側の尿管（A13）が開口する高さで切られており，左側では尿管の壁内経過を見渡すことができる．膀胱は腹側と外側から脂肪組織（膀胱傍組織 paracystium）によって囲まれ，これは膀胱が充満したときの滑り場所として役立っている．

A14 大殿筋 gluteus maximus, A15 坐骨神経 sciatic nerve, A16 大腿骨頭 head of femur, A17 大腿骨頸 neck of femur, A18 恥骨筋 pectineus, A19 腸腰筋 iliopsoas, A20 大腿動静脈 femoral artery and vein, A21 大腿神経 femoral nerve, A22 腹直筋 rectus abdominis.

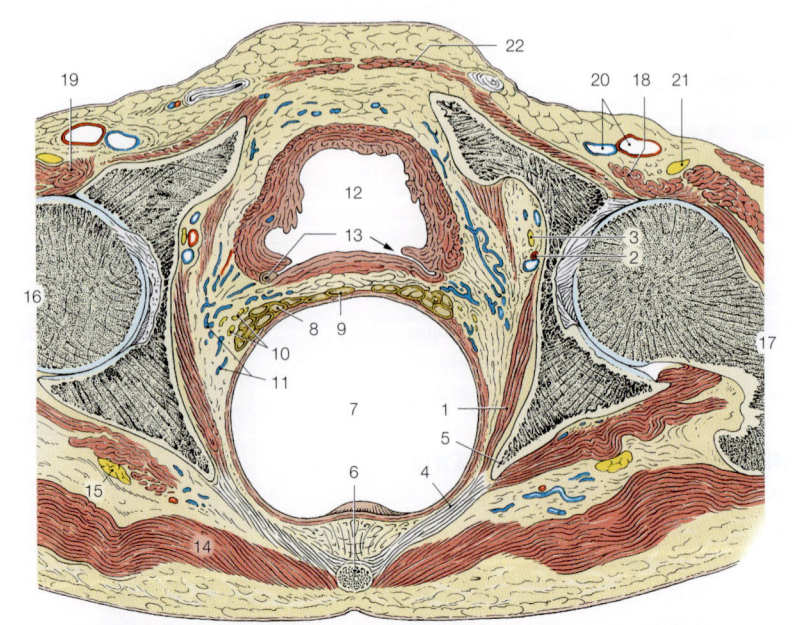

坐骨結節の高さでの横断面（B）

　この断面は，腹側は恥骨結合（B23）を通り，背側は尾骨の尖端を通る面で切られている．骨盤内臓の外側には肛門挙筋（B24）の一部が接して存在し，直腸の背側は恥骨直腸筋（B25）のワナで囲まれている．恥骨直腸筋の外側には坐骨直腸窩（B26）の脂肪体が描出されており，この窩は外方では内閉鎖筋（B1）によって境され，この中には閉鎖筋膜がつくる二重構造物（陰部神経管 pudendal canal）の中を内陰部動静脈（B27）と陰部神経 pudendal nerve が前後の方向に走っている．坐骨直腸窩は背側では大殿筋（B14）によっておおわれる．直腸の腹側には前立腺（B28）があり，その腹側および外側はAにもみられる前立腺静脈叢（B11）が付き添っており，また前立腺の背外側縁には植物神経の下下腹神経叢（B10）がみられ，その外側に精管（B29）の切り口がみられている．前立腺と恥骨結合の間には結合組織で満たされた恥骨後隙 retropubic space がある．

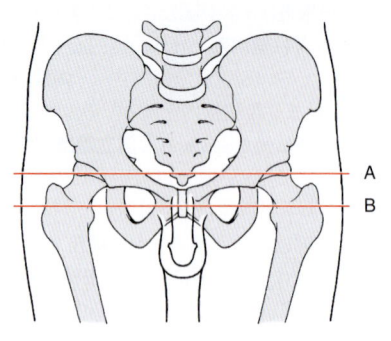

A 男性骨盤の横断面（股関節の高さ）

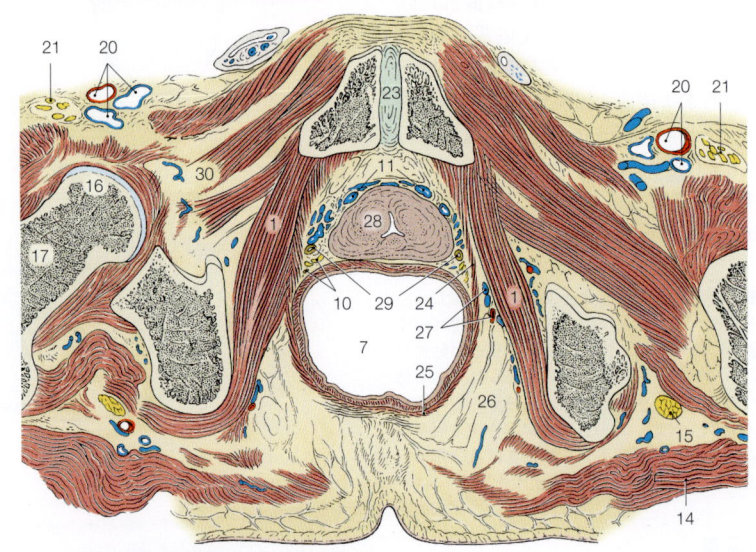

B 男性骨盤の横断面（坐骨結節の高さ）

断面の位置

1 内閉鎖筋 obturator internus　2 閉鎖動静脈 obturator artery and veins　3 閉鎖神経 obturator nerve　4 仙棘靱帯 sacrospinous ligament　5 坐骨棘 ischial spine　6 尾骨 coccyx　7 直腸膨大部 rectal ampulla　8 精嚢 seminal vesicle　9 精管膨大部 ampulla of ductus deferens　10 下下腹神経叢（骨盤神経叢）inferior hypogastric plexus (pelvic plexus)　11 前立腺静脈叢 prostatic venous plexus　12 膀胱 urinary bladder　13 尿管 ureter　14〜22は本文参照　23 恥骨結合 pubic symphysis　24 肛門挙筋 levator ani　25 恥骨直腸筋 puborectalis　26 坐骨直腸窩 ischiorectal fossa　27 内陰部動静脈 internal pudendal artery and vein　28 前立腺 prostate　29 精管 ductus deferens　30 外閉鎖筋 obturator externus

概　説

女性生殖器の構成

女性生殖器 female genital system の器官は，男性生殖器の構成に対応して，その局所的および発生学的理由から内生殖器と外生殖器に分けられる：すなわち，

女の**内生殖器** internal genitalia には卵巣（AC1），卵管（AC2），子宮（AC3）および腟（A4）が属し，小骨盤の中に存在する．女の**外生殖器** external genitalia は大陰唇（B5），小陰唇（B6），腟前庭（B7），大前庭腺（バルトリン腺）（A8）および陰核（AB9）が区別される．臨床的な用語では，外生殖器は尿道の開口（AB10）および腟の開口ならびに恥丘（B11）をも含めて**女の外陰部** vulva という概念でまとめられる．恥丘とは恥骨結合の前で皮下脂肪に富んだ皮膚の高まりをいう．また卵管と卵巣は**子宮付属器** adnexe ともいわれる．

機能． 左右の**卵巣**では女の生殖細胞である卵細胞が成長し，排卵を起こす．受精能のある卵細胞は周期的に**卵管**を経由して**子宮**の方に輸送される．卵細胞が受精したときには，若い胎芽 blastocyst（胚子）embryo は十分に準備された子宮粘膜（子宮内膜）に着床する．

女性骨盤での腹膜の状態（C）

腹腔は明確な境界なしに分界線を越えて骨盤腔に続いている．女性骨盤では膀胱（C14），直腸（C15）および子宮（AC3）が他の骨盤器官に取り囲まれて存在し，腹膜の状態は男性骨盤（338頁）のそれとは異なっている．前腹壁の**壁側腹膜**は男の場合と同様に膀胱の上に続く．これは膀胱頂と膀胱上面をおおって，ここから子宮体-子宮頸部境界の高さで子宮の前面に反転する．さらに壁側腹膜は子宮の頂部と子宮の両側にある卵管と卵巣をおおい，次いで子宮の後面に広がる．ここでは腹膜は腟の後壁すなわち腟円蓋 vaginal fornix の後部にまで達している．子宮をおおっている腹膜は，**子宮外膜** perimetrium という．

子宮，卵管および卵巣は腹膜によっておおわれている．これは子宮の両側で前額面に位置して，腹膜の二重構造物からなる板状の**子宮間膜（子宮広靱帯）**（C16）をつくり，この間膜は両側の骨盤壁に達している．この広間膜は卵管が側方に横走するために生じ，子宮を体幹また卵管を上肢と仮定すれば着物の袖の部分にあたる．子宮広間膜の内，子宮の側縁に接する部を**子宮間膜** mesometrium，卵管に接する部を**卵管間膜** mesosalpinx，卵巣に接する部を**卵巣間膜** mesovarium という．また2枚の腹膜の間に固有卵巣索と子宮円索を入れている．子宮広間膜は女性骨盤の前方と後方の腹膜ポケットすなわち**膀胱子宮窩**（C17）と**直腸子宮窩**（C18）とに分けている．膀胱子宮窩は膀胱の充満状態に左右されてほとんど間隙状になることもあるが，直腸子宮窩（**ダグラス窩**）は消失することのない真の腹膜陥凹であり，女性の腹腔の中で最も低い場所として標識される．直腸子宮窩の両側は直腸子宮ヒダ（C19）によって境され，その漿膜下には線維に富んだ結合組織すなわち仙骨子宮靱帯 sacro-uterine ligament と植物神経の下下腹神経叢が走っている．

臨床関連： 腹腔における病的な流動性の貯留物をドレナージするときは，腟を経由して**直腸子宮窩**に穿刺すると排液することができる．ダグラス窩は，肛門から触診することもできる．

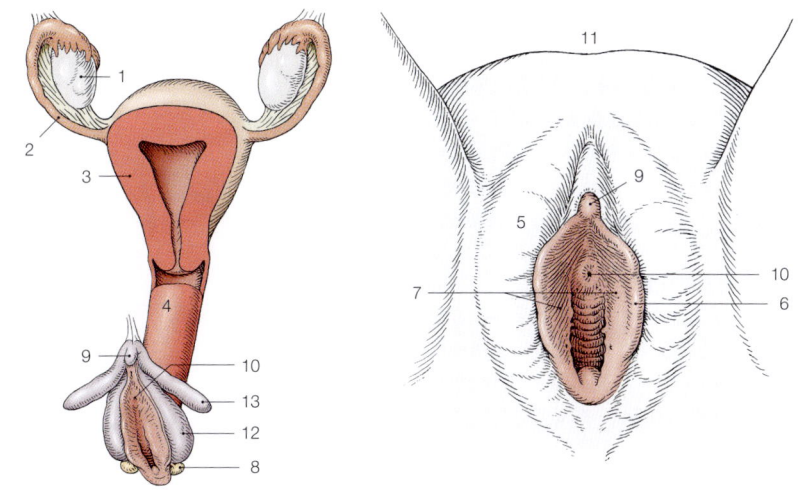

A 女の生殖器，模式図

B 女の外生殖器

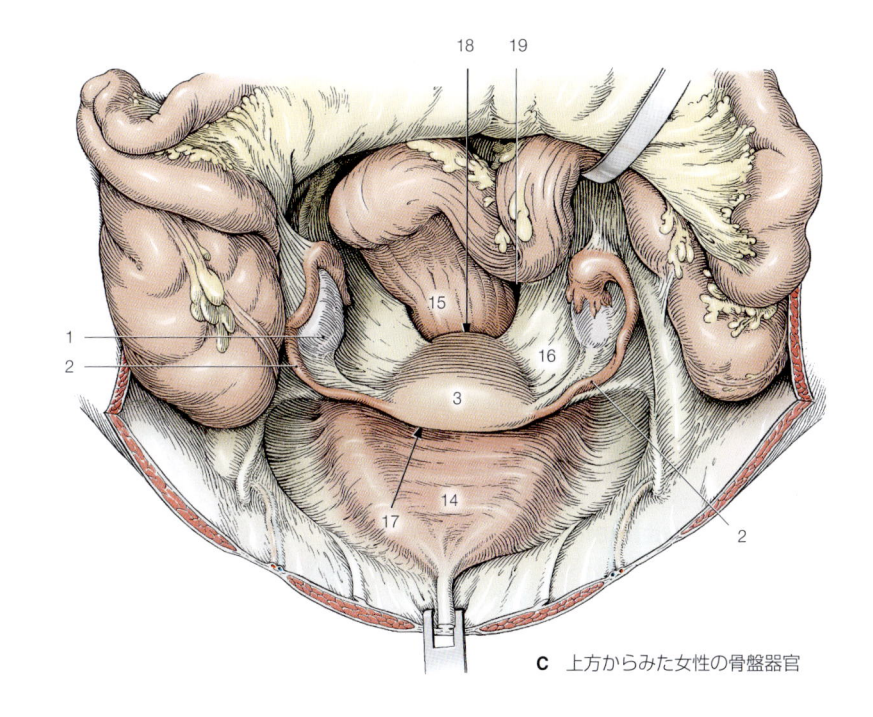

C 上方からみた女性の骨盤器官

---

1 卵巣 ovary　2 卵管 uterine tube　3 子宮 uterus　4 腟 vagina　5 大陰唇 labium majus　6 小陰唇 labium minus　7 腟前庭 vestibule　8 大前庭腺（バルトリン腺）greater vestibular gland（Bartholin's gland）　9 陰核 clitoris　10 外尿道口 external urethral orifice　11 恥丘 mons pubis　12 前庭球 bulb of vestibule　13 陰核脚 crus of clitoris　14 膀胱 urinary bladder　15 直腸 rectum　16 子宮広間膜 broad ligament of uterus　17 膀胱子宮窩 vesico-uterine pouch　18 直腸子宮窩（ダグラス窩）recto-uterine pouch（Douglas' pouch）　19 直腸子宮ヒダ recto-uterine fold

卵巣と卵管

対で存在する**卵巣**（AB1）は女の生殖腺であり，**卵胞と卵細胞が成長する場所**である．卵巣は正常では骨盤側壁の卵巣陥凹 ovarian fossa の中にあり，この陥凹は総腸骨動脈の分岐部によって境される．卵巣は扁桃状で，長さ約4cm，幅1.5〜2.0cm，厚さ約1cmである．卵巣の**表面状態**は年齢に応じて特徴的である：すなわち，幼女では平滑な表面をもち，性的に成熟した婦人では不規則な凹凸がみられ，更年期後の婦人では瘢痕によるくぼみがみられる．

卵巣の肉眼的構造

肉眼的には，卵巣の長軸はほぼ垂直に位置して，内方に向かって骨盤内臓に向く**内側面**（B2）と外方に向かって骨盤壁に接する**外側面**（B3）が区別される．上極を**卵管端**（B4），下極を**子宮端**（B5）という．収斂性の両側の卵巣の軸は，子宮の前方で交叉する．卵巣は腹膜内器官 intraperitoneal organ で，腹膜の二重構造物である**卵巣間膜**（B6）をもち，これは子宮広間膜（B7）の後葉に付着している．上極からは卵巣提索 infundibulopelvic ligament が卵巣動静脈を入れて骨盤側壁に向かって走り，下極からは固有卵巣索（B8）が子宮の上外側角（卵管角）に向かって走る．卵巣を固定するのに役立っている．腹膜の付着縁を**間膜縁**（B9）といい，ここに卵巣への血管，神経が出入りしている**卵巣門** hilum of ovary がある．間膜付着縁の対側には凸縁を呈する**自由縁**（B10）があり，これは骨盤腔に直面して尿管から走ってくる腹膜のヒダに向き合っている．卵巣の位置はいろいろで，成人女性で未妊娠の場合は，卵巣窩に，すなわち内外腸骨動脈の間の腹膜のくぼみに収まっている．卵巣窩の底には，腹膜下組織中を閉鎖動静脈と閉鎖神経が走っており，後方では，外腸骨動静脈が境界となっている．尿管もここでは卵巣に密接しており，その間には，壁側腹膜のみが存在するに過ぎない．経産婦では，卵巣は普通，少し深い位置にある．ここでは腸管ループが，卵巣の下方にあることがあり，左ではS字結腸が，右では盲腸が特に虫垂突起がつまっている．

卵巣の微細構造

卵巣は丈夫な結合組織性の被膜である**白膜**（CD11）に囲まれ，その表面は**一層の上皮細胞層**でおおわれている．この細胞層は主に立方細胞でつくられ，間違って胚芽上皮 germinal epithelium といわれているが，そ

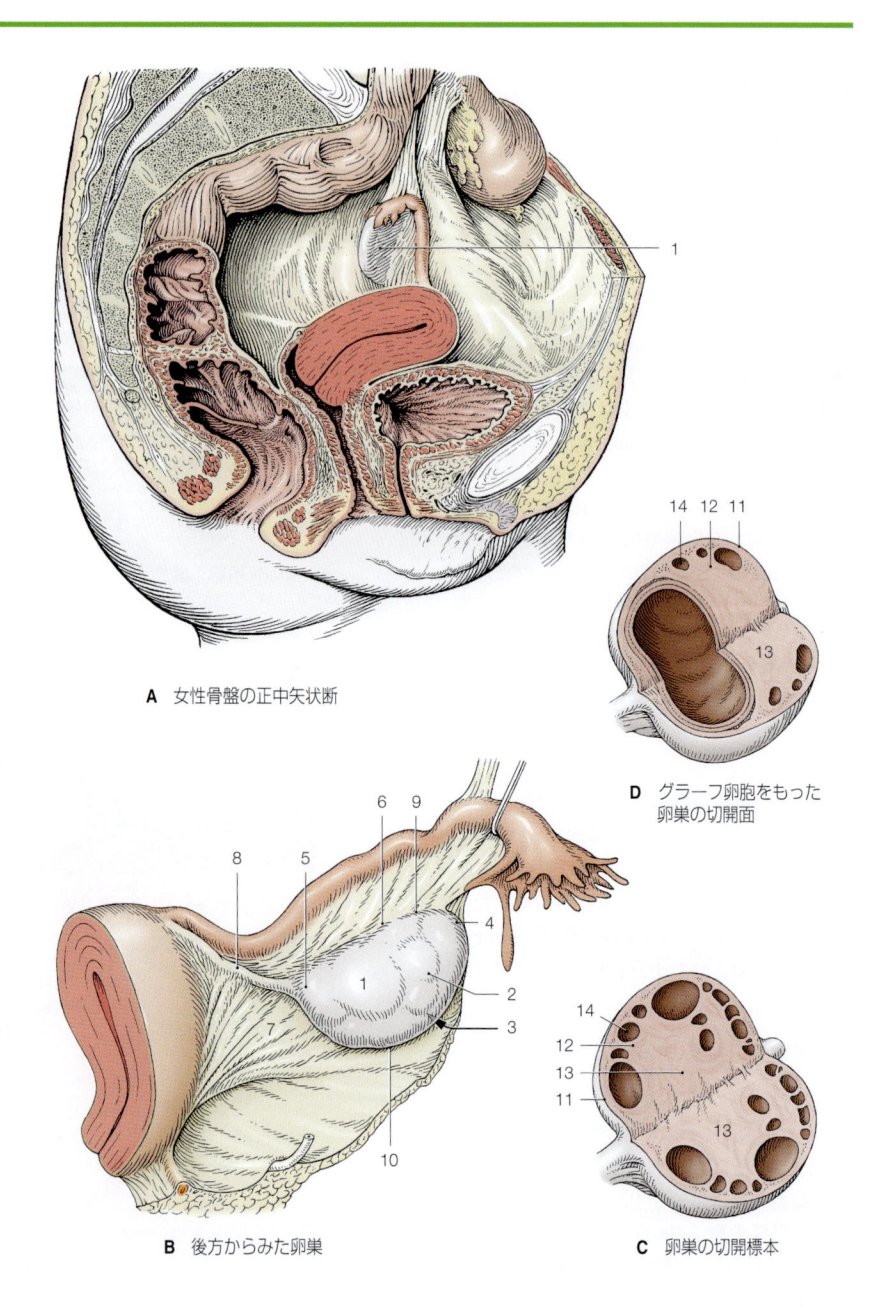

A 女性骨盤の正中矢状断

B 後方からみた卵巣

C 卵巣の切開標本

D グラーフ卵胞をもった卵巣の切開面

の働きについては卵を発射した後の卵巣の表面を修復するために関与しているらしい．卵巣の内部は丈夫で細胞に富んだ結合組織性基質すなわち**卵巣支質** ovarian stroma で埋められ，明確な境界はないが**卵巣皮質**（CD12）と**卵巣髄質**（CD13）に区分される．髄質は血管と神経に富み，内分泌細胞をもっている（400頁）．内分泌性の卵巣門の細胞は，精巣のライディヒ細胞に似ている．**成熟卵巣**（D）の皮質には卵巣周期に従って種々の発育段階にある**卵胞**（CD14），ならびに黄体およびその遺残物（白体）がみられる．皮質の支質の構造は特徴的で，平行に走る膠原線維と紡錘形の細胞がさまざまな方向に織り合い，**紡錘細胞性結合組織**を形作っている．新生女児の卵巣皮質には**原始卵胞** primordial ovarian follicle がある．原始卵胞は中心に一次卵母細胞 primary oocyte を入れて，周りを単層の扁平卵胞上皮で囲まれたもので，直径30〜50μmの大きさである．原始卵胞の数は出生時に50万〜100万個を備えているが，その大部分は思春期までに消退してしまう．一次卵母細胞は成熟分裂（減数分裂）の前期に入っており，性的に成熟するまでこのままでとどまる（卵子発生については発生学参考書を参照せよ）．

> **臨床関連**：卵巣癌（卵巣腫瘍の80〜90％）は，卵巣の上皮性の被膜（腸膜上皮）から発生するが，これは排卵の際，卵巣表面から，その下にある卵巣の基質に至ったものである可能性がある．

---

1 卵巣 ovary　2 内側面 medial surface　3 外側面 lateral surface　4 卵管端 tubal extremity　5 子宮端 uterine extremity　6 卵巣間膜 mesovarium　7 子宮広間膜 broad ligament of uterus　8 固有卵巣索 ligament of ovary　9 間膜縁 mesovarian border　10 自由縁 free border　11 白膜 tunica albuginea　12 卵巣皮質 ovarian cortex　13 卵巣髄質 ovarian medulla　14 卵胞 ovarian follicle

卵胞

女性は生殖能力を有する期間を通して，卵胞の小部分はそれに所属する卵細胞とともにホルモンによって調節される成熟過程を開始する．組織学的標本では一次卵胞，二次卵胞および三次卵胞が区別される．卵胞成熟の期間を通して**卵母細胞**（**A1**）は 150μmの大きさまで成長する．

一次，二次，そして三次卵胞は，幼児の早い時期から成熟期の終わりまで形成される．一次そして二次卵胞は，小さい，中位の，そして大型の**前洞卵胞** preantral follicle は，三次卵胞では，それぞれ小型，中型そして大型の**洞性卵胞** antral follicle とあらわされるようになる．性成熟の間に，それまで成熟に向かっていた卵細胞の 99.9％は，退縮してしまう（**卵胞閉鎖** follicular atresia）．関連した思春期約 400,000 個の卵細胞は，一人の女性が性成熟の間に 300〜400 個の卵細胞が受精可能になる．

最初に**原始卵胞**（**A2**）から**一次卵胞**（**A3**）となる．一次卵胞はその中に一次卵母細胞を入れて，その周りを単層立方の卵胞上皮 follicular epithelium で囲まれている．卵胞上皮と卵細胞の間に均質淡明な透明帯（**A4**）が形成されてくるが，これは後に精子受容のための係留蛋白に移行する．**二次卵胞**（**A5**）（径 400μm 以上）では重層の卵胞上皮が卵細胞を囲む．この卵胞上皮細胞（**A6**）を顆粒層細胞 granulosa cells ともいう．卵胞上皮細胞の間に小裂隙が形成されて卵胞液 follicular fluid で満たされてきて，ラクナと呼ばれる．一方，卵胞は周囲の結合組織すなわち支質細胞から内卵胞膜（**A7a**）が形成されてくる．内卵胞膜にはステロイド産生細胞をもっている内卵胞膜（**A7a**）と収縮性の細胞を備えている外卵胞膜（**A7b**）が区別される．**三次卵胞**（＝**胞状卵胞**または**グラーフ卵胞**）（**A8**）（直径 0.4〜1cm）では，顆粒層細胞間の小裂隙の融合によって卵胞液で満たされた大きな卵胞洞（**A9**）が生じ，そのために卵丘（**A10**）の中にある卵細胞は卵胞の一側に偏位する．卵細胞に直接接している顆粒層細胞は放線冠（**A11**）と呼ばれ，卵胞洞を取り巻く多層卵胞上皮は顆粒層（**A12**）を形成し，内卵胞膜（**A7a**）と外卵胞膜（**A7b**）は明瞭に区別されるようになる．

各**卵巣周期**において一つの三次卵胞は短期日の内に約 5 倍の大きさの排卵可能な**グラーフ卵胞**（348頁 D）に成長し，**排卵** ovulation の時点（12〜15日，400頁）には皮質の全層を占めて白膜から半球状に膨れ出し，卵細胞は放線冠とともに卵管に放出される．

排卵後の卵巣内に残された卵胞腔は崩壊し，一時周辺の毛細血管からの出血によって内腔が満たされて**赤体** corpus rubrum となるが，血液はやがて吸収されて，ここに**黄体細胞** lutein cells が増殖して**黄体**（**B13**）（直径約 3cm）が形成される．黄体細胞には顆粒層の細胞が分化した**顆粒層黄体細胞** granulosa lutein cells と，内卵胞膜の細胞が分化した**卵胞膜黄体細胞** theca lutein cells があり，これらの黄体細胞からプロゲステロン progesterone とエストロゲン estrogen とが約 8 日間つくられる．受精しないときには（これを**月経黄体** corpus luteum of menstruation という）約 2 週間で急性の血管収縮によって退化し（regression, luteolysis），その後は結合組織性の瘢痕となって**白体** corpus albicans と呼ばれる．受精したときには（これを**妊娠黄体** corpus luteum graviditatis という），黄体は肥大増殖し，妊娠 3 ヵ月まで，妊娠の持続が可能になるまで必要である．そして，4 ヵ月目頃から退化傾向を示すが，妊娠期間中持続する．同時に進行する卵胞と卵の成熟に関するホルモンによる調節については 400 頁を参照せよ．

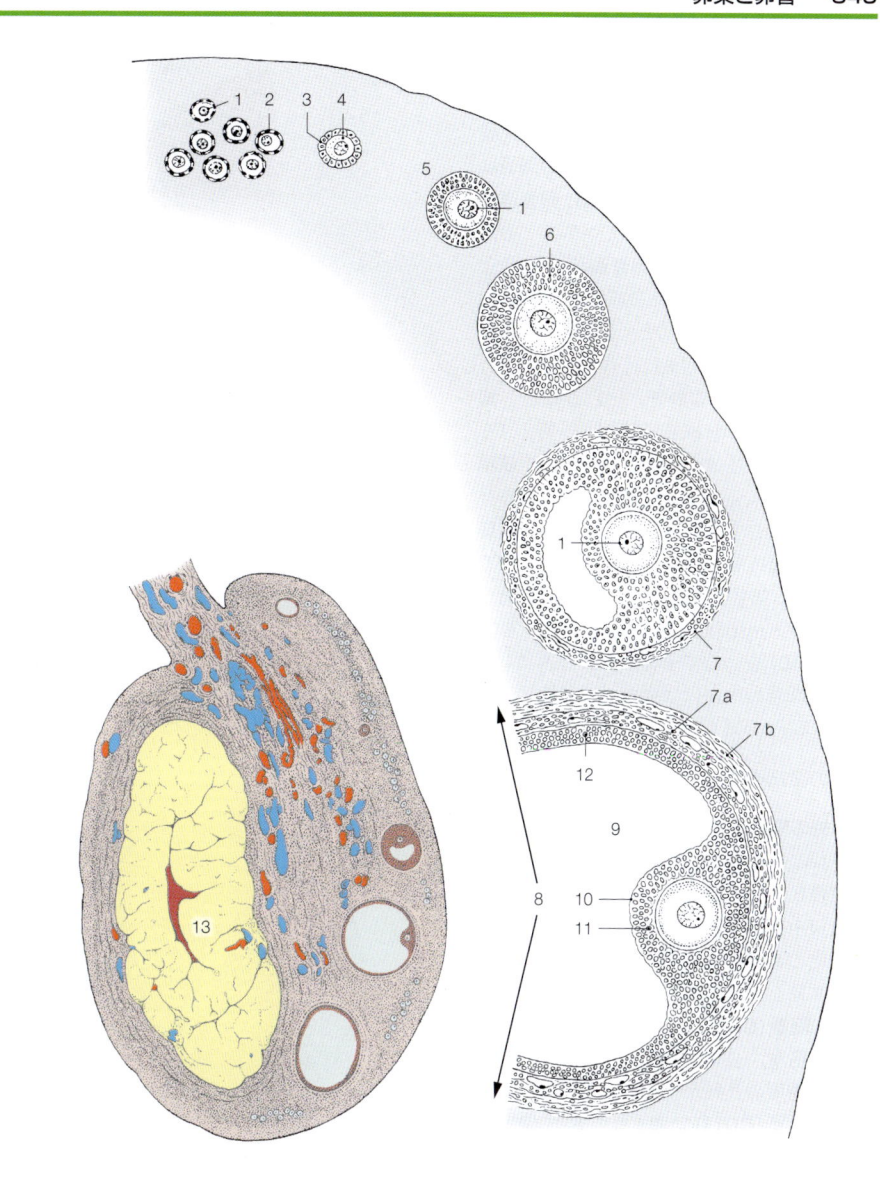

B 黄体をもつ卵巣の断面　　**A** 卵胞の成熟過程

---

1 卵母細胞 oocyte　2 原始卵胞 primordial ovarian follicle　3 一次卵胞 primary follicle　4 透明帯 pellucid zone　5 二次卵胞 secondary follicle　6 卵胞上皮 follicular epithelium　7 卵胞膜 follicular theca　7a 内卵胞膜 theca interna　7b 外卵胞膜 theca externa　8 三次卵胞（胞状卵胞，グラーフ卵胞）tertiary follicle（vesicular follicle, Graafian follicle）　9 卵胞洞 follicular antrum　10 卵丘 cumulus oophorus　11 放線冠 corona radiata　12 顆粒層（卵胞上皮）granulosa layer（follicular epithelium）　13 黄体 corpus luteum

卵管の肉眼的構造

卵管（AB1）は子宮の両側で，子宮広間膜（B2）の上縁中を外方に走る．左右の卵管は約10～18cmの管でその自由端は**卵管腹腔口**（B3）でもって腹腔に開いている．この開口部はロート状を呈して**卵管漏斗**（AB4）といわれ，房状の突起である**卵管采**（AB5）をもっていて，そのうちのとくに長い1本は**卵巣采**（B6）となって卵巣に付着する．卵管には卵管膨大部と卵管峡部が区別される．**膨大部**（AB7）は卵管漏斗に続いて外側2/3を形成し，太く且つうねりながら走る．**峡部**（A8）は子宮に近い1/3を形成して，細く且つ直線的に走り，子宮体の上外側角から**卵管子宮口** uterine ostium までの子宮壁中を貫いて走る部を**子宮部**（A9）という．卵管は腹膜内器官 intraperitoneal organ で，卵管間膜（B10）を介して子宮広間膜と連結している．卵管の内面には縦走する粘膜ヒダがみられる．

卵管の微細構造

卵管の壁は粘膜，筋層，腹膜の三層で構成される．**粘膜**（CD11）は単層の円柱上皮で内張りされ，線毛細胞 ciliated cells と腺細胞 glandular cells の2種類を備えている．腺細胞の分泌物は吸引された腹膜由来の漿液と共同して卵管の分泌液をつくり出している．**筋層**（CD12）は複数の系からなる．腹膜下の筋層，血管周囲の筋層，および卵管固有の筋層の3系が区別される．卵管の外側は，**漿膜**（CD13）で囲まれており，これによって卵管と周囲との間の，位置移動が可能になっている．

卵巣と卵管の機能．卵巣は女の生殖細胞を容れており，性周期に従って受精可能な卵細胞を送り出している．卵巣はさらにホルモン（エストロゲン，ゲスタゲン，そして他のステロイドホルモン）を作り，生殖管の周期的な現象を制御している（400頁）．

卵管は卵巣の卵細胞をつかまえ，それを子宮まで輸送する．卵管は同時に受精場所でもある．それは，卵管で卵細胞と精子が出会い，融合するからである．

卵巣と卵管の血管，神経，リンパ

動脈．卵巣は主として腹大動脈の枝である子宮動脈から，血流を受け，さらに付加的に内腸動脈の卵巣枝から血液がきている．

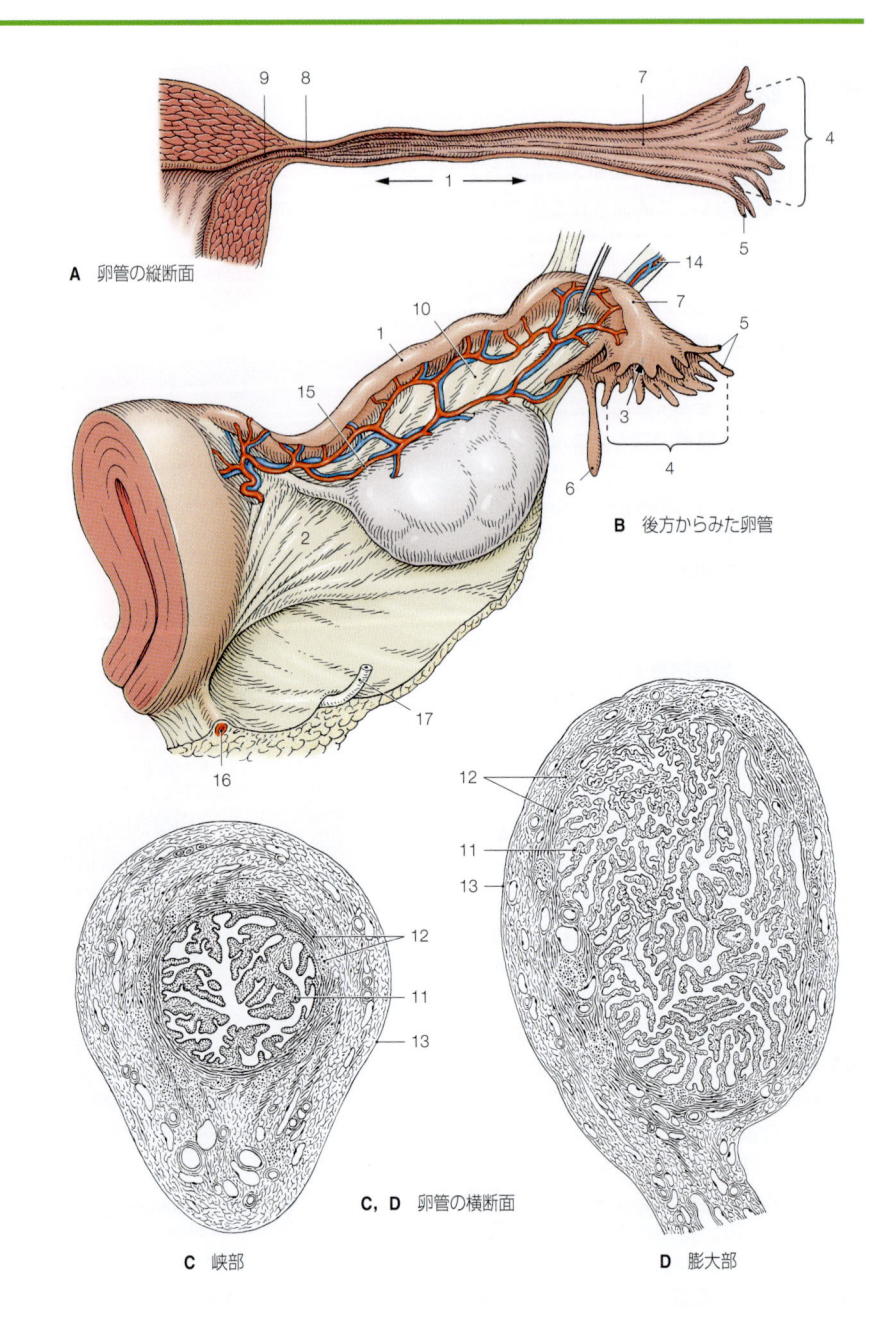

静脈．卵巣からの静脈血は**卵巣静脈叢** ovarian venous plexus に集まり，ここから卵巣静脈が出て行く．卵管からの静脈血は**子宮静脈叢** uterine venous plexus を経由して還流する．

神経．交感および副交感線維は**上腸間膜動脈神経叢** superior mesenteric plexus と**腎神経叢** renal plexus から卵巣動静脈に伴行して卵巣と卵管に達する．卵管はまた，下下腹神経叢から続いている子宮膣神経叢からの線維もきている．これの副交感性要素は，仙髄に由来する．

所属リンパ節．卵巣と卵管からのリンパは**腰リンパ節** lumbar nodes に還流する．卵管からのリンパは追加的に**内腸骨リンパ節** internal iliac nodes にも流れる．

> **臨床関連**：胚盤胞 blastocyst が子宮の外に着床すると，子宮外妊娠もしくは異所性妊娠が生ずる．卵管粘膜に着床すると，卵管妊娠となるが，子宮外妊娠全体の98％は卵管妊娠である．卵管は子宮と違って，発育していく胎児を養えないので，手術的に対処しないでおくと，局所の血管の破裂によって，妊婦に致死的な内出血をひき起こすこともある．

A 卵管の縦断面
B 後方からみた卵管
C, D 卵管の横断面
C 峡部
D 膨大部

1 卵管 uterine tube　2 子宮広間膜 broad ligament of uterus　3 卵管腹腔口 abdominal ostium　4 卵管漏斗 infundibulum　5 卵管采 fimbria　6 卵巣采 ovarian fimbria　7 卵管膨大部 ampulla　8 卵管峡部 isthmus　9 子宮部 uterine part　10 卵管間膜 mesosalpinx　11 粘膜 mucous membrane　12 筋層 muscular layer　13 漿膜 serosa　14 卵巣動脈 ovarian artery　15 卵巣枝 ovarian branches　16 子宮動脈 uterine artery　17 尿管 ureter

子宮

肉眼的構造

子宮（AD1）は壁の厚い筋性の器官で，軽度に前方に傾いて，小骨盤のほぼ中央で膀胱と直腸の間に位置する．性的に成熟した女性の子宮は，長さ約7～8cmで重さは50～70gある．前後の方向に圧平された西洋ナシの形をしている．子宮は外見的には**子宮体**（B2）と**子宮頸**（AB3）が区別される．

子宮体．子宮体は西洋ナシの膨れた部分に相当し，子宮の上2/3を占めて，平坦な**前面**（A4）と凸面を呈する**後面**（A5）が区別され，両面は腹膜でおおわれている．上方に突出した子宮体の天蓋の部は**子宮底**（BC6）といわれ，その左右端は卵管と子宮が結合するところで，性的に成熟した女性では，**右子宮角**（B7）および**左子宮角**（B8）として左右に突き出している．子宮体と子宮頸の移行部に**子宮峡部**（B9）があり，これは外見的には浅いくびれとして識別することができる．

子宮頸（AB3）．子宮頸は西洋ナシの細い部分に相当し，子宮の下1/3を占めて円柱状を呈して後下方に向いている．子宮頸はさらに**腟部**（A10）と**腟上部**（A12）に分けられ，前者は子宮頸が腟腔の中に突き出している部をいい，後者は腟の上部にある部をいう．腟部の終端には子宮内腔の外への開口部すなわち**[外]子宮口**（AC13）があり，この口は腹側から**前唇**（B14），背側から**後唇**（B15）によって囲まれている．

子宮の内腔（C）．子宮の内腔は粘膜で内張りされた細隙状の腔で構成される．子宮体に相当して**子宮腔**（C16）があり，この腔は角が前頭面に向いた逆二等辺三角形を呈し，その上部の左右の角に卵管が開く（卵管子宮口）．子宮腔の下部の角は**内子宮口**（C17）をもつ短い**峡管** isthmus of uterus/isthmic canal を経て，**子宮頸管**（C18）に続き，腟内の**[外]子宮口**（AC13）を経て開口する．子宮頸管は紡錘状で，内面には斜めに走る多くのヒダすなわち**棕状ヒダ**（C19）がみられる．子宮頸管の粘膜中には子宮頸腺があり，この腺は粘液を分泌して子宮頸管をタンポンのように閉ざしている．子宮の内腔は[外]子宮口から子宮底まで全長約6cmである．

子宮の姿位．子宮の位置は中腔性器官である膀胱と直腸の充満状態によっても影響される．一般に膀胱が空虚のときには子宮は全体として前方に傾き，すなわち**前傾** uterine anteversion している．子宮体は子宮頸に対して前方に曲がって，すなわち**前屈** uterine anteflexion している．さらに，正中矢状面に対しての子宮のずれを，子宮偏位（right or left position）とすることもある．

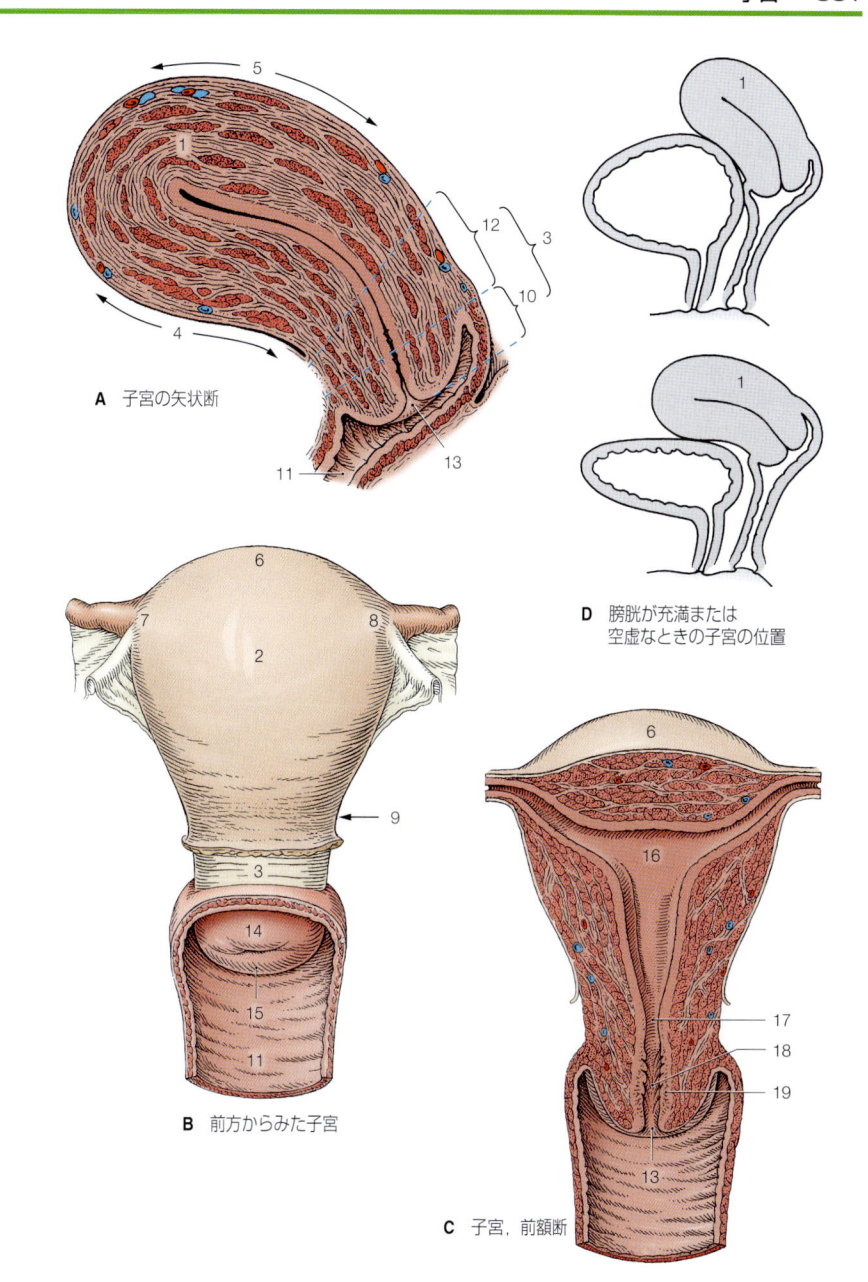

> **臨床関連**：臨床医は子宮頸の腟部のことを短く略して"Portio"という．**外子宮口**とは上記の峡管の始まりにある**内子宮口**に相対する臨床用語である．子宮峡部は妊娠中には強く伸張して，産科医の間では"**子宮下部**" lower uterine segmentといわれている．Portioから，子宮内腔底までは6～7cmある．これは目盛りのついたゾンデ（消息子）で測れるので"ゾンデ長"ともいわれる．

年齢に応じた子宮の変化．新生児の子宮は円筒形を呈して小骨盤から突き出ており，子宮頸は子宮体に比して長い状態にある．前述された典型的な子宮の形状は**性的成熟**に伴って生じてくる．子宮は月経の期間中は軽度に肥大し，血管新生が盛んである．妊娠中には子宮はすこぶる肥大して上胃部にまで達する．老人の子宮は萎縮してくるが，子宮体は比較的に大きいままで，子宮頸は強く退縮する．[外]子宮口は未産婦では丸い小さなくぼみとしてみられるが，最初の経腟出産後は横長の裂隙状となる．

A 子宮の矢状断

B 前方からみた子宮

C 子宮，前額断

D 膀胱が充満または空虚なときの子宮の位置

---

1 子宮 uterus **2** 子宮体 body of uterus **3** 子宮頸 cervix of uterus **4** 前面 vesical surface (anterior surface) **5** 後面 intestinal surface (posterior surface) **6** 子宮底 fundus of uterus **7** 右子宮角 (right) uterine horn **8** 左子宮角 (left) uterine horn **9** 子宮峡部 isthmus of uterus **10** （子宮の）腟部 vaginal part (of cervix) **11** 腟 vagina **12** （子宮頸の）腟上部 supravaginal part (of cervix) **13** [外]子宮口 external os of uterus **14** 前唇 anterior lip **15** 後唇 posterior lip **16** 子宮腔 uterine cavity **17** 内子宮口 internal os **18** 子宮頸管 cervical canal **19** 棕状ヒダ palmate folds

微細構造

子宮の壁層（A）

子宮腔の内面は**子宮内膜（＝子宮粘膜）**（AC1）で内張りされている．子宮壁の主要部では強力な**子宮筋層（＝筋層）**（AC2）をもっている．子宮体と子宮底の部分は壁側腹膜でおおわれ，**子宮外膜（＝漿膜）**（AC3）をなす．子宮の左右縁を**子宮縁**（A4）といい，**子宮傍組織**（AC5）という概念下にまとめられる結合組織と直接境を接している．子宮頸の高さにある結合組織はとくに**子宮頸傍組織** paracervix といわれる．

子宮体の微細構造

子宮内膜． 子宮体領域においては，子宮内膜は筋層と直接固く結合している．内膜は単層の円柱上皮で内張りされ，その中には線毛細胞を含み，線毛の運動は腟の方に向かう．粘膜固有層は細胞成分に富み，線維成分の少ない結合組織からなり，管状腺である子宮腺 uterine glands が発達している．子宮体の子宮内膜は浅層の**機能層**（Ⅱ＋Ⅲ）functional layer と深層の**基底層**（Ⅰ）basal layer が区分される．機能層は周期的な変化が義務づけられた層で，脱落と肥厚を繰り返す．基底層は月経の際にも剥離しない層で，この層から内膜の再生が周期的に起こってくる．

月経周期（B）． 出産能力のある年齢（初潮 menarche から閉経 menopause まで）では，卵巣ホルモンの分泌変化に伴い，子宮内膜の機能層には，周期的な変化が起こっている：**増殖期**（5〜14日）（B7, 8）の間は，エストロゲンの影響下に，剥離した機能層が新しくつくられてきて，腺は増殖し，ラセン動脈が現れてくる．次の**分泌期**（15〜28日）（B9, 10）では，プロゲステロンとエストロゲンの作用下に，腺は引き続いてさらに増殖して蛇行し，粘着性の分泌物をつくる．血管もさらに増加して，ラセン動脈は著明に発達して延長する．分泌期の機能層では，表層の密な**緻密層** compact layer（Ⅲ）と深層の腺管に富んだ疎な**海綿層** spongy layer（Ⅱ）が明瞭となる．緻密層の中には基質細胞が変化した大型で上皮様の"偽脱落膜細胞"pseudodecidual cells が現れてくる．卵細胞が受精しなかった場合は，ホルモンによる制御から解放されて，子宮内膜には虚血期 ischemic phase の萎縮が起こり，遂には出血を伴う組織損傷と機能層の剥離・脱落をきたす（**剥離期**（1〜4日））（B6）．

臨床関連： 機能層の脱落の際に，基底層は筋層の血管下層は噛み合っているので保たれている．子宮内膜が子宮内腔から，卵巣の方向に，もしくは骨盤腹膜へ引き込まれて，子宮内膜症の症状がみられることもある．

子宮筋層． 子宮筋層は子宮壁の大部分を占めて，平滑筋線維，結合組織および血管で構成される．子宮体と子宮底の領域では**3層**が区別される．**中層**は最も厚い層で，殊に血管に富み，そのため海綿状の外観を呈する．中層の筋線維束は3次元的な網状構造をつくるが，これは主として子宮表面と平行に広がっている．この中層が出産の際，分娩時の主要な原動力となる．**内層** subvascular layer と**外層** supravascular layer は薄い筋層でつくられている．

臨床関連：妊娠時には，個々の平滑筋線維が元の大きさの7〜10倍に肥大し，子宮は大きくなる．同時に筋線維の数も増す．筋層の良性腫瘍は平滑筋腫 leiomyoma であるが，短く子宮筋腫 myoma ともいわれる．

子宮頸の微細構造

子宮頸の粘膜は，子宮体内膜におけるような周期的な粘膜の構築と崩壊は起こらない．機能層と基底層を欠いている頸管の大部分は単層円柱上皮でおおわれ，線維細胞に富む結合組織の上にのっている．**子宮頸腺**（D11）は上皮から陥没した分枝している管状腺で，アルカリ性の粘液を分泌している．これとは対照的に（子宮頸の）**腟部**は非角化重層扁平上皮でおおわれている（D）．

臨床関連： 頸管の円柱上皮と腟部の上皮との**移行帯**は明確で，出産可能年齢の婦人では腟鏡 colposcope で調べると容易に調べることができる．高齢者ではこの移行帯は頸管の中に移動している．この移行帯は**子宮頸癌**の好発部である．

A 子宮体の壁層，横断
C 子宮，縦断
D 腟部と頸管の粘膜
B 月経周期にみられる子宮内膜の変化（Specht教授の標本）

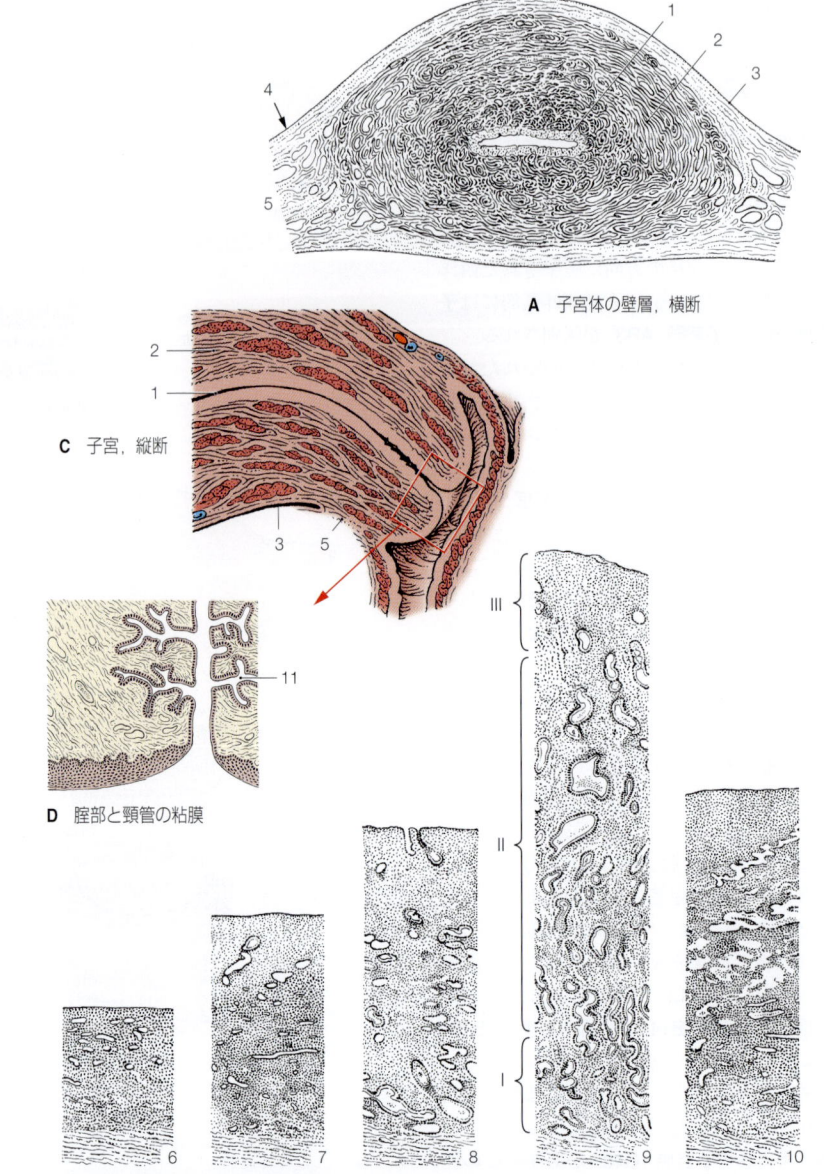

1 子宮内膜（粘膜）endometrium　2 子宮筋層（筋層）myometrium　3 子宮外膜（漿膜）perimetrium（serosa）　4 子宮縁 border of uterus　5 子宮傍組織 parametrium　6 月経期（剥離期＋再生期）menstrual phase（desquamative phase ＋ regenerative phase）　7〜8 増殖期 proliferative phase　9〜10 分泌期 secretory phase　11 子宮頸腺 cervical glands

血管，神経，リンパ

動脈． 子宮（**AB1**）は主に内腸骨動脈からの**子宮動脈**（**A2**）で支配される．この動脈は腹膜下の結合組織中を通り，尿管（**A3**）を越えて子宮広間膜の基底部に向かって走り，子宮頸の高さで子宮壁に接近する．ここで子宮側壁に沿って蛇行して上行する主枝と下行する腟動脈（**A4**）に分岐する．子宮動脈の主枝は子宮底の領域で対側の相応する血管と吻合し，また卵巣枝（**A5**）と卵管枝（**A7**）を分枝してこれまた同様に卵巣動脈（**A6**）と吻合して卵巣と卵管を栄養している．

静脈． 子宮体と子宮頸の周りに網状の**子宮静脈叢**（**A8**）が形成され，**子宮静脈**（**A9**）を経由して内腸骨静脈に還流する．

リンパ還流． 子宮体および子宮底からのリンパは基本的に3方向に還流する：すなわち，①卵巣提索に沿って**大動脈に沿うリンパ節**に，②子宮円索に沿って**浅鼠径リンパ節**に，③子宮広間膜を経て**総腸骨動脈の分岐部にあるリンパ節**に還流し，これには子宮頸からのリンパの一部も入る．子宮頸からは別のリンパ管が出ており，上記③に一部が流れ，さらに内腸骨動脈に沿う壁側リンパ節と後方に向かって仙骨リンパ節に還流する．

神経． 子宮の植物神経支配は脊髄節 S_2～S_4 からくる下下腹神経叢（骨盤神経叢）と骨盤内臓神経を経由して支配され，これらは子宮頸の側壁に大型の神経節細胞をもつ**子宮腟神経叢**（フランケンホイザーの神経叢）（**A10**）をつくっている．

子宮の機能． 非妊娠時の子宮は，腟を経てきた病原菌 germ が子宮腔内に，さらに腹膜腔内に侵入するのを防ぐ役割をもっている．子宮内膜は周期的に変化して卵の受け入れの準備をする．妊娠期間中は**保育器**として働き，出生に際しては**娩出器官**として働く．

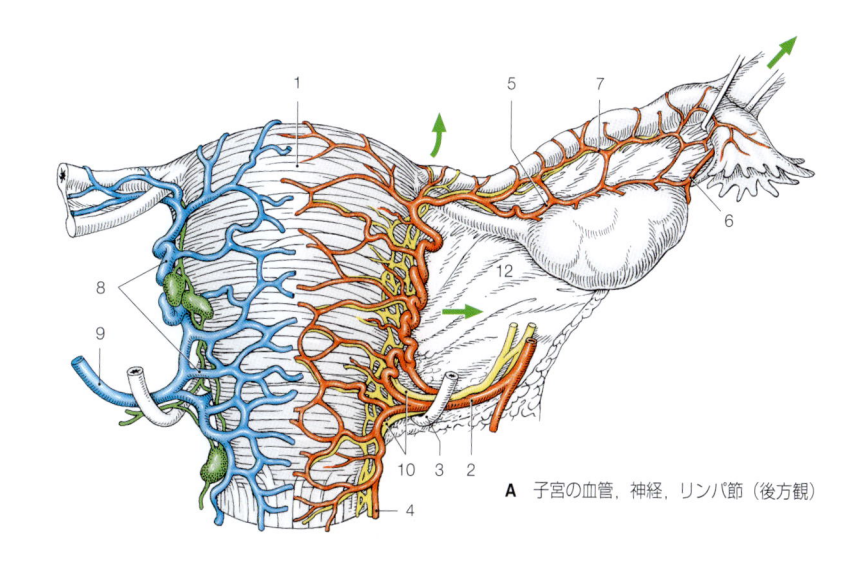

腹膜との関係と子宮の支持装置

子宮と腹膜との関係については，女性骨盤での**腹膜の状態**のところですでに述べられている（347頁）．子宮の支持装置として，解剖学的および臨床的文献では，子宮とその付近の構成物とを連結するいろいろな結合組織性の形成物がいわゆる**子宮靱帯**として記載されている．学名としては子宮の支持装置として子宮円索（**B11**），子宮広間膜（**AB12**），直腸子宮靱帯と直腸子宮筋があげられている．

子宮円索は子宮の上外側角の領域に起こる．この索は平滑筋線維を含み，子宮広間膜の前面に子宮円索ヒダをつくって深鼠径輪に達し，鼠径管を通って大陰唇の皮下脂肪組織の中に走り，そこに終わる．子宮円索は，原始生殖腺の下性腺帯 inferior mesonephric ligament の派生物で，子宮角のところで卵巣提靱帯に近接している．

子宮広間膜は腹膜の二重構造物で，子宮の外側縁と骨盤側壁との間に広がっている．この間膜は結合組織（子宮傍組織）を容れており，血管と神経の通路ともなっている．

直腸子宮窩に沿う鎌状の腹膜ヒダを**直腸子宮ヒダ** recto-uterine fold といい，その腹膜下は密な結合組織で築かれ，中に植物神経の下下腹神経叢がある．この結合組織の中には膠原線維と弾性線維に富んだ線維索を容れており，これは子宮頸の高さに起こり，上行して広間膜に入って，最終的には小骨盤の後外側壁にのびている．この線維索を**直腸子宮靱帯** rectouterine ligament または**仙骨子宮靱帯** sacro-uterine ligament という．この靱帯中の平滑筋すなわち**直腸子宮筋** recto-uterinus の存在については異論もある．

そのほかに，臨床的に**基靱帯**（マッケンロート靱帯） cardinal ligament（Mackenrodt's ligament）と**恥骨膀胱靱帯** pubovesical ligament が記載されている．前者は子宮頸から扇状に広がって小骨盤側壁に走り，後者は子宮頸から膀胱頸のそばを通って恥骨結合にのびている．

以上に述べられた諸構造物の内，子宮に対する固定装置として子宮円索と子宮広間膜は議論の余地はないが，子宮の支持機能は基本的には骨盤底の筋組織が行うもので靱帯だけの働きによるものではない．

A 子宮の血管，神経，リンパ節（後方観）

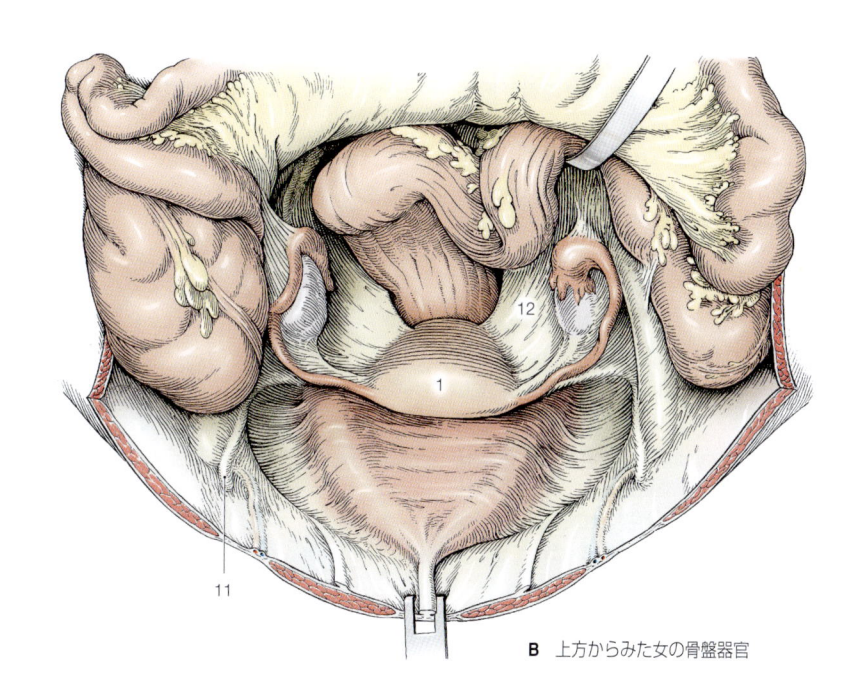

B 上方からみた女の骨盤器官

1 子宮 uterus　2 子宮動脈 uterine artery　3 尿管 ureter　4 腟動脈 vaginal artery　5 卵巣枝 ovarian branches　6 卵巣動脈 ovarian artery　7 卵管枝 tubal branch　8 子宮静脈叢 uterine venous plexus　9 子宮静脈 uterine veins　10 子宮腟神経叢（フランケンホイザーの神経叢）uterovaginal plexus（Frankenhäuser plexus）　11 子宮円索 round ligament of uterus　12 子宮広間膜 broad ligament of uterus

腟と外生殖器

肉眼的構造

腟（AB1）は薄壁の線維-筋からなる中腔性器官である．子宮頸部（A2）から**腟前庭** vestibule の**腟口**（A3）まである．前方には膀胱（A4）と尿道（AB5）が密接し，後方には直腸（A6）と肛門管（A7）が位置する．腟の長軸は骨盤軸とほぼ同じ走向をとり，前後に圧平されていて，前壁と後壁は互いに接触し，共同してH字形の裂隙を取り囲む（B）．腟の後壁は前壁より1.5〜2.0cm長い．腟の上端は子宮頸のまわりを輪状に囲み（A），その結果**腟円蓋** vaginal fornix がつくられる．腟円蓋は前方の浅い前部（A8），後方の深い後部（A9），および外側部 lateral part を区別することができる．腟円蓋の中で，後部は直腸子宮窩（ダグラス窩）（A10）の最も深い点にまで達している．腟の下部1/3は肛門挙筋峡部より下方に位置し，比較的内腔は狭い．腟の入口部すなわち**腟口** vaginal orifice は**処女膜** hymen または**処女膜痕** carunculae hymenales によって縁どられている（下記参照）．

粘膜像（C）．腟は横走するヒダすなわち**腟粘膜ヒダ**（C11）を備えている．そのほか，前・後壁の中央部には腟壁中に強く発達した静脈叢によって縦走する隆起すなわち**前皺柱** anterior vaginal column および**後皺柱** posterior vaginal column が生じる．前皺柱の下部には，尿道が密接して走るために明瞭な縦走ヒダである**尿道隆起**（C12）がつくられている．

微細構造

腟壁．腟壁は薄い**筋層**で構成され，この筋層は主に平滑筋と弾性線維が混じた格子細工でできている．腟は外膜に属する結合組織すなわち**腟傍組織** paracolpium によって周囲器官の中に周囲器官の中に組み込まれている．

粘膜．粘膜は**グリコーゲンに富む非角化重層扁平上皮**で構成されており，結合組織性の粘膜固有層の上にのっている．腟上皮には，基底層，傍基底層，中間層および表面層を区別できる．上皮細胞は，周期的な変化を示すが，これは上皮細胞にいろいろな程度のグリコーゲン沈着として現れ，腟粘液の塗抹標本で調べることができる．腟壁の中には腺は存在しない．いわゆる**腟の分泌物** vaginal secretion は子宮頸腺からの分泌物，剥離した上皮細胞，および静脈叢からの濾出液で構成される．この分泌物はpH4.0〜4.5の酸性を示し，この酸濃度は乳酸の含有量が前提となる．乳酸は剥離した上皮細胞に由来するグリコーゲンの乳酸菌（Böderlein菌）による分解によって生じる．

血管，神経，リンパ（D）

動脈．腟は子宮動脈からの**腟動脈**（D13）および下膀胱動脈（D14）と内陰部動脈（D15）の枝を経由して供給される．

静脈．静脈還流は腟のすぐ横に位置する**腟静脈叢** vaginal venous plexus を経由して行われ，この静脈叢は付近の尿生殖器官と関連して内腸骨静脈を経由して還流する．

神経．自律神経支配は子宮と同様に**子宮腟神経叢** uterovaginal plexus を経由して行われ，腟の下部は**陰部神経** pudendal nerve を経由して支配される．

リンパ還流．腟からのリンパは**外腸骨リンパ節** external iliac nodes および**内腸骨リンパ節** internal iliac nodes ならびに**浅鼠径リンパ節** superficial inguinal nodes に流れる．

腟の機能．腟は交接器であり，そのほか子宮頸分泌物と月経血の排出路の役を果たす．出産に際しては最終的な外部への産道となる．

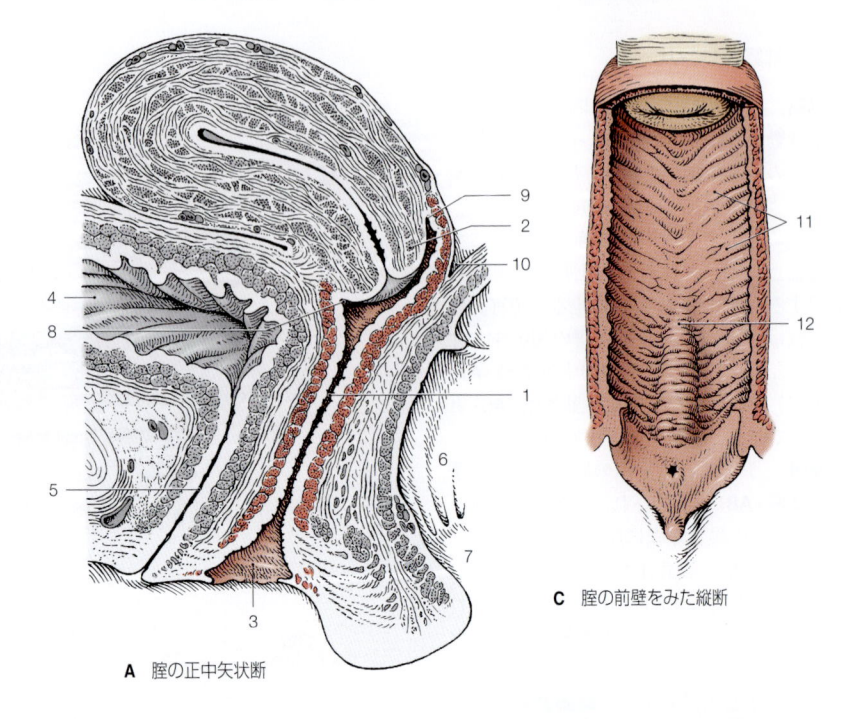

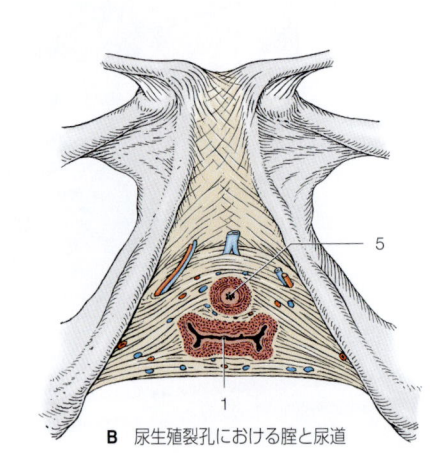

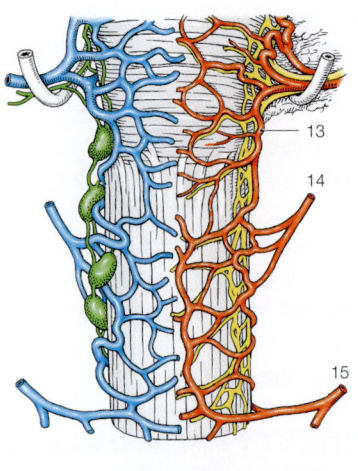

A 腟の正中矢状断
B 尿生殖裂孔における腟と尿道
C 腟の前壁をみた縦断
D 腟の血管，神経，リンパ節

1 腟 vagina 2 （子宮頸の）腟部 vaginal part (cervix) 3 腟口 vaginal orifice 4 膀胱 urinary bladder 5 （女の）尿道 female urethra 6 直腸 rectum 7 肛門管 anal canal 8 （腟円蓋の）前部 anterior part 9 （腟円蓋の）後部 posterior part 10 直腸子宮窩（ダグラス窩）recto-uterine pouch (Douglas' pouch) 11 腟粘膜ヒダ vaginal rugae 12 （腟の）尿道隆起 urethral carina of vagina 13 腟動脈 vaginal artery 14 下膀胱動脈 inferior vesical artery 15 内陰部動脈 internal pudendal artery

女の外生殖器

恥丘と大陰唇．女の外生殖器は骨盤底の下方すなわち外部にある．恥骨結合の前には皮下脂肪に富んだ皮膚が隆起した**恥丘**（A1）があり，ここには性的な成熟に伴って終毛 terminal hair が生じてくる．この終毛，いわゆる，**陰毛** pubic hairs は上方に向かってはすぐ四散し，下方に向かっては**大陰唇**（A2）の上に続く．大陰唇は大きい皮膚のヒダで，恥丘から会陰（A3）に達し，**陰裂** pudendal cleft を閉ざす．大陰唇は男の陰嚢に相当し，腹側では**前陰唇交連**（A4）で，背側では**後陰唇交連**（A5）で両側のものが合する．大陰唇の外側面は色素に富む皮膚でおおわれ，平滑筋，毛，皮脂腺，小汗腺を備えている．内側面は粘膜様で，上皮は弱く角化し，皮脂腺はあるが毛は存在しない．大陰唇の土台となっているものは皮下脂肪と静脈叢である．大きくまとまった静脈叢が薄い白膜で包まれ，1種の海綿体である**前庭球**（B6）をつくっている．これは球海綿体筋（B7）でおおわれ，男の尿道海綿体に相当する．両側の前庭球は細い球交連 commissure of bulbs を介して腹側でつながっている．

小陰唇．大陰唇の内側に接して，脂肪のない皮膚のヒダである**小陰唇**（AB8）があり，両側の小陰唇は間に**腟前庭**（AB9）を囲む．小陰唇は後方で皮膚の小帯である**陰唇小帯**（A10）によってつながっているが，これは最初の経腟出産で消失する．前方では，各々2条のヒダに分かれ，両内側のヒダは陰核亀頭（A11）に至る**陰核小帯** frenulum of clitoris をつくり，両外側のヒダは陰核の前方で合して**陰核包皮**（A12）となる．小陰唇は薄い表皮でおおわれ，その基礎となる土台は結合組織と皮脂腺である．

腟前庭．腟前庭の中には，前方に**外尿道口**（AB13）でもって尿道が開口し，後方に**腟口**（AB14）でもって腟が開口する．腟口は**処女膜** hymen によって部分的に閉ざされている．処女膜の形成は非常に変異に富むが，最初の性交のときに破れて，その瘢痕状の遺残は経腟出産後もいぼ状の**処女膜痕**（A15）としてみられる．腟口の両側で，前庭球の鈍端にエンドウ豆大の**大前庭腺**（バルトリン腺）greater vestibular gland (Bartholin's grand) があり，これは1.5～2.0cm長の導管をもち，腟前庭に開口する．また，尿道と腟口の間に**小前庭腺** lesser vestibular glands があり，これは粘液様の分泌物を分泌する．

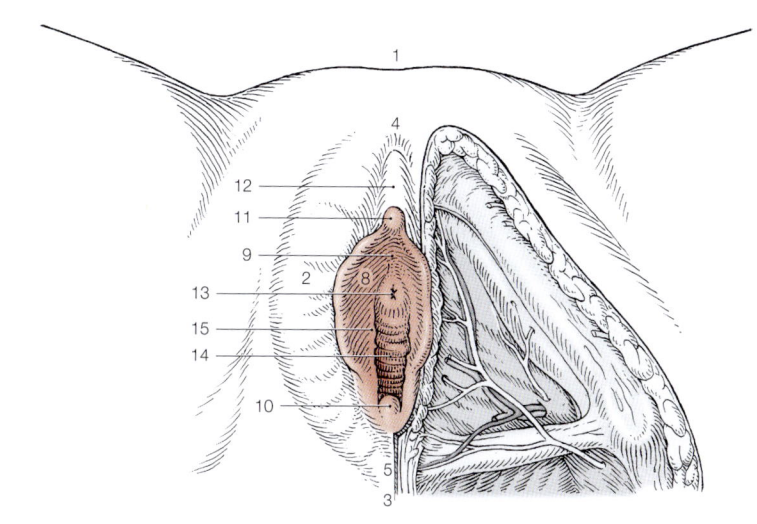

A 女の外生殖器と浅会陰隙

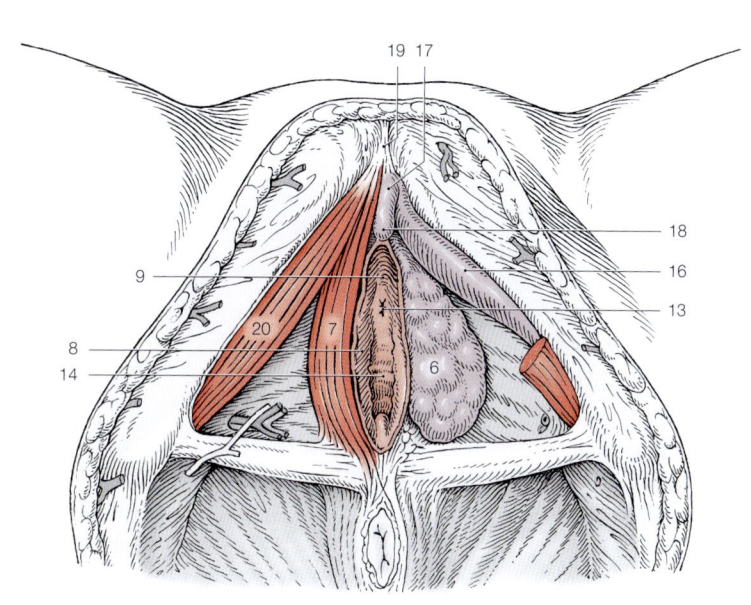

B 女の海綿体と海綿体筋

陰核．陰核 clitoris は勃起器官であるとともに知覚器官である（神経小体や触覚小体に富む）．陰核は**陰核脚**（B16），**陰核体**（B17），**陰核亀頭**（B18）の3部に区分される．陰核の基礎組織は左右の陰核海綿体 corpus cavernosum clitoris よりなり，これは各々恥骨下枝から脚でもって起こり，不対性の体に合体し，陰核亀頭に終わる．体では両側の海綿体は櫛状中隔によって不完全に分けられている．陰茎と同様に，陰核は**陰核提靱帯**（B19）によって恥骨結合の下縁に固定される（46頁参照）．陰核脚は坐骨海綿体筋（B20）によっておおわれている．

血管，神経，リンパ

動脈．女の外生殖器は内陰部動脈の終枝で栄養される．

静脈．静脈血は内陰部静脈，外陰部静脈および深陰核背静脈から膀胱静脈叢に還流する．

神経．神経支配は陰部神経，腸骨鼠径神経および陰部大腿神経の枝を経由して行われる．

リンパ還流．外生殖器からのリンパは鼠径リンパ節に流れる．

---

1 恥丘 mons pubis　2 大陰唇 labium majus　3 会陰 perineum　4 前陰唇交連 anterior commissure　5 後陰唇交連 posterior commissure　6 前庭球 bulb of vestibule　7 球海綿体筋 bulbospongiosus　8 小陰唇 labium minus　9 腟前庭 vestibule　10 陰唇小帯 frenulum of labia minora　11 陰核亀頭 glans of clitoris　12 陰核包皮 prepuce of clitoris　13 外尿道口 external urethral orifice　14 腟口 vaginal orifice　15 処女膜痕 carunculae hymenales　16 陰核脚 crus of clitoris　17 陰核体 body of clitoris　18 陰核亀頭 glans of clitoris　19 陰核提靱帯 suspensory ligament of clitoris　20 坐骨海綿体筋 ischiocavernosus

局所解剖

断面解剖

股関節の高さでの横断面（A）

この断面は，腹側は恥骨上枝（**A1**）を通る高さ，背側は尾椎（**A2**）の上部を通る高さの面で切られている．両側の骨盤側壁には内閉鎖筋（**A3**）が見出され，この筋は閉鎖管（**A4**）の入口部をおおっている．後外側には仙棘靱帯（**A5**）が坐骨棘（**A6**）での付着部まで走っているのが見渡せる．尾骨の腹側には直腸（**A7**）があり，この直腸は自身の外膜をつくる結合-脂肪組織層で取り囲まれ，その中には上直腸動静脈（**A8**）の切り口が識別できる．直腸の腹側には女の腹腔で最も深い陥凹部すなわち直腸子宮窩（ダグラス窩）（**A9**）がある．この窩の腹膜被覆は子宮頸（**A10**）の背面をおおっている．子宮頸の脇の結合組織中には子宮動静脈（**A11**）の多数の切り口が識別できる．子宮頸から後外方に向かって密な結合組織が仙骨子宮靱帯（**A12**）の形で走っている．子宮の腹側には膀胱（**A13**）が位置し，うまい具合に尿管（**A14**）が膀胱に開口する直上部に命中している．膀胱は腹側と外側で豊富な脂肪組織で囲まれている．臨床的な慣用言語で結合組織の領域は，その結合組織の構成内容や発生学的由来に関係なく，直腸の脇にあるものを**直腸傍組織** paraproctium，子宮頸の脇にあるものを**子宮頸傍組織** paracervix，膀胱の脇にあるものを**膀胱傍組織** paracystium と呼んでいる．

A15 大殿筋 gluteus maximus, **A16** 坐骨神経 sciatic nerve, **A17** 大腿骨頭靱帯 ligament of head of femur, **A18** 大腿骨頭 head of femur, **A19** 大腿骨頸 neck of femur, **A20** 恥骨筋 pectineus, **A21** 腸腰筋 iliopsoas, **A22** 大腿動静脈 femoral artery and vein, **A23** 大腿神経 femoral nerve.

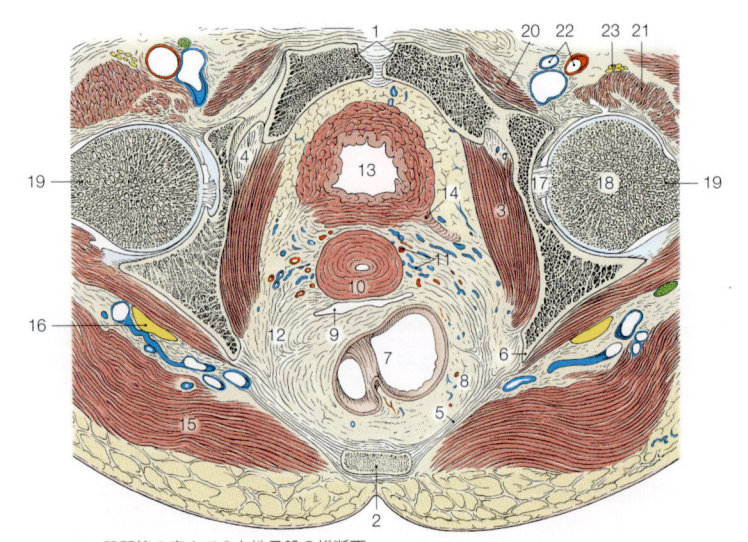

坐骨結節の高さでの横断面（B）

この断面は，腹側は恥骨結合（**B24**）を通る高さ，背側は尾骨尖を通る高さの面で切られている．骨盤内臓は側方の肛門挙筋（**B25**）の一部［恥骨尾骨筋（**B25a**），腸骨尾骨筋（**B25b**）］に接して存在している．直腸（**B7**）は会陰曲（直腸肛門曲）の上部で幾らか斜めに切られており，そのためその後壁はやや分厚くみえる．直腸の腹側には腟（**B26**）があり，その外側には腟静脈叢（**B27**）の血管の切り口が多数みられる．尿路は尿道（**B28**）の高さに当たり，横紋筋性の尿道括約筋（**B29**）によって囲まれている．恥骨後隙（**B30**）は脂肪組織で満たされ，多数の小さな血管の切り口がみられる．骨盤腔の外部には，大量の脂肪組織で満たされた坐骨肛門窩（**B31**）が概観され，その外側壁に内陰部動静脈と陰部神経を入れた陰部神経管（アルコック管）（**B32**）がある．

B33 外閉鎖筋 obturator externus

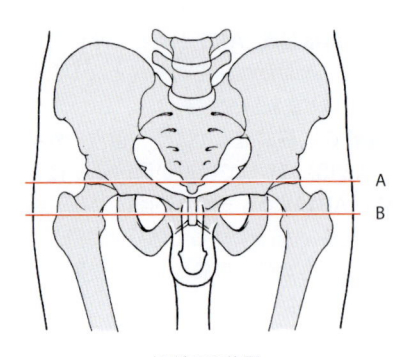

A 股関節の高さでの女性骨盤の横断面

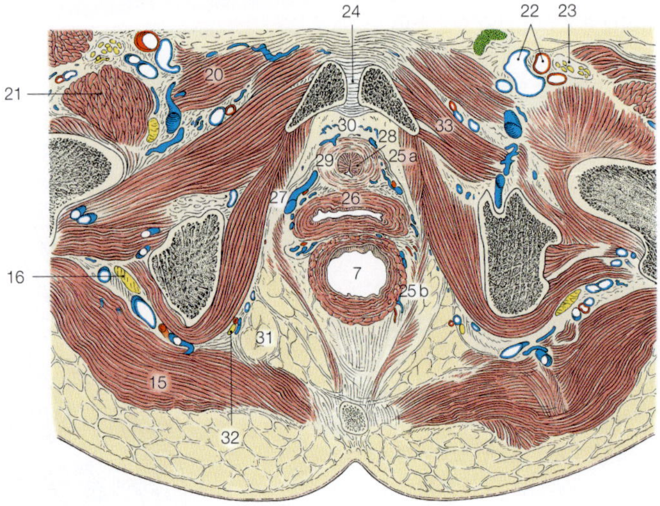

B 坐骨結節の高さでの女性骨盤の横断面

切断面の位置

臨床関連：女性骨盤の断面解剖による専門的知識は，最新の画像診断法による層構成を判定するために，基本的な必要条件である．画像診断では**腫瘍の大きさとその広がりが判定される**．女性骨盤では直腸腫瘍や膀胱腫瘍のほかに子宮体，子宮頸および卵巣の腫瘍が判定されねばならない．手術の準備のために，器官を越えた大きな腫瘍のときには，とくにその広がりが腹膜下の結合組織ならびに周囲の器官系に及んでいないか確認されねばならない．

---

1 恥骨上枝 superior pubic ramus 2 尾骨 coccyx 3 内閉鎖筋 obturator internus 4 閉鎖管 obturator canal 5 仙棘靱帯 sacrospinous ligament 6 坐骨棘 ischial spine 7 直腸 rectum 8 上直腸動静脈 superior rectal artery and vein 9 直腸子宮窩（ダグラス窩）recto-uterine pouch (Douglas' pouch) 10 子宮頸 cervix of uterus 11 子宮動静脈 uterine artery and veins 12 仙骨子宮靱帯 sacro-uterine ligament 13 膀胱 urinary bladder 14 尿管 ureter 15〜23 は本文参照 24 恥骨結合 pubic symphysis 25 肛門挙筋 levator ani 25a 恥骨尾骨筋 pubococcygeus 25b 腸骨尾骨筋 iliococcygeus 26 腟 vagina 27 腟静脈叢 vaginal venous plexus 28 尿道 urethra 29 尿道括約筋 urethral sphincter 30 恥骨後隙 retropubic space 31 坐骨直腸窩 ischiorectal fossa 32 陰部神経管（アルコック管）pudendal canal (Alcock's canal) 33 は本文参照

男女骨盤の比較解剖

軟部の閉鎖

骨盤腔の出口すなわち骨盤下口は，**骨盤隔膜** pelvic diaphragm と**尿生殖隔膜** urogenital diaphragm でつくられる骨盤底 pelvic floor によって，閉鎖されている．前者を終腸が，後者を尿生殖器官（男性では尿道，女性では尿道と腟）が貫いている．

骨盤隔膜は**肛門挙筋**（AB1）と**尾骨筋**（AB2）で構成される．肛門挙筋はさらに段状に配列した3つの筋群に区分けされる：すなわち，**恥骨尾骨筋**（C1a）と**腸骨尾骨筋**（C1b）は骨盤の筋性の閉鎖板を形成し，これでもって骨盤器官や腹部器官の位置の保持を保証している．第3の肛門挙筋の部分すなわち**恥骨直腸筋**（A〜C1c）は恥骨から起こり，肛門直腸曲 anorectal flexure の高さで直腸の周りにワナをつくる．恥骨直腸筋は直腸の自制閉鎖を補助し，また他の肛門挙筋部分の内側線維と協同して挙筋門（C3）に位置する尿生殖器官を圧縮する．肛門挙筋と尾骨筋は内外から筋膜でおおわれ，骨盤側からおおうものを**上骨盤隔膜筋膜** superior fascia of pelvic diaphragm，外面からおおうものを**下骨盤隔膜筋膜** inferior fascia of pelvic diaphragm という．

性別によって骨性骨盤に特徴的な差異があるように，肛門挙筋にもまた**性別による特異的な相異**がある．女性の場合（A）は男性の場合（B）よりも，この筋はより密に結合組織が混じっており，男性での肛門挙筋は全体的により強くつくられ，殊に恥骨直腸筋（B1c）が発達している．

AB4 寛骨 coxal bone, **AB5** 大腿骨 femur, **AB6** 仙骨（＋尾骨）sacrum (+coccyx), **AB7** 梨状筋 piriformis, **AB8** 内閉鎖筋（＋上・下双子筋）obturator internus (+superior and inferior gemellus), **AB9** 大腿方形筋 quadratus femoris, **AB10** 坐骨結節 ischial tuberosity, **AB11** 坐骨棘 ischial spine, **AB12** 肛門尾骨靱帯 anococcygeal ligament, **AB13** 肛門 anus, **A14** 陰部神経管 pudendal canal, **A15** 坐骨神経 sciatic nerve, **A16** ハムストリングの筋 hamstring muscles.

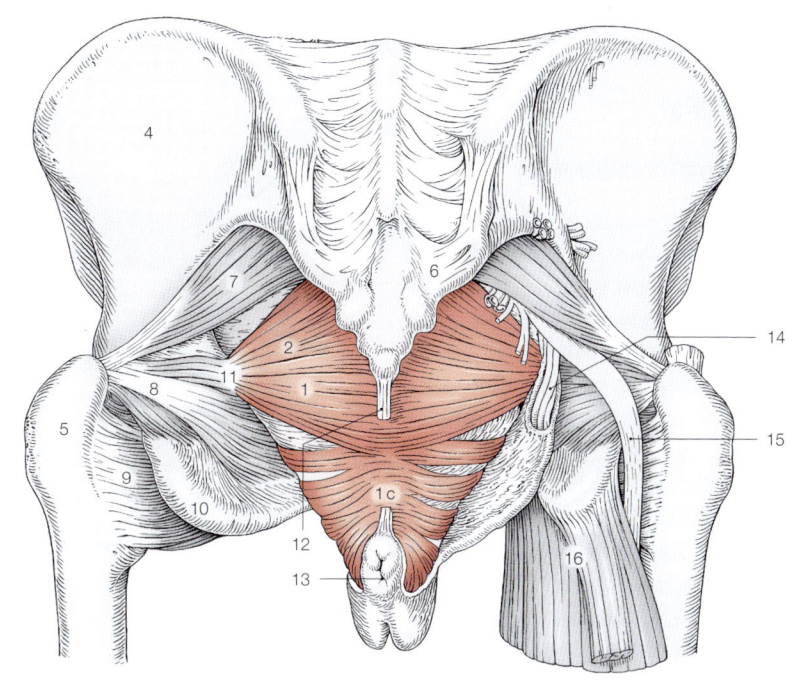

A 後方からみた女性骨盤底の筋組織

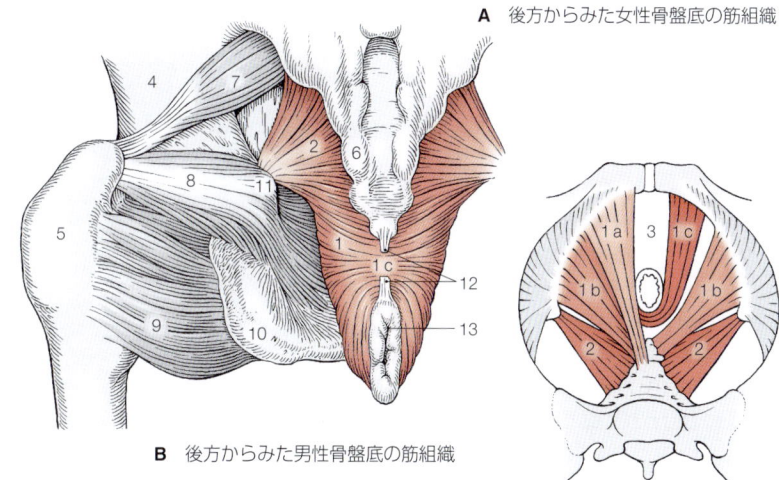

B 後方からみた男性骨盤底の筋組織

C 上方からみた骨盤底の筋組織

臨床関連：経腟分娩を繰り返した女性では加齢にともなって骨盤底の筋肉は，内臓の重みに耐え難くなる傾向がある．骨盤底の機能障害や機能不全をきたして器官の**脱出症** prolapse（子宮脱，直腸脱など）や，器官開口部の閉鎖機能の喪失による**失禁** incontinence を起こすことがある．

---

1 肛門挙筋 levator ani　**1a** 恥骨尾骨筋 pubococcygeus　**1b** 腸骨尾骨筋 iliococcygeus　**1c** 恥骨直腸筋 puborectalis　**2** 尾骨筋 coccygeus　**3** 挙筋門（尿生殖裂孔＋肛門裂孔）levator gate (urogenital hiatus + anal hiatus)　**4〜16** は本文参照

軟部の閉鎖（続き）

会陰の断面解剖

男性会陰域の高さでの横断面（A）

この断面は，背側では肛門（A1）の開口部近くを通る面で切られており，周りを外肛門括約筋（AB2）に囲まれている．この開口部の外側には坐骨直腸窩（AB3）の脂肪組織が横たわっている．肛門管の腹側には，横走する浅会陰横筋（A4）の横紋筋性の筋線維と結合組織束が切られている．恥骨下枝（AB5）から両側性に坐骨海綿体筋（AB6）が起こり，この筋は陰茎脚（A7）をおおう．左右の陰茎脚の間に尿道球（A8）が位置し，その中の腹側に男の尿道（A9）の切り口が識別できる．なお，この尿道は横紋筋性の外尿道括約筋 external urethral sphincter により囲まれている．接線方向に切られた陰茎 penis の横には，両側に精索（A10）の切り口が識別できる．

女性会陰域の高さでの横断面（B）

この断面は肛門開口部の上方で切られており，したがって肛門管（B12）は内肛門括約筋（B13），縦走筋組織および外肛門括約筋（B2）からなる括約筋装置に囲まれてみられている．肛門管の腹側には腟（B14）の切り口がみられ，腟の腹側壁は尿道（B15）に密着している．男性骨盤の断面標本と同様に，両側性に坐骨海綿体筋（B6）の起始が識別され，これは左右の陰核脚（B16）をおおっている．前庭球（B17）が球海綿体筋 bulbospongiosus におおわれて腟と尿道の開口部の周りを囲んでいる．

坐骨直腸窩

骨盤底の外部には，両側にピラミッド形の腔である**坐骨直腸窩** ischiorectal fossa（下図の緑の部分，**AB3**）があり，この窩は坐骨直腸窩脂肪体 fat body of ischiorectal fossa という脂肪体で満たされている．この窩の**底**は会陰の皮膚（18）によっておおわれ，**尖**は肛門挙筋と内閉鎖筋の合体部にまで達している．この窩の**内側**は下骨盤隔膜筋膜におおわれた肛門挙筋（19）と外肛門括約筋（2）に境され，**外側**は坐骨結節（20）と閉鎖筋膜 obturator fascia が境する．この窩の**後方**は大殿筋（21）と仙結節靱帯 sacrotuberous ligament におおわれ，**前方**は尿生殖隔膜の後縁に達している．

坐骨直腸窩の外側壁を内陰部動静脈と陰部神経が走る．これらの血管，神経は内閉鎖筋の筋膜が重複してつくる陰部神経管（アルコック管）の中に保護されて存在している．

臨床関連：陰部神経は局所麻酔薬を腟から坐骨結節の方向に注射することによって，遮断することができる．

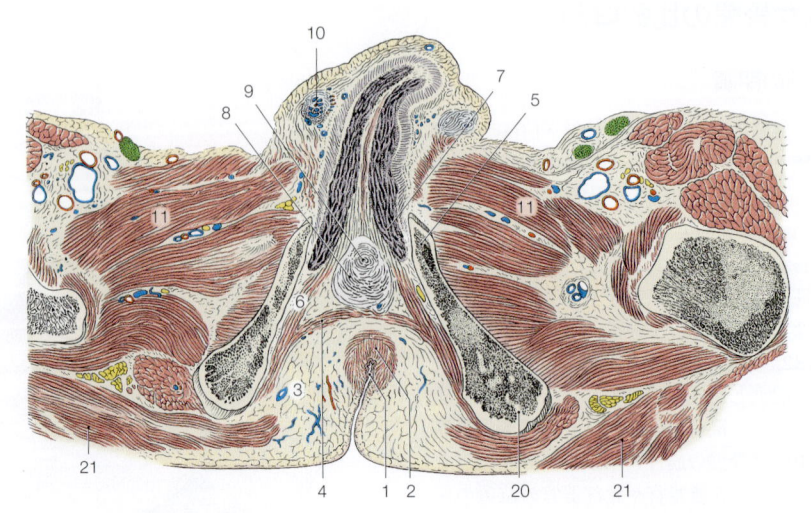

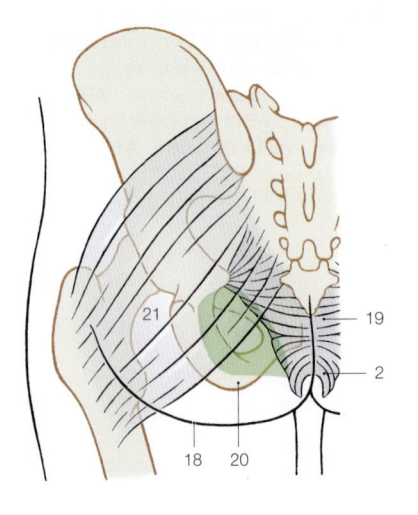

A 男性会陰の横断面

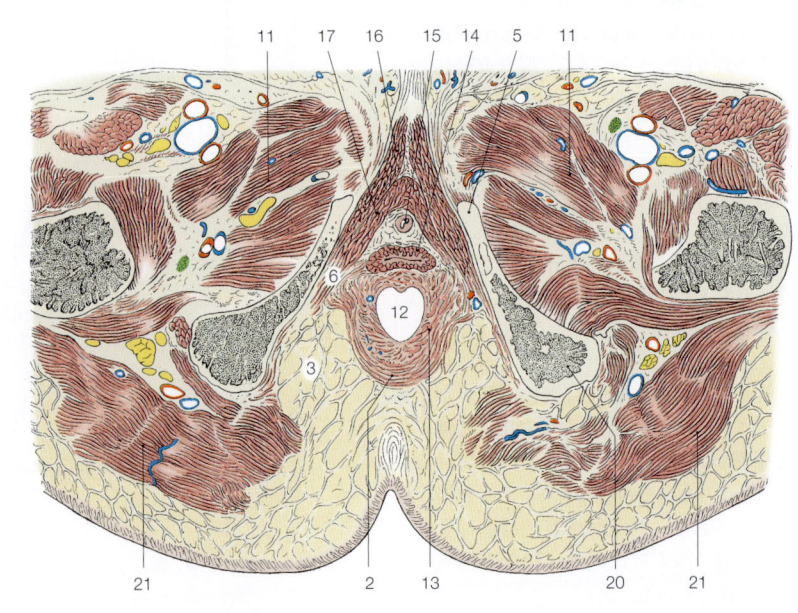

B 女性会陰の横断面

---

1 肛門 anus　2 外肛門括約筋 external anal sphincter　3 坐骨直腸窩 ischiorectal fossa　4 浅会陰横筋 superficial transverse perineal muscle　5 恥骨下枝 inferior pubic ramus　6 坐骨海綿体筋 ischiocavernosus　7 陰茎脚 crus of penis　8 尿道球 bulb of penis　9 男の尿道 male urethra　10 精索 spermatic cord　11 （大腿の）内転筋群 adductors　12 肛門管 anal canal　13 内肛門括約筋 internal anal sphincter　14 腟 vagina　15 女の尿道 female urethra　16 陰核脚 crus of clitoris　17 前庭球 bulb of vestibule　18 会陰の皮膚 perineal skin　19 肛門挙筋 levator ani　20 坐骨結節 ischial tuberosity　21 大殿筋 gluteus maximus

生殖子

すべての細胞は，その遺伝的情報を折り重ねられた糸状のDNA分子の形でもっている．体細胞は，この情報を二重の形：倍数体の染色体，46本（44本の常染色体（autosome）と2本の異染色体（heterosome））のセットで持っている．細胞は分裂（**有糸分裂** mitosis）の前に，DNAは倍量になり，一つの細胞から2つの同等の identical 娘細胞ができる．これらの細胞は再び倍数体の染色体セットを持つ．

受精（fertilization）するとき，卵細胞と精子細胞は融合し，この時，2つの細胞の核は父方と母方のそれぞれの遺伝物質の担体が一緒になる．個々の種の染色体数は，一定であるので，受精の前に融合する生殖子の染色体の一は半数（一倍体 haploid）に減らさねばならない．この減数現象は，**減数分裂** meiosis もしくは**成熟分裂** maturation division）という概念としてまとめられている．減数分裂の目的は，有性生殖のための**生殖子** gamete，すなわち**卵子** oocyte と**精子** spermatozoon を作ることである．接合子は，一倍体の染色体セット（23,X もしくは 23,Y）を持っている．一倍体の母方の接合子と父方のそれが融合することによって，倍数体の有糸分裂が可能な接合体 zygote ができるが，この接合体の核には，母方由来の，そして父方からの，それぞれ同じ数の染色体が集まって（46,XX または 46,XY）できている．

減数分裂の第1分裂では相同な染色体が，そして第2分裂では，染色分体 chromatid が別れる．

精巣の曲精細管 convoluted seminiferous tubules のなかで**精母細胞** spermatocyte の減数分裂によって，4つの同じ大きさの生殖子（精子細胞 spermatid）ができる．

卵細胞の場合は排卵に先立つ第1次減数分裂によって，互いに大きさの違った1個の小さい娘細胞，**第1次極体**（**A1**）ができる．**精子**（**AB2**）が卵細胞に刺入する時点で，卵細胞に第2次減数分裂が起き，より痕跡的な**第2次極体**（**BCD3**）と，大きな一倍体の卵子が生ずる．後者はいわゆる**女性前核**（**BC4**）をいれている（時には，第1次極体の第2次分裂によってであろう1個の第3次極体が存在することがある）．

受精可能な卵細胞（**A5**）は，厚い細胞を含んでない糖タンパクの層：**透明帯**（ガラス膜）（**A～E6**）（実際は，卵胞上皮細胞の産物）によって取り囲まれる．これによって，**卵胞上皮細胞**（**AE7**）（放線冠細胞 corona radiata cell とも言う）は卵細胞の表面から押しのけられるが，細長く伸びた透明帯を貫いている突起（**E8**）によって，閉鎖堤 nexus (connexin 37) を形成して，卵細胞の細胞膜（**E9**）と接触している．この突起は，所々でボタン状の膨らみを作って，卵細胞の表面から細胞内に入り込んで（**E10**）いる．

遺伝的な性は受精の際の染色体の組み合わせによって決定される．異染色体 XX は，女性の細胞核を，異染色体 XY であれば，男性の細胞核が生ずる．減数分裂において，染色体セットが半数になるとき，成熟（一倍体）の卵細胞は一本の染色体をいれているが，成熟精子細胞は X-染色体か，Y-染色体のいずれかを持っている．したがって，受精の時，精子細胞が胚の遺伝的な性を決定する．

精液 semen は，固形成分と液体成分とからなる．固形成分は，剥離した生殖管の上皮細胞の他は，ほとんどは**精子** spermatozoon である．液体成分は，**精漿** seminal plasma は，精巣上体と副性腺（前立腺 prostate，精嚢 seminal gland/vesicle）から分泌された液体の混合物である．精液量：2.0ml もしくはこれ以上．精子数：精液1ml 当たり 40×10^6 以上．これより少ない 20×10^6 以下だと，受精の可能性が著しく低下する．

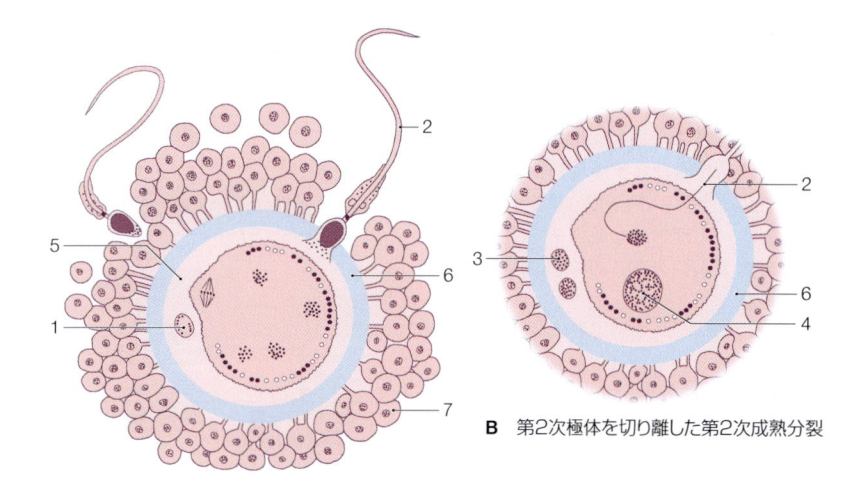

A 放線冠への精子細胞の刺入と透明帯の形成
B 第2次極体を切り離した第2次成熟分裂 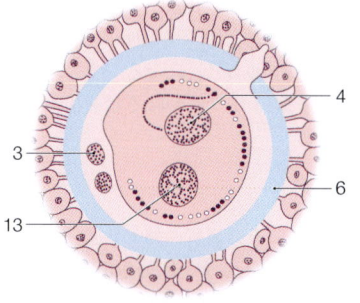
C 女性前核，男性前核を示している時期 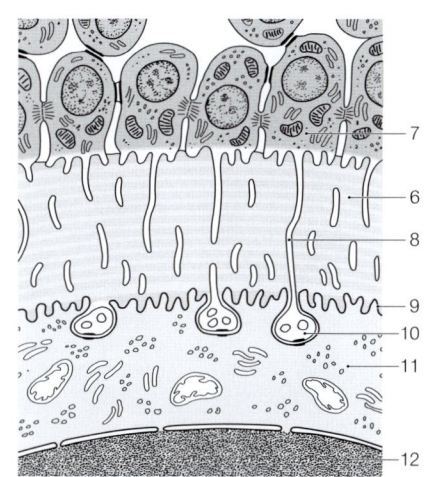
D 接合子の有糸分裂
E 卵子の辺縁領域を含む卵胞上皮．電子顕微鏡観察にもとづく

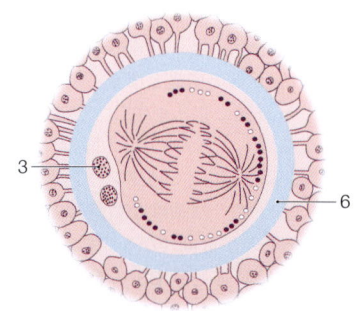

1 極体 polar body　2 精子 spermatozoon　3 極体 polar body　4 女性前核 prenucleus (weiblicher Vorkern)　5 卵子 oocyte　6 透明帯（ガラス膜）zona pellucida (Glashaut)　7 卵胞上皮細胞（放線冠細胞）follicular epithelial cells (corona radiata cell)　8 放線冠細胞からの細長い突起 slender process from corona radiata cell　9 卵子の細胞膜 cytoplasmic membrane of oocyte　10 ボタン様膨隆部 button-form swelling　11 卵子の細胞質女性前核 female pronucleus　12 卵子の細胞核 nucleus of oocyte　13 男性前核 male pronucleus

受精

受精． 受精に先立って，精子の移動が起きるが，この現象は，内分泌的に調整された女性の生殖管がもたらす環境に依存している．女性の受胎は，精子がうまく子宮頸管を通り抜け，生理学的な条件下で受精が起こる卵管膨大部に入り込めるかいなかにかかっている．

月経周期の間，頸管は粘度の高い頸管粘液によって塞がれており，精子はここを昇っていくことができない．エストロゲンの影響が強くなってくると，初めて精子の移動に都合のよい頸管粘液：水分が多くなって，糸を引くようになり，（精子が回転できるようになり）そしてアルカリ性になる．そして，何よりも外子宮口の，いわゆる粘液栓が通過可能になる．

精子の反応

精細胞は，その道程の終わりに，これまで同様，エストロゲンに促される過程：**受精能獲得** capacitation を遂行しなければならない．この際，卵細胞に刺入できるために経過しなければならない，生化学的，生理学的な成熟過程が重要である．この精細胞の形質膜の変化が，以下に述べる**尖体反応** acrosome reaction の前提となる．精細胞の外尖体膜と形質膜に穿孔が生じ，空胞状に融解する現象は，リソゾーム系の酵素，とくにアクロシン acrosin というタンパク分解酵素の遊離によって，精細胞が放線冠と透明帯を通過することが可能になる．すなわち，最初に精子（**B1**）が透明帯（**B3**）の受容体（**B2**）につく．透明帯を刺入したあとで，精細胞は狭い透明帯と卵細胞表面の間の**卵黄嚢周囲腔**（**C4**）に達する．尖体反応とは，内尖体膜と卵細胞の形質膜との融合を言う．刺入した後の精子細胞は形質膜は無く，卵細胞の細胞質の中に存在している．尖体は大型のアイソゾームに対応する構造で，細胞核に帽子をかぶせた様な格好である．

接合子の形成

精子細胞が卵細胞へ刺入した後で，第2次成熟分裂が完了したことの印として，第2次極体が外に出される．卵細胞は，精細胞の細胞膜と接触し，そして精子の刺入が複数回起こったことで，反応を起こす．形質膜の受容体が，皮質反応が引き起こされる：卵細胞の**皮質小胞**（**B5**）の内容（酵素）が卵黄嚢周囲腔（**CD4**）に放出される．この結果，その構造に変化が生じ，これ以上の精子が刺入できなくなる（**D1**）．

これと同時に男性性クロマチンの脱濃縮 decondensation of paternal chromatin が起き，形態学的には，精子頭部の膨化がみられる．成長因子の影響で，父性の前核が形成され，一倍体の母性の核は膨化して母性の前核となる．母性，父性の2つの前核が融合して，二倍体の染色体セットを持った接合子が生ずる（359頁参照）．

精子-，卵子-細胞の接触が，直ちに卵細胞膜の脱分化につながるのではなく，まず代謝の活性化が生ずる．先に生じていた RNA の翻訳が開始し，新しい RNA が作られ，タンパク質合成が亢進する．有糸分裂が進行し，遺伝的な性が決定する．受精によって，遺伝的にプログラムされた発生過程が開始される．

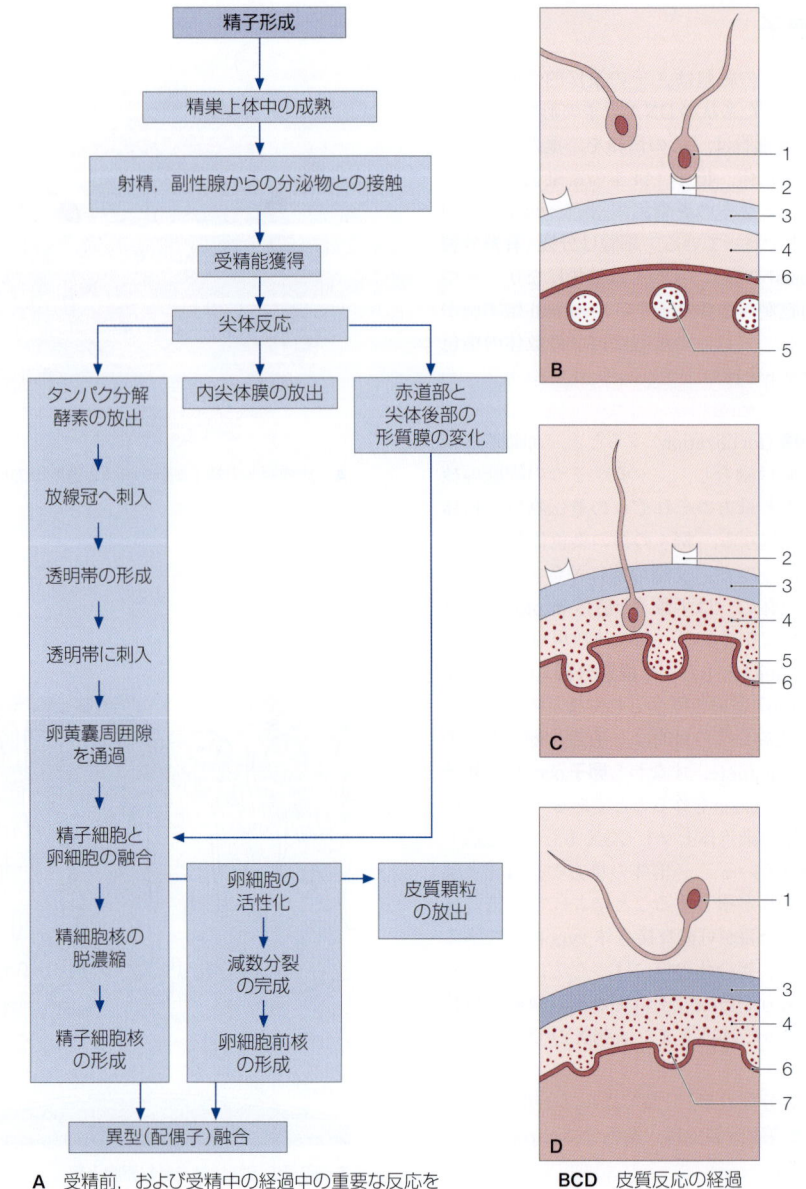

A 受精前，および受精中の経過中の重要な反応を模式的にまとめた．

BCD 皮質反応の経過

---

1 精子 spermatozoon **2** 受容体 receptor **3** 透明帯 zona pellucida **4** 卵黄嚢周囲腔 perivitelline space **5** 皮質小胞 cortical vesicle **6** 卵細胞形質膜 perivitelline membrane **7** 空になった皮質顆粒 cortical granules

早期発生

排卵で放出された卵細胞は，**透明帯と放線冠**(=卵胞上皮細胞 follicular epithelial cell，あるいは顆粒層細胞 granulosa cell)に包まれているが，**子宮管漏斗部**の卵管腹腔口から取り込まれる．卵細胞は6〜12時間内に受精しなければならず，その後では受精不可能になる．受精は，ほとんどの場合，**卵管膨大部** ampulla で起きる．この後，4〜5日かけて子宮へたどり着く．この間，卵細胞は，卵管上皮の鞭毛運動，上皮からの分泌物の流れ，それと卵管の筋線維の収縮によって運ばれていく．これらの過程はホルモンによってコントロールされている．

接合子そのものの発生も同じくホルモンにより制御されており，卵管からの，ピルビン酸(焦性ブドウ糖)，乳糖，アミノ酸を含む分泌物によって栄養を得ている．

受精．卵管内を移動中に，接合子は一連の有糸分裂：いわゆる**受精分裂**を行う．この間，分裂する細胞は，**割球** blastomere と呼ばれるが，この間，伸びない透明帯(**ABC1**)に周囲を囲まれているので，分裂ごとに割球は小さくなっていく(368頁参照)．

桑実胚 morula. 受胎後，ほぼ3日で，接合子は16細胞期に達し，桑の実に似るので，この名，**桑実胚**(**A**)がある．この胚は，最終的に中央の内方の細胞塊：**胚結節**(**B4**)(胚の原基)と，これを取り囲む細胞層：**栄養膜**(**B2**)に区別され，後者は後に，胎盤の胎児性の部分になる．桑実期では，すべての細胞は互いに似ており，細胞学的には，全能性 totipotent (もしくは omnipotent)であって，分化の運命は決定づけられていない．したがって，8細胞期までは，分割による多個体形成が可能である．

胚盤胞 blastocyst. 発生の次の段階では，拡張した細胞間隙が癒合することと胚結節からの液体の分泌によって，液体で満ちた空間が生じる．この段階で，接合子は**胚盤胞**(**B**)と呼ばれ，生じた空間は**胚盤胞腔**(**BC3**)である．内側の細胞群を胚結節 embryoblast といい，胚盤胞の一方にあるが，外層の細胞塊はやや扁平になり栄養膜 trophoblast となり，胚盤胞腔の上皮性の壁(**C2**)を構成する．これらの過程と並行して，卵巣の**黄体**から出るプロゲステロンの影響下で，**子宮粘膜**(**C7, 8**)は，胚盤胞の着床に向けての準備に入る．子宮粘膜は，細胞の丈が高くなり，血管が増え，細胞群は粗になって，胚が入り込んで，栄養を取りやすくなる．胚盤胞は子宮内膜の条件のよい場所に着床(**C**)(implantation あるいは nidation)するが，ここからは胚はもう移動しないが，多くの場合，子宮内腔の後壁(**D9**)か，前壁(**D10**)が選ばれる．

着床．着床(受精後6〜7日)については，いくつかの複数の相を区別することができる．第一歩は**初期接着期** apposition phase であって，胚盤胞の**胚子極**(**C4**)もしくは着床極が，子宮内膜と接触する．次いで，**付着期** adhesion phase になる．この相では接着分子が必要となるが，この物質は24時間だけ有効で(impregnation window)である．次に来るのは**侵襲期** invasion phase で，胚子極の栄養膜細胞が，増殖して，絨毛を形成しながら，子宮内膜へ入り込む(**C6**)．子宮内膜と接している栄養膜細胞は多核の**栄養膜合胞体細胞** syncytiotrophoblast を作るが，ここには細胞間の境界を見ることができない．合体して合胞体を作らなかった細胞は，**栄養膜細胞層** cytotrophoblast と呼ばれる．これは，栄養膜絨毛の中心部に位置し，一層の，単純プリズム型の上皮となる．この後，これまで一層であった栄養膜細胞は2層になる(368頁参照)．

> **臨床関連**：子宮腔の外で起こる妊娠，いわゆる子宮外妊娠(ectopic pregnancy)は，腹腔(**D11**)もしくは卵巣(**D12**)で起こるが，このことは，精子が腹腔まで迷入する，またはそこで卵子が受精しうること(腹腔妊娠)を示している．子宮外妊娠の中で最も多いのは卵管でのそれである(**卵管妊娠**(**D13**))．間違った場所に着床した胚盤胞は，母胎の血管を侵食し重篤な出血を起こすこともある．卵管峡部(**D14**)や子宮頸部への着床は**前置胎盤**(placenta previa)の形成につながる．

A 桑実胚　　**B** 胚盤胞　　**C** 着床　　**D** 子宮外妊娠での着床部位と前置胎盤

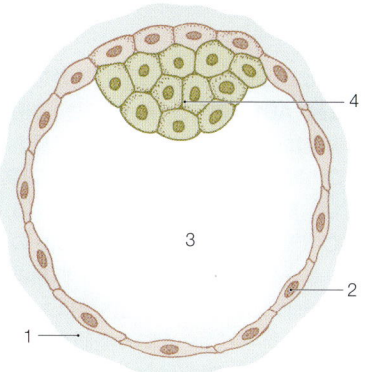

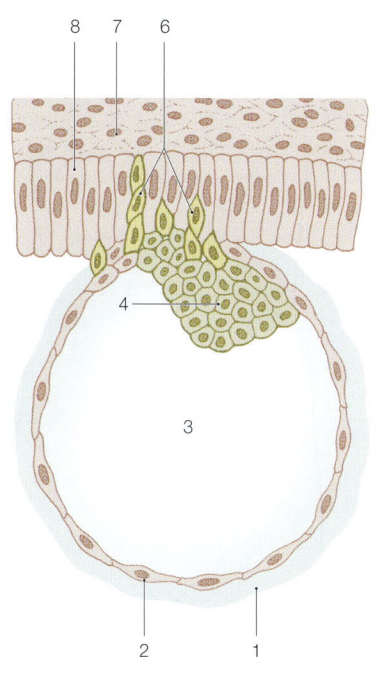

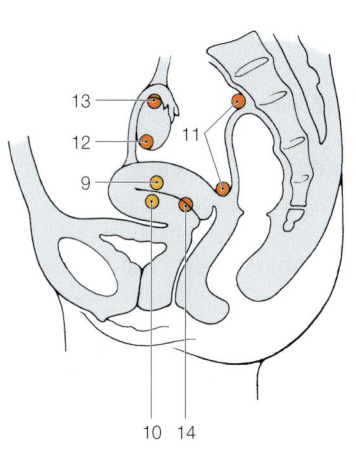

ABC1 透明帯 zona pellucida　**B2** 栄養膜細胞 trophoblast　**C2** 胚盤胞の上皮性壁 epithelial wall of blastocyte　**BC3** 胚盤胞内腔 blastocytic cavity　**B4** 胚胞 embryoblast　**C4** 胚子極 embryonal pole　**C6** 子宮粘膜への刺入 invasion into endometrium　**C7, 8** 子宮粘膜 mucous membrane of uterus　**C7** 子宮内膜の機能層 functional stratum of endometrium　**C8** 子宮上皮 uterine epithelium　**D9** 子宮腔の後壁 posterior wall of uterine cavity　**D10** 子宮の前壁 anterior wall of uterine cavity　**D11** 腹腔 abdominal cavity　**D12** 卵巣 ovary　**D13** 卵管妊娠 tubal extrauterine implantation　**D14** 卵管峡部 isthmus

妊娠

早期発生（続き）

脱落膜化 decidualization. 胚に栄養を与える**栄養膜**(**AB1**)（のちに"絨毛"）は，透明帯の消失後に，栄養膜細胞によって形成される．この細胞は，**子宮内膜**(**AB2**)との接触部位で，酵素によって内膜内に出芽する（361頁Cも参照）．これらは，胎盤(**C3**)の胎児性の部分を構成する．同時に，卵巣のプロゲステロンの影響下で子宮内膜は，浮腫状に膨化し，グリコーゲンや脂肪を含む細胞に変わる：**脱落膜化**である．この過程は，着床した胚盤胞の近くの間質細胞 stroma cellで始まって，そのあと広がってゆき，最終的には，子宮粘膜全域に及ぶ．着床部の下の子宮内膜は，胚と子宮筋層との間に，**基底脱落膜**(**C4**)ができ，胎盤の母体性構成部を構成する．着床した胚盤胞をおおっている薄い子宮粘膜の薄層は，**被包脱落膜** decidua capsularisとなる．着床部以外の子宮内膜は，**壁側脱落膜** parietal deciduaを構成する．妊娠が進行すると被包脱落膜は，完全に消失する．

羊膜腔 amniotic cavity. 胚盤葉では，胚の上と，下にそれぞれ一つの腔，**卵黄嚢**(**C5**)と**胚**(**ABC7**)をいれた**羊膜腔**(**BC6**)ができる．卵黄嚢は，退化して小胞となるが，羊膜腔は，胚とともに，成長していき，3ヵ月以降は，胚は胎児と呼ばれるようになる．羊膜腔は羊水をいれており，それは妊娠の終わりには，約1ℓになる．この羊水の中で胎児は，手綱のような臍帯で繋がって泳いでいることになる．羊水は，胚と羊膜との癒着を防ぎ，胚を機械的な影響から守り，胎児自身の運動を可能にしている．

> **臨床関連**：妊娠14週以降では，**羊水穿刺**によって羊水を採取することができる．超音波を使ってモニターしながら，母体の腹壁と子宮壁を通ってカニューレを羊膜腔に穿通する．

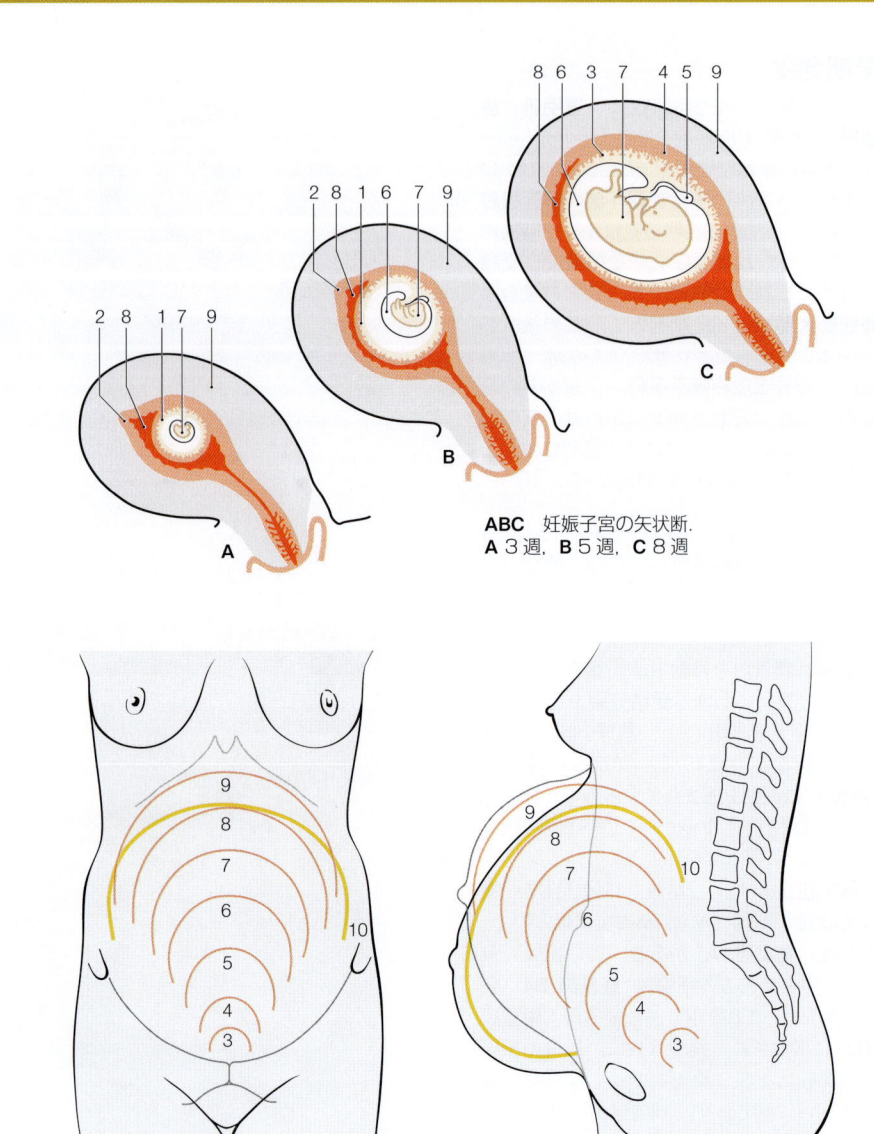

ABC 妊娠子宮の矢状断．A 3週，B 5週，C 8週

D 妊娠の経過と子宮の位置を示す，月齢1〜10ヵ月

妊娠

ホルモン．排卵後，下垂体からの性腺刺激ホルモンの分泌が低下する．そして今や栄養膜細胞が，このホルモンの分泌に取って代わり，**ヒト絨毛性ゴナドトロピン** human chorionic gonadotropin (**hCG**)を合成し，黄体の存続と分泌的に変化した子宮粘膜を確実なものにする；月経は止まる．妊娠黄体が，5ヵ月まで子宮を安定に保ち，その後は胎盤からのホルモンがこの役を引き受け，黄体は退化する．胚の免疫学的な保護は，受精後数時間内に放出され"初期妊娠因子" early pregnancy factor (EPF)によって確保される．

妊娠反応．受精後5〜6日で，すでに血中および尿中でhCGが証明できる．これが多くの化学的，生物学的，もしくは免疫学的な妊娠テストの基礎になる．これによる妊娠の証明は，したがって予想されて月経の停止よりも早く可能になる．

避妊 contraception. 妊娠を避けるために，多数のそれぞれ異なった方法が用いられている．とくによく知られているのは，いろいろな型の，エストロゲン，ゲスタゲンのように作用する薬物を使った避妊である．これらの経口避妊薬は，視床下部，下垂体からのゴナドトロピンの分泌をネガティブフィードバックによって抑える．その結果，月経周期の半ばでのLH/FSHの急上昇ピークが，そしてこれによる排卵が起こらなくなる(**排卵阻止剤**).

これ以外の方法には：子宮内避妊(**子宮内ペッサリー**)，化学的ないし機械的**阻止法**(殺精子剤，隔膜，頸管キャップ，コンドーム)そして，ゲスタゲン gestagen (ミニピル Minipille)による精子上昇の阻止などがある．

Dに妊娠の経過と子宮の位置を示す．

---

1 栄養膜 trophoblast　**2** 子宮内膜 endometrium　**3** 胎盤 placenta　**4** 基底脱落膜 decidua basalis　**5** 卵黄嚢 yolk sac　**6** 羊膜腔 amniotic cavity　**7** 胚 embryo　**8** 子宮内腔 intrauterine cavity　**9** 子宮筋層 myometrium

胎 盤

胎盤（A1）は，胚性／胎児側の部分：**絨毛膜有毛部**（BC2）と，母体側の部分：**基底脱落膜**（BC3）から構成されている．最初は前表面を絨毛でおおわれていた絨毛膜（BC2）は，最終的には基底絨毛板だけに絨毛が残り，絨毛の全表面積は9〜12m²もあるが，ここ以外の表面は絨毛は無くなり，**絨毛膜無毛部** chorion laeve と呼ばれるが，脱落膜と合わせて250μmの厚さの卵膜と癒着する．

出産の時点では，胎盤は直径ほぼ20cmで，中央部の3〜4cm，重さ350〜700gの，丸い，平らな深皿（A1）の形を示す．この深皿の底は基底脱落膜（子宮粘膜，母体側脱落膜細胞）と，絨毛外栄養膜細胞とからできており，上部は**基底脱落板**（膜）（BC3）と呼ぶ．これは，**絨毛間隙**（C7）と子宮壁との境界をなしている．深皿の蓋に相当する部分は**絨毛板**（BC2）があり，胎盤と**羊膜腔**（A14）との境界になっている．絨毛板は，一層の**羊膜上皮**（BC15），羊膜および絨毛の結合組織，そして絨毛外栄養膜細胞からできている．この中で，臍帯の血管（C16）が枝分かれする．基底板から絨毛板に向かって，不規則に突出している**胎盤隔壁**（脱落膜隔壁）（BC4）は，深皿状の胎盤を，すこし小さい，小鉢状の**絨毛叢** placentome/cotyledon に区分ける．これが**胎児母体循環**の単位を構成する．

絨毛板（BC2）からは30〜50の複雑に枝分かれした**絨毛樹**（C5）が，小鉢状の胎盤単位に突入しており，それらは**固着絨毛**（C17）によって，基底板と癒合し，絨毛樹を子宮壁（deciduas）に固定する．絨毛板，基底板，そして絨毛これらの間の空間は**絨毛間隙**（C7）（IVS）と言う．これは母体側血液の循環区域 circulation compartment に対応している．胎児側の胎盤絨毛は，このようにして母体の血流中に漂っている．ヒトの胎盤は，このようにして「血液絨毛胎盤」に属する．

絨毛は，4ヵ月の終わりまでは2層の上皮：**栄養膜合胞体細胞層**（BD6）と栄養膜細胞層 cytotrophoblast からできている．栄養膜合胞体の自由表面は微絨毛におおわれていて，絨毛間隙（C7）で母体側の血液中に浸っているが，細胞どうしが融合して細胞間の間隙の側壁が存在しない．この部分が，母体側と胎児側の血液循環の決定的な隔壁ないし障壁となっている．ここでは，母体側の血液から，酸素，栄養物などが取り込まれ，老廃物，ホルモン，そして炭酸ガスなどが母体側の血液へ移される．母体側の血管を通ってもたらされた酸素は（赤い血管，

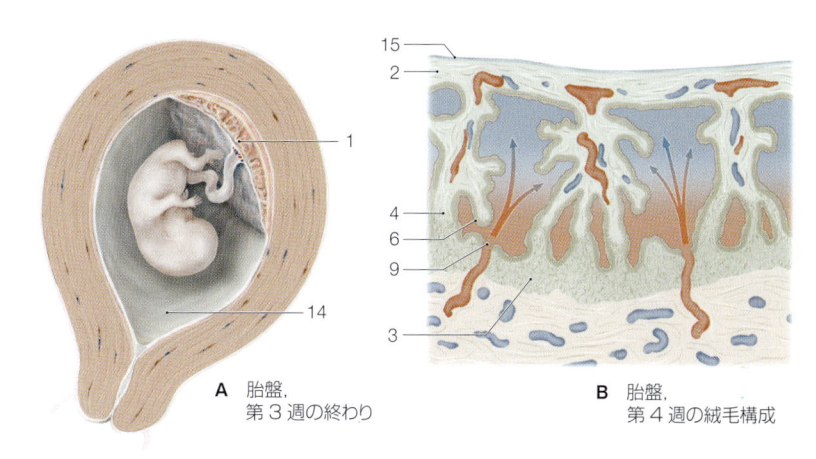

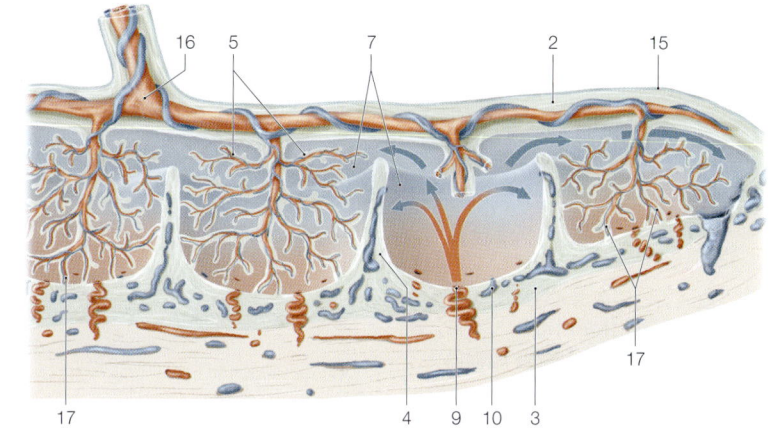

BC），胎児側の血管に到達し，炭酸ガスは，母体側の血液（青い血管，BC）に戻される．**栄養膜細胞層**（ラングハンス細胞）（D8）の細胞は，まず，一層の閉じられた細胞集団である．しかし妊娠の後半では，細胞間に隙間が生じ，妊娠末期になると20％にまで減ってしまう．

子宮壁，ないし基底脱落膜を走っている子宮-胎盤動脈は，200以上の開口部（BC9）から，IVS（C7）に注いでいる．血液は，絨毛膜下隙を絨毛板に向かって流れてきて，絨毛の間を満たして再び基底板の広い静脈開口部（C10）に戻って来る．

胎盤障壁．胎児循環は，**胎盤障壁**（D11）によって母体側の循環とは隔てられている

（母体と胎児は，異なった血液型であることもある）．すべての栄養物質が母体と胎児の血液の間で交換されるが，これらの物質は胎盤障壁を通る必要がある．この障壁は，早期の段階では，6層構造で，栄養膜合胞体細胞層（BD6），栄養膜細胞層（D8），基底板 basal lamina，胎児側絨毛結合組織（D12），胎児側毛細血管の内皮細胞（D13）で，後期では，栄養膜合胞体細胞，基底膜，そして内皮細胞だけになってしまう．

臨床関連：肉眼的な，もしくは組織学レベルの病変で，胎児側の血液が母体の血液に入ってしまうことがある．Rh陰性の母親とRhが陰性の胎児の場合は，母親が感作され，Rh陽性の妊娠中にRh抗体が胎児に危険な状態にすることがある．

A 胎盤，第3週の終わり
B 胎盤，第4週の絨毛構成
C 胎盤，妊娠の後半
D 胎盤障壁　第4週〜第4ヵ月

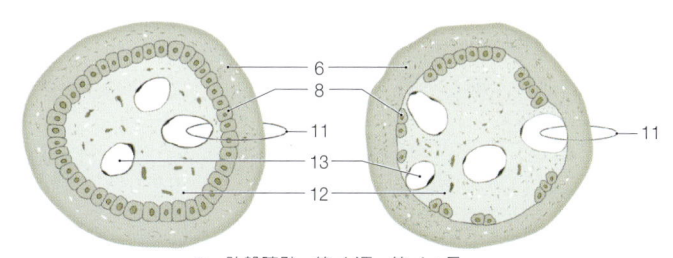

1 胎盤 placenta　2 有毛性絨毛膜 chorion frondosum, bushy chorion　3 基底脱落膜 basal decidua　4 胎盤隔壁 decidual septa　5 複雑に枝分かれした絨毛樹 villous arbor　6 栄養膜合胞体細胞層 syncytiotrophoblast　7 絨毛間隙 intervillous space（IVS）　8 栄養膜細胞層（ラングハンス細胞）cytotrophoblast（Langhans' cells）　9 絨毛間隙の開口部 opening of uteroplacental arteries into IVS　10 静脈開口部 wide venous opening into IVS　11 胎盤障壁 placental barrier　12 胎児絨毛の結合組織 connective tissue of fetal villus　13 胎児側毛細血管 fetal capillary　14 羊膜腔 amniotic cavity　15 羊膜上皮 amniotic epithelium　16 臍帯の血管（赤は臍帯静脈）umbilical blood vessel　17 固定絨毛 adhesive villus

出産

ホルモンによるコントロール. 出産は，内分泌的な制御下にある．この場合，胎児の副腎皮質が本質的な役割を担う．副腎皮質からのコルチゾールが，エストロゲン合成の第一段階開始の役割を果たす．妊娠の最初の4ヵ月間，妊娠黄体から，そしてその後は胎盤からプロゲステロンのレベル，それとリラクシンというホルモンが妊娠中の子宮筋層の収縮を抑えている．出産は，このプロゲステロンの減少が直接の起因となって始まる．これによって，エストロゲン／プロゲステロンの比が増加し，最初にプロゲステロンによって，保たれていた子宮筋細胞の過分極が減ずる．プロゲステロン値の低下によって平滑筋細胞の細隙結合 gap junction の形成を促し，数が増える．このことで，細胞の興奮が子宮筋層全体に素早く広がることができるようになる．さらに，視床下部室傍核，視索上核で作られ，下垂体後葉に蓄積されているホルモン：オキシトシンとα‐アドレナリン性のホルモンに対する子宮の感受性を決める受容体が増える．オキシトシンに感作された子宮筋は規則的な間隔で，収縮（**陣痛** labor pains）を引き起こす．滞りなく出産過程が進行する前提は，**成熟した子宮頸部**が，妊娠の全期間にわたって，閉じられた空間を維持する器官（**閉鎖装置**として持続することである．出産前の，最後の2～3週の間に，絶えず増え続ける内腔の液体によって，子宮の強靱でしっかりした膠原線維と間質とが相まって築いていた構造が，やや緩く，粗になる．この子宮頸部の結合組織の軟化によって，可塑性があり，変形可能になる時期が招来する．頸部は広がって，児の頭部とそれ以外の体部が通る，出産の際の産道を形成できるようになる．児の頭部は曲がり，上肢，下肢は折れ曲がって，出産体勢へと"包装"される（**A**）．児の頭部は，それ以外の体部の最大直径でもあるので，頭部が娩出されれば，残りの体部の娩出はより容易に，引き続いて娩出される．

分娩の機構. 助産介護で最も重要な児の体の部分は，先行して産道の仕上げをする頭部である（**後頭位からの出産**が最も多く96％，骨盤位が3％，斜位もしくは横位が1％）．

妊娠の終わりで，もしくは陣痛の開始とともに，児の頭部は骨盤入口にある．産道は，骨性の骨盤と軟組織である子宮頸部，腟，骨盤底で構成される．普通の成熟女性の**骨盤入口の空間**（大骨盤から小骨盤への移行部：分界線（**B8**）（Ⅰ章参照）は，横に広がる長楕円形であり，**骨盤出口の空間**（恥骨結合（**C9**）と，坐骨結節（**B10**），そして背方に弓なりになっている尾骨（**C11**）（Ⅰ章参照）の間であり，前後に長い長楕円形である．いつの場合でも，この楕円形の長径は児の頭部の最大直径ないし矢状径に適合されねばならない．すなわち，頭部は，産道を通過するときスクリュー様に90°回転することになる．頭部は，前方へ凹の線を描くように，骨盤と軟部組織の経路（**C12**）を辿る．このとき頭部は恥骨結合（**C9**）の下を頭部が通過する前に，屈曲位から伸展位に変化して導かれる．引き続いて，肩の部分が最初はその横幅が骨盤入口の横径に，次いで骨盤出口の矢状径に適合されるが，この際，すでに娩出されている頭部は，90°スクリュー様の回転が介助者の手に支えられて行われ，それとともに頭部をあげたり，下ろしたりして，肩の前と後ろを展開して外へ出す．

軟部，子宮頸部，腟と骨盤底は，分娩の際，**軟部付加回転** additional revolution にあわせて変形する．

A 出産準備ができた児をいれた子宮の矢状断面

B 出産中の骨性の骨盤と児の頭部

C 出産中の児頭部の横断

---

1 子宮 uterus **2** 胎盤（臍帯はおおわれてみえない）placenta **3** 内子宮口 internal os **4** 外子宮口 external os of uterus **5** 膀胱 urinary bladder **6** 直腸 rectum **7** 腟 vagina **8** 分界線 linea terminalis **9** 恥骨結合 pubic symphysis **10** 坐骨結節 ischial tuberosity **11** 尾骨 coccyx **12** 骨盤と軟部組織の経路 guide line of pelvis and its soft parts

出産（続き）

分娩第1期（開口期 period of dilatation）

　出産の時期になると子宮は**開口期**に入り，規則的に10分間で3回ほど収縮（**開口期陣痛**）をする．この際，これまで羊水の流出を防いでいた頸部，腟，外陰部そして骨盤底が，一様に広がり伸ばされ，円形になって，腹方に弓なりになった**軟部囊**または**通過管**（soft part pouch, soft part roll）となる．同じ時期に肛門挙筋隙 levator spaceおよび，球海綿体筋ワナ（**F11**）が広がり，そして緩む．子宮の閉鎖されていた内腔が開口するということは，子宮の緊張と低酸素状態を，そして子宮頸部と小骨盤の組織の伸展をもたらし，疼痛を引き起こす．開口期は，普通は，とくに産婦に圧迫を加えるなどの処置をする必要はないが，初産婦では8〜12時間続くが，経産婦ではもっと短い．

　開口期の陣痛 dilating pains によって，**羊膜囊（C1）**（胎胞 forewaters, bag of waters）ができるが，ここには羊水（前羊水 forewater）と絨毛（extraembryonic membrane）が含まれている．この胎胞は，胎児の頭部（**BCD2**）よりも先に出る．妊娠中の液体の貯留によって軟化していた軟部組織の，弾力性のある伸展を支えていた胎胞は，さらに頸管を押し広げ，拡大した外子宮口を通り，最終的には腟に現れる．開口（拡大）期の終わりには，胎胞が破れ（破水 rupture of the bag of waters），羊水が流れ出る．産婦は"徴し"があったと解するが，陣痛はもっと短い間隔で起こり，分娩第2期（**娩出期** expulsion stage）が始まる．

　子宮頸管 cervical canal．子宮頸管（**ABC4**）の開口の際，能動的および受動的な因子が，それぞれ一つの役割を演ずる．受動的な因子は，著しく増加した**頸管腺**（妊娠していない子宮頸管腺（**A4**）と比較！）の内容（**C3**）および静脈叢に圧迫されて子宮頸管が開くことである．能動的な変形は，子宮体から頸部へと下行してきており，腟壁からは上行している筋線維束と，輪状に走っている筋線維束の骨組みの変位，構造変化である．初産の場合には，頸管は一歩一歩段階的に**内子宮口（CDE5）**から**外子宮口（A〜E6）**に向かって広がっていくが，経産婦では外子宮口は，非妊娠時にも開いている．

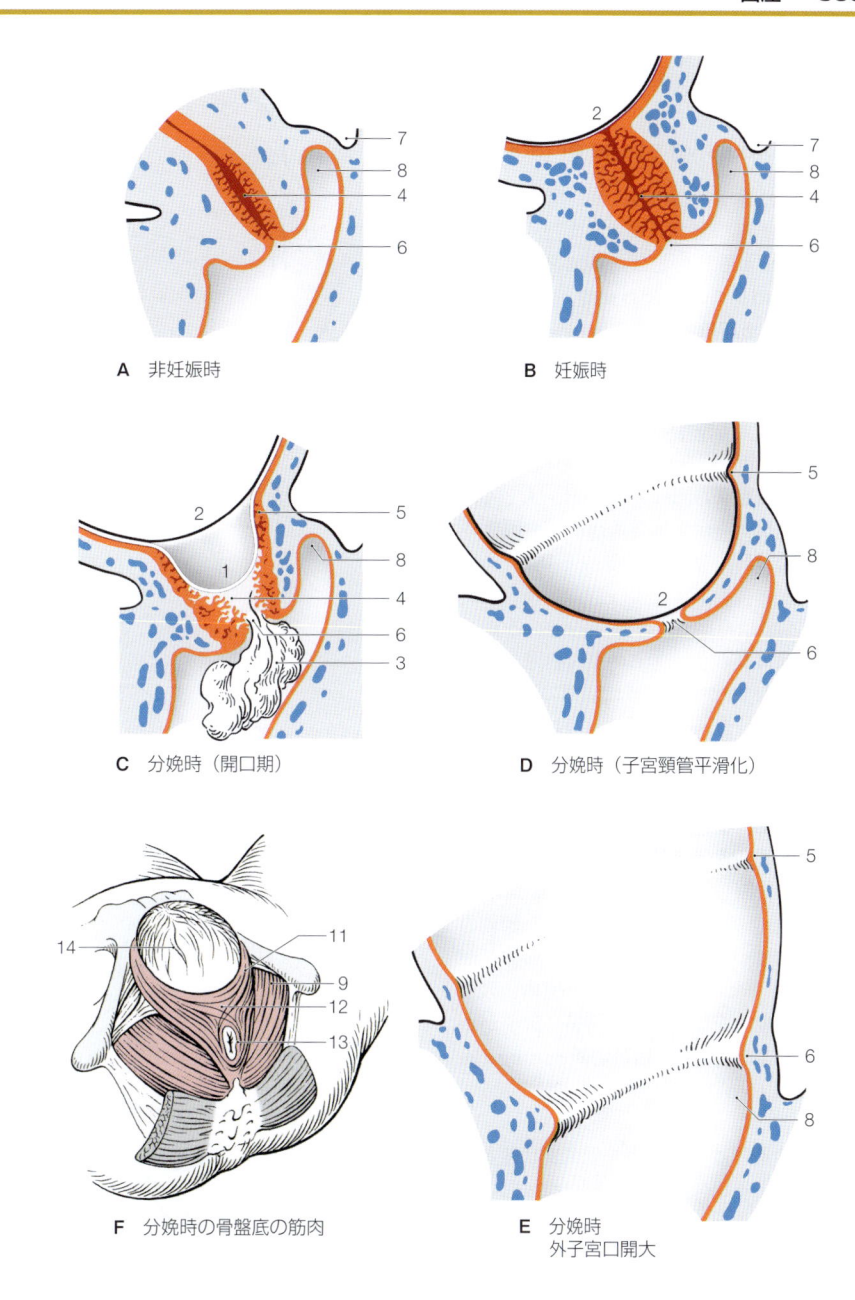

A 非妊娠時

B 妊娠時

C 分娩時（開口期）

D 分娩時（子宮頸管平滑化）

F 分娩時の骨盤底の筋肉

E 分娩時 外子宮口開大

　腟．ほぼ10cmの長さの腟は，内腔が頸管より広いが，主に受動的に広げられる．これは，組織および血管からの液体の流出，輪状の筋肉および結合組織構成要素の変位が，その役割を果たしている．

　骨盤底．妊娠中に液体貯留によって構造が粗になり軟らかくなっている骨盤底は，受動的に広げられる（児頭部による"分断" crowning）．骨盤底の伸展は，**肛門挙筋（F9）**の筋線維束の走行の変化と結びついている．両側の**挙筋板** levator plate の脚部が挙筋門の境界を形成しているのだが，これが分娩に際して，下方に押し下げられ，その上面は産道に対置することになる．矢状方向に走っていた球海綿体筋（**F11**）も横に広がって輪状になる．このとき会陰部は**会陰腱中心（F12）**を持ち上げるように働く．会陰部の筋の裂傷を防ぐために，分娩介護者は二本指で，陣痛時に児頭を押し戻し，ゆっくりと児頭を腟から脱出させる（用手会陰保護）．緊急時には，**会陰切開** episiotomy が，裂傷を防いでくれる．分娩のあと，骨盤底の構造は元の位置にもどる．

---

1 羊膜囊 amniotic sac　2 児頭 child's head　3 強く増大した子宮頸管腺の内容 contents of strongly enlarged cervical gland　4 子宮頸管腺 cervical glands　5 内子宮口 internal os　6 外子宮口 external os of uterus　7 直腸子宮窩 recto-uterine pouch　8 腟円蓋 vaginal fornix　9 肛門挙筋 levator ani　11 球海綿体筋 bulbospongiosus　12 会陰腱中心 perineal body　13 外肛門括約筋 external anal sphincter　14 児頭 child's head

出産（続き）

娩出期 expulsive stage of labor

娩出期は外子宮口の開大が完全に終わってから始まる．陣痛はますます強くなり，次々と発来する．妊婦は，娩出を助けるために陣痛のリズムの合わせて，腹壁を圧迫する（**娩出期陣痛** expulsive pains）．娩出期においては，子宮筋は強く収縮し，児（Furchtwalze）は，子宮壁に押し付けられて，産道を通りやすいよう"胎児円筒"の形で子宮底に押しやられる（**後退** retraction）．子宮筋の**固定点** anchoring point，もしくは子宮筋が抵抗を示す場所は頸管と，両側の**子宮円索（靱帯）**（**A1**）である．

娩出期では産道（**B**）の"膝部 knee"を廻って行かねばならない．この際に胎児の頭部は，小泉門に導かれるように，（児の）頸部を，恥骨角 pubic angle に触れるように，そして胎児の頸部が，屈曲位から伸展位に変えて，胎児の顔面が母体の仙骨に向かうようになる（364頁 **B，C** 参照）．胎児の後頭部は，最初，恥骨結合の下で腟開口部を抜け，ついで会陰部に面しながら顔面が通り抜ける（**後頭部前位**）．頭部の娩出のすぐ後に，両側の肩が片側ずつ，そして次に，残りの体部が抜け出る．ついで，新生児と子宮内に残っている胎盤とを繋いでいた**臍帯**に鉗子がかけられ，切断される（**臍帯切断** cutting the umbilical cord）．

出産の過程は，新生児を低酸素状態と代謝性アシドーシスに陥らせる．新生児の血液中に増えてくる炭酸ガスは，脳の呼吸中枢を刺激し，新生児は"産声"とともに呼吸を開始する．同時に胎児循環が出生後のそれに転換する（222頁参照）．

胎盤の娩出 stage of afterbirth．胎児の娩出後，子宮筋の最初の**後陣痛** after pains で，子宮は収縮して15cm ほどの長さになり，子宮底は臍の高さになる．この時期に胎盤が離れる．胎盤が離断する時，太い子宮胎盤動静脈は断裂し，出血して，胎盤後血腫 retroplacental hematoma ができる．胎盤が完全に離れたことは，子宮の形や硬さで，子宮が"上昇"したことで判る．産婦が自身で腹圧を加える，もしくは介助者が用手でこれに加勢することによって，児の娩出後，1〜2時間で胎盤が娩出（後産）される．子宮の収縮は，子宮の血管をも収縮させ，胎盤床は後陣痛によって，ほぼ手掌大に縮小して，生理学的な止血が起きる．

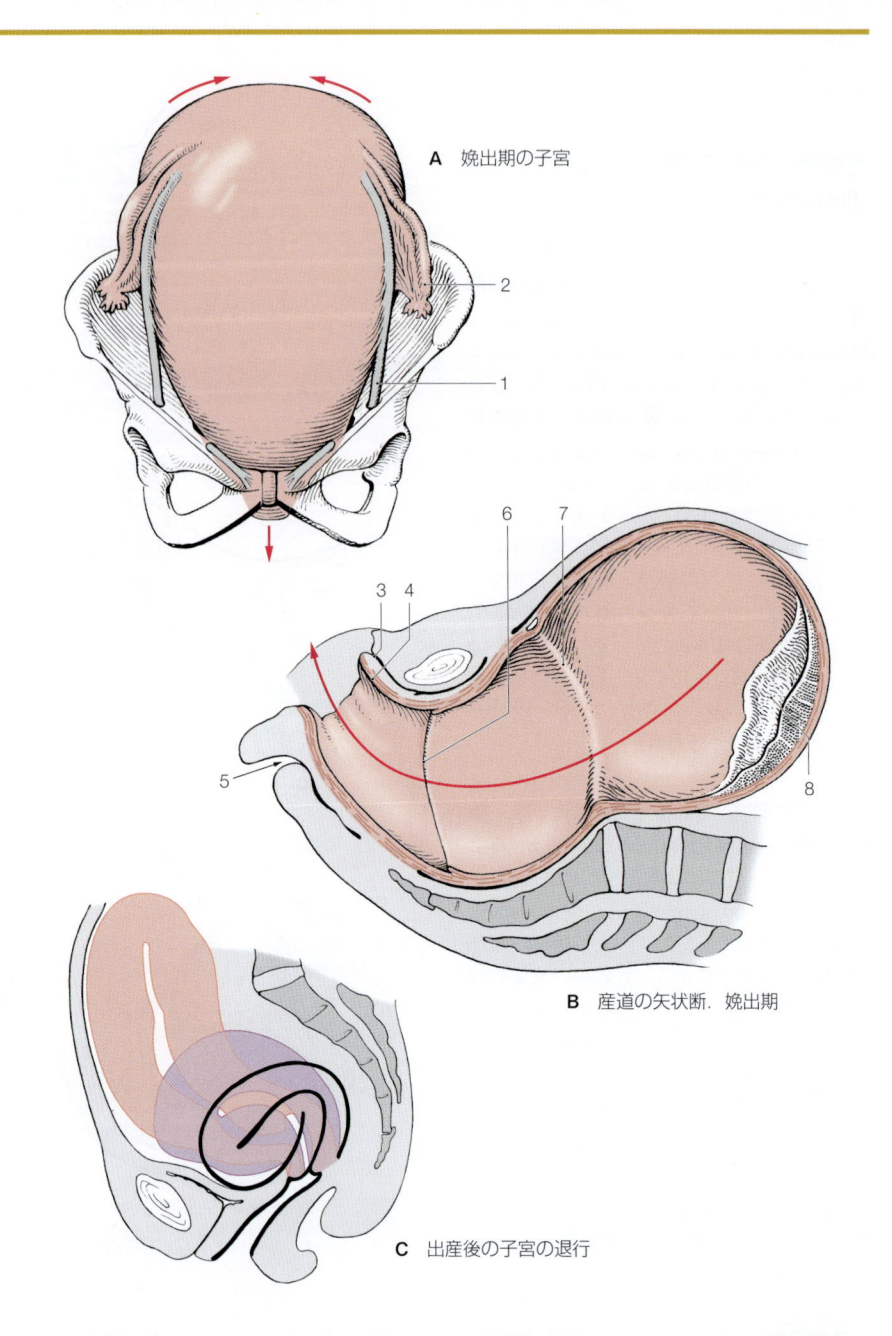

退縮過程 postpartum changes．出産後ほぼ2時間で軟部産道のすべての部分は，軟らかく，伸展性が戻る．また肛門挙筋隙と球海綿体筋のループは，なお数時間後に分娩開始時の状態に戻る．子宮頸管は約1週間で，再び正常な形態に復帰する．

胎盤の娩出から，外陰部，陰部以外の，妊娠に伴う変化を示していた部位が，完全に復帰するまでの時間は，約5〜6週続くが，この時期を**産褥**（postpartum period，または puerperium, child bed）という．この間，子宮は退行過程（細胞死 apoptosis，萎縮 atrophy，細胞外基質の崩壊が起きる．子宮は，約1kg重さが減り，急速に小さくなる．10日過ぎると，子宮底は恥骨結合の高さになる；粘膜の上皮が再生され内子宮口は閉ざされる．それまでに，癒えつつある子宮は**悪露** lochia と呼ぶ分泌物を放出する．これは，血液の構成成分，脱落膜組織の破壊産物，白血球，細菌などからできている．産褥熱に発展する可能性のある上行感染を防ぐために，局所の，そして総合的な防衛機構が動員される．

子宮の血管は，筋層と同じように，退行過程を示す：必要な血液量が減少するので，それに適応するのだが，一部は退縮 involution してしまう．

子宮の大きさ（**C**）．赤＝出産直後，紫＝5日後，黒＝出産後12日．

A　娩出期の子宮

B　産道の矢状断．娩出期

C　出産後の子宮の退行

---

1 子宮円索（靱帯）round ligament of uterus　2 卵管 uterine tube　3 女の尿道 female urethra　4 陰門（外陰部）vulva　5 肛門 anus　6 外子宮口 external os of uterus
7 内子宮口 internal os　8 胎盤 placenta

概　説

ヒトの発達は，**受精** fertilization とともに始まり，持続的な，形態的そして機能的な変化の過程を歩んでいく．この過程は，いくつかの時期で区分できるが，最終的な段階は"死"で終わる．基本的には，ヒトの発達過程は大まかに，**出生前** prenatal および**出生後** postnatal の時期に分けられる．出産は，時間的には，発達過程の境目ではあるが，終わりではない．分娩の前には，胚子（発生3～8週の成長しつつある胎子）さらには，発生9週から誕生までの胎児についても，その形や構造の変化を十分に詳しく観察することはできない．誕生後に初めて形や構造の変化が外界からみえるようになって，普通に認識できることになる.

産科的または助産的な診断では，発育しつつある胎児の胎齢と大きさは，母親の最終月経の日から計算される．妊娠の持続期間も同様に，この日から計算する．排卵は，月経周期の第12～14日に起こるので，上記の計算では，妊娠日数が14日長くなってしまう（**A**）．臨床的な計算の基礎は，出産までの妊娠持続期間が，だいたい40週（28週単位の10ヵ月）になるようにされていることである．新しい個体の発達は，実際には卵子と精子の融合すなわち受精からはじまる．したがって，胎生学的および形態学的な時間の決めかたでは，妊娠期間は，38週，言い換えれば9.5ヵ月になる（**B**）．ここ以降の記載の基礎は，これに基づいている．そして正確な受精の時間は，多くの場合，推測できるのみであるので，出生前の大きさや胎齢の判断には，ある程度の不正確さを伴わざるを得ない．さらに，個体の構造的な発達を把握する時には，決して完全に正確な時間の計算はあり得ない.

出生前の時期 prenatal period

胚が新生児となるまでの，発達の過程は，大変重要な発育と分化の過程であり，いくつかの時期に分けられる（**C**）：**胚子前期** preembryonic stage (period) は，最初の2週間である配偶子の融合（受精）から着床 implantation までであり，受精した卵細胞が子宮粘膜に埋まるまでである．

胚子期 embryonic stage は，第3～8週までで，胚子の器官原基 organ anlages ができあがる期間である．

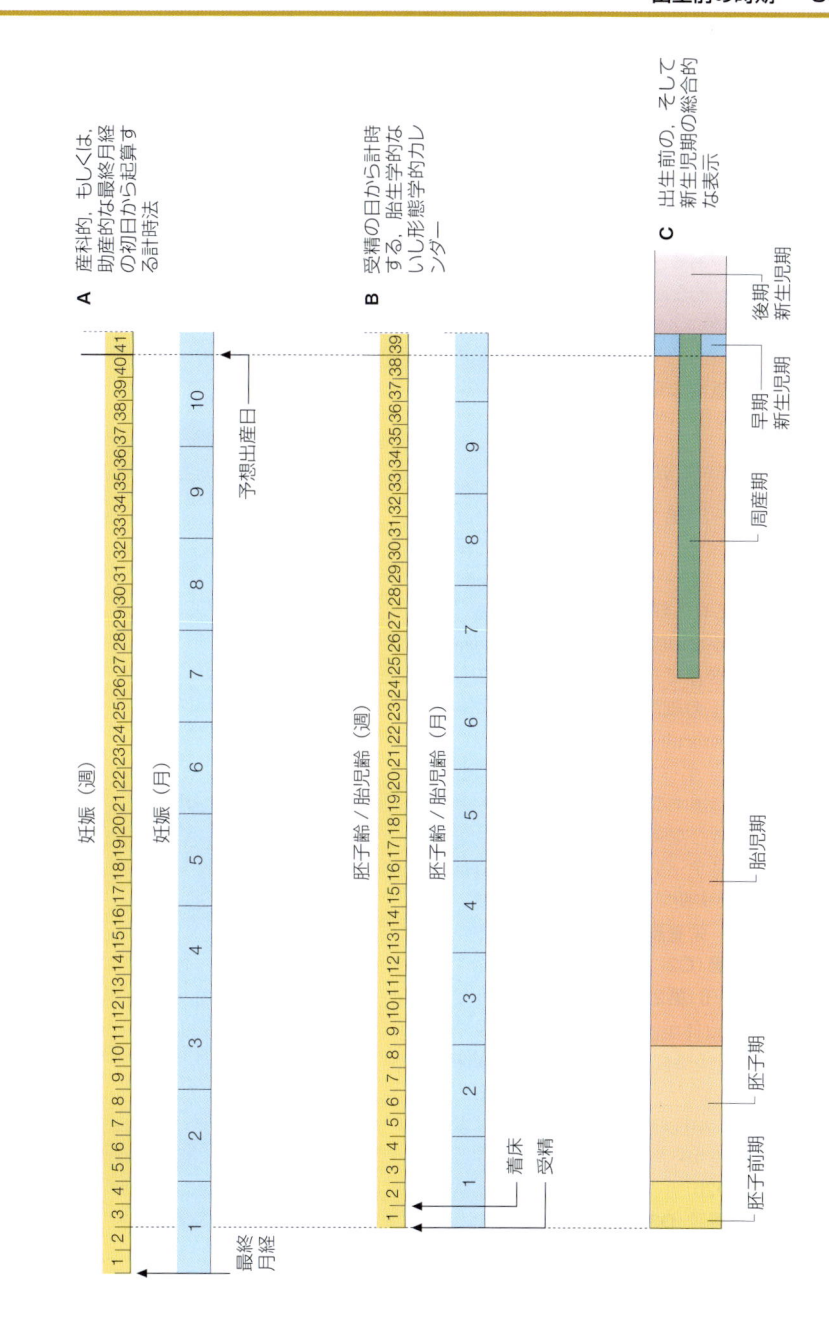

胎児期 fetal stage は第9週から誕生に至る時期で，胎児の成長と体重増加がもっとも目立つ時期である．

引き続く**新生児期** neonatal period は，出産から生後28日までで，7日までの早期新生児期 early neonatal period と，それ以降の後期新生児期 later neonatal period に分けられる．早期新生児期は，後期新生児期と一緒にして，周産期 perinatal period の中へ入れられることもある．周産期は，出産前の胎生学的な計時法で，第24週の終わりから始まる．周産期内に生まれた子供は早産児もしくは新生児とされるが，第24週以前に生まれた場合は，妊娠経過が不全な流産とされる．

妊婦そして発育しつつある胚子，胎児を超音波で調べ，診断する際には，出生前のヒトの発達を十分に知っておく必要がある．そうしたうえで，初めて妊娠経過中の障害または発達異常を，早期に知ることができる．

出生前の発達段階 stages in prenatal development

発生の早期については，胚子ないし胎児の記載や導入については，カーネギーのステージ Carnegie stage に従う．このステージは発達しつつある，胚や胎盤の外形や内部構造の形態学的な記載をもとにしており，ヒトの早期発達のステージを分ける基礎として，受け入れられている．以下の記述では，もっとも重要な発達段階を，胎生学的な原基に重点を置いて進める．

胚子前期 preembryonic period

ステージ1～3（第1週）．ヒトの発生の最初の24時間，ステージ1は，受精であると理解されている．ステージ2は，卵割 cleavage と名付けられる有糸細胞分裂（**A**）で始まる．この結果生ずる娘細胞群，**割球** blastomere は，一つの集合体であるが，まもなく12もしくはそれ以上の細胞から構成されるようになり，**桑実** morula（**B**）と名付けられる．以上の現象は，すべて卵管内を移動中に生じる．子宮腔に達する第4日には，桑実の中に，液体の入った空間：胞胚腔 blastocoele が生ずるので，ステージ3は**胚盤胞** blastocyst と言う（**C**）．桑実期では，細胞は分化して，外側の細胞群：**栄養膜細胞**（**C1**）と，内方の細胞群：**胚結節**（**C2**）である．

ステージ4～6（第2週）．ステージ4（**D**）では胚結節の細胞群が，子宮粘膜の内に埋め込まれ，ステージ5になると，着床過程が開始され，ステージ7～12まで続く．胚結節から，いわゆる二葉性の胚盤ができ，これは重なり合った細胞から，**胚盤葉上層**（**D2a**）と**胚盤葉下層**（**D2b**）ができる．その頃，胚盤葉上層内に**羊膜腔**（**D3**）が生ずる．この腔は，超音波で妊娠の診断をする際に，妊娠の確徴とされる所見となる．胚盤は，このとき既に背腹の極性が決まっている．また，胚盤葉下層には，原始卵黄嚢（**D4**）が生じている．

ステージ5では，胎盤についても栄養膜が，栄養膜細胞層 cytotrophoblast と栄養膜合胞体細胞層 syncytiotrophoblast との2層に分化している．胚外間質 extraembryonic mesenchyme が現れ，栄養膜細胞と一緒になって，絨毛 chorion を作り，その中に，絨毛腔 chorionic cavity ができる．

ステージ6（**E**）では，**原始線条**（**E4**）の形成が始まる．すなわち，胚円盤の尾側端から，胚盤葉上層の増殖帯が節状に頭－尾軸に沿って，置かれていく．この現象によって，発達しつつある個体の左右対称性が示され始める．

ステージ6，この時期に胎盤では，絨毛膜絨毛の形成が始まっている．

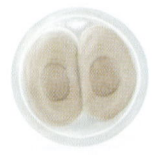

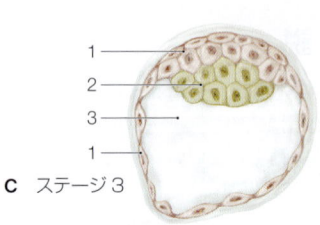

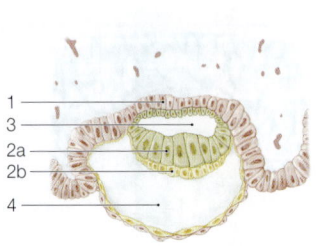

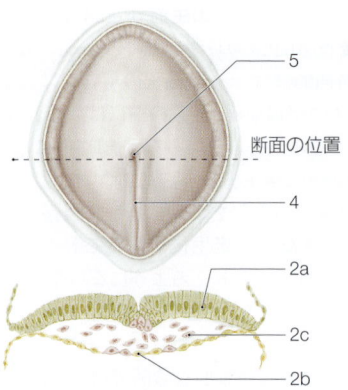

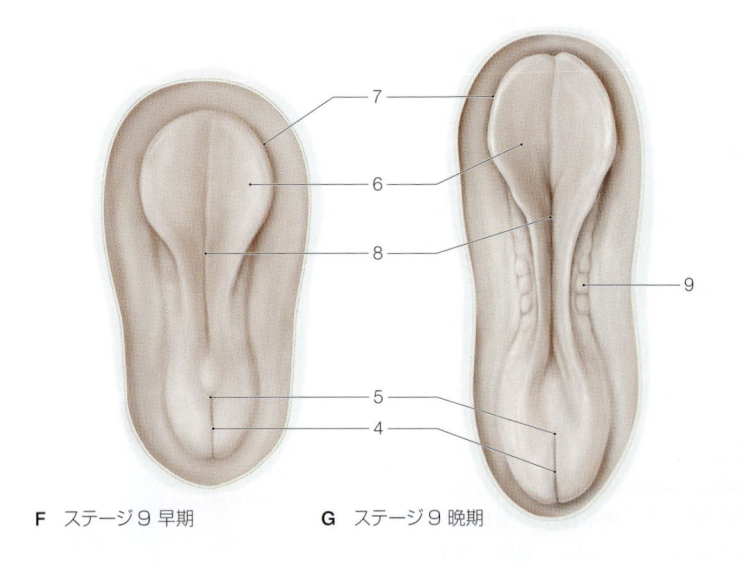

胚子期 embryonic period

ステージ7～9（第3週）．ステージ7では，原始線条の発達が進行する．胚の頭側端で，**原始結節**（**E5**）が作られる．**外胚葉**（**E2a**），**中胚葉**（**E2c**），**内胚葉**（**E2b**）の三葉からなる胚盤が形成され（原腸胚形成 gastrulation），原始線条および原始結節から，胚盤葉の外層細胞が，腹方および外方に動いていき，いくつかの胚子細胞系に分化する．下層細胞は，移動した細胞の跡を埋めていく．原始結節から頭側に移動していった細胞の一部は，頭部－，または脊索－突起となり，そして平板状に広がって脊索前板 prechordal plate もしくは，口咽頭膜 bucco-pharyngeal membrane となる．胚盤の尾側端には，総排泄腔膜 cloacal membrane が形成される．総排泄腔膜，および口咽頭膜は，いずれも，まだ中胚葉からは離れている．ステージ8では，三葉構造を示す胚盤と原始線条とから，それの正中部分で溝ができる．原始溝と呼ぶが，尾方では原始窩 primitive pit で終わっている．そこでは，脊索突起の中へ伸びていき，脊索管を作る．複雑な経過を経て，この脊索管の周りに脊索が生じ，原始軸骨格が作られる．ステージ9（**FG**）で神経管形成 neurulation 過程に入る．側方縁で厚み（**神経ヒダ**（**FG7**））を増している**神経板**（**FG6**），そして神経板の正中には，一本の**神経溝**（**FG8**）ができる．前後に走るこの溝の半分の高さのところで，最初の節状単位：**体節**（第1～3）（**G9**）が，溝の左右に現れる．心臓の原基は心筒 heart tube であり，発生第3週に血管系と繋がる．

C1 栄養膜細胞 trophoblast　**C2** 胚胞（胚結節）embryoblast　**D2a** 胚盤葉上層 epiblast layer　**E2a** 外胚葉 ectoderm　**D2b** 胚盤葉下層 hypoblast layer　**E2b** 内胚葉 endoderm　**E2c** 中胚葉 mesoderm　**C3** 胚盤胞内腔 blastocytic cavity　**D3** 羊膜腔 amniotic cavity　**D4** 第1次卵黄嚢（原始胚外体腔）primitive yolk sac (extraembryonic coelom)　**EFG2** 原始線条 primitive streak　**EFG5** 原始結節 primitive knot　**FG6** 神経板 neural plate　**FG7** 神経ヒダ neural fold　**FG8** 神経溝 neural groove　**G9** 体節 somite

胚子期（続き）

ステージ10～12（4週）．いずれのステージでも体節の発生が進む．ステージ10では4～12体節が，ステージ11で(**AB**)，13～20の体節(**AB1**)が，ステージ12では21～29体節を数えることができる．ステージ10では，左右の神経ヒダ(**AB2**)が癒着して，**神経管** neural tubeになる．神経管の吻側端では脳が，尾側端では脊髄ができる．吻側，尾側とも神経管は，まだ開いたままである．**上神経孔**(**AB3**)と**下神経孔**(**AB4**)である．ステージ11で胚子は屈曲し，頭部(**B5**)と尾部(**B6**)で折りたたみ現象がみられる．両側の鰓弓の一対(**B7**)が，そして眼胞がみえてくる．上脳孔は閉鎖する．ステージ12では，さらに3対の鰓弓が現れる．下神経孔も閉じる．そして耳窩 otic pitがみられる．心臓の原基はワナ状であるが，収縮運動を始める．前肢の肢芽が形成される．

ステージ13～15（5週）．胚子は，強く屈曲し，30又はそれ以上の体節を持っているが，正確な数を判定するのは難しい．ステージ13では，4対の鰓弓が観察できる．水晶体プラコードができ，下肢の肢芽が現れる．ステージ14になると，水晶体それに鼻窩 nasal pitが認められる．体肢の肢芽の分化が進み，ステージ14では眼杯ができる．肢芽の分化が進んで，手板 hand plateが存在するのが分かる．ステージ15では，脳胞が区別でき，手板 hand plateが確認できる．

ステージ16～18（8週）．このステージは体肢の分化が特徴的である．足板(**C8**)と，足の指の放線(**C9**)が形成される．ステージ18では肘関節が認められ，足の指の放線 toe raysが出現する．間質中の骨の原基の骨化が始まる．顔面では，耳小突起 ear processesが形成され，眼鼻溝 eye-nose furrow，鼻尖および，眼瞼が作られはじめ，眼球の色素がはっきりしてくる．

ステージ19～20（7週）．胚子の胴体ないし体幹の長さが増し，真っ直ぐになり，頭部は体幹に比べて，大きくなるために，体の屈曲度はやや軽減する．体肢も長くなり，心臓原基の前背方を伸びていき，そして次いで腹方に向かう．中腸の腸係蹄は，臍帯中の腹腔空間の容積が少なくなるために，移動し始める．

ステージ21～23（8週）．胚子期の最後のこの週では，ヒトに特徴的な形態が明瞭

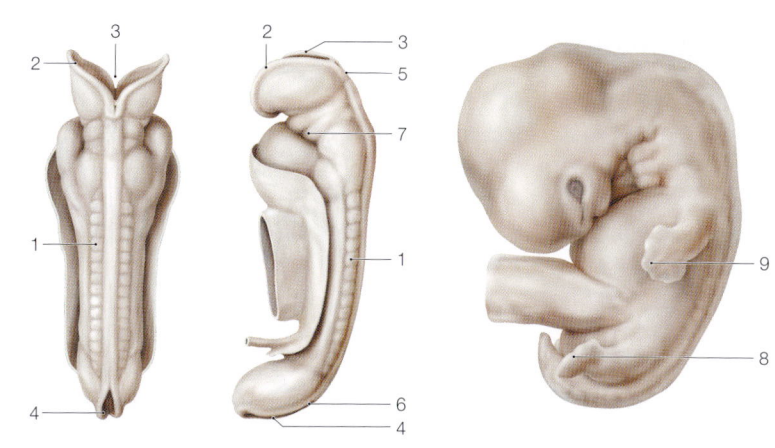

A ステージ11の早期，背側からみる　　B ステージ11の晩期，外側面　　C ステージ17

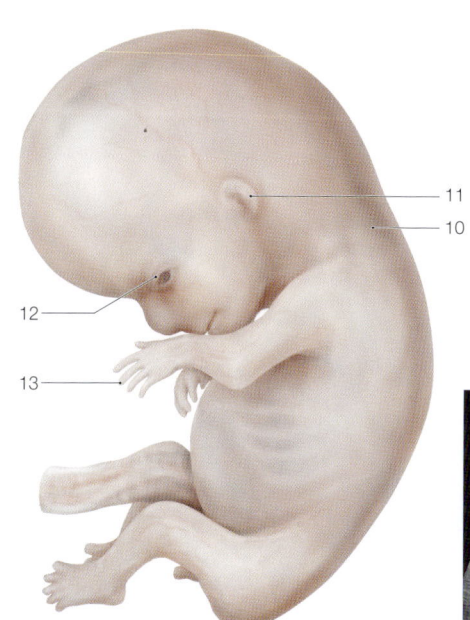

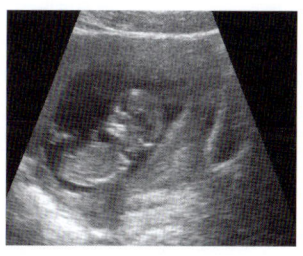

D ステージ23　　E ステージ23 超音波像

になる．頭部は屈曲の度合いが減り，頸部が作られる(**D10**)．外耳(**D11**)が発達し，眼瞼(**D12**)も現れる．体肢は長くなり，指(**D13**)の関節も複数識別でき，個々の指が，たがいに離れ，足の指ができ，軟骨内化骨が始まる．外性器が発達し，性別が明瞭になる．

胎児期（概観）

胎児期を特徴付けるのは，器官系の分化と成熟，そして胎児の急速な成長である．胎児の大きさは，頂-殿長 crown-rump length（CRL）(坐位 sitting position)，もしくは頂-踵長 crown-heel length（CHL）(立位)をmmないしcmで測って決定する．超音波検査で，胎児の大きさ，胎齢をより正確に測るためには，頭蓋骨の頭頂間径 biparietal diameter（BPD）と，大腿骨の長さ femur lengthをも使う．体重は，9週での10gから始まり，誕生時には，平均3,400gになっている．

胎児の実質的な変化は，月齢で決まるともいえる．ここで，もっともわかりやすいのは，体幹や体肢に比して，不釣り合いともいえるほど，頭部の成長が前面に出ることである．胎児期の始めでは，頭部は，胎長のほぼ1/2であるが，胎内生活の終わりになると，約1/4ほどになってしまう．

---

1 体節 somite　**2** 神経ヒダ neural folds　**3** 上神経孔 superior neuropore　**4** 下神経孔 inferior neuropore　**5** 頭屈曲 cephalic folding (flexure)　**6** 尾屈曲 caudal folding (flexure)　**7** 最前部の2つの鰓弓 pairs of branchial arches　**8** 足板 foot plate　**9** 指放射 finger ray　**10** 頸部 neck　**11** 外耳 external ear　**12** 眼瞼 eyelids　**13** 指 fingers (separate digits)

胎児期（月毎の発生）

第9〜12週. 急速な成長によって，頂-殿長（CRL）は，第12週齢の終わりには倍になる．頭部と四肢，とくに上肢は，相対的には体幹と同じ大きさにまで大きさを増す（**A**）．眼が，初めは外側にあるが，次第に腹方に移動し，また耳も最終的な位置である顔面の側方にくるので，顔面の様相はヒトのものになる．上下の眼瞼は癒着しており，眼裂は閉じている．臍帯の中にあった腸管のループは，11〜12週には，内腔が増加してきた腹腔内に戻される．12週齢では，男の子と，女の子の外性器の最終的な分化が決定する．

第13〜16週. この時期の特徴は，体幹，頭部そして四肢の急速な成長である．頭部は真っ直ぐ胎軸の前方（または，上方）を向く．体幹には，生毛lanugoが現れるし，体毛の生え方の特長がうかがえるようになる．骨化が進行して，16週齢の胎児（**B**）では，骨がX線像で確認できるまでになる．

第17〜20週. 胎児の急速な発達は，すこし緩やかになり，体重の増加も僅かである．下肢も，相対的な長さの比が最終的な比率に達する（**C**）．皮脂腺からは濃厚な脂肪性の分泌物 vernix caseosa が出てきて，胎児の皮膚が，羊水の中で，膨潤，解離するのを防ぐ．頭髪，眉毛が現れる．この時期になると，母親が初めて胎動を感じる．超音波による検査も，普通の検査項目に加えられるのが望ましい（**D**）．

第21〜25週. 体重増加が進む．皮下脂肪はまだ明瞭ではないが，胎児の皮膚は急速に成長するので，皮膚は赤みを帯び，しわくちゃである．手指に爪が生えて，顔と体は，予定日に生まれてくる子どもの様子にそっくりになる．25週齢を過ぎると，はじめて，生まれた胎児は子宮外でも，生存可能になるが，それは，この時期になって初めて呼吸器系が機能しうる状態になるからである．

第26〜29週. 皮下脂肪組織が形成されるようになり，胎児の体は丸みを帯び，すこし不格好になるが，体重の増加は著しく進む．上下の眼瞼が離れ，眼が再び開く（**D**）．

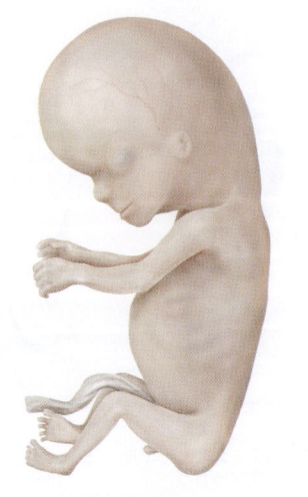

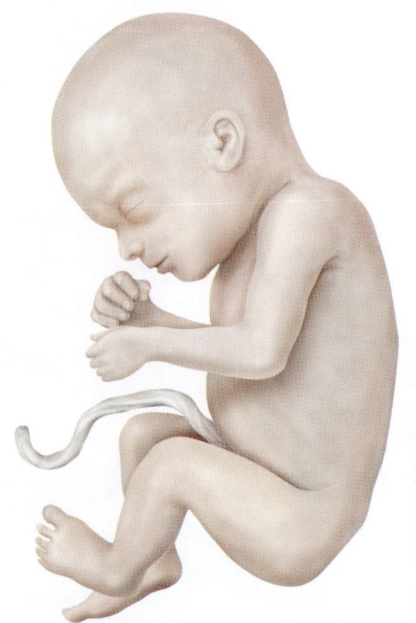

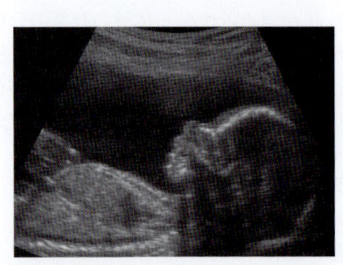

A 9週齢 胎児

B 16週齢 胎児．骨格系の発達．アリザリン赤による

C 20週齢胎児

D 超音波

眉毛とまつげが良く発達する．頭髪はさらに長く伸びてくる．基本的に，この時期の胎児は，すでに生存可能になっている．

第30〜34週. 体重に占める皮下脂肪分が増加し上肢，下肢とも丸みを帯びてくる．体幹は厚みが増し，皮膚は，赤みが増してくる．手指の爪が伸びて指端を越えると，足指の爪が生えてくる．男の胎児では精巣が下降してくる（精巣下降）．

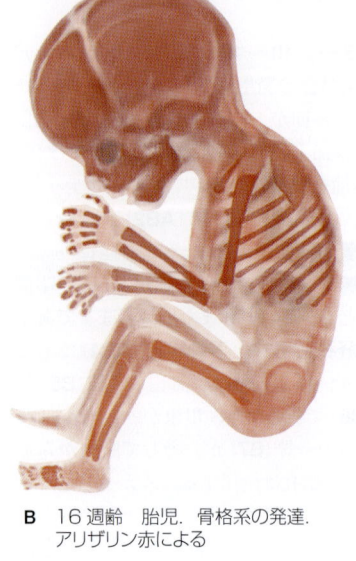

第35〜38週. 妊娠最後の月では，とくに胎児の体幹が太くなる．腹壁では，臍帯の付着部位が，腹部の中央に移動してくる．足の指の爪が，指の先端にまで伸びてくる．生毛lanugoは抜け落ちてきて，皮膚は，胎脂のみにおおわれている．男の胎児では，精巣が精嚢まで下降してくるが，女の胎児の場合では，卵巣はまだ小骨盤の上半分に留まっている．

器官系の発生

体腔

第3週の終わりになると，側板中胚葉（**A1**）の中に，**細胞間隙（体腔間隙）**が生じてくるが，それらが互いに融合して，**胚内体腔**（**AF2**）ができる．そして，これによって側板中胚葉は，背側の**壁側中胚葉層**（**ADF3**）と，腹側の**臓側中胚葉層**（**ADF4**）に区別できるようになる．胚内体腔は，一層の漿膜性上皮でおおわれている．この上皮から漿膜性体腔の側板が生じ，またこれと合い呼応して，臓側の上皮からいろいろな器官の臓側の上皮が発達する．

胚内体腔は，はじめは心臓原基の領域（**B5**）に生じ，心臓および肺に共有される**胸心膜腔**（**B6**）として生じる．胚が折れ曲がるにつれて胚内体腔は大きくなり，胸部から骨盤域まで広がっていく．胸心膜腔の底と絨毛嚢の付け根との間の所に，横に広がる，広い中胚葉板である**横中隔**（**C7**）ができる．この中隔は，胸心膜腔と**腹膜腔**（**DE8**）との間にできるが，完全には両者を分けず，2つの腔は，**心膜腹膜管**（**C9**）で結びついている．腹膜腔（**DE8**）は，臍帯によって絨毛嚢そして胚外腔（絨毛膜腔）と繋がっている．発生が進んだ腸ループ（**E10**）が，臍帯の中から，腹腔中へ移動してきて，はじめて2つの腔（胸心膜腔と腹膜腔）の交通は遮断される．肝臓の原基が入り込んでいた横中隔は，最終的には横隔膜の腱中心になる．このあとの発生で成長過程が進むと，2つの体腔は互いに分かれてしまう．

心臓

早期発生（第3週）．心臓と血管系の発生は，第3週で始まるが，まだ盤状を呈している胚子（胚盤胞）は，もはや拡散だけで栄養を獲得することができなくなる．側板中胚葉からの臓側中胚葉層の中で，神経板の両側に血島（**FG11**）が生じ，これから血球と第1次血管が生じる．心筋の前駆細胞は，胚盤葉上層 epiblast から原始線条の側方に移動してきて口咽頭膜（**GH12**）の吻側にやってくる．心臓の筋芽前駆細胞 cardiac myoblasts (angiogenic material) の近くに，血島の融合によって，内皮細胞に裏打ちされた，馬蹄形の筒ができるのだが，筋の原基を含めて，これが**心臓発生域**（**G13**）となる．第3週の終わりになると，胚は側方に折れ曲がるのだが，心臓の原基は，始めは頸の腹側に，次いで，最終的な位置である胸部の腹側に収まる．ここは，腔の吻側部で胸心膜腔ができていたのである．胚の側方への屈曲は，それまで，対をなしていた心内膜性の心臓原基を，融合させて，周囲を**心筋**（**H15**）におおわれた，一本の**心内膜筒**（**H14**）にする．心内膜と心筋層の間には，厚い膠様の基底膜，**心臓ジェリー** cardiac jelly が作られる．この後，心臓原基は漿膜性の上皮，**心外膜** epicardium におおわれてくる．心臓原基は，心（外）膜腔の中に，次第次第に膨隆していき，次には**背側心間膜**（**H16**）に固定される．この間膜は後で消退するのだが，最初に対をなしていた心外膜腔は，**心膜横洞** transverse pericardial sinus で繋がったままである．

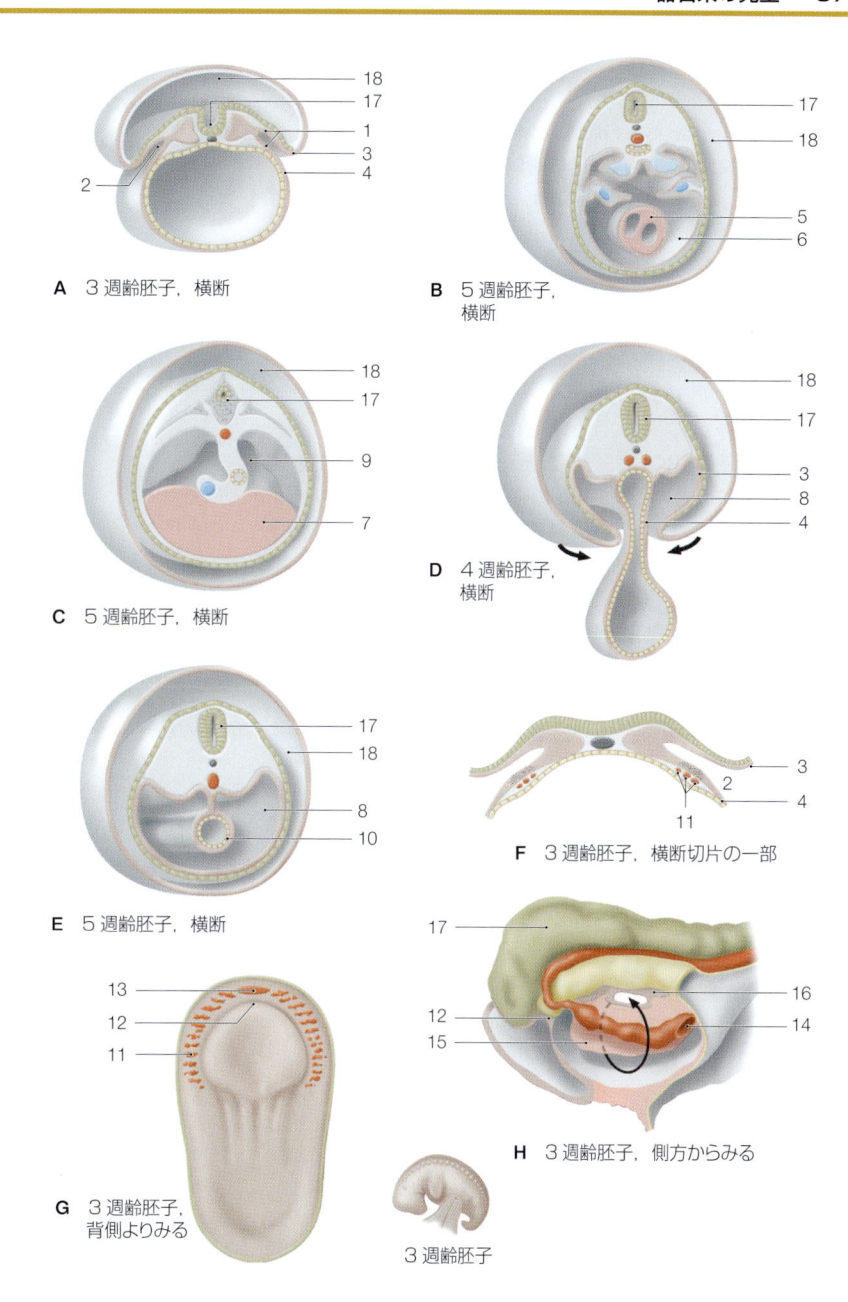

A 3週齢胚子，横断
B 5週齢胚子，横断
C 5週齢胚子，横断
D 4週齢胚子，横断
E 5週齢胚子，横断
F 3週齢胚子，横断切片の一部
G 3週齢胚子，背側よりみる
3週齢胚子
H 3週齢胚子，側方からみる

---

1 側板中胚葉 lateral plate mesoderm　2 胚内体腔 coelom　3 壁側中胚葉層 somatic mesoderm layer (parietal mesoderm layer)　4 臓側中胚葉層 splanchnic (visceral) mesoderm layer　5 心臓原基の領域 region of cardiac anlage　6 胸心膜腔 pleuro-pericardial cavity　7 横中隔 septum transversum　8 腹膜腔 peritoneal cavity　9 心膜腹膜管 pericardioperitoneal canal　10 腸ループ intestinal loops　11 血島 blood islets　12 口咽頭膜 bucco-pharyngeal membrane　13 心臓発生域 cardiogenic zone　14 心内膜筒 endocardial tube　15 心筋 cardiac muscle　16 背側心間膜 dorsal mesocard　17 神経管，神経溝 neural tube, neural groove　18 羊膜腔 amniotic cavity

心臓（続き）

心臓ループ cardiac loop の形成（第4週）．ループ状の心臓原基（**A**）は，その吻側端には**動脈幹**（**A1**）が，また尾側極には，**静脈洞**（**A2**）がある．心臓原基は，第3週の終わりには拍動を始める．ついで，ループがさらに発達して，胚子の屈曲がより強くなると，吻側端は腹方，尾方そして右に向く．一方，尾側極は背側，吻側に，そして左に移っていく．このようにしてできてくる心臓ループは，今や，吻側には**心球**（**BC3**）とそれに続く**動脈幹**（**BC1**），そして**動脈円錐**（**BC4**），それに共通の**心室**（**BC5**），共通の**心房**（**BC6**）と，それに続く**静脈洞**（**BC2**）ができることになる．心臓ループの形成は第28日に終わる．

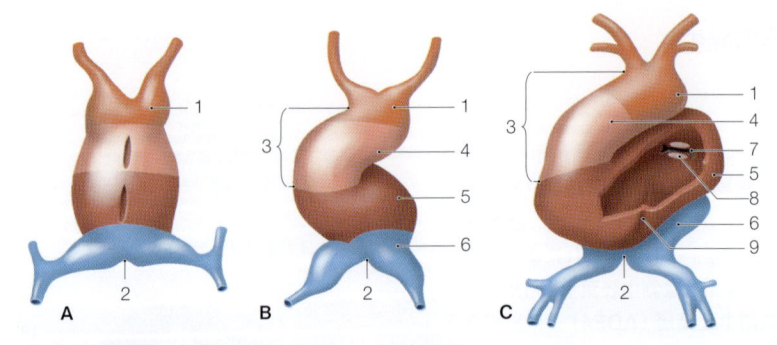

心臓内隔壁系の出現（第5～7週）．共通心房と，心室の原基との結合は緊密で，両者の間に**房室管**（**CG7**）が生じる．この管の腹側および背側の壁に厚い膨隆すなわち上および下の**心内膜クッション**（**C8**）が生ずる．このクッションは成長し続け，少し小さい外側のクッションと一緒になって，房室管を左右の2部分に分ける．これらの心内膜クッションから，房室弁の一部が生ずる．心臓表面では，心室の上行および下行脚の間に**室間溝**（**C9**）が認められるようになる．心臓内面では，**心筋梁**（**D10**）そして筋性の**心室中隔**（**EFG11**）ができて，これは内膜のクッションと癒着する．両心室間には，当初，**室間孔**（**E12**）が開いている．これは最初，膜性の中隔（**F13**）部分であり，心内膜クッションに由来している．この孔は，最後には閉ざされてしまう．

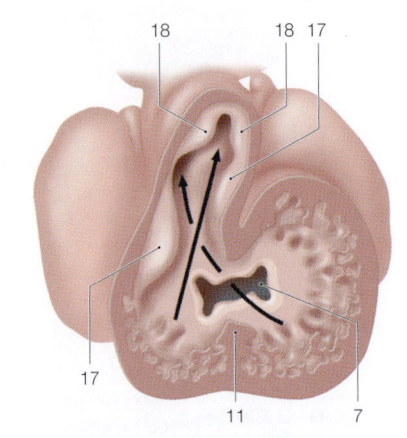

左右共通であり，まだ分かれていない心房領域の天井からは，第5週の終わりに，半月形の中隔，**第1次中隔**（**D14**）が心内膜クッションに向かって降りてくるが，そこではまだ融合せず，**第1次孔**（**D の矢印**）primary foramen（ostium）が出現する．この後で，第1次中隔は心内膜クッションと癒合し，このようにして，第1次孔は閉鎖する．この少し前に，薄くなっている中隔の上部に，いくつかの穿孔が生じ，これらが合わさって**第2次孔**（**E の矢印**）secondary foramen が形成される．第1次中隔の右に新しい半月形の仕切り板，**第2次中隔**（**EF15**）ができる．これは，心内膜クッションとは癒着するものの，心房を完全には左右に分けはしない．2次卵円孔は，第2次中隔が被さっておるものの，**卵円孔**（**F16**）は開いたまま，胎児循環で

は，血液は，右から左へと流れることができる．

当初は分かれていなかった心室からの流出路は，第5週になると近位動脈円錐でも，遠位の動脈幹でも，対になった，ラセン状に走る隆起，**動脈幹隆起と動脈円錐隆起**ができる（**G17**）．動脈幹隆起が成長すると**大動脈肺動脈中隔**（**G18**）ができ，互いにうまく組み合わされた，2つの流出路（**F**）：**大動脈**（途中で途切れている矢印）と**肺動脈幹**（途切れていない矢印）とに分ける．動脈円錐隆起の方は，左右の心室からの平滑な壁でできている流出路を分ける．

静脈洞の作り替え（第5～10週）．静脈洞は，第4週では，左右同じ大きさの**静脈洞角**（**H19**）が突出し，それらが大きくなった胚子からの静脈血の流入部を構成する．静脈洞と最初にできている心房との移行部は，広くて中央に位置しているが，胚子の静脈の作り替えの結果と，左右の血流の短絡路の形成とともに，右の洞角と右の静脈が著しく大きくなる．このため，最終的には右の洞角は，右心房に取り込まれてしまい，洞の開口部は右方に移動する．平滑な壁の洞角の部分と，肉柱やその間の裂け目の多い右心房との境界は，この後，**境界稜** terminal crest と**境界溝** sulcus terminalis cordis が目印となる．左の洞角は，存在の意味を失い，小さくなって，冠状洞となってしまう．

A～C 心臓原基 外側と腹側からみる．4週齢胚子

D 心臓原基 内側からみる．5週齢

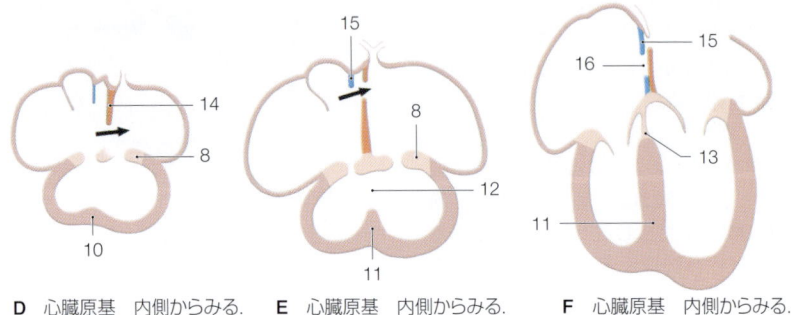

E 心臓原基 内側からみる．6週齢

F 心臓原基 内側からみる．新生児

G 心臓原基 開いた状態．6週齢

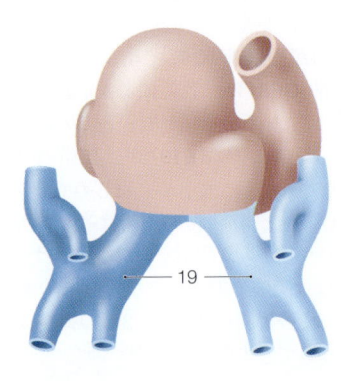

H 心臓原基 外側と背側からみる．4週齢

---

1 動脈幹 truncus arteriosus　2 静脈洞 sinus venous　3 心球 bulbus cordis　4 動脈円錐 conus arteriosus　5 共通心室 common ventricle　6 共通心房 common atrium　7 房室管 atrioventricular canal　8 心内膜クッション endocardial cushion　9 室間溝 interventricular sulcus　10 心筋小柱 myocardial trabecule　11 心室中隔 interventricular septum　12 室間孔 interventricular foramen　13 膜性中隔 membranous septum　14 第1次中隔 primary septum　15 第2次中隔 secondary septum　16 卵円孔 foramen ovale　17 動脈幹隆起，動脈円錐隆起 truncus swelling, cone swelling　18 大動脈肺動脈中隔 aorticopulmonary septum　19 洞角 sinus horn

血管の発生

概括． 血管の形成については，血島に由来する血管についての**脈管形成** vasculogenesis と，すでに形成されている血管からの出芽でできる新生血管を意味する**血管新生** angiogenesis とが区別される．第3週で，最初の血島が卵黄嚢の胚外中胚葉に出現し，そのすぐ後に，肺内の側板中胚葉にも出てくる．血島からは，単純な内皮細胞の管が出て，それらが互いに吻合して網目構造を作る．これらを取り囲む間葉組織から，分化しつつある血管部分の血管壁を構成するその他の構造が発生してくる．第1次の血管網ができると間もなく，血管内皮細胞成長因子 vascular endothelial growth factor (VEGF) に刺激されて血管新生がさらに進む．

動脈系． 最終的なヒトの動脈系は，複雑な対をなしている．早期の胚の動脈系に由来する．この系は，対を作って発生した背側大動脈（**A1**），やはり有対の腹側大動脈（**A2**）（動脈幹の拡張部もしくは動脈嚢 saccus arteriosus），それと，これら両者を結びつける大動脈弓動脈（**A Ⅰ～Ⅵ**）（咽頭-，鰓弓もしくは咽頭弓動脈）から構成される．腸管に沿って走っている対をなしている背側大動脈は第6大動脈弓動脈と融合して，まもなく一本の，無対の下行血管を作りこれが脊柱の前を下る．吻側では，鰓弓，および咽頭弓の領域では両側に並んでいる6つの伴走大動脈（**A Ⅰ～Ⅳ**）が存在するが，全部が同時にできるわけではない．第6の大動脈弓ができている間に，両側の第1のそれは，すでに退行しはじめている．胚子期の終わりまでに，分節的に配置されていた系は，最終的な動脈系に作り替えられている．もっとも重要な血管の由来をあげると，下記（**B**）：
第1大動脈弓→顎動脈
第2大動脈弓→舌骨動脈とアブミ骨動脈
第3大動脈弓→総頸動脈（**B3**）と内頸動脈（**B4**）の第1部
第4大動脈弓→左は大動脈弓（**B5**），右は右鎖骨下動脈（**B6**）
第5大動脈弓→痕跡的で，一時的に現れるのみ
第6大動脈弓→左は動脈管（**B7**），左肺動脈（**B8**），右は肺動脈幹（**B9**）

静脈系． 3本の大きな静脈が，第4週の終わりに，胚の心筒の2つの静脈洞角に注ぎ込む（**C**）：卵黄嚢静脈（**C10**）これは卵黄嚢から心臓に向かって酸素濃度の低い血液を運んでくる．臍帯静脈（**C11**）は胎盤からの酸素濃度の高い血液を運び，総主静脈（**C12**）は胚子の体部から，酸素分圧の低い血液を直接心臓へ運ぶ．後に十二指腸が位置する高さで卵黄嚢静脈から肝シヌソイドができ，これを基に門脈が形成される．左の静脈洞角の退縮に伴い，左の卵黄嚢静脈も消える．

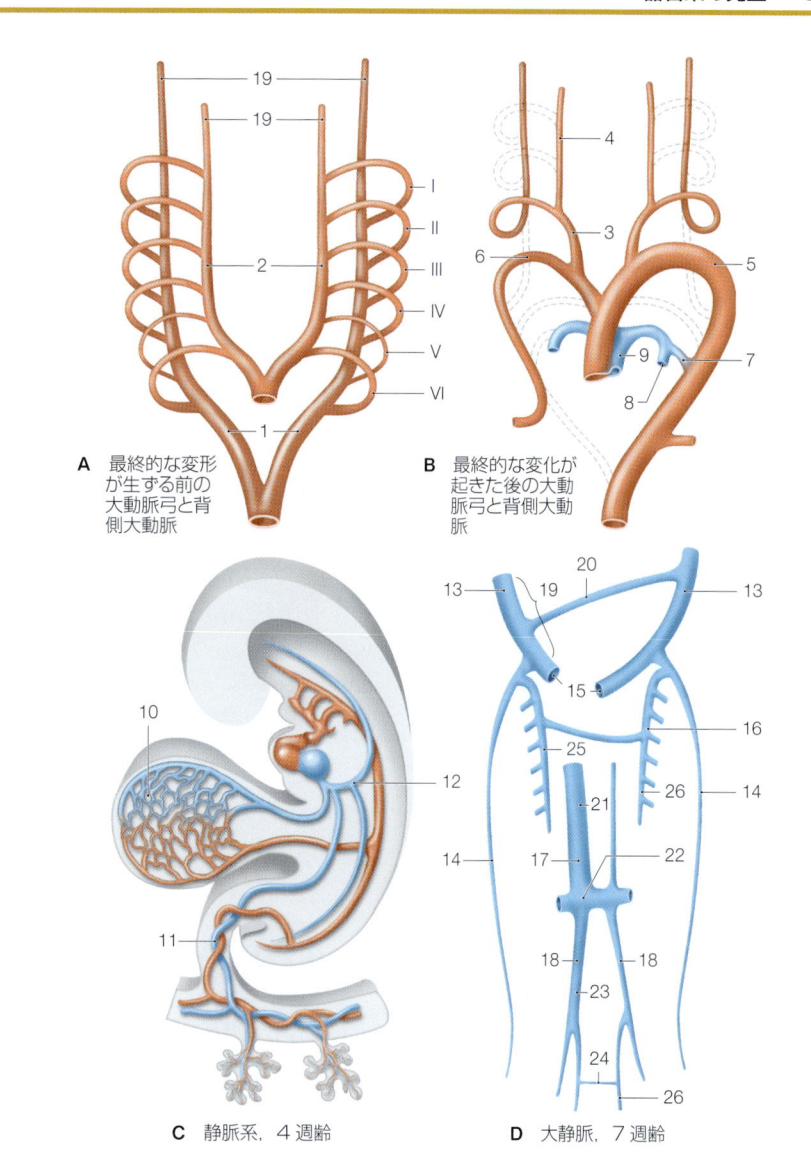

次の，対になっている臍帯静脈では，右のそれは退縮するが，左では，胎盤からの酸素濃度が高い血液を右の心房へ運ぶ役割を担う（胎児循環222頁を参照）．

主静脈系は，最初は左右対称である．対を成している（上）前主静脈（**D13**）と，（下）後主静脈（**D14**）は，第4週では総主静脈（**D15**）を経て，静脈洞角へ注ぐ．左右の上主静脈は，吻合して一本になる．第5週では，主静脈間の吻合形成がさらに進み，上主静脈（**D16**），下主静脈（**D17**），そして仙主静脈（**D18**）となる．後主静脈の大部分は退縮する．これらの現象の結果，主静脈は，以下に記すような，空静脈系の最終大静脈になる：

上大静脈（D19）←右総主静脈，右上主静脈
左腕頭静脈（D20）←左右の前主静脈の吻合
下大静脈（D21）（肝主静脈部）←右卵黄静脈
下大静脈（D22）（腎部）←下主静脈
下大静脈（D23）（仙主静脈部）←右仙主静脈
左総腸骨静脈（D24）←左右の仙主静脈の吻合
奇静脈（D25）←右上主静脈
半奇静脈（D26）←左上主静脈

A 最終的な変形が生ずる前の大動脈弓と背側大動脈
B 最終的な変化が起きた後の大動脈弓と背側大動脈
C 静脈系，4週齢
D 大静脈，7週齢

Ⅰ～Ⅵ 大動脈弓動脈 aortic arch arteries
1 背側大動脈 dorsal aorta 2 腹側大動脈 ventral aorta 3 総頸動脈 common carotid artery 4 内頸動脈 internal carotid artery 5 左大動脈弓 left aortic arch 6 右鎖骨下動脈 right subclavian artery 7 左動脈管 left ductus arteriosus 8 左肺動脈 left pulmonary artery 9 右肺動脈 right pulmonary trunk 10 卵黄嚢静脈 vitellian vein 11 臍帯静脈 umbilical vein 12 総主静脈 common cardinal vein 13（上）前主静脈（superior）anterior cardinal vein 14（下）後主静脈（inferior）posterior cardinal vein 15 総主静脈 common cardinal vein 16 上主静脈 supracardinal vein 17 下主静脈 subcardinal vein 18 仙主静脈 sacrocardinal vein 19 上大静脈 superior vena cava 20 左腕頭静脈 left brachiocephalic vein 21 下大静脈（肝主静脈部）inferior vena cava（hepatocardinal vein） 22 下大静脈（腎部）inferior vena cava（renal part） 23 下大静脈（仙主静脈部）inferior vena cava（sacrocardinal vein） 24 左総腸骨静脈 left common iliac vein 25 奇静脈 azygos vein 26 半奇静脈 hemi-azygos vein

呼吸器系

鼻，副鼻腔は，顔面の発生と密接な関係があり，他の部分は前腸に由来する．

鼻と副鼻腔．5週齢の胚子の顔面は，あとで鼻となる，表面の外胚葉および神経堤に由来する隆起（**A**）の間質が基になる．これらの隆起は：前頭鼻隆起（**A1**），内側（**A2**）および外側（**A3**）の鼻隆起，上顎（**A4**）そして下顎隆起（**A5**）である．鼻隆起は，鼻溝を取り囲むが，後者はすでに第6週に鼻嚢として凹んで，鼻腔の最初の形態（**B6**）を作っている．これは，口腔の原基と薄い口鼻膜（**B7**）で境されている．この膜は，第6週の終わりに，破れて口腔と鼻腔は，後鼻孔（**C8**）を通じて繋がる．後鼻孔は第1次口蓋の上に直接のっている．第2次口蓋の形成によって，外側鼻壁から出てくる鼻甲介，そして内側鼻壁の鼻中隔によって，最終的な鼻腔（**D9**）と，後鼻孔ができる．後鼻孔は，いまや鼻腔と咽頭の間に位置し，その間を結んでいる．副鼻腔は，胎児期には鼻腔の外壁からの膨出として出てきたのであるが，最終的な形は，生後になって，表面外胚葉と神経堤の間葉組織によって作られる．

喉頭，気管そして気管支樹．前腸の腹側の壁に，4週胚子で，はじめは膨隆して**喉頭気管溝**がみられ，これは，次には広がって**気管気管支憩室**（**E10**）になる．これは喉頭，気管および樹状に広がった気管支枝に対して，上皮性の皮膜を提供する．最初は憩室は前腸と直接つながっているが，これが縦方向に成長することによって2つの縦の肺ヒダ（**E11**）ができ，それらが融合して，食道気管中隔（**F12**）を形成する．これによって，腹側の呼吸性の部分と，背側の食道の部分が分けられることになる．頭側では，呼吸性の部分がT字型の喉頭への入り口によって咽頭への道が開いたままになっている．喉頭の軟骨と筋肉は，4～6番目の鰓弓からできる（**G**）．

気管気管支憩室からの側方への膨隆は肺芽を形成し，これは第5週の初めには主気管支になる．細胞増殖を続ける肺芽（**FH13**）は胸膜心膜管（**H14**）の中へ広がっていき，両側で，心膜腔と腹腔とから独立し，臓側胸膜（**I15**）と壁側胸膜（**I16**）とが囲んでいる胸膜腔の中へ入っていく．

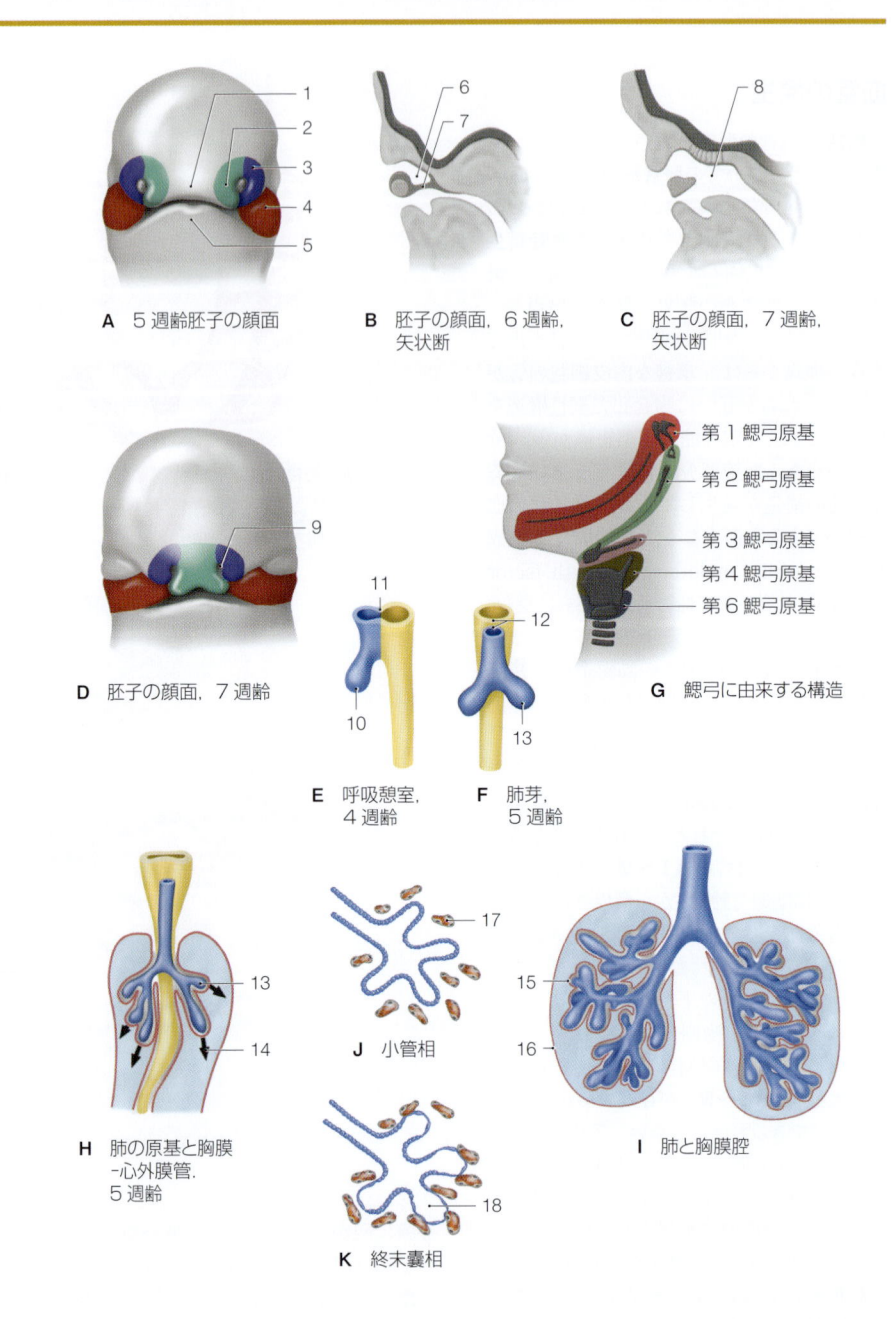

さらに増殖が進むと，右側には3つの，左には2つの肺葉気管支ができる．気管支の分岐の基本形に従って，次々に肺分節気管支が作られ，この過程を幾度か繰り返して気管支，気管支枝ができていく．これらの気道部分の伸び方は，腺のでき方に似ているので，この時期を，**偽腺性相**と名付ける．第7週まで，少しずつ小さくなる，内腔が狭い小管が形成されるので，**小管相**（**J**）と表現する．この相では，周囲から，対応する臓側胸膜からの血管の侵入が増えてくる（**J17**）．第26週になって初めて，終末嚢（**K18**）が，肺胞の前駆体として作られる．すなわち**終末嚢相**である．この時点で毛細血管は終末嚢のすぐ近くに達するが，嚢の細胞は2つの異なった細胞型に分化しており，すでに7ヵ月の終わりには，界面活性物質を産生する肺胞上皮Ⅱ型 type Ⅱが証明される．最後の出産前の2ヵ月では，肺胞の分化と成長は進んで，近隣の毛細血管（**K**）との間で，血液-ガス関門 blood-air barrierが形成される．**肺胞相**に到達する．

A 5週齢胚子の顔面
B 胚子の顔面，6週齢，矢状断
C 胚子の顔面，7週齢，矢状断
D 胚子の顔面，7週齢
E 呼吸憩室，4週齢
F 肺芽，5週齢
G 鰓弓に由来する構造
H 肺の原基と胸膜-心外膜管，5週齢
I 肺と胸膜腔
J 小管相
K 終末嚢相

第1鰓弓原基
第2鰓弓原基
第3鰓弓原基
第4鰓弓原基
第6鰓弓原基

1 前頭鼻隆起 frontonasal prominence　2 内側鼻隆起 medial nasal prominence　3 外側鼻隆起 lateral nasal prominence　4 上顎隆起 maxillary prominence　5 下顎隆起 mandibular torus　6 鼻腔 bony nasal cavity　7 口鼻膜 oronasal membrane　8（第1次）後鼻孔（primary）choana　9（最終的）鼻腔（definitive）bony nasal cavity　10 気管気管支憩室 tracheobronchial diverticulum　11 肺ヒダ primary pulmonary fold　12 食道気管中隔 oesophagotracheal septum　13 肺芽 lung bud　14 胸膜心膜管 pleuropericardial canal　15 臓側胸膜 visceral pleura　16 壁側胸膜 parietal pleura　17 血管 blood vessel　18 終末嚢 terminal sac

消化器系，前腸

第4週で胚子が折りたたまれる間に，内胚葉のおおわれた卵黄嚢が胚子の中へ引き込まれ，前腸（**A1**），中腸（**A2**），と後腸（**A3**）が形成される．前腸と後腸は，それぞれ，前腸は口咽頭膜（**A4**）と，総排泄腔膜（**A5**）に終わっており，そこでは，表面の外胚葉に突き当っている．

前腸．口咽頭膜から卵黄嚢の出るところまで達しているが，ここからは口腔と咽頭の一部，呼吸器系，食道，胃，上部十二指腸，胆道を含めた肝臓ができてくる．

口腔と咽頭．口腔と咽頭の発生は，顔面と頸部の発生に，したがって，鰓弓の発生と密接な関わりがある．口窩（**BC6**）は，第1鰓弓の領域にあり，第5週ではまず，両側の上顎隆起（**BC7**），内側鼻隆起（**BC8**），前頭鼻隆起（**BC9**）そして1つの下顎隆起（**BC10**）に囲まれている．このあと，両側の上顎隆起が互いに大きくなってきて癒着し，成長してくる内側鼻隆起とも癒着して，いわゆる顎間隆起（**D11**）を作る．このようにして，上唇の一部，上顎の一部が，さらに上歯列のうち4本の切歯，それと第1次口蓋を作る．最終的な口蓋の大部分は，これらに対して，2つの上顎隆起に由来する口蓋板（**DEF12**）に由来するが，最初は，舌の原基の両側に位置している．その後の急速な成長によって，起き上がり，そして第7週で水平位をとって，舌の上半の高さに位置する．そして，第1次口蓋，鼻中隔（**EF13**）と融合する．下顎隆起ないし下顎弓からは，下唇，メッケルの軟骨，そして咬筋群（374頁参照）ができる．メッケルの軟骨と密接な関係を持ちながら，下顎骨は線維性の化骨によって作られる．舌の原基の形成には，すでに第4週で出現していた，複数の隆起が関与している．側方へ向かう2つの外側舌隆起（**GH14**），対を作っていない舌結節（**GH15**）は，第1鰓弓からでき，互いに成長，癒着して，舌の溝前部（**H16**）となる．さらに，中央隆起（**G17**），または連結部copulaは，第2，第3鰓弓に由来するが，これは舌の溝後部（**H18**）となる．発生の展開によって固定される舌の各部分は，このあと盲孔（**H19**）と境界溝（**H20**）によって示される位置関係を一生このままで保つ．境界溝からは，甲状腺の原基ができる．喉頭蓋（**H21**）と舌の結びつきは，第4鰓弓からの構成要素で作られるし，咽頭の筋肉も同様である．

食道とともに，本来の腸管構造は内胚葉管，その裏打ちをする臓側板からの間葉組織からできる．食道は，食道気管中隔によって，呼吸器系の原基とは，別になっている（374頁）．食道は始め短かいが，心臓と肺の原基が下降してくるために，急速に縦方向に成長する．食道の上2/3では，横紋筋が，その下方では平滑筋が発達する．

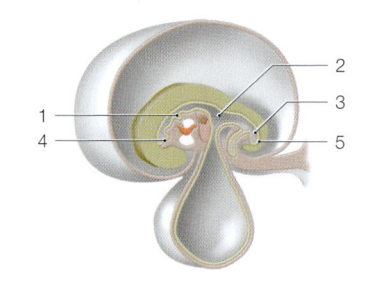

A 4週齢胚子，矢状断

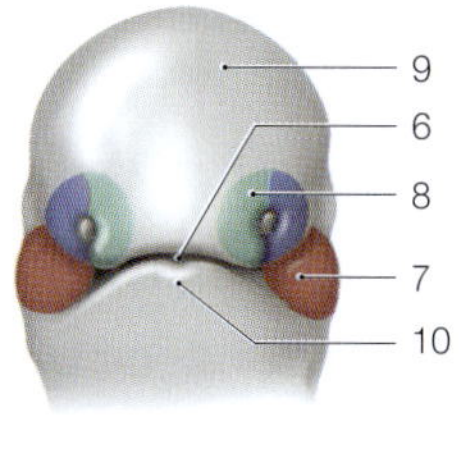

B 5週齢胚子の顔面

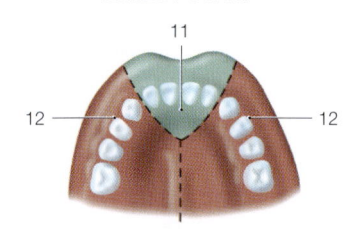

D 間顎の構成要素

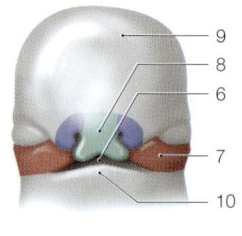

C 7週齢胚子の顔面

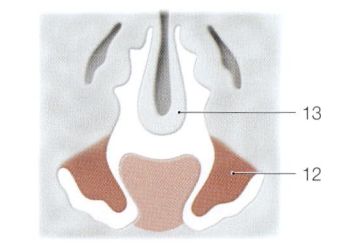

E 7週齢胚子の口腔，前額断

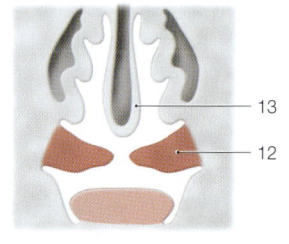

F 8週齢胚子の口腔，前額断

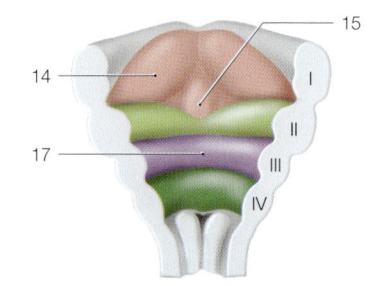

G 5週齢胚子．鰓弓の腹側部を示す切断

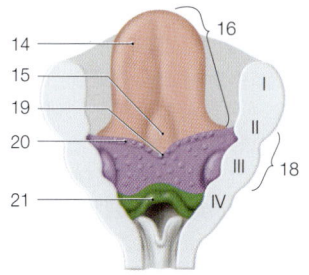

H 5ヵ月齢胎児．鰓弓の腹側部を示す切断

---

1 前腸 foregut　2 中腸 midgut　3 後腸 hindgut　4 口咽頭膜 bucco-pharyngeal membrane　5 総排泄腔膜 cloacal membrane　6 口窩 stmodeum　7 上顎隆起 maxillary prominence　8 内側鼻隆起 medial nasal prominence　9 前頭鼻隆起 frontonasal prominence　10 下顎隆起 mandibular prominence　11 顎間隆起 intermaxillary prominence　12 口蓋板 palatine plate　13 鼻中隔 nasal septum　14 外側舌隆起 lateral lingual prominence　15 舌結節 lingual tuberculum　16 舌溝前部 anterior part of tongue　17 中央隆起 median prominence　18 舌溝後部 posterior part of tongue　19 盲孔 foramen caecum　20 境界溝 sulcus limitans　21 喉頭蓋 epiglottis

消化器系（続き），前腸

胃は，第4週で前腸からの紡錘状の内腔拡大によってできる．胃の各部は，一様に成長するのでなく，胃全体と，それに続く十二指腸に対する位置も変化するし，胃の縦軸（A）を中心に回転もするし，前後軸（B）の周りの回転も記載されている．この際には，左の胃壁が腹側を向き，右の壁は，これに従って背側を向く．胃を支配する迷走神経は，両側とも回転する．元々は後方にあった部位が，前方に比して，より強く成長するため，大彎（C1）と小彎（C2）が生ずる．このとき幽門部（C3）が，右上方に上がり，噴門部（C4）は左に位置を変える．胃は，背側胃間膜（DE5）を越えて後方の，そして腹側胃間膜（DE6）を越えて，前方の，それぞれ体壁に付着しており，そのため，背側胃間膜は左に偏位して，それによって大網嚢（EG7）との間で，胃の背側に空隙が生じる．このとき，腹側胃間膜は正中線の右に位置している．胃の回旋と，さらに進む成長のせいで，背側胃間膜は，大彎を保護するように前方に出てくる（F8）．2枚の壁（4層）でできた袋がさらに成長して，横行結腸（FG9）と，小腸のループ（FG10）全体をおおう．最後に4層の膜は癒着し，一続きの大網（G11）ができる．

十二指腸（DEH12）は，前腸と中腸の上方部からできる．この2つの部分の境は，肝臓の原基の遠位にあり，腹腔動脈と上腸間膜動脈との，2つの動脈支配域に区分できる．胃が回旋する間に，Cの形の十二指腸ループができるが，これは周りの臓器成長の過程とともに膵臓（H13）が形成され，背側の体壁の所で，後腹膜の位置にやってくる．そして，今や膵臓の上部のみが，腹腔内に留まっている．月齢2ヵ月では，十二指腸の上方部の内腔が細胞増殖によって，一時的に閉鎖する．

前腸の最尾部で，第4週の初めに，内胚葉が膨出する，すなわち**肝憩室**ができる．これは肝細胞索に発達し，横中隔（H14）の中に入り，尾方の腹腔内へと膨出していく（HI15）．このとき，腹側の胃中隔は，胃と十二指腸の上部，そして肝の原基の間に入り，小網（E6）に注ぎ込むかたちになる．そして，肝原基と前腹壁に入ったものは，肝鎌状間膜（E16）となる．肝索の遠位部からは，胆毛細管，胆嚢（IJ17）そして総胆管それぞれは，肝憩室の尾側部（IJ18）に由来している．

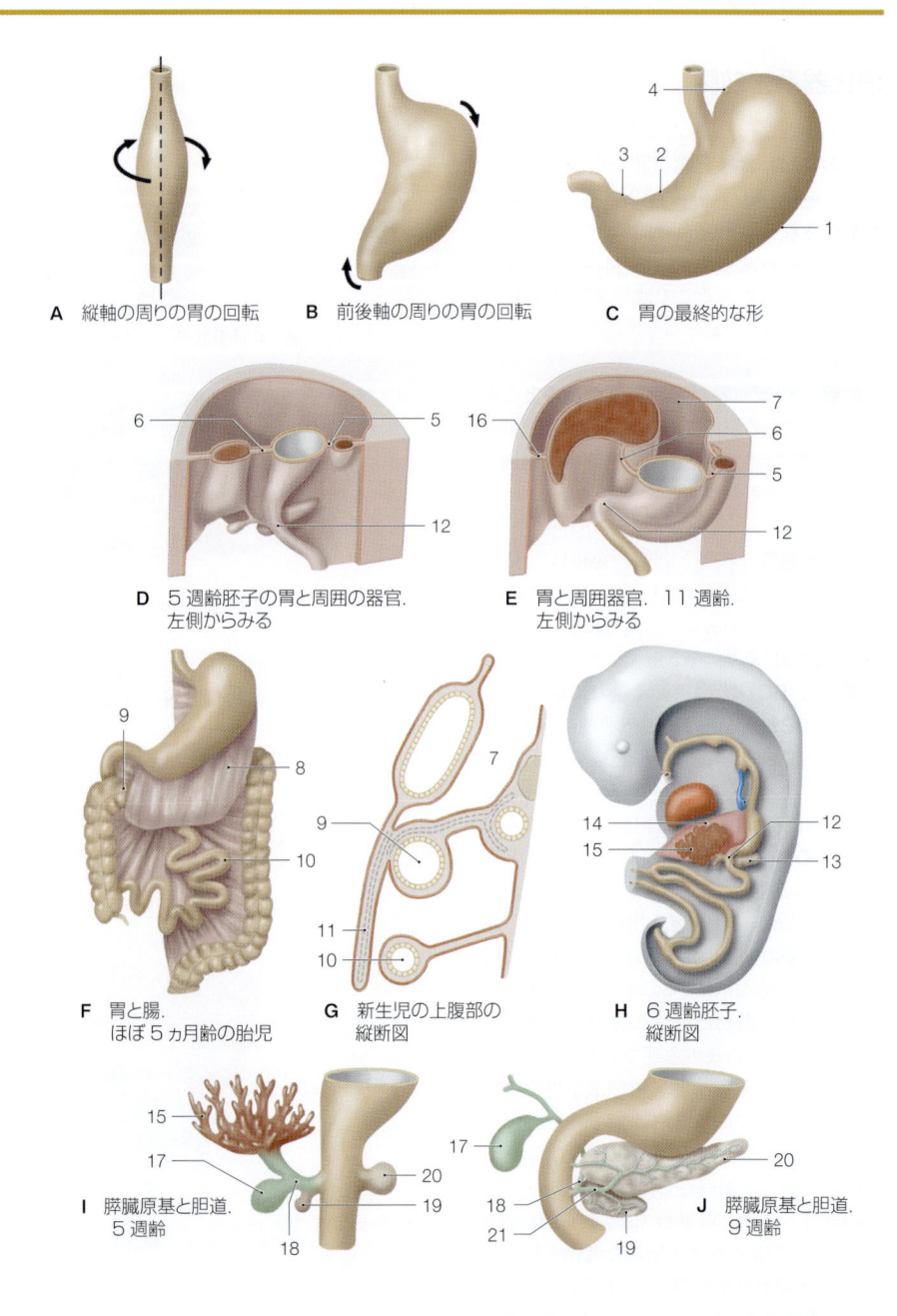

もっとも尾側の部分で，肝憩室から嚢状にできてくるのは，**腹側膵臓原基（IH19）**である．これと正確に対応した位置で，十二指腸の腸管からは背側膨隆；**背側膵臓原基（IJ20）**が出現する．十二指腸の腸管ループができ，回旋すると，腹側部と総胆管は背側へ動き，この際，腹側部と後ろの最終的な位置に収まる（J）．2つの膵臓の原基からの排出管は，融合して共通の膵管（J21）を形成する．発生の第3ヵ月になると，上皮性の膵臓原基から，臓器全体に分布する内分泌性のランゲルハンス島が生じる．

A 縦軸の周りの胃の回転
B 前後軸の周りの胃の回転
C 胃の最終的な形
D 5週齢胚子の胃と周囲の器官．左側からみる
E 胃と周囲器官．11週齢．左側からみる
F 胃と腸．ほぼ5ヵ月齢の胎児
G 新生児の上腹部の縦断図
H 6週齢胚子．縦断図
I 膵臓原基と胆道．5週齢
J 膵臓原基と胆道．9週齢

C1 大彎 greater curvature　C2 小彎 lesser curvature　C3 幽門 pylorus　C4 噴門 cardia　DE5 背側胃間膜 dorsal mesogastrium　DE6 腹側胃間膜 ventral mesogastrium　E6 小網 lesser omentum　EG7 大網嚢 omental bursa　F8 大網 greater omentum　FG9 横行結腸 transverse colon　FG10 小腸ループ loop of small intestine　G11 大網 greater omentum　DEG12 十二指腸 duodenum　H13 膵臓 pancreas　H14 横中隔 transverse septum　H15 肝索 hepatic cord　E16 肝鎌状間膜 falciform ligament　IJ17 胆嚢 gallbladder　JI18 肝憩室の尾側部 caudal part of liver diverticulum　IJ19 腹側膵臓原基 ventral pancreatic anlage　IJ20 背側膵臓原基 dorsal pancreatic anlage　J21 膵管 pancreatic duct

消化器系（続き），中腸と後腸

十二指腸の尾部は，**空腸および回腸**（ABC1）として，中腸からできる．小腸部は，背側の腸間膜によって腹部の背側壁と結びつけられている．腹側の腸間膜は存在しない．腹側では，中腸は卵黄嚢に続く**卵黄管**（ABC2）でもって卵嚢と繋がっている．中腸は発育が早く，それで腹側へ向かった第1次の腸管ループが生じ（B），その軸内に上腸間膜動脈（B3）をいれている．臍の中に入っている腸管ループの吻側脚からは，小腸のループ群（BC1）ができ，尾側脚からは，盲腸（BC4）と，横行結腸の近位2/3ができる．早く成長し続ける小腸ループの頭側脚では，腸管が伸び，一過性ではあるが，胚子の狭い体腔の中に，腸管が収まる余地がなくなってしまう．小腸の腸管ループ（D1）は，そこで第7週に，臍帯（D5）の胚外体腔（BC）の中へ移動する．すなわち生理的臍ヘルニアが起きる．これと相まって，縦方向への成長は回旋運動に及び，腸管ループは，半時計方向にほぼ270°廻る（BC）．回転の軸は，上腸間膜動脈によって示すことができる．空腸と回腸は，縦方向への伸長中に，いくつかの腸ループを新たに作る．さて，近位の空腸ループ（EFG6）が，第10週で，第一陣として体腔に戻り，左方に向かう．その他の腸ループ（EFG7）は，右後方に入ってくる．こうして，最終的な腸間膜根（G8）の発生経過に反映されることになる．小腸のループが，再び体腔に取り込まれる間に，卵黄管は閉ざされ，前腹壁はできあがる．

> **臨床関連**：2～4％の例では，卵黄管が閉鎖しないで，回腸に小さな膨隆が残っている（メッケルの憩室 Meckel diverticulum）．

盲腸，上行結腸と**横行結腸**の近位2/3は，第1次臍帯内腸ループの尾側脚から出ていき（BC4），上腸間膜動脈の枝から血流支配を受ける．大腸の部分は，ヘルニアの形成に関与するが，縦方向の成長が腸ループを作るわけではない．盲腸は，第6週で第1次腸ループの頭方部からの出芽として生じるが（CD9），その後，腸管が体腔内へ戻る時には（E9），はじめは右，頭方へやってきて，肝臓の下半部に位置し，その後さらに下方に移動して，右の腸骨窩（FG9）にくる．この結果，上行結腸と右の結腸屈曲（G10）は，体腔の右背方に収まり，腸間膜と癒合して，二次的に後腹膜位にあることになる．横行

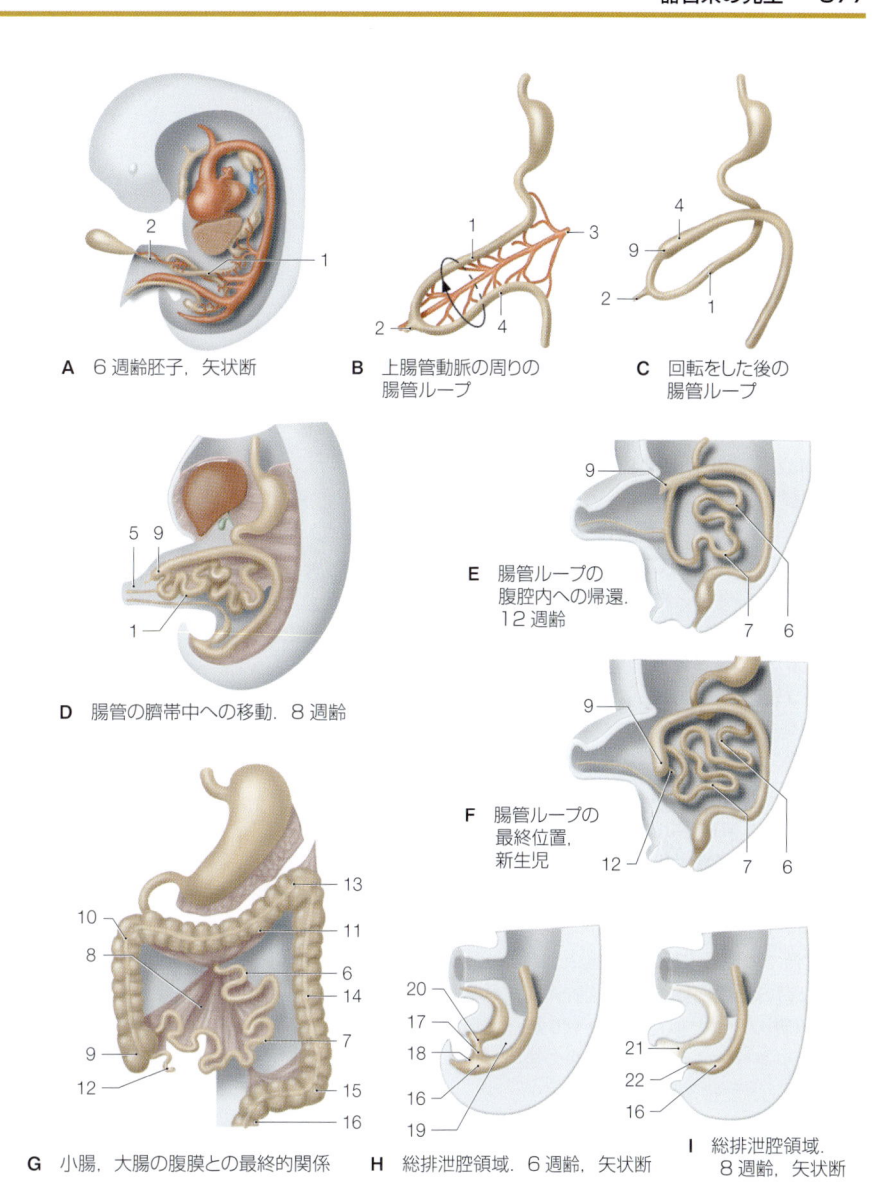

結腸（G11）は，これに対して，大網の後壁と癒着したその腸間膜がそのままの関係を保つ．虫様突起（FG12）は，盲腸からの憩室として生じ，大部分は，盲腸の後ろにある．

横行結腸の遠位1/3（G13），**下行結腸**（G14），**S状結腸**（G15），**直腸**（GHI16），それと肛門管は後腸に由来する．同時に，膀胱と尿道をおおうために作り出される上皮性の要素がこれらに加わる．横行結腸の遠位1/3では下直腸動脈（後腸動脈）からの動脈支配が始まる．この部は，はじめは肛門管の領域で，内陰部動脈からの下直腸動脈に支配されていた部分で動脈支配が交代することになる．下行結腸は，左背側の体腔壁で，後腹膜位に位置する（G14）が，S状

結腸は，これに対して，ずっと腹膜に囲まれたまま（G15）である．直腸は総排泄腔からできるが，これは，胚子の腹側尾側端で，内胚葉におおわれた，嚢状の膨大部を作っているが，これははじめ総排泄腔膜（H18）でもって閉じている．中胚葉性の尿直腸中隔（H19）が，総排泄腔膜の方向に成長することによって，総排泄腔は，膀胱と尿道を作る，腹側の尿生殖洞（H20）と，背側の肛門直腸部に分かれる．第7週では総排泄腔膜が破れ，尿道（I21）と肛門（I22）のそれぞれが開く．上皮の増殖により，肛門管の開放部は，もう一度，短時間，肛門膜で置き換えられる．

A 6週齢胚子，矢状断
B 上腸管動脈の周りの腸管ループ
C 回旋をした後の腸管ループ
D 腸管の臍帯中への移動．8週齢
E 腸管ループの腹腔内への帰還．12週齢
F 腸管ループの最終位置，新生児
G 小腸，大腸の腹膜との最終的関係
H 総排泄腔領域．6週齢，矢状断
I 総排泄腔領域．8週齢，矢状断

ABC1 空腸と回腸 jejunum and ileum　**BC1** 小腸ループ loop of small intestine　**D1** 小腸ループ loop of small intestine　**ABC2** 卵黄管 vitelline duct　**B3** 上腸間膜動脈 superior mesenteric artery　**BC3** 盲腸 caecum　**BC4** 第1次臍帯 primary umbilical cord　**D5** 臍帯 umbilical cord　**EFG6** 近位空腸ループ loop of proximal jejunum　**EFG7** その他の小腸ループ other intestinal loop　**G8** 腸間膜根 root of mesentery　**CD9** 盲腸芽 cecum bud　**E9** 臍帯から戻った盲腸の位置 position of cecum returned from umbilicus　**FG9** 盲腸 caecum　**G10** 右結腸屈曲 right flexure of colon　**G11** 横行結腸 transverse colon　**FG12** 虫様突起 vermiform process　**G13** 横行結腸（左結腸屈曲）transverse colon (left flexure of colon)　**G14** 下行結腸 descending colon　**G14** 後腹膜位（の下行結腸）retroperitoneal position　**G15** S状結腸 peritoneal sigmoid colon　**G15** 腹膜位のS状結腸 peritoneal sigmoid colon　**GH16** 直腸 rectum　**H17** 総排泄腔 cloaca　**H18** 総排泄腔膜 cloacal membrane　**H19** 尿直腸中隔 urorectal septum　**H20** 尿生殖洞 urogenital sinus　**I21** 尿道開口部 urethral opening　**I22** 肛門開口部 anal opening

泌尿器系の発生

泌尿器系は，生殖器系と共通に中間中胚葉（**A1**）から，頭側から尾側へと，3つの腎原基発生段階が現れてくることから始まる．**前腎**，**中腎**そして**後腎**である．第3週で首の領域に分節的にできてくる痕跡的で，機能を持たない，前腎（**B2**）の構造のうち，前腎管（**B3**）のみが，この後の発生過程に関して意味がある．第4週に出現する分節的な原腎は，胸部から腰部へと伸びてゆく（**B4**）が，これは原腎小管，原腎血管束それと原腎管もしくはウォルフ管（**BC5**）で，原腎管の尾側へ伸びていく．ウォルフ管の近傍ではS字状の原腎細管（**C6**）が作られ，そこへは内側から毛細血管ループ（**C7**）が尿細管内皮細胞に由来するボウマン嚢に引き続いて入ってくる．このようにしてできてくる原腎の機能単位（ネフロン）へは，原腎細管を越えて，ウォルフ管が入ってくる．尾側で原腎のネフロンが発生している間にも，頭側では，すでに退縮（**B**）を始めている．第4週の終わりには，ウォルフ管が総排泄腔（**B8**）に達し，そこに開く．第6週ではウォルフ管の内側には，生殖隆起（**C9**）が，大きな卵形の構造として現れる．

第6週での後腎（**B10**）の出現とともに，最終的な腎の発生が始まる．後腎のネフロンは，原腎のそれと似たようなやりかたで形態発生が進行するが，尿導出系の発生は，独自である．総排泄腔への注入口の近くで，後腎の原基がウォルフ管からの**尿管芽**（**B11**）として始まる．この尿管芽は最初は，盲端で終わっているが，それが分節的になっていない後腎芽細胞の中へ伸びるように突出してくる．尿管芽から，尿管，腎盤そして集合管が形成されている間に，間葉性の後腎芽細胞が上皮性の腎小胞（**D12**）を作り，それはその近接関係と，相互作用で，集合管（**D13**）ができ，そのいくつかの尿細管部（**E14**）が出現してくる．一方の端では，この管は，集合管（**E の矢印**）と繋がり，反対の端では，血管糸球（**F15**）が入り込んできて糸球嚢（ボウマン嚢）（**F16**）となる．

後腎原基（**G10**）は，しばらくは骨盤内にあるが，その後の発生で，頭側に動いて，腹部に入る（上行）（**H10**）．この際，腎原基は血管の支配が腸骨動脈の枝から，独立した動脈の枝，すなわち腎動脈に交代する．

膀胱（**GHI17**）と**尿管**（**HI18**）は，尿生殖洞（**GHI19**）からできるが，これは，総排泄腔の腹側の部分から由来し，上方では3つの部分に分かれる．上方の，広い部分は，膀胱になるが，初めは尿嚢管（**GH20**）を通って，臍と結びついている．尿膜の腔が閉鎖すると，中央臍ヒダの中の尿膜管 urachus となって，前腹壁に沿って走る．膀胱が分化している間に，ウォルフ管の最尾部（**JK21**）が，そして，それからできてくる尿管の原基（**J22**），が，頭側の膀胱壁（**JK23**）に引き込まれる；尿管とウォルフ管とが，互いに別々の開口部を持つ．腎臓の上昇によって，尿管の開口は頭側に動き（**IK24**），一方，いまや尾側に置かれることになったウォルフ管の開口部は接近して，男性では尿道の前立腺部が始まる場所を示すことになり，膀胱の中では膀胱三角（**K25**）の形成位置をあらわす．尿生殖洞の下部からは，男性では尿道の海綿体部が，女性では腟前庭がそれぞれできる．

A 3週齢胚子，横断面
B 腎原基，6週齢
C 原腎，5週齢，横断面
D 上皮性腎小胞と集合管
E 尿細管系と集合管系の分化
F 尿極と血管極の形成
G 腎原基と総排泄腔の上昇，6週齢
H 腎原基と総排泄腔の上昇，7週齢
I 膀胱と尿道，8週齢
J 尿管原基とウォルフ管，早期発達，背側からみる
K 尿管とウォルフ管，最終的開口部，背側面

A1 中間中胚葉 intermediate mesoderm **B2** 前腎 pronephros **B3** 前腎管 pronephric duct **B4** 分節的原腎の下行 downward migration of segmental pronephros **BC5** 原腎管（ウォルフ管）pronephros canal (Wolffian duct) **C6** S字状の原腎細管 sigmoid nephros tubule **C7** 毛細血管ループ blood capillary loop **B8** 総排泄腔 cloaca **C9** 生殖隆起 urogenital ridge **B10** 後腎 metanephros **G10** 後腎原基 metanephros anlage **H10** 腎の上昇 renal ascent **B11** 尿管芽 ureter bud **D12** 上皮性腎小胞 epithelial renal vesicle **D13** 集合管 collecting tubule **E14** 尿細管部 renal tubule part **F15** 血管糸球，早期発生 glomerulus of blood vessels, early development **F16** 糸球嚢（ボウマン嚢）glomerular capsule (Bowman's capsule) **GHI17** 膀胱 urinary bladder **HI18** 尿管 ureter **GHI19** 尿生殖洞 urogenital sinus **GH20** 尿嚢管 allantois duct **JK21** ウォルフ管の最尾部 terminal part of Wolffian duct **J22** 原尿管原基 beginning anlage of ureter **JK23** 背側膀胱壁 dorsal bladder wall **IK24** 尿管開口部 ureter opening **K25** 膀胱三角 trigone of bladder

生殖器系の発生

胚子の性は，遺伝的に決定してはいるが，早期の生殖器の原基：それは生殖腺(gonad)，生殖管，そして外生殖器に分かれていくのだが，まだ未決定の状態である．このことから，男性および女性の生殖器系を比較しつつ，観察し，学ぶことは，意味のあることである．

未分化性腺．第5週になると原腎の原基の内側縁の所に，体腔上皮が厚くなって，**生殖堤(A1)** となる．上皮は，索状になり，間葉に囲まれており，その間に原腎の細胞(**A2**)が入り込んでいる．このようにして，最初は，**未分化な性腺(B)** ができ，そこへ第6週には，**原始生殖細胞(AB3)**（原生殖細胞）が，進入してくる．この細胞群はおそらく，胚盤葉上層から生じ，そして卵黄嚢へ，そしてそこから後腸(**A4**)にやってくる．アメーバ運動をする細胞（始原性細胞）は，最後には，背側腸間膜に沿って体腔上皮の中へ，そして生殖堤(**B1**)中へ入り込む．

精巣．遺伝的に染色体構成がXYの場合，Y染色体の性決定領域 Sex determining Region Y chromosome (SRY) によって，性腺にマスター遺伝子 testis determining factor (TDF) が発現し，それによって，精巣の形成が始まる．そして，第7週の終わりには，精巣は卵巣とは区別することができる．精巣原基の中心部(**CD**)には，精巣索 testis cord，もしくは髄質索(**CD5**)が生じ，精巣門の方向(**CD6**)に，精巣網 rete testis と，結びつく．精巣索自体は原始生殖細胞と，精巣表面上皮に由来するセルトリ細胞 Sertoli cells の前身からできる．これらは，思春期までは，コンパクトであるが，その後はじめて，完全な内腔ができ，曲精細管 convoluted seminiferous tubules になる．精巣の原基の表面上皮の下には，線維の多い結合組織が発達して白膜(**CD7**)となるが，そこの間質系結合組織からライディヒ細胞 Leydig cells が出てくる．この細胞は第8週からテストステロンを作り始め，このホルモンが性管と外生殖器の分化に影響を及ぼす．

卵巣．遺伝的にXXの染色体構成を持ち，したがってTDFが欠失しているときは，性腺としては卵巣が発生する．この場合，性腺の中央にある第1次胚索は，まず網状の細胞集団が，再構成されて，卵巣の血管性の支質(**EF8**)に替わる．女性生殖腺の表面（皮質領域では，体腔上皮からの第2次胚索(**E9**)（皮質索 cortical cord）は，ますます広く，厚くなる．胚索は，皮質の支質と嚙み合わさっている．4ヵ月になると，胚索は崩れて，細胞塊となり，一ないし数個の原始生殖細胞を取り囲む．原始生殖細胞は，有糸分裂で分裂し，減数分裂の前期 prophase に入ると共に，同期的に増殖をしている卵祖細胞 oogonia になる．胎児期になると，この細胞群は，一層の細胞層が加わることによって，卵胞細胞群から前駆卵胞(**F10**)となる．誕生時期までに，約200万個形成されていた前駆卵胞の大部分は，消失し，その結果，新生女児の卵巣では，まだ，数10万個の卵胞を持っている．

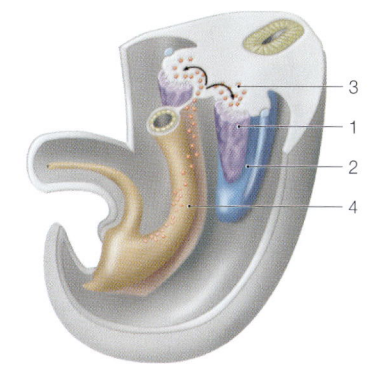

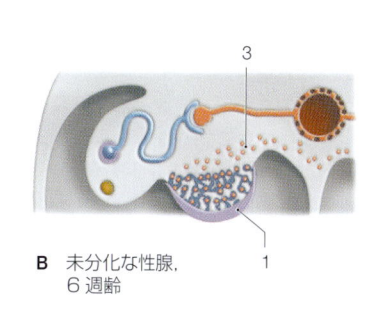

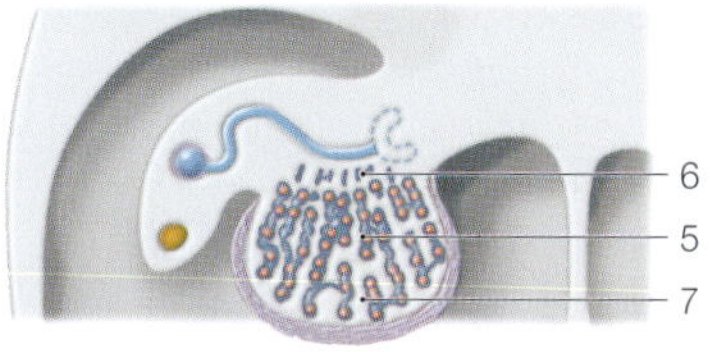

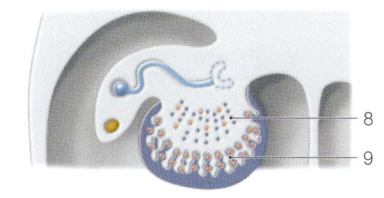

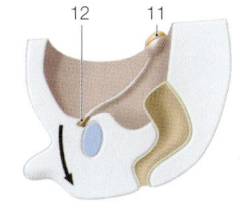

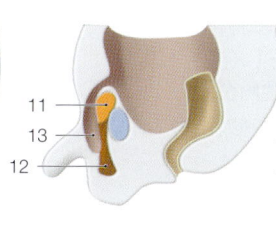

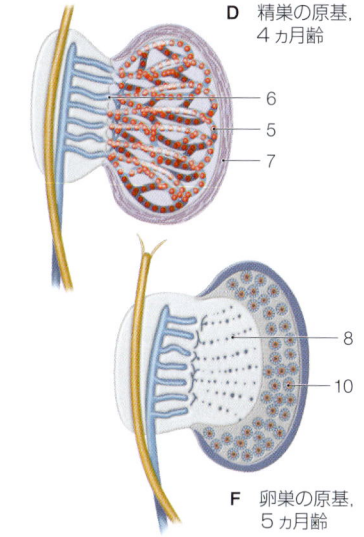

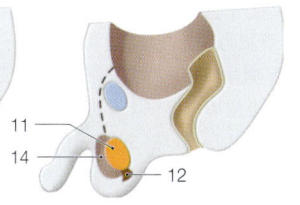

性腺の下降．精巣と卵巣は，それらが発生した場所から，尾側に移動して，第1腰椎の高さにくる．こうして，精巣(**GHI11**)は，第1相で小骨盤の中に**経腹下降(GH)** し，第2相では，精巣は鼠径管を通り下降する．**経鼠径管下降(I)**．精巣の移動は，テストステロンに依存しており，また原腎に由来する鼠径部の構造：**精巣挙靱帯(GHI12)** と結びついている．精巣挙靱帯の腹側で，壁側腹膜が漏斗状のポケット：**精巣鞘突起(H13)** を作り，これが腹壁の他の層と同じように，陰嚢まで続く．精巣は，精巣挙靱帯の後を下方に移動していく．これらの下降過程が済むと，鞘突起は閉じ，精巣は，陰嚢の中に留まっている精巣漿膜腔(**I14**)の内に閉じこもってしまう．

卵巣は小骨盤の外側壁に沿って，卵巣導帯に従って下降する．その頭側の部分からは卵巣提靱帯 suspensory ligament of ovary が，また尾側からは子宮円靱帯ができ，これは鼠径管を貫いて大陰唇に終わる．

---

1 生殖堤 genital ridge　2 原腎の細胞 cells from primordial kidney　3 原始生殖細胞 primordial germ cell　4 後腎 metanephros　5 精巣および髄放射 testis, or medullary cords　6 精巣門 testicular hilus　7 白膜 tunica albuginea　8 血管性卵巣支質 vascular ovarian stroma　9 第2次胚索 secondary germ cord　10 前駆卵胞 primordial ovarian follicle　11 精巣 testis　12 精巣挙靱帯 testicular gubernaculum　13 精巣鞘突起 testicular vaginal sheath　14 精巣漿膜腔 serous cavity of testis

生殖器系の発生（続き）

生殖器の原基は，まず両性の区別のない段階を経る．そしてウォルフ管（中腎管（**AB1**））と，ミュラー管（中腎傍管（**AB2**））として，両性とも原腎の外側に存在する．

男性生殖管．男性胚子の場合，セルトリ細胞が作る抗ミュラー細胞ホルモン（Anti-Müllerian-Hormone：AMH）によってミュラー管はほとんど変性を起こしてしまうが，同時に，ウォルフ管は，テストステロンの影響下では，原腎の退行にも関わらず保たれている．ウォルフ管は，精管（**C1a**）となるが，精巣近くの部分は，精巣上体（**C1b**）になり，そこには原腎細管に由来する輸出管（**C3**）が，開口する．精囊の原基は，ウォルフ管の先端部から出芽してくるが，一方，前立腺は尿道の上皮芽と，その周囲の間葉組織とからできてくる．

女性生殖管．女性胚子ではウォルフ管は退縮するが，ミュラー管（**D2**）は明瞭な生殖管になり，卵管（**D4**），子宮（**D5**）それと腟の上部（**D6**）の原基を作る．ミュラー管の頭側部分は卵管（**EFG4**）に発展するが，尾側部は，紡錘状になり中央で両側のそれらが子宮腟管（**EF7**）となり，外側に子宮広靱帯を広げる．次第に子宮体と子宮頸部に分化していく子宮では，一時的ではあるが中隔（**E8**）が認められる．紡錘状になったミュラー管の尾側端（**E9**）では，尿生殖洞（**EF10**）の上に，上皮の増殖により対をつくって肥厚している洞腟結節（球）を形成する．これはしっかりした腟板（**F11**）が形成され，これは子宮腟管の方向に増殖し，次第に内腔（**FG12**）が形成される．腟上皮は，このように少なくとも2つの原基からできる：この2つの上皮細胞源から由来する上皮の境界はまだ明らかになっていない．尿生殖洞と腟腔は，薄い組織板，処女膜（**FG13**）で遮られている．

外生殖器．まだ性の区別が明瞭でない段階の外部生殖器は，腹側の体壁で臍の下半に位置している総排泄腔を取り囲んでいる間葉組織から生じる．総排泄腔の出口の周囲の軽い高まり：尿生殖（総排泄腔）ヒダ（**H14**）は，腹側で，生殖結節（**H15**）と癒着し，生殖隆起（**H16**）の外方に導かれる．

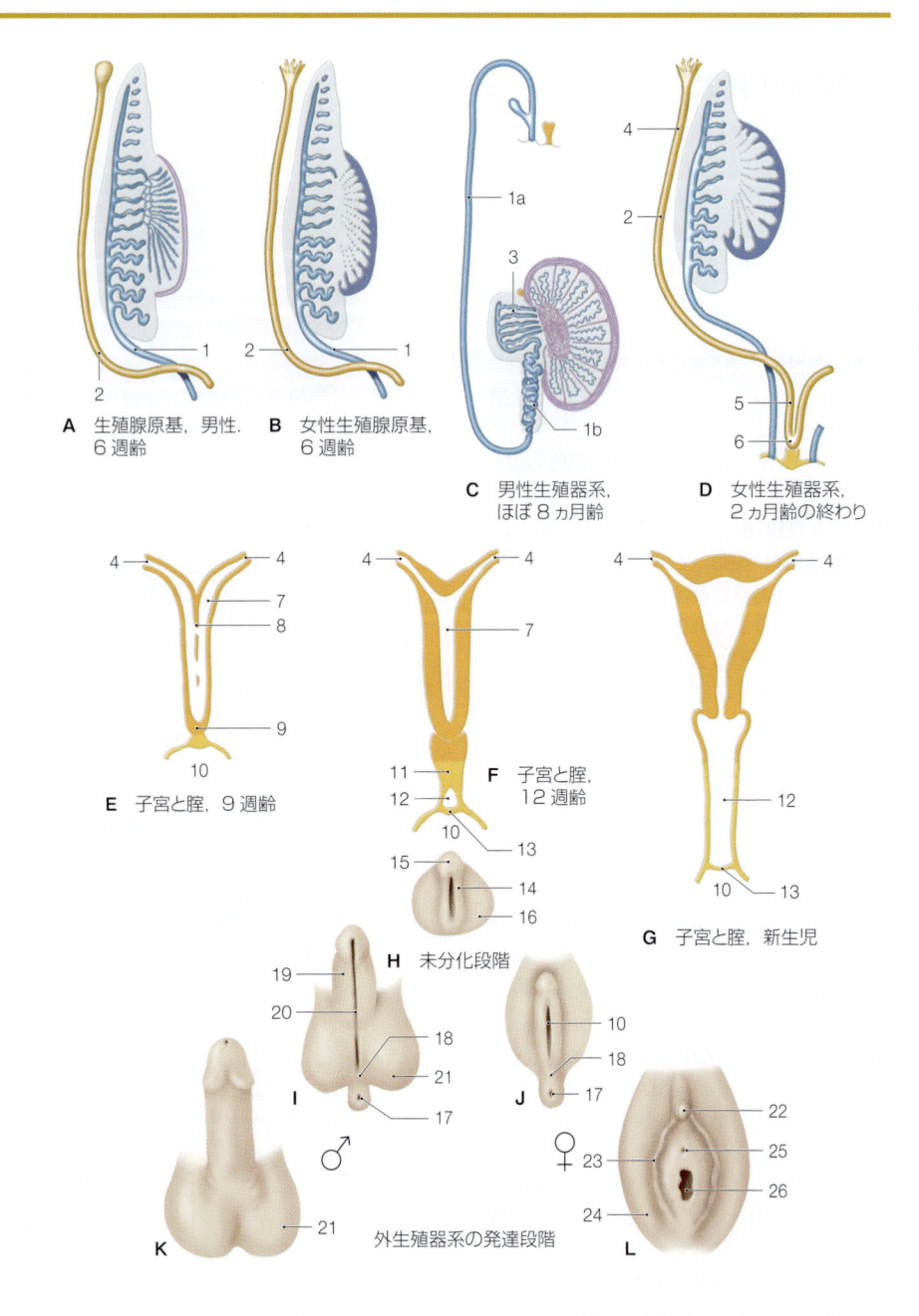

総排泄腔膜に割れ目ができた後，尿直腸隔膜が総排泄腔の開口部を前方の尿生殖洞（**J10**）と，後方の肛門開口部（**J17**）に分け，そして隔膜は腹膜になる（**IJ18**）．

男性外生殖器．テストステロンの影響のもとで，生殖結節は成長し，陰茎となる（**I19**）．生殖ヒダは，互いに融合して，尿集合管となり，次第に尿道溝を閉じていく（**I20**）．このようにしてできた陰茎に続いて陰囊（**IK21**）が発生するが，これは，外陰-（陰囊-）隆起が一体化してできる．

女性外生殖器．XX染色体の組み合わせのもとでは，生殖結節はほんの僅かしかできず，これは陰核（**L22**）となる．生殖ヒダは，小陰唇（**L23**）を，また生殖隆起は大陰唇（**L24**）を，それぞれ作りあげる．尿生殖洞は，開いたままの形で残り，腟前庭となって，そこに，尿道（**L25**）と腟（**L26**）の開口部を通す．

A 生殖腺原基，男性，6週齢　　**B** 女性生殖腺原基，6週齢　　**C** 男性生殖器系，ほぼ8ヵ月齢　　**D** 女性生殖器系，2ヵ月齢の終わり　　**E** 子宮と腟，9週齢　　**F** 子宮と腟，12週齢　　**G** 子宮と腟，新生児　　**H** 未分化段階　　**I** ♂　　**J** ♀　　**K**　　**L**　　外生殖器系の発達段階

---

1 中腎管（ウォルフ管）mesonephric duct (Wolffian duct)　1a 精管 ductus deferens　1b 精巣上体 epididymis　2 中腎傍管（ミュラー管）paramesonephric duct (Müllerian tube)　3 輸出管 efferent duct　4 卵管 uterine tube　5 子宮 uterus　6 腟の上部 superior part of vagina　7 子宮腟管 uterovaginal canal　8 中隔 septum　9 ミュラー管の尾側端 caudal end of Müllerian tube　10 尿生殖洞 urogenital sinus　11 腟板 vaginal plate　12 内腔 lumen　13 処女膜 hymen　14 尿生殖（総排泄腔）ヒダ urogenital (cloacal) fold　15 生殖結節 genital tubercle　16 生殖隆起 genital swelling　17 肛門開口部 anal opening　18 会陰 perineum　19 生殖茎 phallus　20 尿道溝 urethral groove　21 陰囊 scrotum　22 陰核 clitoris　23 小陰唇 labium minus　24 大陰唇 labium majus　25 尿道 urethra　26 腟 vagina

新生児

新生児は，体重が平均3,400gあり，頂-殿長が360mmもしくは頂-踵長が50cmある．体重の約16％は脂肪組織で占められており，そのため新生児は丸みを帯びた外見を呈する．体の諸部分のうち，頭が最も大きく，胴は，たまご形で，その最大径は肝臓の辺りである．胸部は樽形（**A1**）であり，腹部は長め（**A2**）で，骨盤域（**A3**）はまだよく発達していない．四肢は比較的短めで，O-脚気味であり，足部は回外位をとっている．頭髪は非常にさまざまで，多くの場合，生後間もなく生え替わりが起こる．誕生の時期では，ヒトは，他の霊長類に比べて比較的未熟で，一人ではほとんど何もできない．器官系の成立と成熟は，生後の時期に持ち越されている．生後の形態的，並びに機能的な特徴は，以下のようにまとめることができる．

筋肉骨格系．基本的に新生児の骨格は，成人のそれに比べて，より海綿状が強い．赤色髄をまだ多くいれている．神経頭蓋は，内臓頭蓋に比して，かなり大きい．頭蓋冠の骨の間には，**泉門**が作られている．一番大きいのは前方の**大泉門**（**A4**）である．これは上矢状静脈洞の領域を閉ざしているが，そこでの拍動は，表面の皮膚をとおして触れることができる．これらの泉門は，生後2年で閉じる．骨格系の骨化は，とくに管骨の場合，ずっと進んでいる（I章参照）．成熟の指標となるのは，大腿骨の遠位骨端（**A5**）における第2次化骨中心の存在である．

心臓血管系．新生児の心臓（**A6**）は比較的大きい．生後の心拍数は毎分120〜140回．出産後間もなく卵円孔の閉鎖によって，循環システムが入れ替わる（222頁参照）．

呼吸系．生後最初の自然呼吸のあと，新生児の呼吸数は毎分40〜44回である．肋骨が略水平位であるので，新生児の呼吸は，いわゆる腹式呼吸であるが，これは横隔膜が比較的平らであることに起因する．

消化器系．消化器系の器官は，最初の1ヵ月では機能的に母乳に，したがって液体栄養に頼っている．最初数日は，新生児は，ねばねばした，緑がかった腸内容；胎便 meconium を排泄する．新生児の肝臓（**A7**）は大きく，体重のおよそ4％を構成する．

泌尿器系．膀胱（**A8**）は，小骨盤内の最終的な位置にまだ達していない．尿道もまだ骨盤部ができていない．

男性生殖器．精巣が陰嚢（**A9**）の中へ降りていることは，男の新生児の成熟の証しである．外生殖器は比較的大きい．

女性生殖器．大きな卵巣は，腸骨窩の中にあるが，骨盤内の最終的な位置にはまだ達していない．子宮の大きさの2/3は，子宮頸部に属している．外部生殖器は，誕生時には比較的大きい．成熟度の目安は，小陰唇が大陰唇に被われていることである．

神経系．新生児の頭は体の大きさの1/4を構成しており，脳もそれと同じ程度に大きい．脊髄はL$_2$〜L$_3$にまで達しており，成熟新生児では皮質脊髄路の有髄化が始まる．

皮膚．新生児の皮膚は，厚いが，わずかの生毛 lanugo が生えているに過ぎない．しっかりとした皮下脂肪層（**A10**）ができている．爪は指端を越えており，足底には深い足底ヒダが走っている．

> **臨床関連**：可能な限り直ぐに，娩出後の新生児の一般状態を調べる必要がある．臨床的な評価要素は：心拍数，呼吸努力，筋緊張，反射興奮性，皮膚色であるが，これらのパラメータは，**アプガーの採点法** Apgar score (Index System) で表される．

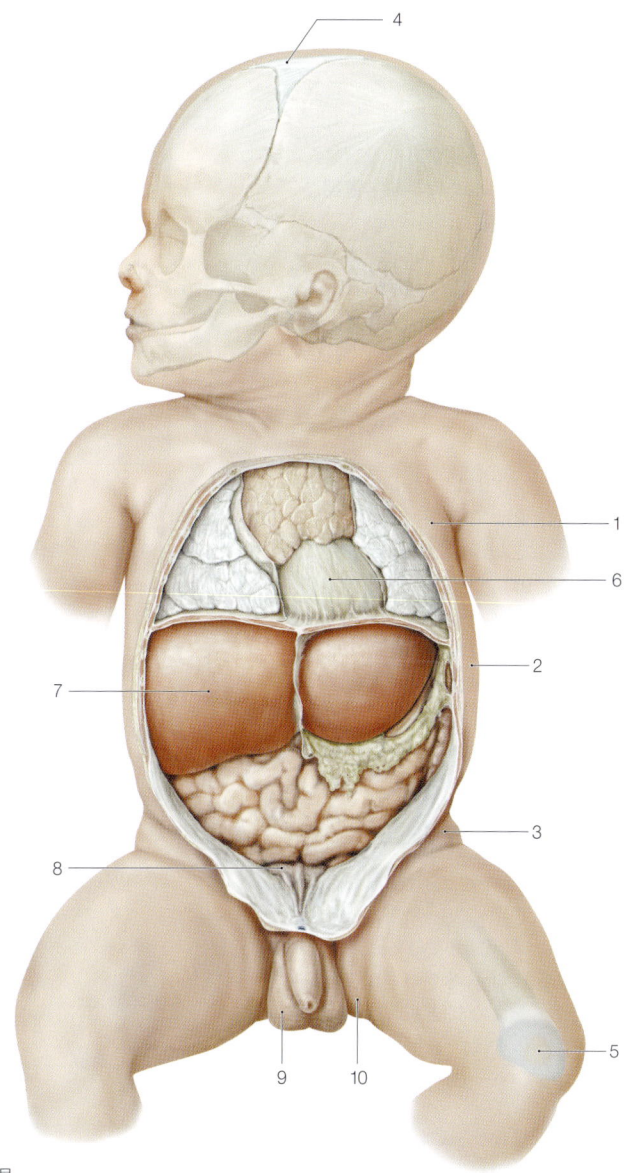

A　新生児

---

1 樽形の胸部 barrel-shaped thorax　2 長めの腹部 long abdomen　3 骨盤域 pelvic region　4 大泉門 anterior fontanelle　5 大腿骨遠位骨端部 distal epiphysis of femur
6 心臓 heart　7 肝臓 liver　8 膀胱 urinary bladder　9 陰嚢 scrotum　10 皮下脂肪層 fatty layer

生後の年齢段階

新生児期に続いて，**乳児期**がくる．これは，生後1年の終わりまで延びるが，これにつづいて2～6年の**幼少児期**がある．これは，**学齢期**（7～10年），もしくは**早期学童期**につづき，そのあと**若年期** adolescence（11～20歳）がやってくる．**思春期** puberty とは，性成熟（発達）と解され，ほぼ10歳に始まる，内分泌的転換で開始する．この時期は，成長極期であり，また二次性徴の表出で特徴づけられ，成長完成点への到達と，性成熟の完成で終わる．

体重の発達．平均でほぼ 3.4 kg であった新生児の誕生時体重は，5ヵ月で倍になり，1年で3倍，さらに2歳半では4倍になり，6年で6倍，そして10年で10倍になる．定期的な対照調査による，いわゆるパーセント曲線によって成長と発達が判断される．ここでは，50％値が，1つの健康なヒト集団についての，横断値，たとえば，身長に対する体重の比のそれを表している（**A**）．3％値と97％値の間に，対象児の97％が入っている．

身長の発達．身長は，出産時には，約50～51 cm であるが，その他と，最初の2年間で急速に増加する．その後，増加は緩やかになる．しかし，青年期が始まると，かなり身長は増加する（いわゆる思春期成長極期 puberty spurt）．重要な判断基準は，身長との関係：身長と体重は，良好な栄養状態では，ほぼ同じ％くらい（**B**）になる．

加速ということは，7歳から観察される―それより早い10年間に比べて―，小児期での身長の伸び方，体重の増え方が，加速していることである．このような一般的な加速との関係で，また初潮（最初の生理出血）も，今日では平均して，ほぼ2年くらい早くやってくる．

体のプロポーション．体のプロポーションは，新生児期から，成人年齢まで，劇的に変化する．頭部および体幹との関係で，四肢はずっと大きく成長することに帰しうる．新生児では，頭部の高さは，身長の 1/4 であるが，成人では，これに対して，1/8 に過ぎない（**C**）．新生児では，体の中央は臍の高さにあるが，成人では，恥骨結合の上縁（女性）もしくは下縁（男性）である．

体表．体表面と体の体積との関係は，新生児の場合と小児では，成人の場合より大きい．新生児においては，体表面積は約 1/4 m² あるが，2歳で 1/2 m²，9歳児では 1 m²．そして成人では 1.73 m² ある．この値は，薬剤投与の際に考慮する必要があり，とくに火傷の予後診断や治療の際に重要な役割を果たす．

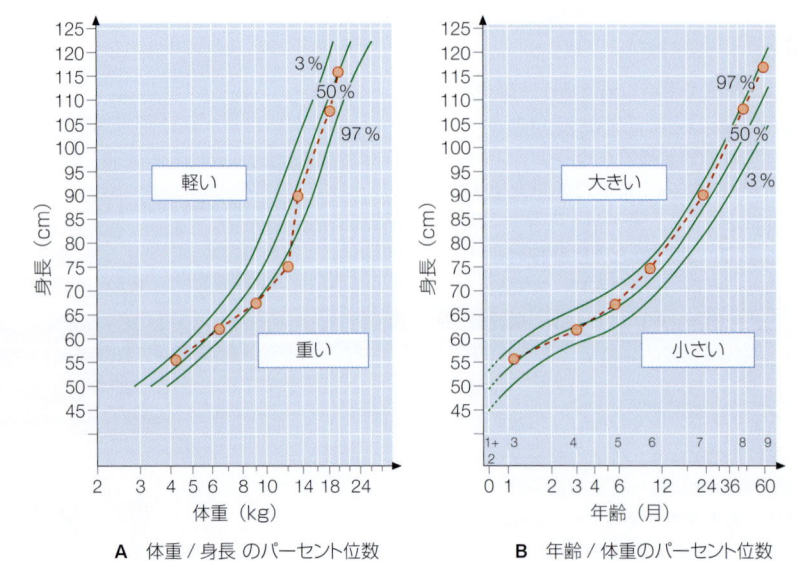

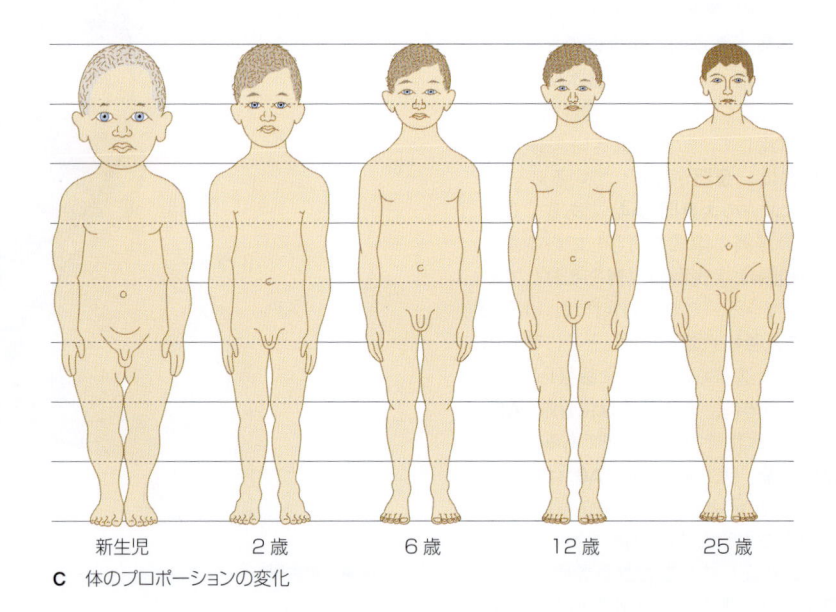

骨格年齢．子供の成長状態は，骨格もしくは骨年齢で正しく，時系列的な年齢を決定することができる．これについては，骨核の数，大きさ，形成のされかたを小型 X 線像（carpogram）を参考にして，推測できる．これによって最終的な個人個人の成長の大きさを，かなり正確に予見することができる．

頭囲．頭蓋の成長は，最初の4年間観察され，頭（周）囲を測ると，多くの子供は，パーセント位グラフの経緯に近い経過を示す．泉門と頭蓋縫合の閉鎖の，大きさの変化と，その時間的経過によって，小頭症や水頭症を予見しうる．

歯の発生（297～298頁参照）．

腺

概　説

上皮細胞 epithelial cells の中で，それがもっている機能の面から，主な任務として人体にとって生理的に価値のある物質や化学的化合物を合成して分泌する働きのある細胞を腺細胞という．**腺細胞** glandular cells は原材料を血液から摂取し，細胞内で合成し，完成した産生物すなわち**分泌物** secretion を放出するという過程をとる．腺細胞は多くの場合多数の細胞が集まって**腺** glands を構成する．

外分泌腺（A）

外分泌腺は，その分泌物を直接にかまたは導管を経由して，表面上皮の限局された外または内表面に放出する．外分泌腺には**単細胞性上皮内腺**（**A1**）（例：杯細胞）や**多細胞性上皮内腺**（**腺蕾**）（**A2**）（例：嗅腺）として表面上皮の中にとどまって存在するものもあるが，多くのものは表面上皮から上皮塊の形で"つらら状"に深部に陥入して発育していき，表面上皮との連結部は**導管**となって**多細胞性上皮外腺**（**A3**）を形成する（例：十二指腸のブルンネル腺，皮膚の小汗腺・大汗腺・皮脂腺）．また，この腺組織は起始器官の内壁を離れて，**壁外に独立した腺体**をつくることもできる（例：大唾液腺，涙腺，膵臓，294頁）．

上皮外腺（**A3, C**）．通常，外分泌腺というときは上皮外腺を指しており，このような腺では分泌上皮細胞が疎性結合組織によりまとめられて，**導管系と腺終末部**（＝腺体，分泌部）からなる器官の形につくられている．腺終末部の形によって**管状腺**（小管状）（**C1**），**房状腺**（漿果状）（**C2**），**胞状腺**（小袋状）（**C3**）の終末部が区別される．さらにこれらは導管 excretory duct の分岐態度によって次のように区分される：

単一腺（**C1～3**）．1個の腺終末部からなり，分岐しない．これにはまっすぐにのびるもの（例：胃腺）や，糸球状に迂曲して走るもの（例：小汗腺）がある．

分枝腺（**C4～6**）．数個の腺終末部が一本の導管に開いている場合（例：ブルンネル腺）．

複合腺（**C7～9**）．導管が樹木の小枝のように小さな導管に分岐するもので，その先端に多数の腺終末部をもつ．この場合，腺終末部は純粋な管状（**C7**），房状（**C8**），胞状終末部（**C9**）を呈するか，あるいは形態の異なる終末部が混在してつくられている（例：管状胞状終末部）（**C10**）．

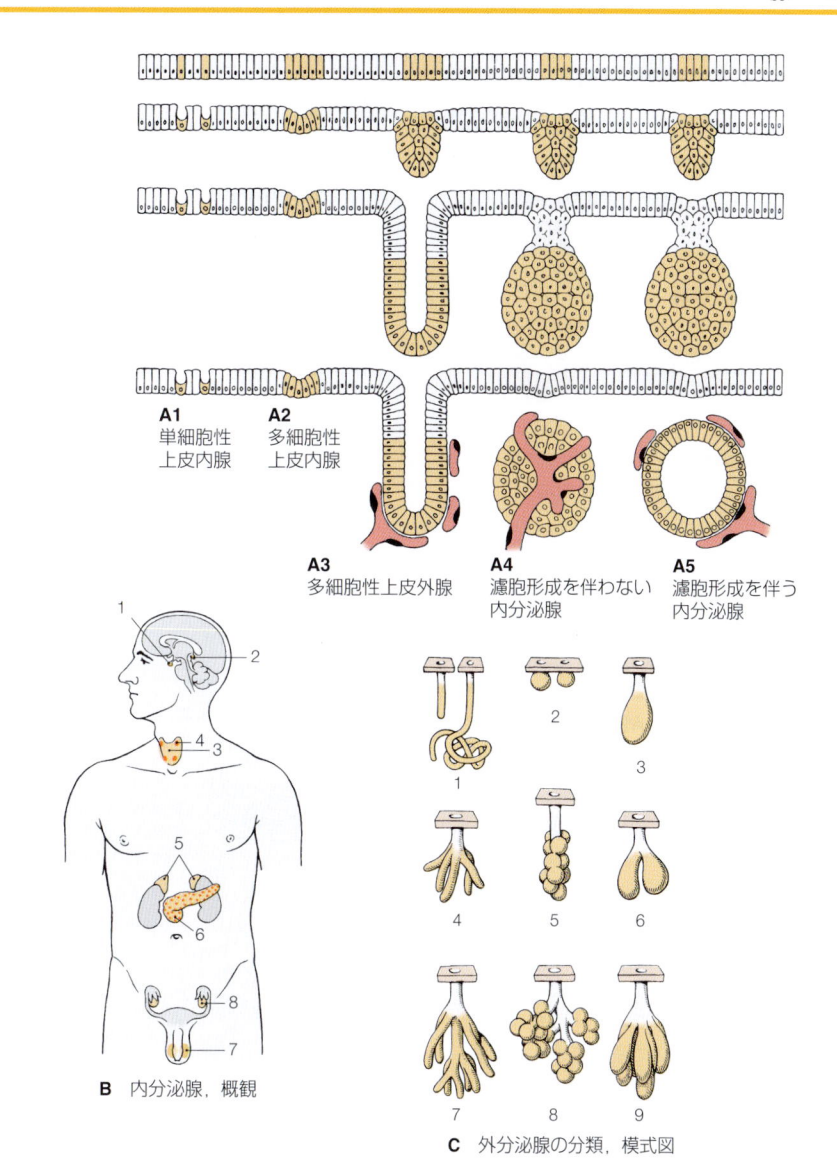

腺は導管の分岐と腺体を取り巻く結合組織を基準にして，腺小葉と腺葉とが区別される．

内分泌腺（B）

内分泌腺（**A4, 5**）は導管を全くもっていない．内分泌腺でつくられた作用物質は**内分泌物** incretion（**ホルモン** hormone）といわれ，血管やリンパ管または細胞間質に引き渡され，血液循環を介して全身へ送られる．内分泌腺は表面上皮から発生して上皮とのつながりを失う（**A4, 5**）か，または結合組織中の細胞から生じる（例：精巣の間細胞）．また，ある種の神経細胞は神経堤 neural crest に由来する．**内分泌腺**（**B**）は**独立した器官**として下垂体（**B1**），松果体（**B2**），甲状腺（**B3**），上皮小体（**B4**），副腎（腎上体）（**B5**）（皮質と髄質）がある．これらに加えて器官中に他の機能をもった組織と混在する**内分泌細胞群**として，一括して"島器官"といわれる膵臓のランゲルハンス島（**B6**），精細管の間質にあるライディヒ細胞（**B7**），および卵巣（**B8**）には門細胞や黄体の卵胞膜黄体細胞と顆粒層黄体細胞などがある．また，胃-腸管や呼吸路の上皮細胞間には一括して**散在性内分泌細胞**（403頁以下参照）といわれる個々の内分泌細胞があり，これらの細胞はペプチドホルモンおよび/あるいはモノアミンおよびそのほかの作用物質をつくっている．これらのほかにも，内分泌細胞が視床下部に見出され，間脳の領域にはいろいろな神経ホルモンを産生する**神経細胞群**が存在している．

A1 単細胞性上皮内腺（杯細胞）unicellular intraepithelial gland (goblet cells)　**B1** 下垂体 pituitary gland　**A2** 多細胞性上皮内腺（腺蕾）multicellular intraepithelial gland (glandular bud)　**B2** 松果体 pineal body　**A3** 多細胞性上皮外腺（外分泌腺）multicellular extraepithelial gland (exocrine gland)　**B3** 甲状腺 thyroid gland　**A4** 濾胞形成を伴わない内分泌腺 endocrine gland without follicles　**B4** 上皮小体 parathyroid gland　**A5** 濾胞形成を伴う内分泌腺 endocrine gland with follicle formation　**B5** 副腎（腎上体）suprarenal gland　**B6** ランゲルハンス島 islets of Langerhans　**B7** 精巣 testis　**B8** 卵巣 ovary　**C1, 4, 7** 管状終末部 tubular terminal portion　**C2, 5, 8** 房状終末部 acinar terminal portion　**C3, 6, 9** 胞状終末部 alveolar terminal portion　**C1～3** 単一腺 simple gland　**C4～6** 分枝腺 branched gland　**C7～9** 複合腺 compound gland

外分泌腺終末部の光顕的類別

形態と染色態度に応じて，外分泌腺終末部は**漿液性終末部**と**粘液性終末部**が類別されている．この2つの名称は純粋に形態学的に使われるもので，分泌物の厳密な化学的性質とは関係ない．

漿液性終末部（腺房）（A1）．狭い腺腔に面する円錐形の背の高い腺細胞で構成される．この細胞は極度に分化した細胞で，多くの場合，細胞質の頂端部は分泌顆粒（B4）を容れて**酸好性**を示すのに対して，細胞の基底部は粗面小胞体（B2）（タンパク合成の場）がよく発達しているので**塩基好性**を示す．通常，大型で円形の核を細胞の中央よりやや基底側にもっている．純漿液腺の例としては膵臓の外分泌部，耳下腺，（味蕾中の）エブネル洗浄腺，涙腺がある．漿液腺はさらりとした水様のタンパクに富んだ分泌物を産生している．

粘液性終末部（腺管）（A2）．この終末部は横断面で漿液性腺房よりもより大きく，比較的広い内腔をもっている．腺細胞は背の高い先細りの円柱形に近い細胞で構成され，核は細胞の基底縁に圧平されている．核上部の細胞質はほとんど染色されないで淡く，明るい泡沫状の構造をもつ．細胞境界は漿液性腺房とは逆によく識別できる．粘液腺は酸味のある，粘性の強い粘液素すなわち**ムチン** mucin を産生している．これはムコ蛋白と糖蛋白の混合物で滑りをよくする働きがある（輸送粘液）．例としては上皮間の杯細胞，胃，十二指腸の表面上皮がある．

漿粘液腺（混合腺）．終末部が一部は粘液細胞，一部は漿液細胞からなるものを**漿粘液腺** seromucous gland または**混合腺** mixed gland という．

例．顎下腺と舌下腺にみられ，両腺では粘液性腺管の腺底に漿液性細胞の集団が帽子のようにかぶさって，**漿液性半月** serous demilune をつくっているのが特徴的である．

タンパク性分泌物の形成．拡散または飲作用によって血管（B1）から受け入れた原料（アミノ酸，糖）は粗面小胞体（B2）の槽に達し，この中で合成と新たに合成された分泌タンパク，ムチンおよびリポタンパクの修飾が行われる．これらは輸送小胞 transport vesicle によって**ゴルジ装置（B3）**に運ばれ，ここで膜によって包まれ，**分泌顆粒（B4）**となってゴルジ装置を離れる．最終的に，積み込まれた分泌物とともに小胞が切り離されるか（離出分泌）（B5），または**開口分泌（B6）**によって放出される．大きな分泌顆粒は光顕でも観察できる．

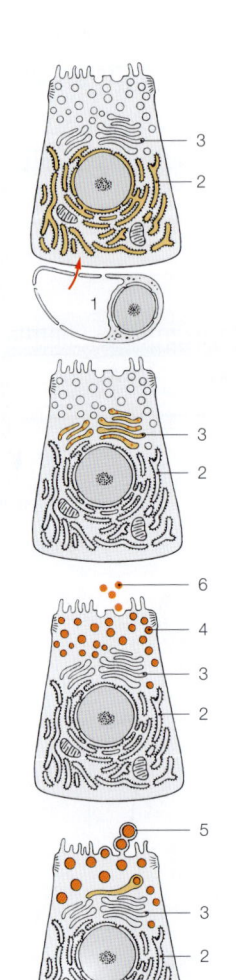

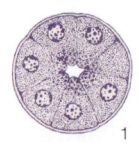

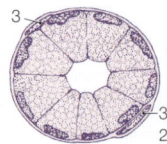

鑑別点	漿液性終末部	粘液性終末部
終末部の横径	より小	より大
終末部の形	房状（腺房）	管状（腺管）
腺腔	非常に狭い	比較的広い
腺細胞の形	円錐形	円柱形に近い
核の形	球形	扁平
核の位置	中央よりやや基底側	基底部に圧平
細胞質	顆粒状，暗調	泡沫状，明調
細胞境界	不明瞭	明瞭
分泌細管	細胞内分泌細管	—

A 唾液腺の漿液性および粘液性終末部の形態的相異

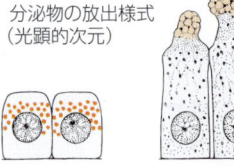

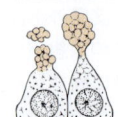

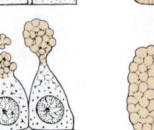

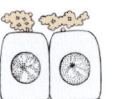

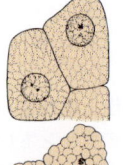

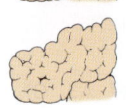

B タンパク性分泌物の形成と放出の様式（電顕的次元）

C 分泌物の放出様式（光顕的次元）

1 漏出分泌　2 離出分泌　3 全分泌

分泌物放出の機序

細胞膜を伴わない放出（メロクリン（エクリン）分泌）（開口分泌）（B6）．ゴルジ膜（限界膜）に包まれた分泌顆粒が細胞膜（形質膜）の内面に近づき，両方の膜が接触するところで融合し，限界膜は細胞膜にとり込まれ，融合部に開口ができる．この様式は細胞膜の損傷なしに顆粒の内容物だけが外部に放出され，分泌物はもはや膜で包まれていない．光顕的には**漏出分泌（C1）**といわれる（例：多くの外分泌腺および内分泌腺の放出様式）．

細胞膜を伴う放出（アポクリン）（B5）．分泌物とともに細胞質の一部も失われる分泌様式で，膜に包まれた分泌物がまず細胞の遊離面に突出し，最終的に，細胞膜に包まれたままで突起の根元がくびれて離断する．一方，細胞は修復して分泌を続けることができる．光顕的には**離出分泌（C2）**といわれる（例：乳腺の脂肪乳の分泌）．

細胞の死滅を伴う放出（ホロクリン）．若干の腺では，細胞質内に分泌産生物が激増して細胞全体が分泌物によって満たされ，細胞死 apoptosis によって細胞は死滅する．細胞は完全に分泌物と化し，細胞膜の溶解によって排出される．分泌を続けるためには基底部にある基底細胞層（再生層）から腺細胞が新生されねばならない．光顕的には**全分泌（C3）**といわれる（例：皮脂腺の分泌様式）．

透出分泌 diacrine secretion（**分子分泌** molecular secretion）．分泌物が細胞膜を全く変形させずに通過する様式で，低分子の分泌物が輸送タンパクによって細胞を通過する（例：胃酸）か，分泌物が脂溶性のゆえに，直接細胞膜を通って移動するもの（例：ステロイドホルモン，サイロキシン）がある．

筋上皮細胞（A3）．収縮能をもつ細胞で，腺細胞および導管系初部の細胞と基底膜の間にあり，収縮性タンパク（アクチンおよびミオシンフィラメント）をもっている．この細胞の収縮は恐らく終末部の"搾り出し"を行い，それによって導管への最初の分泌流を起こしていると思われる．筋上皮細胞はほとんどの腺に認められ，外胚葉に由来する．

A1 漿液性終末部（腺房）serous terminal portion（acinus）　**B1** 血管 blood vessel　**C1** 漏出分泌 eccrine secretion　**A2** 粘液性終末部（腺管）mucous terminal portion（tubule）　**B2** 粗面小胞体 rough endoplasmic reticulum　**C2** 離出分泌 apocrine secretion　**A3** 筋上皮細胞 myoepithelial cells　**B3** ゴルジ装置 Golgi apparatus　**C3** 全分泌 holocrine secretion　**B4** 分泌顆粒 secretory granules　**B5** 細胞膜を伴う放出 release with loss of cell membrane　**B6** 細胞膜を伴わない放出（開口分泌）release without loss of cell membrane（exocytosis）

内分泌腺の一般的機能原理

内分泌腺といろいろな器官に存在する**散在性内分泌細胞**とは"内分泌系 endocrine system"という概念の下にまとめられる．内分泌腺は血管がよく発達した器官で，外分泌腺とは反対に全く導管をもっていない．内分泌系に属する細胞は化学的な信号物質（**ホルモン**）を産生し，この情報担体は神経系や免疫系と共通して細胞間や，器官間の情報伝達を可能にしている．ホルモンはごく低濃度で作用を発揮し，標的細胞に存在する相補的な構造物すなわち**レセプター（受容体）**receptor と結びついて，ほかの組織や細胞の働きを促進したり抑制したりしている．ホルモンレセプターには細胞の形質膜に存在する膜レセプターと，細胞内（細胞質内または核内）に存在する細胞内レセプターがある．ステロイドホルモンや甲状腺ホルモンは後者の例で，とくに脂溶性のホルモンは細胞膜を通過して細胞内に入り，核に存在するレセプターに結合すると考えられている（例：ステロイド-や甲状腺-ホルモン）．

内分泌系の**腺器官**は単独または対性に構成され，序列的に組織化されている．個々の腺の活性はフィードバック機構 feedback mechanism によって制御され，一般的な原理として，血中のホルモン含有量が減少するとホルモン分泌を促進し，上昇するとそれを抑制する．一般に，この制御過程に際してはいろいろな序列段階の幾つもの腺が協力し合っている．

ホルモンによる情報伝達の様式

内分泌腺（1）からのホルモンは，長い距離を経て各ホルモンの標的組織もしくは標的器官に影響を及ぼす．この標的器官は下位の内分泌腺であることもある；その際，血管系は化学信号の伝達路線として貢献している．

傍分泌系（2）からのホルモンは，ホルモン合成部位の周囲環境に局部的に作用する；ホルモンの助力下に，自己自身の細胞，隣接する上皮細胞または近くにある細胞構成物（平滑筋，肥満細胞，その他）を調節している（403頁）．

神経内分泌系 neuroendocrine system からのホルモンもまた局所的な情報伝達の役を果たしている．中枢および末梢神経の分泌活動の盛んなニューロンは，その作用物質（ペプチド，アミン）を神経線維および/またはシナプスを介して，**神経伝達物質（3）**または神経調節物質 neuromodulators として遊離するか，あるいは**神経ホルモン（4）**として神経血管領域の血管に送り込んでいる（389頁）．このようにして神経内分泌系もまた対応したホルモンの遠隔作用を獲得している．

ホルモンの種類．いろいろなホルモンは，その産生部位，その作用部位，その作用機序，およびその化学構造に基づいて分類することができる．例えば，化学的な見地からは次のように分類される：すなわち，

ステロイド，これは副腎皮質，精巣，卵巣および胎盤で合成される（例：ミネラルコルチコイド，グルココルチコイド，アルドステロン，

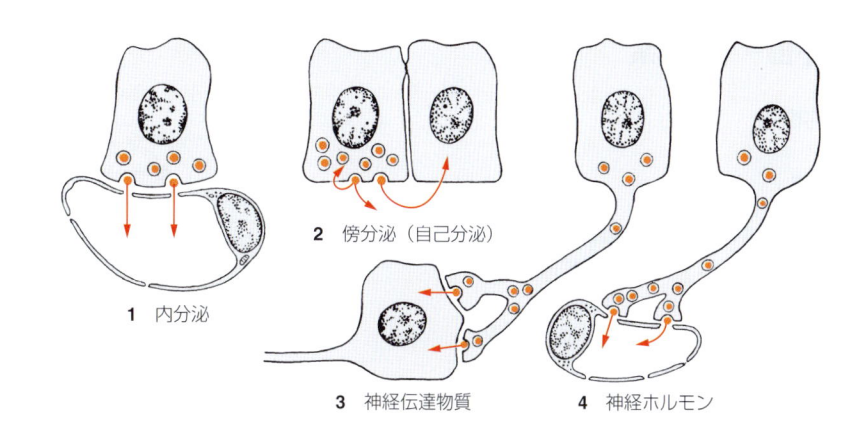

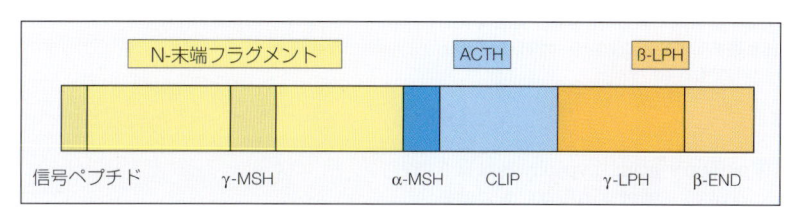

5 プロオピオメラノコルチン（POMC）-母体分子
縦線：1対の塩基性アミノ酸のある場所で，ここで分断されると活性のあるペプチドホルモンができる（プロセッシング）

- MSH メラニン細胞刺激ホルモン
- ACTH 副腎皮質刺激ホルモン（コルチコトロピン）
- CLIP コルチコトロピン様中間葉ペプチド
- LPH リポトロピン
- END エンドルフィン

6 1つの細胞に同時に産出する異なるペプチド前駆体，例

somatostatin	+ enkephalin
substance P	+ enkephalin
corticoliberin	+ enkephalin
corticoliberin	+ vasopressin
vasopressin	+ dynorphin
oxytocin	+ cholecystokinin
TRF*	+ somatostatin
TRF	+ somatotropin
TRF	+ substance P

(*甲状腺刺激ホルモン放出因子)

7 1つの細胞に同時に産出するモノアミンとペプチド，例

noradrenaline	somatostatin
	enkephalin
	neurotensin
	vasopressin
dopamine	enkephalin
	cholecystokinin (CCK)
serotonin	substance P
	thyrotropin-releasing factor (TRF)
	calcitonin

性ホルモン），

アミノ酸誘導体（例：アドレナリン，ノルアドレナリン，ドーパミン，メラトニン，セロトニン），

ペプチド，すなわちアミノ酸で構成される鎖（例：視床下部の調節ホルモン，インスリン，グルカゴン），

タンパク質（例：性腺刺激ホルモン，成長ホルモン），ならびに

脂肪酸誘導体（例：プロスタグランジン）などがある．

前駆体分子からのホルモンの生合成．多くの内分泌細胞は1つ以上のホルモンを産生している．ペプチドホルモンの場合，これらのホルモンの生成はある共通の**前駆体**precursor（これを**プレプロホルモン**pre-prohormone または**プロホルモン**prohormone と呼ぶ）が酵素により分解され，ある"**ペプチド族**"peptide family がつくられてくることによって説明される．5はこのプレプロホルモンの1例として，265のアミノ酸からなる**プロオピオメラノコルチン** pro-opiomelanocortin (POMC) とタンパク分解酵素によってつくられるその**誘導体**（下垂体前葉ホルモン）を模式的に示したものである．POMC は，信号ペプチドのほかに，**ACTH** と **β-LPH** および末端フラグメントを含み，後者にはさらに γ-MSH のための前駆体分子があることがわかる．タンパク分解酵素によるACTHの分解によってα-MSH と CLIP が生じ，一方，β-LPH は γ-LPH と β-エンドルフィンに分解される．また，個々の細胞において生成されるホルモンは，異なる前駆体に由来することもあるし（6），いろいろな物質群に属していることもある（7）．これは殊にペプチドとアミンが共存する場合に当てはまる．

---

1 内分泌 endocrine secretion　2 傍分泌（自己分泌）paracrine secretion（autocrine secretion）　3 神経伝達物質 neurotransmitter　4 神経ホルモン neurohormone

視床下部－下垂体系

肉眼的構造

視床下部

視床下部（**A1, B**）は**間脳の最下部**に構成され，下方では灰白隆起の領域で漏斗陥凹を経て下垂体茎（漏斗）（**A2, B**）に移行する．吻側には視神経交叉（**A6, B**）がある．視床下部の腹側表面は間脳を外部から観察できる唯一の部分である．

機能. いくつかの核がある視床下部は植物機能を統御する中枢領域であるとともに，血管を介して下垂体と連結していることから，内分泌系の上位の制御器官でもある．

下垂体

下垂体 pituitary gland/hypophysis は重さ約 600～900mg，頭蓋底の中央にある蝶形骨トルコ鞍の**下垂体窩** hypophysial fossa の中に納まっている．下垂体窩は脳底とは硬膜葉である**鞍隔膜**（**A7, B**）によって隔てられ，この膜には中央に下垂体茎の通る穴がある．下垂体は上皮性の構造の腺下垂体と神経下垂体で構成される．

腺下垂体（**A3, B**）（下垂体前葉）．腺下垂体は原始口腔の天蓋の膨出（ラトケ嚢）に由来し，上皮性構造物（内分泌細胞の集団）で満たされている．大部分を占める**主部**（**遠位部**），漏斗と灰白隆起の部を腹側からおおう**漏斗部**（**隆起部**）（**A2, B**），神経下垂体の表面に隣接する狭い中間帯である**中間部**（**A4, B**）の3部に分けられる．

神経下垂体（**A5, B**）（下垂体後葉）．神経下垂体は間脳の腹側部に由来する脳の一部で，神経線維と膠細胞（後葉細胞）でできている．神経下垂体は**漏斗**（下垂体茎）（**A2, B**）を介して視床下部と結合している．下垂体茎の初部には，第3脳室の漏斗状を呈する**漏斗陥凹**（**B**）が突出しており，茎の背壁は限局された領域で陥凹に向かって反り出している．この部は**正中隆起**（**B**）といわれ，機能的に**重要な血管領域**を含んでいる(389頁)．

局所解剖. 下垂体を隔膜上部と隔膜下部に分けることがある．**隔膜上部**は下垂体茎（漏斗と腺下垂体の漏斗部）を擁する部で，腹側に位置する視神経交叉に密接している．灰白隆起は鞍隔膜の上にあり，大脳動脈輪で周りを取り囲まれている．**隔膜下部**は腺下垂体の主部と中間部ならびに神経下垂体の後葉からなる（硬膜外位 extradural position）．

血液循環（524頁参照）．下垂体は通常4本の動脈で栄養される：すなわち，左右の**下垂体動脈** inferior hypophysial artery が内頸動脈の海綿静脈洞部から起こり，神経下垂体の周りに動脈の輪を形成し，上下垂体動脈と吻合する．**上下垂体動脈** superior hypophysial artery は内頸動脈の脳部から起こり，視床下部の腹側部，腺下垂体の漏斗部および下垂体茎に入る．その際，一本の枝である小柱動脈が茎の前方を下行し，腺下垂体を通って反転して上行し，漏斗の遠位部で神経下垂体の毛細血管叢に入る．すなわち，腺下垂体に直接流入する動脈血は全く存在せず，これは**門脈血管系** portal vessel system を経由してのみ間接的に血流を受けることになる．両側の**上下垂体動脈**は漏斗に進入した後，細枝に枝分かれしてヘアピン様の毛細血管のワナ（**特殊血管** special vessels）（**第1次毛細血管叢**）となる．血液はこの血管叢から1～2本の**門脈血管**（下垂体門脈 portal veins of hypophysis）に集められた後，腺下垂体に流れる．腺下垂体では血管は新たに分枝して洞様毛細血管叢（**第2次毛細血管叢**）となり，腺細胞を取り囲んでいる．腺下垂体からの静脈血は表層に存在する**静脈**に流れ，さらに**海綿静脈洞** cavernous sinus に還流する．なお後葉の毛細血管網は前葉のそれと吻合はしているが，大循環の血管に直接接続して還流し，後葉には門脈血管系は存在しない．

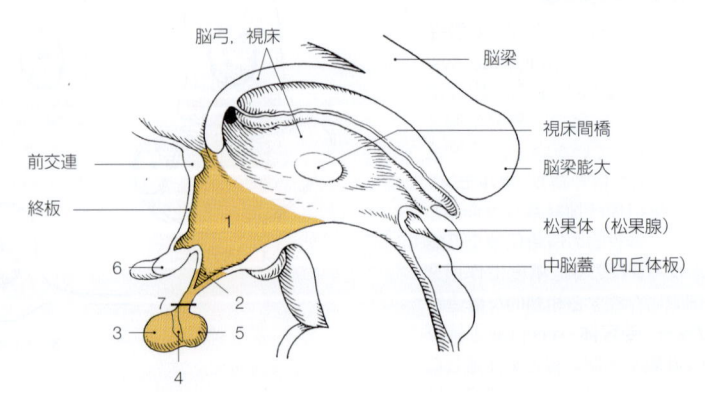

A 下垂体と視床下部（間脳）の概観

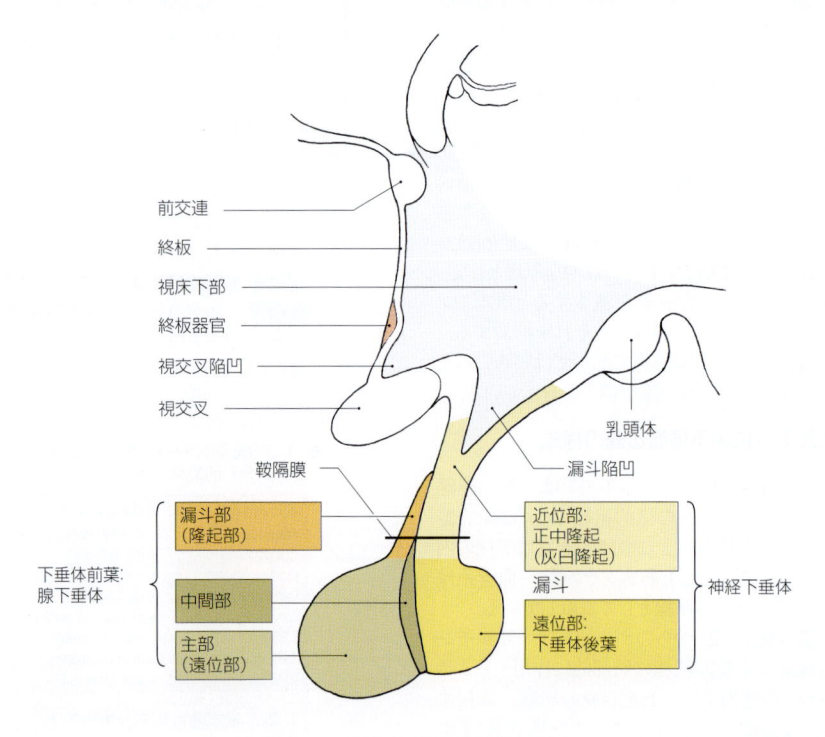

B 腺下垂体と神経下垂体の区分

---

1 視床下部 hypothalamus　2 下垂体茎（漏斗）hypophyseal stalk（infundibulum）　3 腺下垂体 adenohypophysis　4 中間部 pars intermedia　5 神経下垂体 neurohypophysis　6 視交叉 optic chiasm　7 鞍隔膜 diaphragma sellae

下垂体の顕微鏡的構造

下垂体は全体を薄い**結合組織性鞘**（**A1**）に包まれ，漏斗部（隆起部）（**A2**）の近くで門脈血管と動脈が腺下垂体に進入する．静脈は被膜の中で静脈叢を形成する．

腺下垂体

腺下垂体（HVL）は不規則な**索状または巣状を呈する上皮細胞**で構成され，内腔の広い，そして有窓の内皮細胞を持つ**洞様毛細血管** sinusoidal capillaries とわずかの**細網線維** reticular fibers が混じっている．腺下垂体の主部と神経下垂体の間にコロイドを入れた小胞をもつ中間部（**A3**）がある．

腺細胞（**A4，B**）．腺細胞はいろいろな染色法で染め出すことができる．クレスアザン染色ではその染色態度に応じて，腺細胞は酸好性（**B6**），塩基好性（**B7**）および色素嫌性細胞（**B8**）の3群に大別される．酸好性細胞と塩基好性細胞ではポリペプチドか糖タンパクの性格をもつ種々のホルモンを産生している．タンパクホルモンであるソマトトロピン（STH）（国際的には成長ホルモン（GH）と表されている）とプロラクチン（PRL）は**酸好性細胞**でつくられているが，これらの産生細胞はさらにオレンジGとアゾカルミンで染めることができる．タンパクホルモンのコルチコトロピン（ACTH），ならびに糖タンパクホルモンのサイロトロピン（TSH），フォリトロピン（FSH），ルトロピン（LH），リポトロピン（LPH）およびメラノトロピン（MSH）は**塩基好性で，PAS陽性の細胞**でつくられる．**色素嫌性細胞**は恐らく直接にはホルモン産生に関与しておらず，したがって390頁の一覧表の中にも記載されていない．色素嫌性細胞は，細胞質は染まらないかまたはわずかに染まる明調の細胞で，現在の解釈では，ホルモン産生細胞の前段階の細胞（幹細胞）であるのか，すべてのタイプの細胞で脱顆粒して空になった細胞であるのかが問題になっている．いわゆる濾胞性の**星細胞** stellate cells は長く細い突起を有し，腺全体に分布して腺細胞のグループを不完全に取り囲み，前葉をさらに小野に分けている．この細胞は明らかにグリアに近い種類の細胞で，この種の細胞も色素嫌性を示す．

腺細胞は，それが産生するホルモンについて，免疫組織化学的方法を用いて，光学顕微鏡のレベルでも，電子顕微鏡的にも，同定することができる．

腺細胞の配列．腺細胞は厳密ではないが，細胞の種類によって腺の中である程度の局在性がみられ，規則的に配分されている．

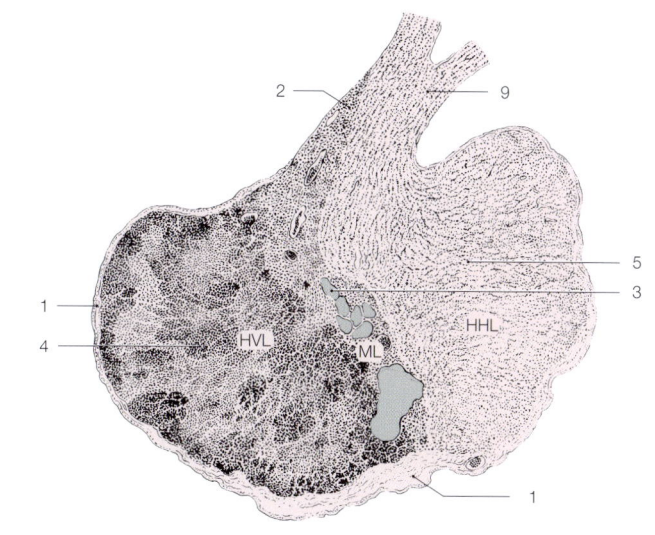

A 下垂体前葉（HVL），下垂体後葉（HHL）および中間部（ML）（概観）

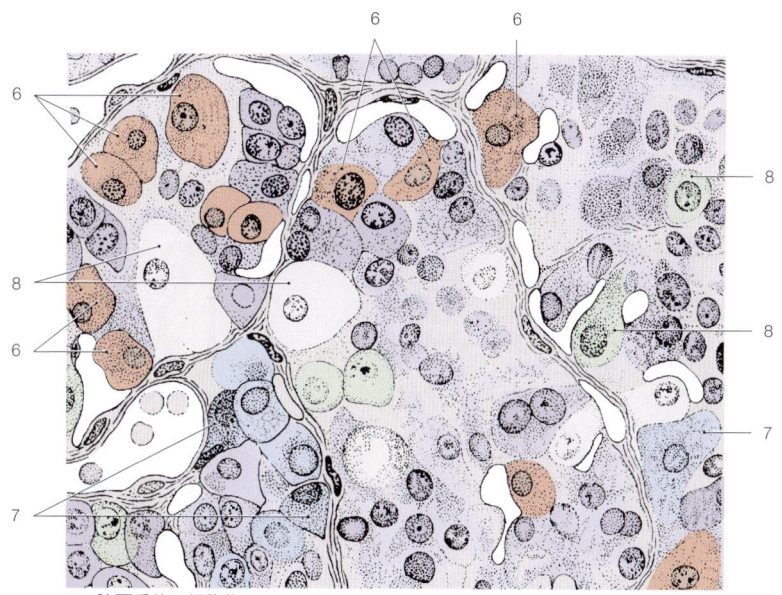

B 腺下垂体の細胞像

腺細胞は約50％が色素嫌性，10％が塩基好性，40％が酸好性細胞である．STHとPRLをつくる酸好性細胞は主に主部の外側部に存し，ACTH，MSHおよびLPHをもつ塩基好性細胞は主として腺の中央部と前部に存在する．漏斗部（隆起部）の細胞は主に性腺刺激ホルモン（ゴナドトロピン）のFSHを産生し，LHとTSHを産生する塩基好性細胞はしばしば主部の前方の中央部に見出すことができる．色素嫌性細胞は優先して存在する部位をもっていない．

電子顕微鏡的観察．異なる染色性をもつ腺細胞は，電子顕微鏡的には膜で包まれた顆粒（電子密度の高い芯をもつ小胞）の内容によって特徴付けられ，その大きさは包み込まれているホルモンに応じて60〜900nmの間にある．腺細胞はさらに顆粒の形と位置，粗面小胞体とゴルジ装置の相違によっても区別される．ホルモンの放出は**開口分泌** exocytosis の様式で分泌する．

神経下垂体

神経下垂体（**A5**）は，視床下部の核領域に核周部をもつ**無髄神経線維**（70％），神経下垂体に特有なグリア細胞すなわち**後葉細胞** pituicytes，および複雑な系でつくられている**毛細血管**，で構成される；神経細胞はない．視床下部の核領域で産生されるホルモンは，無髄神経線維の中を軸索輸送で下垂体後葉に運ばれ，ここがホルモンの血中への放出部位となっている（**神経分泌** neurosecretion）（525頁参照）．

---

1 結合組織性鞘 connective tissue sheath　**2** 漏斗部（隆起部）pars infundibularis (pars tuberalis)　**3** 中間部 pars intermedia　**4** 腺下垂体（腺細胞）adenohypophysis (glandular cells)　**5** 神経下垂体 neurohypophysis　**6** 酸好性細胞 acidophils　**7** 塩基好性細胞 basophils　**8** 色素嫌性細胞 chromophobes　**9** 漏斗（下垂体茎）infundibulum (hypophyseal stalk)

視床下部と下垂体の結びつき

視床下部の遠隔作用

視床下部の主要な働き(**AB**)は**植物神経系の統御**と**内分泌系の制御**にある。視床下部は、対応する受容体領域と協力して、体末梢や他の脳領域から入ってくる情報を認知し、上位からの機能目標に向かってそれらの情報を統合している(例:物質代謝の調節,体熱,食物の摂取,生殖など)。視床下部は2つの方式で遠隔作用を発信している:すなわち、1つは**神経性遠隔作用**で、これは脳幹にある内臓性運動性の核領域まで下行し、植物神経を介して内分泌腺に作用を及ぼす(521頁以下参照)。ほかの1つは**ホルモン性遠隔作用**で、これは視床下部下垂体系 hypothalamohypophysial system を介して下位の従属した内分泌腺の働きを調節する。

ホルモンによる遠隔作用

情報担体は**神経ホルモン**といわれ、これは担体物質と結合しており、**神経分泌細胞** neurosecretory nerve cell の核周部(**C1**)、軸索(**C2**)および軸索終末(**C3**)の中に証明されている。視床下部からの神経ホルモンは、ホルモンと担体物質の産生場所である核周部から軸索を経て神経下垂体に達し、神経下垂体の**遠位部**(**B4**)(=後葉,効果器ホルモンの放出部位)か、または**正中隆起**(**B5**)(=神経下垂体の近位部,調節ホルモンの放出部位)に遊離される。後者はさらに**門脈血管**(**B6**)を経由して下垂体前葉(**B7**)に達し、ここで調節ホルモンは前葉ホルモンの合成と分泌に影響を及ぼすことになる。また、腺下垂体へのホルモンの転送は局所にある特殊血管 special vessels を経由して行われるもので、大循環を経由するものではない。

視床下部と下垂体のホルモン

視床下部または下垂体からの幾つかのホルモンだけが**効果器ホルモン** effector hormones として直接的に効果器へ作用する。そのほかの多くのホルモンは**調節ホルモン** regulating hormones としてそれらの作用を間接的に発揮する:すなわち、視床下部の調節ホルモンは腺下垂体の機能に影響を及ぼし、腺下垂体の調節ホルモンは下位の末梢内分泌腺に影響を及ぼしている(例:腺刺激ホルモン glandotropic hormones)。視床下部と下垂体は1つの機能単位を構成し、互いに血管を介して連結している。

効果器ホルモン. 視床下部ホルモンである**オキシトシン**(OXT)と**バソプレッシン**(VP)は、腺下垂体(前葉)が仲介することなしに、効果器の組織に直接作用する。これらのホルモンは神経分泌細胞の軸索の中を通って神経下垂体(後葉)(**B4**)に達し、ここで血中に放出される(526頁参照)。この意味では、神経下垂体は OXT と VP の蓄積および放出器官であり、自身ではホルモンを全く産生していない。腺下垂体ホルモンである**ソマトトロピン**(STH),**プロラクチン**(PRL)および**メラノトロピン**(MSH)は同様に効果器ホルモンとして作用し、すなわち、下位の末梢内分泌腺が介在することはない——ただし、この概念は条件つきでのみ正しい。例えば、ソマトトロピン(成長ホルモン)は、肝や他の組織で生成されて血漿中に存在するソマトメジン somatomedin の刺激によって効果を発揮するものであるから。

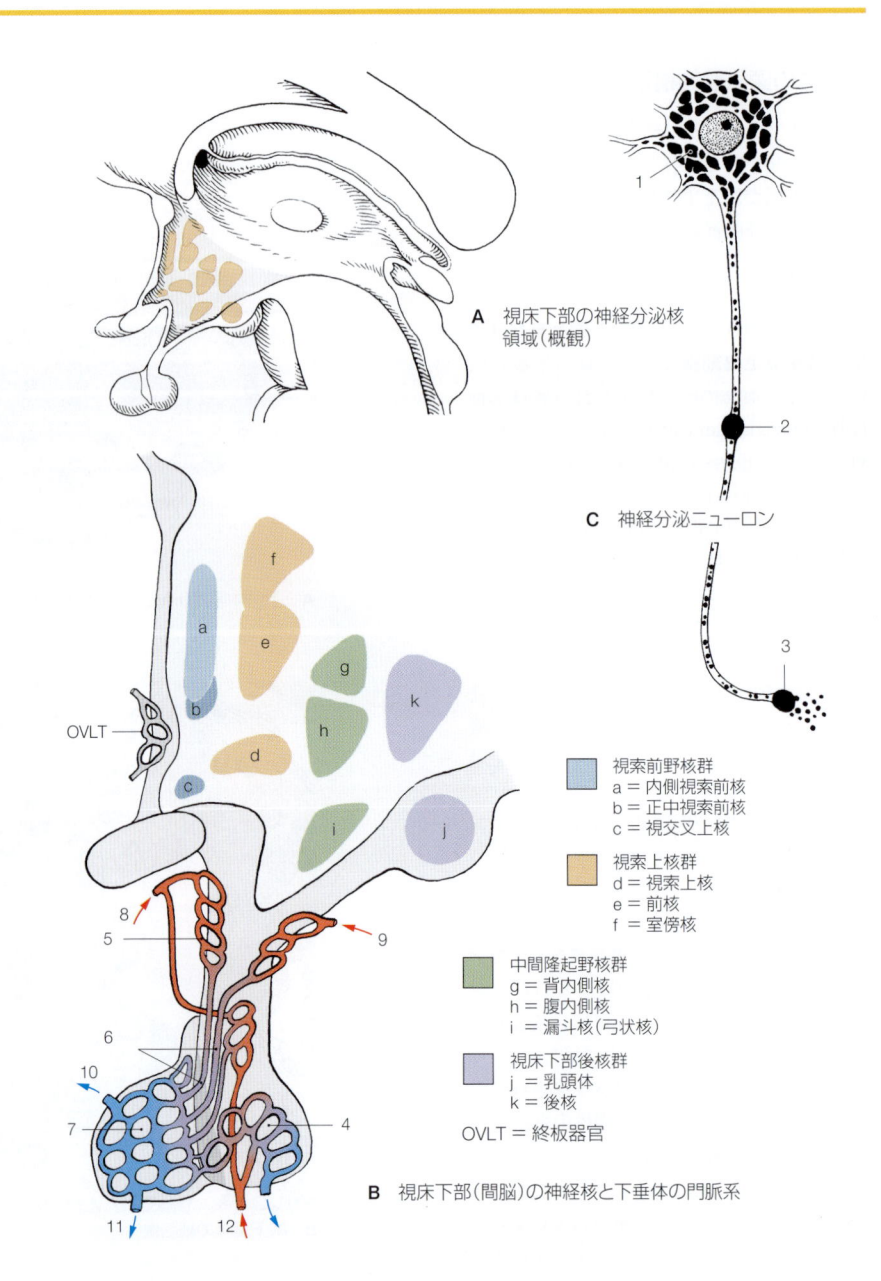

調節ホルモン. 視床下部は最上位の内分泌中枢として腺下垂体に従属している末梢内分泌腺を間接的に制御している。この制御は調節ホルモンによって行われ、腺下垂体におけるホルモンの遊離は、**放出促進ホルモン**(または因子) releasing hormone (or factor)あるいは**放出抑制ホルモン**(または因子) release inhibiting hormone (or factor)によって、促進もしくは抑制される。腺下垂体ホルモンの各々に対して調節ホルモンがつくられているが、これらの調節ホルモンは軸索の中を通って神経下垂体の**正中隆起**(**B5**)に達し、ここから**門脈血管**(**B6**)に入り、**腺下垂体**(**B7**)の毛細血管叢に達する。

視床下部から分泌される調節ホルモンの中で、ACTH, TSH, LH, および FSH に対しては放出促進ホルモンだけが知られている。これらの放出促進ホルモンの合成は、末梢の標的組織におけるホルモン産生が上昇したときには、負のフィードバック機構によって減少する。プロラクチンの遊離はドーパミン(プロラクチン放出抑制因子, PIF)によって抑制される。

A 視床下部の神経分泌核領域(概観)

C 神経分泌ニューロン

a = 内側視索前核
b = 正中視索前核
c = 視交叉上核

視索上核群
d = 視索上核
e = 前核
f = 室傍核

中間隆起野核群
g = 背内側核
h = 腹内側核
i = 漏斗核(弓状核)

視床下部後核群
j = 乳頭体
k = 後核

OVLT = 終板器官

B 視床下部(間脳)の神経核と下垂体の門脈系

---

1 核周部 perikaryon **2** 軸索 axon **3** 軸索終末 axon terminal **4** 遠位部(後葉) pars distalis (posterior lobe) **5** 正中隆起 median eminence **6** 門脈血管 portal vessels **7** 前葉 anterior lobe **8, 9** 上下垂体動脈 superior hypophysial artery **10** 上下垂体静脈 superior hypophysial vein **11** 外側下垂体静脈 lateral hypophysial vein **12** 内側下垂体動静脈 inferior hypophysial artery and vein

視床下部-神経下垂体系（A）

視床下部-神経下垂体系に関する神経分泌ニューロンの核周部（細胞体）は間脳の大細胞性の核領域である**室傍核**（**A1**）と**視索上核**（**A2**）にある．前者からはオキシトシン（OXT），後者からはバソプレッシン（VP）を産生し，これらは軸索経由で**下垂体後葉**（**A3**）に運ばれ，ここで初めて後葉の毛細血管網に放出される．神経分泌物を導く軸索は**視床下部下垂体路**（**A4**）という線維系を形成し，これらの線維は漏斗の内帯を走る．輸送経過の途中に，いわゆる，ヘリング小体 Herring's bodies といわれる軸索の膨らみがみられる（526頁参照）．両神経ホルモンはニューロフィジン neurophysin といわれる担体物質と結合している．

後葉の毛細血管網（**A5**）は循環系の血管に直接接続しており，したがって軸索終末に貯蔵された視床下部からのホルモンは直接身体末梢の標的組織に達することになる．神経下垂体はホルモンの貯蔵および放出場所であり，OXT と VP という**効果器ホルモン**に対する**神経血管領域** neurohemal region なのである．

視床下部-腺下垂体系（B）

視床下部の小細胞性の核領域である**漏斗核**（**B1**）（＝弓状核）と**腹内側核**（**B2**）からのニューロンは，それらの軸索でもって，**隆起漏斗路**（**B3**）を構成し，漏斗の外帯を走る．核周部で産生される調節ホルモン，すなわち放出促進ホルモンあるいは放出抑制ホルモンは軸索終末から**特殊血管** special vessels へ入り，**門脈血管**（**B4**）を経て，**腺下垂体の毛細血管網**（**B5**）に達する．調節ホルモンは前葉ホルモンの分泌を誘発したりあるいは阻止したりしている．前葉ホルモンの大部分はそれ自体が腺刺激ホルモンであり，これらは下位に従属する内分泌腺（甲状腺，副腎皮質，生殖腺）のホルモンの産生と遊離に影響を及ぼしている．

調節ホルモンであるルリベリン（GnRH），ソマトスタチン（SS）およびサイロリベリン（TRF）をもつ核周部は**脳室周囲帯**（**B6**）の中に散らばって存在しており，個々のホルモンを産生している核周部は，いわゆる"下垂体刺激領域（向下垂体領域）hypophysiotropic area"にあって，ほかのホルモンを産生する細胞域と入り混じている．これに対して，コルチコリベリン（CRF）をもつ核周部は**室傍核**（**A1**）に集約して存在する．**漏斗核**（**B1**）にはプロラクトスタチン（PIF）とソマトリベリン（GR-RH）をもつ核周部が混在している．漏斗核は境界の明瞭な核をもつ小細胞性の核領域で，漏斗の壁中にある．この神経核はほかの脳領域からの求心性線維を受け取り，核周部での調節ホルモンの正中隆起における放出を制御している．上記の核領域あるいはホルモン産生部位から正中隆起に向かう無髄の遠心性線維は，隆起漏斗路の中で各系ごとにかなりまとまった線維路をつくっている（525頁参照）．

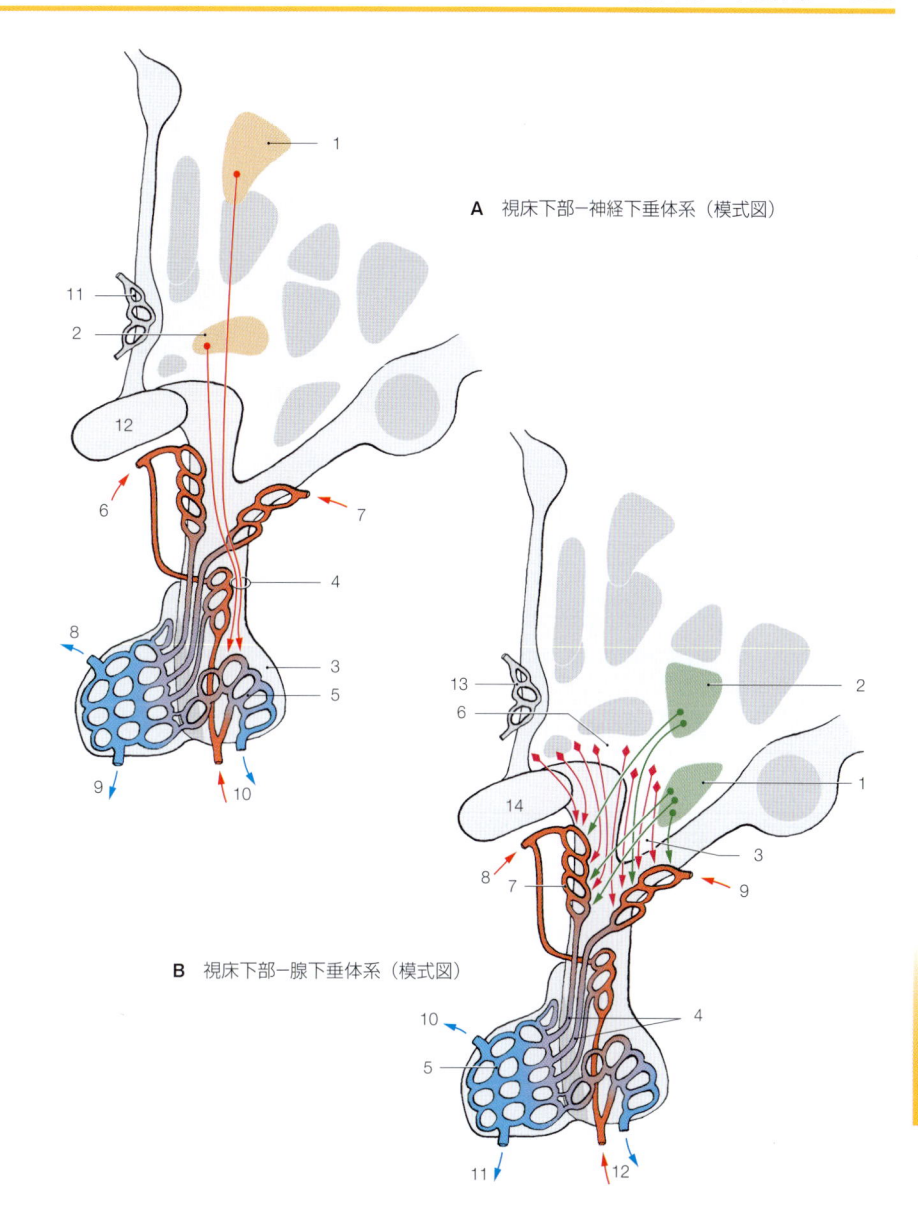

正中隆起（**B7**）．正中隆起は，視床下部からの調節ホルモンに対する**神経血管領域**である．外部から毛細血管性の血管糸球が下垂体茎の中へ放射状に進入する．血管糸球は拡張した血管周囲結合組織隙に取り囲まれ，その中に神経分泌ニューロンの軸索終末が終わり，ここで視床下部の核領域から運ばれてくるホルモンを血管周囲隙の中に放出する．神経ホルモンは続いて**門脈血管**（**B4**）を経て血行により腺下垂体に達し，ここで前葉ホルモンの分泌を促進もしくは抑制する．この神経ホルモンはいろいろな大きさの小胞の形で軸索とその終末に認められる．神経分泌細胞の核周部と突起にはシナプスがみられ，したがって神経ホルモンの産生と放出は単に血管を介しての液性の調節だけでなく，中枢神経系を介して神経性にも調節されている（例：卵巣周期に対する精神的影響，乳汁分泌に対する授乳の際の乳頭の触覚刺激など）．

A　視床下部-神経下垂体系（模式図）

B　視床下部-腺下垂体系（模式図）

A1 室傍核 paraventricular nucleus　**B1** 漏斗核（＝弓状核）infundibular nucleus（arcuate nucleus）　**A2** 視索上核 supra-optic nucleus　**B2** 腹内側核 ventromedial nucleus of hypothalamus　**A3** 下垂体後葉 neurohypophysis　**B3** 隆起漏斗路 tuberoinfundibular tract　**A4** 視床下部下垂体路 hypothalamohypophysial tract　**B4** 門脈血管 portal vessels　**A5** 後葉の毛細血管網 capillary net in posterior lobe　**B5** 腺下垂体の毛細血管網 capillary net in adenohypophysis　**A6, 7** 上下垂体動脈 superior hypophysial artery　**B6** 脳室周囲帯 periventricular zone　**B7** 正中隆起 median eminence　**B8, 9** 上下垂体動脈 superior hypophysial artery　**A8** 上下垂体静脈 superior hypophysial vein　**A9** 外側下垂体静脈 lateral hypophysial vein　**A10** 内側下垂体動静脈 inferior hypophysial artery and vein　**B10** 上下垂体静脈 superior hypophysial vein　**A11** 終板器官 vascular organ of lamina terminalis　**B11** 外側下垂体静脈 lateral hypophysial vein　**A12** 視交叉 optic chiasm　**B12** 内側下垂体動静脈 inferior hypophysial artery and vein　**B13** 終板器官 vascular organ of lamina terminalis　**B14** 視交叉 optic chiasma

視床下部－下垂体系

視床下部－神経下垂体系のホルモンの遠心路

視床下部ホルモンと略号	放出部位	ホルモンの作用
oxytocin, OXT（効果器ホルモン）	下垂体後葉	感作された子宮平滑筋の収縮（陣痛），乳腺の筋上皮細胞の収縮（射乳作用）。機能低下：微弱陣痛
vasopressin, VP または adi-uretin, ADH（効果器ホルモン）	下垂体後葉	血圧を上昇させる．腎臓における水の再吸収を促進する（体液量の調節）。機能低下：尿崩症

調節ホルモン―リベリン

視床下部ホルモンと略号	放出部位	ホルモンの作用
folliberin FSH-RH*(or FSH-RF)	漏斗外帯にある門脈血管の毛細血管叢	腺下垂体におけるFSHの産生と分泌を促進する．
luliberin LH-RH (or LH-RF) GnRH	漏斗外帯にある門脈血管の毛細血管叢	腺下垂体におけるFSHとLHの産生と分泌を促進する．
corticoliberin CRH (or CRF)	漏斗外帯にある門脈血管の毛細血管叢	腺下垂体におけるACTHの産生と分泌を促進する．
thyroliberin TRH (or TRF)	漏斗外帯と正中隆起にある門脈血管の毛細血管叢	腺下垂体におけるTSHの形成と分泌を促進する．
somatoliberin SRH (or SRF) または GH-RH (or GH-RF)	正中隆起にある門脈血管の毛細血管叢	腺下垂体におけるソマトトロピン（STH）または成長ホルモン（GH）の遊離を刺激する．
prolactoliberin PRH (or PRF)	?	腺下垂体におけるプロラクチン（PRL）の産生と分泌を刺激する．
melanoliberin MRH*(or MRF)	?	この物質はヒトでは仮定された物質で，神経下垂体に遊離され，中間葉でのMSH産生と放出に影響を及ぼしているであろう．

調節ホルモン―スタチン

視床下部ホルモンと略号	放出部位	ホルモンの作用
prolactostatin PIH (or PIF) (=dopamine, DOPA)	?	腺下垂体におけるプロラクチンの放出を抑制する．
somatostatin SRIH (SS) (or SRIF)	漏斗外帯にある門脈血管の毛細血管叢	腺下垂体におけるSTHの分泌抑制．TRHにより誘導されるTSHの分泌抑制．この物質は散在性消化管細胞にも存在する．
melanostatin MIH*(or MIF)	?	下垂体中間葉におけるMSHの遊離を抑制しているであろう．

*これらの作用物質の存在は間接的な所見に基づいて仮定されているが，化学構造はまだ確定していない．

（上記表中の略語と英語名称および日本語名称との関係）

OXT	oxytocin	オキシトシン
VP	vasopressin	バソプレッシン
ADH	antidiuretic hormone(adiuretin)	抗利尿ホルモン（アディウレチン）
FSH-RH	FSH-releasing hormone	卵胞刺激ホルモン放出ホルモン
LH-RH	LH-releasing hormone	黄体形成ホルモン放出ホルモン
GnRH	gonadotropin-releasing hormone	性腺刺激ホルモン放出ホルモン
CRH	corticotropin-releasing hormone	副腎皮質刺激ホルモン放出ホルモン
TRH	thyrotropin-releasing hormone	甲状腺刺激ホルモン放出ホルモン
SRH	somatotropin-releasing hormone	ソマトトロピン放出ホルモン
GH-RH	GH-releasing hormone	成長ホルモン放出ホルモン
PRH	prolactin-releasing hormone	プロラクチン放出ホルモン
MRH	melanotropin-releasing hormone	メラニン細胞刺激ホルモン放出ホルモン
PIH	prolactin-inhibiting hormone (dopamine)	プロラクチン抑制ホルモン（＝ドーパミン）
SRIH	somatotropin-release inhibiting hormone	成長ホルモン放出抑制ホルモン
MIH	melanotropin-inhibiting hormone	メラニン細胞刺激ホルモン抑制ホルモン

腺下垂体（前葉）ホルモン

ホルモン名とその略号	産生細胞（染色状態）	TEM*における顆粒の直径	ホルモンの作用
somatotropin STH (or GH)	成長ホルモン産生細胞（酸好性）	300nm	発育の促進；蛋白代謝，脂質代謝および糖代謝に対して影響を及ぼす；ソマトメジンの産生促進．
prolactin PRL (or LTH)	乳腺刺激ホルモン産生細胞（酸好性）	600～900nm	乳腺組織の増殖と乳汁分泌の促進．
follitropin FSH	性腺刺激ホルモン産生細胞（塩基好性）	350～400nm	性腺に作用する；卵胞の発育・成熟の促進，精子生成の促進，顆粒層細胞の増殖，エストロゲン産生の促進およびLH受容体の発現促進．
lutropin LH (or ICSH)		170～200nm	排卵の誘発，卵胞上皮細胞の増殖とプロゲステロンの合成促進；精巣の間質細胞でのテストステロン産生促進；全身的な同化作用促進（anabolic効果）．
thyrotropin TSH	甲状腺刺激ホルモン産生細胞（塩基好性）	60～160nm	甲状腺の活性を促進；O_2摂取の増大，蛋白合成，糖代謝および脂質代謝に影響を及ぼす．
corticotropin ACTH	副腎皮質刺激ホルモン産生細胞（塩基好性）	200～500nm	副腎皮質のホルモン産生を促進，水と電解質代謝および肝における糖形成に影響を及ぼす．
β-/γ-lipotropin LPH	リポトロピン産生細胞（塩基好性）	200～500nm	この物質の作用はヒトではまだ十分に解明されていない．
α-/β-melanotropin MSH	メラニン細胞刺激ホルモン産生細胞（塩基好性）	200～500nm	メラニン産生，皮膚の色素沈着，紫外線からの防御．
β-endorphin	（塩基好性）	200～400nm	鎮痛作用（opioid作用）．

*TEM＝透過型電子顕微鏡

（上記表中の略語と英語名称および日本語名称との関係）

STH	somatotropic hormone(somatotropin)	ソマトトロピン
GH	growth hormone	成長ホルモン
PRL	mammotropic hormone (prolactin)	乳腺刺激ホルモン（プロラクチン）
LTH	luteotropic hormone	黄体刺激ホルモン
FSH	follicle stimulating hormone	卵胞刺激ホルモン
LH	luteinizing hormone	黄体形成ホルモン
ICSH	interstitial cell stimulating hormone	間質細胞刺激ホルモン
TSH	thyroid stimulating hormone	甲状腺刺激ホルモン
ACTH	adrenocorticotropic hormone	副腎皮質刺激ホルモン
LPH	lipotoropic hormone(lipotropin)	リポトロピン
MSH	melanocyte stimulating hormone	メラニン細胞刺激ホルモン

松果体

肉眼的構造

松果体（AB1）はマツカサ状を呈する長さ約12mm，重さ約160mgの器官で，第3脳室上壁の間脳の神経上皮から生じ，茎すなわち**手綱**（AB2）によって脳と連絡している．松果体は手綱交連と後交連の間で第3脳室の後壁にぶら下がっており，この小体の主部は下方に向かって突出し，四丘板（蓋板）の上丘（AB3）の間にできるくぼみに挟まれて位置している．前記2つの交連の間には上衣 ependyma でおおわれた**松果体陥凹**（B4）があり，松果体の外表面は軟膜 pia mater に包まれている．松果体は**脳室周囲器官**の1つであり，**神経血管領域**である（512頁）．松果体は左右の後大脳動脈からの内側および外側の後脈絡動脈から血流を受けており，静脈血は，大大脳静脈へ還流する．

発生．松果体は第3脳室の天井で，間脳の神経上皮から発生してきて，手綱によってほかの脳部とつながっている．系統発生の経過をみれば，松果体は複雑に変化していることを知らされる．本来は光受容体器官（**爬虫類の頭頂眼** parietal eye）であったものが**内分泌腺**になったもので，松果体細胞は系統発生の過程で光受容細胞から内分泌細胞に変化したものである．

微細構造

ヒトでの非常に血管に富んだ松果体の実質は**松果体細胞** pinealocytes と**星状膠細胞** astrocytes で構成される．これらの細胞はきっちり詰まった細胞索をなして円形の細胞巣（C5）をつくり，**結合組織性中隔**（C6）の中に埋まっている．

多極性の神経細胞のような松果体細胞は，先端に篭状の膨らみをもつ突起を出しており，その突起はシナプス小胞をいれたシナプス層板を持っていて，交感神経線維と一緒に毛細血管周囲の空間に終わっている．

退行現象．松果体は早期に退化する．しばしば線維性の星状膠細胞からつくられた**グリア斑点**がみられる．それが溶けて液体で満たされた**嚢胞** cyst ができ，実質を辺縁に押しやって圧迫することがある．ほとんどすべての成人の松果体には**脳砂**（C7）が出現している．これはコロイド状の有機物質にカルシウム塩が沈着したもので，同心円状の層構造を呈し，より大きなものは格子線維に包まれている．この脳砂は年齢とともに増加するため，成人ではこの器官のX線学的な位置決定が可能である．

神経支配．松果体は交感神経の節後線維に支配され，その神経核は**上頸神経節**にある．ノルアドレナリン性の神経線維は内頸動脈神経叢を経て頭蓋内に入り，血管周囲神経叢の様式で松果体に達する．松果体細胞は**改変された光受容体細胞**であり，網膜からの明るさ（光量）の情報を受け取っている．網膜から松果体にまで伝達されるニューロン鎖の途中に視床下部の視交叉上核 suprachiasmatic nucleus と（上記の）交感神経節核が介在している．

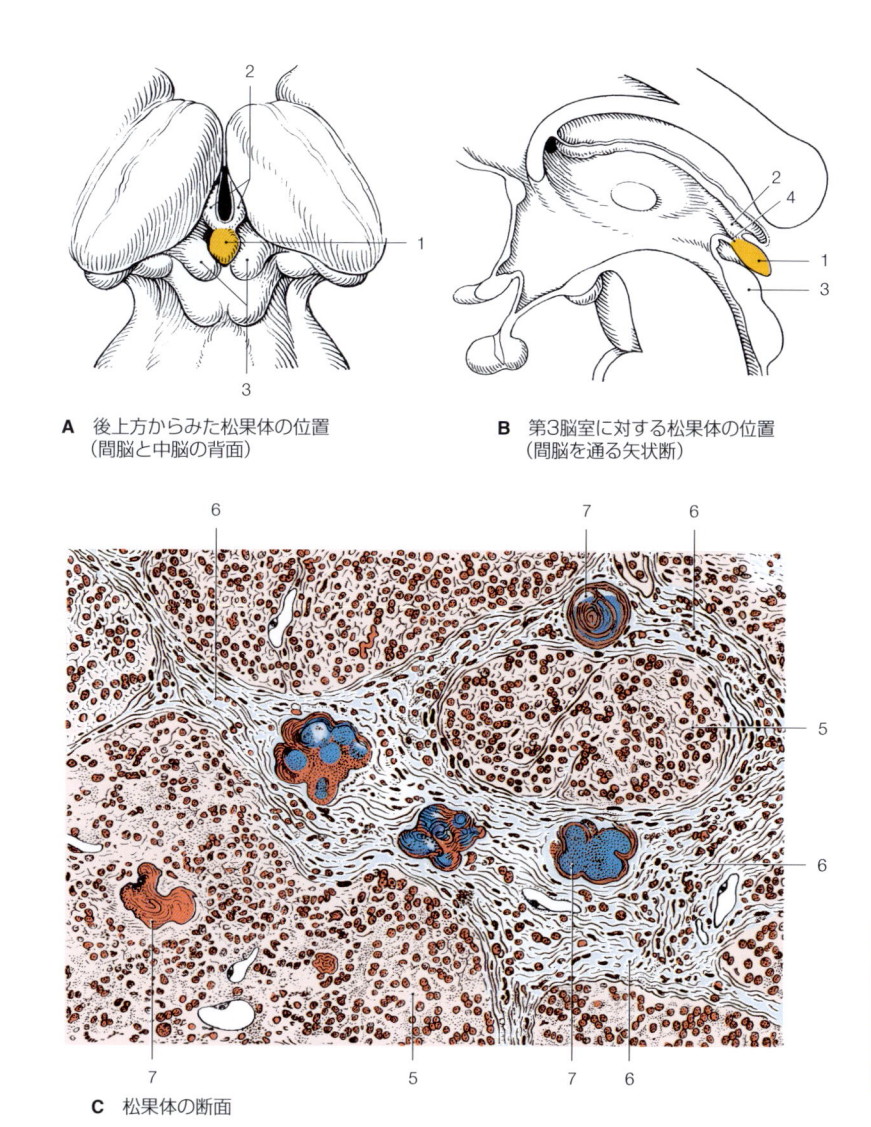

ホルモン．松果体細胞はインドールとペプチド，殊にα-メラノサイト刺激ホルモン（α-MSH）と**メラトニン** melatonin を合成し，分泌している．両生類でのメラトニンはメラニン細胞の収縮をひき起こし，細胞内のメラニン色素顆粒（メラノソーム）の凝集を促進することにより，皮膚の色素沈着を軽減して皮膚の明色化を起こす．したがってこのホルモンは腺下垂体のメラノトロピン（**MSH**）に対して拮抗的に働く．メラトニンは松果体に特有な酵素によりセロトニンからつくられ，とくに夜間にのみ産生されている．ヒトおよびその他では，メラトニンは視床下部に働いて腺下垂体からの性腺刺激ホルモン（LH，FSH）の分泌を抑制し，その結果として思春期までの性腺の発達を抑制している．また，甲状腺はおそらくメラトニンの標的器官の1つで，その際には光の影響がある役割を果たしていると考えられている．

> **臨床関連**：ある種の型の**思春期早発症** precocious puberty（予定以前の性的早熟）は松果体の機能低下に起因するといわれている．また最近の研究結果によると，**メラトニンは広域帯に作用する有効な医薬品**として報告されている．今日までに行われた試験では，メラトニンは不眠症や時差ぼけを改良するだけでなく，老化過程を遅延させ，免疫系を強め，心疾患を予防（コレステロールと血圧の低下）することが示されている．癌治療の効果を高め，放射線治療の副作用を低減する．松果体の腫瘍は中脳水道を圧迫して脳脊髄循環をブロックし，潜在性（正常圧性）水頭症を引き起こす．

A 後上方からみた松果体の位置（間脳と中脳の背面）

B 第3脳室に対する松果体の位置（間脳を通る矢状断）

C 松果体の断面

---

1 松果体 pineal body　2 手綱 habenula　3 上丘 superior colliculus　4 松果体陥凹 pineal recess　5 実質細胞の巣 nest of parenchymal cells　6 結合組織性中隔 connective tissue septum　7 脳砂 brain sand

副腎（腎上体）

肉眼的構造

副腎（腎上体）(**A1～2**) は対性の腹膜後器官であり，発生的に異なる2種類の内分泌腺の部分が1つの実質性器官に結合したもので，全体を結合組織性の被膜で包まれている．外層にある中胚葉性（腹膜上皮由来）の**副腎皮質**(**D9**) が外胚葉性（神経堤の交感神経芽細胞由来）の**副腎髄質**(**D10**) を包み込んでいる．副腎はそれぞれ約 4.2～5g の重さで，左右の腎臓の上極の上にのっており(**AB1，AC2**)，腎臓とは共通の脂肪被膜 perinephric fat に包まれている．各副腎の前面には静脈とリンパ管が出てくる**門** hilum があり，これに対して動脈と神経は多くの部位でこの器官の**表面**から内部に進入する．

局所解剖．両側の副腎は後腹壁で第11および12肋骨頸の高さに投影される．**右の副腎**（**AB1**）は**前方**からみると明瞭な尖 apex をもつ扁平三角状を呈している．腎面の**底** base は腎上極の上に直接のっており，それに対応した丸みをもつ．側面は横隔膜の内側脚に接しており，また大内臓神経と部分的に腹腔神経節の右側部をおおっている．**前面**は肝右葉によりおおわれ，また一部は下大静脈によりおおわれている．

左の副腎（**AC2**）はどちらかといえば半月状を呈し，腎の上内側縁に接して存在するが，先端部をもっていない．左の副腎は同様に大内臓神経をおおい，**前方**からは大網と胃の後壁が接触している．両副腎に対しては，腹腔神経節と腹腔神経叢（**A3**）のすぐ近くの脇に，密に多数分枝した**副腎神経叢** suprarenal plexus をつくるのが特徴で，副腎への線維は大小内臓神経，横隔神経，および迷走神経などからの腹腔神経叢に由来し，この器官に表面から進入する．

副腎の血管とリンパ

動脈．副腎は表面の被膜内につくられる細動脈の網の目を経てその動脈血供給を受け入れている．この細動脈網との連絡路には3つの動脈が関与している：すなわち，①下横隔動脈からの**上副腎動脈**，②腹部大動脈（**A4**）からの**中副腎動脈**，③腎動脈（**A5**）からの**下副腎動脈**である．しかしこの典型的な動脈血供給血管の組み合わせには多くの変異型もみられる．表層の細動脈網は実質内に入って皮質の腺細胞の間を通る類洞性の**毛細血管網**となり，次いで**髄質内の静脈性類洞**に注ぎ，続いて髄質静脈に移行する．**髄質静脈**は不規則に分岐して縦走して走る強い筋線維を備え洞様に広がった内腔をもつ静脈で，血流を調節する絞り装置として働き，これによってホルモンを多く含んだ血液を一過性にせきとめ，またホルモンの供給が必要なときは素早くもとへ戻すことができる（絞扼静脈 choking veins）．一方，この系以外にも，一部の小動脈枝は被膜からそのままの形で皮質を貫通して髄質に直接達しているものもある（**貫通動脈** perforating arteries）．

静脈．副腎の静脈血は一本の**中心静脈** central vein に集められ，これは門を出た後，左側では**左副腎静脈** left suprarenal vein として左腎静脈（**A6**）へ，右側では**右副腎静脈** right suprarenal vein として下大静脈（**A7**）へ還流する．

リンパ還流．リンパ管は大部分が動脈に導かれる．副腎からの1次リンパ節は**大動脈傍リンパ節**と**腰リンパ節**（**A8**）である．2，3のリンパ管は胸部内臓神経に同伴して，横隔膜を通りぬけて**後縦隔リンパ節**に達する．

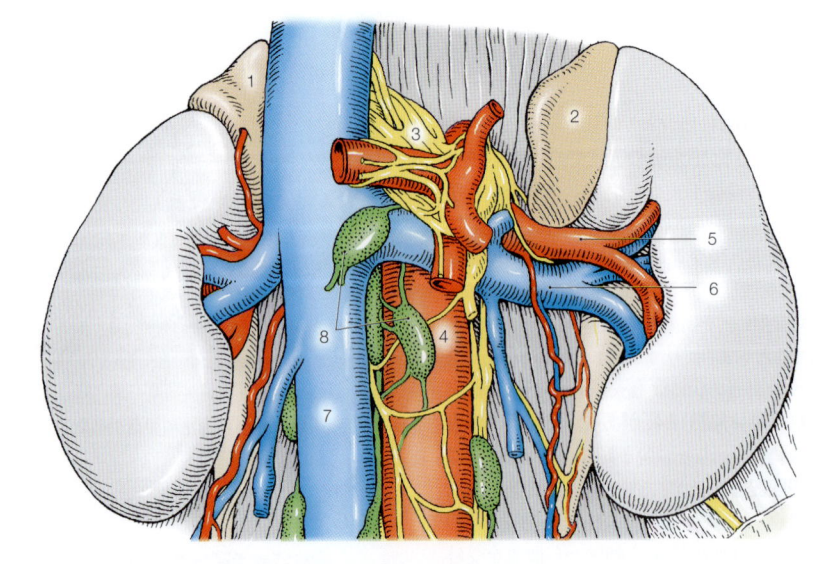

A 副腎の局所解剖

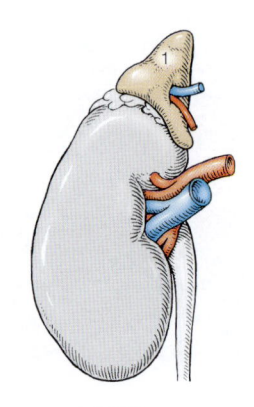

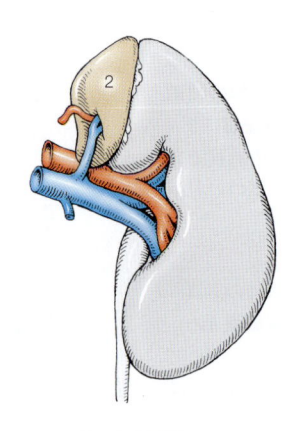

B 右の副腎

C 左の副腎

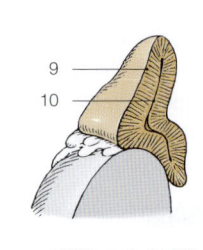

D 切開した左の副腎

1 右の副腎（腎上体）right adrenal gland　2 左の副腎（腎上体）left adrenal gland　3 腹腔神経叢 coeliac plexus　4 腹部大動脈 abdominal aorta　5 左腎動脈 left renal artery　6 左腎静脈 left renal veins　7 下大静脈 inferior vena cava　8 腰リンパ節 lumbar nodes　9 副腎皮質 adrenal cortex　10 副腎髄質 adrenal medulla

副腎皮質の微細構造

副腎皮質の上皮組織は基底膜に囲まれた細胞索または細胞巣からなり，間には毛細血管と細網線維が介在する．皮質は脂質に富み，肉眼で観察すると黄色っぽくみえる．皮質(**A1**)は被膜側から髄質(**A2**)に向かって次の3層に分けられる：

球状帯(**B1**)．濃染する核と密に顆粒の詰まった細胞質をもつ**小型の円柱状細胞**からなり，これが**球状またはアーチ状に配列**している．細胞は滑面小胞体に富むが，リソソームと脂肪小滴はまばらである．ミトコンドリアはほとんどがクリスタ型に属する．細胞巣の間を**広い毛細血管洞**が走り，これは束状帯に向かって放射状に移行する．内皮は小孔を備えている．

束状帯(**B2**)．この層は最も厚く皮質の大部分を占める．大きな多角形の細胞が**平行に並ぶ柱状の細胞索**として配列し，この細胞は脂質，コレステロールに富む．通常の組織標本作製時には脂質が溶出して，細胞質は泡沫状にみえる．この細胞はビタミンAとビタミンCを多く含んでおり，細管状ないしは小嚢状のクリスタをもつミトコンドリアがある．

毛状帯(**B3**)．この層の実質細胞は**網状または球状に配列**している．細胞は比較的に小型で，細胞質は脂質に乏しく酸好性を示す．年をとるとともにリポフスチン顆粒が沈積してくる．

皮質の改変過程(**C**)．出生前の網状帯(胎生皮質)はよく発達している．出生直前から生後1年にかけて，網状帯は**生理的退縮** physiological involution によって退縮し(胎盤の絨毛性ゴナドトロピンの脱落による影響)，3歳頃から恒久的な皮質の構築が行われる(構築期)．皮質−髄質−比率が変わる．成人になると，とくに球状帯と網状帯の発達が著明となる．女では更年期に入ると(男では60歳頃から)球状帯と網状帯の量は減少する．皮質の改造領域は再構築帯 reconstruction zone といわれ，**外再構築帯**(ORZ)は被膜，球状帯および束状帯の外層の領域に当たり，**内再構築帯**(IRZ)は束状帯の内層と網状帯に相当する．

A 副腎皮質と副腎髄質(概観)

B 副腎皮質の断面，皮質の層構造

ORZ=外再構築帯
IRZ=内再構築帯

C 年齢に応じてみられる副腎皮質の改変

副腎皮質ではステロイドホルモンがつくられており，次の主要な三群に分けられる：

ミネラルコルチコイド．これは主として球状帯で産生され，**Na塩とK塩の平衡**に作用し，Naを貯留し，Kを排泄することによって，水の出入りを調節する．最も重要なミネラルコルチコイドはアルドステロンとデオキシコルチコステロンである．

臨床関連：アルドステロンの分泌増加は原発性アルドステロン症(**コン症候群** Conn's syndrome)をきたし，その際には高血圧症と低K血症が起こる．反対に，アルドステロンとコルチゾールの欠乏は**アジソン病** Addison's disease の原因となり，臨床症状として無力症，高K血症，色素沈着，衰弱が起こる．

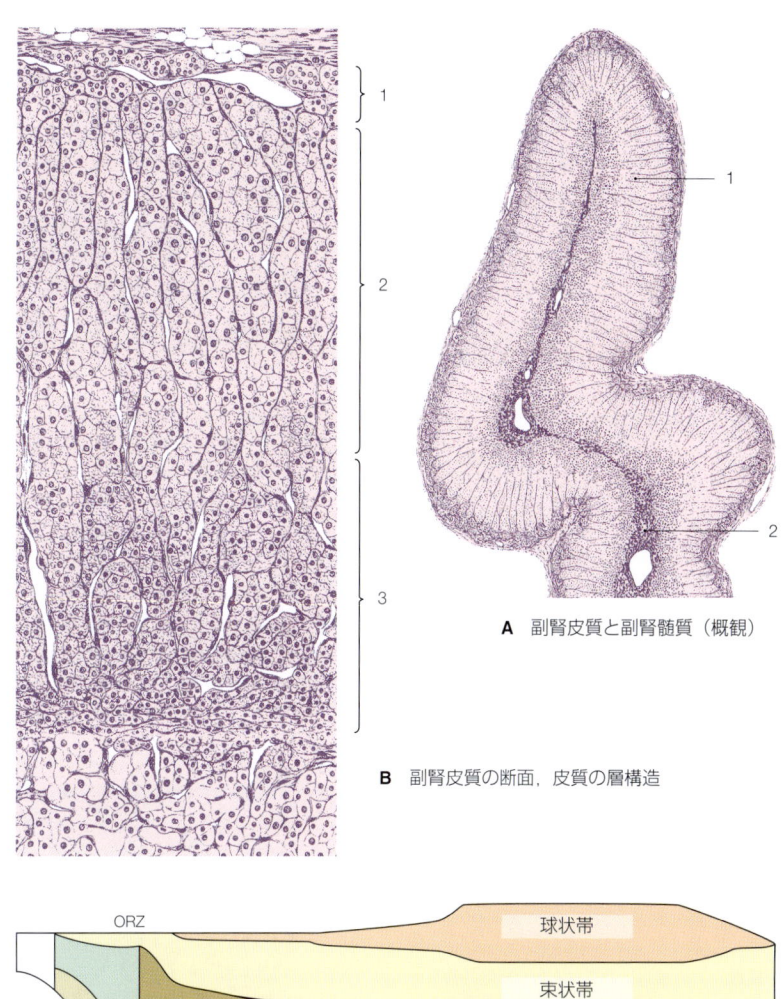

グルココルチコイド．これは主に**糖代謝，タンパク代謝**ならびに**免疫系**に影響を及ぼす．グルココルチコイドは血糖値の上昇，血中リンパ球の減少，および食作用の抑制(免疫抑制作用と抗炎症作用)をもたらす．グルココルチコイドは主として**束状帯と網状帯**で産生される．最も重要なものは**コルチゾール，コルチゾンおよびコルチコステロン**である．

臨床関連：グルココルチコイドの分泌増加は**クッシング症候群** Cushing's syndrome を起こし，中心性肥満，満月様顔貌，高血糖，高血圧，筋萎縮，骨粗鬆症などが特徴的である．これに相応した症状は治療上の度を超えたグルココルチコイドの服用の際にも現れる．

アンドロゲン．これは**網状帯**で産生される男性化ホルモンで，最も重要なアンドロゲンは**デヒドロエピアンドロステロン**(DHEA)とアンドロステンジオンであり，テストステロンもわずかであるが合成されている．

臨床関連：副腎性アンドロゲンの分泌増加は**副腎性器症候群** adrenogenital syndrome の原因となる．

副腎皮質の束状帯と網状帯は下垂体からのACTHに依存している．個々のホルモンの産生部位は，未だ不確実なところもあるが，決まった型の細胞または決まった帯において産生されているといえる．球状帯からのミネラルコルチコイドは視床下部−下垂体系とは関係なく腎のレニン−アンジオテンシン系の影響下につくられている．

A1 副腎皮質 adrenal cortex　**B1** 球状帯 zona glomerulosa　**A2** 副腎髄質 adrenal medulla　**B2** 束状帯 zona fasciculata　**B3** 網状帯 zona reticularis

副腎髄質の微細構造

発生．副腎髄質 adrenal medulla は神経性外胚葉の交感神経芽細胞（神経堤）に由来し，生前の発生経過中に皮質原基を通って入植したものである．髄質には分化の異なる数種類の細胞が生じている．

構造．副腎髄質は主として特有な**髄質細胞**（**A1**）で構成され，索状または球状に配列し，その間に広い腔をもった**洞性毛細血管**（**A2**）と細静脈が走る．この細胞は不正多角形の突起をもたない細胞で，核はクロマチンに乏しくやや疎にみえる．細胞質は弱塩基好性で，重クロム酸カリを含んだ溶液で固定すると褐色に染まる微細顆粒を含んでいる．ゆえに髄質細胞は**クロム親性細胞**ともいわれる．顆粒内には**カテコルアミン**（アドレナリンとノルアドレナリン）を含有しており，これは洞性血管に放出される．光学顕微鏡でのクロム親性髄質細胞はその顆粒の異なる性質に基づいてA-細胞（アドレナリン分泌細胞）とN-細胞（ノルアドレナリン分泌細胞）が区別されている．

A-細胞．この細胞はヒトの副腎髄質では圧倒的に多い．酸性ホスファターゼに富み，アゾカルミンによく染まるが，銀との反応はなく，また固有蛍光性も全くない．

N-細胞．この細胞は髄質にある全細胞の約5％を形成している．銀親性で，固有蛍光を発する．アゾカルミンでの染色性はわずかで，また酸性ホスファターゼ反応は陰性である．

電子顕微鏡でもクロム親性細胞の鑑別は可能である．A-細胞は平均直径200nmの中等度の電子密度をもった均質な顆粒を含み，N-細胞はより大きな260nmの電子密度の高い顆粒をもっている．

クロム親性細胞はその起源を根拠として，**交感神経の節後神経節細胞が改変された細胞**とみなすことができる．それに応じて，この細胞は，末梢植物神経系における2交感神経ニューロンと同様に，コリン作動性交感神経の節前線維によって支配されている．免疫蛍光顕微鏡および免疫組織化学を用いて，クロム親性細胞およびその神経終末にはアドレナリン，ノルアドレナリンのほかに，サブスタンスP，NPY，VIP，SS，加えてOXT，VPが証明されている．

副腎髄質にはクロム親性細胞のほかに神経線維の太い束と多極性の**交感神経節細胞**（**A3**）が存在する．これは長い突起をもった細胞で，単独または小集団をなして髄質内に散在している．この細胞に近接して**衛星細胞**が見出されるが，衛星細胞と結合組織の細胞とを区別することは難しい（**A4**）．

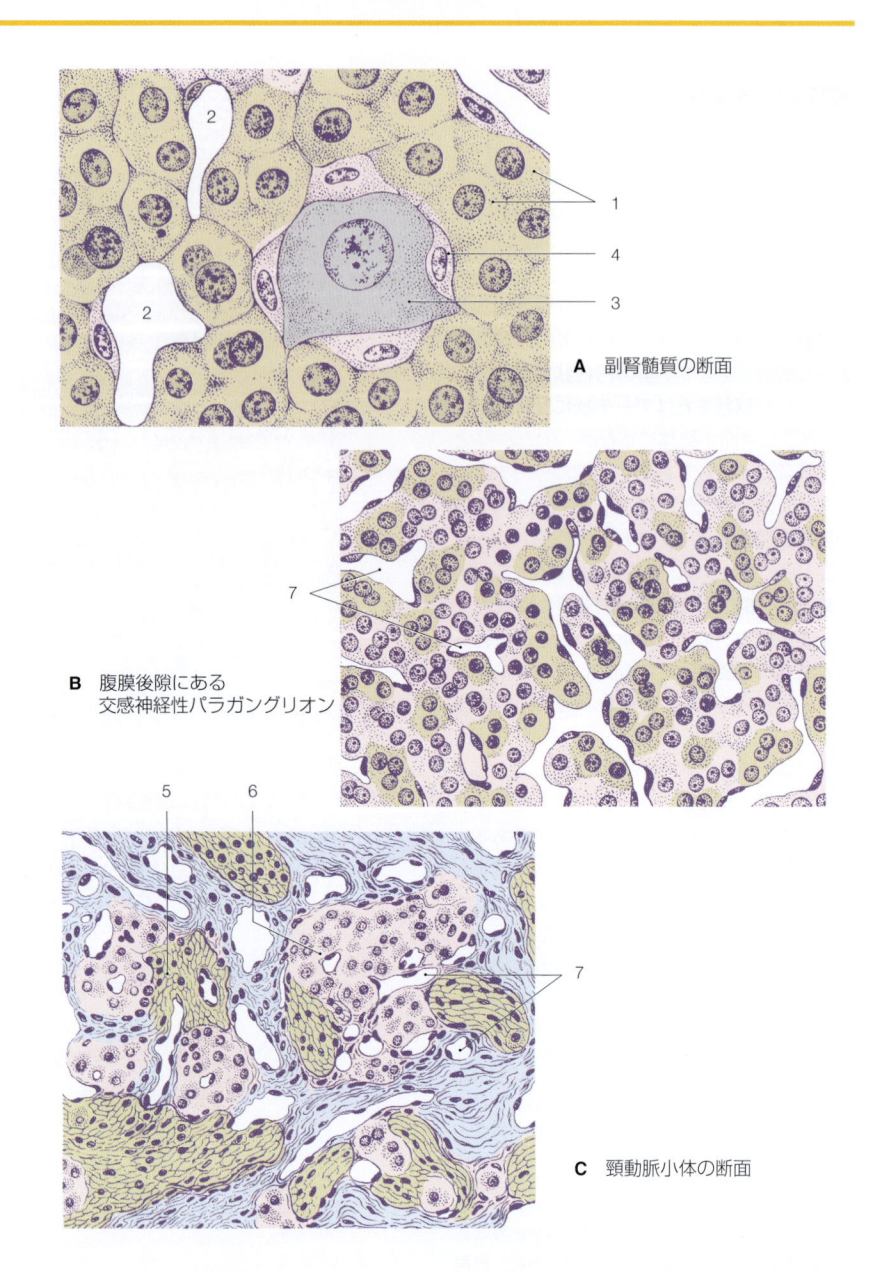

A 副腎髄質の断面

B 腹膜後隙にある交感神経性パラガングリオン

C 頸動脈小体の断面

臨床関連：クロム親性細胞からの腫瘍いわゆる**褐色細胞腫** pheochromocytoma が発生することがあり，そのときはカテコルアミンの過剰分泌が起こる．多くは，良性の腺腫である．臨床症状としては高血圧，心悸亢進，頭痛，発汗過多，エネルギー代謝の亢進などを示す．

パラガングリオン（**BC**）とは，神経に接着して存在するほぼエンドウ豆大から米粒大の結節状の**上皮様細胞の集合体**である．**交感神経性パラガングリオン**はクロム親性細胞を含み，同様にカテコルアミンを産生している．これらは副腎髄質と同じく神経堤 neural crest に由来し，副腎髄質と関連づけて"髄質外クロム親性細胞群" extramedullary chromaffin cell group といわれる．副腎髄質以外の交感性傍節では，下腸間膜動脈の起始部にある**腹大動脈パラガングリオン**（＝**大動脈傍体** para-aortic bodies，ツッカーカンドル器官 Zuckerkandl bodies）が最も大きなものとして知られている．そのほか小さな傍節が腹膜後隙で交感神経に沿って不規則に散在してみられる．**副交感性パラガングリオン**に属するものに**頸動脈小体** carotid body がある（**C**）．これは総頸動脈の分岐部に存在する非クロム親性の上皮様細胞の集団（**C6**）で，舌咽，迷走，交感神経に由来する神経線維束（**C5**）と豊富な毛細血管（**C7**）が認められ，呼吸調節に作用する化学的受容器 chemoreceptor として働いている．このほかに**鎖骨下動脈傍節**，上下に位置する**大動脈-肺動脈傍節**，および迷走神経の**節状神経節傍節**がある．

---

1 髄質細胞（クロム親性細胞）medullary cells（chromaffin cells）　**2** 洞様毛細血管 sinusoidal capillaries　**3** 交感神経節細胞 sympathetic ganglion cells　**4** 衛星細胞 satellite cells　**5** 神経線維 nerve fibers　**6** 実質細胞 parenchymal cells　**7** 毛細血管 capillary

甲状腺

肉眼的構造

甲状腺 thyroid gland は前腸の咽頭底（舌根の盲孔）の上皮から由来し，頭方にのびる2つの円錐形の葉，右葉（A～C1）と左葉（A～C2）からなる．これら2葉は喉頭と気管上部の両側に位置し，根部で甲状腺峡部（AC3）によって互いに結ばれている．

甲状腺の大きさおよび重量は甚だしく変化に富み，単離した腺での重さは新生児では2～3g，成人では18～60gである．甲状腺の色は通常では暗赤褐色を呈する．

甲状腺葉．各葉は高さ4～8cm，幅2～4cm，中央での厚さ1.5～2.5cmで，多くの場合，右葉は左葉より少しだけ幅広で高さも長い．各葉は外後方に向かって下方から斜めに上行して走り，疎性結合組織と被膜（C5）によって気管，輪状軟骨および甲状軟骨の上に強く固定されている．

局所解剖．各葉は横断面では三角形を呈する：その前側面は凸の彎曲を示し，気管および喉頭に接する内面は器官に対応した凹の彎曲を示す．甲状腺の後外側縁には頸部の大きな血管と神経を入れた頸動脈鞘（C7，277頁）が接して存在している．両葉の上極は甲状軟骨板の斜線の高さに達し，下極は第4または第5気管輪に達する．甲状腺は前方から不完全ではあるが舌骨下筋（C8）におおわれ，また頸筋膜の気管前葉（＝中頸筋膜）（C11）が甲状腺を越えて走っている．

峡部と錐体葉．峡部（AC3）は大きさや形に変化が多く，時には完全に欠如することもあるが，通常では幅1.5～2cm，厚さ0.5～1.5cmを有する．峡部の上縁またはどちらかの葉，多くは右葉から錐体葉（A4）という長い突起が舌骨に向かって垂直にのびている．これは胎生期の甲状舌管 thyroglossal duct の遺残物で，これもまた大きさや形に変化に富みしばしば完全に欠如している．

甲状腺の被膜．甲状腺は強靱な甲状腺被膜（C5, C6）に包まれ，この被膜は2種類で構成される．内被膜（C5）は線維被膜ともいわれ，結合組織性の弱い膜で腺実質の全体と癒着している．これは血管を伴って腺内に入り込む中隔を出して腺実質を大小の小葉に分けている．外被膜（外科的被膜）（C6）は筋膜性被膜ともいわれ，丈夫な膜で気管前葉の一部とみなされる．内・外の被膜の間には疎性結合組織で満たされた"ずれ"が可能な裂隙が認められ，この中で血管が分枝し，また背側には上皮小体（B9, BC10）を入れている．外被膜は後外側で頸部の血管神経索を包む結合組織（C7，頸動脈鞘）と結合した状態にある．

動脈．甲状腺は循環血液量の非常に多い器官の1つに属し，2種類の対性の動脈によって供給される：すなわち，上甲状腺動脈（A17）が外頸動脈（A21）の最初の枝として分岐し，上喉頭動脈を出したあとで前下方に向かって両葉の上極に達する．この動脈は甲状腺の上部，前部，外側部に供血する．甲状腺の枝である下甲状腺動脈 inferior thyroid artery が第7頸椎の高さまで上行し，次いで内下方に曲がって，腺の後面に達する．この動脈はこの腺の下部，後部，内側部に供血する．時折，不対性の最下甲状腺動脈 thyroid ima artery がみられる．

静脈．静脈還流路は，上部では上甲状腺静脈（A18）に集まり，これは単独または顔面静脈を介して内頸静脈（A19）に開口する．一方，甲状腺下縁の気管前隙には不対甲状腺静脈叢（A20）が形成され，ここから下甲状腺静脈 inferior thyroid vein として胸骨の後部で腕頭静脈に開口する．

リンパ還流．リンパ路も上部と下部の流域に区分される．甲状腺の上部と中間部からのリンパは内頸静脈に沿う外側頸リンパ節 lateral cervical nodes に向かい，下部からのリンパは前縦隔リンパ節 anterior mediastinal nodes に向かう．

神経．甲状腺は求心性交感神経線維を交感神経幹の上頸神経節ならびに頸胸神経節からの節後線維を受け取り，副交感神経線維は上喉頭神経と反回神経から供給される．これらの神経線維は血管周囲神経叢の形で甲状腺に達している．

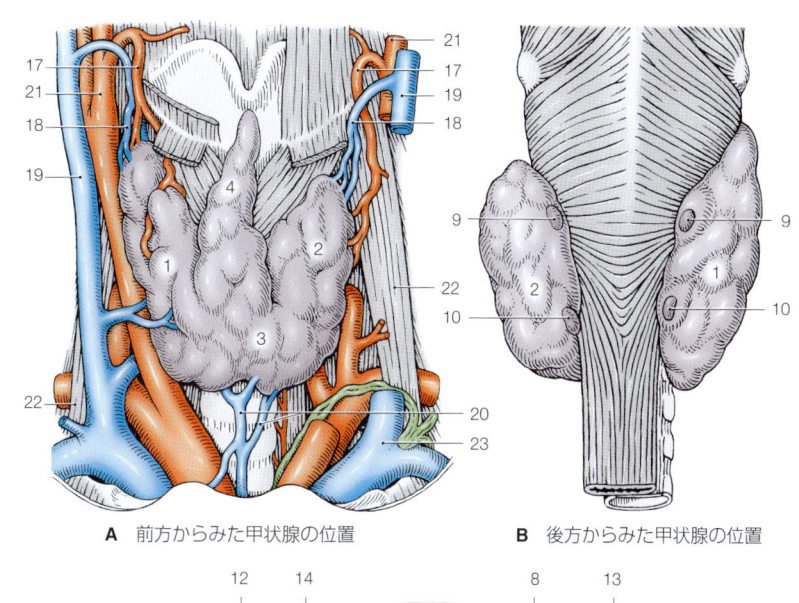

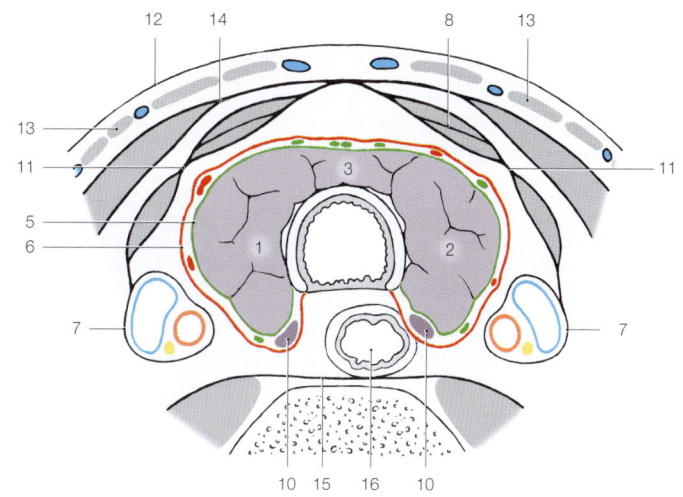

A 前方からみた甲状腺の位置

B 後方からみた甲状腺の位置

C 頸部器官に対する甲状腺の位置関係

---

1 右葉 right lobe　2 左葉 left lobe　3 甲状腺峡部 isthmus　4 錐体葉 pyramidal lobe　5, 6 甲状腺被膜 capsule of thyroid gland　5 内被膜（線維被膜）internal capsule (fibrous capsule)　6 外被膜（外科的被膜）external capsule (surgical capsule)　7 頸動脈鞘 carotid sheath　8 舌骨下筋 infrahyoid muscles　9 上上皮小体 superior parathyroid gland　10 下上皮小体 inferior parathyroid gland　11 （頸筋膜の）気管前葉 pretracheal layer　12 （頸部の）皮膚 skin　13 広頸筋 platysma　14 （頸筋膜の）浅葉 superficial layer　15 （頸筋膜の）椎前葉 prevertebral layer　16 食道 oesophagus　17 上甲状腺動脈 superior thyroid artery　18 上甲状腺静脈 superior thyroid vein　19 内頸静脈 internal jugular vein　20 不対甲状腺静脈叢 unpaired thyroid plexus　21 外頸動脈 external carotid artery　22 前斜角筋 scalenus anterior　23 胸管 thoracic duct

微細構造

甲状腺は不規則な小葉に区分された器官で，この点では外分泌腺と似ている．微細構造では**閉鎖された上皮性濾胞**（囊状構造物）で構成され，これらはいろいろな大きさの貯蔵室で，大量のホルモンを含んだ分泌物を貯蔵している．この分泌物を**コロイド**（**A1**）という．

甲状腺濾胞．濾胞 follicle は大きさの異なる直径 50～900μm の球形，卵形，管状形を呈し，その**壁**は明瞭な細胞境界をもつ単層の上皮でつくられている．**濾胞上皮細胞** follicle epithelial cell の高さは機能状態によって左右され，分泌貯蔵期は扁平ないし立方状で（**A2**），分泌形成期には高さを増して円柱ないし高円柱状を呈する（**B2**）．濾胞腔に面した細胞表面には，分泌物の分泌機能と吸収機能をもった微絨毛（**C3**）がある．細胞核はほぼ中央に位置し，細胞質には細胞小器官がよく発達している．老人では消耗性色素が増加してくる．**濾胞の表面**は少量の結合組織（**AB4**）と密な有窓性の毛細血管（**C5, E**）の網で囲まれている．

傍濾胞細胞（**C-細胞**）．傍濾胞細胞（**C6**）は C-細胞ともいわれ，比較的大型で明るい細胞質をもち，濾胞上皮細胞に挟まれてまたは散発的に存在している．つまり，この細胞は基底膜（**C7**）の上部にあるが，濾胞腔には達しない．傍濾胞細胞は多数のミトコンドリア，よく発達したゴルジ装置，膜に包まれた顆粒を有し，この顆粒は直径 100～180nm の間にあり，32 個のアミノ酸からなる**カルシトニン**，ドーパミン，そしておそらくは，ソマトスタチンを含有している．C-細胞は発生学的には神経堤に由来し，神経外胚葉から生じる．C-細胞は **APUD 系**（アミン前駆体をとり入れ，脱炭酸する）の細胞に属する．

ホルモン．甲状腺はサイロキシン（T_4），トリヨードサイロニン（T_3），これに加えてカルシトニンを産生している．細胞内生合成上の主な産生物は T_4 であり，T_3 はわずかの量が合成される．**サイロキシン** thyroxin と**トリヨードサイロニン** triiodothyronine は細胞の物質代謝を促進し，身体・精神の正常な発育のために必須なホルモンである．**カルシトニン** calcitonin は血中カルシウム濃度を下げ，骨形成を促進する．このホルモンは，上皮小体で産生されるパラソルモンの拮抗物質で，破骨細胞の活性を抑制し，その結果骨吸収を抑制する．

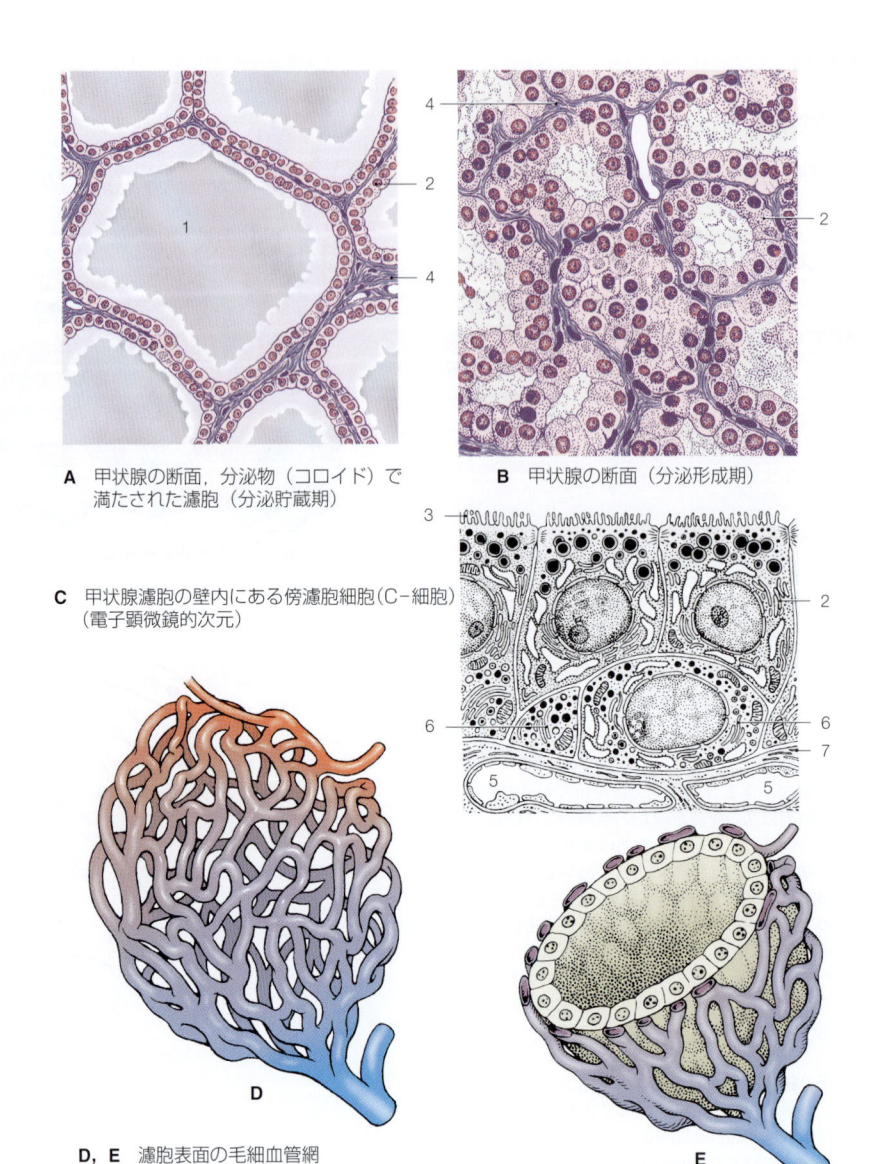

A 甲状腺の断面，分泌物（コロイド）で満たされた濾胞（分泌貯蔵期）

B 甲状腺の断面（分泌形成期）

C 甲状腺濾胞の壁内にある傍濾胞細胞（C-細胞）（電子顕微鏡的次元）

D, E 濾胞表面の毛細血管網

臨床関連：甲状腺の機能亢進（**甲状腺機能亢進症** hyperthyroidism，バセドウ病 Basedow's disease）では，細胞内での燃焼過程が増大する（基礎代謝の亢進）．続いて体重減少（やせ），体温上昇（発汗），心悸亢進（頻脈）ならびに神経過敏が起こる．機能低下（**甲状腺機能低下症** hypothyroidism）例えば橋本-甲状腺炎（橋本病）では，新陳代謝の低下，体温低下および寒さに対する抵抗性の減弱，無気力，皮膚乾燥，精神活動の減退，および皮下結合組織の浮腫状腫脹をきたし，いわゆる粘液水腫 myxedema が起こる．**先天性の機能低下**では，身体の発育障害（小人症）や著しい知能の低下（白痴）をきたし，いわゆるクレチン病 cretinism が起こる．

ホルモンの産生と放出．サイロキシンとトリヨードサイロニンは幾つかの過程を経て徐々に形成され，血中への放出が必要になるまでは**サイログロブリン** thyroglobulin と結合して濾胞腔に貯蔵されている．まず，濾胞上皮細胞で糖タンパク性のダイマータンパクであるサイログロブリンがつくられる．基底部で，血中から取り込まれた**ヨードイオン**は濾胞腔内で H_2O_2 とペルオキシダーゼの存在下に酸化されて I_2 となり，サイログロブリンの**チロシン基**と結合する（ヨードの有機化）．1 個のヨードが結合したチロシンをモノヨードチロシン基 monoiodotyrosine（MIT）といい，2 個ついたものをジヨードチロシン基 diiodotyrosine（DIT）という．さらに，1 個の MIT と 1 個の DIT が縮合（エーテル結合）すると T_3 基が形成され，2 個の DIT が縮合すると T_4 基が形成される．以上の過程を経て形成されたサイログロブリンの T_3 基および T_4 基は，コロイドとして濾胞内に貯蔵される．その後，このヨード化したサイログロブリンは，TSH によって促進される飲食作用 endocytosis によって，**コロイド小滴**として濾胞細胞に取り込まれ，細胞質内のリソソームで加水分解されてホルモンとグロブリン間の結合が解かれ，活性のある T_3 または T_4 が形成される．続いてホルモンは拡散によって循環系に放出される．

---

1 コロイド colloid　**2** 本文参照　**3** 微絨毛 microvilli　**4** 結合組織 connective tissue　**5** 有窓性毛細血管 fenestrated capillaries　**6** 傍濾胞細胞（C-細胞）parafollicular cells　**7** 基底膜 basal lamina

副甲状腺-上皮小体

位置と構造．4個の**上皮小体**（**B1**，副甲状腺）は第3および第4咽頭嚢（鰓嚢）の背壁の内胚葉性の上皮から発生する（**A**）．個々の上皮小体は麦粒大でレンズ状を呈し（5×3×2mm），総重量は160mg，色は赤褐色で黄色味を帯びている．上皮小体は甲状腺の両葉の背側に密着して，甲状腺の内・外被膜の間に存在する．対性の**上上皮小体**（第4咽頭嚢から発生）は輪状軟骨の下縁の高さにあり，同じく対性の**下上皮小体**（第3咽頭嚢から発生）は両葉の基底部で第3または第4気管軟骨の高さに位置する．上皮小体には非常に多く位置変異と数の変異がみられ，外科医にとっては重要である．

血管，神経支配．各上皮小体は固有の動脈すなわち**上皮小体動脈** parathyroid artery をもっており，これは甲状腺動脈，通常では**下甲状腺動脈**（**B2**）に由来する．静脈は甲状腺の表面にある**甲状腺静脈** thyroid veins に注ぐ．神経は**甲状腺自律神経叢**からきている．

微細構造．上皮小体は弱い結合組織の被膜で囲まれ，この被膜から小柱 trabecula が血管を伴って実質内に入り込む．実質細胞は吻合する細胞索または細胞塊をなして少量の結合組織（**C6**）で囲まれ，その間には密な有窓性の毛細血管網（**C8**）や脂肪細胞（**C7**）が混入している．多角形の実質細胞は大多数を占める主細胞と少数の酸好性細胞の2種類が区別される：**主細胞**（**B8**）は明調の主細胞（**C9**）と暗調の主細胞が区別される．染色組織標本では，**明調細胞**のこの細胞質は，脂肪とグリコーゲン内容物が溶解するため，大部分は視覚的に空虚にみえる．**暗調細胞**は，やや酸好性の分泌顆粒と思われる微細な顆粒と多数の糸粒体をもっている．**酸好性細胞**（**C10**）は主細胞より大型で，単独または小集塊をなして実質内に散在している．この細胞は酸性色素に著しい親和性をもち，細胞質は強く染まる．この酸好性は細胞質内に多数の糸粒体が密集して存在していることに起因している．細胞核は小さく，濃染する．この細胞は年齢とともに増加するが，その意義は明らかでない．

ホルモンの作用．上皮小体のホルモンは**パラトルモン** parathormone（PTH）である．これは84個のアミノ酸からなるポリペプチドホルモンで，多分，活動期にある主細胞で産生されている．PTHの標的器官は骨，腎臓および腸管であり，主な機能は血中の最適なカルシウム濃度を維持することにあり，上皮小体は生命にとって重要な器官である．PTHは骨組織の破骨細胞の働きを活発にして骨の破壊吸収を促進させ，骨からカルシウムを動員する．結果としてPTHは**血中カルシウム濃度を上昇**させる．同時に，腎臓の遠位尿細管では燐酸の再吸収を抑制し，尿中への排出を増加させる（燐酸尿）．腸管からのカルシウム，マグネシウム，燐酸の吸収は増加する．

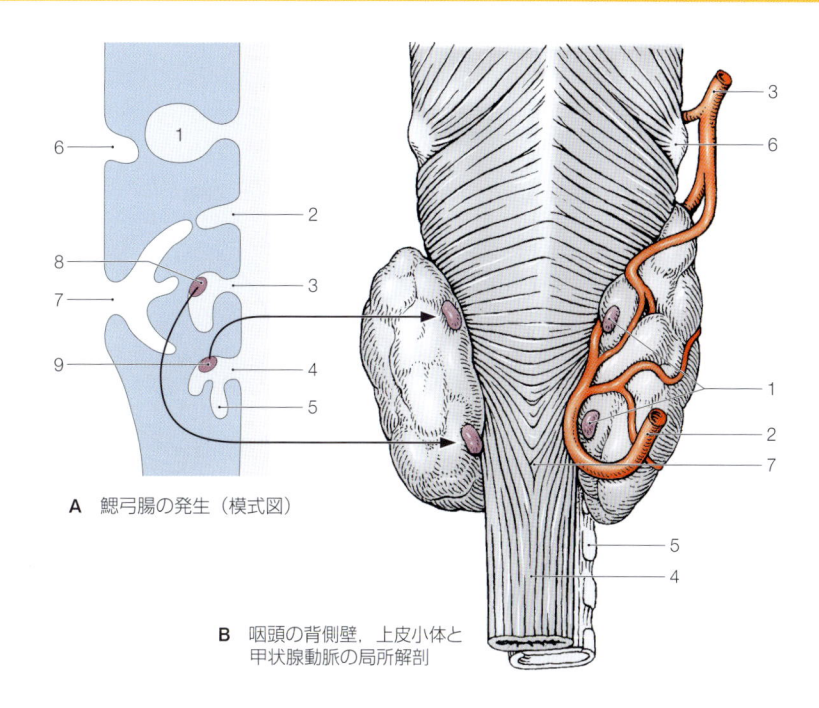

A 鰓弓腸の発生（模式図）

B 咽頭の背側壁，上皮小体と甲状腺動脈の局所解剖

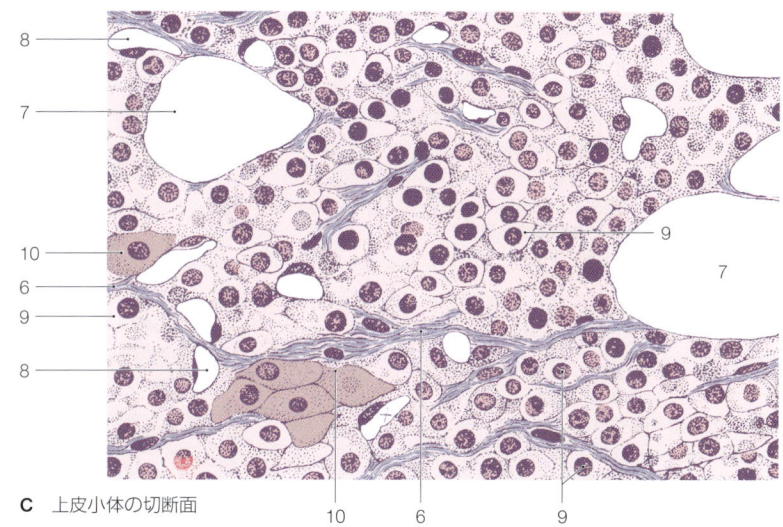

C 上皮小体の切断面

臨床関連：上皮小体の機能亢進（副甲状腺機能亢進症）では，血中のカルシウム値が上がり，燐酸濃度は低くなる．このことは血管壁に病的なカルシウム沈着を起こしたり，骨格系に骨量の減少（石灰分の欠乏）をきたして骨組織の改良過程を困難にする．ときに腎結石をみる．逆に，パラトルモンの欠乏（副甲状腺機能低下症）では，骨格や歯に過度の無機質化が起こる．また血中のカルシウム含有量が低下すると，一般的に筋・神経系に異常興奮をきたし，痙攣発作が起こることもある（テタニー tetany）．**骨形成**と**骨改良**にはさらに幾つかのホルモンが関与している．すなわち，PTHのほか，腎臓でつくられるビタミンDホルモン（**カルシトリオール** calcitriol）は骨組織の破壊吸収を促進させる．甲状腺のC-細胞からの**カルシトニン** calcitonin はそれを抑制する．

A1～5 咽頭嚢 pharyngeal bursa　**B1** 上皮小体（副甲状腺）parathyroids, parathyroid gland　**B2** 下甲状腺動脈 inferior thyroid artery　**B3** 上甲状腺動脈 superior thyroid artery　**B4** 食道 oesophagus　**B5** 気管 trachea　**A6** 外耳道 external acoustic meatus　**B6** 舌骨大角 greater horn of hyoid bone　**C6** 結合組織 connective tissue　**A7** 頸洞 cervical sinus　**B7** ライマーの三角 Laimer's triangle　**C7** 脂肪組織 fat cells（adipose tissue）　**A8** 下副甲状腺 inferior parathyroid gland　**C8** 有窓性毛細血管 fenestrated capillaries　**A9** 上副甲状腺 superior parathyroid gland（矢印は，細胞移動を示す）　**C9** 主細胞 chief cells（principal cells）　**C10** 酸好性細胞 acidophils

膵臓の島器官

膵臓（**A**）には外分泌部の小葉の，もしくは辺縁に，ランゲルハンス島（全部あわせた場合は，島器官とよぶ）がある．総量は2～5gで，50万～150万（直径は100～200μm）が，強く染色される外分泌部の腺実質の中に，円形もしくは卵円形の淡い領域として観察される．索状あるいは塊状の**上皮性細胞**と豊富な毛細血管の網で組織されている．膵島細胞は局部的には隣接する外分泌腺終末部の腺房細胞（**B1**）と直接接触している状態にある．

微細構造

形態学的ならびに特殊染色による状況をもとにして，ランゲルハンス島には**5種類の内分泌細胞**が証明されている．すべての細胞は**タンパクホルモン** proteohormone を産生しており，したがってこれらの細胞は粗面小胞体，ゴルジ装置，および分泌顆粒で構成される合成装置や輸送装置がよく発達している．

A-細胞（α細胞）（**B2**）（全膵島細胞の約15～20％）．この細胞は主として島の辺縁部ならびに島細胞塊の周縁にあり，また毛細血管と向き合っている．29個のアミノ酸からなるペプチドホルモンすなわち**グルカゴン** glucagon と，クロモグラニン-A-分断産物であるパンクレアスタチンを産生する．
グルカゴンは肝臓でグリコーゲンを分解してブドウ糖の遊離（**糖原分解** glycogenolysis），およびアミノ酸からブドウ糖の形成（**糖新生** gluconeogenesis）を促進する．ゆえに，グルカゴンは**血糖値を上昇**させる．そのほか脂肪組織では脂肪分解 lipolysis を促進する．

B-細胞（β細胞）（**B3**）（島細胞のおよそ80％）．この細胞は膵島全体に均等に分布している．51個のアミノ酸からなるペプチドホルモンすなわち**インスリン** insulin を産生し，約270nm大のβ顆粒をもっている．そのほかにβ細胞は抑制的な神経伝達物質である**GABA**（ガンマーアミノ酪酸，ギャバ）を含む．

臨床関連：インスリンは肝臓と横紋筋組織でグリコーゲン合成を促進し，**血糖値を低下**させる．インスリン欠乏あるいは膵島から放出されるインスリン量が不足するときは，血糖値の上昇をきたす（**高血糖** hyperglycemia）．血糖値が血清100ml中120mgを超えて長く続くときは**高血糖症**（糖尿病）である．これに対して，インスリン量が過剰なときには，血糖値は過度に低下して意識喪失や呼吸麻痺を起こすことがある（**低血糖性ショック** hypoglycemic shock）．これはβ細胞性腫瘍の結果として島器官の機能亢進の際に起こる（例：インスリノーマ，膵島腺腫）．

D-細胞（全膵島細胞の約5％）．この細胞は島細胞塊の周縁によくみられ，約320nmの均質なホルモン顆粒をもっている．この顆粒は**ソマトスタチン** somatostatin で満たされ，これは14個のアミノ酸からなる局所的な抑制作用を有するペプチドホルモンである．

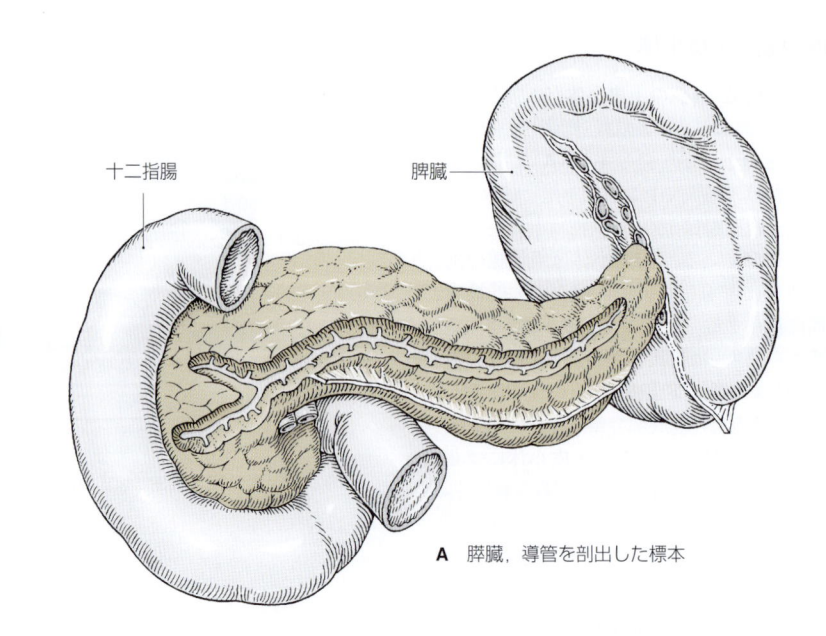

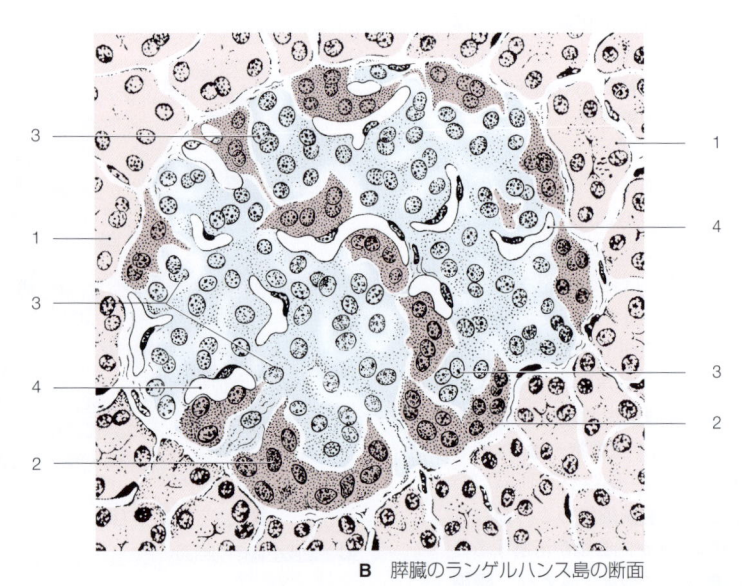

臨床関連：ソマトスタチンは**インスリンとグルカゴンの放出を抑制**する．D-細胞性腫瘍であるソマトスタチノーマでは血糖の上昇をきたす（糖尿病）．D-細胞はそのほかβエンドルフィンを含む．

PP-細胞（F-細胞）．この細胞は**膵ポリペプチド** pancreatic polypeptide（PP）を産生し，この物質はまた腸上皮の内分泌細胞にも見出されている．膵ポリペプチドはコレシストキニンに拮抗的に作用し，膵外分泌細胞の分泌を抑制するといわれている．

その他の島細胞．**D1-細胞**またはVIP細胞は血管作動性腸管ペプチド（**VIP**）をもっており，これは血管を拡張させ，その透過性を亢進させる．そのほか，島器官において胎芽期および胎児期においてのみガストリン産生細胞（**G-細胞**）が証明されている．

血液供給と神経支配．膵島への血液供給は膵外分泌部の小葉動脈から生じる細動脈による．細動脈は**輸入血管** afferent vessels として膵島内に入り，島で内腔の広い洞様の**島毛細血管叢**（**B4**）を構築する．血液は島の表面から放射状に出る多数の**輸出血管** efferent vessels に誘導され，再び**膵外分泌部の毛細血管**に入る（門脈系）．膵島からのホルモンを含有している血液は，膵外分泌組織を通って腺房の機能に影響を及ぼしてから，膵静脈に入り，**門脈**を経て肝臓に達する．交感神経および副交感神経線維が血管に伴行して走り，島細胞の表面にシナプスをつくって終わる．

A 膵臓，導管を剖出した標本

B 膵臓のランゲルハンス島の断面

1 外分泌腺房細胞 exocrine acinar cells　**2** A-細胞（α細胞）A-cells（α cells）　**3** B-細胞（β細胞）B-cells（β cells）　**4** 島毛細血管叢 islet capillary plexus

散在性内分泌細胞系

精巣の内分泌機能

男性ホルモン（**アンドロゲン** androgen）の産生細胞は精巣間質にある**ライディヒ細胞（間質細胞）**（**1**）である．この細胞は精巣の曲精細管の間で，無髄および有髄神経線維，線維細胞，肥満細胞，大食細胞，リンパ球とともに疎性線維性結合組織（**2**）の中に群れをなして存在し，毛細血管（**3**）と近接している．多角形の細胞体は円形の核と明瞭な核小体を有し，酸好性の細胞質には多数の脂肪滴，よく発達した滑面小胞体，管状型のクリスタをもつミトコンドリア，多数のリソゾーム，リポフスチン顆粒を含むほかリンケの結晶（**4**）をもっている．この結晶はタンパクからなり，光学顕微鏡では縦長の，矩形または菱形の構成物として印象に残る．

テストステロンの作用

出生前．胚子期および胎児期の発育の経過において，生殖腺の性の誘導ならびに精巣の分化に関しては，テストステロンに左右されない（非依存性）．性の決定および精巣決定因子の発現はY染色体と関連している．しかし，**テストステロン** testosterone は精巣以外のほかのすべての男性生殖器に対しては**特異的な成長因子**である．このホルモンは，遺伝的な男性胎児の際，多くの構造物の男性的分化を制御（誘導）している．例えば，ウォルフ管（中腎管）の退化を防止して，精嚢や精管などの生殖管系のさらなる発育を促進する．

出生後．出生後の最初の時期は，ライディヒ細胞は一時期退縮し，新生児では**17-ケトステロイド**放出の強度の減少を示す．このケトステロイド放出は，5歳頃から徐々に再び増加し始め，思春期には飛躍的に増大してライディヒ細胞の新しい機能開始の指標となり，25歳頃に最大に達する．その後は継続的に再び減少していく．

思春期に急増するテストステロンは直接的に精細管に作用して**精子形成**を開始させ，血管系を介して**輸精路**，**精嚢**，**前立腺**に作用してこれらを成熟させる．また**二次性徴** secondary sex character（骨格筋の発達，恥毛の発生，皮膚色素沈着，喉頭隆起の突出，声変わり）の発現と維持を促進し，汗腺および皮脂腺の機能を刺激する（思春期のニキビ）．また性欲と生殖能力を促進し，**性に特異的な行動様式**に影響を与える．テストステロンとその強力な作用代謝産物であるジヒドロテストステロン（DHT）（**5**）は，いろいろな標的器官においてアンドロゲン受容体の形成を誘導し，1つの酵素である 5α-reductase の合成はテストステロンをDHTに変換する．

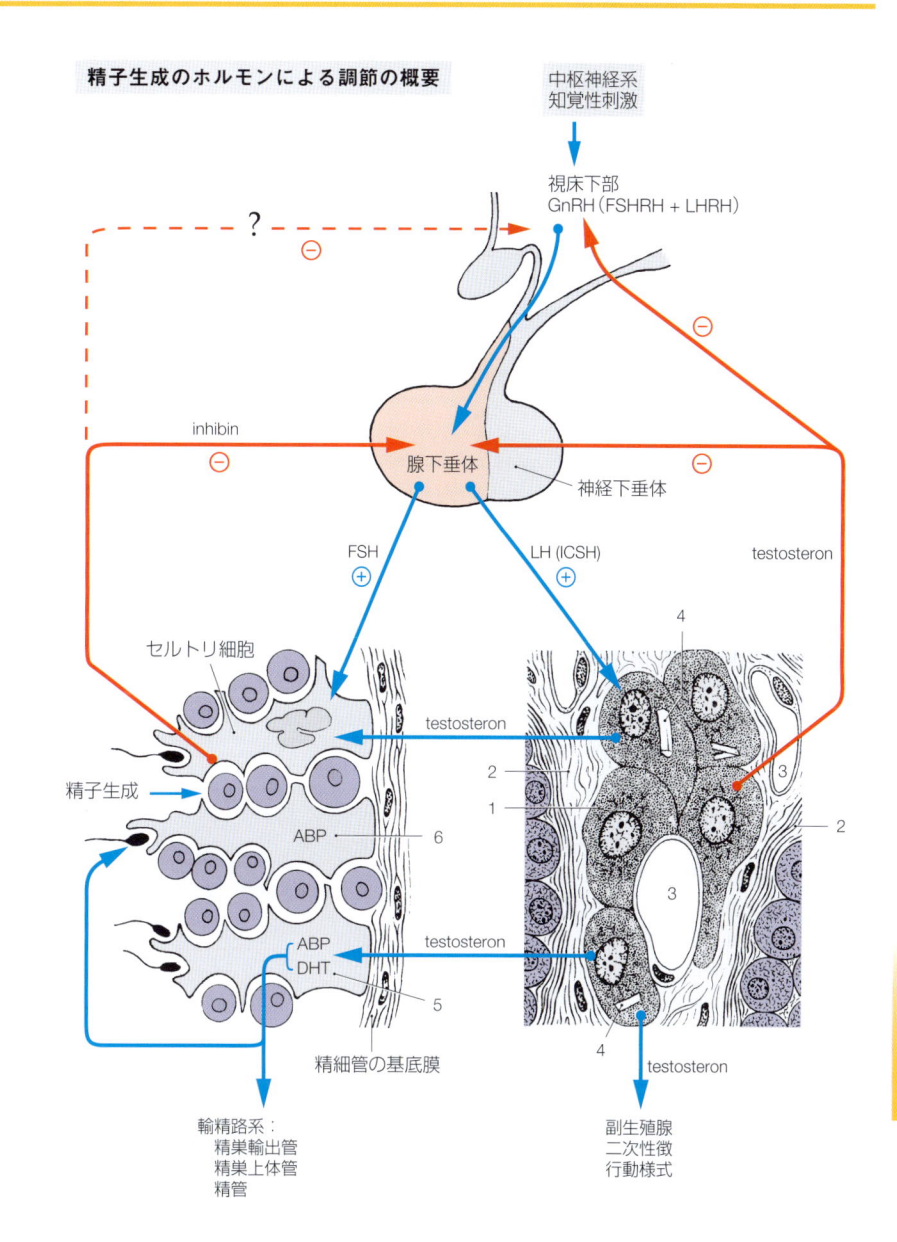

視床下部−下垂体−精巣系

精巣における精子形成ならびにテストステロンの放出は自律性に進行するのではなく，腺下垂体からの**性腺刺激ホルモン** gonadotropic hormone によって制御されている．その際，このホルモン分泌の抑制と促進はフィードバック機構によって調節される：すなわち，腺下垂体から分泌された性腺刺激ホルモンは精巣を刺激するのに対して，一方でテストステロン値の上昇は腺下垂体における性腺刺激ホルモンの合成を抑制する．またこのフィードバック機構は視床下部の特異的な核に作用し，性腺刺激ホルモン放出ホルモン（**GnRH**）を仲立ちとして腺下垂体におけるLHとFSHの形成に影響を及ぼしている．**LH** はライディヒ細胞に作用してテストステロンを産生し，**FSH** はセルトリ細胞に作用してインヒビンを産生してテストステロンと協力して精子形成を促進する．インヒビンはFSH分泌抑制作用を有し，フィードバック調節に働く．セルトリ細胞はそのほかアンドロゲン結合タンパク（ABP）（**6**）をつくる．

> **臨床関連**：セルトリ細胞の欠陥に起因してインヒビンの分泌が減少すると，血清中のFSH濃度が永続的に上昇し，精子生成 spermatogenesis に重大な障害をきたす（**高ゴナドトロピン性性腺機能低下症**）．この病像の特別型に**クラインフェルター症候群** Klinefelter's syndrome があり，これは先天性の染色体異常で核型式 47, XXY を有する．

---

1 ライディヒ細胞（間質細胞）Leydig cells（interstitial cells）　**2** 疎性線維性結合組織 loose connective tissue　**3** 毛細血管 capillary　**4** リンケの結晶 crystals of Reinke
5 ジヒドロテストステロン dihydrotestosterone（DHT）　**6** アンドロゲン結合タンパク androgen binding protein（ABP）

卵巣の内分泌機能

身体機能に影響を及ぼす内分泌的調節の事象はとくに女の性周期において著明である．その際，視床下部-下垂体系が卵巣に及ぼす作用，卵巣が子宮内膜に及ぼす作用（352頁），および末梢から逆行性に視床下部と下垂体に及ぼす作用とに分けられる．

卵巣周期 ovarian cycle

パルス状放出による視床下部調節ホルモンの **GnRH**（＝**g**onadotropin-**r**eleasing **h**ormone または gonadoliberin）は，下垂体門脈系を経由して腺下垂体に達し，前葉における **FSH**（＝**f**ollicle **s**timulating **h**ormone または follitropin）と **LH**（＝**l**uteinizing **h**ormone, lutropin）の**性腺刺激ホルモン** gonadotropic hormone の合成と遊離を誘導する．

卵巣周期の 1〜4 日．FSH の影響下に発育過程に入る若干の**原始卵胞**が選ばれる．

卵胞期（エストロゲン相）：5〜14日．この期間に原始卵胞は一次および二次卵胞を経て三次卵胞に成長し，その中から5〜7日をかけて優勢な卵胞が1つ選ばれる．この卵胞は**排卵前卵胞**に成熟して卵胞期の終わり（11〜14日）には**エストラジオール**（**E2**）のほとんど全量を合成し，このため前葉におけるFSHの遊離は一時的に低下する（エストラジオールの負のフィードバック作用）．これに加えて，排卵前卵胞は**インヒビン** inhibin を遊離してFSHの放出を補足的に抑制する．一方では，継続するエストラジオールの上昇は腺下垂体に対して信号を送り，大量のLH，とまたFSHも，を遊離させ（**LH－山頂**，エストラジオールの正のフィードバック作用），このため卵巣周期の14日頃に最終的に成熟した卵細胞の**排卵** ovulation が誘発される．

黄体期（ゲスタゲン相）：15〜28日．排卵後，短時間のうちに，卵胞上皮細胞（顆粒層細胞）は**顆粒層黄体細胞** granulosa lutein cells に分化し，内卵胞膜の細胞（349頁）はエストロゲンを産生する**卵胞膜黄体細胞** theca lutein cells に分化する（**黄体化** luteinization）．"空になった"卵胞の**黄体** corpus luteum への改造はLHだけの影響下に行われる．LHが最大量に達しないと排卵は起こらない．月経黄体では**プロゲステロン**（**P**）progesterone と**エストラジオール**（**E2**）estradiol が合成され，これらはフィードバック機構を介してGnRHならびにFSHとLHの放出を抑制する．卵細胞の受精が起こらないと，23日目頃に黄体の退化が始まり，プロゲステロンの産生は止まる．このため子宮内膜は虚血性の萎縮をきたして剥離する（**月経期**，新しい周期の1〜5日）．

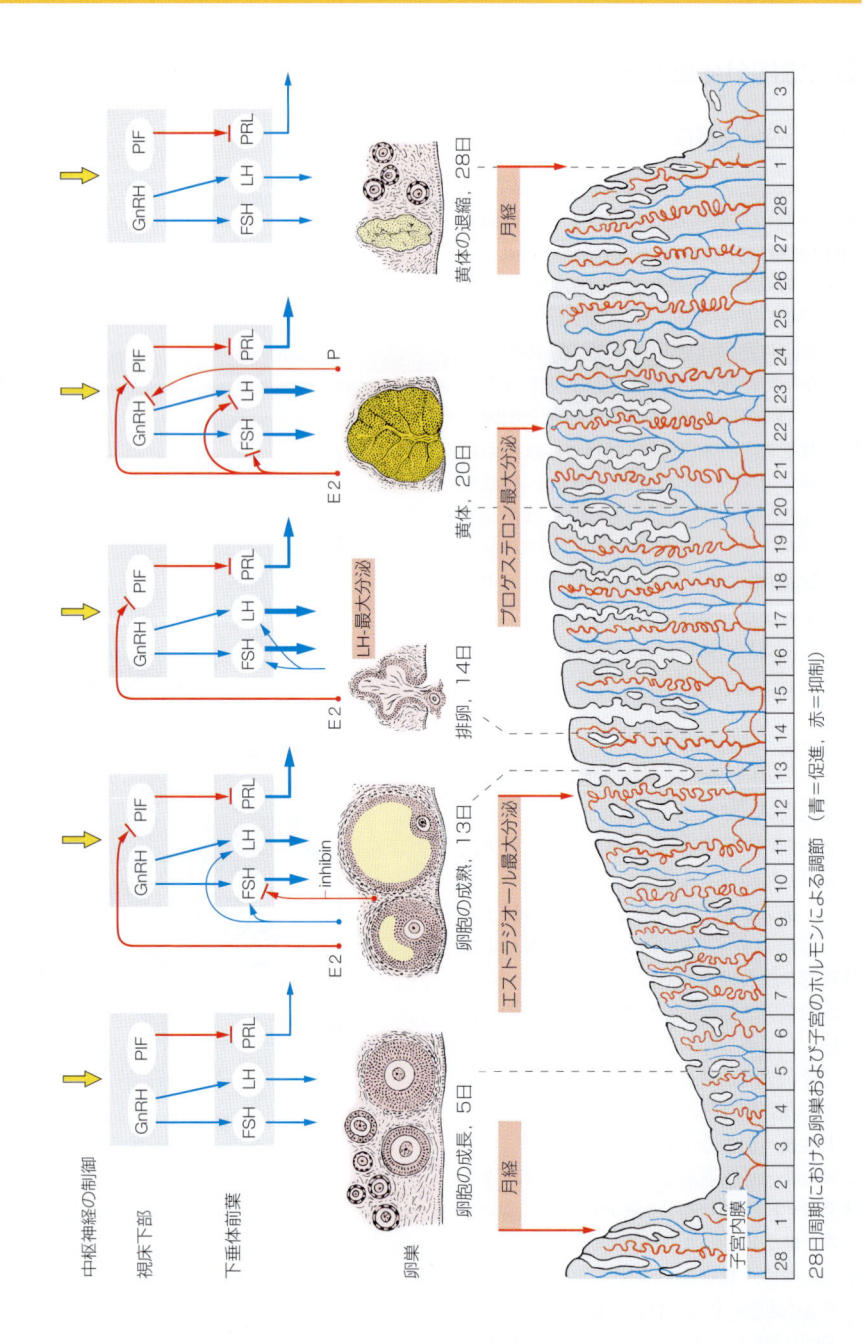

性周期の調節機構にはさらに2つのホルモンが関与している：**PRL**（prolactin または LTH）と **PIF**（プロラクチン放出抑制因子またはプロラクトスタチン）である．プロラクチンは乳腺組織の成長を促進し，乳汁の合成と分泌を誘導する．

卵胞膜 follicular theca．卵胞膜は血管に富む内卵胞膜と結合組織性の**外卵胞膜**が区別され，**内卵胞膜**ではLHのコントロール下に**アンドロゲン** androgen，主としてアンドロステンジオン androstenedione を生成する．これはエストロゲン物質を細胞内合成するための前駆物質である．

門細胞 hilus cells．この上皮様細胞は卵巣門および卵巣間膜の結合組織中に，多くは血管に接して，存在する．この細胞は精巣のライディヒ細胞に似ており，**アンドロゲン**を産生する．

卵胞閉鎖 follicular atresia．発育を開始した卵胞の大部分は排卵にまで達することなく途中で消退してしまう（α-tretic）．この現象を卵胞閉鎖といい，一次および二次卵胞は跡形も残さずに消失するが，三次卵胞まで成長して閉鎖する卵胞の内卵胞膜の細胞は，内分泌機能を有する間質の細胞として痕跡的に残り，恒常的なエストロゲンの供給源としての役を果たす．

白体 corpus albicans．機能を果たしたあとの黄体は腱のように白く光る結合組織（瘢痕組織）となり，これを白体という．

胎盤の内分泌機能

胎盤 placenta は，母体と胎児間の選択的な**物質交換**を保証するだけでなく，**多くのホルモンと成長因子の合成場所**でもある．胎児側および母体側の物質代謝ならびに胎盤機能を通して，胎盤自身がホルモンによってコントロールされている．タンパクホルモンと成長因子の**産生部位**はとりわけ胎盤絨毛 placental villi の被覆層にあり，ここには外層の**栄養膜合胞体細胞層**（**1**）とその下に位置する栄養膜細胞層（ラングハンス細胞）（**2**）が識別される．妊娠の全期間を通じて，合胞体栄養細胞は次第に合胞体層に組み込まれていくために消失していき，分娩時予定日には合胞体層の内表面の約 20 % をおおうことになる．

胎盤のタンパクホルモン

（ヒト）**絨毛性ゴナドトロピン**（human chorionic gonadotropin（**hCG**）．このホルモンは妊娠期間の初期 1/3 における支配的なタンパクホルモンで，合胞体層で合成される．

機能．hCG は妊婦の卵巣における予定前の**黄体崩壊**（黄体分解 luteolysis）を**防止**し，妊娠黄体での**プロゲステロン合成を促進**する．これによって子宮内膜の構造と機能が保持され，妊娠の継続に不可欠な前提条件（黄体と子宮粘膜の存続）が維持される．hCG の生合成の障害は突然の妊娠中止の原因となる．さらに hCG の影響下に，男性胎児ではライディヒ細胞でテストステロンを合成し，女性胎児の生殖腺ではエストロゲンならびに黄体ホルモン物質 gestagen，まず第一にプロゲステロンを合成する．

> **臨床関連**：hCG は腎を経て排出される．妊婦の尿中における hCG の検出はすでに初期に可能であり，これが**妊娠テスト** pregnancy test の根拠となる．hCG の検出は今日では免疫学的測定法を用いて行われている．

さらに，胎盤のタンパクホルモンには（ヒト）**絨毛性サイロトロピン**（hCT＝human choriothyrotropin），（ヒト）**絨毛性マンモトロピン**（hCS＝human choriomammotropin）および（ヒト）**絨毛性コルチコトロピン**（hCC＝human choriocorticotropin）がある．

機能．hCS は母体の物質代謝に影響を及ぼす．すなわち，hCS は抗インスリン作用を有し，脂肪分解を促進し，胎児への栄養供給を明らかに改善する．hCC は ACTH に似た生物学的活性をもっている．

胎盤のステロイドホルモン

母体と胎児との間で，ステロイドホルモンまたはその前駆物質は母体側と胎児側からなるいわゆる胎盤という構成単位を経由して絶えず交換されている．このことは重要なことであって，胎盤は胎児にとって位置的に向目的にかなっているばかりでなく，ステロイドホルモン代謝におけるあらゆる産生物あるいは中間産物がつくられている．妊娠の終期に向かってステロイドホルモンの合成量は日ごとに著しく増加することになる．

プロゲステロン．胎盤における**プロゲステロンの合成**は自律的に進行し，妊娠の経過とともに増え続ける．胎盤でつくられるプロゲステロンは，約 2/3 が母体循環に，1/3 が胎児循環に放出される．

機能．胎盤からのプロゲステロンの生物学的機能は**子宮筋組織の平静（安静）を維持**することにあり，脱落膜の形成，乳腺の分化も含まれる．妊娠初期 5〜6 週までは hCG の影響下に卵巣（妊娠黄体）でつくられるプロゲステロンが優勢であるが，その後は胎盤からのプロゲステロンが支配的となる．

エストロゲン．エストロゲンもまた胎盤で産生される．前駆物質は胎児から合成されるステロイドホルモンすなわち dehydroepiandrosterone sulfate（DHAS）と 16α-hydroxy-DHAS である．妊娠終期での代表的なエストロゲンは**エストリオール** estriol である．機能：子宮と乳腺の成長．

その他の胎盤における合成物

成長因子．妊娠中における成長過程はいろいろなホルモンや成長調節因子によって制御されている．胎児の特異的な成長は，例えば，インスリンやインスリン様成長因子（**IGFs**，ソマトメジン somatomedin）によって調節される．胎盤自身の成長因子は主に妊娠初期 3 ヵ月において合胞体層で産生される．

胎盤性放出促進および放出抑制ホルモン．ヒト胎盤の栄養膜細胞層では，さらに **gonadoliberin**（GnRH），**corticoliberin**（CRF），**somatostatin** が産生される．

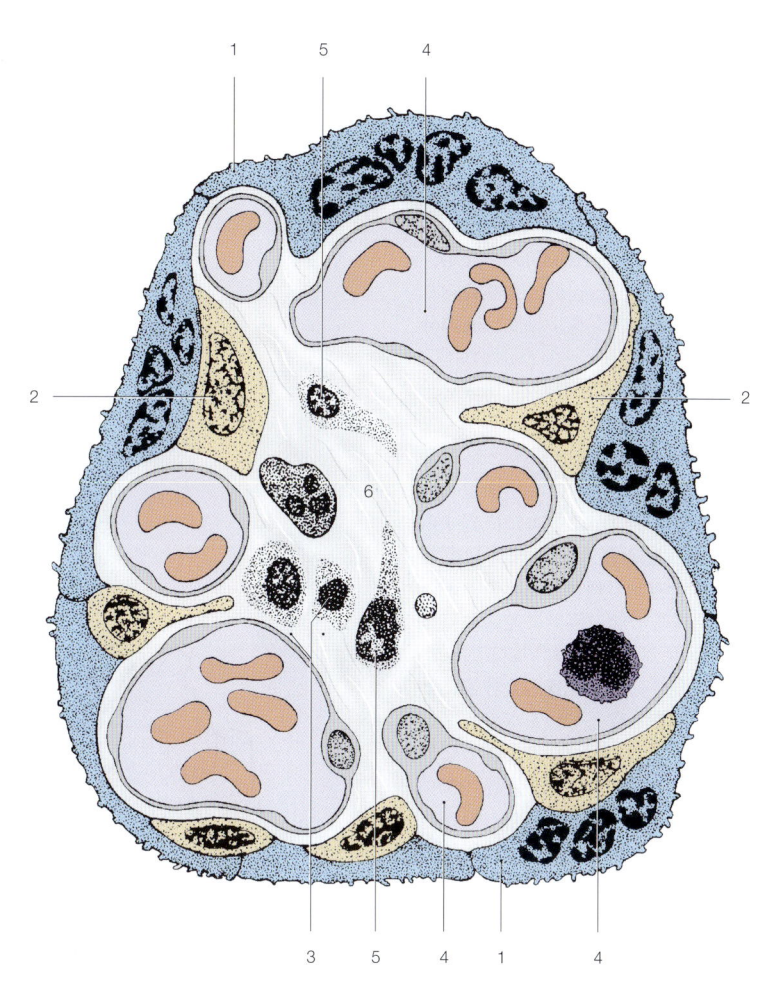

ヒト成熟胎盤の絨毛の横断（電子顕微鏡次元）

---

1 栄養膜合胞体細胞層 syncytiotrophoblast（表面に微絨毛をもつ）　**2** 栄養膜細胞層（ラングハンス細胞）cytotrophoblast（Langhans' cells）　**3** 大食細胞 macrophages　**4** 胎児の毛細血管 fetal blood capillaries　**5** 線維芽細胞 fibroblasts　**6** 絨毛膜中胚葉 chorionic mesoderm

心房性ペプチド（心臓ホルモン）

心房 atrium と心耳（**A1**）の薄壁で肉柱状の部分に，0.2〜0.4μm の大きさの，膜に包まれた電子密度の高い顆粒（**B4**）をもっている特異的な心筋細胞が見出される．この細胞はそれによって"ほかの働きをしている心筋細胞"（＝作業筋）と区別される．この顆粒の中には，その心筋細胞自身が産生するホルモンすなわち**心房性ナトリウム利尿ペプチド** atrial natriuretic peptide（**ANP**）（同義語：カルジオジラチン cardiodilatin/CDD，アトリオペプチド atriopeptide）が蓄えられている．心臓のホルモン産生細胞は**筋内分泌細胞**（**B**）myoendocrine cells といわれ，心臓もまた内分泌機能を営んでいるのである．

心房性筋内分泌細胞 atrial myoendocrine cells．この細胞は，心室の心筋細胞と同様に，1つまたは幾つかの中央に位置する縦長の核をもっており，この核は筋原線維 myofibrils を有する豊富な筋形質 sarcoplasm と筋原線維の間に縦列に並ぶ糸粒体 mitochondoria によって囲まれている．しかし，筋内分泌細胞は**よく発達した分泌にかかわる細胞小器官**を備えている点で心室筋組織の心筋細胞と異なっている．**B** では粗面小胞体（**B2**），発達したゴルジ装置（**B3**），特異的な分泌顆粒（**B4**）が集積した像が認められる．分泌顆粒はまぎれもなく細胞膜 plasmalemma の近くに達しており，心房の伸展により，もしくはある種の刺激で開口分泌によって遊離する．それに加えて，筋内分泌細胞は神経叢を経由してカテコールアミン作動性，コリン作動性，およびペプチド作動性の**多数の求心性線維**を受けとっており，これらはおそらく分泌刺激に対して何らかの役割を果たしているものと思われる．

機能．心臓ホルモンは血圧，血液量，および水-電解質の収支などの調節に重要な役割を果たしている．**標的器官**は腎，血管平滑筋，副腎皮質であり，また下垂体も明らかに標的器官となる．心房性ペプチドは**血液量を減少**させ，**血圧を降下**させる：すなわち，腎では，皮質血管の輸入細動脈領域を拡張させ，これとは逆に輸出細動脈を収縮させる．同時に，ANP はナトリウムの排出を促す．すなわち，腎の Na$^+$-イオンの排出が増加する．糸球体濾過量は増加し，これによって尿細管輸送に影響を及ぼし，糸球体傍装置 juxtaglomerular apparatus の分泌反応を変化させる．また心房性ペプチドは副腎皮質のアルドステロンを産生する球状帯細胞ならびに神経下垂体におけるバソプレッシン（VP）の遊離に重要な影響を与える．両系はそれらの活性を抑制され，最終的にはこの点からも血液量の減少と血圧降下を起こすことになる．心室の筋肉細胞から，化学的に近縁で，似たような作用をもつペプチドが分泌されている（脳ナトリウム排出ペプチド：BNP）．心筋の機能不全の際には，BNP の血中濃度が高まる．

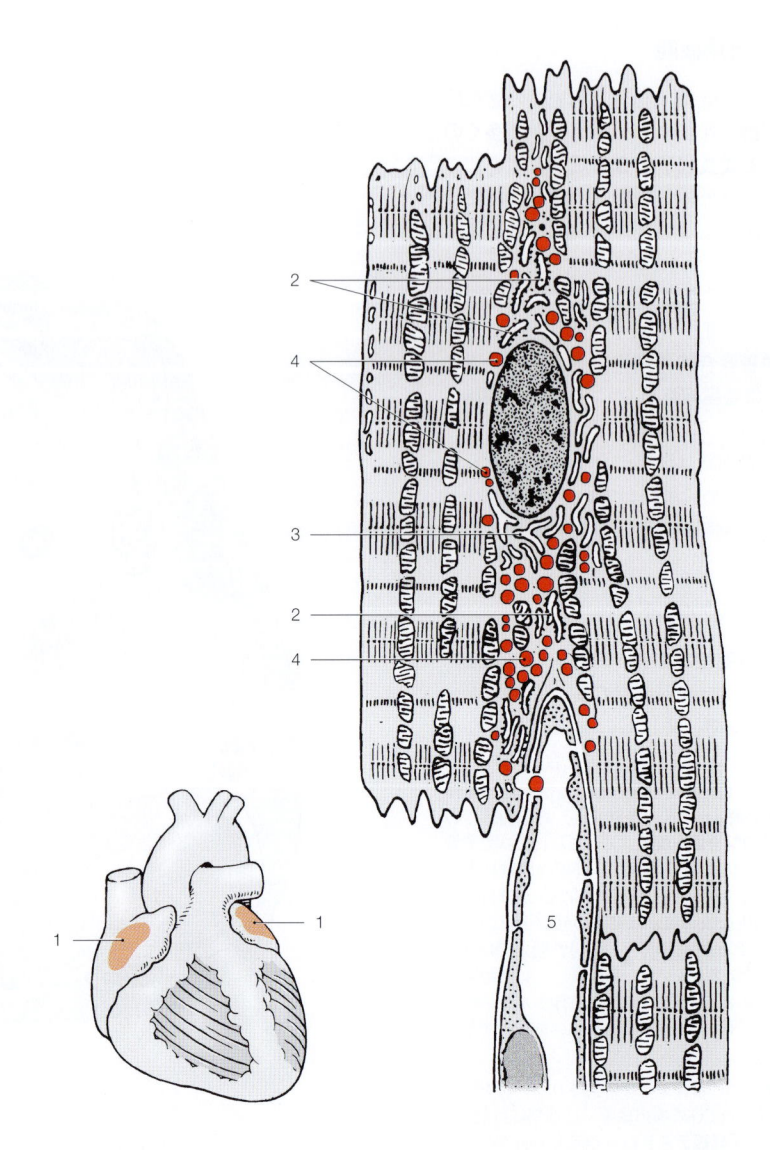

A 心房における内分泌細胞の局在

B 筋内分泌細胞（電子顕微鏡次元）

1 心耳 auricle　**2** 粗面小胞体 rough endoplasmic reticulum（rER）　**3** ゴルジ装置 Golgi apparatus　**4** 分泌顆粒 secretory granules　**5** 毛細血管 capillary

各種器官における散在性内分泌細胞

以上述べられた集約性の内分泌腺の他に，連結した上皮細胞の間に散在性の**内分泌細胞**が種々の器官において見出される．これらの細胞は総称して**散在性内分泌細胞** diffuse scattered endocrine cellsといわれ，これに属する細胞（現在約40種）は**生体モノアミン** biogenic monoaminesをもっている．この物質は能動的にアミン前駆物質を取り込み，脱炭酸してアミンに変換する能力のある細胞（**APUD系細胞**）でつくられるか，散在性神経内分泌系 diffuse neuroendocrine system（**DNES**）でつくられている．多くの内分泌細胞は受容器機能も効果器機能も備えており，感覚細胞や神経細胞に似ている．ゆえに内分泌細胞は**傍神経細胞** paraneuronとも呼ばれている．

散在性内分泌細胞は極度に分化した細胞で，次の2つのグループに分けられる：1つは**開放型の細胞**（**A1**）で，細胞の狭い頂部が中腔性器官の当該部の管腔に達しており，この細胞は微絨毛（**A2**）を備えている．細胞頂部はおそらく管腔の化学的刺激に対してレセプターとしての役を果たしている．1つは**閉鎖型の細胞**（**A3**）で，細胞が上皮の自由表面との連絡を全くもっていないタイプである．

この分け方とは関係なく，細胞の分泌産生物ならびに細胞に特異的な分泌顆粒をもとにして，約16種の異なるタイプの散在性内分泌細胞が識別されている．

腸内分泌細胞．胃腸管の内分泌細胞は卵形，フラスコ形または錐体形を呈して，基底面を広く基底板（**AC6**）に接して，その上にのっている．細胞の分泌顆粒は基底部にみられ（"**基底顆粒細胞**"）（**B8**），そこから開口分泌（**AC4**）によって放出する．

若干の"古典的"腸内分泌ポリペプチドホルモン（例：ガストリン，コレシストキニン）は膵内分泌部にも見出され（398頁），他方ではランゲルハンス島に特徴的なホルモンが胃腸管の上皮の中に認められる．したがってこの系統に属するホルモン産生細胞は**胃-腸-膵内分泌系**（GEP-system, gastro-entero-pancreatic system）の概念下に一括してまとめることができる．

胃．ここでは閉鎖型の内分泌細胞が圧倒的に多い．胃底と胃体では胃主腺の上皮の間に均等に分布している．

小腸．十二指腸は陰窩の中に多数の内分泌細胞をもっており，殊に球部に多い．絨毛上皮と十二指腸腺の中には散発的にみられる．空腸と回腸ではその数は減少している．**パネート細胞**（**B9**）は核上部に顆粒をもつ細胞で，エオジン好性の顆粒は抗菌性の物質，たとえばα-デフェンシンやリソソームを含む．

大腸．内分泌細胞はほとんどが陰窩の底にみられる．

呼吸路．内分泌細胞は，気管と気管支では上皮の中に個々に現れ，細気管支の領域では群をなして存在し，これは神経線維と密接な関係があり，神経上皮小体と呼ばれている．この小体は内分泌作用と同時に，おそらく呼吸気のO_2とCO_2量の変動を確認する化学受容体にかかわっていると考えられている．

尿生殖路．内分泌細胞は，尿道の上皮の中，尿道腺の中，および女のバルトリン腺の中に存在している．

制御と作用の仕方

散在性内分泌細胞は血行を介しておよび／あるいは自律神経系を介して制御されている（**距離をもった支配**）．散在性内分泌細胞によりつくられるホルモンの多くは，毛細血管（**AC5**）に吸収され，同様に血行でもって標的細胞に到達する（**内分泌作動方式**）．

若干のホルモン（アミンまたはペプチド）は局部的な限定作用を有し（**傍分泌作動方式**），付近の内分泌細胞（**AC7**）や当該部の通常の上皮細胞（**C10**）に促進的または抑制的に影響を及ぼす．ほかに可能性のある標的細胞は平滑筋線維（**C11**），神経線維（**C12**），結合組織の自由細胞（例：肥満細胞（**C13**））である．また，ある種の内分泌細胞は，毛細血管（**AC5**）に直接的に作用して，または肥満細胞からの血管作動性物質の遊離を刺激することによって間接的に，局所の血流を調節する．

若干のホルモンは**外分泌の分泌様式**に従って細胞の頂部から開口分泌（**AC4**）によって放出される．また，細胞外に出たホルモンはフィードバック機構を介して自身の分泌状態に影響を及ぼすこともある（**自己分泌作動方式**）．

> **臨床関連**：散在性内分泌細胞は，腫瘍（神経内分泌腫瘍）に発展することや，悪性の癌になることもある．

A 開放型と閉鎖型の内分泌細胞（電子顕微鏡次元）

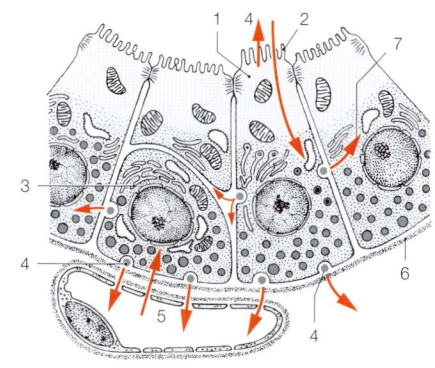

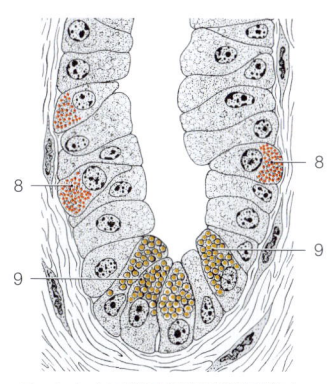

B ヒト十二指腸の基底顆粒細胞とパネート細胞

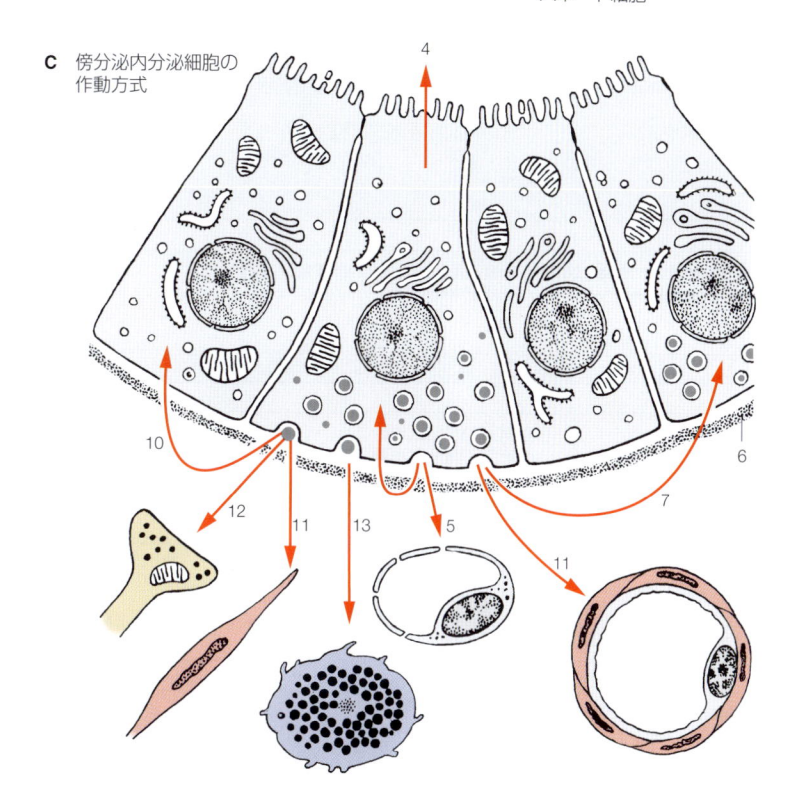

C 傍分泌内分泌細胞の作動方式

---

1 開放型の内分泌細胞 endocrine cell of open type　**2** 微絨毛 microvilli　**3** 閉鎖型の内分泌細胞 endocrine cell of closed type　**4** 開口分泌 exocytosis　**5** 毛細血管 capillary　**6** 基底板 basal lamina　**7** （近隣の）内分泌細胞 endocrine cells　**8** 基底顆粒細胞 basal granulated cells　**9** パネート細胞 Paneth's cells　**10** 上皮細胞 epithelial cells　**11** 平滑筋線維 smooth muscle fibers　**12** 神経線維 nerve fibers　**13** 肥満細胞 mast cell

散在性内分泌細胞の合成物質とその作用

細胞の種類	ホルモン	合成部位	分泌刺激	ホルモンの作用
A	glucagon（グルカゴン）	ランゲルハンス島のA-細胞	血中ブドウ糖濃度の減少，高タンパク食，過激な運動とストレス，低血糖（hypoglycemia）	肝においてはインスリンの拮抗物質；肝グリコーゲンを分解して（糖原分解 glycogenolysis），ブドウ糖放出の準備をする；肝でアミノ酸や脂肪酸から糖新生 gluconeogenesis を促進する；肝における遊離脂肪酸のβ酸化の促進；脂肪組織に対しては脂肪分解促進（lipolysis）．
B	insulin（インスリン）	ランゲルハンス島のB-細胞	血中ブドウ糖濃度の上昇	血糖低下作用（糖の細胞膜透過促進，糖の細胞内での効率的利用）；アミノ酸，脂肪酸の細胞内取り込み促進；グリコーゲン合成の促進（肝，筋組織）；タンパク質分解と脂肪分解抑制（合成促進）．
D	somatostatin (SRIH, SS)（ソマトスタチン）	ランゲルハンス島のD-細胞；胃の胃底と幽門および小腸；神経終末	小腸における脂肪酸，ブドウ糖，ペプチドおよび胆汁酸	膵島ではインスリン，グルカゴンの分泌に対して抑制的に働く；胃液およびガストリンの分泌低下作用；迷走神経活性の低下；中間消化管の運動性低下；VIPおよびモチリンの分泌阻害；小腸での栄養素吸収に抑制的に働く．
D1	vasoactive intestinal polypeptide (VIP)（血管作動性腸管ポリペプチド）	神経細胞 神経終末	神経伝達物質	平滑筋の弛緩をひき起こす（血管拡張，括約筋の制御）；膵外分泌促進作用，腸液分泌促進作用；胃酸分泌抑制作用．
EC	serotonin (5-OH-tryptamin)（セロトニン）	腸管のクロム親性細胞（幽門，小腸と大腸），または膵，気管支，CNSなど	?	血管，腸壁および気管支の平滑筋の収縮作用；コリン作動性分泌運動性神経の活性を促進．
ECL EC-様	histamine（ヒスタミン）	胃底のクロム親性細胞；肥満細胞	迷走神経の活性増強	塩酸とペプシノーゲンの分泌増加；肺の気管支平滑筋の収縮；毛細血管の局所的な透過性の亢進．
ENK	enkephalin（エンケファリン）	胃，主に幽門洞；小腸と大腸；神経終末	?	ソマトスタチンの作用を阻止する．
G	gastrin（ガストリン）	幽門部と十二指腸	胃内のペプチド；胃液の高pH；迷走神経の遠心性効果；血漿中の高カテコールアミン濃度	傍細胞から塩酸分泌促進，主細胞からペプシノーゲン分泌促進；胃の運動性殊に幽門洞の蠕動を高める；食道下部括約筋の緊張亢進；膵外分泌の促進；胆汁分泌と胆嚢収縮（CCK作用）；小腸での水と電解質の吸収を減少させる；胃と十二指腸の粘膜上皮に対して増殖作用があり，成長促進的に働く．
GRP	gastrin releasing peptide (GRP) (= bombesin)（ガストリン放出ペプチド＝ボンベシン）	胃と十二指腸；気管支；神経終末	膵外分泌の増大；CCK分泌の増大	ガストリンの分泌を促進し，その結果胃酸の分泌をひき起こす；気管支ではおそらく傍分泌作用で気管支壁の平滑筋に作用する．
I	cholecystokinin (pancreozymin) (CCK, PZ)（コレシストキニン）（パンクレオザイミン）	十二指腸と空腸	十二指腸における脂肪酸，アミノ酸，ペプチドおよびトリプシン；小腸の低pH	膵酵素，ペプシノーゲンおよび胆汁の分泌促進；胆嚢収縮の促進；胃酸分泌の減少；膵に対しては膵島細胞を刺激して促進的に働く；セクレチン作用を強化する；十二指腸蠕動の亢進作用；オディ括約筋の弛緩作用；満腹感を仲介する（満腹ホルモン）．

細胞の種類	ホルモン	合成部位	分泌刺激	ホルモンの作用
K	glucose-dependent insulin-releasing peptide (GIP)（ブドウ糖依存性インスリン放出ペプチド）	空腸	十二指腸における脂肪酸，アミノ酸，およびブドウ糖；十二指腸の低pH環境	ガストリンに対する拮抗物質；胃内分泌を抑制する；インスリン分泌促進作用，胃酸分泌抑制作用；胃の運動性を抑制． ＊別名 gastric inhibitory polypeptide (GIP)（胃抑制性ポリペプチド）
L	enteroglucagon（腸グルカゴン）GLP-1	小腸と結腸	回腸における脂肪酸とブドウ糖	膵島のα細胞と同作用；胃運動性および腸運動性の抑制；腸陰窩の上皮細胞に対しては促進的に働く．
Mo	motilin（モチリン）	十二指腸	十二指腸における脂肪酸と胆汁酸；ソマトスタチンの低含有	胃運動の亢進と胃内容物の搬出；空腹期における胃の収縮運動 hunger contraction をひき起こす；ペプシン分泌促進．
N	neurotensin (NT)（ニューロテンシン）	十二指腸	十二指腸内の脂肪酸	胃液の分泌を抑制；食後血中に放出され高血糖をひき起こす．
P	pancreatic polypeptide (PP)（膵ポリペプチド）	膵島	小腸におけるペプチド；迷走神経活性	?
S	secretin（セクレチン）（＋serotonin）（セロトニン）	十二指腸と空腸	十二指腸の低pH環境；十二指腸における胆汁と脂肪酸	重炭酸基（HCO_3^-）に富んだ膵分泌物の放出促進（十二指腸内のpH環境を酸性からアルカリ性に変換して腸における消化酵素の作用を容易にする）；腸液，胆汁の放出促進；胃のペプシン分泌促進；胃通過時間抑制．
T	tetragastrin (TG)（テトラガストリン）	小腸	?	?
	neuropeptide Y (NPY)（ニューロペプチドY）	神経終末	神経伝達物質	ノルアドレナリンの作用を強化する．
	substance P（サブスタンスP）	神経終末	神経伝達物質	平滑筋の収縮促進；分泌運動亢進．

ヒトでの代表的な胃腸膵内分泌細胞の分布

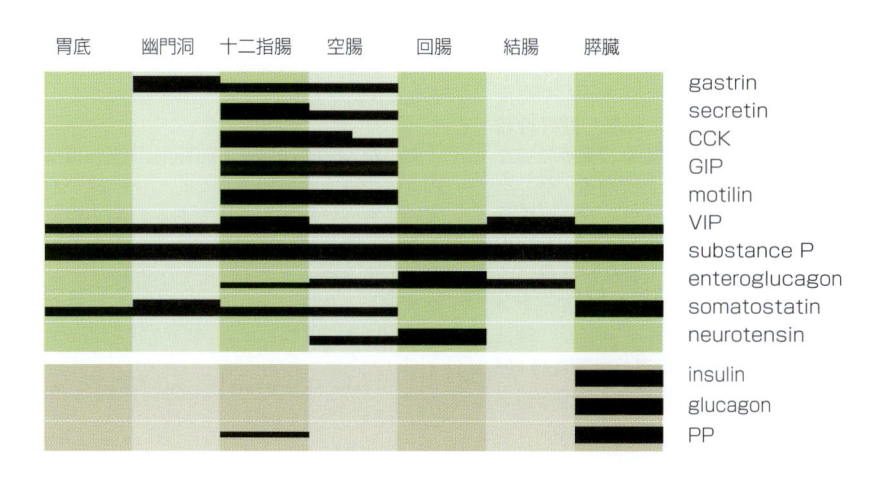

胃底　幽門洞　十二指腸　空腸　回腸　結腸　膵臓

gastrin
secretin
CCK
GIP
motilin
VIP
substance P
enteroglucagon
somatostatin
neurotensin

insulin
glucagon
PP

血液

血液の構成成分

血液 blood は凝固能力をもつ液体で，液体成分である**血漿** blood plasma と有形の細胞成分である**血球** blood corpuscles で構成され，血球は血漿の中を浮遊している．血液を凝固させて遠心分離すると**血清** blood serum（＝血漿から凝固活性タンパクであるフィブリノーゲンを除いた液体）が得られる．

血液の量．血液量は**体重**と深くかかわり，正常な血液量（体重の約 8 ％＝ 1/12）は血液循環と内部環境の恒常性を維持する．血液の単位容量当たりの血球成分の割合を**ヘマトクリット** hematocrit といい，平均値で 45 ％である．血漿は 90 ％以上が水で，8〜9 ％が血漿タンパクである．

機能．血液は細胞の**物質交換**を仲介し（酸素 O_2 と栄養素を供給し，代謝の結果生じる二酸化炭素 CO_2 と老廃物を搬出），さらにはホルモン，抗体および防御細胞の**運搬**，ならびに皮膚をとおして体熱の放散などの役を果たしている．

赤血球 erythrocytes．赤血球数はからだの O_2-需要度と O_2-供給力に左右される．ヒトの赤血球は核を欠き，均質で，平均直径約 7.5μm である（407 頁）．赤血球は両面で中央がくぼんだ円盤状を呈して最適なガス交換面をもち，また変形ができることは微小循環にとって重要な意味をもつ．その内容物は 90 ％以上が鉄を含んだ**ヘモグロビン** hemoglobin（血色素）で，血液は酸化ヘモグロビンの状態では鮮紅色（動脈性血）に，還元ヘモグロビンの状態では暗赤色（静脈性血）にみえる．血中の未熟な赤血球（約 1 ％）は**網状赤血球** reticulocyte と呼ばれ，塩基好性の顆粒と網状構造をもっている．赤血球の**生存期間**は 100〜120 日で，その後，主に脾臓と肝臓で解体される．鉄を離したヘモグロビンの部分から胆汁色素（ビリルビン）が生じ，鉄は骨髄で赤血球生成の際に再び利用される．

臨床関連：末梢血中の**網状赤血球の増加**は失血後に現れ，これは赤血球新生速度が上昇した指標である．赤血球の著しい増加は**グロブリン増多症** polyglobulia といわれ，数やヘモグロビン量の低下で**貧血** anemia をきたす．赤血球の表面はいろいろな糖をもった高分子である糖脂質，また，糖タンパク（糖衣 glycocalyx）で包まれている．この糖衣は抗原としての性格をもち，これが **ABO 式血液型**における個人の血液型を決定する．

白血球 leukocytes．白血球はアメーバ運動を行い，感染および異物に対する防御のために働いている．白血球数は日内変動を示し，消化管活動や肉体労働などの要因によって左右される．10,000/μl の増加は**白血球増加症** leukocytosis，2,000/μl 以下の減少は**白血球減少症** leukopenia という．白血球は特殊顆粒をもつ顆粒白血球，単球，そしてリンパ球に大別できる．

顆粒白血球 granulocytes．細胞核が分葉して絞扼部で個々の分節が区別できるものを**分葉核**顆粒白血球といい，幼若な細胞で分節を欠くものを**杆状核**顆粒白血球という．顆粒白血球は細胞質の顆粒の染色性に従って次の 3 型が区別できる：**中好性顆粒球（好中球）**は 3〜4 個の分葉核をもち，小さいアズール顆粒がみられ，これはリソソームであって，種々の水解酵素とペルオキシダーゼを含む．さらに小型のリゾチームや抗菌物質を含む特殊顆粒もみられる．**酸好性顆粒球（好酸球）**の核は通常細い絞扼部で連なる 2 葉に分かれている．酸好性色素に強く染まる大型の顆粒を密にもっているのが特徴的である．好中球と同じように，大食作用 phagocytosis に関与する．好酸球は抗原抗体複合体を取り込む能力をもち，アレルギー反応の際に流血中に著しく増加する．核はあまり分葉していない．**塩基好性顆粒球（好塩基球）**は U 字または S 字形の不規則な核をもち通常は分葉しない．太い顆粒は塩基性色素で青黒く染まる．顆粒には血液凝固を抑制するヘパリンならびにヒスタミンが含まれ，これらは血管透過性を亢進させてアレルギーの早期反応を誘発する．さらに化学走性因子 chemotactic factors をもつ．顆粒細胞の減少は無顆粒細胞症 agranulocytosis を起こす．

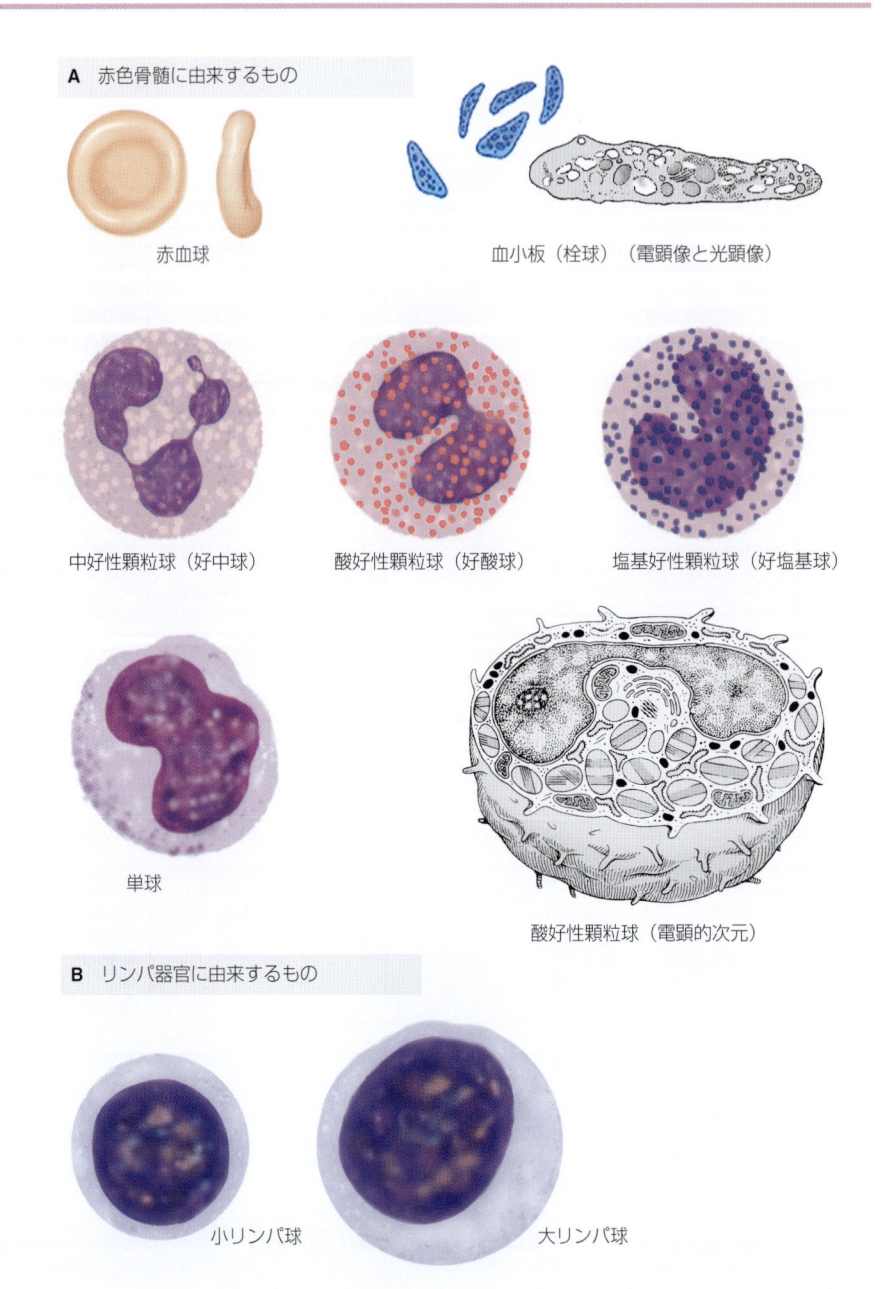

血小板（栓球） blood platelets．血小板は固有の独立した細胞ではなく，巨核球が不規則にちぎれた細胞断片である．血小板はたやすく壊れて，その際に血液凝固促進因子であるトロンボキナーゼ thrombokinase を放出し，さらに血小板は局所的な血管収縮作用のあるセロトニンを担送している．

血小板減少＝栓球減少症 thrombocytopenia，血小板の過剰＝栓球増加症．

A 赤色骨髄に由来するもの

赤血球

血小板（栓球）（電顕像と光顕像）

中好性顆粒球（好中球）

酸好性顆粒球（好酸球）

塩基好性顆粒球（好塩基球）

単球

酸好性顆粒球（電顕的次元）

B リンパ器官に由来するもの

小リンパ球

大リンパ球

血液

分化した血球の正常値とその作用

細胞の種類	血液1μl当たりの数（正常範囲）	白血球の%（平均値）	生存期間－血中での滞在期間	主な作用
白血球総数	7,000（2,800～11,200）	100		異物に対する生体の防御機構
中好性顆粒白血球	4,250（2,200～6,300）	60	7～14時間	小食細胞，走化性，食作用，遊走性，抗菌性，異種細胞や細菌の溶解；リゾチームの産生，ラクトフェリンの産生．酸素ラジカルの産生，好中球向性物質（leukotriene）の放出
・分葉核	3,575（1,100～6,050）	51		
・杆状核	650（100～1,200）	9		
酸好性顆粒白血球	200（0～400）	2.8	1～2日	寄生虫の防御（例；線虫類），肥満細胞および好塩基球と協力してアレルギーの際に反応
塩基好性顆粒白血球	35（0～70）	0.5	5～6時間	ヒスタミンとヘパリンの放出，寄生虫と蠕虫の防御
単球	485（70～900）	6.9	5～7日	単核食細胞系の前駆細胞（410頁），大食細胞（マクロファージ）
リンパ球	2,150（1,000～3,300）	30.7	数ヵ月～数年	BおよびTリンパ球，体液性免疫および細胞性免疫
赤血球	♂450万～550万 ♀400万～500万		約120日	酸素の運搬，肺におけるCO_2/O_2の交換
血小板	15万～45万		9～12日	止血と血液凝固

血球の大きさ

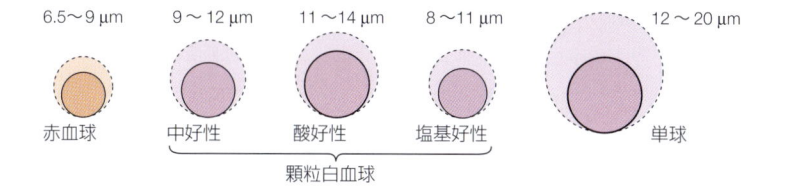

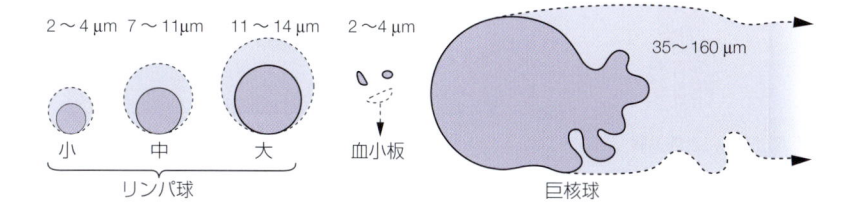

6.5～9μm	9～12μm	11～14μm	8～11μm	12～20μm
赤血球	中好性	酸好性	塩基好性	単球
	顆粒白血球			

2～4μm	7～11μm	11～14μm	2～4μm	35～160μm
小	中	大	血小板	巨核球
リンパ球				

主要な血漿タンパクとその機能

タンパク	濃度 g/l	機能
アルブミン	38.2～50.4（58.0～70.0%）	血液の膠質浸透圧の維持；Ca^{2+}，ビリルビン，脂肪酸および他のリポフィリン物質の担送
α_1-グロブリン	1.3～3.9（1.5～4.0%）	脂質とリポタンパクの担送，サイロキシンおよび副腎皮質ホルモンの運搬
α_2-グロブリン	5.4～9.3（5.0～10.0%）	酸化酵素作用，プラスミン抑制因子
β-グロブリン	5.9～11.9（8.0～13.0%）	リポタンパクと鉄の運搬，補体タンパク質
γ-グロブリン（免疫グロブリン）（IgA, IgD, IgE, IgG, IgM）	5.8～15.2（10.0～19.0%）	循環抗体の大部分，防御機構
フィブリノーゲン	2～4.5	血液凝固（フィブリンの前駆物質）
プロトロンビン	0.13～0.15	血液凝固（トロンビンの前駆物質）

造血

胎生期の造血

　胚子および胎児期に**造血**hematopoiesisが行われる部位はその成長期間中に幾度も場所が変わる．次のような造血期が区別される(**C**)：

　巨赤芽期（中胚葉期）megaloblastic (mesoblastic) phase. 最初の造血は受精後2週目に，**卵黄囊壁の胚外中胚葉と胚子の腹茎**で始まる．**血島**blood isletsと呼ばれるこの間葉細胞の集団は，血液の幹細胞である**血球芽細胞**hemocytoblastだけでなく，血管原基の一次細胞である**血管芽細胞**angioblastも産生する．第3週の終わりに胚子の血管は胚外血管と連結し始め，血液を通すようになる．この期に分化してくるまだ核をもった大きな赤血球（直径15〜18μm）は**巨赤芽球**megaloblastと呼ばれる．顆粒白血球とリンパ球はない．中胚葉期は巨赤芽球期megaloblastic phaseともいわれ，第3胎児月の終わりまで続く．

　肝脾期hepatolienal phase. 第6(7)胚子週の始め頃から，**肝臓，脾臓およびリンパ節の間葉組織**が造血に関与してくる．赤血球は核を失い，正常な大きさに近づき，未成熟な形のものがより少なくなってくる．巨核球や顆粒白血球が出現する．肝脾期での造血は第5妊娠月から徐々に弱まる．

　骨髄期medullary (myeloid) phase. 第5胎児月に入るとすべての骨の**骨髄**bone marrowで造血が始まる．骨髄は最終的な造血部位である("赤色骨髄")．第6胎児月の終わりには，分化の進んだ単球もできてくる．リンパ球は第4胎児月に最初は肝臓でつくられるが，やがて骨髄でつくられるようになる．これらのリンパ球は，一部は胸腺に運ばれ，さらに胸腺からTリンパ球としてリンパ性器官に入植して，そこで増殖し続ける．また一部のリンパ球は骨髄から直接に末梢のリンパ性器官に運ばれ，将来のBリンパ球となる（特異的防御系，410頁）．

生後の造血

　生後の血球生成は**赤色骨髄**red bone marrow(**A**)で行われ，リンパ球は胸腺，リンパ節，脾臓などの**リンパ性器官**で増殖する．リンパ球の生成は6歳頃には大人の規模に達する．

　骨の長さの成長が終了するとともに，骨髄の造血は**長管骨の骨端部，短骨および扁平骨**に限られてくる．慢性的な失血や骨髄障害の際には，長管骨の骨幹部，胎生期の造血部位である肝臓や脾臓の結合組織で再び造血がみられるようになる．

　骨髄bone marrow. 骨髄は長管骨の髄腔や海綿質の細隙に場所を占めており，骨髄組織としての重量は全体で約2,000gである．そのうちで，大人の場合は約半分が赤色骨髄で他の半分は黄色骨髄（脂肪骨髄）である．

　赤色骨髄は骨小柱と脂肪細胞(**B1**)の間に細網結合組織（線維芽細胞性細網細胞）(**B2**)による網目がつくられ，この網目の中にさまざまな分化過程にある血球細胞が混在している（赤血球生成の細胞(**B3**)，顆粒白血球生成の細胞，血小板生成のための骨髄巨核細胞(**B4**)）．造血部位ではこの骨の栄養血管に由来する有窓性の類洞sinusoidが発達している．成熟した血球は内皮の細隙を通って類洞に入り，これは骨髄静脈に開き，さらには動脈と同じ経路を通って運び出される．骨髄にはリンパ管はない．

　血球芽細胞hemocytoblast. すべての血球を生成する**多能性幹細胞**pluripotential stem cellである．この言葉は機能をよく表しているが，形態的に一義的に特徴づけるものではなく，どちらかといえば中等度の大きさのリンパ球によく似ている．多能性幹細胞は静止期の状態にあるかまたは分裂の状態にあるが，分裂して各血球系列の前駆細胞の系列に入るが，その属性に変更はなく，それぞれの系統の成熟血球が生じる．リンパ球系列も共通の系統樹（409頁）から生じてくる．

臨床関連：骨髄中に結合組織線維が増加すると，**骨髄線維症**myelofibrosisと呼ばれる．

A 成人の赤色骨髄

B 赤色骨髄の断面

C 胚子および胎児期の造血

1. 巨赤芽球期（広く間葉で）
2. 肝脾期（肝臓）
2. 肝脾期（脾臓）
3. 骨髄期

---

1 脂肪細胞 fat cell　**2** 細網結合組織 reticular connective tissue　**3** 赤血球 erythrocytes 生成過程の細胞　**4** 骨髄巨核細胞（巨核球）megakaryocyte　**5** 形質細胞 plasma cell　**6** 中好性顆粒球 neutrophilic granulocyte　**7** 骨髄球 myelocyte

造　血

血液および防御系の細胞は，一部は赤色骨髄（赤血球，顆粒白血球，単球，リンパ球，血小板）でつくられ，一部はリンパ性器官（免疫系の細胞）でつくられる．**血球芽細胞（1）**はすべての血球をつくり出す共通の幹細胞 stem cell である．その有糸分裂により2種の細胞が生じ，1つは多能性の血球芽細胞のままで残り，ほかの1つはいろいろな成長因子や分化因子の作用に影響されて不可逆的に限定された**前駆細胞** precursor cell（＝各血球系列の出発点となる単能性幹細胞）となる．前駆細胞は**芽球** blast となり，中間段階の細胞を経て，**成熟血球**となる．

赤血球生成 erythropoiesis．骨髄の未分化な血球のうち約30％が赤血球生成に関与している．**血球芽細胞（1）**から**前赤芽球（2）**を経て**赤芽球（3）**が生じる．この2つの細胞は形態的には区別できる．これらの細胞は4回の分裂段階を経て，多染赤芽球 polychromatophilic erythroblast の段階では，細胞とその核の小型化が起こり，一方ではヘモグロビン量が増加する；細胞は次第に酸好性になってくる．赤芽球は多くの場合小集団をなして類洞周囲に配列しており，その中心に1～2個の細網細胞が存在する．細網細胞は赤芽球にヘム合成に必要な鉄を仲介する'乳母細胞 nurse cell, Ammenzellen'だけでなく，赤血球生成に対して調節的に働きかけている．

多染赤芽球の有糸分裂により**正赤芽球（4）**が生じ，この細胞から偏在性の密な核が細胞外に放出されて**赤血球（5）**となる．放出された核は骨髄中の大食細胞によって貪食される．新生されて十分に成熟していない赤血球は**網状赤血球（6）**といわれ，塩基好性のリボゾームの残余である顆粒細糸状物質 granulofilamentous substance といわれる網状構造物をもっている．赤血球生成にとって最も重要な調節因子に腎でつくられるホルモンである**エリスロポイエチン** erythropoietin があり，そのほかにもビタミンB_{12}，葉酸や幾つかの成長因子が必要である．

鉄代謝．老化した赤血球は脾臓で貪食され，解体される．ヘモグロビン鉄は細網結合組織の食細胞の中に**ヘモジデリン** hemosiderin として一時的に蓄えられる（ベルリン青反応で証明）．ヘモジデリンから**フェリチン** ferritin が放出され，血行を介して―血中では2個のFe^{3+}イオンがタンパク分子と結合した**トランスフェリン** transferrin として―骨髄に達し，そこで細網細胞に摂取され，その周囲に存在する赤芽球に再び引き渡される．

顆粒球生成 granulopoiesis．顆粒白血球の3系列の発生は，ほとんど特殊顆粒をもたない**骨髄芽球（7）**と**前骨髄球（8）**を経て，特殊顆粒を備えてくる**骨髄球（9）**となる．その特殊顆粒の染色性によって中好性，酸好性および塩基好性の発生系列が限定され，各系列の細胞は**後骨髄球（10）**と**杆状核顆粒白血球（11）**を経て，最終的に分化した**分葉核顆粒白血球（12）**となる．成熟の基準としては，核は絞扼部で糸状につながれ，通常2～4個の分葉がみられる．顆粒白血球は骨髄の類洞壁を通って血中に遊出する．骨髄は血中を循環する顆粒白血球の幾倍もの予備量を備えており，これは必要のある場合には迅速に動員される状態にある．顆粒白血球の新生は成長因子によって一般的に促進されるが，アドレナリンやグルココルチコイドは流血中の好酸球を減少させることが知られている．

単球生成 monopoiesis．**単球（13）**は**単芽球（14）**から**前単球** promonocyte を経てできてくる．

血小板生成 thrombopoiesis．巨核球（骨髄巨核細胞）**（15）**は前段階の**巨核芽球（16）**と**幼若巨核球（17）**を経てつくられる．巨核球**（15）**は大きな分葉核をもち，その細胞質には分散する微細顆粒がみられ，細胞辺縁部に偽足様突起をもっている．**血小板（18）**は巨核球がちぎれた断片で，巨核球は血小板の形成を何回か繰り返した後に死滅する．

リンパ球生成 lymphopoiesis．まだ免疫担当能力のない前駆細胞が骨髄を離れ，リンパ性器官でTまたはBリンパ球**（19）**に刻印される．抗原と1次接触するとTまたはB**免疫芽球（20）**がつくられる．免疫芽球から，T型のものはT型**免疫細胞（作動細胞）（21）**を，B型のものは**形質細胞（22）**をつくり，また一部はTまたはB型の**記憶細胞（23）**が生じる（411頁参照）．

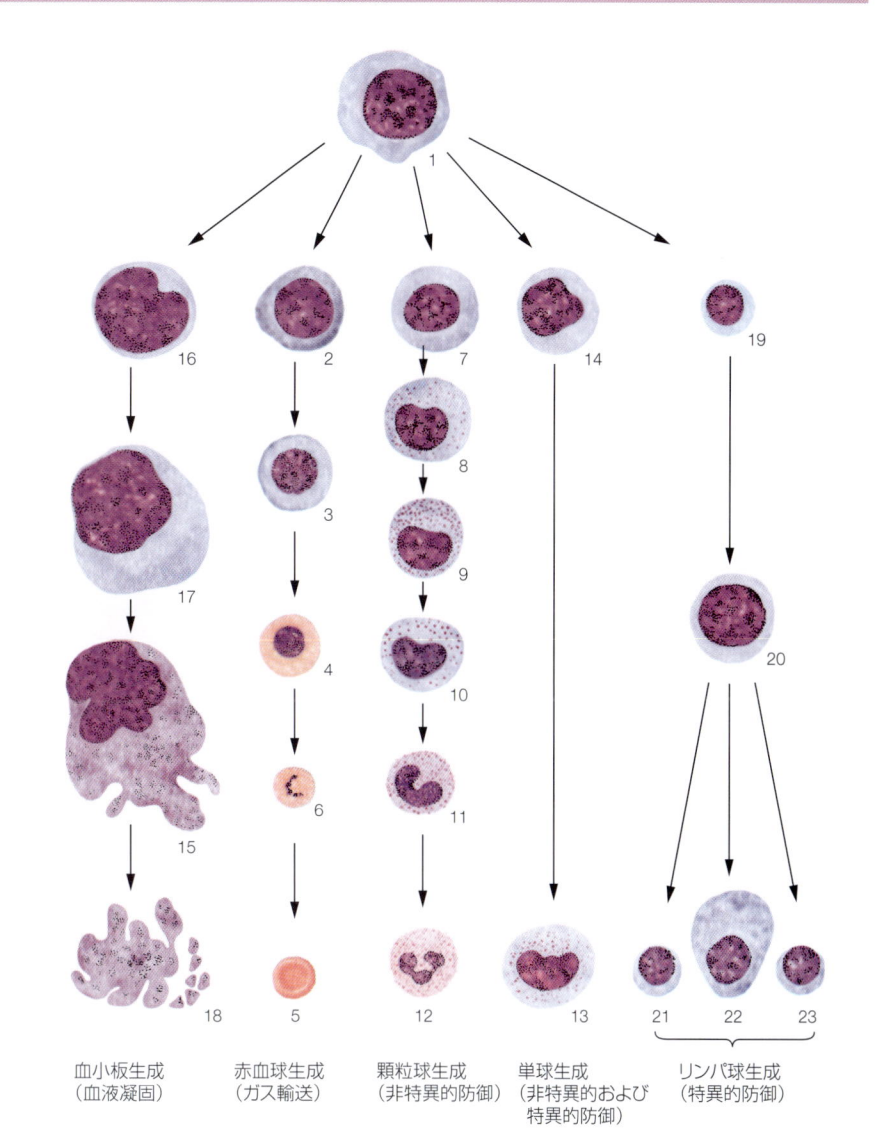

造血部位における血球と防御細胞の生成

血小板生成（血液凝固）　赤血球生成（ガス輸送）　顆粒球生成（非特異的防御）　単球生成（非特異的および特異的防御）　リンパ球生成（特異的防御）

---

1 血球芽細胞 hemocytoblast　2 前赤芽球 proerythroblast　3 赤芽球 erythroblast　4 正赤芽球 normoblast　5 赤血球 erythrocytes　6 網状赤血球 reticulocyte　7 骨髄芽球 myeloblast　8 前骨髄球 promyelocyte　9 骨髄球 myelocyte　10 後骨髄球 metamyelocyte　11 杆状核顆粒白血球 stab granulocyte　12 分葉核顆粒白血球 segmented granulocyte　13 単球 monocyte　14 単芽球 monoblast　15 巨核球（骨髄巨核細胞）megakaryocyte　16 巨核芽球 megakaryoblast　17 幼若巨核球 juvenile megakaryocyte　18 血小板 blood platelets　19 リンパ球 lymphocyte　20 （TまたはB）免疫芽球 immunoblast　21 T-免疫細胞 T-immunocyte　22 形質細胞 plasma cell　23 （TまたはB）記憶細胞 memory cell

防御系

生体は多数の微細な病原体（細菌，ウイルス，原虫，真菌）や毒性をもつ外来物質に日々直面し，これらは皮膚，胃腸管または気道を経由して体内に侵入する．われわれの周囲の環境や食事には無数の病原菌が生息しているが，ヒトはめったに病気に罹患しない．罹患したとしても，大部分の感染症は時間の経過とともに治癒に向かい，障害を後に残すことはほとんどない．このことは有効な**免疫系** immune system の働きの結果として起こるもので，ある種の細胞群と可溶性タンパク（抗体）の協同作業に起因するものである．

免疫系の**主要な任務**は病原微生物の侵入を阻止したり，すでに侵入した病原菌または外来異物を撲滅することにある．**免疫** immunity という概念は，異物（"非自己"）から自己固有の構成物（"自己"）を区別する能力を有し，"非自己"に対して特異的な抗体の産生（＝**体液性免疫** humoral immunity）および／または特異的に反応するリンパ球の産生（＝**細胞性免疫** cellular immunity）を意味する．免疫応答を誘発させる異物を**抗原** antigen といい，これを防御するために出現する免疫グロブリンを**抗体** antibody という．リンパ球は抗原が生体にとって異質なものであることを認識する細胞であって，抗原と接触するとある種の記憶すなわち**免疫学的記憶**を生体内に残す．これによって後に再び同じ抗原に遭遇すると迅速かつ効果的な免疫応答をひき起こすことができる．

特異的防御系 specific defense system．この系の主役を演じるのは，**免疫担当Tリンパ球**（細胞性免疫応答）と抗体を産生する**Bリンパ球**（体液性免疫応答）である．この二型のリンパ球は骨髄の幹細胞から前駆細胞を経て**免疫担当細胞に成長する**（409頁）．自己固有の構成物はこれらのリンパ球によって"自己"として識別され，外来性の異種物質（"非自己"）とは異なって，攻撃されない．

> **臨床関連**：自己固有の構成成分に免疫応答が起こらないことを**免疫学的寛容** immunological tolerance という．この寛容は異物である抗原に対しても現れることがあり，致命的な健康問題が起こるのもこの寛容の結果として生じ得る．逆に，特異的防御系の過剰反応は自己固有の構成物や分子を破壊することがあり，その結果**自己免疫疾患** autoimmune disease をひき起こす．

非特異的防御系 non-specific defense system．これは病原体（異物）および体内にできた変性した細胞を局所で即時に撲滅することを目的としている．この系で重要な細胞は旺盛な**食作用**の能力をもつ中好性顆粒球と大食細胞（マクロファージ）である：

中好性顆粒球 neutrophilic granulocyte（406頁以下と411頁**E**）は病原体の侵入から数時間で，病原体や細胞の破壊産物に引きつけられて炎症巣に集まってくる．中好性顆粒球は外来異物を貪食し，それをリソソーム酵素の働きで分解する．同時に，顆粒球はタンパク分解酵素を分泌して炎症浸潤巣の軟化をひき起こし，膿瘍を形成する場合もある．その際，顆粒球は死滅して膿 pus が生じる．

大食細胞 macrophages（411頁**G**）は血球の単球 monocyte に由来する．**遊走性**の"**滲出性大食細胞** exsudative macrophages"として炎症巣に遊走し，漿膜腔では胸膜腔大食細胞 pleural macrophages および腹膜腔大食細胞 peritoneal macrophages となり，肺では肺胞大食細胞 alveolar macrophages となる．**固定性**の"**組織大食細胞** tissue macrophages"として，肝臓のクッペル星細胞 Kupffer stellate cells，脾臓およびリンパ節ならびに骨髄の組織球性細網細胞 histiocytic reticular cells，疎性線維性結合組織中の組織球 histiocytes などがある．これらの細胞は一括して**単核性食細胞系** mononuclear phagocytic system（**MPS**）としてまとめられる（以前は細網内皮系 reticuloendothelial system, RES といわれていた）．

大食細胞は特異的防御系においても重要な役割を演じており，活発な分泌細胞として多くの液性因子を産生する．食作用と細胞傷害性はリゾチーム，急性期タンパク，サイトカインおよびそのほかのタンパクなどいわゆる**補体系** complement system によって支援されている．また，単球に由来する大食細胞には，骨吸収を行う破骨細胞 osteoclast と中枢神経系 central nervous system, CNS の防御および清掃細胞である中胚葉性の小膠細胞 microglia がある．

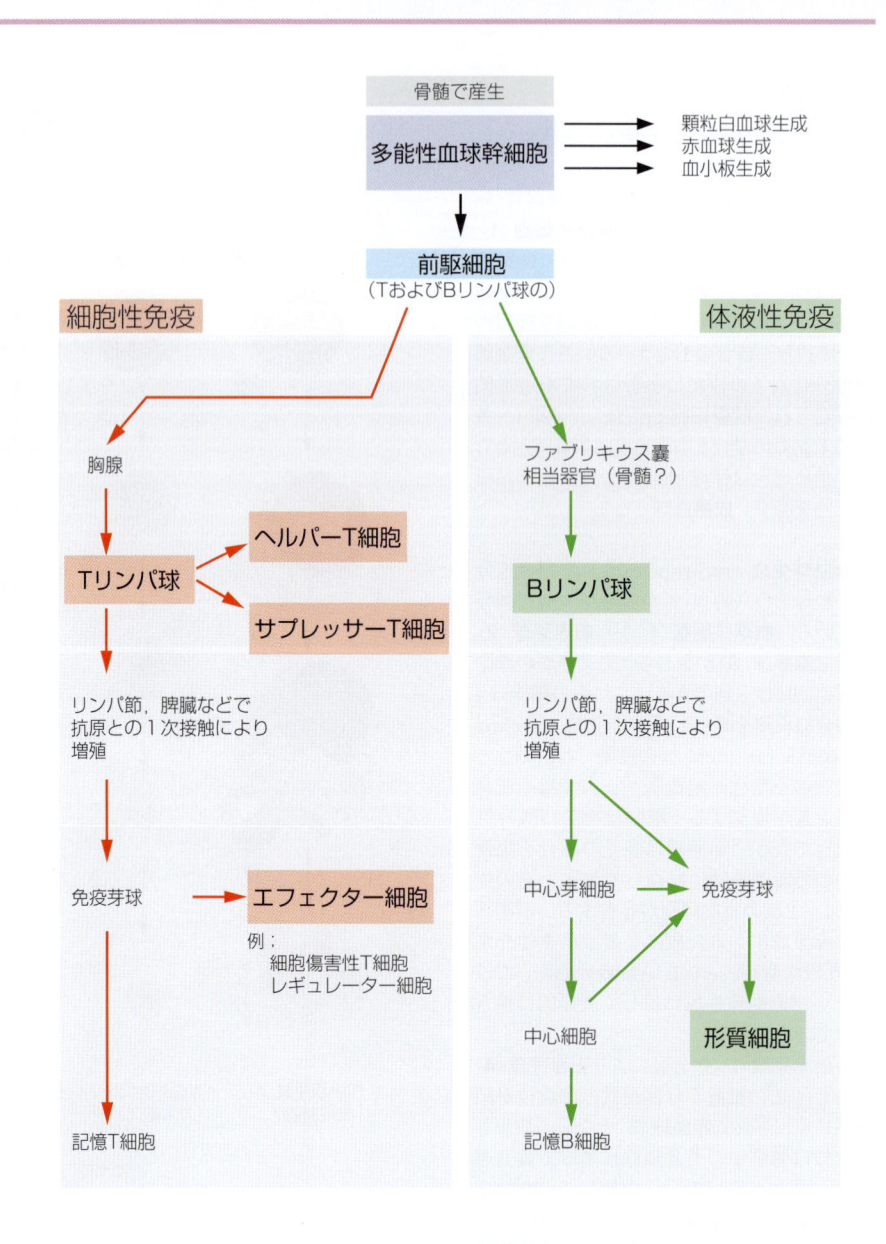

A 免疫系の複路線系

免疫系の細胞

特異的防御系の細胞はリンパ球（**A**）である．リンパ球にはTリンパ球（**T細胞** T-cell）とBリンパ球（**B細胞** B-cell）が区別され，両細胞はアクセサリー細胞と協力してその任務を遂行する．

Tリンパ球 T-lymphocytes．この細胞は胸腺依存性リンパ球であって胸腺の**皮質**でいろいろな亜型群に発育し（下記参照），ある選択（教育）を受けさせられる—すなわち，それらの細胞が胸腺を離れてから，自己固有の組織（"自己"）を認識することと，ただ異種物質（"非自己"）に対してのみに防御機能を発揮することを教育される．Tリンパ球は血行を介して**リンパ性器官のT細胞域** T-cell areasに達し，この領域から免疫担当細胞としてリンパ路を介して出ていき，新たに血流中に入って再循環することになる．Tリンパ球は特有の表面分子によって特徴づけられ，**T細胞受容体** T-cell receptorを備えており，この受容体は抗原との特異的な結合に対して責任を負っている．

亜細胞群（410頁参照）．**ヘルパーT細胞** helper T-cellは免疫応答の調和をはかることを主な役目としている．この細胞はサイトカインを放出することによってほかの免疫細胞の成長，分化および活性化に影響を及ぼす．例えば，Bリンパ球に対しては，B細胞を刺激して増殖と分化を起こさせ，抗体を分泌させる．対応する抗原に対するB細胞の免疫応答はこのT細胞の助力に左右されているのである．これに対して，**サプレッサーT細胞** suppressor T-cellはB細胞ばかりでなくヘルパーT細胞や細胞傷害性T細胞の免疫応答を抑制する（抑制の機構は今日でも詳しくはわかっていない）．**細胞傷害性T細胞** cytotoxic T-cell (CTC)は抗原となる細胞，ウイルスに感染した細胞，変性した自己固有の細胞などに直接接触してそれらを破壊することができる（**細胞性免疫応答**）．また移植の際には移植片の処理に重要な役割を演じている．この細胞から分泌される細胞傷害性ペプチド，例えばパーフォリン perforinは標的細胞を破壊し，この際にCTC自身は破壊されることはない．

これらの各々の細胞がもつ機能的特異性は，抗原との初めての接触すなわち**1次接触** primary contactにより獲得され，この接触を契機としてTリンパ球は活性化されて**T免疫芽球** T-immunoblast（**B**）となり，増殖を続ける．T免疫芽球の増殖の際には誘発抗原を長期にわたり再認識できる**記憶T細胞** memory T-cellが生じる．

Bリンパ球 B-lymphocytes．Bリンパ球は同様に免疫担当細胞であり，特異的な**体液性免疫応答**を仲介する．B細胞はその細胞膜に高度の特異性をもつ**免疫グロブリン−受容体** immunoglobulin-receptorを備えている．B細胞が"適当な"（鍵と鍵穴原理）抗原と接触すると，増殖能のある**B免疫芽球** B-immunoblast

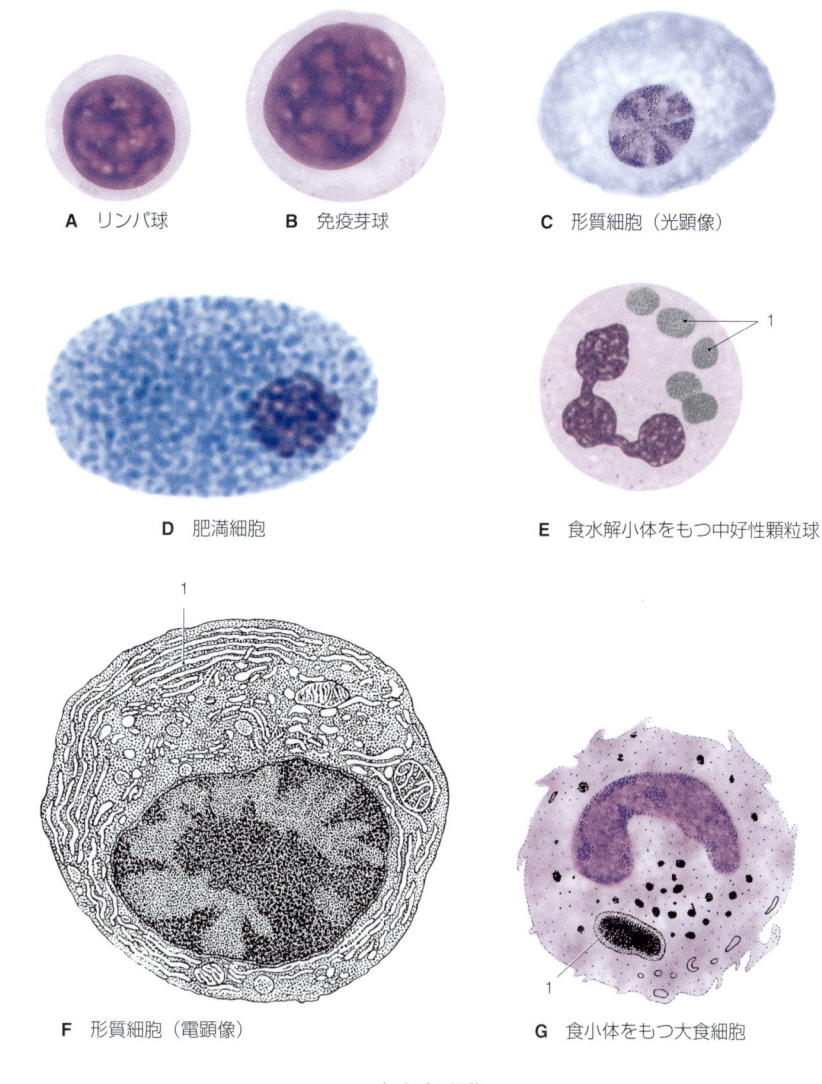

A リンパ球　　B 免疫芽球　　C 形質細胞（光顕像）

D 肥満細胞　　E 食水解小体をもつ中好性顆粒球

F 形質細胞（電顕像）　　G 食小体をもつ大食細胞

免疫系の細胞

が生じ，その大部分は抗体を産生する**形質細胞**に分化する（＝**直接的な形質細胞形成**）．

形質細胞 plasma cell（**CF**）．この細胞はB細胞由来のエフェクター細胞（作動細胞）で，高度に分化した大きな**塩基好性**の細胞である（直径15〜20μm）．その核は偏心性に存し，光顕的にも見分けのつく**車輪状の構造**をもつ（**C**）．形質細胞は最も実質的な**抗体産生細胞**であり，免疫グロブリンの産生部位である粗面小胞体（**F1**）が豊富に発達している．形質細胞はもはや分裂・増殖することはなく，その生存期間は約4日である．免疫グロブリンは結合組織の中に放出され，血行を介して抗原に達し，抗原と結合してこれを撲滅する．

間接的な形質細胞形成．ある決まった抗原と再び接触すると（**2次接触** secondary contact），特異的な**記憶細胞** memory cellが活性化される．この記憶細胞は当該抗原に対する受容体をすでに保有している．記憶細胞は，1次接触の状況下において，二次リンパ小節の胚中心（415頁）でBリンパ球から中間型の細胞（**中心芽細胞** centroblast，**中心細胞** centrocyte）を経てつくられる．記憶細胞はその後（数年を経ても）新たにその同一抗原と接触すると迅速に分化して抗体を作る形質細胞になる．これは，免疫学的記憶の細胞レベルの基礎である．

キラー細胞（killer cell, K-cell）．この細胞はTリンパ球やBリンパ球と異なる分類に属する一種のリンパ球である．この細胞は，免疫担当細胞となるために胸腺に入ることなく，細胞傷害性機能をもっている．キラー細胞の共通の特徴として，抗体によって標識された標的細胞を選択的に殺す能力を備えている（**抗体依存性細胞傷害** antibody dependent cell-mediated cytotoxicity）．

E1 食水解小体（ファゴリソソーム）phagolysosome　　F1 粗面小胞体 rough endoplasmic reticulum　　G1 食小体（食胞）phagosome

リンパ性器官

概説

リンパ性器官は特異的防御にとって重要な器官である（410頁以下参照）. **一次性リンパ性器官** primary lymphoid organs は免疫細胞の生成, 成長および成熟の役を果たし, **二次性リンパ性器官** secondary lymphoid organs は免疫細胞が異物と対決する適当な場を提供している.

一次性リンパ性器官

骨髄 bone marrow. 骨髄（408頁）は血球芽細胞からできてくるリンパ球幹細胞, さらには単核性食細胞系（MPS）の前駆細胞をもっている.

胸腺 thymus. 胸腺はリンパ性器官の中で, 免疫系を形成するための上位に位置する器官であって, 細胞性免疫の発現に不可欠な器官である（413頁）.

二次性リンパ性器官

リンパ上皮性器官 lymphoepithelial organs. これには次のものが属している：咽頭扁桃 pharyngeal tonsil, 口蓋扁桃 palatine tonsil, 舌扁桃 lingual tonsil, 耳管の入口にある耳管扁桃 tubal tonsil, 咽頭の側壁と後壁にあるリンパ側索 lateral lymphoid cord（418頁）.

粘膜関連リンパ組織. 粘膜関連リンパ組織 mucosa associated lymphoid tissue（**MALT**）には次のものが属する：**腸管関連リンパ組織** gut associated lymphoid tissue（**GALT**）（これには上皮内や固有層に浸潤しているリンパ球；小腸の粘膜固有層にある孤立リンパ小節；小腸および虫垂の粘膜固有層と粘膜下組織にある集合リンパ小節すなわちパイエル板が属する）（419頁）, **気管支関連リンパ組織** bronchus associated lymphoid tissue（**BALT**）, さらには尿路, 眼瞼結膜, 涙路の粘膜に存在するリンパ組織.

皮膚関連リンパ組織 skin associated lymphoid tissue（**SALT**）.

リンパ細網器官 lymphoreticular organs. これには**リンパ節**（415頁）と**脾臓**（416頁）が属する.

構成要素

細胞成分. リンパ性器官の中にはBおよびTリンパ球, 単球（**A**）および大食細胞, 多形核顆粒白血球（好中球）, 肥満細胞（**B**）, 形質細胞, およびキラー細胞などが存在する.

細網結合組織. この結合組織は線維に乏しい特殊な結合組織である. リンパ性器官においてはいろいろな細網細胞が区別される：**線維芽細胞性細網細胞** fibroblastic reticular cells は分枝した突起に富む細胞で, 好銀性の**細網線維** reticular fibers を産生し, 組織中に目の粗い網工をつくる（**C**）. さらに, 旺盛な食作用の能力をもつ**組織球性細網細胞** histiocytic reticular cells は単球に由来することが認められている. さらに, 免疫系のアクセサリー細胞として, 小樹枝状に分岐した末端部をもち, リンパ球を取り囲んでいる**樹状細網細胞** dendritic reticular cells がある. 樹状細胞には嵌合樹状細胞と濾胞樹状細胞とが区別され, 前者は不規則な形をした核と長い指状の突起をもってTリンパ球と接触し, 後者は多核でもっぱら胚中心（415頁）の中に現れる.

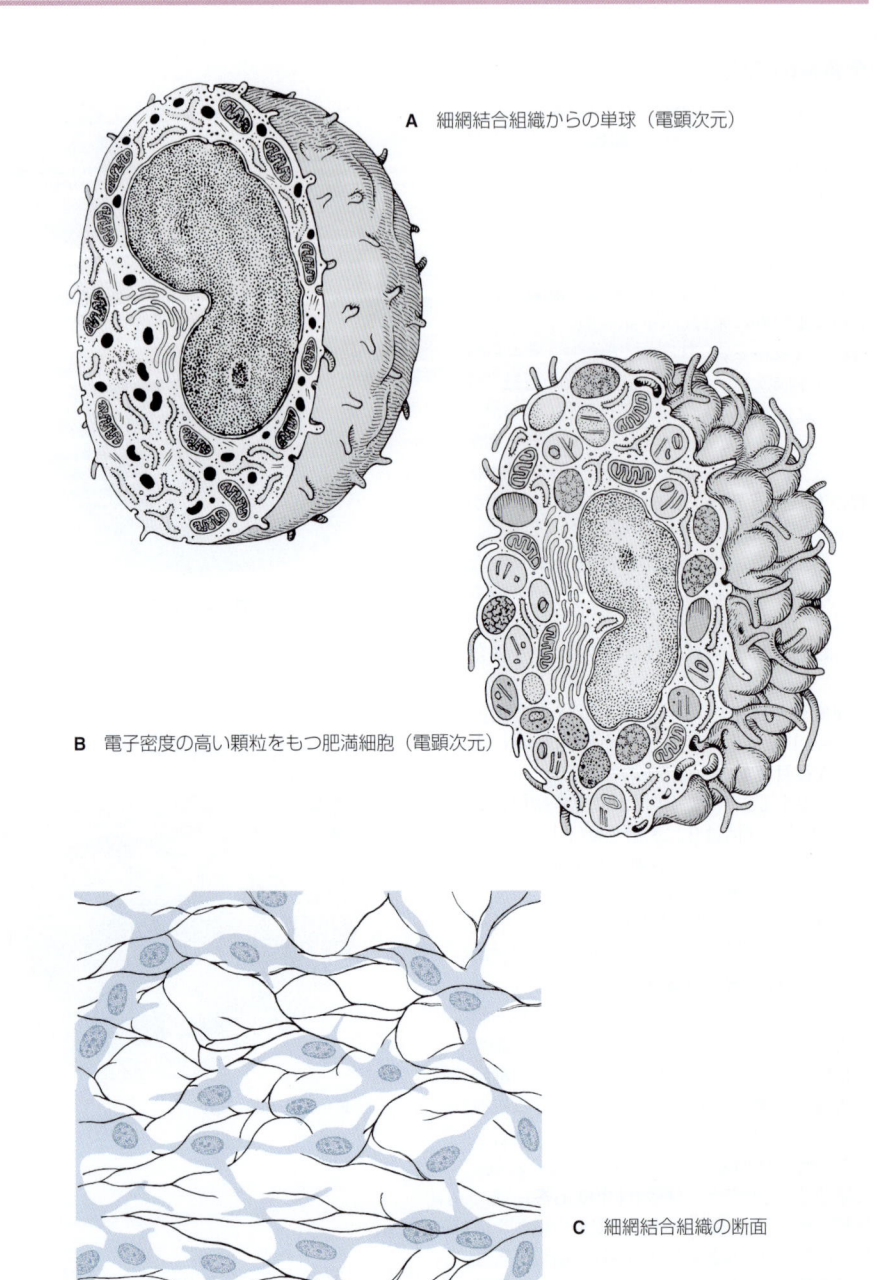

B細胞域とT細胞域. リンパ器官および組織は局所的に異なる領域にBリンパ球とTリンパ球によって入植される. Bリンパ球は主に一次リンパ小節と二次リンパ小節に住みつき（415頁）, これに対してTリンパ球の定住領域は変化に富み, 個々のリンパ器官で特別な領域に住みついている.

リンパ管. 器官および組織（中枢神経系を除く）の間質や細胞間結合組織領域から組織液の一部を静脈血に還流させる（415頁）.

毛細血管後細静脈 postcapillary venules. この特殊な細静脈は立方形の内皮を備えていて**高内皮細静脈** high endothelial venules=**HEV** とも呼ばれる. 内皮表面に粘着分子をのせており, 循環リンパ球によって認識され, 多数の血行性リンパ球がこの壁を通過してリンパ節実質に進入する.

A 細網結合組織からの単球（電顕次元）

B 電子密度の高い顆粒をもつ肥満細胞（電顕次元）

C 細網結合組織の断面

胸　腺

胸腺 thymus は T 細胞系の一次性リンパ性器官であり，それと同時に免疫防御を形成するための**上位の制御器官**である．胸腺は鰓弓由来 branchiogenic の器官に数えられている．

発生

胸腺は両側性に第 3 咽頭嚢の内胚葉とおそらく頸小胞 cervical vesicle の外胚葉から発生する．その基礎組織は上皮由来の**細網細胞** reticular cells で構成され，したがってこの細胞は血管に伴行してくる間葉性の細網結合組織の細網細胞とは異なる．第 8 胚子週にはすでに**毛細血管**が上皮性原基の中に成長し，第 9 〜 12 週の間に胸腺原基の表層に**間葉性の中隔**が実質の中に入り込んで偽小葉 pseudolobuli がつくられる．胸腺原基は両側性に甲状腺原基の後ろを通って最終的には縦隔の中に達するが，その際に咽頭との連結が消失する．一方，第 8/9 妊娠週以降に，間葉由来の**リンパ球幹細胞**が胸腺の上皮性細網細胞からなる支持組織に入植する；すなわち，最初は卵黄嚢の血島からの細胞，次いで肝臓と脾臓の造血組織からの細胞，出生後には最終的な骨髄からのリンパ球前駆細胞．この前駆細胞は強く増殖・分化して**T リンパ球**（＝胸腺リンパ球），さらには**レギュレーター細胞**（ヘルパー T 細胞，サプレッサー T 細胞）および**細胞傷害性 T 細胞**が結果的に生じるが，これらも胸腺細胞 thymocyte と呼ばれている．

形状と位置

胸腺は通常互いに不完全に癒着した大きさの異なる**二つの腺葉**で構成される．胸腺は胸骨の後ろで**上部縦隔**（**A**）に存在し，大血管すなわち左右の腕頭静脈と上大静脈の前方で心膜の表面に位置する．胸腺の両側は肋骨胸膜が縦隔胸膜への反転縁によって境され，この反転縁は第 2 肋骨の胸骨付着部の高さに "**胸腺三角**" Thymusdreieck（**A** の赤い三角）をつくり，その下方尖は "心臓三角" Herzdreieck の上方尖と対向している．

新生児（**B**）の胸腺は対性で接して存在し，長さ約 5cm，各々幅 1.5cm で分厚い索をつくっており，その重量は 11 〜 13g である．1 〜 3 歳までに胸腺重量は約 23g にまで増加する．思春期では 30 〜 50g になる．

小児の胸腺は殊に強く発達し，胸腺の両腺葉は，上方は甲状腺の下縁に達し，下方は第 4 肋間にまで達する．胸腺のこの増大は心底の X 線陰影像の拡大をひき起こすことがある．上方への突起は片側だけのこともまた両側のこともあるが，胸郭上口を通って中頸筋膜の中間葉の後ろに伸長する．

成人の胸腺は退縮していくが，まだよく機能する**胸腺残体** Thymusrest körper（**C**）として残り，これは胸骨柄の後ろで若年者の胸腺よりもはるかに小さな場所を占めることになる．

血管，神経，リンパ

動脈．主として**内胸動脈** internal thoracic artery ならびに**心膜横隔動脈** pericardiacophrenic artery からの**胸腺枝** thymic branches が分布する．しばしば甲状腺動脈からも栄養される．

静脈．胸腺静脈 thymic veins が左右の**腕頭静脈** brachiocephalic vein に還流する．また小静脈が下甲状腺静脈にのびている．

リンパ管．左右の腕頭静脈および大動脈弓にある**前縦隔リンパ節** anterior mediastinal nodes に入る．

植物神経．自律神経は**迷走神経** vagus nerve と**交感神経幹** sympathetic trunk に由来する．これらからの線維は心臓神経や心臓神経叢に達するばかりでなく，横隔神経や血管神経とともに胸腺に達している．これらは，結合組織性中隔を通って，胸腺の深部を髄質-皮質境界まで入り，ここで枝分かれして髄質へ入り，皮質に供血している．

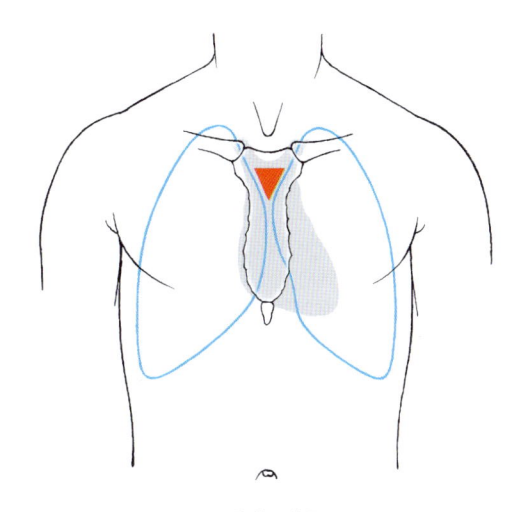

A　胸腺の位置

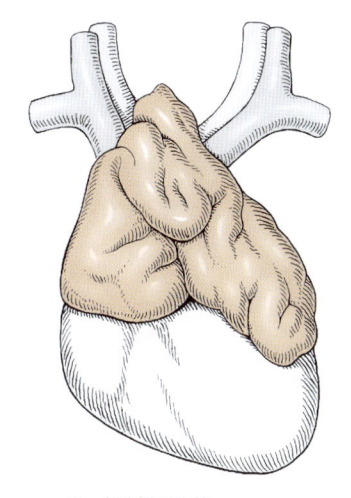

B　新生児の胸腺

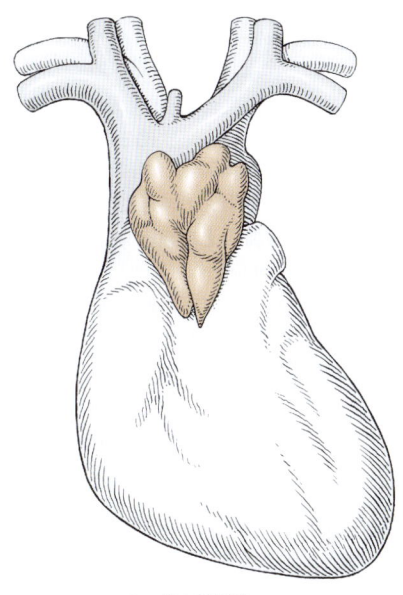

C　成人の胸腺

胸腺の微細構造

胸腺の基本構築は**上皮性細網細胞**（上皮性細胞）と**リンパ球**で構成される（リンパ上皮性器官）。胸腺は灌木状または樹木状に分岐した**組織索**でできており、切断面では小葉のごとき観を呈し（A），顕微鏡的には細胞に富んだ外層の**皮質**（B1）と細胞の少ない中心部の**髄質**（B2）が区別される．胸腺の外面は**結合組織性被膜**（B3）で包まれ，これから短い中隔が器官内にのびている．

上皮性細網細胞もしくは**胸腺上皮細胞**（DE4）．この細胞は星状の大型の細胞で，明るく染まる卵円形の大きな核と弱い酸好性の細胞質をもち，細胞質は細糸（サイトケラチンフィラメント）を豊富に含む．細胞から出る細くて長い**突起**はデスモゾームによって互いに接着して海綿状の**網状構造**を形成し，その網目の中にTリンパ球がある．

皮質．皮質の上皮性の網目腔は広く，その中にTリンパ球（胸腺細胞）（DE5）が密に詰まっており，そのために暗く染まってみえる．被膜や中隔と皮質との境界ならびに皮質髄質境界には**皮質の上皮細胞**（epitheliocytes）**が密集した層**が認められ，これらの細胞は，よく目立つゴルジ体と粗面小胞体の層板がみられる．この細胞層の直下に位置する**皮質辺縁帯**では，胸腺に移入してきたリンパ球が増殖している．リンパ球は上皮性細網細胞（乳母細胞 nurse cell, Ammenzellen）の突起によって包み込まれている．

胸腺皮質の小リンパ球は3〜4日ごとに新しく更新される．胸腺リンパ球は恒常的に血流中に入っているが，年をとるとともに少なくなる．胸腺に移入してきたリンパ球の大多数は自己固有の構成物に対する免疫学的寛容を獲得する間に死滅している．

髄質．髄質の上皮性の網目は狭く，リンパ球は皮質に比べてより少ない（B2）．**皮質髄質境界**には**髄質の細網細胞**が密着帯を形成して上皮様に配列している．**ハッサル小体**（E6）（直径：30〜150μm）は髄質に特徴的で，変性した細網細胞が球形のタマネギの皮状に配列した構造物である．これは少数の細胞でつくられることもあり，また0.1〜0.5mm大の嚢胞をつくって中に細胞屑 cell debris を入れていることもある．ハッサル小体は免疫学的過程と関連して出現するが，その機能的役割は未だわかっていない．

血液供給．心膜横隔動脈（244, 413頁）からの**胸腺枝** thymic branches が器官被膜を貫き，小葉間中隔を走って胸腺実質に達し，皮質髄質境界で細動脈および毛細血管となる．

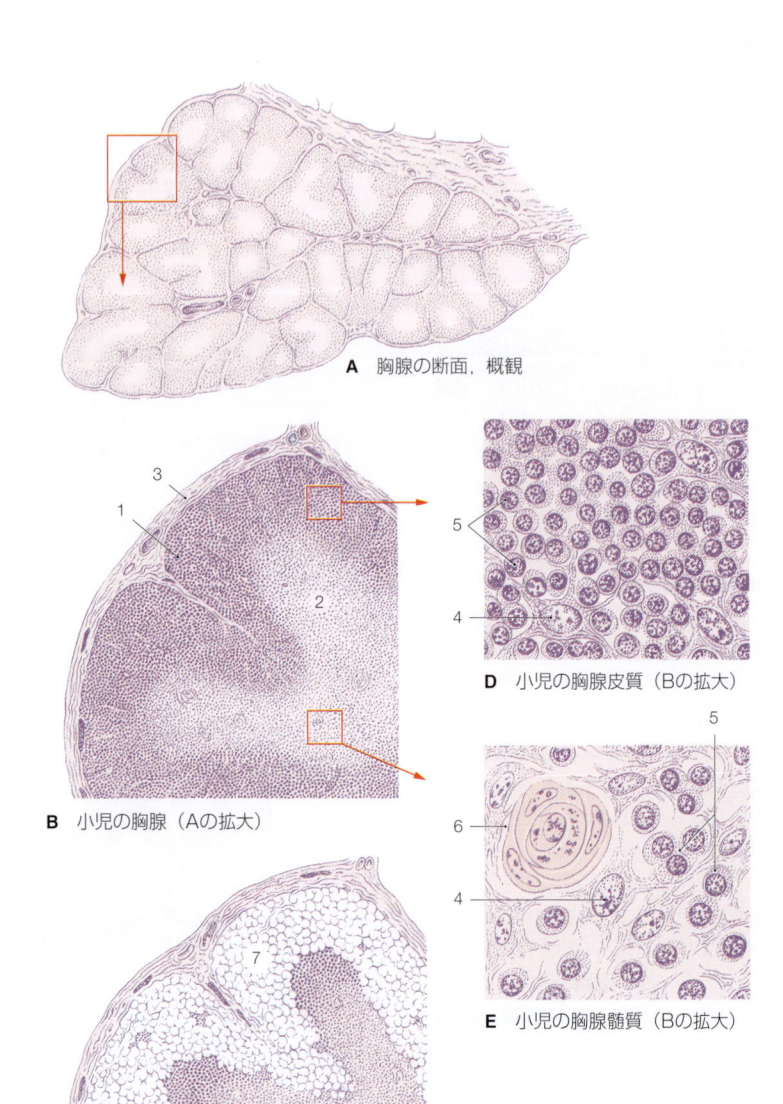

皮質の毛細血管は小孔 pores をもたない内皮でつくられた連続性毛細血管である．これは基底膜，毛細血管周囲結合組織，さらに密集した上皮細胞で囲まれている．これらの層は**血液−胸腺関門** blood-thymus barrier の形態学的な証拠となるものである：すなわち，抗原は胸腺実質の中に入ることはできない．静脈還流は動脈血管に伴行する．

加齢変化．思春期を過ぎると胸腺実質，殊に皮質が退化していき，これを**加齢退縮** age involution（C）という．血管に伴行してきた線維芽細胞性細網細胞の中に，脂肪組織（C7）が蓄積して胸腺脂肪体（胸骨後脂肪体）が生じる．しかし，これは胸腺組織が完全になくなるのではなく，常によく機能している胸腺残体 Thymusrestkörper である．加齢退縮と**偶発的退縮** accidental involution とは区別されるべきもので，後者は放射線照射，感染，中毒後に現れることがある．

機能．胸腺は**細胞性免疫系** cellular immune system の形成に対して中心的な役割を果たし，思春期まではTリンパ球の最も重要な供給源である．胸腺皮質で増殖するリンパ球は上皮性細網細胞の突起と接触し，そこでリンパ球は自己固有の抗原と関係をもつことになる．その際，リンパ球は刻印され，すなわち"非自己"から"自己"を区別することを学ぶ．異物抗原はこの刻印を妨害するので皮質に入らないようにされねばならない．このことが皮質につくられる**血液−胸腺関門**によって行われる．免疫担当Tリンパ球は皮髄境界から有窓性毛細血管を通って胸腺髄質に入り，さらに循環系を通って末梢のリンパ器官内の胸腺依存帯（T細胞域）に入植する．"偽の刻印をもつ"リンパ球はマクロファージによって貪食される．Tリンパ球の胸腺における産生，分化，成熟ならびに末梢リンパ器官での分離独立は，上皮性細網細胞がつくるホルモンである**チモポイエチン** thymopoietin やおそらくはそのほかの液性因子（チモシン thymosin, チムリン thymulin）によって促進または調節されている．

A 胸腺の断面，概観

B 小児の胸腺（Aの拡大）

C 成人の胸腺

D 小児の胸腺皮質（Bの拡大）

E 小児の胸腺髄質（Bの拡大）

1 皮質 cortex　2 髄質 medulla　3 結合組織性被膜 connective tissue capsule　4 上皮性細網細胞（胸腺上皮細胞）epithelial reticular cells (thymic epithelial cell)　5 Tリンパ球（胸腺細胞）T-lymphocytes (thymocyte)　6 ハッサル小体 Hassall's corpuscle　7 脂肪組織 adipose tissue

リンパ節

リンパ節 lymph node はエンドウ豆の形をしたリンパ細網器官で (**A**), 数 mm から 1cm 長を超えるものまでいろいろな大きさのものがある. リンパ節は生物学的濾過装置 biological filter としてリンパ管の途中に挿入されている. **所属リンパ節** regional lymph nodes はある器官またはある限局した体領域からのリンパに対する最初の濾過部位であり, **集合リンパ節** collecting lymph nodes は幾つかの所属リンパ節からのリンパを受け取る後続のリンパ節である.

構造. リンパ節は**結合組織性被膜**(**BCE1**)に包まれ, この被膜から中隔すなわち**梁柱**(**B2**)が内部に入って, リンパ節を分割するように仕切っている. リンパは数本の**輸入リンパ管**(**AB3**)によって凸面から流入し, 凹面の門 hilum から 2〜3 条の**輸出リンパ管**(**AB4**)にまとめられてリンパ節から流出する.

皮質 cortex は密に詰まった**リンパ小節**(**BC5, D**)からなり, 小節の中にはBリンパ球が集積している. 皮質は細胞が豊富なために染色標本では暗くみえる. 明るくみえる**髄質**(**C6**)でもリンパ球は密に貯蔵されているが皮質よりもより少ない.

機能的構成

リンパ洞の構成. 輸入リンパ管は被膜の直下にある**辺縁洞**(**周縁洞**)(**BE7**)に注ぐ. 辺縁洞はリンパ球に乏しく, 少数の細網細胞が横切っている. 辺縁洞は梁柱と平行して放射状に走る**中間洞**(**B8**)に続き, さらに中央にある**髄洞**(**C9**)に通じる. 髄洞は最終的に門で輸出リンパ管と連絡している. リンパ洞は扁平な内皮細胞で内張りされ, リンパ球のほかにマクロファージや単球も存在する.

血管の構成. リンパ門では小動脈と小静脈が出入りする. 小動脈は髄質内で細動脈に分岐する. これらは皮質内で毛細血管網に移行し, リンパ小節をかご状に取り巻いてこれを栄養する. **傍皮質** paracortex (下記参照) には立方形の内皮細胞をもつ特殊な**毛細血管後細静脈** postcapillary venules (**高内皮細静脈** high endothelial venules (**HEV**)) がみられ, HEV は内腔の表面に "リンパ球誘導受容体 lymphocyte homing receptors" を備えている. この受容体はリンパ球によって認識され, 血中からリンパ節実質内へのリンパ球の移動を容易にしている. リンパ球は輸出リンパ管(**AB4**)を経てリンパ節を去る.

実質組織の構成. リンパ節の実質組織は, 皮質にある**リンパ小節**(**BC5, D**)と髄質にある**髄索** medullary cord で構成される (**B細胞域**). リンパ小節が同種のリンパ球 (非免疫担当B細胞) のみでつくられるときはこれを**一次リンパ小節** primary lymphoid nodule と

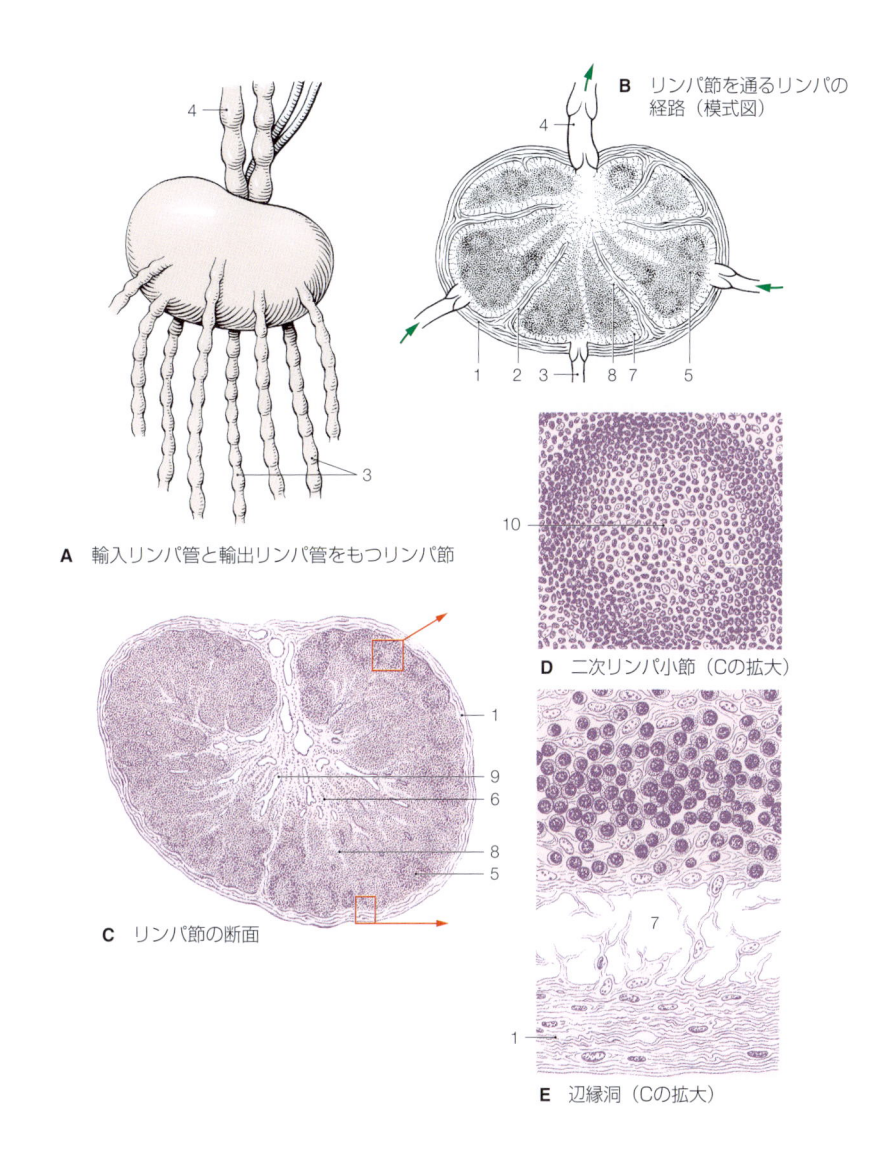

いい, 一様に暗くみえる. これに対して, 多くのリンパ小節は明るく染まる**胚中心**(**D10**)をもち, ここには活性化したBリンパ球 (中心芽細胞と中心細胞) と濾胞樹状細胞がみられ, これを**二次リンパ小節** secondary lymphoid nodule (**C5, D**) という. この小節はすでに抗原との接触が行われたときにのみ形成される. 皮質のリンパ小節と髄索との間には**傍皮質帯** paracortical zone があり, ここには主にTリンパ球が定住している (**T細胞域**).

機能. リンパ節は濾過機能を果たし, 免疫反応を請け合っている. 異物, 病原体, 細胞の破片, 腫瘍細胞, 色素などはリンパ節を通る途中で洞内皮細胞によって捕食される. 同様に, 免疫防御の協力細胞であるマクロファージは抗原を貪食・消化し, 特異免疫系の細胞に抗原として提示し, それによって抗原の性質に応じてTまたはB細胞-反応が誘発される.

A 輸入リンパ管と輸出リンパ管をもつリンパ節

B リンパ節を通るリンパの経路 (模式図)

C リンパ節の断面

D 二次リンパ小節 (Cの拡大)

E 辺縁洞 (Cの拡大)

臨床関連: リンパ節は, 単独に病態を示すこともある (lymphadenopathy). リンパ節に伝播した腫瘍細胞はさらに増殖して**リンパ節転移**を起こすことがある.

リンパ管. リンパ管系は組織液の一部を最終的に静脈系に還流させる流出系を構成する. 起始端が盲端に始まる**毛細リンパ管** lymphatic capillary は組織内の細胞外隙から**リンパ** lymph を集める. 薄い壁の毛細リンパ管は分枝・吻合を繰り返して, 漏斗弁, 半月弁をもつ集合前管に続く. これは典型的な壁構成 (内膜, 中膜, 外膜) をもつ集合管に移行する. 集合管は輸入リンパ管としてリンパ節に入る. **輸出リンパ管**は節後リンパ管とも呼ばれ, これは後続のリンパ節 (集合リンパ節) かまたは**大きなリンパ本幹** lymphatic trunks に接続する. これらは最終的に**リンパ管** lymphatic ducts に合流する. 最も大きなリンパ管は胸管 thoracic duct で数 mm の管径をもつ.

---

1 結合組織性被膜 connective tissue capsule **2** 梁柱 trabeculae **3** 輸入リンパ管 afferent lymphatics **4** 輸出リンパ管 efferent lymphatics **5** リンパ小節 lymphoid nodules (lymph follicle) **6** 髄質 medulla **7** 辺縁洞 (周縁洞) subcapsular sinus (marginal sinus) **8** 中間洞 intermediate sinus **9** 髄洞 medullary sinus **10** 胚中心 (反応中心) germinal center (reaction center)

脾臓

脾臓 spleen はリンパ細網器官であり，リンパ節と異なって血流の中に挿入されている．リンパ節と同様に濾過機能を有し，加えて免疫機能も果たしている．

器官発生．中胚葉から派生する脾臓の原基は，第5胚子週にまだ血管を通さない間葉の増殖として，背側胃間膜 dorsal mesogastrium の2葉間に現れる．脾臓原基の血流の開始とともに，16週にはその間葉細胞は典型的な細網組織に分化し，同時にリンパ球の入植も始まる．発生の初期においては脾臓は重要な造血器官である．**副脾** accessory spleen が散在した脾臓原基から生じる．これは単独かまたは多数個が生じ，エンドウ豆大から鶏卵大までいろいろな大きさのものがある．多くは主脾のそばかまたは脾動脈に沿ってみられるが，胃の大彎，大網の中，その他の場所にも出現することもある．

肉眼的構造

脾臓は暗紫色を呈し，軟らかく，コーヒー豆の形をしている（**B**）．長さ10～12cm，幅6～8cm，厚さ3～4cmで，150～200gの重さをもつ．

面と縁．凸面の**横隔面**（**B1**）は上方に向き，凹面をなす**臓側面** visceral surface（**C**）は下方に向いて内臓に向いている．前上方の**上縁**（**BC2**）は幅が狭くて鋭く不定の切痕（**脾切痕**）がみられ，後下方の**下縁**（**BC3**）は幅があって鈍である．後上方の極を**後端**（**BC4**）といい，第10胸椎の椎体に2cmまで近づく．前下方の極を**前端**（**BC5**）といい，ほぼ中腋窩線に達するが触れることは難しい．脾臓は主として**横隔結腸間膜** phrenicocolic ligament で支えられているが，この間膜は左結腸曲から体幹側壁に走り，網嚢の脾陥凹の底をつくっている．

脾門．臓側面（**C**）で血管と神経が出入りする部を**脾門** splenic hilum といい，狭くて長い帯状の**脾門溝** groove of splenic hilum をつくる．この溝によって臓側面は上部と下部が区別される．脾門より後方の領域（**D6**）に左腎（**D7**）が接し，脾門より前方で胃（**D8**），膵尾（**D9**）および左結腸曲が接する．

位置．脾臓は**腹膜内** intraperitoneal にあるので，左の季肋部（**A**）の下方で，横隔膜の下，第9～11肋骨の高さにある．脾臓の長軸は第10肋骨と平行に走っている（**A1**）．脾門から胃の大彎に**胃脾間膜**（**CD10**）がのびており，その中を短胃動・静脈と左胃大網動脈が走る．また脾門から後方の体壁および横隔膜に向かって短い**脾腎ヒダ**（**CD11**）がのびていて脾動脈と脾静脈を導く．網嚢の**脾陥凹** splenic recess（矢印）（308頁）はこのヒダにまで達している．脾臓は呼吸によって位置が変わる．

臨床関連：外傷性の脾臓破裂が起きると，腹膜腔内に出血する．患者は側腹痛を訴えるが，横隔膜神経の刺激のため，左の肩甲域に放散痛がみられることもある．

血管，神経，リンパ

動脈．腹腔動脈の最大の枝である**脾動脈**（**C12**）（240頁）が膵臓（**D9**）の上縁に沿って走り，脾腎ヒダを経由して脾門に達する．最初の分枝は脾腎ヒダの中で行われ，この動脈は6本またはそれ以上の**脾枝** splenic branches に分枝してこの器官に進入する．

静脈．**脾静脈**（**C13**）は脾臓から出る数本の静脈によって脾門で構成され，門脈の3つの大きな根静脈の1つとなる（324頁）．脾静脈は膵臓の後ろを走る．

リンパ還流．リンパ管は，脾門にある**脾リンパ節** splenic nodes を経由して，膵臓の上縁にある**上膵リンパ節** superior nodes および腹腔動脈の周りにある**腹腔リンパ節** coeliac nodes に達する．

神経．副交感線維と交感線維すなわち内臓性知覚性および内臓性運動性（血管運動性）の線維が**脾神経叢** splenic plexus として腹腔神経叢から脾動脈に伴行して脾臓に達する．脾柱の筋線維芽細胞と脾柱動脈はアドレナリン作動性の神経線維によって支配され，これらはそのほか脾柱–被膜系の収縮を制御している．

A1 第10肋骨 tenth rib　**B1** 横隔面 diaphragmatic surface　**A2** 肺の下縁 inferior border of lungs　**BC2** 上縁 superior border　**A3** 胸膜の下縁 inferior border of pleura　**BC3** 下縁 inferior border　**BC4** 後端 posterior extremity　**BC5** 前端 anterior extremity　**D6** 左腎に接する脾臓の領域 splenic region in contact with left kidney　**D7** 左腎 left kidney　**D8** 胃 stomach　**D9** 膵尾 tail of pancreas　**CD10** 胃脾間膜 gastrosplenic ligament　**CD11** 脾腎ヒダ（横隔脾ヒダ）splenorenal ligament（lienorenal ligament）　**C12** 脾動脈 splenic artery　**D13** 脾静脈 splenic vein　**D14** 肝臓 liver

リンパ性器官

脾臓の微細構造

脾臓は漿膜でおおわれた**結合組織性被膜**（AB1）をもち，この被膜から多くの結合組織性の梁すなわち**脾柱**（B2）が器官内に入り込み，脾臓を多くの小室に分けている．脾柱は脾門でとくに厚い．脾被膜と脾柱との間に，血管によって貫かれる"軟らかい"細網結合組織すなわち**脾髄** splenic pulp が存する．

脾髄．**赤脾髄**（A3）は血液を含み，主に脾洞（下記参照）と脾索からなる．**白脾髄**（A4）は脾リンパ小節と，血管の周りを包む血管周囲リンパ鞘で構成される．赤脾髄との境界領域は**辺縁帯**（B9）といわれ，脾小節につづくが細胞密度がより少ない（Bリンパ球が多い）．

器官内血管．脾臓の構造は血管構築を知ることでよく理解できる．**脾動脈**から脾枝として脾門から進入した枝は，脾柱（B2）内を**脾柱動脈**（B5）として脾柱静脈（B6）といっしょに走り，**脾髄動脈** pulp artery として実質内に入る．この動脈は脾髄の内部で動脈周囲リンパ鞘 periarterial lymphatic sheath（PALS）（Tリンパ球がほとんど）に包み込まれて**中心動脈**（B7）としてこのリンパ索の中を走り，一部はリンパ小節（B8）の中に続く．各々の中心動脈は多数の側枝を出し，これらの枝は網目をつくる辺縁帯（B9）を栄養するかまたは赤脾髄の脾洞に直接通じている．リンパ小節（B8）はB細胞を主体とする領域（B細胞域）でリンパ索（T細胞域）の横に近接して存する．最終的に，各々の中心動脈は樹状状に約50本の細動脈（**筆毛細動脈**）（B10）に分かれて付近の赤脾髄に達し，ここでさらに枝分かれして毛細血管に移行する．これらの毛細血管は少しの間**シュヴァイガー・ザイデル鞘**（B11）というマクロファージと収縮性の細胞が密につまった紡錘形または卵形の被鞘に包まれている（このため，この部の毛細血管を**莢毛細血管** sheathed capillaries という）．莢毛細血管はやがて通常の**動脈性毛細血管**となり，大部分は脾洞周囲に存する細網結合組織の**網状索**（**脾索**）（B12）に開放して，次いで血液は広い管腔をもつ赤色髄の**脾洞**（B13）に注ぐ（開放循環 open circulation）．一部の毛細血管は脾洞に直接に注いでいる（閉鎖循環 closed circulation）．続いて，血液は**脾髄静脈** pulp vein，**脾柱静脈**（B6）を経て，**脾静脈**に還流する．

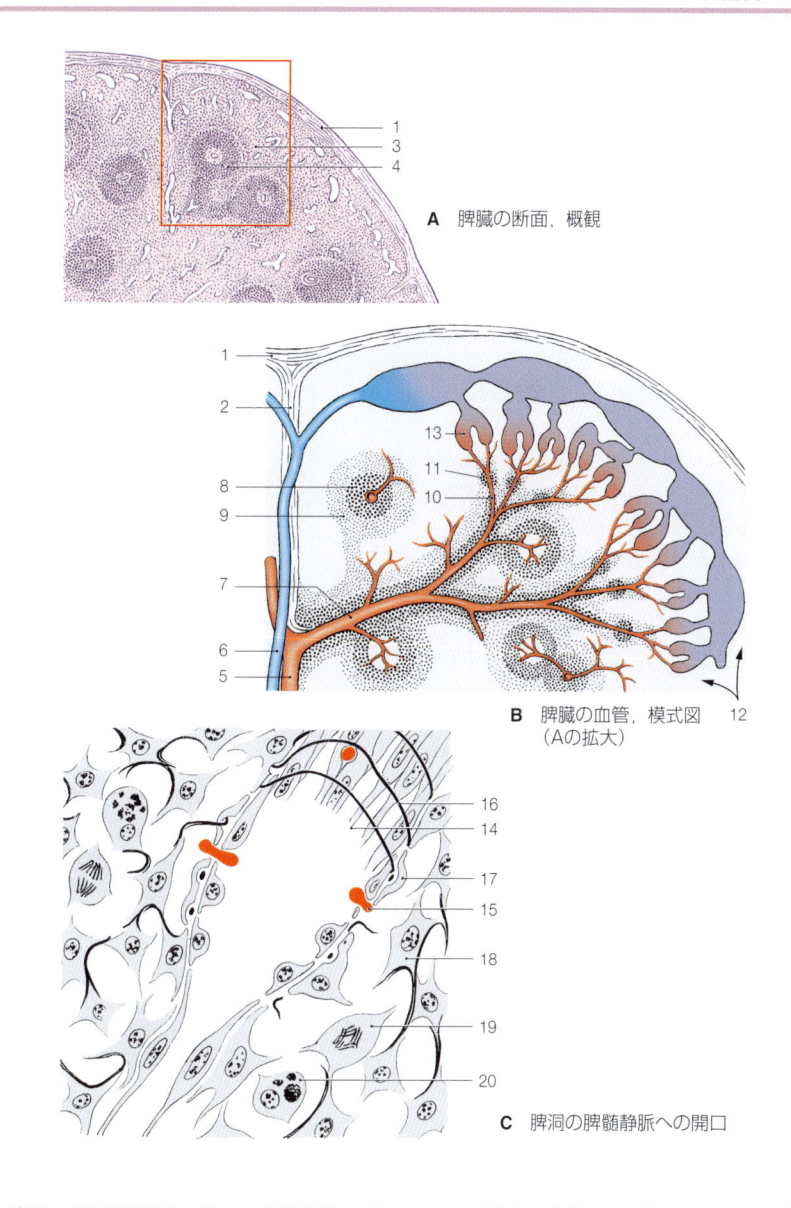

脾索と静脈性脾洞．脾索は細網細胞の網目からできている．ここでは，形質細胞，大食細胞も存在する．赤脾髄の脾洞（B13, C）は広い空間をもつ結合細管で互いにつながった血液洞をもち，その壁は目の粗い網目をつくっている．**脾洞壁**は長軸に平行に並ぶ紡錘形の**内皮細胞**（C14）で構成され，その核は洞腔内へ突出している．内皮細胞間にはすきま状の細隙（内皮細胞スリット）ができており，血球が細隙を通って周囲の髄索から脾洞の中に入ることができる（C15, 通り抜けつつある赤血球）．洞内皮は連続した基底膜を欠き（不完全な基底膜），長軸に直角に走る**輪状線維**（C16）で支持されている．脾洞の外層は細網組織（C18）からなり，洞壁近くに特殊な細網細胞（C17）や食作用をもつ多くの大食細胞（C20）がみられる．

血球生成．脾臓では大量のリンパ球と形質細胞が産生されている．骨髄の機能不全やそのほかの病的状態の際には，胎生期の発育中に一時的に行われていた顆粒白血球生成や赤血球生成が再び起こってくる．

赤血球の交代と蓄え．老化した赤血球は赤脾髄で捕捉され，マクロファージ（大食細胞）によって貪食されて解体される．赤血球の血色素である**ヘモグロビン** hemoglobin は**ビリルビン** bilirubin に分解されて門脈を経由して肝臓に運ばれ，**胆汁** bile とともに分泌される．またヘモグロビン鉄はタンパクと結合して，**トランスフェリン** transferrin として骨髄に運ばれ，骨髄の赤芽球のために新しいヘモグロビンの合成に再び利用される．ヘモグロビン鉄が供給過剰な場合は，これを脾臓内に蓄えて，顕微鏡的に大食細胞内の**ヘモジデリン** hemosiderin として証明され，極端な場合には肉眼的にも脾臓が褐色に染まってみえる（**血鉄症** hemosiderosis）．

A 脾臓の断面，概観

B 脾臓の血管，模式図（Aの拡大）

C 脾洞の脾髄静脈への開口

---

1 結合組織性被膜 connective tissue capsule　2 脾柱 splenic trabeculae　3 赤脾髄 red pulp　4 白脾髄 white pulp　5 脾柱動脈 trabecular artery　6 脾柱静脈 trabecular vein　7 中心動脈 central artery　8 脾リンパ小節（マルピギー小体）splenic lymphoid nodules（Malpighian corpuscle）　9 辺縁帯 marginal zone　10 筆毛細動脈 penicillar arteriole　11 シュヴァイガー・ザイデル鞘（エリプソイド）Schweigger-Seidel sheath（ellipsoid）　12 脾索 splenic cord　13 脾洞 splenic（venous）sinus　14 内皮細胞 endothelial cells　15 赤血球 erythrocytes　16 輪状線維 circular fibres　17 特殊な細網細胞 special reticular cells　18 細網組織 reticular tissue　19 有糸分裂 mitosis　20 大食細胞 macrophagen

扁桃

扁桃 tonsil は口腔と鼻腔が咽頭につながる出口を取り囲み，これらを一括して**ワルダイエルの咽頭輪** Waldeyer's pharyngeal ring と呼ぶ．扁桃は二次性リンパ性器官であり，また上皮に近く存在するため**リンパ上皮性器官** lymphoepithelial organs とも呼ばれる．

一般的な構造． 扁桃では粘膜上皮の直下に二次リンパ小節が密集した形をとってリンパ組織が存在し，その表面は隆起と陥没（**陰窩** crypt）によって多くの裂け目ができている．**二次リンパ小節** secondary lymphoid nodule は明るい反応中心と暗いリンパ球の周壁からなり，後者は上皮に面した側でリンパ球の帽子を形成して半月状に濃くなっている．リンパ球と顆粒白血球は，殊に陰窩の深部では，上皮の中に移動するため，上皮細胞索はスポンジ状にほぐされた状態にあり，この白血球の**遊走** wandering の結果，上皮細胞索とリンパ細網組織との境界はしばしば明確には識別できない．**輸出リンパ管**は扁桃から深部にある所属リンパ節に導かれる．扁桃は周囲の組織（結合組織，腺，筋など）とは被膜様の丈夫な結合組織によって境されている（**D9**）．

咽頭扁桃． 咽頭扁桃（**AC1**）は後鼻孔の後方で**咽頭円蓋**の面からカリフラワー状に前方に膨らんでおり，その表面には深い陰窩の代わりに矢状方向に走る浅い粘膜ヒダ pleat が生じている．咽頭扁桃は上咽頭におけるその位置に相応して，杯細胞を混じた多列線毛上皮でおおわれている．

臨床関連： 低学年の学童期の小児では，感染症の結果として咽頭扁桃が肥大して後鼻孔を塞ぐことがある（アデノイド adenoid）．この際には鼻閉をきたして副鼻腔炎，口呼吸，睡眠障害が起こる．さらに耳管の閉塞が加わると二次的な慢性中耳炎の原因の1つとなる．

口蓋扁桃（**AB2**）は2条の**口蓋弓**（**AB3**）がつくる陥凹すなわち**扁桃窩** tonsillar fossa の中に存在する．この扁桃は口腔粘膜（非角化重層扁平上皮）でおおわれ，上皮は実質内に深く陥入して，10〜20個の不規則に分岐する**扁桃陰窩**（**D8**）をつくる．この扁桃のリンパ組織は**集合リンパ小節**（**D7**）の形で存在する．
口蓋扁桃は重要な免疫器官であり，この中ではBリンパ球が活発に産生されている．口蓋扁桃は口や鼻から侵入した病原体と接触し，特異的防御の早期の活発化を保証する（"免疫性早期警戒システム"）．

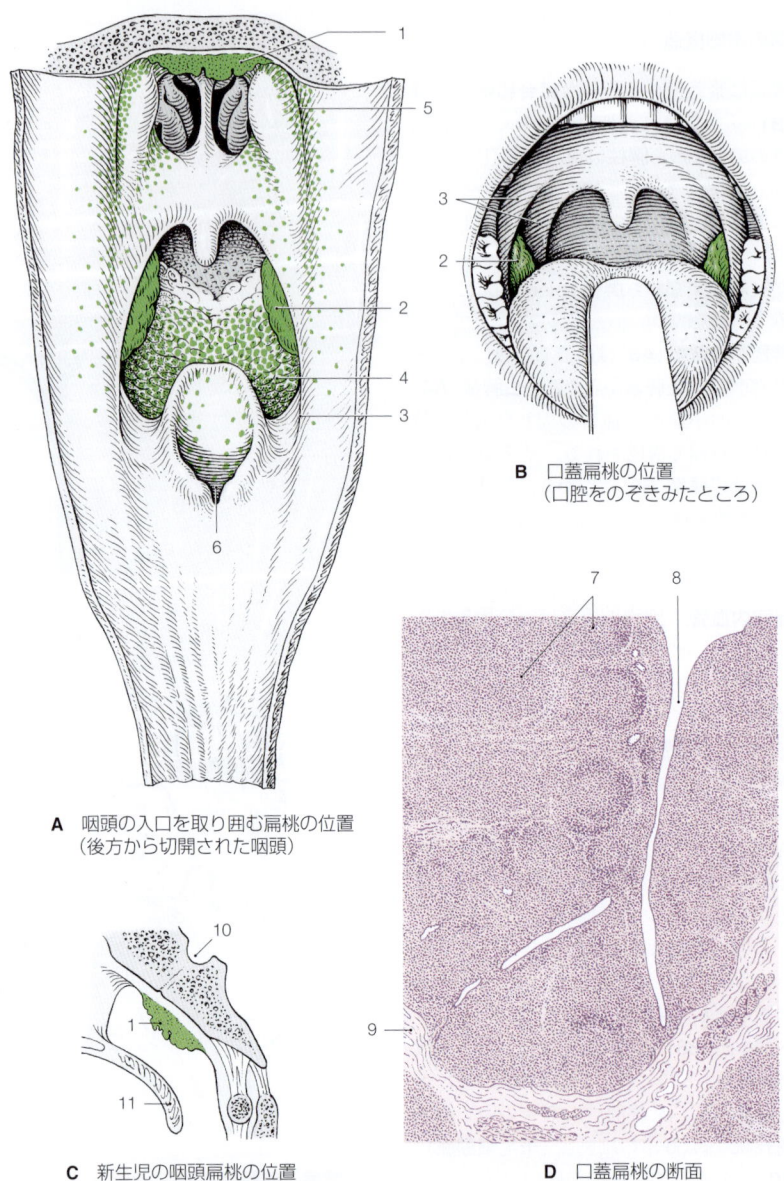

A 咽頭の入口を取り囲む扁桃の位置（後方から切開された咽頭）

B 口蓋扁桃の位置（口腔をのぞきみたところ）

C 新生児の咽頭扁桃の位置（咽頭円蓋を通る正中矢状断面）

D 口蓋扁桃の断面

臨床関連： 過度の病原菌の侵襲は口蓋扁桃の急性炎症を起こす（**扁桃炎** tonsillitis）．この症状は頸部痛と嚥下行為を妨げる（嚥下困難 dysphagia）のが特徴的である．肥大した扁桃は手術的に摘出される（**扁桃切除術** tonsillectomy）．

舌扁桃． 舌扁桃（**A4**）とは舌根にある**舌小胞** lingual follicles の集合体を総称していう．個々の舌小胞は小結節状を呈し，表面は平坦でほぼ頂点に近いところに短い陰窩が開口している（いわゆる舌苔 coat of tongue）．陰窩の周囲は二次リンパ小節に取り囲まれ，その底には粘液腺である後舌腺が開口している．

耳管扁桃． 耳管扁桃（**A5**）は咽頭扁桃が延長したものとみなされ，耳管の内口の周囲で，その粘膜下に存在している．これは小さな二次リンパ小節の集積物で構成される．

臨床関連： 耳管扁桃が肥大すると耳管咽頭口を塞ぐことがある．これは将来難聴，鼻声，慢性中耳炎の原因となる．

リンパ側索． 咽頭側壁の粘膜中にあるリンパ組織をまとめてリンパ側索 lateral lymphoid cord という．咽頭の後壁にも小さなリンパ小節がある．

臨床関連： 咽頭粘膜の炎症性腫脹（咽頭炎）ではこのリンパ組織が関与しており，頸部痛と嚥下困難を伴う．

---

1 咽頭扁桃 pharyngeal tonsil　2 口蓋扁桃 palatine tonsil　3 口蓋弓 palatine arches　4 舌扁桃 lingual tonsil　5 耳管扁桃 tubal tonsil　6 喉頭口 laryngeal inlet　7 集合リンパ小節 aggregated lymphoid nodules　8 扁桃陰窩 tonsillar crypts　9 結合組織性被膜 connective tissue capsule　10 トルコ鞍 sella turcica　11 軟口蓋 soft palate

リンパ性器官

粘膜関連リンパ組織

粘膜関連リンパ組織（**MALT**）は呼吸路（**BALT**），尿路，眼の結膜，皮膚（**SALT**）および胃腸管（**GALT**）などの粘膜固有層内に組織される**リンパ組織**である．これらは固有の被膜をもたず，局所的なリンパ浸潤やリンパ小節でできている．

GALT

食道，胃，小腸，大腸，虫垂の粘膜中に含まれる特異的防御系に関係する部分は，総称して腸管関連リンパ組織 gut associated lymphoid tissue（**GALT**）としてまとめられる．これはいろいろな構成要素でできている．

腹膜腔にある**個別の細胞**として，まず，その約70％がサプレッサー細胞に属する**リンパ球**があげられる．そのほかにも粘膜固有層に存在する免疫に関する**作動細胞**には，汎発性に分散して存在するリンパ球，形質細胞，マクロファージ，好酸球，および独特な肥満細胞（粘膜肥満細胞）がある．

孤立リンパ小節．孤立リンパ小節 solitary lymphoid nodules は胃腸管の固有層に**リンパ球が小結節状に集積したもの**である．**一次小節** primary nodule と**二次小節** secondary nodule が区別され，前者は未だ抗原との接触をもたない一様なリンパ球が分布している．後者は明るい中央部と暗い辺縁部を備えており，すでに抗原との接触をもった小リンパ球が密に存在している．明るい中央部は反応中心 reaction center または胚中心 germinal center といわれ，ここで新しいリンパ球が産生されている．

集合リンパ小節（パイエル板）（**AD1**）は小腸下部，殊に回腸と虫垂（**D1**）の粘膜固有層および粘膜下組織に大きなリンパ小節が集積したものである（腸間膜付着部の対側にみられる）．10〜50個の小節で形成され，長さ1〜4cmの板状を呈し，この部位には腸絨毛や腸陰窩はなく，粘膜は丸屋根状に管腔に膨れ出している．膨出した粘膜領域を**円蓋**（**AB2**）といい，線条縁上皮に相当する**円蓋上皮**（**B3**）でおおわれる．この上皮は円柱上皮というよりもむしろ立方上皮であって，杯細胞をもたない．この上皮の中に微絨毛の代わりに微細ヒダを備えた特別な腸上皮細胞（**M-細胞**）がある．M-細胞領域（**C**）は，上皮内にあるリンパ球（**C8**）に加えて，基底側はリンパ球とマクロファージ（**C9**）によって裏打ちされている．さらに，パイエル板の構造上の要素には，**Bリンパ芽球**（**B4**），二次小節の周りの辺縁部を構成する小型のBリンパ球からなる**小節冠**（**B5**），および主にTリンパ球が定住している**小節冠域**（**B6**）が属している．

機能．粘膜関連リンパ組織に所属するGALTは**独立したリンパ器官複合体**を形成し，これは細菌，寄生虫，ウイルス，および食品アレルゲンのような多数の抗原と対決している．その際に考慮されるべき腸管の**接触表面**は概算で約100m²に達し，これは皮膚表面積の60倍である．

粘膜固有層のBリンパ球は抗体を分泌する形質細胞に成熟する．形質細胞はすべての抗体のクラスを産生するが，ここでは**IgA**（免疫グロブリンA）が約80％を占めている．IgAは小腸上皮細胞が分泌するタンパクと結合して，上皮細胞から腸管の内腔に分泌される．Tリンパ球は大多数がヘルパーT細胞である．

パイエル板の領域では，抗原は円蓋上皮のM-細胞によって捕捉・食食され，付近のTリンパ球に提示される．Tリンパ球はリンパ小節の中央部に到達し，ここでBリンパ球にその情報を渡し，Bリンパ球は続いてリンパ路に遊出する．Bリンパ球は所属リンパ節と胸管を経由して全身の血液循環系に入り，血行を介して主として腸管粘膜に帰ってくる（**リンパ球の再循環** lymphocyte recirculation）．帰ってきたBリンパ球はIgAを分泌する形質細胞となるためにさらに成長が進行する．パイエル板内部での抗原との接触はこのようにして全小腸にわたる広い防御反応をひき起こすことができるのである．また，活性化Bリンパ球はリンパ路および血行を介して他の分泌活動器官（例えば；乳腺，唾液腺，涙腺）に移動し，そこで同様にIgAを産生して，これらの腺の特異的な分泌物とともに放出される．

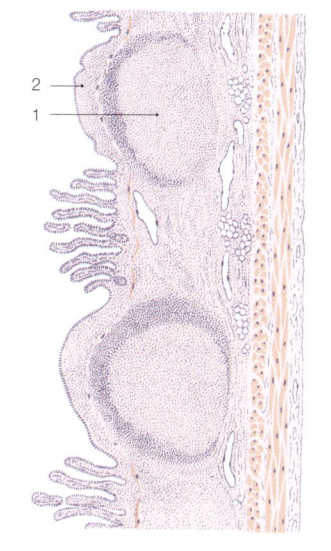

A パイエル板をもつ回腸の縦断像

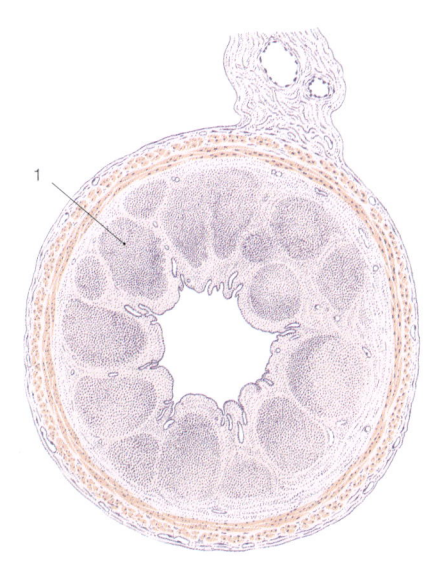

D リンパ組織（リンパ小節）の集積した虫垂の横断像

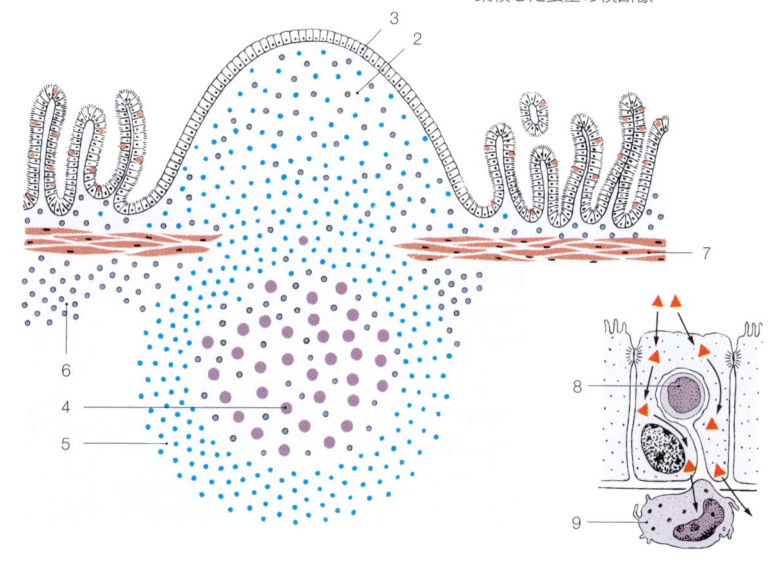

B パイエル板の構造（模式図）

C M-細胞（模式的）

1 集合リンパ小節（パイエル板）aggregated lymphoid nodules (Peyer's patches)　2 円蓋 fornix　3 円蓋上皮 fornix epithelium　4 Bリンパ芽球 B-lymphoblast　5 小節冠 corona　6 小節冠域（Tリンパ球）interfollicular region (T-lymphocyte)　7 粘膜筋板 muscularis mucosae　8 リンパ球 lymphocyte　9 大食細胞 macrophages

外　皮

一般的構成と役目

皮膚 skin は身体の大きさに応じて約1.6〜2.0m² の表面積をもつ．皮膚は保護被膜として身体を包み，環境から身体を守っている内部環境と外界との間の境界器官である．皮膚は**表皮**と，**真皮**および**皮下組織**からなり，体重の約 16 % を占める．皮膚の厚さは1〜5mm の間にあるが，身体の部位によって変動が大きい．表皮の一般的な厚さは断面で 0.04〜0.3mm（手掌や足底のような強い機械的強度が要求されるところでは 0.75〜1.4mm ととくに厚く，胼胝いわゆる "たこ" では 2〜5mm の厚さ）である．一般に皮膚の厚さは伸側では屈側より厚く，また男性より女性は薄い．皮膚は身体の開口部すなわち口腔，鼻，肛門，尿道，および腟では粘膜に移行している．**皮膚の付属器**―皮膚腺，毛，爪―は皮膚が特殊化してできた形成物である．

皮膚の役目

皮膚はきわめて多様な役目をもつ器官である：すなわち，皮膚は機械的，化学的，温熱的障害および多くの病原菌から**身体を保護**する役を果たしている (protection of the body)；皮膚は皮膚に存在する免疫能を有する細胞を通じて生体防御機構に関与している．すなわち皮膚は**免疫器官**である (immune organ)；皮膚は血流量の変化と皮膚腺からの水分放出を利用して**体温調節**の役を果たしている (temperature regulation)；皮膚は**水代謝**に関与し，一方では身体を乾燥から防ぎ，他方では腺の分泌によって水分と塩類を放出している (water metabolism)；皮膚は**神経性構造物**を備えており，圧覚器，触覚器，温覚器，痛覚器の役を果たしている（感覚機能 sensation）；皮膚は**ビタミン D 代謝**に関与し，provitamin D を生物活性のある代謝物に変換させる．皮膚の中で 7-Dihydroxycholesterin から紫外線によって，中間産物の光酸化ビタミン D が合成される (vitamin D metabolism)；皮膚は紅潮，蒼白，"毛を逆立てる"，そのほかの手段によって**情報伝達器官**として働いている (communicative organ)；皮膚は**電気的抵抗**を備えており，これは精神的負荷の際に変化を受ける―これがいわゆる "うそ発見器 lie detector" の原理である．

皮膚の性質． 皮膚は**軟らかくて**，**弾力性**と**伸展性**があり，その上皮の**角質形成** keratinization によって特徴づけられる．手掌，足底，および頭皮を除いて，皮膚はその下にある組織とゆるく結びついており，したがって**容易**に移動することができる．関節のところでは**予備ヒダ** reserve folds がつくられ，それによって関節にとって必須の運動の自由が与えられる．皮膚には，殊に合成繊維の下着を身に着け，空気が乾燥しているときに，静電気が充電され，数千ボルトの電圧が発生することもある．

臨床関連： 皮膚はほかのどの器官よりも直接に観察が可能であるから，数多くの**全身性疾患の診断**に役立つ（例えば，心臓疾患のときのチアノーゼ cyanosis，感染症での限局性発赤，その他）．また，とくに白い皮膚は貧血もしくは色素脱失（メラニン欠損，また，黄色味は血中への胆汁色素の，例えば肝硬変の時の，流入が考えられる．

皮膚の色

正常で健康な皮膚の色は主に **4 つの要素**（成分）によって決められる；すなわち，(A) メラニン細胞が産生するメラニン melanin という黒褐色の色素，(B) 植物性の食物からのカロチン carotene (C) 皮膚血管の酸素化血 oxygenated blood（酸素に富む血液），(D) 脱酸素化血 deoxygenated blood（酸素の少ない血液）．これらの要素は身体の部位によって異なる皮膚の色に影響を与えるが，ある程度までは外的条件（例えば，日光照射，食物）によって影響される．しかし，皮膚の色は原則的に遺伝的に決定されており，したがって性的または人種的特異性を示す．**メラニン色素沈着(A)** は腋窩，外生殖器，大腿の内面ならびに肛門周囲の皮膚に強く現れる．**カロチン(B)** は主に顔面，手掌，足底の黄味をおびた色調の原因となる．**動脈血(C)** の赤色は顔面，手掌，足底，上半身，殿部の膨らみの皮膚色を決める．**静脈血(D)** の青味をおびた色は下半身，手背，足背に優勢である．

A　メラニン
B　カロチン
C　動脈血
D　静脈血

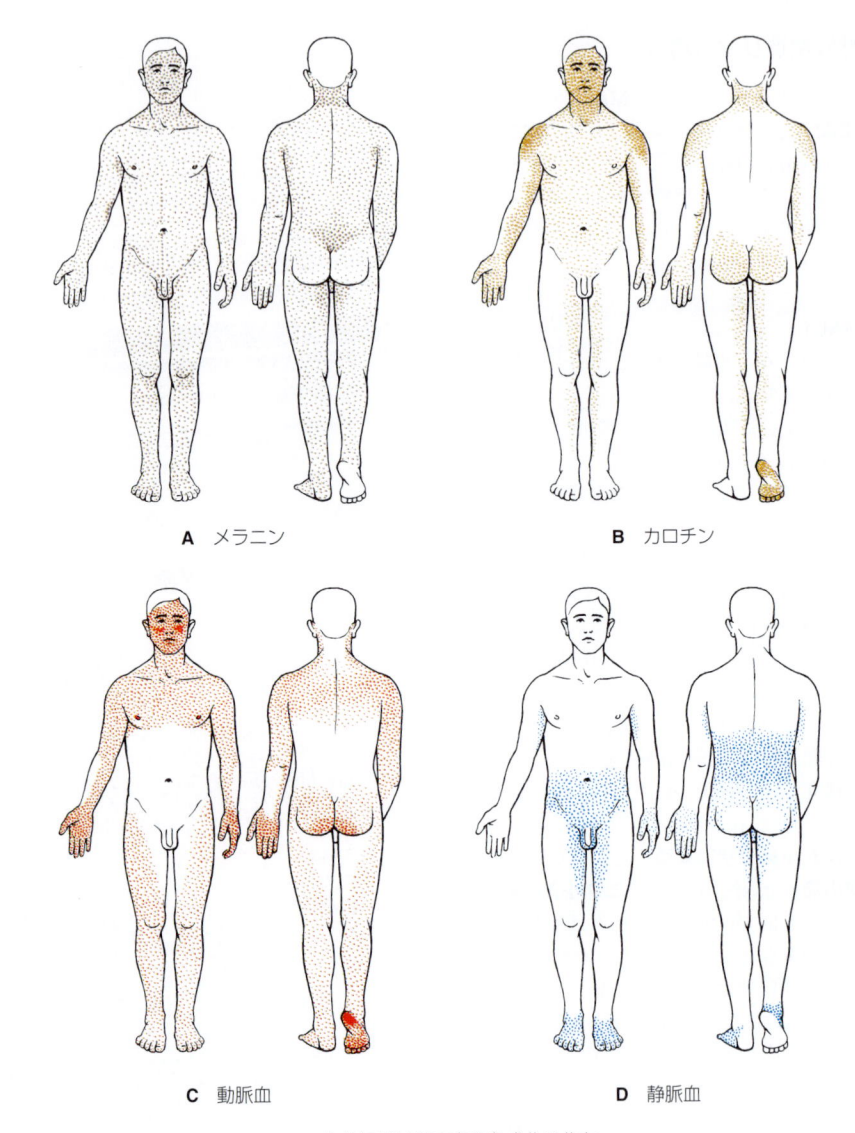

生体における皮膚の色成分の分布

皮膚の表面

皮膚を外面から観察すると，溝 groove およびヒダ folds，ならびに皮野 field および皮稜 ridge を識別することができる．太い溝は，関節での運動溝となって，顔面では表情溝として現れる．

張力線（割線）（tension line = cleavage lines）．皮膚では多かれ少なかれ張力の線（方向）を決めることができる．この張力は筋肉の動きのもとに生じる．外科医にとって重要な意味をもつ**皮膚張力線**（**A**）は"力線" Kraftlinien または"割線" Spaltlinien といわれ，英語文献では "relaxed skin tension lines"（弛緩皮線）とか "wrinkle lines"（皺の方向）といわれる．この力線は，一般に筋組織の線維方向に対して横走し，多くの場合，皮膚ヒダ，老齢者の皮膚ではいわゆる"しわ" wrinkle の走行方向に一致する．

> **臨床関連**：皮膚切開は皮膚張力線の走行に沿って行われるべきである．なぜなら創縁にかかる最小限の張力で縫合できるからである．反して，皮膚張力線に対して垂直に切開すると，皮膚は離開し，治癒は遅れ，美容的な結果もよくない．皮膚が極度に伸展（例えば，妊娠や脂肪肥満のような腹部皮膚）すると，真皮（423頁）の組織に裂け目が生じ，最初は青赤色，後には白色がかった線条，すなわち**肥満線条** striae of obesity（妊娠線 striae of pregnancy）としてみられるようになる．これは，通常，伸展方向に対して垂直に発生する．

皮野状皮 area cutis（**B**）．ヒトの皮膚の大部分は，三角形，菱形，多角形に走る溝によって模様を示し，その結果，**皮野**が形成される．皮野の**盛り上がった面**（皮丘 crista cutis）に小汗腺が開口し，身体の一定の部位では大汗腺も開口している．これに対して，**溝の中には毛が立っており，皮脂腺が開口する**穴がある．皮野状皮では乳頭層（422頁以下）の結合組織乳頭はあまりよく発達していないことが多い．毛が存在する部位では，乳頭は毛包や汗腺の導管と一緒になって，皮膚表面に群をなす紋様いわゆる花形記章様の上皮稜およびロゼット状の上皮堤をつくる．

稜状皮 skin ridge（**C**）．足底と手掌，殊に指頭の腹面では，皮膚表面に約0.5mm幅の平行に走る**皮溝**（皮膚小溝 skin sulci）がみられ，これによって**皮丘**（皮膚小稜 dermal ridges）を分けている．皮膚小稜の高いところに小汗腺の汗孔（**C**1）が開いている．毛，皮脂腺，大汗腺はない．皮膚小稜のあるところは起伏が多く確実に物をつかむところで，これは真皮の乳頭層の乳頭が列状に配列することによってつくられている．この配列は遺伝的に決められており，したがって各個人にとって特有である．これに関しては，警察の鑑識課における指紋 dactylogramm に利用され，個人の識別に使用される（指紋検査法 dactyloscopy）．指頭の腹面には**4型の皮稜紋理**が際立っているが，これにはそれ自身に変異型もある：すなわち，弓状紋 arch（**D** I），蹄状紋 loop（**D** II），渦状紋 whorl（**D** III），二重蹄状紋 lateral pocket loops（**D** IV）である．

皮膚の再生．皮膚はよく再生する．損傷を受けると真皮の防御細胞が局所的な感染に対抗して働き，毛細血管と結合組織性構造物が新たにつくられ，上皮は損傷部の縁から再生しつつある結合組織の上にのびていき，遂には**瘢痕形成** scar formation に至って治癒する．瘢痕（傷跡 scar）は盛んに毛細血管が新生するために最初は赤味がかった色を呈するが，後には膠原線維のために上皮を通して白っぽくみえるようになる．瘢痕部にはもはや皮膚の付属器（腺，毛）はつくられることはない．

皮膚の老年性変化．老年性の皮膚は，真皮の退行変性（萎縮 atrophy），表皮の薄化，乳頭体の平坦化および皮下脂肪組織の減少などの状態で構成されている．しかし，これらの変化は全身的な身体の老齢化との確実な関連は認めないが，むしろ長期間にわたって作用する外因性の要素（太陽光，気象，環境）と皮膚色素の種類に影響される．老年性変化は皮膚の白い人々や裸で暮らす人々に最も著しく，また日光に曝される身体部位（顔面，頸部，手背，前腕）に著しい．結合組織基質の化学的性状の変化に伴って，水分の欠乏と真皮および皮下組織の弾性線維の減少が起こる．皮膚は，たるんで，薄く，張りがなく，しわが多く，容易に傷つきやすい；際立った皮膚の"しわ"は長期にわたって残り，不規則な色素沈着によって斑点が生じる．紫外線照射（"過剰の太陽光"）は皮膚の弾性喪失を加速する．

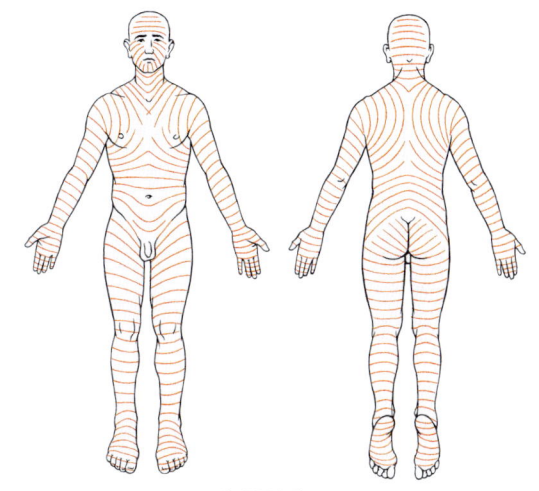

A 皮膚張力線

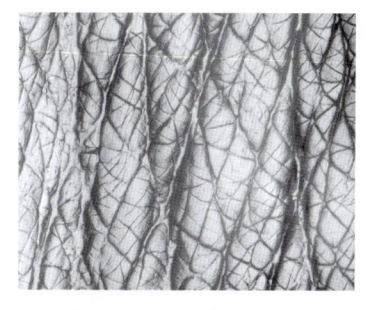

B 皮野状皮（走査電顕）

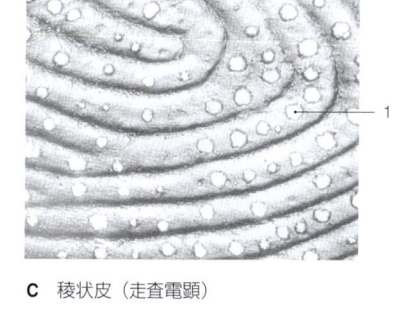

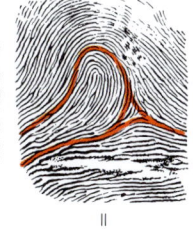

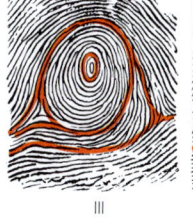

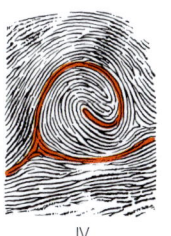

C 稜状皮（走査電顕）

D 指頭腹面の皮稜紋理（指紋）

1 汗孔 pores of sweat gland

皮膚の層

皮膚 skin は角化した重層扁平上皮からなる**表皮**（**AB1**）と，結合組織からなる**真皮**（**ABCF2**）で構成されている．真皮は，円錐状をなして表皮と互いにかみ合う乳頭層 papillary layer と，主に引き裂きによく耐える網状層 reticular layer を区別する．**皮下組織**（**AB3**）は概念的には皮膚とは区別されているが，機能的にはやはり皮膚に属している．皮下組織は皮膚の下にある構造物（筋膜，骨膜）と結合しており，脂肪を含み，大きい血管や神経を通している（423頁）．表皮と真皮の境界は明瞭であるが，真皮と皮下組織の境界は明確でない．

表皮の層

表皮の基底近くの層では有糸分裂によって継続的に新しい細胞がつくられている．これらの細胞は層形成と角質物質を形成しながら，徐々に変化して30日以内で表面にまで移動する．表皮の層は再生層，角質形成層，角質層が区別され，その層形成は稜状皮（**A**）では著明であるが，皮野状皮（**B**）では明瞭でないことが多い．

再生層．再生層は細胞が新生されるところで**胚芽層** germinative layer と呼ばれ，基底層と有棘層からなる．**基底層**（**CF11**）は最深層の一層の円柱細胞（＝基底細胞 basal cell という）で，基底膜の上に接着している．基底層に続く**有棘層**（**CF12, D**）は2～5層からなり，より大型で多角形の角質細胞 keratinocyte で構成され，その棘状の突起はデスモゾーム（**E**）によって隣の細胞の突起と互いにしっかり結ばれている．細胞質には中間媒介の細糸（ケラチン細糸 keratin filaments，張原細糸 tonofilaments）の網状構造がみられ，これらはデスモゾーム（**E**）に終わっている．デスモゾームは18～20nmの狭い細胞間隙をつくっている．

角質形成層 cornification layer．角質形成層は顆粒層と淡明層からなる．**顆粒層**（**F13**）は薄い層で，表面と平行に配列する2～3層の扁平化した角質細胞で構成され，細胞質には層板小体（オドランド小体 Odland body）と塩基好性のケラトヒアリン顆粒 keratohyaline granules を含み，これらは角質化 cornification の初期に現れる．オドランド小体の内容物（糖タンパク，脂質，酵素）は細胞外に分泌され，脂質層をつくって細胞間隙を充填する．この脂質は水分喪失を防ぐための障壁 barrier を形成している．角質形成層は最終的に薄層の**淡明層**（**F14**）となり，もはや細胞核や細胞境界も識別できない．淡明層の角質細胞はケラトヒアリン顆粒が変化した酸好性のエレイディン eleidin で満たされ，光顕的には均一に明るくみえ，この名称がつけられた．角質化の弱い皮野状皮では角質形成層は著明でないことが多い．

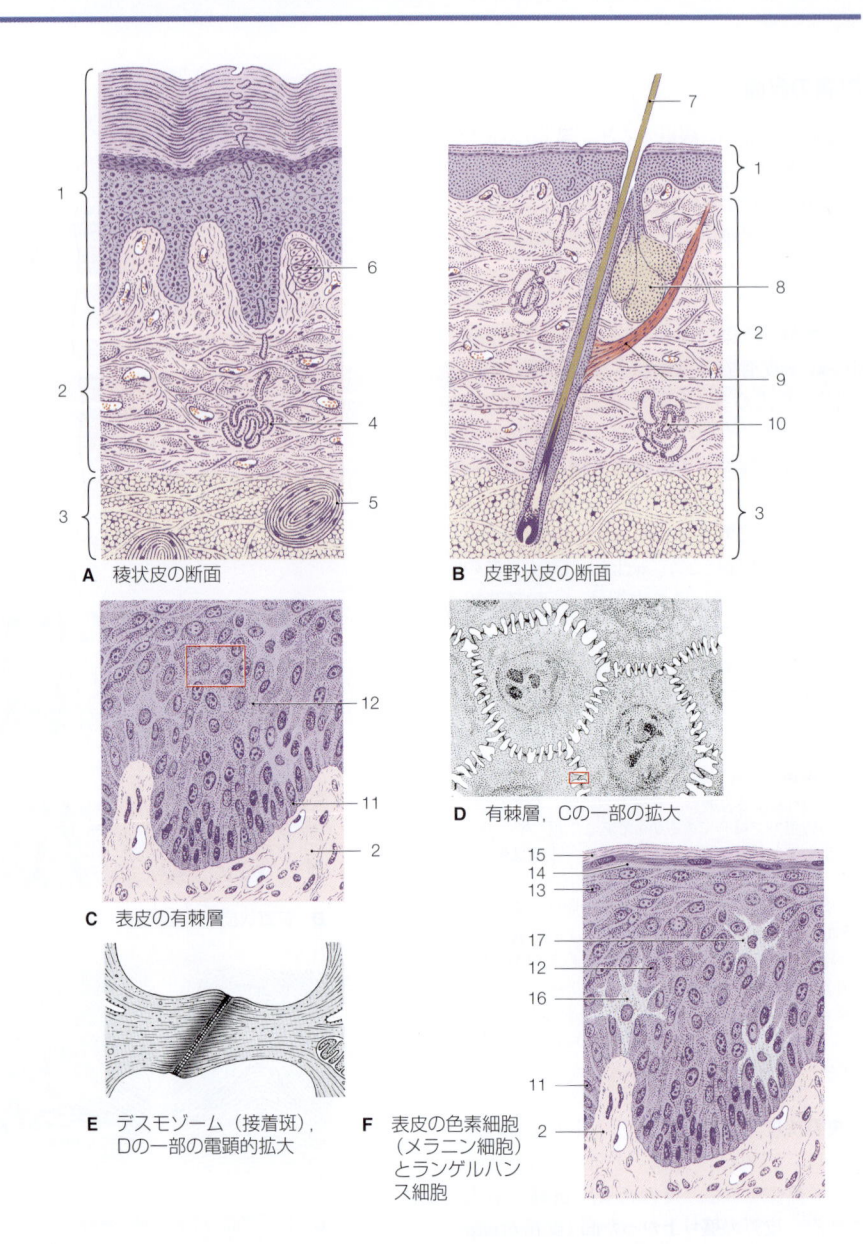

角質層．耐裂性でほとんど不透過性の**角質層**（**F15**）は極度に扁平化した細胞と角質素（ケラチン keratin）が集積して板状となったもので，最終的には最表層のものから角質の鱗片 horny squamae となって剥離していく．角質層は酸に対しては抵抗力があるが，アルカリ（石鹸水）の中では膨化する．角質形成はビタミンAによって調節され，ビタミンAが不足すると過剰な角質形成（角質増殖症 hyperkeratosis）が起こる．

表皮の共生細胞．この概念は表皮細胞間に共生して角質化しない表皮細胞を一括する．表皮細胞層の下層には**メラニン細胞**（**F16**）が存在し，この細胞は色素であるメラニン melanin を産生する樹状細胞 dendritic cell で，神経堤に由来する．細胞体は基底膜に直に接しており，その樹状突起は細胞間隙を有棘層の中層にまで達している．メラニン細胞はその色素を基底部の表皮細胞に与えており，1個のメラニン細胞は約5～12個の基底細胞にメラニンを供給している．メラニンは基底層（有糸分裂！）を有害な紫外線から保護する働きがある．

強く分枝する**ランゲルハンス細胞**（**F17**）は有棘層の上層に位置する免疫系の樹状細胞である．この細胞は骨髄に由来し，抗原となることができて，活動を停止しているヘルパーTリンパ球を刺激し，一次免疫応答を開始する．基底層には散在的に**メルケル細胞** Merkel cells が見出され，この細胞は神経堤に由来する感覚細胞で，基底膜の上に接着して，付近の基底細胞とはデスモゾームで結合している．メルケル細胞の下には各々の神経終末があり，有髄の軸索が生じている．

---

1 表皮 epidermis　**2** 真皮 corium（dermis）　**3** 皮下組織 subcutaneous tissue　**4** エクリン汗腺 eccrine sweat gland　**5** ファーター・パチニ小体 Vater-Pacinian corpuscles　**6** マイスナー触覚小体 tactile corpuscles of Meissner　**7** 毛 hairs　**8** 皮脂腺 sebaceous gland　**9** 立毛筋 arrector muscle of hairs　**10** アポクリン汗腺 apocrine sweat gland　**11** 基底層 basal layer　**12** 有棘層 spinous layer　**13** 顆粒層 granular layer　**14** 淡明層 clear layer　**15** 角質層 cornified layer　**16** メラニン細胞 melanocytes　**17** ランゲルハンス細胞 Langerhans cells

真皮

真皮 (**A2**) は表皮 (**A1**) よりもずっと厚い．真皮には，表皮の付属器官 (毛根，脂腺，汗腺)，血管，リンパ管，結合組織の細胞，免疫系の自由細胞，ならびに神経終末装置と神経が存在している．皮膚が**引き裂きに対する抵抗性 (耐裂性) と可逆的に変形しうる性質 (伸縮性)** に富む理由は真皮の構造に起因している．真皮では非常に丈夫な膠原線維束が互いに密に組み合わさって叢を形成しており，その間に弾性線維網を混じている．皮膚の伸展性は主にこの膠原線維叢の網目の角度が変わることによって生じ，弾性線維網は変形した線維束が元に戻ることに働く．真皮は乳頭層と網状層の二層に区別される：

乳頭層 (A4)． 乳頭層は表皮と直に接しており，細い膠原線維の網目からなる円錐状の結合組織乳頭 (真皮乳頭体 dermal papilla) をつくって，表皮と互いにかみ合っている．乳頭はそれに対応する表皮のくぼみの中に突出しているため，表皮は剝がれ難くなっている．乳頭の高さと数は当該部位の体表で要求される機械的強度と相関関係にある；例えば，眼瞼の皮膚ではあまり発達していないが，膝や肘では強く発達している．乳頭には，ヘアピン状の毛細血管ワナ (**血管乳頭** vascular papilla) および微細な神経線維や神経終末 (**神経乳頭** nerve papilla) を容れている．膠原線維はここでは希薄であるのが特徴的である．

網状層 (A5)． 乳頭層の，疎でフエルト状の膠原線維 (コラーゲン type I) は，網状層の太くて強い膠原線維束に次第に移行し，網状層では密な網目をつくっている．これらの線維束はほぼ皮膚表面と平行に走り，**弾性線維網**が伴行している．線維束の間には線維芽細胞，マクロファージ，肥満細胞，および散在的にリンパ球がみられる．間隙には**ゲル状の基質**を含み，その中にプロテオグリカン (ヒアルロン酸，コンドロイチン硫酸，デルマタン硫酸)，タンパク，およびミネラルが存在する．プロテオグリカンは高度に水との結合能を有し，したがって真皮は皮膚の緊張度を調節するための決定的な働きを担っている．

皮下組織

皮下組織 (**A3**) は皮膚と身体の筋膜 (**A6**) ならびに骨膜とを結合させるものであって，これが存在するために皮膚の移動性 ("ずれ") を可能にしている．皮下組織は脂肪の貯蔵庫であり，また放熱に対する断熱装置でもある．脂肪組織は構造脂肪と貯蔵脂肪とに分けられる：すなわち，"**構造脂肪 structural fat**" は構成体の一部として機能するもので，詰め物をしたキルト quilt の様式で，密性線維性結合組織の線維束で細分されている．例えば，足底の脂肪組織は "緩衝器 shock absorbers" として働いている．"**貯蔵脂肪 depot fat**" は，多くの場合，体幹の皮膚の下にある皮下脂肪層 subcutaneous fat layer として現れる．**脂肪の分布**は遺伝的に決められるが，ホルモンなどによっても調節されている．性差も認められ，男性では腹部領域に容易に脂肪が付着する傾向があり，女性では主に大腿，殿部，および胸部に蓄積する．皮下組織は身体の所々で疎になっており，脂肪も少ない (眼瞼，耳介，口唇，陰茎，陰囊，その他)．顔面の皮膚と頭皮では，皮下組織は筋組織や腱組織 (帽状腱膜) と固く結びついている (これは表情をつくる解剖学的な基礎になっている)．

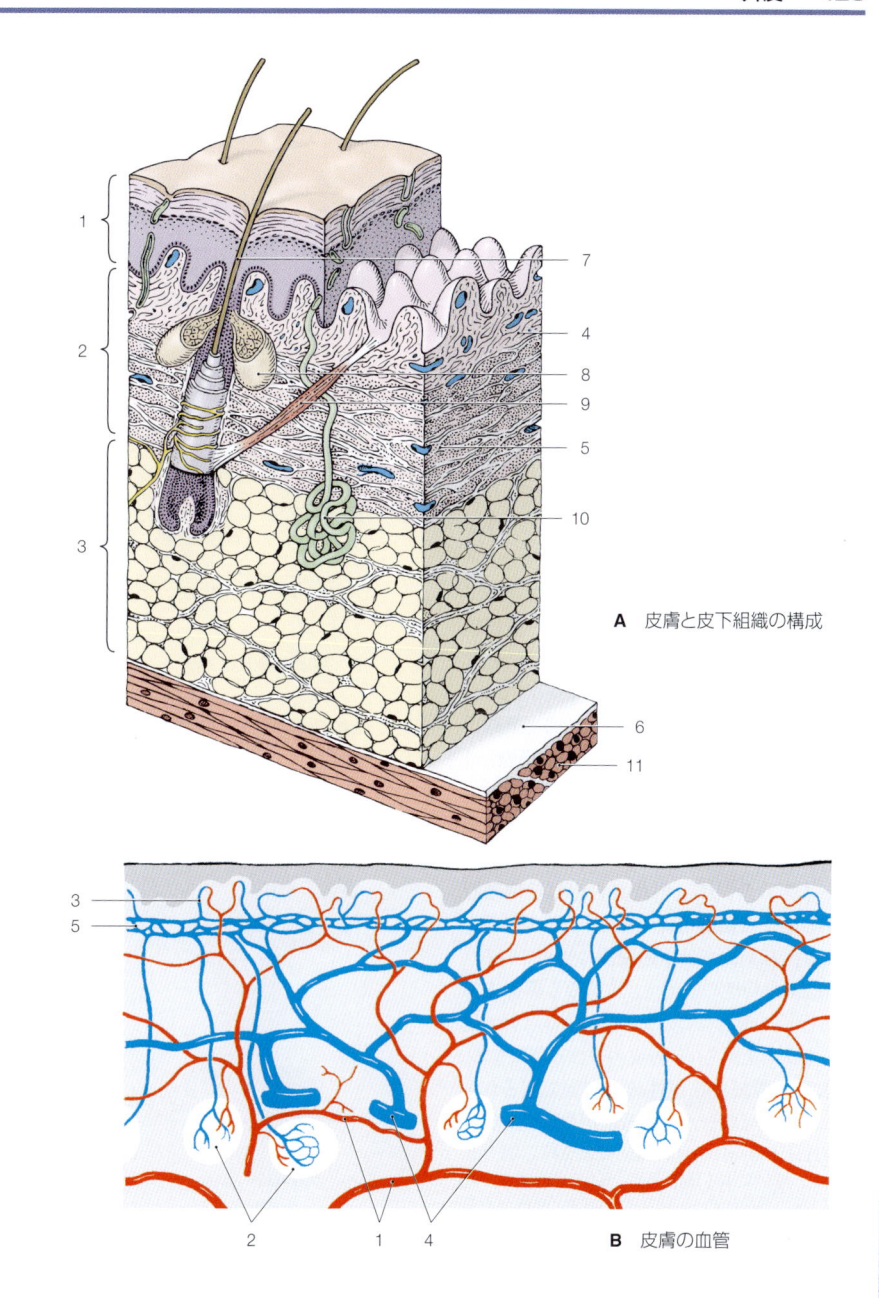

皮膚と皮下組織の血管

血管． 動脈 (**B1**) は皮膚と皮下組織の間で動脈叢をつくり，これからの枝が毛根，汗腺 (**B2**)，皮下組織の脂肪，および乳頭体へ向かって走る．乳頭へ向かう枝は，その下層で**乳頭下動脈叢** subpapillary plexus をつくり，乳頭の中で毛細血管ワナ (**B3**) に入る．静脈 (**B4**) は，乳頭の下，真皮の中，および皮膚と皮下組織の間でいわゆる**皮膚静脈叢** (**B5**) を形成している．四肢の末端や突出部 (例，指尖，鼻尖，その他) の皮下には動静脈吻合が数多くみられる．**動静脈吻合 arteriovenous anastomosis** によって血流速度は影響を受けることがあり，皮膚血行の変動は体温調節にとってとくに重要である．リンパ管もまたリンパ管叢を形成している．

皮膚の神経と感覚器については 426 頁を参照．

A 皮膚と皮下組織の構成

B 皮膚の血管

A1 表皮 epidermis **B1** 動脈 artery **A2** 真皮 corium **B2** 汗腺 sweat gland **A3** 皮下組織 subcutaneous tissue **B3** 毛細血管ワナ capillary loops **A4** 乳頭層 papillary layer **B4** 静脈 vein **A5** 網状層 reticular layer **B5** 皮膚静脈叢 cutaneous venous plexus **A6** (体の) 筋膜 fascia **A7** 毛 hairs **A8** 皮脂腺 sebaceous gland **A9** 立毛筋 arrector muscle of hairs **A10** エクリン汗腺 eccrine sweat gland **A11** 筋層 muscular layer

皮膚の付属器

皮膚腺

皮膚腺 skin glands（A〜D）は毛や爪と同じく皮膚の付属器である．皮膚腺は表皮の上皮塊から生じ，充実性の上皮索がツララ状に間葉（真皮）に進入して，そこで異なる腺の種類に分化したものである．

汗腺

エクリン汗腺（小汗腺）（B）．コリン作動性神経によって支配される約200〜400万個のエクリン汗腺 eccrine sweat gland が全身に分布しているが，分布状態は個人および身体の部位によって異なる；前額，手掌および足底には密に存在し，項部および大腿ではわずかである．エクリン汗腺は**不分枝単一管状腺（B1）**で，腺体（分泌部）は径0.3〜0.5mm大の塊状を呈し，真皮の深層または皮下組織の上層に位置し，糸玉状に巻いている（**糸球状腺** glomerular gland）．終末部の腺細胞は1層または2層の立方ないし円柱上皮からなり，これらの分泌細胞は脂肪滴，グリコーゲン顆粒および色素顆粒を含んでいる．腺上皮細胞と基底膜の間に，外胚葉性の収縮性細胞である**筋上皮細胞（B2）**が腺体の長軸に沿って走り，横断面では不連続性に並んでいる．終末部は2層性の立方上皮からなる**導管（B3）**に移行し，導管はコルクの栓ぬき状に軽く蛇行しながら上昇して，表皮の表面に開口する．終末部は微細な線維性結合組織で囲まれ，ここには毛細血管と神経線維が豊富である．

酸性分泌物（pH4.5）は細菌の繁殖を抑え（酸性保護膜），蒸散による体温調節（気化冷却）および電解質 Na^+, K^+, Cl^-, HCO_3^- の排泄（食塩含有量4％）の役を果たしている．正常な汗の分泌は1日当たり100〜250mlであるが，極度の身体労働や外界温度が高熱の際には1日当たり5l以上に達することもある．

アポクリン汗腺（大汗腺）（C）．アドレナリン作動性の神経支配を受ける**アポクリン汗腺** apocrine sweat gland は有毛皮膚（腋窩，恥丘，大陰唇，陰嚢，肛門周囲）だけでなく乳頭，乳輪および鼻前庭にも現れる．大汗腺は**単一管状糸球状腺**で，腺体が大きく，腺腔も広い．腺体は，通常小汗腺より深く皮下組織に位置し，終末部の腺細胞は，機能状態によって高さが変わる1層の上皮で内張りされている．特徴的なことは腺腔内に細胞質の先端が突出（**C4**）しているのがみられることで，これはアポクリン分泌 apocrine secretion の様式でちぎれて離れ落ちる．腺上皮と基底膜の間に密に並ぶ紡錘形の筋上皮細胞（**C5**）がある．導管は2層上皮からなり通常毛包に開く．

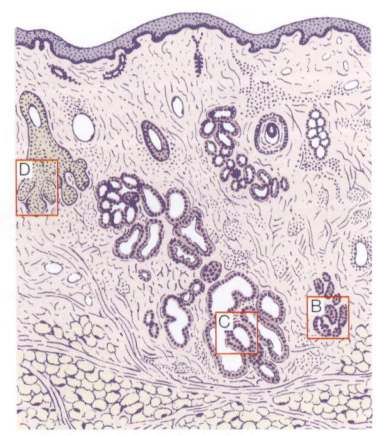

アポクリン汗腺は**アルカリ性の分泌物**を産生し，臭い物質を含む．分泌直後は無臭であるが，細菌と反応して個人や人種で特有な体臭の原因となる．分泌は思春期に始まる．特殊に分化した大汗腺として，外耳道の耳道腺 ceruminous gland，眼瞼の睫毛腺（モル腺）ciliary gland (Moll gland) がある．大汗腺は動物の臭腺 scent glands に相当し，動物では性的活動において何らかの役割（誘因物質の分泌）を果たしていると考えられている．

皮脂腺

ホロクリン分泌 holocrine secretion を行う**皮脂腺** sebaceous gland（**D**）の大部分は毛の原基に由来し，手掌と足底を除いてほとんど全皮膚に現れ，毛包の毛漏斗に開口する．毛と関係のないいわゆる独立脂腺も唇紅，鼻前庭，頬粘膜の反転部，乳頭，眼瞼，小陰唇，亀頭，包皮に存在する．通常の皮脂腺は真皮の上層に位置している．腺体は数個の胞状の袋（いわゆる**皮脂腺胞** follicle of sebaceous gland）で形成され，隣接する**腺胞がブドウの房のように集まって**，その各々が短い共通の導管に開いている（分枝単一胞状腺）．腺胞は基底膜の内面に接して1層の増殖能を有する小型の基底細胞（幹細胞）を備えている（**D6**）．この細胞からより大型の腺細胞が生じて内部に移動し，染色性の弱い多面体の細胞に成熟して完全に腺腔を満たす．中央付近の細胞は脂肪滴で満たされ，核も核濃縮 pycnosis をきたしている（**D7**）．導管に近づくとともに核も消失し，最終的には細胞は崩壊して，完全に**皮脂（D8）**となって放出される．

皮脂は，1日当たり1〜2g産生され，毛漏斗から毛と表皮の表面に達し，しなやかさと滑らかさを与える．加えて，皮脂は脂肪酸を含んでいるため抗菌力がある．

A 腋窩皮膚の皮膚腺

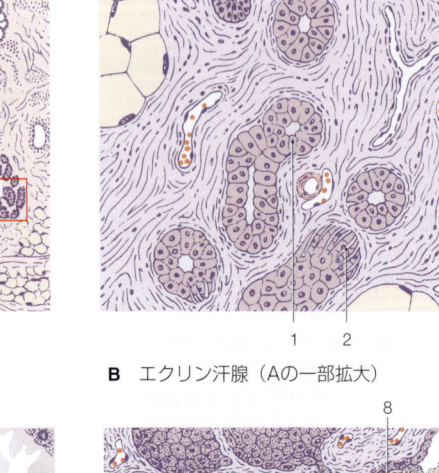

B エクリン汗腺（Aの一部拡大）

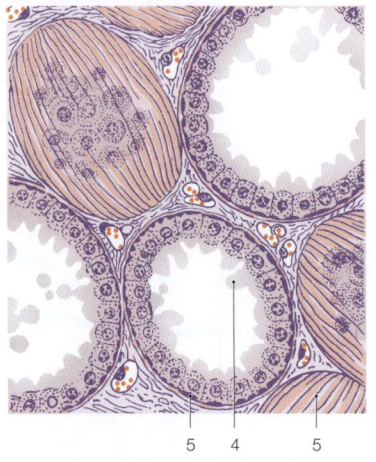

C アポクリン汗腺（Aの一部拡大）

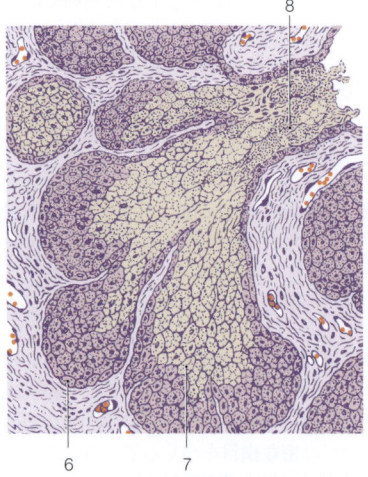

D ホロクリン皮脂腺（Aの一部拡大）

1 不分枝単一管状腺 simple unbranched tubular gland　**2**（小汗腺の）筋上皮細胞 myoepithelial cell　**3** 導管 excretory duct　**4** 本文参照　**5**（大汗腺の）筋上皮細胞 myoepithelial cells　**6**，**7** 本文参照　**8** 皮脂 sebum

毛

毛 hairs はたわみやすく，引っ張り強さのある糸状の角化した構造物で，爪と同じく表皮から発生する．毛は触覚と保温に役立っている．毛にはいろいろな種類が区別されている：すなわち，**生毛**（せいもう） lanugo（胎児期のウブ毛 woolly hair，乳児のウブ毛 downy hair）は胎児期の6ヵ月までに現れ，短く，細く，ほとんど色素のない毛で，真皮の中に根づいている．生毛はいったん広範囲で消失するが，生後数ヵ月でより太い2次毛（**軟毛** vellus hair）に代わる．これらの軟毛は特定の時期，とくに思春期に生えてくる終毛にとって代わられる．**終毛** terminal hair は長く，太く，色素をもち，群れをなして生えるのが特徴で，皮下組織の上部に根づいている．終毛に属するものに頭毛（髪），腋毛（ワキゲ），陰毛（カクシゲ），胸毛（ムナゲ），須毛（ヒゲ）がある．身体の限られた部位すなわち手掌，足底，外生殖器の一部では毛は生えていない．

終毛は，毛流 hair streams および毛渦 hair whorls に従って，表面に対して斜めに，円筒状の**毛根鞘** hair sheath の中に差し込まれている．この毛根鞘に**皮脂腺**（**A～D1**）が開口し，開口部の上方に**毛漏斗** hair funnel があり，その下方には交感神経に支配される平滑筋束の**立毛筋**（**A～D2**）がある．立毛筋は表皮の下から起こり，斜めに下って皮脂腺の下方で毛包に付着する．寒冷または精神的な驚愕や恐怖感の際に，この筋は収縮して毛を直立させる（毛を逆立てる，鳥肌 goose flesh）．また立毛筋は皮脂腺の分泌物を押し出している．

微細構造．毛は皮面から遊離している**毛幹**（**A～D4**）と毛包に包まれた**毛根**（**A3**）が区別される．毛根の下端は膨大して**毛球**（**A5**）をつくり，その下面は陥凹して真皮の結合組織からなる栓状の**毛乳頭**（**A6**）がはまり込んでいる．毛根と毛球を外側から包む被鞘を**毛包** hair follicle という．毛幹は主として丈夫な毛皮質からなり，これは張原線維をもつ角化した細胞が屋根瓦状に重なって，縦の方向にのびた層で構成されている．毛皮質は毛髄質を筒状に囲む．角質細胞の形や配列は人によって異なっている．

毛の形成．毛の形成は角質形成が変化したものであり，表皮（**A～D7**）が限局性に陥入することから始まる．毛は角質尖 horny tip であり，**上皮性毛包**（**A8**）は陥入したロート状の表皮であり，結合組織性毛包（**A9**）は真皮の"乳頭体"に相当する．毛は毛根の細胞によって成長し，これらの細胞は毛乳頭にある毛細血管ワナから栄養されている．この毛母基 hair matrix が破壊されると毛は再び生えることはできない．

毛の色調．毛の色調は主に**メラニンの沈着**によってひき起こされる．メラニンは毛母基にある神経堤に由来する基質のメラニン細胞によってつくられ，毛球の細胞に与えられる．白髪 gray hair の場合は，この色素の含有量が減少し，メラニン産生は消滅し，メラニン細胞は死滅する．白い毛の毛球にはもはやメラニン細胞は存在しない．また毛髄質に小さな空胞が沈積することも白毛の原因となる．これに反して，白子 albino の場合は先天的に酵素が欠乏するため，メラニン細胞は全く色素を産生しない．

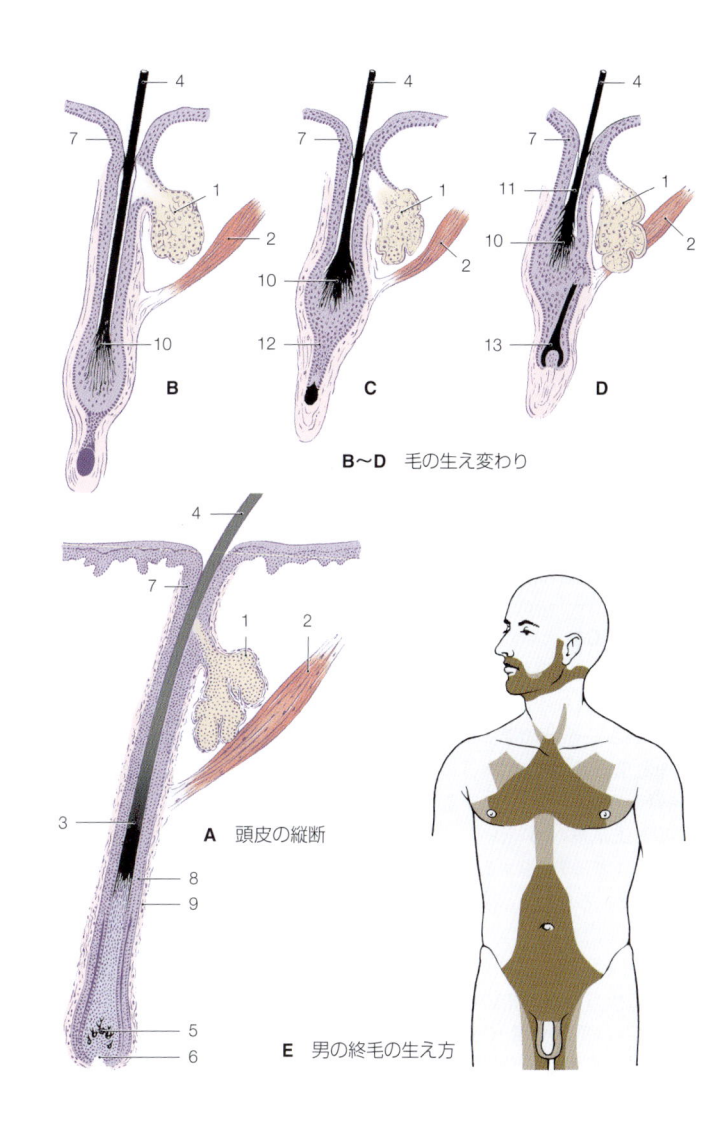

毛の生え変わり．一本の毛の寿命は，毛の種類や生える部位によって2～3週間のものもあれば，数（3～5）年のものもあり，まちまちである．例えば，睫毛（マツゲ）や眉毛（マユゲ）では100～150日である．毛は周期的に成長している．**成長期** anagen（1日当たり0.3～0.4mm 伸長），**退行期** catagen，**休止期** telogen が区別され，そののち毛は脱落する．毛包の約80％は成長期の状態にあり，15～20％は休止期の状態にある．1日当たり約50～100本の毛が失われている．毛母基は活動を停止し，メラニン細胞は一過性に姿を消し，上皮性の毛球（**B～D10**）は押し上げられて結合組織性の毛乳頭から離れ，毛根の下部は角質化して棍棒状に肥厚し，糸状にほぐれて外へ押し出される（**BCD**）．このような状態の毛を**棍状毛**（**D11**）という．一方，乳頭に接した残りの細胞から索状にのびだす上皮索（**C12**）が形成され，新たな毛球（**D13**）がつくられて，これから新しい毛がのびてくる．

毛衣（被毛状態）（**E**）．被毛状態はホルモンの影響を受ける．**アンドロゲン** androgen は須毛や生殖器領域の毛の発育を促進する．男では臍まで上行する菱形の陰毛，大腿内面の発毛，胸毛，須毛などが生えるのが特徴的である．女では三角形の恥毛や体幹に終毛が少ないのが特徴的である．ある種の内分泌障害（例，副腎皮質）では，女性でも男性的な毛衣がつくられることがある（多毛症 hypertrichosis）．

A 頭皮の縦断

B～D 毛の生え変わり

E 男の終毛の生え方

---

1 皮脂腺 sebaceous gland　2 立毛筋 arrector muscle of hairs　3 毛根 hair root　4 毛幹 hair shaft　5 毛球 hair bulb　6 毛乳頭 hair papilla　7 表皮 epidermis　8 上皮性毛包 epithelial hair follicle　9 結合組織性毛包 connective tissue of hair follicle　10 （毛乳頭から離れた）毛球 hair bulb (detached from the hair papilla)　11 棍状毛 club hair　12 上皮索 epithelial cord　13 新しい毛球 new hair bulb

爪

爪 nail は表皮が特殊に分化した構造物である．爪は手足の指の末節を保護し，同時に指頭の腹面 (**C12**) にある触覚球に作用する圧を受けとめて，触覚の受容に役立っている．爪がなくなると，その指の末節の触覚は低下する．

構造．爪は，混濁しているが半透明の厚さ 0.5mm の**角質板**（そうばん）（爪板もしくは爪体）(**BC1**) で，背側に向かってやや隆起している．爪板は表皮の角質層に相当し，屋根瓦状に積み重なった多角形の鱗状の角質でつくられており，その中に互いに交叉して走る 3 層の張原細糸が含まれている．爪は表面に露出した**爪体**（そうたい）(**BC1**) と皮膚の下に潜り込む**爪根**（そうこん）(**B5**) からなり，爪床 (**BC2**) と下爪皮 (**B3**) （下記参照）の上にのっている．爪体は前方では自由縁 free border をもち，外側縁と後縁は**爪郭** (**BC4**) といわれる皮膚の隆起で囲まれている．爪郭は爪根のところで約 0.5cm 深さの爪を入れるための**爪洞** nail sinus をつくっている．爪洞の深部には爪の新生の母体となる**爪母基** (**B6**) がある．爪郭 (**BC4**) の自由縁から爪の表面にのびる狭い帯状の皮膚小片を**上爪皮** (**C8**) といい，これは爪の手入れ（マニキュア）をするときに半月から持ち上がるところをいう．後爪郭の前方で，爪体にみえる白い前方へ凸の半月状の領域を**半月** (**A7**) といい，この前縁は爪母基の前方の境界に相当する．爪の両側の外側縁 lateral border は**爪床小溝** (**C9**) の中に埋めこまれており，爪溝は遠位に向かって**爪小皮** cuticula に続く．

爪床と下爪皮．爪床 (**BC2**) は胚芽層に相当し，爪根 (**B5**) の下に横たわる上皮性組織の近位部は**爪母基** (**B6**) を形成し，これから 1 日当たり 0.14～0.4mm の爪があとを追って育ってくる．爪母基は爪洞の中に隠れているが，その遠位部は**半月** (**A7**) として現れる．爪床は半月の遠位で**下爪皮** (**AB3**) に続き，下爪皮は爪を通して鈍い淡紅色の中にかすかにみえている；下爪皮は胚芽層だけでつくられており，その上を爪が前方へ押し出されている．真皮の表面は，乳頭層に相当する結合組織が規則正しく縦走する幅の狭い稜（爪床小稜）を形成して，爪胚芽層 germinative layer と互いにかみ合っている．さらに真皮は末節骨 (**C10**) の骨膜と強い爪支帯 retinacula unguis によって連結している．真皮稜の中には毛細血管ワナが認められ，これは爪が存在する部分の淡紅色の色調を生ぜしめる原因となっている．下爪皮は爪角質層 cornified layer から急角度をなして離れ，**爪縁** (**B11**) の皮膚に移行する．

> **臨床関連**：爪母基が破壊されると，爪は再び生えてこない．外科的に爪を除去する際には爪母基は残されるべきである．ある種の疾患では，爪には大きさ，表面の状態，色調など診断的に重要な変化が現れてくる．高齢者の多くでは，異常に爪が脆く，そのため，爪の自由縁から切れ込みが入ったり，剥離したり，裂けることがある．

感覚器としての皮膚

皮膚のすべての層は豊富な神経支配を受けている．その一部は**植物神経** vegetative nerves であって，腺，平滑筋線維，血管を支配する．ほかの大部分は**知覚神経** sensory nerves である．知覚神経は皮膚をヒトの生命にとって不可欠な感覚器に仕上げ，それによって**触覚**，**温度覚**，**痛覚**および**振動覚**が認知される．身体の個々の部位で皮膚が感じとる感覚の質 qualities が異なるように，知覚神経の分布も一様ではない．皮膚には幾つかの**神経終末小体**が，異なる感覚の質に対して異なる構築様式でつくられている．皮膚の機械的受容器には，まず**ルフィニ小体** Ruffini's corpuscles（圧受容）が，皮稜のある，もしくは皮野のある皮膚の真皮に，**マイスナー触覚小体** (**D1**) が皮稜のある皮膚の真皮の乳頭，とくに指の先端に密度が高い（触覚）．**ファーター・パチニ小体** (**D2**)（振動覚）は，皮下組織中によくみつかる．運動器の機械的受容器は**筋紡錘とゴルジの腱器官**である．D ではそれらについての概略が示されている（個々の詳細については III 章を参照されたい）．

A 指の爪　　**B** 爪の縦断面　　**C** 爪の横断面　　**D** 皮膚の神経分布を示す模式図

BC1 爪体 body of nail もしくは角質板（爪板）nail plate　**D1** マイスナー触覚小体 tactile corpuscles of Meissner　**BC2** 爪床 nail bed　**D2** ファーター・パチニ小体 Vater-Pacinian corpuscles　**B3** 下爪皮 hyponychium　**BC4** 爪郭 nail wall　**B5** 爪根 nail root　**B6** 爪母基 nail matrix　**A7** 半月 lunule　**C8** 上爪皮 eponychium　**C9** 爪床小溝 nail groove　**C10** （指の）末節骨 distal phalanx　**B11** 爪縁 nail edge　**C12** 指頭の腹面 pulp of finger

女の乳房と乳腺

乳房 breast と乳腺 mammary gland は皮膚に由来する構造物である；腺組織はアポクリン腺の原基から発生する.

乳腺の発生. 男も女も, 第1胚子月の終わりごろ, 鰓弓領域と尾との間の胴の両側に, 線状の上皮の肥厚（**乳条** mammary lines）が生じ, これから第6胚子週に四肢の起始部の間（腋窩と鼠径部の間）に**乳腺堤** mammary ridges がつくられる. その中に一群のアポクリン腺の原基がつくられている. 乳腺堤は第3胎児月の経過中に第4肋間上部の1対の小部分（乳腺丘）を残して退化する（この退化が不完全なときに副乳が生じる）. **最終的な乳腺の原基**は末端に上皮性の細胞塊をもつ15〜20個の上皮小管で構成され, 後でこれから腺実質が生じてくる.

新生児の乳房は, 男児の場合でも, 母体の胎盤ホルモンの影響を受けているため比較的によく発育し, 表面に膨らんで触知できて目にみえるようになり, 生後2〜3ヵ月の間にいわゆる奇乳 witch's milk といわれる新生児乳を分泌する. **子供のときの乳房**はごくゆっくりと発育するが, 思春期に入ると急速に発育して, はじめに蕾状の乳房となる. 基本的に女性の乳房は思春期の成長期間にエストロゲン, プロラクチンおよび成長ホルモンの影響を受けて形成される. 個人によってその大きさ, 形, 強靱さは大いに異なるが, それには脂肪の蓄積の度合いが重要な役を果たしている. 乳房の発育は20歳で最大に達する. **妊娠**すると乳房は強く発育し始め, 妊娠の終期には乳汁の産生が始まる. **離乳**すると乳腺の退縮が起こり, 結合組織が強く増殖する.

肉眼的構造

乳房（**B**）. 性的に成熟した女性乳房の外形はやや変形した半球状を呈する（皿状乳房, 半球状乳房, 円錐状乳房など；しばしば人種的特異性がある）. 乳房は第3〜第7肋骨の高さで, 両側性に, 胸骨と腋窩の間の中央に位置する. 乳房は胸筋筋膜 pectoral fascia の上にあり, 筋膜と乳房との間には薄い結合組織の層があって, 乳房は前胸壁上を"ずれる"ことができる（**D**）. 乳房は真皮と乳房の結合組織系の間に**乳房提靱帯** suspensory ligament of breast といわれる膠原線維束によって固定されているため, その位置は体姿勢が異なっても少ししか変化しない. しばしば胸筋の外側縁を越えて腋窩の中へ突出することがある（**外側突起** axillary process または**腋窩突起** axillary tail）（**C**）. 両側の乳房の間の溝を**乳洞** mammary sinus もしくは乳房間溝 intermammary sulcus という.

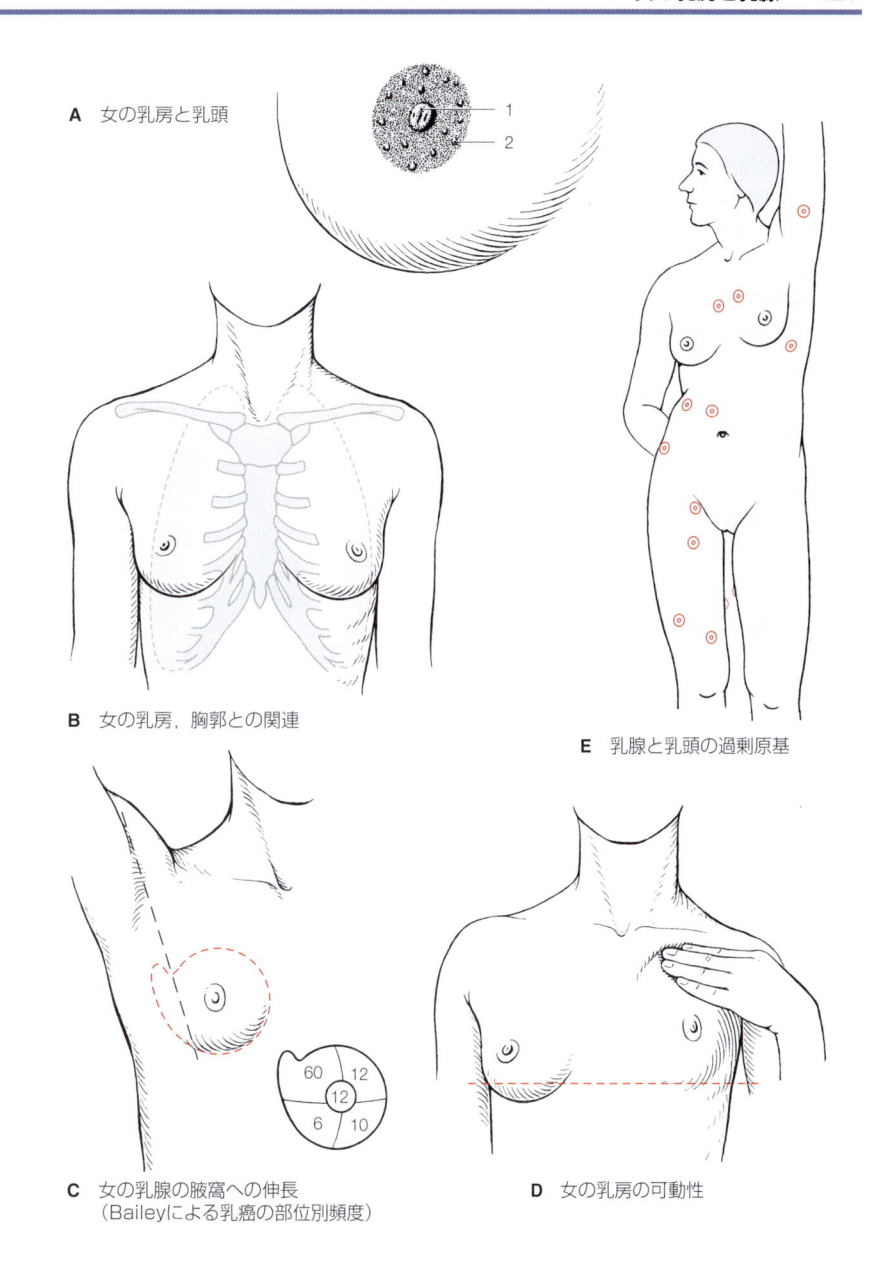

乳頭. 乳房の中央に10〜12mmの高さの, 軽く上外方を向いた**乳頭**（**A1**）が隆起しており, 周りを乳輪で囲まれている. 乳頭には小孔状の10〜12個の乳腺の導管が開口している. 乳頭と乳輪の円形の皮膚は周囲の皮膚より普通ではより暗く着色しており, これは経産婦では殊に著明である. 乳頭の先端には色素沈着がない. 乳輪の辺縁部に通常10〜15個の輪状に配列する小結節状の隆起すなわち**乳輪腺**（モントゴメリー小結節）（**A2**）がある. これはアポクリンおよびエクリン汗腺ならびにホロクリン皮脂腺を含んでおり, 授乳期間中は盛んに分泌する.

変異. 扁平または陥没した乳頭（**扁平乳頭** flat nipple, **陥没乳頭** inverted nipple）は乳児の哺乳作用の妨げになることがある. 発育の程度の異なる追加的な乳頭をみることがあり, これを**副乳** accessory breast という（過剰乳房 hypermastia）（**E**）；ただし乳頭だけが余分に発育しているときは**過剰乳頭** hyperthelia という. 副乳は性的成熟および妊娠中は同じように変化する.

男の乳房. 男の乳房の原基は女のそれと同じであるが, 男の場合は発育が悪い状態にとどまる. 腺体はおよそ幅1.5cm, 厚さ0.5cmである. 思春期に一過性に集中的な発育が始まり, 乳房の強度の形成が起こることがある（**女性型乳房** gynecomastia）. 過剰な乳腺原基は男の場合にも現れる.

> **臨床関連**：可動性の障害, ならびに乳房の高度の非対称性（乳頭の位置についても）は, 乳房の疾患（乳癌！）または運動器の疾患が原因となっていることがある. 乳房を4分割した乳癌の発生頻度に関する数値（%）が **C** に示されている. 乳房のリンパ還流については259頁を参照せよ.

A 女の乳房と乳頭

B 女の乳房，胸郭との関連

C 女の乳腺の腋窩への伸長（Baileyによる乳癌の部位別頻度）

D 女の乳房の可動性

E 乳腺と乳頭の過剰原基

1 乳頭 nipple　**2** 乳輪腺（モントゴメリー小結節）areolar glands (tubercles of Montgomery)

微細構造と機能

乳房は腺体すなわち**乳腺**（**A1**）と脂肪組織すなわち**乳房脂肪体**（**A2**）で構成され，前者は円錐状の**乳腺葉** lobes of mammary gland からなり，後者は乳房提靱帯に囲まれて小領域に分けられている．乳房の大きさは何よりも脂肪体の量によって左右される．小さな乳房では腺組織の量が脂肪組織より優勢である（乳房の大小に関わらず腺組織はほぼ一定である）．乳房の張り具合（硬さ，緊張度など）は乳房堤靱帯の性状と小領域における脂肪の充満度に関係している．

腺組織の退縮は35〜45歳の間に起こってくる．腺葉は脂肪組織に置き換えられ，乳房提靱帯（**A3**）はその強度を失う．年齢の増加とともに脂肪組織も減少する．

非授乳期の乳腺（**B**）．性的に成熟した非授乳期の乳房は，乳頭を中心として不規則に放射状に配列する**15〜20の個別に独立して分枝した管状胞状腺**の集合体（複合管状胞状腺）で構成されているのが特徴であり，その迂曲する腺管の末端分枝に**乳腺葉**を形成している．各腺葉は1本の**乳集合管**（**A〜C6**）をもっており，これはほとんど内腔が閉鎖した上皮性の細管（乳腺胞管 lactiferous duct）に分枝し，その末端は蕾状に膨れている．乳集合管は乳管に結合する．**乳管**（**AB7**）は互いに結合組織（**BC8**）によって隔てられ，2層〜重層の上皮をもち，乳頭底の高さで拡張して径1〜2mm太さの紡錘状の**乳管洞**（**A9**）となる．この洞は授乳時には8mmにまで拡張することができる．乳管洞は再び細くなって**導管**に移行し，導管は乳頭の表面に開口する（乳口 lactiferous pores）．乳腺管の分岐した細管と終末部は**丈夫な結合組織間質**（**BC8**）の中に埋め込まれているが，これらの構造物の周りはいわゆる**マント状結合組織**（**B10**）といわれる疎性結合組織で囲まれている．性周期の間，排卵後の乳房は乳腺管の出芽によって容積が15〜45mlぐらい増大する．この増大は月経前に最大に達するが，周期第7日までには再びもとに戻る．

授乳期の乳腺（**C**）．すでに第5,6妊娠週には，乳腺管はエストロゲンの影響を受けて盛んに出芽し，同時に新しい腺芽がつくられ，結合組織は退縮しはじめる．妊娠の中期ごろに，乳腺胞管は内腔形成が完成し，分芽状に増殖した腺芽は単層の立方上皮でおおわれる**腺胞**（**C11**）に成長する．腺実質の増加と平行して，結合組織および脂肪組織は減少し，乳房は大きくなって，硬さが

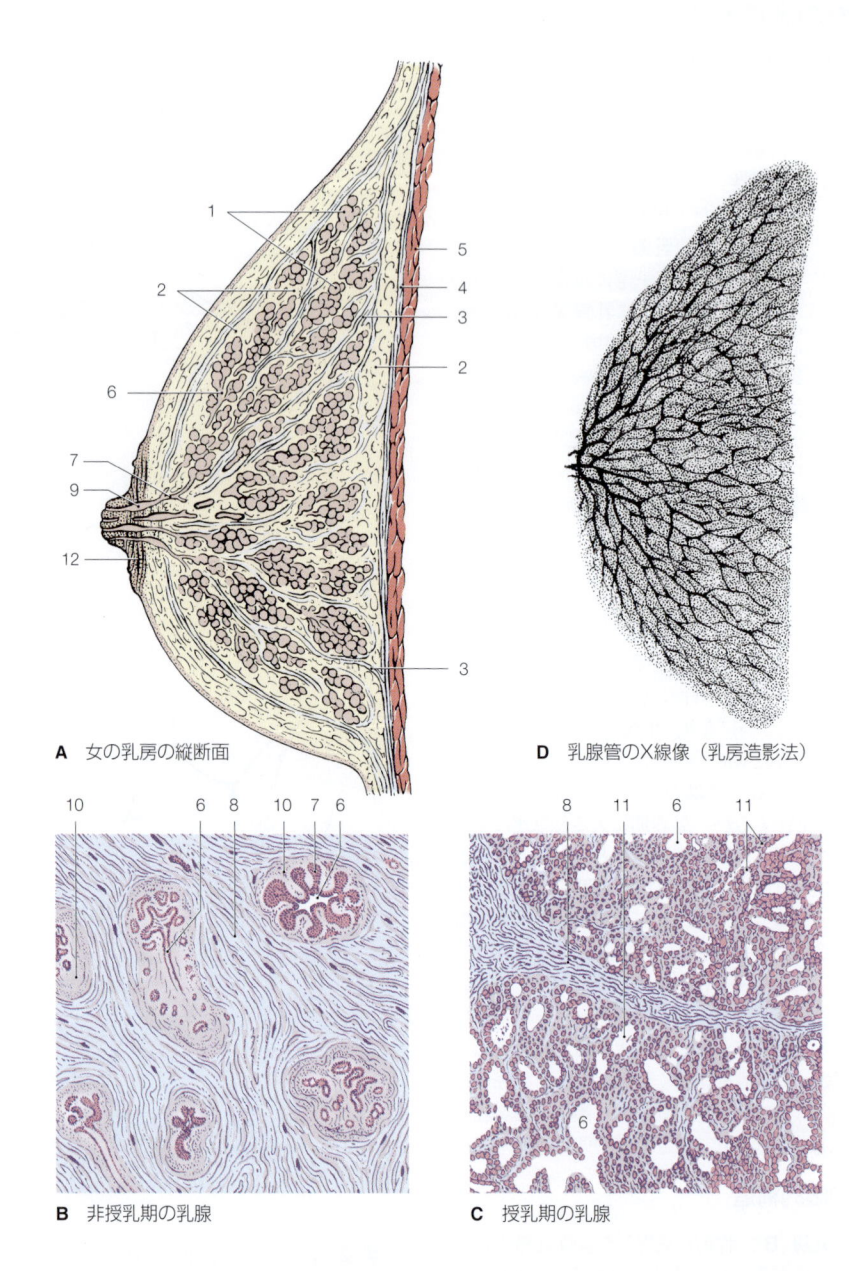

A 女の乳房の縦断面

B 非授乳期の乳腺

C 授乳期の乳腺

D 乳腺管のX線像（乳房造影法）

やわらかくなる．第9妊娠月には，プロラクチンに反応して黄色がかった**初乳** colostrum の産生がはじまる．初乳には脂肪小滴，リンパ球，食細胞，細胞の断片を含む．生後約3日間は"射乳" milk ejection が起こり，乳汁中には脂肪小滴のほか，タンパク，乳糖，イオンおよび抗体を含む（**移行乳**）．分娩後14日ごろから**成熟乳**が分泌される．

授乳の絶頂期には腺胞は今では円柱細胞となって盛んに**脂肪小球**（**乳小球**）fat droplets（milk droplets）をつくり，これは膜に包まれて腺腔内に放出される（アポクリン分泌）．同時にタンパク質，殊に**カゼイン** casein，を盛んに産生する．腺胞と腺胞管は筋上皮細胞に囲まれており，この細胞はオキシトシンの影響を受けて収縮し，乳汁の排出に役立っている．プロラクチンとオキシトシンの放出は乳頭の触覚刺激によって維持される（神経内分泌性反射 neurohormonal reflex）．**離乳**に際して乳汁の滞留が起こり，腺胞は過度に拡張して破れ，乳汁の産生は止まる．食細胞が現れて残りの乳汁の除去に活躍し，腺組織は退縮する．

乳頭と乳輪（427頁）の下には，輪状および放射状に配列する平滑筋線維（**A12**）があって，皮膚の強力な弾性線維とともに1つの系を構成して，乳管と静脈を固定している．この**弾性－筋組織系は乳頭の勃起**をひき起こし，それによって乳輪を縮めて，静脈と乳管を拡張させる．授乳の際，乳児は口唇と顎で交互に口腔内圧を変化させて乳管洞を空にするが，乳管洞はすぐに再び充満してくる．

---

1 乳腺 mammary gland　2 乳房脂肪体 adipose body of breast　3 乳房提靱帯 suspensory ligament of breast　4 胸筋筋膜 pectoral fascia　5 大胸筋 pectoralis major　6 乳集合管 lactiferous collecting duct　7 乳管 lactiferous duct　8 結合組織 connective tissue　9 乳管洞 lactiferous sinus　10 マント状結合組織 mantle of connective tissue　11 腺胞 acinus　12 平滑筋線維 smooth muscle fibers

III 神経系と感覚器

導入

基本要素

脊髄

脳幹

小脳

間脳

終脳

血管および髄液系

自律神経系

機能系

眼

聴覚と平衡覚器

神経系概説

発生と構成（A〜D）

神経系は，動物が目的に合った反応をするために，情報の処理に当たる系である．原始的な生物（**A**）では，この働きを**感覚（受容）細胞**（**A〜C1**）だけが引き受けている．これらの感覚細胞は外界からの刺激によって興奮し，1本の突起を介して興奮を**筋細胞**（**A〜C2**）に伝える．ここに外界刺激に対する最も簡単な反応が起こることになる（自身の突起をもつ感覚細胞はヒトではただ嗅上皮にだけみられる）．分化した生体（**B**）では感覚細胞と筋細胞の間に，さらに細胞が介在して，これが情報を伝える．このような細胞が**神経細胞**（**BC3**）なのである．神経細胞は興奮を多数の筋細胞またはさらにほかの神経細胞に伝えることができる．このようにして**神経網** nerve net（**C**）ができ上がる．ヒトのからだでもこのような散漫神経網が交錯しており，すべての内臓，血管および腺はこの神経網によって支配されている．この神経網は**植物（内臓または自律）神経系**と呼ばれ，これはさらに**交感神経系**ならびに**副交感神経系**という2つの互いに拮抗する成分に分けられる．両者は協力して生体の内部環境 milieu interne を恒常に保っているのである．

脊椎動物では植物神経系のほかに，いわゆる**動物神経系**がつくられてくる．これは**中枢神経系** CNS（脳と脊髄）と**末梢神経系**（頭，体幹および体肢の神経）からなっている．この神経系は意識的な知覚，随意運動および情報の処理（統合 integration）を行っている．

中枢神経は外胚葉の神経板（**D4**）からできてくる．これは神経溝（**D5**）を経て，さらに神経管（**D6**）に変わる．この神経管は最終的には脊髄（**D7**）と脳（**D8**）に分化する．

作用環（E, F）

神経系，生体および外界は機能的に互いに結びついている．外界刺激（外受容性刺激 exteroceptive stimuli）（**E9**）は感覚細胞（**E10**）から**感覚（求心性）神経**（**E11**）を経て CNS（**E12**）へ伝えられる．反応として CNS からは命令が**運動（遠心性）神経**（**E13**）を経て筋（**E14**）に届く．筋の反応（**E15**）の制御と調整のために，筋内の感覚細胞から CNS への帰還（フィードバック feedback）が感覚神経（**E16**）を介して起こる．この求心路は外界刺激を伝えるのではなく，体内からの刺激（固有受容性刺激 proprioceptive stimuli）を伝えるのである．したがって感覚は**外受容性感覚** exteroceptive sensibility と**固有受容性感覚** proprioceptive sensibility に分かれることになる．

生体はしかしながら，外界に対して反応するのみでなく，外界にも自発的に働きかける．この場合にもそれ相応の一つの作用環が生じる．すなわち，遠心性神経を介して CNS から起こった動作（**F17**）は感覚器によって記録され，感覚器は求心性神経を経てその動作についての情報を CNS へさし戻すのである（再求心 reafferentation）（**F11**）．その結果が望んだ目標に合っているかいないかに応じて，CNS から促通または抑制のためのインパルス（衝撃）が引き続いて送り出される（**F13**）．このような多数の興奮環が神経現象の基礎をつくっているのである．

外受容性感覚（皮膚，粘膜）と固有受容性感覚（筋紡錘，腱紡錘ならびに内臓の自律性感覚神経の分布）に分けられるように，運動様式も外界に関連した**体性運動**（横紋をもつ随意筋組織）と**内臓運動**（平滑筋からなる内臓筋組織）とに分けることができる．

A〜C 原始神経系のモデル（Parker ならびに Bethe による）
A 筋細胞へ突起を出す感覚細胞
B 感覚細胞と筋細胞の間をつなぐ神経細胞
C 散漫神経網

D 胎生期における中枢神経系の発生
　左は脊髄，右は脳

E 作用環：外界刺激に対する生体の反応

F 作用環：外界への生体の働きかけ

---

1 感覚（受容）細胞 sensory (receptor) cell　2 筋細胞 muscle cell　3 神経細胞 nerve cell　4 神経板 neural plate　5 神経溝 neural groove　6 神経管 neural tube　7 脊髄 spinal cord　8 脳 brain　9 外受容性刺激 exteroceptive stimuli　10 感覚細胞 sensory cell　11 感覚（求心性）神経 sensory (afferent) nerves　12 中枢神経系 central nervous system, CNS　13 運動（遠心性）神経 motor (efferent) nerves　14 筋 muscle　15 筋の反応 muscular response　16 感覚神経を介してのフィードバック feedback through sensory nerves　17 動作 action

身体の中での神経系の位置（A，B）

中枢神経系（CNS）は脳（**A1**）および**脊髄**（**A2**）に分けられる．脳は頭蓋腔内にあって骨性の被膜に囲まれており，脊髄は脊柱管内にあって骨性の脊柱に囲まれている．両者は脳膜または脊髄膜（合わせて単に髄膜 meninges という）に包まれている．これらの膜は**脳脊髄液** cerebrospinal fluid という液で満たされた腔を閉じ込めている．CNS はしたがって四方から骨性の壁と液性の緩衝作用（髄液クッション liquor cushion）によって保護されていることになる．

末梢神経は，脳神経では頭蓋底の孔 foramina を通ったり，脊髄神経（**A3**）の場合は椎間孔を通って外へ出て，筋や皮膚領域へ行く．体肢ではこれらの神経は前もって**腕神経叢**（**A4**）および**腰仙骨神経叢**（**A5**）をつくり，この中で脊髄神経の線維は混じり合うため，体肢の神経には種々の脊髄節からの脊髄神経が含まれることになる（462頁，470頁）．求心性神経が脊髄へ入るところには感覚性神経細胞を含む小さな卵円形の**神経節**（**A6**）がある．

脳の諸構造の位置を記載する際，上―下とか前―後という表現は不正確であるので，我々は**いろいろな脳軸**（**B**）を区別しなければならない．ヒトでは直立歩行のために，神経管の屈曲が起こる：すなわち脊髄の軸はほぼ垂直に走り，前脳のそれは水平に走る．この前脳の軸を**フォレル**（Forel）**軸**（赤）という．下部の脳の軸は斜めに走り，この軸を**マイネルト**（Meynert）**軸**（紫）という．これらの軸を標準にして位置関係を表す：したがって軸の前端を口側 oral または吻側 rostral（Os は口，Rostrum は船首の意味），後端を尾側 caudal（Cauda は尾），下面を底側 basal または腹側 venteral（Venter は腹），上面を背側 dorsal（Dorsum は背）と表現する．

下方で脊髄に移行して行く脳の部分をひっくるめて**脳幹**（**B7**，淡灰色）という．脳の前の部分は**前脳**（**B8**，灰色）と呼ばれる．

脳幹の諸部分は同じような構築を示している（脊髄と同様に基板と翼板 basal and alar plates から構成されている．435頁C）．

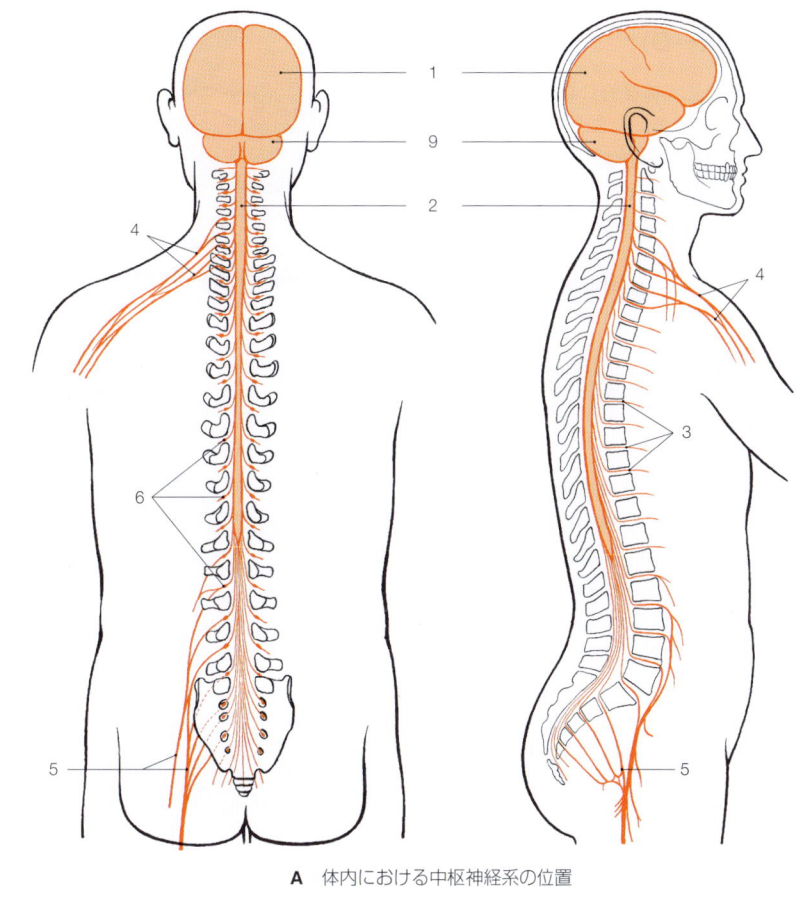

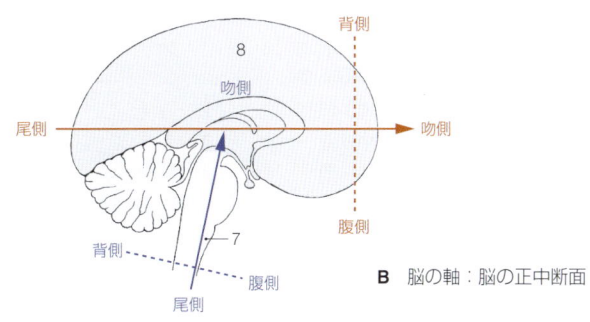

これらの部分からは脊髄と同様に真の末梢神経が出てくる．脊髄と同じように，胎生期の発生の間ずっとこれらの部分の下には脊索があり，支えとして役立っている．こうしたことが脳幹を前脳から区別する理由である．この分け方は一般に認められている分類，すなわち間脳を脳幹に含める分類とは異なる．

前脳は間脳 diencephalon と終脳 telencephalon もしくは大脳 cerebrum からなる．成熟した脳では終脳は両側に半球（大脳半球または終脳半球）をつくる．両半球の間に間脳が横たわることになる．

A 体内における中枢神経系の位置

B 脳の軸：脳の正中断面

---

1 脳 brain　**2** 脊髄 spinal cord　**3** 脊髄神経 spinal nerves　**4** 腕神経叢 brachial plexus　**5** 腰仙骨神経叢 lumbosacral plexus　**6** 神経節 ganglia　**7** 脳幹 brain stem　**8** 前脳 prosencephalon　**9** 小脳 cerebellum

脳の発生と構成

脳の発生（A〜D）

神経溝が閉じて神経管になるのは，上部頸髄の高さに始まる．ここから引き続いて閉鎖は口側へ向かい脳の吻側端（前神経孔 oral neuroporus，のちに終板 Lamina terminalis となって閉じる）にまで及び，また尾側へ向かっては脊髄の末端にまで達する．中枢神経系でのこれから先の発生過程も同じ方向に起こる．つまり脳の各部は同時に成熟するのではなく，時間的な間隔をおいて発達してくるのである（異時的成熟 heterochronous maturation）．

頭の領域では神経管は拡張して数個の脳胞となる（509頁 A）．吻側の脳胞は将来の前脳 prosencephalon（赤と黄）で，後ろのものは将来の脳幹 brain stem（青）に相当する．同時に2つの屈曲が神経管に生じる：頭屈（A1）と頸屈（A2）である．脳幹は初期のこの段階ではまだ一様な構造を示しているが，すでに将来の各部，すなわち延髄（A〜D3），橋（A〜D4），小脳（A〜D5，濃青）および中脳（A〜C6，緑）を確認することができる．脳幹の発達は前脳よりも早く進行する：発生2ヵ月では，終脳はまだ壁の薄い嚢状の構造（A）を示すにすぎないが，脳幹では神経細胞がすでに分化し終わっている［脳神経（A7）が伸び出す］．間脳（AB8，赤）からは眼胞（A9，592頁 A）が突出する．眼胞の前に終脳胞（終脳，A〜D10，黄）があり，これは最初は無対であるが（無対終脳 telencephalon impar），やがて両外側へ向かって伸び出し，左右の終脳半球ができてくる．

胎齢3ヵ月では前脳が大きくなる（B）．終脳と間脳は終脳間脳溝（B11）によって分けられる．終脳胞には嗅球の原基（B〜D12）が，間脳底には下垂体原基（B13，524頁 B）と乳頭体隆起（B14）がつくられる．橋屈 pontine flexure によって小脳原基と延髄の間に，深い横の溝（B15）が生じる．このため小脳の下面は，膜様に薄くなった延髄の背側面に重なり合うことになる（564頁 E）．

第4ヵ月には終脳半球が他の脳部をしのいで発育し始める（C）．最初は他のすべての脳部に比べて発育が遅れていた終脳は，この月に発育が最も著しい（509頁 A）．半球側面の中間部の発達はよくなく，隣接部により遅れて覆われてくる．この部分が島（CD16）である．第6ヵ月では島はまだ露出している（D）．これまで平滑であった半球面に最初の脳溝と脳回が現れる．始めは薄かった神経管や脳胞の壁は発生が進むにつれて厚くなってきており，神経細胞や神経伝導路を含み，ここに特有の脳実質が形成されてくる（終脳半球の発達，527頁）．

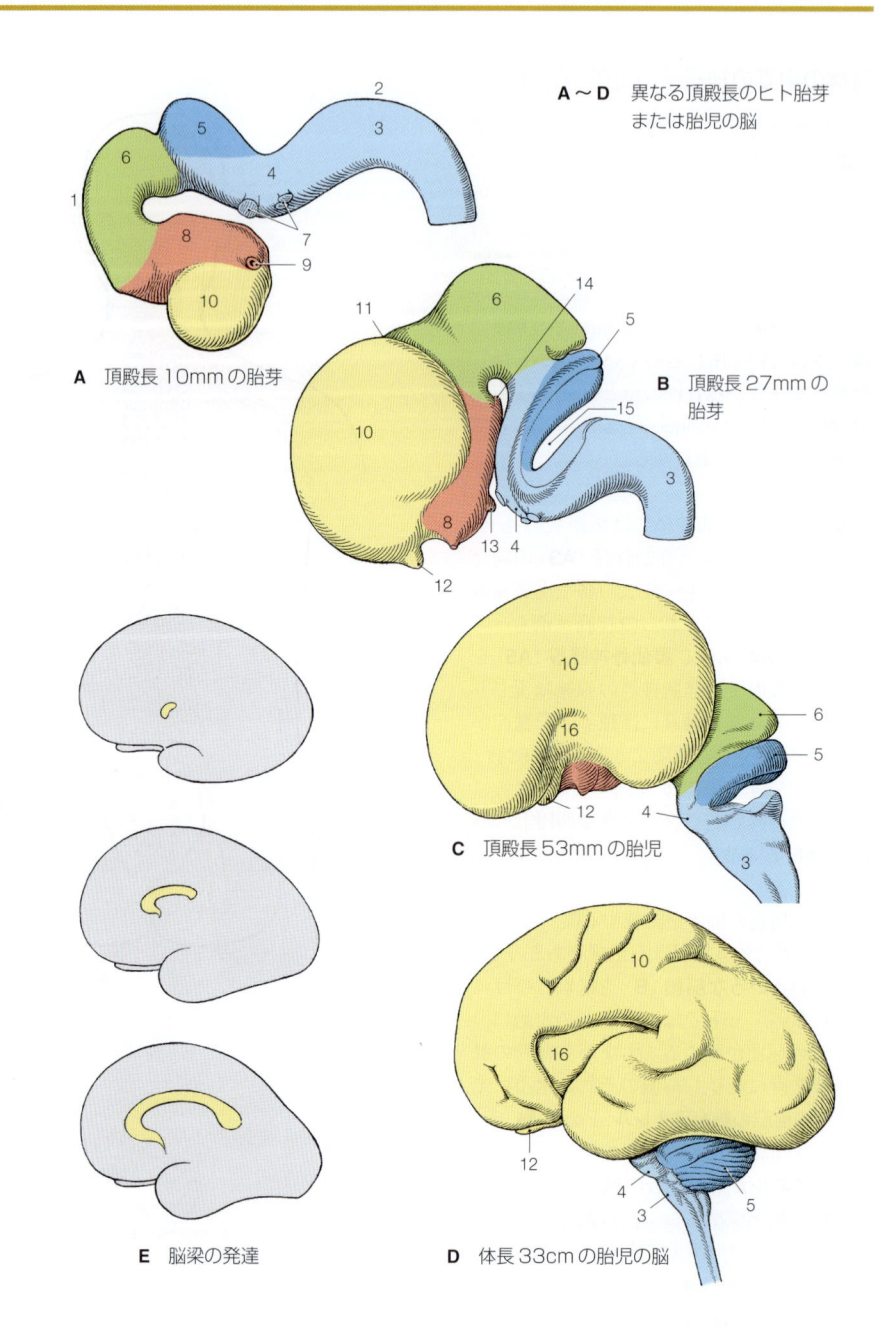

無対終脳の前壁を通って神経線維が一側の半球から他側の半球へ走る．この肥厚した脳の壁の部分は交連板 commissural plate といわれ，この部に両半球を連絡する交連系 commissure system がつくられてくる．そのうち最大のものは脳梁 corpus callosum である（E）．半球は主に尾側へ向かって大きくなってくるため，脳梁も発生が進むにつれて，同じように尾側へ伸びてくる．その結果，脳梁はついに間脳にかぶさるようになる．

A〜D　異なる頂殿長のヒト胎芽または胎児の脳

A　頂殿長10mmの胎芽
B　頂殿長27mmの胎芽
C　頂殿長53mmの胎児
D　体長33cmの胎児の脳
E　脳梁の発達

1 頭屈 cephalic flexure　2 頸屈 cervical flexure　3 延髄 medulla oblongata　4 橋 pons　5 小脳 cerebellum　6 中脳 midbrain　7 脳神経 cranial nerves　8 間脳 diencephalon　9 眼胞 optic vesicle　10 終脳（胞）telencephalon　11 終脳間脳溝 telodiencephalic sulcus　12 嗅球（の原基）olfactory bulb　13 下垂体（の原基）pituitary gland　14 乳頭体（による隆起）mammillary body　15 橋屈 pontine flexure　16 島 islet

脳の構成（A～E）

概説

脳の個々の部分は形と大きさの異なる腔を含んでいる．最初に神経管や脳胞にあった腔は壁の肥厚により目立って狭くなる．低級な脊椎動物の脊髄では，この腔が中心管 central canal として残されている．しかし，ヒトではこれはほぼ完全に閉塞してしまう（中心管閉塞）．かつては管壁にあった若干の（上衣）細胞が，横断面における以前の中心管の場所の目印となる（**A1**）．脳では腔は残り，脳脊髄液 cerebrospinal fluid という透明な液を満たした**脳室系**（563頁）をつくる．延髄と橋の部分には**第四脳室**（**AD2**）がある．中脳ではこの脳室は狭くなって間脳の**第三脳室**（**CD3**）に続いていく．第三脳室の両側壁にはそれぞれ室間孔（**C～E4**，モンロー孔）があって，両側の終脳半球にある側脳室（**CE5**，第一および第二脳室）に通じている．

側脳室は前頭断面では半球内で2度現れ（**C**），弓形を呈している（**E**）．この形は，発生の間すべての方向に均等に拡張するのではなく，ほぼ半円を描くように**両半球**が発育することによってできあがるのである（半球の回転，527頁C）．この半円の中心は島にある．島は外側窩（**C6**）の底の大脳半球側壁の深部にあって，隣接する弁蓋（**C7**）という部分に覆われているため，半球の上外側面にはただ深部へ通じる外側溝（**BC8**，外側裂，シルヴィウス裂）という溝が認められるにすぎない．半球はいくつかの脳葉に分けられる（**B**，530頁）—前頭葉（**B9**），頭頂葉（**B10**），後頭葉（**B11**）ならびに側頭葉（**B12**）．

間脳（**C**，**D**で暗灰色の部位）と**脳幹**は広範囲に終脳半球で覆われているため，これらはただ脳底でしか，または脳のある縦断面でしかみられない．このような断面は正中断面（**D**）で，脳幹の各部分つまり**延髄**（**D13**），**橋**（**D14**），**中脳**（**D15**）および**小脳**（**D16**）が認められる．第四脳室（**D2**）はその縦方向の広がりに一致している．小脳はそのテント状の屋根に取りつけられている．第三脳室（**D3**）は全体の広がりを示すように開かれている．第三脳室の吻側部で室間孔（**D4**）が側脳室へ通じている．第三脳室の上には脳梁（**CD17**）があり，これは両半球を結合する線維板であるが，横断されて現れる．

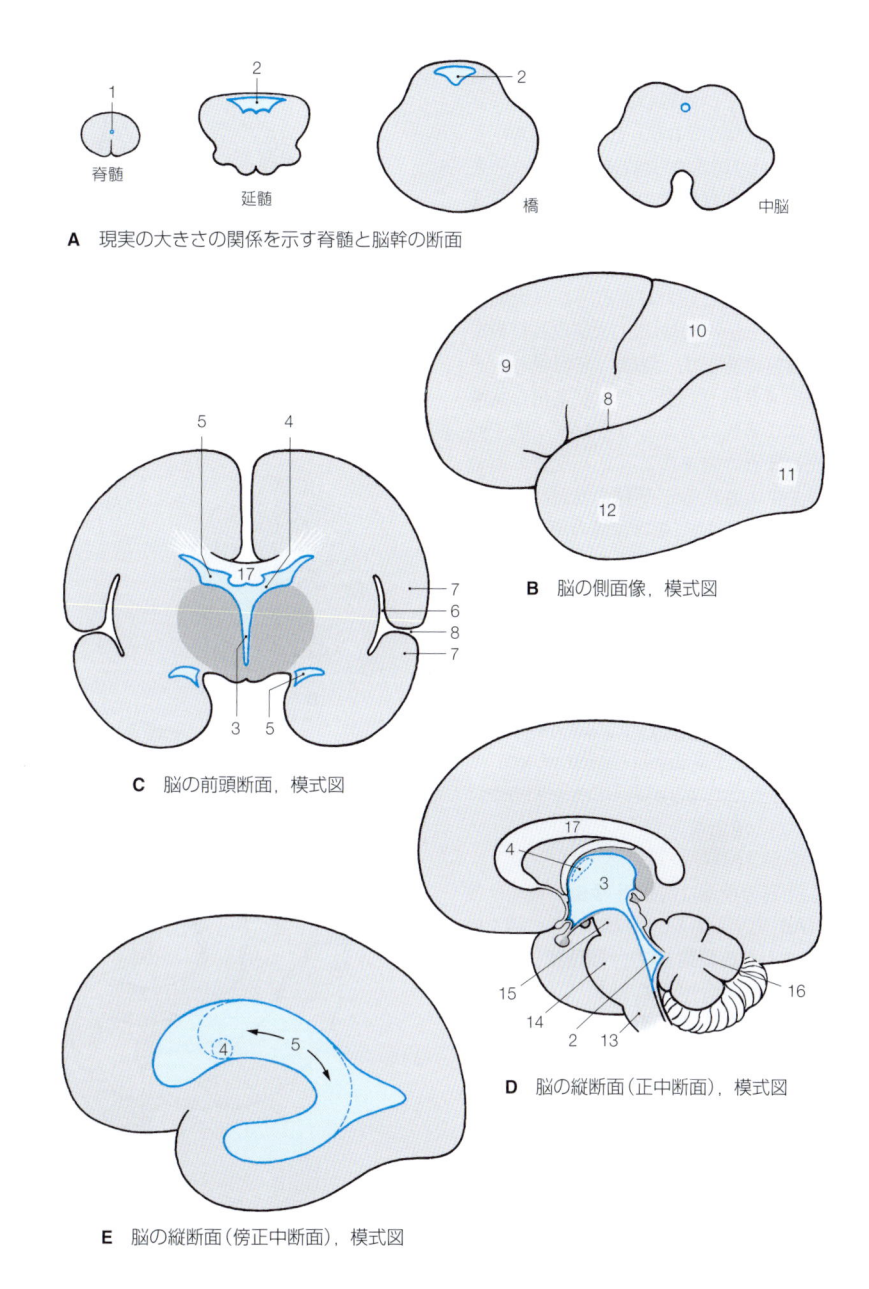

脳重

ヒトの脳の平均の重さは，1,250gから1,600gの間にある．その際，体重が関係し，一般に大きなヒトは重い脳をもっている．男の平均の重さは1,350g，女のそれは1,250gである．20歳で脳は最も重くなるという．

老人になると，脳の重さは老人性の萎縮により減少する．脳の重さは決してそのヒトの知能の程度の指標とはならない．著名人の脳（"傑出人脳"）の研究からも，これらの脳が通常の重さの範囲にあることがわかっている．

A 現実の大きさの関係を示す脊髄と脳幹の断面

B 脳の側面像，模式図

C 脳の前頭断面，模式図

D 脳の縦断面（正中断面），模式図

E 脳の縦断面（傍正中断面），模式図

---

1 中心管 central canal　**2** 第四脳室 fourth ventricle　**3** 第三脳室 third ventricle　**4** 室間孔（モンロー Monro 孔）interventricular foramen　**5** 側脳室 lateral ventricle　**6** 外側窩 lateral cerebral fossa　**7** 弁蓋 operculum　**8** 外側溝（外側裂）lateral sulcus　**9** 前頭葉 frontal lobe　**10** 頭頂葉 parietal lobe　**11** 後頭葉 occipital lobe　**12** 側頭葉 temporal lobe　**13** 延髄 medulla oblongata　**14** 橋 pons　**15** 中脳 midbrain　**16** 小脳 cerebellum　**17** 脳梁 corpus callosum

上外側面 superolateral aspect（A，B）

左右の大脳半球は脳のすべての他の部分の上に積み重なっており，ただ**小脳**（**A1**）と**脳幹**（**A2**）だけが認められるにすぎない．大脳半球の表面には多数の溝すなわち**大脳溝** cerebral sulci，および高まりすなわち**大脳回** cerebral gyri がみられるのが特徴である．起伏する大脳溝と回の表面直下には**大脳皮質** cerebral cortex がある．大脳皮質は最高の神経器官であって，意識，記憶能力，思考過程および随意行動はそれが完全な状態であってこそ現れてくるのである．溝や蛇行した高まりの発達によって，皮質の面積は大きく拡大される．半球の表面には皮質の1/3があるだけで，2/3は溝の深部に存在している．背側面をみると（B），両半球が1条の深い溝すなわち**大脳縦裂**（**B3**）によって分けられているのがわかる．側面には**外側溝**（**A4**）がある．前頭断面（433頁，531頁および532頁）では，これが単なる溝ではなく，その深部には**外側窩** lateral fossa という皮質領野（この皮質を島 insula（island of Reil）という）を伴ったくぼみがあることが明らかになる．

大脳半球の前端は**前頭極**（**A5**），後端は**後頭極**（**A6**）といわれる．半球はさらに種々の葉，すなわち**前頭葉**（**A7**），**頭頂葉**［**A9**，これら2葉の境界は中心溝（**A8**）である］および**後頭葉**（**A10**），**側頭葉**（**A11**）に分けられる．中心溝は**中心前回**（**A12**，随意運動の領域）と**中心後回**（**A13**，感覚の領域）とを分けている．両回を合わせて中心回域という．

正中断面 median sagittal section（内側面 medial aspect）（C）

大脳半球の間には**間脳**（**C14**）があり，その上では**脳梁**（**C15**）が両半球を結びつけている．脳梁は線維板を形成し，その口側の弓形の脳梁膝は**透明中隔**（**C16**，534頁B18）という半球の薄い壁の部分を取り囲んでいる．**第三脳室**（**C17**）は開放されている．その両側の壁は癒合して**視床間橋**（**C18**）をつくる．その上には**脳弓**（**C19**）がアーチ状に走っている．第三脳室の前壁には**前交連**（**C20**，主として嗅脳の交叉線維からなる）が，その底には**視交叉**（**C21**），**下垂体**（**C22**）

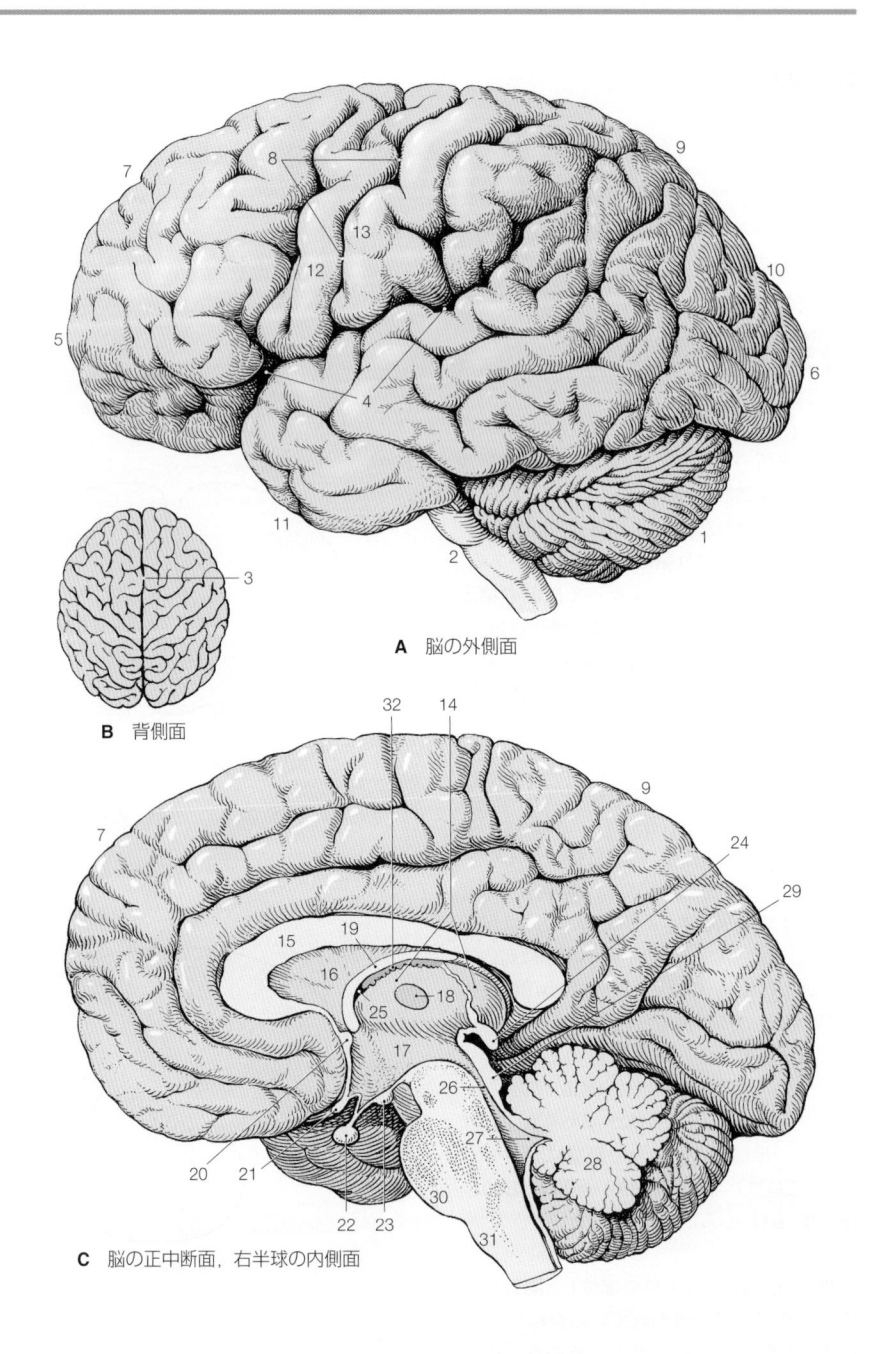

および有対の**乳頭体**（**C23**）が，後壁には**松果体**（松果腺）（**C24**）がみられる．

室間孔（**C25**）を通じて第三脳室は半球の側脳室と交通している．第三脳室は尾方では**中脳水道**（**C26**）に移行し，この中脳水道は中脳を通り抜けて，小脳の下でテント状に広がり第四脳室（**C27**）となっている．小脳の断面（**C28**）では小脳溝と小脳回が小脳活樹 arbor vitae cerebelli（"生命の樹" Lebensbaum）をつくっている．小脳の吻側には中脳の四丘板または**蓋板**（**C29**，視覚路および聴覚路の中継所）がある．脳幹の底（腹側）には**橋**（**C30**）が突出しており，中脳から**延髄**（**C31**）への移行部を形成している．延髄に続いて脊髄がみられる．

A 脳の外側面
B 背側面
C 脳の正中断面，右半球の内側面

1 小脳 cerebellum　2 脳幹 brain stem　3 大脳縦裂 longitudinal cerebral fissure　4 外側溝 lateral sulcus　5 前頭極 frontal pole　6 後頭極 occipital pole　7 前頭葉 frontal lobe　8 中心溝 central sulcus　9 頭頂葉 parietal lobe　10 後頭葉 occipital lobe　11 側頭葉 temporal lobe　12 中心前回 precentral gyrus　13 中心後回 postcentral gyrus　14 間脳 diencephalon　15 脳梁 corpus callosum　16 透明中隔 septum pellucidum　17 第三脳室 third ventricle　18 視床間橋 interthalamic adhesion　19 脳弓 fornix　20 前交連 anterior commissure　21 視交叉 optic chiasm　22 下垂体 pituitary gland　23 乳頭体 mammillary body　24 松果体（松果腺）pineal body　25 室間孔（モンローMonro孔）interventricular foramen　26 中脳水道 aqueduct of midbrain (cerebral aqueduct)　27 第四脳室 fourth ventricle　28 小脳（の断面）cerebellum　29 蓋板 tectal plate　30 橋 pons　31 延髄 medulla oblongata　32 脈絡叢 choroid plexus

脳底（A）

脳底では，脳幹，前頭葉（**A1**）と側頭葉（**A2**）の腹側面および間脳底を概観することができる．大脳縦裂（**A3**）は左右の前頭葉を分けており，その底面には両側に，**嗅球**（**A4**）と**嗅索**（**A5**）とからなる嗅葉 olfactory lobe がある．嗅索は**嗅三角**（**A6**）で2条の（内外の）嗅条 olfactor striae に分かれて，血管が貫通している**前有孔質**（**A7**）を囲んでいる．**視交叉**（**A8**）は視神経（**A9**）が交叉するところで，ここから**下垂体**（**A10**）と**乳頭体**（**A11**）のついた間脳底が始まる．尾方には**橋**（**A12**）が膨隆しており，それに接して**延髄**（**A13**）がみられる．脳幹からは多数の脳神経が出ている．小脳では，内側で深いところにある虫部（**A14**）と両外側にある小脳半球（**A15**）とが区別される．

白質と灰白質（B）

脳を板状に切断すると，その切断面には**白質と灰白質** white & grey matters があるのに気づく．灰白質というのは神経細胞の集りで，白質は神経線維路すなわち神経細胞の突起からなるが，その白っぽい被膜（髄鞘）のために明るくみえるのである．**脊髄**（**B16**）では灰白質は中心部に位置し，白質（上行性および下行性の神経線維路）に囲まれている．**脳幹**（**B17**）と間脳では灰白質と白質の分布はいろいろである．これら灰白質の部分を**核** nuclei と呼ぶ．**終脳**（**B18**）では灰白質は外周にあって**皮質** cortex を形成しているのに対し，白質は内部にみられる．したがってその分布は脊髄とは逆になっている．

脊髄における灰白質と白質との関係は原始的な状態であって，そのような状態は魚類や両生類では終脳でも脳室周囲に神経細胞層を形成して保たれている．大脳皮質は最高度に編成されたものであって，哺乳動物になってはじめて完全に発達をみるものである．

縦割りの層区分（C）

発生の間に，神経管は縦方向に層が分かれてくる．すなわち早期に分化する側壁の腹側半分は**基板**（**C19**）といわれ，運動性神経細胞の起始領域である．後から発達してくる側壁の背側半分は**翼板**（**C20**）といわれ，知覚性神経細胞の起始領域である．翼板と基板の間には将来**自律神経性の神経細胞**が生じてくる部分（**C21**）が介在している．脊髄と脳幹ではこのような中枢神経系の基本的な構成様式を認めることができ，それを知っていると，脳の種々の部位の構造を理解するのが容易となる．

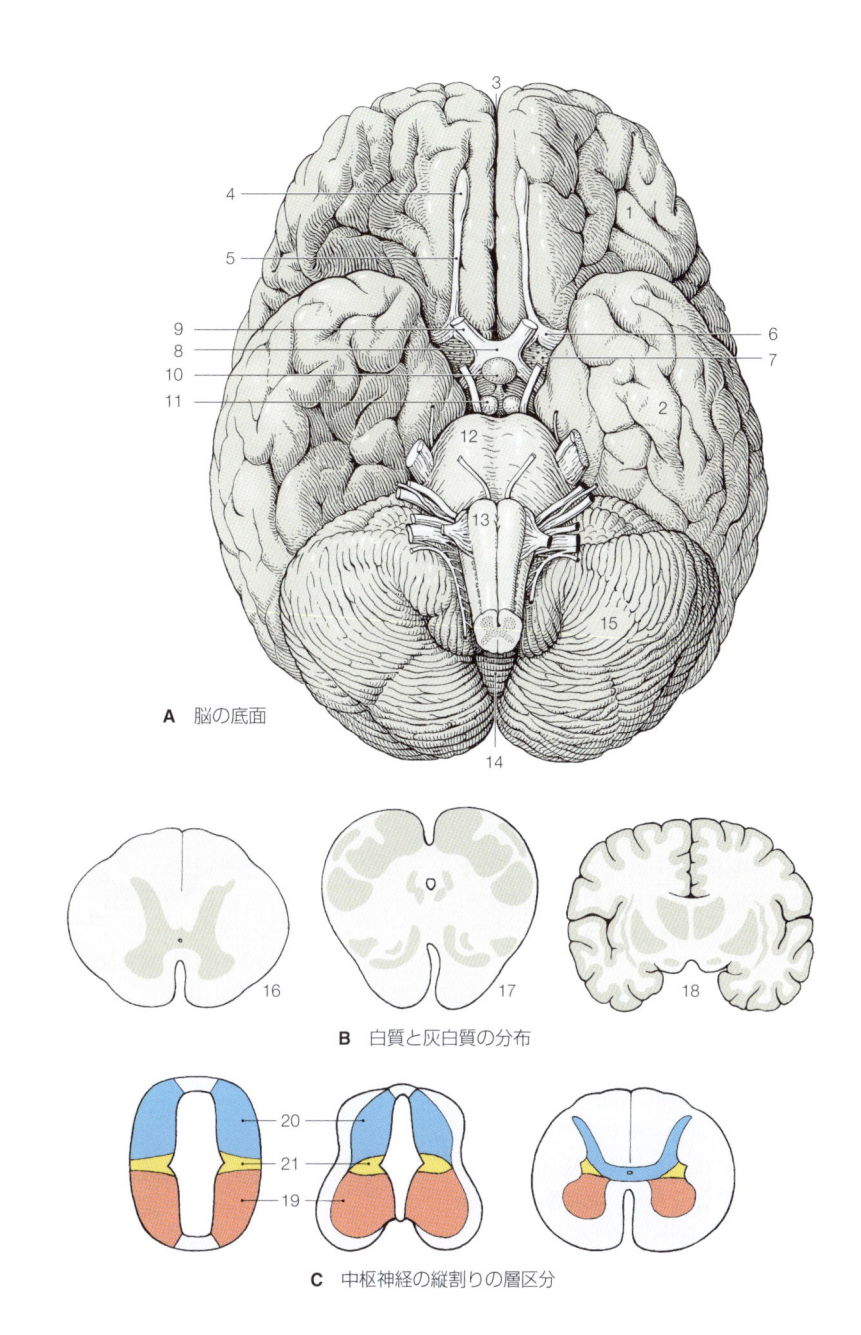

しかし間脳と終脳では，基板と翼板から生じた構造物の同定は困難である．そのためこのような区分を前脳にあてはめるのに賛同しない研究者も多い．

A 脳の底面

B 白質と灰白質の分布

C 中枢神経の縦割りの層区分

1 前頭葉 frontal lobe　2 側頭葉 temporal lobe　3 大脳縦裂 longitudinal cerebral fissure　4 嗅球 olfactory bulb　5 嗅索 olfactory tract　6 嗅三角 olfactory trigone　7 前有孔質 anterior perforated substance　8 視交叉 optic chiasm　9 視神経 optic nerve　10 下垂体 pituitary gland　11 乳頭体 mammillary body　12 橋 pons　13 延髄 medulla oblongata　14 小脳虫部 vermis of cerebellum　15 小脳半球 hemisphere of cerebellum　16 脊髄 spinal cord　17 脳幹 brain stem　18 終脳 telencephalon　19 基板 basal plate　20 翼板 alar plate　21 翼板と基板の移行部 the area between the alar and basal plates

脳の進化（A〜C）

進化の過程で脊椎動物の脳は，ヒトの知性を表す器官にまで発達してくるのである．その先祖は死滅してしまっているから，原始的な脳構造をもつ動物種の助けをかりてのみ発達の順序を再現することが可能となる．両生類amphibiaと爬虫類reptiliaでは，終脳（**A1**）は大きな嗅球（**A2**）の付け足し程度にみえる．この段階ではまた中脳（**A3**）と間脳（**A4**）は表面に著しく突出している．しかし原始哺乳類（ハリネズミ hedgehog）ではすでに終脳は脳幹の吻側部へ広くかぶさってくる．また原猿類 prosimii では終脳は間脳と中脳をほとんど完全に覆っている．このように脳の系統発生の本質はとりわけ終脳が次第に大きくなることと，この終脳に最高の統合機能が移っていくことにある．この過程が**終脳化**なのである．きわめて古い原始的構造がヒトの脳にもまだ残っており，これらは新たに高度に分化した構造とからみ合ってみられる．したがってヒトの脳で古い構成要素と新しい構成要素について述べる場合には，脳の進化が関連してくるのである．脳はコンピュータでもなければ，合理的な観点から組み立てられた人工頭脳でもなく，幾百万年かかって無数の変種の形でつくり出されてきた器官なのである．

われわれは**ヒトの脳の形態発生**を化石になっている頭蓋内腔の鋳物を手がかりとして追跡することができる（**B，C**）．頭蓋腔のポジ（頭蓋内鋳物 endocranial cast）は脳の形の大まかな再現を意味する．鋳物を比較して目立つことは，前頭葉と側頭葉が大きくなってくることである．**北京原人** Homo pekinensis（旧石器時代）から，鋭い火打ち石の刃をつくった**ネアンデルタール人** Homo neanderthalensis を経て，洞窟に壁画を描いた**クロマニョン人** Cro-Magnon man までの変化（**B**）は著しいのに反し，クロマニョン人と**現生人類** Homo sapiens（**C**）の間ではもはやあげるに値する相違はみつからない．

系統発生と個体発生の過程で，脳の個々の部分の発達には時間的な差異がみられる．生きていく上で基本的に大切な機能をもつ部分は早期に発生し，原始的な脊椎動物ですでに完成をみる．より高等な分化した機能に関係した部分は，高級な哺乳動物に至ってやっと発達してくる．これらの部分は発達するにつれて，早期に発生した脳の部分を深部へ押しやり，自らは外へ向かって膨隆してくる（目立つようになる）．

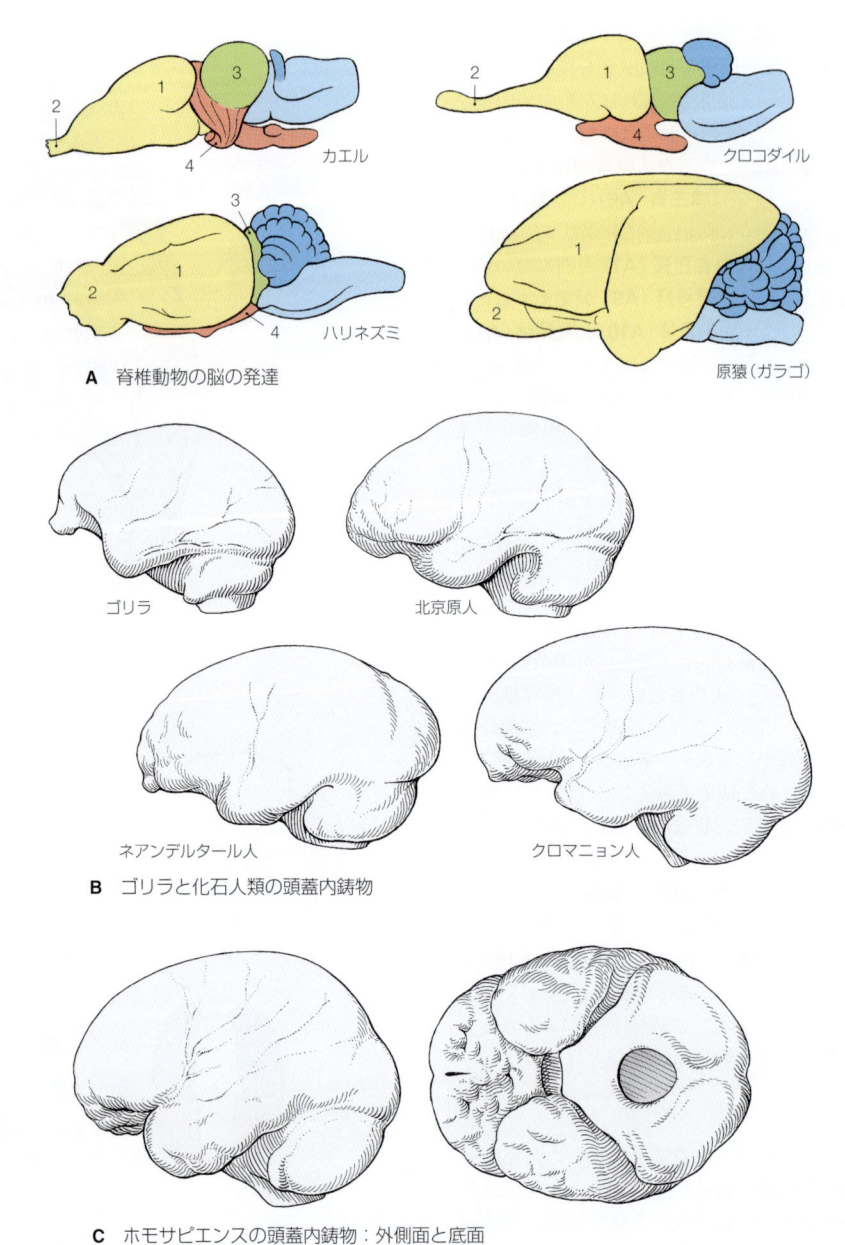

A 脊椎動物の脳の発達（カエル，クロコダイル，ハリネズミ，原猿（ガラゴ））

B ゴリラと化石人類の頭蓋内鋳物（ゴリラ，北京原人，ネアンデルタール人，クロマニョン人）

C ホモサピエンスの頭蓋内鋳物：外側面と底面

1 終脳 telencephalon　**2** 嗅球 olfactory bulb　**3** 中脳 midbrain　**4** 間脳 diencephalon

神経細胞（A）

神経組織は**神経細胞**と**神経膠細胞**からなっている．これらの細胞は，どちらも外胚葉に由来する．血管と髄膜は神経組織には属さない．神経細胞（**神経節細胞**もしくは**ニューロン**）は神経系に固有の機能単位である．成熟状態では神経細胞はもはや分裂能をもたないから，古くなった神経細胞が増殖したり新しいものに置き換わることは不可能である．

そうではあるものの，脳のいくつかの場所（例えば，海馬の歯状回など）では，おそらく生涯にわたって新しい神経細胞が形成され続ける．

ニューロンは細胞体すなわち**核周部**（**A1**），複数の突起である**樹状突起**（**A2**）および１本の主要な突起である**軸索** axon または神経突起（**A〜D3**）からなっている．

核周部 perikaryon はニューロンの栄養中心である．核周部から切り離された突起は変性する．核周部は**細胞核**（**A4**）を含み，その中には染色質に富む大きな**核小体**（**A5**）がみられる．女性では核小体の近くか，核膜の内面に，塊状の**バー小体**（**A6**）がみられる．

樹状突起 dendrites は枝分かれすることによって細胞の表面積を大きくしている．樹状突起には，ほかのニューロンの突起が終わっている．つまり樹状突起は興奮受容の部位 the site receiving nerve impulses である．他の神経細胞の突起は，しばしば**棘** spine と呼ばれる樹状突起の突出部に終止している．棘があるため樹状突起の表面は粗になっている．

軸索 axon は興奮を伝導する．軸索の起始部は**起始円錐**（**AD7**，軸索小丘）となっており，この部が興奮生起の部位である．核周部から一定の距離（初節 initial segment）をおいて，軸索は脂質を含む物質（ミエリン myelin）からなる被膜である**髄鞘**（**A8**）に覆われている．軸索は枝を出し（**A9**，**軸索側枝**），最後は細かく分枝して終末部（**A10**，**終末分枝**）となり，小さな**終末ボタン**（boutons terminaux）をつくって神経細胞または筋細胞に終わる．終末ボタンは次に接続する細胞の膜面とともにシナプスをつくり，そこで次の細胞への興奮の伝達 transmission が起こる．

突起の数によって単極性，双極性または多極性のニューロンを区別することができる．大多数の神経細胞は多極性である．多くの神経細胞は短い軸索をもつが（介在神経細胞，ゴルジ型 Golgi type），1m 以上もの長い軸索をもつものもある（投射神経細胞，ダイテルス型 Deiters type）．

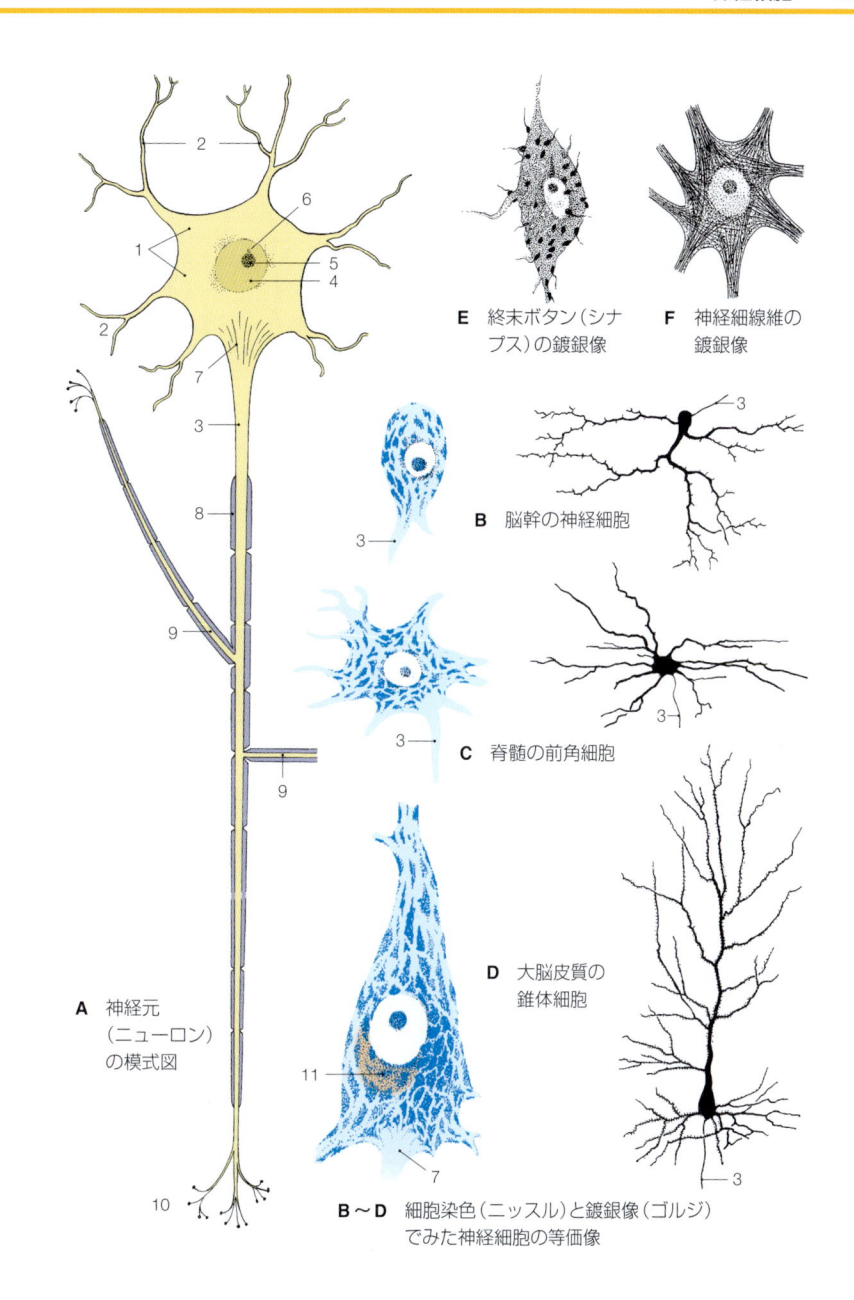

ニューロンはただ一つの染色法によるだけでは，その全貌を明らかにすることはできない．それぞれの染色法ではある一面だけが示されるにすぎない．**細胞染色**（ニッスル Nissl **染色**）では細胞核と核周部の様相が明らかになる（**B〜D**）．核周部には樹状突起の起始部を含めて青く染まる物質が充満しており（**ニッスル物質** Nissl substance または**虎斑塊** tigroid masses），色素（**D11**，メラニンまたはリポフスチン）を含んでいることもある．軸索の起始円錐にはニッスル物質は認められない．ニッスル物質は粗面小胞体の光学顕微鏡像である．運動ニューロンは粗大なニッスル物質を含む大きな核周部をもち，知覚ニューロンは小さくて，細かいニッスル顆粒 Nissl granules しかもっていないことが多い．

鍍銀法 silver impregnation（ゴルジ法 Golgi method）では，すべての突起が染め出される．この方法では，細胞は黒褐色のシルエットとして現れる（**B〜D**）．またほかの鍍銀法では終末ボタン boutons terminaux（**E**），または核周部や軸索の中を束をなして通って行く神経線維 neurofibrils（**F**）が選択的に染め出される．

A 神経元（ニューロン）の模式図

E 終末ボタン（シナプス）の鍍銀像

F 神経細線維の鍍銀像

B 脳幹の神経細胞

C 脊髄の前角細胞

D 大脳皮質の錐体細胞

B〜D 細胞染色（ニッスル）と鍍銀像（ゴルジ）でみた神経細胞の等価像

---

1 核周部 perikaryon　2 樹状突起 dendrite　3 軸索 axon　4 細胞核 nucleus　5 核小体 nucleolus　6 バー小体 Barr body　7 起始円錐（軸索小丘）the cone of origin (axon hillock)　8 髄鞘 myelin sheath　9 軸索側枝 axon collaterals　10 終末分枝 telodendron　11 色素（メラニンまたはリポフスチン）pigment (melanin or lipofuscin)

神経解剖学の研究方法

細胞，組織および器官の構造や機能を研究する際，それぞれの方法が，どの範囲まで解明できるかということが，知見が広がる範囲を制約していることがしばしばある．新しい方法によって初めて，いろいろな事項を命名したり解釈したりすることが可能になっていることが多い．そこで，神経解剖学の研究方法について簡単に述べておきたい．

神経細胞や神経膠細胞は薄い切片にして，いろいろな組織学的な処理をすることにより見えるようになる．**ニッスル染色法**は，神経細胞に多量に存在している粗面小胞体をあざやかに染め出してくれる（437頁）．しかしながら，神経細胞の形態は，樹状突起や軸索などの長い突起に特徴がある．ニッスル染色法では突起を染めることはできない．これらの突起をできるだけ多く染め出すためには，200μmに及ぶ厚い標本を作製する必要がある．**鍍銀法**（ゴルジ法，437頁）を用いると，厚い標本で，多数の突起をもった神経細胞を染め出すことができる．最近は，**微小電極**を用いて個々の神経細胞の細胞内に色素を注入する（**A**）ことができるようになったので，100年以上も前から使われている方法は，次第に使われなくなってきている．微小電極を使う方法の利点は，当該の神経細胞から電気信号も同時に誘導することができることである．細胞内染色したり，ゴルジ法で鍍銀した神経細胞は光学顕微鏡で観察するほかに，電子顕微鏡で観察してシナプス結合を観察することもできる．

神経細胞の本質的な指標は，その細胞が使っている伝達物質であり，伝達物質によって，他の神経細胞と交信することができる．**免疫細胞化学**によったり，伝達物質そのものに対する抗体，または伝達物質を合成する酵素に対する抗体を使ったりして，特定の伝達物質をつくっている神経細胞を選択的に染め出すことができる（**B**）．免疫細胞化学的に染め出した神経細胞とその突起は，電子顕微鏡でも観察することができる．

神経細胞の最も長い突起である軸索は，ヒトでは，1mに及ぶことがあり，切片では，投射領域まで追跡することはできない．いろいろな脳領域に分布している神経細胞の投射領域を示すためには，順行性輸送や逆行性輸送（442頁）により，いろいろな物質が神経細胞の細胞体から軸索終末に向かって輸送されたり，逆に軸索終末から細胞体へ輸送されるという事実を利用する．軸索の投射領域，または当該の細胞の細胞体が含まれる領域に，（蛍光物質のような）**トレーサー**を注入し，投射神経細胞の軸索終末や，細胞体に出現するトレーサーを検索することにより，長い距離の線維連絡を証明することが可能である（**C～E**）．**逆行性輸送**（**C**）を使う際には，トレーサーを投射領域と思われるところに注入する．線維連絡が存在するのであれば，トレーサーは細胞体に到達することになる．逆行性輸送や，いろいろな蛍光物質（**D**）を注入することによって，種々な神経細胞の投射領域を知ることができる．**順行性輸送**（**E**）を利用する際には，トレーサーを投射ニューロンの細胞体の分布領域に注入する．ラベルされた軸索終末が終止領域と思われるところに出現すると，順行性にラベルされた神経細胞は，この領域に投射していることになる．

神経細胞の発生や再生の過程を検索したり，薬物の作用を検索するためには，神経細胞の組織培養法が盛んに利用されている．

A 細胞内にマーカーを注入した神経細胞

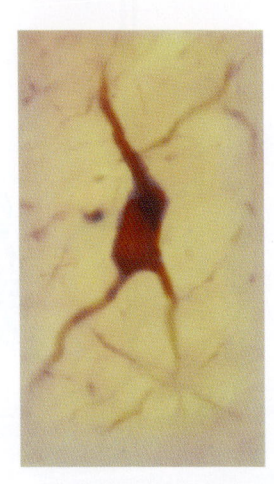

B コリンアセチルトランスフェラーゼに対する抗体で免疫細胞化学的に染めたコリン作動性神経細胞

C～E 逆行性に輸送されるトレーサーや，順行性に輸送されるトレーサーによる線維結合を示す

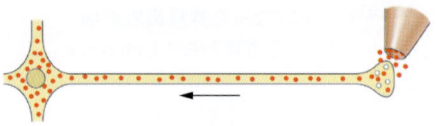

C 逆行性輸送

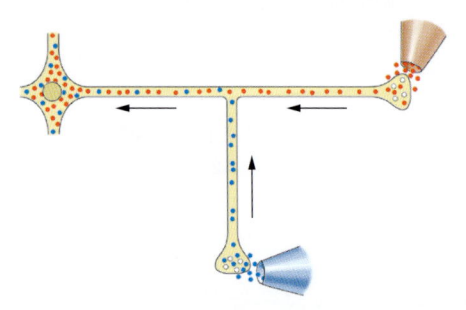

D いろいろな投射領域からの逆行性輸送

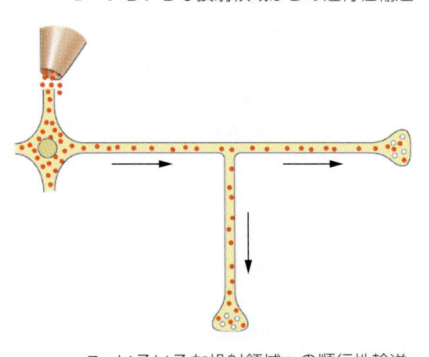

E いろいろな投射領域への順行性輸送

神経細胞の超微構造（A〜C）

細胞核（**A〜C1**）は電子顕微鏡像では二重膜（**A2**）に包まれている．この二重膜には核膜孔（**BC3**）がある．この孔は一時的に開くだけのものであろう．核質 karyoplasm には，DNA とタンパクを含んだ染色質顆粒 chromatin granule が細かく分散している．**核小体（A〜C4**）は密な顆粒状要素と疎な細糸状要素とからなる海綿様の核領域であって，タンパクとRNAを含んでいる．

細胞質 cytoplasm のニッスル物質は**粗面小胞体（A〜C5**）である．これは互いに交通する扁平な腔隙（槽）（**BC6**）を包む膜が重なった層板系であり，膜の細胞質側には**リボゾーム（BC7**）が付着していて，タンパク合成の役目をもっている．（1mにも及ぶ）長い軸索を維持するためには，細胞での強力なタンパク合成が必要になる（構造物質代謝）．リボゾームのついていない膜は**滑面小胞体（C8**）をつくる．小胞体は核周囲隙（**BC9**）および細胞表面直下の辺縁槽（**A10**）と連なっている．辺縁槽は終末ボタンや神経膠細胞の突起がついているところにみられることが多い．細胞質には**神経細糸**と**神経微細管（A〜C11**）が交錯しており，これらは軸索の中では平行した長い束をつくるように配列している．

神経細糸と神経微細管に沿って物質の輸送が行われるらしい（442頁D）．光学顕微鏡レベルでの神経細線維 neurofibrils はこれら細糸や微細管の集まりであると考えられている．

ニューロンには多数のミトコンドリア（**A〜C12**）が含まれている．これらは2枚の膜で取り囲まれており，そのうちの内膜は内腔へ内板（**C13**，クリスタ）を出している．ミトコンドリアはいろいろな形をしており（核周部では短くずんぐりしているのに対し，樹状突起や軸索では細長い），ニッスル物質の間の形質中を決まった経路で絶えず動いている．ミトコンドリアは細胞呼吸とエネルギー供給の場とみなされている．その内膜と外膜には酸化酵素系が付着している（内膜の内面にはクエン酸回路と呼吸連鎖系リン酸化の酵素がある）．

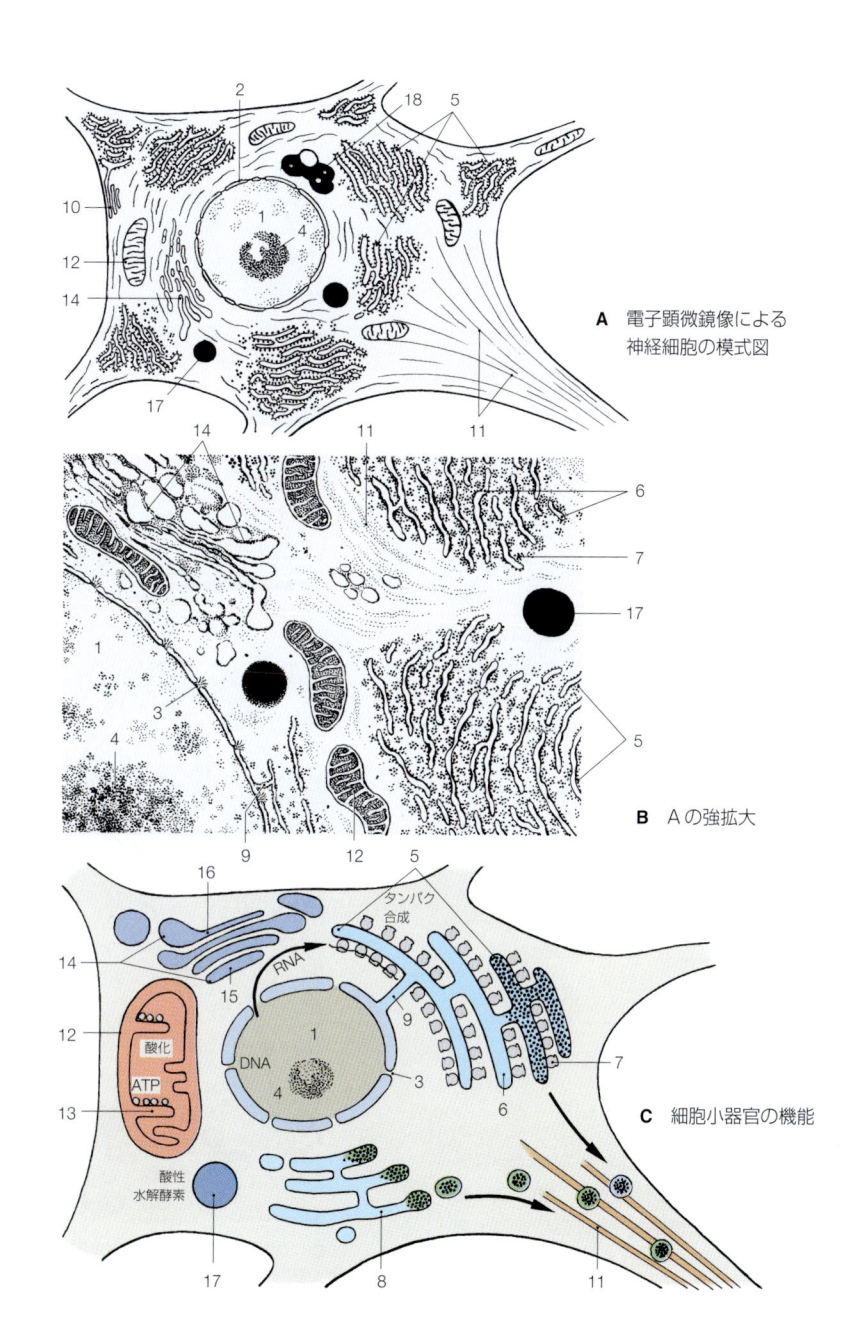

A 電子顕微鏡像による神経細胞の模式図

B Aの強拡大

C 細胞小器官の機能

ゴルジ装置 Golgi apparatus は一群の**ディクチオゾーム（A〜C14**），すなわち互いに交通のない膜に包まれた多数の槽からなっている．ディクチオゾームに受容側（**C15**，シス側）と分泌側（**C16**，トランス側）が区別される．受容側は小胞体から輸送された小胞を受けとっている．分泌側で槽の端がくびれることによってゴルジ小胞 Golgi vesicles がつくられてくる．

ゴルジ装置は分泌物の形成，濃縮，リゾゾームの形成および膜の産生といった役目をもっている．

数多くの**リソゾーム**（水解小体）（**A〜C17**）はエステラーゼ esterase，プロテアーゼ protease といったいろいろな酵素を含み，主に細胞（内）消化 intracytoplasmic digestion の働きをしている．

---

1 細胞核 cell nucleus　**2** 核膜（二重膜）karyotheca (double membrane)　**3** 核孔 nuclear pores　**4** 核小体 nucleolus　**5** 粗面小胞体 granular (or rough) endoplasmic reticulum　**6** 腔隙（槽）cisterns　**7** リボゾーム ribosomes　**8** 滑面小胞体 agranular (or smooth) endoplasmic reticulum　**9** 核周囲隙 perinuclear space　**10** 辺縁槽 marginal (or subsurface) cisterns　**11** 神経細糸または神経微細管 neurofilaments or neurotubuli　**12** 糸粒体（ミトコンドリア）mitochondria　**13** 内板（クリスタ）cristae　**14** ディクチオゾーム dictyosomes　**15** 受容側（形成面）receiving side (forming face)　**16** 分泌側（成熟面）secretion side (maturing face)　**17** リソゾーム（水解小体）lysosomes　**18** 色素 pigment

シナプス（A～C）

軸索は無数の小さな棍棒状の膨らみ，すなわち**終末ボタン** boutons terminaux をつくって終わる．終末ボタンは次に接続するニューロンの膜とともに**シナプス** synapse をつくる．ここで一つのニューロンから次のニューロンへの興奮の伝達が行われる．

シナプスに，シナプス前膜（**BC2**）をもつ**シナプス前部**すなわち終末ボタン（**AB1**），シナプス間隙（**B3**），およびシナプス後膜（**BC4**）のある次のニューロンの**シナプス後部**が区別される．終末ボタンには神経細糸と神経微細管はないが，ミトコンドリアと小さな明るい**小胞**（**BC5**，シナプス小胞）が含まれている．これらの小胞はシナプス前膜の近くにことに密集している（終末ボタンの活性部）．シナプス間隙にはしばしば細糸状の物質がみられ，この間隙は細胞外隙とつながっている．シナプス前膜と後膜には濃密帯がある．同様の濃密帯は種々の細胞接着部でもみられる（接着帯 intermediate junction または接着斑 desmosome）．これらは対称的になっており，両方の膜の濃密帯は同じである．非対称性シナプスでは，シナプス後膜の濃密帯（**B6**，暗質）はシナプス前膜のそれよりも広く濃密である．

シナプスはその存在部位，構造，機能あるいはシナプスに含まれている伝達物質によって分類することができる．

存在部位（A）

終末ボタンは興奮を受けとるニューロンの樹状突起（**AC7**）に接したり（**A8**，C，軸索樹状突起間シナプス），樹状突起膜の小突出部（スパイン）にみられたり（**A9**，棘シナプス），核周部に接していたり（**A10**，軸索－細胞体シナプス），あるいは軸索の初節に接していることもある（**A11**，軸索－軸索シナプス）．大きいニューロンには数千個の終末ボタンが付着している．

構造（B）

シナプス間隙の幅と膜の濃密帯の性状によって，I型シナプスとII型シナプスを区別することができる（Grayによる）（**B**）．I型シナプスではシナプス間隙は広く，シナプス後膜の濃密帯は顕著で，接触している膜の全域にわたっている（非対称性シナプス）．II型シナプスの間隙は狭く，濃密帯シナプス前膜のそれと同じくらい著明である（対称性シナプス）．

機能（C）

興奮性（excitatory）および**抑制性**（inhibitory）シナプスを区別できる．大多数の興奮性シナプスは樹状突起，特にスパインの先端にみられる（**A9**）．抑制性シナプスは核周部または軸索の起始部に局在していることが多い．この軸索の起始部は興奮が生成されるところなので，ここで興奮を最も効果的に抑制することができるのである．シナプス小胞は一般には球形であるが，卵円形または細長い小胞（**C12**）を含む終末ボタンもある．このような小胞は抑制性シナプスの目印とされている．非対称性シナプス（I型）は興奮性シナプスであることが多く，対称性シナプス（II型）は主に抑制性である．

A シナプスをもつ神経細胞の電顕像による模式図（Bakによる）

B グレイのI型およびII型シナプス

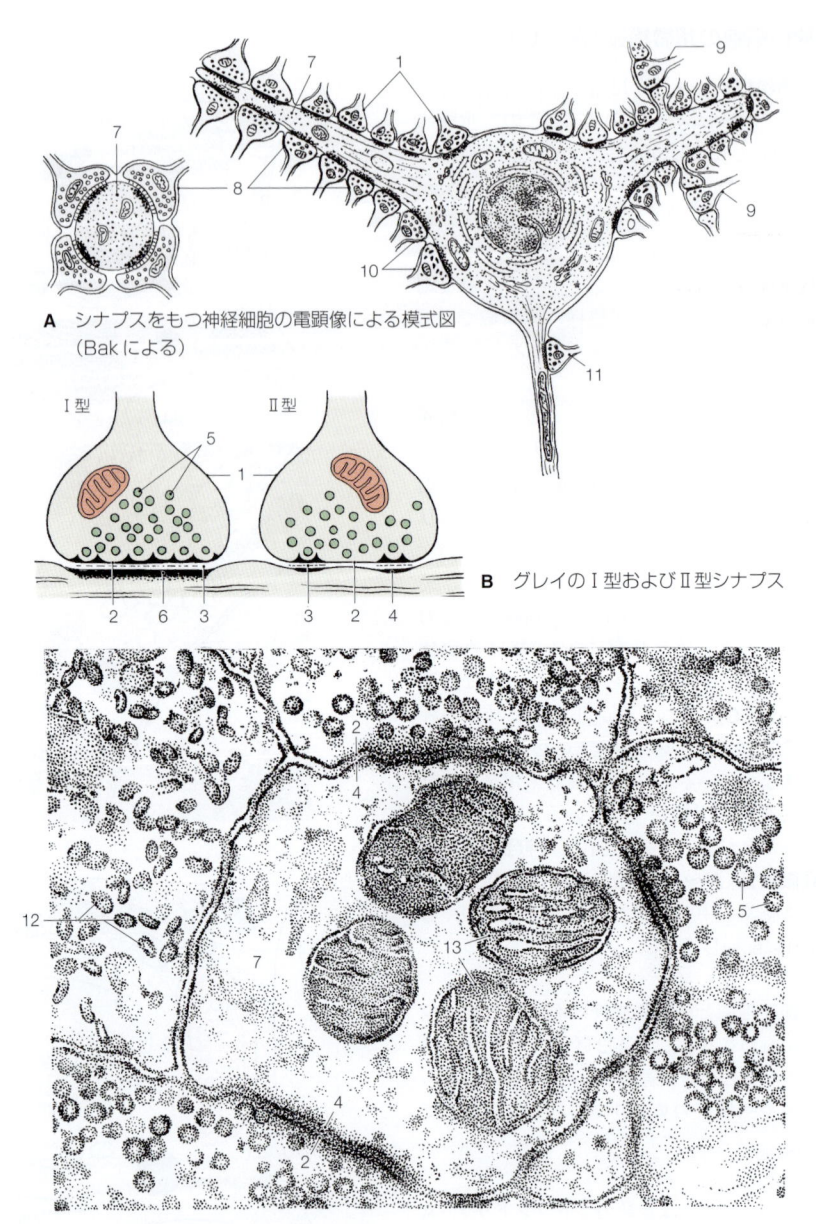

C シナプスに囲まれた樹状突起（横断したところ）（Uchizonoによる）

---

1 終末ボタン＝シナプス前部 bouton terminal = presynaptic part　**2** シナプス前膜 presynaptic membrane　**3** シナプス間隙 synaptic cleft　**4** シナプス後膜 postsynaptic membrane　**5** シナプス小胞 synaptic vesicles　**6** シナプス後暗質（濃密帯）postsynaptic density　**7** 樹状突起 dendrite　**8** 軸索樹状突起間シナプス axo-dendritic synapses　**9** 棘シナプス spine synapses　**10** 軸索細胞体間シナプス axo-somatic synapses　**11** 軸索間シナプス axo-axonic synapses　**12** 扁平なシナプス小胞 flattened synaptic vesicles　**13** 糸粒体（ミトコンドリア）mitochondria

シナプスの形態（A，B）

単純な型のシナプスから変化したものが数多くみられる．平行して走る軸索と樹状突起との間のシナプスによる接触を**平行接触**または通過型ボタン bouton en passage（**A1**）という．多くの樹状突起は棘状の突出（スパイン）をもっており，終末ボタンとともに**棘シナプス**（**A2**）をつくる．錐体細胞の尖頂樹状突起では軸索の終末ボタンが棘全体を包んでおり，棘も枝分かれし多数のシナプス接触部をもつようになっている（**B，複合シナプス** complex synapse）．数本の軸索と樹状突起が寄り集まり**糸球状シナプス複合** glomerular synaptic complexes をつくって，その中で種々のシナプス要素が互いに密接にかみ合っていることもある．おそらく，これらは興奮伝達の微調整（または変調）という意味で相互に影響し合っているのであろう．

定型的なシナプスは脳のどの領域にも存在する．Gray のⅠ型とⅡ型は主に大脳皮質でみつけることができる．糸球状シナプス複合は小脳皮質，視床および脊髄にみられる．

電気的シナプス

隣接した細胞は細胞膜孔（トンネルタンパク）を介して，いわゆるギャップ結合により相互に連絡することができる．ギャップ結合で連結した細胞は電気的に連絡し，平滑筋などでは一つの筋線維から次の線維に興奮を伝達することができる（573頁B8）．ギャップ結合は伝達物質を遊離する「化学的シナプス」と対比して「電気的シナプス」と呼ばれる．ギャップ結合による連絡は神経細胞間だけではなく神経膠細胞間にもみられる．

神経伝達物質（C，D）

化学的シナプスでの興奮の伝達は神経伝達物質により行われる．神経系に広く分布している伝達物質は**アセチルコリン**（ACh），**グルタミン酸**，**γ－アミノ酪酸**（GABA）および**グリシン**である．グルタミン酸は最も多くみられる興奮性伝達物質であり，GABA は脳の抑制性伝達物質であり，グリシンは脊髄の抑制性伝達物質である．

ノルアドレナリン（NA）や**ドーパミン**（DA）といった**カテコルアミン**や**セロトニン**（5HT）も伝達物質として作用している．多くの神経ペプチド（ニューロテンシン，コレシストキニン，ソマトスタチン等）は血流でホルモンとして作用するだけではなく，シナプスでの伝達物質として作用している．

伝達物質は核周部でつくられ，神経終末の小胞内に貯えられているものと想定されている．しかし，伝達物質の生成に必要な酵素だけが核周部でつくられ，伝達物質そのものは終末ボタンで初めて合成されることもある．小さい明るいシナプス小胞はグルタミン酸やアセチルコリンの担体であり，抑制性シナプスにみられる長い小胞は GABA の担体であるとみなされている．ノルアドレナリンとドーパミンは顆粒をもつ小さな小胞に包まれているらしい（**C**）．

たいていの小胞はシナプス前膜の近くにみられる．前膜につく雲状の濃密帯は特殊な方法によって，六角形の腔を囲む梁（**D3**）からなる格子構造であることが明らかになっている．小胞はこれらの腔を通ってシナプス膜にまで達し，興奮時にはシナプス前膜（**D4**）と癒合し，シナプス間隙へ放出される．伝達物質は一定の量子 quanta の形で放出されるが，その際，個々の小胞は量子の形態学的な相関物（現れ）とみなすことができる．伝達物質の一部は飲み込み作用（**D5**）によって再び終末に取り込まれる．

A 平行シナプスと棘シナプス

B 複合シナプス

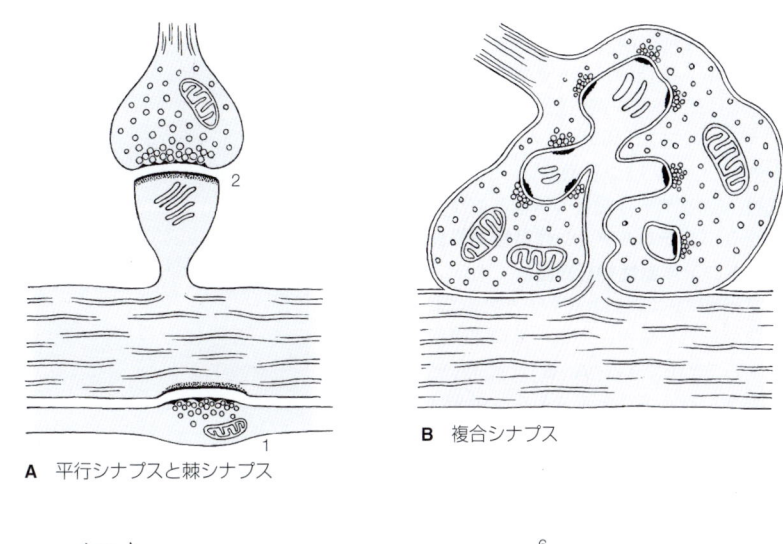

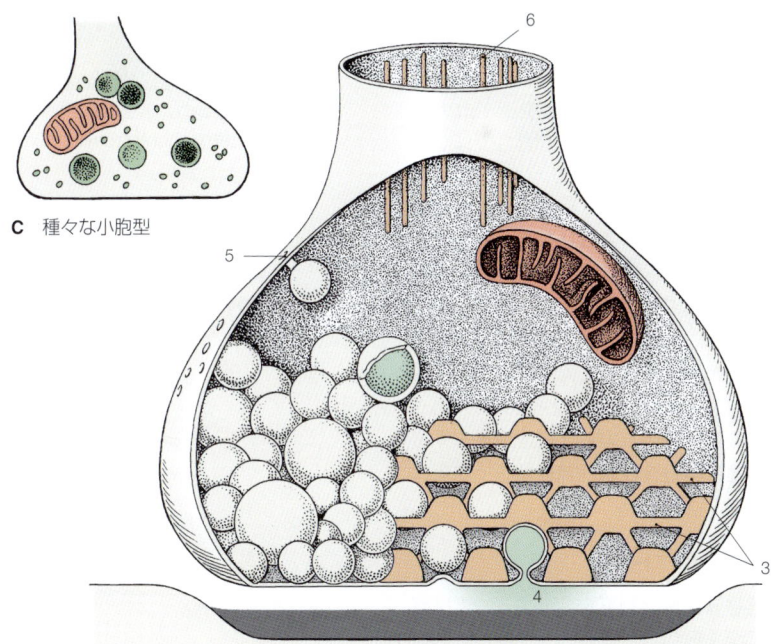

C 種々な小胞型

D シナプスのモデル（Akert, Pfenniger, Sandri と Moor による）

1 平行シナプス parallel synapse　2 棘シナプス spine synapse　3 梁 trabeculae　4 小孔（＝シナプス小孔）stomata（synaptopores）　5 飲み込み作用 pinocytosis　6 軸索フィラメント axon filament

神経伝達物質（続き）（A〜C）

大部分の神経細胞は，複数の伝達物質を含有している．機能的に最も重要な伝達物質によって，グルタミン酸作動性，コリン作動性，カテコルアミン作動性（ノルアドレナリン作動性，ドーパミン作動性），セロトニン作動性，ペプチド作動性の神経細胞などとよばれる．**カテコルアミン作動性神経細胞とセロトニン作動性神経細胞**は，カテコルアミンとセロトニンがホルマリン蒸気により黄緑色の蛍光を発するので，蛍光顕微鏡で同定することができる（**A，B**）．蛍光は軸索や細胞質に認めることができる．蛍光は軸索では弱いが，細胞質でははっきりしており，軸索の終末に最も強く出る．軸索終末に最も多くの伝達物質が濃縮されているからである．**コリン作動性神経細胞**をみるためには，アセチルコリンが分解する際に重要な役割を演ずる**アセチルコリンエステラーゼ**を組織化学的に染め出す．アセチルコリンエステラーゼはコリン作動性ではない神経細胞でもつくられるので，コリン作動性であることを確実に示すためには，アセチルコリン合成酵素である**コリンアセチルトランスフェラーゼ**を免疫組織化学的に証明するか，抗体を証明しなければならない（**C**）．二重染色法により，多くの神経ペプチドは，古典的な神経伝達物質と同じ神経細胞に共存していることが明らかになっている．同一の神経細胞からいろいろな伝達物質を分泌する伝達は植物神経系の神経細胞で詳細に検索されている．

軸索輸送（A〜D）

伝達物質や伝達物質を合成する酵素は核周体でつくられ，軸索終末まで輸送されなければならない．

輸送の機構には**神経微細管（D1）**が重要な意義をもっている．（イヌサフランに含まれる毒素である）コルヒチンを作用して神経微細管を破壊すると輸送は止まってしまう．物質の速い輸送は，小胞に入った形で行われ，輸送タンパクがエネルギーを消費して微細管に沿って輸送している．細胞体に向かう逆行性の輸送（微細管のマイナス端に向かう輸送）と軸索終末に向かう順行性の輸送（微細管のプラス端に向かう輸送）は，それぞれダイネイン（**D2**）とキネシン（**D3**）の働きにより行われている．輸送小胞にはたくさんの輸送タンパクがついている．ATPがついている小頭は微細管の表面と相互に可逆的に作用している．この際にATPが加水分解され，遊離したエネルギーは，小胞が微細管に沿って目的の方向に向かって進んでいくのに使われる．速い軸索内輸送は，1日に200〜400mmの速さである．逆行性輸送では，タンパク，ウイルス，毒素などが軸索終末から核周体に運ばれる．

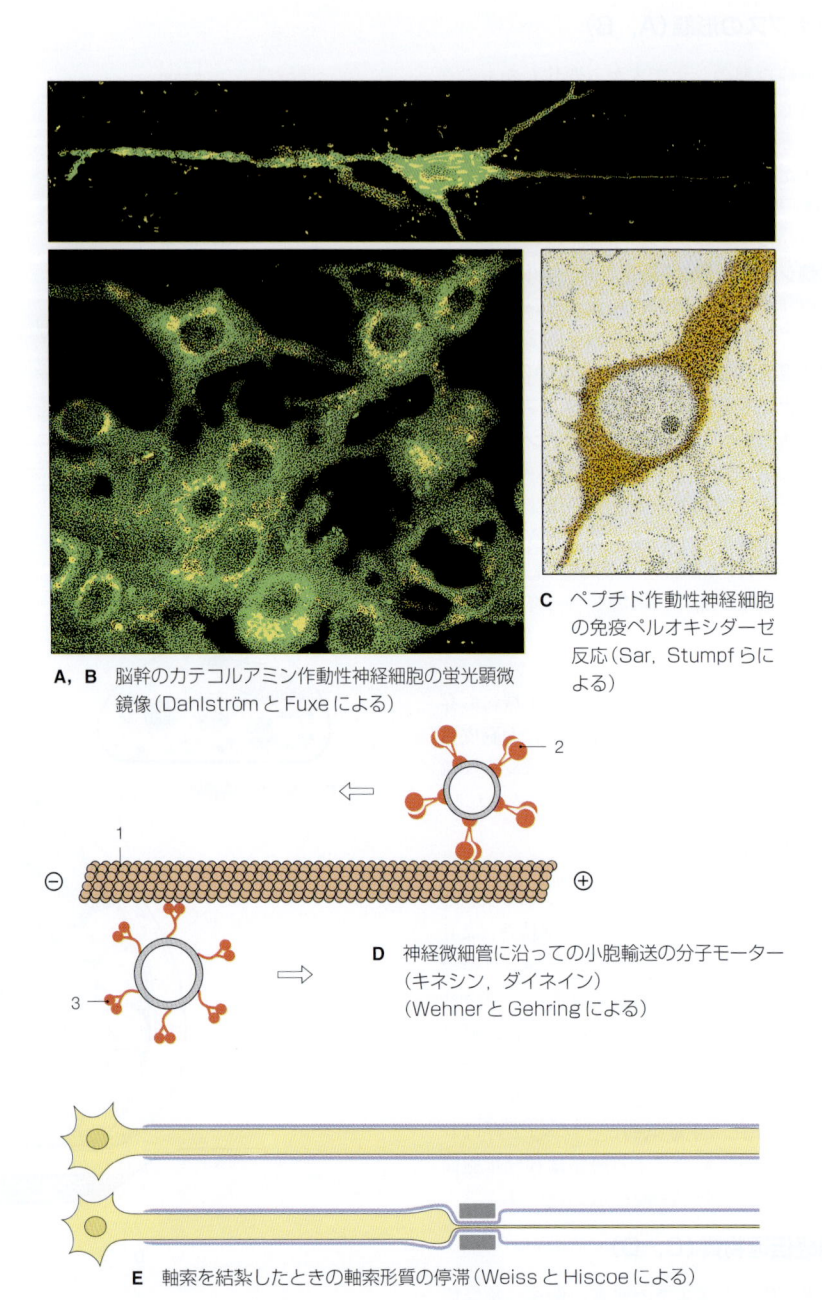

A, B 脳幹のカテコルアミン作動性神経細胞の蛍光顕微鏡像（DahlströmとFuxeによる）

C ペプチド作動性神経細胞の免疫ペルオキシダーゼ反応（Sar, Stumpfらによる）

D 神経微細管に沿っての小胞輸送の分子モーター（キネシン，ダイネイン）（WehnerとGehringによる）

E 軸索を結紮したときの軸索形質の停滞（WeissとHiscoeによる）

この速い軸索輸送とは別に，恒常的な**軸索形質流** axoplasmic flow がある．これはもともと遅い流れであって，24時間で1〜5mmしか流れない．軸索形質流は個々の軸索を結紮することによって証明することができる（**E**）．結紮した部分より近位では，軸索形質の停滞が起こって軸索は膨れ出してくる．神経解剖学では，順行性輸送や逆行性輸送は神経路の結合を検索するのに使用されている（438頁参照）．

---

1 神経微細管 neurotubuli　**2** ダイネイン dynein　**3** キネシン kinesin

伝達物質受容体（A，B）

神経伝達物質受容体は2種類に分けられる．一つは，リガンド依存性イオンチャンネルであり，もう一つは，細胞内のグアノシン3リン酸（GTP）結合タンパク（G protein）がついた伝達物質受容体である．

リガンド依存性イオンチャンネル

リガンド依存性イオンチャンネル ligand-sensitive ion channel は，細胞膜（**A2**）にあるいろいろな構成単位（**A1**）からなっている．神経伝達物質が特異な受容体に結合すると，チャンネルは一定のイオンを通すようになる（**B**）．

興奮性アミノ酸受容体．興奮性伝達物質であるグルタミン酸に対する受容体は，結合してるリガンドに従って分けられる．この分類基準に従って，次の3種類のグルタミン酸依存性イオンチャンネルを区別することができる．つまり，AMPA受容体（**C3**），NMDA受容体（**C4**），およびカイニン酸受容体である．アミノ酸が**AMPA受容体**に結合すると，ナトリウムイオン（Na^+）が流入し，細胞が脱分極する．**NMDA受容体**が活性化すると，Na^+の流入が起こるが，同時にカルシウムイオン（Ca^{2+}）の流入も起こる．静止電位付近では，NMDA受容体はマグネシウムによりブロックされる．このマグネシウムブロックは，（AMPA受容体により）細胞が脱分極すると消える．AMPA受容体とNMDA受容体による時間的にずれのある応答は，神経伝達物質であるグルタミン酸に対して，シナプス後ニューロンの応答に差異が生ずることになる．

抑制性のGABA受容体とグリシン受容体．GABAは，脳に最も普通にみられる抑制性伝達物質であり，グリシンは脊髄の抑制性伝達物質である．どちらの受容体もリガンド依存性のイオンチャンネルであり，活性化すると，クロールイオンの流入が起こる．クロールの流入により細胞は過分極し，抑制される．

リガンド依存性イオンチャンネルには，興奮性で，陽イオンを流入させるニコチン性アセチルコリン受容体やセロトニン（5-HT$_3$）受容体がある．

Gタンパク受容体

神経伝達物質はリガンド依存性チャンネルと結合しているだけではなく，Gタンパク結合受容体とついていることが多い．この両受容体の本質的な違いは，シナプス応答の速度である．リガンド依存性のイオンチャンネルは，数ミリ秒持続する速いシナプス電位を起こす．Gタンパク結合受容体が活性化すると，数秒から数分も続く応答が起こる．Gタンパクは細胞内のメッセンジャーをつくっている酵素を制御している．これらはイオンチャンネルに影響を与えたり，制御タンパクを介して遺伝子発現に影響を与えている．

シナプス伝達（C）

シナプス伝達 synaptic transmission は3つの過程に分けられる．

1. 軸索終末に到達した活動電位が化学信号に変わる．脱分極により，カルシウムチャンネル（**C5**）が開いてカルシウムが入ってくる．カルシウムは一定のタンパクを介してシナプス小胞（**C6**）とシナプス前膜を融合させ，伝達物質をシナプス間隙（**C7**）に出す働きをする．

2. 遊離した伝達物質が特異な受容体と結合する．

3. 伝達物質が受容体と結合すると，リガンド依存性イオンチャンネルでは，一定のイオンに対してチャンネルが開かれる．グルタミン酸受容体では，Na^+とCa^{2+}が流入し，シナプス後膜が脱分極を起こす（興奮性シナプス後電位，EPSP）．GABA受容体とグリシン受容体では，クロールイオン（Cl^-）が流入してシナプス後膜の過分極が起こる（抑制性シナプス後電位，IPSP）．Gタンパク結合受容体が活性化すると，長時間持続する応答が起こり，シナプス後膜の遺伝子発現が変化してくる．

A, B リガンド依存性イオンチャンネル（Kandel, SchwartzおよびJesselによる）

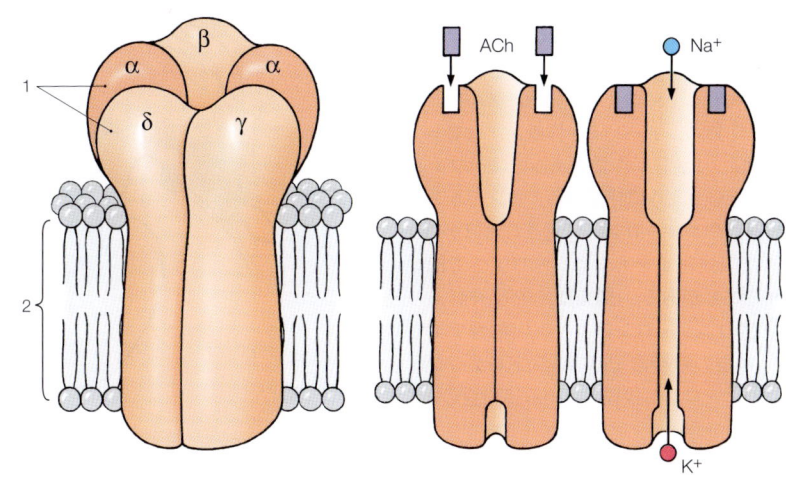

A ニコチン性アセチルコリン受容体の構造

B アセチルコリンが結合するとNa^+とK^+に対するチャンネルが開く

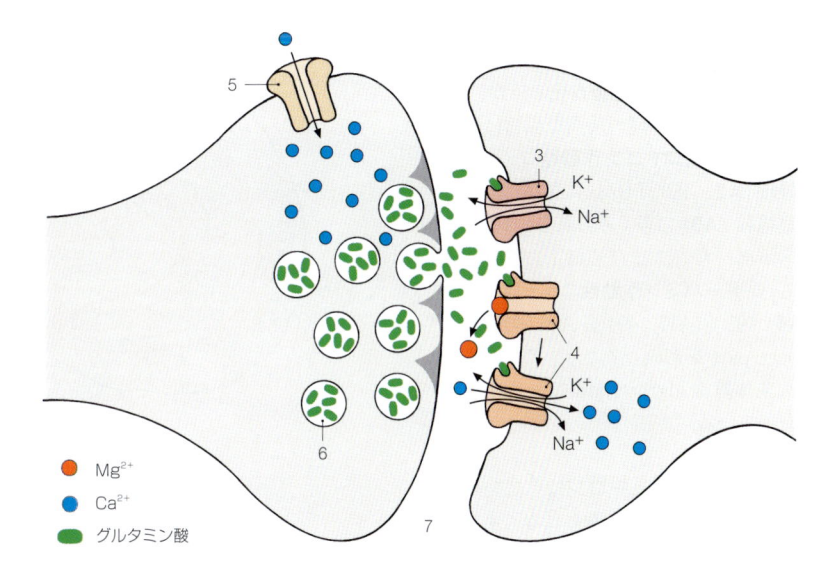

C グルタミン酸作動性シナプスでのシナプス伝達

1 イオンチャンネル ion channel　2 細胞膜 cell membrane　3 AMPA受容体 AMPA-receptor（AMPA: α amino-3-hydroxyl-5-methyl-4-isoxazolepropionic acid）　4 NMDA受容体 NMDA-receptor（NMDA: N-methyl D aspartate）　5 カルシウムチャンネル calcium channel　6 シナプス小胞 synaptic vesicle　7 シナプス間隙 synaptic cleft

ニューロン系（A～C）

同じ伝達物質をもち，それらの軸索がまとまった線維束をつくるようなニューロン群は，伝達物質ごとにコリン作動系，ノルアドレナリン作動系，ドーパミン作動系，セロトニン作動系，GABA作動系あるいはペプチド作動系というように呼ばれる．インパルスは同じ種類のニューロンへ伝達されるほか，異なった伝達物質をもつニューロンへも伝達されることがある．例えば，交感神経系では脊髄のニューロンはコリン作動性であるが，末梢の神経節ではノルアドレナリン作動性ニューロンへ接続している（570頁C）．

ノルアドレナリン作動性，ドーパミン作動性およびセロトニン作動性ニューロンは脳幹に分布している．**ノルアドレナリン作動性ニューロン**は青斑（**A1**）（476頁B28, 492頁D18），および延髄と橋の網様体外側部にある細胞群を形成している（ここからは視床下部や辺縁系に投射線維が出るほか，散在性には新皮質と脊髄の前角や側角にも投射している）．**セロトニン作動性ニューロン**は縫線核（**A2**）（480頁B28）に存在し，特に背側縫線核（**A3**）に多くみられる（ここからは視床下部，嗅脳および辺縁系に投射線維が出る）．**ドーパミン作動性ニューロン**は黒質（**A4**, 493頁A17, 494頁AB1）の緻密部 compact part を形成しており，ここからは黒質線条体線維 nigrostriatal fibers が線条体へ行っている．

ペプチド作動性ニューロンは系統発生学的に古い脳部に特に多くみられる：すなわち中脳の中心灰白質（**A5**），網様体（**A6**），視床下部（**AB7**），嗅球（**B8**），手綱核（**A8**），脚間核（**A9**），孤束核（**A10**）などである．多くのペプチド作動性神経細胞は大脳皮質，視床，線条体および小脳にも認められる．いろいろなペプチドの意義はいまだはっきりしていない．ペプチドは補助伝達物質として働き，修飾作用をしている可能性がある．これらのペプチドの多くは他の器官にもあり，消化管にも存在している（例えば血管作動性腸管ポリペプチド，ソマトスタチン，コレシストキニンなど）．**グルタミン酸**はしばしば長軸索性の投射神経細胞の伝達物質となっている．グルタミン酸作動性神経細胞の一例は，**大脳皮質の投射神経細胞**である錐体細胞である（544頁C, 545頁A1, B11）．**GABA作動性抑制性ニューロン**は抑制性シナプスを形成する投射領域に従って分類されることが多い．この分類基準に従って，細胞体とシナプスを形成するGABA作動性籠細胞は，軸索-軸索シナプスを形成する細胞から区別される．後者は，投射ニューロンの軸索基部（初節）に抑制性シナプスを形成する．GABA作動性ニューロンはしばしば局所的な**介在神経細胞**となっている．このような細胞には，GABAのほかに，古典的な伝達物質として，しばしばペプチドやカルシウムを結合したタンパクがみられる．

コリン作動性ニューロンは，脳幹や基底前脳域にみられる．カテコルアミン作動性神経細胞の場合と同様に，コリン作動性線維はマイネルトの基底核（**B11**）や特定の中隔核（**B12**）などのように限局した細胞群から起こり，帯状回（辺縁回）（**B13**）や脳弓（**B14**）の線維に乗って新皮質や海馬（**B15**）の広い範囲に分布している．

A 脳のモノアミン作動性およびペプチド作動性ニューロン群

　ドーパミン作動性ニューロン
　ノルアドレナリン作動性ニューロン
　セロトニン作動性ニューロン
　ペプチド作動性ニューロン

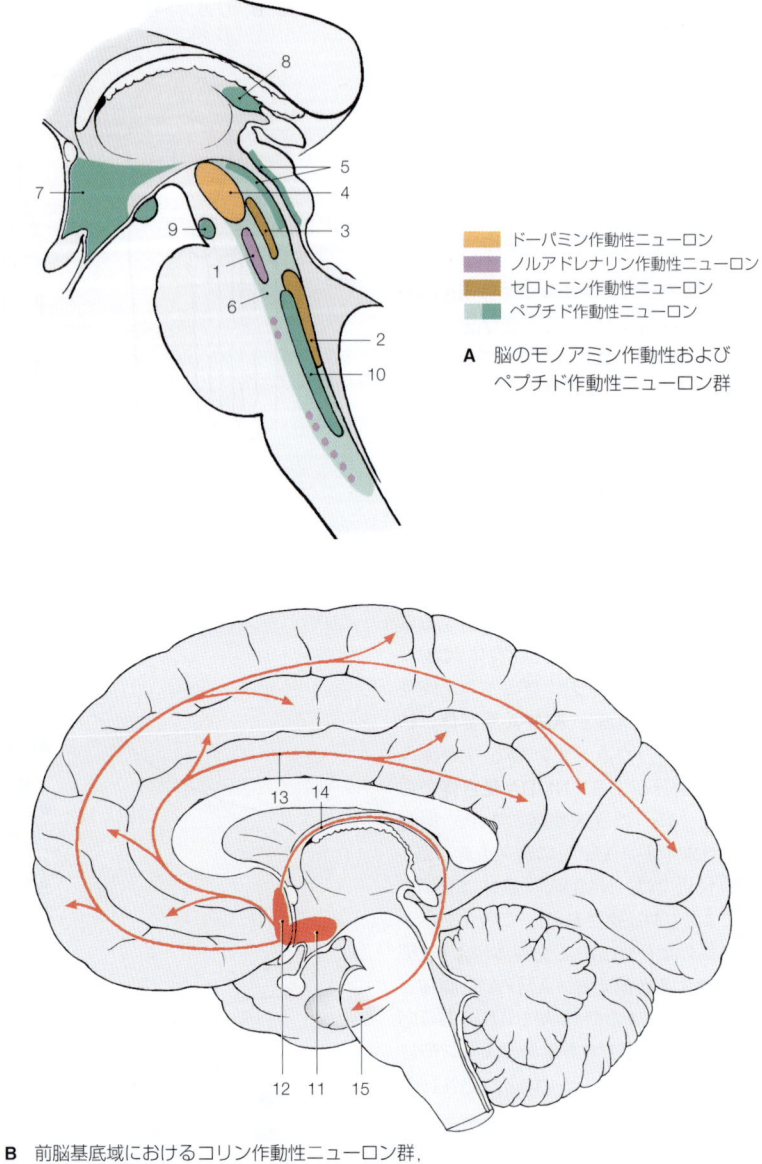

B 前脳基底域におけるコリン作動性ニューロン群，および大脳皮質と海馬へのコリン作動性線維の分布

臨床関連：前脳基底領域，特に基底核からの上行性コリン作動性の投射は，学習―および記憶の過程と関連があり，学習―, 記憶障害が前面に出てくるアルツハイマー病と関係が深い．伝達物質の合成，消失そして貯留は，薬物によって影響を受ける．そして，神経細胞における伝達物質の過剰，もしくは不足が起きると，運動系および精神的な変化を引き起こす．神経系に作用する薬物はいくつかのレセプターに対する伝達物質の強調または活性化物質であったり，拮抗物質であったりする．

---

1 青斑 locus caeruleus　**2** 縫線核 raphe nuclei　**3** 背側縫線核 dorsal raphe nucleus　**4** 黒質 substantia nigra　**5** 中心灰白質 central gray substance　**6** 網様体 reticular formation　**7** 視床下部 hypothalamus　**8** 手綱核 habenular nuclei　**9** 脚間核 interpeduncular nucleus　**10** 孤束核 nuclei of solitary tract　**11** 基底核（マイネルトの）basal nucleus of Meynert　**12** 中隔核 septal nuclei　**13** 帯状回（辺縁回）cingulate gyrus　**14** 脳弓 fornix　**15** 固有海馬 hippocampus proper

ニューロン回路（A）

神経細胞の突起はからみ合って網目構造（A）をつくっている．しかしながら，この網目構造は神経線維が連続にからみ合っている（連続説 continuity theory）ではなく，構成要素であるニューロンが多数集まったもの（ニューロン説 neuron theory）である．ニューロンは神経系の基本構成要素として，解剖学的，遺伝学的，栄養的および機能的単位となっている．

神経網の中で，ニューロンは一定の方法で互いに連絡し合っている（ニューロン回路 neuronal circuit）．その際，興奮の抑制のための回路は，興奮の伝達のための回路と同じように重要である．何となれば，この抑制回路によって絶えず流れ込む刺激が制限され，選択されるからである．すなわち，重要な信号はさらに先へ進み，重要でない信号はさし止められるのである．

シナプス後抑制 postsynaptic inhibition では，シナプスでの興奮伝達が抑制されるのではなく，それに続いて起こるシナプス後ニューロンの放電が抑制されるのである．

抑制性の GABA 作動性ニューロンは，種々な様式で神経回路に組み込まれている．**反回抑制**（B）では，興奮した投射神経細胞（緑）の軸索側枝が抑制性細胞（赤）を活性化させる．抑制性細胞は反回側枝で投射ニューロンを抑制する．**前方抑制**（C）では，抑制性介在神経細胞は，興奮している細胞の反回側枝によってではなく，脳の他の領域に由来する興奮した求心性線維により活性化される．投射ニューロンに対する効果は反回抑制の場合と同じである．抑制性の GABA 作動性ニューロンが活性化すると，投射ニューロンは抑制される．**脱抑制**（D）では，抑制性介在神経細胞は，興奮している求心性線維により活性化される．この介在神経細胞の標的細胞は，もう一つの抑制性介在神経細胞である．興奮している求心性線維により，最初の介在神経細胞が活性化すると，第二の介在神経細胞は一層強く抑制されることになる．第二の介在神経細胞が抑制されるので，次にある投射神経細胞には，抑制作用はなくなることになり，抑制作用が除去されたことになる（脱抑制）．

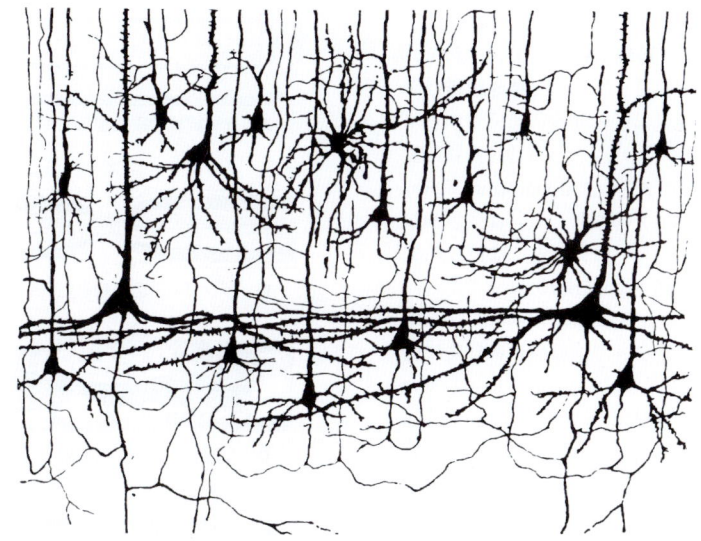

A 脳皮質のニューロンのネットワーク，鍍銀像（Cajal による）

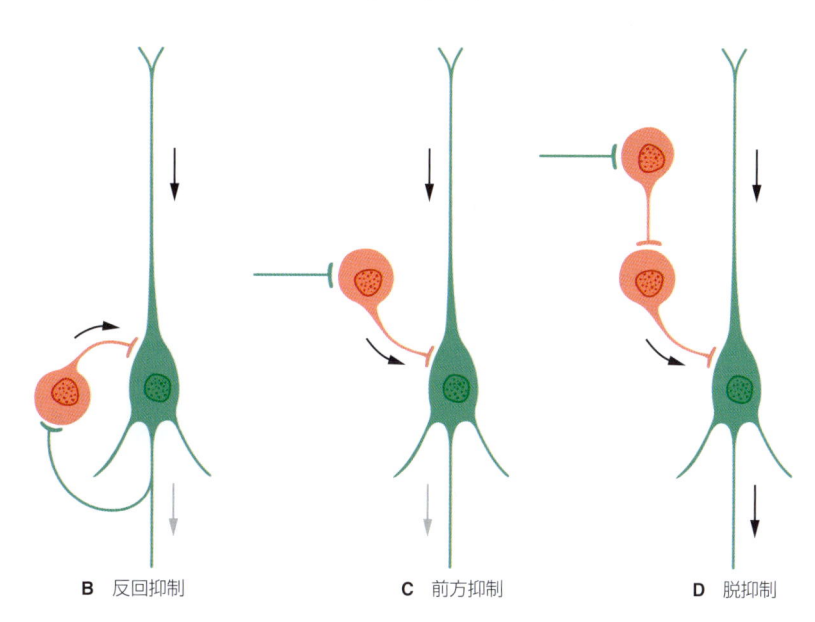

B 反回抑制　　**C** 前方抑制　　**D** 脱抑制

B〜D 抑制性ニューロンの結合原理

脳にある個々の神経細胞には，多くの線維が結合している（**収斂**）．大脳皮質の1個の錐体細胞は，他の神経細胞と1万個以上のシナプス結合をしている．このような細胞は，他方では無数の軸索側枝により，多くの神経細胞と結合している（**発散**）．一つの神経細胞に対する興奮と抑制の空間的加重と時間的加重が，ある瞬間に，その細胞が脱分極され，活動電位を発生するか否かを決める．活動電位は軸索に沿って走り，次にあるニューロンに興奮を伝える．抑制作用が勝ると，ニューロンの放電は起こらない．

臨床関連：てんかんにおいては興奮と抑制の誤作動が起きている．多数の神経細胞の過剰興奮によって，てんかん発作が繰り返されることになる．

神経線維（A〜C）

軸索（**AFG1**）は被膜で包まれている。すなわち無髄神経線維は被包細胞の細胞質で，有髄神経線維は**髄鞘**（**ABG2**）で包まれている。軸索と被膜を一緒にして**神経線維**と呼んでいる。髄鞘は軸索初節の遠位端からはじまり，終末分枝の少し手前でなくなる。髄鞘は一種のリポタンパク lipoprotein である**ミエリン** myelin からなり，これは被包細胞からつくられる。中枢神経系では被包細胞は**稀突起膠細胞** oligodendrocytes であり，末梢神経では**シュワン細胞** Schwann cellsである。なおこのシュワン細胞は神経堤に由来するものである（458頁C2）。固定していない新鮮な神経線維では，髄鞘は強い光屈折性を示し無構造である。髄鞘はその脂質含有量のため偏光顕微鏡では複屈折性を示す。固定後は脂質が抜けるため，変性したタンパクの骨組みが格子様構造として残される（**D3**, 神経角質 neurokeratin）。

規則的な間隔（1〜3mm）をおいて，髄鞘は深くくびれ，すなわち**ランヴィエ** Ranvier **の絞輪**（**ABF4**）で中断されている。末梢神経では，2つの絞輪間の部分すなわち**絞輪間部** internode or internodal segment（**F**）は被包細胞の広がりに一致している。絞輪間部の中央には，細胞核（**ADF5**）と細胞質が髄鞘の上に軽く盛りあがっている。**シュミット・ランターマン** Schmidt-Lanterman **の切痕**（**C, F6**）という斜めの切れ込みにも同様に細胞質がみられる（448頁A4）。被包細胞の辺縁はランヴィエの絞輪のところまできており，この絞輪のところで軸索が枝分かれしたり（**E**），軸索側副枝が出たり，あるいはシナプスがみられることがある。

髄鞘の超微構造（G）

軸索膜 axolemma と呼ばれる単位膜で包まれた軸索のまわりには，暗い線と明るい線が規則的に同心円状の輪をつくっているのがみられる。このような層板の幅は，暗い線から次の暗い線までを測ると，平均120 Å（1 Å = 0.1nm）であって，電子密度の高い暗い線は30 Å，明るい線は90 Åの幅がある。もっと拡大を大きくすると，明るい線はさらに真珠を通した紐のような薄い不規則な線によってもう一度分けられていることがわかる（**G7**）。したがってここに**主密（周期）線** major dense (period) lines と薄い**中間線** intermediate lines が区別できることになる。

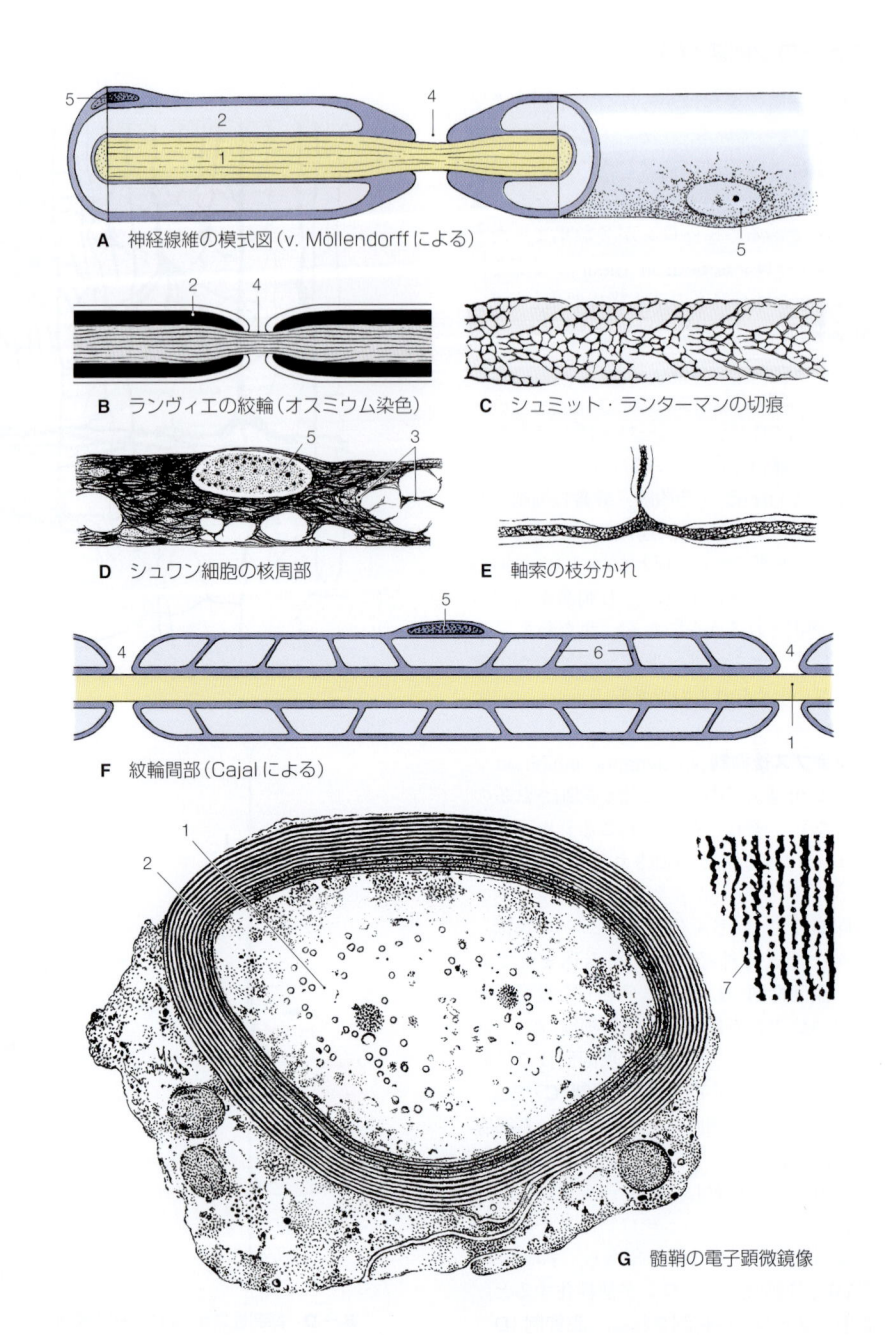

偏光顕微鏡とX線回折によって検索すると，髄鞘はタンパク分子と脂質分子の交互の層から構成されていることがわかる。暗い層（主密線と周期内線）はタンパク分子の層であり，明るい層は脂質分子の層である。

A 神経線維の模式図（v. Möllendorffによる）
B ランヴィエの絞輪（オスミウム染色）
C シュミット・ランターマンの切痕
D シュワン細胞の核周部
E 軸索の枝分かれ
F 絞輪間部（Cajalによる）
G 髄鞘の電子顕微鏡像

---

1 軸索 axon　**2** 髄鞘 myelin sheath　**3** 神経角質 neurokeratin　**4** ランヴィエの絞輪 node of Ranvier　**5** シュワン細胞の核 nucleus of Schwann cell　**6** シュミット・ランターマンの切痕 incisures of Schmidt-Lanterman　**7** 中間線 intermediate line

末梢神経系における髄鞘の発生（A）

髄鞘の発生 development of the myelin sheath, myelinogenesis をたどることによって，その層板の構成が明らかになる．シュワン細胞（**A1**）の細胞体に溝ができて，その中へ**軸索**（**A2**）が埋没する．溝は深くなり，その縁は互いに近寄って遂には重なり合うようになる．このようにして細胞膜の二重構造すなわち**軸索間膜**（**A3**）ができあがる．この軸索間膜が，おそらくシュワン細胞が閉じ込めた軸索のまわりを移動していくことにより，髄鞘がラセン状に軸索のまわりに巻かれていく．

軸索間膜ということばは腸間膜 mesenterium という表現にならってつくられたものである．腹膜は提攜帯として腸間膜という二重構造 peritoneal duplication をつくり内臓を包んでいる．これに似た様式でシュワン細胞が細胞膜の二重構造をつくって軸索を包んでいるのである．

シュワン細胞の細胞膜は，他の単位膜と同様に，外側と内側の密なタンパク層とその間にある明るい脂質層からなっている．シュワン細胞の膜の二重構造では，まず第一に外側のタンパク層同士が重なり合って融合し**中間線**（**A4**）となる．このようにして6層であった二重膜は5層の**髄鞘板** myelin laminae となる．さらに巻き込んでいくと，細胞膜の内側のタンパク層同士もくっついて融合し，**主密（周期）線**（**A5**）となる．この過程の最終段階では，膜の二重構造のはじまりは髄鞘の内面にあり（**A6**，**内軸索間膜**），その終わりは髄鞘の外面にあることになる（**A7**，**外軸索間膜**）．

無髄神経線維の発生（A）

無髄神経線維（**A8**）は被包細胞に包まれているが，それらの細胞はおのおの数本ずつの軸索を抱えている．溝の縁では膜の二重構造（軸索間膜 mesaxon）ができるが，膜の各層は融合しない．

中枢神経系における髄鞘の形成（B, C）

中枢神経系内の髄鞘（**B**）は，末梢神経のそれとは本質的な差異を示す（448頁B）．末梢神経系では，シュワン細胞がただ1本の軸索の髄鞘を形成するのに対して，中枢神経系では1個の**稀突起膠細胞**（**B9**）は数本の軸索の髄鞘をつくり，後にさらに形質橋 protoplasmic bridge によって数個の輪間部が連結するようになる．輪間部が巻きほぐされた状態を思い浮かべると，稀突起膠細胞の細胞体の広がりと形がよくわかる（**C**）．髄鞘形成過程の機構はまだよくわかっていない．外軸索間膜は，この形質橋の続きとして外側隆起（**B10**）をつくる．髄鞘板はランヴィエの絞輪（**B11**）で終わる（傍絞輪部 paranodal region）．縦断してみると，最も内側の髄鞘板がまず最初に終わり，最も外側のそれはほかの髄鞘板の端の上にかぶさり，直接ランヴィエの絞輪に接して終わっている．髄鞘板の端では主密線は開離して細胞質のつまった袋（**B12**）をつくっている．中枢内の神経線維の軸索はランヴィエの絞輪のところでは完全に露出している．シュミット・ランターマンの切痕は中枢神経系の輪間部にはみられない．

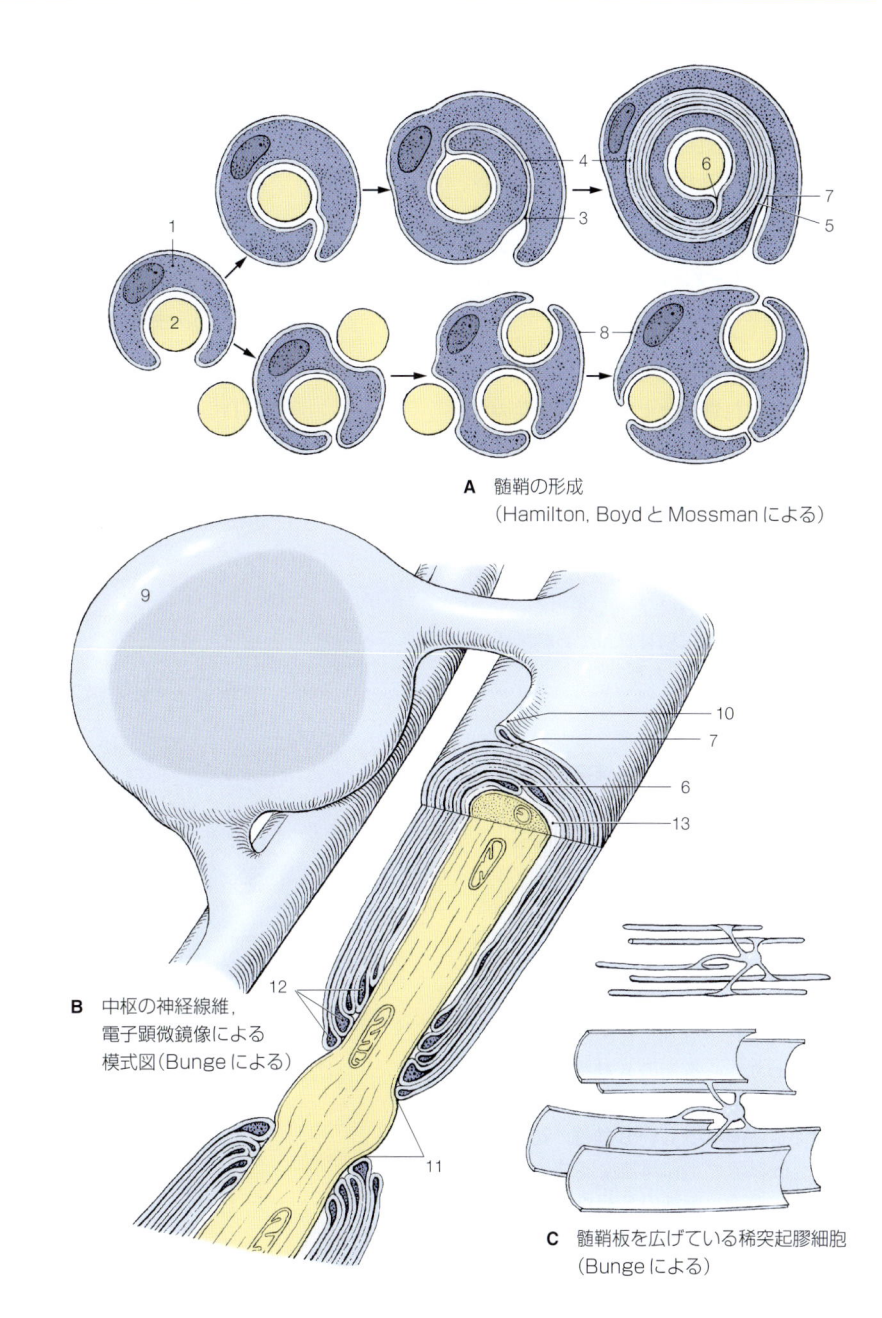

> **臨床関連**：多発性硬化症 multiple sclerosis においては，様々な脳部位で，巣状の進行性髄鞘消失が起き，それに対応した神経細胞の機能障害が生ずる．

A 髄鞘の形成
（Hamilton, BoydとMossmanによる）

B 中枢の神経線維，電子顕微鏡像による模式図（Bungeによる）

C 髄鞘板を広げている稀突起膠細胞
（Bungeによる）

---

1 シュワン細胞 Schwann cell　**2** 軸索 axon　**3** 軸索間膜 mesaxon　**4** 周期間線 interperiod line　**5** 主密（周期）線 major dense line　**6** 内軸索間膜 internal mesaxon　**7** 外軸索間膜 external mesaxon　**8** 無髄神経線維 unmyelinated nerve fibers　**9** 稀突起膠細胞 oligodendrocytes　**10** 外側隆起 outer lamp　**11** ランヴィエの絞輪 nodes of Ranvier　**12** 細胞質のつまった袋 pockets filled with cytoplasm　**13** 細胞質（稀突起膠細胞の）cytoplasm (oligodendrocytes)

末梢神経

末梢神経線維の**髄鞘**はシュワン細胞の細胞質（**A1**）で包まれている．その細胞膜は**基底膜**（**AB2**）に包まれており，これは末梢の神経線維全体を包んでいる．シュワン細胞の核（**A3**）は，図では断面になっている．**シュミット・ランターマンの切痕**（**A4**）は縦断面では，主密線が開離することによって生じた裂隙として現れる．三次元的に再構築すると，この切痕はラセン状となり，そのラセンの中には細胞質が含まれていて髄鞘の内外を連絡していることがわかる．**ランヴィエの絞輪**（**B5**）のところでは，シュワン細胞の突起（**AB6**）が傍絞輪部と軸索（**ABD7**）の上へずり出てきている．これらの突起は指のように互いにからみ合って，ランヴィエの絞輪のまわりにぴったりした覆いをつくっている．中枢神経系と末梢神経系での髄鞘の構造の違いはBに示してある．

軸索の太さ，髄鞘の厚さ，ランヴィエの絞輪の間隔および神経の**伝導速度**の間には規則的な関係がある．軸索が太くなるほど，これを包む髄鞘は厚くなり，輪間部も長い．もちろん有髄神経線維がさらに成長するときには（例えば体肢の神経），輪間部の長さも長くなる．輪間部が長くなるほど，この線維の興奮伝導速度は速くなる．有髄，乏髄および無髄の神経線維が区別されるが，これらはそれぞれA線維，B線維およびC線維ともいわれる．**有髄のA線維**は軸索の直径が3〜20μmで，伝導速度は120m/secにも達する．**髄鞘の乏しいB線維**の軸索は直径が3μm以下で，伝導速度は15m/sec以下である．興奮は**無髄のC線維**（2m/sec以下）中を最も遅く伝わっていく．無髄線維では興奮は連続的に広がっていく．これに対して有髄神経では，興奮の伝導は跳躍的に，すなわちとびとびに起こるのである．この跳躍伝導 saltatory conduction は形態学的には，髄鞘のある輪間部と裸出したランヴィエの絞輪とが交互に存在することに基づいている．すなわち電流は軸索内を絞輪から次の絞輪へと跳んでいき，その際その絞輪では軸索膜の透過性の変化によって（電位依存性のイオンチャンネルが開き），そのつど電流の閉回路が生じることになる．この伝導は，興奮の連続的な広がりよりは著しく速く，またエネルギーの消費も少なくてすむ．

末梢神経線維 peripheral nerve fibers は縦走する膠原細線維（格子線維）で包まれており，この細線維は基底膜とともに**神経内膜鞘** endoneural sheath をつくる．このような神経線維は疎性結合組織すなわち**神経内膜**（**D8**）の中に納まっている．多数の神経線維は主に輪走する結合組織線維からなる**神経周膜**（**CD9**）によって，小さな神経線維束（**C10**）にまとめられている．神経周膜の最内層は内皮細胞でつくられており，これらは数層をなして神経内膜腔をとり囲んでいる．神経周膜の内皮細胞は神経周膜面と神経内膜面に基底膜をもっていて，閉鎖帯 Zonulae occludentes（密着結合）により互いにつながっている．これらの細胞は神経と周囲の組織との間の一種の関門を形成しており，脳の毛細血管の内皮に相当するものである（450頁E）．上皮部の外周を輪走する弾性線維がとり巻いている（線維部 *Pars fibrosa*）．この弾性線維は末梢神経を機械的に保護している．体肢の神経の神経周膜は関節のところでは強化されている．神経周膜に接して**神経上膜**（**CD11**）がある．その内層も神経周膜と同様に同心性の層板をつくっている．これらの層板は，脂肪細胞（**D12**），血管，リンパ管を含む疎性結合組織に移行していく．

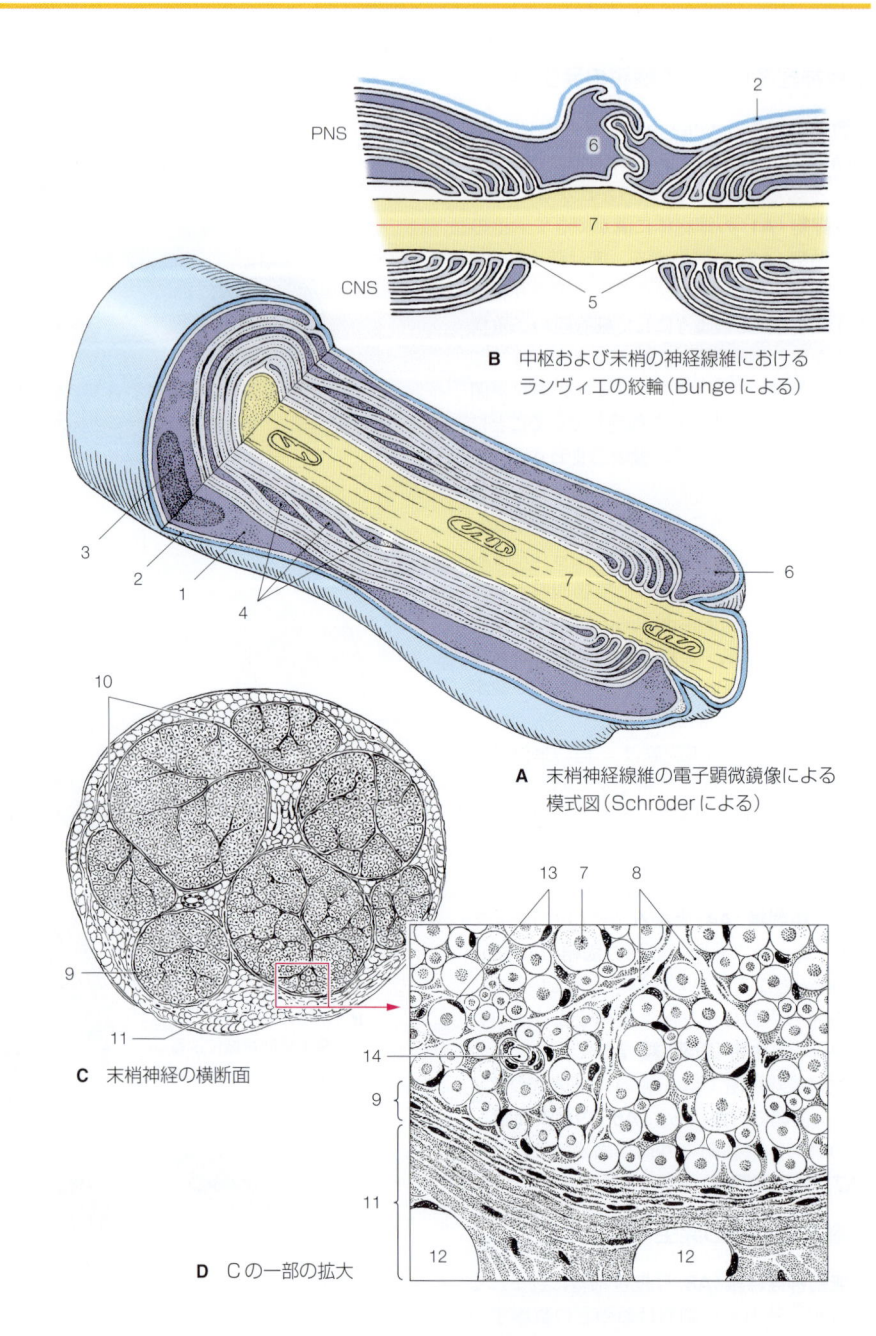

B 中枢および末梢の神経線維におけるランヴィエの絞輪（Bungeによる）

A 末梢神経線維の電子顕微鏡像による模式図（Schröderによる）

C 末梢神経の横断面

D Cの一部の拡大

---

1 シュワン細胞の細胞質 cytoplasm of the Schwann cell　2 基底膜 basal lamina　3 シュワン細胞の核 nucleus of Schwann cell　4 シュミット・ランターマンの切痕 incisures of Schmidt-Lanterman　5 ランヴィエの絞輪 node of Ranvier　6 シュワン細胞の突起 processes of the Schwann cell　7 神経線維 nerve fibers　8 神経内膜 endoneurium　9 神経周膜 perineurium　10 小さな神経線維束（小束）bundles or fasciculi　11 神経上膜 epineurium　12 脂肪細胞 adipose cell　13 シュワン細胞の核　14 毛細血管 capillary

神経膠（A～C）

中枢神経系の支持および被包組織は**神経膠** neuroglia（glia＝膠）であって，中枢神経系で結合組織としての使命を果たしているのである（支持機能，物質交換および病的過程の際の変性した細胞の分解〔食作用〕と瘢痕形成）．神経膠は外胚葉性の起源をもつ．ニッスル染色像では細胞核と細胞質しか現れてこない．すなわち細胞の突起の証明は特殊な鍍銀法または免疫組織化学的手法によってのみ可能である．星状膠 astroglia（大膠細胞 macroglia），稀突起膠 oligodendroglia および小膠 microglia という3種の型の細胞を区別することができる（**A**）．

星状膠は大きな明るい核と多数の星状に放散する突起をもっている．この細胞には，比較的突起の数の少ない**原形質性星状膠** protoplasmic astrocytes（多くは灰白質中にみられる）と数多くの長い突起をもつ**線維性星状膠** fibrous astrocytes（主に白質中にみられる）がある．これらの細胞は神経膠線維をつくるものであって，細胞体とその突起の中に神経膠細糸 gliofilaments を含んでいる．脳組織が壊れた後には神経膠線維による瘢痕がつくられる．星状膠は支持のための要素とみなされ，三次元的な枠組みをつくっている．脳の外表面ではこの膠細胞層は厚くなってフェルト状の線維層を形成し，**膠境界膜** glial limiting membrane となり，この結果，外胚葉性の脳組織の外周は結合組織性の髄膜から完全に隔離されるようになる．星状膠は突起を血管に送り出しており，これらの突起はおそらく神経細胞の物質代謝と栄養に大切な意義をもっているのであろう（450頁B）．

上記以外に，星状膠は内部環境の保持，特に中枢神経系でのイオン平衡に重要な役割を果たしている．ニューロン連鎖の興奮の際に遊離するカリウムイオンは，星状膠の突起網により細胞外隙から取り除かれる．さらに，星状膠は，おそらく神経細胞から遊離された二酸化炭素を取り込むことにより，間質のpH値を一定の7.3に保っている．また，星状膠はシナプスを取り囲み，シナプス間隙を塞いでいる．星状膠は伝達物質を取り込む働きもしている．近年の研究によれば，これらはさらに伝達物質を放出して，シナプスの伝達過程に関わっている可能性があることが示された．

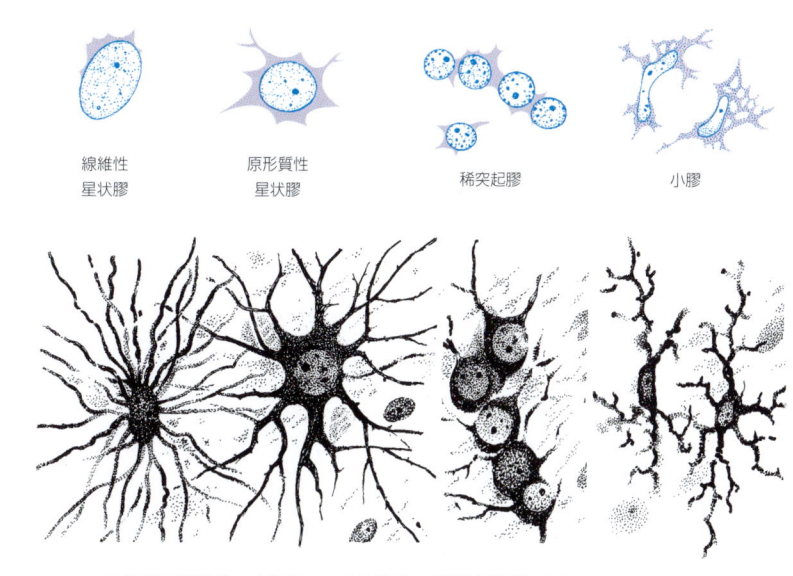

A 神経膠の等価像：上列はニッスル染色，下列は鍍銀による

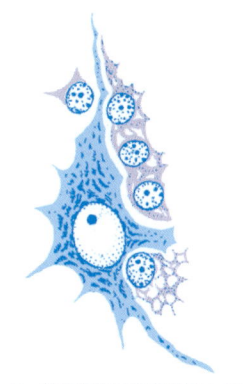

B 神経細胞の衛星細胞となっている稀突起膠

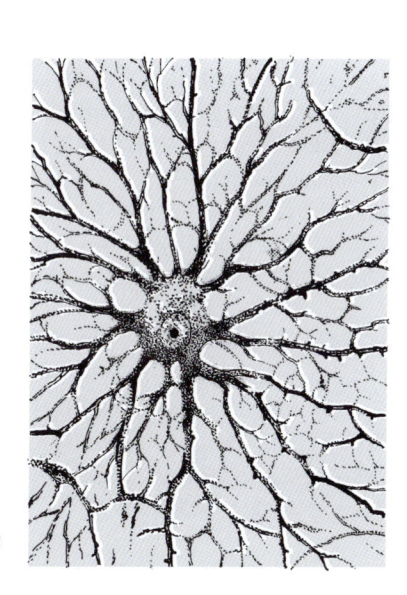

C 組織培養での星状膠

稀突起膠は暗い小さな核をもち，ほとんど分岐しないごく少数の突起をもっている．灰白質ではこの細胞は神経細胞の近傍に分布している（**外套**または**衛星細胞** capsular or satelite cells）（**B**を参照）．白質では稀突起膠は列をなして神経線維の間にみられ（**束間神経膠** interfascicular glia），中枢神経系で髄鞘をつくり，維持する細胞とみなされている（447頁B，C）．

小膠は卵円形または杆状の核があり，多くの枝を出している短い突起をもっている．この細胞はアメーバ運動をして，組織内を遊走することができるといわれている．組織が壊れると，この細胞は食作用をもつようになり（**清掃細胞** scavenger cell），丸まって大きい球形になる（**顆粒細胞** Körnchenzelle または**格子細胞** Gitterzelle）．

小膠は外胚葉性起源のみでなく，中胚葉にも由来するということがいわれており，近年その根拠があげられている．

血管

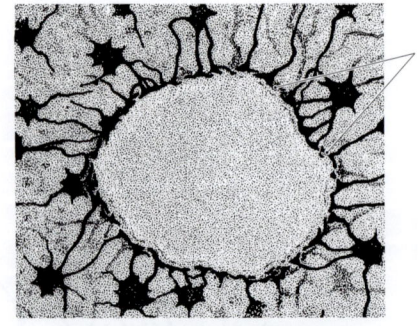

脳の血管は中胚葉mesodermに由来する．脳の血管は発生が進むにつれて中胚葉性の被膜から脳実質の中へ入り込んでいく．組織標本でみると，多くの場合，これらの血管は狭い自由間隙（ウィルヒョウ・ロバン腔 Virchow-Robin's space）で囲まれているが，これは組織標本作製のための操作の間に生ずる収縮に起因するものが多い．**動脈と細動脈**は弾性型elastic typeに属する．すなわちその筋の発達は弱く，収縮能も小さい．**毛細血管**は閉鎖した無窓の内皮と，すき間のない基底膜をもっている．中枢神経系にはリンパ管はない．

毛細血管の周囲には，星状膠の突起がついており，その先端は広がって**血管小足**（**AB1**）をつくっている．電子顕微鏡像では，毛細血管は完全にこの血管小足により囲まれている．毛細血管の壁は内皮細胞（**BE2**）からなっており，これらの細胞境界は屋根がわら状に互いに重なっており，閉鎖斑 *Maculae occludentes* によって互いに密着している．これに続いて基底膜（**BE3**）と星状膠の覆い（**BE4**）がある．この覆いは膠境界膜 glial limiting membrane にほかならない（449頁）．この両者によって中枢神経の外胚葉性組織は，隣接する中胚葉性組織（血管の内皮）とは厳密に隔絶されているのである．

脳組織がほかの体部と異なっていることの一つは，**血液-脳関門** blood-brain barrier があることである．これは多数の物質に対する選択的な関門であって，これらの物質は血行から毛細血管壁を通って脳組織へ入り込むことができないのである．

この関門はトリパンブルーを使用するゴールドマン Goldmann の実験（**C, D**）により明らかになる．この色素を実験動物の静脈内に注入すると，ほとんどすべての器官が青く染まるが（ゴールドマンの第1実験），脳と脊髄だけは染まらずに白いままである．ただ灰白隆起（**C5**），最後野 *Area postrema* ならびに脊髄神経節 spinal ganglia だけはわずかに染まってくる．著しく青く染まるのは脈絡叢（**C6**）と硬膜（**C7**）である．同じような所見はヒトの黄疸 jaundice, Icterus でも観察される．すなわち胆汁色素がすべての器官を黄染するが，中枢神経系だけは染まらずに残る．また脳脊髄液腔へ色素を注入すると（ゴールドマンの第2実験）（**D**），脳と脊髄は表面から染まってくるが，ほかの体部は染まらずに残っている．したがって関門は脳脊髄液と血液の間にはあるが，脳脊髄液と中枢神経の間にはないことになる．**血液-脳関門**と**血液-（脳脊）髄液関門** blood-cerebrospinal fluid barrier とは区別されなければならない．この両者は異なった態度をとるのである．

血液-脳関門の存在部位は**毛細血管内皮**（**E**）（II章も参照のこと）であって，これは脳の毛細血管では，完全に閉ざされた壁を形成し無窓性である．他の多くの器官，例えば肝臓や腎臓の毛細血管（**E8**）の内皮には窓形成が著明で，物質の出入が盛んに行われている．脳の毛細血管の関門作用は放射性同位元素を使って，種々の物質についても実験的に証明されている．この関門作用は完全な通り抜けの阻止であったり，あるいは通り抜けの遅滞であったりする．薬物がこの関門を通過するかしないかは，臨床的に大切な意義をもっている．

A 星状膠がとりついている血管の鍍銀像

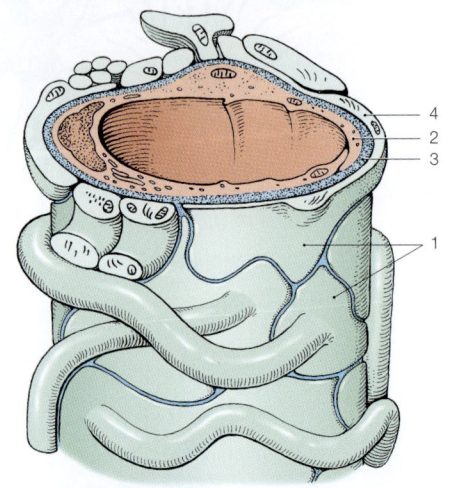

B 星状膠の突起が付いている血管，模式図（Wolffによる）

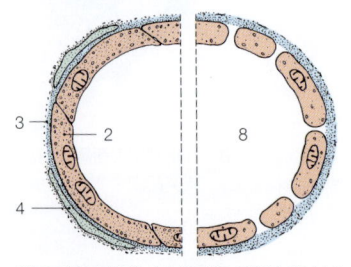

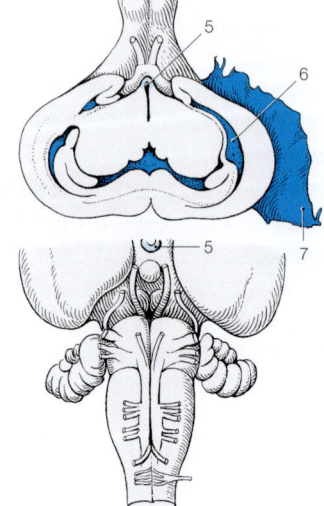

C ゴールドマンの第1実験

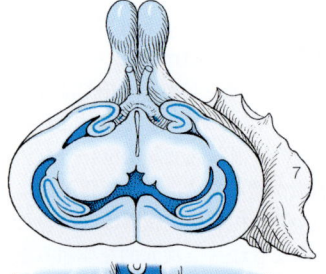

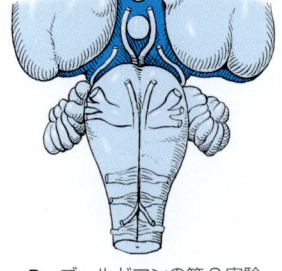

D ゴールドマンの第2実験

C, D 血液-脳関門，ウサギ（Spatzによる）

E 脳の毛細血管（左）と腎臓の毛細血管（右），電子顕微鏡像による模式図

---

1 血管小足 vascular end feet or foot plates　**2** 内皮細胞 endothelial cell　**3** 基底膜 basal lamina　**4** 星状膠の覆い astrocytic covering　**5** 灰白隆起 tuber cinereum　**6** 脈絡叢 choroid plexus　**7** 硬膜 dura mater　**8** 腎臓の毛細血管壁 wall of the renal capillary

概説（A〜C）

　脊髄 spinal cord は脳脊髄液にひたされて、**脊柱管** vertebral canal の中に納まっている。脊髄には紡錘状の2つの膨大、すなわち頸部には**頸膨大**（**C1**）、腰部には**腰膨大**（**C2**）がみられる。脊髄は下端では次第に細くなって**脊髄円錐**（**BC3**）となり、最後は**終糸**（**C4**）という細い索となって終わる。前面では**前正中裂** anterior median fissure、後面では**後正中溝**（**BC5**）が、脊髄を左右対称的な半側ずつに分けている。脊髄の両外側で神経線維が後外側から入り、前外側から出て、それぞれまとまって**後根** dorsal roots と**前根** ventral roots となり、これらは合わさって長さ1cmほどの短い神経幹、すなわち**脊髄神経** spinal nerves となる。後根には知覚性の神経細胞を容れている**脊髄神経節**（**B6**）が介在している。ただ第1頸神経の後根は発達が悪く、脊髄神経節をもたないか、もっていても痕跡的である*。

　ヒトでは31対の脊髄神経が数えられ、これらの神経は椎間孔を通って脊柱管から出てくる。左右対をなす脊髄神経はどれも体節を支配している。しかし脊髄自身は体節的になっていない。椎間孔から出る際に神経線維束となって、初めて見かけ上の体節化がなされるという印象を受ける（460頁）。

　脊髄神経 spinal nerves は、さらに**頸神経** cervical nerves、**胸神経** thoracic nerves、**腰神経** lumbar nerves、**仙骨神経** sacral nerves および**尾骨神経** coccygeal nerves に分けられる。頸神経は8対（C_1〜C_8）（第1頸神経は後頭骨と環椎の間から出る）、胸神経は12対（Th_1〜Th_{12}）（第1胸神経は第1と第2胸椎の間から出る）、腰神経は5対（L_1〜L_5）（第1腰神経は第1と第2腰椎の間から出る）、仙骨神経も5対（S_1〜S_5）（第1番のものは第1前および後仙骨孔から出る）、そして尾骨神経は1対（第1と第2尾椎の間から出る）が数えられる。

　もともと脊髄と脊柱管は同じ長さをもっており、したがって各脊髄神経は同じ高さにある椎間孔から出てくるのが当然であるが、発生が進むにつれて脊柱の長さは脊髄より目立って長くなる。その結果として、脊髄の下端はまわりの椎骨と比べてより高く位置するようになる。新生児では脊髄の下端は第3腰椎の高さにあり、成人では第1腰椎ないしは第12胸椎の高さにある。脊髄神経はもはやそれが起こる高さ（の椎間孔）から出るのではなく、その根は脊柱管の中をある距離下行して出るべき孔に達する。脊髄の下（尾）方から出る根ほど、脊柱管内を走る距離は長くなる。したがって、脊髄神経が脊柱管を出る高さとそのもとの脊髄の高さとは一致しないことになる。

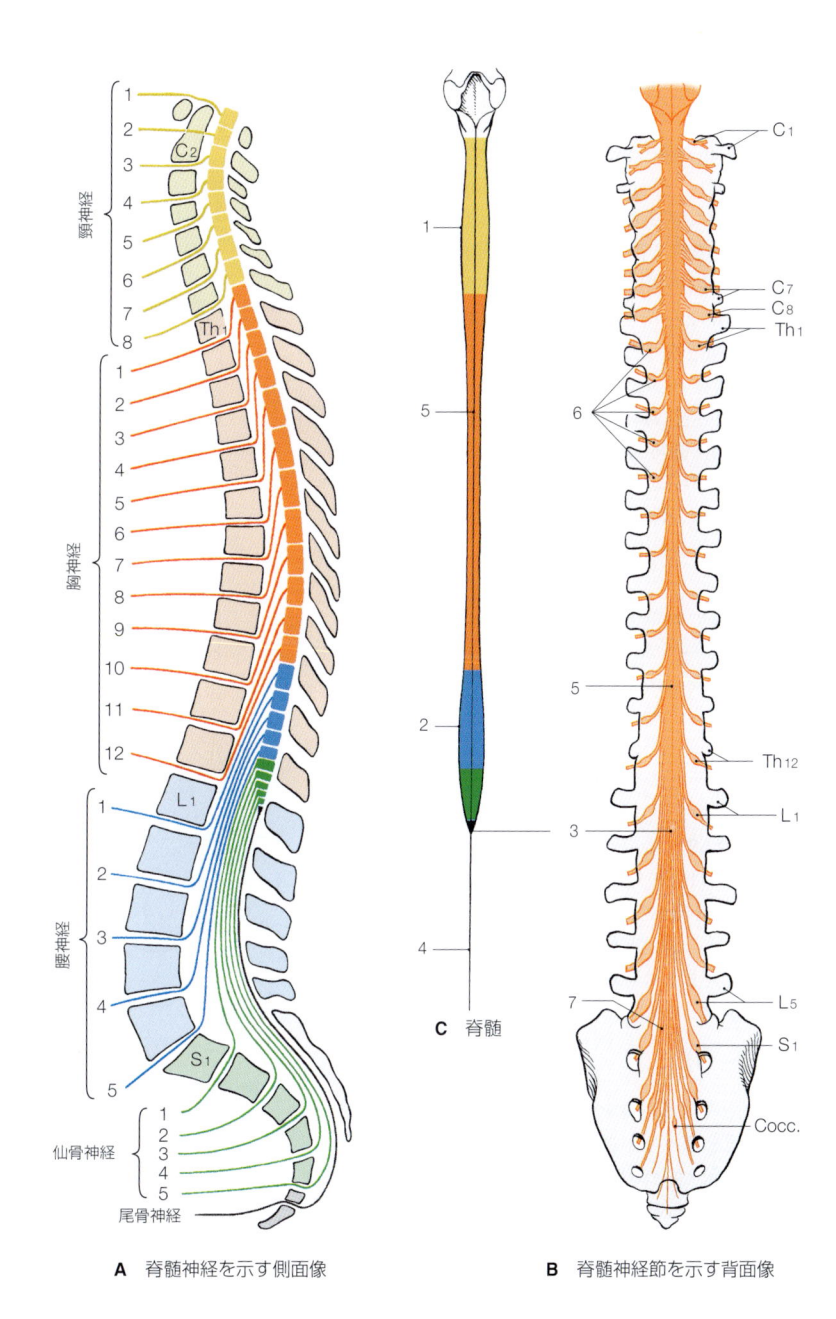

　最後に、**脊髄円錐**（**BC3**）から始まって下行する脊髄神経根の密な塊が脊柱管に含まれている。これらの根は**馬尾**（**B7**）と呼ばれている。

*この部位では診断目的で脳脊髄液が採取される（腰椎穿刺 lumbar puncture、459頁参照）。

A 脊髄神経を示す側面像
B 脊髄神経節を示す背面像
C 脊髄

---

1 頸膨大 cervical enlargement　**2** 腰膨大 lumbosacral enlargement　**3** 脊髄円錐 medullary cone　**4** 終糸 terminal filum　**5** 後正中溝 posterior median sulcus　**6** 脊髄神経節 spinal ganglion　**7** 馬尾 cauda equina

脊髄

構造（A，B）

灰白質 gray matter は脊髄の横断面ではチョウの形に現れ，そのまわりは**白質** white matter（線維路）で囲まれている．灰白質では両側に**後角**（**AB1**）と**前角**（**AB2**）を区別する．これらは脊髄の縦方向に広がって柱を形成し，**後柱** posterior column および**前柱** anterior column となっている．前柱と後柱の間には，**中間質中心部**（**A3**）があり，中央には閉塞した中心管（**A4**）が通る．胸髄では前角と後角の間に**側角**（**AB5**）が入り込む．**後外側溝**（**A6**）からは後根の線維（**AB7**）が入ってくる．前根の線維（**AB8**）は細い束になって脊髄の前面から出ていく．

後角は翼板 alar plate に由来し（感覚性），求心性のニューロンを含んでいる（**B**）．前角は基板 basal plate に由来し（運動性），運動性前角細胞を含み，その遠心性線維は筋へ行く．側角には交感系の自律神経細胞がある（568頁）．

白質は**後索**［**A9**，後中隔（**A10**）から後角まで］，**側索**（**A11**，後角から前根まで）および**前索**［**A12**，前根から前裂（**A13**）まで］に分けられる．後二者は**前側索** anterolateral funiculus としてまとめられる．脊髄の両半側は**白交連**（**A14**）で結ばれている．

反射弓（C～G）

脊髄神経節のニューロンから起こる後根の求心性線維を通って，知覚の興奮は脊髄の後角細胞に伝えられ，さらにこれらの細胞から脳へ興奮が伝わっていく（**C**）．この接続はまた延髄 medulla oblongata でも行われることがある．しかし，求心性線維は前角ニューロンへも行っており，これらのニューロンへ直接に興奮を伝える．このようにして誘発された筋反応は**反射** reflex といわれ，この反射に基づいたニューロン回路を**反射弓** reflex arc（**D**）と呼ぶ．一般には求心性線維は直接には運動ニューロンへ行かず（単シナプス性反射弓 monosynaptic reflex arc ではない）．介在ニューロンがはさまっている（**E**，多シナプス性反射弓 multisynaptic reflex arc）．

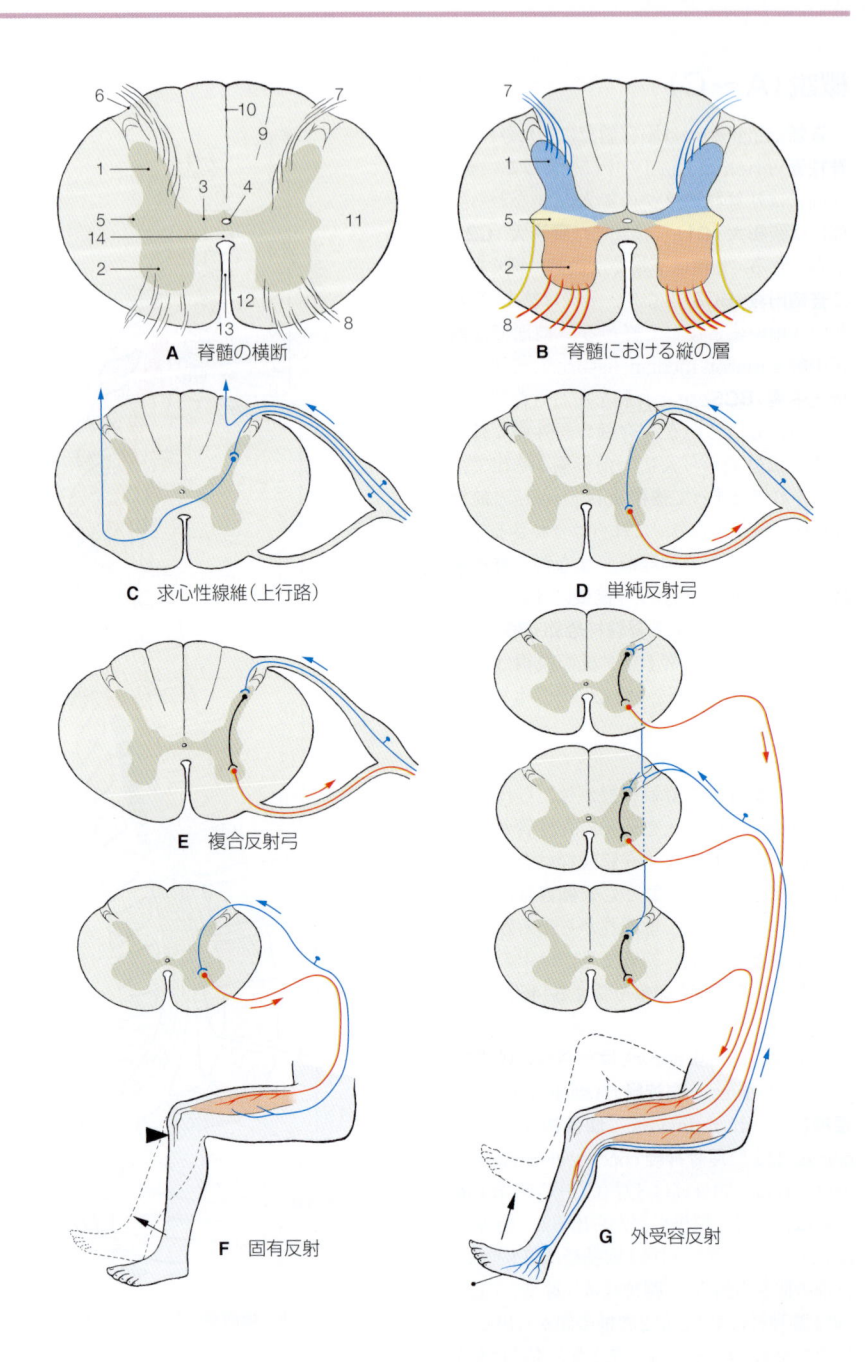

臨床的に重要なのは固有反射（伸張反射 stretch reflex）と外受容反射 exteroceptive reflex（逃避反射 withdrawal reflex）である．**固有反射**（**F**）においては，筋は自身の腱が打たれることにより瞬間的に伸張されると，筋の受容器（579頁）が刺激され，それに対する反応として瞬間的な筋の収縮が起こってくる．この反射はある脊髄の高さで，ほんの少数のニューロンを介して行われる．**外受容反射**（**G**）では，皮膚の受容器が刺激されると（痛み），若干の筋群（主に屈筋群）の共同作用によって逃避運動が起こってくるのである．この際には興奮は脊髄の種々の高さで数多くの介在ニューロンを介して広がっていく．

A 脊髄の横断
B 脊髄における縦の層
C 求心性線維（上行路）
D 単純反射弓
E 複合反射弓
F 固有反射
G 外受容反射

---

1 後角 posterior horn　2 前角 anterior horn　3 中間質中心部 central intermediate substance　4 中心管 central canal　5 側角 lateral horn　6 後外側溝 posterolateral sulcus　7 後根の線維　8 前根の線維　9 後索 posterior funiculus　10 後中隔 posterior median septum　11 側索 lateral funiculus　12 前索 anterior funiculus　13 前裂 anterior median fissure　14 白交連 white commissure

灰白質と固有装置（A～E）

後角 posterior horn は，その大部分を占める**固有核**（**A1**）からなっており，**背核**（**A2**）がこれとは対照的にきわ立ってみえる．固有核の後ろには**膠様質**（**A3**）が接しており，またその後ろには帽子のように**海綿質**（**A4**）がのっている．後角は脊髄の表面とは**後外側路**（**A5**）によって分けられている．後角と前角の間は**中間質外側部**（**A6**）で，その外側には**側角**（**A7**）がある．後角と側角の間では白質との境界はぼやけている（**A8**，網様体）．

前角 anterior horn には運動ニューロンが核群をなして配列している

内側核群：腹内側核（**A9**）と背内側核（**A10**）

外側核群：腹外側核（**A11**），背外側核（**A12**）および後背外側核（**A13**）

頸髄の中心核群：横隔神経核 nucleus of phrenic nerve と副神経脊髄核 spinal nucleus of accessory nerve．

前角には，例えば頸髄では（**B**），体の部位に応じた構成すなわち**体部位局在** somatotopic organization がみられる．これによると内側核群の細胞（**B14**）は後頸部および背部の筋，肋間筋および腹部の筋を支配している．腹外側核の細胞（**B15**）は上肢帯と上腕の筋を，背外側核の細胞（**B16**）は前腕と手の筋を支配している．最後に後背外側核（**B17**）は特に大型の運動細胞をもっており，指の小さな筋を支配している．

前角の腹側野には伸筋群を支配する細胞（**B18**）がみられ，その背側には屈筋群を支配する細胞（**B20**）がみられる．この体部位局在は前角と同じ面で構成されるのではなく，ある高さにわたって分布しており，上肢帯を支配する細胞はより高い面に存在し，その下には上腕を支配する細胞，さらに低い面には前腕と手を支配する細胞が存在している．からだ全体の筋については立位で示した図解のようである（**C**）．

ある秩序立った運動が発現するには，ある筋群の収縮と同時に，それらの拮抗筋が弛緩しなければならない．これはそれに応じた前角細胞の抑制によって達成される（**D**）．例えば，伸筋を支配するあるニューロン（**D18**）がインパルスを先へ伝える際，このインパルスは軸索側副枝を介して同時に抑制性介在ニューロンすなわち**レンショウ**（Renshaw）**細胞**（**D19**）へも伝達され，この細胞が屈筋を支配するニューロン（**D20**）を抑制するのである．

脊髄の固有装置（E）

もう一種の介在ニューロンは同側または反対側の数節にわたって興奮が拡大するのを助けている．その上行および下行線維は灰白質のすぐ近くの基礎束（脊髄），**固有束**（**E21**）の中を走っている．一般にはこの上行および下行線維は一つまたは2つの神経根の高さに達するのみであるが，固有束には頸髄と腰髄を結ぶような長い線維も含まれている（ネコ，サル）．これらの線維は運動性前角細胞に興奮性または抑制性のインパルスを伝達し，このことは歩行の際の前肢と後肢の協調運動にとっては重要なことである．後外側路（Lissauer 路）（**E5**）の線維の半分は固有装置の線維である．

A 灰白質と脊髄神経根

B 頸髄灰白質の体部位局在

C 灰白質の体部位局在，概観（Bossy による）

D 脊髄におけるニューロン回路

E 固有束

---

1 固有核 nucleus proprius　2 背核 dorsal thoracic nucleus (Clarke)　3 膠様質 gelatinous substance (Rolandi)　4 海綿質 spongy bone　5 後外側路 dorsolateral fasciculus (Lissauer)　6 中間質外側部 lateral intermediate substance　7 側角 lateral horn　8 網様体 reticular formation　9 腹内側核 ventromedial nucleus　10 背内側核 dorsomedial nucleus　11 腹外側核 ventrolateral nucleus　12 背外側核 dorsolateral nucleus　13 後背外側核 retrodorsal lateral nucleus　14 内側核群の細胞の局在部位　15 腹外側核の細胞の局在部位　16 背外側核の細胞の局在部位　17 後背外側核の細胞の局在部位　18 前角の腹側野（伸筋群を支配するニューロンがある）　19 レンショウ（Renshaw）細胞　20 前角の背側野（屈筋群を支配するニューロンがある）　21 固有束 fasciculi proprii

脊髄の横断面（A〜D）

横断面（左側半は髄鞘染色，右側半は神経細胞染色）は高さによって非常に異なる．頸膨大と腰膨大のところでは，その他の脊髄の部分よりも横断面は広く，特にC_4〜C_5およびL_4〜L_5の高さで最も広い．両膨大には体肢を支配する多数のニューロンがあるため，灰白質が拡大している．

白質は頸部で最も増大しており，尾方へ行くにつれて次第に減少する．その理由は，上行性の知覚路は仙髄から頸髄に向かう間に，つけ加わってくる線維により太くなってくるが，下行性の運動路は頸髄から仙髄へ向かい種々の高さで線維が終わるため次第に細くなっていくからである．

灰白質の蝶の形は高さによってその形が変わってくる．また**後外側路**（Lissauer）も高さによって変化する（**A〜D1**）．

後角 posterior horn は頸髄では狭く，帽状の海綿帯（**A2**，背側辺縁核）をつくって終わる．後角と前角の間にある外側の角は網様体（**AC3**）で占められている．膠様質（**A〜D4**）は小さな，ペプチド作動性の神経細胞をもっていて，様々な種類の後根線維が終わり，加えて脳幹から下行する線維にも接続している（縫線核，480頁B28；網様体，499頁）．これらのニューロンの無髄性の突起はリッソウア Lissauer 神経路（後外側路）に入り，4つまでの神経根の高さを上行または下行して再び膠様質の中に入る．突起の一部は外側脊髄視床路に走り，視床に向かう（584頁）．**背核**（クラーク Clarke 柱）（**AB5**）には，筋（筋紡錘）からの固有受容性知覚の線維が終わっており，ここから小脳へ行く伝導路が始まる．胸髄では灰白質は全体的に減少し，後角は薄いが，背核は著明である．腰・仙髄のずんぐりした後角では，膠様質（**CD4**）が強く拡大し，その背側に細い帯状の海綿帯が接している（**CD2**）．

側角 lateral horn が胸髄で**中間質外側部**（**B6**）から突出している．ここには主に血管運動 vasomotion を支配する交感性の神経細胞が含まれており，その遠心線維は後根を通っても出ていくという．その内側には交感性神経細胞をもつ**中間内側核**（**B7**）がある．仙髄では副交感性神経細胞が集まって，中間外側核と中間内側核（**D8**）をつくっている．

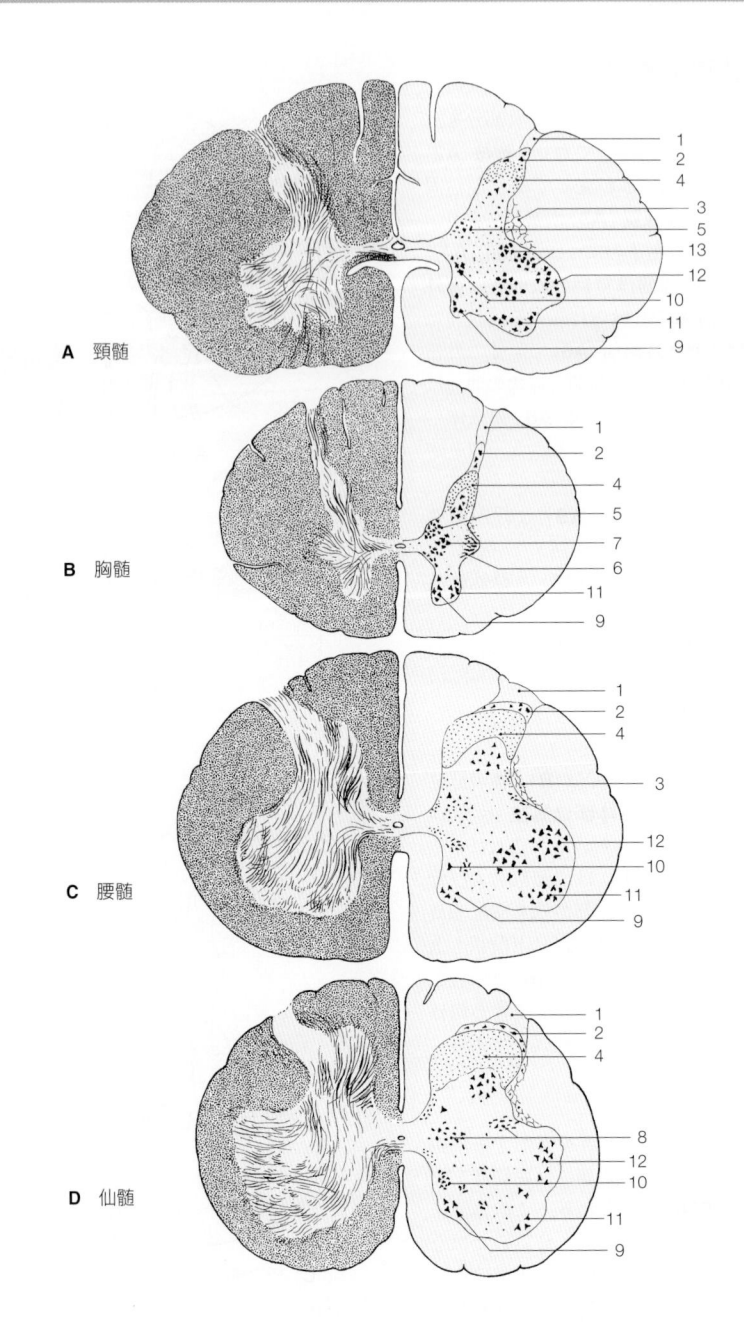

前角 anterior horn は頸髄では広く突出し，大型の運動細胞はすべてコリン作動性で，数種類の核に分けられる：

内側核群［腹内側核（**A9**）と背内側核（**A10**）］

外側核群［腹外側核（**A11**），背外側核（**A12**）および後背外側核（**A13**）］．

上肢を支配する領域では胸髄と比べて前角ははるかによく分化している．ちなみに胸髄ではごく少数の細胞群が認められるにすぎないのである．下肢を支配する腰・仙髄の前角は拡大してずんぐりした形をとり，また頸髄と同様に数種類の核群を含むようになる．

A 頸髄
B 胸髄
C 腰髄
D 仙髄

1 後外側路 dorsolateral fasciculus (Lissauer)　**2** 海綿帯（背側辺縁核）Zona spongiosa (dorsomarginal nucleus)　**3** 網様体 reticular formation　**4** 膠様質 gelatinous substance (Rolandi)　**5** 背核 dorsal thoracic nucleus (Clarke)　**6** 中間質外側部 lateral intermediate substance　**7** 中間内側核 intermediomedial nucleus　**8** 中間外側核と中間内側核 intermediolateral nucleus, intermediomedial nucleus　**9** 腹内側核 ventromedial nucleus　**10** 背内側核 dorsomedial nucleus　**11** 腹外側核 ventrolateral nucleus　**12** 背外側核 dorsolateral nucleus　**13** 後背外側核 retrodorsal lateral nucleus

上行路（A～D）

前側索路（A）

外側脊髄視床路（A1）．脊髄へ入ってくる乏髄性の後根線維（A2）（知覚路の第1ニューロン）は後外側路 dorsolateral fasciculus（Lissauer）で分かれて，後角の膠様質 gelatinous substance の細胞に終わる．これらの細胞からこの伝導路の線維が始まり，白交連を通って交叉し反対側へ行き，側索の腹側部の中を視床まで上行する（第2ニューロン）．この路は痛覚や温度覚といった外および固有受容性インパルスを伝える．この伝導路には体部位局在が認められる：すなわち仙髄（S）および腰髄（L）からの線維は背外側を走り，胸髄（Th）および頸髄（C）からの線維は腹内側を走る．痛覚を伝える線維はおそらく表層にあり，温度覚を伝えるものはより深部にあるとされている．

前脊髄視床路（A3）．入ってくる線維（A4）（第1ニューロン）は上行枝と下行枝に分かれて，後角細胞に終わる．この細胞の線維は交叉して反対側の前索へ行き，視床まで上行する（第2ニューロン）．この路は粗雑な圧覚と触覚を伝え，上記の外側脊髄視床路とともに**原始性知覚** protopathic sensibility の伝導路として，ひとまとめにされる（584頁）．

脊髄視蓋路（A5）は痛覚線維を中脳蓋へ導く（痛みに際して瞳孔が収縮するのに関与する）．

後索路（C, D）

薄束（ゴル）（C6）と**楔状束（ブルダッハ）（C7）**．太くて髄鞘の厚い線維が中断されることなく，後索の中を上行する．これらの線維は知覚路の第1ニューロンに属し，後索核の神経細胞（第2ニューロン）に終わる（496頁B5, B6）．これらの線維は**識別性知覚** epicritic sensibility の外受容性ならびに固有受容性インパルス（外受容性：触覚の局在と質についての情報，固有受容性：体肢の位置と姿勢についての情報）を伝えるのである．後索には体性局在が認められる：すなわち仙髄からの線維は内側を走り，腰部と胸部からの線維はその外側を並んで走る（薄束）．Th_3～C_2からの線維は薄束の外側に位置し，楔状束をつくっている．

上行線維からは短い下行性の側副枝（C8）が出ている．この側副枝は後角細胞に終わり，まとまった束をつくるが，頸髄ではシュルツのコンマ（束）（D9，束間束），胸髄下部より腰髄ではフレクシヒの卵円野（D10，中隔縁束），仙髄ではフィリップ・ゴンボウルの三角（D11）といわれる．

小脳側索路（B）

後脊髄小脳路（フレクシヒ）（B12）．脊髄に入ってくる後根線維（第1ニューロン）は**背核（クラーク）（B13）**の細胞に終わるが，これらの細胞（第2ニューロン）からこの伝導路が始まる．この路は同側の側索の辺縁部を通って小脳へ行き，主に固有受容性インパルス（関節，腱および筋紡錘からの）を伝える．

A 外側および前脊髄視床路

B 前および後脊髄小脳路

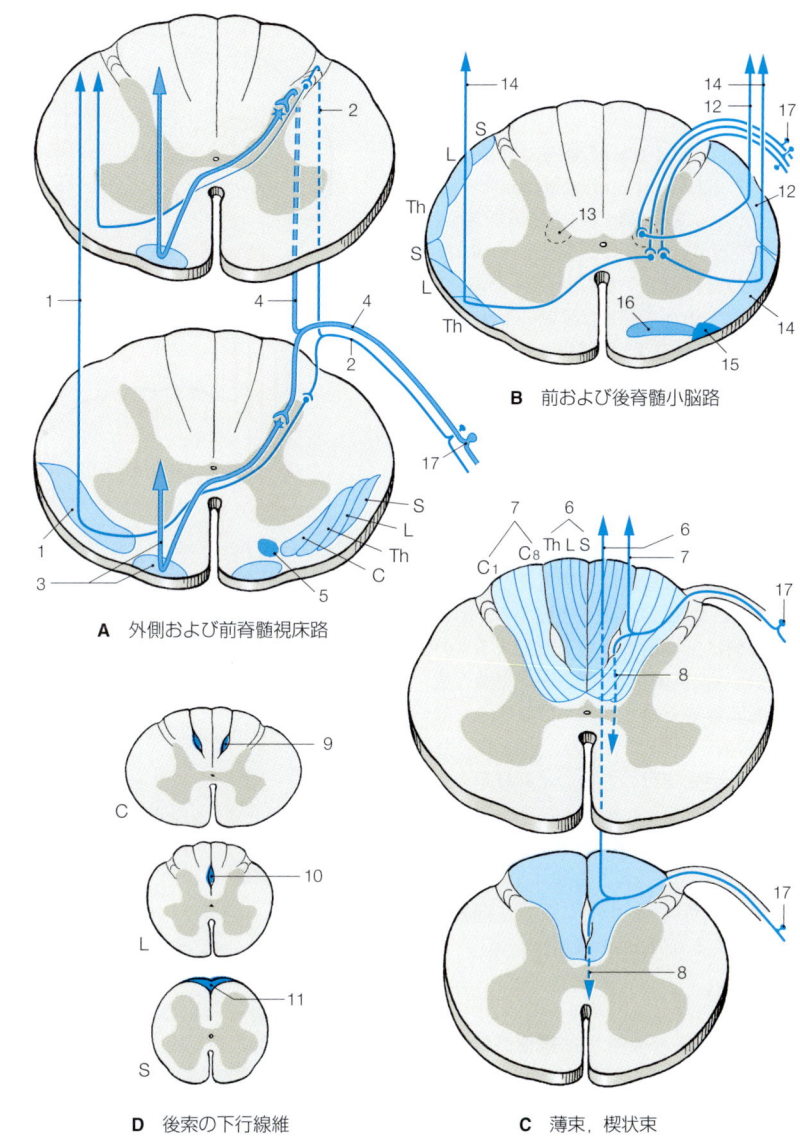

C 薄束，楔状束

D 後索の下行線維

前脊髄小脳路（ガワース）（B14）．起始核は後角にある．その線維（第2ニューロン）は同側および交叉して反対側の脊髄の腹外側縁を上行して小脳に達し，外および固有受容性インパルスを小脳へ送り込む．これら両小脳路は体性局在的に構成されている．すなわち仙髄からの線維は背側に，腰および胸髄からの線維はその腹側に位置する．

脊髄オリーブ路（B15）と**脊髄前庭路（B16）**は頸髄の後角に始まり，主に固有受容性インパルスを（下）オリーブ（核）inferior olivary nucleus と前庭神経（外側）核 lateral vestibular nucleus に伝える．

A～C17は脊髄神経節の神経節細胞（第1ニューロン）（462頁A7）．

---

1 外側脊髄視床路 lateral spinothalamic tract　2 後根線維（外側脊髄視床路に接続する）dorsal root fibers　3 前脊髄視床路 anterior spinothalamic tract　4 後根線維（前脊髄視床路に接続する）dorsal root fibers　5 脊髄視蓋路 spinotectal tract　6 薄束 gracile fasciculus (Goll)　7 楔状束 cuneate fasciculus (Burdach)　8 下行性の側副枝（薄束と楔状束線維の）descending collaterals　9 シュルツのコンマ束（束間束）comma tract of Schultze (interfascicular fasciculus)　10 フレクシヒの卵円野（中隔縁束）oval area of Flechsig (Fasciculus septomarginalis)　11 フィリップ・ゴンボールの三角 triangle of Philippe-Gombault　12 後脊髄小脳路 posterior spinocerebellar tract (Flechsig)　13 背核 dorsal thoracic nucleus (Clarke)　14 前脊髄小脳路 anterior spinocerebellar tract (Gowers)　15 脊髄オリーブ路 spinoolivary tract　16 脊髄前庭路 spinovestibular tract　17 脊髄神経節の神経節細胞 ganglion cells in the spinal ganglion

下行路（A～C）

皮質脊髄路，錐体路（A）

錐体路 pyramidal tract の線維は大多数その起始が中心前回 precentral gyrus とその前方に横たわる皮質（第4および第6野 Area 4と6；575頁 A1, A2）にある．一部の線維は頭頂葉の皮質領域からも出るといわれている．全体の80％の線維は延髄の下部で交叉して（**A1**，錐体交叉）反対側へ行き，**外側皮質脊髄路**（**A2**）となって側索の中を走る．残りの線維は交叉しないで，**前皮質脊髄路**（**A3**）として前索を通って下行し，これらの線維が終わる高さで初めて交叉する．錐体路線維の半数以上は頸髄に終わり上肢を支配し，1/4は腰・仙髄に終わり下肢を支配している．側索では体性局在的構成が認められる．これによると，下肢を支配するための線維は外側に，体幹と上肢を支配するものはもっと内側に位置している．ヒトや類人猿以外の哺乳動物では，これらの線維は大部分が介在ニューロンに終わり，ついでこれらの細胞は随意運動のためのインパルスを前角運動ニューロンに伝えるのである．しかし，これらの線維は単に興奮を前角ニューロンに伝えるだけでなく，介在ニューロンを経てこれら前角ニューロンに皮質性抑制をかけるのである（575, 580頁）．

錐体外路（B）

脳幹からの下行線維系は**錐体外路** extrapyramidal tract としてまとめられており，この系は運動機能に影響を与える（576頁）．

前庭脊髄路（**B4**）（平衡，筋緊張）
前網様体脊髄路（**B5**）（橋から）橋網様体脊髄路）
- **外側網様体脊髄路**（**B6**）（延髄から）
- **被蓋脊髄路**（**B7**）（中脳から）

赤核脊髄路（**B8**）（ヒトでは大部分が被蓋脊髄路によってとってかわられている）および**視蓋脊髄路**（**B9**）は頸髄に終わり，頭と上肢の分化した運動機能にのみ影響を及ぼす．**内側縦束**（**B10**）は脳幹のいろいろな線維系を含んでいる（497頁）．

自律神経路（C）

自律神経路 autonomic pathways は乏髄性ないしは無髄の線維からなっており，ごくまれにしかまとまった束をつくらない．**上衣傍路**（**C11**）は中心管の両側を走る．この中の上行および下行線維は間脳（視床）まで追跡することができ，生殖機能，排尿および排便に関するインパルスを伝えるという．錐体側索路（外側皮質脊髄路）の腹側には，血管収縮と発汗のための下行路（**C12**）が走っている．この神経路には錐体側索路と同じような体性局在を示す構成がみられる．

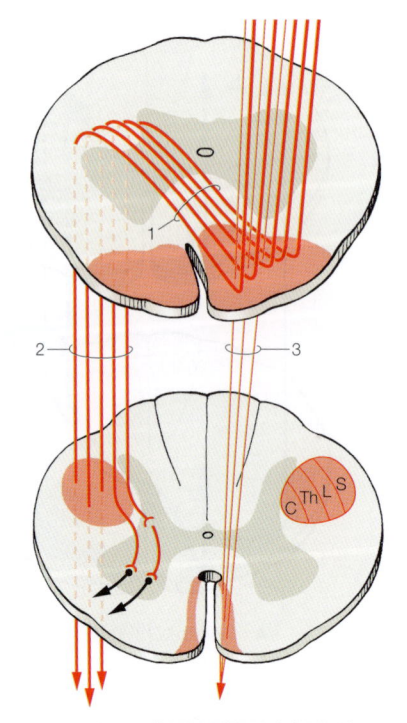

伝導路の呈示（D, E）

種々の伝導路系を正常の脊髄の横断面で認識することは不可能である．ただ特殊な条件下で，すなわち実験的な横断とか，脊髄損傷の場合あるいは発生の過程では，個々の伝導路がみえるようになる．発生の過程で，伝導路はそれぞれ異なった時期に髄鞘形成が完成するため，それらはほかのものとは際立ってみえる．例えば遅れて髄鞘形成が完了する錐体路などである（**D2**）．損傷を受けると，核周部から切り離された遠位の線維は変性を起こし，そのため脊髄でこれら変性線維が走っている領域がみえるようになる．例えば薄束などがそうである（**E13**）．

臨床関連：運動路の発達とともに（小児期以後ではみられなくなる），子どもの反射が形成される．この反射は，中枢神経系（錐体路）の障害の際に再び出現することがある．その一例がバビンスキー反射（足底の外側縁を引っ掻くと，拇指が背屈する現象）である．この反射の惹起できることは，成人の場合には錐体路障害の診断に役立つ．

A 前および外側皮質脊髄路（錐体路）
B 下行路
C 植物神経路
D 乳児における無髄錐体路
E 脊髄損傷時の薄束の変性

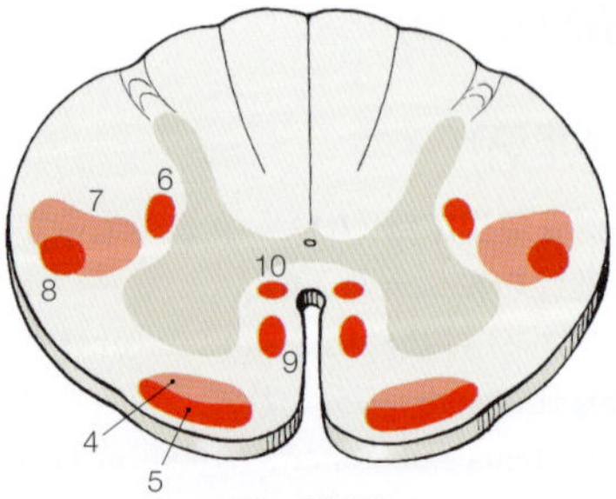

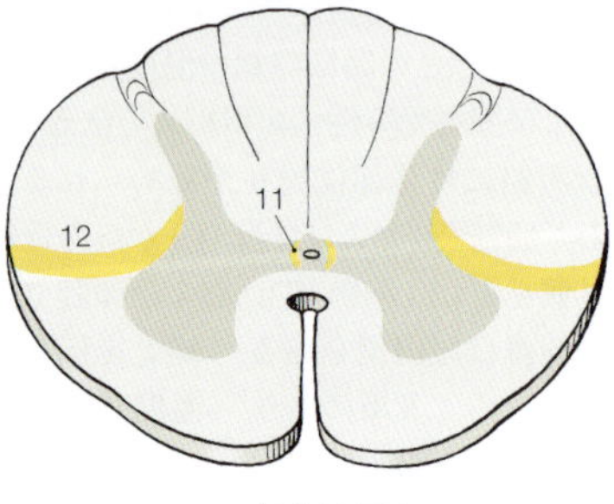

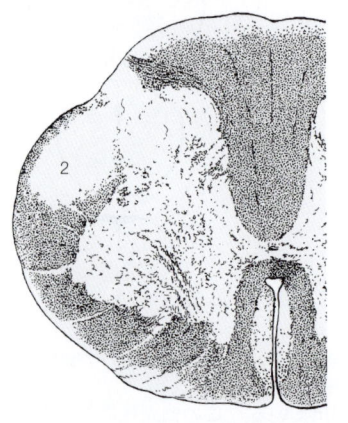

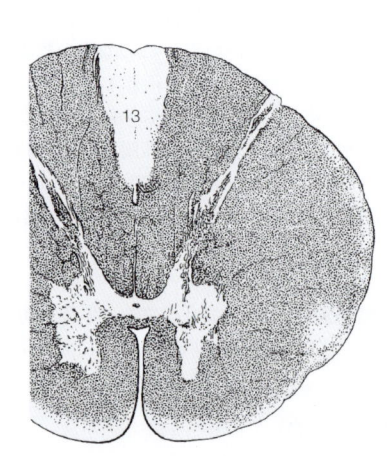

1 錐体交叉 pyramidal decussation　2 外側皮質脊髄路 lateral corticospinal tract　3 前皮質脊髄路 anterior corticospinal tract　4 前庭脊髄路 lateral vestibulospinal tract　5 前網様体脊髄路（橋網様体脊髄路）anterior reticulospinal tract（pontine reticulospinal tract）　6 外側網様体脊髄路 lateral reticulospinal tract　7 被蓋脊髄路 tegmentospinal tract　8 赤核脊髄路 rubrospinal tract　9 視蓋脊髄路 tectospinal tract　10 内側縦束 medial longitudinal fasciculus　11 上衣傍路 parependymal tract　12 フェルスター（Foerster）の自律性下行路（血管収縮と発汗のための）　13 薄束 gracile fasciculus

脊髄の血管（A～E）

脊髄への血液の供給源は2つある．すなわち椎骨動脈と分節性動脈（肋間動脈 intercostal artery，腰動脈 lumbar artery など）である．

椎骨動脈（A1）は左右が合する前にそれぞれ細い後脊髄動脈 posterior spinal artery を出す．この動脈は脊髄の後面で小動脈からなる血管叢をつくる．錐体交叉の高さでもう2本の枝が椎骨動脈から出て，これらは合流して**前脊髄動脈（AD2）**となる．この動脈は脊髄前面の前正中裂の入口に沿って走っている．

分節性動脈（C3）．これらの動脈の背枝（C4）と椎骨動脈から，**脊髄枝（C5）**が分かれ出て，椎間孔を通り脊髄根と脊髄の被膜に分布し，脊髄根に従って後根動脈と前根動脈に分かれる．31対の脊髄枝のうち8～10本だけが脊髄に達し，血液供給の役割を果たしている．これらの根動脈 radicular arteries が脊髄に到達する高さはいろいろであって，またその血管の太さもさまざまである．多くの場合，最も太い根動脈は第12胸髄と第3腰髄の間の腰膨大の高さで左側にみられる（**A6，大［脊髄］根動脈**）．

前脊髄動脈は頸および腰膨大の高さで最も太くなってくる．中間の胸髄ではその太さは著しく減じている．そして問題は血液を供給している2本の根動脈の間の境界部であって，この脊髄の区間（胸髄）は血行障害に際してことに被害を受けやすい（**A**，矢印）．根動脈の変異によっては，ほかの脊髄の部位にもこのことがあてはまる．

前脊髄動脈からは多数の細い動脈が前正中裂へ出ていく．これらの動脈を**溝交連動脈（D7）**という．頸・胸髄ではこれらの動脈は白交連のところで交互に左右に折れ曲って一側の脊髄へ入るが，腰・仙髄では2枝に分かれる（脊髄の両側へ入る）．そのほか前脊髄動脈からは後脊髄動脈との吻合枝が出るため，脊髄は一つの血管輪によって囲まれることになる（**D8，動脈性血管冠**）．この血管冠からは白質へ向かって血管が入り込んでいる．墨汁注入標本によると，灰白質の方が白質より密な血管分布を示すことがわかる（**D**）．

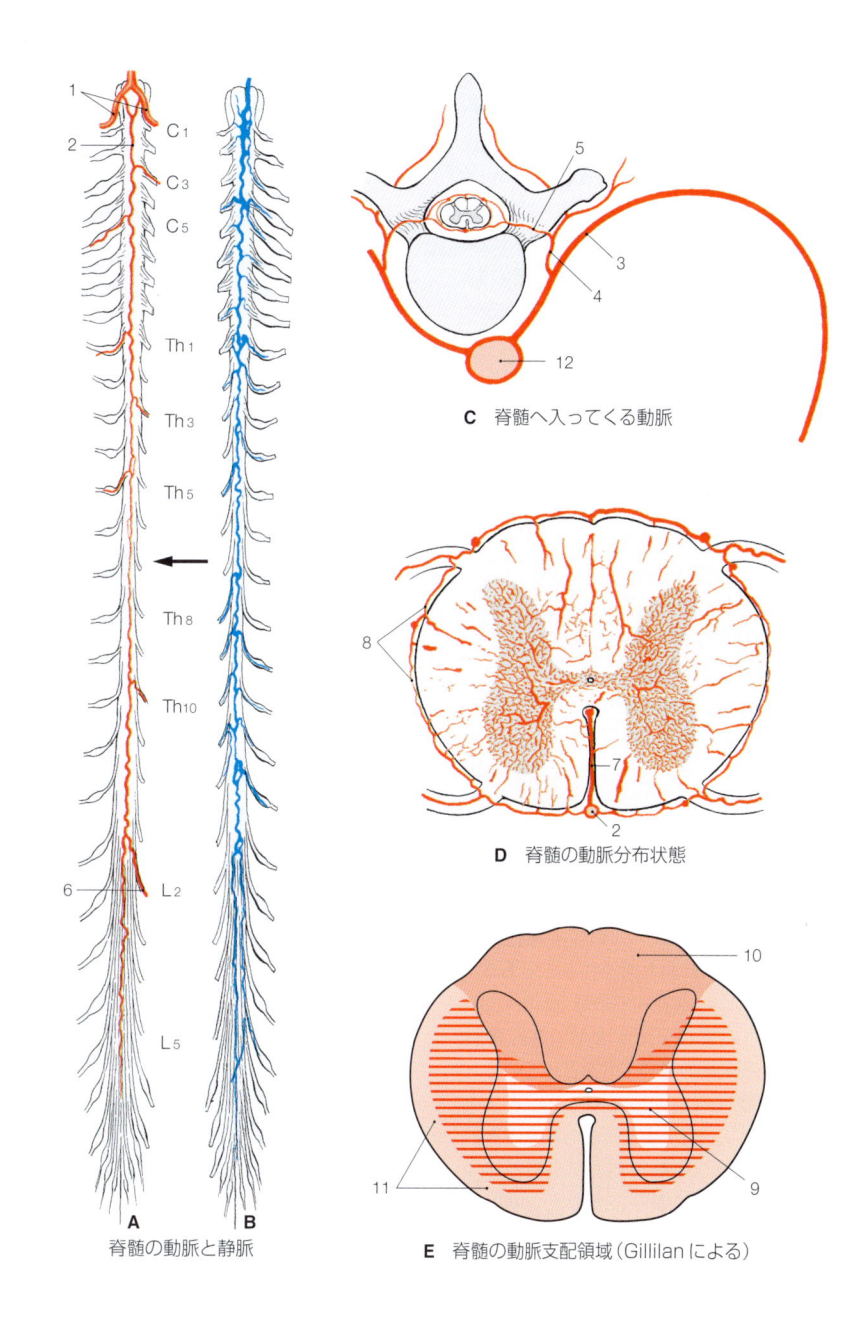

A 脊髄の動脈と静脈
B

C 脊髄へ入ってくる動脈

D 脊髄の動脈分布状態

E 脊髄の動脈支配領域（Gillilanによる）

支配領域（E）．前脊髄動脈は前角，後角の基底部および前側索の大部分に分布している（**E9**）．後索と後角の残りの部分は**後脊髄動脈の分布領域である（E10）**．前側索の辺縁部は血管冠の血管叢から血流を受けている（**E11**）．

脊髄の静脈（B）は静脈網をつくっている．

これには前脊髄静脈 anterior spinal vein と2本の後脊髄静脈 posterior spinal veins が関与する．この静脈網から出ていく静脈は脊髄根とともに走って硬膜上にある内椎骨静脈叢 internal vertebral venous plexus に開いている（Ⅱ章参照）．脊髄の静脈は硬膜を通り抜けるまでは弁をもたない．

---

1 椎骨動脈 vertebral artery　2 前脊髄動脈 anterior spinal artery　3 分節性動脈 segmental arteries　4 背枝 dorsal rami　5 脊髄枝 spinal rami　6 大［脊髄］根動脈 great segmental medullary artery　7 溝交連動脈 sulcocommissural arteries　8 動脈性血管冠 arterial vasocorona　9 前脊髄動脈（anterior spinal artery）の分布領域
10 後脊髄動脈（posterior spinal artery）の分布領域　11 動脈性血管冠（plexus of the vasocorona）の血管叢から給血される領域　12 大動脈 aorta

脊髄神経節と後根（A〜H）

　脊髄の後根は紡錘状に膨らんだ**脊髄神経節** spinal ganglion（**A**）をもっている．これは知覚性ニューロンの細胞体が集積しているところであって，その突起は2分して，1枝は末梢へ，もう1枝は脊髄内へ送り込まれる（462頁A7）．これらの神経細胞体は細胞巣または細胞列をなして神経線維束の間にみられる．

　脊髄神経節の発生（C）．これらの細胞は**神経板**（**C1**）の外側領域から出てくるものであるが，神経管 neural tube の形成には関与せず，**神経堤**（**C2**）として両側にとどまっている．したがって脊髄神経節は末梢へ転移した脊髄の灰白質ということができる．さらに神経堤に由来するものとして，自律神経節の細胞，パラガングリオンの，そして副腎髄質の細胞などがある．

　脊髄神経の神経周膜の続きである脊髄神経節の被膜（**A3**）からは，結合組織が内部へ入り込み，各ニューロンのまわりを覆っている（**B4**）（神経節内結合組織）．しかしながら，最も内側で包むものは外胚葉性の衛星細胞（**BE5**）であって，それらのまわりには1枚の基底膜がみられる．この衛星細胞は末梢神経のシュワン細胞と同等のものである．髄鞘をもち，からみ合って糸球 glomerulus をつくるような突起を出す大型の神経細胞（**B6, E**）は，全細胞数の1/3を占めている．これらの細胞は識別性感覚のインパルスを伝える（583頁）．残りは乏髄性あるいは無髄の神経線維をもつ中等大および小型の神経［節］細胞からなっており，これらの細胞は痛覚刺激および腸管からの知覚を伝えるという．多極性神経細胞も現れる．

　神経節細胞の発生（D）．脊髄神経節細胞はもともとは双極性細胞である．発生の過程で両側の突起が合一して1本の幹となり，これがやがてT字状に分かれたものであって，**偽単極性神経細胞** pseudounipolar nerve cells といわれる．

　後根 dorsal roots は前根より太い．後根は種々の直径の線維を含んでいるが，その2/3は乏髄または無髄線維である．細い乏髄あるいは無髄線維は固有受容性感覚（584頁）のインパルスを伝えるものであって，後根の外側部を通って脊髄へ入ってくる（**F7**）．太い有髄線維は識別性感覚のインパルスを伝え，後根の内側部を通って脊髄へ入ってくる（**F8**）．

　後根の脊髄進入部では，髄鞘が細い帯状をなして薄くなっているため，この部の線維は無髄のようにみえる．この部位は中枢神経系と末梢神経系との境界とみなされている（**G**）（**レートリヒ・オーベルシュタイナー帯** Redlich-Obersteiner zone）．しかし，電子顕微鏡像（**H**）でのこの両系の境界はレートリヒ・オーベルシュタイナー帯とは厳密には一致しない．この境界は脊髄へ進入する直前にある各軸索の最後のランヴィエの絞輪なのである．末梢の髄鞘はこの絞輪までは基底膜（**H**で青で描出）で覆われている．この絞輪の次の輪間部にはもはや基底膜はない．無髄線維でもこの境界はまわりにあるシュワン細胞の基底膜でもって決められる．基底膜は軸索だけが通過するような境界をつくっているわけである．

A 脊髄神経節　　**B** Aの一部の拡大

C 脊髄神経節の発生

D 偽単極性神経節細胞の発生

E 脊髄神経節細胞

F 後根

G レートリヒ・オーベルシュタイナー帯

H 後根の電子顕微鏡像による模式図（Andres による）

---

1 神経板 neural plate　**2** 神経堤 neural crest　**3** 脊髄神経節の被膜 capsule of the spinal ganglion　**4** 神経節内結合組織 endoganglionic connective tissue　**5** 外套細胞または衛星細胞 satellite cells（神経節膠細胞 ganglionic gliocytes）　**6** 脊髄神経節ニューロン neuron of the spinal ganglion　**7** 細い乏髄ないし無髄線維 thin poorly myelinated or unmyelinated fibers　**8** 太い有髄線維 thick myelinated fibers

脊髄髄膜（A～D）

脊髄は脊柱管の中で3枚の結合組織性の被膜で包まれている：すなわち**硬膜**（**A1**）および柔膜：広義の軟膜 leptomeninx であって、後者は**クモ膜**（**A2**）と**軟膜**（**A3**、狭義の）からなる．

脊髄硬膜 spinal dura mater は外側の被膜であって，脊柱管の内張りをしている骨膜様の**脊柱内膜**（**A4**）とは**硬膜上腔**（**A5**）という腔隙によって分けられている．この腔は脂肪組織で満たされ，よく発達した内椎骨静脈叢 internal vertebral venous plexus を含んでいる（II章参照）．硬膜は尾方では**硬膜嚢**（**B6**）をつくっている．この嚢は**馬尾**（**B7**）を包み，最後は細く索状となり，終糸 filum terminale とともに尾骨の骨膜に達する（**B8**、脊髄硬膜糸）．吻側端つまり後頭骨の大［後頭］孔 foramen magnum のところでだけ，硬膜嚢は骨膜に付着している．硬膜上腔は脂肪組織，静脈およびリンパ管を含んでおり，脊柱と頭の運動につれて動かされる硬膜嚢のための，すべりクッションとなっている．頭を前屈するときには硬膜嚢は上へ引き上げられ，その際，頸髄には機械的な無理がかかる：つまり，頭を前屈するときには脊髄根と血管は伸ばされ（**D9**），頭を後方へもたげる（後傾する）ときには，脊髄根と血管は逆に押しつけられる（**D10**）．

硬膜の内面には**脊髄クモ膜**が密接してみられる．クモ膜は脳脊髄液を満たす**クモ膜下腔**（**AC11**）を囲んでいる．硬膜の内面とクモ膜の間には，**硬膜下隙** subdural space という毛細隙があるが，これは病的条件下（硬膜下出血 subdural hemorrhage）においてのみ拡大して真の腔となる．硬膜とクモ膜は脊髄（神経）根（**AC12**）に伴って，これらとともに椎間孔へ入り込み，脊髄神経節（**A～C13**）をも包んでいる．この漏斗状の根を包む袋（根嚢 Wurzeltasche）はその近位部ではまだ脳脊髄液を含んでいる．硬膜はそののち脊髄神経の**神経上膜**（**A14**）に，クモ膜はその**神経周膜**（**A15**）に移行する．根が脊柱管を出る部分すなわち**根神経**（**AC16**）は，頸髄と仙・腰髄では斜め下方に向かって走り，中間の胸髄ではこれと異なって斜め上方に向かう走り方をする（**C**）．

脊髄軟膜 spinal pia mater は脊髄の浅神経膠境界膜 superficial glial limiting membrane に密着している．ここに中胚葉性被膜と外胚葉性の神経組織の境界があることになる．軟膜は多数の小さな血管を含んでおり，これらは表面から脊髄の中へ入り込んで行く．脊髄の両側では，軟膜から**歯状靱帯**（**A17**）という結合組織の板が出て硬膜に向かい，個々に歯のようになって硬膜に付着している．この靱帯は頸髄から腰髄の中間部にまで達しており，脳脊髄液の中に浮かぶ脊髄をその（正しい）位置に固定しているのである．

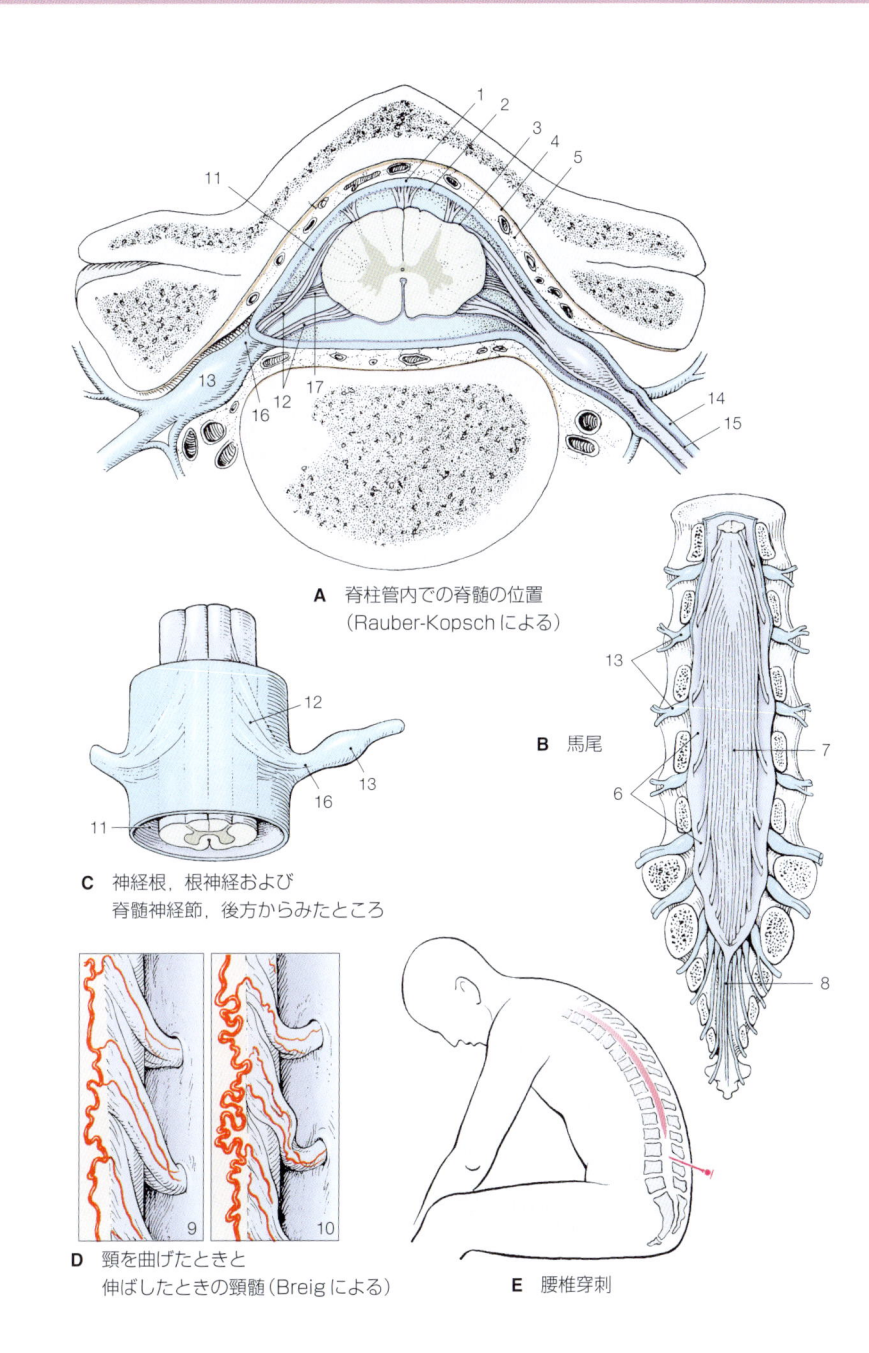

A 脊柱管内での脊髄の位置（Rauber-Kopsch による）

B 馬尾

C 神経根，根神経および脊髄神経節，後方からみたところ

D 頸を曲げたときと伸ばしたときの頸髄（Breig による）

E 腰椎穿刺

臨床関連：馬尾の線維だけを含む硬膜嚢の下部から，無菌条件下に脳脊髄液を診断の目的で危険なく採取することができる．このためには，患者にからだを前屈させ第2ないし第5腰椎の棘突起の間に針を刺入し，脳脊髄液が滴下するようになるまで深部へ針を進めていくのである（**E**、腰椎穿刺 lumbar puncture）．

---

1 (脊髄の)硬膜 Pachymeninx または dura mater　2 クモ膜 arachnoid mater　3 軟膜 pia mater　4 脊柱内膜 Endorhachis　5 硬膜上腔 epidural cavity　6 硬膜嚢 dural sac　7 馬尾 cauda equina　8 脊髄硬膜糸 dural part of filum terminale　9 頭を前屈したときの頸髄の状態　10 頭を後傾したときの頸髄の状態　11 クモ膜下腔 subarachnoid cavity　12 脊髄（神経）根 spinal roots　13 脊髄神経節 spinal ganglion　14 神経上膜 epineurium　15 神経周膜 perineurium　16 根神経 radicular nerve　17 歯状靱帯 dentriculate ligament

分節的神経分布（A～C）

分節構造 metamerism

脊髄動物のからだは，頭部を例外として，もともと分節 segments あるいは体節 metameres に分かれている．このような分節的構成の名残りはヒトでも椎骨，肋骨および肋間筋に認められる．この分節構造は中胚葉の組織（**筋板** myotomes，**硬板** sclerotomes）にだけみられるのであって，外胚葉由来の組織にはみられない．したがって脊髄は分節が認められるのではなくて，ただ個々の脊髄根の出入りの高さが分節的になっているにすぎない．脊髄から出る線維は分節的な椎間孔を通る際に脊髄神経としてまとまるため，二次的なみかけの分節化が起こる．脊髄神経の知覚線維は帯状の皮膚領域を支配しており，この領域は，筋板や椎板に類似して，**皮節** dermatomes といわれているが，もちろんこれら皮節は二次的な分節的構成なのである．皮節は根神経支配の現れである．

> **臨床関連**：皮節は脊髄損傷の高さを診断するのに大きな意義をもっている．ある一定の皮節における感覚の脱落は，脊髄の一定の高さのところに障害のあることを示す．簡単な手がかりは，Th_4 と Th_5 の境界とみなされる両側の乳頭を通る線と，L_1 と L_2 の境界とみなされる鼠径屈（ももの付け根）である．第1頸神経根は体表面の感覚には関与しない．というのはこれには脊髄神経節が全くないか，あってもごく痕跡的でしかないからである．

皮膚感覚の種々の質，例えば触覚や痛覚，さらに発汗または立毛筋反応についても，それぞれ幾分異なった分節の境界が明らかになっている．**A** は椎間円板ヘルニア protrusions of intervertebral discs のときの **知覚消失**（hypesthesia）によってつくられたものであるが，この図は体幹では輪状に走る皮節が体肢では長く引きのばされていることを示している．その際，皮節は部分的に正中線での接続を失うことがある（C_7，L_5）．そのような皮節は発生の過程で体肢が萌出する際に，体肢の先端の部分へ移っていくのである（**C**）．

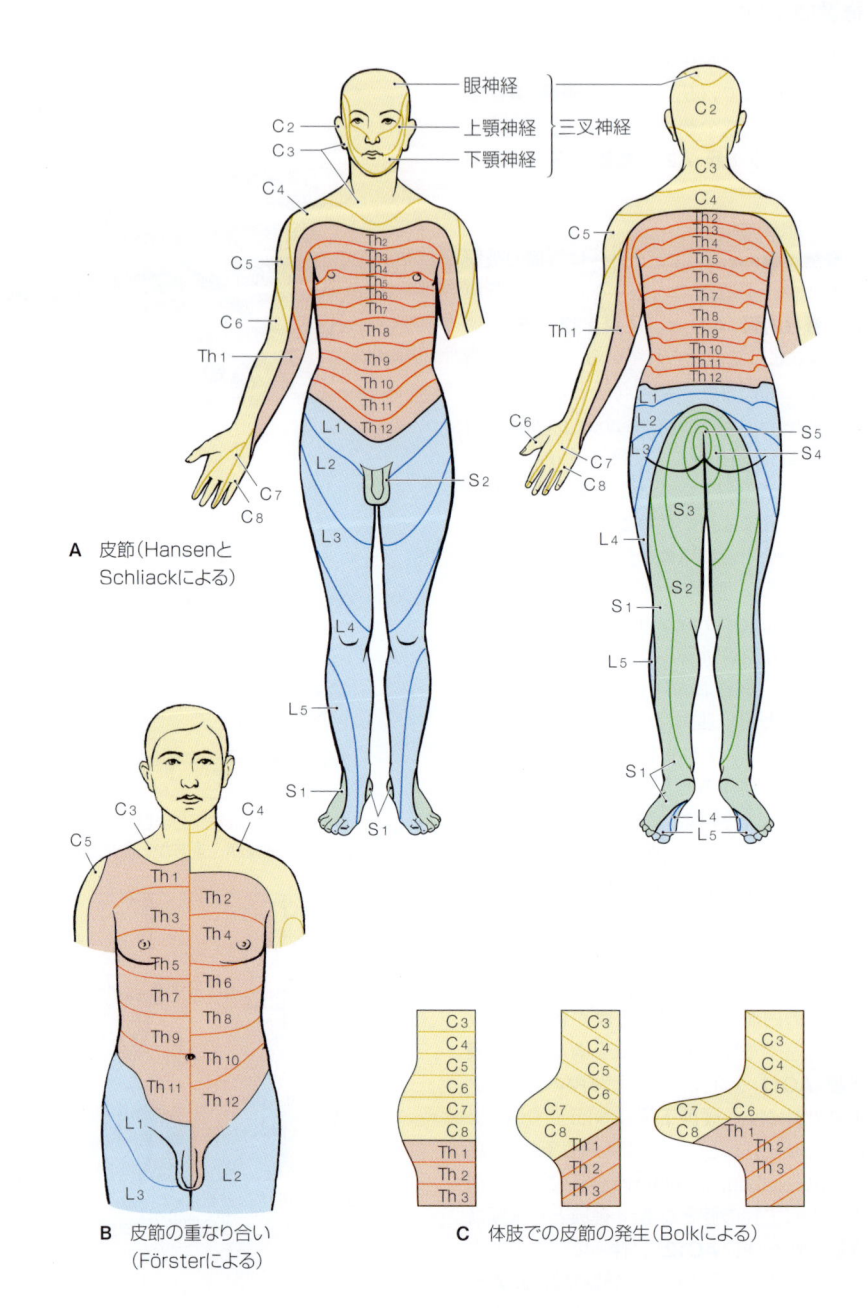

A 皮節（Hansen と Schliack による）

B 皮節の重なり合い（Förster による）

C 体肢での皮節の発生（Bolk による）

皮節は屋根がわら状に互いに重なり合っている．この状態は後根痛 Hinterwurzelschmerz（**痛覚過敏** hyperalgesia）の領域の広がりから設定された互いにずれ重なった境界によって示される（**B**）．触覚に対する単独の後根の脱落を証明することは不可能である．というのはその後根の属する皮節には，隣り合う（上下の）皮節からの神経の分布がみられるからである．痛覚と温度覚に対する皮節は重なりの幅が狭いので，これらの感覚の質の検査によって単一の皮節の脱落を確認することができる．

脊髄症候群*（A～C）

脊髄の解剖学的構成を知ることによって，損傷時に起こるほぼ一定した脱落症状 deficiency symptoms を説明することができる．損傷の部位に応じて種々の神経路が欠落し，そのためいろいろの機能が脱落してくる．

完全横断 complete transection of the spinal cord（**A**）の際には，すべての下行性運動路が離断され，損傷部より下方で完全な麻痺が起こる．同時にすべての上行性知覚路が中断され，損傷部より下方で完全にすべての知覚が消失するに至る．もし損傷が仙髄にあるときには，膀胱と直腸の随意的な排泄ができなくなる．損傷が腰膨大にあると，両下肢の麻痺が現れ（**対麻痺** paraplegia），頸膨大の損傷では，さらに両上肢の麻痺も起こってくる（**四肢麻痺** tetraplegia）．

脊髄の**半側離断** hemisection of the spinal cord（**B**）が起こると，**ブラウン・セカール症候群** Brown-Séquard syndrome がみられる．例えば左半側損傷では錐体側索路および前索路が中断される（**B1**）：その結果左側の麻痺が起こってくる．血管運動神経路の離断は同側の血管運動神経麻痺の原因となる．後索（**B2**）と外側脊髄小脳路（**B3**）の離断によって，深部知覚 deep sensibility（位置感覚）の重い障害が引き起こされる．そのほか損傷側に**知覚過敏** hyperesthesia（触れただけで痛く感じる）がみられる．

この知覚過敏は識別性感覚（後索）が脱落しているが，原始性感覚（痛覚と温度覚）（**B4**）（交叉して無傷の反対側を上行する前側索路）は維持されている場合に現れるという．

最後に，損傷されていない右側で損傷部より下方に解離性 dissociated 知覚障害が認められる：すなわち，触覚はほとんど障害されないのに，痛覚と温度覚は欠落している（**B5**）（交叉して損傷側で中断された前側索路）．損傷側で横断部位より上方にある知覚脱落帯（**B6**）は，脊髄損傷のある高さの後根進入部の破壊がその原因である．

脊髄の**中心性損傷**（**C**）central lesion（中心灰白質の損傷 lesion of the central gray matter）では，損傷の高さで同様に解離性知覚障害が現れる：すなわち同側の後根（**C2**）を通って伝えられる識別性知覚は保持されている．これに対して痛覚と温度覚は脱落する（**無痛覚** analgesia と **温度覚消失** thermanesthesia）：これらの感覚を伝える線維は白交連を通って交叉しているため，中心性損傷によってこれらの線維が中断されるのである（**C5**）．

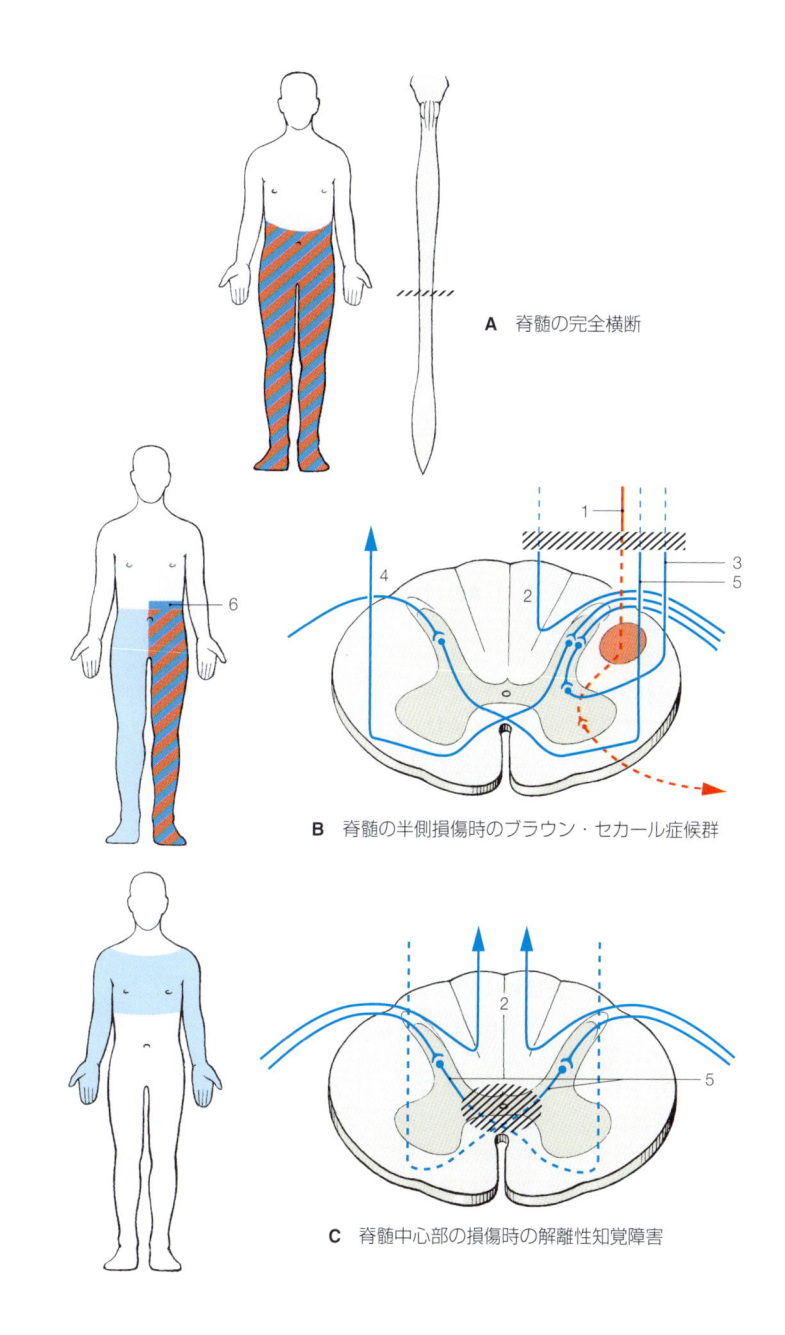

* spinal cord syndromes

A 脊髄の完全横断

B 脊髄の半側損傷時のブラウン・セカール症候群

C 脊髄中心部の損傷時の解離性知覚障害

---

1 錐体前索路と側索路 anterior と lateral pyramidal tracts　**2** 後索 posterior funiculus　**3** 外側脊髄小脳路 lateral spinocerebellar tract　**4** 無傷の前外側索の中の上行路（原始性感覚を伝える）　**5** 切断された前外側索の中の上行路　**6** 知覚脱落帯

末梢神経（A）

末梢神経 peripheral nerves は4種類の異なる線維を含むことができる．すなわち，横紋筋へ行く**体性運動性**（遠心性）**線維**（**A1**），皮膚知覚を伝える**体性知覚性**（求心性）**線維**（**A2**），内臓の平滑筋へ行く**内臓性運動性線維**（**A3**）および内臓知覚を伝える**内臓性知覚性線維**（**A4**）の4種である．脊髄神経は一般に数種の線維を含んでおり，いわゆる混合神経 mixed nerves である．

それぞれの種類の線維は次のように走る：体性運動性線維は**前角細胞**（**A5**）から出て**前根**（**A6**）を通り，体性知覚性と内臓性知覚性の線維は**脊髄神経節**（**A7**）の神経細胞に由来し，**側角細胞**（**A8**）から出る内臓性運動性線維は主に前根を通る．前根と**後根**（**A9**）は合して**脊髄神経**（**A10**）となるが，このものはすべての種類の線維を含んでいる．この短い神経幹はすぐ4枝に分かれる：すなわち，反回して硬膜へ行く知覚性の**硬膜枝**（**A11**），**後枝**（**A12**），**前枝**（**A13**）および**交通枝**（**A14**）の4枝である．

後枝は深部の（固有）背筋群の運動と，脊柱両側の皮膚領域の知覚を司っている（469頁）．**前枝**は体幹前壁と側壁の筋群および体肢の筋の運動と，それらに対応する皮膚領域の知覚を司っている．**交通枝**は交感神経幹の神経節（**A15**，568頁の植物神経系を参照）との連絡をつくる．交通枝にはたいてい**白交通枝**（**A16**，有髄）と**灰白交通枝**（**A17**，無髄）が区別される．白交通枝を通って内臓性運動性線維が交感神経幹の神経節へ行き，ここでニューロンが変わり，その軸索は節後線維 postganglionic fibers (570頁A) として一部は灰白交通枝を経て再び脊髄神経へ入る．

神経叢（B）

体肢の高さで，脊髄神経の前枝は神経叢 plexus をつくり，ここで異なる脊髄神経に含まれる線維の交換が行われる．したがって，やがては末梢へ行く神経幹は，異なる脊髄神経に由来する線維が新たに付加されて入り混った構成をとることになる．

頸神経叢 cervical plexus (363頁) は上から4本の脊髄神経すなわち $C_1 \sim C_4$ の前枝でつくられ，次の神経を分枝する：すなわち，**小後頭神経**（**B18**），**大耳介神経**（**B19**），**頸横神経**（**B20**），**鎖骨上神経**（**B21**），**横隔神経**（**B22**），それに加えて**深頸神経ワナ**（**B23**）の根．

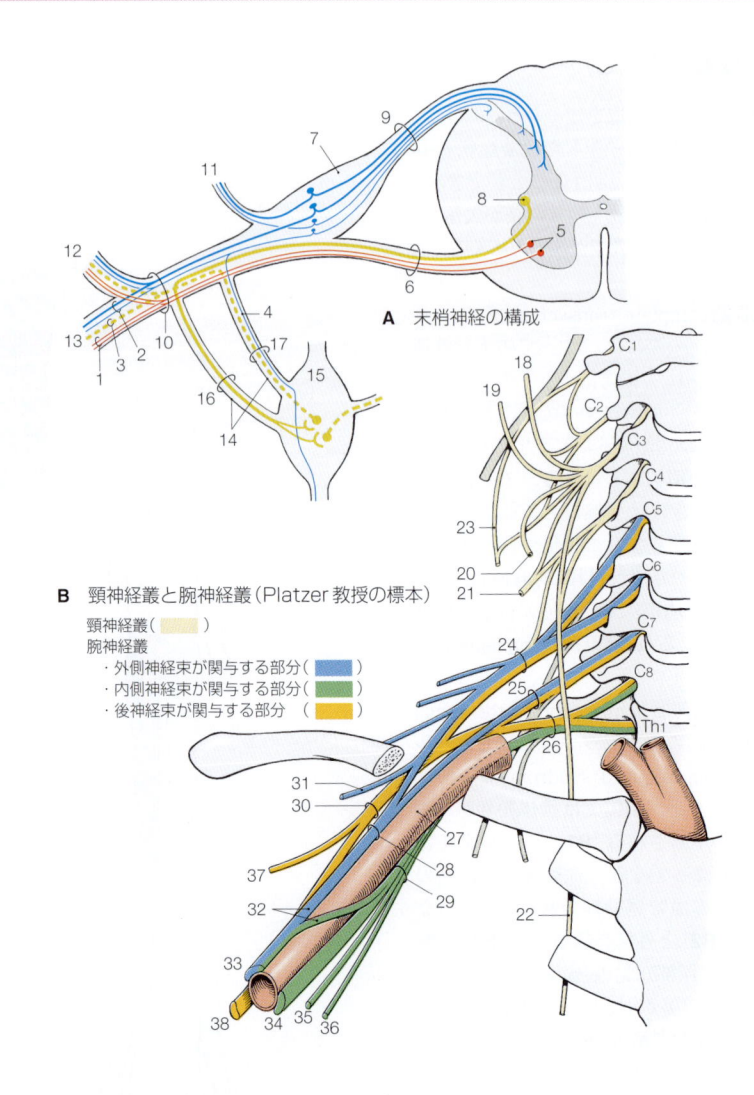

腕神経叢 brachial plexus (464頁) は $C_5 \sim C_8$ の脊髄神経前枝の全部および Th_1 の前枝の大部分からつくられる．この腕神経叢は鎖骨より上にある部分を**鎖骨上部** supraclavicular part，その下にある部分を**鎖骨下部** infraclavicular part とに区別する．これらの前枝は斜角筋隙を通り抜けて外側三角部に進み，そこで鎖骨より上方で3本の一次神経索である**上神経幹**（**B24**）（C_5 と C_6），**中神経幹**（**B25**）（C_7）および**下神経幹**（**B26**）（C_8 と Th_1）をつくる．また，ここで分枝した神経が鎖骨上部（464頁）を構成する．鎖骨の下方で3本の二次神経索がつくられ，これらは腋窩動脈（**B27**）との位置関係によって**外側神経束**（**B28**）（464頁；上および中神経幹の前枝からなる），**内側神経束**（**B29**）（466頁；下神経幹の前枝からなる）および**後神経束**（**B30**）（467頁；3神経幹の後枝からなる）と呼ばれる．外側神経束から**筋皮神経**（**B31**）が分岐する．残りの外側神経束の線維と内側神経束の（一部の）線維が**正中神経ワナ**（**B32**）（465頁AC1）をつくり，1本にまとまって**正中神経**（**B33**）となる．内側神経束から**尺骨神経**（**B34**），**内側前腕皮神経**（**B35**）および**内側上腕皮神経**（**B36**）が出る．後神経束は**腋窩神経**（**B37**）を出して**橈骨神経**（**B38**）に移行する．

---

1 体性運動性（遠心性）線維 somatomotor (efferent) fibers 2 体性知覚性（求心性）線維 somatosensory (afferent) fibers 3 内臓性運動性線維 visceromotor fibers 4 内臓性知覚性線維 viscerosensory fibers 5 前角細胞 anterior horn cells 6 前根 ventral root 7 脊髄神経節 spinal ganglion 8 側角細胞 lateral horn cell 9 後根 dorsal root 10 脊髄神経 spinal nerve 11 硬膜枝 meningeal branch 12 後枝 posterior ramus 13 前枝 anterior ramus 14 交通枝 communicating branch 15 交感神経幹の神経節 ganglion of the sympathetic trunk 16 白交通枝 white communicating branch 17 灰白交通枝 gray communicating branch 18 小後頭神経 lesser occipital nerve 19 大耳介神経 great auricular nerve 20 頸横神経 transverse cervical nerve 21 鎖骨上神経 supraclavicular nerve 22 横隔神経 phrenic nerve 23 深頸神経ワナ deep ansa cervicalis 24 上神経幹 upper trunk 25 中神経幹 middle trunk 26 下神経幹 lower trunk 27 腋窩動脈 axillary artery 28 外側神経束 lateral cord 29 内側神経束 medial cord 30 後神経束 posterior cord 31 筋皮神経 musculocutaneous nerve 32 正中神経ワナ median nerve sling 33 正中神経 median nerve 34 尺骨神経 ulnar nerve 35 内側前腕皮神経 medial antebrachial cutaneous nerve 36 内側上腕皮神経 medial brachial cutaneous nerve 37 腋窩神経 axillary nerve 38 橈骨神経 radial nerve

頸神経叢（C_1～C_4）（A～D）

筋の支配神経（A）．前枝 anterior rami から短い神経が出て直接下記の深頸部の諸筋へ行く：前（A1）および外側頭直筋（A2），頭長筋および頸長筋（A3）へ．C_4 の前枝からは，それぞれ前斜角筋（A4）の上部および中斜角筋（A5）へ行く神経が出る．

C_1～C_3 の前枝は深頸神経ワナ（C6）をつくる：C_1 と C_2 の線維は一過性に舌下神経（AC7）に寄り添って走り，やがてこれから離れて上根（AC8）となる［甲状舌骨筋（A9）とオトガイ舌骨筋 geniohyoid muscle へ行く線維はさらに舌下神経とともに走る］．上根は下根（AC10，C_2 と C_3）と合して深頸神経ワナとなり，このワナから枝が出て舌骨下筋を支配する．すなわち肩甲舌骨筋（A11），胸骨甲状筋（A12）および胸骨舌骨筋（A13）へ行く枝が出る．

皮膚の支配神経（B, C）．この神経叢の知覚神経は胸鎖乳突筋の後ろで筋膜を貫いて，ここで神経点（B14）をつくる．ここから出たこれらの知覚神経は頭，頸および肩に分布している：小後頭神経（BC15；C_2 と C_3）は後頭へ行き，大耳介神経（BC16；C_3）は耳のまわり（耳介，乳様突起，下顎角のあたり）へ行く．頸横神経（BC17；C_3）は上頸部からオトガイにまで分布し，鎖骨上神経（BC18；C_3 と C_4）は鎖骨上窩と肩に分布している．

横隔神経の支配領域（C, D）．横隔神経（CD19；C_3 と C_4）は C_4 の線維を含み，またしばしば C_3 のものも含んでいる．この神経は前斜角筋の上を斜めに走り，鎖骨下動脈の前で胸郭上口の中へ入っていき，縦隔を通って横隔膜に達するが，その途中で知覚性の細枝を心膜へ出している（心膜枝 D20）．横隔膜の上面で，横隔神経は枝分かれして，横隔膜を構成するすべての筋（D21）に分布している．さらに知覚性の細い枝が出て，上では横隔膜に接する胸膜へ，下では横隔膜に接する腹膜と上腹部器官を覆う腹膜へも行っている．

> **臨床関連**：脊髄またはその根が C_3 から C_5 の高さで損傷を受けると，横隔膜が麻痺し，呼吸障害が起こる．一方胸郭の筋が麻痺しても，呼吸機能は脊髄から横隔神経を介して相変わらず正常に維持されるものである．

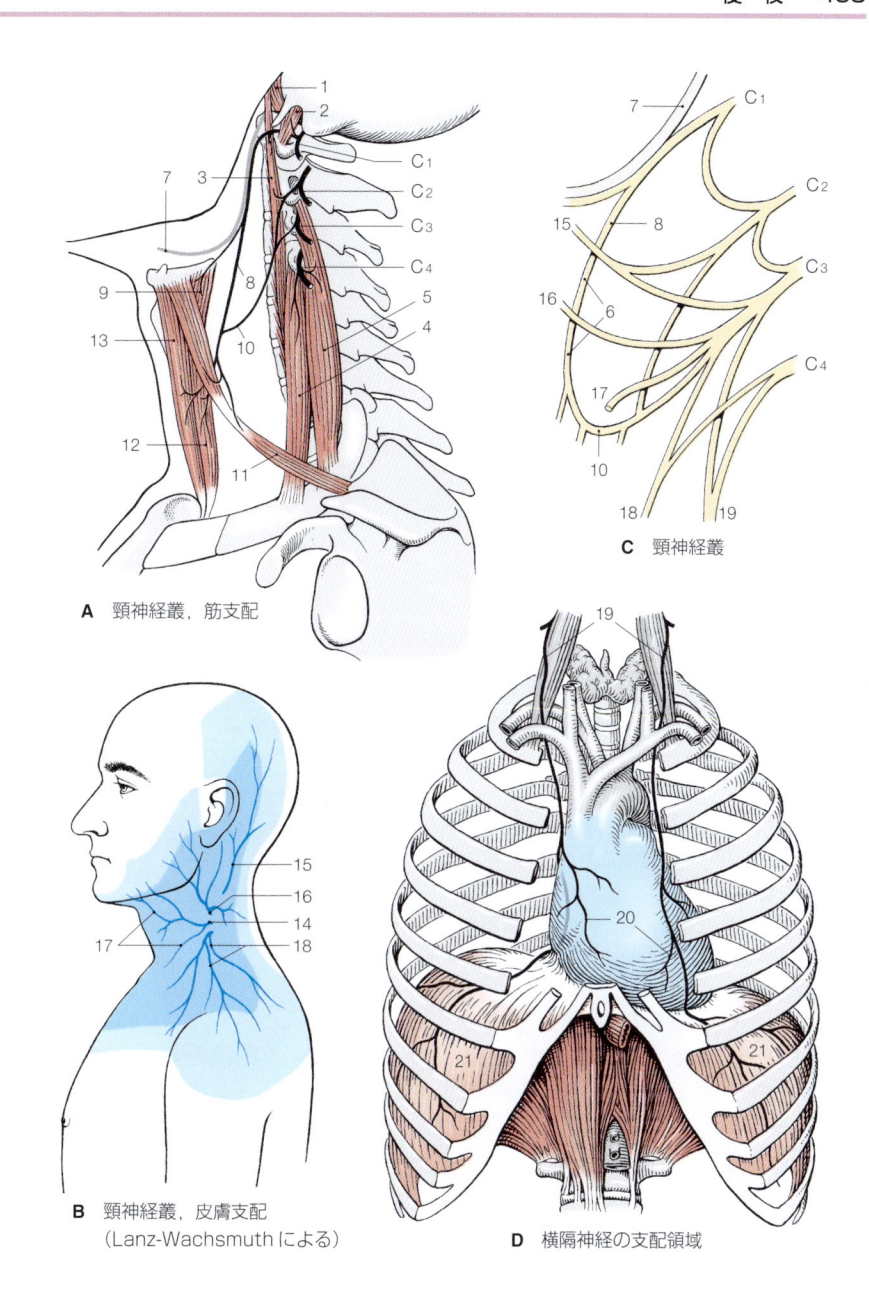

A 頸神経叢，筋支配

B 頸神経叢，皮膚支配（Lanz-Wachsmuth による）

C 頸神経叢

D 横隔神経の支配領域

後枝（C_1～C_8）

頸神経の**後枝** posterior rami は，運動神経としては自所の背筋に属する後頸部の筋を支配し，知覚性は後頸部の皮膚に分布している．

第1頸神経の後枝は純運動性であって後頭下神経 suboccipital nerve となり，後頭骨，環椎および軸椎のあたりの小さな筋へ行っている．

第2頸神経の後枝からは大後頭神経 greater occipital nerve が後頭部へ行っており，頭頂線（頭頂と両側の耳とを結ぶ線）に至るまでのその部の皮膚知覚を司っている（469頁）．

第3頸神経の後枝，すなわち第3後頭神経 third occipital nerve は後頸部の皮膚知覚を司る．

それ以下の頸神経の後枝はそれに接する下方の皮膚領域の知覚と，この部分の自所的背筋の運動とを司っている．

皮膚の知覚性支配（B）：これらの神経の独自域は濃青色で，最大域は淡青色で示されている（B, D）．

---

1 前頭直筋 rectus capitis anterior　2 外側頭直筋 rectus capitis lateralis　3 頭長筋および頸長筋 longus capitis, longus colli　4 前斜角筋 scalenus anterior　5 中斜角筋 scalenus medius　6 深頸神経ワナ deep ansa cervicalis　7 舌下神経 hypoglossal nerve　8 上根 superior root　9 甲状舌骨筋 thyrohyoid　10 下根 inferior root　11 肩甲舌骨筋 omohyoid　12 胸骨甲状筋 sternothyroid　13 胸骨舌骨筋 sternohyoid　14 神経点 *Punctum nervosum*　15 小後頭神経 lesser occipital nerve　16 大耳介神経 great auricular nerve　17 頸横神経 transverse cervical nerve　18 鎖骨上神経 supraclavicular nerve　19 横隔神経 phrenic nerve　20 心膜枝 pericardial rami　21 横隔膜 diaphragm

腕神経叢（C_5〜Th_1）

末梢の知覚性支配 peripheral sensory innervation. 神経叢から出てくる末梢神経による皮膚の知覚性支配には，根神経支配（460頁）との相違が認められる．個々の神経の支配領域は周辺部で互いに重なり合っている．ある神経だけで支配されている領域を**独自域** Autonomiegebiet（濃青色）といい，隣接の神経によっても支配される領域を含めた，その神経の全支配域は**最大域** Maximalgebiet（淡青色）といわれる．

臨床関連：ある神経が遮断 block されると，独自域では完全な知覚の消失 anesthesia が，その周辺部では知覚の減退 hypesthesia が起こる．

鎖骨上部（A〜C）

この鎖骨上部 supraclavicular part からは運動神経が出て，上肢帯の諸筋を支配している．

胸郭の背面と側面へ行く神経は：肩甲挙筋（**C2**）および小・大菱形筋（**C3, 4**）へ行く**肩甲背神経**（**A1**；C_5），胸郭の側壁で前鋸筋の筋尖（**B6**）に終わる枝を出す**長胸神経**（**A5**；C_5〜C_7），および広背筋（**C8**）を支配する**胸背神経**（**A7**；C_7とC_8）．肩甲骨に関係する諸筋のうち，その後面のもの〔棘上筋（**C9**）と棘下筋（**C10**）〕は**肩甲上神経**（**A11**；C_5とC_6）によって，前面のものは**肩甲下神経**（**A12**；C_5〜C_7）に支配されて，これは肩甲下筋と大円筋（**C13**）へ行く．

胸郭の前面には**鎖骨下筋神経**（**A14**；C_4〜C_6）〔鎖骨下筋（**B15**）へ〕と**外側胸筋神経**（**A16**；C_5〜C_7）および**内側胸筋神経**（**A17**；C_7〜Th_1）がきており，大および小胸筋（**B18, 19**）を支配している．

臨床関連：鎖骨上部が傷害されると上肢帯筋の麻痺が起こり，したがって上腕の挙上が不可能になる．このような上腕神経叢麻痺 upper brachial plexus paralysis（エルプの麻痺 Erb's paralysis）は，出産の際または麻痺中の腕の不良位による肩関節の脱臼が原因である．腕神経叢の鎖骨下部 infraclavicular part の傷害によって，"下腕神経叢麻痺 lower brachial plexus paralysis"（クルンプケ麻痺 Klumpke's paralysis）が起こる．この際には主に手の小さな筋が，さらに場合によっては前腕の屈筋も麻痺する．

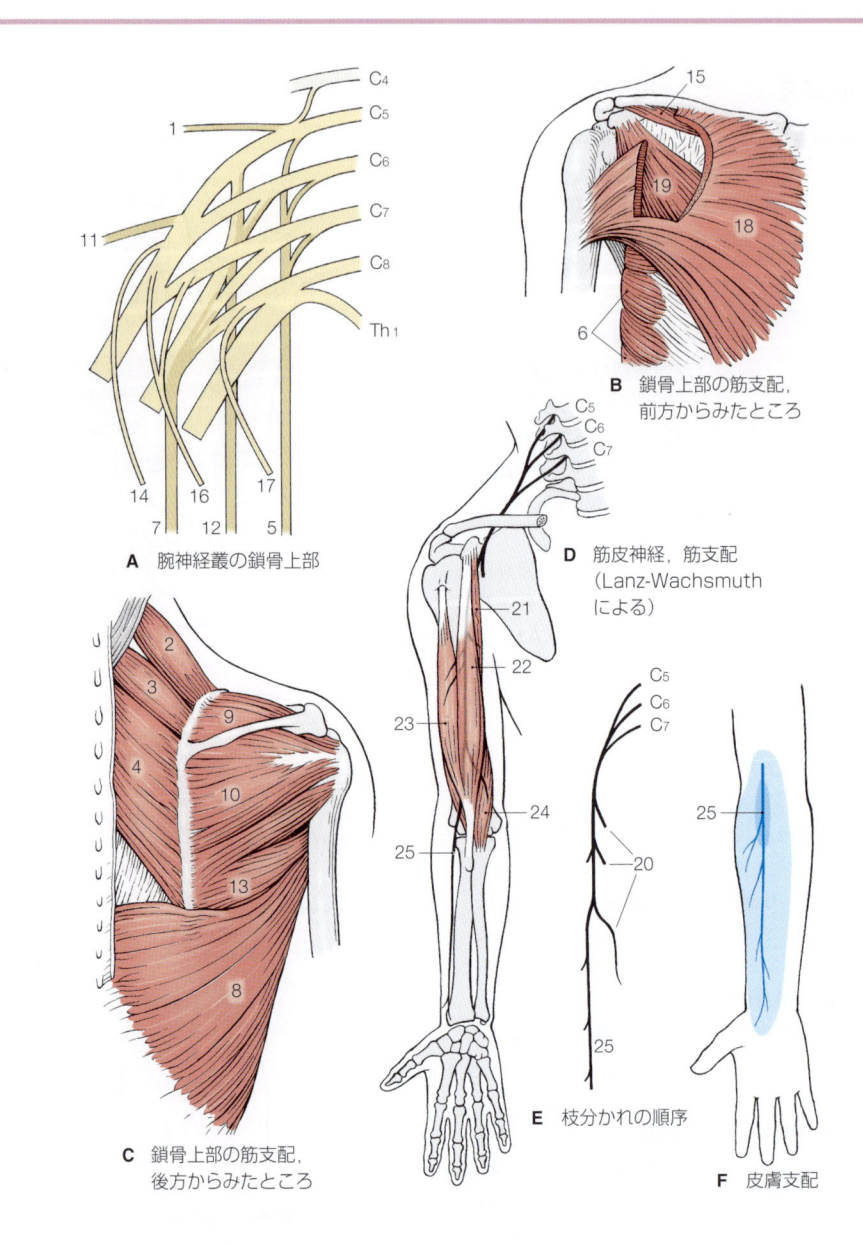

A 腕神経叢の鎖骨上部

B 鎖骨上部の筋支配，前方からみたところ

C 鎖骨上部の筋支配，後方からみたところ

D 筋皮神経，筋支配（Lanz-Wachsmuthによる）

E 枝分かれの順序

F 皮膚支配

鎖骨下部（D〜F）

前枝の3主幹すなわち上，中および下神経幹から3神経束すなわち外側，内側および後神経束がつくられるが，これらの神経束は腋窩動脈との位置関係によって名づけられたものである．

外側神経束

鎖骨下部 infraclavicular part の外側神経束 lateral cord からは筋皮神経 musculocutaneous nerve と正中神経 median nerve が出てくる．

筋皮神経（C_5〜C_7）（**D〜F**）．この神経は烏口腕筋を貫いて，上腕二頭筋と上腕筋の間を走って肘窩まで行く．この神経は上腕の諸屈筋へ行く枝（**E20**）を出す．すなわち烏口腕筋（**D21**），上腕二頭筋短頭と長頭（**D22, 23**）および上腕筋（**D24**）へ行く枝が出る．

この神経の知覚線維は肘窩で筋膜を貫き表面へ出て，**外側前腕皮神経**（**D〜F25**）となり，前腕外側部の皮膚に分布している．この神経が傷害されると，肘窩の小領域に知覚の消失が起こる；そして知覚の減退は前腕の中央部にまで広がる．

皮膚の知覚支配：この神経の独自域は濃青色で，最大域は淡青色で示されている（**F**）．

臨床関連：上腕二頭筋の腱を反射検査用のハンマーで伸展させると，筋皮神経を介して，二頭筋反射（前腕の屈曲）が誘発される．

---

1 肩甲背神経 dorsal scapular nerve　2 肩甲挙筋 levator scapulae　3 小菱形筋 rhomboid minor　4 大菱形筋 rhomboid major　5 長胸神経 long thoracic nerve　6 前鋸筋 serratus anterior　7 胸背神経 thoracodorsal nerve　8 広背筋 latissimus dorsi　9 棘上筋 supraspinatus　10 棘下筋 infraspinatus　11 肩甲上神経 suprascapular nerve　12 肩甲下神経 subscapular nerve　13 大円筋 teres major　14 鎖骨下筋神経 subclavian nerve　15 鎖骨下筋 subclavius　16 外側胸筋神経 lateral pectoral nerve　17 内側胸筋神経 medial pectoral nerve　18 大胸筋 pectoralis major　19 小胸筋 pectoralis minor　20 筋枝（上腕の屈筋群へ行く）muscular branch　21 烏口腕筋 coracobrachialis　22 上腕二頭筋短頭 short head of biceps brachii　23 上腕二頭筋長頭 long head of biceps brachii　24 上腕筋 brachialis　25 外側前腕皮神経 lateral antebrachial cutaneous nerve

外側神経束（続き）（A〜D）

正中神経（C_6〜Th_1）（**A〜C**）．外側根 lateral root は外側神経束から，内側根 medial root は内側神経束から出て，両根は腋窩動脈の前面で**正中神経ワナ**（**AC1**）をつくり合わさって正中神経 median nerve となる．

正中神経は上腕二頭筋と上腕筋の間を走って肘窩に至り，ここで円回内筋の両頭の間を通って前腕に達する．さらに浅指屈筋と深指屈筋の間を走って，この神経は手根関節に至る．手根管 carpal tunnel を通り抜けるまでは，この神経は橈側手根屈筋と長掌筋の間の浅いところを走る．手根管の中で，この神経は枝分かれして終枝となる．

この神経の**筋枝**（**C2**）は回内筋 pronator muscles と大多数の前腕の屈筋 flexor muscles of forearm を支配する：すなわち円回内筋（**A3**），橈側手根屈筋（**A4**），長掌筋（**A5**）および浅指屈筋の橈骨頭（**A6**）と上腕尺骨頭（**A7**）を支配する．肘窩では**前前腕骨間神経**（**AC8**）が枝分かれして出て，骨間膜の上を走って方形回内筋（**A9**）へ行く．この神経は途中で長母指屈筋（**A10**）および深指屈筋 flexor digitorum profundus の橈側部に枝を出す．

前腕の下1/3で，知覚性の**正中神経掌枝**（**A〜C11**）が出て，母指球と手根橈側部および手掌の皮膚に分布している．

手根管を通り抜けると，正中神経は3本の枝に分かれる：すなわち**第1，第2および第3総掌側指神経**（**AC12**）であって，これらは中手指節関節の高さでおのおの2本の**固有掌側指神経**（**A〜C13**）に分かれる．第1総掌側指神経 common palmar digital nerves Iからは，1本の枝が出て母指球［短母指外転筋（**A14**），短母指屈筋浅頭（**A15**）および母指対立筋（**A16**）］へ行く．残りの総掌側指神経 common palmar digital nerves は第1〜3虫様筋（**A17**）を支配している．これらの神経は指間に至り，枝分かれして固有掌側指神経 proper palmar digital nerves となり，各対が指間の側面の知覚を司っている．第1の神経対はしたがって母指の尺側面と示指の橈側面を，第2の神経対は示指の尺側面と中指の橈側面を，第3の神経対は中指の尺側面と薬指の橈側面に分布することになる．これらの固有指神経の分布領域は母指末節およびほかの指の末節と中節の背面にも及んでいる（**B**）．

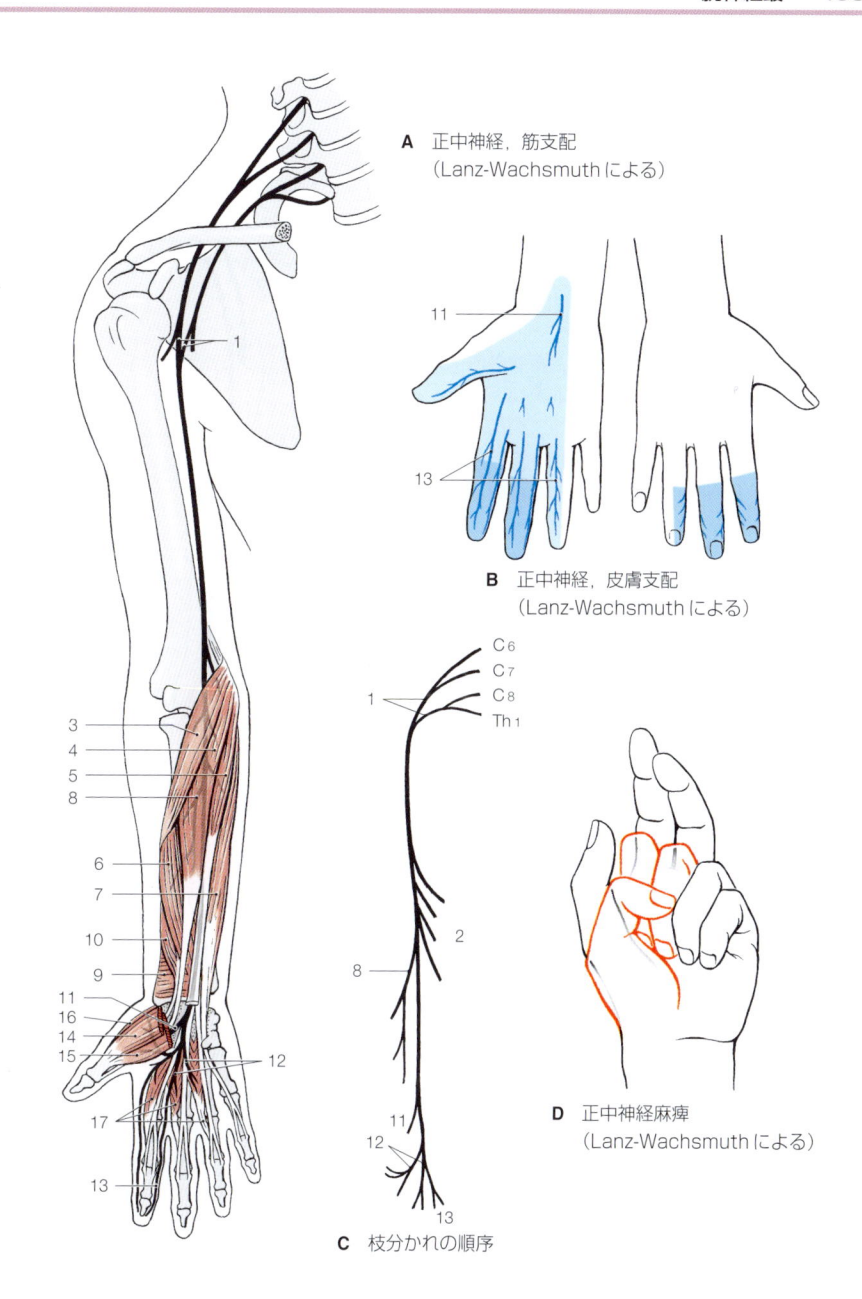

正中神経は骨膜，肘関節，橈骨手根関節および手根中央関節へも枝を出している．手の関節の高さで，通常は尺骨神経との吻合がみられる．

A 正中神経，筋支配（Lanz-Wachsmuth による）

B 正中神経，皮膚支配（Lanz-Wachsmuth による）

C 枝分かれの順序

D 正中神経麻痺（Lanz-Wachsmuth による）

臨床関連：正中神経が傷害されると，前腕の回内ができなくなり，前腕の屈曲も強く制限される．手では，母指，示指および中指は，末節と中節での屈曲ができなくなり，その結果として正中神経麻痺に特徴的ないわゆる**宣誓の手** Schwurhand（**D**）となる．正中神経が手根管を通り抜ける際に，手根管内での腱鞘炎による肥大やガングリオンなどにより，この神経が圧迫されて握力障害を起こすことが高齢者によくみられる（手根管症候群 carpal tunnel syndrome）．

皮膚の知覚性支配：正中神経の独自域は濃青色で，最大域は淡青色で示されている（**B**）．

---

1 正中神経ワナ median nerve sling　2 筋枝 muscular branch　3 円回内筋 pronator teres　4 橈側手根屈筋 flexor carpi radialis　5 長掌筋 palmaris longus　6 浅指屈筋の橈骨頭 radial head of flexor digitorum superficialis　7 浅指屈筋の上腕尺骨頭 humero-ulnar head of flexor digitorum superficialis　8 前前腕骨間神経 anterior interosseous nerve　9 方形回内筋 pronator quadratus　10 長母指屈筋 flexor pollicis longus　11 正中神経掌枝 palmar branch of median nerve　12 第1〜3総掌側指神経 common palmar digital nerves I〜III　13 固有掌側指神経 proper palmar digital nerves　14 短母指外転筋 abductor pollicis brevis　15 短母指屈筋浅頭 superficial head of flexor pollicis brevis　16 母指対立筋 opponens pollicis　17 第1〜3虫様筋 lumbricals

鎖骨下部（続き）

内側神経束（A～D）

尺骨神経 ulnar nerve（C_8 と Th_1）(**A～C**). 尺骨神経は内側神経束 medial cord から起こり，上腕ではまず内側二頭筋溝を走り，この間は枝を出さない．上腕の尺側中央から，この神経は内側筋間中隔の後ろを，上腕三頭筋内側頭に覆われて下行し，上腕骨の内側上顆の尺骨神経溝 groove for ulnar nerve を通り，肘関節の伸側を横切る．この溝のところでこの神経を触れることができ，圧迫すると手の尺側へ放散するような電撃痛 fulgurant pain が生じる．この神経はそののち尺側手根屈筋の両頭の間を通って前腕の屈側へ現れ，この筋の下を走って手の関節まで行く．この神経は手根管を通り抜けないで，屈筋支帯の上を越えて手掌へきて，ここで浅枝と深枝とに分かれる．

前腕では尺骨神経は尺側手根屈筋（**A2**）と深指屈筋（**A3**）の尺側半分へ行く筋枝（**C1**）を出す．前腕の中央では**尺骨神経手背枝**（**BC4**）が出て手背の尺側へ行き，この部の皮膚を支配している．残る手背の部分では，その支配領域は橈骨神経の支配領域と重なっている．もう1本の**尺骨神経掌[皮]枝**（**BC5**）という知覚枝が前腕の遠位1/3のところで出てくる．この神経は手掌へ行き，小指球の皮膚に分布する．

浅枝 superficial branch は第4総掌側指神経（**BC6**）として薬指と小指の指間まできて，**固有掌側指神経**（**BC7**）に分かれ小指の掌側と薬指の尺側の知覚を司り，さらにその支配はこれら両指の伸側の末節にまで及んでいる．正中神経との交通枝が存在する（**C8**）．

深枝（**AC9**）は手掌の深部へ潜り，弓なりになって母指球の方へ向かう．この深枝は枝分かれして小指球のすべての筋［小指外転筋（**A11**），短小指屈筋（**A12**），小指対立筋（**A13**）］へ行く枝（**C10**），すべての掌側および背側骨間筋（**A14**），第3および第4虫様筋（**A15**），ならびに最後に母指球の母指内転筋（**A16**）および短母指屈筋深頭（**A17**）へ行く諸枝を出す．

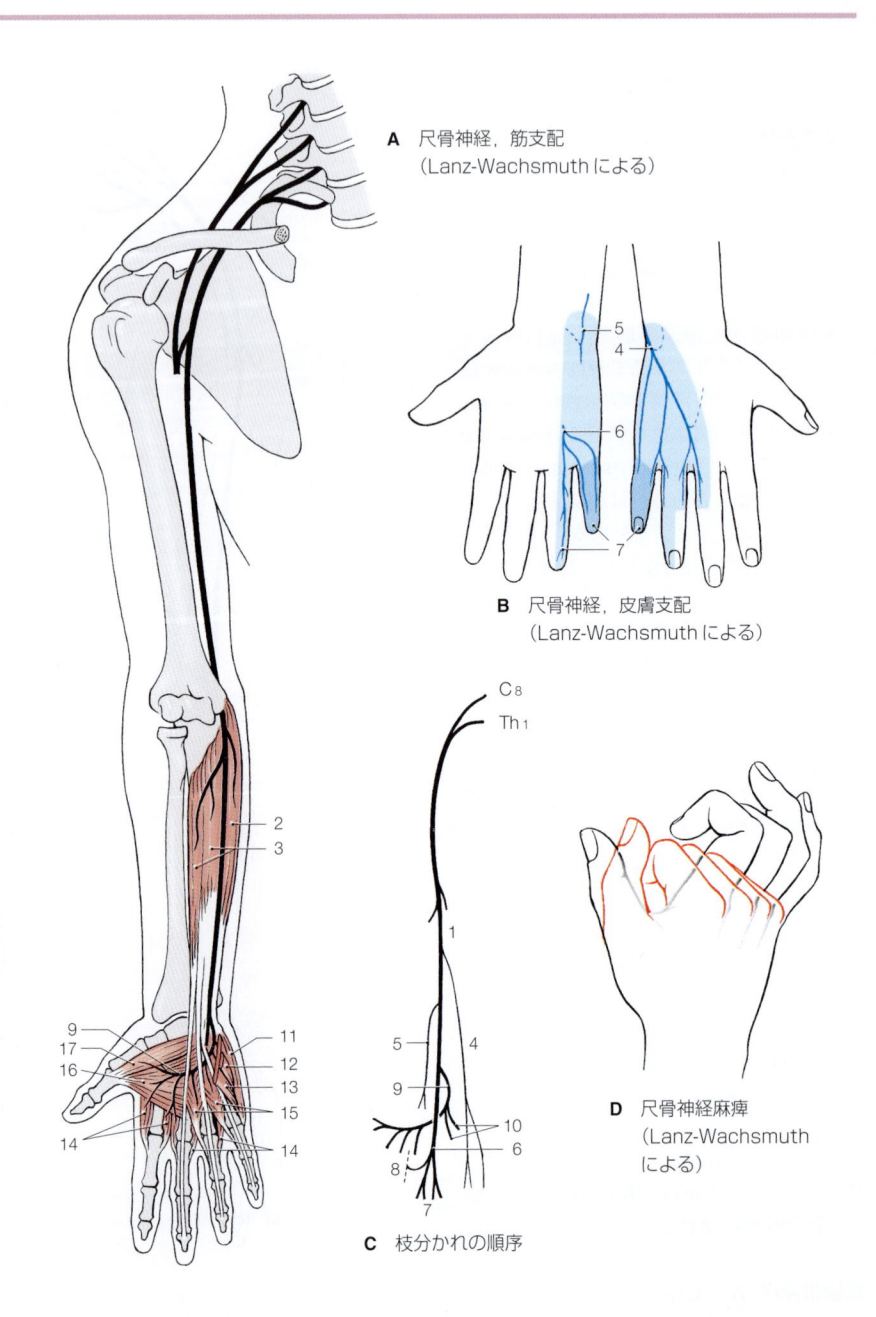

A 尺骨神経，筋支配（Lanz-Wachsmuth による）

B 尺骨神経，皮膚支配（Lanz-Wachsmuth による）

C 枝分かれの順序

D 尺骨神経麻痺（Lanz-Wachsmuth による）

臨床関連：尺骨神経が傷害を受けると，いわゆる**ワシ手** claw hand, Krallen- od. Klauenhand（**D**）が現れ，指は基節関節では伸ばされるが，中および末節関節では屈曲位をとるようになる．この特徴的な手の姿は，基節関節で指節を曲げ中および末節関節では指節を伸ばす働きのある骨間筋と虫様筋の麻痺によって起こってくる．屈筋の機能がなくなることで，今や優勢となった伸筋により指はこのような位置をとらざるをえないのである．そのほか小指の筋と母指の内転筋が麻痺するから，母指と小指はもはや触れ合うことができなくなる．

皮膚の知覚性支配：尺骨神経の独自域は濃青色で，最大域は淡青色で示されている（**B**）．

---

1 筋枝 muscular branch **2** 尺側手根屈筋 flexor carpi ulnaris **3** 深指屈筋 flexor digitorum profundus **4** 尺骨神経手背枝 dorsal branch of ulnar nerve **5** 尺骨神経[皮]枝 palmar branch of ulnar nerve **6** 第4総掌側指神経 common palmar digital nerves IV **7** 固有掌側指神経 proper palmar digital nerves **8** 正中神経との交通枝 communicating branch with median nerve **9** 深枝 deep branch **10** 筋枝 muscular branch **11** 小指外転筋 abductor digiti minimi **12** 短小指屈筋 flexor digiti minimi brevis **13** 小指対立筋 opponens digiti minimi **14** 背側および掌側骨間筋 dorsal interossei, palmar interossei **15** 第3および第4虫様筋 lumbricals III, IV **16** 母指内転筋 adductor pollicis **17** (短母指屈筋) 深頭 deep head of flexor pollicis brevis

鎖骨下部（続き）

内側神経束（続き）（A〜C）

内側神経束からは尺骨神経のほか，内側上腕皮神経 medial cutaneous nerve of arm と内側前腕皮神経 medial cutaneous nerve of forearm が出て，上肢の内側の皮膚に分布している．

内側上腕皮神経（C_8とTh_1）（**AB**）．この神経は腋窩の下方で上腕の前面に出てくる．ここでこの神経は枝分かれして，腋窩と肘関節の間の内側面の皮膚に分布する．その際この神経は前枝を出して上腕の屈側に，さらに後枝を出してその伸側にまで及んでいる．非常にしばしば肋間上腕神経 intercostobrachial nerve との吻合枝がみられる．

内側前腕皮神経（C_8とTh_1）（**AC**）．この神経は上腕尺側の筋膜下を走って，上腕の下1/3で**掌側枝**（**AC1**）と**尺側枝**（**AC2**）の2枝に分かれ筋膜を貫いて出てくる．掌側枝は前腕屈側の尺側面をほとんど中線まで支配しており，尺側枝は伸側の尺側面上部を同じくほぼ中線まで支配している．この内側前腕皮神経の支配領域はほぼ上腕から手にまで及んでいる．

後神経束（D, E）

後神経束 posterior cord からは腋窩神経 axillary nerve と橈骨神経 radial nerve が出てくる．

腋窩神経（C_5とC_6）この神経は腋窩の深部を走って肩関節の関節包を越え，上腕骨外科頸をまわって上腕骨の背面へ現れる．その際この神経は外側腋窩隙を通り抜け，三角筋の下を通ってその前縁にまでやってくる．

この神経の幹が外側腋窩隙を通り抜ける前に，1本の運動枝（**DF3**）が出て小円筋（**D4**）へ行くが，これもやはり外側腋窩隙を通り抜ける．同じ高さで，**上外側上腕皮神経**（**D〜F5**）が出て，三角筋後縁で皮膚に達し，肩と上腕の外側面に分布する．三角筋の下を前方へ走る神経幹からは多数の筋枝（**D6**）が出て三角筋（**D7**）へ入っていき，その種々の部分を支配している．

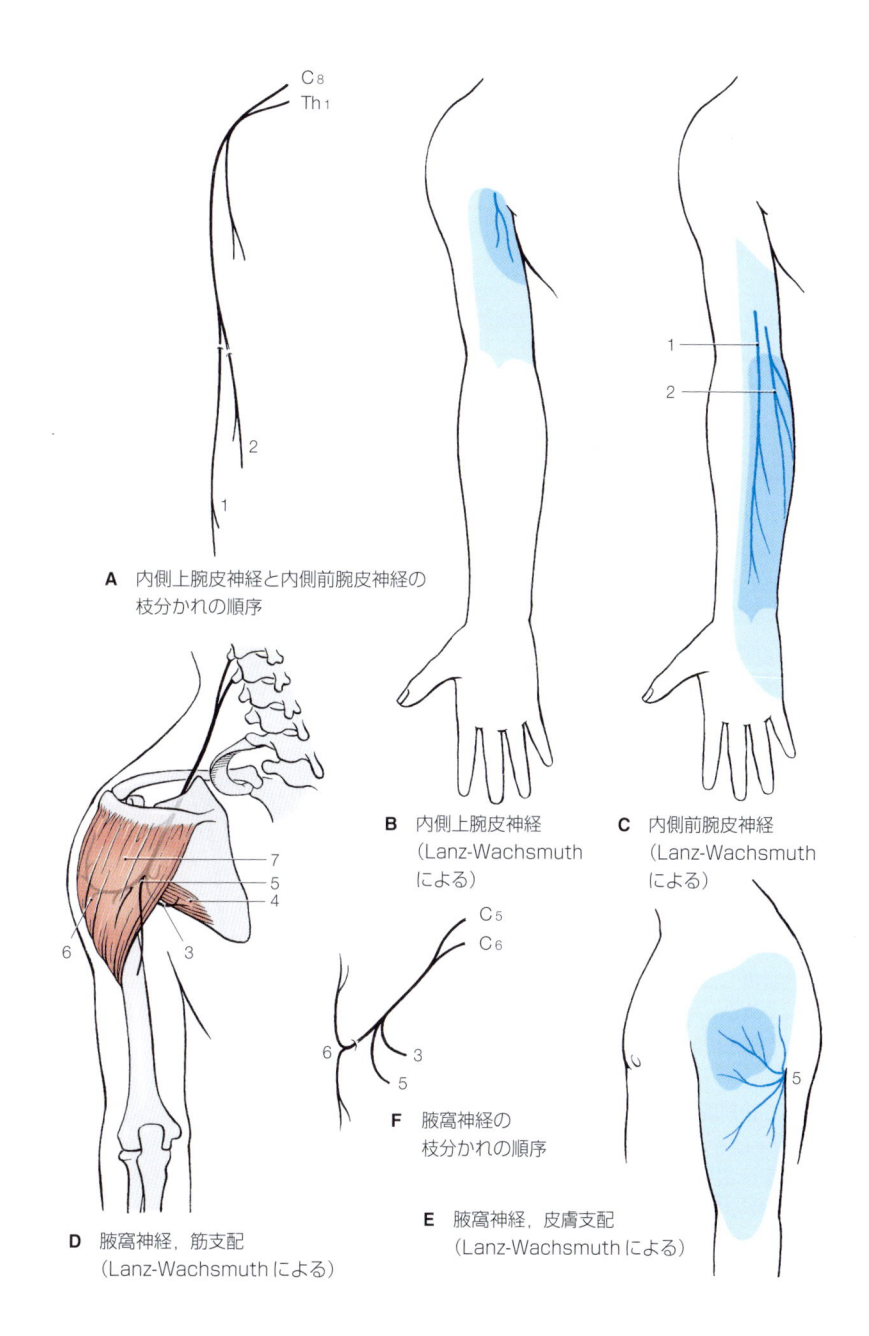

A 内側上腕皮神経と内側前腕皮神経の枝分かれの順序

B 内側上腕皮神経（Lanz-Wachsmuthによる）

C 内側前腕皮神経（Lanz-Wachsmuthによる）

F 腋窩神経の枝分かれの順序

D 腋窩神経，筋支配（Lanz-Wachsmuthによる）

E 腋窩神経，皮膚支配（Lanz-Wachsmuthによる）

臨床関連：肩関節の関節包との位置関係から，上腕骨の脱臼の際または上腕骨頸骨折の際には，この腋窩神経が傷害されることがある．そのときには三角筋を覆う皮膚領域に知覚消失 anesthesia が起こってくる．

皮膚の知覚性支配：これらの神経の独自域は濃青色で，最大域は淡青色で示されている（**BCE**）．

---

1 掌側枝 anterior branch **2** 尺側枝 ulnar branch **3** 運動枝（小円筋へ）motor branch **4** 小円筋 teres minor **5** 上外側上腕皮神経 superior lateral brachial cutaneous nerve **6** 筋枝（三角筋へ）muscular branch **7** 三角筋 deltoid

鎖骨下部（続き）

後神経束（続き）（A～D）

橈骨神経 radial nerve [C_5～C_8 (Th_1)]（**A～C**）．橈骨神経は後神経束から出る主なる神経であって，上腕と前腕の伸筋群 extensor muscles を支配する．

この神経幹は上腕骨の橈骨神経溝 radial groove に密接して上腕骨の背面をラセン状にまわり，上腕の遠位1/3で屈側へ出て腕橈骨筋の内側を走る．橈骨神経溝ではこの神経は骨に密接しているため，圧迫または骨折の際，容易に損傷を受ける．屈側でこの神経は肘関節を横切って，橈骨頭の高さで2本の終枝すなわち浅枝と深枝とに分かれる．浅枝は前腕では腕橈骨筋の内側面を下行し，そののち前腕の下1/3のところで腕橈骨筋と橈骨の間を通って伸側へ出て，手背に達している．深枝は回外筋を斜めに貫いて多数の筋枝を出し，細い後[前腕]骨間神経となってさらに下行し手の関節に至る．

上腕に対しては，橈骨神経は**後上腕皮神経**（**A～C1**）を出して上腕伸側の皮膚知覚を司り，さらに上腕外側下半の皮膚に対して**下外側上腕皮神経**（**A～C2**）を出す．上腕の中1/3では上腕三頭筋（**A4**）の長頭，外側頭および内側頭へ行く筋枝（**AC3**）が出る．内側頭へ行く枝からは，さらに肘筋（**A5**）を支配する枝も出る．

上腕部で**後前腕皮神経**（**A～C6**）が出て，これが前腕上部で伸側の橈側半分の皮膚を帯状に支配する．上腕骨の外側上顆の高さで筋枝（**C7**）が出て，腕橈骨筋（**A8**）と長橈側手根伸筋（**A9**）へ行く．その後この神経幹は前腕で浅枝と深枝の両主枝に分かれる．

浅枝（**A～C10**）は手背で**背側指神経**（**A～C11**）を出し，これらは橈側の手背，母指ならびに示指と中指の基節の伸側，および薬指基節の伸側の橈側半分の皮膚知覚を司っている．尺骨神経との交通枝（**C12**）によって尺骨神経と交通する．

深枝（**AC13**）は回外筋 supinator を貫通する際，短橈側手根伸筋（**A14**）と回外筋へ行く筋枝を出す．その後は手の伸筋へ行く運動枝に分かれ，これらは総指伸筋（**A15**），小指伸筋（**A16**），尺側手根伸筋（**A17**），長母指外転筋（**A18**）および短母指伸筋（**A19**）

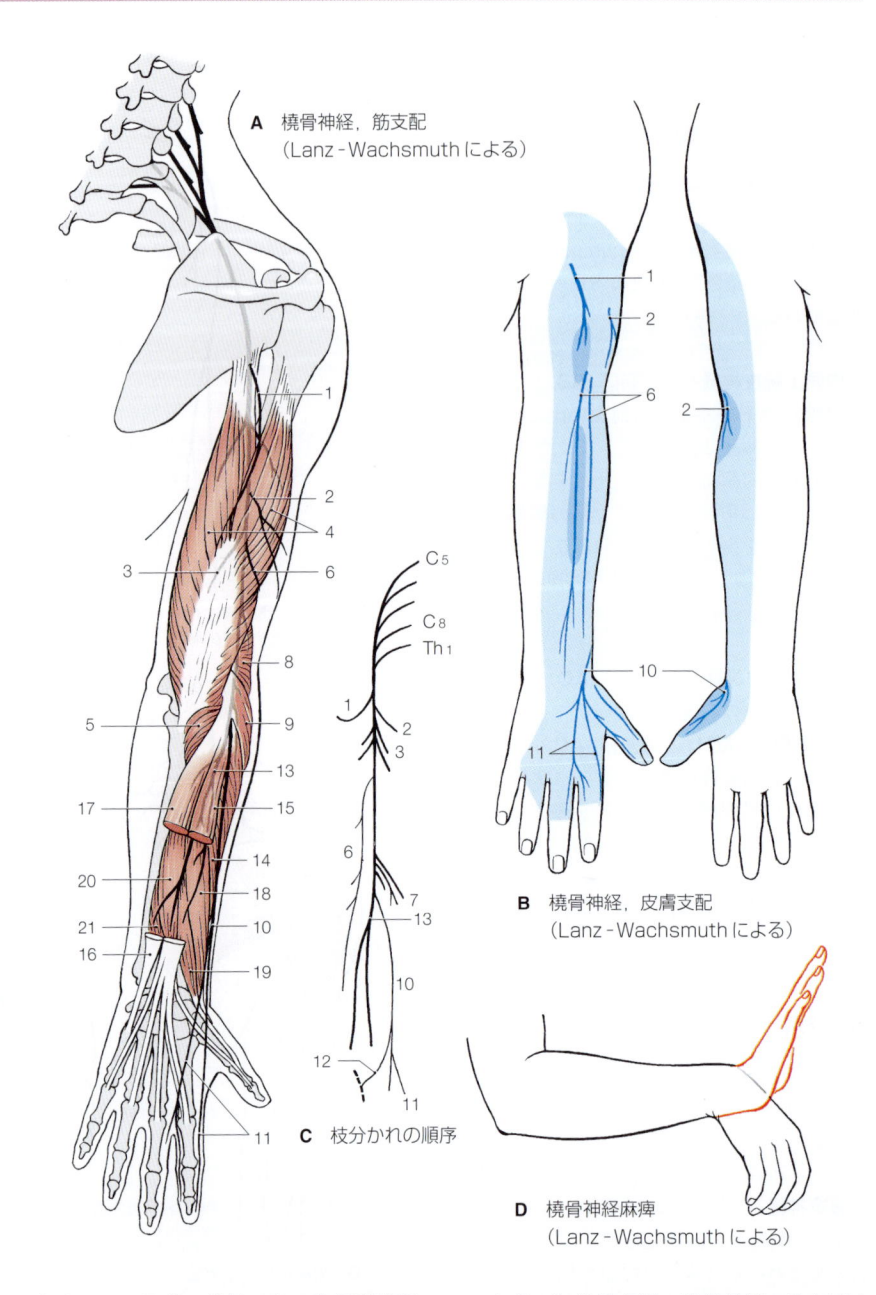

へ行く．この深枝の終枝である**後骨間神経** posterior interosseous nerve は，最後に長母指伸筋（**A20**）と示指伸筋（**A21**）にも枝を出す．

この橈骨神経は肩関節と手の関節にも知覚枝を送っている．

> **臨床関連**：この神経の主幹が上腕部で傷害されると，伸筋群の機能の脱落が起こる．この現象はなかでも手に強く現れ，橈骨神経麻痺 radial nerve paralysis の特徴であるいわゆる**下垂手** Fallhand, wrist drop（**D**）が起こってくる．すなわち手の関節においても指の関節においても伸展が不可能となり，その結果手はだらりと下へ垂れる．

A 橈骨神経，筋支配（Lanz-Wachsmuth による）

B 橈骨神経，皮膚支配（Lanz-Wachsmuth による）

C 枝分かれの順序

D 橈骨神経麻痺（Lanz-Wachsmuth による）

皮膚の知覚性支配：橈骨神経の独自域は濃青色で，最大域は淡青色で示されている（**B**）．

> **臨床関連**：上腕三頭筋と腕橈骨筋とが，感覚的にも，運動についても異常がないかを調べるために，三頭筋反射と腕橈骨筋反射で調べることができる．三頭筋反射：ハンマーで三頭筋腱を叩くと肘関節の伸展が起きる．腕橈骨筋反射：この筋の腱を叩くと肘関節の屈曲が生ずる．

---

1 後上腕皮神経 posterior brachial cutaneous nerve　2 下外側上腕皮神経 inferior lateral brachial cutaneous nerve　3 筋枝 muscular branch　4 上腕三頭筋 triceps brachii　5 肘筋 anconeus　6 後前腕皮神経 posterior antebrachial cutaneous nerve　7 筋枝 muscular branch　8 腕橈骨筋 brachioradialis　9 長橈側手根伸筋 extensor carpi radialis longus　10 浅枝 superficial branch　11 背側指神経 dorsal digital nerves　12 尺骨神経との交通枝 communicating branch with ulnar nerve　13 深枝 deep branch　14 短橈側手根伸筋 extensor carpi radialis brevis　15 総指伸筋 extensor digitorum　16 小指伸筋 extensor digiti minimi　17 尺側手根伸筋 extensor carpi ulnaris　18 長母指外転筋 abductor pollicis longus　19 短母指伸筋 extensor pollicis brevis　20 長母指伸筋 extensor pollicis longus　21 示指伸筋 extensor indicis

体幹の神経（A～D）

体幹の領域では原始的な体節構造が，肋骨やその間にある肋間筋の配列にまではっきりと認められる．その分節構造に胸神経も順応するようになっている．

12対の胸部の脊髄神経は，それぞれ1本ずつの**後枝**（**A1**）と**前枝**（**A2**）に分かれる．

後枝（A，D）

各後枝 posterior rami はまた内側枝と外側枝に分かれる．これら両枝は深部にある自所的背筋群を運動性に支配している．背部の皮膚の知覚支配は主に後枝の外側皮枝（**AD3**）が引き受けている．頸神経の後枝の支配領域は広く拡大して，後頭部にも及んでいる（**D4**，**大後頭神経**）．骨盤部では背部の知覚支配は第1～3腰神経と第1～3仙骨神経の後枝によって行われている〔**上殿皮神経**（**D5**）と**中殿皮神経**（**D6**）〕．

前枝（A～D）

胸神経の前枝 anterior rami は肋骨の間で**肋間神経** intercostal nerves として，最初は胸郭の内面を，次いで内肋間筋の内方を走る．肋間神経に上群と下群とが区別される．

上群 upper group の神経（Th$_1$～Th$_6$）（**A～D**）は胸骨にまで達しており，肋間筋（**C7**），上後鋸筋 serratus posterior superior および胸横筋 transversus thoracis を支配している．上群の神経は胸部の皮膚に知覚枝を出す．すなわち前鋸筋の前縁で，**外側皮枝**（**AD8**）が出て前および後枝に分かれ，また胸骨のそばで**前皮枝**（**AD9**）が出て，同様に内側皮枝および外側皮枝に分かれる．第4～6胸神経の前枝の外側皮枝と第2～4胸神経の前枝からは，乳腺のあたりへ行っており，おのおの外側および内側乳腺枝 lateral & medial mammary branches といわれる．

下群 lower group の神経（Th$_7$～Th$_{12}$）（**C**）では，その神経の走っている肋間腔は胸骨に終わらず肋軟骨を越えて白線に達している．これらの神経は次第に斜め下方へ向かって走り，腹壁の筋〔腹横筋（**C10**），外腹斜筋（**C11**），内腹斜筋（**C12**），腹直筋（**C13**）および錐体筋〕を支配している．また，背部では

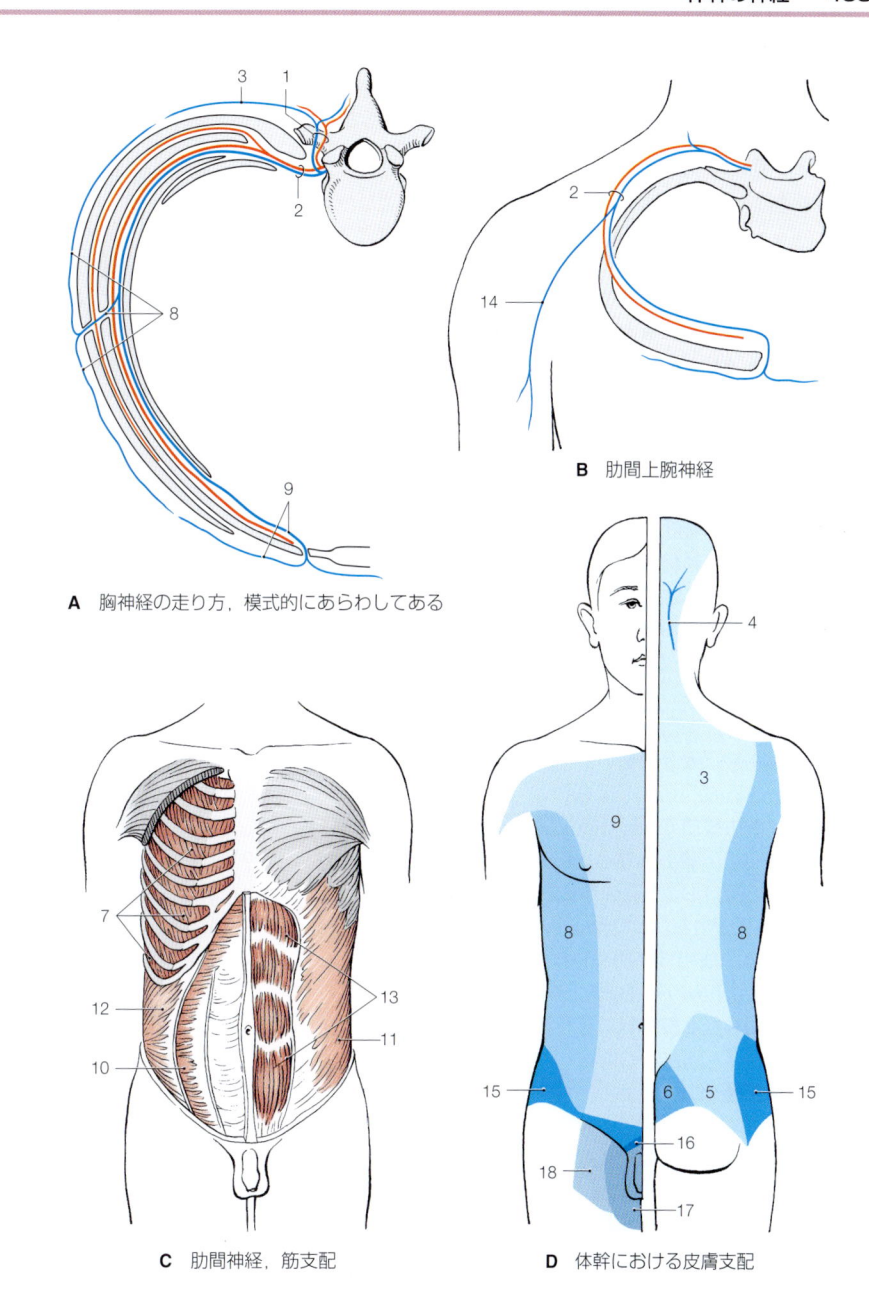

A 胸神経の走り方，模式的にあらわしてある

B 肋間上腕神経

C 肋間神経，筋支配

D 体幹における皮膚支配

下後鋸筋 serratus posterior inferior も支配している．

特異事項：第1肋間神経は腕神経叢の形成に関与し，1本の細い枝だけを肋間腔へ送っている．第2肋間神経（しばしば第3も）は外側皮枝を上腕へ送っており（**B14**，**肋間上腕神経**），そこでこの神経は内側上腕皮神経 medial cutaneous nerve of arm と関係をもつようになる．第12肋骨の下を走る最後

の肋間神経は**肋下神経** subcostal nerve といわれる．この神経は腸骨稜を越えて斜め下方へ走る．

鼠径部と股関節のあたりの皮膚知覚は，腰神経叢の最上部の諸枝によって支配されている：すなわち**腸骨下腹神経**（**D15**，外側皮枝と前枝），**腸骨鼠径神経**（**D16**）および**陰部大腿神経**〔陰部枝（**D17**），大腿枝（**D18**）〕の支配下にある．

---

1 後枝 posterior rami　2 前枝 anterior rami　3（後枝の）外側皮枝 lateral branch　4 大後頭神経 greater occipital nerve　5 上殿皮神経 superior clunial nerves　6 中殿皮神経 medial clunial nerves　7 肋間筋 intercostal muscle　8（前枝の）外側皮枝 lateral branch　9 前皮枝 anterior cutaneous branches　10 腹横筋 transversus abdominis　11 外腹斜筋 external oblique　12 内腹斜筋 internal oblique　13 腹直筋 rectus abdominis　14 肋間上腕神経 intercostobrachial nerves　15 腸骨下腹神経 iliohypogastric nerve　16 腸骨鼠径神経 ilio-inguinal nerve　17 陰部枝（陰部大腿神経）genital branch (of genitofemoral nerve)　18 大腿枝（陰部大腿神経）femoral branch (of genitofemoral nerve)

腰仙骨神経叢（A）

　この腰仙骨神経叢 lumbosacral plexus は腰神経と仙骨神経の前枝 anterior rami からつくられる．これから出る枝は下肢の知覚と運動を司る．L_1〜L_3全体とL_4の一部の前枝は**腰神経叢** lumbar plexus をつくり，その諸根とともに腰筋 psoas の内部に横たわっている．この神経叢からは数本の短い筋枝のほか，**閉鎖神経**（**A1**）と**大腿神経**（**A2**）が出る．第4腰神経の残りの前枝とL_5の前枝は合して**腰仙骨神経幹**（**A3**）となる．この神経幹は小骨盤の中で第1〜3仙骨神経前枝と合して**仙骨神経叢** sacral plexus となる．これら仙骨神経前枝は前仙骨孔から出て，腰仙骨神経幹とともに仙骨神経叢を形成するのである．この神経叢から主な神経として**坐骨神経**（**A4**）[**総腓骨神経**（**A5**）と**脛骨神経**（**A6**）の2成分からなっている]が出ていく．

腰神経叢

　この腰神経叢は寛骨内面の筋へ直行する短い筋枝 muscular branches を出す．すなわち大腰筋と小腰筋 psoas major & psoas minor (L_1〜L_4)．腰方形筋 quadratus lumborum (Th_{12}〜L_3) および腸骨筋 iliacus (L_2とL_3) へ行く筋枝が出る．この神経叢の上部から出る神経は，まだほぼ肋間神経のような態度をとる．これらの神経は肋下神経（**A7**）とともに肋間神経と腰神経の移行型の神経なのである．

腸骨下腹神経（Th_{12}とL_1）

　腸骨下腹神経（**A8**）は始めは腰方形筋の内面を走り腎臓の後面を越え，その後は腹横筋と内腹斜筋の間を走る．この神経はこれら板状の腹筋（腹横筋と腹斜筋）の神経支配に関与する．またこの神経は2本の皮枝を出すが，そのうち外側皮枝は殿部の外側の皮膚知覚を司り，前皮枝は浅鼠径輪の上方で外腹斜筋の腱膜を貫き，この部と恥骨部の皮膚知覚に関与する（469頁D15, 475頁C16）．

腸骨鼠径神経（L_1）（**A9**）

　は鼠径靱帯に沿って走り，男性では鼠径管の中を精索とともに陰嚢に達するが，女性では子宮円索とともに大陰唇に至る．この神経も上記の板状の腹筋の支配にあずかり，恥丘の皮膚および陰嚢上部，あるいは大陰唇上部の知覚を司っている（469頁D16）．

陰部大腿神経（L_1とL_2）（**A10**）

　はすでに腰筋の中あるいはこの筋の上で，**陰部枝** genital branch と**大腿枝** femoral branch の2枝に分かれる．陰部枝は腹壁内で鼠径靱帯の上を走って，精索とともに陰嚢にまで達し，女性では子宮円索とともに大陰唇に達する．この神経は精巣挙筋 cremaster を支配し，陰嚢または大陰唇の皮膚知覚，さらに互いに向かい合った大腿の領域の皮膚知覚をも司る（469頁D17, 475頁C15）．大腿枝は鼠径靱帯の下を通って，伏在裂孔の皮下に現れる．この神経は陰部枝の支配領域より

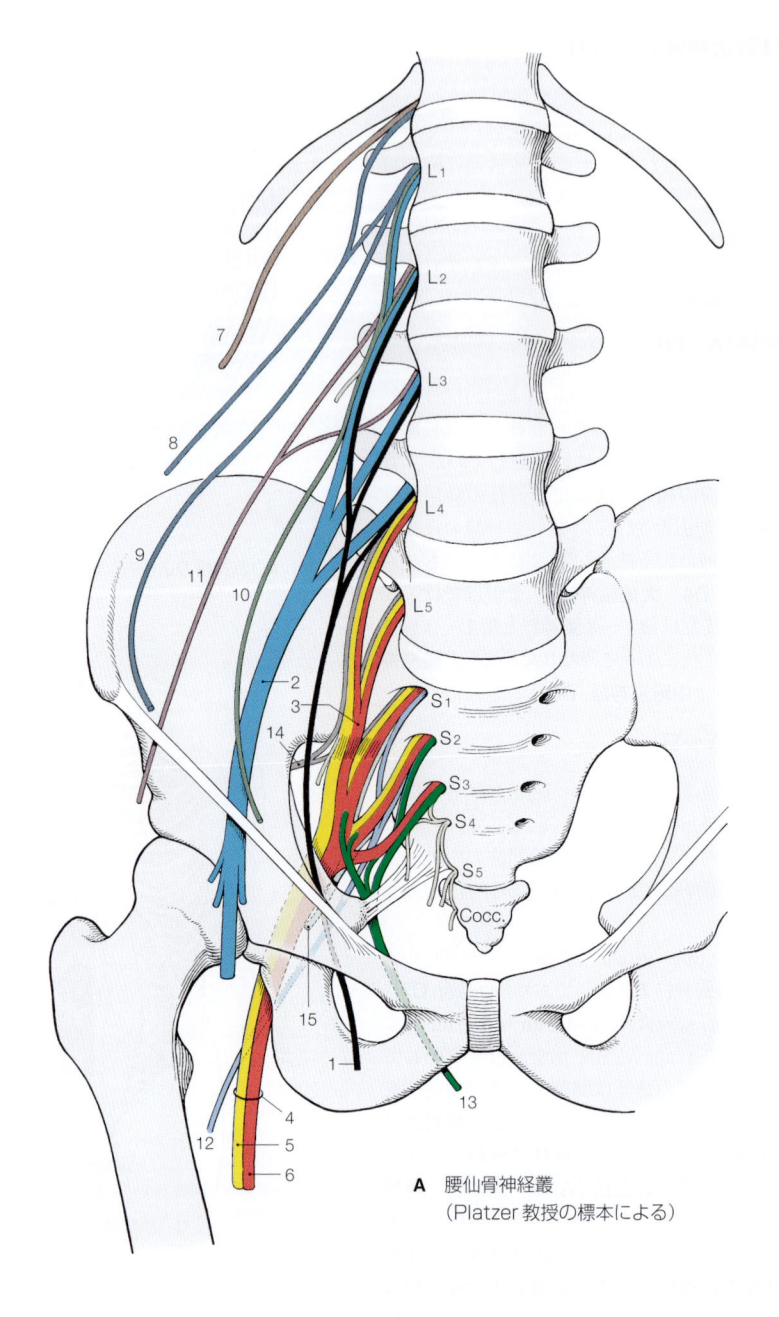

も外側の大腿の皮膚の知覚を司る（469頁D18）．

A 腰仙骨神経叢
（Platzer 教授の標本による）

> **臨床関連**：椎間板ヘルニアは下部腰椎に一番多いのだが，この際には椎間板の髄核がこれを囲んでいる線維輪から脱出してきて，脊髄管，そして神経根を圧迫する．それぞれの根に対応する感覚，運動の領域の感覚鈍麻，麻痺といった傷害を引き起こす．

---

1 閉鎖神経 obturator nerve　**2** 大腿神経 femoral nerve　**3** 腰仙骨神経幹 lumbosacral trunk　**4** 坐骨神経 sciatic nerve　**5** 総腓骨神経 common fibular nerve　**6** 脛骨神経 tibial nerve　**7** 肋下神経 subcostal nerve　**8** 腸骨下腹神経 iliohypogastric nerve　**9** 腸骨鼠径神経 ilio-inguinal nerve　**10** 陰部大腿神経 genitofemoral nerve　**11** 外側大腿皮神経 lateral femoral cutaneous nerve (471頁A)　**12** 後大腿皮神経 posterior femoral cutaneous nerve (472頁D)　**13** 陰部神経 pudendal nerve (475頁AB1)　**14** 上殿神経 superior gluteal nerve (472頁E)　**15** 下殿神経 inferior gluteal nerve (472頁F)

腰仙骨神経叢 471

腰神経叢（続き）

外側大腿皮神経（L_2とL_3）（A）

外側大腿皮神経 lateral cutaneous nerve of thigh は腸骨筋を越えて上前腸骨棘の下方にまで達する．その後この神経は鼠径靱帯の下で筋裂孔の外側部を通り抜け大腿の外側面に出て，大腿筋膜を貫き皮下に現れる．この神経は純知覚性で，膝に至る大腿外側面の皮膚に分布している．

大腿神経（L_1〜L_4）（B〜D）

大腿神経 femoral nerve は大腰筋の外側縁を走って鼠径靱帯に達し，この下で筋裂孔を通って大腿の前面に出てくる．鼠径靱帯の下でこの神経幹は次の数枝に分かれる：主に前方の知覚性のグループすなわち**前皮枝**（B〜D1），大腿の伸筋群 extensor muscles を支配する運動性の外側群と内側群，および**伏在神経**（B〜D2）．伏在神経は内転筋管に至り，この中へ入る．この神経は広筋内転筋板を貫き，大伏在静脈とともに膝関節と下腿の内側面を走って内果に達する．

小骨盤の中で，大腿神経は数本の細枝（D3）を出して大腰筋（B4）と腸骨筋（B5）を支配し，鼠径靱帯の下では恥骨筋（B7）へ行く枝（D6）を出している．これより少し遠位で前皮枝（B〜D1）が出るが，そのうちの最大の枝は大腿の中央部を走って膝まで下行している．これらの枝は大腿の前面および内側面の皮膚の知覚を司る．

筋枝の外側群（D8）は，縫工筋（B9），大腿直筋（B10），外側広筋（B11）および中間広筋（B12）へ行く筋枝 muscular branches からなっている．縫工筋の内側縁に沿って内側広筋（B14）へ行く筋枝（D13）が走っている（内側群 medial group）．これらの筋枝はきまってさらに数枝に分かれて，その支配筋の近位および遠位部へ入り込んでいく．そのほか，筋枝からは細かい知覚枝が膝関節の関節包と脛骨の骨膜へ行っている．内側広筋へ行く枝からは大腿動静脈へ行く諸枝が出る．

伏在神経（B〜D2）は純知覚性の神経である．この神経は膝関節の下方で**膝蓋下枝**（B〜D15）を出し，これは縫工筋を貫いて膝蓋骨より下方の皮膚を支配している．その他の枝すなわち**内側下腿皮枝** medial cutaneous nerve of leg は下腿の前面および内側面の皮膚に分布している．その分布領域は前面では脛骨体前縁を越えて広がり，足の内側縁では母指にまで及んでいる．

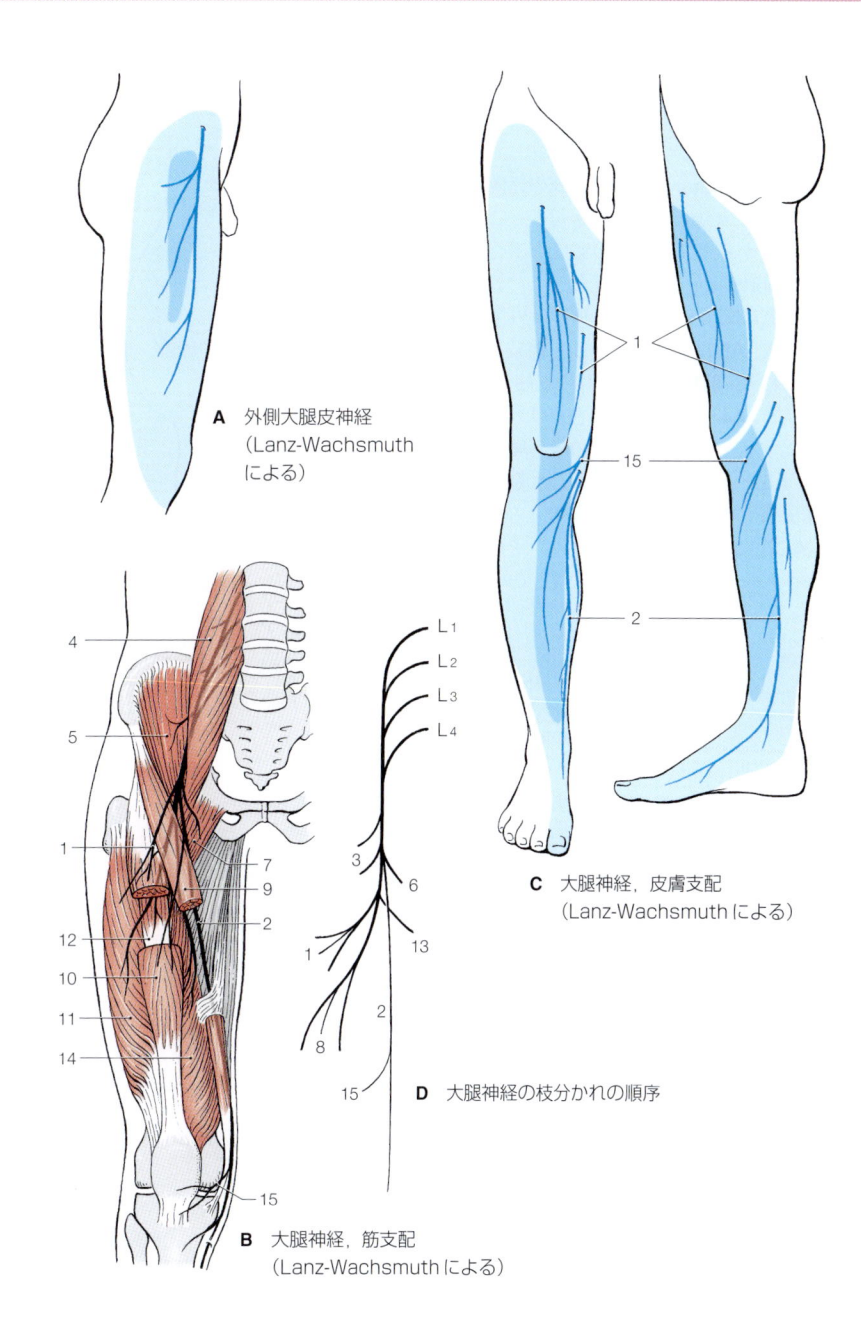

A 外側大腿皮神経（Lanz-Wachsmuth による）

B 大腿神経，筋支配（Lanz-Wachsmuth による）

C 大腿神経，皮膚支配（Lanz-Wachsmuth による）

D 大腿神経の枝分かれの順序

臨床関連：大腿神経の麻痺の際には，下肢は膝関節でもはや伸ばすことができなくなる．股関節での屈曲度は減弱し，膝蓋腱反射 patellar tendon reflex (knee jerk) は消失する．

皮膚の知覚性支配：これらの神経の独自域は濃青色で，最大域は淡青色で示されている（A，C）．

---

1 前皮枝 anterior cutaneous branch **2** 伏在神経 saphenous nerve **3** 細い運動枝 fine motor branches **4** 大腰筋 psoas major **5** 腸骨筋 iliacus **6** 筋枝 muscular branch **7** 恥骨筋 pectineus **8** 外側群 lateral group **9** 縫工筋 sartorius **10** 大腿直筋 rectus femoris **11** 外側広筋 vastus lateralis **12** 中間広筋 vastus intermedius **13** 筋枝 muscular branch **14** 内側広筋 vastus medialis **15** 膝蓋下枝 infrapatellar branch

腰神経叢（続き）（A～C）

閉鎖神経（L₂～L₄）（A～C）

閉鎖神経 obturator nerve は大腿の諸内転筋群 adductor muscles の運動を司る．この神経は腰筋から出て小骨盤の側壁を下行して閉鎖管 obturator canal に達し，この管を通って下肢に出てくる．この神経は外閉鎖筋への筋枝（**AB1**）を出してから，前枝と後枝に分かれる．**前枝**（**AB2**）は長内転筋（**A3**）と短内転筋（**A4**）の間を通るとき，これら両筋を支配する．この神経はそのほか恥骨筋と薄筋（**A5**）への枝も出し，最後は大腿内側面の遠位部へ行く皮枝（**B6**）が終枝となる．**後枝**（**AC7**）は外閉鎖筋の上を走り，その後は深部へ入って大内転筋（**A8**）に達している．

臨床関連：この閉鎖神経の麻痺（例えば，骨盤骨折 fracture of the pelvis のとき）は，内転筋群の機能脱落を引き起こす．それによって起立と歩行がおかされ，傷害側の下肢を健側の下肢の上に組み重ねることができなくなる．

A 閉鎖神経，筋支配（Lanz-Wachsmuth による）
B 閉鎖神経の枝分かれの順序
C 閉鎖神経，皮膚支配（Lanz-Wachsmuth による）

仙骨神経叢（D～F）

腰仙骨神経幹 lumbosacral trunk（L₄の一部とL₅）とS₁～S₃の前枝 anterior rami は，梨状筋の前面で合わさって仙骨神経叢 sacral plexus をつくる．この神経叢から骨盤領域にある諸筋への直接枝が出る．すなわち梨状筋 piriformis，双子筋（**F9**），内閉鎖筋 obturator internus および大腿方形筋（**F10**）を支配する筋枝が出る．

上殿神経（L₄～S₁）（E）

上殿神経 superior gluteal nerve は梨状筋の上縁を越えて背方へ向かい，梨状筋上孔 suprapiriform foramen を通って中殿筋（**E11**）と小殿筋（**E12**）へ行き，これら両筋の運動を支配する．この神経は両筋の間を走ってさらに大腿筋膜張筋（**E13**）へ行く．

臨床関連：この神経が麻痺すると，下肢の外転が弱くなる．麻痺側の下肢で立ち，健側の下肢をあげると健側の骨盤が沈下する（トレンデレンブルク Trendelenburg 徴候）．

下殿神経（L₅～S₂）（F）

下殿神経 inferior gluteal nerve は梨状筋下孔 infrapiriform foramen を通って骨盤から出て，数枝に分かれて大殿筋（**F14**）を支配している．

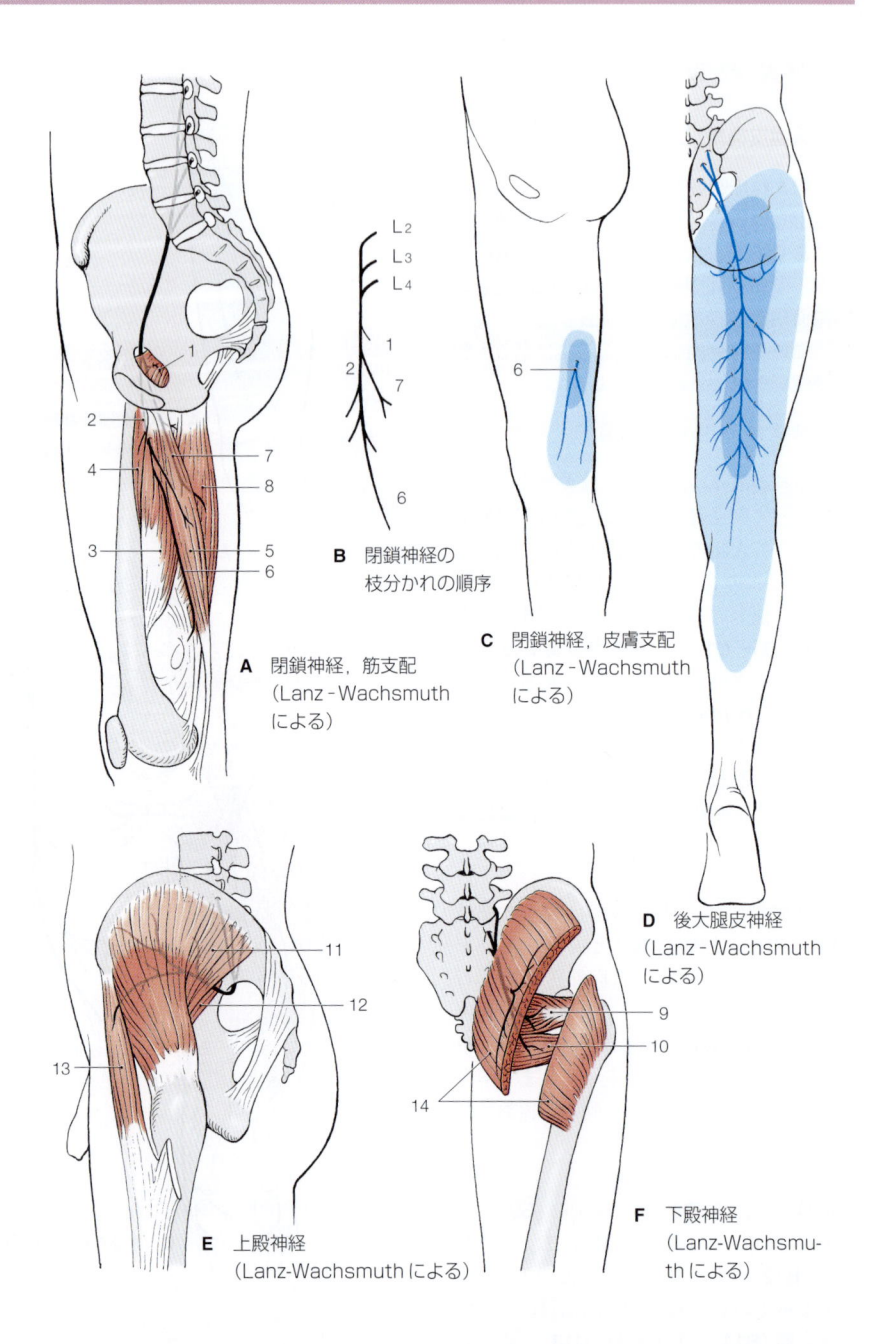

臨床関連：この神経が麻痺すると，股関節での伸展が弱くなる（例えば立ち上がったり，階段を昇るときに）．

後大腿皮神経（S₁～S₃）（D）

後大腿皮神経 posterior cutaneous nerve of thigh は坐骨神経ならびに下殿神経とともに梨状筋下孔を通って骨盤を去り，大殿筋の下で大腿の後面に現れる．大腿筋膜の直下を走って，この神経は大腿の中央部を膝窩へ向かう．この純知覚性神経は殿部の下縁へ行く**下殿皮神経** inferior clunial nerves と会陰部へ行く**会陰枝** perineal branches とを送り出す．この神経は下殿部から膝窩にわたる大腿後面の皮膚知覚を司り，さらに下腿の大腿に近い部分にまで及んでいる．

皮膚の知覚性支配：これらの神経の独自域は濃青色で，最大域は淡青色で示されている（**C, D**）．

D 後大腿皮神経（Lanz-Wachsmuth による）
E 上殿神経（Lanz-Wachsmuth による）
F 下殿神経（Lanz-Wachsmuth による）

---

1 筋枝（外閉鎖筋へ行く）muscular branch　2 前枝 anterior branch　3 長内転筋 adductor longus　4 短内転筋 adductor brevis　5 薄筋 gracilis　6 皮枝 cutaneous branch　7 後枝 posterior branch　8 大内転筋 adductor magnus　9 双子筋 gemellus　10 大腿方形筋 quadratus femoris　11 中殿筋 gluteus medius　12 小殿筋 gluteus minimus　13 大腿筋膜張筋 tensor fasciae latae　14 大殿筋 gluteus maximus

仙骨神経叢（続き）（A～C）

坐骨神経（L₄～S₃）（AC1）

この神経は2つの成分，すなわち**総腓骨神経** common fibular (peroneal) nerve と**脛骨神経** tibial nerve からなっており，この両成分は小骨盤と大腿では1枚の共通の結合組織性被膜に包まれているから，1本の単一の神経幹のようにみえる．この坐骨神経は梨状筋下孔を通って小骨盤を出て，大殿筋と大腿二頭筋の下で，内閉鎖筋，大腿方形筋および大内転筋の背面を膝関節の方へ向かう．膝関節の上で総腓骨神経と脛骨神経とが分かれる．骨盤内では結合組織の被膜に包まれて，総腓骨神経が上に，脛骨神経は下に位置している．そして大腿では，総腓骨神経は外側に，脛骨神経は内側に位置するようになる．これら両神経はまた完全に分かれて走っていることもあり，その際には脛骨神経だけが梨状筋下孔を通り抜け，総腓骨神経の方は梨状筋を貫通している．

総腓骨神経（L₄～S₂）（**AC2**）．大腿では，坐骨神経の腓骨神経性部分から大腿二頭筋短頭（**A3**）へ行く筋枝が出る．

坐骨神経が両神経に分離した後は，総腓骨神経は二頭筋に沿って膝窩の外側縁を腓骨頭まで下行する．この神経はそれから腓骨頭をまわって下腿の前面へ向きを変え，長腓骨筋 peroneus longus の中へ入り込む．この筋の中でこの神経（＝総腓骨神経 common peroneal nerve）は**浅腓骨神経**（**AC4**）と**深腓骨神経**（**AC5**）とに分かれる．大部分の線維が知覚性の浅腓骨神経は長腓骨筋と腓骨の間を通って足背に達する．深腓骨神経は主に運動性であって，前方へ向かい下腿の伸筋群へ行き，さらに前脛骨筋の外側面を下行し足背にやってくる．

総腓骨神経からは，膝窩の外側縁で2種類の皮枝が出てくる．**外側腓腹皮神経**（A～C6）と腓腹神経との交通枝（**C7**）で，前者は下腿の外側面の皮膚の知覚を司り，後者は内側腓腹皮神経 medial sural cutaneous nerve と合して腓腹神経 sural nerve となる．

浅腓骨神経は長腓骨筋（**A9**）と短腓骨筋（**A10**）に対する筋枝（**AC8**）を出す．この神経の残りは純知覚性である．すなわちこの神経は最後には**内側足背皮神経**（**BC11**）と**中間足背皮神経**（**BC12**）という終枝となり，母指と第2指との指間腔面を除く皮膚の知覚をつかさどる．

深腓骨神経は下腿と足の伸筋群へ数本の筋枝（**AC13**）を出している．すなわち前脛骨筋（**A14**），長・短指伸筋（**A15, 16**）および長・短母指伸筋（**A17, 18**）に枝を出す．この神経の終枝は知覚性であって，母指と第2指の指間腔の互いに向かい合う皮膚面（**B19**）の知覚を司っている．

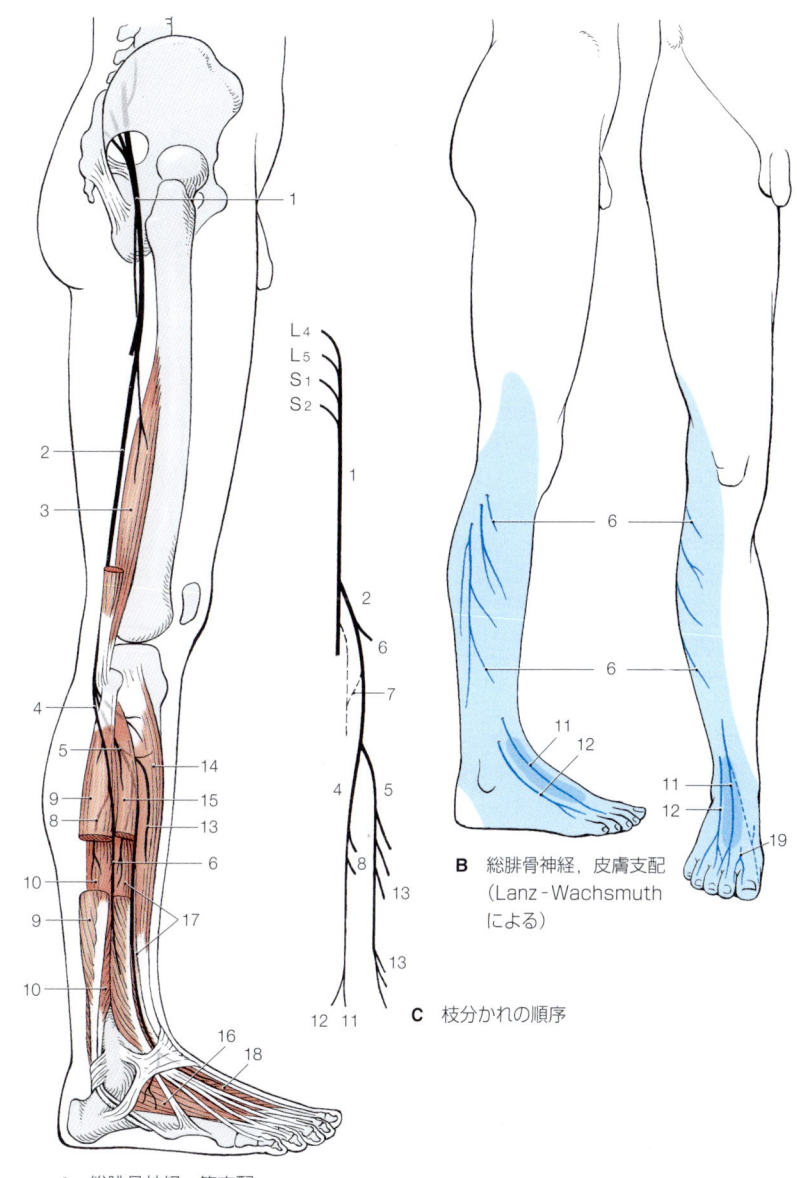

A 総腓骨神経，筋支配（Lanz-Wachsmuthによる）

B 総腓骨神経，皮膚支配（Lanz-Wachsmuthによる）

C 枝分かれの順序

臨床関連：深腓骨神経の傷害では足の伸筋がおかされる．足は跳躍関節 Sprunggelenk ではもはやもち上がらなくなる．歩行に際して，足は下垂し，足指は地面をひきずる（下垂足 drop foot）．したがって下肢は過度に引き上げられ，いわゆるニワトリ歩行 steppage gait (cock-tread) がみられるようになる．

皮膚の知覚性支配：この腓骨神経の独自域は濃青色で，最大域は淡青色で示されている（**B**）．

---

1 坐骨神経 sciatic nerve　2 総腓骨神経 common fibular nerve　3 大腿二頭筋短頭 short head of biceps femoris　4 浅腓骨神経 superficial fibular nerve　5 深腓骨神経 deep fibular nerve　6 外側腓腹皮神経 lateral sural cutaneous nerve　7 腓腹神経との交通枝 communicating branch with sural nerve　8 筋枝 muscular branch　9 長腓骨筋 fibularis longus　10 短腓骨筋 fibularis brevis　11 内側足背皮神経 medial dorsal cutaneous nerve　12 中間足背皮神経 intermediate dorsal cutaneous nerve　13 筋枝 muscular branch　14 前脛骨筋 tibialis anterior　15 長指伸筋 extensor digitorum longus　16 短指伸筋 extensor digitorum brevis　17 長母指伸筋 extensor hallucis longus　18 短母指伸筋 extensor hallucis brevis　19 第1指間腔の対向皮膚面

仙骨神経叢（続き）（A〜D）

坐骨神経（続き）

脛骨神経（L_4〜S_3）（A〜D）

大腿で，坐骨神経の脛骨神経性部分から数本の運動枝（**AC1**）が出る：すなわち半腱様筋（**A2**）の近位部と遠位部，大腿二頭筋長頭（**A3**）への諸枝，ならびに細かく分かれて半膜様筋（**A4**）と大内転筋（**A5**）の内側部へ行く枝が出る．

坐骨神経が二分した後，脛骨神経 tibial nerve は膝窩の真ん中を垂直に走り腓腹筋 gastrocnemius の下に現れる．この神経は次いでヒラメ筋の腱弓 tendinous arch of soleus の裏を通って，さらに長母指屈筋と長指屈筋の間を下行する．これら両筋の腱の間から，この神経は内果の背側に達し，これをまわって内果の下で，内側足底神経 medial plantar nerve と外側足底神経 lateral plantar nerve の2本の終枝に分かれる．

膝窩では，**内側腓腹皮神経**（**C6**）が出て，腓腹筋の外側および内側頭の間を下行し，総腓骨神経の腓腹神経との交通枝 peroneal communicating branch と合して**腓腹神経**（**BC7**）となる．この腓腹神経はアキレス腱の外側を走り外果の後ろへきて，これをまわって足の外側縁に出る．この神経は踵の外側の皮膚へ行く**外側踵骨枝**（**BC8**）と足の外側縁へ行く**外側足背皮神経**（**BC9**）になる．

膝窩ではそのほか運動枝（**AC10**）が出て下腿の屈筋へ行く：すなわち腓腹筋（**A11**）の両頭，ヒラメ筋（**A12**），足底筋 plantaris および膝窩筋（**A13**）へ行く枝が出る．膝窩筋へ行く膝窩筋枝 popliteal branch からは下腿骨間神経（**C14**）が枝分かれし，骨間膜の背面を走って，脛骨の骨膜，上跳躍関節および脛腓関節の知覚を司っている．脛骨神経は途中，ヒラメ筋の下で筋枝（**C15**）を後脛骨筋（**A16**），長指屈筋（**A17**）および長母指屈筋（**A18**）へ送り出している．この神経幹は終枝に分かれる前に**内側踵骨枝**（**BC19**）を出して，踵の内側部の皮膚知覚を司っている．

両終枝のうち内側のもの，すなわち**内側足底神経**（**CD20**）は，母指外転筋（**D21**），短指屈筋（**D22**）および短母指屈筋（**D23**）を支配している．この神経は最後には3本の**総底側指神経**（**BC24**）に分かれ，第1・第2虫様筋（**D25**）を支配し，さらに**固有底側指神経**（**BC26**）に分かれて，母指から第4指までの指間腔面の皮膚知覚を支配している．

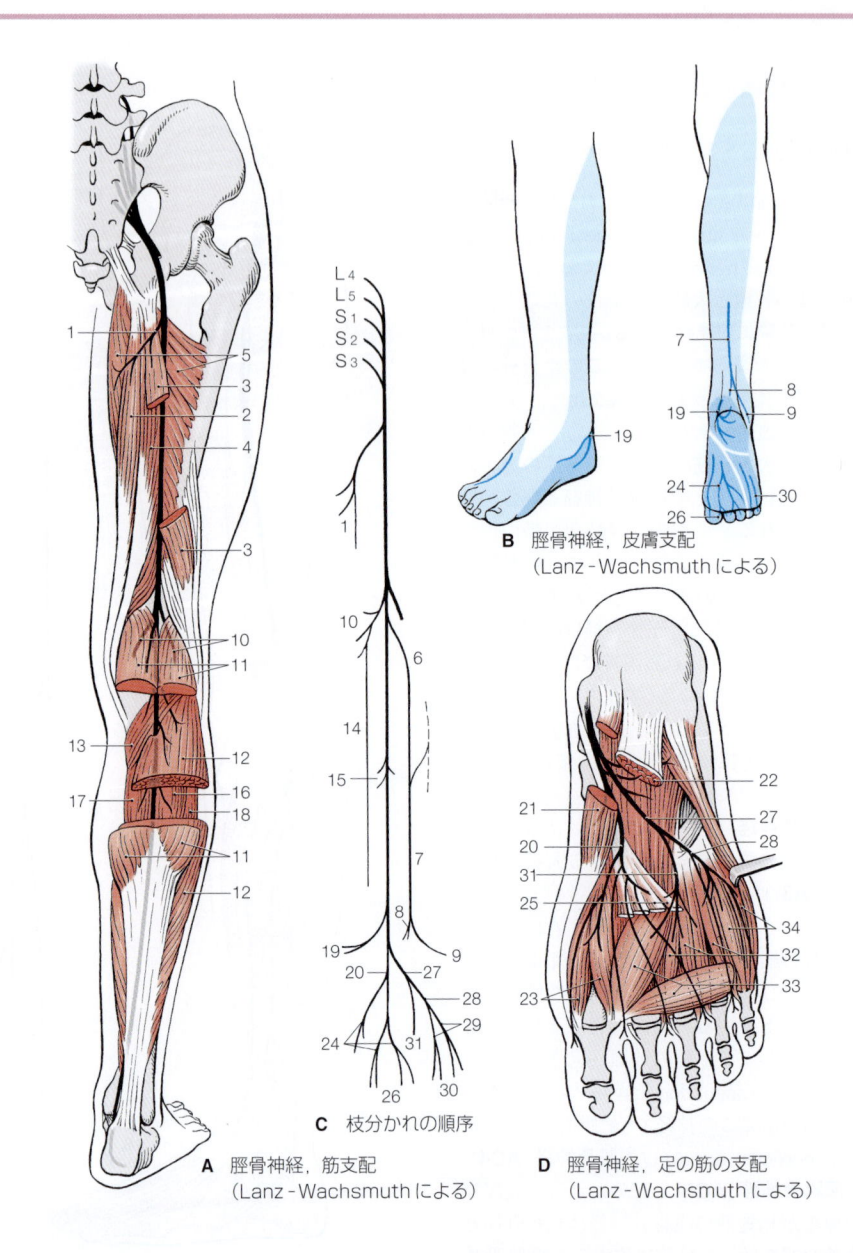

もう一つの終枝である**外側足底神経**（**CD27**）は，浅枝（**C28**）と深枝（**CD31**）とに分かれる．浅枝はさらに小指のあたりの皮膚知覚を司る総底側指神経（**C29**）と固有底側指神経（**BC30**）に分かれる．一方の深枝は分かれて筋枝 muscular branches となり，骨間筋（**D32**），母指内転筋（**D33**）および外側3本の虫様筋 lumbricalis を支配している．

A 脛骨神経，筋支配（Lanz-Wachsmuth による）

B 脛骨神経，皮膚支配（Lanz-Wachsmuth による）

C 枝分かれの順序

D 脛骨神経，足の筋の支配（Lanz-Wachsmuth による）

> **臨床関連**：脛骨神経の損傷では足指の屈筋と足の屈筋の麻痺が起こってくる．足はもはや底側へは動かなくなり，つま先立ちは不可能となる．
> アキレス腱反射：ハンマーでアキレス腱を叩くと，足の底屈が起きる．これが起きるということは，下腿三頭筋の感覚的，運動的な神経支配に傷害がないことが示される．例えば，椎間板ヘルニアの結果，神経根の傷害があると，この反射は減弱する．

皮膚の知覚性支配：この脛骨神経の独自域は濃青色で，最大域は淡青色で示されている（**B**）．

---

1 運動枝 motor branches　2 半腱様筋 semitendinosus　3 大腿二頭筋長頭 long head of biceps femoris　4 半膜様筋 semimembranosus　5 大内転筋 adductor magnus　6 内側腓腹皮神経 medial sural cutaneous nerve　7 腓腹神経 sural nerve　8 外側踵骨枝 lateral calcaneal branches　9 外側足背皮神経 lateral dorsal cutaneous nerve　10 運動枝 motor branches　11 腓腹筋 gastrocnemius　12 ヒラメ筋 soleus　13 膝窩筋 popliteus　14 下腿骨間神経 crural interosseous nerve　15 筋枝 muscular branch　16 後脛骨筋 tibialis posterior　17 長指屈筋 flexor digitorum longus　18 長母指屈筋 flexor hallucis longus　19 内側踵骨枝 medial calcaneal branches　20 内側足底神経 medial plantar nerve　21 母指外転筋 abductor hallucis　22 短指屈筋 flexor digitorum brevis　23 短母指屈筋 flexor hallucis brevis　24 総底側指神経 common plantar digital nerves　25 第1・第2虫様筋 lumbricals I, II　26 固有底側指神経 proper plantar digital nerves　27 外側足底神経 lateral plantar nerve　28 浅枝 superficial branch　29 総底側指神経 common plantar digital nerves　30 固有底側指神経 proper plantar digital nerves　31 深枝 deep branch　32 骨間筋 interosseous muscle　33 母指内転筋 adductor hallucis　34 短小指屈筋 flexor digiti minimi brevis

仙骨神経叢（続き）（A～C）

陰部神経（S_2～S_4）（A, B）

陰部神経（**AB1**）は大坐骨孔（**AB2**）から梨状筋下孔を通って骨盤を出て，背側で坐骨棘（**AB3**）をまわり小坐骨孔（**AB4**）から坐骨直腸窩 ischiorectal fossa へ入る．この神経は次いでその側壁に沿い陰部神経管 pudendal canal（アルコック管 Alcock's canal）へ入って恥骨結合の下へ出て終枝となり，陰茎の背面または陰核の背面を走る．

陰部神経管の中で多数の枝が出る：**下直腸神経**（**A～C5**）は第2ないし第4仙骨神経からの直接の枝であることもあるが，ともかく陰部神経管の壁を貫いて会陰へ行き，外肛門括約筋（**AB6**）の運動を支配し，さらに肛門周囲の皮膚および肛門管の下部2/3の知覚を司っている．

会陰神経（**AB7**）は深枝と浅枝に分かれる．深枝 deep branches は外肛門括約筋の運動支配に関与する．さらに深部でもこれらの枝は球海綿体筋 bulbospongiosus，坐骨海綿体筋 ischiocavernosus および浅会陰横筋 superficial transverse perineal muscle を支配している．浅枝 superficial branches は男では陰嚢の後部に分布し（**AC8**，後陰嚢神経），女性では大陰唇の後部に分布し（**BC9**，後陰唇神経），さらに男性では尿道粘膜と尿道球 Bulbus penis の知覚を支配し，女性でも外尿道口と腟前庭の知覚を司る．

終枝である**陰茎背神経**（**A10**）または**陰核背神経**（**B11**）は，運動枝を深会陰横筋 deep transverse perineal muscle と尿道括約筋（**B12**）へ送り出す．尿生殖隔膜（**AB13**）を通り抜けてから，この神経は男性では陰茎海綿体 corpus cavernosum penis，女性では陰核海綿体 corpus cavernosum of clitoris へ行く枝を出す．男性では，陰茎背神経は陰茎の背面を走って知覚枝を陰茎の皮膚と亀頭へ出している．女性では，陰核背神経は陰核亀頭を含めて陰核全体の知覚を司っている．

筋枝 muscular branches（S_3とS_4）

肛門挙筋と尾骨筋は仙骨神経叢からの直接枝によって支配される．

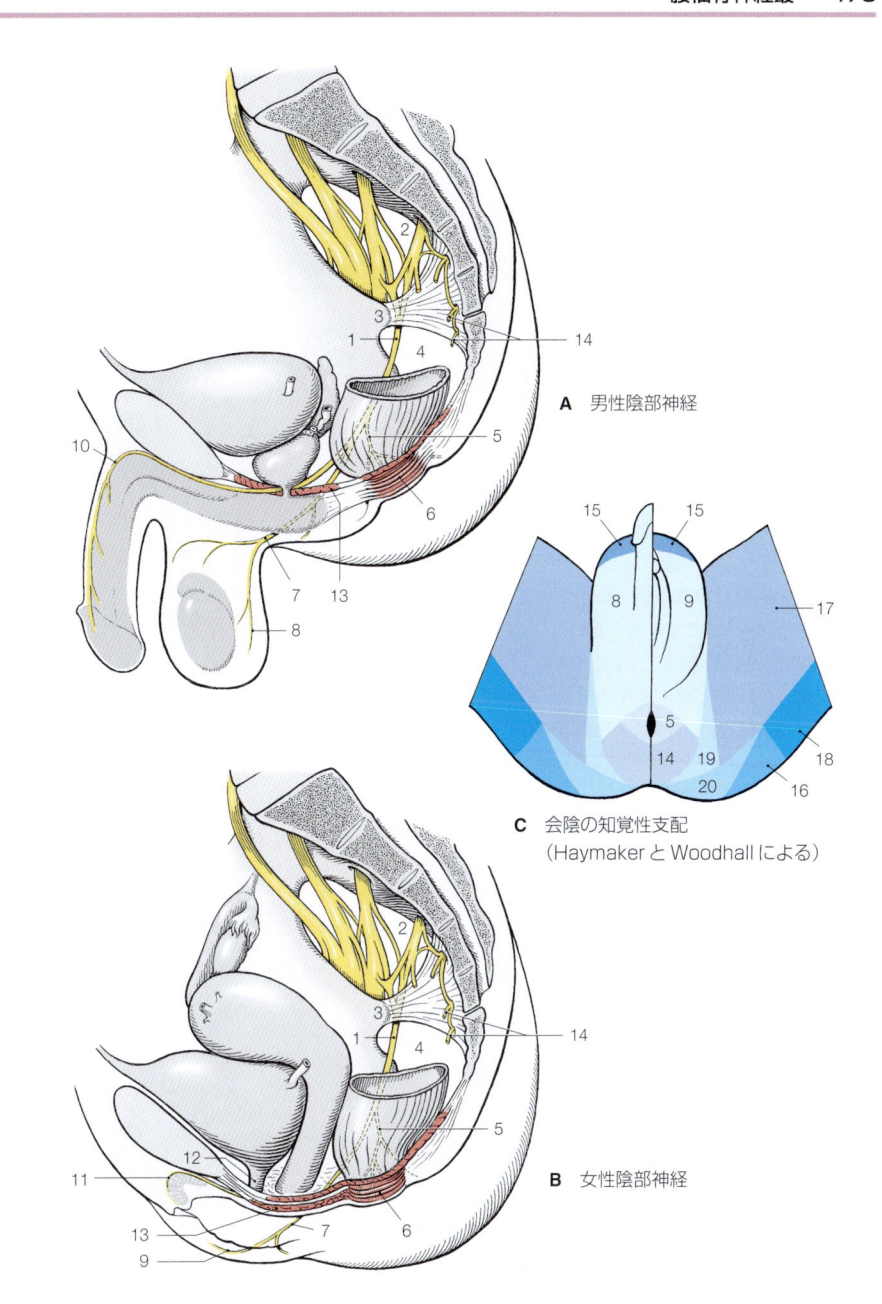

A 男性陰部神経

B 女性陰部神経

C 会陰の知覚性支配
（HaymakerとWoodhallによる）

尾骨神経叢（S_4～Co）（A～C）

第4と第5仙骨神経ならびに尾骨神経の前枝は，尾骨筋の上で小さな神経叢，すなわち尾骨神経叢（**AB14**）をつくっている．この神経叢からは**肛[門]尾[骨]神経** anococcygeal nerves が出て，尾骨を覆う皮膚とその下端から肛門にかけての皮膚の知覚を司っている（**C14**）．

骨盤と会陰の知覚支配（C）

仙骨神経と尾骨神経のほか，腸骨鼠径神経 ilioinguinal nerve，陰部大腿神経（**C15**），腸骨下腹神経（**C16**），閉鎖神経（**C17**），後大腿皮神経（**C18**），下殿皮神経（**C19**）および中殿皮神経（**C20**）が骨盤と会陰部の皮膚知覚に関与している．

外陰，膀胱および直腸の開口部は，不随意性の内臓平滑筋と随意性の横紋筋との境界領域である．そのため，ここでは植物性ならびに体性運動性線維が互いに混じり合い神経叢をつくっている．陰部神経は知覚性，体性運動性および交感性線維のほか，仙髄からの副交感性線維をも含んでいる．副交感性線維は第2～4仙骨神経から骨盤内臓神経 pelvic splanchnic nerves（勃起神経 nervi erigentes）としてもやってくる．

---

1 陰部神経 pudendal nerve　2 大坐骨孔 greater sciatic foramen　3 坐骨棘 ischial spine　4 小坐骨孔 lesser sciatic foramen　5 下直腸神経 inferior rectal nerve　6 外肛門括約筋 external anal sphincter　7 会陰神経 perineal nerves　8 後陰嚢神経 posterior scrotal nerves　9 後陰唇神経 posterior labial nerves　10 陰茎背神経 dorsal nerve of penis　11 陰核背神経 dorsal nerve of clitoris　12 尿道括約筋 urethral sphincter　13 尿生殖隔膜 urogenital diaphragm　14 尾骨神経叢 coccygeal plexus　15 陰部大腿神経 genitofemoral nerve　16 腸骨下腹神経 iliohypogastric nerve　17 閉鎖神経 obturator nerve　18 後大腿皮神経 posterior femoral cutaneous nerve　19 下殿皮神経 inferior clunial nerves　20 中殿皮神経 medial clunial nerves

概説（A〜D）

脳幹 brain stem を 3 つの部分に分ける．延髄（**C1**），橋（**C2**）および中脳（**C3**）の 3 部である．

脳幹は発生の過程では脊索の上にある脳の一部であって，ここからは 10 対の真の末梢神経（第Ⅲ〜第Ⅻ脳神経）が出ていく．小脳は発生学的には脳幹に属するのであるが，その特殊な構造ゆえに分けて述べられる（501 頁）．

延髄 medulla oblongata は錐体交叉と橋の下縁の間にあって，脊髄から脳への移行部を形成している．（脊髄の）前正中裂 anterior median fissure は錐体交叉（**A4**）で中断されるが橋まで走っており，その両側には前外側溝（**AD5**）がみられる．前索は橋の下で肥厚し錐体（**A6**）となる．錐体の外側には両側にオリーブ（**AD7**）がもり上がっている．

橋 pons は幅広の膨隆したふくらみを形成し，表面には明らかに横走線維がみられる．このふくらみの中で大脳皮質からの下行路がニューロンを切り替えて小脳に向かっている．

脳幹の背面は小脳（**C8**）で覆われている．小脳を除去するには，両側の小脳脚 cerebellar peduncles を切断する：すなわち下小脳脚（**BD9**，索状体），中小脳脚（**BD10**，橋腕）および上小脳脚（**BD11**，結合腕）を切断する．そのさい同時に，上髄帆（**C13**）と下髄帆（**C14**）からつくられたテント状の屋根のある第四脳室（**C12**）が開けられる．このようにして第四脳室の底すなわち菱形窩 rhomboid fossa（**B**）がみえるようになる．この菱形窩があることから，延髄と橋をひっくるめて**菱脳** rhombencephalon ともいう．後索（455 頁）は肥厚して両側に楔状束結節（**B15**）と薄束結節（**B16**）を形成している．これらは後正中溝（**B17**）と両側の後外側溝（**B18**）で境されている．

第四脳室は両側に外側陥凹（**B19**）をつくって外髄液腔（クモ膜下腔）に開くが，その裂孔を外側口（**B20**，ルシュカ孔）という．無対の開口が下髄帆の下部にあり，これを正中口（マジャンディ孔）median apertura (foramen of Magendie) という（564 頁 D14）．

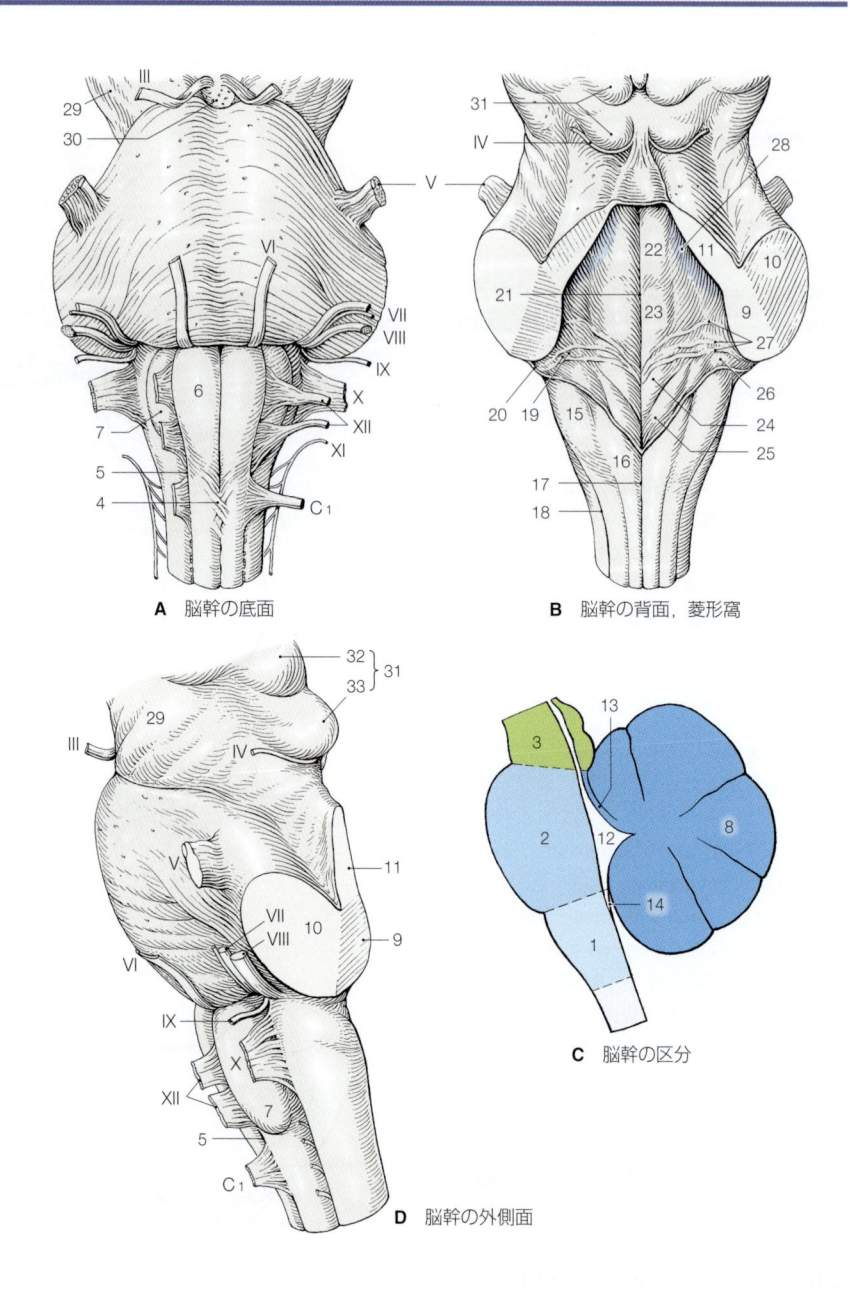

菱形窩の底には正中溝（**B21**）のそばに，脳神経核によってつくられる隆起がみられる：内側隆起（**B22**），顔面神経丘（**B23**），舌下神経三角（**B24**），迷走神経三角（**B25**），および前庭神経野（**B26**）．この菱形窩を第四脳室髄条（**B27**）という有髄神経線維が横断しているのがみえる．青斑（**B28**）は色素をもつ神経細胞のため菱形窩の底を通して青くみえる．これらの神経細胞は主としてノルアドレナリン作動性で，視床下部，辺縁系および新皮質へ投射している．青斑にはそのほかペプチド作動性ニューロン（エンケファリン，ニューロテンシン）がある．

中脳 mesencephalon の前面は大脳脚底（**AD29**，大脳から出る下行路）でつくられる．両側の大脳脚底の間には脚間窩（**A30**）があって，その底には多数の血管が貫通しているため後（脚間）有孔質 Substantia perforata posterior (interpeduncularis) といわれる．中脳の背面には，蓋板（**BD31**，四丘板）があって，ここには上丘（**D32**，視覚系の中継所）と下丘（**D33**，聴覚系の中継所）が 2 つずつみられる．

A 脳幹の底面
B 脳幹の背面，菱形窩
C 脳幹の区分
D 脳幹の外側面

1 延髄 medulla oblongata　2 橋 pons　3 中脳 midbrain　4 錐体交叉 pyramidal decussation　5 前外側溝 anterolateral sulcus　6 延髄錐体 pyramid　7 オリーブ olive　8 小脳 cerebellum　9 下小脳脚（索状体）inferior cerebellar peduncle (restiform body)　10 中小脳脚（橋腕）middle cerebellar peduncle　11 上小脳脚（結合腕）superior cerebellar peduncle　12 第四脳室 fourth ventricle　13 上髄帆 sperior medullary velum　14 下髄帆 inferior medullary velum　15 楔状束結節 cuneate tubercle　16 薄束結節 gracile tubercle　17 後正中溝 posterior median sulcus　18 後外側溝 posterolateral sulcus　19 外側陥凹 lateral recess　20 外側口（ルシュカ孔）lateral aperture (foramen of Luschkae)　21 正中溝 median sulcus　22 内側隆起 medial eminence　23 顔面神経丘 facial colliculus　24 舌下神経三角 hypoglossal trigone　25 迷走神経三角 vagal trigone　26 前庭神経野 vestibular area　27 第四脳室髄条 medullary striae of fourth ventricle　28 青斑 locus caeruleus　29 大脳脚底 base of peduncle　30 脚間窩 interpeduncular fossa　31 蓋板（四丘板）tectal plate (quadrigeminal plate)　32 上丘 superior colliculus　33 下丘 inferior colliculus

縦の層区分（A）

脳幹ではまだ神経管（A1）の縦の層区分を認めることができる．しかしこの層区分は中心管が広がって第四脳室となるために修正を受ける（A2とA3）．

体性運動性の基板（A4），内臓性運動性の領域（A5）と内臓性知覚性の領域（A6）および体性知覚性の翼板（A7）の配列はもともと腹 – 背方向であったものが，神経管が互いに離開するため，菱形窩の底ではそれらの配列は内側 – 外側方向に変わってくる（A2）．すなわち体運動帯は（最も）内側にあり，その外側には内臓運動帯が，より外側にずれて内臓知覚帯と体知覚帯がある．この構築計画に従って，延髄の脳神経核は配列することになる（A3：479頁，480頁）．

脳神経（B）

古くから解剖学者によって12対の脳神経 cranial nerves が区別されている．しかしながら最初の2対は真の末梢神経ではない．**嗅神経** olfactory nerves（Ⅰ）は嗅上皮にみられる感覚細胞（嗅細胞）の突起が束になったもので，これらは嗅球（B8）へ入ってくる（538頁A）．**視神経** optic nerves（Ⅱ）は脳の伝導路の1つであって，その神経線維の起始領域である網膜 retina は眼球の色素上皮とともに間脳から突出してくる（592頁A）．この神経は視［神経］交叉（B9）より後ろでは視索（B10）となる．

眼筋を支配する神経（495頁）は体性運動性である：**動眼神経** oculomotor nerve（Ⅲ）は脚間窩（B11）の底で脳を去る：**滑車神経** trochlear nerve（Ⅳ）は中脳の背面から出て，大脳脚をまわって脳の底面へ行く（476頁 BD，Ⅳ）：**外転神経** abducent nerve（Ⅵ）は橋の下縁から出る．

次の5対の神経は下等な脊椎動物の**鰓弓神経** nerves of branchial arches から発達してきたものである：**三叉神経** trigeminal nerve（Ⅴ）（488頁），**顔面神経** facial nerve（Ⅶ）（487頁），**舌咽神経** glossopharyngeal nerve（Ⅸ）（485頁），**迷走神経** vagus nerve（Ⅹ）（483頁）および**副神経** accessory nerve（Ⅺ）（482頁）．これらの神経に支配される筋は鰓弓筋 musculature of branchial arches であって，頭腸 Kopfdarm に属する．したがって，これらの神経はもともとは内臓性運動性神経なのである．哺乳動物になって，これら鰓弓筋が咽頭，口腔および顔面の横紋筋に変化したのである．これらの筋は真の横紋筋とは異なり，完全に随意的に動くというものではない（顔面筋の情動による表情反応がこの例）．

内耳神経 vestibulocochlear nerve（Ⅷ）（486頁）は特殊体性知覚性で，そのうち前庭神経部 vestibular part は平衡感覚器につながる系統発生学的には古い神経であって，下等脊椎動物にもすでに存在している．

三叉神経（Ⅴ）は橋の外側部から出る．その知覚根 sensory root は三叉神経節（B12，半月神経節 semilunar ganglion またはガッセルの神経節 Gasserian ganglion とも呼ばれる）をもっている．運動根（B13）はその神経節のそばを通る．小脳橋角 cerebellopontine angle で，顔面神経（Ⅶ）と内耳神経（Ⅷ）が延髄を去る．顔面神経のうちの味覚線維は独立した**中間神経**（B14）となって出てくる．舌咽神経（Ⅸ）と迷走神経（Ⅹ）はオリーブの背側から出る．B15は迷走神経の上神経節．副神経（Ⅺ）の頸髄から出る根は集まって脊髄根（B16）となる．上方で延髄から出る線維すなわち延髄根 cranial roots は，この神経の中をしばらく走ったのち内枝（B17）として迷走神経に移行していく．

舌下神経 hypoglossal nerve（Ⅻ）（482頁）は体性運動性神経であるが，発生の過程で二次的に脳の領域へ引き込まれた**若干の頸神経の遺残**で，それらの知覚根（後根）が萎縮してしまったものである．

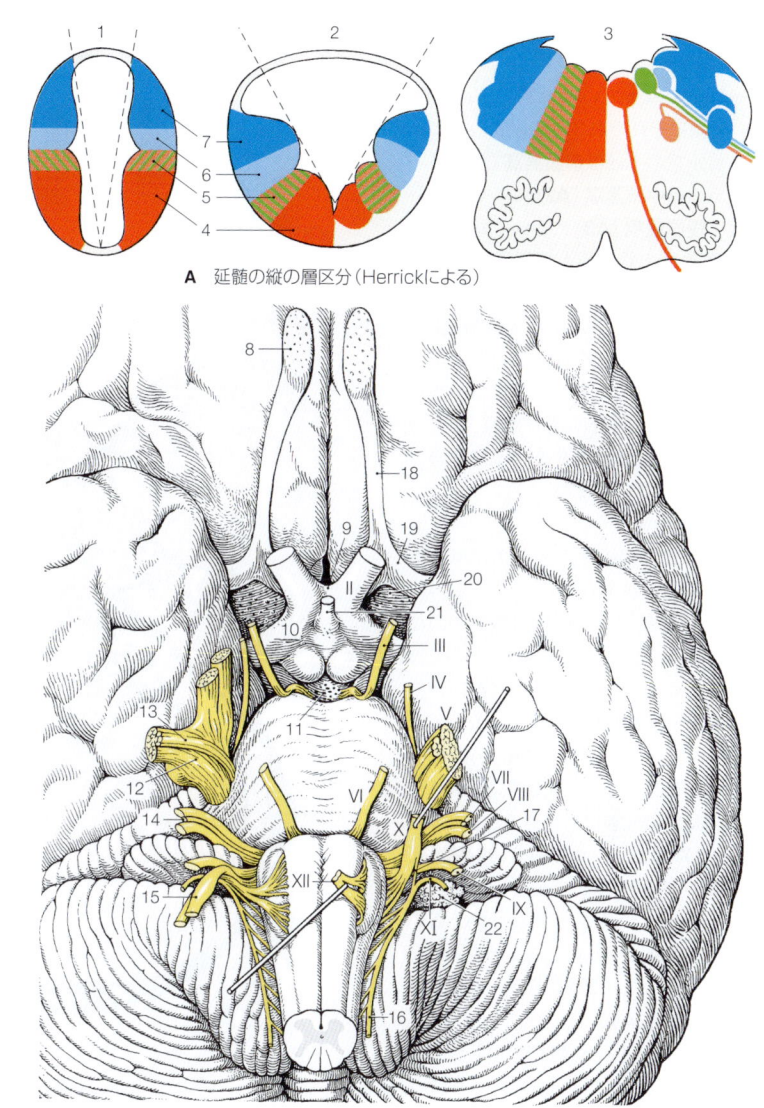

A　延髄の縦の層区分（Herrickによる）

B　脳神経，脳底

1 神経管（中心管をもつ）neural tube　2 広がりつつある中心管　3 第四脳室 fourth ventricle　4 基板（体運動帯）basal plate（somatomotor zone）　5 内臓運動帯 visceromotor zone　6 内臓知覚帯 viscerosensory zone　7 翼板（体知覚帯）alar plate（somatosensory zone）　8 嗅球 olfactory bulb　9 視［神経］交叉 optic chiasm　10 視索 optic tract　11 脚間窩 interpeduncular fossa　12 三叉神経節（半月神経節，ガッセルの神経節）trigeminal ganglion（Gasseri）　13 運動根 motor root　14 中間神経 intermediate nerve　15 迷走神経の上神経節 superior ganglion of vagus nerve　16 脊髄根 spinal root　17 内枝 internal branch　18 嗅索 olfactory tract　19 外側嗅条 lateral stria　20 前有孔質 anterior perforated substance　21 下垂体柄 hypophysial stalk　22 ボホダレク（Bochdalek）の花籠（564頁D15参照）

頭蓋底（A）

頭蓋底は脳をのせている．脳の下面に対応して，両側にそれぞれ3つの骨性のくぼみがある．前頭葉の下面は**前頭蓋窩**（**A1**）に，側頭葉の下面は**中頭蓋窩**（**A2**）に，そして小脳の下面は**後頭蓋窩**（**A3**）にそれぞれ納まっている．頭蓋窩の骨構成と境界についてはⅠ章を参照．頭蓋の内腔は硬膜 dura mater（567頁）で内張りされているが，その硬膜は2葉に分かれ，1葉は脳を包み，もう1葉は骨を覆う骨膜となる．これら2葉にはさまれて，大きな静脈洞（567頁，Ⅱ章参照）が走っている．頭蓋底の多数の孔を通って神経と血管が出入りする（Ⅰ章参照）．

前頭蓋窩の正中線のすぐ近くで，嗅神経が篩骨の薄い篩板 cribriform plate を通って**嗅球**（**A4**）へ入る．左右の中頭蓋窩の間にはトルコ鞍 sella turcica が目立ち，そのくぼみの中に間脳底とつながる**下垂体**（**A5**）が納まっている（下垂体窩 hypophysial fossa）．トルコ鞍の側方を**内頸動脈**（**A6**）が頸動脈管 carotid canal を通って頭蓋内腔へ入ってくる．内頸動脈はS字状の経過をとるとき**海綿静脈洞**（**A7**）を通る．中頭蓋窩の内側部で**視神経**（**A8**）が視神経管 optic canal を通って頭蓋腔へ入ってくるが，眼筋へいく神経は上眼窩裂 superior orbital fissure を通って頭蓋腔から出ていく（Ⅰ章参照）．**外転神経**（**A9**）と**滑車神経**（**A10**）は硬膜内へ走り込むことが特徴的である．外転神経は斜台の中間の高さで，滑車神経は斜台縁の小脳テント起始部でいずれも硬膜の中へ入る．**動眼神経**（**A11**）と滑車神経は海綿静脈洞の外側壁を通り抜け，外転神経は内頸動脈の外側下方を走ってこの静脈洞を通り抜ける．**三叉神経**（**A12**）は硬膜架橋をくぐり中頭蓋窩に達し，ここでは**三叉神経節**（**A13**）が三叉神経腔 trigeminal cave という硬膜の両葉でつくられた嚢の中に納まっている．三叉神経の3本の枝はそれぞれ異なる開口を通って頭蓋腔から出ていく：**眼神経**（**A14**）は海綿静脈洞を走り抜けてから枝分かれしながら上眼窩裂を，**上顎神経**（**A15**）は正円孔 foramen rotundum を，**下顎神経**（**A16**）は卵円孔 foramen ovale を通って出ていく．

両側の後頭蓋窩が大［後頭］孔（**A17**）を囲み，**斜台**（**A18**）がトルコ鞍から大孔へ下降してくる．斜台の上には脳幹がのっており，左右の後頭蓋窩は小脳半球に適合している．**静脈洞交会**（**A19**）から**横静脈洞**（**A20**）が後頭蓋窩を囲んで，**内頸静脈**（**A21**）に注ぐ．**顔面神経**（**A22**）と**内耳神経**（**A23**）は側頭骨錐体の後面でまとまって内耳道 internal acoustic meatus へ入る．これら両神経の下方で，**舌咽神経**（**A24**），**迷走神経**（**A25**）および**副神経**（**A26**）が頸静脈孔 jugular foramen の前部を通り抜ける．**舌下神経**（**A27**）の神経線維束は合して神経幹となり舌下神経管 hypoglossal canal を通って出ていく．

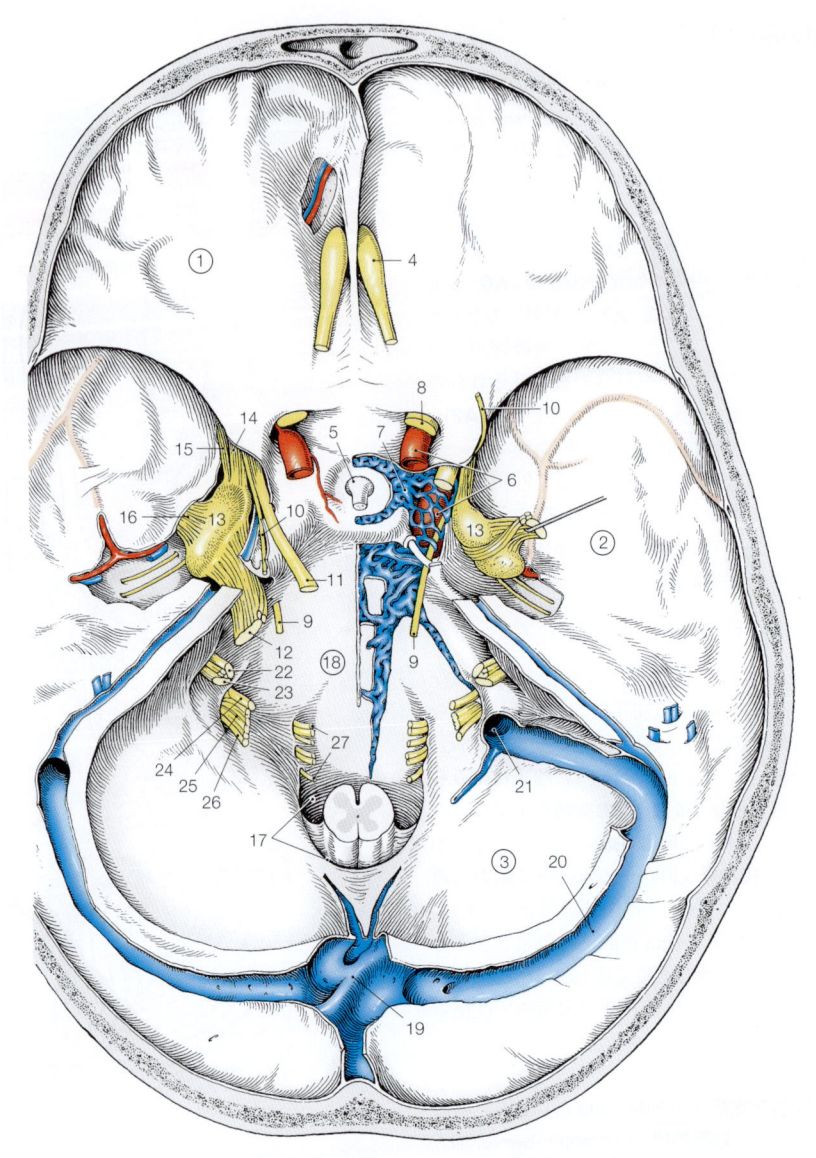

A 上方からみた頭蓋底（Platzer教授の標本による）

---

1 前頭蓋窩 anterior cranial fossa **2** 中頭蓋窩 middle cranial fossa **3** 後頭蓋窩 posterior cranial fossa **4** 嗅球 olfactory bulb **5** 下垂体 pituitary gland **6** 内頸動脈 internal carotid artery **7** 海綿静脈洞 cavernous sinus **8** 視神経 optic nerve **9** 外転神経 abducent nerve **10** 滑車神経 trochlear nerve **11** 動眼神経 oculomotor nerve **12** 三叉神経 trigeminal nerve **13** 三叉神経節 trigeminal ganglion (G. Gasseri) **14** 眼神経 ophthalmic nerve **15** 上顎神経 maxillary nerve **16** 下顎神経 mandibular nerve **17** 大［後頭］孔 foramen magnum **18** 斜台 clivus **19** 静脈洞交会 confluence of sinuses **20** 横静脈洞 transverse sinus **21** 内頸静脈 internal jugular vein **22** 顔面神経 facial nerve **23** 内耳神経 vestibulocochlear nerve **24** 舌咽神経 glossopharyngeal nerve **25** 迷走神経 vagus nerve **26** 副神経 accessory nerve **27** 舌下神経 hypoglossal nerve

脳神経核（A，B）

脊髄では前角が運動線維の起始領域であり，後角が知覚線維の終末領域であるが，このような脊髄での関係と同様に，脳幹の脳神経核 nuclei of cranial nerves でも遠心性線維を出す細胞のある**起始核** nuclei of origins と，脳幹の外の知覚神経節の偽単極細胞の突起である求心性線維の終わる**終止核** terminal nuclei とがみられる．

体性運動性の核は正中線のそばにある：**舌下神経核**（AB1，舌筋へ），**外転神経核**（AB2），**滑車神経核**（AB3），**動眼神経核**（AB4）．後三者はいずれも眼筋へ行く神経の起始核．

それらの外側に接して内臓性運動性の核がある：真に内臓性運動性で副交感神経に属する核と，かつては内臓性運動性であったが，今では鰓弓に由来する筋を支配する核とがある．**副交感神経核**に属するものは，**迷走神経背側核**（AB5，内臓へ行く），**下唾液核**（AB6，耳下腺へ行く節前線維を出す），**上唾液核**（AB7，涙腺，顎下腺および舌下腺へ行く節前線維を出す）および**エディンガー・ウェストファル核（動眼神経副核）**（AB8，瞳孔括約筋 sphincter pupillae と毛様体筋 ciliary muscle への節前線維を出す）である．

鰓弓神経の運動核の系列は，下方では**副神経核**（AB9，肩の筋を支配），すなわち頸髄へまで伸びている**副神経脊髄[根]核** nucleus (of spinal root) of accessory nerve に始まる．この核の系列は上方へは**疑核**（AB10）すなわち迷走神経と舌咽神経の運動核（咽頭と喉頭の筋を支配する），および**顔面神経核**（AB11，顔面筋を支配）へと続いていく．顔面神経核はすべての鰓弓神経の運動核と同じく深部にある．この顔面神経線維は背方へ向かい，菱形窩の底（顔面神経丘 facial colliculus）で弓形を描いて外転神経核を内側から外側へまわって（A12，顔面神経[内]膝），その後再び橋の下縁まで下行し，ここで脳幹から出ていく．鰓弓神経の最も上方にある運動核は**三叉神経運動核**（AB13，咀嚼筋へいく）である．

さらに外側には**知覚核**が位置している：そのうち内側のものは内臓性知覚性の**孤束核**（AB14）であり，ここには迷走神経 vagus nerve と舌咽神経 glossopharyngeal nerve の知覚線維ならびにすべての味覚線維が終わっている．さらに外側には三叉神経の核領域が広がっており，この領域には**三叉神経主知覚核** principal sensory nucleus of trigeminal nerve（AB15），**三叉神経中脳路核** mesencephalic nucleus of trigeminal nerve（AB16）および**三叉神経脊髄路核** spinal nucleus of trigeminal nerve（AB17）があって，すべての脳神経核のうちで最大の広がりをもっている．この領域には顔面，口および上顎洞からの外受容性感覚のすべての線維が終わっている．

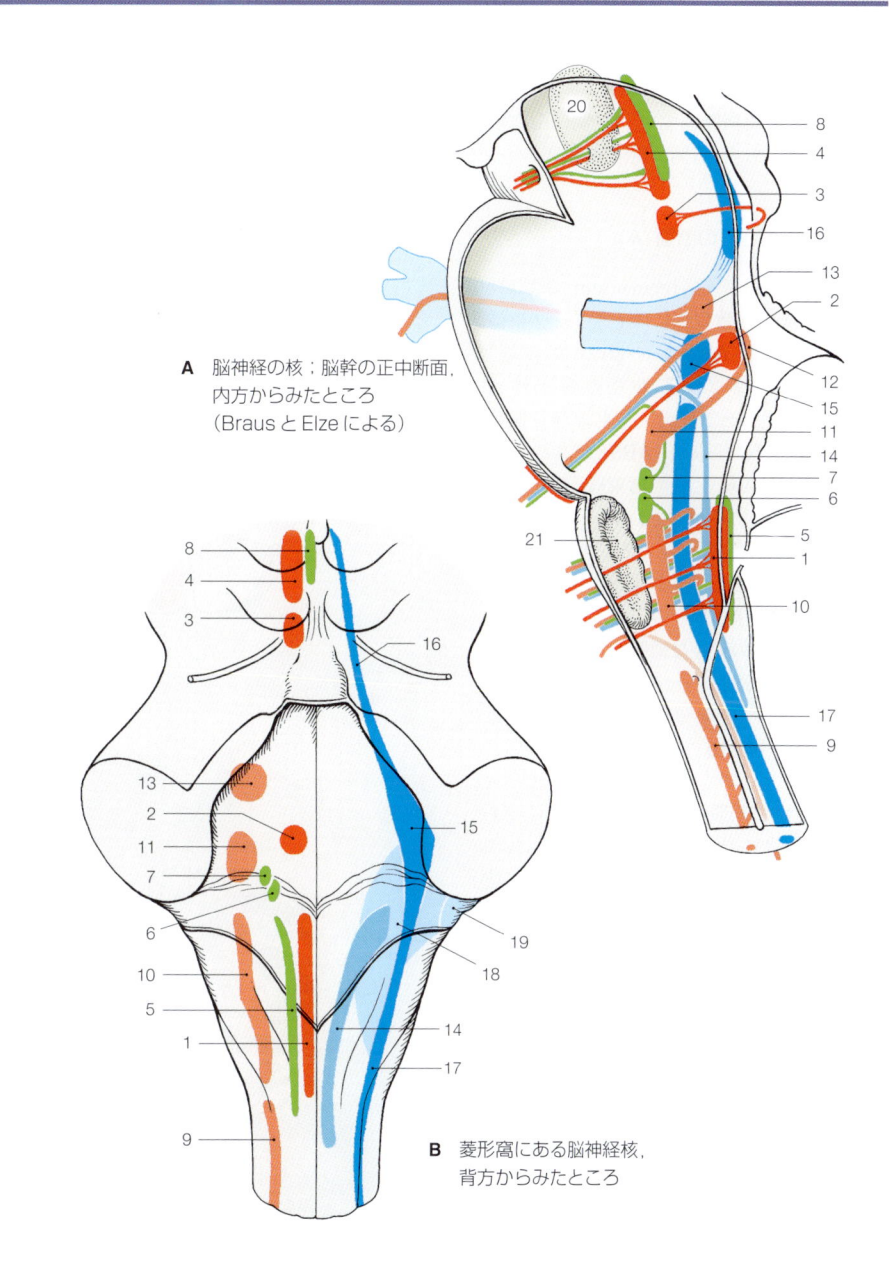

最後に，最外側には**前庭神経核**（B18）と**蝸牛神経核**（B19）のある小野が位置しており，ここには前庭神経 vestibular nerve（平衡覚器からくる）および蝸牛神経 cochlear nerve（聴覚器からくる）が終わっている．

A 脳神経の核；脳幹の正中断面，内方からみたところ（Braus と Elze による）

B 菱形窩にある脳神経核，背方からみたところ

---

1 舌下神経核 nucleus of hypoglossal nerve　2 外転神経核 nucleus of abducens nerve　3 滑車神経核 nucleus of trochlear nerve　4 動眼神経核 nucleus of oculomotor nerve　5 迷走神経背側核 posterior nucleus of vagus nerve　6 下唾液核 inferior salivatory nucleus　7 上唾液核 superior salivatory nucleus　8 動眼神経副核（エディンガー・ウェストファル Edinger-Westphal 核）accessory nuclei of oculomotor nerve　9 副神経核 nucleus of accessory nerve　10 疑核 nucleus ambiguus　11 顔面神経核 motor nucleus of facial nerve　12 顔面神経[内]膝 genu of facial nerve　13 三叉神経運動核 motor nucleus of trigeminal nerve　14 孤束核 nuclei of solitary tract　15 三叉神経主感覚核 principal sensory nucleus of trigeminal nerve　16 三叉神経中脳路核 mesencephalic nucleus of trigeminal nerve　17 三叉神経脊髄路核 spinal nucleus of trigeminal nerve　18 前庭神経核 vestibular nuclei　19 蝸牛神経核 cochlear nuclei　20 赤核 red nucleus　21 下オリーブ核群 inferior olivary complex

延髄

半模式化した横断面では，左側に細胞染色像が示してあり，右側は髄鞘染色像になっている．

舌下神経の高さでの断面（A）

背側部すなわち被蓋 tegmentum には脳神経核がみられ，腹側部には下オリーブ核群（**AB1**）と錐体路（**AB2**）がみられる．

被蓋には内側に大細胞性の舌下神経核（**AB3**）と，その背側に迷走神経背側核（**AB4**）ならびに孤束核（**AB5**）がある．背外側には脊髄の後索が，薄束核（**A6**）と楔状束核（**AB7**）に終わっており，これら後索核で第2次の知覚路である内側毛帯 medial lemniscus が始まる．楔状束核の腹側には三叉神経脊髄核（**AB8**）がみられる．中間野では疑核（**AB9**）の大きな細胞が目立つ．これらの大細胞は網様体 reticular formation の領域にあり，また幾分密に神経細胞のある外側網様核（**AB10**）だけは残りの網様体とははっきりと境界を画している．下オリーブ核（**AB1**）は小脳へ線維を送り出す核である（507頁A11）が，2つの副核すなわち背側副オリーブ核（**AB11**）と内側副オリーブ核（**AB12**）を伴っている．錐体の腹側面には弓状核（**AB13**）がのびてきている．この核では錐体路の側副枝が中継される（弓状核小脳路へ切り替わる；507頁C18参照）．

舌下神経（**A14**）の線維は延髄を走り抜けて，錐体とオリーブの間の出口までやってくる．舌下神経核の背側には背側縦束（シュッツ束）（**AB15**；498頁B），その外側には孤束（**AB16**；483頁B12，485頁B10）およびその腹側には内側縦束（**AB17**；497頁A）がみられる．後索核からは広い面をなして内弓状線維（**AB18**）が内側毛帯（**AB19**；496頁B）の中へ入り込んでいく．外側には三叉神経脊髄路（**AB20**；488頁B5）が走っており，また主オリーブ核の背側には中心被蓋路（**AB21**；錐体外路－運動性；483頁A）が下行している．オリーブ核門を通ってオリーブ小脳路（**AB22**）が出ていき，下オリーブ核の外側縁のまわりには前外弓状線維（**AB23**）が走る（弓状核と小脳を結ぶ）．腹側部は錐体路（**AB2**；496頁A）によって占められている．

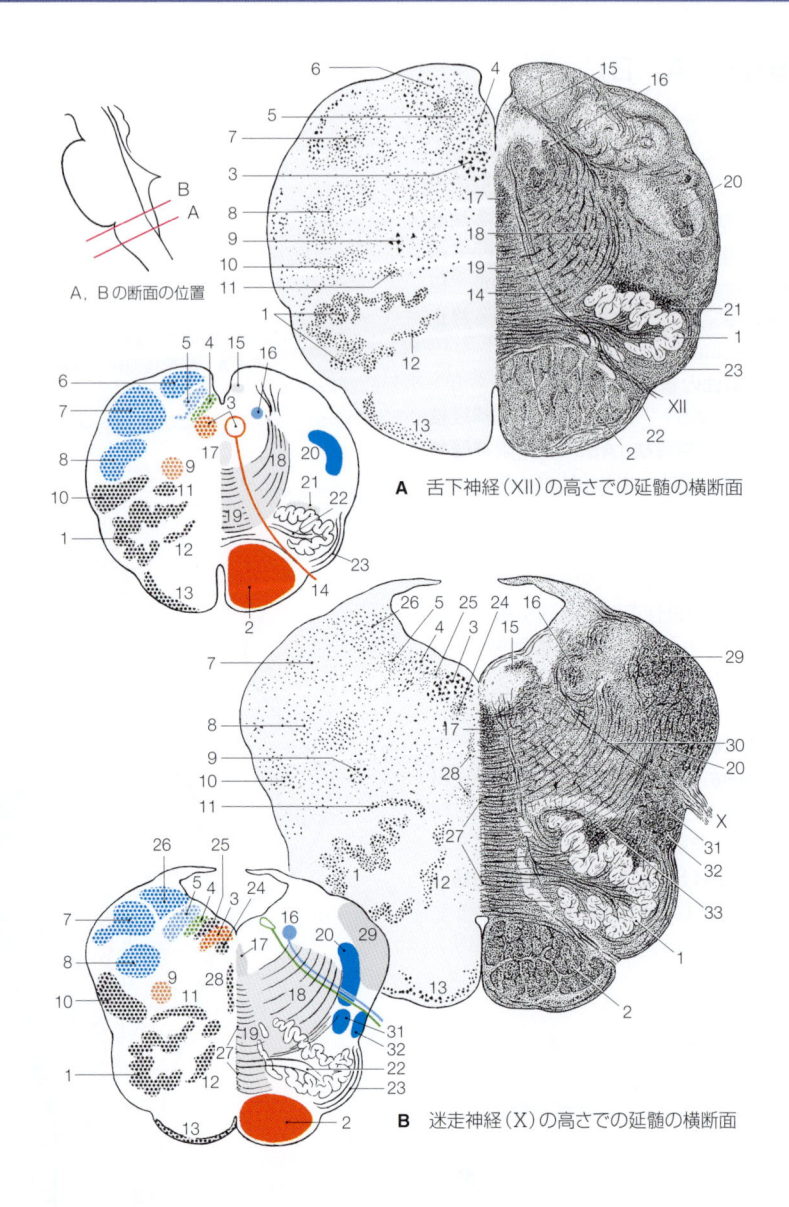

迷走神経の高さでの断面（B）

ここでは第四脳室は拡大している．その底には **A** でみられたと同様の核の連なる柱がある．舌下神経核（**B3**）の腹側にはローラー核（**B24**），背側には介在核（**B25**）が現れる．しかしこれら両核の線維結合は未知である．外側野では後索核は消失し，その場所を前庭神経核（**B26**，前庭神経内側核）に譲るようになる．交叉する線維は延髄の正中線で縫線（**B27**）をつくる．縫線の両側に，縫線核（**B28**）という狭い細胞群があり，この核のセロトニン作動性ニューロンは視床下部，嗅脳および辺縁系へ投射している．外側縁では小脳へ行く脊髄からの線維が集まって下小脳脚（**B29**，索状体）を形成している．迷走神経（**B30**）を出入りする線維は延髄を横切っている．これらの線維の腹側の外側縁で，脊髄視床路（**B31**；496頁B8）と脊髄小脳路（**B32**；507頁A1，508頁B14）が上行している．オリーブの背側では交叉後のオリーブ小脳線維（**B33**；498頁A12）が集まって，下小脳脚へ向かっていく．

---

1 下オリーブ核群 inferior olivary complex　2 錐体路 pyramidal tract　3 舌下神経核 nucleus of hypoglossal nerve　4 迷走神経背側核 posterior nucleus of vagus nerve　5 孤束核 nuclei of solitary tract　6 薄束核 gracile nucleus　7 楔状束核 cuneate nucleus　8 三叉神経脊髄路核 spinal nucleus of trigeminal nerve　9 疑核 nucleus ambiguus　10 外側網様核 lateral reticular nucleus　11 背側副オリーブ核 dorsal accessory olivary nucleus　12 内側副オリーブ核 medial accessory olivary nucleus　13 弓状核 arcuate nucleus　14 舌下神経 hypoglossal nerve　15 背側縦束 dorsal longitudinal fasciculus　16 孤束 solitary tract　17 内側縦束 medial longitudinal fasciculus　18 内弓状線維 internal arcuate fibres　19 内側毛帯 medial lemniscus　20 三叉神経脊髄路 spinal tract of trigeminal nerve　21 中心被蓋路 central tegmental tract　22 オリーブ小脳路 olivocerebellar tract　23 前外弓状線維 anterior external arcuate fibres　24 ローラー核 nucleus of Roller　25 介在核 intercalated nucleus (Staderini)　26 前庭神経内側核 medial vestibular nucleus　27 縫線 raphe　28 縫線核 raphe nuclei　29 下小脳脚（索状体）inferior cerebellar peduncle (restiform body)　30 迷走神経 vagus nerve　31 脊髄視床路 spinothalamic tract　32 脊髄小脳路 spinocerebellar tract　33 オリーブ小脳路 olivocerebellar tract

橋

半模式化した横断面では，左側に細胞染色像が示してあり，右側は髄鞘染色像になっている．

顔面神経膝の高さでの断面（A）

菱形窩底の直下には大細胞性の外転神経核（**A1**）が，その腹外側には顔面神経核（**A2**）がある．外転および顔面神経核の間には内臓性遠心性の上唾液核（**A3**）が認められる．外側野を占めるのは，前庭神経と三叉神経の核である：前庭神経内側核（シュワルベ）（**A4**），前庭神経外側核（ダイテルス）（**A5**）および三叉神経脊髄核（**A6**）．

外転神経核（**A1**）をまわって顔面神経線維は弓を描き，顔面神経丘（**A7**）をつくる．この顔面神経線維には上行脚（**A8**）とここに描かれた切片よりも吻側を走る下行脚とが区別される．そして頂点が顔面神経[内]膝（**A9**）である．外転神経（**A10**）の線維は被蓋の内側野を通って下行する．外転神経核の内側には内側縦束（**AB11**）がみられ，背側には背側縦束（シュッツ束）（**AB12**）がみられる．橋被蓋の深部には中心被蓋路（**AB13**）と脊髄視床路（**A14**）が走っている．腹側蝸牛神経核から出る聴覚路の2次線維は集まって台形体（**AB15**）という広い線維板をつくり，内側毛帯（**A16**）の腹側で交叉して反対側へ行き，そこで外側毛帯（**B17**）となって上行する．これらの線維は部分的に台形体の中に埋もれた核，すなわち台形体核（**A18**）と上オリーブ核（**AB19**）で中継される．外側野には三叉神経脊髄路（**A20**）がある．

橋底部は横走する橋線維すなわち横橋線維（**A21**）からなっている．この横橋線維は橋核（**A22**）で中継される皮質橋[核]線維 corticopontine fibers と，すでに中継されて中小脳脚（**A23**，橋腕）の中を小脳へ行く橋[核]小脳線維 pontocerebellar fibers のことである．縦断されてみえる線維塊の真ん中に，横断された線維板すなわち錐体路（**A24**）がある．

三叉神経の高さでの断面（B）

橋被蓋の内側野は，被蓋核群 tegmental nuclei により占められている．これらの核は境界が不明瞭であるが，ただ下中心被蓋核（**B25**，乳頭状核）は境界が明瞭であり，いずれも網様体 reticular formation に属している．外側野では三叉神経の核複合がここで最大の広がりを示している：すなわち外側には三叉神経主知覚核（**B26**），その内側には三叉神経運動核（**B27**），そして背側には三叉神経中脳路核（**B28**）がある．出入りする線維は集まって強大な神経幹をつくり，橋の腹側面から出ていく．

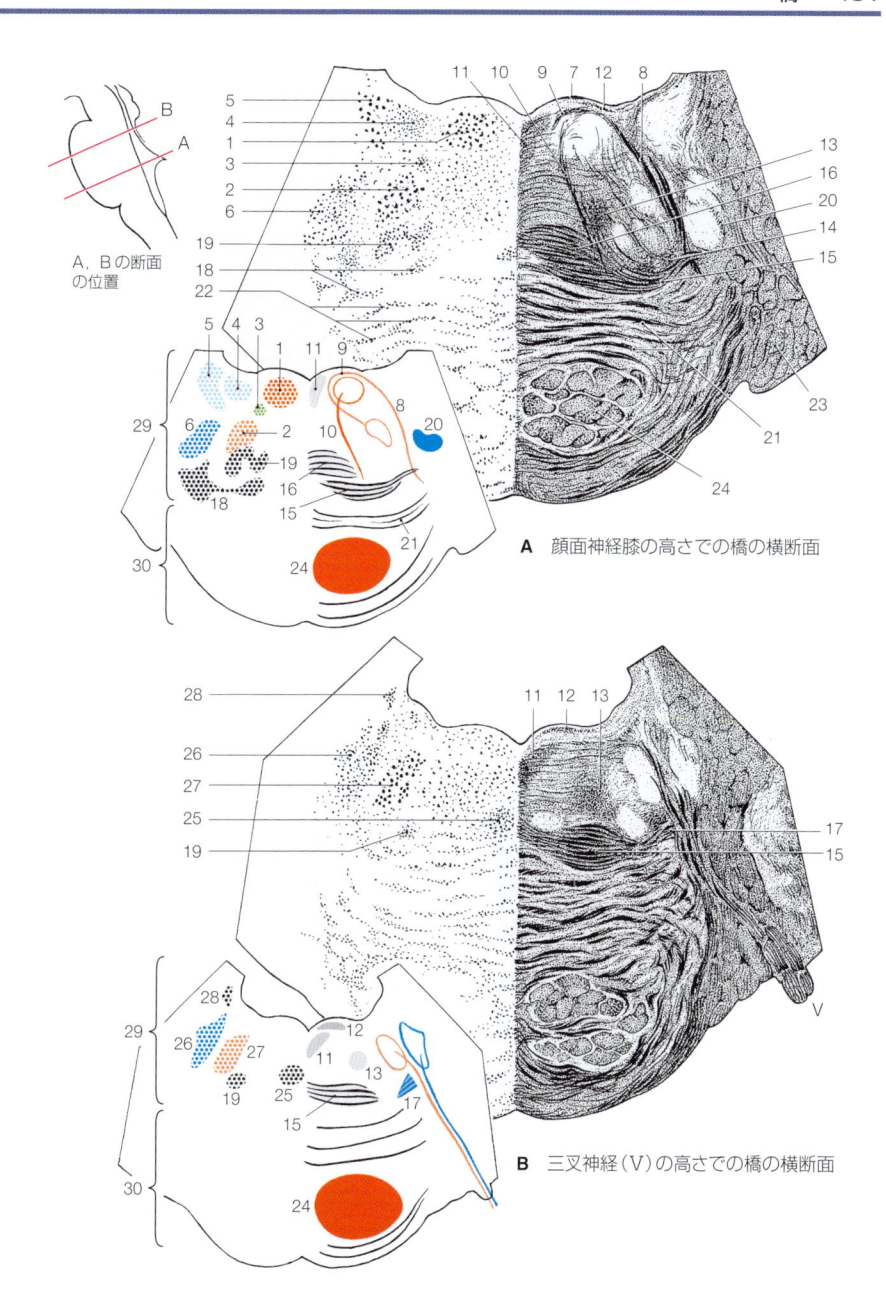

三叉神経諸核の腹側には外側毛帯（**B17**），台形体（**B15**）およびその中に埋もれて台形体背側核（**B19**）がある．上行または下行する長い伝導路では，背側縦束（**B12**），内側縦束（**B11**）および中心被蓋路（**B13**）が認められる．

A 顔面神経膝の高さでの橋の横断面

B 三叉神経（V）の高さでの橋の横断面

---

1 外転神経核 nucleus of abducens nerve　**2** 顔面神経核 motor nucleus of facial nerve　**3** 上唾液核 superior salivatory nucleus　**4** 前庭神経内側核 medial vestibular nucleus (Schwalbe)　**5** 前庭神経外側核 lateral vestibular nucleus (Deiters)　**6** 三叉神経脊髄路核 spinal nucleus of trigeminal nerve　**7** 顔面神経丘 facial colliculus　**8** 上行脚 ascending limb　**9** 顔面神経[内]膝 genu of facial nerve　**10** 外転神経 abducent nerve　**11** 内側縦束 medial longitudinal fasciculus　**12** 背側縦束 dorsal longitudinal fasciculus (dorsal bundle of Schütz)　**13** 中心被蓋路 central tegmental tract　**14** 脊髄視床路 spinothalamic tract　**15** 台形体 trapezoid body　**16** 内側毛帯 medial lemniscus　**17** 外側毛帯 lateral lemniscus　**18** 台形体核 nuclei of trapezoid body　**19** 上オリーブ核 superior olivary nucleus　**20** 三叉神経脊髄路 spinal tract of trigeminal nerve　**21** 横橋線維 transverse pontine fibres　**22** 橋核 pontine nuclei　**23** 中小脳脚（橋腕）middle cerebellar peduncle (brachium pontis)　**24** 錐体路 pyramidal tract　**25** 下中心被蓋核（乳頭状核）inferior central tegmental nucleus (papilliformis nucleus)　**26** 三叉神経主感覚核 principal sensory nucleus of trigeminal nerve　**27** 三叉神経運動核 motor nucleus of trigeminal nerve　**28** 三叉神経中脳路核 mesencephalic nucleus of trigeminal nerve　**29** 橋被蓋（橋背部）tegment of pons　**30** 橋底部（橋腹側部）basilar part of pons

脳神経（Ⅴ，Ⅶ～Ⅻ）

舌下神経（A，B）

舌下神経 hypoglossal nerve（第Ⅻ脳神経）は舌筋の運動を司る**純体性運動性の神経**である．その核である**舌下神経核**（**B1**）は菱形窩の底で大きな多極性神経細胞からなる柱をつくっている（**舌下神経三角** hypoglossal trigone）．この核は多数の細胞集団からなっており，それぞれが一定の舌筋を支配している．この神経線維は錐体とオリーブの間から出て，2本の束となり，やがて合一して神経幹となる．

この神経は舌下神経管（**B2**）を通って頭蓋を出て，迷走神経と内頸動脈の外側を下行する．その際この神経は**舌下神経弓**（**A3**）をつくって弓形を描き，舌骨の少し下方の舌骨舌筋 hyoglossus と顎舌骨筋 mylohyoide の間で舌根に達し，ここで終枝に分かれる．

この神経には第1および第2頸神経の線維束が寄り添ってくる．これらの神経は**深頸神経ワナ** deep ansa cervicalis（舌骨下筋への枝々を出す）をつくりながら，**上根**（**A4**）として再び枝分かれしてから，**下根**（**A5**，第2と第3頸神経）とつながる．オトガイ舌骨筋（**A6**）と甲状舌骨筋（**A7**）へ行く頸髄からの線維はさらに舌下神経の中を走る．舌下神経は**舌枝** lingual branches という枝を舌骨舌筋（**A8**），オトガイ舌筋（**A9**），茎突舌筋（**A10**）および舌体の諸筋（**A11**）へ送り出す．舌筋の支配は厳密に同側性である．

臨床関連：舌下神経が損傷されると，舌の半側性萎縮 hemiatrophy が起こってくる．舌をつき出させると，舌は傷害側へかたよる．それは舌を前方へ動かせるオトガイ舌筋が健側で優勢となるからである．

副神経（C，D）

副神経 accessory nerve（第Ⅺ脳神経）は**純運動性の神経**であって，その外枝が胸鎖乳突筋（**D12**）と僧帽筋（**D13**）を支配している．この核である**副神経脊髄核**（**C14**）は脊髄のC_1からC_5（C_6）で細い細胞柱をつくっている．大型の多極性神経細胞は前角の外側縁にみられる．尾方の細胞は僧帽筋を支配し，頭方の細胞は胸鎖乳突筋を支配する．この神経線維は前根と後根の間の頸髄の側面から出てきて，合して1本の索となり，**脊髄根**（**C15**）として脊髄とならんで大後頭孔を通って頭蓋の中へ入ってくる．ここで**延髄根**（**C16**）といわれる疑核 nucleus ambiguus の尾側部からの線維束が脊髄根に加わってくる．両成分は合して**副神経幹** trunk of accessory nerve となり，頸静脈孔（**C17**）を通って出る．この孔を出るとすぐに，疑核からの線維は**内枝**（**C18**）として迷走神経（**C19**）の方へ移っていく．頸髄からの線維は**外枝**（**C20**）をつくり，副神経の筋枝として胸鎖乳突筋と僧帽筋を支配する．この神経は胸鎖乳突筋を貫いて，終枝に分かれ僧帽筋に達する．

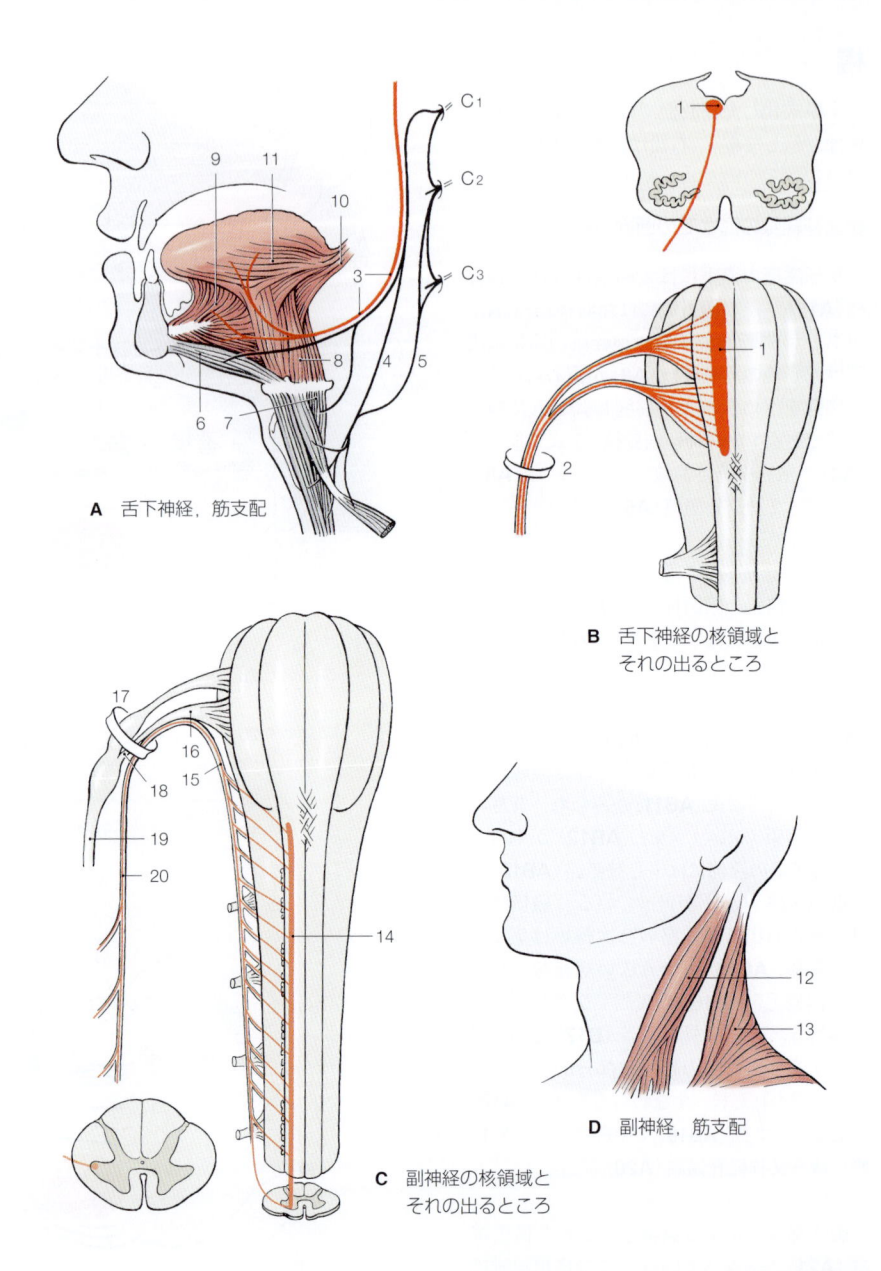

臨床関連：この神経が一側で損傷されると，健側へ頭をかしげる姿勢となる．そして腕をもはや水平線よりも上へあげることができなくなる．

A 舌下神経，筋支配
B 舌下神経の核領域とそれの出るところ
C 副神経の核領域とそれの出るところ
D 副神経，筋支配

---

1 舌下神経核 nucleus of hypoglossal nerve　2 舌下神経管 hypoglossal canal　3 舌下神経弓 hypoglossal arch　4 上根 superior root　5 下根 inferior root　6 オトガイ舌骨筋 geniohyoid　7 甲状舌骨筋 thyrohyoid　8 舌骨舌筋 hyoglossus　9 オトガイ舌筋 genioglossus　10 茎突舌筋 styloglossus　11 舌体の諸筋 intrinsic muscles of tongue　12 胸鎖乳突筋 sternocleidomastoid　13 僧帽筋 trapezius　14 副神経脊髄核 spinal nucleus of accessory nerve　15 脊髄根 spinal root　16 延髄根 cranial root　17 頸静脈孔 jugular foramen　18 内枝 internal branch　19 迷走神経 vagus nerve　20 外枝 external branch

迷走神経（A〜F）

迷走神経 vagus nerve（**第X脳神経**）はほかの脳神経とは異なり単に頭部の領域を支配するだけではなく，胸腔と腹腔へも下行し，そこの内臓の中で分枝して神経叢をつくる．この神経は自律神経のうちで**最大の副交感神経** parasympathetic nerve であって，**交感神経と拮抗する最も重要な神経**である（568頁）．

この神経は次の成分をもっている：運動線維 motor fibers（鰓弓筋へ），外受容性知覚線維 exteroceptive sensory fibers，内臓性運動性線維 visceromotor fibers，内臓性知覚性線維 viscerosensory fibers および味覚線維 gustatory fibers.

これらの線維はオリーブのすぐ後ろから出て，合わさって神経幹となり，頸静脈孔（**B1**）を通って頭蓋を去る．頸静脈孔でこの神経は**上神経節**（**B2**，頸静脈神経節）をつくり，さらにこの孔を出てから概してより大きな**下神経節**（**B3**，節状神経節）をつくる．

鰓弓筋へ行く**運動線維**（**AB4**）は**疑核**（**AB5**）の大型の多極性神経細胞から出る．

内臓性運動性線維（**AB6**）は，菱形窩底の舌下神経核の外側にある小細胞性の**迷走神経背側核**（**AB7**）から出てくる．

外受容性知覚線維（**AB8**）は上神経節の神経細胞に由来する．この線維は三叉神経脊髄路（**B9**）とともに下行し，三叉神経脊髄核（**B10**）に終わる．

内臓性知覚性線維（**AB11**）を出す細胞は下神経節にある．この線維は孤束（**B12**）の構成成分として尾方へ向かい，**孤束核**（**AB13**）の種々の高さに終わっている．この核には多くのペプチド作動性ニューロン（VIP, CRF, ダイノルフィン）がみられる．

味覚線維（**AB14**）は同じように下神経節の細胞から出て，孤束核の頭側部に終わっている（586頁B7）．

頭部（B〜D）

迷走神経は硬膜枝 meningeal branch（後頭蓋窩の硬膜の知覚支配）のほか，**耳介枝**（**B15**）を出す．この枝は上神経節で分かれて出て，乳突小管 mastoid canaliculus と鼓室乳突裂 tympanomastoid fissure を通って外耳道へ出てくる．この枝は外耳道の背側と尾側の皮膚（**D**）と，さらに耳介の小部分（**C**）の知覚を司る（迷走神経の外受容性知覚成分）．

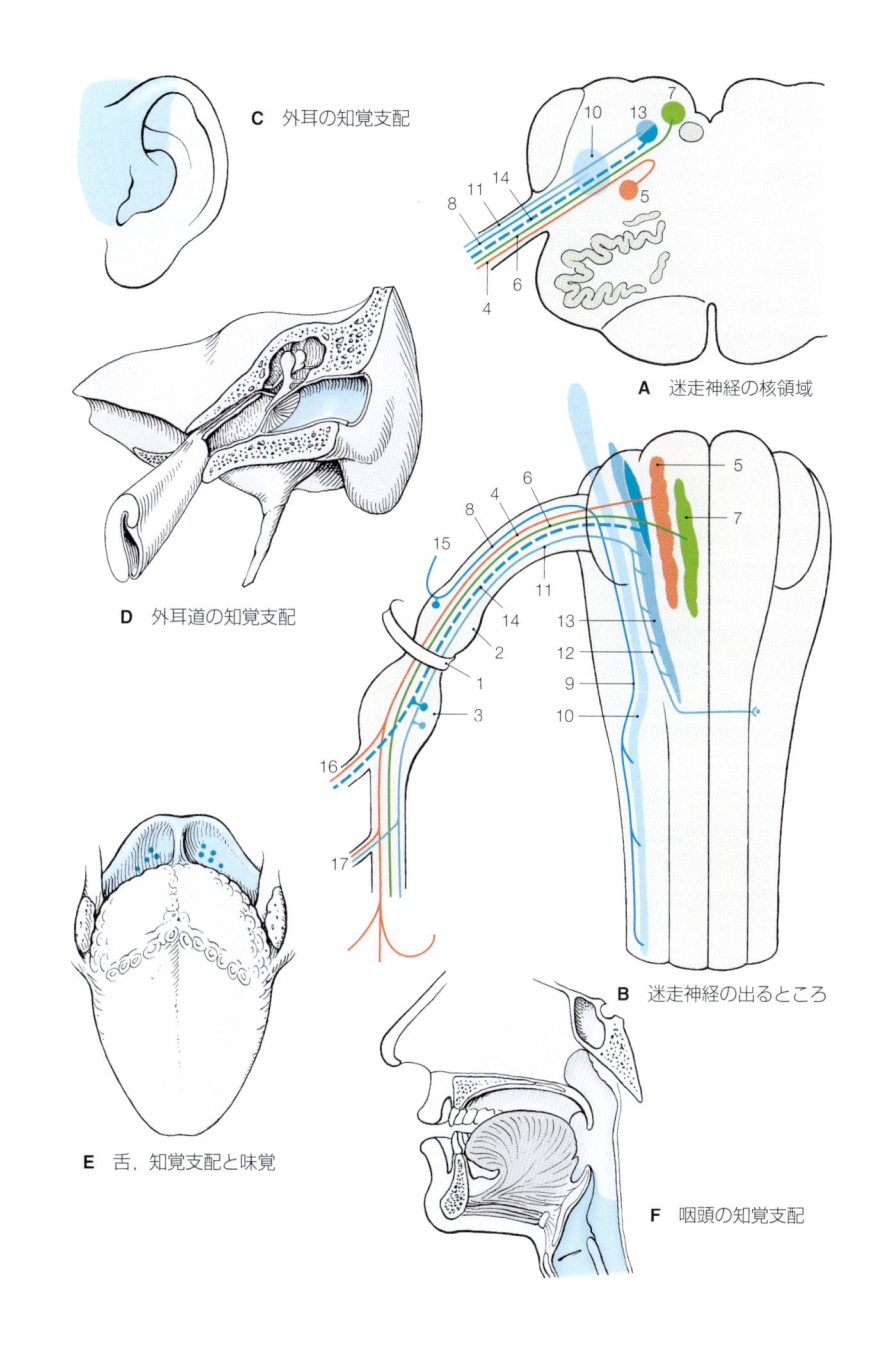

頸部（B, E, F）

迷走神経は，内頸および総頸動脈ならびに内頸静脈とともに，共通の結合組織性被膜に包まれて頸部を下行し，これらの血管とともに胸郭上口を通って胸郭へ入る．

この部からは次の諸枝が出る：

1. **咽頭枝**（**B16**）は下神経節の高さで出る．これらの枝は，咽頭で舌咽神経 glossopharyngeal nerve と交感神経 sympathetic nerve の線維とともに**咽頭神経叢** pharyngeal plexus をつくる．この神経叢は咽頭の筋層の外面と粘膜下組織の中で，細い線維と神経細胞群とからなる網目をつくっている．迷走神経線維は喉頭蓋を含めて気管と食道の粘膜の知覚を司っている（**E, F**）．喉頭蓋にある味蕾（**E**の青点）も同じく迷走神経による支配を受けている．

---

1 頸静脈孔 jugular foramen **2** 上神経節（頸静脈神経節）superior ganglion **3** 下神経節（節状神経節）inferior ganglion **4** 鰓弓筋へ行く運動線維 motor fibers to the branchial arch muscles **5** 疑核 nucleus ambiguus **6** 内臓性運動性線維 visceromotor fibers **7** 迷走神経背側核 posterior nucleus of vagus nerve **8** 外受容性知覚線維 exteroceptive sensory fibers **9** 三叉神経脊髄路 spinal tract of trigeminal nerve **10** 三叉神経脊髄路核 spinal nucleus of trigeminal nerve **11** 内臓性知覚性線維 viscerosensory fivers **12** 孤束 solitary tract **13** 孤束核 nuclei of solitary tract **14** 味覚線維 gustatory fibers **15** 耳介枝 auricular branch **16** 咽頭枝 pharyngeal branches **17** 上喉頭神経 superior laryngeal nerve（484頁A2に続く）

迷走神経（続き）

頸部（A～C）

1. **咽頭枝**（続き，**B**）．迷走神経の運動線維は軟口蓋と咽頭の筋を支配している：すなわち口蓋帆挙筋 levator veli palatini などの軟口蓋および扁桃窩周囲の諸筋ならびに咽頭収縮筋（**B1**）を支配している．

2. **上喉頭神経**（**A2**）．この神経は下神経節（節状神経節）の下方で出て，舌骨の高さで外枝 external branch（輪状甲状筋 cricothyroid へ行く運動枝）と内枝 internal branch（声帯ヒダに至るまでの喉頭粘膜へ行く知覚枝）に分かれる．

3. **反回神経**（**A3**）．この神経は，迷走神経が左では大動脈弓（**A4**）を，右では鎖骨下動脈（**A5**）を越えた後に，胸郭内で枝分かれして出る．この反回神経は左では大動脈と動脈管索を前からまわり，右では鎖骨下動脈を同じようにまわって，その後ろを再び上行する．気管と食道の間を，気管枝（**A6**）と食道枝 esophageal branch を与えながら，喉頭まで上行する．この最終枝である**下喉頭神経**（**A7**）は輪状甲状筋以外のすべての喉頭筋の運動を支配し，さらに声帯ヒダより下方の喉頭粘膜の知覚を司っている．

　これらの運動線維は**疑核** nucleus ambiguus に由来するものであって，その細胞群には体性局在が認められる：舌咽神経 glossopharyngeal nerve の線維はその頭側部から起こり，その下には上喉頭神経 superior laryngeal nerve のための部分，尾側部には下喉頭神経 inferior laryngeal nerve のための領域がある．その際，外転運動を支配するニューロンと内転運動を支配するニューロンとは交互に（混じり合って）配列している（**C**）．

4. **頸心臓枝** cervical cardiac branch（副交感性節前線維 preganglionic parasympathetic fibers）．上頸心臓枝（**A8**）は不定の高さで出て大血管とともに心臓へ行き，ここの心臓神経叢 cardiac plexus の副交感性神経節に終わる．枝の中の1本には内臓性知覚性線維が走っており，大動脈壁の緊張度についての情報を伝えている．この線維を刺激すると血圧降下が起こる（減圧神経 depressor nerve）．下頸心臓枝（**A9**）は反回神経または迷走神経主幹から出て，心臓神経叢内の神経節に終わっている．

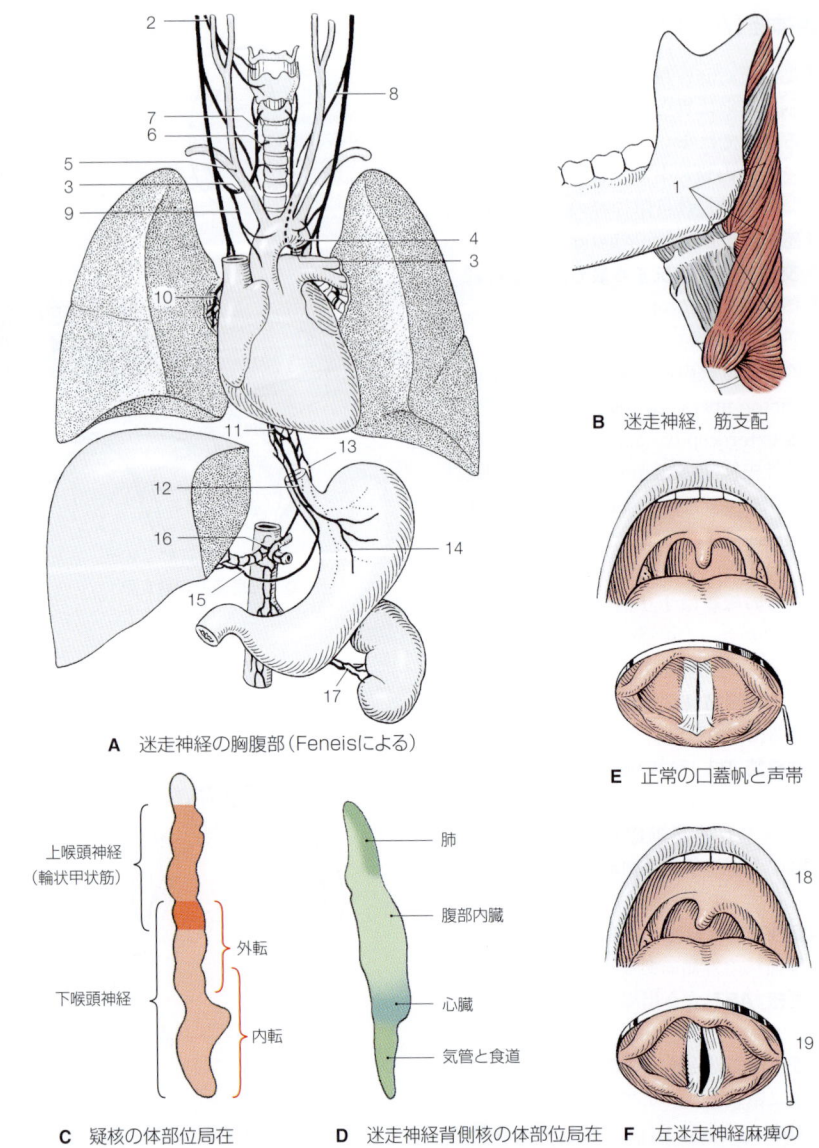

胸腹部（A, D）

迷走神経はまとまった神経としての性格を失って，胸部および腹部の内臓の中を叢状に広く分布するようになる．この神経は肺門で肺神経叢（**A10**）をつくってから，肺門の後ろを横切って下行し食道神経叢（**A11**）をつくり，これから前迷走神経幹（**A12**）と後迷走神経幹（**A13**）がつくられ胃の前面と後面へ行く．これらからの枝は前胃枝（**A14**）ならびに後胃枝 posterior gastric branches である．肝枝（**A15**）は肝神経叢 hepatic plexus へ，腹腔枝（**A16**）は腹腔神経叢 coeliac plexus へ，そして腎枝（**A17**）は腎神経叢 renal plexus へ行く．

内臓性運動性（副交感性節前）線維 visceromotor (preganglionic parasympathetic) fibers は**迷走神経背側核** dorsal nucleus of vagus nerve から出る．この核では内臓支配の局在構成が証明されている（**D**）．

臨床関連：迷走神経の損傷（**F**）では，咽頭と喉頭に脱落症状が起こる（Ⅱ章参照）：口蓋帆挙筋 levator veli palatini の一側性麻痺（**F18**）では口蓋帆と口蓋垂が健側に引かれる．麻痺側の声帯は喉頭筋の麻痺のために遺体位 cadaveric position をとり，動かなくなる（**F19**，左反回神経麻痺）．甲状腺の手術の際，反回喉頭神経が損傷を受けることがある．

A 迷走神経の胸腹部（Feneisによる）

B 迷走神経，筋支配

C 疑核の体部位局在（Crosby, Humphrey, Lauer による）

D 迷走神経背側核の体部位局在（Getz と Sienes による）

E 正常の口蓋帆と声帯

F 左迷走神経麻痺の際の口蓋帆と声帯

---

1 咽頭収縮筋 pharyngeal constrictors　2 上喉頭神経 superior laryngeal nerve　3 反回神経 recurrent laryngeal nerve　4 大動脈弓 aortic arch　5 鎖骨下動脈 subclavian artery　6 気管枝 tracheal branches　7 下喉頭神経 inferior laryngeal nerve　8 上頸心臓神経 superior cervical cardiac nerve　9 下頸心臓神経 inferior cervical cardiac nerve　10 肺神経叢 pulmonary plexus　11 食道神経叢 oesophageal plexus　12 前迷走神経幹 anterior vagal trunk　13 後迷走神経幹 posterior vagal trunk　14 前胃枝 anterior gastric branches　15 肝枝 hepatic branches　16 腹腔枝 coeliac branches　17 腎枝 renal branches　18 左側の口蓋帆麻痺 paralysis of the left soft palate　19 左側の声帯麻痺 paralysis of the left vocal cord

脳神経（Ⅴ, Ⅶ～Ⅻ）　485

舌咽神経（A～E）

舌咽神経 glossopharyngeal nerve（第Ⅸ脳神経）は中耳と舌と咽頭のあたりの知覚を司り，さらに咽頭の諸筋の運動を支配している．この神経は運動性，内臓性運動性（副交感性），内臓性知覚性および味覚線維 [motor, visceromotor, viscerosensory and gustatory fibers]を含んでいる．この神経はオリーブの後方で迷走神経のすぐ上から延髄を出て迷走神経とともに**頸静脈孔**（**B1**）を通って頭蓋を去る．この神経は頸静脈孔で**上神経節**（**B2**）をつくり，この孔を出てより大きな**下神経節**（**B3**，岩様部または錐体神経節）をつくる．内頸動脈と咽頭の外側をこの神経は弓なりに走って舌根へ行き，ここで数本の終枝に分かれる．

運動線維（**AB4**）は**疑核**（**AB5**）の頭側部から，**内臓性遠心性線維（分泌性）**（**AB6**）は**下唾液核**（**AB7**）から出る．**内臓性知覚性線維**（**AB8**）と**味覚線維**（**AB9**）を出す細胞は下神経節にあり，**孤束**（**B10**）の中を下行し，一定の高さで**孤束核**（**AB11**）に終わる．

第1枝である**鼓室神経**（**B12**）は，内臓性知覚性および分泌性節前線維を含み，下神経節から分かれて出てくる．この神経は鼓室神経小管 tympanic canaliculus を通って鼓室へ行き，そこで内頸動脈神経叢から頸鼓神経 caroticotympanic nerves を経てやってくる交感性線維を受けとって**鼓室神経叢** tympanic plexus をつくる．この神経は鼓室と耳管 auditory tube（Eustachii）の粘膜の知覚を司る（**C**）．分泌神経は小錐体神経 lesser petrosal nerve として耳神経節（491頁）へ行き，最終的には耳下腺などに分布する．

迷走神経，顔面神経および交感神経との交通枝のほか，下神経節からは**頸動脈洞枝**（**B13**，内臓性知覚性）が出てくる．この神経は総頸動脈の分岐部まで下行し，頸動脈洞（**B14**）の壁と頸動脈糸球（**B15**）の中に終わる（Ⅱ章参照）．

この神経は頸動脈洞の機械刺激受容器 mechanoreceptors と頸動脈小体の化学刺激受容器 chemoreceptors のインパルスを延髄へ伝え，多くの側副枝を出して迷走神経

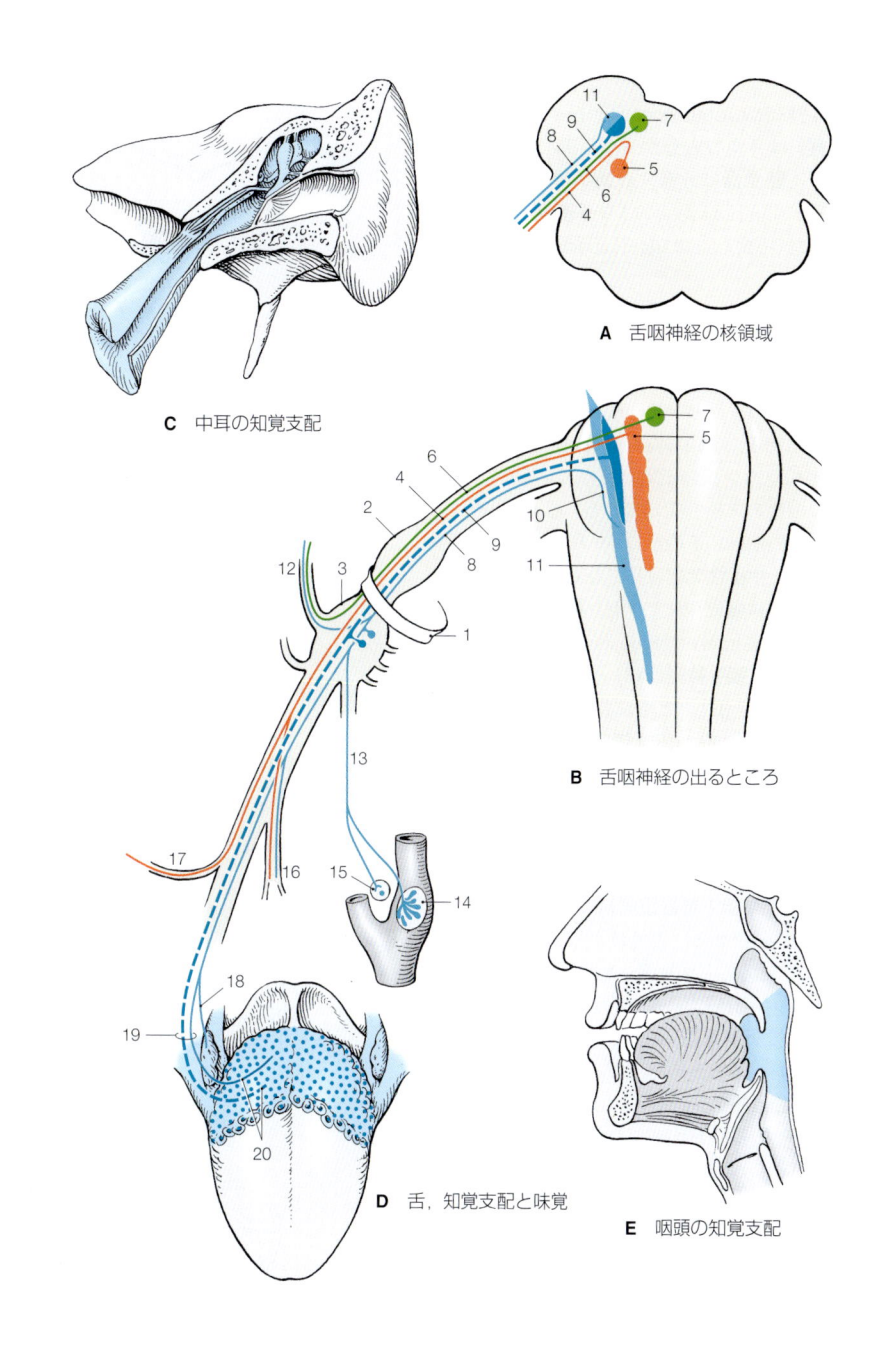

A　舌咽神経の核領域

C　中耳の知覚支配

B　舌咽神経の出るところ

D　舌，知覚支配と味覚

E　咽頭の知覚支配

背側核に達する（頸動脈洞反射の求心路）．この核から節前線維が心房にある神経細胞群に達しており，この細胞の軸索（節後性副交感線維）は洞結節 sinus node と房室結節 atrioventricular node に終わっている（頸動脈洞反射の遠心路）．この系によって血圧と心臓の拍動数は記録され調節される．

さらに**咽頭枝**（**B16**）が出て，これらは迷走神経の一部とともに咽頭神経叢 pharyngeal plexus をつくり，咽頭の知覚および運動支配に関与する．運動枝の**茎突咽頭筋枝**（**B17**）は茎突咽頭筋 stylopharyngeus を支配し，知覚枝である数本の**扁桃枝**（**D18**）は扁桃と軟口蓋へ行く．扁桃の下方でこの神経は枝分かれして**舌枝**（**D19**）となり，有郭乳頭を含めた舌の後ろ1/3の知覚と味覚を司っている（**D20**）．

---

1 頸静脈孔 jugular foramen　**2** 上神経節 superior ganglion　**3** 下神経節（岩様部または錐体神経節）inferior ganglion (petrous part)　**4** 運動線維 motor fibers　**5** 疑核 nucleus ambiguus　**6** 内臓性遠心性（分泌性）線維 visceral efferent (secretory) fibers　**7** 下唾液核 inferior salivatory nucleus　**8** 内臓性知覚性線維 viscerosensory (visceral afferent) fibers　**9** 味覚線維 gustatory fibers　**10** 孤束 solitary tract　**11** 孤束核 nuclei of solitary tract　**12** 鼓室神経 tympanic nerve　**13** 内頸動脈神経 internal carotid nerve　**14** 頸動脈洞 carotid sinus　**15** 頸動脈小体 carotid body　**16** 咽頭枝 pharyngeal branches　**17** 茎突咽頭筋枝 stylopharyngeal branch　**18** 扁桃枝 tonsillar branches　**19** 舌枝 lingual branches　**20** 舌の後部1/3

前庭蝸牛神経（A，B）

内耳神経 vestibulocochlear nerve（第Ⅷ脳神経）は2つの成分からなる求心性神経である：聴覚器に分布する**蝸牛根（下根）** cochlear (inferior) root および**平衡覚器**へ行く**前庭根（上根）** vestibular (superior) root からなる．

蝸牛根（A）

蝸牛根 cochlear root を構成する線維は**蝸牛神経節**（**A1**，ラセン神経節）の双極性神経細胞から出る．蝸牛神経節は細胞帯となって蝸牛のラセン状の走向に従っている．これらの細胞の末梢性突起はラセン器（コルチ器）spiral organ of Corti の有毛細胞に終わる．また，中枢性突起は小さな束をつくり，これらの束は編成されて**ラセン孔列**（**A2**）となり，内耳道 internal acoustic meatus の底でまとまって**蝸牛神経**（**A3**）となる．この神経は前庭神経（**B**）とともに共通の結合組織性被膜に包まれて，内耳道を通って頭蓋腔へ入ってくる．この第Ⅷ脳神経が小脳橋角で延髄へ入る際には，蝸牛神経が背側に，前庭神経は腹側に位置するようになる．

蝸牛線維は**蝸牛神経腹側核**（**A4**）とその**背側核**（**A5**）に終わる．腹側核からは第二次線維が出て交叉して反対側へ行き（**A6**，**台形体**；481頁AB15），一部は台形体核（**A7**）で中継されて**外側毛帯**（**A8**）として上行する．蝸牛神経背側核から起こる線維は一部が**背側聴条** medullary striae（dorsal acoustic striae）となって菱形窩底の直下を走って交叉し，同じように外側毛帯の中を上行する（中枢の聴覚路については609頁参照）．

前庭神経根（B）

前庭根 vestibular root を構成する線維は，内耳道にある**前庭神経節**（**B9**）の双極性神経細胞に由来している．これらの細胞の末梢性突起は半規管（**B10**），球形嚢（**B11**）および卵形嚢（**B12**）の感覚上皮に終わっている（608頁D）．中枢性突起は合わさって**前庭神経**（**B13**）となり，上行および下行枝に分かれて延髄の前庭神経核に終わっている．ごく一部のみが下小脳脚（索状体）を通って直接小脳に達している．

前庭神経核は菱形窩底の外側陥凹の下に位置している：**上核**（**B14**），**内側核**（**B15**），**外側核**（**B16**）および**下核**（**B17**）．前庭神経の第一次線維は主に内側核に終わる．前庭神経諸核からの第二次線維は小脳，外眼筋の諸核および脊髄へ（**B18**，**前庭脊髄路**）向かう．

前庭器の働きはからだの平衡と直立姿勢の保持に決定的な意義をもっている．このためには小脳への伝導路と脊髄への伝導路が大切である．前庭脊髄路はからだのいろいろな部分の筋緊張に影響を及ぼしている．ことに頭の運動と運動時の固視とは前庭器によって調節されている（眼筋の諸核へ行く伝導路）（611頁）．

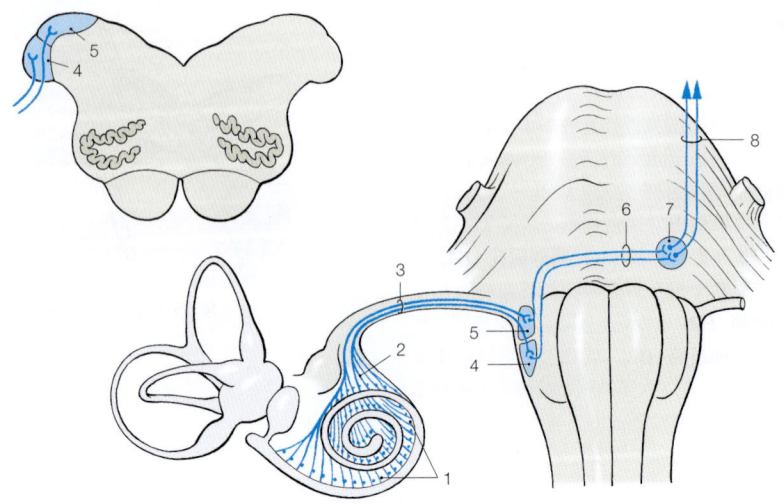

A　内耳神経；蝸牛神経の核領域と蝸牛神経根の入るところ

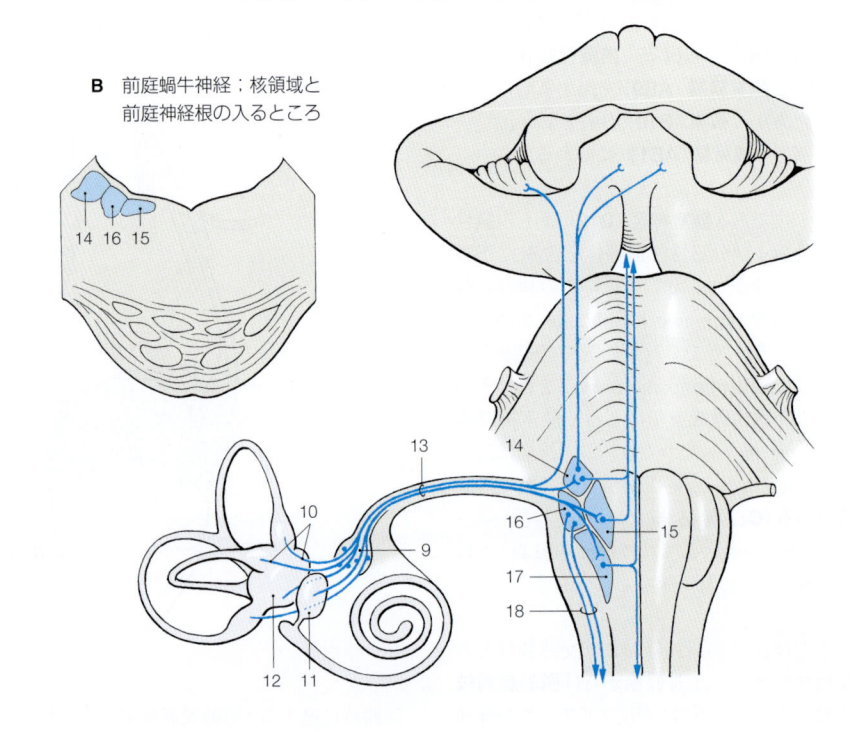

B　前庭蝸牛神経；核領域と前庭神経根の入るところ

---

1 蝸牛神経節（ラセン神経節）cochlear ganglion（spiral ganglion）　2 ラセン孔列 tractus spiralis foraminosus　3 蝸牛神経 cochlear nerve（*Pars cochlearis*）　4 蝸牛神経腹側核 anterior cochlear nucleus　5 蝸牛神経背側核 posterior cochlear nucleus　6 台形体 trapezoid body　7 台形体核 nuclei of trapezoid body　8 外側毛帯 lateral lemniscus　9 前庭神経節 vestibular ganglion　10 半規管 semicircular ducts　11 球形嚢 saccule　12 卵形嚢 utricle　13 前庭神経 vestibular nerve（*Pars vestibularis*）　14 上核 superior nucleus（Bechterew）　15 内側核 medial nucleus（Schwalbe）　16 外側核 lateral nucleus（Deiters）　17 下核 inferior nucleus（Roller）　18 前庭脊髄路 lateral vestibulospinal tract

顔面神経（A〜F）

顔面神経facial nerve（**第Ⅶ脳神経**）は顔の表情筋へ行く運動線維と，これとは別に脳幹から出る中間神経という神経束の形で味覚線維と内臓性遠心性分泌線維（副交感性）とを含んでいる．**運動線維（AB1）**は顔面神経核（**AB2**）の大型の多極性神経細胞から出る．これらの線維は外転神経核（**AB3**）を弧を描いてまわり（顔面神経［内］膝［internal］genu of facial nerve），延髄の外側面で橋の下端から出てくる．**節前性分泌線維（AB4）**を出す細胞は上唾液核（**AB5**）を形成している．**味覚線維（AB6）**は膝神経節（**BC7**）にある偽単極性細胞の突起であって，孤束核（**AB8**）の頭側部に終わる．内臓性遠心性および味覚線維は外転神経核をまわらずに，顔面神経の下行脚に加わり，**中間神経（B9）**として顔面神経と内耳神経の間から脳を出る．

この神経の両部分は内耳孔（側頭骨岩様部，Ⅰ章参照）から内耳道へ入り，1本の神経幹にまとまって顔面神経管 facial canalへ入ってくる．側頭骨岩様部の中でこの神経が屈曲するところ（顔面神経［外］膝［external］genu of facial nerve）に膝神経節（**BC7**）がある．顔面神経管（603頁A10）はそののち鼓室の上を走り，尾方へ向きをかえて茎乳突孔（**BC10**）に達し，これを通って顔面神経は頭蓋を去る．耳下腺 parotid glandの中でこの神経は終枝に分かれる（**E11**，**耳下腺神経叢**）．

顔面神経管の中で，大錐体神経（**BC12**），アブミ骨筋神経（**BC13**）および鼓索神経（**BC14**）が出ていく．**大錐体神経（BC12**，涙腺，鼻腺および口蓋腺へ行く節前性分泌線維）は膝神経節から分かれ出て，大錐体神経管裂孔 hiatus for greater petrosal nerveを通って頭蓋内へ入り，岩様部の前面を越えて破裂孔 foramen lacerumを通り，最後に翼突管 pterygoid canalを通り抜けて翼口蓋神経節（**C15**）に達する．**アブミ骨筋神経**は中耳のアブミ骨筋の運動を支配する．**鼓索神経（BC14**，舌の前2/3に分布する味覚線維（**D**）と顎下腺，舌下腺および種々の舌腺へ行く節前性分泌線維）は茎乳突孔の上方で枝分かれして出，鼓室の粘膜下を走り（602頁A22），さらに錐体鼓室裂 petrotympanic fissureを通り，最終的には舌神経（**C16**）に入り込む．

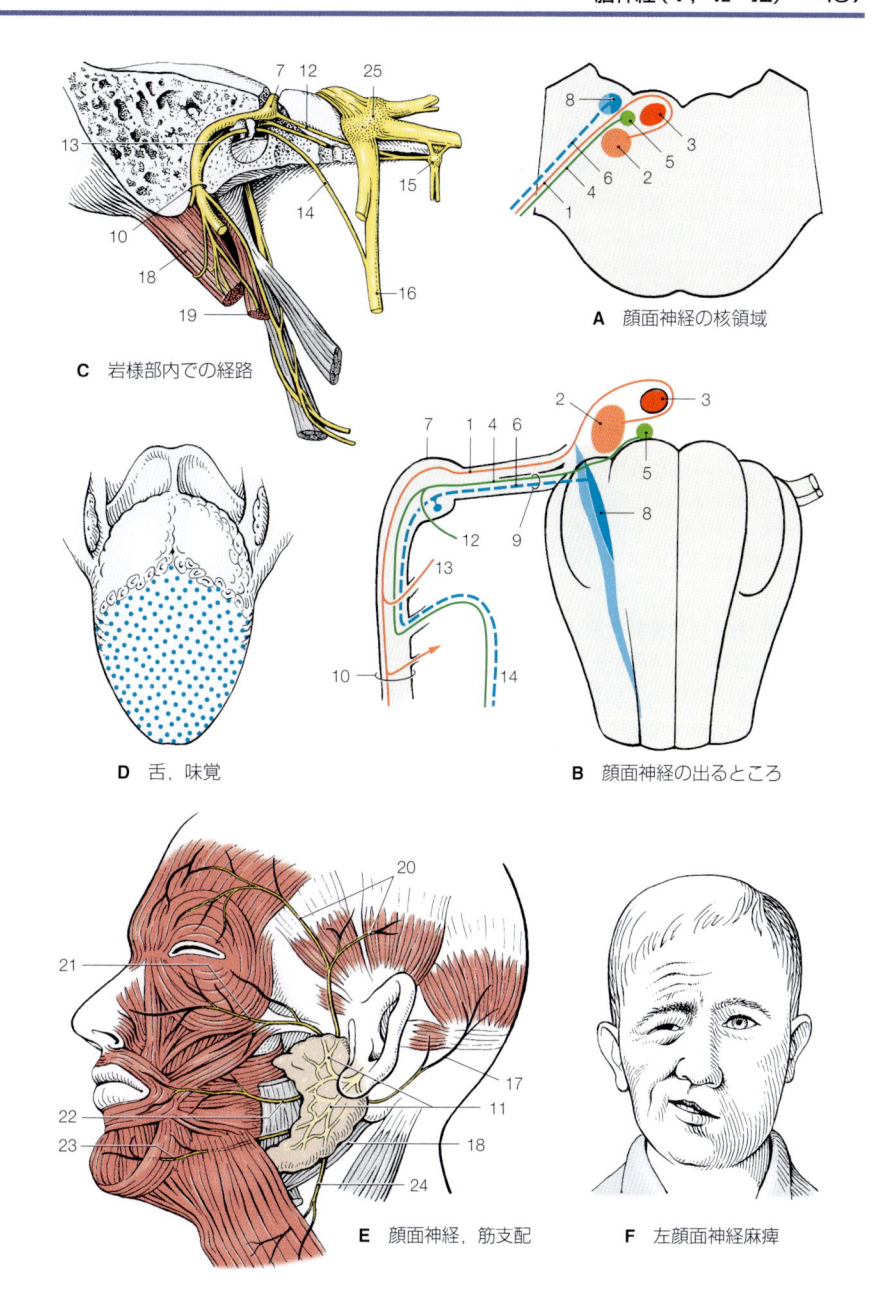

耳下腺へ入る前に，顔面神経は**後耳介神経（E17）**および顎二腹筋（**CE18**）の後腹と茎突舌骨筋（**C19**）への筋枝を出す．耳下腺神経叢からは側頭枝（**E20**），頬骨枝（**E21**），頬筋枝（**E22**），下顎縁枝（**E23**）および広頸筋 Platysma（Ⅰ章参照）へ行く頸枝（**E24**）が出る．これらの枝は表情筋全体を支配している．

広頸筋の下にある頸枝の多くの細枝は，知覚性の頸横神経（463頁BC17）の枝と交通枝によって浅頸神経ワナ superficial ansa cervicalis（Ⅰ章参照）をつくる．この神経ワナから出る細枝は知覚性－運動性の混合神経である．側頭枝，頬筋枝および下顎縁枝の終末分枝は，三叉神経の諸枝とともに同様の神経叢をつくる．

> **臨床関連**：顔面神経が傷害されると，傷害側の顔半分のすべての筋は弛緩性麻痺 flaccid paralysisを起こす．その側の口の部分は下に垂れ，眼はもはや閉じることができなくなる［顔面神経麻痺 facial paralysis（**F**）］．聴覚過敏 hyperakussも起こってくる（603頁）．中枢性顔面神経麻痺については496頁参照．

A 顔面神経の核領域
B 顔面神経の出るところ
C 岩様部内での経路
D 舌，味覚
E 顔面神経，筋支配
F 左顔面神経麻痺

---

1 運動線維 motor fibers **2** 顔面神経核 motor nucleus of facial nerve **3** 外転神経核 nucleus of abducens nerve **4** 節前性分泌線維 preganglionic secretory fibers **5** 上唾液核 superior salivatory nucleus **6** 味覚線維 gustatory fibers **7** 膝神経節 geniculate ganglion **8** 孤束核 nuclei of solitary tract **9** 中間神経 intermediate nerve **10** 茎乳突孔 stylomastoid foramen **11** 耳下腺神経叢 parotid plexus **12** 大錐体神経 greater petrosal nerve **13** アブミ骨筋神経 nerve to stapedius **14** 鼓索神経 chorda tympani **15** 翼口蓋神経節 pterygopalatine ganglion **16** 舌神経 lingual nerve **17** 後耳介神経 posterior auricular nerve **18** 顎二腹筋 digastric **19** 茎突舌骨筋 stylohyoid **20** 側頭枝 temporal branches **21** 頬骨枝 zygomatic branches **22** 頬筋枝 buccal branches **23** 下顎縁枝 marginal mandibular branch **24** 頸枝 cervical branch **25** 三叉神経節 trigeminal ganglion

三叉神経（A～F）

三叉神経 trigeminal nerve（**第Ⅴ脳神経**）は顔の皮膚と粘膜からの知覚線維と，咀嚼筋，顎舌骨筋，顎二腹筋前腹およびおそらくは口蓋帆張筋と鼓膜張筋へ行く運動線維とを含んでいる．この神経は**知覚根** sensory root および**運動根** motor root からなる太い幹として橋から出て，岩様部を越えて前方へ向かい，岩様部の前面の三叉神経圧痕 trigeminal impression という浅いくぼみに三叉神経節（ガッセルの半月神経節）をつくる．この神経節は三叉神経腔 trigeminal cave という硬膜の袋に納まっており，3本の主枝を出す：眼神経，上顎神経および下顎神経（478頁 A14～A16）．

知覚線維（B1）は**三叉神経節**（BE2）の偽単極性細胞に由来し，その中枢性突起は三叉神経の知覚核に終わる．**三叉神経主感覚核**（AB3）には主に識別性感覚（583頁）の線維が終わり，**三叉神経脊髄路核**（BC4）には**原始性感覚**（584頁）の線維が終わっている．この線維は**三叉神経脊髄路**（B5）として頸髄上部まで下行し，体性局在的な配列をとって終わる（C）：口周部からの線維は頭方に終わり，それに続く部の皮膚からの線維はより尾方に終わる．最も外側の半円の部分からの線維は最も尾方に終わる（中枢性の顔面知覚支配域のタマネギの皮様配列）．**三叉神経中脳路**（B6）は咀嚼筋からの固有受容性の知覚インパルスを伝える．

三叉神経中脳路核（AB7）は偽単極性神経細胞からなり，これらの末梢性突起は半月神経節で中断されることなく通り抜ける．この線維は起始細胞が中枢神経の外の神経節にあるのではなく，脳幹の核にある唯一の知覚線維であって，この核はいわば脳内にとどまった知覚性の神経節を意味する．

運動線維は**三叉神経運動核**（AB8）の大型の多極性神経細胞から出る．この核は三叉神経中脳核とつながりがあり，ここに咀嚼筋に対する固有反射弓ができあがる．

粘膜の知覚支配（D）

眼神経は前頭洞，蝶形骨洞および鼻中隔（D9）の，上顎神経は上顎洞，鼻甲介および口蓋（D10）の，そして下顎神経は口腔の下部領域（D11）および頬粘膜の知覚を司る．

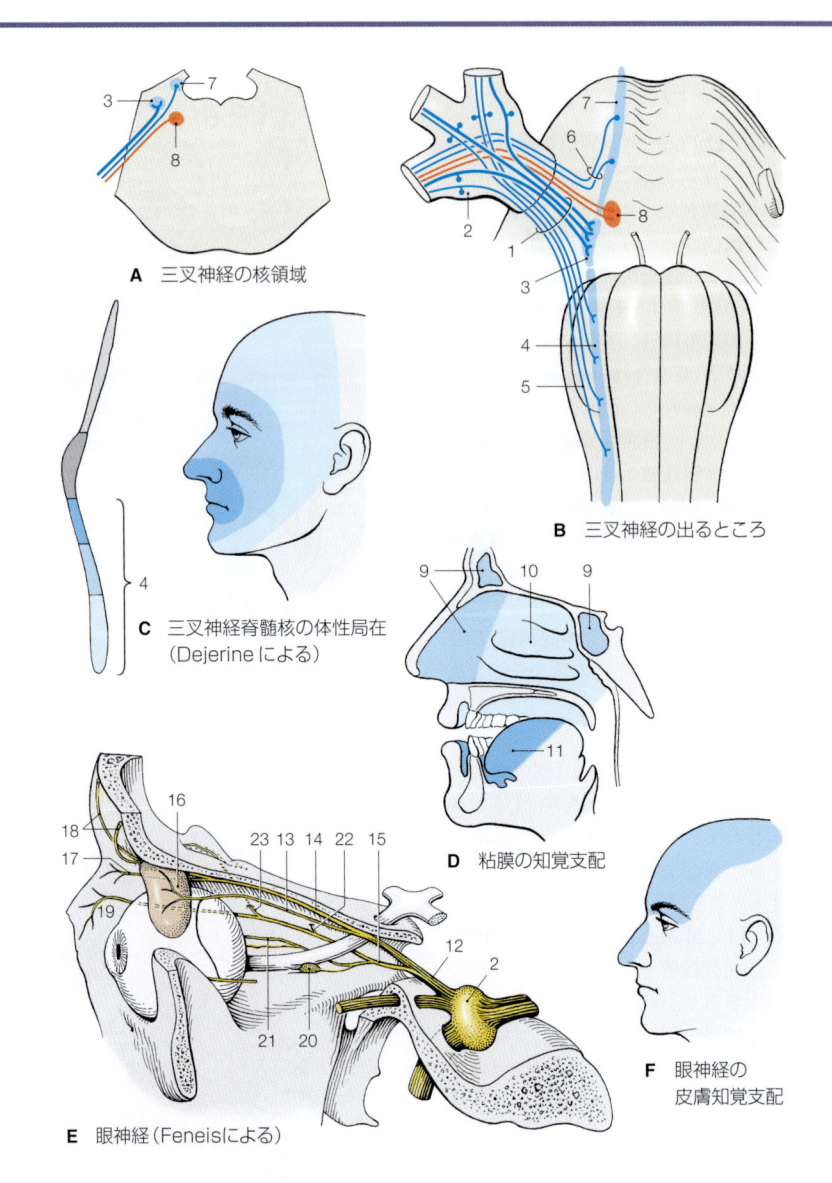

眼神経（E, F）

眼神経（E12）は反回するテント枝 tentorial branch を出してから，涙腺神経（E13），前頭神経（E14）および鼻毛様体神経（E15）に分かれる．これらの枝は上眼窩裂を通って眼窩へ出る．その際，鼻毛様体神経は上眼窩裂の内側部を通り，ほかの枝はその外側部を通る．

涙腺神経 lacrimal nerve は涙腺（E16）へ行き，さらに外側角の皮膚に分布する．（頬骨神経との）交通枝 communicating branch with zygomatic nerve を介して，涙腺神経に副交感性の分泌線維が加わり，これらの線維は涙腺に分布する．

前頭神経 frontal nerve は**滑車上神経**（E17，内眼角へ）と**眼窩上神経**（E18）に分かれる．後者は眼窩上切痕 supra-orbital notch を通って出てくる（結膜，上眼瞼および前頭部の皮膚に分布する）．

鼻毛様体神経 nasociliary nerve は内眼角へ行き，ここで終枝の**滑車下神経**（E19）となってこの部の知覚を司る．鼻毛様体神経からは次の諸枝が出る：毛様体神経節との交通枝（E20），眼球へ行く**長毛様体神経**（E21），**後篩骨神経**（E22，蝶形骨洞と篩骨蜂巣へ）および**前篩骨神経**（E23）．この前篩骨神経は前篩骨孔 anterior ethmoidal foramen を通って頭蓋腔を篩板へ行き，これを貫いて鼻腔へ入る．そして終枝の外鼻枝 external nasal nerve は鼻背と鼻尖の皮膚に分布している．

A 三叉神経の核領域
B 三叉神経の出るところ
C 三叉神経脊髄核の体性局在（Dejerine による）
D 粘膜の知覚支配
E 眼神経（Feneis による）
F 眼神経の皮膚知覚支配

---

1 知覚線維 sensory fibers **2** 三叉神経節（半月神経節，ガッセル神経節）trigeminal ganglion（G. semilunare, G. Gasseri） **3** 三叉神経主感覚核 principal sensory nucleus of trigeminal nerve **4** 三叉神経脊髄路核 spinal nucleus of trigeminal nerve **5** 三叉神経脊髄路 spinal tract of trigeminal nerve **6** 三叉神経中脳路 mesencephalic tract of trigeminal nerve **7** 三叉神経中脳路核 mesencephalic nucleus of trigeminal nerve **8** 三叉神経運動核 motor nucleus of trigeminal nerve **9** 眼神経に支配される粘膜領域 **10** 上顎神経に支配される粘膜領域 **11** 下顎神経に支配される粘膜領域 **12** 眼神経 ophthalmic nerve **13** 涙腺神経 lacrimal nerve **14** 前頭神経 frontal nerve **15** 鼻毛様体神経 nasociliary nerve **16** 涙腺 lacrimal gland **17** 滑車上神経 supratrochlear nerve **18** 眼窩上神経 supra-orbital nerve **19** 滑車下神経 infratrochlear nerve **20** 毛様体神経節との交通枝 communicating branch with ciliary ganglion **21** 長毛様体神経 long ciliary nerves **22** 後篩骨神経 posterior ethmoidal nerve **23** 前篩骨神経 anterior ethmoidal nerve

脳神経（Ⅴ，Ⅶ〜Ⅻ）　489

三叉神経（続き）（A〜E）

上顎神経（A，B）

上顎神経（**A1**）は硬膜枝 meningeal branch を出してから，正円孔（**A2**）を通って翼口蓋窩へ出て，ここで頬骨神経 zygomatic nerve，神経節枝 ganglionic branch（翼口蓋神経 pterygopalatine nerves）および眼窩下神経 infra-orbital nerve に分かれる．

頬骨神経（**A3**）は下眼窩裂を通って眼窩の外側壁に達する．この神経は交通枝（翼口蓋神経節から涙腺へ行く節後性の副交感性分泌線維）を涙腺神経に与えて，**頬骨側頭枝**（**A4**，側頭部へ）と**頬骨顔面枝**（**A5**，頬骨弓を覆う皮膚へ）に分かれる（**B**）．

神経節枝（**A6**）は2ないし3本の細糸であって翼口蓋神経節まで下がっていき，ここで中断することなく通り抜ける．これらの線維は咽頭上部，鼻腔，硬および軟口蓋の知覚を司っている（490頁A10）．

眼窩下神経（**A7**）は下眼窩裂を通って眼窩に入り，眼窩下管（**A8**）を通って頬に出て，下眼瞼と上唇の間の皮膚に分布する（**B**）．この神経から枝分かれするのは，**後上歯槽枝**（**A9**，大臼歯へ），**中上歯槽枝**（**A10**，小臼歯へ）および**前上歯槽枝**（**A11**，切歯へ）である．これらの神経は歯槽の上方で**上歯神経叢** superior dental plexus をつくっている．

下顎神経（C〜F）

下顎神経 mandibular nerve は卵円孔 Foramen ovale を出て硬膜枝（**C12**）を与えた後，側頭下窩で耳介側頭神経 auriculotemporal nerve，舌神経 lingual nerve および下歯槽神経 inferior alveolar nerve，頬神経 buccal nerve および運動枝に分かれる．運動根 motor root はこの下顎神経に入り込んでいくのである．

下記の**運動枝** motor branches が卵円孔を出てすぐに下顎神経から分かれる：咬筋（**F14**）へ行く**咬筋神経**（**C13**），側頭筋（**F16**）へ行く**深側頭神経**（**C15**），翼突筋（**F18**）へ行く**翼突筋神経**（**C17**）．鼓膜張筋と口蓋帆張筋を支配する運動線維は耳神経節まで行き，それぞれ**鼓膜張筋神経** nerve to tensor tympani と**口蓋帆張筋神経** nerve to tensor veli palatini となって，この神経節を去る．

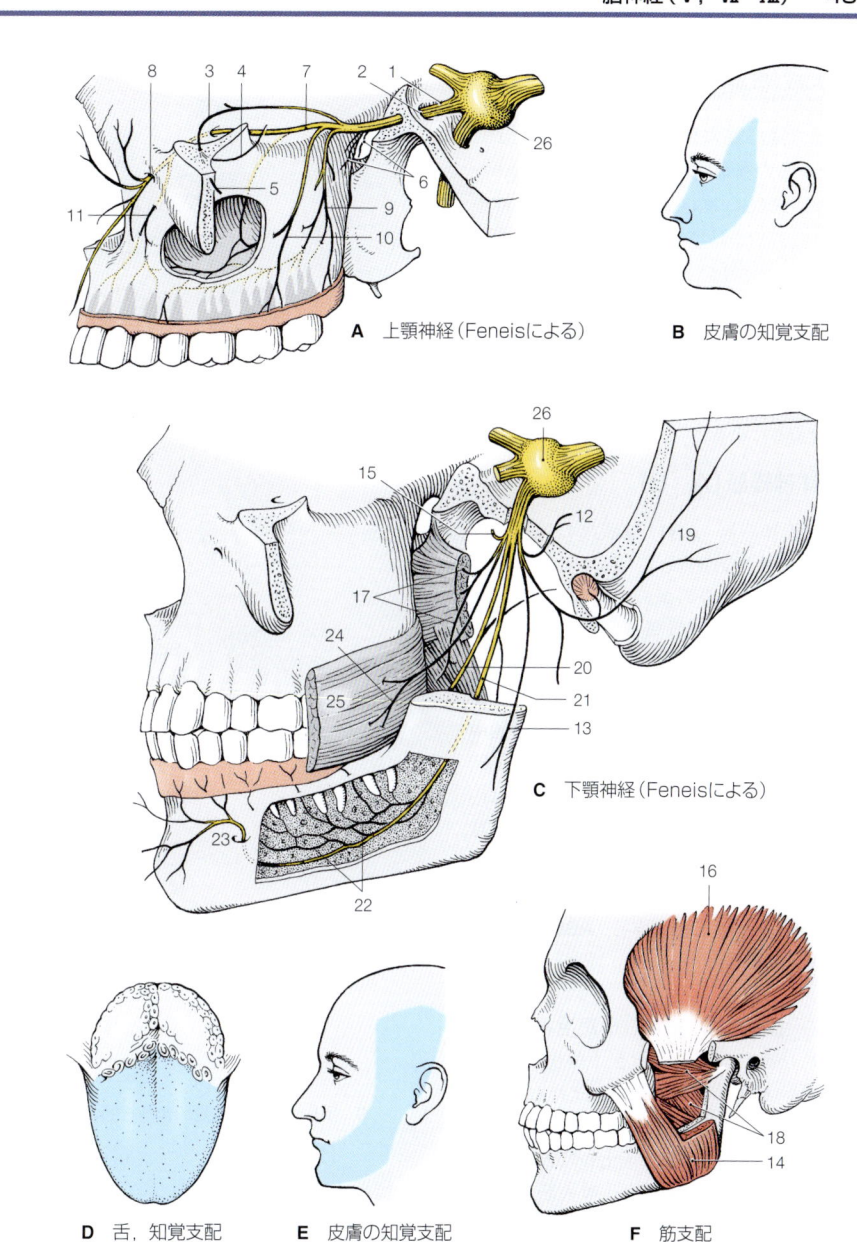

A 上顎神経（Feneisによる）

B 皮膚の知覚支配

C 下顎神経（Feneisによる）

D 舌，知覚支配　　**E** 皮膚の知覚支配　　**F** 筋支配

耳介側頭神経［**C19**，側頭部の皮膚，外耳道および鼓膜へ行く（**E**）］は多くの場合2本の根で出て，これらの根は中硬膜動脈 middle meningeal artery を囲んだ後（491頁A15），合わさってこの神経となる．舌神経（**C20**）は弓なりになって舌根部まで下行する．この神経は舌の前2/3の知覚を司る（**D**）．この神経は鼓索神経 chorda tympani（顔面神経の）から味覚線維と節前性分泌線維を受けとる（491頁の顎下神経節を参照）．**下歯槽神経**（**C21**）は，下顎管 mandibular canal の中へ入って多数の**下歯枝**（**C22**）となり下顎の歯へ行く知覚線維のほか，顎舌骨筋 mylohyoid と顎二腹筋 digastric の前腹へ行く運動線維を含んでいる．この神経の皮枝であるオトガイ神経（**C23**）はオトガイ孔 mental foramen から出て，オトガイと下唇および下顎体を覆う皮膚の知覚を司っている（**E**）．頬神経（**C24**）は，頬筋（**C25**）を貫いて頬の粘膜に分布する．

> **臨床関連**：寒冷などの外部刺激で起きてくる三叉神経支配領域の発作性の痛みは，三叉神経痛といわれる．歯科医にとっては，歯の知覚性支配の正確な知識は不可欠である．三叉神経の枝を伝達麻酔する場合，麻酔薬の注射は神経の走行に沿って行う必要がある．例えば，下顎神経の麻酔には，まず下顎骨の側頭稜を指で触れ，それから頬筋を貫通して注射針を下歯槽神経の方向に刺入する．

---

1 上顎神経 maxillary nerve　**2** 正円孔 foramen rotundum　**3** 頬骨神経 zygomatic nerve　**4** 頬骨側頭枝 zygomaticotemporal branch　**5** 頬骨顔面枝 zygomaticofacial branch　**6** 神経節枝（＝翼口蓋神経節）ganglionic branches of maxillary nerve（＝pterygopalatine nerves）　**7** 眼窩下神経 infra-orbital nerve　**8** 眼窩下管 infra-orbital canal　**9** 後上歯槽枝 posterior superior alveolar branches　**10** 中上歯槽枝 middle superior alveolar branches　**11** 前上歯槽枝 anterior superior alveolar branches　**12** 硬膜枝 meningeal branch　**13** 咬筋神経 masseteric nerve　**14** 咬筋 masseter　**15** 深側頭神経 deep temporal nerves　**16** 側頭筋 temporalis　**17** 翼突筋神経 pterygoid nerve　**18** 翼突筋 pterygoid　**19** 耳介側頭神経 auriculotemporal nerve　**20** 舌神経 lingual nerve　**21** 下歯槽神経 inferior alveolar nerve　**22** 下歯枝 inferior dental branches　**23** オトガイ神経 mental nerve　**24** 頬神経 buccal nerve　**25** 頬筋 buccinator　**26** 三叉神経節 trigeminal ganglion

副交感性神経節

内臓性遠心性の核（内臓性運動性と分泌性の）からの線維は，副交感性神経節 parasympathetic ganglia で節後線維に切り替えられる．どの神経節も副交感根（節前線維）のほかに，交感根（交感神経幹の神経節で切り替えられた節後線維，570頁）と知覚根（この線維は神経節で中継されずに通過する）を含んでいる．したがって，神経節から出ていく枝は常に交感，副交感および知覚線維を含むことになる．

毛様体神経節（A，B）

毛様体神経節（**AB1**）は眼窩の視神経の外側に，扁平な小体としてみられる．その副交感線維は中脳のエディンガー・ウェストファル核から出て動眼神経（**AB2**）の中を走り，動眼神経からの根（**AB3**，副交感根）としてこの神経節へ移り入る．節前性交感線維は脊髄 C_8〜Th_2 の側角（**毛様体脊髄中枢；B4**）に起こり，上頸神経（**B5**）で節後線維に切り替えられる．この節後線維は内頸動脈神経叢（**B6**）の中を上行し，外転神経へのり移ったのち交感根（**B7**）としてこの毛様体神経節へ行く．知覚根は鼻毛様体神経 nasociliary nerve に由来する（**AB8**，鼻毛様体神経からの根）．

この毛様体神経節からは**短毛様体神経**（**AB9**）が出て，眼球へ行き，強膜を貫いて眼球内へ入る．この神経に含まれる副交感線維は毛様体筋 ciliary muscle（調節 accommodation）と瞳孔括約筋 sphincter pupillae を支配し，交感線維は瞳孔散大筋 dilator pupillae を支配する（600頁）．

> **臨床関連：** 瞳孔は副交感線維（縮瞳 miosis）と交感線維（散瞳 mydriasis）によって拮抗的に支配されている．毛様体脊髄中枢または C_8，Th_1 の脊髄根が傷害を受けると（下腕神経叢麻痺 lower brachial plexus paralysis，464頁），同側の眼球に縮瞳が現れる．

翼口蓋神経節（A，B）

翼口蓋神経節（**AB10**）は翼口蓋窩の前壁で上顎神経（**AB11**）の下方にあり，この上顎神経からは**神経節枝**（**AB12**，翼口蓋神経節）が出てこの神経節へ行く（知覚根）．上唾液核からの副交感性分泌線維は顔面神経［正確には中間神経（**AB13**）］を通って顔面神経膝に至り，ここでこれらの線維は分かれて**大錐体神経**（**AB14**）となる．この神経は破裂孔を通って頭蓋底に達し，翼突管を通ってこの神経節に入る（副交感根）．内頸動脈神経叢からの交感線維は**深錐体神経**（**AB15**）をつくり（交感根），大錐体神経と合流して**翼突管神経**（**AB16**，顔面神経根）となる．

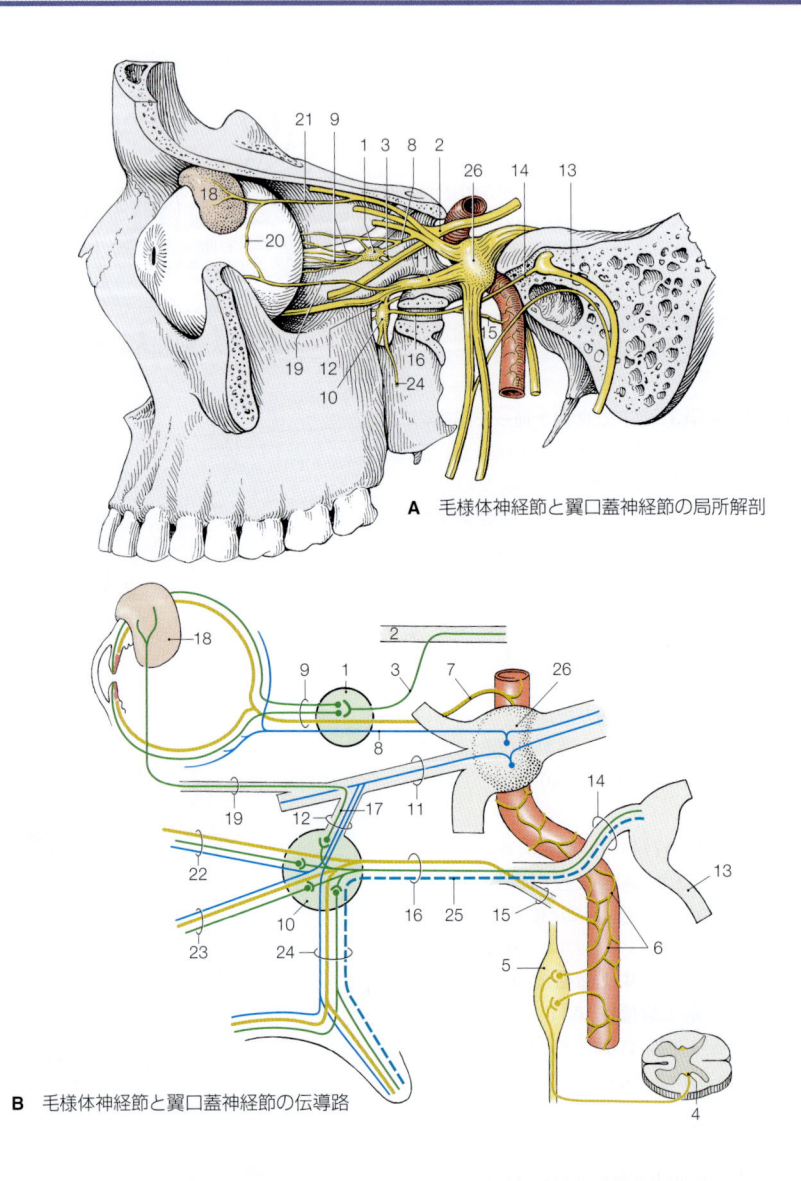

この神経節から出る枝は涙腺のほか，鼻腔，口蓋，咽頭の腺へ行く分泌線維を含んでいる．涙腺（**AB18**）への副交感線維（**B17**）はこの神経節で中継された節後線維である．これら節後線維は神経節枝（**AB12**）に含まれて上顎神経（**AB11**）へ行き，頬骨神経（**AB19**）とその涙腺神経（**A21**）との交通枝（**A20**）を経て涙腺に達する．

残りの分泌線維は，**眼窩枝**（**B22**）の中を走って篩骨洞後部へ，**上後鼻枝**（**B23**）に含まれて鼻甲介と鼻中隔へ，**鼻口蓋神経** nasopalatine nerve の中を走り鼻中隔を経て切歯管を通り口蓋の前部へ，**口蓋神経**（**AB24**）の中を走って軟口蓋と硬口蓋へ，また咽頭枝を経て咽頭鼻部へ行く．

軟口蓋に分布する味覚線維（**B25**）は口蓋神経と翼突管神経および大錐体神経の中を走る．

---

1 毛様体神経節 ciliary ganglion **2** 動眼神経 oculomotor nerve **3** 動眼神経からの根（副交感根）oculomotor root (Radix parasympathic root) **4** 毛様体脊髄中枢 ciliospinal center **5** 上頸神経節 superior cervical ganglion **6** 内頸動脈神経叢 internal carotid plexus **7** 交感根 sympathetic root **8** 鼻毛様体神経からの根 nasociliary root **9** 短毛様体神経 short ciliary nerves **10** 翼口蓋神経節 pterygopalatine ganglion **11** 上顎神経 maxillary nerve **12** 神経節枝（翼口蓋神経節）ganglionic branches of maxillary nerve (= pterygopalatine nerves) **13** 顔面神経（中間神経）facial nerve (intermediate nerve) **14** 大錐体神経 greater petrosal nerve **15** 深錐体神経 deep petrosal nerve **16** 翼突管神経（顔面神経根）nerve of pterygoid canal (*Radix facialis*) **17** 副交感線維 parasympathetic fibers **18** 涙腺 lacrimal gland **19** 頬骨神経 zygomatic nerve **20** 交通枝（頬骨神経と涙腺神経との）communicating branch between the zygomatic and lacrimal nerve **21** 涙腺神経 lacrimal nerve **22** 眼窩枝 orbital branches **23** 上後鼻枝 posterior superior nasal branches **24** 口蓋神経 palatini nerves **25** 味覚線維 gustatory fibers **26** 三叉神経節 trigeminal ganglion

耳神経節（A，B）

耳神経節（**AB1**）は扁平な小体として卵円孔 oval foramen の下方で下顎神経（**A2**）の内側面に位置している．この神経からは知覚および運動線維がこの耳神経節へ入ってきて（知覚－運動根 **AB3**），中継されずに素通りしていく．節前性の副交感線維は下唾液核 inferior salivatory nucleus から出る．これらの線維は舌咽神経の中を走って，舌咽神経の下神経節から鼓室神経 tympanic nerve とともに枝分かれして鼓室へ行く．そして細い**小錐体神経**（**AB4**，副交感根）として小錐体神経管裂孔 hiatus for lesser petrosal nerve を通って鼓室を去る．この神経は岩様部の表面の硬膜下を走り，破裂孔を通り抜けてこの耳神経節に達する．交感根（**AB5**）の線維は中硬膜動脈にまといつく神経叢から出てくる．

この神経節を通り抜ける三叉神経運動根の運動線維は，**口蓋帆張筋神経**（**B6**，口蓋帆へ）と**鼓膜張筋神経**（**B7**，鼓膜を張る鼓膜張筋 tensor tympani へ）になってこの神経節を出ていく．顔面神経（Ⅶ）から口蓋帆挙筋 levator veli palatini へ行く運動線維（**B8**）は鼓索神経（**AB9**）の中を走って，鼓索神経との交通枝（**AB10**）を経てこの神経節へ入ってくる．これらの線維は中継されることなく素通りし，交通枝（**A11**）を介して大錐体神経（**A12**）に加わり，この神経とともに翼口蓋神経節（**A13**）に達し，口蓋神経（**A14**）を通って口蓋へ行く．

節後性の副交感性分泌線維は交感線維とともに，交通枝を介して耳介側頭神経（**AB15**）へ入り，この神経からさらに交通枝を経て顔面神経（**AB16**）へ移り，その諸枝とともに耳下腺（**AB17**）の中で枝分かれしている．これらの枝は耳下腺のほか頬腺と口唇腺 buccal & labial glands にも分布している．

顎下神経節（A，B）

顎下神経節（**AB18**）は2, 3の小さな副神経節 accessory ganglia を伴って，口腔底の顎下腺（**AB19**）の上で舌神経（**AB20**）の下面にみられる．この舌神経は数本の神経節枝でもって顎下神経節と連絡している．その節前性の副交感線維（**B21**）は上唾液核 superior salivatory nucleus から出て，顔面神経（中間神経）の中を走り，味覚線維（**B22**）とともにこの神経から鼓索神経（**B9**）へ入る．これらの線維は鼓索神経に含まれて舌神経（**B20**）に達し，この神経を通って口腔底へきて，ここでこの神経節へ入り込む．節後性交感線維は外頸動脈神経叢に由来するものであって，顔面動脈をつつむ神経叢から出る交感根（**B23**）を経てこの神経節に達し，中継されることなく通り抜けていく．

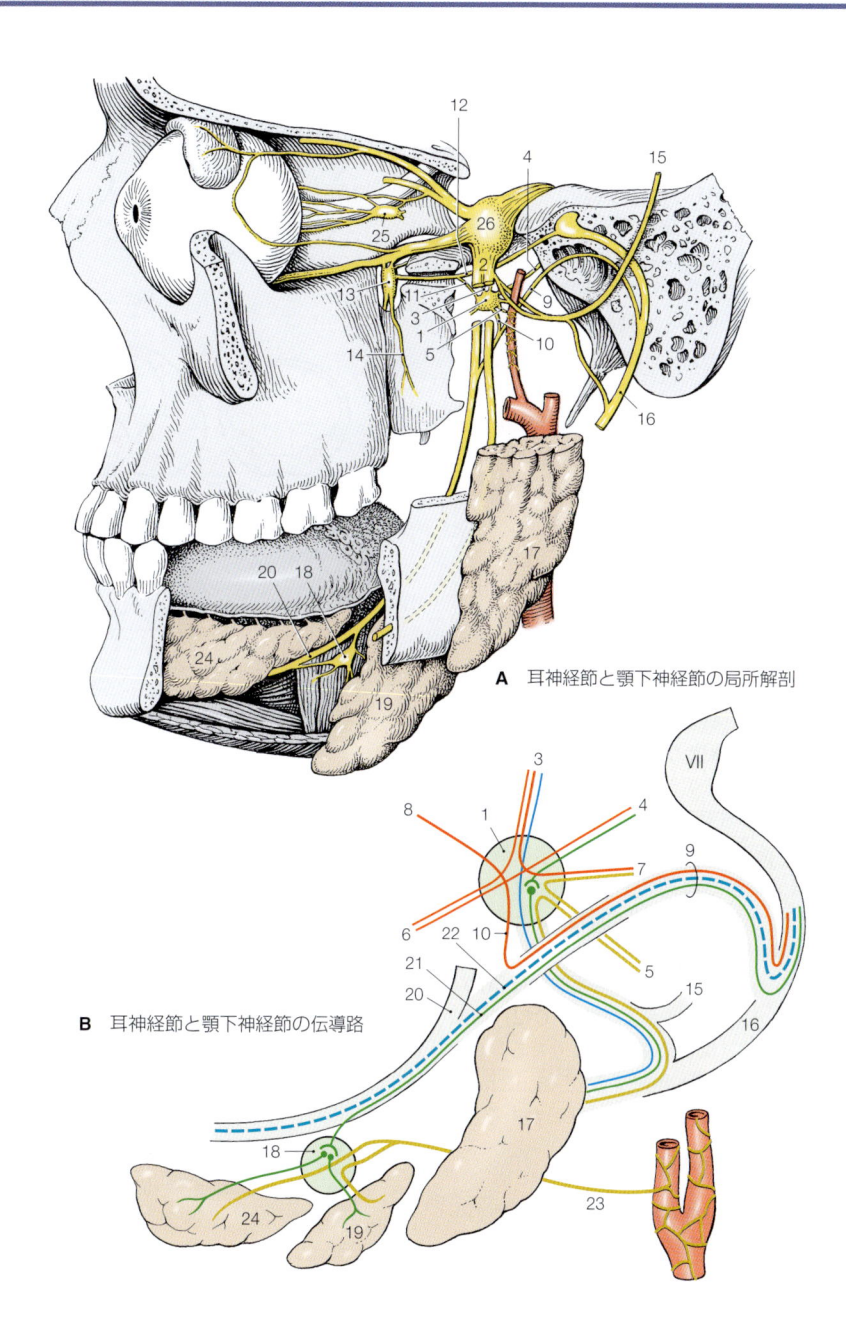

節後性の副交感ならびに交感線維は，一部は腺枝 glandular branches として顎下腺へ入り，また一部はまだ舌神経に含まれて舌下腺（**AB24**）へ行き，さらに舌の前2/3にある舌腺へも行く．

A 耳神経節と顎下神経節の局所解剖

B 耳神経節と顎下神経節の伝導路

1 耳神経節 otic ganglion　2 下顎神経 mandibular nerve　3 知覚－運動根 sensorimotor root　4 小錐体神経 lesser petrosal nerve　5 交感根 sympathetic root　6 口蓋帆張筋神経 nerve to tensor veli palatini　7 鼓膜張筋神経 nerve to tensor tympani　8 運動線維 motor fibers　9 鼓索神経 chorda tympani　10 鼓索神経との交通枝 communicating branch with chorda tympani　11 交通枝 communicating branch　12 大錐体神経 greater petrosal nerve　13 翼口蓋神経節 pterygopalatine ganglion　14 口蓋神経 palatini nerves　15 耳介側頭神経 auriculotemporal nerve　16 顔面神経 facial nerve　17 耳下腺 parotid gland　18 顎下神経節 submandibular ganglion　19 顎下腺 submandibular gland　20 舌神経 lingual nerve　21 副交感線維 parasympathetic fibers　22 味覚線維 gustatory fibers　23 交感根 sympathetic root　24 舌下腺 sublingual gland　25 毛様体神経節 ciliary ganglion　26 三叉神経節 trigeminal ganglion

中 脳

区分（A～C）

脳幹は延髄（**A1**），橋（**A2**）および中脳（**A3**）へと変っていくが，基本構造は同じである．これら3つの部分に共通していて，脳神経核のある系統発生学的に古い背側部は**被蓋**（**A4**）と呼ばれている．被蓋の背方には延髄と橋の高さでは小脳がかぶさっており，中脳では**中脳蓋**（**A5**，四丘板）に覆われている．脳幹の腹側部（底部）basal or ventral portionは終脳から下行してくる大きな伝導路を含んでいる．これらの伝導路は延髄では錐体（**A6**）を，橋では橋底部（**A7**）を，そして中脳では大脳脚（**A8**）を形成している．橋底部の直接延長部は狭義の大脳脚 cerebral crusで，これと中脳被蓋とを合わせて広義の大脳脚 cerebral peduncleという．

脳室系は中脳のところで非常に狭くなっていて，**中脳水道**（**A～D9**）と呼ばれる．神経管の内腔は発生が進むにつれて中脳被蓋の容積が増加するため次第に狭くなってくる（**B**）．その際にも神経管の古い構成様式はそのまま保持されて残っている．腹側には**基板**から出てくる運動性の神経核，すなわち動眼神経核（**BC10**）と滑車神経核 nucleus of trochlear nerve（いずれも外眼筋へ）があり，この他，赤核（**C11**）および黒質（**C12**）（表層部の網様部と深部の緻密部よりなる）があり，背方には**翼板**に由来する中脳蓋（四丘板）（**C13**，聴覚路と視覚路の中継所）がある．

中脳の下丘を通る断面（D）

背側には下丘核（**D14**，聴覚の中枢路の中継核）をもつ下丘 inferior colliculusがみられる．腹側には橋底部から大脳脚への移行部ならびに黒質の最尾側の細胞群（**D15**）がある．被蓋の中央部では中脳水道の下に，大細胞性の滑車神経核（**D16**）が目立ち，その上（背側）には背側被蓋核（**D17**）がある．さらに（背）外側には青斑［核］（**D18**）がある（中脳にまで達する橋の神経核で，ノルアドレナリン・ニューロンを含む．476頁B28）．この核の上には比較的大きな細胞が散在し，三叉神経中脳核（**D19**）をつくっている．外側部は脚橋被蓋核（**D20**）で占められている．被蓋の下部境界には脚間核（**D21**）があり，ここには手綱核 habenular nucleusから下行してくる反屈束 fasciculus retroflexus (Meynert)もしくは手綱脚間路 habenulointerpeduncular tractが終わる（512頁A11）．

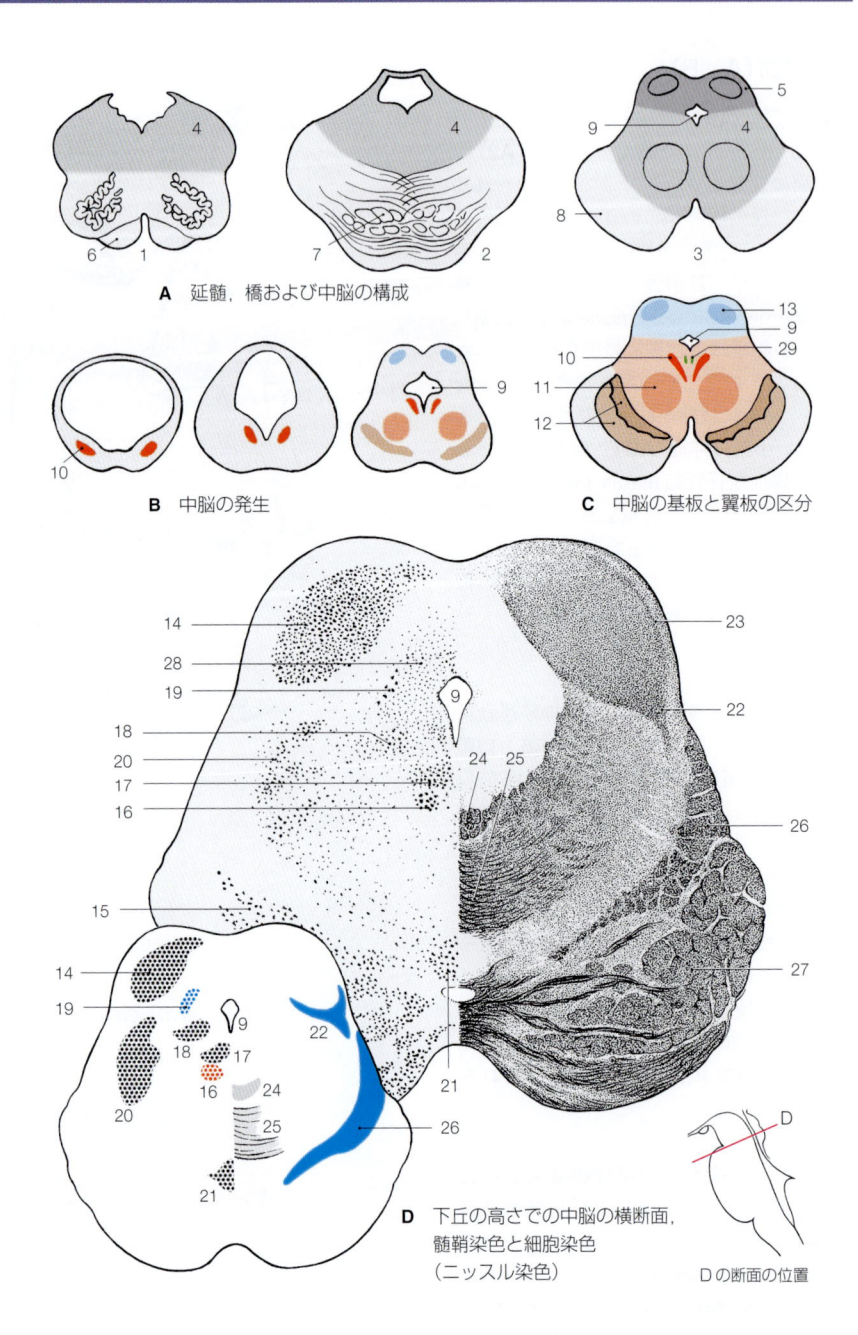

下丘核（**D14**）には外側毛帯（**D22**，609頁A5）が入り込んでいる．外側縁で下丘腕（**D23**）の線維は集まって内側膝状体 medial geniculate bodyへ行く（中枢の聴覚路，609頁A5）．内側には内側縦束（**D24**）（497頁）と上小脳脚交叉（**D25**）（508頁B5）がみられる．外側には内側毛帯（**D26**）（496頁B）のつくる線維束がある．大脳脚（**D27**）（496頁B）の線維は横断されており，この他に少数の横橋線維が介在している．

A 延髄，橋および中脳の構成
B 中脳の発生
C 中脳の基板と翼板の区分
D 下丘の高さでの中脳の横断面，髄鞘染色と細胞染色（ニッスル染色）
Dの断面の位置

---

1 延髄 medulla oblongata　**2** 橋 pons　**3** 中脳 midbrain　**4** 被蓋（背側部）tegmentum (dorsal part)　**5** 中脳蓋（四丘板）tectum of midbrain (quadrigeminal plate)　**6** 延髄錐体 pyramid　**7** 橋底部 basilar part of pons　**8** 大脳脚 cerebral peduncle　**9** 中脳水道 aqueduct of midbrain (Sylvii)　**10** 動眼神経核 nucleus of oculomotor nerve　**11** 赤核 red nucleus　**12** 黒質 substantia nigra　**13** 中脳蓋 tectum of midbrain　**14** 下丘核 nuclei of inferior colliculus　**15** 黒質（の最尾側の細胞群）substantia nigra　**16** 滑車神経核 nucleus of trochlear nerve　**17** 背側被蓋核 dorsal tegmental nucleus　**18** 青斑［核］locus caeruleus　**19** 三叉神経中脳路核 mesencephalic nucleus of trigeminal nerve　**20** 脚橋被蓋核 pedunculopontine tegmental nucleus　**21** 脚間核 interpeduncular nucleus　**22** 外側毛帯 lateral lemniscus　**23** 下丘腕 brachium of inferior colliculus　**24** 内側縦束 medial longitudinal fasciculus　**25** 上小脳脚交叉 decussation of superior cerebellar peduncule　**26** 内側毛帯 medial lemniscus　**27** 大脳脚 cerebral peduncle　**28** 中心灰白質 central gray substance　**29** 動眼神経副核 accessory nuclei of oculomotor nerve

中脳　493

中脳の上丘を通る断面（A）

背側には左右に上丘（**A1**）がみられる．上丘は低級な脊椎動物では最も重要な視覚中枢であって，数層の細胞層と線維層とからなっている．ヒトでは上丘は眼球の反射運動と瞳孔反射の中継所にしかすぎない．上丘は痕跡的な層構造を示している．浅灰白層（**A2**）には大脳皮質の後頭野からの線維が終わっている（皮質視蓋路 **A3**）．視層（**A4**）は低級な脊椎動物では視索 optic tract の線維からなっているが，ヒトでは外側膝状体 lateral geniculate body からの線維でつくられている．これより深部にある細胞層と線維層は，まとめて毛帯層（**A5**）と呼ばれる．この層には脊髄視蓋路 spinotectal tract（455頁 A5），内側および外側毛帯の線維ならびに下丘からの線維束が終わっている．

中脳水道は中心灰白質（**AB6**）で囲まれている（中脳水道周囲灰白質 periaqueductal gray）．ここに多数のペプチド・ニューロン（VIP，エンケファリン，コレシストキニンなど）がみられる．中脳水道の外側には**三叉神経中脳核**（**A7**）が，腹側には**動眼神経核**（**A8**）と**エディンガー・ウェストファル核**（動眼神経副核，495頁 AD19）（**A9**）がある．この両核の背側には背側縦束 dorsal longitudinal fasciculus（シュッツ束，498頁 B）が，また腹側には内側縦束（**A10**，497頁）が走っている．被蓋の主な核は**赤核**（**AB11**，494頁，500頁 A2）であって，出入りする線維［特に歯状核赤核束（**A12**）］が被膜状になってこの核を包んでいる．その内側縁を動眼神経（**A13**）の線維束が腹側へ向かっている．正中線上で，視蓋脊髄線維（瞳孔反射）と視蓋赤核線維が交叉して背側被蓋交叉（**A14**）をつくり，赤核脊髄線維は腹側被蓋交叉（**A15**）で交叉している．外側部は**内側毛帯**（**AB16**，71頁 B）で占められている．

腹側には被蓋に接して**黒質**［緻密部（**A17**）と網様部（**A18**），494，500頁 A1］がある．底部は両側に**大脳脚**（**AB19**）があり皮質から遠ざかっていく線維束を形成している．**AB20**は内側膝状体である．

中脳の視蓋前野を通る断面（B）

上丘の前にある**視蓋前野**（**B21**）は，中脳から間脳への移行部である．したがってこの断面では早くも間脳の諸構造がみられる．

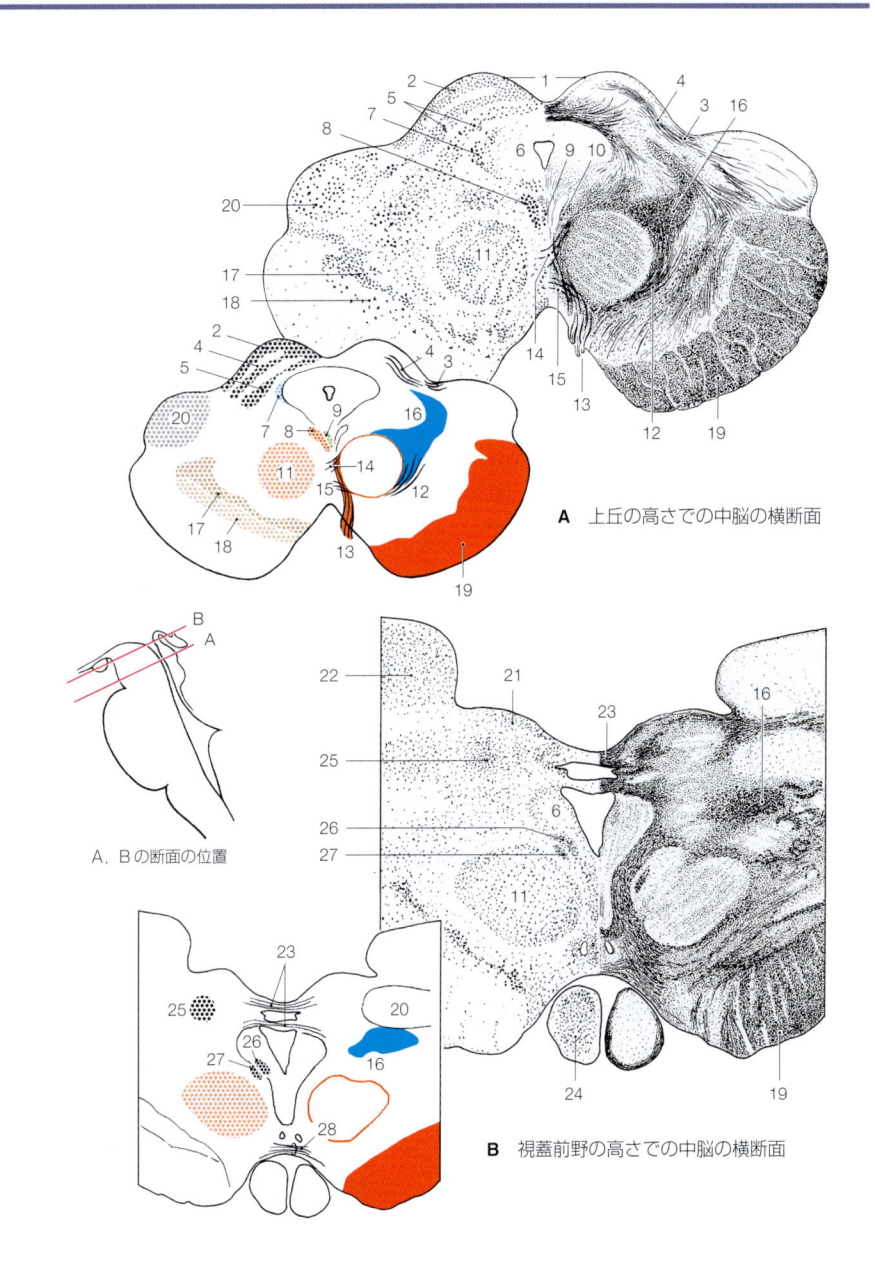

背側には左右に視床枕（**B22**）が，そして正中に後交連（**B23**），底側には乳頭体（**B24**）がある．背外側に視蓋前野が広がって**主視蓋前核**（**B25**）をつくっている．この核は瞳孔の対光反射の最も重要な中継所である（600頁 A2）．この核には視索の線維と後頭葉皮質野からの線維が終わっている．この核から出る遠心路は後交連を経てエディンガー・ウェストファル核（動眼神経副核）へ行く．中脳水道の腹側には**ダルクシェヴィチ核**（**B26**）と**間質核**（**B27**）がある．これらの核は内側縦束系の中継核である（497頁 A8, A9）．

動物実験によりわかったことは，錐体外路性運動系（576頁）を構成するカハールの間質核 interstitial nucleus (Cajal) ともっと広く吻尾方向に横たわる間質前核 prestitial nucleus は，一連の自動運動がうまくいくための最も重要な中継所であるということである（520頁 B）．間質核は長軸を中心にしたからだの回旋のために不可欠な中継核であり，間質前核は頭と上半身を直立させるのに不可欠な中継核である．

A 上丘の高さでの中脳の横断面

A, Bの断面の位置

B 視蓋前野の高さでの中脳の横断面

---

1 上丘 superior colliculus　**2** 浅灰白層 superficial gray layer　**3** 皮質視蓋路 corticotectal tract　**4** 視層 optic layer　**5** 毛帯層 lemniscal layer　**6** 中心灰白質 central gray substance　**7** 三叉神経中脳路核 mesencephalic nucleus of trigeminal nerve　**8** 動眼神経核 nucleus of oculomotor nerve　**9** エディンガー・ウェストファル (Edinger-Westphal)核　**10** 内側縦束 medial longitudinal fasciculus　**11** 赤核 red nucleus　**12** 歯状核赤核束 dentate-rubral fibers　**13** 動眼神経 oculomotor nerve　**14** 背側被蓋交叉 posterior tegmental decussation (Meynert)　**15** 腹側被蓋交叉 anterior tegmental decussation (Forel)　**16** 内側毛帯 medial lemniscus　**17** 緻密部（黒質の）compact part (substantia nigra)　**18** 網様部（黒質の）reticular part　**19** 大脳脚 cerebral peduncle　**20** 内側膝状体 medial geniculate body　**21** 視蓋前野 pretectal area　**22** 視床枕 pulvinar　**23** 後交連（視床上交連）posterior commissure (Commissura epithalamica)　**24** 乳頭体 mammillary body　**25** 主視蓋前核 principal pretectal nuclei　**26** ダルクシェヴィチ (Darkschewitsch)核　**27** 間質核 interstitial nucleus (Cajal)　**28** 乳頭上交連 supramamillary commissure

赤核と黒質

脳幹の側面像（A）

この大きな両核は間脳へ向かって広く突出している．**黒質**（**AB1**）は橋（**A2**）の上部から間脳の淡蒼球（**AB3**）にまで達している．赤核と黒質は重要な中継核として錐体外路系に算入されている（576頁）．

赤核（A，B）

赤核（**AB4**）は新鮮な脳の断面では赤みがかった色を呈している（高い鉄含有量，500頁）．この核は小細胞部 parvocellular part（新赤核 neorubrum）と大細胞部 magnocellular part（古赤核 paleorubrum）とからなっている．古赤核は腹尾側に位置する小さな領域である．

求心性結合路：
①歯状核赤核束（**B5**）は小脳の歯状核（**B6**）から起こり，上小脳脚を通って反対側の赤核に終わる．
②視蓋赤核路（**B7**）は上丘から起こり，同側ならびに反対側の古赤核に終わる．
③淡蒼球赤核路（**B8**）は淡蒼球内節からくる淡蒼球被蓋束に含まれる．
④皮質赤核路（**B9**）は前頭皮質と中心前皮質から起こり，同側の赤核に終わる．

遠心性結合路：
①赤核網様体線維と赤核オリーブ線維（**B10**）は中心被蓋路 central tegmental tract を走って，主にオリーブに終わる（ニューロン環：歯状核－赤核－オリーブ－小脳）．
②赤核脊髄路（**B11**，ヒトではその発達は弱い）はフォレルの腹側被蓋交叉で交叉して脊髄に終わる．

機能的意義： 赤核は小脳，淡蒼球および皮質からの運動性インパルスを中継し調節するところであって，筋緊張，姿勢および歩行運動にとって大切なものである．その傷害は安静時振戦 resting tremor，筋緊張の変化および舞踏病様ないしアテトーゼ様（choreoathetotic）運動不安を引き起こす．この症状はパーキンソン病の病像に対応している（577頁参照）．

黒質（A～C）

この核は暗調にみえる**緻密部** compact part〔黒いメラニン色素をもつ神経細胞（**C**）がある〕と**網様部** reticular part（赤みがかってみえ，鉄を含んでいる）とからなっている．黒質に出入りする結合路はまとまった束をつくらず，証明の困難な細い線維がまばらな列をなしている．

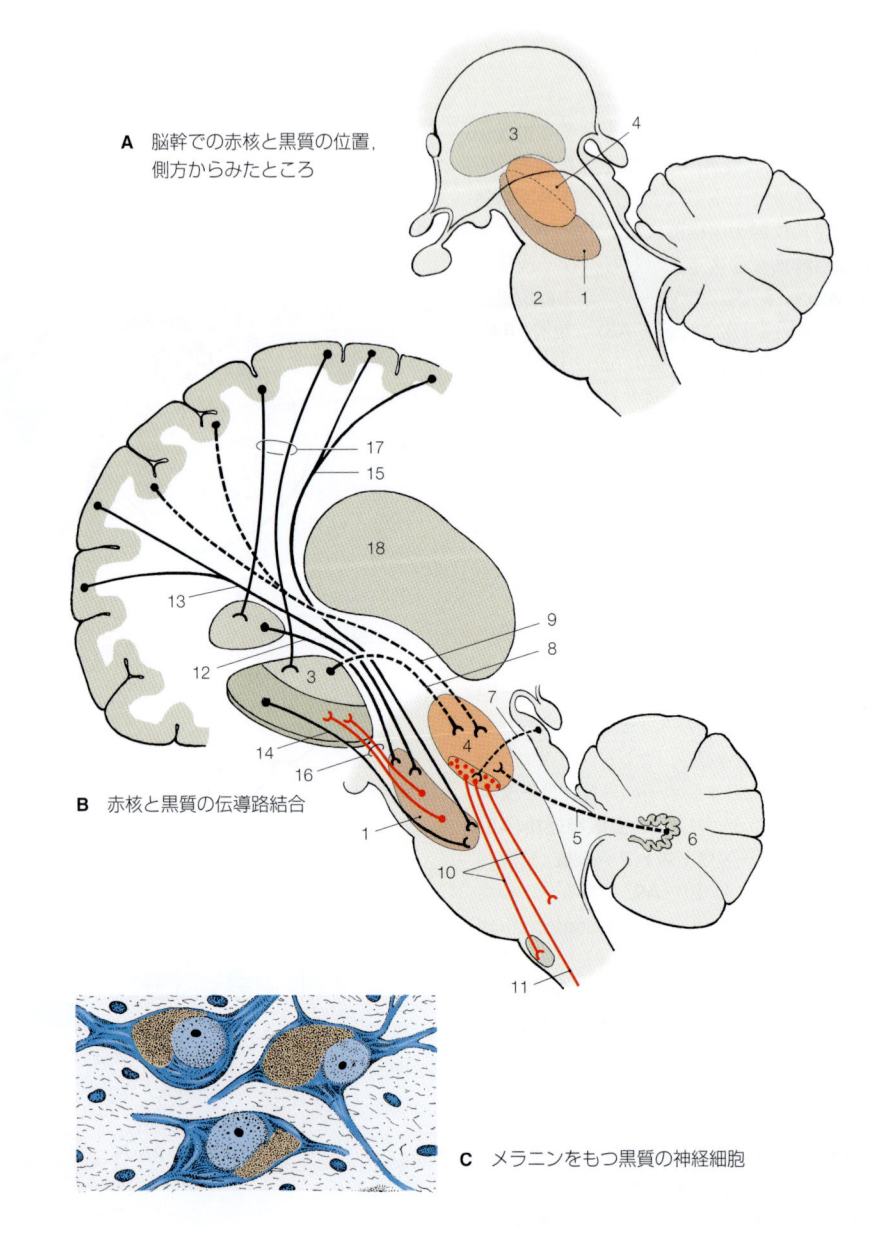

A 脳幹での赤核と黒質の位置，側方からみたところ

B 赤核と黒質の伝導路結合

C メラニンをもつ黒質の神経細胞

求心性線維結合：
前部（吻側部）に終わるものは
①尾状核からの線維でつくられる線条体黒質束（**B12**）．
②前頭皮質（第9～12野）からの線維がつくる皮質黒質線維（**B13**）．
尾側部に終わるもの
③被殻 putamen からの線維（**B14**）．
④中心前皮質（第4野と第6野）からの線維（**B15**）．

遠心性線維結合：
①黒質線条体線維（**B16**）は緻密部から線条体へ行く．
②網様部からの線維は視床へ行く．
遠心性線維の大部分は上行して線条体へ行くが，黒質は線条体とはこの黒質線条体系によって機能的に密接につながっている．

黒質の緻密部のドーパミン作動性ニューロン nigral dopaminergic neurons の軸索を通ってドーパミンが被殻へ送り込まれ，そこで終末ボタンに貯えられる．黒質と被殻との間には相互の局在関係が存在する．すなわち黒質の吻側部と尾側部は，尾状核と被殻の同様の部分とつながりをもっているのである．尾状核と被殻はいろいろな新皮質領野に由来する多くの線維（**B17**）の支配を受けている．

機能的意義： 黒質は不随意性共同運動と迅速な運動開始（始動機能 starter function）に特に重要な意義をもつものとされている．この傷害は筋硬直 muscle rigidity，安静時振戦，共同運動 coordinated movements の脱落を引き起こし，さらに顔の表情が硬くなる（仮面様顔貌 mask face）．

---

1 黒質 substantia nigra　2 橋 pons　3 淡蒼球 pallidum　4 赤核 red nucleus　5 歯状核赤核束 fastigiorubral fibers　6 歯状核 dentate nucleus　7 視蓋赤核路 tectorubral tract　8 淡蒼球赤核路 pallidorubral tract　9 皮質赤核路 corticorubral tract　10 赤核網様体線維と赤核オリーブ線維 rubroreticular & rubro-olivary fibers　11 赤核脊髄路 rubrospinal tract　12 線条体黒質束 striatonigral fasciculus　13 皮質黒質線維 corticonigral fibers　14 被殻（putamen）からの線維　15 中心前皮質（第4野と第6野）precentral cortex（Areas 4 and 6）からの線維　16 黒質線条体線維 nigrostriatal fibers　17 皮質線条体線維 corticostriate fibers　18 背側視床 dorsal thalamus

眼筋の支配神経
（脳神経Ⅲ，Ⅳ，Ⅵ）（A〜F）

外転神経（C，E）

　この**第Ⅵ脳神経**（**C1**）は体性運動性神経 somatomotor nerve であって，外眼筋の**外側直筋**（**E2**）を支配している．この線維は菱形窩底の橋のところにある**外転神経核**（**C3**）の大型の多極性神経細胞から出ている（481頁A1）．これらの線維は橋の下縁で錐体の上方から細い線維束として出てくる．硬膜内をしばらく走った後，この神経は海綿静脈洞を通って，上眼窩裂 superior orbital fissure を経て頭蓋腔から眼窩へ出てくる．

滑車神経（B，C，E）

　この**第Ⅳ脳神経**（**BC4**，純体性運動性）は外眼筋の**上斜筋**（**E5**）を支配している．この線維は**滑車神経核**（**BC6**，492頁D16）の大型の多極性神経細胞から起こる．この核は中脳にあって中脳水道の下（腹側）に位置し，しかも下丘の高さにある．これらの線維は弓を描いて背側へのぼって行き，中脳水道の上（背側）で交叉し，下丘の下縁で中脳を去る．この神経は脳幹の背面から出るただ一つの脳神経である．この神経はクモ膜下腔（567頁A13）の中を頭蓋底まで下行し，小脳テント縁で硬膜へ入り，さらに海綿静脈洞の外側壁を走る．この神経も上眼窩裂を通って眼窩の中へ入ってくる．

動眼神経（A，C〜F）

　この**第Ⅲ脳神経**（**AC7**）は体性運動性および内臓性運動性（副交感性）線維（**A8**）を含んでいる．この神経は上記以外の外眼筋（**E**）を支配し，その内臓性運動性線維は内眼筋を支配する．これらの線維は脚間窩にある大脳脚の内側縁の動眼神経溝 oculomotor sulcus から出る．トルコ鞍の外側でこれらの線維は硬膜を突き破り，はじめは海綿静脈洞の上壁を，その後は外側壁を走り抜け上眼窩裂を通って眼窩へ入る．ここでこの神経は上眼瞼挙筋 levator palpebrae superioris と上直筋（**E9**）を支配する上枝 superior branch と，下直筋（**E10**），内側直筋（**E11**）および下斜筋（**E12**）を支配する下枝 inferior branch とに分かれる．

　体性運動性線維は**動眼神経核**（**AC13**，493頁A8）の大型の多極性神経細胞から出てくる．この神経核は中脳の上丘の高さで中脳水道の下（腹側）に位置している．

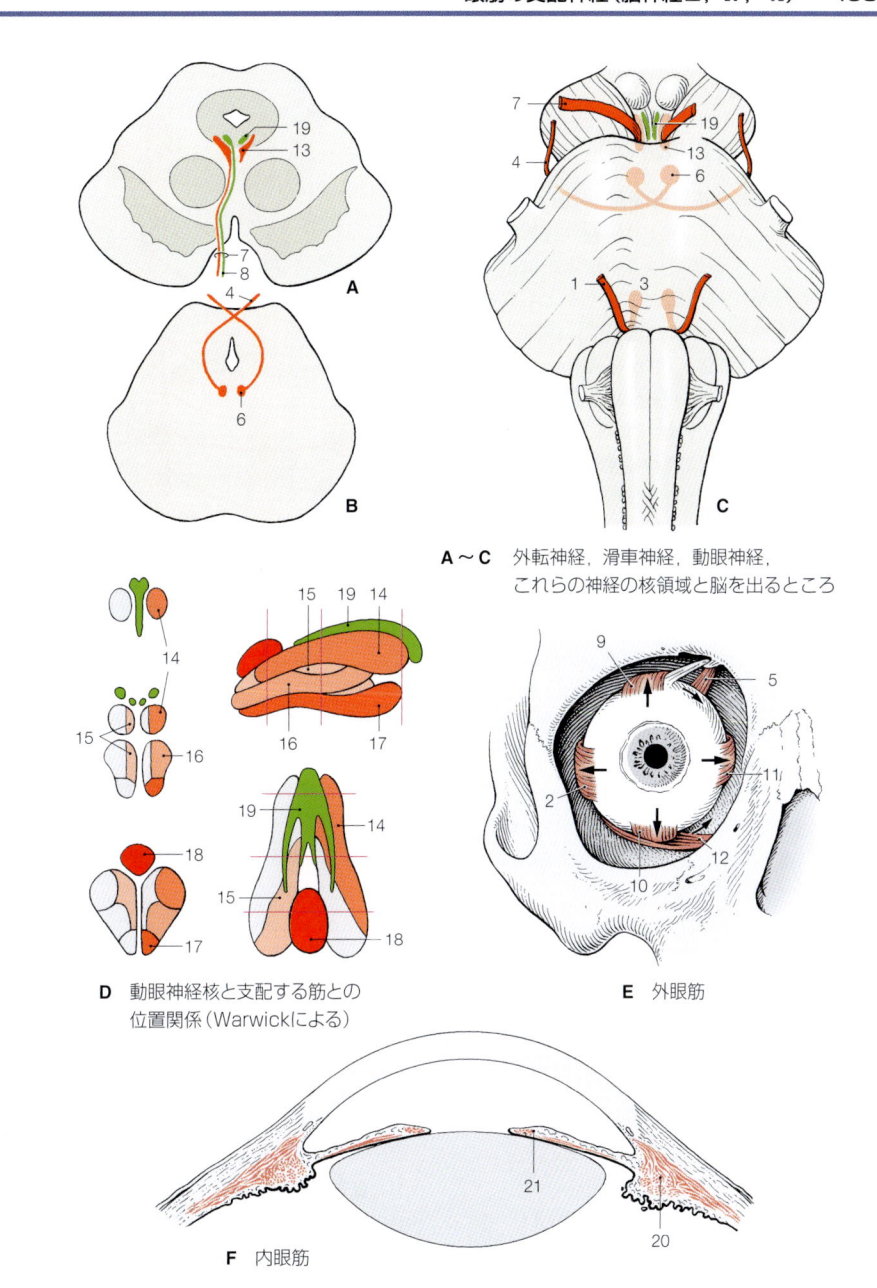

　縦方向に配列する細胞群はそれぞれ特定の筋を支配している：下直筋を支配する細胞（**D14**）は背外側に位置し，上直筋を支配するもの（**D15**）は背内側にある．その下には下斜筋を支配する細胞（**D16**）があり，腹側には内側直筋を支配する細胞（**D17**）が，背尾側には上眼瞼挙筋を支配するもの（**D18**，動眼神経の下中心核）がある．対になった両側のこれらの主核にはさまれて，中間1/3の領域にたいていは無対の細胞群が認められる．この細胞群はペルリア核 nucleus of Perlia といわれ，視線の輻輳（600頁C）にとって重要な核とされている．

　節前性で副交感性の内臓性運動性線維は，**エディンガー・ウェストファル核**（動眼神経副核）（**ACD19**）から出る．これらの線維は動眼神経から毛様体神経節へ入り，ここで中継される．節後線維は強膜を貫いて眼球へ入り，毛様体筋（**F20**）と瞳孔括約筋（**F21**）を支配している（600頁A, B）．

　（眼筋と個々の筋の麻痺の際の眼球の位置については591頁参照）

A〜C　外転神経，滑車神経，動眼神経，これらの神経の核領域と脳を出るところ

D　動眼神経核と支配する筋との位置関係（Warwickによる）

E　外眼筋

F　内眼筋

---

1 外転神経 abducent nerve　2 外側直筋 lateral rectus　3 外転神経核 nucleus of abducens nerve　4 滑車神経 trochlear nerve　5 上斜筋 superior oblique　6 滑車神経核 nucleus of trochlear nerve　7 動眼神経 oculomotor nerve　8 内臓性運動性線維 visceromotor fibers　9 上直筋 superior rectus　10 下直筋 inferior rectus　11 内側直筋 medial rectus　12 下斜筋 inferior oblique　13 動眼神経核 nucleus of oculomotor nerve　14 下直筋を支配する細胞　15 上直筋を支配する細胞　16 下斜筋を支配する細胞　17 内側直筋を支配する細胞　18 動眼神経の下中心核 inferior central nucleus of oculomotor nerve　19 エディンガー・ウェストファル核（動眼神経副核）nucleus of Edinger-Westphal（accessory nuclei of oculomotor nerve）　20 毛様体筋 ciliary muscle　21 瞳孔括約筋 sphincter pupillae

長い伝導路

皮質脊髄路と皮質核路（A）

錐体路すなわち**皮質脊髄路** corticospinal tract（456頁A，575頁）は脳幹の腹側部を走っている．大脳脚ではこの錐体路は中間部を占め，橋では横断面でよくみえる数個の線維束をつくり，また延髄では固有の錐体をつくるようになる（476頁A6）．皮質延髄線維 corticobulbar fibers は，知覚性の中継核（後索核，三叉神経知覚，孤束核）へ行く線維，網様体に終わる線維および運動性の脳神経核へ行く皮質核線維 corticonuclear fibers を含んでいる．

一群の錐体路線維は運動性脳神経核に終わる（**皮質核路** corticonuclear tract）：

①両側性に（bilateral）終わるのは動眼神経核（Ⅲ），三叉神経の運動核（Ⅴ），顔面神経核（Ⅶ）の尾側部（額の筋を支配する）と疑核（Ⅹ）．

②交叉して反対側（crossed, contralateral）の核に終わるのは：外転神経核（Ⅵ），顔面神経核（Ⅶ）の吻側部（額の筋を除く顔面筋）および舌下神経核（Ⅻ）．

③交叉しないで同側（uncrossed, ipsilateral）の核に終わるのは滑車神経核（Ⅳ）（?）．

> **臨床関連**：中枢性顔面神経麻痺 central facialis paralysis では顔面筋の麻痺は皮質延髄線維の傷害によって起こってくるが，その際にも両側性に支配されている額の筋の運動性はおかされずに残っている．

逸脱線維（デジェリン Déjérine）（**A1**）：中脳と橋の種々の高さで，細い線維束が皮質核路から分かれ，これらはまとまって中脳逸脱路 mesencephalic aberrant tract と橋逸脱路 pontine aberrant tract をつくる．この両神経路は内側毛帯（**A2**）の中を下行し，反対側の外転神経核（Ⅵ）と舌下神経核（Ⅻ）に終わり，また疑核（Ⅹ）と副神経脊髄核（Ⅺ）には両側性に終わる．

内側毛帯（B）

この線維系は，脊髄と脳幹を通る最も重要な外受容性感覚の上行路を含んでいる．この系はさらに脊髄毛帯 spinal lemniscus と三叉神経毛帯 trigeminal lemniscus とに分けられる．脊髄毛帯には体幹と体肢からの知覚路（延髄視床路，脊髄視床路，脊髄視蓋路）がまとめられており，三叉神経毛帯には顔面からの知覚線維（前被蓋束）が走っている．

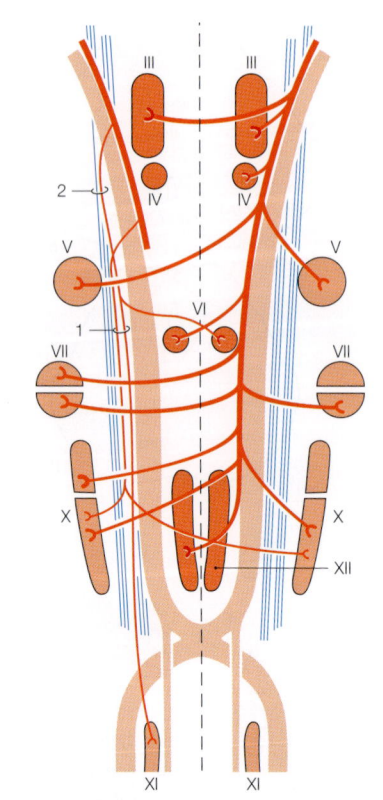

A 錐体路系；皮質核路と皮質脊髄路

B 上行路，内側毛帯

1. **延髄視床路**（**B3**）．この線維路は脊髄後索（**B4**，識別性知覚）の続きである．これらの線維は薄束核（**B5**）と楔状束核（**B6**）に始まり，弓状線維となり交叉して毛帯交叉（**B7**）をつくり，狭義の内側毛帯となる（480頁A19）．はじめは楔状束線維は薄束線維の背側にあるが，橋や中脳ではその内側に位置するようになる．これらの線維は視床に終わる．

2. **外側および前脊髄視床路**（**B8**）．これらの線維（原始性知覚：痛覚，温度覚，粗な触覚）はすでに脊髄の種々の高さで交叉して反対側へ行き，延髄ではやや散在性のまばらな束をつくっており（脊髄毛帯 spinal lemniscus），最後には中脳で内側毛帯に加わってくる（492頁D26，493頁A16）．

3. **脊髄視蓋路**（**B9**）．この線維は外側脊髄視床路の線維とともに走る．これらは中脳で内側毛帯の外側端を形成し，上丘に終わっている（痛みの際の瞳孔反応）．

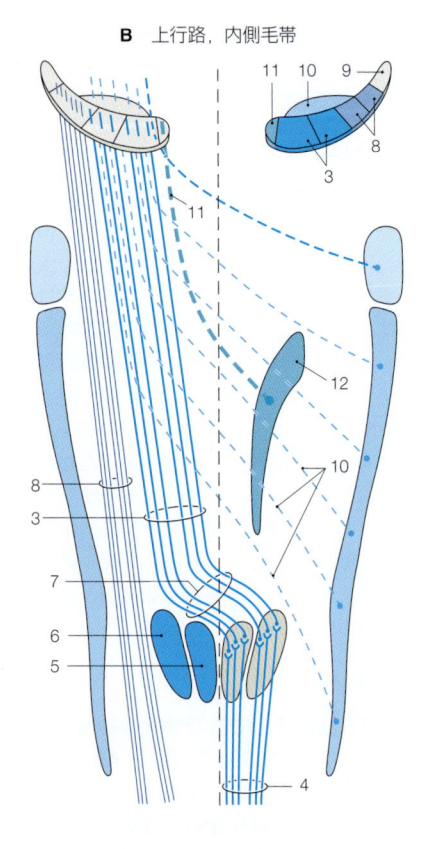

4. **前被蓋束**（Spitzer）（**B10**）．これらの線維（顔面の原始性および識別性知覚）は三叉神経脊髄核および三叉神経橋核（主感覚核）から起こり，小束となって交叉して反対側へ行き（三叉神経毛帯 trigeminal lemniscus），最後は橋の種々の高さで内側毛帯へ入ってくる．これらの線維は視床に終わる．

5. **第2次味覚線維**（**B11**）．これらの線維は孤束核（**B12**）の吻側部に始まり，おそらく交叉して反対側へ行き，内側毛帯の内側縁を占めている．これらの線維も視床に終わる．

---

1 逸脱線維 aberrant fibers（Déjérine）　**2** 内側毛帯 medial lemniscus　**3** 延髄視床路 bulbothalamic tract　**4** （脊髄の）後索（識別性知覚）posterior funiculus　**5** 薄束核 gracile nucleus　**6** 楔状束核 cuneate nucleus　**7** 毛帯交叉 lemniscal decussation　**8** （外側および前）脊髄視床路 spinothalamic tract（lateral, ventral）　**9** 脊髄視蓋路 spinotectal tract　**10** 前被蓋束 ventral tegmental fasciculus（Spitzer）　**11** 第二次味覚線維 secondary gustatory fibers　**12** 孤束核 nuclei of solitary tract

内側縦束（A）

内側縦束 medial longitudinal fasciculus は単一の線維路ではなく，いろいろの線維系を含んでおり，これらの線維系は種々の高さで出入りする．内側縦束は中脳の吻側部から脊髄にわたっており，脳幹の数多くの神経核を互いに結びつけている．脳幹の横断面ではこの線維束は，被蓋の中央部で中心灰白質の腹側にみられる（480頁 AB17，481頁 A11，492頁 D24）．

前庭神経核部 vestibular portion. 前庭神経の外側核（**A1**），内側核（**A2**），および下核（**A3**）から，交叉性または非交叉性の線維が内側縦束を通って，外転神経核（**A4**）と頸髄前角の運動神経細胞へ行く．前庭神経上核（**A5**）からは同側の滑車神経核（**A6**）および動眼神経核（**A7**）へ上行する線維が出る．前庭神経線維は最終的には，同側および反対側のカハール間質核（**A8**）とダルクシェヴィチ核（**A9**）に終わる〔後交連（**A10**）で交叉〕．内側縦束を介して，前庭器は外眼筋，頸筋および錐体外路系と連絡している（611頁）．

錐体外路部 extrapyramidal portion. カハール間質核とダルクシェヴィチ核からの線維は内側縦束の中で中継される．これらの神経核は線条体と淡蒼球からの線維と小脳からの交叉性線維を受けとっている．これらの核は内側縦束へ間質核脊髄束（**A11**）を送り出し，この線維束は脳幹下部と脊髄に達している．

核間部 internuclear portion. この部は運動性の脳神経諸核の間を結合する線維からなっている．つまり，外転神経核（**A4**）と動眼神経核（**A7**）の間，顔面神経核（**A12**）と動眼神経核の間，顔面神経核と三叉神経運動核（**A13**）との間，舌下神経核（**A14**）と疑核（**A15**）との間を結んでいる．

このような運動性の脳神経核間の結合によって，特定の筋群の機能的な共同作業，つまり眼球運動の際の外眼筋の共同作用，眼瞼開閉時の眼瞼諸筋の共同作用，嚥下および発声の際の舌筋と咽頭筋の共同作用などが可能となるのである．

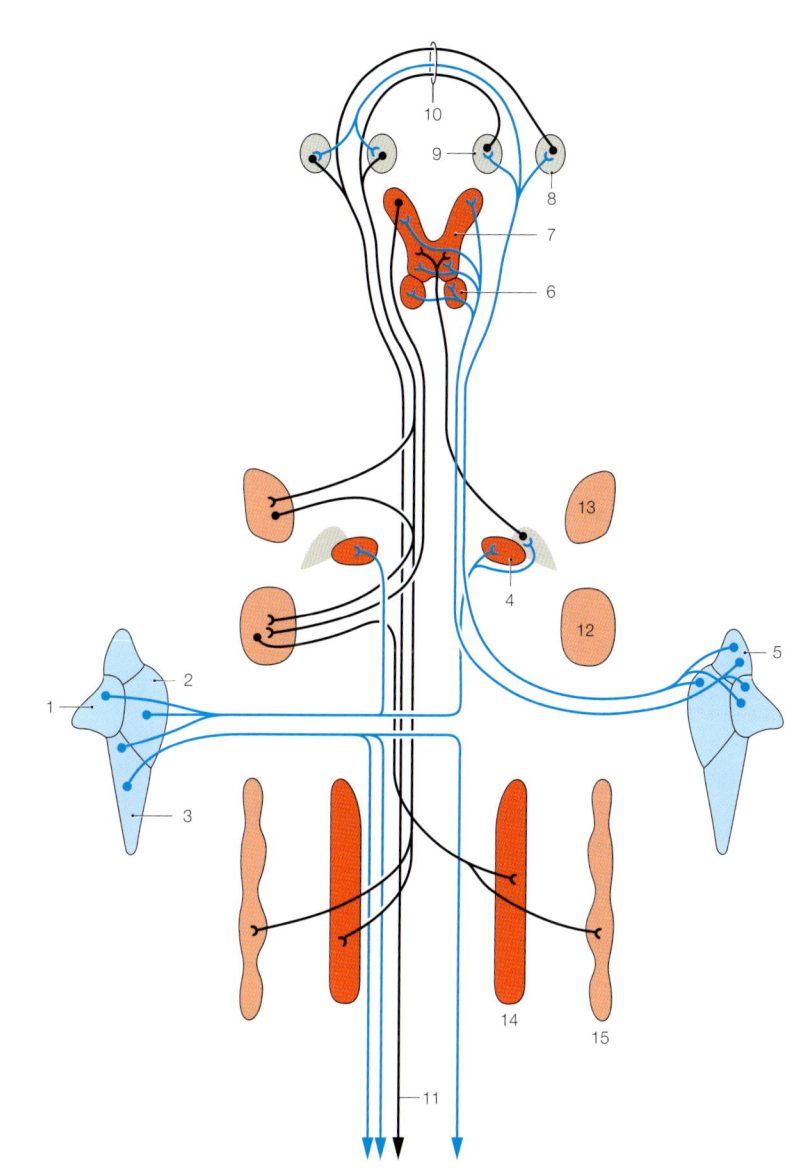

A 内側縦束（Crosby，HumphreyとLauerによる）

三叉神経諸核とほかの神経核との間の結合

ごく少数の第二次三叉神経線維だけが，内側縦束へ入っていく．大多数の線維は交叉せずに，被蓋の背外部を走り運動性の脳神経核へ行き，数多くの重要な反射の基礎をつくっている．交叉性および非交叉性の線維は顔面神経核へ行っており，角膜反射 corneal reflex（角膜に触れた際に眼を閉じる）の基礎をなしている．上唾液核ともつながっており，この結合は流涙反射 lacrimal reflex の基礎となる．舌下神経核，疑核および頸髄の前角細胞（横隔神経の起始細胞）へ行く線維があるため，くしゃみ反射 sneezing reflex が可能となる．絞扼および嚥下反射 gag and swallowing reflex は，疑核，迷走神経背側核および三叉神経運動核間の結合があるために起こってくる．迷走神経背側核との結びつきは眼球心臓反射 oculocardiac reflex のための反射路となっている（両眼球を圧迫すると心臓の拍動が遅くなる）．

---

1 前庭神経外側核 lateral vestibular nucleus　**2** 前庭神経内側核 medial vestibular nucleus　**3** 前庭神経下核 inferior vestibular nucleus　**4** 外転神経核 nucleus of abducens nerve　**5** 前庭神経上核 superior vestibular nucleus　**6** 滑車神経核 nucleus of trochlear nerve　**7** 動眼神経核 nucleus of oculomotor nerve　**8** カハール（Cajal）間質核　**9** ダルクシェヴィチ（Darkschewitsch）核　**10** 後交連 posterior commissure　**11** 間質核脊髄束 *Fasciculus interstitiospinalis*　**12** 顔面神経核 motor nucleus of facial nerve　**13** 三叉神経運動核 motor nucleus of trigeminal nerve　**14** 舌下神経核 nucleus of hypoglossal nerve　**15** 疑核 nucleus ambiguus

中心被蓋路（A）

中心被蓋路 central tegmental tract は錐体外路性運動系（576頁）の最も重要な遠心路である．この伝導路は中脳から**下オリーブ**（**A1**）まで走っており，大部分はこの下オリーブ核に終わる．残りは次々と短い突起をもつニューロンに中継されて［網様体網様体線維（**A2**）］脊髄へまで続いていくという．中脳の下部ではこの中心被蓋路は上小脳脚交叉の背外側にあり，橋では被蓋の中間野に境界の不鮮明な大きな線維束をつくっている（481頁 AB13）．

中心被蓋路は3つの成分からなる:
①淡蒼球オリーブ線維（**A3**）は線条体（**A4**）と淡蒼球（**A5**）とから起こり，淡蒼球被蓋束（**A6**）に含まれ赤核（**A7**）の被膜を経てさらにオリーブへ行く．最終的にはこれらの線維に不確帯（**A8**）からの線維が加わってくる．
②赤核オリーブ線維（**A9**）は赤核の小細胞部から起こり，ヒトでは赤核オリーブ束 rubro-olivary fasciculus（Probst-Gamper）という強大な線維束をつくっており，赤核からの最も重要な下行路である．
③網様体オリーブ線維（**A10**）は種々の高さで，この中心被蓋路へ入ってくる．すなわち赤核の付近や中脳水道をかこむ中心灰白質（**A11**），および橋と延髄の網様体からも入ってくる．

錐体外路性の運動核と，おそらく運動性皮質からもオリーブにインパルスが流入するが，これらのインパルスはさらにオリーブ小脳路（**A12**）を経て小脳へ伝えられる．

背側縦束（B）

この**背側縦束**（シュッツ束）dorsal longitudinal fasciculus（dorsal bundle of Schütz）（522頁 B11）は上行性ならびに下行性の線維系を含んでいる．これらの線維系は視床下部と脳幹の種々の核とを結びつけたり，内臓性遠心性で副交感性の諸核の間を結合する．これらの線維の大部分はペプチド作動性（ソマトスタチンほか）であって，中隔 septum，視床下部の吻側部 rostral hypothalamus，灰白隆起（**B13**）および乳頭体（**B14**）に起始または終止している．これらの線維は中脳では中脳水道の上衣下に集まって縦束をつくり，第四脳室底でも上衣下を走って延髄下部まで行っている（480頁 AB15, 481頁 AB12）．

背側縦束の一部の線維は枝を出して上丘（**B15**）や副交感性の諸核すなわちエディンガー・ウェストファル核（動眼神経副核）（**B16**），上・下唾液核（**B17, 18**）および迷走神経背側核（**B19**）へ行く．またほかの線維は脳神経核に終わる：三叉神経運動核（**B20**），顔面神経核（**B21**）および舌下神経核（**B22**）．網様体の諸核とも線維交換が行われている．

背側被蓋核を介して，嗅覚インパルスが背側縦束へ入ってくる（手綱核 habenular nucleus—脚間核 interpeduncular nucleus—背側被蓋核 dorsal tegmental nucleus）．

長い上行路：孤束核（**B23**）からはおそらく味覚線維が上行して視床下部へ行く（腹側被蓋核 ventral tegmental nucleus で中継される）．背側縫線核（**B24**）のセロトニン作動性ニューロンから出る線維は，蛍光組織化学または免疫組織化学によって中隔野まで追跡することができる．

背側縦束は特に視床下部からのインパルスや嗅覚および味覚のインパルスを受けとって，さらにこれらのインパルスを脳幹の運動核や唾液核へ伝えている（反射的な舌運動，唾液分泌）．

A 中心被蓋路（Spatzによる）

B 背側縦束

---

1 下オリーブ核群 inferior olivary complex **2** 網様体網様体線維 reticuloreticular fibers **3** 淡蒼球オリーブ線維 pallido-olivary fibers **4** 線条体 striatum **5** 淡蒼球 pallidum **6** 淡蒼球被蓋束 pallidotegmental bundle **7** 赤核 red nucleus **8** 不確帯 zona incerta **9** 赤核オリーブ線維 rubro-olivary fibers **10** 網様体オリーブ線維 reticulo-olivary fibers **11** 中脳水道周囲灰白質 periaqueductal gray **12** オリーブ小脳路 olivocerebellar tract **13** 灰白隆起 tuber cinereum **14** 乳頭体 mammillary body **15** 上丘 superior colliculus **16** エディンガー・ウェストファル核 nucleus of Edinger-Westphal **17** 上唾液核 superior salivatory nucleus **18** 下唾液核 inferior salivatory nucleus **19** 迷走神経背側核 posterior nucleus of vagus nerve **20** 三叉神経運動核 motor nucleus of trigeminal nerve **21** 顔面神経核 motor nucleus of facial nerve **22** 舌下神経核 nucleus of hypoglossal nerve **23** 孤束核 nuclei of solitary tract **24** 背側縫線核 dorsal raphe nucleus **25** 視床下核 subthalamic nucleus

網様体（A〜D）

被蓋に散在する神経細胞とその網状につらなった突起は**網様体** reticular formation と総称されている．この網様体は被蓋の中央部を占めており，延髄から中脳の吻側部まで延びている．異なる構造を示すいくつかの小領野が区別される（**A**）．内側野には大細胞性の核があって，ここからは**上行または下行する長い線維**が出ていく．小細胞性の外側帯は**連合部** association area とみなされている．

多数の神経細胞は上行または下行する長い軸索をもっている．細胞によっては上行枝と下行枝に分かれる軸索をもつものもある．ゴルジ鍍銀法によってわかったことは，このような神経細胞（**B1**）の軸索は尾側の脳神経核（**B2**）と間脳の諸核（**B3**）へ同時に達しているということである．網様体には多数のペプチド作動性ニューロン（特にエンケファリン，ニューロテンシン）が認められる．

求心性線維結合．いろいろな感覚に由来する興奮はいずれも網様体に至る．知覚性の脊髄網様体線維は延髄と橋の内側部に終わっており，また三叉神経知覚核と前庭神経核からの第二次線維も同様にこれらの領域に終わっている．外側毛帯の側枝は聴覚インプルスを伝え，視蓋網様体束 tectoreticular fasciculus の線維は視覚インプルスを伝えてくる．刺激実験によって，網様体のニューロンは視覚刺激よりも知覚（痛覚），聴覚および前庭覚刺激のほうが，より有効に作用するということが明らかになった．そのほかの求心性線維は大脳皮質，小脳，赤核および淡蒼球からもやってくる．

遠心性線維結合．延髄と橋の内側部からは，**網様体脊髄路** reticulospinal tract（456頁 B5, B6）が出て脊髄へ下っていく．**網様体視床束** reticulothalamic fasciculus（514頁B）という線維束は視床の髄板内核 intralaminar nuclei（脳幹性視床 truncothalamus）まで上行してくる．中脳からの線維束は視床下部の吻側部と中隔に終わっている．

呼吸および循環中枢．網様体の神経細胞群は呼吸（**C**），心拍および血圧を調節している（肉体労働や精神的興奮の際の変化）．吸息調節のためのニューロンは延髄下部の中間部（**C4**）に，呼息調節のためのニューロンはそのさらに背側と外側（**C5**）に局在していることがわかっている．橋には呼吸の抑制と促進のための上位の中継所がある（青斑 locus caeruleus）．心拍数と血圧（**D**）の調節には，舌咽神経核と迷走神経核といった自律神経核が関与してくる．延髄の中間野の下部を電気刺激すると，血圧の低下が起こり（減圧中枢）（**D6**），延髄網様体のほかの部分を電気刺激すると，血圧の上昇が起こってくる（昇圧中枢）（**D7**）．

運動機能への影響 locomotor control. 脊髄運動機能は様式こそいろいろであるが網様体によって影響を受ける．延髄の内側部には抑制中枢があり，その刺激によって筋緊張は減少し，反射は消失し，さらに運動皮質を電気刺激してももはや何の反応も起こらなくなる．これに反し，橋と中脳の網様体は運動機能に対して促進的な影響を及ぼしている．

上行性賦活系 ascending activating system. 視床の髄板内核との結合を介して，網様体は覚醒状態 arousal state に影響を及ぼしている．知覚性または皮膚からのインプルスが網様体を非常に強く興奮させると，生体は一瞬にして鮮明な覚醒状態に置き換えられるのである．そしてこの状態こそ注意力 attention と認知 perception の前提条件なのである．網様体の電気刺激による覚醒作用は脳の活動電位のパターン（脳電図または脳波 electroencephalogram, EEG）の変化として具体的に現れる．

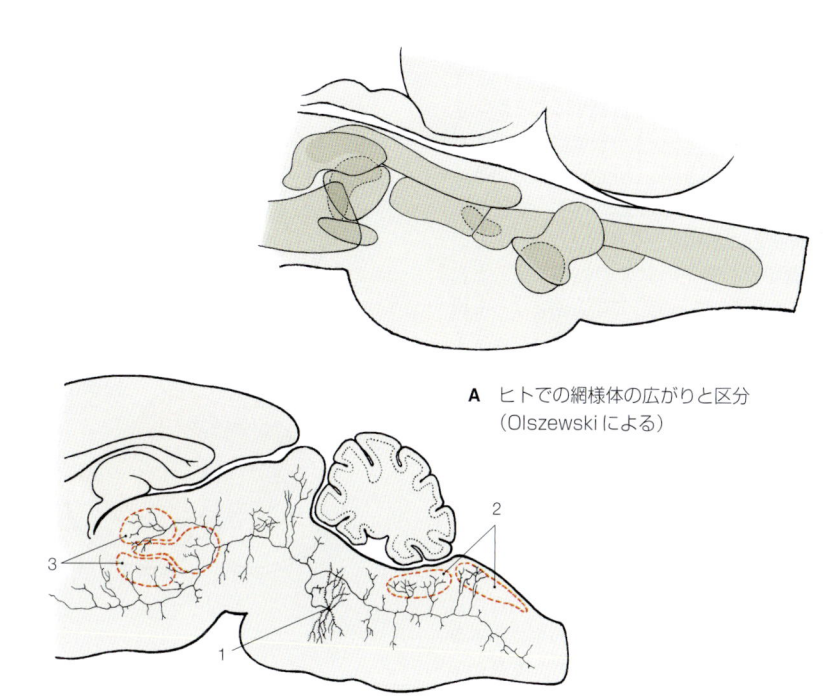

A ヒトでの網様体の広がりと区分（Olszewskiによる）

B ラットの網様体の神経細胞とその樹状突起の枝分かれ（ScheibelとScheibelによる）

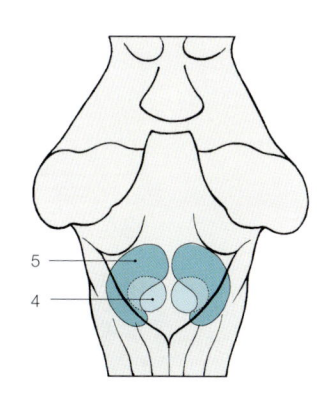

C 呼吸中枢，サルの脳幹（BeatonとMagounによる）

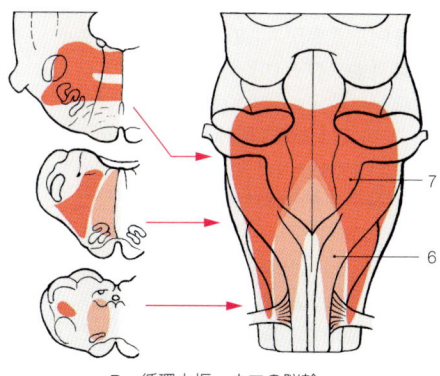

D 循環中枢，ネコの脳幹（Alexanderによる）

1 網様体の神経細胞　2 脳神経核 cranial nerve nuclei　3 間脳の諸核　4 呼吸中枢の吸息部 inspiratory portion of the respiratory center　5 呼吸中枢の呼息部 exspiratory portion of the respiratory center　6 減圧中枢 depressor center　7 昇圧中枢 pressor center

脳幹の組織化学（A〜C）

　脳幹のいろいろな部位は化学物質の含有量が異なることにより，区別することができる．化学的構成によって小領域に分けることを**化学構築学** chemoarchitectonics という．化学物質は脳組織をこまかく砕いて定量化学分析することによって確認される．あるいは組織切片を特定の試薬で処理することによっても可能であって，この方法によって組織の中の物質の正確な局在を明らかにすることができる（組織化学 histochemistry）．この両方法は互いに相補うものである．

　異なっていることがはじめて証明された物質の一つは鉄であった．ベルリン青反応によって黒質（**A1**）と淡蒼球は鉄の含有量が高く，赤核（**A2**），小脳の歯状核と線条体はその含有量はわずかであることが明らかになる．鉄は神経細胞と膠細胞の中に小さな顆粒の形で含まれている．鉄の含有量が多いことは，錐体外路性運動系（576頁）としてまとめられている神経核の特徴とみなされている．

　伝達物質 transmitter substances とその合成や分解に必要な酵素の分布は，部位によって著明な差異がみられる．カテコルアミン作動性およびセロトニン作動性ニューロンは被蓋に特定の核をつくっている（444頁）が，一方では運動性脳神経核はアセチルコリンおよびアセチルコリンエステラーゼの含有量が高いことで特に注目される．組織の定量化学分析によって，中脳の被蓋（**B3**）はノルアドレナリン noradrenaline の含有量が比較的多く，中脳蓋（**B4**）と延髄被蓋（**B5**）ではこの含有量がごくわずかであることがわかった．ドーパミンの含有量は黒質（**B1**）でことに高く，脳幹のほかの領域ではこれに反して非常に低い．

　細胞代謝に関連した酵素（**C**）も同じようにその分布に局所的差異を示す．**酸化酵素**の活性は一般に白質よりも灰白質で高い．脳幹では，脳神経の諸核，下オリーブ核および橋核でことにこの酵素の活性が高い．活性の差は単に個々の小領域についてだけでなく，細胞体に酵素活性が局在（**細胞体型** somatic type）したり，またはニューロピル neuropil にこれが局在（**樹状突起型** dendritic type）することもある．

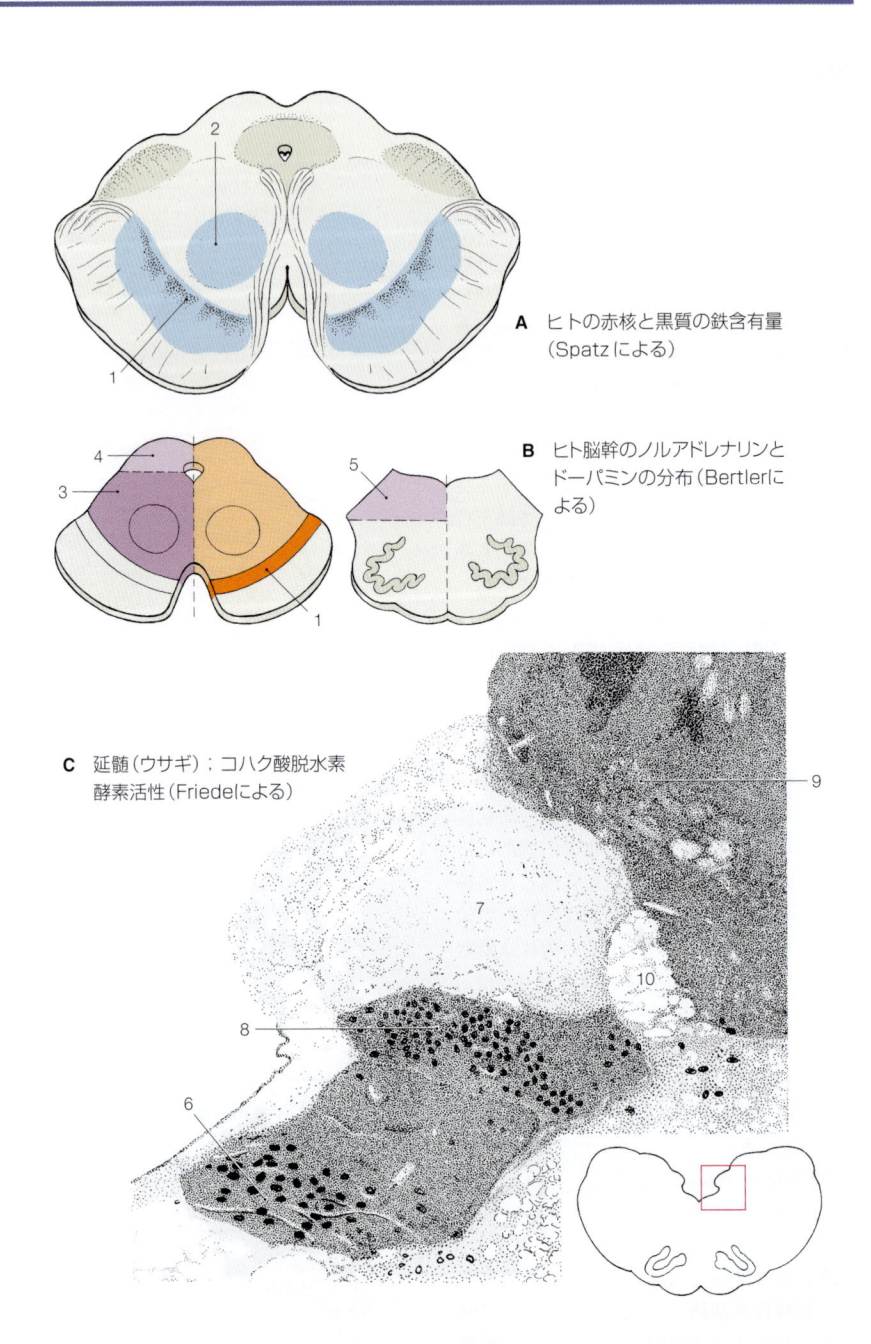

A ヒトの赤核と黒質の鉄含有量（Spatzによる）

B ヒト脳幹のノルアドレナリンとドーパミンの分布（Bertlerによる）

C 延髄（ウサギ）：コハク酸脱水素酵素活性（Friedeによる）

ニューロピル（神経網）neuropil．神経細胞の核周部の間にあって，ニッスル染色では染まってこない無構造の部分はニューロピルと呼ばれている．これは主に樹状突起からなっているが，そのほかに軸索，神経膠およびその突起も関与している．すべてのシナプス性接触の過半数は，このニューロピルの中にみられるのである．

　コハク酸脱水素酵素 succinic dehydrogenase（SDH：クエン酸回路の１酵素）の延髄における分布は，組織内での酸化酵素の局在の差異を示す一例である：動眼神経核（**C6**）ではこの活性は核周部とニューロピルで強いのに対し，孤束核（**C7**）ではこれら両部でいずれも弱い．迷走神経背側核（**C8**）では細胞体（核周部）は強い活性を示すことで，ニューロピルと著明な差がある．薄束核（**C9**）では，逆に強い活性を示すニューロピルが，反応の弱い核周部を明るい斑点として残すようにして現れる．一般に線維束，例えば孤束（**C10**）はごく弱い反応しか示さない．酵素の分布は核領域ごとに特徴があり，**酵素模様**（酵素分布パターン）enzymic pattern といわれる．

---

1 黒質 substantia nigra　**2** 赤核 red nucleus　**3** 中脳被蓋 tegmentum of midbrain　**4** 中脳蓋 tectum of midbrain　**5** 延髄被蓋 tectum of medulla oblongata　**6** 動眼神経核 nucleus of oculomotor nerve　**7** 孤束核 nuclei of solitary tract　**8** 迷走神経背側核 posterior nucleus of vagus nerve　**9** 薄束核 gracile nucleus　**10** 孤束 solitary tract

構 造

区分（A〜D）

小脳 cerebellum はいろいろな運動の協調と微調整を行い，また筋緊張を調節するための統合器官である．小脳は脳幹の翼板から発達するものであって，第四脳室の屋根をつくっている．小脳の**上面** superior surface（**C**）は大脳に覆われている．その**下面** inferior surface（**D**）の前方には延髄がおさまっている（476頁C）．これら両面を境するのが水平裂 horizontal fissure である．小脳には正中にある**虫部** vermis（**ACD1, B**）と両側の**小脳半球** cerebellar hemisphere が区別される．この3分割は下面でのみ顕著で，ここでは虫部は小脳谷（**D2**）という溝をつくっている．小脳の表面にはほぼ平行に走る多数の溝と狭い隆起，すなわち小脳溝と小脳回 cerebellar fissures & folia がみられる．

系統発生学的研究に基づいて，小脳に古い（早くから発生し，すべての脊椎動物にみられる）部分と新しい（遅れて発生し，哺乳動物にのみ存在する）部分とが区別される．それによると，小脳は**片葉小節葉**（**A6**）と**小脳体**（**A3**）の2つの領域に区分され，両者の境界は後外側裂（**A4**）である．小脳体はさらに第一裂（**AC5**）によって**前葉**と**後葉**とに分けられる．

片葉小節葉（A6）

この葉は小脳小舌（**AB7**）とともに最も古い部分である〔**原小脳** archeocerebellum（最も濃い青）〕．原小脳は前庭神経核と機能的に結ばれている〔**前庭性小脳** vestibulocerebellum〕（507頁B）．

小脳体の前葉（A8）

小舌を除いて，前葉は古い構成成分であって，その正中部にあって虫部に属する部分〔中心小葉（**A〜C9**），山頂（**A〜C10**）〕は他の虫部領域〔後葉の虫部垂（**ABD11**），虫部錐体（**ABD12**）〕とともに**古小脳** paleocerebellum（2番目に濃い青）を形成している．この古小脳は筋からの固有受容性知覚を伝える脊髄小脳路を受けている〔**脊髄性小脳** spinocerebellum〕（507頁A）．

小脳体の後葉（A13）

後葉（虫部垂と虫部錐体を除いて）は新しい部分であって〔**新小脳** neocerebellum（淡青）〕，霊長類では非常に大きくなって小脳半球の形成に大きく関与している．後葉は橋核を介して，大脳皮質からの強大な皮質小脳路を受け入れており〔**橋性小脳** pontocerebellum〕，随意運動の微調整を行う領域である．

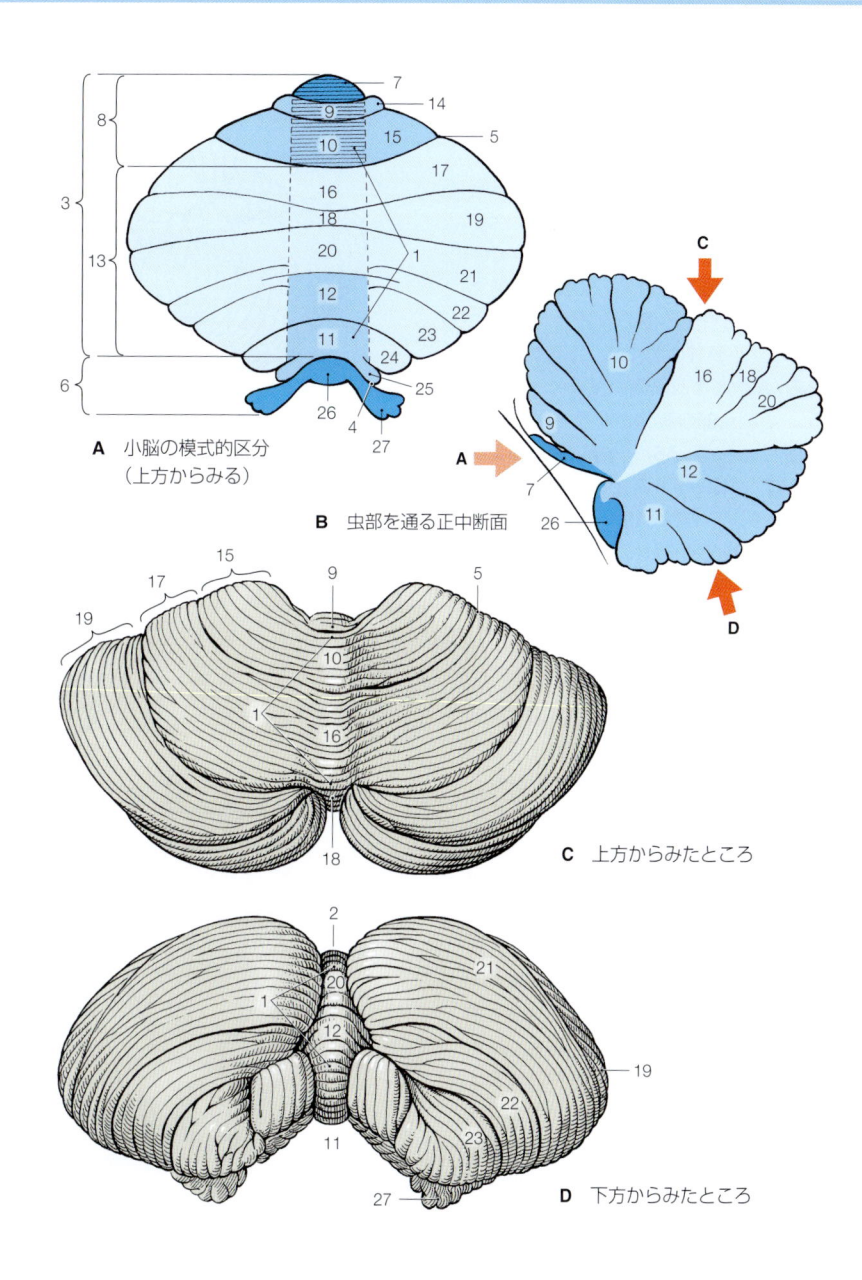

伝統的な命名法

小脳の個々の部分は伝統的な名称をもっているが，それらは発生や機能的な意味は何もない．この区分では虫部の大部分はそれぞれ左右対をなす半球の小葉と続いている：すなわち中心小葉（**A〜C9**）は両側に中心小葉翼（**A14**）を伴い，山頂（**A〜C10**）は四角小葉（**AC15**）を，山腹（**A〜C16**）は単小葉（**AC17**）を，虫部葉（**A〜C18**）は上半月小葉（**ACD19**）を，虫部隆起（**ABD20**）は下半月小葉（**AD21**）と薄小葉（正中傍小葉 paramedian lobule ともいう．）（**AD22**）の一部を，虫部錐体（**A〜D12**）は薄小葉の一部と二腹小葉（**AD23**）を，虫部垂（**AB11**）は小脳扁桃（**A24**）と傍片葉（**A25**）を，そして〔虫部〕小節（**AB26**）は片葉（**AD27**）を伴っているのである．小脳小舌（**AB7**）は半球の小葉とはつながりをもっていない．小脳小舌ヒモ vincula of cerebellar lingula を認めることもある．

Bの淡い赤い矢印Aは，502頁のAがこの矢印の方向からみたところであることを示す．

A 小脳の模式的区分（上方からみる）
B 虫部を通る正中断面
C 上方からみたところ
D 下方からみたところ

---

1 虫部 vermis　**2** 小脳谷 vallecula of cerebellum　**3** 小脳体 body of cerebellum　**4** 後外側裂 posterolateral fissure　**5** 第一裂 primary fissure　**6** 片葉小節葉 flocculonodular lobe　**7** 小脳小舌 lingula　**8** 前葉 anterior lobe　**9** 中心小葉 central lobule　**10** 山頂 culmen　**11** 虫部垂 uvula　**12** 虫部錐体 pyramis　**13** 後葉 posterior lobe　**14** 中心小葉翼 wing of central lobule　**15** 四角小葉 quadrangular lobule　**16** 山腹 declive　**17** 単小葉 simple lobule　**18** 虫部葉 folium of vermis　**19** 上半月小葉 superior semilunar lobule　**20** 虫部隆起 tuber　**21** 下半月小葉 inferior semilunar lobule　**22** 薄小葉 gracile lobule　**23** 二腹小葉 biventral lobule　**24** 小脳扁桃 tonsil of cerebellum　**25** 傍片葉 paraflocculus　**26** 〔虫部〕小節 nodule　**27** 片葉 flocculus

小脳脚と小脳核（A～C）

前面（A）

小脳はその前面で**小脳脚**（**A1**）によって脳幹とつながっている．この小脳脚をすべての求心性および遠心性の伝導路が通っているのである．小脳脚を離断して橋と延髄をとり除くと，初めて小脳の腹側面が完全にみえてくる．小脳脚の間には，**上髄帆**（**A2**）と**下髄帆**（**A3**）が第四脳室の屋根として張っている．小脳虫部の腹側部すなわち**小脳小舌**（**A4**），**中心小葉**（**A5**），**小節**（**A6**）および**虫部垂**（**A7**）がはっきりみえる．**片葉**（**A8**）も同様である．**小脳谷**（**A9**）は左右両側から**小脳扁桃**（**A10**）で囲まれている．

二腹小葉（**A11**），**上半月小葉**（**A12**），**下半月小葉**（**A13**），**単小葉**（**A14**），**四角小葉**（**A15**），**中心小葉翼**（**A16**）などもよくみえる．

小脳核（B）

横断面をつくると小脳の皮質と核がみえるようになる．小脳溝は何回も枝分かれするため，小脳回の断面は葉状を呈するようになる．矢状断面では樹木のような像が現れる．これを**小脳活樹**（**C17**）という．

髄質の深部に小脳核 intracerebellar or deep cerebellar nuclei が分布している：**室頂核**（**B18**）は虫部の髄質の正中線近くにある．この核は虫部の皮質，前庭神経核および下オリーブ核からの線維を受けており，前庭神経核と延髄のその他の核に線維を送っている．**球状核**（**B19**）も同様に虫部の皮質からの線維を受け取って，延髄のいろいろな核へ線維を送り出している．**栓状核**（**B20**）は歯状核の入口にあって，虫部と半球の境界部（中間帯 intermediate zone）の皮質からの線維が終わっている．この核からの線維は上小脳脚を通って視床へ行く．**歯状核**（**B21**）はヒダの多い構造をしており内側に開いている（歯状核口 hilum of dentate nucleus）．この核には半球皮質からの線維が終わり，またここから出る線維は上小脳脚として赤核（494頁B）と視床（516頁A）へ行く．

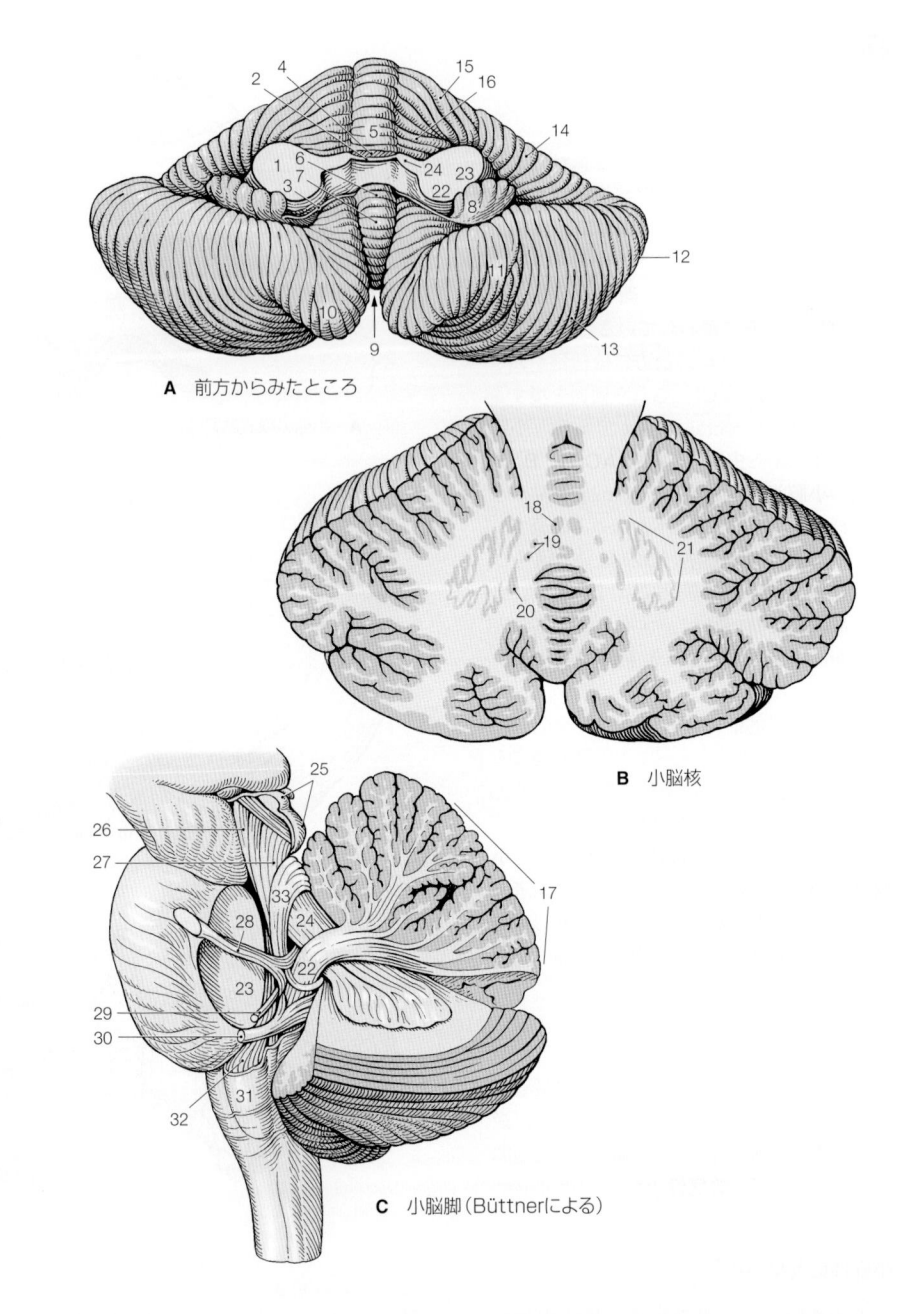

小脳脚（A，C）

小脳へ出入りする伝導路は3つの小脳脚 cerebellar peduncles を通っている：

①**下小脳脚**（**AC22**，索状体）．延髄下部から上行し，後脊髄小脳路ならびに前庭神経核との結合路が通っている．

②**中小脳脚**（**AC23**，橋腕）．橋からの線維群であって，橋核から起こり，皮質橋路の続きを形成している．

③**上小脳脚**（**AC24**，結合腕）．赤核と視床へ行く遠心性線維および**前脊髄小脳路**（**C33**）を含んでいる．

A 前方からみたところ

B 小脳核

C 小脳脚（Büttnerによる）

---

1 小脳脚 cerebellar peduncles　2 上髄帆 superior medullary velum　3 下髄帆 inferior medullary velum　4 小脳小舌 lingula　5 中心小葉 central lobule　6 小節 nodule　7 虫部垂 uvula　8 片葉 flocculus　9 小脳谷 vallecula of cerebellum　10 小脳扁桃 tonsil of cerebellum　11 二腹小葉 biventral lobule　12 上半月小葉 superior semilunar lobule　13 下半月小葉 inferior semilunar lobule　14 単小葉 simple lobule　15 四角小葉 quadrangular lobule　16 中心小葉翼 wing of central lobule　17 小脳活樹 arbor vitae　18 室頂核 fastigial nucleus　19 球状核 globose nucleus　20 栓状核 emboliform nucleus　21 歯状核 dentate nucleus　22 下小脳脚（索状体）inferior cerebellar peduncle (restiform body)　23 中小脳脚（橋腕）middle cerebellar peduncle (brachium pontis)　24 上小脳脚（結合腕）superior cerebellar peduncle (brachium conjunctivum)　25 中脳蓋（蓋板）tectum of midbrain (tectal plate)　26 内側毛帯 medial lemniscus　27 外側毛帯 lateral lemniscus　28 三叉神経 trigeminal nerve　29 顔面神経 facial nerve　30 内耳神経 vestibulocochlear nerve　31 下オリーブ inferior olive　32 中心被蓋路 central tegmental tract　33 前脊髄小脳路 anterior spinocerebellar tract

小脳皮質（A〜D）

概観（A）

小脳皮質 cerebellar cortex は表面直下にあって，小脳溝と小脳回の走り方に従っている．この小脳回のレリーフを平面に投影すると，ヒトの小脳では吻尾方向の広がりでは（小脳小舌から小節まで）皮質面は1mに達する．皮質は小脳のすべての部位で同一の構造をもっており

分子層，
プルキンエ細胞層
顆粒層

の3層からなっている．

表面の下にある**分子層**（**A1**）は細胞が少なく，主に無髄線維からなっている．その細胞には，外星状細胞 outer stellate cells（表面近くにみられる）と内星状細胞 inner stellate cells または籠細胞 basket cells とが区別される．狭いプルキンエ細胞層 Purkinje cell layer は，プルキンエ細胞 Purkinje cells という小脳に特有な大きな神経細胞よりなっている．この層は深部で**顆粒層**（**A3**）に接している．顆粒層は非常に細胞に富み，主に顆粒細胞 granule cells という小さな神経細胞が密につまっている．ここには大きなゴルジ細胞 Golgi cells も散在している．

プルキンエ細胞（B〜D）

この細胞は小脳に特徴的な大きな細胞である．ニッスル染色では粗大なニッスル塊で満たされた西洋ナシ形の細胞体（**B4**）がみられる．細胞の上極で2ないし3本の樹状突起（**B5**）が出ている像も認められる．すべての樹状突起の全体的な広がりは，ゴルジの鍍銀法によってのみみることができる．第一次樹状突起はさらに枝分かれして，これらの枝はまたさらに細い枝に分かれていく．したがってここに**樹状突起樹**（**B6**）が出現する．この樹状突起樹は樹木の枝のように広がっている．プルキンエ細胞は厳密な幾何学的配列を示している．すなわちこれらの細胞は比較的規則正しい間隔で顆粒層と分子層の間に一列に並んでおり，その樹状突起を分子層へ送り込んで外表面にまで達している．この樹状突起は例外なく小脳回を縦走向に横切るように扁平に広がっている（**D**）．

樹状突起の始まりの部分（第一次および第二次樹状突起）は平滑な表面をもち（**C7**），平行シナプス parallel synapses に覆われている．細い終末分枝は短い茎をもつ棘（**C8**）を無数に備えている．1個のプルキンエ細胞は約6,000個の棘シナプス spine synapses をもっている．このプルキンエ細胞の平滑な部分と棘のある部分には異なる線維系が終わっている：平滑な部分には登上線維 climbing fibers が，棘のある部分には平行線維 parallel fibers が終わっている（505頁）．

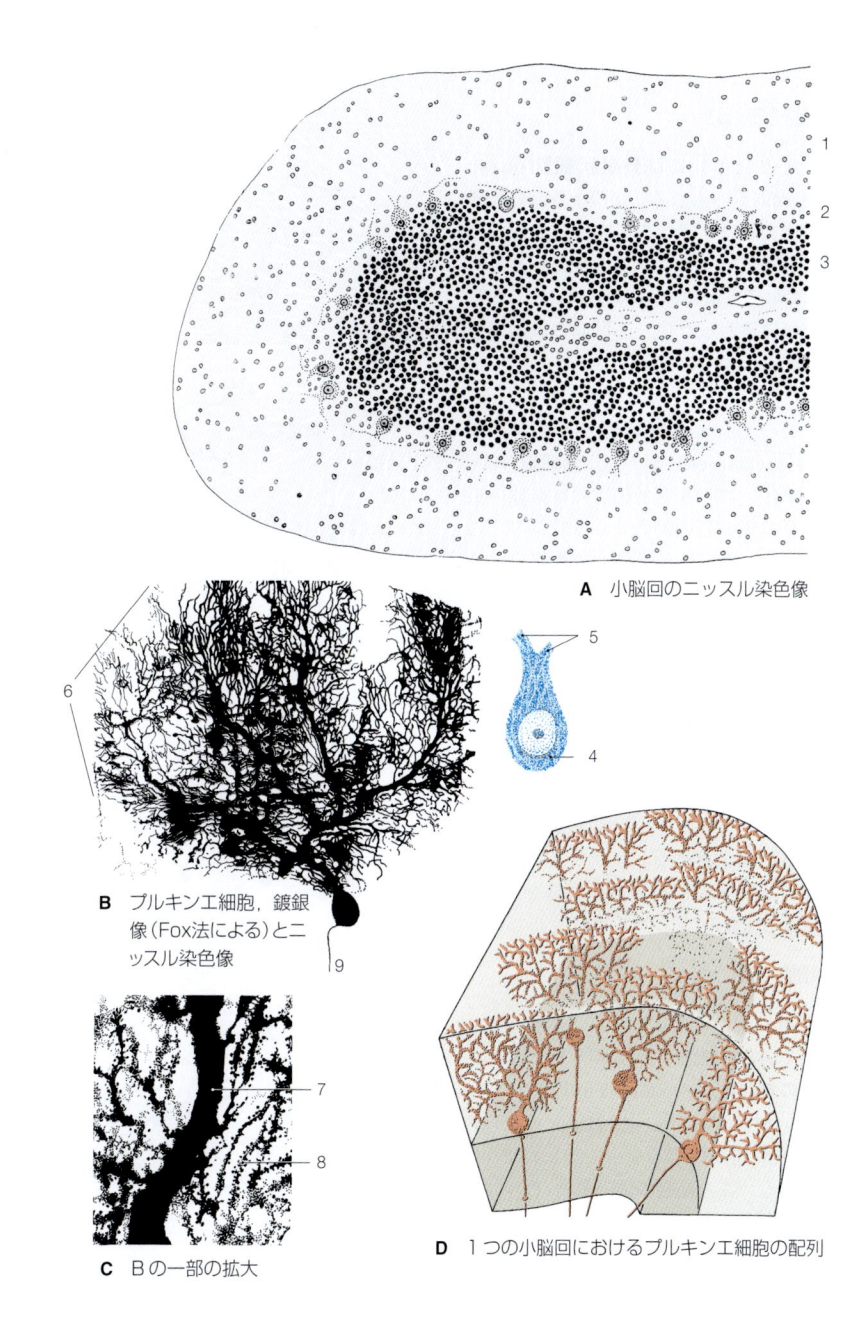

プルキンエ細胞の底面からは軸索（**B9**）が出て，顆粒層を通って髄質へ入っていく．プルキンエ細胞の軸索は小脳核の神経細胞に終わっている（505頁 D）．この軸索はまた反回側副枝を出す．プルキンエ細胞はGABAを伝達物質としている．

A 小脳回のニッスル染色像

B プルキンエ細胞，鍍銀像（Fox法による）とニッスル染色像

C Bの一部の拡大

D 1つの小脳回におけるプルキンエ細胞の配列

> **臨床関連**：運動協調においての小脳の意味は，急性アルコール中毒のことを考えるとよくわかる．この場合，歩行失調を指摘できるのだが，不安定な大股歩きで，いわゆる千鳥足といわれるものである．指示運動，例えば指−鼻試験がうまくできない（計測不全 dysmetry）こともある．動作の協調は，小脳だけでは完結せず，脊髄小脳路による求心情報，また前庭器官からの信号入力が関わっている可能性がある．

---

1 分子層 molecular layer **2** プルキンエ細胞層 Purkinje cell layer **3** 顆粒層 granular layer **4** 西洋ナシ形（piriform cell body）の細胞体 **5** （一次）樹状突起（primary） dendrites **6** 樹状突起 dendrite **7** 平滑な表面をもつ樹状突起の起始部 initial part of the dendritic branch with a smooth surface **8** 棘 spines **9** 軸索 axon

小脳皮質（続き）

星状細胞（A，B）

分子層の上半分には**外星状細胞** outer stellate cellsがみられる．この小さい神経細胞の樹状突起はすべての方向に広がっており，約12個のプルキンエ細胞の樹状突起樹に及んでいる．その軸索はプルキンエ細胞の細胞体に終わったり，小脳回の表面下を水平に走ったりしている．

分子層の下1/3には幾分大きい内星状細胞 inner stellate cellsがあり，**籠細胞**（**A1**）とも呼ばれ，プルキンエ細胞の細胞体の上方を水平に走る長い軸索をもっている．この軸索からは側副枝が出て，その終末分枝はプルキンエ細胞の細胞体のまわりで籠のような神経叢をつくっている．電子顕微鏡でみると，この籠線維はプルキンエ細胞と無数のシナプス（**B2**）をつくって接触しており，しかも細胞体の底部と髄鞘が始まるまでの軸索の起始部に終わっていることがわかっている．プルキンエ細胞の細胞体のその他の部分はベルクマン膠細胞（**B3**）で包まれている．軸索起始部にシナプスが局在することは，籠細胞が抑制性の性格をもつことを暗示している．

顆粒細胞（C）

顆粒層は密につまった小さな神経細胞よりなっている．強拡大のゴルジ鍍銀標本では，この顆粒細胞 granule cellsは3ないし5本の短い樹状突起をもっており，それらの終末分枝の先端は厚くなって鉤爪のようになっている．この細胞の細い軸索（**C4**）はプルキンエ細胞層を通り抜けて分子層まで垂直に上行し，そこで直角に枝分かれして2本の**平行線維** parallel fibersとなる．顆粒細胞はグルタミン酸を含有している（505頁C5）．

小脳糸球 cerebellar glomeruli．顆粒層の中に，顆粒細胞の樹状突起の鉤爪のような終末が求心性神経線維（苔状線維 mossy fibers）（505頁B3）とシナプスをつくっている，細胞のない小さな島状の部分がみられる．そのほかこの小脳糸球体にはゴルジ細胞の短い軸索も終わっている．電子顕微鏡像では，複雑な大きなシナプス複合（糸球状シナプス glomerular synapse）がみられ，まわりを神経膠が被膜をつくって囲んでいる．

ゴルジ細胞（E）

ゴルジ細胞 Golgi cellsは顆粒細胞よりは

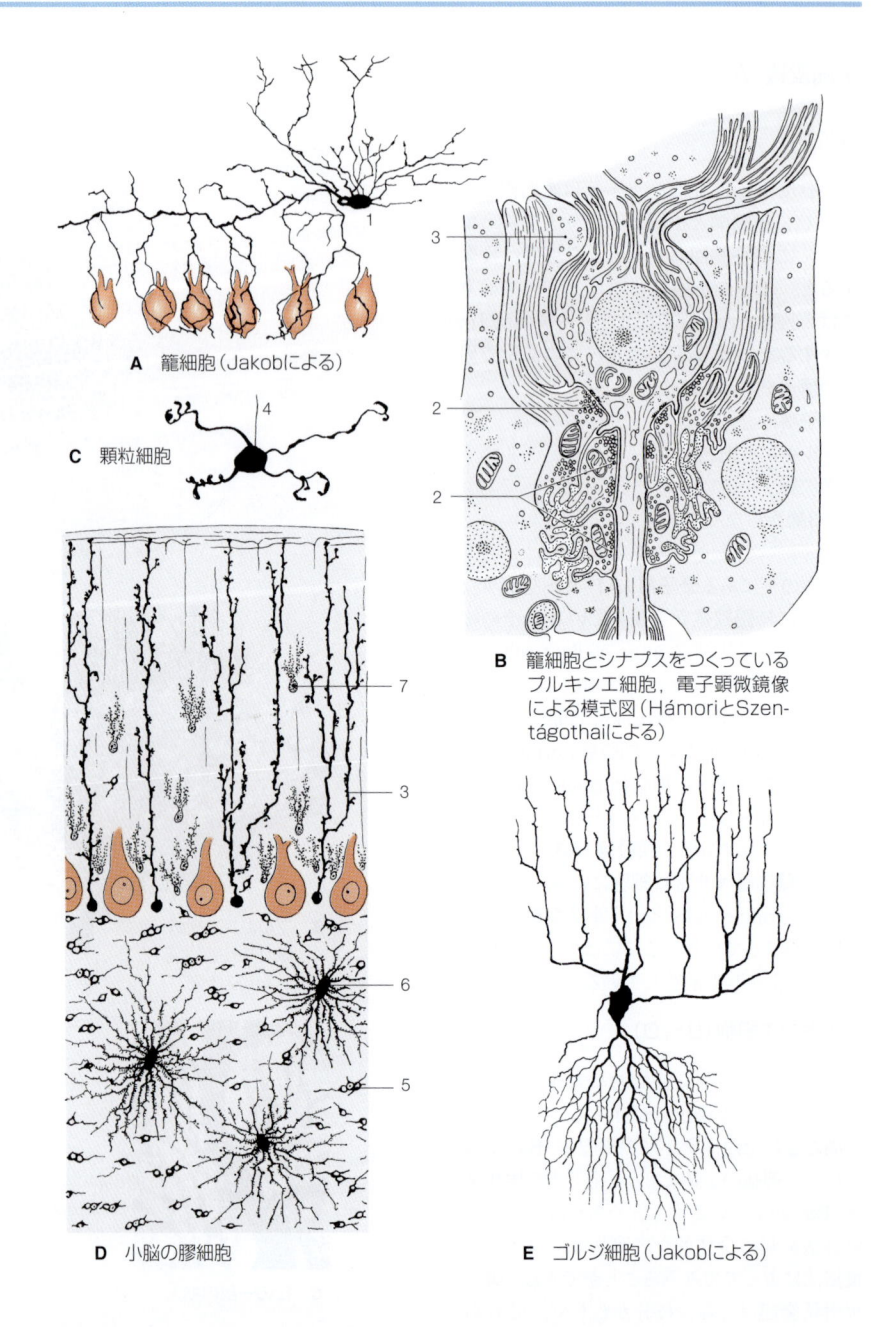

A　籠細胞（Jakobによる）

C　顆粒細胞

D　小脳の膠細胞

B　籠細胞とシナプスをつくっているプルキンエ細胞，電子顕微鏡像による模式図（HámoriとSzentágothaiによる）

E　ゴルジ細胞（Jakobによる）

ずっと大きくて，主にプルキンエ細胞の少し下方の顆粒層の中に散在性にみられる（505頁C9）．その樹状突起は主に分子層中で枝分かれして小脳表面にまで達しており，プルキンエ細胞の樹状突起とはちがって，あらゆる方向に広がっている．この細胞は短い軸索を出し，糸球体の中に終わるか，または細かく枝分かれして繊細な網目をつくっている．ゴルジ細胞は抑制性の介在神経細胞群に属している．

神経膠 neuroglia（D）

よく知られている稀突起膠細胞（**D5**）および原形質性星状膠細胞（**D6**）は，ことに顆粒層にしばしばみられるものであるが，そのほかに小脳に特有の膠細胞がみられる：それはベルクマン細胞と羽毛のはえたようなファニャーナ細胞である．

ベルクマン細胞（**D3**）はプルキンエ細胞の間にあって，長い線維を表面に垂直に送り出しており，そこで小さな終足となり，髄膜に接して神経膠性境界膜をつくっている．これらの線維は葉状の突起をもち，密な配列をとっている．プルキンエ細胞が死滅すると，ベルクマン細胞が増殖し始める．**ファニャーナ細胞**（**D7**）は数本の短い突起をもち，これらの突起には羽のあるのが特徴的である．

---

1 籠細胞 basket cells　**2** シナプス synapses　**3** ベルクマン膠細胞 Bergmann glial cell　**4** 軸索 axon　**5** 稀突起膠細胞 oligodendrocytes　**6** 原形質性星状細胞 protoplasmic astrocytes　**7** ファニャーナ細胞 Fañanás cells

ニューロン回路

求心性線維（A，B）

求心性線維系 afferent fiber system は小脳皮質に終わるが，小脳核へも側副枝を出している．登上線維と苔状線維という2つの異なった終末型がある．

登上線維（**AC1**）は細かく枝分かれしてプルキンエ細胞の樹状突起樹につる状にからみついて終わっている．1本の登上線維はただ1個のプルキンエ細胞に終わり，側副枝を介してさらに若干の星状細胞や籠細胞にも終わっている．登上線維は下オリーブ核の主核と副核のニューロンに由来するものである．

苔状線維（**BC2**）は広く枝分かれして開散し，多数の側副枝を出しており，それらには球状の終末のある小さなロゼットがついている．これらの終末は顆粒細胞の樹状突起の先端の鉤爪とつながって，それらとシナプス（**B3**）をつくっている．苔状線維として終わるのは，脊髄小脳路と橋小脳路であるが，延髄の諸核からの線維も同じように苔状線維として終わっている．

皮質（C）

小脳皮質の構造はプルキンエ細胞（**ACD4**）の扁平な樹状突起が小脳回を横断する面に広がっていることと，そのプルキンエ細胞の樹状突起とシナプスをつくっている平行線維（**BC5**）が小脳回の縦軸方向に走っていることによって決まってくる．プルキンエ細胞は小脳皮質の遠心性要素である．このプルキンエ細胞に伝えられる興奮は直接には登上線維（**C1**）を通って，さらに間接的には苔状線維（**C2**）を通り顆粒細胞（**CD6**）に中継されてやってくる．顆粒細胞の軸索は分子層で，それぞれT字状に2分して長さ約3mmの1本の平行線維となり，約350個のプルキンエ細胞の樹状突起の間を通り抜けて走る．各プルキンエ細胞の樹状突起を約20万本の平行線維が通過しているといわれる．

外星状細胞（**C7**），籠細胞（**C8**）およびゴルジ細胞（**C9**）は，プルキンエ細胞を抑制する抑制性介在ニューロンである．これらの介在ニューロンは，小脳糸球体のシナプスを経るか，ゴルジ細胞が苔状線維とつくるシナプスを経るか，あるいは求心性線維の側副枝を通るかして流入するインパルスによって興奮される．このようにして一連のプルキンエ細胞が興奮するときには，それに隣り合ったすべてのプルキンエ細胞は抑制を受ける：つまり興奮の限局（対比形成 contrast formation）がみられるのである．

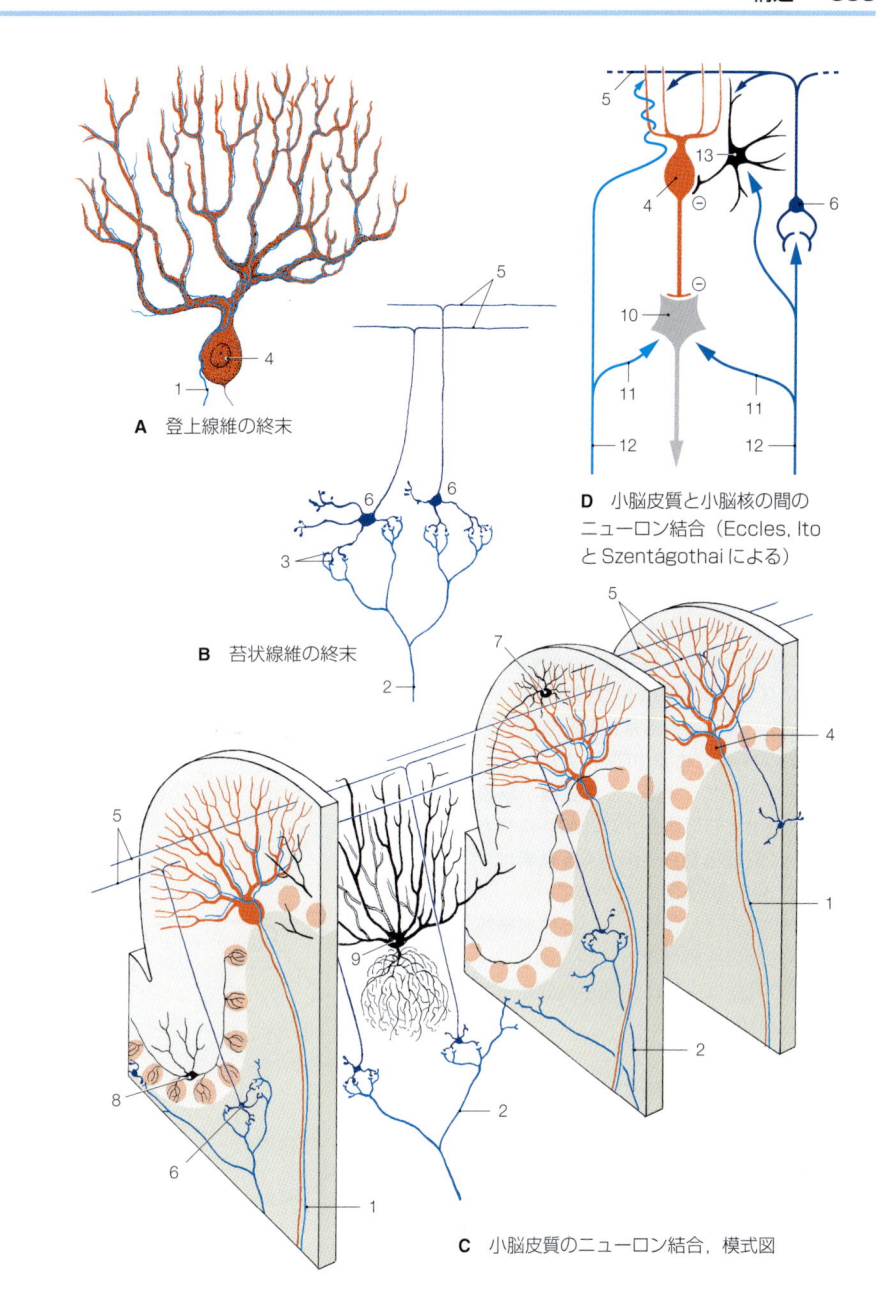

小脳の機能原理（D）

プルキンエ細胞（**D4**）の軸索は皮質下にある核（**D10**, 小脳核と前庭神経核）に終わってり，これらを興奮させるのではなく抑制するように働く．プルキンエ細胞は GABA を多く含む抑制性ニューロンであって，小脳核の神経細胞に強い抑制をかけているのである．これら小脳核のニューロンは，もっぱら求心性線維（登上線維と苔状線維）（**D12**）の側副枝（**D11**）により，間断なく興奮を受けとっている．しかし，これらの興奮を先の領域にまで伝えることはできない．というのは，小脳核がプルキンエ細胞の抑制的支配下にあるからである．プルキンエ細胞が抑制性介在ニューロン（**D13**）によって抑制されると，初めてプルキンエ細胞の制動作用が脱落し，これまで抑制のかかっていた小脳核の部分で興奮が引き続き伝えられるようになる．

したがって小脳核は独立した反射の中継所 reflex relay stations であって，インパルスを受けとりさらに先へ送り出しており，核内にはいつも緊張性興奮が存在している．しかし，ここから先への興奮の伝導は，小脳皮質からの微妙に調整された抑制と脱抑制 disinhibition によって規制されているのである．

A 登上線維の終末

B 苔状線維の終末

C 小脳皮質のニューロン結合，模式図

D 小脳皮質と小脳核の間のニューロン結合（Eccles, Ito と Szentágothai による）

---

1 登上線維 climbing fibers **2** 苔状線維 mossy fibers **3** シナプス synapses **4** プルキンエ細胞 Purkinje cells **5** 平行線維 parallel fibers **6** 顆粒細胞 granule cells **7** 外星状細胞 outer stellate cells **8** 籠細胞 basket cells **9** ゴルジ細胞 Golgi cells **10** 皮質下にある核（のニューロン）subcortical nuclei **11** 側副枝 collaterals **12** 求心性線維 afferent fibers **13** 抑制性介在ニューロン inhibitory interneuron

機能による区分（A〜E）

求心性線維系は皮質の限局された領域に終わり，また種々の皮質の部位から出ていく線維はそれぞれ決まった小脳核へ行く．線維投射 fiber projection は機能区分の基礎をなしている．これらの関係は実験動物（ウサギ，ネコ，サル）での研究によって明らかにされている．

線維投射（A，B）

求心性線維系 afferent fiber systems の終わり方から，小脳は虫部 vermis，半球 hemisphere およびこれら両者の間の中間帯 intermediate zone の3つの領域に分けられる．**脊髄小脳線維**すなわち後脊髄小脳路 posterior spinocerebellar tract，前脊髄小脳路 anterior spinocerebellar tract（508頁 B14）および楔状束核小脳路 cuneocerebellar tract（507頁 A1と A2）は，苔状線維として前葉の虫部，後葉の虫部錐体と虫部垂，およびそれらの外側にある中間帯（**A1**）に終わる．橋腕を通してやってくる**皮質橋小脳線維**は苔状線維として小脳半球（**A2**）に終わる．さらに**前庭核から小脳へくる軸索**は片葉小節葉と虫部垂（**A3**）に終わっている．下オリーブ核の主核と副核および外側網様核で中継された求心路はその起始に応じて，脊髄からの線維は虫部に，大脳皮質からのものは小脳半球に終わる．

遠皮質性軸索 corticofugal axons の小脳核への投射においても，前述の3分割がはっきり認められる．前庭神経核（**B4**）には虫部（前葉，虫部錐体，虫部垂および［虫部］小節）と片葉（**B5**）からの線維が終わる．室頂核（**B6**）には虫部全体（**B7**）からの線維が終わる．栓状核と球状核（**B8**，実験動物では一つの中位核 interpositus nucleus となる）は中間帯（**B9**）からの線維を受けとる．そして歯状核（**B10**）には小脳半球（**B11**）からの線維群が終わっている．

刺激実験の成績（C，D）

求心性伝導路は規則的な配列をして終わっている．すなわち下肢，体幹，上肢および頭の領域といった順に配列しているのである．この体性局在による区分は刺激実験によって証明されている．除脳動物で小脳皮質を電気刺激すると，体肢の伸筋と屈筋の収縮と筋緊張に変化がみられ，眼球の共役運動ならびに顔や頸の筋の収縮もみられる（**C**，小脳の上面と下面が一平面上に投影されている）．

同じような成績はからだのいろいろな部位に触覚刺激を与え，それによる小脳皮質に生じる電位変化（誘発電位 evoked potentials）を同時に電気的に導出することによって得られる（**D**）．この誘発電位の局在から半身の同側性の再現は前葉と単小葉（**D12**）とにみられ，両側性の再現は正中傍小葉（**D13**）にあることがわかった．

この体性局在の再現はウサギ，ネコ，イヌおよびサルで証明されたので，これはすべての哺乳動物においても同様に存在するものと思われる．ヒトの小脳で予想される局在が**E**に描かれている．F，T，P，U，Nはそれぞれ虫部葉，虫部隆起，虫部錐体，虫部垂，［虫部］小節の略である．

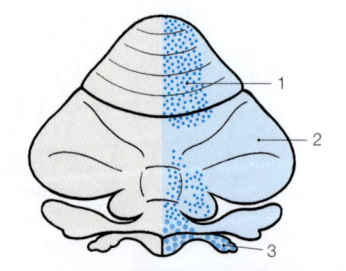

A 前庭小脳路と脊髄小脳路の終止（Brodalによる）

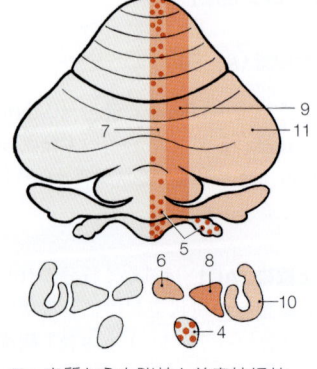

B 皮質から小脳核と前庭神経核への投射（JansenとBrodalによる）

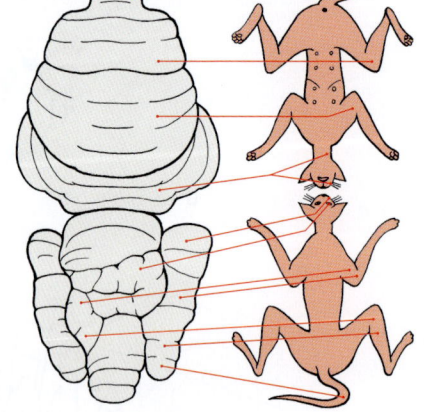

C 皮質の体部位局在，ネコにおける運動効果（Hampson, HarrisonとWoolseyによる）

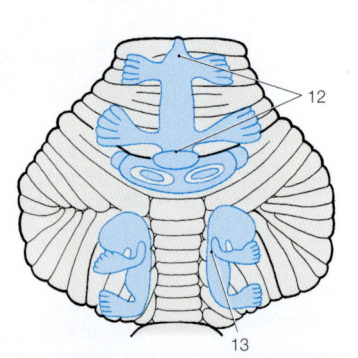

D 皮質の体部位局在，知覚刺激の際の"誘発電位"（Sniderによる）

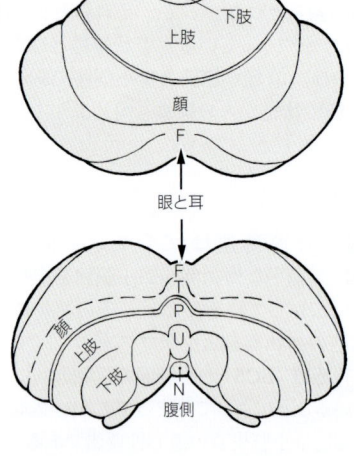

E ヒトの皮質の仮説的な体部位局在（Hampson, HarrisonとWoolseyによる）

---

1 脊髄小脳線維（spinocerebellar fibers）の終止領域　2 大脳皮質橋小脳線維（corticopontocerebellar fibers）の終止領域　3 前庭小脳線維（vestibulocerebellar fibers）の終止領域　4 前庭神経核 vestibular nuclei　5 片葉 flocculus　6 室頂核 fastigial nucleus　7 虫部 vermis　8 栓状核と球状核 emboliform nucleus, globose nucleus　9 中間帯 intermediate zone　10 歯状核 dentate nucleus　11 小脳半球 hemisphere of cerebellum　12 単小葉 simple lobule　13 正中傍小葉 paramedian lobule

伝導路

下小脳脚（索状体）（A～C）

下小脳脚（索状体）は**後脊髄小脳路**（フレクシヒ Flechsig）（**A1**）と**楔状束核小脳路**（**A2**）を含んでいる．

これらの線維は，固有受容性知覚（筋紡錘，腱器官から）を伝える求心性線維の終わるクラーク柱（脊髄背側核）（**A3**）の細胞に始まる（578頁，579頁）．この後脊髄小脳路が関与する領域は下肢と体幹の下半分に限られる．これらの線維は苔状線維として前葉の虫部と中間帯および虫部錐体に終わる．上肢と体幹の上半分からの同種の線維は副（外）楔状束核（**A4**）に集まり，次いで楔状束核小脳路（後外弓状線維 dorsal external arcuate fibers）として小脳の同じ部位へ行く．なお，前脊髄小脳路は上小脳脚（結合腕）を経て小脳へ入る．

前庭小脳路 vestibulocerebellar tract（**B**）．小脳へ達しているのは第一次および第二次の前庭線維である．第一次線維（**B5**）は前庭神経節（**B6**，主に半規管から）に由来し，中継されることなく小脳皮質へ行く．第二次線維（**B7**）は前庭神経核（**B8**）で中継される．そしてすべての線維は〔虫部〕小節，片葉（**B9**），室頂核（**B10**）および一部は虫部垂に終わる．この前庭神経核との結合路には，小脳から出る線維も含まれている．小脳から出る線維は小脳前庭路 cerebellovestibular tract であって，上記の前庭小脳路の終末領域と前葉の虫部から起こる．これらの線維の一部は前庭神経外側核で中継されて，前庭脊髄路 vestibulospinal tract となって脊髄へ下行する（611頁A9）．

オリーブ小脳路 olivocerebellar tract（**A**）．腹側へ変位した小脳核の一つともみなすことができる下オリーブ（**A11**）は，すべての線維を小脳へ送り出している．オリーブ核の主核と副核は脊髄からの上行性線維（**A12**，脊髄オリーブ路），大脳皮質と錐体外路性の諸核からの線維（中心被蓋路 central tegmental tract）（498頁）を受けとっている．これらの線維はオリーブのそれぞれ決まった部位でオリーブ小脳路（**A13**）に中継され，交叉して反対側へ行き，反対側の小脳に達する．これらオリーブからの線維は登上線維として皮質に終わっている．副オリーブ核（脊髄オリーブ路の終わるところ）からの線維は前葉の虫部と中間帯に終わり，主オリーブ核（大脳皮質からの線維と被蓋路の線維が終わるところ）からの線維は小脳半球に終わっている．

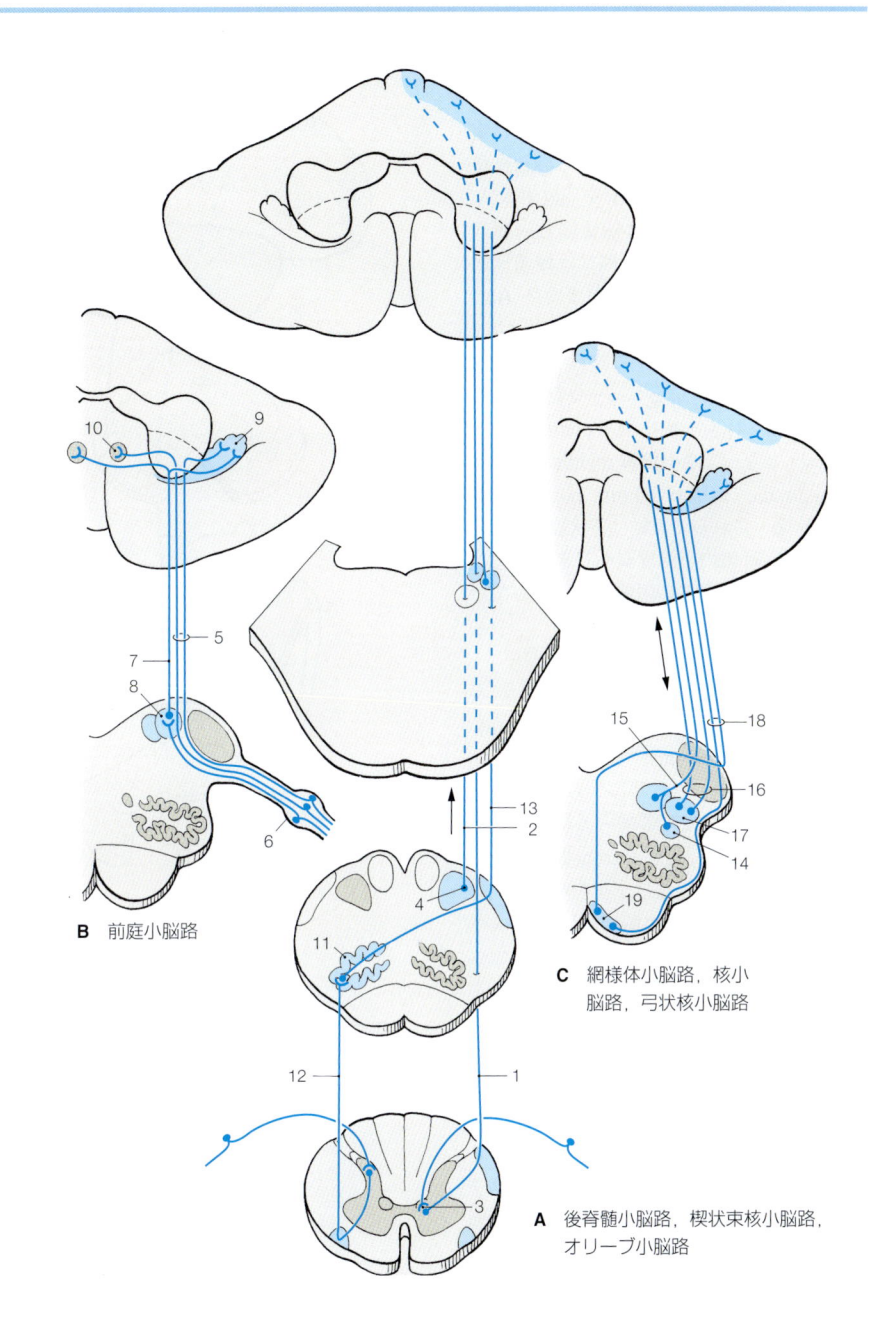

網様体小脳路 reticulocerebellar tract，**核小脳路** nucleocerebellar tract，**弓状核小脳路** arcuatocerebellar tract（**C**）．外側網様核（**C14**）は，脊髄視床路とともに上行する外受容性知覚線維を受けている．ここで中継された後の線維は，網様体小脳路（**C15**）として同側の下小脳脚を通って虫部と半球へ行く．核小脳路（**C16**）は特に三叉神経感覚核（**C17**）から起こり，顔の領域からの触覚インパルスを小脳へ伝える．弓状核小脳路（**C18**）の線維は弓状核（**C19**）に始まり第四脳室底へ行き，そこでは第四脳室髄条 medullary striae of fourth ventricle として現れる．これらの線維は交叉するものと交叉しないものとがあり，片葉に終わる．

鉤状束 uncinate fasciculus は一種の小脳脊髄路であって，反対側の室頂核に起始をもつが，ヒトではその存在は確実に証明されてはいない．

---

1 後脊髄小脳路（フレクシヒ Flechsig）posterior spinocerebellar tract **2** 楔状束核小脳路 cuneocerebellar tract **3** クラーク柱 column of Clarke **4** 副（外）楔状束核 accessory cuneate nucleus（Monakow）**5** 第一次線維 primary fibers **6** 前庭神経節 vestibular ganglion **7** 第二次線維 secondary fibers **8** 前庭神経核 vestibular nuclei **9** 片葉 flocculus **10** 室頂核 fastigial nucleus **11** 下オリーブ核群 inferior olivary complex **12** 脊髄オリーブ路 spinoolivary tract **13** オリーブ小脳路 olivocerebellar tract **14** 外側網様核 lateral reticular nucleus **15** 網様体小脳路 reticulocerebellar tract **16** 核小脳路 nucleocerebellar tract **17** 三叉神経感覚核（＝三叉神経の主感覚核および脊髄路核）principal sensory nucleus & spinal nucleus of trigeminal nerve **18** 弓状核小脳路 arcuatocerebellar tract **19** 弓状核 arcuate nucleus

A 後脊髄小脳路，楔状束核小脳路，オリーブ小脳路

B 前庭小脳路

C 網様体小脳路，核小脳路，弓状核小脳路

中小脳脚（橋腕）（A）

大脳皮質，特に前頭葉と側頭葉からは橋へ行く線維路が出ている．これらの線維路は錐体路とともに大脳脚（**A1**）を形成するが，その際これらの線維路は外側部と内側部を占めている：すなわち外側には側頭橋路（**A2**, チュルク束），内側には前頭橋路（**A3**, アーノルド束）がある．これらの線維（第1ニューロン）は橋核（**A4**）に終わっている．この核からの線維（第2ニューロン）は交叉して反対側へ行き，橋小脳路 pontocerebellar tract となって**中小脳脚** middle cerebellar peduncle（橋腕 brachium pontis）をつくっている．これらの線維は苔状線維として大部分は反対側の小脳皮質へ行き，ごく小部分は虫部の正中部に両側性に終わっている．

上小脳脚（結合腕）（B）

遠心性小脳路の大部分は**上小脳脚** superior cerebellar peduncle（結合腕 brachium conjunctivum）を通って小脳から出ていく．これを通って入ってくる唯一の求心路は前脊髄小脳路 anterior spinocerebellar tract である．上小脳脚の線維は下丘の高さで中脳被蓋へ入っていき，**上小脳脚交叉**（ウェルネキンク）（**B5**）をつくって交叉して反対側へ行き，そこで下行脚（**B6**）と上行脚（**B7**）とに分かれる．下行脚の線維束は室頂核（**B8**）と球状核（**B9**）に由来するものである．これらの線維は橋と延髄の網様体内側部の諸核（**B10**）に終わり，そこで網様体脊髄路 reticulospinal tract へ受け継がれる．したがって小脳からのインパルスは2つの線維路を通って脊髄へ伝えられることになる：すなわち網様体脊髄路 reticulospinal tract と前庭脊髄路 vestibulospinal tract の2つであって，これらは介在ニューロンを経て脊髄前角細胞に影響を及ぼしている．

下行脚より発達のよい上行脚の線維は主に歯状核（**B11**）から，一部は栓状核に由来する．これらの線維の終わるところは：①赤核（**B12**）とその近傍および中脳被蓋の種々の核（エディンガー・ウェストファル核，ダルクシェヴィチ核など）で，小脳はこれらの核を通じて錐体外路系と接続する；②背側視床（**B13**），ここからのインパルスはさらに大脳皮質，特に運動皮質へ伝えられていく．

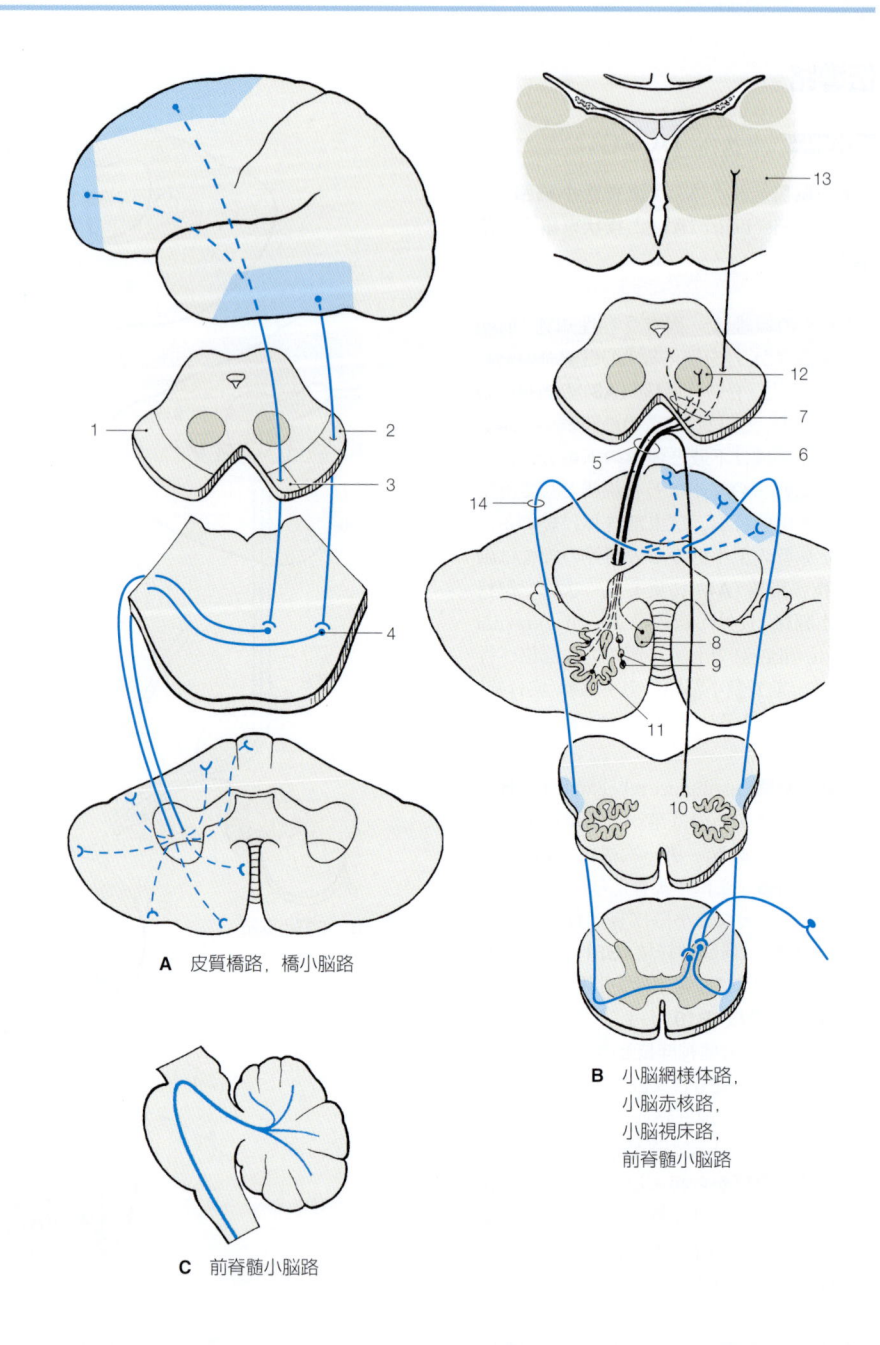

これらの線維結合によって大きなニューロン環ができあがる：小脳から大脳皮質へやってくるインパルスは結合腕と視床を通って皮質に影響を及ぼしている．皮質はまた皮質から橋を経て小脳へ行く線維系と皮質からオリーブを経て小脳へ行く系によって小脳に影響を及ぼしている．大脳の運動皮質と小脳はこのように相互に制御し合っていることになる．

前脊髄小脳路（ガワース）（**B14**）．この線維は脊髄後角に起始があり，そこで主に腱器官からの線維の中継が行われる．中継後の線維束は交叉するものとしないものがあるが，いずれも下小脳脚を通らず橋の上縁まで行って，そこで屈曲して上小脳脚を通って小脳へ入る（**C**）．これらの線維は苔状線維として前葉の虫部と中間帯および虫部垂に終わっている．

A 皮質橋路，橋小脳路

B 小脳網様体路，小脳赤核路，小脳視床路，前脊髄小脳路

C 前脊髄小脳路

---

1 大脳脚 cerebral peduncle　**2** 側頭橋路（チュルク束）temporopontine tract (bundle of Türck)　**3** 前頭橋路（アーノルド束）frontopontine tract (bundle of Arnold)　**4** 橋核 pontine nuclei　**5** 上小脳脚交叉（ウェルネキンク）decussation of superior cerebellar peduncles (Wernekinck)　**6** 下行脚 descending limb　**7** 上行脚 ascending limb　**8** 室頂核 fastigial nucleus　**9** 球状核 globose nucleus　**10** 網様体 reticular formation　**11** 歯状核 dentate nucleus　**12** 赤核 red nucleus　**13** 背側視床 dorsal thalamus　**14** 前脊髄小脳路（ガワース）anterior spinocerebellar tract (Gowers)

前脳の発生（A～E）

　脳と脊髄は神経管から発生してくる．神経管の前部（将来は脳になるところ）には，幾つかのふくらみがつくられる：これらのふくらみは後ろから前へそれぞれ菱脳胞（**A1**），中脳胞（**A2**），間脳胞（**A3**）および終脳胞（**A4**）と呼ばれる．なお，間脳胞（A3）と終脳胞（A4）を合わせて前脳（胞）prosencephalonと呼ぶ．これらの脳胞の側壁は肥厚して固有の脳実質となり，その中に神経細胞とその突起が分化してくる．この分化の過程は菱脳胞に始まり，中脳胞，間脳胞へと及んでいく．終脳胞の発育は非常に遅れて起こってくる．終脳胞のところでは両側にそれぞれ壁の薄いふくらみがつくられてくるため，終脳に3つの部分が区別されるようになる：すなわち両側に対称的に膨出した半球胞（**A5**）と無対の正中部（**A6**，無対終脳）である．この正中部は第三脳室の前壁（終板 lamina terminalis）となっている．

　終脳胞は次第に間脳を覆うようになる．終脳胞はことに強く尾側へ伸び出すために，終脳間脳境界 telodiencephalic border がズレてくる．この境界はもともと前頭面を走る境界線（**A7**）であるが，次第に斜めに走るようになり（**A8**），遂には間脳の外側境界（**A9**）となる．間脳はそのため両半球の間に位置するようになるが，かろうじてまだ外表面をわずかに露出している．もともと前後に配列している脳の各部すなわち中脳，間脳（赤）および終脳（黄）は，成熟脳では互いにすべり込んだような格好となる．

終脳間脳境界（B～E）

　間脳底は脳の表面に出ており，脳底（435頁A）で視交叉 optic chiasm，灰白隆起 tuber cinereum および乳頭体 mammillary body をつくっている．間脳の背面は，脳を水平断（**B**）して脳梁を除去すると初めてみえてくる．そのときみえるのは第三脳室の上壁と両側の視床である．これらの領域は，血管を多く含んだ結合組織板すなわち脈絡組織（**D10**）ですっぽり覆われており，これを取り除くと第三脳室が開放される．脳実質は第三脳室の上と半球の内側壁のところで非常に薄くなり，入り込んだ血管ワナのため脳室腔の中へヒダをつくって突出するようになる（564頁A）．脳室の中にある血管は脈絡叢（**D11**）をつくっている（脳脊髄液の産生）．脈絡組織と脈絡叢を取り除くときには，薄い脳実質の壁も同時に引きちぎってしまい，はぎ取られた跡が線状に残る．この線を脈絡ヒモ（**C12**）という．この引きちぎられた線までは視床の表面は何にも覆われていない（**C13**）．その線の外側では視床の表面はやはり薄くなった半球の壁で覆われている．脈絡叢の付着縁と上視床線条体静脈（**C～E14**）の間にある薄くなった半球の壁の部分は**付着板**（**CD15**）と呼ばれる．この付着板は視床の背面にのっており，成熟脳では視床の背面と癒着している（**E16**）．上から眺めると，視床と尾状核（**C～E17**）の間を走る上視床線条体静脈（**C～E14**）が間脳と終脳の境界の目印となる．

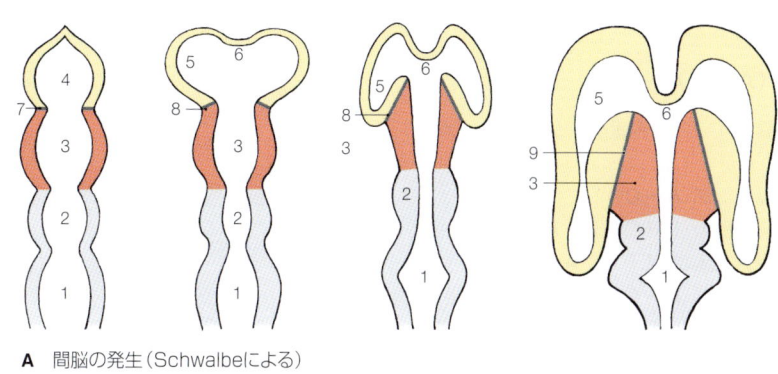

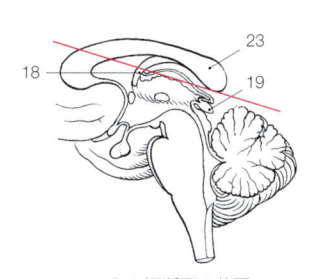

A　間脳の発生（Schwalbeによる）

B　Cの切断面の位置

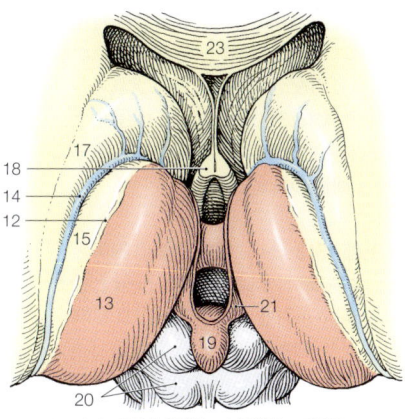

C　上からみた間脳，水平断して脳梁，脳弓および脈絡叢を取り除いてある

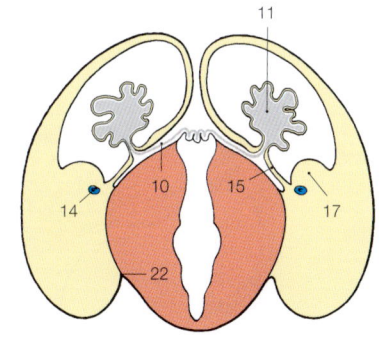

D　付着板（胎生期の脳の前頭断面）

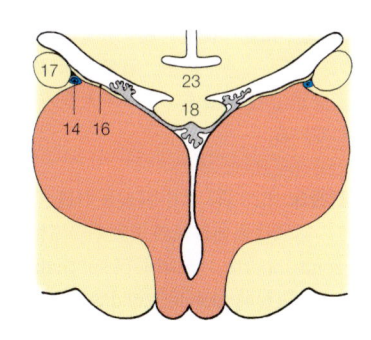

E　成熟脳の付着板，前頭断面

---

1 菱脳［胞］rhombencephalon　2 中脳［胞］midbrain　3 間脳［胞］diencephalon　4 終脳［胞］telencephalon　5 半球胞 hemispheric vesicle　6 終脳正中部 median part of telencephalon（無対終脳 telencephalon impar）　7, 8, 9 終脳間脳境界（走向の変化に注意せよ）telodiencephalic border　10 脈絡組織 choroid membrane　11 脈絡叢 choroid plexus　12 脈絡ヒモ choroid line　13 露出している視床の背面 exposed dorsal surface of the thalamus　14 上視床線条体静脈 superior thalamostriate vein　15 付着板 lamina affixa　16 付着板（視床の背面と癒着している）lamina affixa which become fused to the dorsal surface of the thalamus　17 尾状核 caudate nucleus　18 脳弓 fornix　19 松果体 pineal body　20 蓋板（四丘板）tectal plate（quadrigeminal plate）　21 手綱 habenula　22 終脳間脳裂 telodiencephalic fissure　23 脳梁 corpus callosum

構造

区分（A～D）

間脳は互いに積み重なった次の層に区別することができる．
- 視床上部（**A～C1**）
- 背側視床（視床背側部，**A～C2**）
- 腹側視床（視床下域，**A～C3**）
- 視床下部（**A～C4**）

胚子期の脳ではこれらの層の配列は簡単で区分も明瞭である．しかしながら発生が進むにつれて，部位による発育の違いが起こるため，この配列は著しく修正される．とりわけ背側視床が極端に容積を増すのと，視床下部が灰白隆起のところで拡大することにより，間脳の構造は制約を受ける．

視床上部（512頁）は嗅覚中枢と脳幹との結合路の中継所である手綱 habenula と松果体 pineal body からなっている（512頁参照）．視床の大きさが増大するため，背側にある視床上部（**B1**）は内側へ位置がずれ，背側視床の付属物のようになっている（**C1**）．

背側視床（513頁）は感覚路および知覚路（皮膚知覚，味覚，視覚，聴覚および前庭覚路）の終わるところである．背側視床は遠心性および求心性線維系によって大脳皮質と連絡している．

腹側視床（520頁）は中脳被蓋の続きである．この領域は錐体外路性運動系の諸核［不確帯 zona incerta，視床下核 subthalamic nucleus，淡蒼球 globus pallidus］を含んでおり，間脳の運動性領域とみなされている．

淡蒼球（**CD5**）は間脳に由来するが，発生が進むにつれて内包（**CD6**）から線維集団が入り込んでくるため，間脳のほかの灰白質から離断され，淡蒼球は終脳へ場所を移したようにみえる．淡蒼球のほんの小さな残りが間脳とつながったままで内側にとどまっている；これが脚内核 entopeduncular nucleus である．淡蒼球は錐体外路系の成分として腹側視床に入れたほうが適切であると思われる．

視床下部（521頁）は間脳の最も下層と底部をつくっており，その底面からは神経下垂体が突出している（**A7**）．視床下部は植物神経系の最高の調節中枢である．

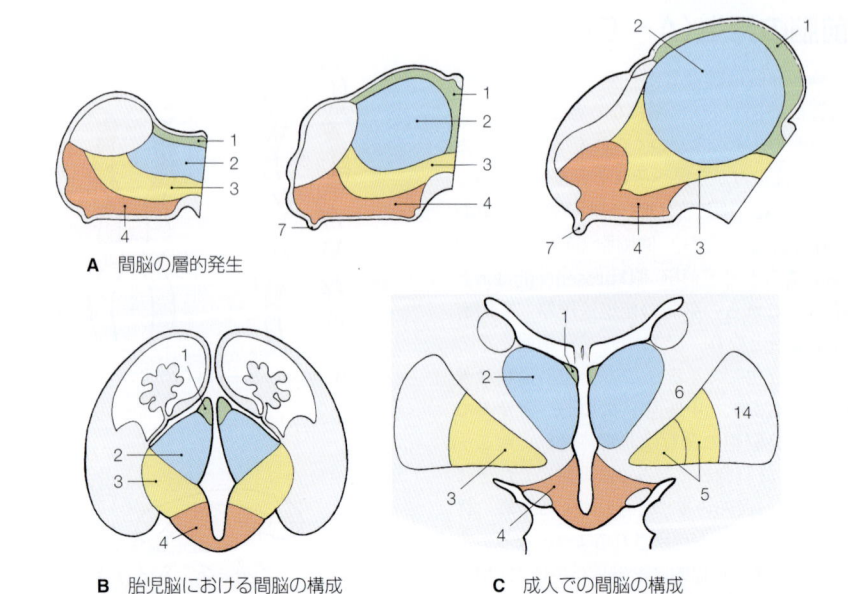

視交叉の高さでの断面（D）

第三脳室の前壁を通る断面では，間脳と終脳の両方の諸部分がみられる．腹側には視神経が交叉してつくる線維板すなわち視交叉（**D8**）がある．その上には第三脳室の吻側への膨出すなわち視交叉陥凹（**D9**）が開いている．内包の外側には淡蒼球（**D5**）がみられる．これ以外のすべての構造は終脳に属している：この中には両側の側脳室（**D10**）と透明中隔（**D11**）で囲まれた透明中隔腔（**D12**），尾状核（**D13**），被殻（**CD14**）および底部には嗅覚野（**D15**，前有孔質）がある．脳梁（**D16**）と前交連（**D17**）は左右の半球を結んでいる．その他にみられる線維系は脳弓（**D18**）と外側嗅条（**D19**）である．

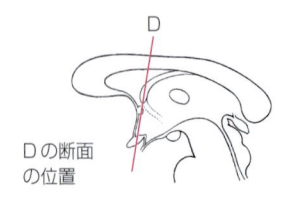

A 間脳の層的発生

B 胎児脳における間脳の構成

C 成人での間脳の構成

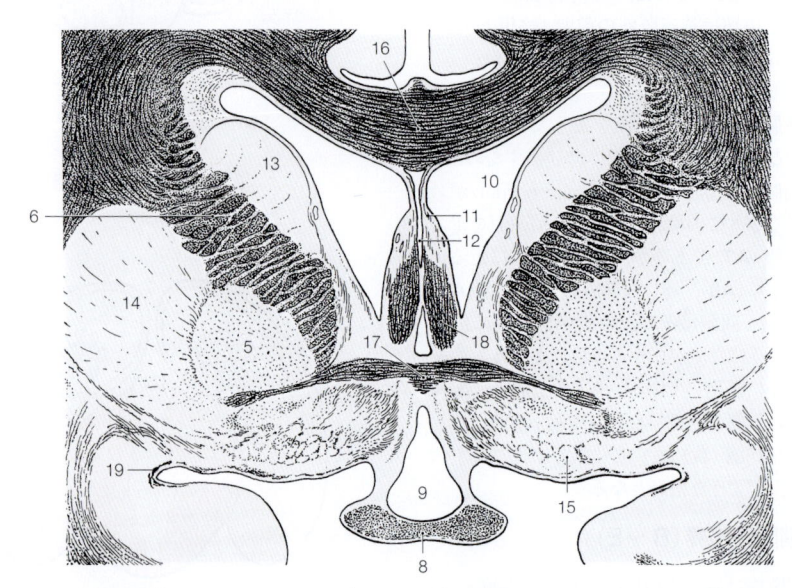

D 第三脳室の前壁を通る前頭断面（VilligerとLudwigによる）

Dの断面の位置

---

1 視床上部 epithalamus　**2** 背側視床 dorsal thalamus　**3** 腹側視床 subthalamus　**4** 視床下部 hypothalamus　**5** 淡蒼球 globus pallidus (pallidum)　**6** 内包 internal capsule　**7** 神経下垂体 neurohypophysis　**8** 視交叉 optic chiasm　**9** 視交叉陥凹 optic recess　**10** 側脳室 lateral ventricle　**11** 透明中隔 septum pellucidum　**12** 透明中隔腔 cave　**13** 尾状核 caudate nucleus　**14** 被殻 putamen　**15** 嗅覚野（前有孔質）olfactory area (anterior perforated substance)　**16** 脳梁 corpus callosum　**17** 前交連 anterior commissure　**18** 脳弓 fornix　**19** 外側嗅条 lateral stria

灰白隆起を通る断面（A）

この断面は室間孔 interventricular foramen (Monro) のすぐ後ろを通る．側脳室と第三脳室は脈絡叢の付着部（**A1**）によって分けられている．この部位から上視床線条体静脈（**AB2**）まで付着板（**AB3**）がのびている．付着板は視床（**A4**）の背面を覆っている．視床では前核群が現れている．視床の腹外側には，内包（**AB5**）で隔てられて淡蒼球（**AB6**）がある．淡蒼球は内節（**A7**）と外節（**A8**）という2つの部分に分けられる．淡蒼球は髄鞘の含量が多いため，隣接する被殻（**AB9**）とは異なってみえる．淡蒼球の基底縁とその先端からは，レンズ核束（フォレルの H2 野）lenticular fasciculus とレンズ核ワナ（**A10**）が出ていく．レンズ核ワナは淡蒼球の内側の先端をまわり背側へ向かって弓なりに走る．間脳の腹側部を占めるのは視床下部 hypothalamus ［灰白隆起（**A11**）と漏斗（**A12**）］であって，ここでは髄鞘が少なく，強い髄鞘形成のみられる視索（**AB13**）とは対照をなしている．

間脳は，はっきりした境界は認められないが，両側を終脳によって取り囲まれている．最も近くに存在する終脳核は被殻（**AB9**）と尾状核（**AB14**）である．淡蒼球の腹側には終脳に属する神経核である無名質（**A15**，マイネルト基底核）があり，この核は中脳被蓋からの線維を受けている．この核の大型のコリン作動性の神経細胞は新皮質全体に広く投射している．脳弓（**AB16**）は弓なりに走っているため2度みられることになる（540頁C）．

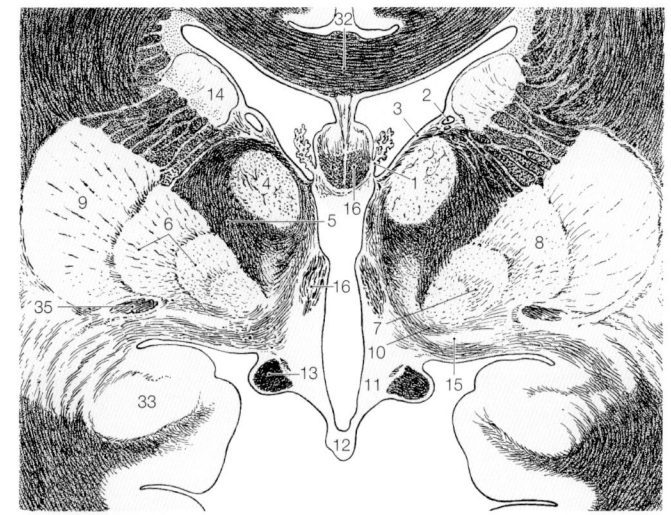

乳頭体の高さでの断面（B）

この断面では両側の視床がみえ，視床の容積が増加するため正中面で二次的に癒着して，視床間橋（**B17**）が生じている．視床髄板 thalamic medullary lamina という髄鞘の多い線維板が視床を数個の大きな核複合体に分けている．背側には前核群（**B18**），その腹側には内側核群（**B19**）があって，この核群は内側で脳室の傍にある2, 3の小さな核（**B20**）と接しており，また外側では内髄板（**B21**）によって外側核群（**B22**）と分けられている．外側核群は背側域と腹側域に区別できるが，その境界はあまり明瞭ではない．この核複合は全体として，殻状の狭い視床網様核（**B23**）という核によって囲まれている．そして外髄板（**B24**）がこの視床網様核と外側核群とを隔てている．

視床の腹側には**腹側視床** subthalamus に属する不確帯（**B25**）と視床下核（**B26**，リュイ体）がある．不確帯は有髄線維のつくる2枚の板すなわち背側ではフォレルの H₁ 野（**B27**，視床束），腹側ではフォレルの H₂ 野（**B28**，レンズ核束）によって境されている．視床下核の下には黒質（**B29**）の吻側極が現れている．間脳底をつくるのは両側の**乳頭体**（**B30**）である．この乳頭体からは乳頭視床束（**B31**，ヴィク・ダジール束）が視床へ向かって上行している．

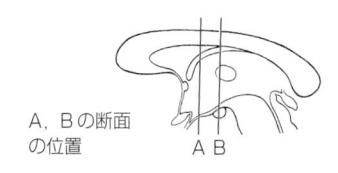

A 灰白隆起の高さでの間脳の断面（Villiger と Ludwig による）

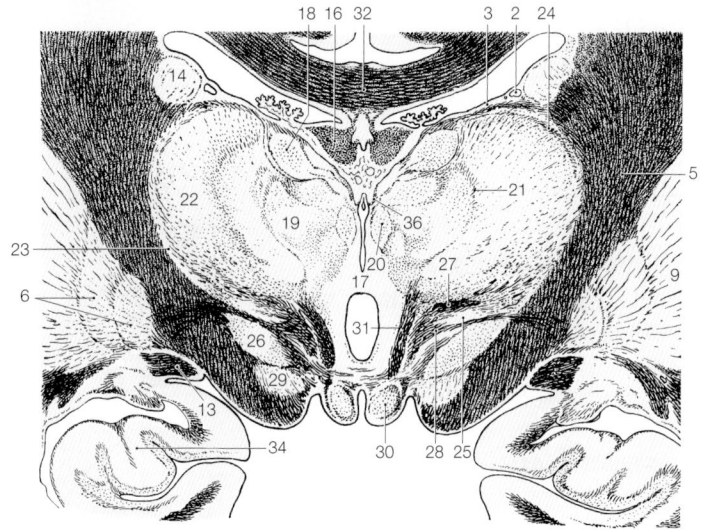

B 乳頭体の高さでの間脳の断面（Villiger と Ludwig による）

A, B の断面の位置

---

1 脈絡叢（の付着部）choroid plexus　2 上視床線条体静脈 superior thalamostriate vein　3 付着板 lamina affixa　4 視床 thalamus　5 内包 internal capsule　6 淡蒼球 pallidum　7 内節 medial segment　8 外節 lateral segment　9 被殻 putamen　10 レンズ核ワナ ansa lenticularis　11 灰白隆起 tuber cinereum　12 漏斗 infundibulum　13 視索 optic tract　14 尾状核 caudate nucleus　15 無名質（マイネルト基底核）innominate substance (basal nucleus of Meynert)　16 脳弓 fornix　17 視床間橋 interthalamic adhesion　18 前核群 anterior nuclear group　19 内側核群 medial nuclear group　20 正中核群 midline nuclei　21 内髄板 internal medullary lamina　22 外側核群 lateral nuclear group　23 視床網様核 reticular nucleus of thalamus　24 外髄板 external medullary lamina　25 不確帯 zona incerta　26 視床下核（リュイ体）subthalamic nucleus (Luys body)　27 フォレルの H₁ 野（視床束）field H₁ of Forel (thalamic fasciculus)　28 フォレルの H₂ 野（レンズ核束）field H₂ of Forel (lenticular fasciculus)　29 黒質 substantia nigra　30 乳頭体 mammillary body　31 乳頭視床束（ヴィク・ダジール束）mamillothalamic fasciculus (bundle of Vicq d'Azyr)　32 脳梁 corpus callosum　33 扁桃体 amygdaloid body　34 海馬 hippocampus　35 前交連 anterior commissure　36 ［視床］髄条 stria medullaris thalami

視床上部（A～D）

視床上部 epithalamus には手綱核 habenular nuclei と手綱 habenula, 手綱交連 habenular commissure と視床髄条 stria medullaris of thalamus, 松果体ならびに後交連が属している.

手綱（A）

手綱（**A1**, 509頁C21）とその求心路, 遠心路とは中継系を形成している. 嗅覚インパルスはここで中継されて, 脳幹の遠心性（唾液分泌および運動性）の諸核へ送り出されていく. この経路を経て, 嗅覚が食物摂取に影響を及ぼすことができるのである. 手綱核には多数のペプチド作動性ニューロンが認められる.

求心路は**視床髄条**（**A2**）を経て手綱核に達する. 髄条は中隔核（**A3**）, 前有孔質（嗅覚野）（**A4**）および視索前野（**A5**）からの線維を含んでいる. さらに髄条は分界条（**A7**）から移ってくる扁桃体（**A6**）由来の線維をも受け入れる.

遠心路は中脳へ行く. **手綱視蓋路**（**A8**）は嗅覚インパルスを上丘へ運ぶ. **手綱被蓋路**（**A9**）は背側被蓋核（**A10**）に終わり, ここで唾液核や, 咀嚼筋と嚥下筋を支配する運動核とつながりをもつ背側縦束（498頁B）に連絡する（におい刺激が唾液や胃液の分泌を引き起こす）. **手綱脚間路**（**A11**）は反屈束ともいわれ, 網様体の諸核とつながりのある脚間核（**A12**, 492頁D21）に終わっている.

松果体（B～D）

松果体（**A13, B**）はマツカサ状の小体であって第三脳室の後壁に位置し, 四丘板の上へ垂れ下がっている（509頁B, C19）. 松果体の細胞は, 松果体細胞 pinealocytes といわれ, 結合組織性の隔壁によって小葉にまとめられている. これらの細胞は鍍銀標本では終末に棍棒状のふくらみをもつ突起を出しており（**C**）, 主に血管に終わっている（**D**）. 成人では松果体はX線像で認められるような大きな石灰沈着（**B14**）をもっている.

松果体は低級な脊椎動物では光を感じる器官であって, 特殊な頭頂眼 parietal eye を介したり, あるいはまた薄い頭蓋骨を通って入る微光によっても, 明暗の変化を記録する. それによって松果体は生体の昼夜のリズムの出現に関与し, 例えば両生類では皮膚の色素沈着の変化（昼間は色素沈着が強く, 夜は退色する）を調節し, さらに動物の行動様式にもそれに応じた変化を起こす. 松果体はまた明るい夏季と暗い冬季の変転をも憶え込み, 性腺の季節的変化にも影響を及ぼしている.

高等脊椎動物では, 光が厚い頭蓋骨を通過して松果体に直接到達することはない. 明暗のリズムは松果体まで次の経路を通って伝えられる. 網膜からの線維は視床下部の視交叉上核に達し, 視交叉上核からはいろいろな遠心路を介して脊髄の中間外側核まで伝わる. ここから交感神経幹の節後線維によって松果体に達する.

ヒトでは松果体は思春期になるまでは, 外生殖器の成熟を抑制しているといわれる. 松果体は動物におけると同様に, 向性腺ホルモンの作用を抑える働きをもつとされている. 子供で松果体の破壊された若干の症例では, 性器発育過度（性的早熟症） hypergenitalism（precocious puberty）がみられる.

後交連（視床上交連）

後交連（**B15**, 視床上交連）を通る線維の由来がすべて明らかになっているわけではない. 後交連で交叉しているのは手綱視蓋路の線維である. 後交連を通る線維を送り出す視蓋前野にある諸核のうちで, 最も大切なのはカハール間質核とダルクシェヴィチ核である. 前庭神経核からの線維もこの後交連で交叉するといわれる（493頁B23）.

---

1 手綱 habenula　**2** 視床髄条 stria medullaris thalami　**3** 中隔核 septal nuclei　**4** 前有孔質 anterior perforated substance　**5** 視索前野 preoptic area　**6** 扁桃体 amygdaloid body　**7** 分界条 stria terminalis　**8** 手綱視蓋路 habenulo-tectal tract　**9** 手綱被蓋路 habenulo-tegmental tract　**10** 背側被蓋核 dorsal tegmental nucleus　**11** 手綱脚間路（反屈束）habenulo-interpeduncular tract［fasciculus retroflexus（Meynert）］　**12** 脚間核 interpeduncular nucleus　**13** 松果体 pineal body　**14** 脳砂（石灰沈着）brain sand（calcereous concretions）　**15** 後交連（視床上交連）posterior commissure（*Commissura epithalamica*）　**16** 嗅球 olfactory bulb　**17** 視［神経］交叉 optic chiasm　**18** 下垂体 pituitary gland　**19** 松果陥凹 pineal recess　**20** 手綱交連 habenular commissure

背側視床（A～D）

背側視床 dorsal thalamus はほぼ卵円形をした1対の大きな核複合体である．その内側面は第三脳室の壁となり，外側面は内包と境を接している．背側視床は室間孔（モンロー）から中脳の蓋板（四丘板）まで広がっている．

両側の視床は多くの知覚路の終わるところであって，それらはほとんどすべて交叉して反対側の視床に終わっている．また視床と小脳，淡蒼球，線条体および視床下部を結ぶ線維束もみられる．

視床（A1）は**視床放線** thalamic radiations（A2～4，放線冠 corona radiata の構成要素）によって大脳皮質と連絡している．これらの線維は内包を斜めに走って大脳皮質に達する．そのうち強大な線維束として目立つのは**前視床放線**（A2，前頭葉へ），**中心視床放線**（A3，頭頂葉へ），**後視床放線**（A4，後頭葉へ）および**下視床脚** inferior thalamic peduncles（側頭葉へ）である．

いろいろな線維結合をもっていることは視床が中枢的機能を備えていることを示唆している．事実，視床は多くの系へ直接または間接に介入している．それに応じて視床は単一の構造物ではなく，性質の異なる核群が多様に組織化された複合体なのである．

線維結合に基づいて2種の視床核を区別することができる：①大脳皮質と線維結合をもつ核は外套性視床 palliothalamus または**視床特殊核** specific thalamic nuclei として総括される．②大脳皮質とは結合をもたず，脳幹と結合をもつ核は脳幹性視床 truncothalamus または**視床非特殊核** unspecific thalamic nuclei を形成している．

臨床関連：運動障害や痛みの発作は，視床の定位手術 stereotaxic operations によって治療されるが，そのためにも視床の基本的な構成についての知識は実際的な意義をもっている．

外套性視床（B～D）

皮質と関係をもつ視床特殊核はいくつかの核群（核領域）にまとめられる：

- **前核群**（緑，BD5），

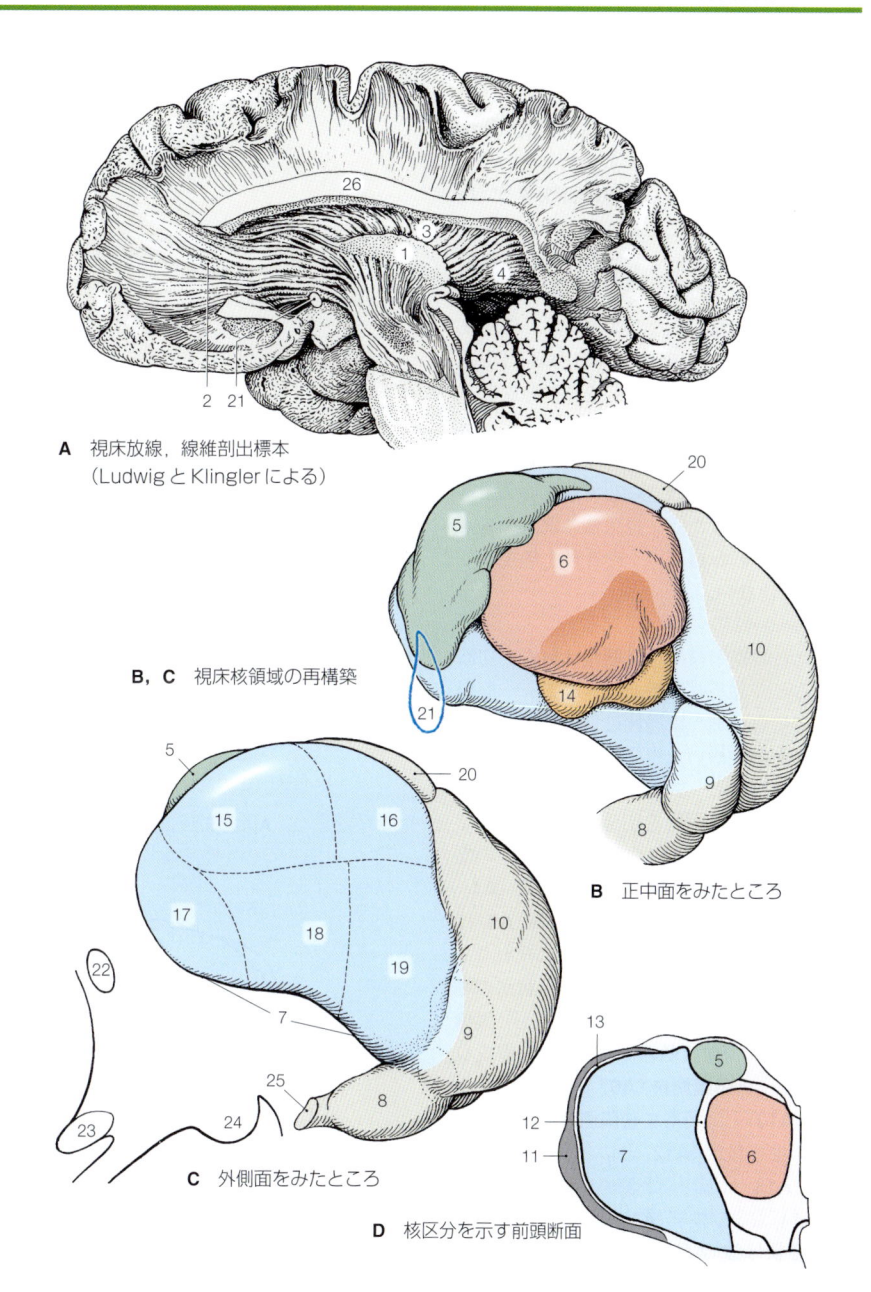

A　視床放線，線維剖出標本（Ludwig と Klingler による）

B，C　視床核領域の再構築

B　正中面をみたところ

C　外側面をみたところ

D　核区分を示す前頭断面

- **内側核群**（赤，BD6），
- 外側核群と
- 腹側核群からなる**腹外側核群**（青，CD7），
- 外側膝状体に含まれる**外側膝状体核**（BC8），
- 内側膝状体の中にある**内側膝状体核**（BC9），
- **視床枕**（BC10）および
- **視床網様核**（D11）．

これらの核領域は線維束によって分けられている．すなわち**内髄板**（D12，内側核群，腹外側核群，前核群の間にある）と**外髄板**（D13，視床の外側面を囲む視床網様核と外側核群の間にある）の2つである．

視床の網様核と中心正中核（B14）以外の非特殊核は，核領域を再構築する際に除外される．最も前方にある核群は前核群（B5）で，それに接して尾方に内側核群（B6）がみられる．腹外側核群では背側にある核群すなわち背側外側核（C15）と後外側核（C16），および腹側にある前腹側核（C17），外側腹側核（C18），後腹側核（C19）などが区別できる．

---

1 視床 thalamus　2 前視床放線 anterior thalamic radiation　3 中心視床放線 central thalamic radiation　4 後視床放線 posterior thalamic radiation　5 前核群（緑）anterior nuclear group　6 内側核群（赤）medial nuclear group　7 腹外側核群（青）ventrolateral nuclear group　8 外側膝状体核 nucleus of lateral geniculate body　9 内側膝状体核 nucleus of medial geniculate body　10 視床枕 pulvinar　11 視床網様核 reticular nucleus of thalamus　12 内髄板 internal medullary lamina　13 外髄板 external medullary lamina　14 中心正中核 centromedian nucleus　15 背側外側核 lateral dorsal nucleus　16 後外側核 lateral posterior nucleus　17 前腹側核 ventral anterior nucleus　18 外側腹側核 ventral lateral nucleus　19 後腹側核 ventral posterior nucleus　20 浅背側核 superficial dorsal nucleus　21 室間孔（モンロー Monro 孔）interventricular foramen　22 前交連 anterior commissure　23 視交叉 optic chiasm　24 乳頭体 mammillary body　25 視索 optic tract　26 脳梁 corpus callosum

外套性視床（続き）(A)

外套性視床を構成する神経核群は，それぞれ大脳の特定の皮質領（投射野 projection field）と結びついており，**視床特殊核**といわれる．これらの核は皮質野に投射し，また逆にこれらの皮質領はそれぞれ対応する視床核に投射している．ここに視床－皮質路と皮質－視床路からなるニューロン環が成立する．つまり，視床核のニューロンは皮質に興奮を伝えるとともに，逆にその皮質領からの影響を受けている．したがって，皮質領の機能の考察に際し，その皮質領と関係のある視床核を抜きにして論ずることはできないし，また逆に視床核の機能を考察するのにそれと結びつく皮質野を無視することはできない．

これらの視床核の神経細胞は軸索が切断されると，逆行性変性を引き起こす．したがって皮質領域の限局性破壊により，その皮質域と結びついた視床核の中の神経細胞は変性を起こす．このようにして，視床から投射している皮質野を明確にすることができる(A)．**前核群**(A1)は帯状回(A2)の皮質と結合し，**内側核群**(A3)は前頭葉(A4)の皮質と結びついている．**外側核群**(A5)は頭頂葉の背側と内側の皮質(A6)に投射しているが，背側外側核は部分的に帯状回の脳梁膨大後部にも投射しているらしい．腹側核群のうち，**前腹側核**(A7)は運動前皮質(A8)と，**外側腹側核**(A9)は運動性の中心前域(A10)と，そして**後腹側核**(A11)は知覚性の中心後域(A12)と結合している．**視床枕**(A13)は頭頂葉と側頭葉の境界部の皮質(A14)および楔部(A15)に投射している．**外側膝状体核**(A16)は視覚路により視覚皮質（有線野）(A17)と，**内側膝状体核**(A18)は聴覚路によって聴覚皮質（ヘシュルの横回，横側頭回）(A19)と結びついている．

脳幹性視床 (B, C)

この神経核は脳幹，間脳の諸核および線条体と線維結合をもつが，大脳皮質とは解剖学的に証明しうる直接の結合をもたない．これらの核の神経細胞は大脳皮質をすべて除去しても傷害されることはない．つまりこれらの核は大脳皮質に依存していない．この中に2つの神経核群が区別される：

第三脳室壁に沿って小さな細胞の集まりとして存在する，いわゆる視床の中心灰白質の核（視床正中線核）(B20)，および内髄板の中に埋まっている**視床髄板内核**(B21)である．このうち最大のものは**中心正中核**(B22)である．

これらの神経核を電気刺激すると，個々の皮質領域の興奮が引き起こされるのではなく，大脳皮質全体の電気的活動に変化（覚醒 arousal）がみられる．したがって，これらの核は広く皮質に投射しており**非特殊核**と呼ばれる．非特殊核が皮質活動に影響を及ぼす伝導路は知られていない．髄板内核には脳幹網様体からの上行路が終わる（上行性賦活系については499頁を参照）．

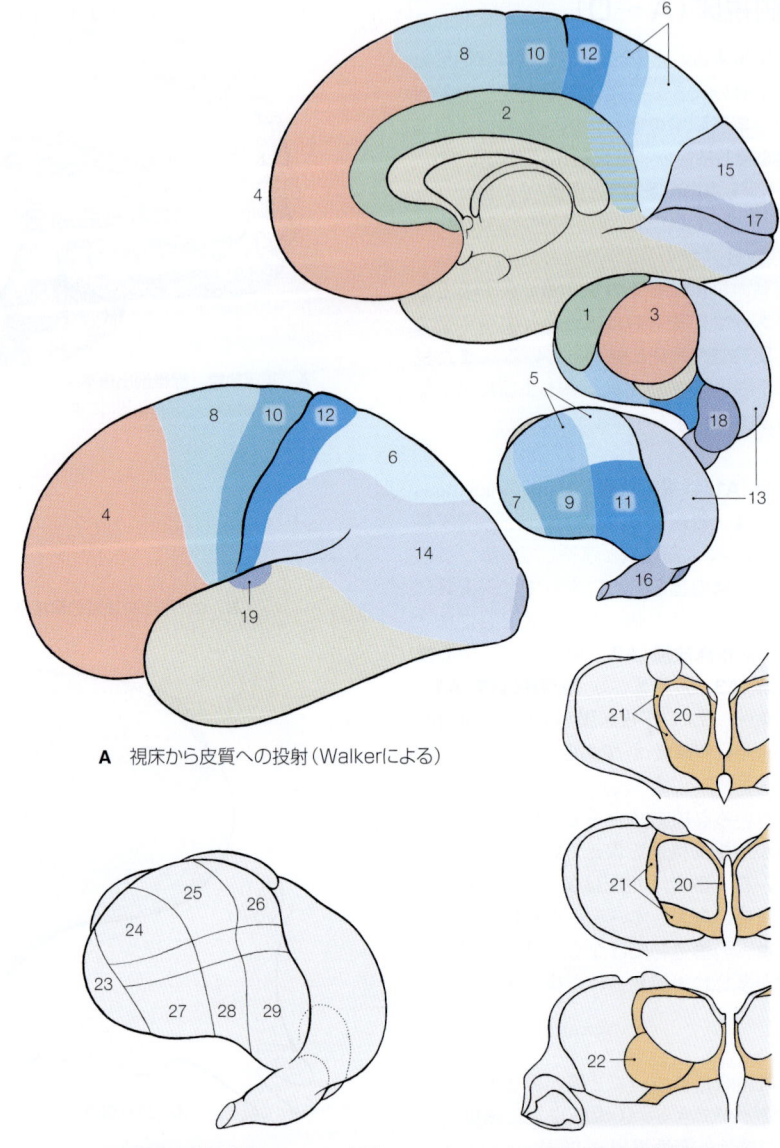

A 視床から皮質への投射（Walkerによる）

C 視床の核区分（Hasslerによる）

B 脳幹性視床の核

Hasslerによる視床核の分類(C)は，ことに腹外側核群の分類において，通常の分類とは異なっている．彼の分類によると，最も前方にある核は外側極核(C23)となる．その後方に続いて，背側階 dorsale floor，腹側階 ventrale floor およびこれら2つの階の間にある中央階 central floor が区分される．これら3つの階はまたそれぞれ吻側（または前），中間および尾側（または後部）に分かれるため，背側階では背吻側核(C24)，背中間核(C25)および背尾側核(C26)が，腹側階では腹吻側核(C27)，腹中間核(C28)および腹尾側核(C29)が区別される．

---

1 前核群 anterior nuclear group　**2** 帯状回 cingulate gyrus　**3** 内側核群 medial nuclear group　**4** 前頭葉 frontal lobe　**5** 外側核群 lateral nuclear group　**6** 頭頂葉（の背側と内側の皮質）parietal lobe　**7** 前腹側核 ventral anterior nucleus　**8** 運動前皮質 premotor cortex　**9** 外側腹側核 ventral lateral nucleus　**10** 中心前域（運動性の）precentral region　**11** 後腹側核 ventral posterior nucleus　**12** 中心後域（知覚性の）postcentral region　**13** 視床枕 pulvinar　**14** 頭頂葉と側頭葉の境界部の皮質 cortical area between the parietal and temporal lobe　**15** 楔部 cuneus　**16** 外側膝状体核 nucleus of lateral geniculate body　**17** 視覚皮質 visual cortex　**18** 内側膝状体核 nucleus of medial geniculate body　**19** 聴覚皮質 auditory cortex　**20** 視床正中線核（視床の中心灰白質の核）midline nuclei (nuclei of thalamic periventricular gray)　**21** 視床髄板内核 intralaminar nuclei of thalamus　**22** 中心正中核 centromedian nucleus　**23** 外側極核 lateropolar nucleus　**24** 背吻側核 dorsooral nucleus　**25** 背中間核 dorsointermediate nucleus　**26** 背尾側核 dorsocaudal nucleus　**27** 腹吻側核 ventrooral nucleus　**28** 腹中間核 ventrointermediate nucleus　**29** 腹尾側核 ventrocaudal nucleus

前核群（A）

前核群（前域）(**A1**)．この神経核群は一つの主核（腹側前核 anteroventral nucleus, AV）といくつかの小さな核からなっている．これらの神経核はすべて，半球内側面で脳梁のすぐ上にある**帯状回**（辺縁回）(**A2**)と相互の線維結合がある．主要な求心性線維としては，乳頭体(**A3**)から強大な有髄線維束がこの前核へやってくる．この線維束を**乳頭視床束**(**A4**，ヴィク・ダジール束)という．脳弓線維も一部は前核に終わるとされている．前核は辺縁系 limbic system（588頁）の中継核とみなされているが，正確な機能的意義は不明である．ここを電気刺激すると植物性反応（血圧と呼吸数の変化）が起こるが，それは視床下部との結合があるためである．

内側核群（B）

内側域(**B5**)．内側核 medial nucleus または背[側]内側核 dorsal medial nucleus/mediodorsal nucleus (MD or DM) ともいわれる．この神経核は内側の大細胞性の神経核，外側の小細胞性の神経核および尾側の神経核からなっている．これらの神経核はすべて**前頭葉**の前頭前皮質 prefrontal cortex，つまり運動皮質よりも前にある前頭葉外側面皮質および眼窩皮質(**B6**)へ投射している．下視床脚を通って求心性線維が**淡蒼球**(**B7**)と基底核 basal nucleus (of Meynert)（無名質）(511頁A15)から，この内側核群へやってくる．内側の大細胞性領域には視床下部(**B8**，視索前野と灰白隆起）および扁桃体 amygdaloid body からの線維が終わるという．外側の小細胞性領域は隣り合った視床の腹側核からの線維を受け入れている．

視床下部と腹側核からの線維路を通って，この内側核群に内臓性知覚性および体性知覚性インパルスが流入するとされており，ここでこれらのインパルスは統合され，前視床放線を通ってさらに前頭前皮質へと伝えられていく．この前視床放射を経て，情動の基底気分 affective basic mood が意識されるという．なおこの基底気分はもともと内臓性および体性領域からの無意識の刺激によって決定的な影響を受けるものである．

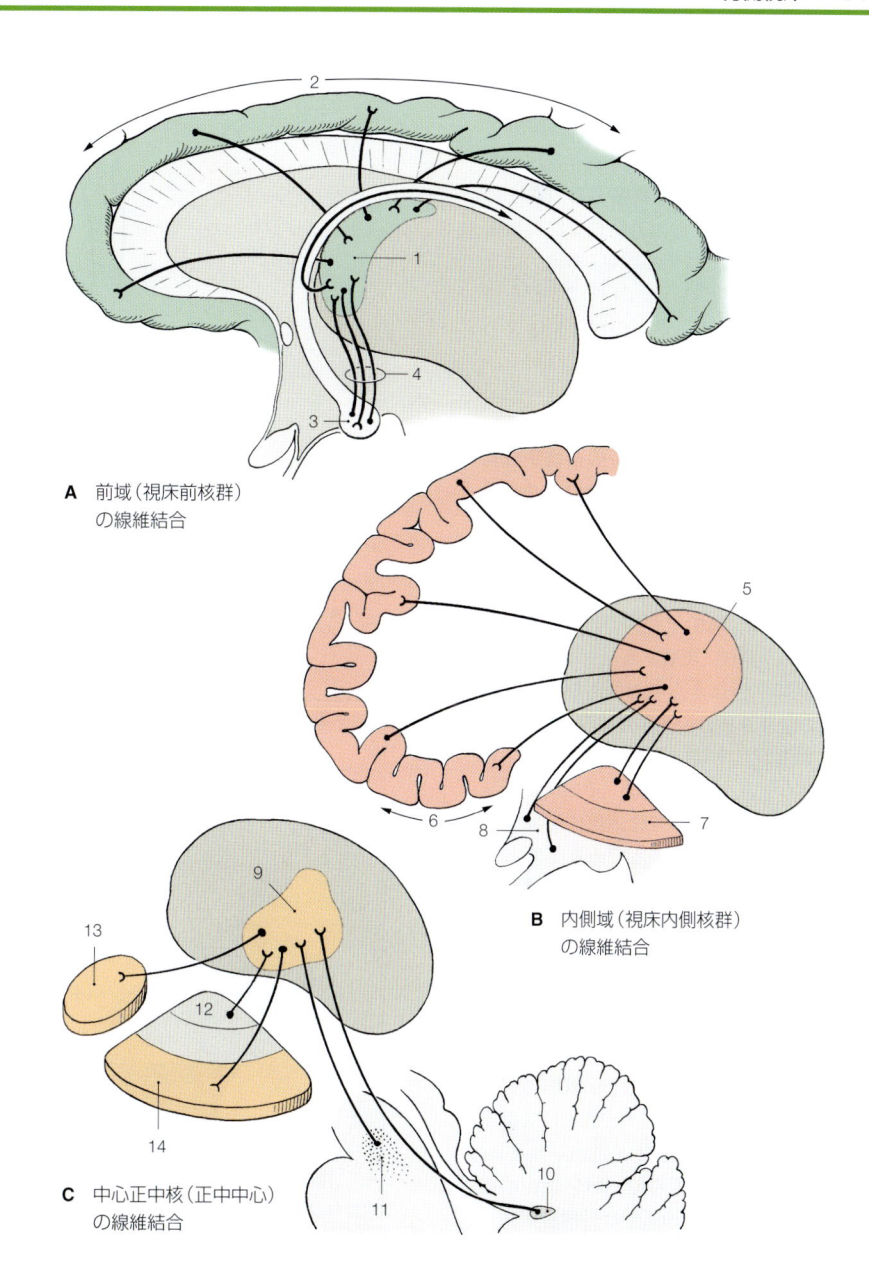

A 前域（視床前核群）の線維結合

B 内側域（視床内側核群）の線維結合

C 中心正中核（正中中心）の線維結合

臨床関連：かつては強度の興奮状態にある精神病患者で，視床皮質路が切断（前頭前白質切断 prefrontal leucotomy）されたことがある．それによって沈静状態にはなるが，同時に総体的な無関心と人格の平坦化がみられた．内側核領域の定位手術による破壊の際にも似た結果がみられる．

中心正中核（C）

中心正中核（CM）(**C9**)は，脳幹性視床核のうち最大のもので，内側核群を包み込んでいる髄板内核に属している．中心正中核はさらに腹尾側にある小細胞性領域と背吻側にある大細胞性領域とに分けられる．この神経核に終わる上小脳脚 superior cerebellar peduncle の線維は小脳の栓状核(**C10**)に由来する．これら交叉性の線維のほか，中心正中核には網様体(**C11**)からの同側性の線維も入っている．**淡蒼球内節**(**C12**)からの線維はレンズ核束（フォレルのH₂野）から分かれてこの中心正中核へ入ってくる．中心前皮質（第4野）の線維もこの核に終わるといわれる．遠心性線維束は大細胞性領域から起こり**尾状核**(**C13**)へ行くものと，小細胞性領域から出て**被殻**(**C14**)へ行くものとがある．これらの線維路によって小脳と線条体との間の結合がつくられる．

---

1 前核群（前域）anterior nuclear group　**2** 帯状回 cingulate gyrus　**3** 乳頭体 mammillary body　**4** 乳頭視床束（ヴィク・ダジール束）mamillothalamic fasciculus (bundle of Vicq d'Azyr)　**5** 内側核群（内側域）medial nuclear group　**6** 眼窩皮質 orbital cortex　**7** 淡蒼球 pallidum　**8** 視床下部（視索前野と灰白隆起）hypothalamus (preoptic area, tuber cinereum)　**9** 中心正中核（中心内側核，リュイの正中中心）centromedian nucleus (central medial nucleus, Centre médian Luys)　**10** 栓状核 emboliform nucleus　**11** 網様体 reticular formation　**12** 淡蒼球内節 medial segment of the pallidum　**13** 尾状核 caudate nucleus　**14** 被殻 putamen

外側核群（A）

外側核群 lateral nuclear group は腹外側核群（いわゆる外側域 lateral territory）の背側階を形成する．**背側外側核**（LD）（**A1**）と**後外側核**（LP）（**A2**）の両外側核には視床以外からの線維（上行性求心線維）の流入はなく，ほかの視床核と結合していることから連合核とみなされる．これらの神経核は遠心性線維を頭頂葉（**A3**）へ送り出す．

腹側核群（A，B）

腹側核群 ventral nuclear group は腹外側核群の腹側階を形成しており，次の3つの神経核からなる．

前腹側核（VA）（**A4**）．この神経核は求心性線維を特に淡蒼球内節（**A5**）から（起始はおそらく尾状核；**A6**）と視床非特殊核とから受けている．さらに黒質，カハールの間質核および脳幹網様体からの線維も終わるらしい．この前腹側核は，運動前皮質（**A7**）へ投射しているが，その皮質依存性はごく限られたものらしい．というのは，その皮質領域を傷害してもこの核の神経細胞の半分位が変性に陥るにすぎないからである．新しい研究により，この前腹側核は上行性賦活系にとって大切なものであることがわかった．すなわち，この神経核領域を刺激すると，皮質の電気的活動に変化が起こるのである．

外側腹側核（VL）（**AB8**）．この神経核の重要な求心系は交叉してきた上小脳脚の線維（**A9**）である．この神経核の前部には淡蒼求（**A10**）からの線維（視床束 thalamic fasciculus）が終わる．遠心性線維（**A11**）は中心前域（**A12**）へ行く．この系では外側腹側核に体局在性配列があることがわかっている：すなわち，この神経核の外側部からの線維は中心前皮質の下肢の領域へ，中間部からは体幹の領域と上肢の領域へ，また内側部からは頭の領域へ行く（**B8**）．したがって視床核と皮質領域は対応する局在区分を示すことになる．小脳からの情報（からだの姿勢，運動の強調，筋の緊張）は途中でこの外側腹側核で中継されて運動皮質に達する．小脳はこのようにして随意運動を調節している．この神経核の狭い後ろの部分は中間腹側核（**B13**）として切り離されるが，ここには同側の前庭神経核から起こるフォレルの背外側被蓋束 dorsolateral tegmental fasciculus（Forel）が終わる（この核と同側に頭と視線を向ける）．

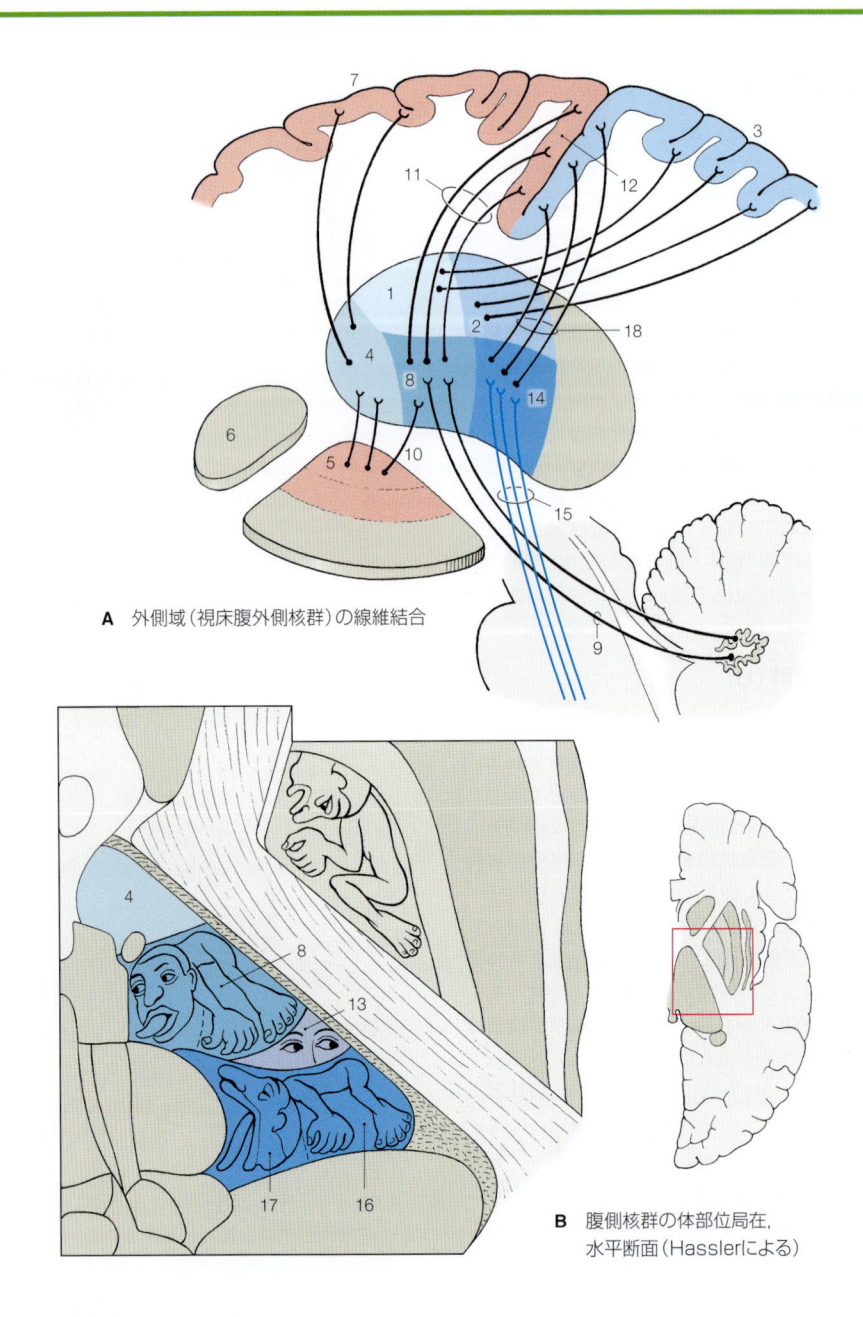

後腹側核（VP）（**A14**）．この神経核は交叉した第二次知覚路（**A15**）の終わるところである．後索核から起こる内側毛帯はこの核の外側区，すなわち**後外側腹側核**（VPL）（**B16**）へ入る（496頁B）．その際，薄束核からの線維は外側に，楔状束核からの線維は内側に位置する．こうしてこの核の体局在性区分ができ上がるが，これは電気生理学的にも証明されている：外側には下肢が再現され，さらに内側には体幹と上肢が再現される．後腹側核の内側区，すなわち**後内側腹側核**（VPM）（**B17**）には三叉神経の第二次線維からなる三叉神経毛帯 trigeminal lemniscus が終わる．これらの線維は頭と口腔からの知覚を伝えるため，ここに全体として反対側の体半分の小さな人間像 homunculus ができ上がる．最も内側には第二次味覚路の終わる所がある（586頁）．原始性知覚の伝導路（584頁）すなわち脊髄視床路と三叉神経の痛覚線維は，この神経核の基底部に終わり，しかも両側性であるとされている．この神経核の遠心性線維（**A18**）は知覚性の中心後域（549頁）へ行く．ここでの体局在性配列は後腹側核とその皮質への投射路の局在区分がもとになるのである．

A 外側域（視床腹外側核群）の線維結合

B 腹側核群の体部位局在，水平断面（Hassler による）

---

1 背側外側核 lateral dorsal nucleus　2 後外側核 lateral posterior nucleus　3 頭頂葉 parietal lobe　4 前腹側核 ventral anterior nucleus　5 淡蒼球内節 medial segment of the pallidum　6 尾状核 caudate nucleus　7 運動前皮質 premotor cortex　8 外側腹側核 ventral lateral nucleus　9 上小脳脚 superior cerebellar peduncle　10 淡蒼球 pallidum　11 遠心性線維 efferent fibers　12 中心前域 precentral region　13 中間腹側核 ventral intermediate nucleus　14 後腹側核 ventral posterior nucleus　15 第二次知覚路 secondary sensory tract　16 後外側腹側核 ventral posterolateral nucleus　17 後内腹側核 ventralis posteromedial nucleus　18 遠心性線維 efferent fibers

腹側核群（続き）

腹側核の機能局在（A，B）

　機能的区分の知見に基づいて，後腹側核を定位手術的に遮断することにより，触覚を損なうことなく激しい痛みを除去することができる．また外側腹側核の遮断により，麻痺をもたらすことなく，運動障害（運動過多 hyperkineses）が取り除かれる．遮断の際に必要な刺激テストから，この外側腹側核にはからだの種々の部位の再現があることを示唆する結果が得られている．刺激地図（赤）(A)が示すように，体模型は背外側（下肢領域 |，上肢領域 —）から内側基底側（頭の領域 ○）へ斜めに走っている．また外側腹側核の刺激テストの際，不随意的な発声（●）または突発的に言葉（○）が吐き出されたりする（オレンジ）(B)．その際には半球優位 hemispheric dominance（555頁）に応じて，両側の視床のうち一方が優位にあることが示されている（右利きの人では左側の視床が優位である）．

A 外側腹側核刺激時の運動効果
(Schaltenbrand, Spuler, Wahren と Rümler による)

B 外側腹側核刺激時の発語と発声
(Schaltenbrand, Spuler, Wahren と Rümler による)

外側膝状体（C）

　外側膝状体核（C1）はやや離れて視床の腹側で後方に位置しており，比較的独立した構造物である．この神経核は6層の細胞層が積み重なっており，これらの層は視索 optic tract からやってくる線維束によって分けられる．どちらの側の外側膝状体 lateral geniculate body にも，交叉または非交叉の視神経線維が規則正しい配列をして終わっている（552頁 A）．すなわち左の外側膝状体には，左眼の網膜の耳側半分と右眼の網膜の鼻側半分が，また右外側膝状体には右眼の網膜の耳側半分と左眼の網膜の鼻側半分が再現されている（598頁）．最も視力の鋭敏な黄斑 macula から出る線維は，6細胞層全部を含む真ん中の楔状の領域に終わる（519頁 A9）．外側膝状体の神経細胞はその突起を視覚領，つまり後頭葉の半球内側面にある有線野（C2）へ送っている［中心視放線 central optic radiation または視放線 optic radiation］．

C 外側膝状体の線維結合

内側膝状体（D）

　内側膝状体核（D3）は聴覚路の間脳における中継所である．外側膝状体の内側に，外からみえる高まりとして現れる．同側の下丘（D4）からの求心性線維は下丘腕 brachium of inferior colliculus をつくっている．聴覚路の線維束のうち少数のものは，台形体核 nuclei of trapezoid body と同側の蝸牛神経核からやってくるが，大多数のものは反対側の蝸牛神経核に由来する．内側膝状体 medial geniculate body から出る遠心性線維は聴覚領（D5）すなわち側頭葉のヘシュルの横回 transverse gyri of Heschl（横側頭回 transverse temporal gyri, 550頁 C1）へ行く．

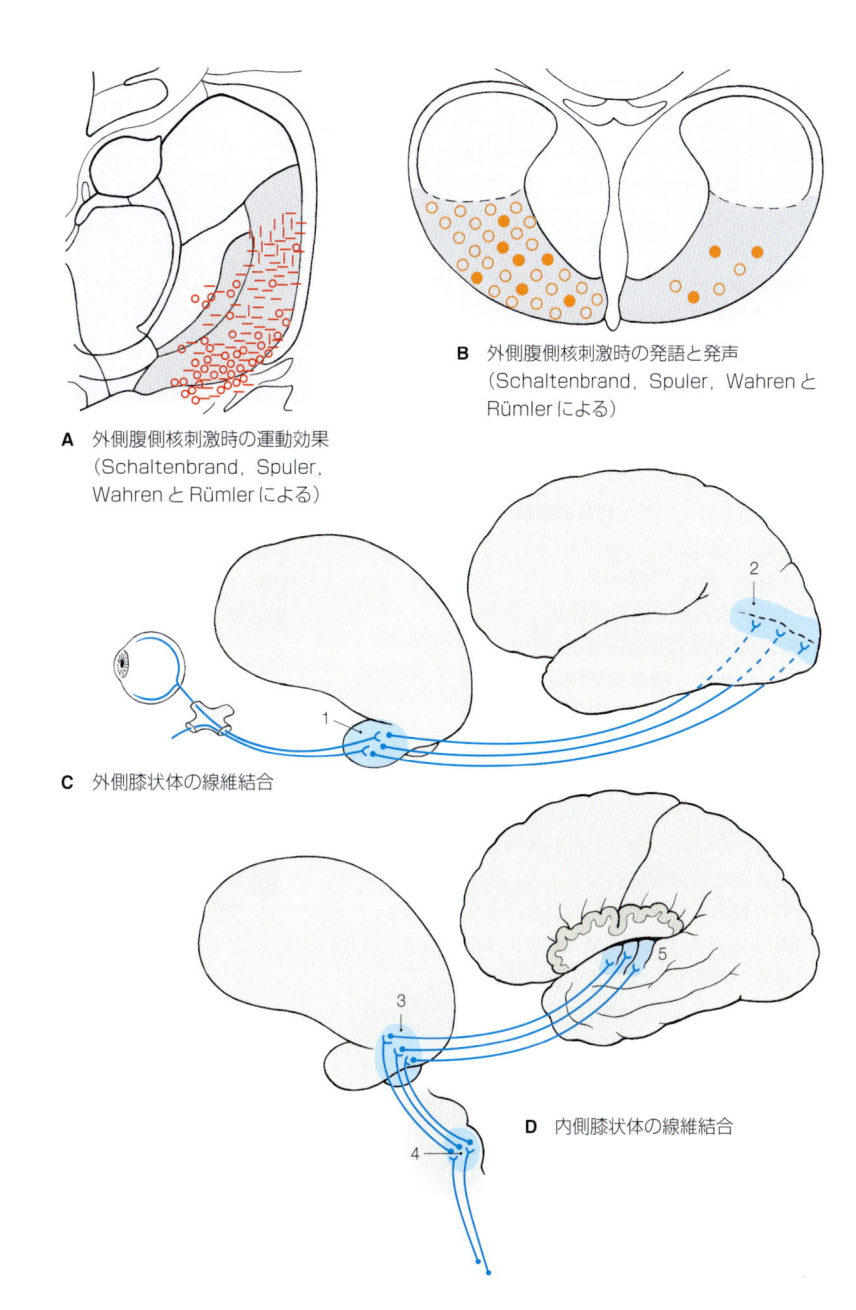

D 内側膝状体の線維結合

視床枕

　視床枕 pulvinar（後核 posterior nucleus, 513頁 BC10）は視床の後ろ1/3を占め，さらにはいくつかの核に分けられる．視床枕の機能的意義は不明である．視床枕へは視床の外からのインパルスは流入しないから，これは連合核 association nucleus とみなされている．外側膝状体からの線維，視神経線維の側枝，そしておそらくは内側膝状体からの線維もこの視床枕へ入ってくる．

　視床枕と頭頂葉ならびに側頭葉背側部との間には，相互性の線維結合がある．つまり，この視床枕は単に視覚および聴覚系の中継所であるだけでなく，言語と象徴思考 symbol thinking に重要な皮質領域（549頁）とも結合をもっている．

臨床関連：視床枕の傷害または電気刺激によってヒトでは言語障害が起こってくる．

---

1 外側膝状体核 nucleus of lateral geniculate body　**2** 有線野 striate area　**3** 内側膝状体核 nucleus of medial geniculate body　**4** 下丘 inferior colliculus　**5** 聴覚領 auditory cortex

視床吻側部を通る前頭断面（A〜C）

前核群および内側核群は，髄鞘像でそのまばらで繊細な髄鞘模様のために外側核群とは著しく際立ってみえる．背側にある**前核群**（緑）（**A〜C1**）は室間孔（**AB2**，モンロー孔）に向かって突出し，視床前結節 anterior thalamic tuberculum をつくっている．**内側核群** medial nuclear group は内髄板（**B3**）と髄板内核（**C4**）に包まれて，外側核群と分けられている．内側核群をさらに，内側にある大細胞性領域（**AC5**）と，これを外側から取り巻く小細胞性領域（**AC6**）とに分けることができる．

視床の大部分をなすのは**腹外側核群** ventrolateral nuclear group（青）であって，内側核群のまわりに幅広く層をなしている．この腹外側核群はきわめて髄鞘に富み，髄鞘染色像（**B**）ではその背側部と腹側部との間にも差が認められる．腹側核領域は背側核領域（**A〜C7**，背側外側核）に比して太い有髄線維が数多くみられる．この領域はざっとみるだけで，すでに内側区と外側区に分かれていることがわかる．この切片では外側腹側核が現れている．その内側区（**A〜C8**）は中脳被蓋からの線維の終わるところである．その外側の外側区は外側腹側核の前部（**A〜C9**）に相当しており，ここには上小脳脚の線維束が終わり，またこの部は中心前域 precentral region（第4野）への投射においても体局在的区分を示している．

視床の外側面は**視床網様核**（**A〜C10**）でつくられている．この神経核は狭い細胞層をなして視床全体を外側から貝殻のように取り囲んでおり，吻側極（前極，ここで最も厚い）から視床枕および外側膝状体にまで及んでいる．この神経核は外側核群とは外髄板（**B11**）によって隔てられている．大脳皮質と視床網様核との関係はこの神経核の種々の部位によって異なっている：すなわち，前頭皮質はこの核の前部とつながりをもち，側頭皮質は中間部と，そして後頭皮質は後部と結合している．この神経核の機能的意義は知られていない．この神経核の神経細胞は多数の側枝をほかの視床核へ送っていることから，これらの神経核の働きを調節しているらしい．

視床核とある特定の皮質領域との線維結合は，その皮質部分を実験的に破壊したり，線維を切断することによって明らかにされる．これら視床核の神経細胞は軸索を切断されると逆行性変性 retrograde degeneration を起こす．しかしながら，網様核の神経細胞は逆行性変性を起こすのではなく，超神経元性変性（ニューロンを超えた変性）transneuronal degeneration を引き起こすといわれている．すなわち神経細胞はその軸索が切断されたために変性するのではなく，その神経細胞に終わる求心性線維が欠落するために変性に陥るのである．これによると，皮質は網様核へ投射しているけれども，網様核が皮質へ投射しているのではないということになる．

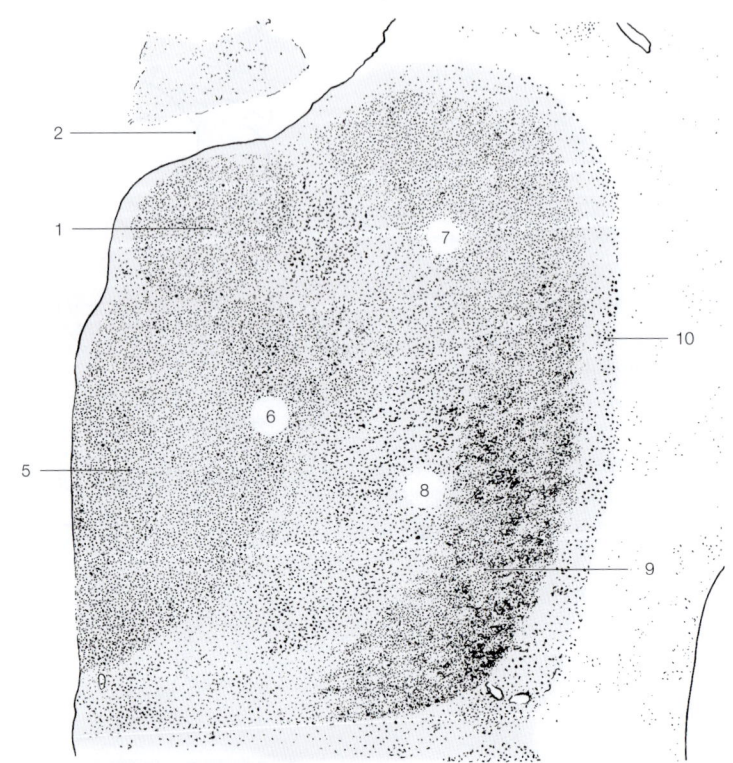

A 細胞像（ニッスル染色）
A〜C 視床の吻側部を通る前頭断面（半模式図） 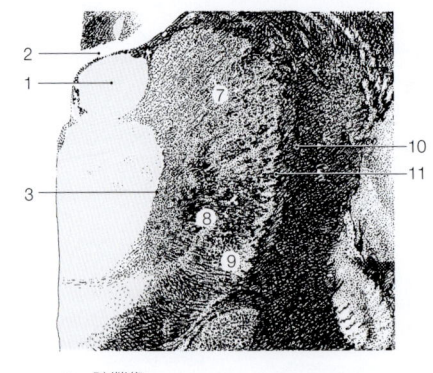
B 髄鞘像 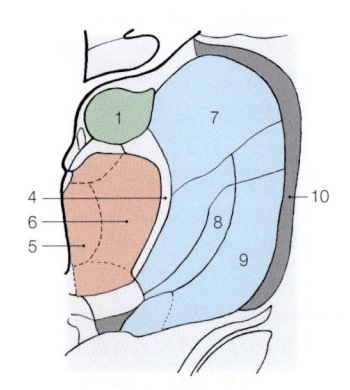
C 核の区分（Hasslerによる）

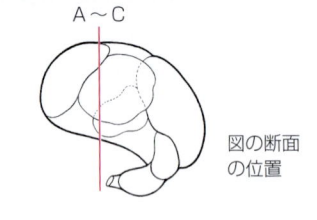

図の断面の位置

---

1 前核群 anterior nuclear group **2** 室間孔（モンロー Monro 孔）interventricular foramen **3** 内髄板 internal medullary lamina **4** 髄板内核 intralaminar nuclei of thalamus **5** 大細胞性領域 magnocellular part **6** 小細胞性領域 parvocellular part **7** 背側核領域（背側外側核）dorsal tier of the ventrolateral nuclear group (lateral dorsal nucleus) **8** 外側腹側核の内側部 medial part of the ventral lateral nucleus **9** 外側腹側核の前部（外側部）oral or lateral part of the ventral lateral nucleus **10** 視床網様核 reticular nucleus of thalamus **11** 外髄板 external medullary lamina

視床尾側部を通る前頭断面（A～C）

この高さでも**内側核群**（赤）（**A～C1**）と**腹外側核群**（青）（**A～C2**）がみえている．内側核群では最も尾側にある領域が現れている．これらの領域は背側では狭い内髄板によって，発達の悪い背側外側核（**A～C3**）と隔てられている．また外側ではこれらの領域は内髄板と髄板内核に取り囲まれている．これらの脳幹性視床の部分はここでは中心正中核（**A～C4**，リュイの正中中心）とともに著しい広がりをもつようになる．

背側では**視床枕**（**A～C5**）の最も吻側の核領域が内側核群と腹外側核群の間へ入り込んでいる．視床枕の吻側部は側頭葉の上部の大脳回へ投射し，外側毛帯からの線維を受けとっているという．したがってこの部は聴覚系における連合核といえるであろう．

腹外側核群のうちでは**後腹側核**（**A～C6**）がみえている．後腹側核へは内側毛帯 medial lemniscus, 脊髄視床路および第二次三叉神経線維が入り込んでいる．この核の外側区は有髄線維に富み，内側区よりも細胞が少ない．内側区はより細胞に富み，有髄線維が繊細なことで際立っている．なお外側区（＝後外側腹側核）には体局在区分にしたがって四肢と体幹からの線維が終わり，内側区（＝後内側腹側核）は頭の領域からの線維を受け入れている．内側区は中心正中核を腹側と外側とから囲んでおり，髄鞘像では半月状となって現れる．したがってこの内側区は**半月核**（**B7**）ともいわれる．

外側膝状体（**A～C8**）は視床の全複合体からやや離れて間脳の腹側面にみられる．外側部が膝頭状の隆起をつくっている．外側膝状体で目立つことは，明確な層構造すなわち6つの細胞層と，その間にある5つの線維層を区別することができるということである．線維層は視索の線維によってつくられており，規則正しく分かれて別々の層の神経細胞に終わっている（552頁A）．これら細胞層のうち背側の4層は小細胞性で，腹側の2層は大細胞性である．第2，第3および第5層には同側の眼の網膜からの線維（非交叉性視神経線維）が終わり，第1，第4および第6層には反対側の眼からの線維（交叉性視神経線維）が終わっている．最も鋭い視力が得られる黄斑 macula からの線維は楔状の部分（**A9**）に終わる．もし黄斑が破壊されると，この部分の神経細胞に超神経元

性変性が起こってくる．外側膝状体は密な有髄線維の被膜で囲まれている．背側と外側から出ていくグラチオレーの視放線 optic radiation of Gratiolet, *Radiatio optica* がみられる（553頁C）．

外側膝状体の内側では**内側膝状体**（**A～C10**）の尾側部の断面がみえる．**視床網様核**（**AC11**）は視床の外側で被膜状になっている．この核は腹側では広がって外側膝状体をも囲んでいる．

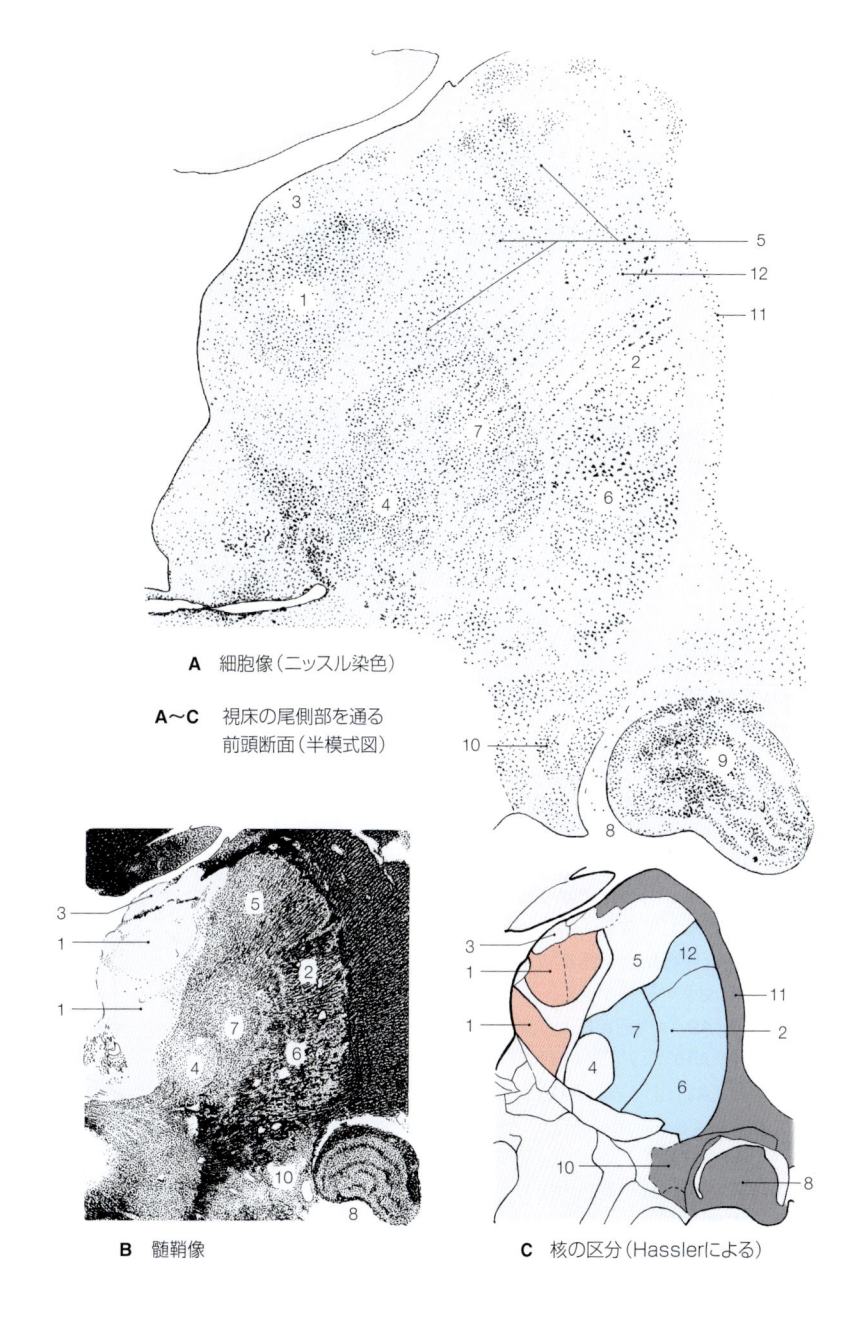

A 細胞像（ニッスル染色）

A～C 視床の尾側部を通る前頭断面（半模式図）

B 髄鞘像

C 核の区分（Hasslerによる）

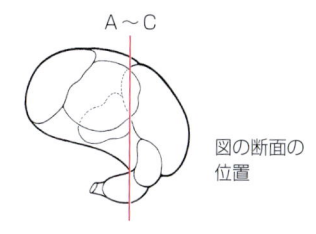

A～C 図の断面の位置

---

1 内側核群 medial nuclear group **2** 腹外側核群 ventrolateral nuclear group **3** 背側外側核 lateral dorsal nucleus **4** 中心正中核（リュイの正中中心）centromedian nucleus (*Centre médian Luys*) **5** 視床枕 pulvinar **6** 後腹側核 ventral posterior nucleus **7** 半月核（＝後内腹側核）arcuate nucleus (＝ ventral posteromedial nucleus) **8** 外側膝状体 lateral geniculate body **9** 楔状の部分（黄斑からの線維が終わるところ） **10** 内側膝状体 medial geniculate body **11** 視床網様核 reticular nucleus of thalamus **12** 後外側核 lateral posterior nucleus

腹側視床

区分（A）

不確帯（**A1**，511頁B25）はフォレルのH₁野（**A2**）とH₂野（**A3**，511頁B27，B28）の間にあって，淡蒼球から起こる線維の中継所であるとされている．

視床下核（**A4**，リュイ体，511頁B26）はH₂野と内包（**A5**）の間にあって，淡蒼球（**A6**）と密接な線維結合をもっている：すなわち淡蒼球の外節からは求心性線維がやってくるし，遠心性線維はその内節へ行っている．また相互の線維束は，被蓋と反対側の視床下核と淡蒼球とを結んでいる（乳頭上交連 supramamillary commissure）．

> **臨床関連**：視床下核の傷害はヒトでは運動不安を引き起こす．この運動不安は高じて発作的に上肢の強い投石運動（バリスムス ballismus）を起こし，あるいは反対側の半身全体のバリスムス（半側バリスムス hemiballismus）になることがある．サルで視床下核の破壊により同様の症候をつくり出すことができる．

淡蒼球（**A6**，511頁AB6）は1枚の有髄線維層によって外節と内節とに分けられる．両部は相互に，そして被殻（**A7**）と尾状核（**A8**）とも密接な線維結合がある．また視床下核（**A4**）とは相互の関係が存在し，視床下核淡蒼球線維（**A9**）は内節に終わり，淡蒼球視床下核線維（**A10**）は外節から起こる．黒質淡蒼球線維（**A11**）は黒質（**A12**）から出て淡蒼球内節へ行く．

レンズ核束（**A13**）は淡蒼球内節の背側縁から出て，不確帯の外側でフォレルのH₂野をつくる．レンズ核ワナ（**A14**，511頁A10）は内節の腹側でまとまり，弓形に曲がって，内包を通り抜ける．最近の研究によれば，レンズ核束とレンズ核ワナは合して視床束（**A15**）となり，これはフォレルのH₁野をつくって視床へ入っていく（前腹側核，外側腹側核，内側核に終わる）．淡蒼球内節からの線維は淡蒼球被蓋束（**A16**）として中脳被蓋へ行く．

> **臨床関連**：パーキンソン症候群 Parkinsonism（振戦麻痺 paralysis agitans）は淡蒼球の傷害の現れであるという古くからの見解に対して，淡蒼球の破壊は何らの運動障害も起こさないということがわかってきた．パーキンソン病患者で

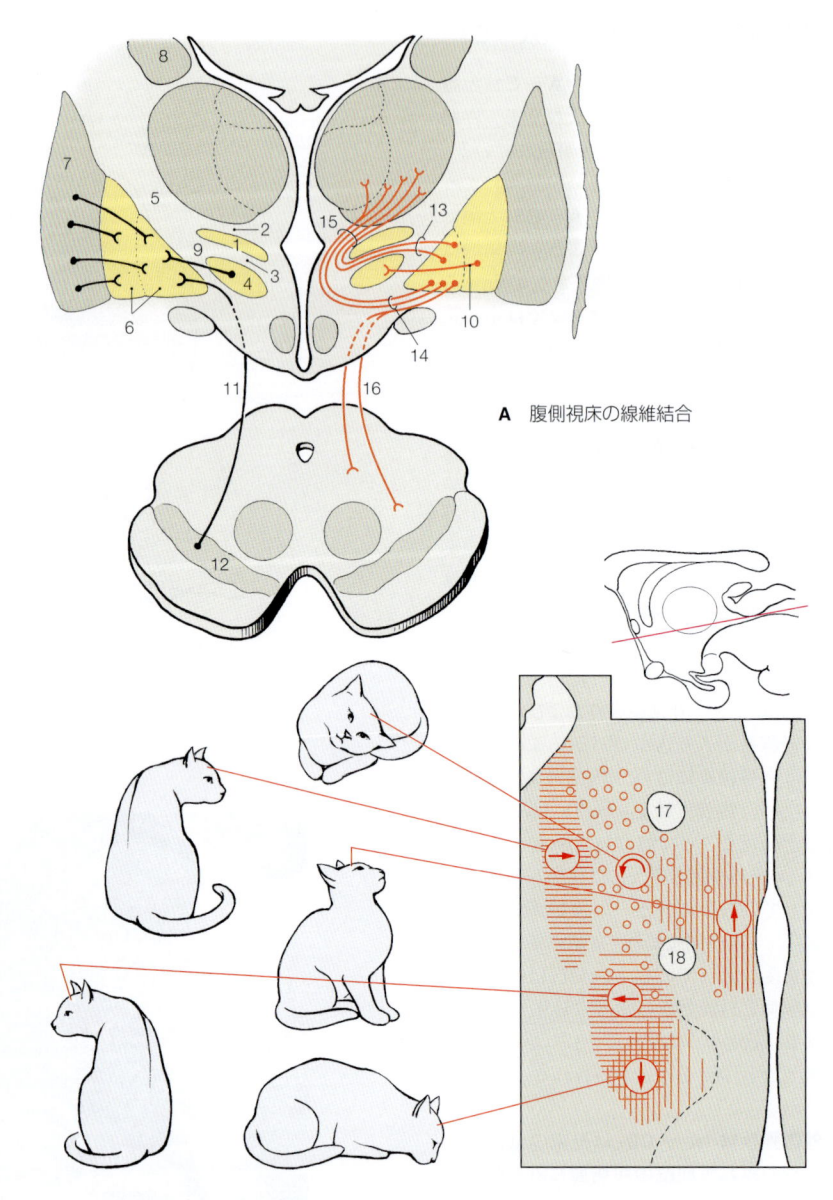

A 腹側視床の線維結合

B 視床下域と被蓋を刺激したときに起こる運動，ネコ間脳の水平断面（Hessによる）

> 一側の淡蒼球の遮断を行うと，反対側の筋硬直が除かれ，振戦も減弱する．両側性遮断を行うと精神障害（脳機能減弱：興奮しやすく，すぐに疲労し，集中力は不足）を起こしてくる．

腹側視床における刺激成績（B）

腹側視床を電気刺激すると，筋緊張は亢進し，反射は起こりやすくなり，さらに皮質で誘発された運動は促進される．

特定の領域からは自動運動を呼び起こすことができる．その際には通過する線維束も巻き添えにされるから，刺激効果は個々の核の機能を教えてくれるわけではない．頭を垂れる運動↓は後交連の高さ（間質核の線維領域）を，頭をもたげる運動↑は赤核前野の内側を刺激すると得られる．頭を車輪ないしは円筒のようにまわす運動◯の得られる部位は，上小脳脚の線維領域に相当する．刺激側と同じ側へ頭を向ける運動 ipsiversive turning ⊖を起こす部位には背外側被蓋束（前庭視床路）が通っている．刺激と反対側へ頭を向ける運動 contraversive turning ⊖を起こす領域は不確帯にあたる．

---

1 不確帯 zona incerta　**2** フォレルのH₁野 field H₁ of Forel　**3** フォレルのH₂野 field H₂ of Forel　**4** 視床下核（リュイ体）subthalamic nucleus (Luys body)　**5** 内包 internal capsule　**6** 淡蒼球 pallidum　**7** 被殻 putamen　**8** 尾状核 caudate nucleus　**9** 視床下核淡蒼球線維 subthalamopallidal fibers　**10** 淡蒼球視床下核線維 pallidosubthalamic fibers　**11** 黒質淡蒼球線維 nigropallidal fibers　**12** 黒質 substantia nigra　**13** レンズ核束 lenticular fasciculus　**14** レンズ核ワナ ansa lenticularis　**15** 視床束 thalamic fasciculus　**16** 淡蒼球被蓋束 pallidotegmental bundle　**17** 脳弓 fornix　**18** 乳頭視床束 mamillothalamic fasciculus

視床下部

視床下部 hypothalamus は間脳の最下層にあって，視交叉 optic chiasm，先が細くなって漏斗 infundibulum（下垂体茎）へ移行していく灰白隆起 tuber cinereum，および乳頭体 mammillary body が間脳底をつくっている．視床下部は植物機能を調節するための重要な領域である．視床下部は自律神経系のみならず，この部が下垂体と結合していることから，血管を介して内分泌系にも影響を及ぼしており，さらにこれら両系を調和させているのである．視床下部を2つの部分すなわち乏髄性視床下部 markarmer Hypothalamus と富髄性視床下部 markreicher Hypothalamus に分ける．

乏髄性視床下部（A～C）

この部分は視交叉の前にある視索前野 preoptic area，灰白隆起 tuber cinereum，この隆起の背外側にある外側野（**A1**）および乳頭体の上方にある背尾側野（**B2**）を含んでいる．乏髄性視床下部はペプチド作動性ニューロンが最も多い領域である．種々の神経ペプチドがここに散在するニューロン（LH-RH，コレシストキニン，TRF），脳室周囲の細胞集団（ソマトスタチン），および交互に混じり合った小さな核領域に証明される．視床下部の中の線維結合の多くのものや少数の長い投射路はペプチド作動性である．

視索前野（**C3**）は前交連（**C4**）から視交叉（**C5**）まで広がっている小細胞性領域であって，視交叉陥凹 optic recess という第三脳室の最も吻側の突出部を取り囲んでいる．この領域には多数の GABA 作動性ニューロンおよびペプチド作動性ニューロン（特にガラニン）が認められる．視索前野に接して尾方には視索上核（**AC6**）と室傍核（**AC7**）という2つの大細胞性の核がみられる．視索上核は間脳底の外側で視索（**A8**）にのっている．このニューロンは特にバソプレシンと，やや少ないがオキシトシンをもっている．室傍核は第三脳室壁の近くにあって，膠線維層だけで上衣 ependyma（1層の細胞からなる脳室系の壁，565頁）と隔てられており，狭い帯状をなして斜め上方へのびて不確帯のあたりにまで達している．室傍核のペプチド作動性ニューロンには特にオキシトシンが，またバソプレシンと，やや少ないがオキシトシン，CRF，ニューロテンシン，コレシストキニンその他のニューロペプチドが証明されている．なお，これら両核はいわゆる神経分泌核でもある．

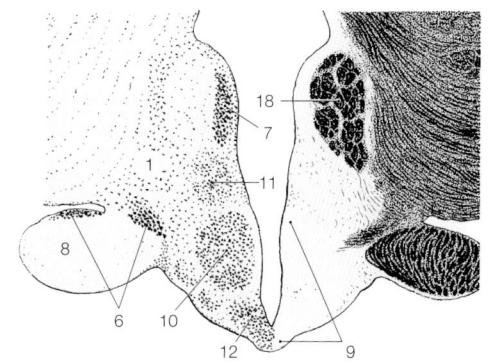

灰白隆起（**A9**）の主核は腹内側核（**AC10**）であって，球形を呈し灰白隆起の大部分を占めている．この神経核は中等大の神経細胞をもち，淡蒼球視床下部束の細い線維がつくる被膜で包まれている．背内側核（**AC11**）の発達は悪く，その神経細胞は小さい．漏斗の起始部には小細胞性の漏斗核（最近しばしば弓状核 arcuate nucleus と呼ばれる）（**AC12**）がみられる．この神経核の細胞は弓状に漏斗陥凹 infundibular recess を取り巻き，上衣の直下にまで達している．この神経核の細胞は特に GnRH（gonadotropin releasing hormone），GHRH（growth hormone releasing hormon）およびニューロペプチドY（NPY）を含んでいる．

富髄性視床下部（B～C）

乳頭体（**BC13**）はまるい隆起となって視床下部の尾部をつくっている．この乳頭体は有髄性の領域であって，有髄線維のつくる厚い被膜に囲まれている．この被膜は乳頭体に出入りする線維路によってつくられている．すなわち，内側の厚い被膜は乳頭視床束 mamillothalamic fasciculus (Vicq d'Azyr) と乳頭被蓋束 mamillotegmental fasciculus (Gudden) によって形成され，外側の発達のよくない被膜は脳弓 fornix によってつくられている．

乳頭体は内側核と外側核とに分かれる．大きな内側核（**B14**）は小さな神経細胞をもっている．この核は球形をしており，脳底でみられる［半］球体をつくっている．外側核（**B15**）は内側核の背外側に小帽状にかぶさっている．乳頭体は乏髄性視床下部の核領域，すなわち乳頭前核（**C16**）と隆起乳頭核（**B17**）によって囲まれている．

A 灰白隆起を通る前頭断面（乏髄性視床下部）

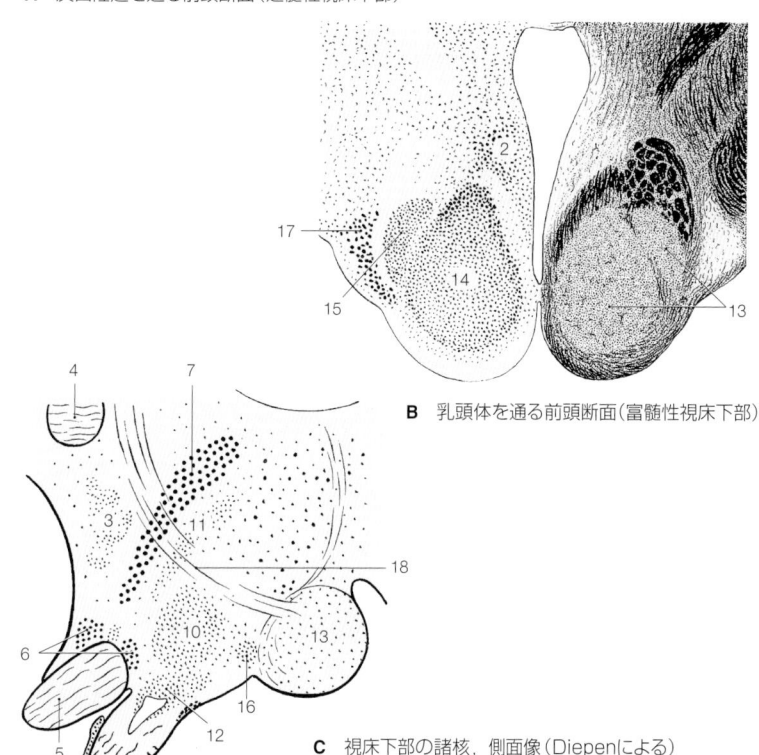

B 乳頭体を通る前頭断面（富髄性視床下部）

C 視床下部の諸核，側面像（Diepenによる）

1 外側野 lateral area　2 背尾側野 dorsocaudal area　3 視索前野 preoptic area　4 前交連 anterior commissure　5 視交叉 optic chiasm　6 視索上核 supra-optic nucleus　7 室傍核 paraventricular nucleus　8 視索 optic tract　9 灰白隆起 tuber cinereum　10 腹内側核 ventromedial nucleus　11 背内側核 dorsomedial nucleus　12 漏斗核（弓状核）infundibular nucleus (arcuate nucleus)　13 乳頭体 mammillary body　14 内側核（乳頭体の）medial nucleus　15 外側核（乳頭体の）lateral nucleus　16 乳頭前核 promammillary nucleus　17 隆起乳頭核 tuberomamillary nucleus　18 脳弓 fornix

血管分布（A）

神経系と内分泌系との密接な連携があることを示す特徴は，視床下部の2，3の神経核において異常に密な血管分布があることである．視索上核（**A1**）と室傍核（**A2**）はほかの灰白質の約6倍もの血管分布がある．これらの神経核の神経細胞は毛細血管と密接しており，ときには神経細胞が毛細血管をかかえこんでいることさえある（細胞内毛細血管endocellular capillaries）．

乏髄性視床下部の線維連絡（B）

多数の神経路が視床下部に嗅覚，味覚および内臓性知覚性インパルスを伝える．これらの神経路はまとまった線維束ではなく，まばらに離散した系をつくり，ほとんどすべて両行性につながっている．最も重要なものを次に述べる：

内側前脳束 medial forebrain bundle，これは嗅脳－視床下部－被蓋線維（**B3**）ともいい，視床下部の外側野を走って，視床下部のほとんどすべての神経核を嗅覚中枢ならびに中脳の網様体とつないでいる．この線維束は多数のペプチド作動線維（VIP，エンケファリン，ソマトスタチン）および上行性のモノアミン作動性線維を含んでいる．

分界条（**B4**）は尾状核に沿って弓状に走り，扁桃体（**B5**，537，538頁）を視索前野（**B6**）と隆起部の腹内側核（**B7**）に結びつけている．分界条はペプチド作動性線維に富んでいる．

脳弓（**B8**，540頁B15，C）の線維は海馬（**B9**）と海馬支脚（540頁A12）の錐体細胞に起こり乳頭体（**B10**）に終わる．脳弓線維の多くはペプチド作動性である．前交連の高さで，脳弓からは線維が分かれて視索前野と隆起部の腹内側核（**B7**）へ行く．

背側縦束 dorsal longitudinal fasciculusはシュッツ束（**B11**，498頁B）ともいわれ，広い範囲にわたってみられる脳室周囲線維系のうちで最も重要な構成要素である．その線維は中脳への移行部で一つのまとまった束をつくり，視床下部を脳幹の諸核とつないでいる．

視床および淡蒼球との結合．視床下部の諸核は脳室周囲線維によって，視床の内側核（**B12**）とつながっており，その内側核の線維は前頭皮質へ投射している．このようにして，間接的ではあるが視床下部と前頭皮質との結合が成立することになる．淡蒼球からは淡蒼球視床下部束 pallidohypothalamic fasciculusが灰白隆起の核（腹内側核）へくる．

交連．視床下部の領域にある交連には，視床下部の核からの線維はほとんど含まれていない．背側視交叉上交連 dorsal supraoptic commissure（Ganser交連とMeynert交連）と腹側視交叉上交連 ventral supraoptic commissure（Gudden）の中で交叉するのは中脳と橋からきた線維であって，また乳頭上交連 supramammillary commissureでは腹側視床の核からの線維が交叉している．

富髄性視床下部の線維連絡（C）

乳頭体（**C10**）へ入る主に求心性の結合路は脳弓（**C8**）と乳頭体脚（**C13**）である．前者の線維は大部分が乳頭体に終わり，後者は中脳の被蓋核に始まるが，味覚線維，前庭覚線維および内側毛帯からの線維も含んでいるという．

主として遠心性の結合路は**乳頭視床束**（ヴィク・ダジール）（**C14**，511頁B31）であって，視床の前核（**C15**）へ上行する．前核が帯状回 cingulate gyrusへ投射しているため，視床下部と辺縁皮質との結合ができあがる．**乳頭被蓋束**（**C16**）は中脳被蓋の諸核に終わる．これらの結合路はすべて多くのペプチド作動性線維を含んでいる．

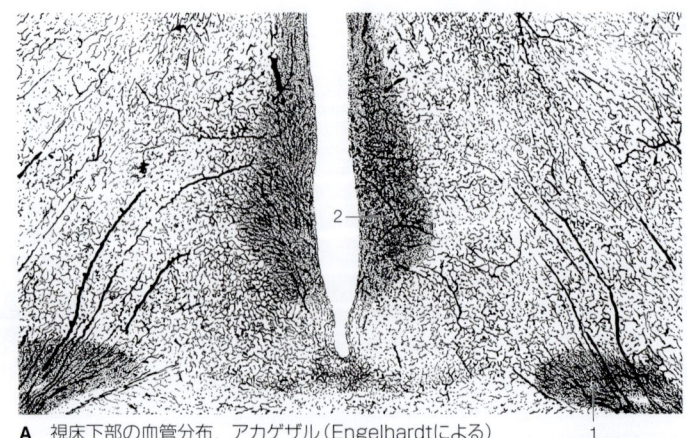

A 視床下部の血管分布，アカゲザル（Engelhardtによる）

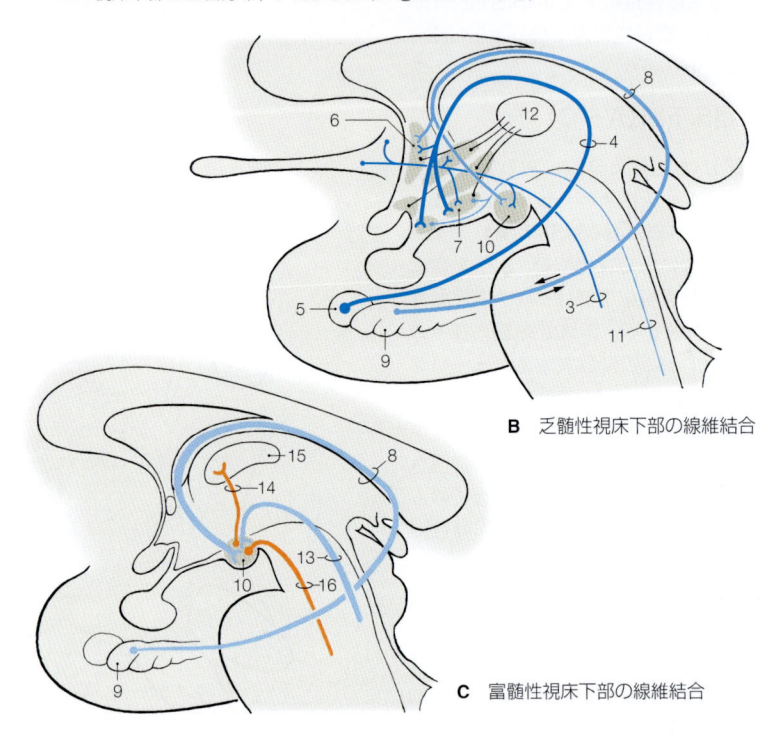

B 乏髄性視床下部の線維結合

C 富髄性視床下部の線維結合

---

1 視索上核 supra-optic nucleus　**2** 室傍核 paraventricular nucleus　**3** 嗅脳－視床下部－被蓋線維 olfacto-hypothalamo-tegmental fibers　**4** 分界条 stria terminalis　**5** 扁桃体 amygdaloid body　**6** 視索前野 preoptic area　**7** 腹内側核 ventromedial nucleus　**8** 脳弓 fornix　**9** 海馬 hippocampus　**10** 乳頭体 mammillary body　**11** シュッツ束 dorsal bundle of Schütz　**12** 内側核（視床の）medial thalamic nuclei　**13** 乳頭体脚 mamillary peduncle　**14** 乳頭視床束 mamillothalamic fasciculus　**15** 前核（視床の）anterior thalamic nuclei　**16** 乳頭被蓋束 mamillotegmental fasciculus（Gudden）

視床下部の機能局在（A～F）

視床下部の中枢は生体の内部環境にとって重要なすべての過程に影響を及ぼし，そのときどきのからだにかかる負荷に応じて器官の働きを調節している．すなわち体熱，水分および電解質の出納，心機能，循環および呼吸，物質代謝，睡眠と覚醒のリズムはこれらの中枢によって制御されているのである．

食物の摂取，胃腸の働きと排便，水分の摂取と排尿などの生体の諸機能は，種族保存のための生殖と性欲の過程と全く同じように視床下部の支配を受けている．生体の活動は，空腹，口渇あるいは性衝動として体験される肉体的な欲求によって呼び起こされる．生体の維持に役立ち，たいていはある強い情動的要素すなわち愉快あるいは不快な感情，喜び，不安または怒りを伴うような多くの衝動的行為があるが，これらの情動の発現に際して視床下部からの興奮が大切な役割を演じているのである．

向活動帯と向栄養帯（A，B）

視床下部の電気刺激は植物性反応を呼び起こす．この植物性反応は2群に分けることができる．すなわち**再生**と物質代謝過程に役立つような反応（**A**）（青：縮瞳↓，呼吸緩徐～，血圧下降∪，排尿δ，排便：が徴候として現れる），および環境に向けての**作業を高めるのに役立つような反応**（赤：散瞳○，呼吸促迫∧，血圧上昇∩）の2つである．視床下部の特定の部位を反復刺激することによって，作業を高める機構に対しては背尾側および外側に**向活動帯（B1）**があり，再生を促進するような機構に対してはむしろ吻腹側に**向栄養帯（B2）**があることがわかった．これら両帯は末梢の植物神経系を交感神経と副交感神経とに区別することと対応している（交感神経が向活動で，副交感神経が向栄養である）（568頁）．ヒトで視床下部の尾（後）部の刺激テスト（**C**）によって同じ結果が得られている：瞳孔散大（**C3**），血圧上昇（**C4**），呼吸促迫（**C5**）．

刺激実験と遮断実験（D～F）

一連の研究により特定の過程を支配している限局された領域の機能的意義が明らかになった：漏斗核 infundibular nucleus のあたりの灰白隆起を破壊すると，幼若な動物で性腺の萎縮が起こってくる（**D6**）．視交叉と灰白隆起の間を傷つけると，反対に若いラットで性的早熟が起こってくる．発情期 estrus phase と性行動 sexual behavior は視床下部を遮断することによって影響を受ける．灰白隆起と乳頭前核 premammillary nucleus との間の視床下部の尾側部で遮断すると，渇感欠如（不飲症）adipsia（自発的に水分を摂らなくなる）が起こる（**E7**）．さらに背側での遮断は無食症 aphagia を起こし，反対にこの部を刺激すると過食症（多食症）hyperphagia を起こす（**F8**）．視交叉の高さで視床下部の前部には，体温の変動を起こす領域がある．脳弓の周囲を刺激すると，怒りの反応と攻撃的行動が現れてくる（脳弓周囲の怒りの帯域 perifornical rage zone）．

> **臨床関連**：ヒトでも視床下部に病的過程があると，似たような変化（性的早熟，脂肪過多，痩せ）が起こってくる．

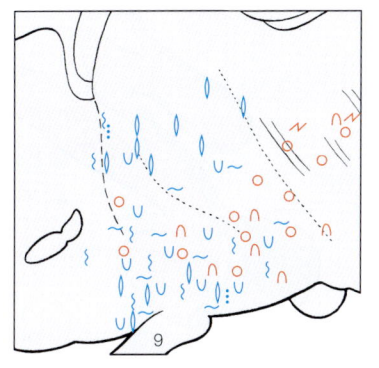

A 間脳の向栄養帯と向活動帯，ネコ，縦断面，刺激地図（Hessによる）

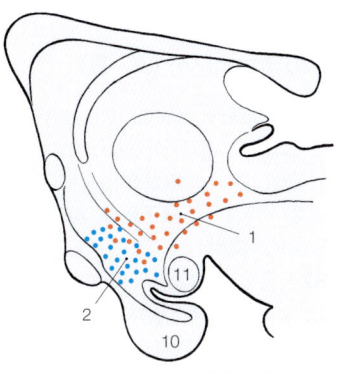

B 向栄養帯と向活動帯，模式図，縦断面，ネコ

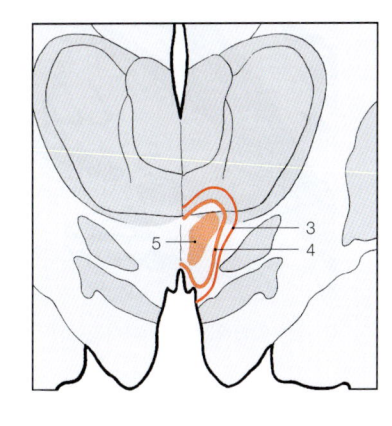

C 尾側視床下部の刺激効果，ヒト，前頭断面（Sano, Yoshioka, Ogishimaらによる）

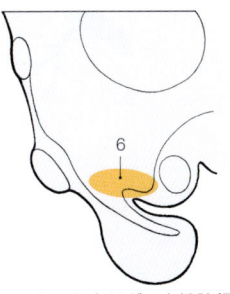

D ネコとウサギの向性腺領域（Spatz, Bustamante と Weisschedel による）

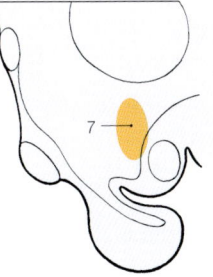

E 渇感欠如，遮断実験，ラット（Stevensonによる）

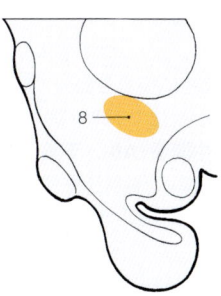

F 過食症，刺激実験，ネコ（Brüggeによる）

---

1 向活動帯 dynamogenic or ergotropic zone　**2** 向栄養帯 trophotropic zone　**3** 瞳孔散大　**4** 血圧上昇　**5** 呼吸促迫　**6** 向性腺領域 gonadotropic region　**7** 渇感欠如領域 adipsia region　**8** 過食領域 hyperphagia region　**9** 下垂体茎 hypophysial stalk　**10** 下垂体 pituitary gland　**11** 乳頭体 mammillary body

視床下部と下垂体

下垂体の発生と区分（A，B）

　下垂体 pituitary gland, hypophysis（Ⅱ章参照）は2つの部分からなっている：すなわち原始口腔の天蓋が膨出して（ラトケ Rathke 囊）できてくる**腺下垂体**（**AB1**，前葉）と，間脳底が突出してつくられる**神経下垂体**（**AB2**，後葉）とである．腺下垂体は内分泌腺であるが，神経下垂体は神経線維，毛細血管網および後葉細胞 pituicytes という特殊な膠細胞を含む脳の一部である．これら両部分は接触面でもって互いに接しており，この接触面のところで神経系と血管を介する内分泌系とが互いにつながりをもつことになる．

漏斗（A～D）

　灰白隆起の底面はのび出して細くなり，**漏斗陥凹**（**A4**）を伴う**漏斗**（**下垂体茎**）（**A3**）をつくる．次第に狭くなっている漏斗の起始部で神経系と内分泌系とが接触しているが，この部分はまた特に**正中隆起** median eminence ともいわれる．腺下垂体は薄い組織層となって灰白隆起にまで達し漏斗の前面を覆っており［**腺下垂体の漏斗部**（**A5**）］，さらに後面のところどころにも島状についている．したがって下垂体を，近位にあって灰白隆起に接する部分（漏斗と腺下垂体漏斗部）と遠位でトルコ鞍の中に納まっている部分［**中間部**（**A6**），**下垂体腔**（**A7**）を伴う腺下垂体および神経下垂体］とに分けることができる．神経系と内分泌系とのからみ合いにとって，この近位接触面 proximal contact surface は特に重要な意義をもっている．ここにはほかの部位で脳表面をぴったり覆っている外膠線維被覆層（**A8**）がなく，特殊血管 special vessels（**C**）が腺下垂体から漏斗の方へ入り込んでいる．この特殊血管というのは輸入脚と輸出脚からなる血管のワナであって，迂曲して走り，ときにはラセン状の走向（**D**）をとる．

下垂体の血管（E）

　下垂体の血管の分布様式により，神経部と血管を介する内分泌部は連携している．入ってくる血管は**上下垂体動脈**（**E9**）と**下下垂体動脈**（**E10**）で，内頸動脈から枝分かれしてくる．複数の上下垂体動脈は漏斗の近位部のまわりに動脈輪をつくっており，これから小さな動脈が腺下垂体性の覆いを通って漏斗へ行き，枝分かれして**特殊血管**（**E11**）となる．その輸出脚は集まって長い**門脈血管**（**E12**）になっていく．そしてこの門脈血管が血液を腺下垂体の洞様毛細血管（類洞 sinusoids）網へ送り込む．なお**小柱動脈**（**E13**）は腺下垂体へ行き，後ろから上行して漏斗の遠位部に分布している．腺下垂体の毛細血管網からの血液は静脈へ入っていく．

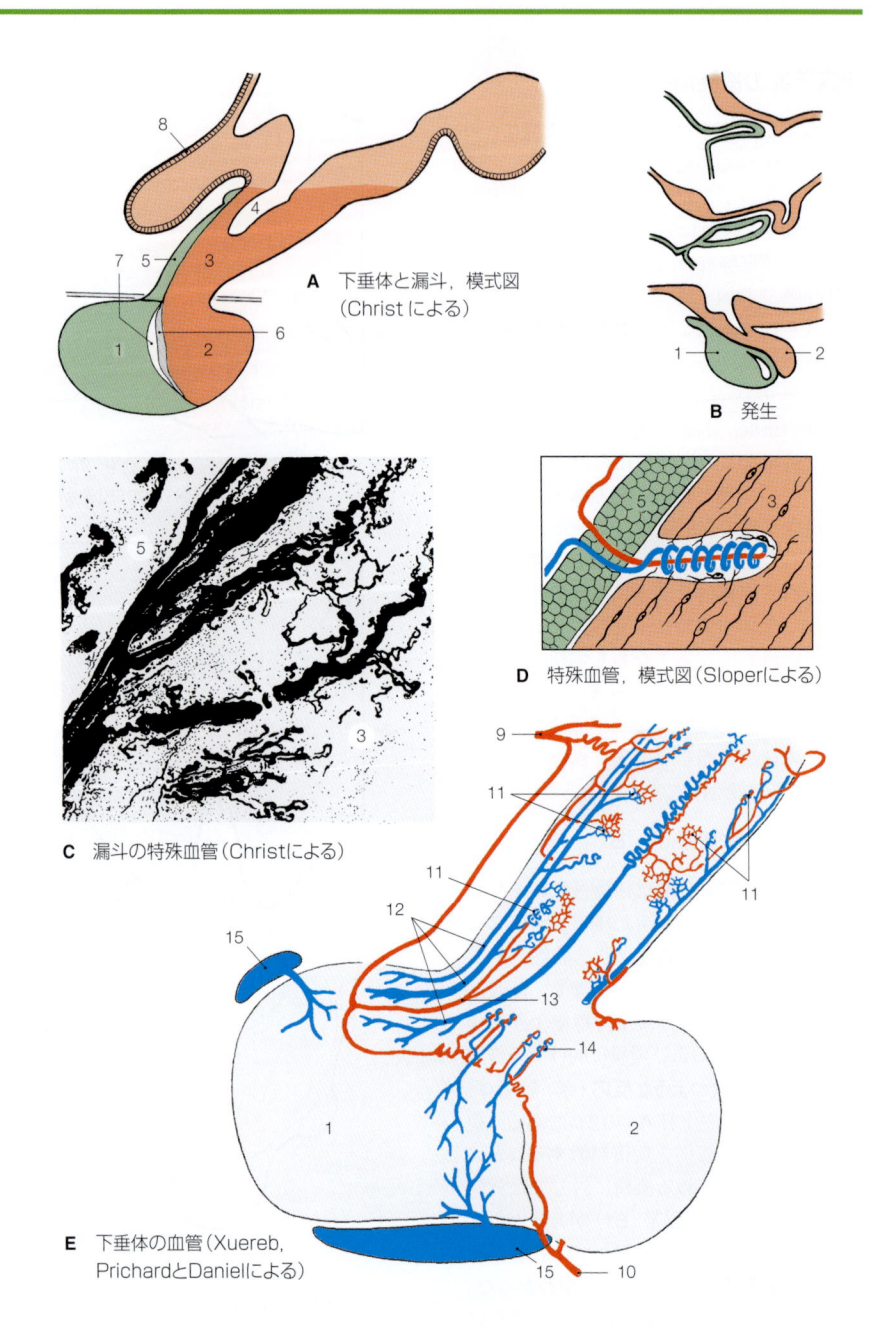

　両側の下下垂体動脈は神経下垂体に分布するほか，いくつかの枝を出して中間部のところで特殊血管（**E14**）をつくっており，その血液は同様に短い門脈血管を経て腺下垂体の類洞に達する．

　したがって腺下垂体には動脈血は直接は流れ込まない．動脈血が直接流れ込むのは漏斗と神経下垂体とであって，これらの部からの血液は門脈血管を経て腺下垂体に達し，（類洞の中を流れて）やっと**静脈脚**（**E15**）へ流れ出てくるのである．

A 下垂体と漏斗，模式図（Christ による）
B 発生
C 漏斗の特殊血管（Christ による）
D 特殊血管，模式図（Sloper による）
E 下垂体の血管（Xuereb, Prichard と Daniell による）

1 腺下垂体（＝前葉）adenohypophysis（＝ anterior lobe）　**2** 神経下垂体（＝後葉）neurohypophysis（＝ posterior lobe）　**3** 漏斗 infundibulum　**4** 漏斗陥凹 infundibular recess　**5** 腺下垂体の漏斗部（隆起部）infundibular part of adenohypophysis（＝ tuberal part）　**6** 中間部 pars intermedia　**7** 下垂体腔 hypophysial cavity　**8** 外膠線維被覆層（浅膠境界膜）superficial glial limiting membrane　**9** 上下垂体動脈 superior hypophysial artery　**10** 下下垂体動脈 inferior hypophysial artery　**11** 特殊血管（漏斗の）special vessels　**12** 門脈血管 portal vessels　**13** 小柱動脈 trabecular arteries　**14** 特殊血管（中間部の）special vessels　**15** 下垂体静脈 hypophysial veins

神経内分泌系*（A～D）

下垂体は視床下部の諸中枢の支配下にある．無髄線維束が視床下部から下垂体茎と下垂体後葉へ行く．下垂体茎を切断すると，視床下部のニューロンに逆行性変化がみられる．しかも下垂体茎の高位で遮断した場合には，灰白隆起の諸核のニューロンが広範囲にわたり消失する．

視床下部の神経細胞は分泌物を産生し，これらは軸索の中を下垂体まで流れていき，そこで血行へ入る．神経細胞のこのような内分泌作用は**神経分泌** neurosecretion と呼ばれている．これらの物質は核周部でつくられ，そこで小さな分泌顆粒（**B1**）の形をとる．神経分泌細胞は間違いなく神経細胞であって軸索と樹状突起をもっているが，神経細胞と腺細胞の移行型ともみなされる．神経細胞と腺細胞はいずれも外胚葉性起源で，生理的にも物質代謝の面からも近縁関係をもっている．これら両細胞はある特定の物質を産生し，神経またはホルモンによる刺激を受けてこの物質を分泌するのである：すなわち，神経細胞（**A2**）は神経伝達物質 neurotransmitter（単に transmitter ともいう）を，腺細胞（**A3**）は分泌物 secretory substance を産生し分泌する．これら両種の細胞の移行型が神経分泌細胞（**A4**）や内分泌細胞（**A5**）であって，いずれも分泌物を血行へ放出するのである．

視床下部と下垂体の間の線維路

前葉（腺下垂体）と後葉（神経下垂体）からなる下垂体の構成に対応して，視床下部から下垂体へ向かう線維系にも隆起漏斗系と視床下部下垂体系という2つの異なる線維系が存在する．どちらの系でも，神経系と内分泌系との結合は神経線維と毛細血管が順次接続することによってできあがるのである．このようなつながりを**神経血管鎖** neurovascular chain という．

隆起漏斗系（C, D）

隆起漏斗系 tuberoinfundibular system，すなわち**隆起漏斗路**（tuberoinfundibular tract）（**D**）は**腹内側核**（**D6**），**背内側核**（**D7**）および**漏斗核**（**D8**）といった視床下部隆起野 tuberal region の諸核から起こり下垂体茎へ行く細い神経線維からなっている．これらの

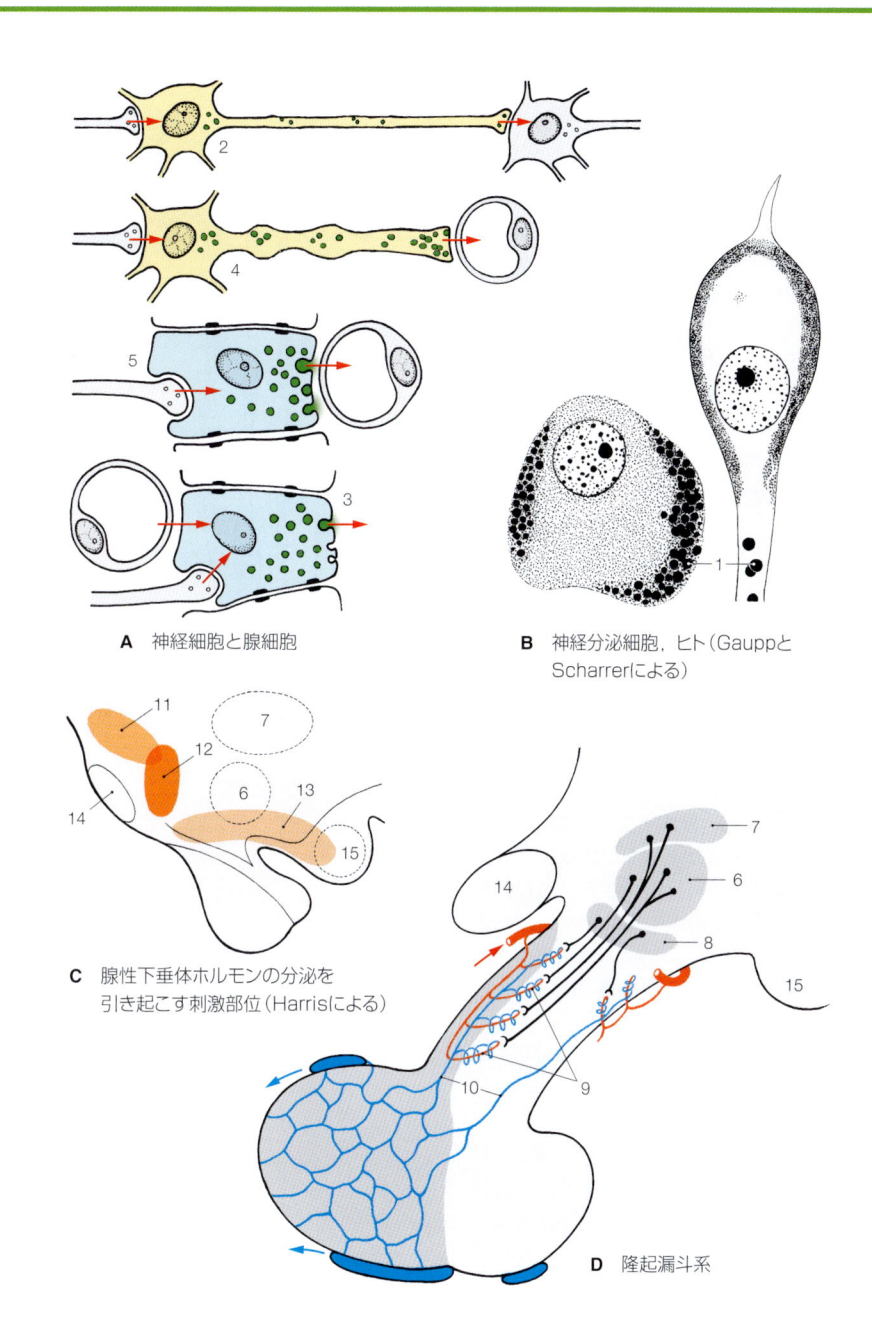

A 神経細胞と腺細胞

B 神経分泌細胞，ヒト（Gauppと Scharrerによる）

C 腺性下垂体ホルモンの分泌を引き起こす刺激部位（Harrisによる）

D 隆起漏斗系

ニューロンの核周部でつくられた物質は軸索終末から特殊血管（**D9**）へ入り，門脈血管（**D10**）を通って腺下垂体の洞様毛細血管（類洞）に達する．この系は刺激物質である放出因子（ホルモン）または放出抑制ホルモンといわれているものであって，腺下垂体でのホルモンの放出を調節するものである（他の内分泌腺に作用する制御物質）（II章参照）．

特定の放出因子の産生を，視床下部の個々の核と関係づけることは難しい．電気刺激をすると腺刺激ホルモンの分泌を増加させることができるようなところ（**C**）は前記の隆起野に限らない．視索前野（**C11**）の刺激は黄体刺激ホルモンの分泌を促進する．視交叉の後方の領域（**C12**）の刺激は甲状腺刺激ホルモンの分泌増強を，そして視床下部の腹側部（**C13**，灰白隆起から乳頭陥凹まで）の刺激は性腺刺激ホルモンの分泌増強を引き起こす．

*neuroendocrine system

---

1 分泌顆粒 secretory granules **2** 神経細胞 nerve cell **3** 腺細胞（外分泌細胞）glandular cell (exocrine cell) **4** 神経分泌細胞 neurosecretory nerve cell **5** 内分泌細胞 endocrine cell **6** 腹内側核 ventromedial nucleus **7** 背内側核 dorsomedial nucleus **8** 漏斗核（弓状核）infundibular nucleus (arcuate nucleus) **9** 特殊血管 special vessels **10** 門脈血管 portal vessels **11** 視索前野 preoptic area **12** 視交叉の後方の領域 retrochiasmatic area **13** 視床下部の腹側部（灰白隆起から乳頭陥凹まで）ventral hypothalamic area **14** 視交叉 optic chiasm **15** 乳頭体 mammillary body

神経内分泌系(続き)

視床下部-下垂体系(A~D)

　もう一つの結合は視床下部-下垂体系 hypothalamohypophysial system(**D**)であって，**視索上核下垂体路** supraopticohypophysial tract と**室傍核下垂体路** paraventriculohypophysial tract からなり，これらの起始は視索上核(**D1**)と室傍核(**D2**)にある．神経線維は下垂体茎を通って下垂体後葉に至り，ここの毛細血管に終わっている．これらの神経路を通って，上記2つの視床下部の核にある神経細胞でつくられるホルモンは軸索終末まで運ばれ，ここから血行へ入っていく．視索上核(**C1**)のあたりを電気刺激するとアディウレチン adiuretin(抗利尿ホルモン，バソプレシン vasopressin)の分泌増加が，室傍核(**C2**)の領域を同様に刺激するとオキシトシン oxytocin の分泌増加が起こる．この系では神経細胞が，ある腺のホルモン放出を引き起こすような刺激物質を分泌するのではなく，ホルモンそのものを産生しているのである．軸索を通って輸送される間ホルモンに結合している担体物質を，組織学的に証明することができる．この担体物質はゴモリ染色陽性物質 Gomori-positive substance であって，軸索のところどころで膨らみをつくる[**ヘリング小体**(**B3**)]．

　電子顕微鏡像では神経分泌物は軸索やその膨らみの中に顆粒(基本顆粒 elementary granules)として現れる．これらの顆粒はシナプス小胞よりはずっと大きい．軸索は神経下垂体の毛細血管のそばで，大きい分泌顆粒のほか小さな明るいシナプス小胞をも含む棍棒状の終末(**AD4**)をつくる．中枢神経系では，神経膠よりなる境界膜が外胚葉性組織と中胚葉性組織の間の境界をつくり，すべての血管は境界膜が包んでいるが，下垂体の毛細血管壁には，軸索終末との接触部にこのような膜はない．ここで神経分泌物が血行へ入っていく．棍棒状の終末にはシナプス(**A5**)も認められるが，それがどこからくるのかはよくわかっていない．しかし分泌物の放出に影響を与えていることには疑いがない．

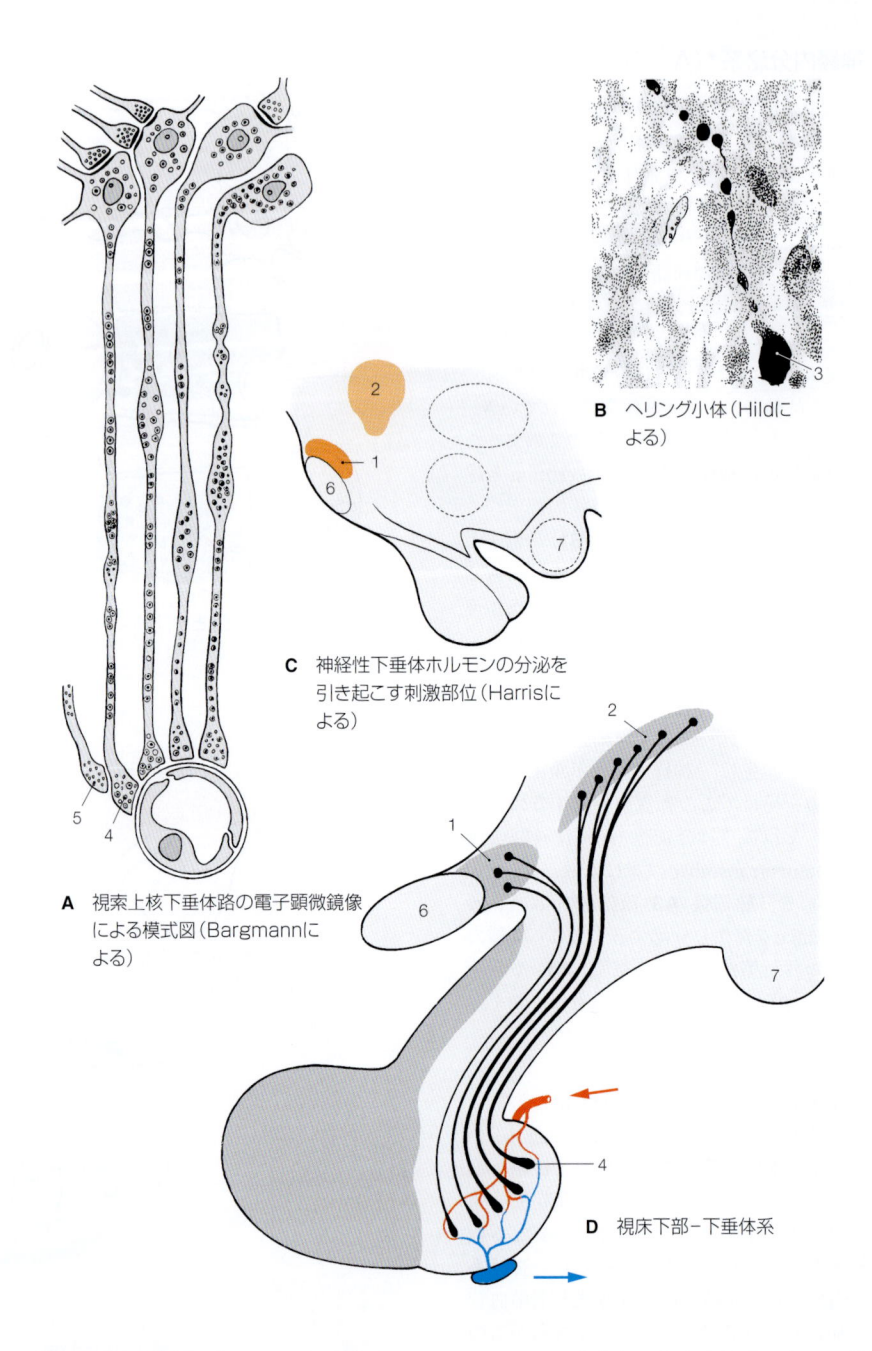

　神経分泌の調節は単にシナプス接触によるだけでなく，血行を介しても行われるであろうことは想像に難くない．視床下部の核の異常に豊富な血管分布や，この部の神経細胞には細胞内毛細血管がみられることから，この仮定も十分に理由がある．このようにフィードバックの液性路は確かに存在し，ホルモンの産生と分泌を調節するための規制環がつくられることになる．なお，この規制環は神経性脚(視床下部-下垂体路)と液性脚(血行)からなることはいうまでもない．

A 視索上核下垂体路の電子顕微鏡像による模式図(Bargmannによる)

B ヘリング小体(Hildによる)

C 神経性下垂体ホルモンの分泌を引き起こす刺激部位(Harrisによる)

D 視床下部-下垂体系

---

1 視索上核 supra-optic nucleus　**2** 室傍核 paraventricular nucleus　**3** ヘリング小体 Herring's bodies　**4** 神経分泌細胞の軸索終末 axon terminals of the neurosecretory nerve cell　**5** 神経分泌性終末とのシナプス接触 synaptic contact with the neurosecretory axon terminal　**6** 視交叉 optic chiasm　**7** 乳頭体 mammillary body

概　説

終脳半球の区分（A，B）

　胎生期の終脳半球胞（**A**）をみると，4部分からなる終脳の構成がよくわかる．その4部分のうち，いくつかの部分は早期に発生し（古い部分 old portion），ほかの部分はこれより遅れて発生してくる（新しい部分 new portion）．この4つの部分というのは古外套 paleopallium，線条体部 *Pars striata*，新外套 neopallium および原外套 archipallium である．

　外套 pallium とは終脳半球の壁のことである．その理由はこれが間脳と脳幹を覆い，さらに外套のようにすっぽり包んでいるからである．

　古外套（青）（**AB1**）は半球の最も古い部分である．古外套は半球の底をつくっており，嗅球（**A2**）とそれに続く**古皮質** paleocortex（536頁以降参照）からなる狭義の嗅脳 olfactory brain に相当する．古外套の上には**線条体**（黄褐色542頁）（**AB3**）が発生してくる．これは半球の表面には現れないが，これも半球壁の一部である．

　半球壁の大部分を占めるのは**新外套**（544頁以降参照）（**AB4**）である．その外面にある**新皮質** neocortex は非常に遅れて発生してくる．新皮質は腹側で，線条体にかぶさっている古皮質への移行部（中間皮質 mesocortex または移行皮質 transitional cortex），すなわち**島**（543頁）（**B14**）に接続している．

　半球の内側壁は**原外套**（赤）（**AB5**）よりなる．この原外套は古い部分であって，のちにその帯状の**原皮質**（539頁以降参照）archicortex は巻き込まれてアンモン角 Ammon's horn となる．成熟脳におけるこれらの部分の関係は，新皮質が強く発達することによって決まってくる．すなわち新皮質は古皮質と島の移行皮質を深部へ押しやってしまう．原皮質は尾側（後方）へ移動させられ，脳梁の表面には薄い層として現れているにすぎない（**B5**）．

半球の回転（C～E）

　発生の間を通じて，半球胞はすべての方向に均等に伸び出していくのではなく，主に尾側（後方）と底側（腹方）の方へ拡張していく．このようにして側頭葉がつくられ，これは最終的には吻側（前方）へ曲がってくる．かくて一種の回転が生じるわけで，この回転はわずかではあるが前頭葉にもみられる（**C**）．半球の回転 rotation of hemisphere の軸は島の領域にあり，島はその下（内部）にある被殻（**E6**）と同じくこの運動には関与しない．しかしながら半球のほかの構造物はこの運動に従い，最終的に成熟脳では弓のような形をとるに至る．側脳室（**D7**）は円弧を描いて前角と下角ができる．線条体の外側を占める尾状核（**E8**）も同様にこの回転運動に参加し，側脳室の弓形を正確に追従することになる．原外套の主要部分である海馬（**F9**）は，もとの背側の位置から脳底へ移動し，側頭葉に位置するようになる．脳梁の表面に残った原外套すなわち灰白層（**F10**）と脳弓（**F11**）は，原外套が弓形に引きのばされたことを示している．脳梁（**F12**）も尾方へのばされるが，回転には不完全にしか従わない．というのは，脳梁はこの回転の過程の終わりの頃に遅れてやっと発生してくるからである．

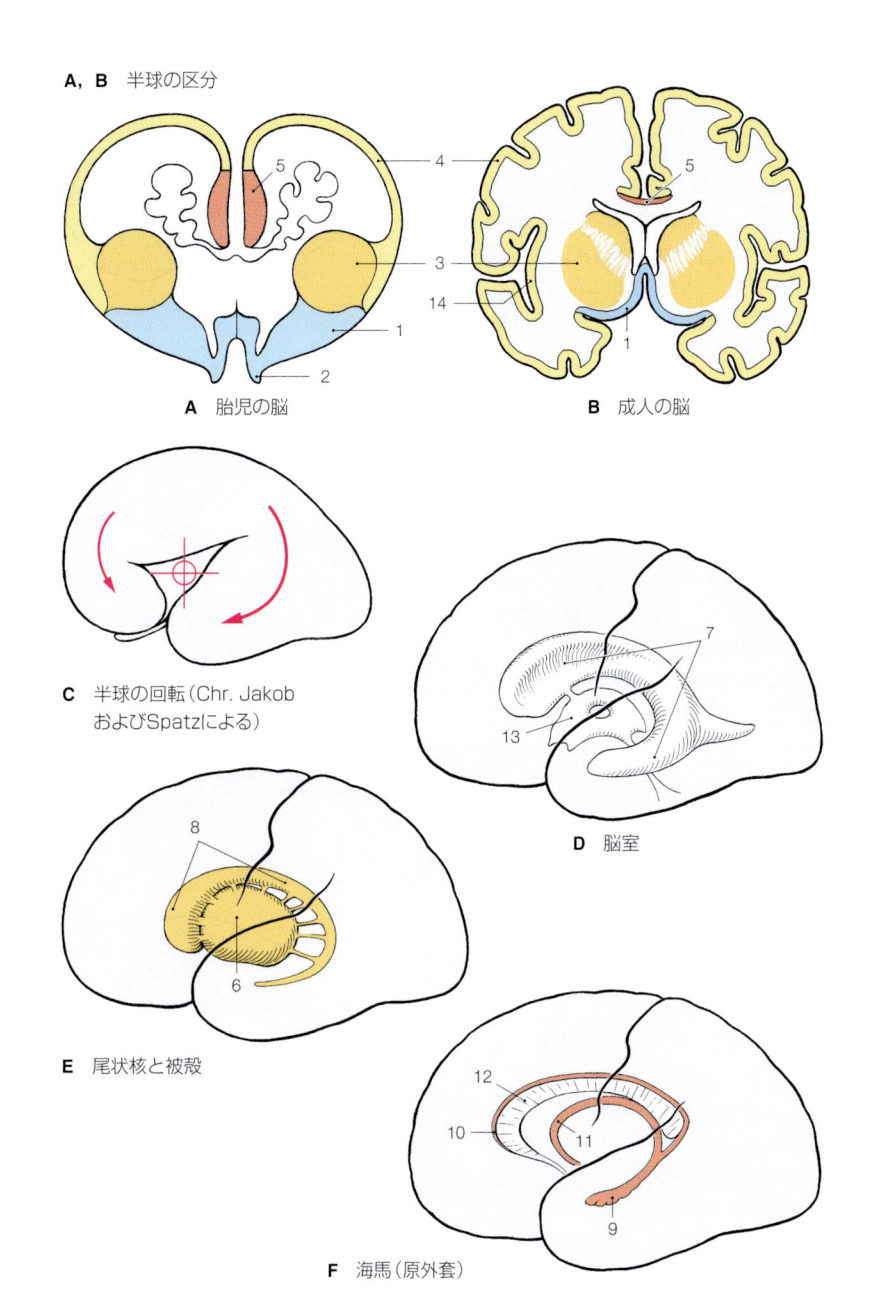

A, B 半球の区分
A 胎児の脳
B 成人の脳
C 半球の回転（Chr. Jakob および Spatz による）
D 脳室
E 尾状核と被殻
F 海馬（原外套）

---

1 古外套 paleopallium　**2** 嗅球 olfactory bulb　**3** 線条体 striatum　**4** 新外套 neopallium　**5** 原外套 archipallium　**6** 被殻 putamen　**7** 側脳室 lateral ventricle　**8** 尾状核 caudate nucleus　**9** 海馬 hippocampus　**10** 灰白層 indusium griseum　**11** 脳弓 fornix　**12** 脳梁 corpus callosum　**13** 第三脳室 third ventricle　**14** 島 islet (insula)

進化（A～D）

終脳は霊長類の進化 evolution につれて，ヒトの胎児期における発育にみられたのと同様の過程を示す．すなわち終脳は遅くから発達しはじめ，ほかの脳部より大きく発育する．したがって原始的な哺乳動物の脳（ハリネズミ hedgehog）では小脳（**A1**）はまだ完全に露呈しているが，霊長類になってくると小脳は次第に終脳半球に覆われるようになる．

嗅球（**A～C3**）と梨状葉（**A～C4**）をつくっている**古外套**（嗅脳，青，**A～C2**）は，原始的な哺乳動物の脳では半球の最も広い部分を占有している．**原外套**（赤，**A～D5**）はまだこの段階では，間脳の上にあって，もとの背側の位置を占めている．これら2つの古い半球構成部分は進化の過程で，**新外套**（黄，**A～D6**）の発達がよいために追い抜かれる．原猿目では古外套はまだかなりの広がりをもっている．しかしヒトでは古外套は脳底の深部へ押しやられてしまい，脳を外側からみてもこの部分は見えない．海馬 hippocampus（原外套）はハリネズミでは間脳の上に位置しているが，ヒトでは側頭葉の構成成分として底側に位置している（**D5**）．狭い残遺が脳梁の上に残っている（灰白層）．

これらの位置の変化は，胎児期の発生の間に起こる半球の回転にかなりよく一致しており，この結果，大きな側頭葉（**B～D7**）ができあがる．側頭葉はハリネズミの脳ではまだみられないが，最も原始的な霊長類であるツパイ tupaja（リスモドキ tree shrew）の脳では腹側へ向かう突出となっている．原猿（キツネザル lemur）では斜め尾側へ向かう側頭葉がつくられ，ヒトでは側頭葉は最終的に吻側へ彎曲してくる．新外套の領域ではそのほか大脳溝と大脳回の発生がみられる．原始哺乳動物の新外套は平滑である（無回脳 lissencephalic brain）．高等哺乳動物で初めて大脳回のレリーフが現れてくる（有回脳 gyrencephalic brain）．大脳溝と大脳回の完成によって，大脳皮質の表面積は非常に大きくなる．そして皮質のうち1/3だけが表面に現れており，2/3は大脳溝の深部にかくれていることになる．

新皮質 neocortex で2種の皮質領域を区別することができる：

- 長い伝導路の第一次**起始野**（オレンジ）と
- 第一次**終止野**（緑）primary originating and terminating areas と，
- その間にある第二次**連合野**（黄）secondary association area である．

運動路の起始野は運動皮質（**A～D8**）といわれ，ハリネズミでは前頭葉（**B～D9**）全体に広がっている．連合野はツパイに初めて現れ，ヒトでは大きな広がりをもつようになる．運動皮質の後ろに接して知覚路の終止野すなわち知覚皮質（**A～D10**）がみられる．隣接する連合野の拡大によってヒトでは視覚路の終止野すなわち視覚領（**A～D11**）は，そのほとんどが半球の内側面に移動している．聴覚路の終止野は聴覚領（**CD12**）といわれ，側頭葉の連合野が拡大するために外側溝（シルヴィウス溝）の深部へ位置がずれてくる．したがって，連合野は進化につれて第一次野よりもはるかに広くなり，ヒトでは新皮質の最も広い部分を占めるようになる．

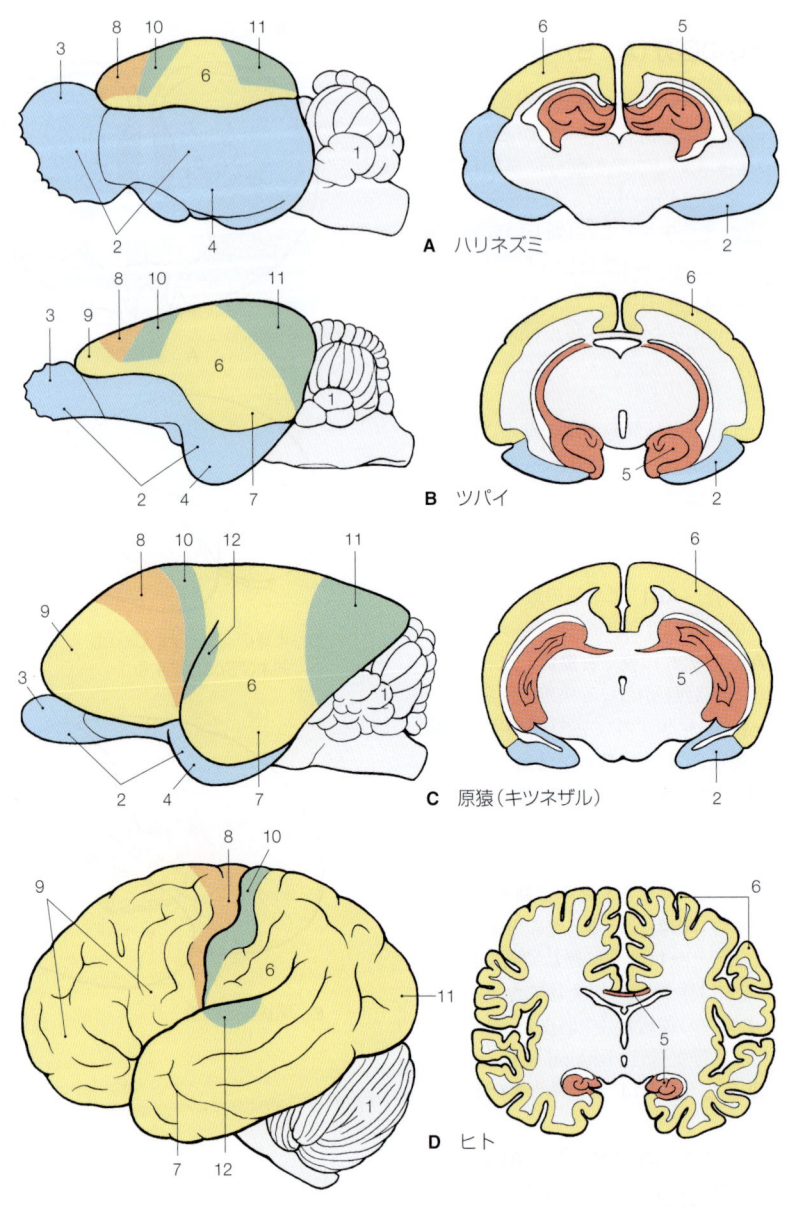

A ハリネズミ
B ツパイ
C 原猿（キツネザル）
D ヒト

A～D 終脳の進化（Edinger, Elliot Smith, Le Gros-Clarkによる）

---

1 小脳 cerebellum　**2** 古外套 paleopallium　**3** 嗅球 olfactory bulb　**4** 梨状葉 piriform lobe　**5** 原外套 archipallium　**6** 新外套 neopallium　**7** 側頭葉 temporal lobe　**8** 運動皮質 motor cortex　**9** 前頭葉 frontal lobe　**10** 知覚皮質 sensory cortex　**11** 視覚領 visual cortex　**12** 聴覚領 auditory cortex

大脳皮質の層形成（A～C）

大脳皮質の特徴的な所見は，これは小脳皮質についてもいえることであるが，細胞および線維が層を形成していることである．この層形成は，大脳皮質のうち系統発生的に最も新しい部分，すなわち新皮質neocortex（544頁参照）の特徴であるばかりでなく，系統発生的により古い皮質部，例えば原皮質archicortex（海馬hippocampus）においても存在する．

大脳皮質は，"inside-out"の原則で形成される．これは，皮質の深い層の錐体細胞（例えば，第5層の大型の錐体細胞）（**A1**）が最初に形成され，これに続いて，浅層（**A2, A3**）の神経細胞ができる．神経細胞は，すべて脳室の近くで生まれるので（**A4**），皮質の浅層の細胞ほど，早くに形成された深層の細胞に比べて，より長い細胞移動の道を通らねばならない．最初に脳室層で生まれた神経細胞は，まず，**プレプレート** preplateを形成するが，これはあとで，**辺縁層** marginal zone（**A5**）と，皮質板下神経細胞を容れた**サブプレート** subplate（**A6**）に分かれる．早くに形成される辺縁層の細胞のうち**カハール・レチウス**（Cajal-Retzius）**細胞**（**A7**）は，水平方向に伸びた神経細胞で，糖タンパク質である**リーリン** Reelinを合成し，辺縁層の細胞外空間に分泌する（**A5**で褐色部）．

リーリンは**放射状グリア細胞**の長い突起の形成に不可欠で，この**放射状グリア線維**（**A8**）は，脳室層から，脳皮質の軟膜表面まで伸びており，脳表面に向かって移動する神経細胞にとって導き綱となっている．さらにこの放射状細胞は，神経細胞の前駆細胞でもある．リーリンが欠除すると，放射状線維は明らかに短くなり，この結果，神経細胞の移動障害が生じることが証明されている．またリーリンは，移動しつつある神経細胞に対して，移動を停止させる働きもあることが証されてもいる．

サブプレートと辺縁帯がプレプレートの内にこれを二分するようにできると，最も早くにできた皮質の神経細胞は，この2層の間にやってきて，そこに**皮質板** cortical plateをつくる．この際，細胞は辺縁帯の手前で停止する（リーリンのストップシグナル作用）．皮質の厚さが増すとともに，放射状線維は長くなり，遅くに形成される細胞（**A2, A3**）は，早くに生じた神経細胞（**A1**）よりもさらに遠くまで移動してくる神経細胞に対して誘導役を果たすこととなる．そしてこれら

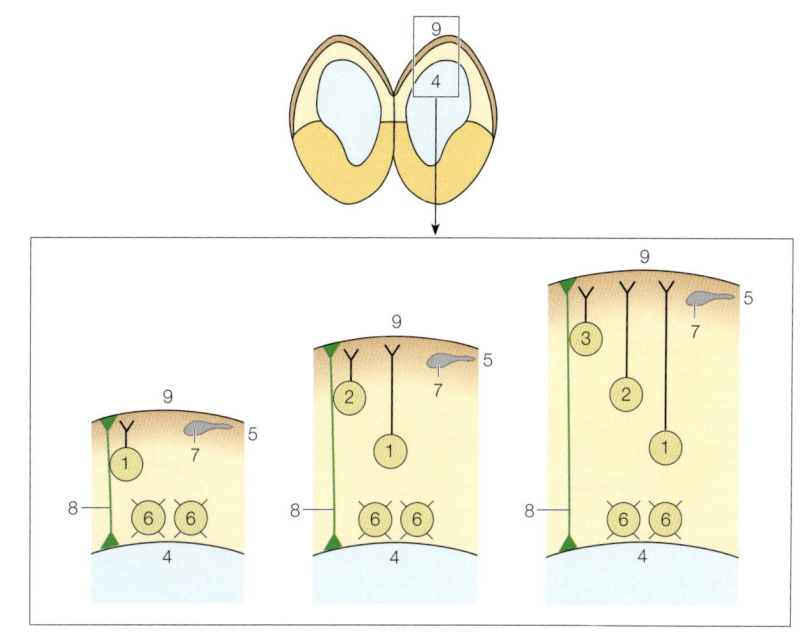

A 大脳皮質におけるinside-outの層形成の展開

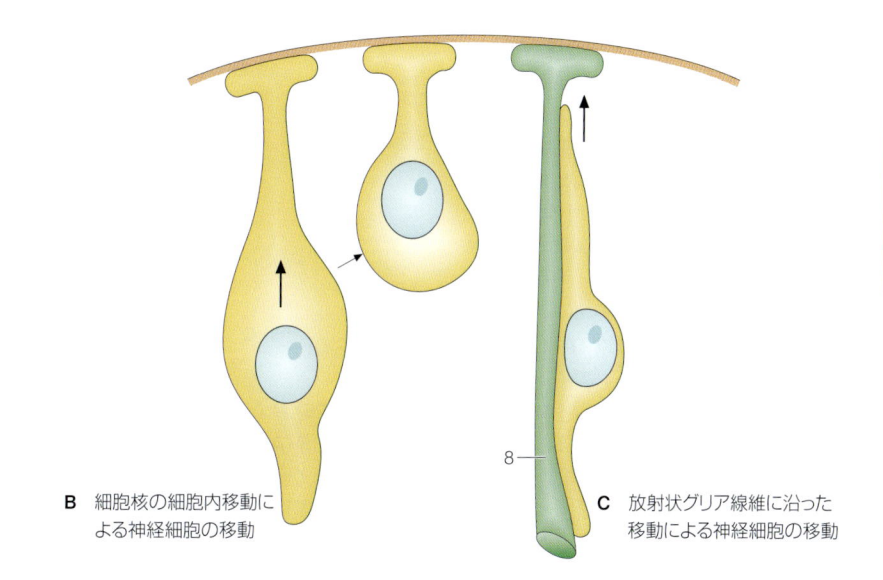

B 細胞核の細胞内移動による神経細胞の移動

C 放射状グリア線維に沿った移動による神経細胞の移動

の細胞は，辺縁帯に達し，そこで細胞外空間中のリーリンによって停止させられる．以上のモデルで皮質形成の際の inside-out が成り立つと考えられる．

最近の研究によると，皮質表面に向かっての細胞移動は，グリア細胞のガイドがなくても細胞核の位置移動 translocation によっても可能であることが示されている（**B**）．より遅い時期に移動する神経細胞は，放射状グリア線維に沿って這行する（crawling locomotion）（**C**）．

近時，リーリンに対するレセプターが，神経細胞上だけでなく放射状グリア上でも存在することがわかった．この場合，アポリポ蛋白レセプター-2（ApoER2）と極低濃度リポ蛋白レセプター（VLDLR）が重要とされている．細胞内のアダプター分子であるDisabled-1に対し，リーリンを介してのレセプターの細胞骨格分子の賦活化が進む．Disabled-1（Dab-1）のリン酸化が移動神経細胞の放射状グリア線維からの脱離を引き起こし，このことでリーリンのストップシグナルとしての作用が生じる．自然に生じる変異でリーリンが欠除する（リーラーマウス）と，層形成に重篤な障害が起こる．

臨床関連： リーリンによる信号系の欠陥で神経細胞移動の障害が起こると，ヒトでは大脳皮質の重大な発達障害が起き，その結果，てんかんの病像をもたらす．てんかん患者の海馬では，リーリン発現の低下（ダウンレギュレーション）と，神経細胞移動の特徴的な障害がみられる．

A9：軟膜がついている脳表．

---

1 皮質深層の錐体細胞 pyramidal cell　**2, 3** 皮質浅層の神経細胞　**4** 脳室 ventricle　**5** 辺縁層 marginal zone　**6** サブプレート subplate　**7** カハール・レチウス細胞 Cajal-Retzius cell　**8** 放射状グリア線維 radial glial fiber　**9** 軟膜がついている脳表

大脳葉（A～C）

半球は4つの**大脳葉** cerebral lobes に分けられる：
- **前頭葉** frontal lobe（赤）（547頁）
- **頭頂葉** parietal lobe（淡い青）（549頁）
- **側頭葉** temporal lobe（濃青）（550頁）
- **後頭葉** occipital lobe（紺）（551頁）

半球の表面は**大脳溝** sulci と**大脳回** gyri からなっている．大脳溝には一次溝 primary sulci，二次溝 secondary sulci および三次溝 tertiary sulci が区別される．まず最初に現れる一次溝はどの脳にも同じようにつくられる（外側溝，中心溝，鳥距溝）．二次溝には変異がみられ，最後に出現する三次溝は走り方に規則性がなく，脳ごとに異なっている．したがって脳はそれぞれ固有の表面レリーフをもち，あたかも顔の特徴のように個性を表現しているのである．

前頭葉は前頭極（**A1**）から中心溝（**A2**）に及んでおり，この溝は中心前溝（**A3**）とともに中心前回（**A4**）を囲んでいる．この中心前回は中心後回（**A5**）をあわせて**中心回域** central region と呼ばれる．中心回域は上縁（**AB6**）を越えてのび出し中心傍小葉（**B7**）に続いている．そのほか前頭葉には3つの大きな大脳回が列をなしている：すなわち上前頭回（**A8**），中前頭回（**A9**）および下前頭回（**A10**）の3つが，上前頭溝（**A11**）と下前頭溝（**A12**）によって分けられている．下前頭回では外側溝（シルヴィウス）（**AC13**）に接して次の3つの部が区別される：弁蓋部（**A14**），三角部（**A15**）および眼窩部（**A16**）．

頭頂葉は前頭葉とは中心後回（**A5**）が境界になっている．中心後回の後方には中心後溝（**A17**）が通っている．中心後溝（**A17**）の後ろで，上頭頂小葉（**A18**）と下頭頂小葉（**A19**）を形成しており，頭頂間溝（**A20**）がこの両者を分けている．外側溝の終わるところを取り囲んで縁上回（**A21**）があり，腹側には角回（**A22**）がみられる．頭頂葉の正中面をつくっているのは楔前部（**B23**）である．

側頭葉［側頭極（**AC24**）をもつ］には大脳回が3列に並んでいる：上側頭回（**A25**），中側頭回（**A26**）および下側頭回（**AC27**）の3つが，上側頭溝（**A28**）と下側頭溝（**A29**）によって互いに隔てられている．側頭葉の背側面にある横側頭回（ヘシュル横回）は外側溝の深部にあって見えない（550頁）．正中面では海馬傍回（**BC30**）が大きく，吻側で鉤（**BC31**）に，尾側では舌状回（**BC32**）に移行している．海馬傍回は側副溝（**BC33**）により内側後頭側頭回（**BC34**）から分けられる．腹側には後頭側頭溝（**BC36**）によって境された外側後頭側頭回（**BC35**）がある．

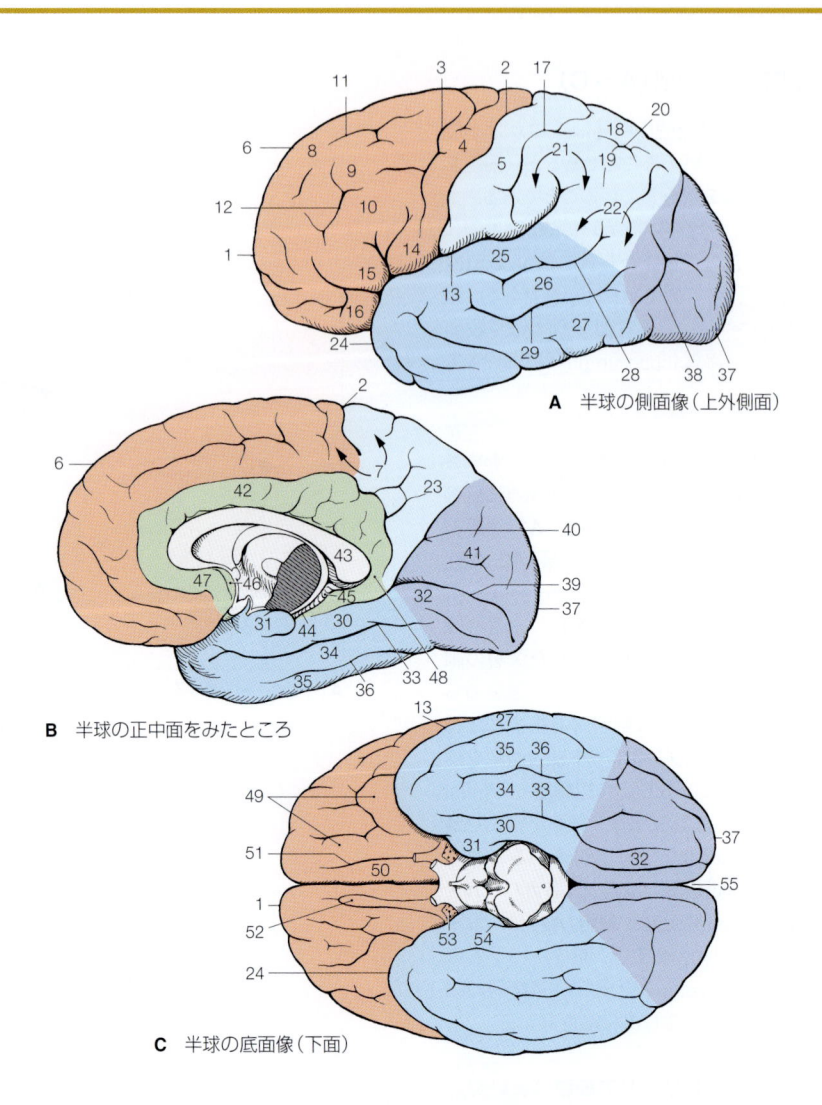

後頭葉［後頭極（**AB37**）がある］には横後頭溝（**A38**）と深い鳥距溝（**B39**）が走っている．後者は頭頂後頭溝（**B40**）とともに楔部（**B41**）を囲んでいる．

帯状回（辺縁回，緑）（**B42**）は脳梁（**B43**）を取り巻いている．帯状回は尾側では海馬溝（**B44**）によって歯状回（**B45**）から分けられており，吻側では終板傍回（**B46**）と梁下野（**B47**，嗅傍野）に終わっている．

脳底（半球下面）．前頭葉の下面は眼窩回（**C49**）で覆われている．内側縁に沿って直回（**C50**）が走り，その外側に接して嗅溝（**C51**）がある．この中に嗅球（**C52**）と嗅索 olfactory tract がはまっている．嗅索は内側および外側の嗅条 medial & lateral stria(e) に分かれて，前有孔質（嗅覚野）（**C53**）を囲んでいる．

A 半球の側面像（上外側面）
B 半球の正中面をみたところ
C 半球の底面像（下面）

---

1 前頭極 frontal pole **2** 中心溝 central sulcus **3** 中心前溝 precentral sulcus **4** 中心前回 precentral gyrus **5** 中心後回 postcentral gyrus **6** 上縁 superior margin **7** 中心傍小葉 paracentral lobule **8** 上前頭回 superior frontal gyrus **9** 中前頭回 middle frontal gyrus **10** 下前頭回 inferior frontal gyrus **11** 上前頭溝 superior frontal sulcus **12** 下前頭溝 inferior frontal sulcus **13** 外側溝 lateral sulcus **14** 弁蓋部 opercular part **15** 三角部 triangular part **16** 眼窩部 orbital part **17** 中心後溝 postcentral sulcus **18** 上頭頂小葉 superior parietal lobule **19** 下頭頂小葉 inferior parietal lobule **20** 頭頂間溝 intraparietal sulcus **21** 縁上回 supramarginal gyrus **22** 角回 angular gyrus **23** 楔前部 precuneus **24** 側頭極 temporal pole **25** 上側頭回 superior temporal gyrus **26** 中側頭回 middle temporal gyrus **27** 下側頭回 inferior temporal gyrus **28** 上側頭溝 superior temporal sulcus **29** 下側頭溝 inferior temporal sulcus **30** 海馬傍回 parahippocampal gyrus **31** 鉤 uncus **32** 舌状回 lingual gyrus **33** 側副溝 collateral sulcus **34** 内側後頭側頭回 medial occipitotemporal gyrus **35** 外側後頭側頭回 lateral occipitotemporal gyrus **36** 後頭側頭溝 occipitotemporal sulcus **37** 後頭極 occipital pole **38** 横後頭溝 transverse occipital sulcus **39** 鳥距溝 calcarine sulcus **40** 頭頂後頭溝 parieto-occipital sulcus **41** 楔部 cuneus **42** 帯状（辺縁回）cingulate gyrus（limbic gyrus） **43** 脳梁 corpus callosum **44** 海馬溝 hippocampal sulcus **45** 歯状回 dentate gyrus **46** 終板傍回 paraterminal gyrus **47** 梁下野（嗅傍野）subcallosal area（parolfactory area） **48** 帯状回峡 isthmus of cingulate gyrus **49** 眼窩回 orbital gyri **50** 直回 straight gyrus **51** 嗅溝 olfactory sulcus **52** 嗅球 olfactory bulb **53** 前有孔質（嗅覚野）anterior perforated substance（olfactory area） **54** 海馬溝 hippocampal sulcus **55** 大脳縦裂 longitudinal cerebral fissure

終脳の断面

前頭断面（A，B）

各図は脳スライスの後面をみた図になっている．

嗅索後端部を通る断面（A）

大脳縦裂（**AB1**）によって分けられた両半球の断面では，灰白質すなわち大脳皮質および大脳基底核と，白質すなわち髄質を区別できる．脳梁（**AB2**）は左右の半球を結んでいる．脳梁の上には帯状回（**AB3**）がみえる．

外側面では外側溝（**AB4**）が深く入り込んでいる．その背側には，上前頭回（**AB5**），中前頭回（**AB6**）および下前頭回（**AB7**）からなる前頭葉がある．これらの大脳回は上前頭溝（**AB8**）および下前頭溝（**AB9**）によって分けられている．外側溝の腹側には側頭葉があり，ここには上側頭回（**AB10**），中側頭回（**AB11**）および下側頭回（**AB12**）がみられる．これらの側頭回は上側頭溝（**AB13**）と下側頭溝（**AB14**）によって分けられている．外側溝は深部で広がって［大脳］外側窩（**AB15**，シルヴィウス窩）となり，その内面には島 insula がある．島皮質は底側ではほとんど嗅索 olfactory tract の後端部（**A16**）にまで達している．この島皮質は古皮質と新皮質との移行領域である．

半球の深部には線条体 corpus striatum があり，これは内包（**AB17**）によって尾状核（**AB18**）と被殻（**AB19**）とに分けられている．側脳室では前角（**AB20**）がみえている．側脳室の外側壁をつくるのは尾状核であり，内側壁をつくるのは透明中隔（**AB21**）である．この透明中隔は透明中隔腔（**AB22**）という腔隙を含んでいる．被殻の外側面には狭く細長い殻状の灰白質があり，これを前障（**AB23**）と呼ぶ．前障は被殻とは外包（**AB24**）によって，また島皮質とは最外包（**AB25**）によって隔てられている．

前交連のみえる断面（B）

この断面では前頭葉の中部と側頭葉がみえている．外側窩は閉じており，島は前頭弁蓋（**AB26**）と側頭弁蓋（**AB27**）で覆われている．両側の半球の腹側部を前交連（**B28**）がつないでいるが，この中では主に古皮質ならびに側頭葉の新皮質からの線維が交叉する．この前交連の上には淡蒼球（**B29**，間脳に属する）が現れ，正中線の近くには透明中隔（**AB21**）がみられ，これは腹側では広くなって中隔核 septal nuclei を含む中隔野 septal area となる（この部分は透明中隔脚 peduncle septum pellucidum ともいわれる）．半球の内側底面は古皮質すなわち嗅皮質（**B30**）で覆われている．

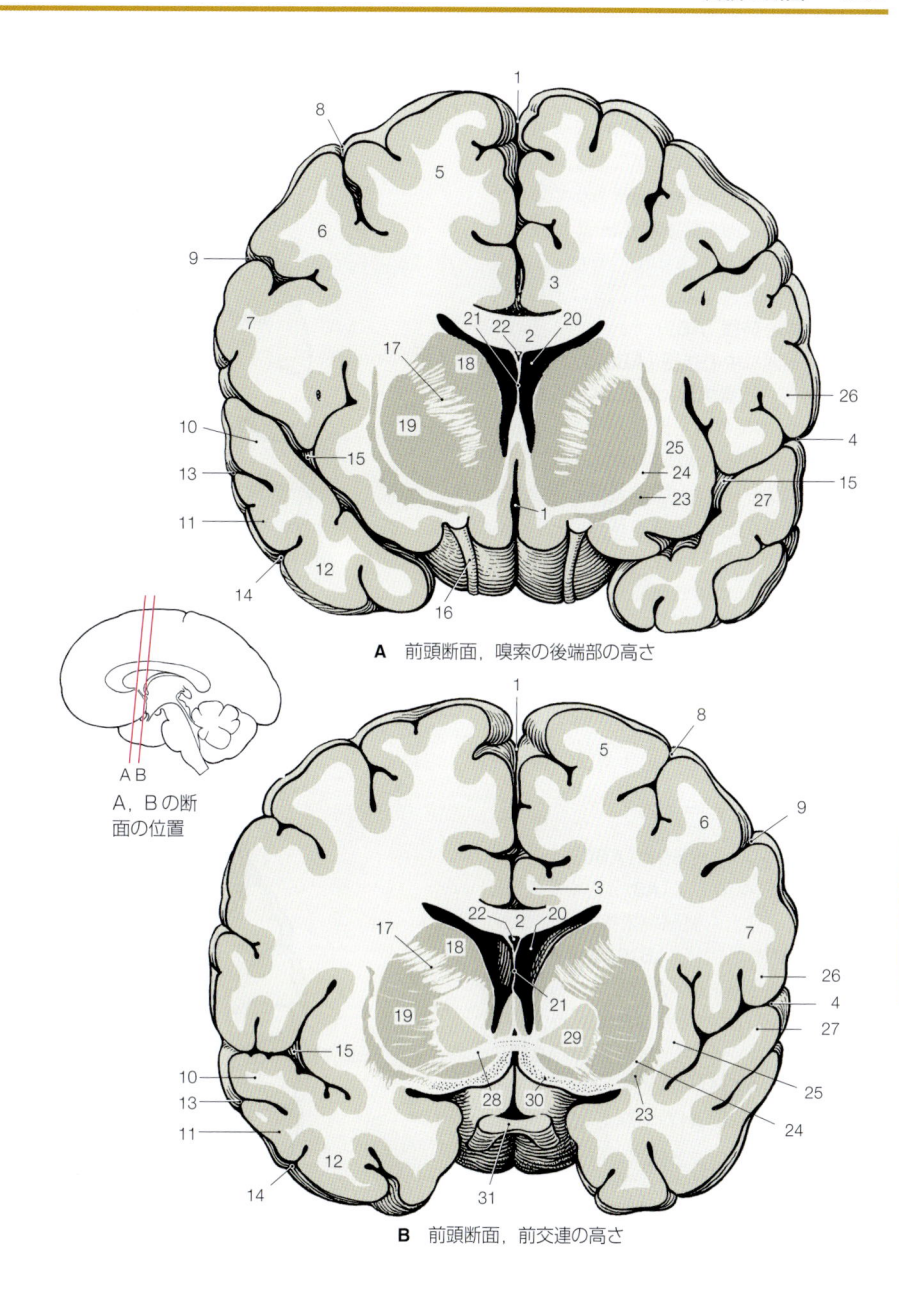

前障（AB23）．前障は以前は線条体とともに大脳基底核 basal ganglia に数えられたり，あるいは皮質層の付け足しとして島皮質に層するものとされた．しかしながら発生学的ならびに比較解剖学的研究によって，前障は発生の途中で位置がずれた古皮質の細胞群であることが証明されている．前障はその広い底のところで古皮質の領域へ移行する（すなわち梨状前野 prepiriform cortex や扁桃体の外側核 lateral nucleus of amygdaloid complex へ）．頭頂葉，側頭葉および後頭葉の皮質からの，無髄線維が局在的配列をなして前障に終わるといわれている．前障の機能についてはほとんどわかっていない．

A　前頭断面，嗅索の後端部の高さ

A，B　A，Bの断面の位置

B　前頭断面，前交連の高さ

---

1 大脳縦裂 longitudinal cerebral fissure　2 脳梁 corpus callosum　3 帯状回 cingulate gyrus　4 外側溝 lateral sulcus　5 上前頭回 superior frontal gyrus　6 中前頭回 middle frontal gyrus　7 下前頭回 inferior frontal gyrus　8 上前頭溝 superior frontal sulcus　9 下前頭溝 inferior frontal sulcus　10 上側頭回 superior temporal gyrus　11 中側頭回 middle temporal gyrus　12 下側頭回 inferior temporal gyrus　13 上側頭溝 superior temporal sulcus　14 下側頭溝 inferior temporal sulcus　15 ［大脳］外側窩（シルヴィウス窩）lateral cerebral fossa (fossa of Sylvius)　16 嗅索 olfactory tract　17 内包 internal capsule　18 尾状核 caudate nucleus　19 被殻 putamen　20 前角 frontal horn　21 透明中隔 septum pellucidum　22 透明中隔腔 cave　23 前障 claustrum　24 外包 external capsule　25 最外包 extreme capsule　26 前頭弁蓋（下前頭回の弁蓋部）frontal operculum (opercular part)　27 側頭弁蓋 temporal operculum　28 前交連 anterior commissure　29 淡蒼球（間脳に属する）pallidum　30 嗅皮質 olfactory cortex　31 視交叉 optic chiasm

扁桃体を通る断面（A）

この高さでは背尾側から腹吻側へ斜めに走っている**中心溝**（**AB1**）がみえる．この中心溝は遠く離れた吻側で切断されているため，その背側にある前頭葉 frontal lobe はその腹側にある頭頂葉よりも，著しく広い部分を占めることになる．中心溝の上にある大脳回は**中心前回**（**AB2**）であって，その下にある大脳回は**中心後回**（**AB3**）である．側頭葉の深部には**扁桃体**（**A4**，扁桃核複合）が現れる．扁桃体は側頭葉の内側面で表面にまで達しているため，これは一部は皮質として，また一部は大脳基底核とみなされることもあるが，両構造の移行型とみるのがより適切であろう．まわりの扁桃体周囲皮質 periamygdaloid cortex のみならず，扁桃体の皮質内側核群 corticomedial nuclear group も第一次嗅覚中枢に属しているから，その核としての性格をもつにもかかわらず，扁桃体を古皮質に算入することがある．扁桃体の上には広い底をなして**前障**（**AB5**）が終わっている．

両半球の間には，**視床**（**AB6**），**淡蒼球**（**AB7**）および**視床下部**（**A8**）からなる間脳がみえてくる．これら間脳の諸核の外側には，**被殻**（**AB9**）と**尾状核**（**AB10**）を合わせた線条体 corpus striatum が接している．**脳梁**（**AB11**）の下には，**脳弓**（**AB12**）の太い線維束がみられる．その他，**大脳縦裂**（**AB13**），**大脳外側溝**（**AB14**），**外側窩**（**AB15**），**視索**（**A16**）および**漏斗**（**A17**）もみえる．

海馬を通る断面（B）

この断面では扁桃体は消失してしまい，側頭葉の内側面には原皮質の最も重要な部分である**海馬**（**B18**）が現れてくる．海馬は内方へ巻き込まれた皮質性の構造物であって，側脳室の下角（**B23**）に向かって膨隆している．**外側窩**（**B15**）はその尾側部の断面をみせている．ここでは側頭弁蓋の内面に著明な大脳回がみられるが，これらは斜めに切られた**横側頭回**（**B19**）であって，ここには聴覚領がありヘシュル横回 transverse gyri of Heschl ともいわれる．間脳の腹側部では**視床下核**（**B20**），**乳頭体**（**B21**），および中脳に属する**黒質**（**B22**）がみられる．

大脳基底核．半球の深部にある灰白色の神経核複合体は，大脳基底核 basal ganglia (nuclei) として一括して取り扱われる．線条体と淡蒼球だけを基底核と呼んだり，扁桃体と前障をも含めたり，視床さえも大脳基底核に含めることがある．大脳基底核という概念は漠然としていて，その定義は不完全であるから，この概念はここでは説明しない．かつて淡蒼球と被殻をレンズ核 lentiform nucleus として一つにまとめていた（これはレンズ核ワナ ansa lenticularis やレンズ核束 lenticular fasciculus に名残りをとどめている）．レンズ核という表現はあまり用いられなくなっている．

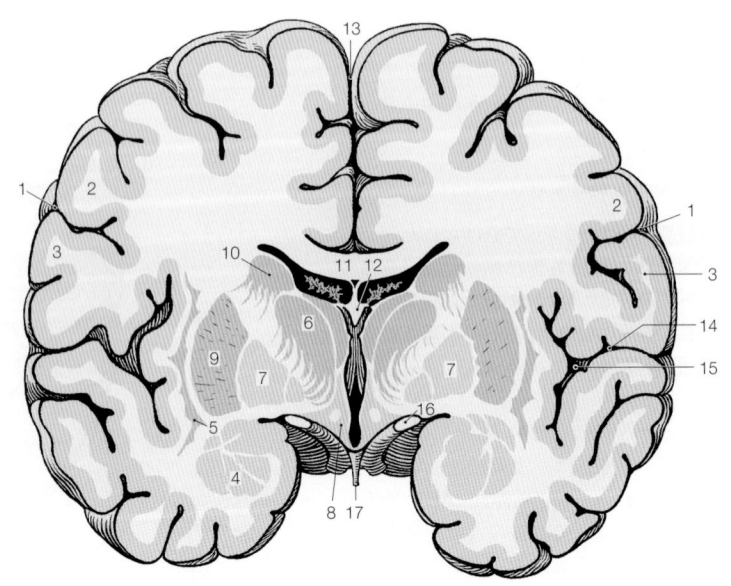

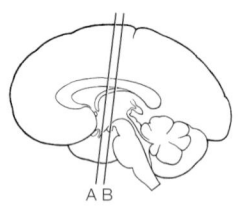

A 前頭断面，扁桃体の高さ

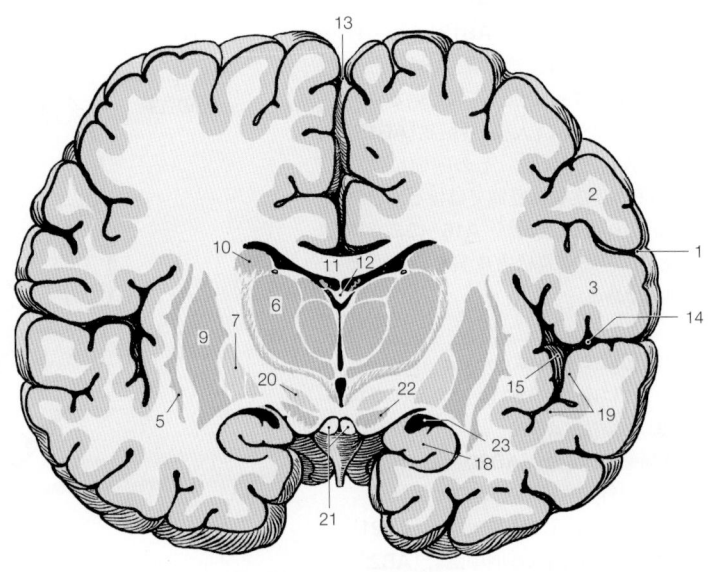

B 前頭断面，海馬がみえる

A，Bの断面の位置

---

1 中心溝 central sulcus　2 中心前回 precentral gyrus　3 中心後回 postcentral gyrus　4 扁桃体（扁桃核複合）amygdaloid body (amygdaloid nuclear complex)　5 前障 claustrum　6 視床 thalamus　7 淡蒼球 pallidum　8 視床下部 hypothalamus　9 被殻 putamen　10 尾状核 caudate nucleus　11 脳梁 corpus callosum　12 脳弓 fornix　13 大脳縦裂 longitudinal cerebral fissure　14 大脳外側溝 lateral cerebral sulcus　15 外側窩 lateral cerebral fossa　16 視索 optic tract　17 漏斗 infundibulum　18 海馬 hippocampus　19 横側頭回 transverse temporal gyri　20 視床下核 subthalamic nucleus　21 乳頭体 mammillary body　22 黒質 substantia nigra　23 ［側脳室］下角 inferior horn [of lateral ventricle]

中脳と橋の高さでの断面(A)

大脳半球の外側壁には，外側窩(**A1**)が開いている．外側溝(**A2**)の背側には頭頂葉があり，腹側には側頭葉がある．側頭葉の背面で外側溝の深部に位置する横側頭回(**A3**, 550頁C1)は斜めに切られてみえる．外側窩の底には島皮質があり，その下(内側)には前障(**A4**)と被殻(**A5**)が後方へ伸びだしてきている．尾状核(**A6**)は側脳室(**A7**)の外側壁のところに現れる．側頭葉の内側面には海馬傍回(**A8**)の上に，皮質が巻き込まれてできたアンモン角(**A9**)がある．脳梁(**A10**)の下には左右に分かれた脳弓(**A11**)がみえる．

両側の半球の間には間脳と中脳の移行部がある．視床(**A12**)では，その尾側部の核領域が現れている．主な核複合から切り離されて，下方に外側膝状体(**A13**)が，内側で第三脳室壁のところには手綱核(**A14**)がある．間脳のこれらの部分は断面でのこのような現れ方からして，フォレル軸に垂直に前頭断されていることになる．これに対して，中脳と橋の諸構造は脳幹が屈曲しているため斜めに切られていて，マイネルト軸に垂直に置かれた断面像とは異なった様相を呈している．背側には中脳水道(**A15**)があり，その下には上小脳脚交叉(**A16**)がある．両外側には暗い神経細胞が集まり細い帯状になって下方へ走っている．これが黒質(**A17**)である．その外側には大脳脚底(**A18**)がみえ，その線維塊を内包から橋(**A19**)まで追跡することができる．

脳梁膨大を通る断面(B)

この断面では半球の背側部は頭頂葉に，腹側部は側頭葉に属しているが，この断面の高さで側頭葉は後頭葉に移行していく．頭頂葉と側頭葉との境界は角回(**B20**)のあたりと想定されている．外側溝と外側窩はもはやみられない．脳梁膨大(**B21**)の高さでのこの脳梁の断面はその幅の広いことが特徴である(534頁A6, 554頁E14)．脳梁の背側と腹側には帯状回(**B22**)があり，脳梁膨大をぐるりと回っていることがわかる．帯状回の腹側には海馬傍回(**B23**)が隣接している．海馬も鳥距溝も現れていない．この断面は海馬の後ろで鳥距溝の前に位置して

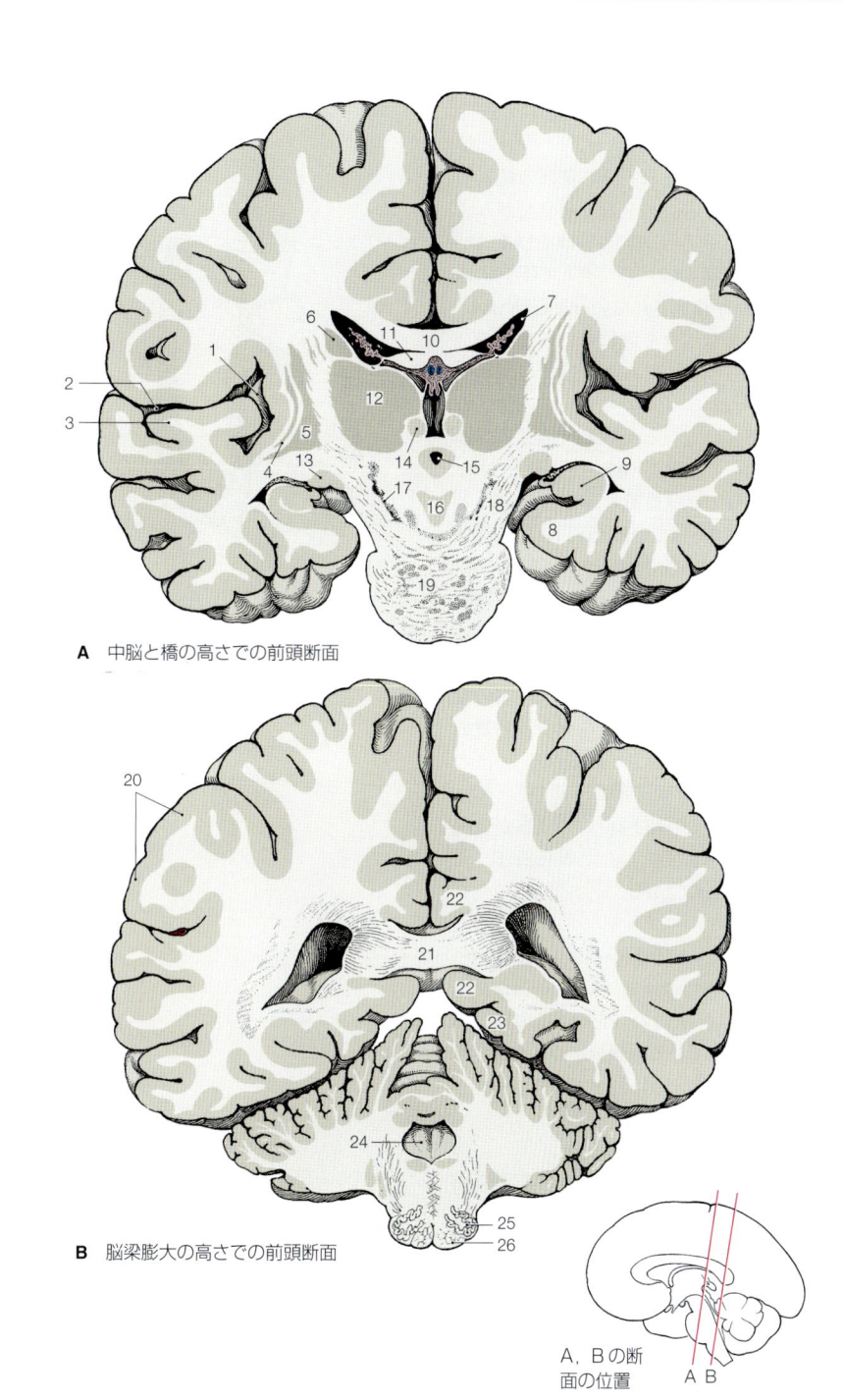

A 中脳と橋の高さでの前頭断面

B 脳梁膨大の高さでの前頭断面

A, Bの断面の位置

いる．側脳室はきわ立って広い．ここは側脳室後角の最前部で下角と中心部へ移行していくところである(563頁BC7〜9)．

半球の下面には小脳が接している．正中部には延髄が現れ，その斜めに切られた断面で第四脳室(**B24**)，オリーブ(**B25**)および錐体(**B26**)が認められる．

---

1 外側窩 lateral cerebral fossa **2** 外側溝 lateral sulcus **3** 横側頭回 transverse temporal gyri **4** 前障 claustrum **5** 被殻 putamen **6** 尾状核 caudate nucleus **7** 側脳室 lateral ventricle **8** 海馬傍回 parahippocampal gyrus **9** アンモン角 Ammon's horn **10** 脳梁 corpus callosum **11** 脳弓 fornix **12** 視床 thalamus **13** 外側膝状体 lateral geniculate body **14** 手綱核 habenular nuclei **15** 中脳水道 aqueduct of midbrain **16** 上小脳脚交叉 decussation of superior cerebellar peduncles **17** 黒質 substantia nigra **18** 大脳脚底 base of peduncle **19** 橋 pons **20** 角回 angular gyrus **21** 脳梁膨大 splenium of corpus callosum **22** 帯状回 cingulate gyrus **23** 海馬傍回 parahippocampal gyrus **24** 第四脳室 fourth ventricle **25** オリーブ olive **26** 錐体 pyramid

水平断面

脳梁の表面と側脳室（A）

　脳梁の上方で脳を水平断し深部の髄質層を除去すると，脳梁の表面と側脳室がみえるようになる．図の上方には前頭葉（**A1**）が，側方には側頭葉（**A2**）が，そして下方には後頭葉（**A3**）が横断されている．脳梁（**A4**）の背側面は軟膜とクモ膜に覆われた脳の自由表面のうちの一つである．脳梁の背側面は深部に横たわっていて，半球の内側面の大脳回に覆われている．吻側で脳梁表面は腹側へ屈曲して脳梁膝（**A5**）（554頁E11）をつくり，尾側では脳梁膨大（**A6**）（554頁）という膨らみをつくっている（553頁）．脳梁に沿って4本の白い線維索が走る：左右の脳梁半側にそれぞれ外側縦条（**A7**）と内側縦条（ランシジ）（**A8**）（539頁）がみられる．これらの線維索は海馬から梁下野 subcallosal area へ行く線維路を含んでいる．左右の縦条の間には狭い神経細胞層を含む灰白質の薄い層があり，灰白層 indusium griseum と呼ばれる．これは原皮質の一部であって，脳梁が強く発達し（432頁），原皮質が側脳室の下角のほうに変位したため（527頁）退縮して残ったものである．

　前頭葉のところでは側脳室の前角（**A9**）が，後頭葉のところでは後角（**A10**）が開かれている（563頁）．下角の底をつくるのは海馬（**A11**）の高まりである．側脳室の中心部と下角は脈絡叢（**A12**，564頁）を含んでいる．

間脳の背面の提示（B）

　これは脳梁の下方での斜めの水平断面であって，脳梁は完全に取り除かれている．両側の側脳室を開くと，尾状核（**B13**）の背面と，その内側に接して視床（**B14**）の背面が現れる．視床についてはさらに松果体（**B15**）と，これにつながった両側の手綱（**B16**）がみられる．左右の尾状核頭の間では，両側の脳弓（**B17**）がその吻側の部分（脳弓柱 fornical column）で切断されてみえる．脳弓からは透明中隔（**B18**）が脳梁まで広がっている．

　外側の半球壁は皮質と脳室の間に特に広い髄質を伴っている．この領域を半卵円中心（**B19**）という．この中へ中心溝（**B20**）が切り込んできて，前頭葉（図では上方）と頭頂葉（図ではその下方）とを分けている．中心溝を基準にすると，中心前回（**B21**）と中心後回（**B22**）を容易にみつけ出すことができる．

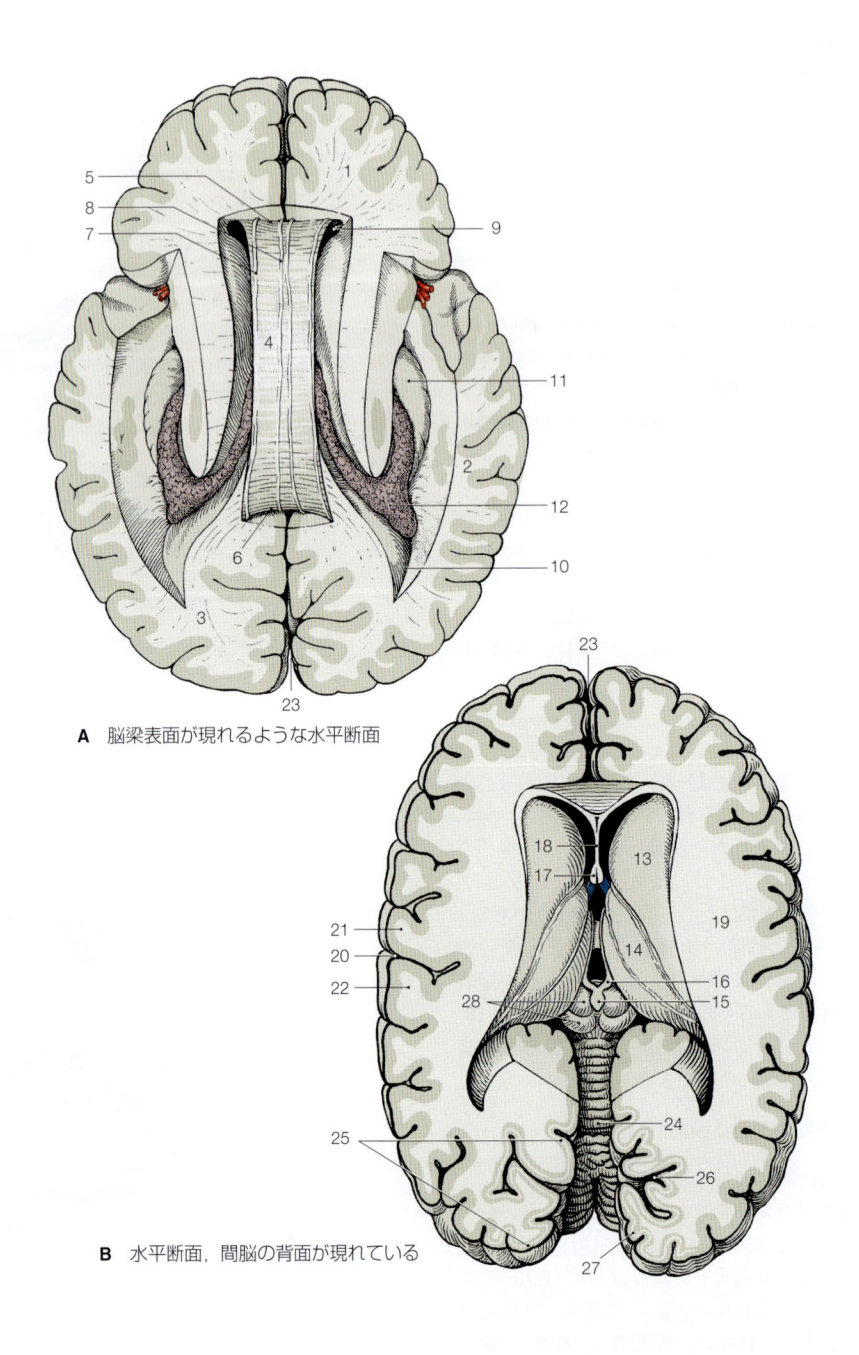

　大脳縦裂（**AB23**）の間には，尾側に小脳（**B24**）が認められる．半球の尾側部は後頭葉でつくられている．ここには有線野（**B25**）すなわち視覚領がある．有線野は主に後頭葉の内側面にある**鳥距溝**（**B26**）のところを占め，わずかに後頭極の方へ伸び出している．肉眼的にもこの有線野は，皮質を2つの灰白質帯に分ける**ジェンナリ線**（**B27**）という白い線条が存在するためほかの皮質と区別できる．ジェンナリ線は有髄線維の広い帯であって，ほかの新皮質ではやや狭い外バイヤルジェー線 external band of Baillarger に相当する（544頁A16，551頁）．

A 脳梁表面が現れるような水平断面

B 水平断面．間脳の背面が現れている

---

1 前頭葉 frontal lobe　2 側頭葉 temporal lobe　3 後頭葉 occipital lobe　4 脳梁 corpus callosum　5 脳梁膝 genu of corpus callosum　6 脳梁膨大 splenium of corpus callosum　7 外側縦条 lateral longitudinal stria　8 内側縦条 medial longitudinal stria (Lancisii)　9 前角 frontal horn　10 後角 occipital horn　11 海馬 hippocampus　12 脈絡叢 choroid plexus　13 尾状核 caudate nucleus　14 視床 thalamus　15 松果体 pineal body　16 手綱 habenula　17 脳弓 fornix　18 透明中隔 septum pellucidum　19 半卵円中心 semioval center　20 中心溝 central sulcus　21 中心前回 precentral gyrus　22 中心後回 postcentral gyrus　23 大脳縦裂 longitudinal cerebral fissure　24 小脳 cerebellum　25 有線野 striate area　26 鳥距溝 calcarine sulcus　27 ジェンナリ線 band of Gennari　28 中脳蓋 tectum of midbrain

線条体を通る水平断面（A）

この高さでは大脳外側窩（**AB1**）はその前後方向の広がりがよくわかるように開かれている．外側溝（**A2**）は比較的遠く吻側にみられ，その前には前頭弁蓋（**AB3**）が，その後ろには長くのび出た側頭弁蓋（**AB4**）がある．終脳の深部にある諸構造すなわち前障（**AB5**）と被殻（**AB6**）についても，前後方向の広がりがよくみえる．弓状の構造物は，この断面には2回現れる．すなわち脳梁（**AB7**）については，吻側ではその前部の脳梁膝 genu of corpus callosum が，尾側ではその末端すなわち脳梁膨大 splenium of corpus callosum が現れている．尾状核もまた2ヵ所で切り口がみえる．すなわち吻側では尾状核頭（**AB8**）で，尾側では視床の切断面（**AB10**）の外側にある尾状核尾（**AB9**）で切れている．視床は淡蒼球（**AB11**）とは内包 internal capsule によって分けられている．内包は水平断面では前脚（**A12**）と後脚（**A13**）が鉤形をしている．側脳室も同様に2ヵ所に開いている．すなわち前頭葉のところでは側脳室の前角（**A14**）の切り口がみえ，尾方ではその後角（**A15**）へ移行するところがみえている．左右の前角は脳梁と脳弓（**A17**）の間に伸びている透明中隔（**A16**）により隔てられている．

このほかに，前頭葉（**AB18**），側頭葉（**A19**），後頭葉（**A20**），大脳縦裂（**AB21**），および有線野（視皮質）（**A22**）もみえる．

前交連の高さでの水平断面（B）

前頭葉と側頭葉がまだ完全な広がりをもっているのに，後頭葉は側頭葉への移行部で横断されているため，その前方の部分がみられるにすぎない．左右の半球の間には小脳（**B23**）の背面が円錐状をなして割り込んでくる．側脳室の前角と脳梁はもはやみられない．その代わりに両半球を結ぶものとして前交連（**B24**）が現れてくる．上方での断面（A）では互いにくっついていた左右の脳弓柱（**B25**）は，前交連の高さの断面では互いに離れている．内包については，後脚（**B13**）だけがまだかなりの広がりをもっており，前脚（**B12**）は少数の線維束によりやっとわかるにすぎない．その結果，尾状核頭（**B8**）はもはや被殻（**B6**）とは分かれていないで互いに接合している．このことから線条体が一つの核複合であることがわかる．側頭葉のところでは，皮質の帯が巻き込まれた恰好のアンモン角（**B26**）が，海馬傍回（**B27**）に重なってみえるようになる．

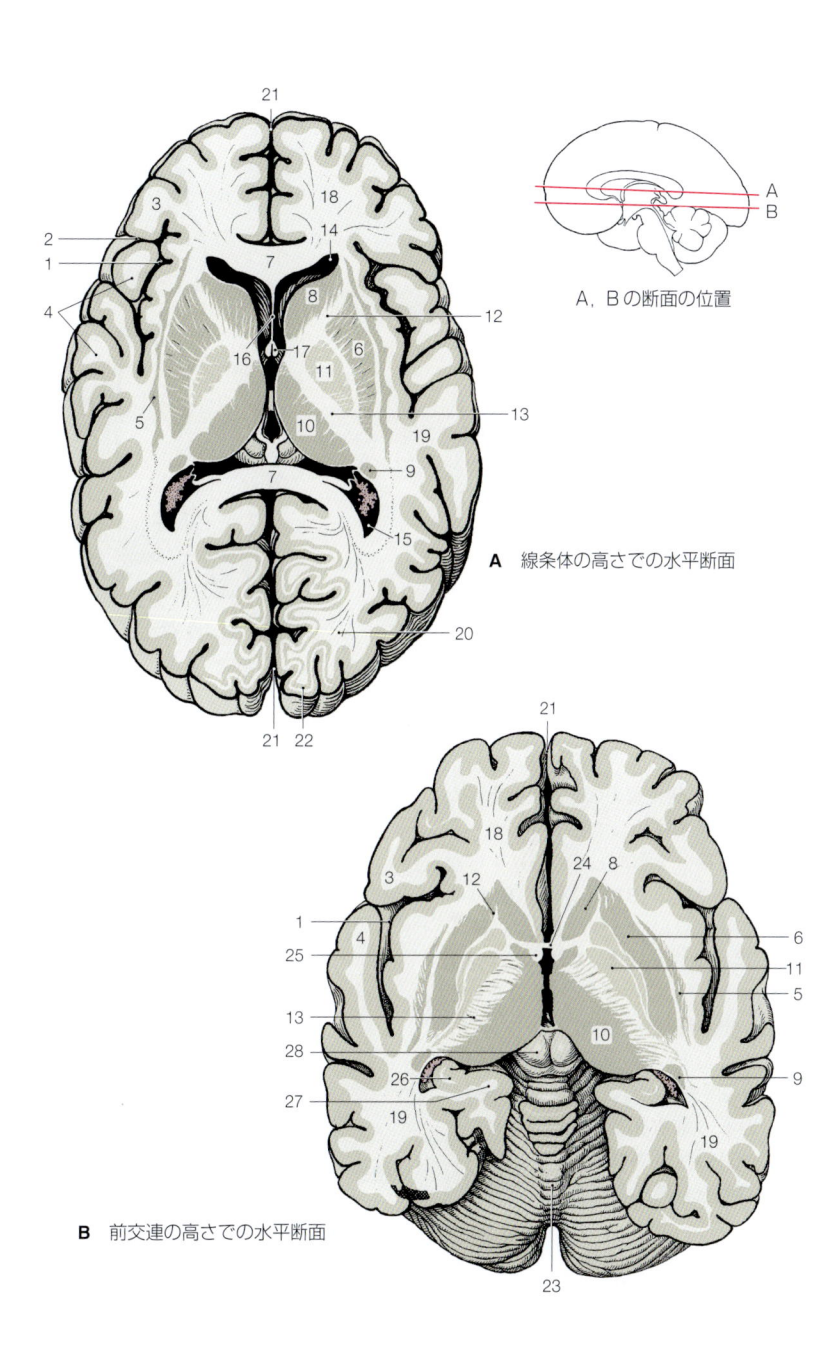

A　線条体の高さでの水平断面

B　前交連の高さでの水平断面

A，Bの断面の位置

---

1 大脳外側窩 lateral cerebral fossa　2 外側溝 lateral sulcus　3 前頭弁蓋 frontal operculum　4 側頭弁蓋 temporal operculum　5 前障 claustrum　6 被殻 putamen　7 脳梁 corpus callosum　8 尾状核頭 head of caudate nucleus　9 尾状核尾 tail of caudate nucleus　10 視床 thalamus　11 淡蒼球 pallidum　12 前脚 anterior limb　13 後脚 posterior limb　14 前角 frontal horn　15 後角 occipital horn　16 透明中隔 septum pellucidum　17 脳弓 fornix　18 前頭葉 frontal lobe　19 側頭葉 temporal lobe　20 後頭葉 occipital lobe　21 大脳縦裂 longitudinal cerebral fissure　22 有線野 striate area　23 小脳 cerebellum　24 前交連 anterior commissure　25 脳弓柱 column of fornix　26 アンモン角 Ammon's horn　27 海馬傍回 parahippocampal gyrus　28 中脳蓋 tectum of midbrain

古皮質と扁桃体

古皮質（A～D）

区分（A，B）

古皮質 paleocortex（青）は終脳の最も古い皮質領域であって，嗅球や嗅索とともにいわゆる**嗅脳** rhinencephalon を形成している．原始的な哺乳動物（**A**，ハリネズミ）では古皮質が終脳の大部分を占めている．吻側には大きな塊状の嗅球（**A1**）があり，それに接して嗅結節（**A2**）という嗅覚領がみられる．そのほかの脳底部を占めるのは鉤（**A4**）を伴った梨状葉（**A3**）である．梨状葉は種々の皮質領域を含んでいる：すなわち外側には梨状前野（**A5**），内側にはブローカの対角帯（**A6**）および尾側に扁桃体周囲野（**A7**）がある．梨状葉の尾側部は，内嗅領（**A8**）と呼ばれる原皮質（赤）と新皮質との移行領域（オレンジ）によって占められている．内側には海馬の一部，すなわち表面に歯状回（**A9**）を伴う鉤がみえる．

ヒトでは（**B**），新皮質の広がりが大きいため古皮質は深部へ移動してしまい，かろうじて脳底の小部分を形成しているにすぎない．発達の悪い嗅球（**B10**）は嗅索（**B11**）によって嗅覚領と結ばれている．嗅三角（**B12**）で嗅索の線維は内側嗅条（**B13**）と外側嗅条（**B14**）の2つ（しばしば3つまたはそれ以上）の束に分かれる．これらは，ヒトでは深部へ沈んでしまっている嗅結節 olfactory tubercle の周囲を囲んでいる前有孔質（**B15**）となっている．前有孔質の尾側はブローカの対角帯（**B16**）で境されている．ブローカの対角帯は嗅覚に関係した求心性線維を通しているという．

梨状葉のそのほかの領域は，ヒトでは半球の回転によって広範囲に側頭葉の内側面へ移動してしまっており，そこで迂回回（**B17**）と半月回（**B18**）をつくっている．迂回回は梨状前皮質（**B19**）で占められ，半月回は扁桃体周囲皮質（**B20**）で占められている．その腹尾側には鉤（**B21**）が表面に歯状回の端すなわちジャコミニ小帯 band of Giacomini を伴って膨隆している．鉤は海馬傍回（**B22**）へ移行していくが，この回は内嗅領皮質（**B23**）に覆われている．

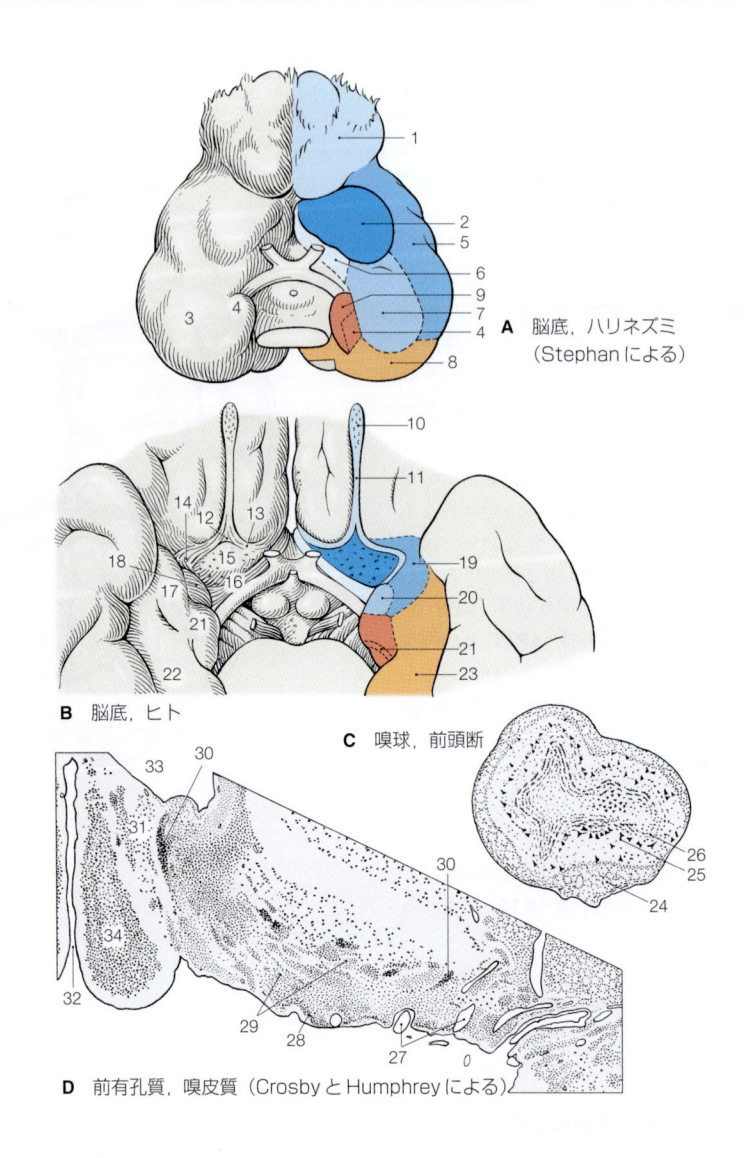

嗅球（C）

嗅球 olfactory bulb（**C**）は微嗅動物 microsmatic animals に属するヒトでは退化している．高度に嗅覚の発達した哺乳動物（巨嗅動物 macrosmatic animals）は構造の複雑な大きな嗅球をもっている（528頁AB3）．ヒトの嗅球では，嗅神経層，糸球体層（**C24**），僧帽細胞層（**C25**）および顆粒細胞層（**C26**）などが区別される．糸球体層で僧帽細胞は嗅神経 olfactory nerves の終末とシナプスをつくっている（糸球状シナプス glomerular synapses）（538頁A）．僧帽細胞の軸索は嗅索を通って第一次嗅覚中枢へ行く．嗅索にはその全長にわたって，中等大のニューロンが不連続的に集積しているが，これを前嗅核 anterior olfactory nucleus という．これらのニューロンの軸索は嗅索の線維に加わり，一部は交叉して反対側の嗅球へ行く．

前有孔質（D）

多くの血管（**D27**）が進入している前有孔質 anterior perforated substance には，外側に小錐体細胞の不規則な層すなわち錐体細胞層（**D28**），内側には疎な多形細胞層（**D29**）があって，ここにカレーハの島（**D30**）という暗調な細胞の集団が散在している．嗅球，嗅索および前有孔質には，多数のペプチド作動性ニューロンが含まれている（CRF，エンケファリンなど）．

---

1 嗅球 olfactory bulb　2 嗅結節 olfactory tubercle　3 梨状葉 piriform lobe　4 鉤 uncus　5 梨状前野 prepiriform area　6 ブローカの対角帯 diagonal band of Broca　7 扁桃体周囲野 periamygdaloid area　8 内嗅領 entorhinal area　9 歯状回 dentate gyrus　10 嗅球 olfactory bulb　11 嗅索 olfactory tract　12 嗅三角 olfactory trigone　13 内側嗅条 medial stria　14 外側嗅条 lateral stria　15 前有孔質 anterior perforated substance　16 ブローカの対角帯 diagonal band of Broca　17 迂回回 ambient gyrus　18 半月回 semilunar gyrus　19 梨状前皮質 prepiriform cortex　20 扁桃体周囲皮質 periamygdaloid cortex　21 鉤 uncus　22 海馬傍回 parahippocampal gyrus　23 内嗅領皮質 entorhinal cortex　24 糸球体層 glomerular layer　25 僧帽細胞層 mitral cell layer　26 顆粒細胞層 koniocellular (granular) layer　27 血管（前有孔質へ入る）blood vessels penetrating the substantia perforata anterior　28 錐体細胞層 pyramidal layer　29 多形細胞層 multiform layer　30 カレーハの島 islands of Calleja　31 対角帯核 nucleus of diagonal band　32 大脳縦裂 longitudinal cerebral fissure　33 側脳室 lateral ventricle　34 終板傍回 paraterminal gyrus

扁桃体（A〜E）

扁桃核（扁桃体もしくは扁桃核複合 amygdaloid nuclear complex）は側頭葉の内側面を占めている（**B**）．この核複合は皮質部すなわち皮質核 cortical nucleus と深部にある核部とからなっており，皮質と神経核との移行型とみなされている．この核複合にかぶさって扁桃体周囲皮質（**A1**）がみられる．

亜核（A〜D）

この核複合はいくつかの亜核 subnuclei に分けられる：すなわち表在性の皮質核（**A2**），中心核（**A3**），小細胞性の内側部（**A5**）と大細胞性の外側部（**A6**）の区別のある基底核（**CD4**），および外側核（**A7**）に分けられる．内側核（**A8**）が扁桃核複合に属するかどうかは疑問である．扁桃体はペプチド作動性ニューロンに富んでいる．中心核には特にエンケファリンと CRF が，外側核には VIP が存在することが証明されている．

これらの亜核は2群にまとめられる：すなわち系統発生学的に古い**皮質内側核群** corticomedial nuclear group（皮質核＋中心核）と系統発生学的に比較的新しい**基底外側核群** basolateral nuclear group（基底核＋外側核）にまとめられる．皮質内側核群は嗅球からの線維を受けとり，また分界条 stria terminalis が始まるところである．基底外側核群は梨状前皮質や内嗅領皮質と線維連絡をもっている．電気生理学的に電位変化を誘導すると，皮質内側核群だけが嗅覚インパルスを受けとっており，これに対し基底外側核群は視覚および聴覚インパルスを受けとっていることがわかった．

機能による区分（C〜E）

扁桃核やその周囲を電気刺激すると，植物性および情緒性反応が引き起こされる．怒り（■）や逃避反応（□）が，この核の分界条線維の集まってくるところを電気刺激すると，それに応じた植物（自律）性現象（散瞳，血圧上昇，心拍数と呼吸数の促進）を伴って誘発されてくる（**C**）．ほかの諸点の電気刺激では頭を向ける注意反応などが得られる．刺激によって咀嚼（○），舌なめずり（●）または唾液の分泌（▲）を引き起こすこともできる（**D**）．また刺激が食物の摂取，胃液の分泌および腸運動機能の亢進をも引き起こすことがある．性機能亢進 hypersexuality は刺激に引き続いて出現するが，基底外側群の破壊によっても得られる．排尿（△）ま

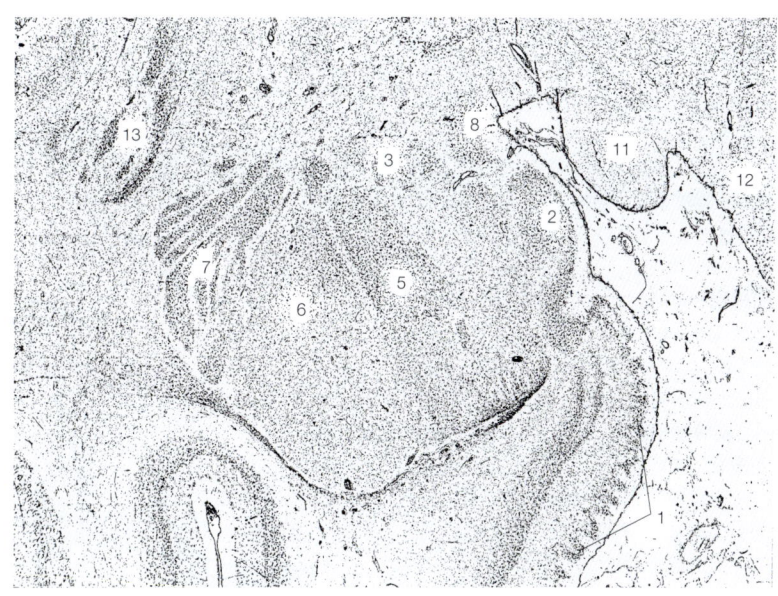

A 扁桃核の区分，前頭断面，半模式図

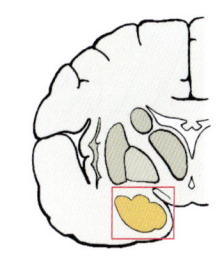

B 断面の位置

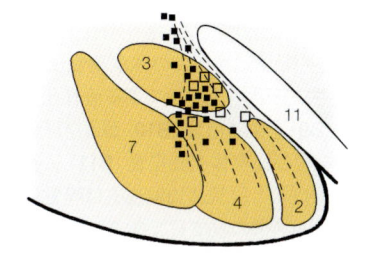

C 怒り反応と逃避反応，刺激実験，ネコ（Molina と Hunsperger による）

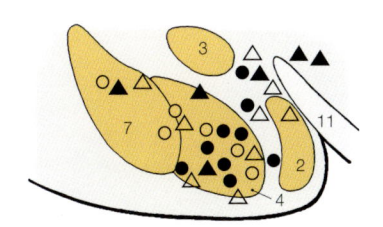

D 植物性反応，刺激実験，ネコ（Ursin と Kaada による）

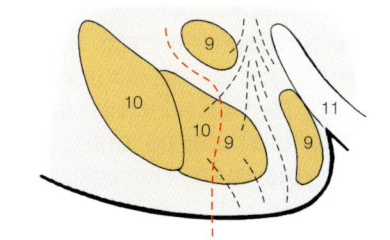

E 機能的区分（Koikegami による）

たは排便も同様に誘発されてくる．

刺激実験の結果を局所的に整理することは困難である．多くの線維がこの核複合体を通り抜けており，刺激効果は単に刺激部位のみならず，そこを通るほかの核からの線維束が刺激されることによっても起こってくるからである．最近では基底核の内側部を皮質内側核群に含ませて，両核群をそれぞれ異なった行動と関連づける試みがなされている：すなわち，皮質内側核群（**E9**）は攻撃的行動，性衝動，多食衝動などに促

進的な影響を及ぼし，これに反して外側核群（**E10**，外側核＋基底核外側部）はこれらの行動ないし衝動を鈍らせるように作用している．

臨床関連：ヒトで扁桃体 corpus amygdaloideum を刺激すると（これは重症のてんかん epilepsia を治療するための診断上の処置である），怒りまたは不安，あるいはまた安静とくつろぎの感情が誘発されてくる．患者は"変身したような"または"ほかの世界にいるような"感じになることがある．この反応は一般に刺激開始時の感情状態によって影響を受ける．

---

1 扁桃体周囲皮質 periamygdaloid cortex　2 皮質核 cortical nucleus　3 中心核 central nucleus　4 基底核 basal nucleus　5 内側部（小細胞性の）medial part　6 外側部（大細胞性の）lateral part　7 外側核 lateral nucleus　8 内側核 medial nucleus　9 皮質内側核群 corticomedial nuclear group　10 外側核群 lateral nuclear group　11 視索 optic tract　12 視床下部 hypothalamus　13 前障 claustrum

線維結合（A～C）

嗅球（A）

嗅細胞（**A1**）(587頁C)の軸索はいくつかの線維束となって嗅神経（第1ニューロン）を形成し，篩板（**A2**）の孔を通って嗅球（**A3**）に達する．線維束は，**僧帽細胞**（**A4**）の樹状突起と一緒になって糸球体（**A5**）を形成して終わる．糸球体では，多くの嗅細胞が一つの僧帽細胞と連絡している．顆粒細胞や房飾細胞は嗅球の統合機構に属している．僧帽細胞（第2ニューロン）の軸索は**嗅索**（**A6**）を通って一次嗅覚中枢に達している．嗅索に沿って**前嗅核**（**AC7**）を構成する中等大の細胞が散在している．ここには僧帽細胞の軸索，または軸索側枝が終止している．前嗅核からの線維は一部は内側嗅条（**B8**）を形成して前交連を通って反対側の嗅球に終わっている．

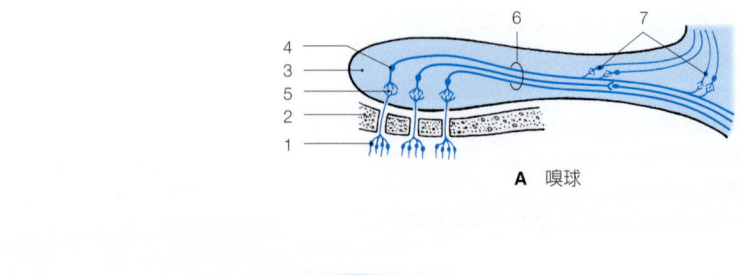

外側嗅条（B）

僧帽細胞の軸索はすべて外側嗅条 lateral stria を通り，一次嗅覚中枢である前有孔質（嗅覚野）（**B9**），梨状前野（**B10**）および扁桃体内側核を含む扁桃体周囲皮質（**B11**）に行く．梨状前皮質と扁桃体周囲皮質は嗅覚刺激を知覚する本来の嗅皮質である．内側嗅条は嗅皮質から嗅球への線維を含んでいる．

嗅皮質からの線維系（食物探査，食物摂取，生殖などに関係した嗅覚刺激）は，内嗅領（**B12**），扁桃体の基底外側核複合体（**B13**），視床下部の前部および外側部（**B14**）および視床内側核の大細胞部（**B15**）に達する．手綱核（**B16**）(512頁A)への線維は脳幹の中枢と結合している．しかしながら，このような連合線維はもはや嗅覚系とはいいがたい．

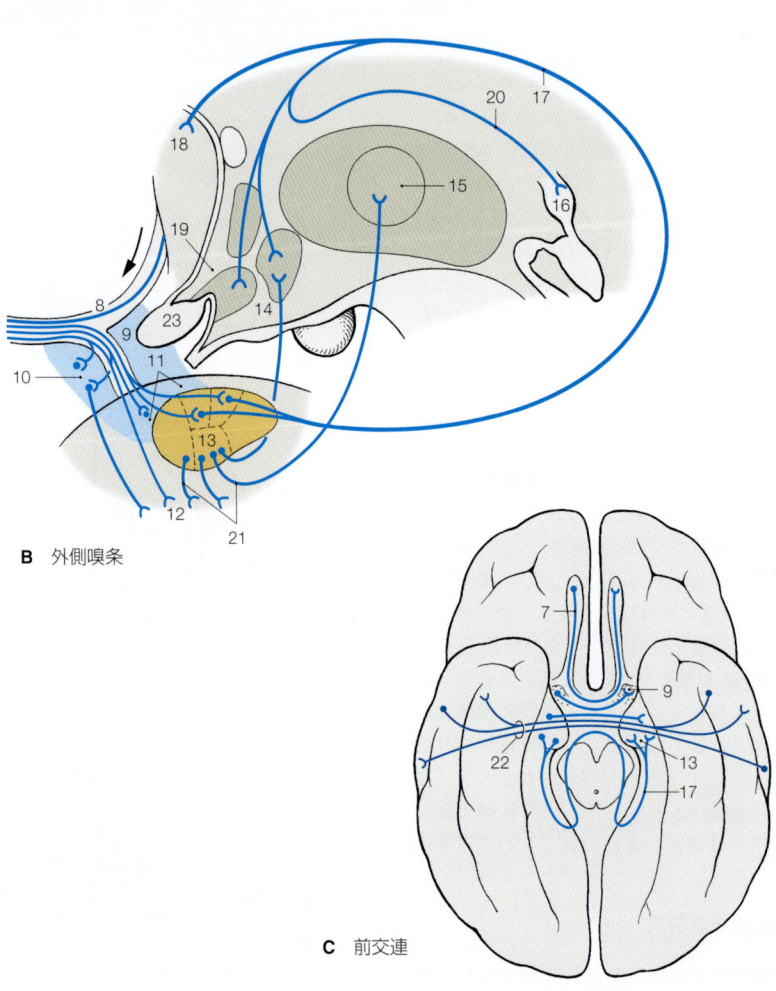

扁桃体（B）

基底外側核群は運動前皮質，前頭極皮質，側頭皮質，視床内側核の大細胞部および視床非特異核などからの線維を受けている．扁桃体 amygdaloid body からの遠心性線維のうちで最も重要なのは**分界条**（**B17**）である．この線維路は尾状核と視床の間の境界の溝を前交連に向かって弓形に走っている．この走行の間は視床線条体静脈（509頁C14）の深部を走っている．分界条の線維は中隔核群（**B18**），視索前野（**B19**）および視床下部のいろいろな神経核に終止している．分界条からの線維束の一部は視床髄条（**B20**）に入り手綱核に投射している．扁桃体の基底外側核からの遠心性線維束には，**腹側遠扁桃体経路**（**B21**）として内嗅領，視床下部および視床内側核に行き，ここから前頭葉の広い範囲と結合している．分界条にはペプチド作動性の線維が多量に含まれている．

前交連（C）

前交連 anterior commissure の**前部**は，嗅索（前嗅核）（**C7**）の線維と嗅皮質（**C9**）の線維が交叉して反対側に向かっている．ヒトでは，前部の発育は悪い．前交連の**後部**のほうが大きく，ここには側頭皮質（**C22**），特に中側頭回からの線維が交叉している．後部はさらに，扁桃体（**C13**）と分界条（**C17**）の交叉線維が含まれている．

---

1 嗅細胞 olfactory cell　2 篩板 cribriform plate　3 嗅球 olfactory bulb　4 僧帽細胞 mitral cell　5 糸球体 glomerulus（嗅糸球体 olfactory glomerulus）　6 嗅索 olfactory tract　7 前嗅核 anterior olfactory nucleus　8 内側嗅条 medial stria　9 前有孔質 anterior perforated substance（嗅覚野 olfactory area）　10 梨状前野 prepiriform area　11 扁桃体周囲皮質 periamygdaloid cortex　12 内嗅領 entorhinal area　13 扁桃体の基底外側核複合体 basolateral nuclear complex of amygdaloid body　14 視床下部の前部と外側部 anterior and lateral parts of hypothalamus　15 視床内側核の大細胞部 magnocellular part of medial thalamic nucleus　16 手綱核 habenular nuclei　17 分界条 stria terminalis　18 中隔核群 septal nuclei　19 視索前野 preoptic area　20 視床髄条 stria medullaris thalami　21 腹側遠扁桃体経路 ventral amygdalofugal pathways　22 側頭皮質 temporal cortex　23 視交叉 optic chiasm

原皮質

区分と機能的意義（A～D）

海馬（**A1**）は原皮質 archicortex の主要な部分である．海馬は側頭葉の内側面で，しかも深部にあって，広く海馬傍回に重なっている．標本（**A**）では左の半球は除去され（脳梁の断面 **A2**），左の海馬だけが残されている．海馬は鉤爪 digitations のある猛獣の手のような形をしている．背景をなす右半球の側頭葉は，側頭葉の中での海馬の位置を如実に示している．海馬体 hippocampal formation（アンモン体 Ammon's formation ともいわれ，海馬，歯状回および海馬支脚を一括したものを指す）は脳梁の尾側端にまで伸びている．そこでは海馬体は小さくなって灰白質の薄い層すなわち**灰白層**（**A3**）となって脳梁に沿い，その吻側端の前交連（**A4**）のあたりまで行っている．ここには両側に2本の細い線維束すなわち**外側**および**内側縦条** lateral & medial longitudinal stria（Lancisii）（534頁 A7, A8）が走っている．海馬の背面には著明な線維帯すなわち**海馬采**（**A～D5**）があって，これは脳梁の下で海馬から分かれて**脳弓**（**A6**）となり，弓なりに走って乳頭体（**A7**）に達している．

側頭葉の水平断面では，側脳室の下角（**B8**）と後角（**B9**）が開かれており，海馬が側脳室へ膨隆しているのがみえる．内側には，すでに側頭葉の外面にあたるわけであるが，海馬采（**BC5**）と，その下には歯状回（**BC10**）が位置している．この歯状回は海馬傍回（内嗅領）（**BC11**）とは海馬溝（**BC12**）によって分けられている．

前頭断面では海馬の皮質は巻き込まれた帯状を呈しており，**アンモン角** Ammon's horn, cornu ammonis と呼ばれ，**海馬白板**（**C13**）という線維層に覆われて，脳室へ向かって膨隆している．断面の高さが異なるにつれて，アンモン角は非常な変異を示す（**D**）．海馬はかつては嗅脳に数えられていたが，嗅覚とは直接の関係をもっていない．海馬は新皮質のない爬虫類では，終脳の最高の統合器官なのである．哺乳動物の海馬から電気現象を誘導することによって，海馬は視覚，聴覚，触覚，内臓覚およびほんのわずか嗅覚インパルスを受けとっていることがわかる．海馬は視床下部，中隔核および帯状回との結合を介して，内分泌，内臓および情緒現象に影響を及ぼす統合器官である．これらの事実から，海馬は学習過程と記憶過程に決定的な役割を果たしている．

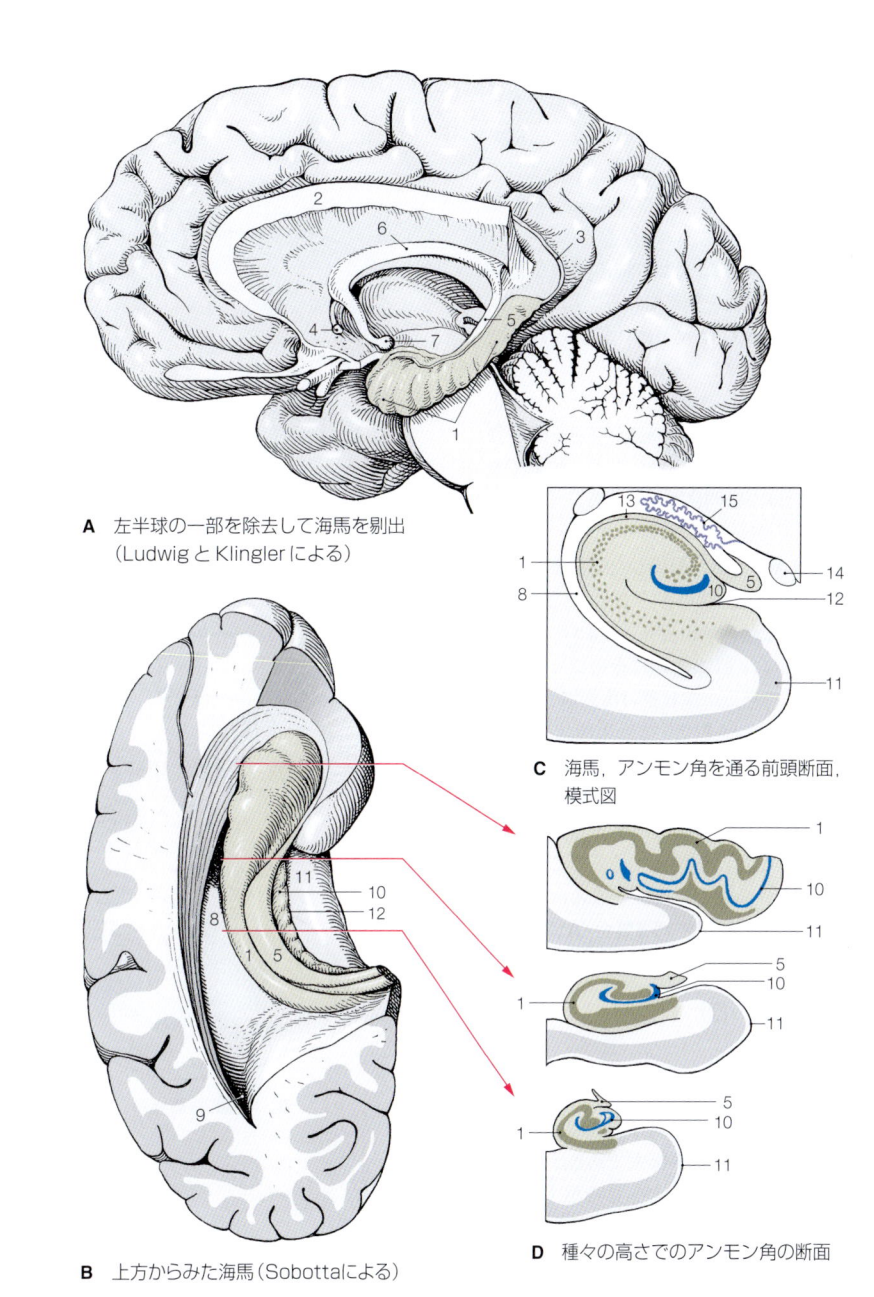

A 左半球の一部を除去して海馬を剔出（LudwigとKlinglerによる）

B 上方からみた海馬（Sobottaによる）

C 海馬，アンモン角を通る前頭断面，模式図

D 種々の高さでのアンモン角の断面

臨床関連：ヒトで両側の海馬を除去する（重症のてんかん epilepsia の治療）と，記銘力の喪失 loss of impressibility が起こる．古い思い出は保持されているが，新しいことはほんの数秒間しか，すなわち断片的にしか保持されない．このような瞬間記憶 fragmentary memory は何年も保持されているものである．海馬のニューロンはけいれん放電 seizure discharge に関しては非常に低い刺激閾値をもっている．したがっててんかん性けいれん発作 epileptic seizures，もうろう状態 twilight state および記憶のすき間 memory gaps の出現については海馬が特に重要視されているのである．

---

1 海馬 hippocampus 2 脳梁 corpus callosum 3 灰白層 indusium griseum 4 前交連 anterior commissure 5 海馬采 fimbria of hippocampus 6 脳弓 fornix 7 乳頭体 mammillary body 8 下角 inferior horn 9 後角 occipital horn 10 歯状回 dentate gyrus 11 海馬傍回 parahippocampal gyrus 12 海馬溝 hippocampal sulcus 13 海馬白板 alveus of hippocampus 14 視索 optic tract 15 脈絡叢 choroid plexus

アンモン角（A）

海馬の皮質帯は，その幅，細胞の大きさおよび細胞の密度によって4つの部分に細分される：
- CA1野（**A1**）は小型の錐体細胞を含んでいる．
- CA2野（**A2**）は大型の錐体細胞が密集して細い帯状を呈している．
- CA3野（**A3**）は大型錐体細胞が疎らで広い帯状を呈している．
- CA4野（**A4**）は細胞が疎らな広い終止部をつくっている．最近，CA4野が独立した領域としてCA3野から区別できるかどうか疑問になっている．

歯状回（**A5**）の密に配列した顆粒細胞が錐体細胞を取り囲んでいる．歯状回は巻き込まれたアンモン角 Ammon's horn の表面と融合しており，脳表面にはそのごく一部が現れるだけである．歯状回は海馬溝（**A6**）によって海馬傍回（**A7**）と，また采歯状溝（**A8**）によって海馬采（**A9**）と境を接している．内側で脳室に接している層は海馬白板（**A10**）であって，ここは遠心性線維が海馬采を経て海馬を去る前に集まってくるところである．アンモン角とこれに隣接する内嗅領皮質（**A11**）との移行領域は**海馬台**（**A12**，または海馬支脚）と呼ばれている．

線維結合（B, C）

求心路 afferent connections（B）

最も重要な求心系とみなされているのは**内嗅領**（**B13**）からの線維束である．ちなみにこの内嗅領には第一次嗅覚中枢（梨状前野），扁桃体および新皮質の種々の領域からの線維が終わっている．嗅球と海馬との間の直接の結合は証明されていない．

帯状回からの線維が集まって**帯状束**（**B14**）をつくり，主に海馬支脚へ行っている．**脳弓**（**B15**）の中を走る線維は中隔核（**B16**）からの線維束，なかでも他側の海馬と内嗅領からくる線維である（脳弓交連 commissure of fornix を経て）．

遠心路（B）

内，外の縦条（**B17**）を通って海馬を去る少数の線維を除くと，脳弓が海馬のすべての遠心路 efferent connections を含んでいる．脳弓は前交連によって交連前部 precommissural part と交連後部 postcommissural part とに分かれる．**交連前脳弓**（**B18**）の線維は中隔野 septal area，視索前野（**B19**）および視床下部（**B20**）に終わる．**交連後脳弓**（**B21**）の線維は乳頭体（**B22**，主にその内側核），視床前核（**B23**）および視床下部に終わる．少数の脳弓線維は中脳の中心灰白質まで下行している．

この伝導路系には大きなニューロン環が認められる：すなわち海馬のインパルスは脳弓を通って視床前核に達する．この核は帯状回とつながっており，この帯状回からは帯状束を経て海馬へフィードバックがかかるのである（パペツ Papez の情動回路）（588頁）．

脳弓（C）

脳梁の下面で左右の脳弓脚（**C24**）は合わさって脳弓交連（**C25**，脳琴ともいう）となり，さらに脳弓体（**C26**）をつくる．この脳弓体はモンロー孔の上でまた左右に分かれて脳弓柱（**C27**）となる．

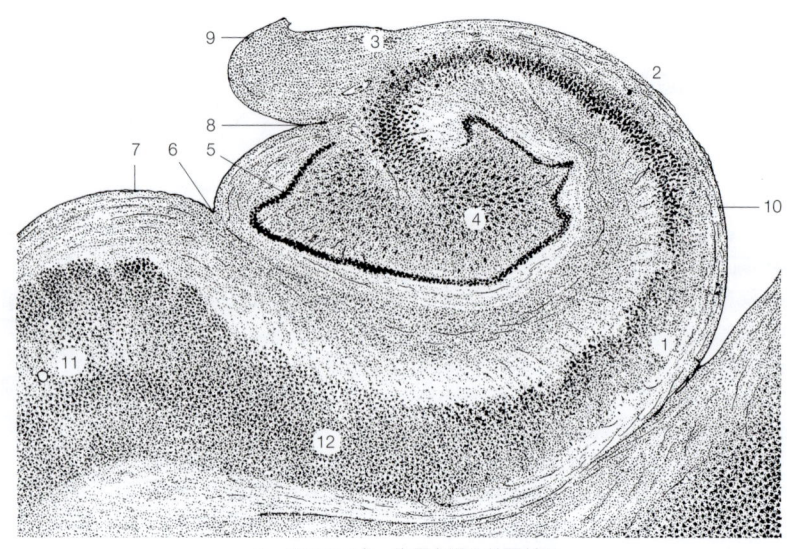

A アンモン角，海馬を通る前頭断面

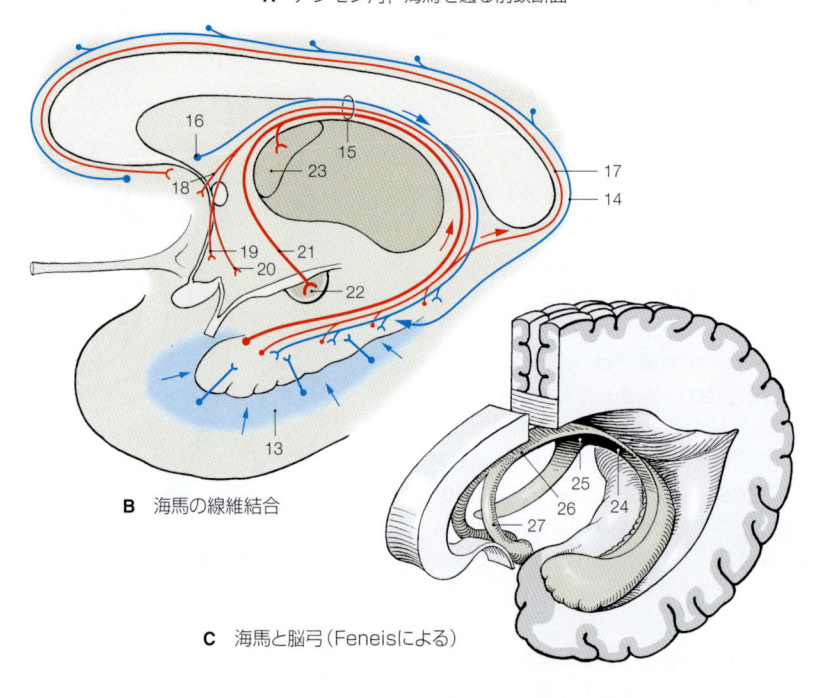

B 海馬の線維結合

C 海馬と脳弓（Feneisによる）

1 CA1野 field (or sector) CA1　2 CA2野 field CA2　3 CA3野 field CA3　4 CA4野 field CA4　5 歯状回 dentate gyrus　6 海馬溝 hippocampal sulcus　7 海馬傍回 parahippocampal gyrus　8 采歯状溝 fimbriodentate sulcus　9 海馬采 fimbria of hippocampus　10 海馬白板 alveus of hippocampus　11 内嗅領皮質 entorhinal cortex　12 海馬支脚（または海馬台）subiculum　13 内嗅領 entorhinal area　14 帯状束 cingulum　15 脳弓 fornix　16 中隔核 septal nuclei　17 縦条 longitudinal stria　18 交連前脳弓 precommissural fornix　19 視索前野 preoptic area　20 視床下部 hypothalamus　21 交連後脳弓 postcommissural fornix　22 乳頭体 mammillary body　23 視床前核 anterior thalamic nuclei　24 脳弓脚 crus of fornix　25 脳弓交連（脳琴）commissure of fornix (psalterium)　26 脳弓体 body of fornix　27 脳弓柱 column of fornix

海馬皮質

　原皮質の構成は新皮質のそれよりも簡単であるから，ここのニューロン回路は比較的容易に解明することができる．海馬皮質 hippocampal cortex は，抑制性および興奮性ニューロンが組織学的にも電気生理学的にも同定されている数少ない脳の領域の一つである．

　CA1野（**A1**），CA2野（**A2**）およびCA3野（CA1～4野の分類は R. Lorente de Nó (1933, 1934) による．）（**A3**）はそれぞれ構成と線維結合に違いがある．求心性線維は大部分が**貫通路**（**A4**）を経てアンモン角へ入ってくるのであって，少数の線維だけが海馬白板を経て入ってくる．これらの線維は**錐体細胞**の樹状突起の分枝（**A5**）に終わっている．一部の線維（**AB6**）は歯状回の顆粒細胞（**AB22**）へ行く．顆粒細胞の軸索は苔状線維（**AB7**）として錐体細胞の樹状突起とシナプスをつくって接触している．苔状線維は確かにCA3野とCA4野のみを通り抜けていて，CA1野とCA2野にはやってこない．

　錐体細胞は遠心性要素であって，その軸索は**海馬白板**（**AB8**）に集まって，**海馬采**（**A9**）を経て皮質を去っていく．CA3野の錐体細胞の軸索からは反回側枝（シェーファー側枝）（**AB10**）が出て，CA1野の錐体細胞の樹状突起とシナプスを形成している．中隔へ行く遠心性線維はCA3野に起始し，乳頭体 mammillary body と視床前核 thalamic anterior nucleus への線維は CA1 野に由来する．しかしながら，海馬の遠心性線維の大部分は海馬支脚 subiculum へ行く線維である．

　層の区分． アンモン角は次の層からなっている：内側から遠心性線維の走っている海馬白板（**AB8**），ついで多極性の**籠細胞**（**B12**）のある上行層（**B11**）．この細胞の軸索は幾度も枝分かれして，密な線維叢（**B13**）をつくり錐体細胞層 pyramidal layer をみたしている．これらの線維は錐体細胞の細胞体を包み込んで，これとシナプスをつくって接触している（軸索細胞体間シナプス）．籠細胞は抑制性ニューロンであって，錐体細胞の軸索側枝により興奮させられ，ある錐体細胞が放電するとその近くの錐体細胞の抑制を引き起こす．錐体細胞は錐体細胞層（**B14**）をつくっている．この錐体細胞の先端は放線層（**B15**）を向いており，その底は上行層のほうを向いている．この両方向へ錐体細胞はよく茂った樹状突起樹を送り出している．長い尖端樹状突起は枝分かれして，網状層と分子層（**B16**）にまで達している．CA3野には苔状線維が走行している透明層（**B20**）を区別することができる．

　異なる起始領域からの**求心性線維**は別々の層を走っている．反対側の海馬からの交連線維のほとんどは，上行層（**B11**）と放線層（**B15**）に終止している．内嗅領の線維は網状層と分子層（**B16**）に入り，尖端樹状突起（**B17**）の末端部に終わっている．シェーファー側枝（**B10**）はCA1野の錐体細胞の樹状突起の遠位部に終止し，苔状線維（**B7**）はCA3野の錐体細胞の樹状突起の近位部に分布している．歯状回の顆粒細胞の樹状突起の神経支配様式もほぼ同様であって，遠位部には内嗅領からの求心性線維が終止し（**B6**），近位部には交連線維が終止している．海馬への求心性線維は，主要な構成要素である錐体細胞や顆粒細胞に終止するほかに，GABA作動性の抑制性介在神経細胞ともシナプスを形成している（主要ニューロンの前方抑制，445頁，511頁C）．軸索細胞体間シナプスを形成する前述の籠細胞（**B12**）以外に，主要ニューロンの軸索の初節（**B18**）（軸索–軸索細胞またはシャンデリア細胞）または樹状突起（**B19**）とシナプスを形成しているGABA作動性ニューロンが最近みつけられた．線維の走行および電気生理学的な研究から，海馬内で興奮が広がっていく経路が明らかになった．それによると，グルタミン酸作動性の内嗅領由来の求心性線維が顆粒細胞を賦活し，これが苔状線維を介してCA3野の錐体細胞を興奮させている．CA3野の錐体細胞はシェーファー側枝を介してCA1野の錐体細胞を賦活している（海馬の3シナプス性興奮経路）．

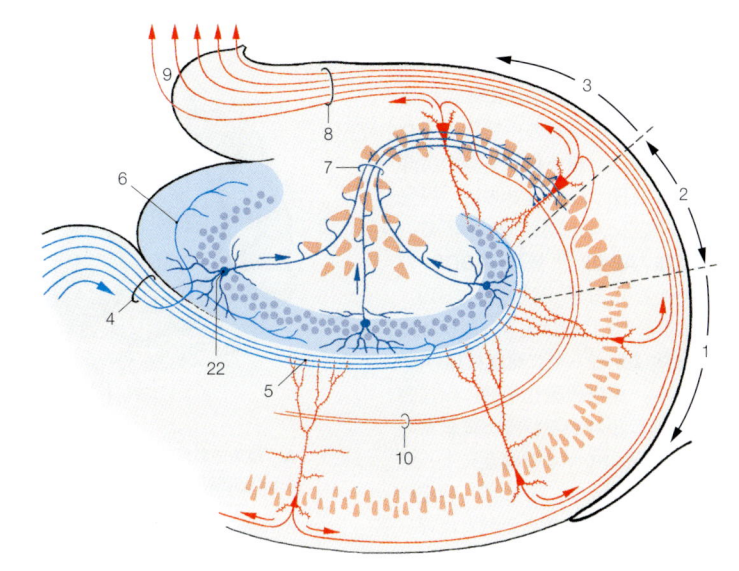

A 海馬の編成（Cajalによる）

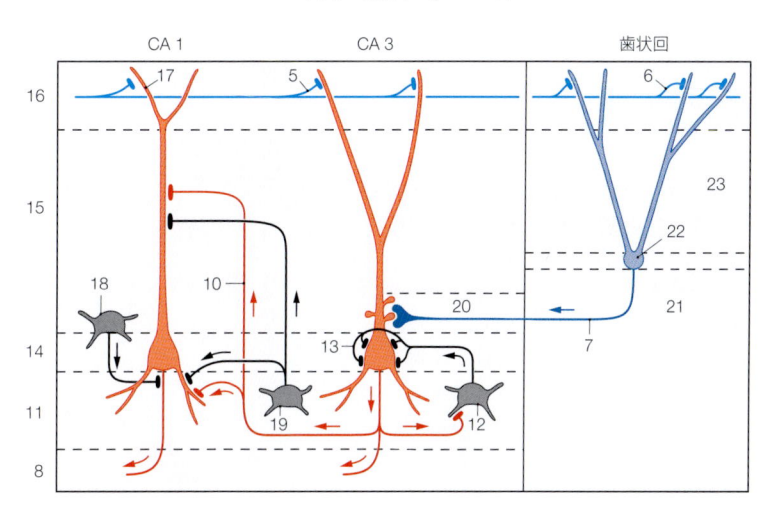

B 海馬のニューロン回路

1 CA1野 field CA1　2 CA2野 field CA2　3 CA3野 field CA3　4 貫通（経）路 perforant path　5 錐体細胞 pyramidal cell　6 線維 fiber　7 苔状線維 mossy fibers　8 海馬白板 alveus of hippocampus　9 海馬采 fimbria of hippocampus　10 シェーファー側枝 Schaffer collaterals　11 上行層 oriens layer　12 籠細胞 basket cells　13 線維叢 fiber plexus　14 錐体細胞層 pyramidal layer　15 放線層 radiate layer　16 網状–分子層 plexiform-molecular layer　17 尖端樹状突起 apical dendrites　18 軸索初節 initial segment of axon　19 樹状突起 dendrite　20 透明層 clear layer　21 歯状回門 hilum of dentate fascia　22 顆粒細胞 granule cells　23 歯状回の分子層 molecular layer of dentate fascia

線条体（A～D）

線条体 corpus striatum は錐体外路性運動系の皮質下における最高の中継所とみなされている（576頁）．線条体は半球の深部にある大きな灰白質の複合体であり，内包（**ABD1**）によって2つの部分に分けられる：すなわち尾状核（**ABD2**）と被殻（**ABD3**）の2つの部分である（531頁 AB18 と AB19, 532頁 AB9と10）．尾状核は大きな尾状核頭（**A4**），尾状核体（**A5**）ならびに尾状核尾（**A6**）からなっている．免疫組織化学的に伝達物質を染色してみると，いろいろな線維束の終止領域が斑点状のモザイク構造になっている．このような領域は，それぞれ特定の伝達物質をもっていて，他の領域とは違っているが，互いに関連のある領域（ストリオソーマ）の系をつくっている．

求心路 afferent connections（B～D）

皮質線条体線維（B8）．新皮質のあらゆる領域から線条体に線維が入ってくる．これらの線維は5層（532, 544頁）の中等大ないし小型の錐体細胞の軸索である．これに反して，線条体から皮質への線維連絡はない．皮質線条体投射には局在性が認められる．すなわち，前頭葉は尾状核頭（赤）に投射し，続いて頭頂葉（淡青），後頭葉（紫色），側頭葉（濃青）の順になっている（530頁）．運動性の中心前領域から被殻への投射には頭部（赤），上肢（淡赤），下肢（斜線）といった体部位局在性が認められる（**D**）．感覚性の中心後領域の体部位局在性投射は，尾状核の背外側部に認められる．中心部の線維の一部は脳梁を通って反対側に行く唯一のものである（**B9**）．

正中中心線条体線維（B10）．視床の中心正中核 centromedian nucleus（正中中心 centre médian）から線条体へ行く線維束のうち，尾状核へ行くものは中心正中核の背側部から，被殻へ行くものはその腹側部から起こる．小脳と中脳網様体からのインパルスはこの正中中心を経て線条体へ行く．

黒質線条体線維（B11）．この黒質線条体線維は蛍光顕微鏡によって線条体まで追跡することができる．ドーパミン作動性ニューロンの線維がそれであって，これらの線維は群をなして内包を横切っていく（櫛束 comb bundle）．これらの線維は淡蒼球で中断されることなく線条体へ達する（494頁 B16）．

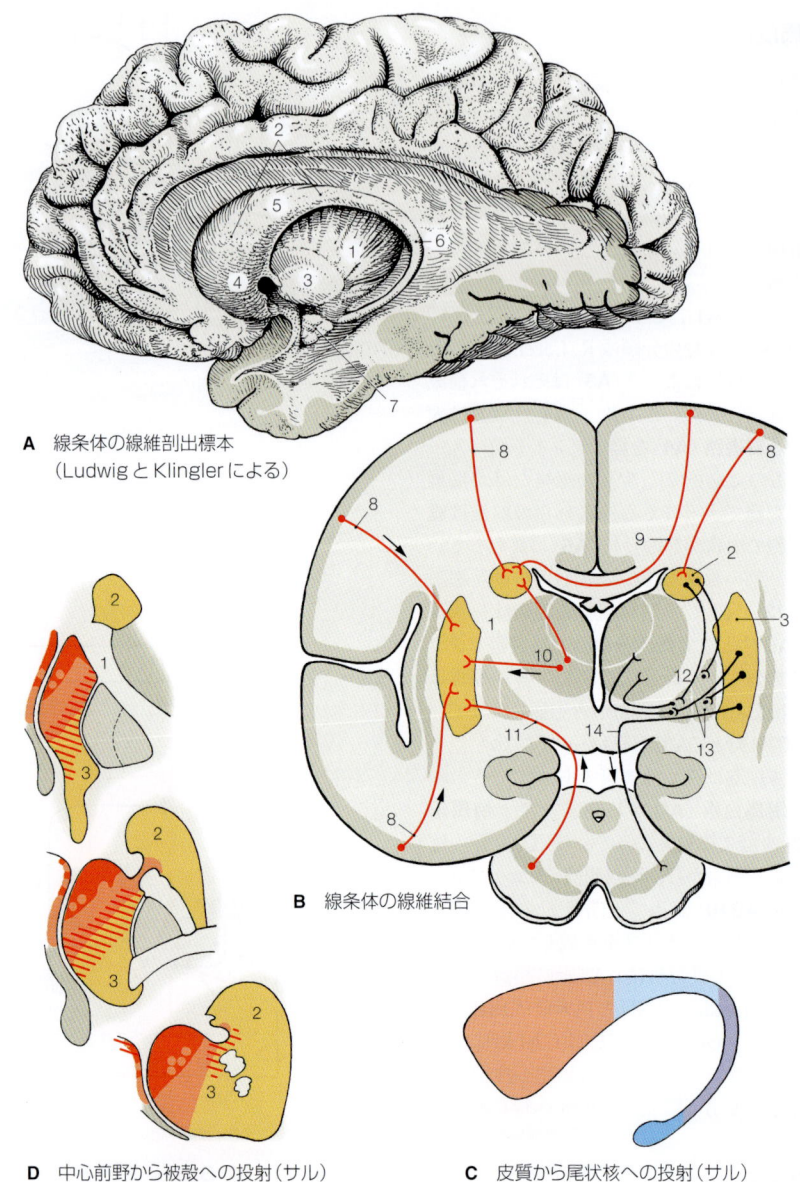

A 線条体の線維剖出標本（Ludwig と Klingler による）

B 線条体の線維結合

D 中心前野から被殻への投射（サル）（Künzle による）

C 皮質から尾状核への投射（サル）（Kemp と Powell による）

セロトニン作動性線維束．これは主に縫線核に由来する．

遠心路 efferent connections（B）

線条体の遠心性線維は淡蒼球へ行く．尾状核の線維は淡蒼球の内節と外節の背側部（**B12**）に終止し，被殻の線維は腹側部（**B13**）に終わる．淡蒼球で，淡蒼球視床下核線維，レンズ核ワナ，レンズ核束，淡蒼球被蓋線維などの遠淡蒼球線維系に受け継がれる（494頁 B12, B14）．

線条体黒質線維（B14）．尾状核からの線維束は黒質の吻側部に，被殻からの線維はその尾側部に終わっている（494頁 B12, B14）．

機能的意義

皮質線条体線維系が局在的な配列をしており，かつ線条体にモザイク構造が認められることから，線条体は機能的にいろいろな区域に分けることができる．線条体は前頭皮質，視覚野，聴覚野，触覚野および連合野から刺激を受けている．このような領域は，線条体を介して運動に影響を与えている（線条体の「感覚運動統合作用」「認識作用」）．線条体は，運動の要素的な経過を直接的に支配しているのではない（線条体を破壊しても，特記するような運動障害は起こってこない）．線条体は，むしろ，上位の統合機構として，個体の運動に影響を与えていると考えられている．

---

1 内包 internal capsule　**2** 尾状核 caudate nucleus　**3** 被殻 putamen　**4** 尾状核頭 head of caudate nucleus　**5** 尾状核体 body of caudate nucleus　**6** 尾状核尾 tail of caudate nucleus　**7** 扁桃体 amygdaloid body　**8** 皮質線条体線維 corticostriate fibers　**9** 中心回域からの線維 fibers from the central region　**10** 正中中心線条体線維 centromedian-striate fiber　**11** 黒質線条体線維 nigrostriatal fibers　**12** 淡蒼球の背側部 dorsal part of the pallidum　**13** 淡蒼球の腹側部 ventral part of the pallidum　**14** 線条体黒質線維 strionigral fibers

島（A～D）

半球の外側表面の一領域は**島** insula と呼ばれ，この部分は発生の途中で発育が悪くなり，よく発達する隣接の半球領域に覆われるようになる．この島を覆っている半球の部分は**弁蓋** operculum といわれる．所属する脳葉によって，**前頭弁蓋**（**A1**），**前頭頭頂弁蓋**（**A2**）および**側頭弁蓋**（**A3**）が区別される．**A**の脳では，島をよくみせるため弁蓋は互いに押し離されている．正常状態ではここには**大脳外側溝** lateral sulcus（Sylvii）（434頁A4）という裂隙があるだけである．外側溝は島の上では広くなって**外側窩** lateral fossa（532頁AB15）となっている．島はほぼ三角形をしており，**島輪状溝**（**A4**）によって囲まれている．**島中心溝**（**A5**）は島を吻側部と尾側部とに分けている．下極すなわち**島限**（**A6**）で島皮質は古皮質である嗅皮質に移行していく．

島皮質は古皮質と新皮質の間の移行部を形成している．島の下極は古皮質に属する**梨状前皮質**（**B7**）（青）で占められている．島の上部は通常の6層形成（544頁，546頁）を示す等皮質（新皮質，544頁，546頁）（**B8**）（黄）で覆われている．この両者の間には**中間皮質**（前等皮質，544頁，546頁）（**B9**）（縞）という移行領域がみられる．この中間皮質は古皮質とは異なり，もちろん6層形成を示すが，新皮質と比較するとその6層形成はそれほど著明ではない．中間皮質の特徴は第5層（**C10**）にみられ，この層は皮質帯の中で狭い暗い条として特に際立っている．この層は柵状にぎっしりつまった細長い錐体細胞を含んでおり，島以外ではわずかに帯状回にだけみられる．

刺激実験の成績（**D**）．島皮質の刺激はこの部がかくされた位置にあるため非常に困難であるが，ヒトでは特殊な型のてんかんの手術的治療の際に行われた．それによると，胃のぜん動運動の増強（＋）または減弱（－）が起こってくる．ある刺激点では悪心 nausea と嘔吐の動作 vomiturition が起こってくるし（●），またほかの刺激点では，上腹部すなわち胃のあたりに（×）あるいは下腹部に（○）何か漠然とした感覚 sensations が感じられた．2, 3の刺激点では味覚感が認められた（▲）．刺激地図には刺激効果の局在的区分は全くみられないが，やはり島皮質の内臓性知覚性機能と内臓性運動性機能を示唆するような成績が示されている．サルの実験では唾液の分泌のほか，顔と体肢の筋の運動性反応が得られた．ヒトでは島領域を手術的に切除しても何の機能的な脱落もみられない．

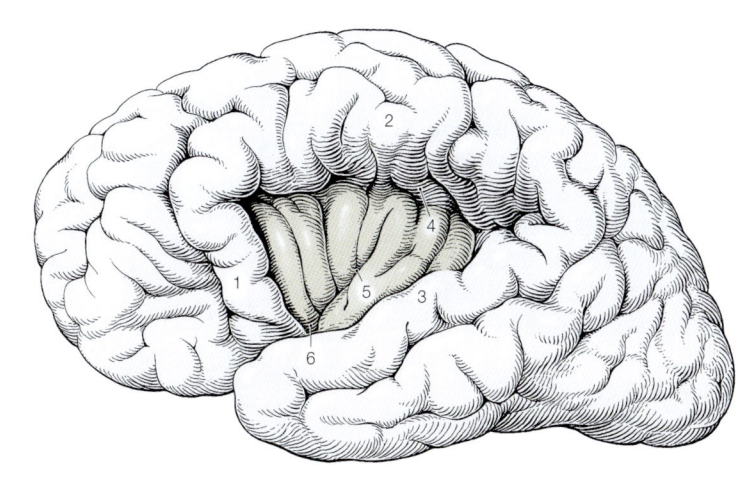

A 島，弁蓋は互いに押し離されている（Retziusによる）

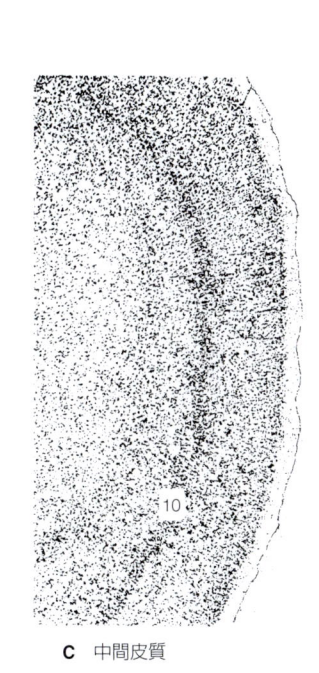

B 島の皮質野（Brockhausによる）

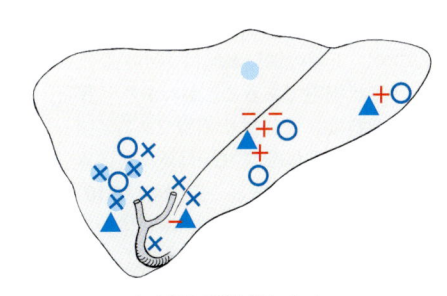

C 中間皮質

D 島皮質の刺激地図，ヒト（PenfieldとFaulkによる）

---

1 前頭弁蓋（下前頭回の弁蓋部）frontal operculum (opercular part of inferior frontal gyrus)　**2** 前頭頭頂弁蓋 frontoparietal operculum　**3** 側頭弁蓋 temporal operculum　**4** 島輪状溝 circular sulcus of insula　**5** 島中心溝 central sulcus of insula　**6** 島限 insular threshold　**7** 梨状前皮質 prepiriform cortex　**8** 等皮質 isocortex　**9** 中間皮質 mesocortex　**10** 第5層（内錐体細胞層）layer V (internal pyramidal layer)

新皮質（A～D）

皮質の層（A～C）

新皮質 neocortex（等皮質 isocortex）には半球表面に平行に広がっている6つの層を区別することができる．層区分は鍍銀法（**A1**），ニッスルの細胞染色（**A2**），髄鞘染色（**A3**）および色素染色（**B**）で知ることができる．層はその中に含まれる神経細胞の形，大きさ，数量および有髄線維の濃度により分けられる．

細胞染色（**A2**）では，表層から

- 分子層（I層）（**A4**）であり，細胞が少なく，
- 外顆粒層（II層）（**A5**）は，小さい顆粒細胞が密に含まれており，
- 錐体細胞層（外錐体細胞層）（III層）（**A6**）は，主に中等大の錐体細胞を含んでおり，
- 内顆粒層（IV層）（**A7**）は密に配列した小さい顆粒細胞よりなり，
- 神経節細胞層（内錐体細胞層）（V層）（**A8**）は，大きな錐体細胞を含んでいることが特徴であり，
- 多形細胞層（VI層）（**A9**）は，粗に配列したいろいろな形の細胞が皮質の深部の境界となっている．

鍍銀法（**A1**）では，神経細胞の突起も染められるので，II層の顆粒細胞は，小さな錐体細胞と星状細胞であることがわかり，IV層の顆粒細胞は，主に星状細胞であると同定されている．錐体細胞（**C**）は新皮質にみられる特徴的な細胞である．その軸索（**C10**）は細胞体の底面から出ている．細胞体の底面には，基底樹状突起（**C11**）が分枝している．皮質の表層方向には尖端樹状突起（**C12**）とも呼ばれる長く太い樹状突起が伸びている．樹状突起は多数の棘に覆われており，ここにシナプスが形成される．

髄鞘染色（**A3**）では，切線方向の神経線維の密度により次の層を区別することができる．

- 切線線維層（**A13**）
- 貧線維層（**A14**）
- 線上層（**A15**）
- 線維が密な外バイヤルジェー線（**A16**）と内バイヤルジェー線（**A17**）．外バイヤルジェー線は求心性線維の側枝であり，内バイヤルジェー線は，錐体細胞の軸索側枝である．
- 線下層（**A18**）が一番深層である．
- その他に放線線維束（**A19**）により，垂直方向の区分がある．

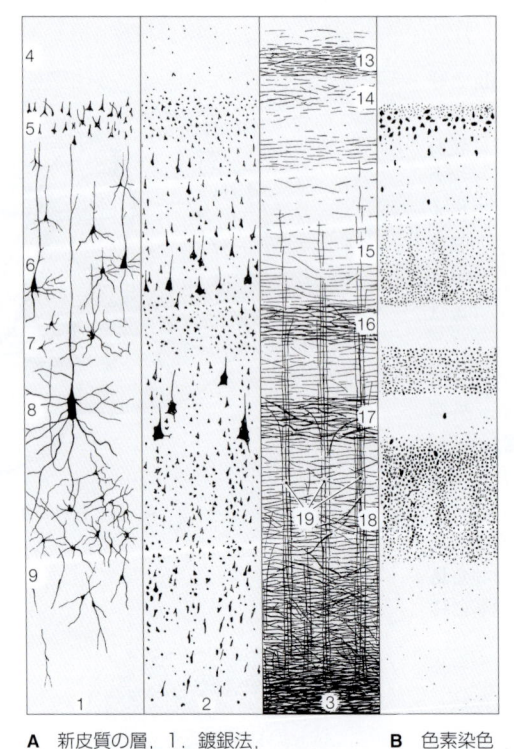

A 新皮質の層，1. 鍍銀法，2. ニッスルの細胞染色，3. 髄鞘染色（Brodmannによる）

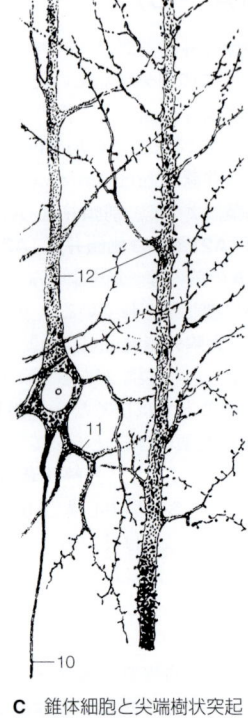

B 色素染色

C 錐体細胞と尖端樹状突起（Cajalによる）

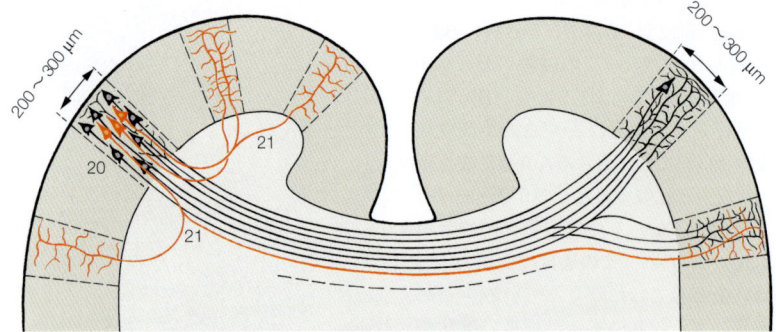

D 新皮質の垂直柱の結合（Szentágothai, GoldmanとNautaによる）

色素染色（**B**）．神経細胞は種々の色素をもっている．色素の含有量の違いにより，皮質の層区分が行われる．内，外のバイヤルジェー線に相当して，2つの色素の少ない層が認められる．

垂直柱（D）

新皮質の機能単位は，全層にわたって伸びている細胞柱（垂直柱 vertical column）で，直径は200～300μmである．電気生理学的な研究により，皮質の投射野 projection fields では，どの細胞柱も末梢の限局した領域の感覚細胞とつながっていることが明らかになった．この末梢領野を刺激すると，常に細胞柱全体が反応する．

皮質細胞柱は神経線維により互いに連絡している（**D**）．ある細胞柱の線維（**D20**）は同側の半球に達している（連合線維，554頁）こともあり，脳梁を通って反対側の対称な場所にある細胞柱に連絡している（交連線維，554頁）こともある．神経線維の側枝は，いろいろな細胞柱に終止している（**D21**）．新皮質は400万の細胞柱からできている．

---

1 鍍銀法 silver impregnation　2 ニッスル染色 Nissl stain　3 髄鞘染色 myelin stain　4 分子層 molecular layer　5 外顆粒層 external granular layer　6 外錐体細胞層 external pyramidal layer　7 内顆粒層 internal granular layer　8 内錐体細胞層 internal pyramidal layer　9 多形細胞層 multiform layer　10 軸索 axon　11 樹状突起 dendrite　12 尖端樹状突起 apical dendrites　13 切線線維層 tangential layer　14 貧線維層 dysfibrous layer　15 線上層 suprastriate layer　16 外バイヤルジェー線 external band of Baillarger　17 内バイヤルジェー線 internal band of Baillarger　18 線下層 substriate layer　19 放射線維 radial fiber　20 細胞柱 cell column　21 細胞柱由来の線維 fibers from cell columns

新皮質の細胞の形態（A）

新皮質には，原則的に，**軸索の長い投射神経細胞**（興奮性グルタミン酸作動性錐体細胞）と，**軸索の短い介在神経細胞**（抑制性GABA作動性介在神経細胞）とを区別することができる．

錐体細胞（**A1**）は，分子層まで伸び，そこで分枝している尖端樹状突起（**A2**）と，数の多い基底樹状突起（**A3**）が特徴である．その軸索は多数の反回側枝（**A4**）を出している．細胞が少ない分子層（Ⅰ層）には，切線方向に軸索が伸びているカハール・レチウス細胞（**A5**）が含まれている．いろいろな種類の顆粒細胞や星状細胞は主に介在神経細胞であり，あらゆる層にいろいろな密度で分布している．この中にはマルチノッチ細胞（**A6**）がある．この細胞の軸索は垂直に上行し，いろいろな層に枝を出した後，分子層に達している．垂直な2つの方向に向かって分枝する樹状突起をもったカハールの双刷子細胞（**A7**）は（特にⅡ層，Ⅲ層，Ⅳ層に多く），上行したり下行する長い軸索を出している．多くの星状細胞では，軸索はすぐに分枝して錐体細胞の近傍に神経線維叢（**A8**）を構成するか，分枝して籠のような神経線維網をつくって終わっている（籠細胞）（**A9**）．軸索側枝は水平方向に走って離れたところにある錐体細胞に終止している（**A10**）．籠細胞のシナプスにGABAが証明されたので，籠細胞が抑制作用をもっていることが明らかになった．

モジュールの概念

組織学や電気生理学の所見を基にして，それぞれの細胞が機能的な結合をしている構造モデルをつくることができるようになった．ここでは，一群の要素が機能単位をなしているモデルとして，細胞柱を説明する．

細胞柱の**遠心性要素**は，錐体細胞（**B11**）である．その軸索は他の細胞柱に伸びていって分枝し，その細胞柱にある錐体細胞の棘に終止するか，または皮質下の神経細胞と結合する．多数の軸索側枝（**A4**）は，隣接する細胞柱の錐体細胞に終わっている．

求心性線維には，他の細胞柱からの連合線維（544頁D）と，末梢の感覚領域からの特殊感覚線維との，2種類がある．**連合線維**（**B12**）はあらゆる層に側枝を出し，錐体細胞の棘に終わっている．連合線維は分子層まで上行し，そこで分枝して平行方向に走る線維になる．平行線維は，3mm位の範囲にある尖端樹状突起とシナプス結合をする．この線維による興奮は細胞柱全体に広がるが，シナプス結合の範囲が限局しているので影響力は弱い．**特殊感覚線維**（**B13**）は，Ⅳ層の**介在神経細胞**（**B14**），特に**双刷子細胞**（**B15**）に終わる．この細胞の軸索は，錐体細胞の樹状突起に沿って垂直に上行し，棘と**連鎖状のシナプス**（**B16**）を形成する．連鎖状のシナプスは強力な刺激伝達作用をしている．抑制性介在神経細胞である**籠細胞**（**B17**）は近傍にある錐体細胞に軸索を送り，これを抑制する．籠細胞自身は，興奮性の錐体細胞の反回側枝で刺激される．**マルチノッチ細胞**（**B18**）の軸索は分子層まで上行し，ここで分枝する．

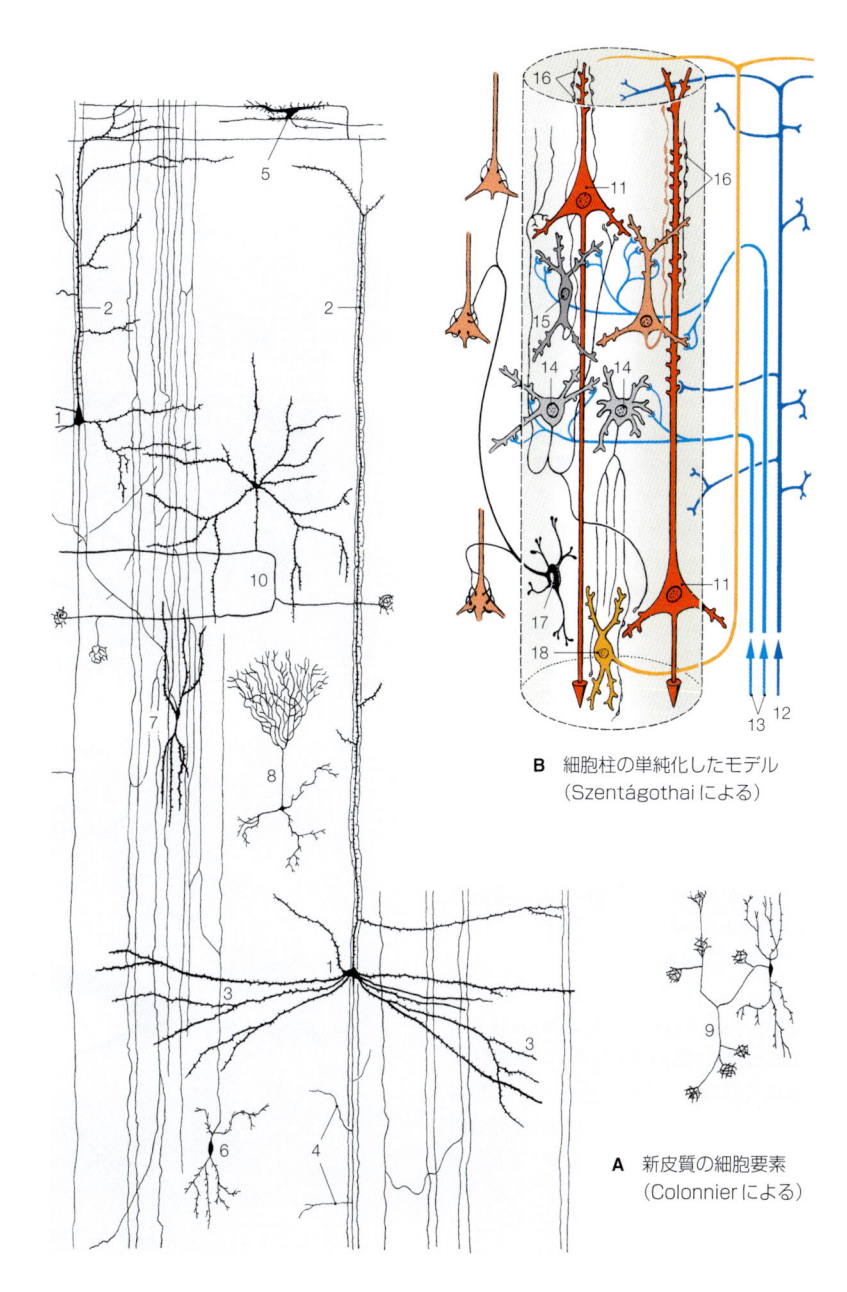

一つの細胞柱の神経細胞の数は約2,500個であると考えられており，このうち約100個が錐体細胞である．細胞柱は組織学的にはっきり境界されたものではないことを，念頭に置いておく必要がある．細胞柱は，恒常性のある形態学的な単位ではなく，機能的な単位であって，その時々の興奮状態により，形成されたり，分解されたりするものなのである．

B 細胞柱の単純化したモデル（Szentágothaiによる）

A 新皮質の細胞要素（Colonnierによる）

---

1 錐体細胞 pyramidal cell　2 尖端樹状突起 apical dendrites　3 基底樹状突起 basal dendrites　4 反回側枝 recurrent collaterals　5 カハール・レチウス細胞 Cajal-Retzius cell　6 マルチノッチ細胞 Martinotti cell　7 双刷子細胞（ダブル・ブーケ細胞）double-bouquet cell　8 神経叢 bush　9 籠細胞 basket cells　10 水平方向に走る軸索 horizontal axon　11 錐体細胞 pyramidal cell　12 連合線維 association fibers　13 特殊感覚線維 special sensory fiber　14 介在神経細胞 interneuron (internuncial)　15 双刷子細胞（ダブル・ブーケ細胞）double-bouquet cell　16 シナプス synapses　17 籠細胞 basket cells　18 マルチノッチ細胞 Martinotti cell

皮質野（A，B）

　新皮質のすべての領域は同質の発生を遂げる．すなわち，まず初めに半球の表面には皮質板 cortical plate という幅の広い細胞層がつくられ，これはそののち6つの層に分化する．この同質の発生をするところから，新皮質は等発生皮質 isogenetic cortex，または単に**等皮質** isocortex あるいは均一発生皮質 homogenetic cortex とも呼ばれる．

　それにもかかわらず，成体の新皮質は種々の領域でかなりの変異をみせており，異なった構成をもつ領域すなわち**皮質野** cortical areas を区別することができる．それらの皮質野では個々の層のつくりはまちまちである．すなわち，幅が広かったり狭かったり，細胞が密であったり疎であったりする．細胞の大きさもいろいろで，ある特定の型の細胞が優勢であったりする．このような基準によって個々の皮質野に分けることを**構築学** architectonics という．使用した染色法に応じて細胞構築学，髄鞘構築学，色素構築学などと呼んでいる．半球表面上に地図に似せて皮質野の地図を再構築することができる．ブロートマン（Korbinian Brodmann）の描いた皮質野（第1～52野）の細胞構築学的地図は，正しいことが証明され，一般に承認されている（**AB**）．

　皮質型 types of cortex. 投射野 projection fields（上行路の終わるところ）の特徴は顆粒層がよく発達していることである．知覚領（第3野）と聴覚領（第41および42野横側頭回）においては，顆粒層（Ⅱ層とⅣ層）の幅が広がって細胞も密になるが，一方で錐体細胞層は目立たなくなる．このような皮質を塵皮質 koniocortex と呼んでいる（χονια：塵）．視覚領（第17野，有線野）ではそれに加えてⅣ層の重複が起こってくる（551頁A）．このような感覚皮質野は，求心性投射路の終止領域のみならず連合という機能過程にも寄与している．この際，短軸索性の介在神経細胞が重要な役割を果たしている．逆に，運動野（第4および第6野）では錐体細胞層が広くなるために，顆粒層は著しく退縮し，ある領域では完全になくなっている（無顆粒皮質 agranular cortex）．錐体細胞は長軸索性の投射神経細胞であって，運動皮質にある錐体細胞の軸索は皮質脊髄路（錐体路）を形成している．

　境界構造． 等皮質が原皮質または古皮質に接するところは，どこも等皮質の構造はより簡単になっている．この幾分より原始的なつくりをした移行構造は**前等皮質** proisocortex と呼ばれる．この前等皮質に数えられる

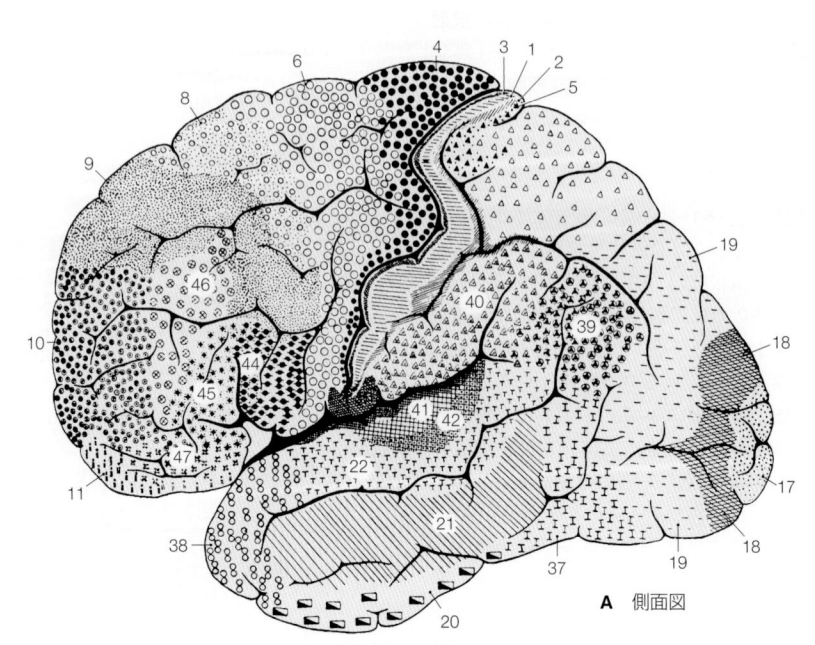

A，B 大脳半球の皮質野（Brodmannによる）

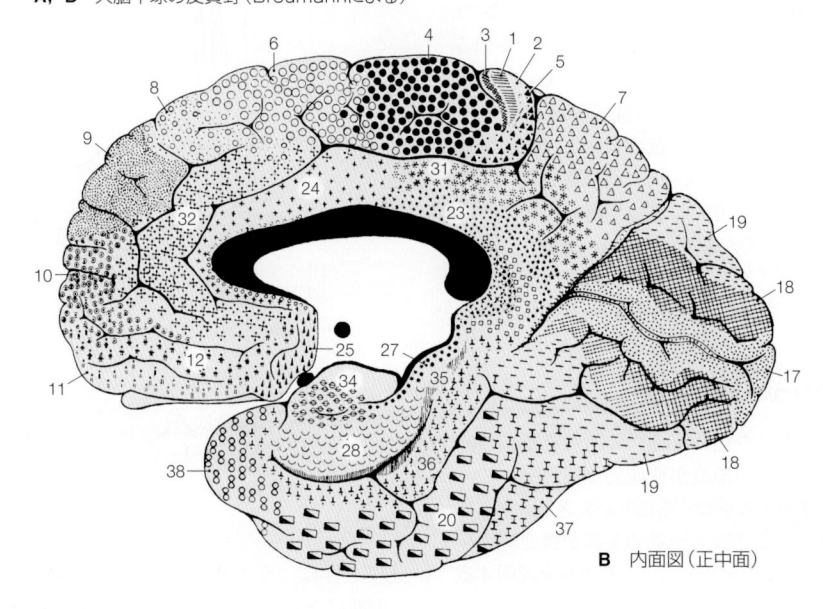

A 側面図

B 内面図（正中面）

のは，帯状回の皮質，脳梁膨大後部の皮質（脳梁の後端のまわりにある）および島皮質のある部分である．この前等皮質は新皮質よりは系統発生的に古いものである．

　古皮質と原皮質も一種の境界帯で囲まれており，その境界帯の構造は幾分新皮質に似ている．この境界領域は**原皮質周囲部** periarchicortex および**古皮質周囲部** peri-paleocortex と呼ばれる．原皮質周囲部に属するのは，例えば海馬に接した内嗅領皮質 entorhinal cortex（第28野）である．

　不等（異）皮質 allocortex. しばしば等皮質 isocortex に不等（異）皮質が対立させられている．この概念でもって古皮質と原皮質が一つにまとめられる．しかしこれら両皮質は発生学的にも構造的および機能的にも全く異なった終脳の部位であるから，このようなまとめ方は適切ではない．これら両皮質に共通していることは，等皮質とは異なっている（αλλοζ）ということだけなのである（不等皮質は異［種］皮質ともいわれる．）（新皮質の典型的な6層構造の欠如といったような）単純な構造をしているということから，原始的な領域であるというのではない．系統発生的に古いということであって，構造的には，高度に特殊化している．

前頭葉（A～C）

前頭葉では中心前域 precentral region（固有の運動領域である中心前回と運動前域 premotor region），前頭極域 polar region および眼窩（脳底）域 orbital (basal) region が区別される．

無顆粒皮質 agranular cortex（A～C）

中心前域 precentral region（第4および6野）（**C**）は顆粒層が減退または消失していることと錐体細胞層が広くなっていることが目印となる．そのほかの特徴は皮質の幅が厚くなっていること，皮質から髄質への移行が明瞭ではないことである．これらの特徴はことに第4野 area 4（**A**）で際立っており，そのV層は特定の領域（▲）で**ベッツ巨大錐体細胞**（**A1**）を含んでいる．この細胞は最も強大で長い軸索をもち，それは仙髄にまで達しているのである．

比較のために，前頭前域の第9野（**B**）の皮質を図示してある．この皮質は厚さが薄く，VI層が強調されて髄質との境界が明らかであるだけでなく，よく発達した顆粒層（IIおよびIV層）をもっている．

無顆粒皮質（第4野と6野）は錐体路の主要な起始領域であって，**運動皮質**の原型 prototype とみなされている．この皮質には，もちろん求心線維も終わっており，体肢の伸側や屈側の皮膚を刺激すると中心前域で電位変動を誘導することができる．このような求心系はおそらく運動［機能］を調節し，より細かく調整するような系である．逆に，頭頂葉の中心後域（**C**）（体性知覚性皮質，青）や運動領の前にある前頭野のいくつかの領域を強く刺激すると，運動性反応を引き起こすことができる．この事実に対応するように，これらの領野（△）のV層にも長軸索性の錐体細胞がみられる．したがって生理学的に第1運動－知覚野 first motor-sensory area, Ms I（主に運動性）とか，第1知覚－運動野 first sensory-motor area, Sm I（主に知覚性）などというように呼ばれる．しかしながらこれらの所見は，中心前皮質が運動領であり，中心後皮質が体性知覚（触覚）領であるという基本的な事実を変えるものではない．

顆粒皮質 granular cortex

運動前域よりも前方の**極**および**眼窩**（脳底）**皮質**は，よく発達した顆粒層をもっている（**B**）．

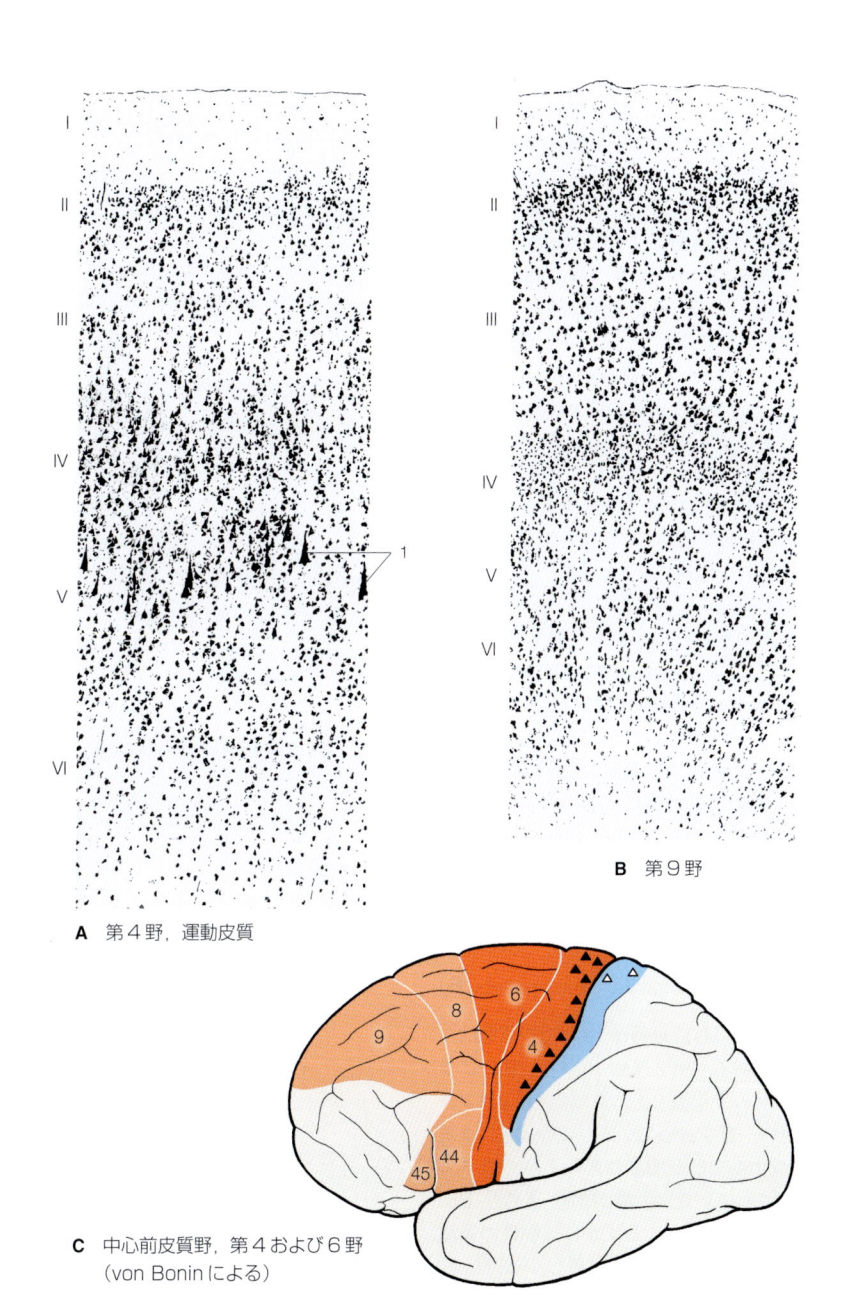

A 第4野，運動皮質

B 第9野

C 中心前皮質野，第4および6野（von Bonin による）

臨床関連：顆粒性の前頭前皮質 prefrontal cortex が傷害されると，強い人格変化が起こってくる．その際，みたところ知的能力はあまりおかされないが，自発性，目的に向かって努力すること，集中力および批判力が強くおかされる．患者は子供っぽく自己満足に陥って多幸状態 Euphoria を示し，ただ日常の些細なことにのみ関心をもち，将来の計画を立てることが不能となる．

似たような変化は前頭前白質切断術 prefrontal leucotomy の際に観察される．これは前頭葉の線維結合を手術的に切断する処置であって，かつて精神病患者や極度に激しい疼痛発作を起こす患者の治療のために行われたのである（今では向精神薬 psychotropic drugs にとって代わられた）．この処置によって患者は持続的な沈静状態におかれ，何事にも無関心となった．その際，情緒領域で独特の変化が観察された．すなわち患者はやはり痛みを認めたけれども，もはやその痛みは何ら妨げとは感じなくなった．かつては耐えられなかった痛みに対し患者は無関心となった．眼窩皮質（脳底新皮質 basal neocortex）が傷害されると，深刻な性格の変化が起こってくる．それまでは分別のある人であっても，礼儀，思慮および羞恥心が崩壊するに至り，そのためにはなはだしい社会的逸脱行為をするようになる．

---

1 ベッツ巨大錐体細胞 giant pyramidal cells of Betz

中心前域の体性機能の局在（A，B）

中心前域（A，B1）の個々の皮質部位を電気刺激すると，からだの一定の部位に筋の収縮が起こってくる．その際の体性局在的な区分が明らかになっている．頭の部位は外側溝の上に位置している．最も下には咽頭（A2），舌（A3）および口唇が再現されている．背側へ向かって手，腕，体幹および下肢が続くが，下肢の領域は外套縁を越えて正中面にまで及んでいる．かくてここに逆立ちをした小さな人間像homunculusができあがる．個々のからだの部位に対する領域の大きさはまちまちである．筋が分化した繊細な運動を行わなければならないからだの部位は，ことに大きな領野を占めている．最も広い領野を占めるのは指と手であって，最も狭いのは体幹である．

どちらのからだの半側も反対側の半球に再現される．したがって左半身は右の半球に，右半身は左の半球におのおの再現されている．一側の刺激で両側性に反応の起こるのは，咀嚼筋，喉頭筋および口蓋の筋である．厳密に反対側に反応のみられるのは顔の筋と体肢の筋である．体肢の再現は体肢の遠位部は中心溝の深部に，その近位部は中心前回でより前方に位置するように配列している（B1）．

補助運動野 supplementary motor areas（B）

中心前域（Ms1）以外に，もう2つ補助的な運動野がある．第2運動-知覚野（B4）は半球内側面の帯状回の上にあって，第4および第6野の一部を占めている．体性局在による区分がサルでは証明されているが，ヒトでは証明されていない．第2知覚-運動野（B5）は主に触覚を感じ，わずかに運動性の領域であって，外側溝の上に位置し，ほぼ第40野に相当している．運動系全体においてこれらの領域がどんな機能的な意義をもっているかについては，まだ未解決である．

前頭眼野 frontal eye field（C）

眼球の共役運動が中心前域，特に第8野（547頁C）の電気刺激によって引き起こされる．この第8野は眼球の随意運動のための前頭葉における中枢とみなされている．刺激すると一般に反対側へ視線を向け，事情によっては同時に頭も向けるような運動が起こってくる．第8野からの線維は直接には眼筋の諸核に終わっていない．これらのインパルスはおそらく間質核（カハール）で中継されているのであろう．

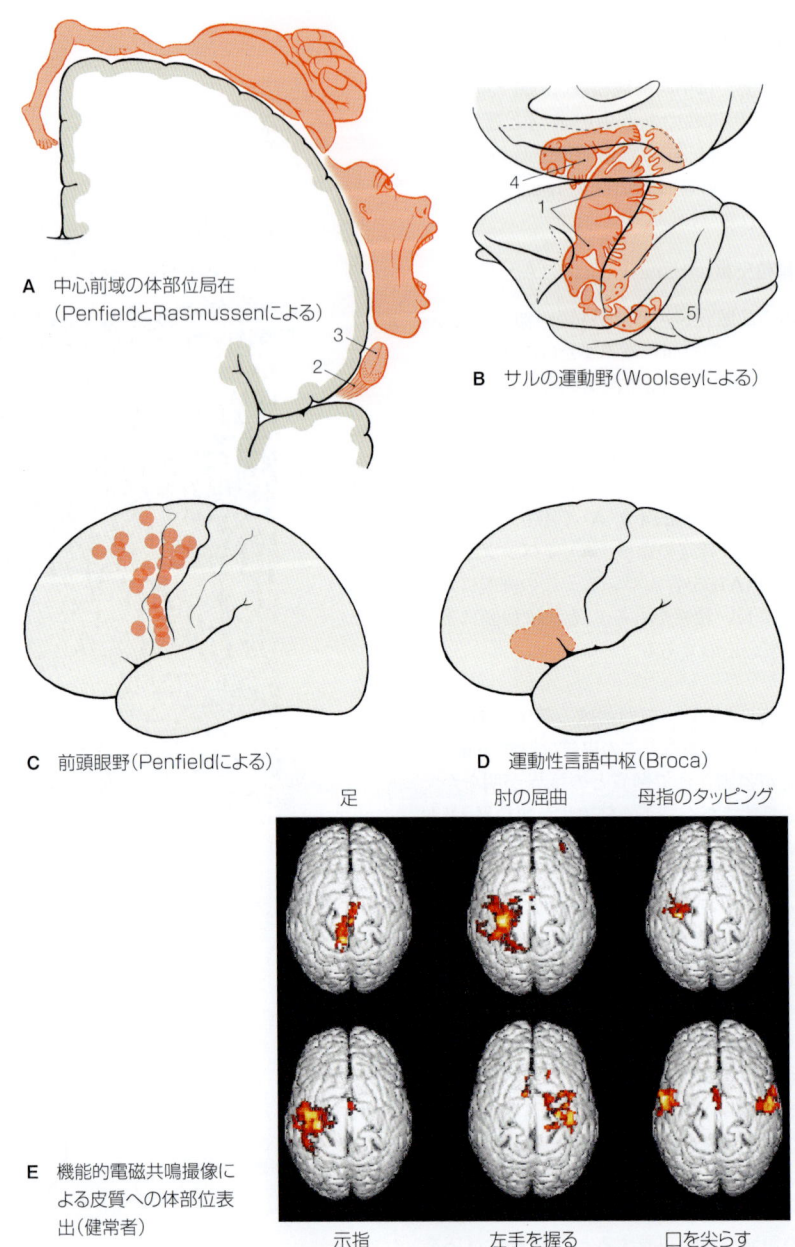

A 中心前域の体部位局在（PenfieldとRasmussenによる）

B サルの運動野（Woolseyによる）

C 前頭眼野（Penfieldによる）

D 運動性言語中枢（Broca）

E 機能的電磁共鳴撮像による皮質への体部位表出（健常者）

足　　肘の屈曲　　母指のタッピング

示指　　左手を握る　　口を尖らす

運動性言語中枢（ブローカ野）motor speech center（Broca's area）（D）

優位側の半球（555頁）の下前頭回（第44野と45野）のところが傷害されると，**運動性失語症** motor aphasia が起こってくる．患者はもはや文書を組み立て，それを言い表すことができなくなる．しかしその際でも言語に関係した筋（口唇，舌，喉頭）は麻痺していない．言語の理解力は保持されている．

言語能力はある限局された皮質領域（言語中枢 speech center）に局在しているものではない．これが働くためには皮質の広い領域が関与しているのである．しかしブローカ野が，言語の基礎としての複雑なニューロン回路での重要な中継所であることには疑う余地はない（感覚性失語症 sensory aphasia については555頁参照）．

運動性の活動をfMRI（機能的磁気共鳴像）によって機能的に提示する（E）

現代の撮像法によると（556頁），運動性の活動の際，機能的に関与している脳の部分，場所を追跡することができる（E）．機能的磁気共鳴断層撮像で，この場合，データを脳表面のモデル上に，投影してみられる．被検者は　ある決まった動作が要求される．図は30人の被検者についての平均値を示している（明るい部位が，活動度が高い領域を示している）．

---

1 中心前域 precentral region　2 咽頭 pharynx　3 舌 tongue　4 第2運動-知覚野 second motor-sensory area, Ms Ⅱ　5 第2知覚-運動野 second sensory-motor area, Sm Ⅱ

頭頂葉（A～C）

中心後域 postcentral region（A～C）

頭頂葉の最も前方にある大脳回すなわち中心後回 postcentral gyrus には，知覚路が終わっており，ここを**体性知覚性皮質** somatosensory cortex といい，第3野，第1野および第2野からなっている．そのうち第3野は中心後回の前面と中心溝の深部にあり，第1野は外表に面した部分を占め，第2野は回の後面を覆っている（546頁A）．

第3野（**A**）は運動領とは異なり，厚さは極度に薄くなり，髄質に対して境界がはっきりしている．錐体細胞層（Ⅲ層とⅤ層）は薄くなり細胞も疎らであるが，顆粒層は非常に広くなっている．この皮質は塵皮質 koniocortex に属している（546頁）．比較のために第40野の皮質（**B**）を図示してあるが，この皮質は縁上回 supramarginal gyrus を覆っているもので，頭頂皮質の原型とみなすことができる．ここでは顆粒層も錐体細胞層もよく発達し，全層を走っている放射状線維が特に著明である．

体性知覚性皮質は視床の後腹側核 posterior ventral nucleus から求心性線維を体性局在による配列に従って受けとっている．この配列をみると，反対側のからだの部位の再現は特定の皮質領域に限局していることがわかる．すなわち外側溝の上には咽頭と口腔（**C1**）のための領域があり，その上には顔，上肢，体幹および下肢のための領域という順に並んでいる．下肢のための領域は上縁を越えて正中面に及んでおり，ここでは膀胱，直腸および生殖器（**C2**）の領域が最後を占めている．分化した繊細な知覚を感じる皮膚領域，例えば手や顔は，ことに広い皮質野に再現されている．体肢の遠位部のための領域は一般にその近位部のための領域より広い．

臨床的および電気生理学的所見によると，皮膚の表面知覚は第3野に，深部知覚（主に関節の受容器からのインパルス）は第2野に再現される．第2野では体肢の位置と運動が絶えず記録されているのである．

頭頂皮質の機能的意義

この皮質の機能的意義は，頭頂葉の傷害の際に起こる精神機能の脱落によって明らかになる．

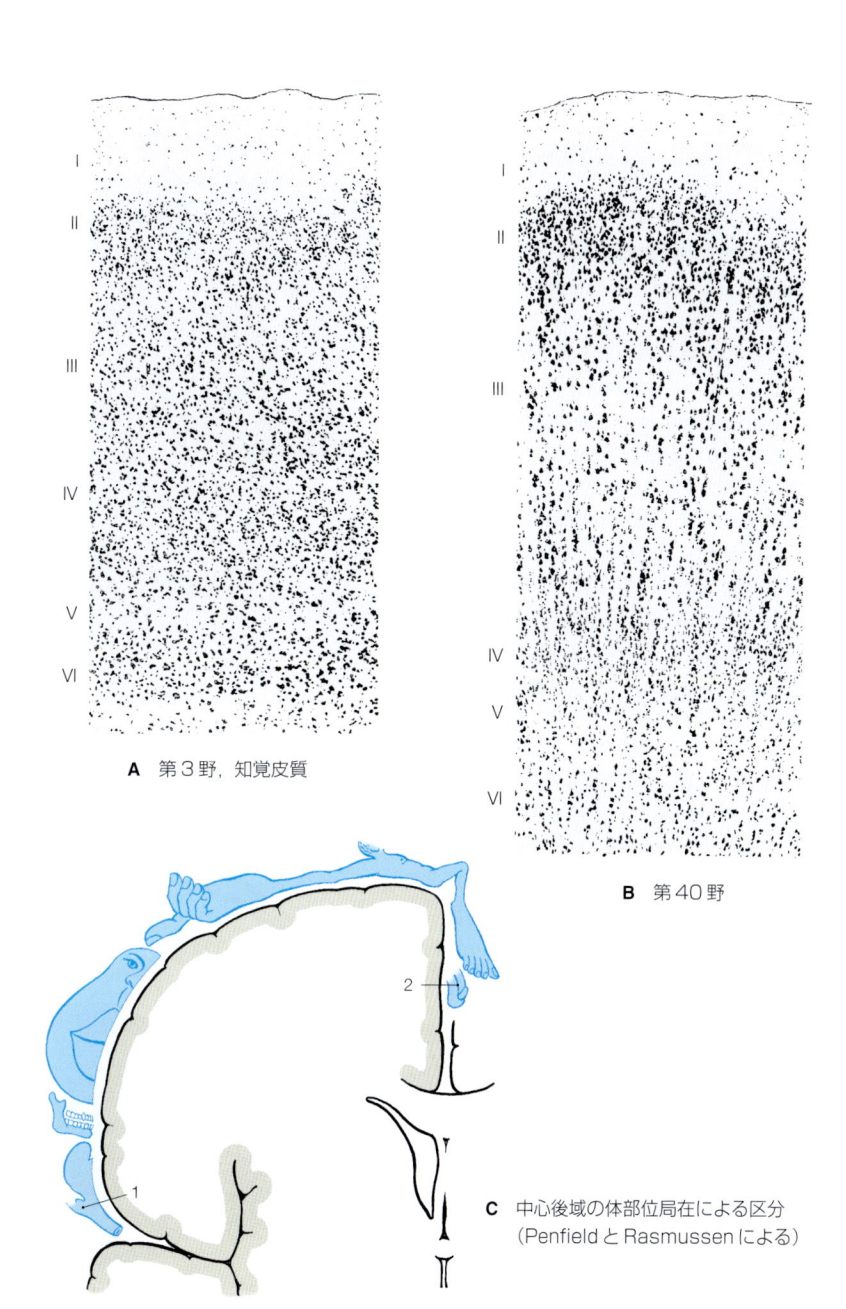

A 第3野，知覚皮質

B 第40野

C 中心後域の体部位局在による区分（PenfieldとRasmussenによる）

臨床関連：頭頂皮質が傷害されると，いろいろな形の失認 agnosia が現れてくる．その際，感覚印象はもちろん感知されているが，対象物はそのもつ意義や特色については識別されていない．このような障害は触覚，視覚または聴覚における認知に関係している．優位側の半球の頭頂葉（角回 angular gyrus）がおかされた場合には，象徴思考の障害が起こってくる（555頁A）．すなわち文字や数字の理解力がなくなるために，読み書きや数をかぞえ計算することが不能となる．
さらに身体図式 body scheme の障害も観察されている．この障害は，左右を区別することができなくなるのがその本質である．また自分自身の麻痺した，または麻痺していない体肢が自分と無関係の見知らぬ対象物として感じられることがある．例えば自分の腕が胸に横たわる重い鉄の棒のように感じられるのである．この障害がからだの半身全体に起こると，その半身は全くほかの人 "わが友 my brother" として感じられるのである（半離人症 hemidepersonalization）．触覚に関係した皮質と視覚領との間にあって，この両者と密な線維結合によって結びつけられている頭頂葉は，三次元的な空間概念の成立に特に大切な意義をもつといわれている．頭頂葉が傷害されるとこの空間概念がおかされることがある．

1 咽頭と口腔 pharynx and oral cavity　**2** 生殖器 genitalia

側頭葉（A〜C）

聴覚領（A〜C）

　側頭葉の外側面にある主な大脳回はもっぱら前後方向に走っている．それに対して背側面では2つの横に走る大脳回が目立つ．横に走る大脳回は**横側頭回**あるいはヘシュルの横回（**C1**）といわれるものである．この大脳回は外側溝の深部に横たわっており，その上にある前頭頭頂弁蓋を除去すると初めてみえてくる．前横側頭回 anterior transverse temporal gyrus の皮質には，内側膝状体に起始をもつ聴放線 acoustic radiation（610頁）が終わっている．第41野（**A**）と第42野に相当する前・後の横側頭回の皮質は聴覚領 acoustic or auditory area と考えられている（厳密には第42野は聴覚の連合領である（610頁））．この皮質はほかのすべての受容性皮質野と同じく塵皮質 koniocortex に属している．外顆粒層（II層）および特に内顆粒層（IV層）は細胞に富み，厚みも非常に大きくなっている．これに反して錐体細胞層（III層とV層）は薄くて，小型の錐体細胞しかない．比較のために第21野の皮質（**B**）を図示してある．この皮質は中側頭回 middle temporal gyrus を覆っているものである．これは定型的な側頭皮質であって，著明な顆粒層，厚い錐体細胞層およびはっきりした放射状線維が認められる．

　横側頭回の近くの上側頭回にある第22野のところを電気刺激すると，低音域での唸り（humming, buzzing）またはベルのような音（ringing）といった音の感覚が呼び起こされる．聴覚皮質は音の振動数に従って編成されている（音階局在性 tonotopical arrangement, 610頁）．ヒトの聴覚皮質では最高の振動数の音は内側に，最低の振動数の音は外側に投射しているものと考えられている．

側頭皮質の機能的意義

　聴覚領以外の側頭葉を電気刺激すると（側頭葉性てんかん temporal lobe epilepsy の手術的治療の際に行われた），断片的な過去の体験像を内容とする幻覚 hallucinations が現れてくる．患者は若い頃の知人の声を聞く．患者は自分自身の過去の瞬間的なエピソードをもう一度体験する．幻覚は主に聴覚性で，まれに視覚性のこともある．

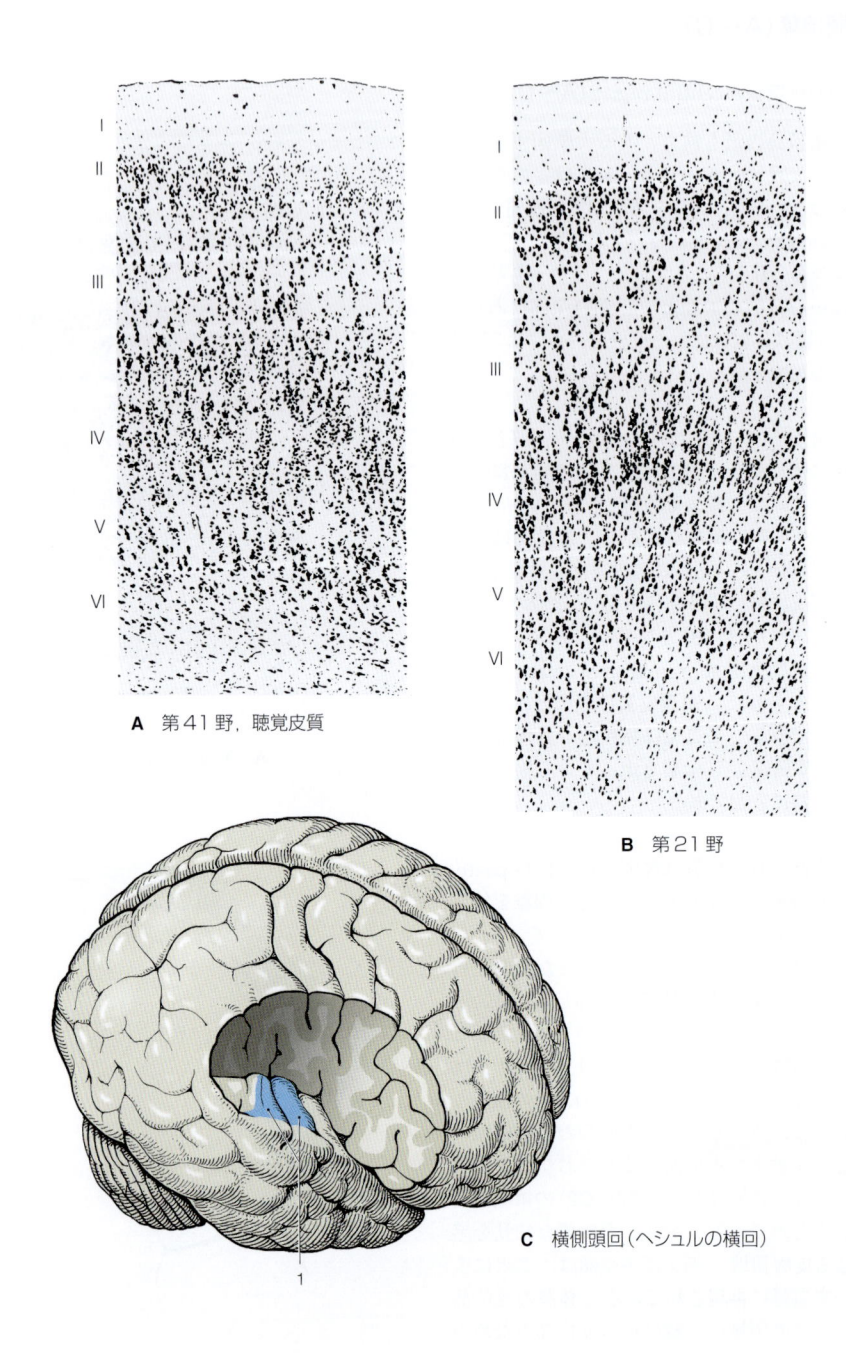

A 第41野，聴覚皮質

B 第21野

C 横側頭回（ヘシュルの横回）

　しかし側頭葉を刺激している間，現在の状況を誤って評価するようになることもある．かくて新しい印象が以前に知られていたものとして現れてくる（既視体験 déjàvu）．外界の対象物は疎遠になったり，あるいはまた近づいてくることもある．外界全体が不気味あるいは強迫的な性格をもってくることがある．この種の現象は側頭葉の刺激のときにだけ現れ，ほかの皮質領域の刺激からは決して得られない．側頭皮質は自身の過去と過去における自身の経験を，意識的または無意識的に利用するために特に重要な意義をもつものと思われる．過去においてなされた経験が常に現在に生きているときにのみ，新しい印象が正しく判断されて解釈されうるのである．このことができなければ，われわれはこの環境の中でうまく身を処していけないであろう．したがって側頭皮質はまた解釈皮質 interpretative cortex とも呼ばれる．

---

1 横側頭回（ヘシュルの横回）transverse temporal gyri（transverse gyri of Heschl）

後頭葉（A～C）

後頭葉の内側面には水平に走る**鳥距溝**（**BC1**）がみられ，深く陥入しているため脳室面にはそれに相当して，**鳥距**（**B2**）という隆起が生じる．後頭葉を通る前頭断面では髄質中に**壁紙**（**B3**）と呼ばれる線維板が目立っている．これは脳梁の交連線維であって，脳梁膨大を通って弓なりに後頭葉へ放散していく（後頭または大鉗子 occipital/major forceps．554頁F16と比べよ）．

視覚皮質（有線野）

第17野（**AC4**）は視放線の終わるところであり，後頭葉の内側面に位置し，幾分半球凸面へのび出して後頭極にまで及んでいる．この皮質は鳥距溝の内張りをし，さらにこの溝の背側および腹側唇にまで広がっている．第17野は第18野（**A5**，矢印は第17野と第18野の境界を示す）と第19野で囲まれている．第18野と第19野は視覚の統合領 visual integration fieldsとみなされている．

第17野の皮質はすべての受容性皮質領域と同様に，錐体細胞層の発達が弱く，顆粒層が強く発達するのが特徴である．皮質は非常に薄く，細胞の多いⅥ層によって髄質とは区別される．内顆粒層（Ⅳ層）は，髄鞘像でのジェンナリ線（**B6**）に相当する細胞の少ない帯（Ⅳb層）によって3つの層に分けられる．この細胞の少ない層には目立って大きな細胞があるが，これは巨大星状細胞 giant stellate cells またはマイネルト孤立細胞 solitary cells of Meynertと呼ばれる．内顆粒層の上下の2つの細胞に富む層（Ⅳaと Ⅳc）は非常に小さな顆粒細胞を含んでいる．これらの層は脳皮質全体のうちでも最も細胞の密な層に属している．第18野は大きな顆粒細胞に富む単一の内顆粒層をもち，最後に第19野は頭頂皮質や側頭皮質への移行部を形成しているのである．

視覚皮質の機能的編成

実験動物の視覚皮質 visual cortex での電気生理学的所見に基づいて，有線野 striate area の神経細胞に2種類の細胞が区別されている．すなわち単純ニューロン simple neurons と複雑ニューロン complex neurons である．両種のニューロンは組織学的にはまだ同定されていない．**単純ニューロン**は網膜の視細胞群（受容域 receptive field）からインパルスを受けとる．このニューロンは光の細い条，明るい背影をもつ暗い条，あるいは明暗の間の真っ直ぐな境界線などに最も強く反応する．したがって光条の方向の認知に決定的な役割をもつ．相当数のニューロンは水平の光条にのみ反応するが，ほかのものは垂直の光条にのみ，またあるものは斜めの光条にのみ反応する．

複雑ニューロンも同様に特定の方向の光条に反応する．しかし単純ニューロンが網膜の一つの受容野によってのみ興奮させられるのに対し，複雑ニューロンは網膜上を移動していく動く光条に応答を示す．どの複雑ニューロンも多数の単純ニューロンにより刺激される．つまり，多数の単純ニューロンの軸索は一つの複雑細胞に終わっていると仮定されている．内顆粒層はほとんど単純ニューロンのみから構成されており，一方外顆粒層には複雑細胞が集積しているの

ことが見出されている．第18野と19野では，すべての神経細胞の半数以上が複雑ニューロンまたは**超複雑ニューロン** hypercomplex neurons である．これらの細胞は形の認知に重要な意義をもっているのである．

視覚皮質を電気刺激すると，閃光または電閃が知覚される．第18野と19野の刺激では図や形も現れるという．そのほか，同時に視線を向ける運動が起こってくる（**後頭眼野** occipital eye field）．後頭葉から誘発された眼球運動は，前頭眼野 frontal eye fieldに支配される随意的な眼球運動とは対照的に全く反射的なものである（548頁C）．

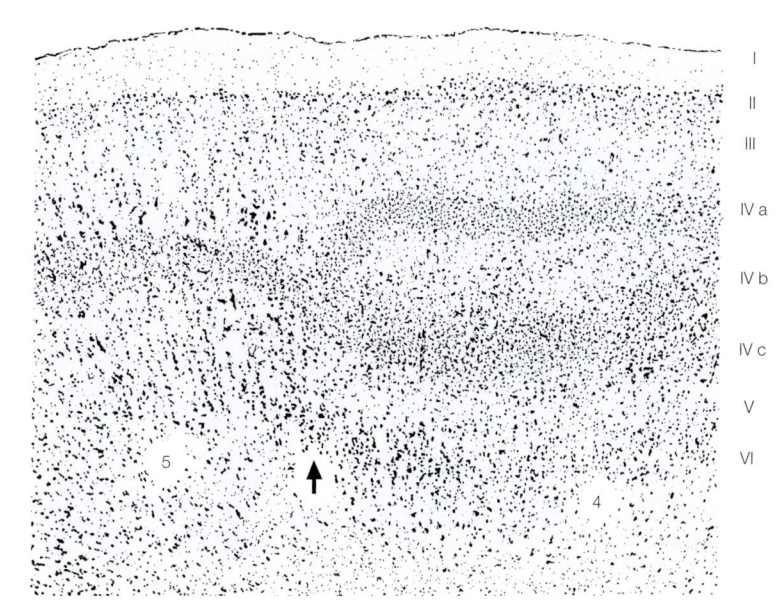

A 第18野と17野（Brodmannによる）

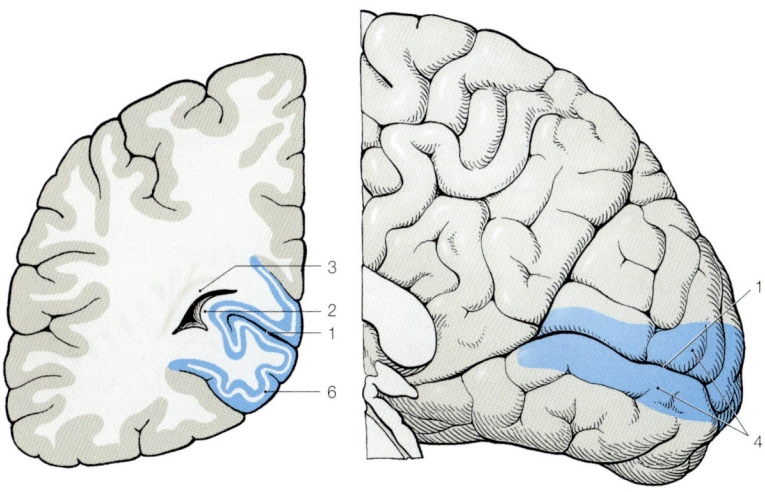

B 後頭葉の前頭断

C 正中断，第17野がみえる

1 鳥距溝 calcarine sulcus　2 鳥距 calcarine spur　3 壁紙 tapetum　4 第17野 area 17　5 第18野 area 18　6 ジェンナリ線 band of Gennari

視覚皮質の機能的編成（続き）

視覚皮質の機能柱区分（A，B）．視覚皮質には細胞層からなる層構造のほかに，柱状の機能的区分が存在する．この機能柱 functional column は細胞層に垂直で皮質の全体の厚さにわたっており，0.3～0.5mmの直径をもっている．各柱は網膜の限定された領域と結びついている．このような領域の感覚細胞が興奮すると，つねに当該の機能柱のすべての神経細胞が反応するのである．どの柱も左右の網膜のうちどちらかの鼻側の周辺域と結合している．視覚皮質（**A1**）には，右の網膜に対応する柱と左の網膜に対応する柱とが交互に隣接して並んでいる（眼球優位性により生ずる縞模様 pattern of ocular dominance columns）．したがって両側の網膜の興奮は視覚路の全経過において分離しているのである．

外側膝状体には両側のそれぞれに対応する網膜半分からの神経線維が終わる．すなわち左の外側膝状体（**A2**）には両側の眼の左半分の網膜（視野ではそれぞれの右半分）からの線維が終わり，右の膝状体には両側の眼の右半分の網膜（視野では左半分ずつ）からの線維が終わっている．また，左右の網膜半分のそれぞれ対応する領域に由来する線維は外側膝状体の異なる細胞層に終わる．すなわち，同側の網膜からくる非交叉性線維（**A3**）はⅡ，ⅢおよびⅤ層に，反対側の交叉性線維（**A4**）はⅠ，ⅣおよびⅥ層に終わる．2つの対応する網膜の点からの視神経線維が終わる神経細胞は，全細胞層を通る1線上に位置している（投射柱 projection column）．これらの神経細胞の軸索は視放線（**A5**）を経て視覚皮質に投射している．外側膝状体からの線維はどれも非常に細かく枝分かれしてⅣ層にある数千個の星状細胞 stellate cells（＝顆粒細胞）に終わる．その際同側の網膜の興奮を伝える線維と反対側の網膜の興奮を伝える線維はそれぞれ別の異なった機能柱に終わっているのである．

視覚皮質がこのような垂直柱に区分されていることは，実験動物に[^{14}C] deoxyglucose（放射性をもつように標識されたデオキシグルコース）を投与し，この物質の分布の差異をオートラジオグラフィで証明することによって，目でみえるようにすることができる．刺激されて活動したニューロンは物質代謝が高まって[^{14}C] deoxyglucose を取り込むが，活動していない細胞はこのものを取り込まないのである．

両眼が開いている実験動物（アカゲザル）の視覚皮質では，よく知られた細胞層に応じてこの物質は帯状の分布を示す（**B6**）．Ⅰ，Ⅱ，ⅢおよびⅤ層にはグルコース量は少なく，Ⅵ層で多くなり，Ⅳ層で最も多いことがわかる．実験動物が両眼を閉じると，このような層的差異は認められず皮質全体に均等な低い濃度を示すようになる（**B7**）．実験動物が一眼を閉じ他眼を開けると，皮質の細胞層に垂直な柱が形成され，極度に暗い柱と明るい柱が交互に認められるようになる（**B8**）．明るい柱，すなわち神経細胞が新たにグルコースを取り込んでいない部分には，閉じた方の眼の網膜が再現されている．これに対し，新たに取り込まれた[^{14}C] deoxyglucose をもつ暗い柱は開いていた眼の網膜からの興奮を受けとったことになる．ここでもⅣ層が極端に黒くなるため殊によく目立つ．一部の小さな領域では柱形成がみられない（**B9**）．この領域は網膜のうち単眼からの入力のみを受ける部分 region with only monocular input で，視野の最外縁部と盲斑 blind spot がそれに相当する．

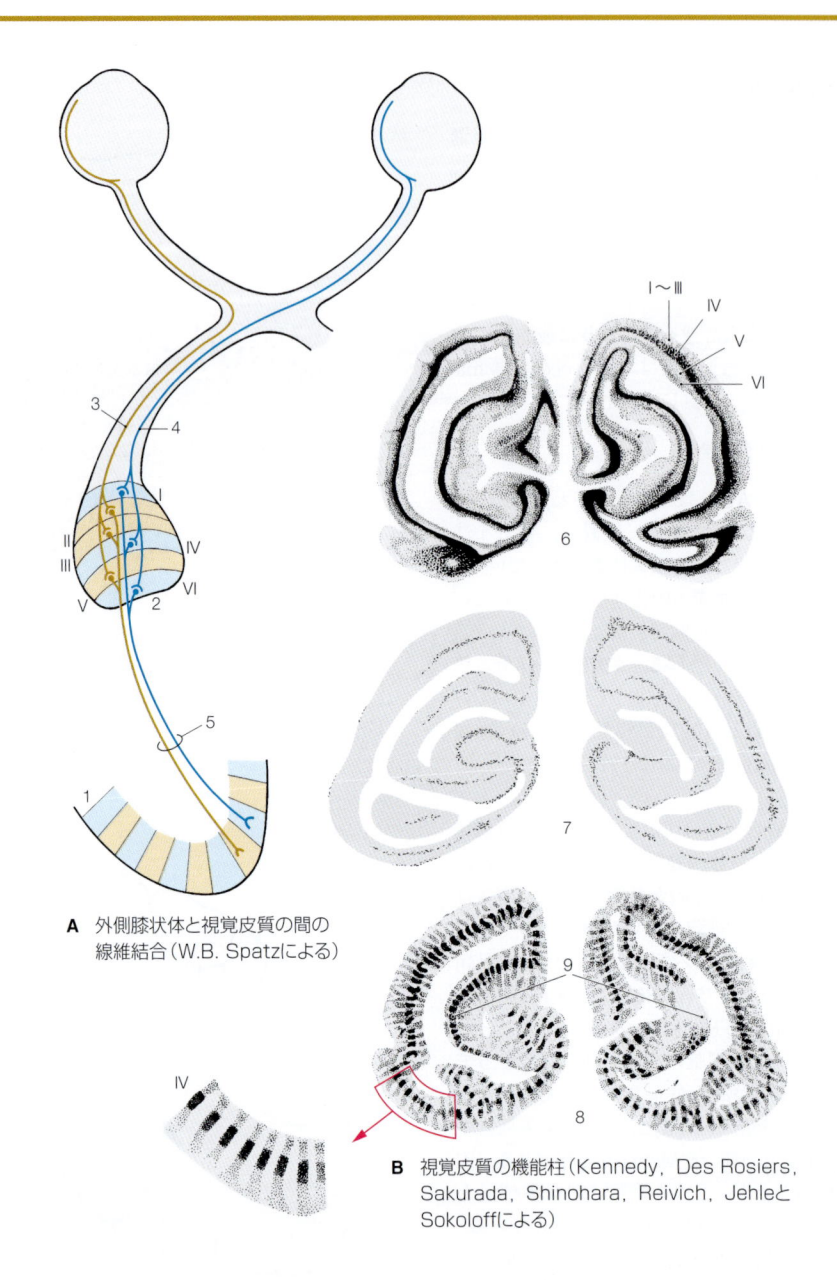

眼優位円柱 ocular dominance column のほかに，視野での光の方位に特異的に反応する細胞群が周期的に配列していることが認められている（方位円柱 orientation column）．脳表面に平行に切った切片で，チトクロームオキシダーゼという酵素を染めてみると，周期的に配列した斑点（ブロブ blob）を認めることができる．これは眼球に入った色刺激に応答するものである（色特異性ブロブ color-specific blob）．

A 外側膝状体と視覚皮質の間の線維結合（W.B. Spatzによる）

B 視覚皮質の機能柱（Kennedy, Des Rosiers, Sakurada, Shinohara, Reivich, Jehleと Sokoloffによる）

1 視覚皮質 visual cortex　**2** 外側膝状体 lateral geniculate body　**3** 非交叉性線維 uncrossed fibers (from the temporal retina of the same side)　**4** 交叉性線維 crossed fibers (from the opposite nasal retina)　**5** 視放線 optic radiation　**6** 両眼とも開いているときの[^{14}C]デオキシグルコースの分布　**7** 両眼とも閉じたときの[^{14}C]デオキシグルコースの分布　**8** 一眼を閉じ他眼を開いたときの[^{14}C]デオキシグルコースの分布　**9** 網膜の単眼域（視野の最外縁部と盲斑）からの投射部位

線維路（A～C）

大脳皮質と深部にある灰白質との間には，白質の広い層すなわち**髄質層**がある．これは皮質の神経細胞から出ていく，あるいは皮質へ行き，そこの神経細胞に終わる神経線維の集まりなのである．これには3つの異なった種類の線維系が区別される：
- 投射線維 projection fibers
- 連合線維 association fibers
- 交連線維 commissural fibers である．

投射線維は大脳皮質と皮質下中枢との間の結合をつくっており，これには皮質に終わる上行系 ascending systems と，大脳皮質から深部の中枢へ行く下行系 descending systems の2系がある．連合線維は同側の半球内の異なった皮質領域の間を連結している．最後に，交連線維は左右の半球の皮質をつないでいる．交連線維は実は半球間の連合線維 interhemispheric association fibers にほかならない．

投射線維

いろいろの皮質領域から下行する線維路は扇状に集まってきて，内包をつくるようになる．上行する線維は内包を通り抜けて，扇状に開いて放散していく．このようにして上行および下行線維は皮質の下で一種の放射状の冠をつくっているが，これを**放線冠**（**A1**）という．

内包（**A2B**）は水平断面では**前脚**（**B3**）と**後脚**（**B7**）をもつ曲尺の形をしている．前脚は尾状核頭（**B4**），淡蒼球（**B5**）および被殻（**B6**）で境され，後脚は視床（**B8**），淡蒼球および被殻で境されている（535頁参照）．前脚と後脚との間には**内包膝**（**B9**）がある．種々の線維路が内包の一定の部位を通って走っている．前脚を通るのは，前頭橋路（**B10**）（赤の線）と前視床放線（**B11**）（青の線）である．内包膝のところには脳神経に終止する皮質核線維 corticonuclear fibers が通っている．それに接して後脚には皮質脊髄路 corticospinal tract の線維（赤の点）が走っている．これにはもちろん体性局在による配列がみられ，上肢，体幹および下肢の順に並んでいる．これらの線維と同じ部位を通って，第4野へ行く視床皮質線維 thalamocortical fibers，ならびに第6野から出た皮質赤核線維 corticorubral fibers と皮質視蓋線維 corticotectal fibers が走っている．後脚の尾側部は中心（上）視床放線（**B12**）（青の点）の線維によって占められており，これらの線維は中心後域へ行く．尾側端を通って斜めに走るものは後視床放線（**B13**）（淡青の点）と側頭橋路（**B14**）（淡赤の点）の線維である．

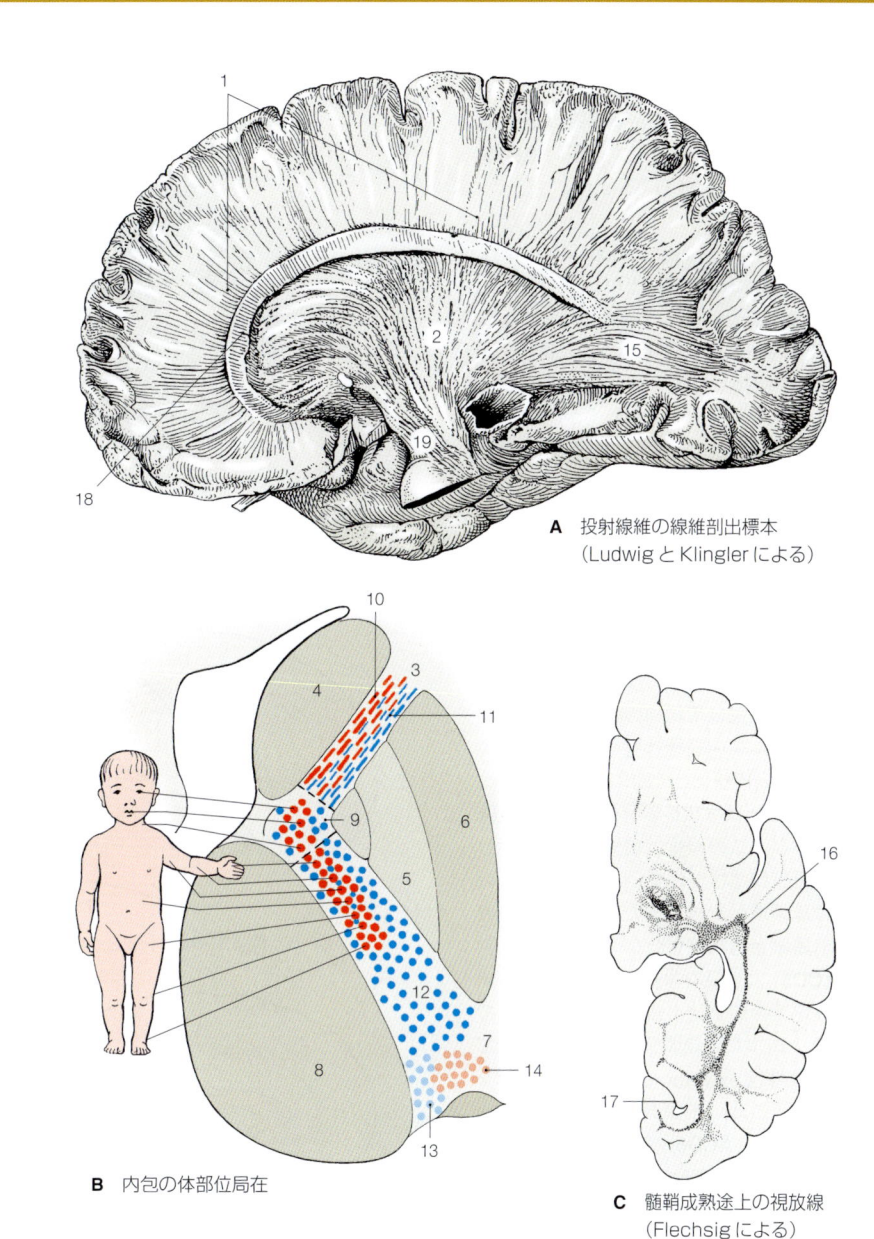

最も重要な投射路に属するのは，**聴放線** acoustic radiation と**視放線** optic radiation である．聴放線の線維は内側膝状体に起こり，外側膝状体の上を越えて，被殻の下縁で内包を横切って走る．側頭葉の髄質中をこれらの線維はほとんど垂直に前横側頭回までのぼっていく（550, 610頁）．視放線は外側膝状体に起始する．これらの線維は扇状に広がって広い髄板（**A15**）となって側頭葉へ向かい，視覚路の側頭膝（**C16**）をつくっている．その後は側脳室の後角を弓なりにまわり，後頭葉の髄質を通って鳥距溝（**C17**）へ行く．

A 投射線維の線維剖出標本 （LudwigとKlinglerによる）

B 内包の体部位局在

C 髄鞘成熟途上の視放線 （Flechsigによる）

---

1 放線冠 corona radiata 2 内包 internal capsule 3 前脚 anterior limb 4 尾状核頭 head of caudate nucleus 5 淡蒼球 pallidum 6 被殻 putamen 7 後脚 posterior limb 8 視床 thalamus 9 内包膝 genu of internal capsule 10 前頭橋路 frontopontine tract 11 前視床放線 anterior thalamic radiation 12 中心（上）視床放線 central (superior) thalamic radiations 13 後視床放線 posterior thalamic radiation 14 側頭橋路 temporopontine tract 15 髄板（視放線の矢状方向に走る線維がつくる）sagittal myelin stratum 16 側頭膝 temporal knee 17 鳥距溝 calcarine sulcus 18 脳梁 corpus callosum 19 大脳脚 cerebral peduncle

連合線維（A～D）

異なる皮質領域の間を結ぶ線維は種々な長さをもっている．簡単には，短い連合線維と長い連合線維を区別できる．

短連合線維 short association fibers は弓状線維 arcuate fibers（**B**）といわれ，同一大脳葉内（**B1**）またはある大脳回と近傍にある大脳回との間（**B2**）を結びつける．最も短い線維はすぐ隣接した皮質部位同士を結合する．これらの線維は白質をわずかの間走ってまた皮質へ入ってくる．この線維をU-線維という．U-線維の層は皮質直下にある．

長連合線維 long association fibers は異なる大脳葉を結合するもので，肉眼的に示すことができるまとまった束をつくっている．**帯状束**（**D3**）は帯状回の下にあって比較的短い線維や長い線維からなる強大な系である．この帯状束は帯状回の全経過に従って走っている．長い線維は脳梁吻の下の嗅傍野（梁下野）と内嗅領との間にわたっている．**梁下束**（**CD4**）は尾状核の背外側で脳梁放線の下にある．この線維は前頭葉を側頭葉および後頭葉に結びつけている．その一部の線維は島領域へ行き，またほかの一部の線維は前頭葉と尾状核をつないでいる．**上縦束**（**ACD5**）は被殻の背外側に位置し，前頭葉と後頭葉の間を結ぶ強大な連合線維束であって，頭頂葉と側頭葉にも線維を送っている．最外包 extreme capsule の腹側部を通っているのは，前頭葉から後頭葉へ行く**下前頭後頭束**（**ACD6**）である．また後頭葉と側頭葉の間には**下縦束**（**C7**）が走っている．**鈎状束**（**AC8**）は側頭皮質を前頭皮質に結びつけている．この束の腹側部は内嗅領の皮質と前頭葉の眼窩皮質との間を結合するものである．そのほかの線維束として**垂直後頭束**（**AC9**）と**眼窩前頭束**（**C10**）がある．

交連線維（E，F）

半球間の連合線維は，脳梁，前交連（538頁C）および脳弓交連（540頁C25）を通って反対側の半球へ行く．新皮質の最も重要な交連線維は**脳梁** corpus callosum（**E**）である．その弓状に曲がる吻側部は**脳梁膝**（**E11**）で，その先はとがって**脳梁吻**（**E12**）となっている．膝に続いて中間部すなわち**脳梁幹**（**E13**）と厚くなった末端部すなわち**脳梁膨大**（**E14**）がある．脳梁線維は両半球の髄質の中で広がって，脳梁放線 radiation of corpus callosum をつくっている．脳梁膝と脳梁膨大のところをU字形をなして走る線維は，両側の前頭葉同士および後頭葉同士を結ぶもので，それぞれ**前頭（小）鉗子**（**F15**）と**後頭（大）鉗子**（**F16**）と呼ばれる．

同所性半球間線維と異所性半球間線維とを区別することができる．**半球間同所性の線維** homotopic fibers は両半球における同じ皮質領域を結びつけ，**異所性線維** heterotopic fibers は異なる皮質野の間を結合している．脳梁線維のほとんど大部分は同所性である．すべての皮質野が同じ程度に反対側の同じ皮質野と結ばれているわけではなく，密なところと粗なところがある．例えば両側の体知覚領の手と足の部位は半球間の線維連絡をもっていない．また両側の視覚皮質は相互の結合をもたない．これに対して両側の第18野（視覚の連合野）の間には強力な線維結合が存在する．

A 長連合線維の線維剖出標本（LudwigとKlinglerによる）

B 短連合線維

C, D 長連合線維の側面図と前頭断面

E 交連線維，脳梁

F 脳梁放線

---

1 弓状線維（同一大脳葉内を結ぶ）arcuate fibers（running within a cerebral lobe）　2 弓状線維（隣接する大脳回同士を結ぶ）arcuate fibers（connecting adjacent gyri）　3 帯状束 cingulum　4 梁下束 subcallosal fasciculus　5 上縦束 superior longitudinal fasciculus　6 下前頭後頭束 inferior frontooccipital fasciculus　7 下縦束 inferior longitudinal fasciculus　8 鈎状束 uncinate fasciculus　9 垂直後頭束 vertical occipital fasciculus　10 眼窩前頭束 orbitofrontal fasciculus　11 脳梁 genu of corpus callosum　12 脳梁吻 rostrum of corpus callosum　13 脳梁幹 trunk of corpus callosum　14 脳梁膨大 splenium of corpus callosum　15 前頭（小）鉗子 minor forceps　16 後頭（大）鉗子 major forceps

大脳半球の左右非対称性（A，B）

意識 consciousness は大脳皮質に結びついている．大脳皮質にまで伝えられるような感覚刺激だけが意識される．

人類だけが言語能力をもっている．言語は内言語 internal speech として思考の前提条件であり，話し言葉として互いの意志交流の基礎となり，さらに書き物としては固定された情報となって幾千年の後まで残るのである．この言語能力は原則として人それぞれに，一側の半球にのみあるとされる一定の皮質領野が健全であることと関連している．この半球は**優位半球** dominant hemisphere といわれ，普通は右利きの人 right-hander では左の半球である．左利きの人 left-hander では優位半球は右の半球であるが，左の半球であることもあり，あるいはこの言語能力が両側の半球に再現されていることもある．したがって利き手がどちらであるか (handedness) は，その反対側の半球が優位であることの確実な示唆とはならない．

優位半球の上側頭回の後部には，いわゆるウェルニッケ言語中枢 (**A1**) があり，ここが傷害されると言語を理解することに障害が起こる（感覚性失語症 sensory aphasia）．この領域は，習得した言語像を常時使いこなすためと，聞いたり話したりした言葉を解釈するための統合領域である．知覚性失語症の患者は意味のない言語のサラダ word salad をひとりごととしてしゃべり，話し相手の言葉は患者にとっては理解のできない外国語のように響くのである．

角回 (**A2**) は縁上回 (**A3**) と隣接している (530頁A21)．角回が障害されると，書字不能（失書症 agraphy）となり，読書不能（失読症 alexis）になる．この隣接領域 (**A5**)，特に中側頭回を刺激すると，自発言語や自発書字が障害される．運動性言語協調のためのブローカ野 (**A4**) は下前頭回にある (548頁D)．

右側の（劣位の）半球の傷害の際には，視空間定位が障害されたり，音楽の理解が障害される（失音楽症）．この際，言語機能は保持されているが，言語のメロディーや，言語の感情的な調子は障害される．左右の両方の半球に対して，いろいろな考え方が提唱されてきた．つまり，左側の優位半球は，論理的で，理性的で，分析的に働く．これに対して，右側は統一的統合的で直感的な働きをする．しかしながら，このように一般化することは，思惟的なものでしかない．

脳梁切断 transection of the corpus callosum（分離脳 split brain）

脳梁を切断しても人格の変化あるいは知性の変化は起こってこない．患者は日常何ら目立ったところはない．触覚および視覚系の特殊な検査をすると初めて，脱落現象に気づく (**B**)．

左手の触覚は右半球に記録され，右手のそれは左半球（右利きの人では，この半球が言語能力のある優位半球である）に記録される．両側の眼の網膜の左半分にあたった光の刺激は左半球へ伝えられ，網膜の右半分への刺激は右半球へ伝えられる (552頁)．ところでこの検査によって，切断された脳梁をもつ右利きの人はかろうじて網膜の左半分でもって読むことができるということがわかる．この患者が網膜の右半分によって知覚する対象を，その患者はそれが何であるかをいうことができない．しかしながら患者は手の動きによってその対象の使い方を明らかにすることはできる．これと同じ現象は，目隠しをした患者が対象を左手でもったときに生じる．すなわち患者はその対象を口では説明できず，ただ手まねによってその使い方を示すことができるのである．右手で知覚し，あるいは網膜の左半分で知覚する場合には，いずれも"しゃべる半球 talking hemisphere"との結合が保たれているから，すぐさまその対象が何であるかということができる．

また一側の体肢の運動を反対側のその体肢が繰り返すことができなくなる．というのは一側の半球には，反対側の半球からどんなインパルスが出されていたか，という情報は入っていないからである．

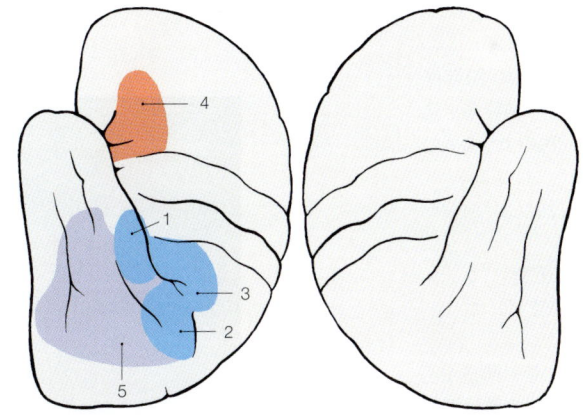

A 右利きの人の言語および書字領域

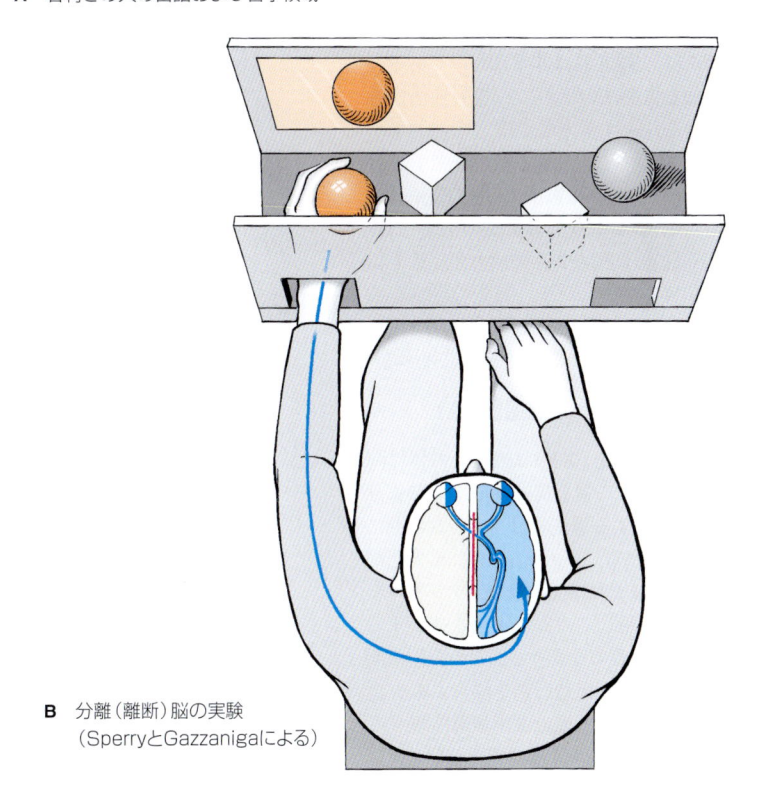

B 分離（離断）脳の実験
　　（SperryとGazzanigaによる）

---

1 ウェルニッケ言語中枢 sensory speech center of Wernicke　**2** 角回 angular gyrus　**3** 縁上回 supramarginal gyrus　**4** ブローカ野 Broca's area　**5** 中側頭回 middle temporal gyrus

撮像法（A，B）

臨床診断のための造影法は，この20年間に長足の進歩を遂げた．今日，神経系を造影する最も重要な方法には，次のようなものがある．
- 造影剤を使ってX線を投射し，血管や脳室を造影する．
- コンピュータ断層撮影法（CT）
- 磁気共鳴撮影法（MRI）（557頁）

通常のX線撮影では，主に骨の構造が明らかになる．また，成人では，音波は頭蓋骨を通過しないので，超音波は中枢神経系の領域には適さない．しかしながら，幼児の診断には，超音波は非常に有用である．解剖学的な造影法のほかに，放射性活性を示す核種を注入する方法では，機能的なパラメータを示す可能性がある．単光子放射型コンピュータ断層撮影法（SPECT）やポジトロンエミッション断層撮影法（PET）（557頁）などの核医学的な方法では，血流量や物質代謝活性を測定したり，特定の受容器系の分布を確定することができる．以下に，最も重要な手技の適応領域を簡潔に述べる．

造影剤を使用するX線撮影（A）

X線の線源から，X線は被検者の体に向かって放射され，体を貫通する．骨のようにX線を吸収する構造物はフィルムの上に陰影として現れる．フィルムには，感光乳剤を塗ったり，または多くの場合，デジタルな増感装置を使用している．血管を造影するためには，1回目の撮影と2回目の撮影の間に，被検者の血中に造影剤を注入する．造影剤を投与する前と後の像を減算処理することにより，骨構造のように変化しない構造物を消去することができる．減算処理してできた像には，造影剤が充満した血管が選択的に描画されている．造影剤は，血管を選択し，検査しようと思う血管系にカテーテルを挿入して注入する．できあがった像（**A**）は解像度が高く，特定の血管のみが写し出されている．この**デジタル減算血管造影法** digital subtraction angiography（DSA）は，被検者に少なからざる負担をかけて動脈カテーテルを入れることにより行われる．静脈のDSAでは，造影剤を腕静脈に注入するので，造影剤が血中に分散してしまい，コントラストの悪い像しか得られず，いろいろな血管の非特異的な造影も起こってしまう．

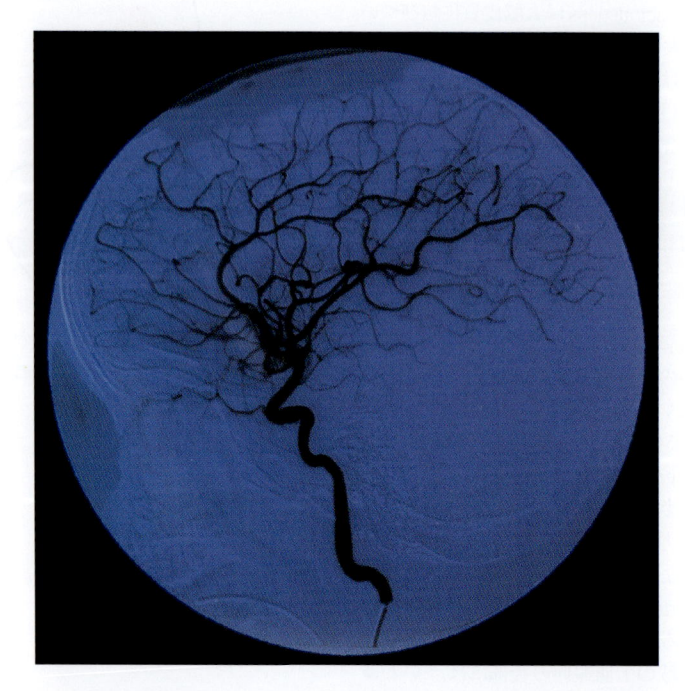

A デジタル減算血管造影．選択的に内頸動脈を描出してある．側面像．（フライブルク大学放射線診断学教室 Orszagh による）

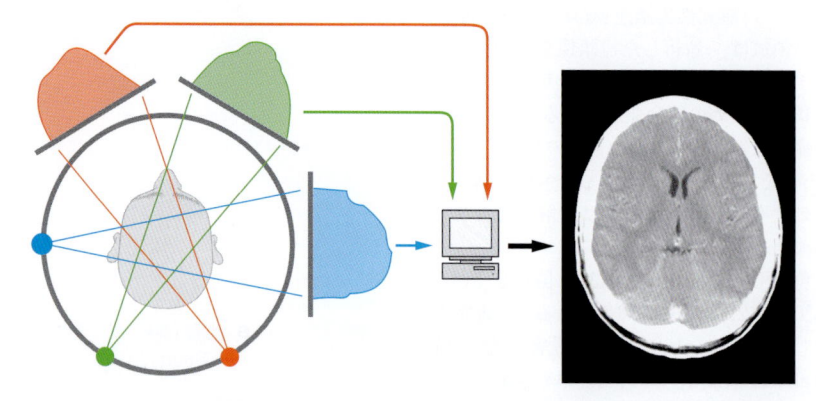

B コンピュータ断層撮影法の原理．扇状のX線の（赤，緑，青の面での）吸収値を計算し，コンピュータで像を再構築する（フライブルク大学放射線診断学教室 Laubenberger の CT）

このため静脈のDSAはあまり用いられることはない．

脊髄造影法 myelography でも同じような原理が用いられ，造影剤は脊柱管を穿刺して脳脊髄液に直接投与する．

コンピュータ断層撮影法（B）

コンピュータ断層撮影 computed tomography（CT）でも，像はX線により得られる．しかしながら，造影原理は投影法のように陰影をつくることではない．弱いX線ビームをいろいろな方向から投射する．いろいろな投射角（**B**では，赤，緑，青の面で示してある）での吸収値を計算し，**逆投影法**により，X線が透過した層の二次元像を作成する．検出器として非常に高い感受性をもったデジタル光電管が使われている．骨構造のほかに，軟部構造も鋭敏に正確に示される．

コンピュータ断層撮影法（続き）

　中枢神経系でのCTの主な適応領域は，頭蓋骨や脳に外傷のある患者の検査である．CTは骨の変位を非常に精密に写し出すのみならず，出血にもきわめて敏感である．解剖学的な描写が非常に詳細で正確であることから，スペースを占拠するような病変はすべてCTで検査される．感度が優れているので，磁気共鳴断層撮影法が次第に主流になりつつある．

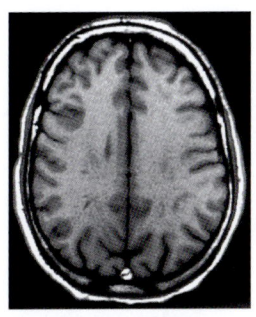

磁気共鳴断層撮影法（A, B）

　磁気共鳴断層撮影法 magnetic resonance tomography（MRT，核スピン断層撮影法）の造影原理は体内にある原子核（特に自由水や結合水の水素原子）の磁気特性に基づいている．MRTは，解剖学的構造の空間的な形を示すのみならず，いろいろな組織に柔軟性に富んだコントラストをつける．AとBに示す像は同じ解剖学的な層を撮影したものであるが，MRTのコントラストがきわめて柔軟性に富んでいるということがわかる．信号の発生が，組織の性質に強く依存しているので，MRTは組織の病的変化を示すには，非常に感度の高い方法となる．核共鳴信号を測定するために，周波数が約10～100メガヘルツ（MHz）のラジオ波が使われている．現在わかっている限りでは，このラジオ波は動物に対して有害な副作用はないものと考えられている．CTに比べると，MRTでは，像の方向は線源と検出器の角度とは関係がないため，任意の断面を撮影することができるという長所がある．MRTの空間解像度は通常の検査では，厚さ約5mmのスライスで，0.7～1mmの範囲である．16～20枚の頭部の平行な層の写真を撮るのに，数秒から数分しかかからない．各層の像に60～100ミリ秒（ms）しか，かかっていないことになる．

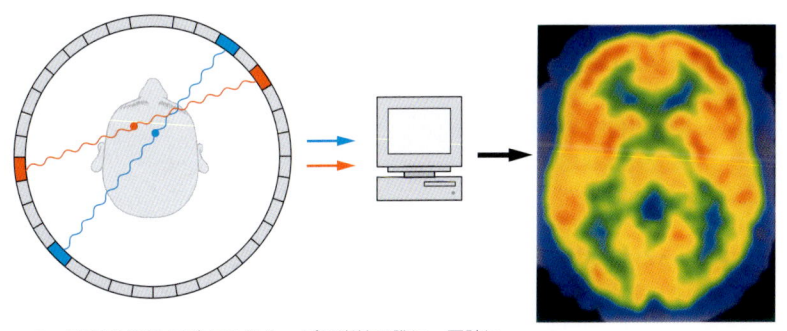

PETとSPECT（C, D）

　この核医学の撮影方法は，どちらも，撮影する前に投与した放射性活性のある核種から出る線を，検出することによる．**単光子放射型コンピュータ断層撮影法** single photon emission computed tomography（SPECT）は，γ線源を投与する．発生する線の検出は，CTと同様に光電管による．検出するのは，線源から検出器に向かう線ではなく，受けるγ線の強度と方向である．この事実から，CTに比べて空間解像度は悪く

A T1強調画像　**B** T2強調画像

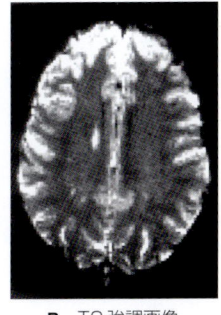

A, B 脳室の背方を通る面での頭部の核スピン断層撮影像

C PETの原理．ラジオアイソトープの崩壊の際に，同時に反対方向に放射する光子を検出する（フライブルク大学核医学教室Jünglingによる）

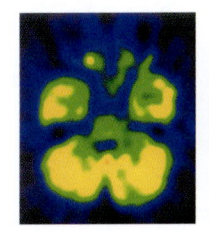

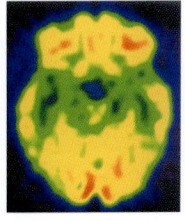

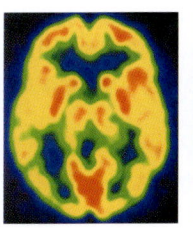

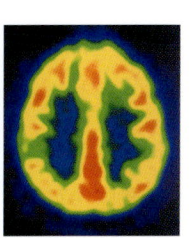

D 4つの平行断面のPET像（脳でのグルコース代謝の度合）

1cm位の範囲である．解剖学的に解像度の高い像ではないが，SPECTは，短時間の動態検査で，脳血流量を測定するのに適している．

　ポジトロンエミッション断層撮影法 positron emission tomography（PET）では，β線が使われる．β線を放出するラジオアイソトープの特徴は，自然崩壊によりつくられるポジトロンが，体の中に存在している電子と結合し，反対方向に放射する2つの量子（光子）を形成し，消滅することである（**C**）．

2つの検出器が同時にγ光子を受けとった方向により，陽電子放出物質の存在する方向がわかる．この方向は，SPECTよりはるかにはっきりしている．PETの空間解像度は2～4mmで，CTやMRTより悪い．生物学的に活性な分子に適切なラジオアイソトープを付けることにより，PETを用いて，血流の測定をしたり，物質代謝の検査（**D**）をしたり，さらに，いろいろな（ドーパミン受容体のような）受容体系を選択的に検出することもできる．

脳の血管系

動脈（A）

脳は4本の大きな動脈によって給血されている．すなわち2本の内頸動脈（Ⅱ章参照）と2本の椎骨動脈（Ⅱ章参照）によってである．

内頸動脈（**A1**, 559頁）は蝶形骨前床突起の内側で脳硬膜を貫く．クモ膜下腔で，内頸動脈は上下垂体動脈 superior hypophysial artery（524頁E9），眼動脈 ophthalmic artery，後交通動脈（**A16**）および前脈絡叢動脈（**A2**）を出す．その後この内頸動脈は2本の太い終枝すなわち前大脳動脈（**A4**）と中大脳動脈（**A7**）とに分かれる．

前脈絡叢動脈（**A2**）は視索に沿って側脳室下角の脈絡叢（**A3**）へ行く．この動脈から出る細い枝々は視索，視放線の側頭膝 temporal knee，海馬，尾状核尾および扁桃体に給血している．

前大脳動脈（**A4**）は半球正中面の脳梁の上を走る．両側の前大脳動脈は前交通動脈（**A5**）によってつながっている．この交通動脈が枝分かれした直後に，反回して走る長中心動脈（この動脈は前線条体動脈 anterior striate artery または内側線条体動脈 medial striate artery ともいわれる）（**A6**）が出る．この動脈はホイブナー反回動脈 recurrent artery of Heubner ともいわれ，前有孔質を貫いて脳実質へ入り込み，内包の前脚や尾状核頭と被殻の内包との隣接領域に血液を送っている．

中大脳動脈（**A7**）は側方へ向かって外側溝へ行き，前有孔質の上で脳実質へ入り込む8ないし10本の線条体枝 striate branches を出す．外側溝への入口で中大脳動脈はいくつかの太い枝に分かれ，半球の外側表面上へ広がっていく．

両側の椎骨動脈（**A8**）は両側の鎖骨下動脈から出て，大孔を通って頭蓋腔へ入り，延髄の上縁で合わさって無対の**脳底動脈**（**A9**）となる．この動脈は橋の腹側面を上行し，その上縁で2本の**後大脳動脈**（**A10**）に分かれる．椎骨動脈は後下小脳動脈（**A11**）を出し，小脳の下面と第四脳室の脈絡叢に給

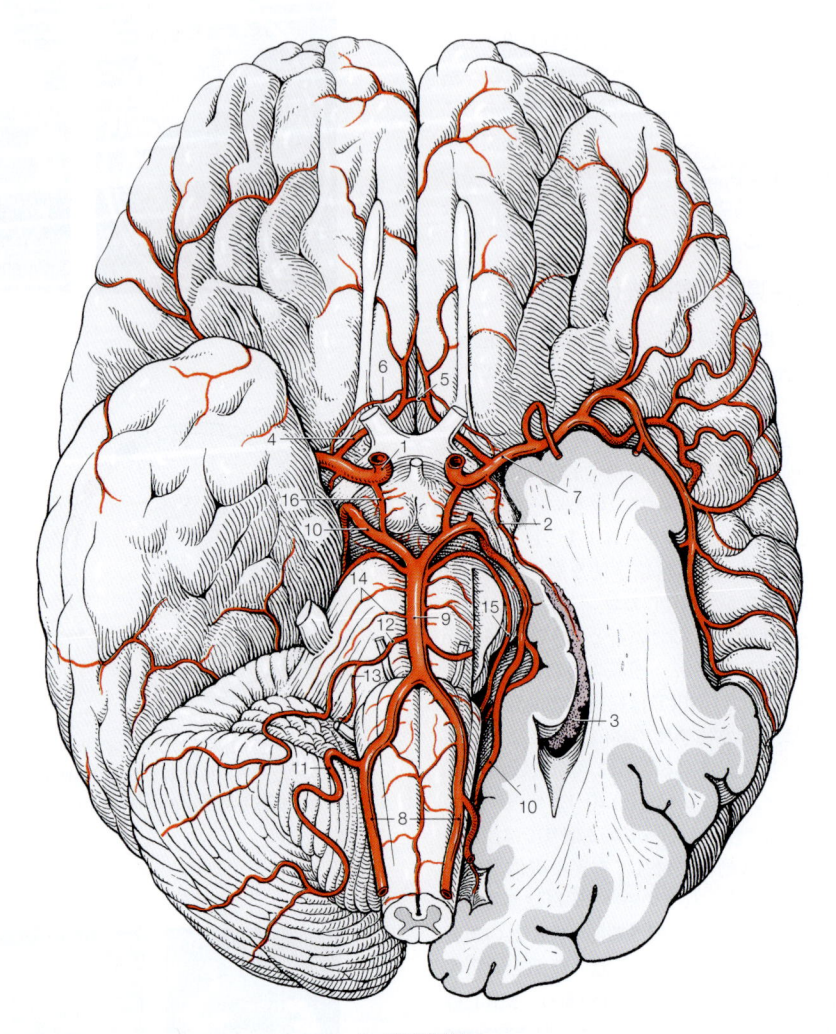

血している．脳底動脈からは前下小脳動脈（**A12**）が出て，同様に小脳の下面ならびに延髄と橋の外側部に分布している．細かい枝としては，迷路動脈（**A13**）が顔面神経と内耳神経とともに，内耳道を通って内耳へ行っている．この動脈は脳底動脈あるいは前下小脳動脈から出ることがある．数多くの枝が橋動脈（**A14**）として直接橋へ入り込んで行く．橋の上縁には上小脳動脈（**A15**）がみられ，迂回槽 ambient cistern の深部で大脳脚をまわって小脳の背側面へ行っている．

大脳動脈輪 cerebral arterial circle（Willis' circle）．後交通動脈（**A16**）は両側で後大脳動脈を内頸動脈と結びつけているため，椎骨動脈の血流は頸動脈の血流と交通することになる．また左右の前大脳動脈は前交通動脈によって互いにつながっている．このようにして脳底に一つの閉ざされた動脈輪ができあがる．しかしこれらの吻合はしばしば非常に細いため，この吻合を介してはそれほど大した血液の交流は行われないこともある．正常の頭蓋内圧状態では，一側の半球は同側の内頸動脈と同側の後大脳動脈によって養われているのである．

A 脳底の動脈

---

1 内頸動脈 internal carotid artery　2 前脈絡叢動脈 anterior choroidal artery　3 側脳室下角の脈絡叢 choroid plexus in the inferior horn of the lateral ventricle　4 前大脳動脈 anterior cerebral artery　5 前交通動脈 anterior communicating artery　6 長中心動脈 long central arteries　7 中大脳動脈 middle cerebral artery　8 椎骨動脈 vertebral artery　9 脳底動脈 basilar artery　10 後大脳動脈 posterior cerebral artery　11 後下小脳動脈 posterior inferior cerebellar artery　12 前下小脳動脈 anterior inferior cerebellar artery　13 迷路動脈 labyrinthine artery　14 橋動脈（橋枝）pontine arteries　15 上小脳動脈 superior cerebellar artery　16 後交通動脈 posterior communicating artery

内頚動脈（A〜C）

内頚動脈（**C1**）では頸部 cervical part（総頸動脈の分岐部と頭蓋底の間），岩様部 petrous part（側頭骨岩様部の頸動脈管 carotid canal の中にある），**海綿静脈洞部** cavernous part（海綿静脈洞の内部にある，478頁A7）および**脳部** cerebral part が区別される．海綿静脈洞部と脳部のところでこの動脈はS字状の走向をとる（**C2**，頸動脈サイホン）．海綿静脈洞部で下下垂体動脈 inferior hypophysial artery（524頁E10）を出し，さらに硬膜および滑車神経と三叉神経にも細い枝を出す．脳部で眼動脈，上下垂体動脈 superior hypophysial artery（524頁E9），後交通動脈および前脈絡叢動脈を出した後，内頚動脈は前大脳動脈と中大脳動脈の2つの太い終枝に分かれる．

前大脳動脈（**BC3**）は前交通動脈 anterior communicating artery を出した後，大脳縦裂へ向きを変える．この前大脳動脈の交通後部（**BC4**，脳梁周囲動脈）は半球内側面で脳梁吻と脳梁膝（**B5**）をまわり脳梁背側面に沿って頭頂後頭溝まで走る．この動脈からは前頭葉の下面へ行く枝（**B6**，内側前頭底動脈）が出る．その他の枝は半球内側面で広がっていく：前頭枝（**BC7**），脳梁外套縁動脈（**BC8**），中心傍動脈（**B9**，この動脈は中心前回の下肢の再現部へ行く）．

中大脳動脈（**AC10**）は側方へ向かい外側窩の底へ行き，ここでいくつかの枝群に分かれる．この動脈は次の3部分に分けられる．すなわち，蝶形骨部 sphenoidal part からは中心動脈 central arteries（線条体，視床および内包に分布する細い枝）が出る．島部 insular part からは島皮質へ行く短い島動脈（**C11**），外側前頭底動脈（**A12**）および側頭葉皮質に分布する側頭動脈（**A13**）が出る．最後の部分の終部 terminal part（皮質部 cortical part）を形成するのは中心回域と頭頂葉の皮質に分布する長い枝々（**AC14**）である．個々の動脈の分岐と走向には著しい変異がみられる．

後大脳動脈（**BC15**）は発生学的には内頚動脈の枝である．しかしながら成人では比較的ずっと尾方に位置している．後大脳動脈は内頚動脈とはただ細い後交通動脈によってつながっているだけであるから，この後大脳動脈はその血液供給の大部分を椎骨動脈から受けており，したがってこの動脈は椎骨動脈の給血領域に数えられている．この給血領域は，小脳テントより下の脳部（脳幹と小脳）とテント上にある後頭葉，側頭葉の底部および線条体と視床の尾側部とからなっている（小脳テントについては567頁B5参照）．これらの部位より前（吻側）にある部分はすべて内頚動脈によって血液が送り込まれている．

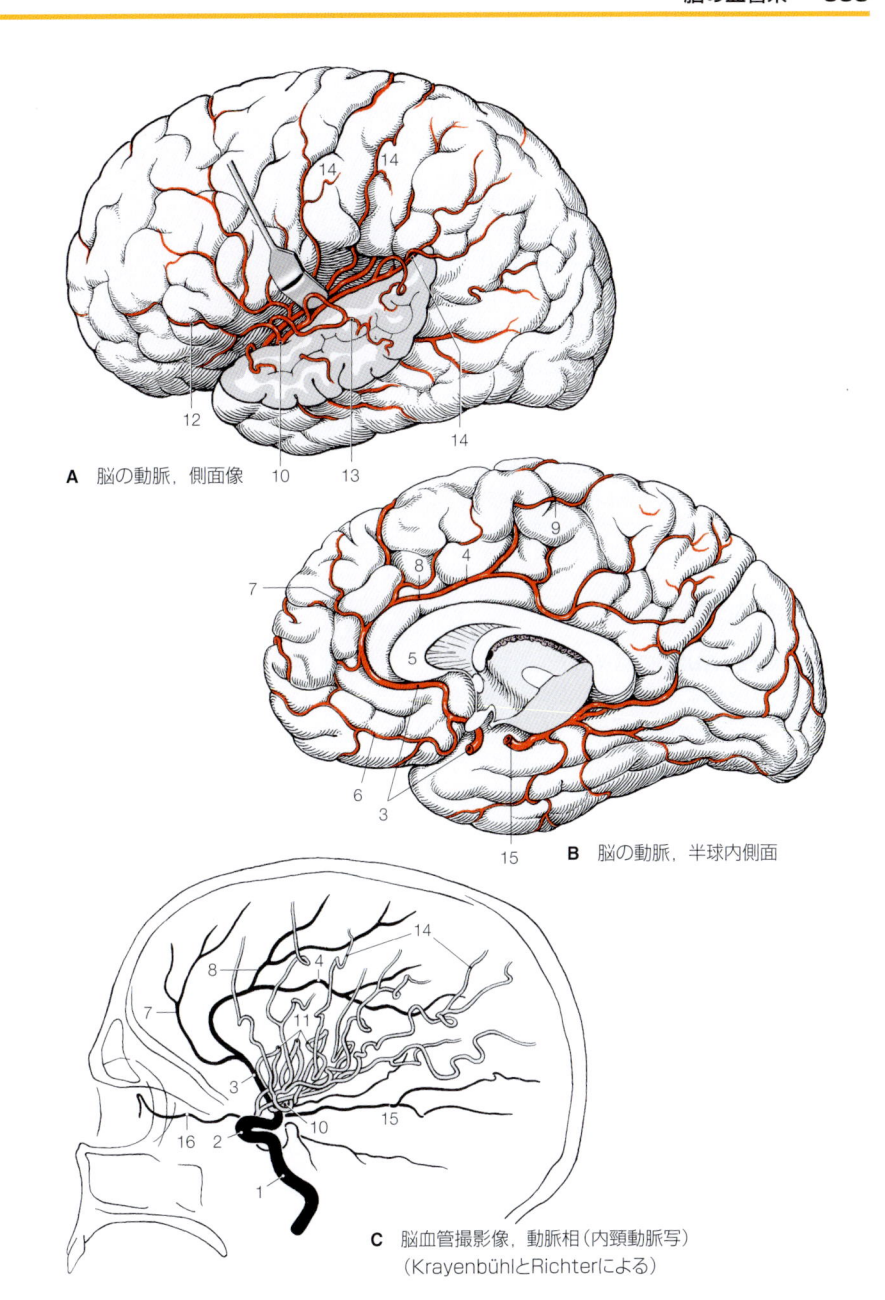

後大脳動脈は後頭葉の内側面と側頭葉の底面で枝分かれしている．この動脈は後脈絡叢枝 posterior choroidal branch を第三室の脈絡叢へ，さらに細い小枝を線条体と視床へ送っている．

A 脳の動脈，側面像

B 脳の動脈，半球内側面

C 脳血管撮影像，動脈相（内頚動脈写）（KrayenbühlとRichterによる）

頸動脈血管造影（動脈相）

Cは頸動脈血管撮影像 carotid angiogram の模式図である．この血管撮影に際しては，診断の目的で造影剤 contrast medium, radiopaque solution が内頚動脈 internal carotid artery の中へ注入されるが，造影剤は数秒のうちにこの動脈の分布領域を灌流する．注射後直ちにX線撮影をすると，動脈の血管樹が現れてくる．脳動脈の血管撮影像をみるときには，すべての動脈は一平面に示されているということを顧慮しなければならない（556頁Aの造影剤による描出を参照）．

---

1 内頚動脈 internal carotid artery　2 頸動脈サイホン carotid siphon　3 前大脳動脈 anterior cerebral artery　4 交通後部（脳梁周囲動脈）postcommunicating part (pericallosal artery)　5 脳梁膝 genu of corpus callosum　6 内側前頭底動脈 medial frontobasal artery　7 前頭枝 frontal branch　8 脳梁外套縁動脈 callosomarginal artery　9 中心傍動脈 paracentral artery　10 中大脳動脈 middle cerebral artery　11 島動脈 insular arteries　12 外側前頭底動脈 lateral frontobasal artery　13 側頭動脈 temporal artery　14 中心溝・中心前溝・中心後溝動脈および前・後頭頂動脈 artery of central sulcus, artery of precentral sulcus, artery of postcentral sulcus, anterior parietal artery, posterior parietal artery　15 後大脳動脈 posterior cerebral artery　16 眼動脈 ophthalmic artery

血液供給領域（A～D）

前大脳動脈（A，B）

前大脳動脈（**AB1**）の短い中心枝 central branches は視交叉，透明中隔，脳梁吻と脳梁膝へ行く．そして長いホイブナー［反回］動脈 recurrent artery of Heubner（長中心動脈 long central artery）は尾状核頭の内側部，内包の前脚へ行く．皮質枝 cortical branches は嗅葉 olfactory lobe のある前頭葉底の内側部，さらに半球内側面の前頭および頭頂皮質および脳梁膨大にまで血液を供給している．この動脈の供給領域は上縁を越えて半球凸面の背側にある大脳回にまで及んでいる．

中大脳動脈（A，B）

中大脳動脈（**AB2**）の線条体枝 striate branches は淡蒼球，視床のいくつかの部分，内包の膝と前脚に終わっている．島動脈 insular arteries から出る諸枝は，島皮質と前障で枝分かれして外包にまで達する．皮質枝 cortical branches の支配領域は前頭葉，頭頂葉および側頭葉のいずれも外側面を囲み，中心回域の大部分と側頭極を含んでいる．これら皮質枝は単に皮質のみならず，側脳室にいたる白質をも養っているが，この白質には視放線の中間部が走っているのである．

後大脳動脈（A，B）

後大脳動脈（**AB3**）は，大脳脚，視床枕，膝状体，四丘板および脳梁膨大を養う細く短い枝を出している．この動脈の皮質での供給領域は側頭葉の底部と視覚皮質（有線領）のある後頭葉を占めているが，視覚皮質には中大脳動脈の最も尾方の諸枝がきていることもある．

間脳と終脳の諸核への給血（C，D）

尾状核頭，被殻および内包はホイブナー動脈と中大脳動脈（**D5**）の線条体枝（**D4**）によって養われている．程度こそまちまちであるが，深部の諸構造への給血に関与するのは前脈絡叢動脈（**C6**）であって，この枝は単に海馬や扁桃体のみならず，淡蒼球や視床の諸部分へも行っている．視床の吻側部は後交通動脈（**C7**）から出る枝すなわち視床枝（**C8**）に支配されている．視床の中間部と尾側部は脳底動脈（**C9**）により養われているが，この動脈からの直接枝（**C10**）がきていることがある．その他の細い視床へ入る枝 thalamic branches は後脈絡叢枝（**C11**）と後大脳動脈（**C12**）から出る．

脳の血流分布

大きな脳の血管（動脈）は例外なく脳表面にみられる．これらの血管から小動脈や細動脈が垂直に脳実質へ入り込んで枝分かれする．毛細血管網は灰白質では非常に目が細かく，白質ではずっと目があらい．

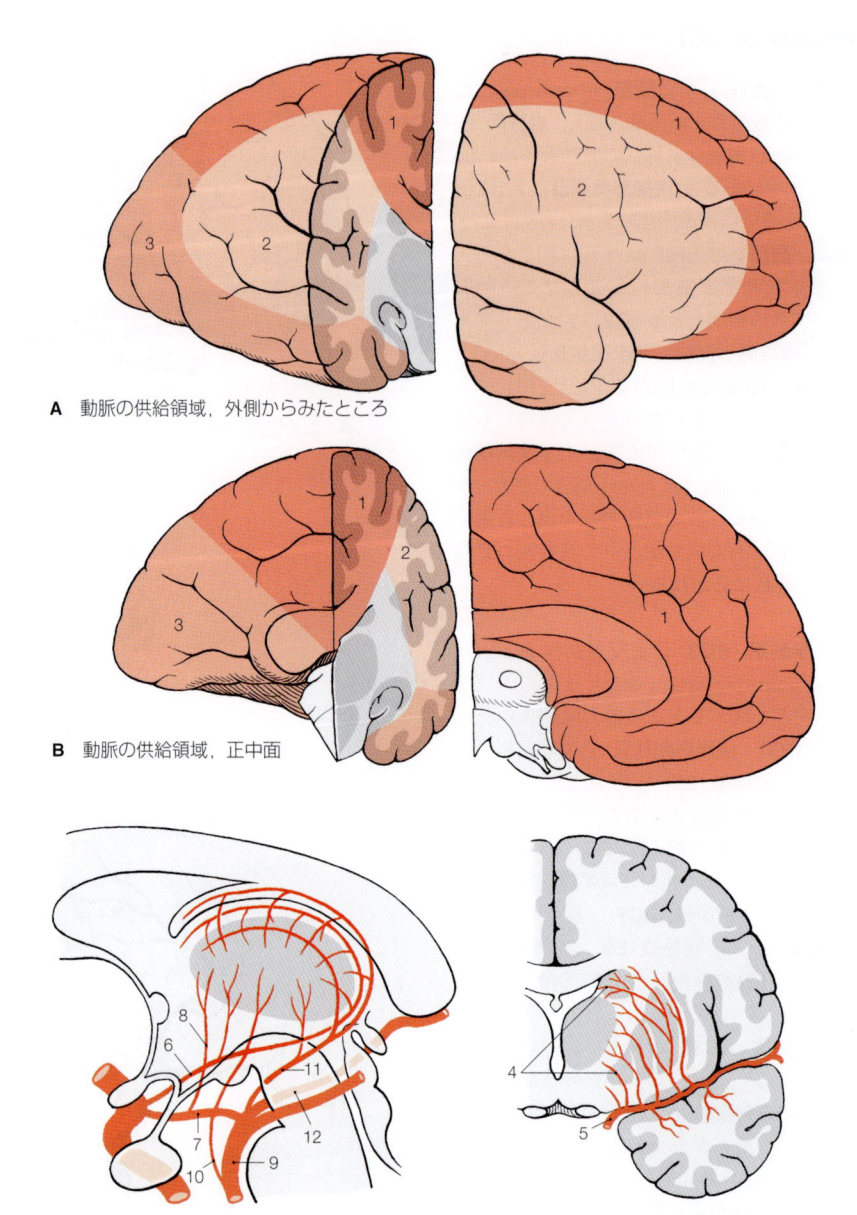

A 動脈の供給領域，外側からみたところ

B 動脈の供給領域，正中面

C 視床への動脈性給血（Van den Bergh と Van der Eeken による）

D 線条体への動脈性給血

臨床関連：凝血塊，気泡または脂肪滴によって脳の動脈の血流が閉塞される（塞栓症 embolism）と，当該動脈によって養われている領域の脳組織は死滅する．血管領域間の吻合はあっても，急激な閉塞の場合には隣接の領域からの給血では不十分である．ことに中大脳動脈とその枝の場合にこのような状態に陥る．特に，中大脳動脈とその枝について，このことが当てはまる．この際には中大脳動脈の分布域の大脳皮質の細胞体が傷害を受けるだけでなく，この部域に近接する，垂直に上向してくる線条体への分枝（**D4**）からの血流が止まるために，内包の傷害が起きる．内包では，狭い空間に数多くの投射線維が走っていることを知っておく必要がある．

1 前大脳動脈（の供給領域）anterior cerebral artery　2 中大脳動脈（の供給領域）middle cerebral artery　3 後大脳動脈（の供給領域）posterior cerebral artery　4 線条体枝 striate branch　5 中大脳動脈 middle cerebral artery　6 前脈絡叢動脈 anterior choroidal artery　7 後交通動脈 posterior communicating artery　8 視床枝 thalamic branch　9 脳底動脈 basilar artery　10 視床へ行く直接枝（脳底動脈の）direct branch to the thalamus　11 後脈絡叢枝 posterior choroidal branch, choroid plexus　12 後大脳動脈 posterior cerebral artery

静脈（A～C）

比較的太い静脈が脳表面のクモ膜下腔にみられる．一方，少数の深部の静脈は上衣 ependyme の下を走る（上衣下静脈 subependymal veins）．脳の静脈は弁をもたない．これらの静脈は走向や開口部位について著しい変異を示す．よく知られた太い静脈が数本の細い静脈にとって替わられていることもまれではない．脳の静脈は2つのグループにまとめられる：すなわち，**脳表面**を走り血流を硬膜静脈洞 sinus of dura mater（Ⅱ章参照）へ注ぎ込む浅大脳動脈と，**深部**にあって大大脳静脈（ガレノス静脈）に注ぐ深大脳静脈とである．

浅大脳静脈

浅大脳静脈 superficial cerebral veins は**上大脳静脈**と**下大脳静脈**の2群に分けられる．

上大脳静脈（**AC1**）は約10本ないし15本の静脈で，前頭葉と頭頂葉から血液を集め，それを上矢状静脈洞（**BC2**）へ導いている．これらの静脈はクモ膜下腔を走って，外側裂孔（**BC3**）という上矢状静脈洞の膨出しているところへ注ぎ込む．その際この静脈はしばらくの間，硬膜下隙を通ることになる．ここでは静脈は壁が薄く，頭部外傷を受けると引き裂かれて，硬膜下隙へ出血することがある（硬膜下血腫 subdural hematomas）．これらの静脈の上矢状静脈洞への注ぎ方は独特であって，この静脈洞における支配的な血流に対して斜めに（鋭角をなして）注いでいる．

下大脳静脈 inferior cerebral veins は側頭葉からの血液と，後頭葉の基底領域からの血液を受け入れ，海綿静脈洞 cavernous sinus，横静脈洞 transverse sinus および上錐体静脈洞 superior petrosal sinus に注ぎ込む．これらの静脈のうち最大で最も恒常的にみられるものは，外側溝の中を走る浅中大脳静脈（**AC4**）であって，しばしば数本の静脈幹からなっている．この浅中大脳静脈は半球外側面の大部分の領域から血液を集めて海綿静脈洞へ導く（478頁A7）．

上および下大脳静脈はいくつかの吻合枝によって互いにつながっている．最も重要なのは上吻合静脈（**AC5**，トロラー静脈）であって，上矢状静脈洞へ注ぎ込み，浅中大脳静脈とつながっている．中心溝を走る中心静脈（**C6**，ローランド静脈）も浅中大脳静脈と吻合していることがある．浅中大脳静脈と横静脈洞の間を結ぶものは下吻合静脈（**AC7**，ラベ静脈）である．

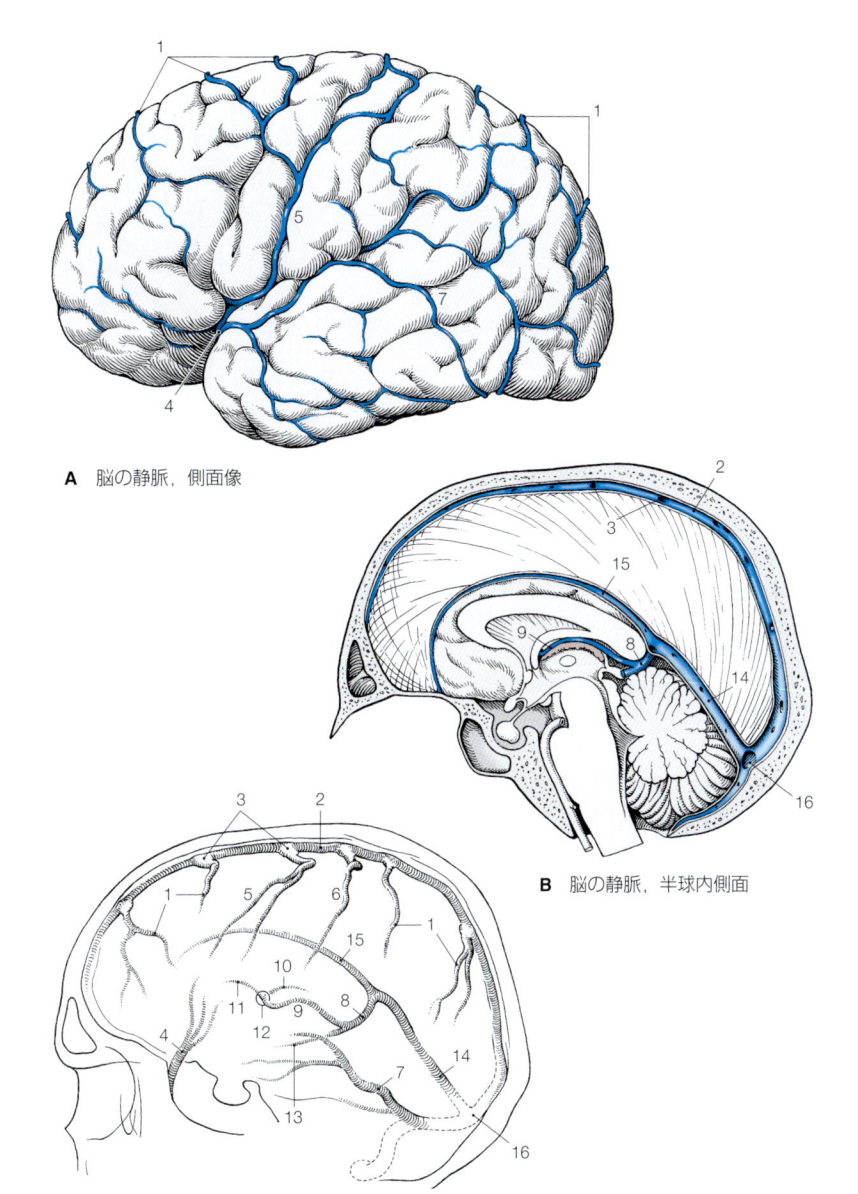

頸動脈血管造影（静脈相）

Cでは内頸動脈血管撮影像の静脈相が表出されている（動脈相については559頁を参照）．注射して数秒後にX線撮影を行うと，静脈性の血管樹を通って流れる造影剤が現れてくる．脳表面の静脈と深部の静脈は一平面に表示されていることを念頭におく必要がある．

深大脳静脈（562頁）：

大大脳静脈（**BC8**，ガレン静脈），内大脳静脈（**BC9**），上視床線条体静脈（**C10**，分界静脈），透明中隔静脈（**C11**），室間孔（**C12**，モンロー孔），脳底静脈（**C13**，ローゼンタール静脈），直静脈洞（**BC14**），下矢状静脈洞（**BC15**），静脈洞交会（**BC16**，478頁A19）．大きな硬膜静脈洞についてはⅡ章参照．

> **臨床関連**：硬膜下および硬膜上出血は，ほとんど外傷に起因する．硬膜下血腫の場合，多くは静脈性の出血がある．この際注意すべきは，症状が始まる前にしばしば無症状の時間があり，その後に血圧上昇がやってくる．硬膜上血腫では，硬膜と骨膜との間に血液が貯留する．中硬膜動脈が損傷していることが多い．

A 脳の静脈，側面像

B 脳の静脈，半球内側面

C 脳血管撮影像，静脈相（KrayenbühlとRichterによる）

---

1 上大脳静脈 superior cerebral vein　**2** 上矢状静脈洞 superior sagittal sinus　**3** 外側裂孔 lateral lacunae　**4** 浅中大脳静脈 superficial middle cerebral vein　**5** 上吻合静脈（トロラー静脈）superior anastomotic vein（vein of Trolard）　**6** 中心静脈 central vein（Rolandi）　**7** 下吻合静脈（ラベ静脈）inferior anastomotic vein（vein of Labbé）　**8** 大大脳静脈 great cerebral vein（Galeni）　**9** 内大脳静脈 internal cerebral veins　**10** 上視床線条体静脈（分界静脈）superior thalamostriate vein　**11** 透明中隔静脈 vein of septum pellucidum　**12** 室間孔（モンロー Monro 孔）interventricular foramen　**13** 脳底静脈（ローゼンタール静脈）basal vein（vein of Rosenthal）　**14** 直静脈洞 straight sinus　**15** 下矢状静脈洞 inferior sagittal sinus　**16** 静脈洞交会 confluence of sinuses

深大脳静脈（A, B）

深大脳静脈 deep cerebral veins は間脳，大脳半球の深いところにある諸構造および深部の髄質からの血流を集める．そのほか細い大脳横断静脈 transcerebral veins（深髄質静脈 deep medullary veins ともいわれる）が髄質の表層や皮質から放線冠の線維に沿って（側脳室の方へ向かって）走る．これらの静脈は表層の流出域と深部の流出域とを結ぶものである．大脳の深部の諸静脈は結局は血液を大大脳静脈に注ぎ込む．したがって，これらの深部の静脈の流出系は大大脳静脈系 system of great cerebral vein ともいわれる．

大大脳静脈（AB1）．この静脈は両側の内大脳静脈と両側の脳底静脈の4本が集まってつくられる短い静脈幹である．この静脈は脳梁膨大を上方へ弓状に回って走り，直静脈洞へ注ぐ．小脳表面の静脈と後頭葉の静脈（B2）がこの静脈に注ぐことがある．

脳底静脈（AB3，ローゼンタール静脈）．この静脈は前有孔質（A4）のところで前大脳静脈と深中大脳静脈が合一して生じる．
前大脳静脈（A5）は脳梁の前2/3とそれに隣接する回から血液を受けとる．この静脈は脳梁膝の周囲を回って前頭葉の下面へ行く．**深中大脳静脈（A6）**は島領域からやってきて，被殻と淡蒼球の基底部からの静脈を受け入れる．

脳底静脈は視索を横切り，大脳脚（A7）を回って上方へ向かい脳梁膨大の下まで行き，ここで大大脳静脈へ注ぐ．その途中で脳底静脈は多くの支流としての静脈を受け入れる．すなわち，視交叉や視床下部からの静脈，大脳脚静脈（A8），側脳室下角の脈絡叢（A10）からの下脈絡叢静脈（A9），淡蒼球内節と視床の基底部からの静脈を受け入れるのである．

内大脳静脈（AB11）．この静脈は室間孔（モンロー孔）で前透明中隔静脈，上視床線条体静脈および上脈絡叢静脈が合わさって起こる．
上視床線条体静脈（B12，分界静脈）は視床（B13）と尾状核（B14）の間の分界溝の中を吻側へ向かい室間孔に達する．この静脈には尾状核とそれに隣接する髄質および側脳室の外側壁からの血液が注ぎ込まれる．
前透明中隔静脈（B15）は透明中隔（B16）と前頭葉深部の髄質からの静脈枝を受けとる．
上脈絡叢静脈（B17）は側脳室下角から脈絡叢とともに走ってくる．この静脈は脈絡叢の血管のほか，海馬や側頭葉深部の髄質の静脈も受け入れる．

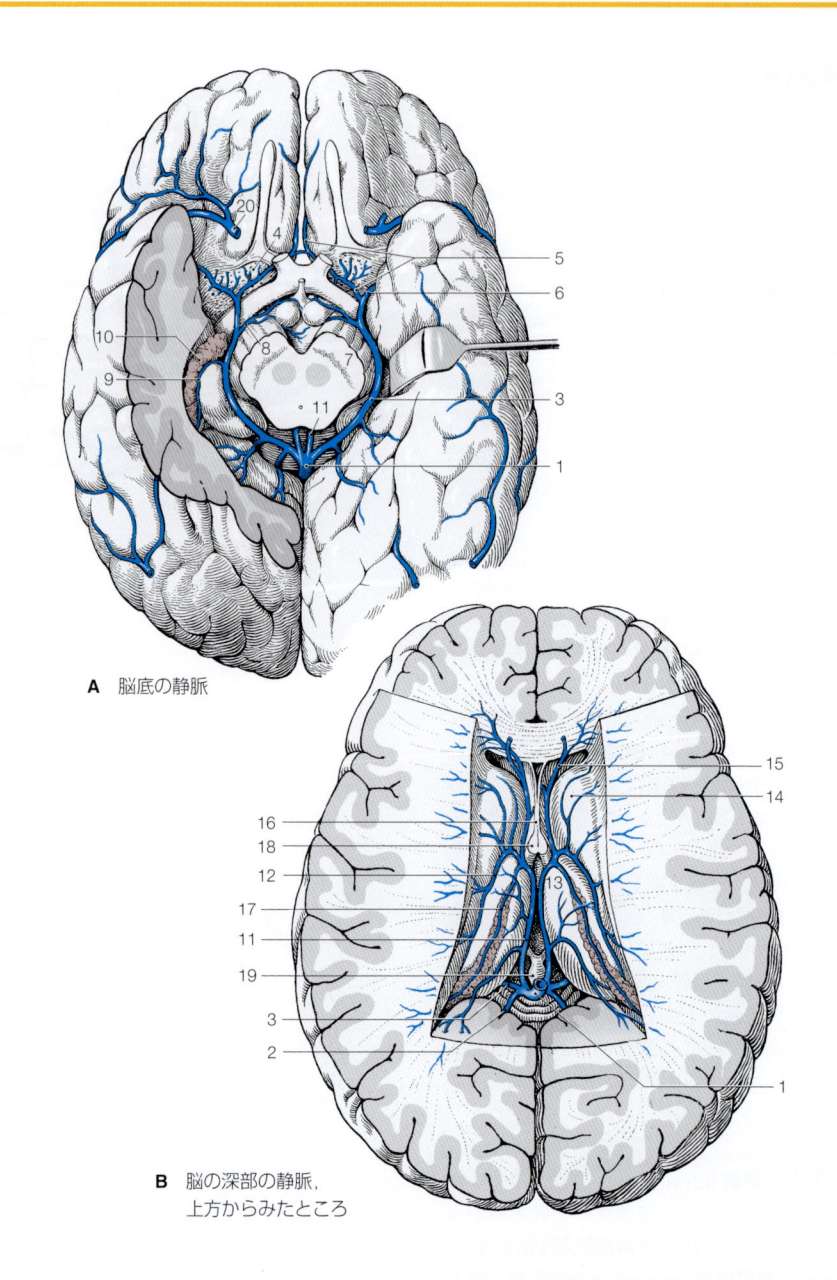

内大脳静脈は室間孔から視床の内側面を経て間脳背面の縁に沿って松果体のあたりにきて，ここで反対側の内大脳静脈および両側の脳底静脈と一緒になって大大脳静脈をつくる．その途中で内大脳静脈は脳弓（B18），視床の背側部，松果体（B19）からの枝を受け入れる．また後頭葉深部の髄質からも不定ではあるが枝を受ける．

簡単に要約すると：視床，淡蒼球および線条体の背側領域の血液の流出は内大脳静脈を経て行われ，これらの核の腹側領域からは脳底静脈を経て静脈血は流出する．

臨床関連：脳のある静脈が閉塞すると，当該の領域にうっ血 venous stasis と出血 bleeding が起こる．分娩時の外傷の際，新生児の上視床線条体静脈が裂けて脳室内へ出血することがある．

A 脳底の静脈

B 脳の深部の静脈，上方からみたところ

---

1 大大脳静脈 great cerebral vein　2 小脳表面と後頭葉からの静脈 veins from the cerebellar surface and the occipital lobe　3 脳底静脈（ローゼンタール静脈）basal vein (vein of Rosenthal)　4 前有孔質 anterior perforated substance　5 前大脳静脈 anterior cerebral veins　6 深中大脳静脈 deep middle cerebral vein　7 大脳脚 cerebral peduncle　8 大脳脚静脈 peduncular veins　9 下脈絡叢静脈 inferior choroid vein　10 側脳室下角の脈絡叢 choroid plexus in the inferior horn of the lateral ventricle　11 内大脳静脈 internal cerebral veins　12 上視床線条体静脈（＝分界静脈）superior thalamostriate vein (＝ V. terminalis)　13 視床 thalamus　14 尾状核 caudate nucleus　15 前透明中隔静脈 anterior vein of septum pellucidum　16 透明中隔 septum pellucidum　17 上脈絡叢静脈 superior choroid vein　18 脳弓 fornix　19 松果体 pineal body　20 浅中大脳静脈 superficial middle cerebral vein

脳脊髄液系

概　説

　中枢神経系はまわりを脳脊髄液（略して単に髄液ともいう）cerebrospinal fluid（CSF）という液によって囲まれている．この脳脊髄液は脳の内腔すなわち脳室 ventricles をも満たしているため，内髄液腔 internal space of CSF と外髄液腔 external space of CSF が区別される．両腔は第四脳室のところで互いに交通している．

内髄液腔（A～C）

　脳室系は次の4つの脳室からなっている：すなわち終脳半球にある左右の側脳室（**A1**，右側を第一脳室，左側を第二脳室ということもある），間脳の第三脳室（**A～C2**）および菱脳（橋と延髄）の第四脳室（**A～C3**）．両側の側脳室はどちらも視床の前にある**室間孔**（**AC4**，モンロー孔）によって第三脳室とつながっている．第三脳室はまた**中脳水道**（**A～C5**，シルヴィウス水道）という狭い水路によって第四脳室と交通している．

　側脳室は半球の回転（527頁）に応じて尾方へ突出した棘のある半円形を呈している．側脳室にいくつかの部分を区別することができる：すなわち，前頭葉にあって外側は尾状核，内側は透明中隔，さらに背側は脳梁で境された**前角**（**BC6**），視床の上に横たわる狭い**中心部**（**BC7**），側頭葉にある**下角**（**BC8**）および後頭葉の**後角**（**BC9**）に分けられる．

　第三脳室の側壁をつくっているのは，視床間橋（**C10**，434頁 C18）のある視床と視床下部である．口側へは視交叉陥凹（**C11**）と漏斗陥凹（**C12**）が，尾側へは松果上陥凹（**C13**）と松果陥凹（**C14**）がとび出している．

　第四脳室は菱形窩の上で小脳と延髄の間にテント状の空間をつくっており，両外側へ向かって長い外側陥凹（**BC15**）を出し，その先端には第四脳室外側口（ルシュカ孔）lateral aperture fourth ventricle（foramen of Luschka）がある．下髄帆の付着部には正中のところに正中口（マジャンディ孔）median aperture of fourth ventricle（foramen of Magendie）（564頁 D14）がある．

外髄液腔（A）

　外髄液腔は軟膜とクモ膜の間にある．すなわち，その内側は軟膜によって，外側はクモ膜 arachnoid mater によって囲まれている（**クモ膜下腔** subarachnoid cavity，567頁 A13）．この腔は半球の凸面では狭く，数ヵ所でのみ拡張していわゆる槽 cistern となっている．中枢神経の軟膜 pia mater は表面にぴったり接しているのに対し，クモ膜は脳溝と脳窩の上をとび越えていくため，深いくぼみのところでは髄液で満たされた大きな腔が生じる．この腔を**クモ膜下槽** subarachnoid space という．最も大きな腔は小脳と延髄の間の小脳延髄槽（**A16**）である．間脳底，大脳脚および橋の角には脚間槽（**A17**）があり，その前の視交叉の周辺には交叉槽（**A18**）がある．小脳の表面，四丘板および松果体は，目の粗い結合組織がクモの巣のようにかかった迂回槽（**A19**）を囲んでいる．

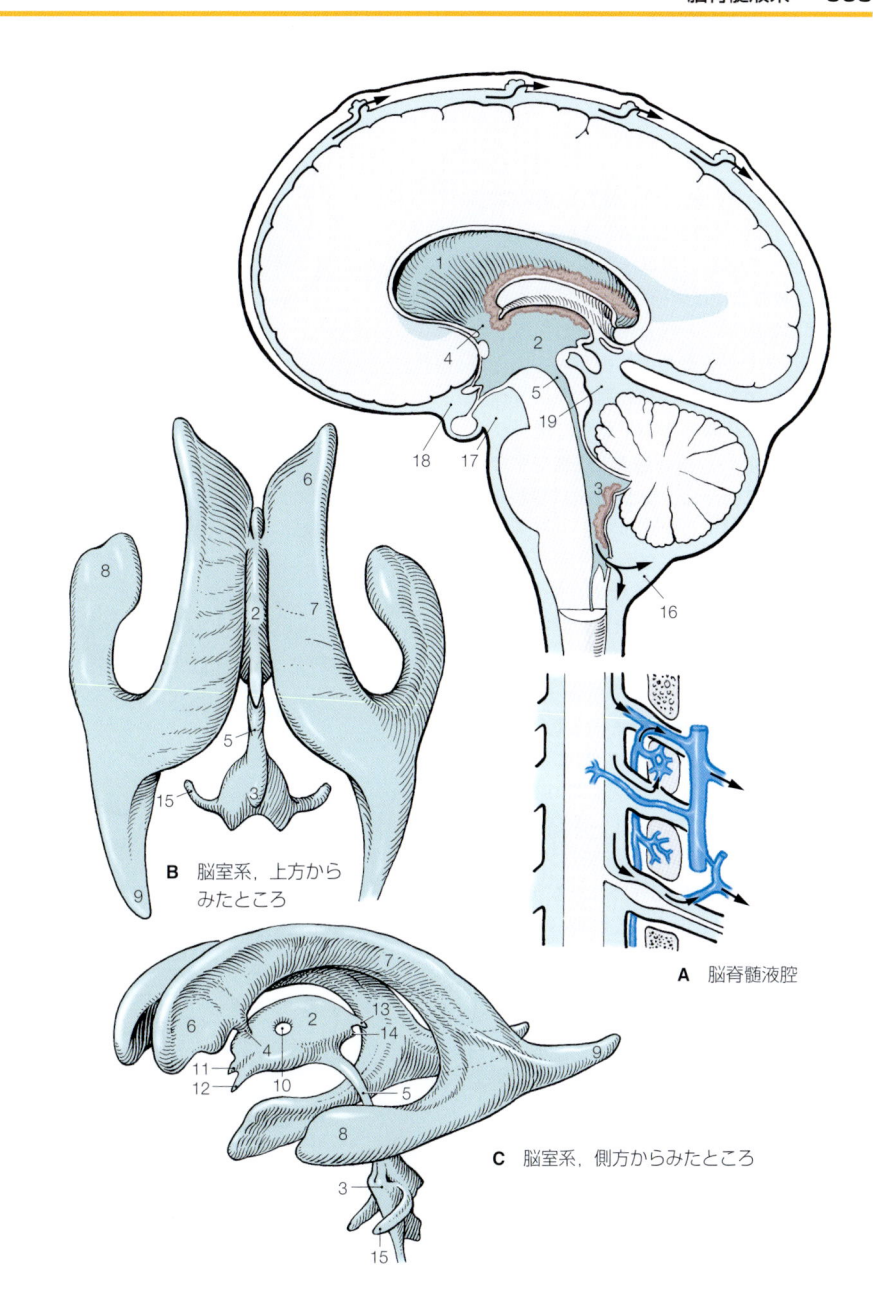

脳脊髄液の循環（A）

　脳脊髄液は脈絡叢 choroid plexus（564頁）でつくられる．髄液は側脳室から第三脳室へ，さらにここから中脳水道を通って第四脳室へと流れていく．ここで髄液は正中口および外側口を通って外髄液腔へ出てくる．髄液の静脈血行への導出は，一部は静脈洞へ突出しているクモ膜顆粒（567頁 A15）で起こり，一部は脊髄神経の起始部でも起こる．ここでは密に分布する静脈叢と神経鞘の中（正確には神経周膜に包まれた神経内膜腔のこと）へ髄液が移行していくのである（リンパ流への導出）．

B 脳室系，上方からみたところ

A 脳脊髄液腔

C 脳室系，側方からみたところ

1 側脳室 lateral ventricle　2 第三脳室 third ventricle　3 第四脳室 fourth ventricle　4 室間孔（モンロー Monro 孔）interventricular foramen　5 中脳水道（シルヴィウス水道）aqueduct of midbrain（Sylvian aqueduct）　6 前角 frontal horn　7 中心部 central part　8 下角 inferior horn　9 後角 occipital horn　10 視床間橋 interthalamic adhesion　11 視交叉陥凹 optic recess　12 漏斗陥凹 infundibular recess　13 松果上陥凹 suprapineal recess　14 松果陥凹 pineal recess　15 外側陥凹 lateral recess　16 小脳延髄槽 cerebellomedullary cistern　17 脚間槽 interpeduncular cistern　18 交叉槽 chiasmatic cistern　19 迂回槽 ambient cistern

脈絡叢（A〜E）

側脳室（A，C）

脈絡叢というのは血管に富む絨毛の束であって，脳室壁の特定の部分から脳室の中へ突出している．半球内側面の壁の一部（**A1**，上皮板または脈絡板）は胎児発生の過程で薄くなり，この部分には表面を覆う軟膜の血管ワナが脳室の中へ押し入ってくるようになる（**A2**）．発生の初期には，すべての血管の束は1層の薄い半球壁に覆われている．この層はついに1層の上皮細胞すなわち**脈絡叢上皮** choroid epithelium に変わる．完成した脈絡叢はしたがって2つの構成要素からなっている：すなわち血管を含む軟膜の結合組織と上皮板（半球壁の変化したもの）の2つである．脈絡叢は脳室腔へ翻入してしまい，外にある軟膜とはかろうじて**脈絡裂**（**A3**）という狭い裂隙でつながっているにすぎなくなる．脈絡叢を除去する際には，この裂隙のところで薄くなった脳室壁の部分がちぎれるのである．この剥離線のことを**ヒモ** taenia という．剥離線の一つは脳弓（539頁A6）と海馬采（539頁A〜D5）に付着しており，**脳弓ヒモ**（**C4**）と呼ばれ，もう一つの剥離線は付着板 lamina affixa（509頁CD15, E16）に沿って走っており，これが**脈絡ヒモ**（**C5**）といわれるものである．

半球の回転に応じて（527頁），脳室の内側壁の脈絡叢は半円を描き，その半円は室間孔（モンロー孔）から中心部（**C6**）を越えて下角（**C7**）にまで達する．前角（**C8**）と後角（**C9**）には脈絡叢はない．

脈絡組織（A〜C）

終脳半球がよく発達して間脳を覆うようになると，これら両部の軟膜はクモ膜下組織を含んで互いに重なり合い一種の二重構造（**A10**）ができあがる：これが**第三脳室脈絡組織** choroid membrane of third ventricle といわれるもので（**B**），半球と間脳との間に張る三角形の結合組織板である．その外側縁では，軟膜が側脳室の脈絡叢のための血管絨毛をつくっており，内側部では脈絡組織が第三脳室の背壁を覆っている（**B11**，第三脳室脈絡組織＋第三脳室上皮板）．ここでは2列の血管絨毛が第三脳室の腔へとび出して，**第三脳室脈絡叢** choroid plexus of third ventricle をつくっている．この脳室の背壁を除去すると，剥離線として視床ヒモ

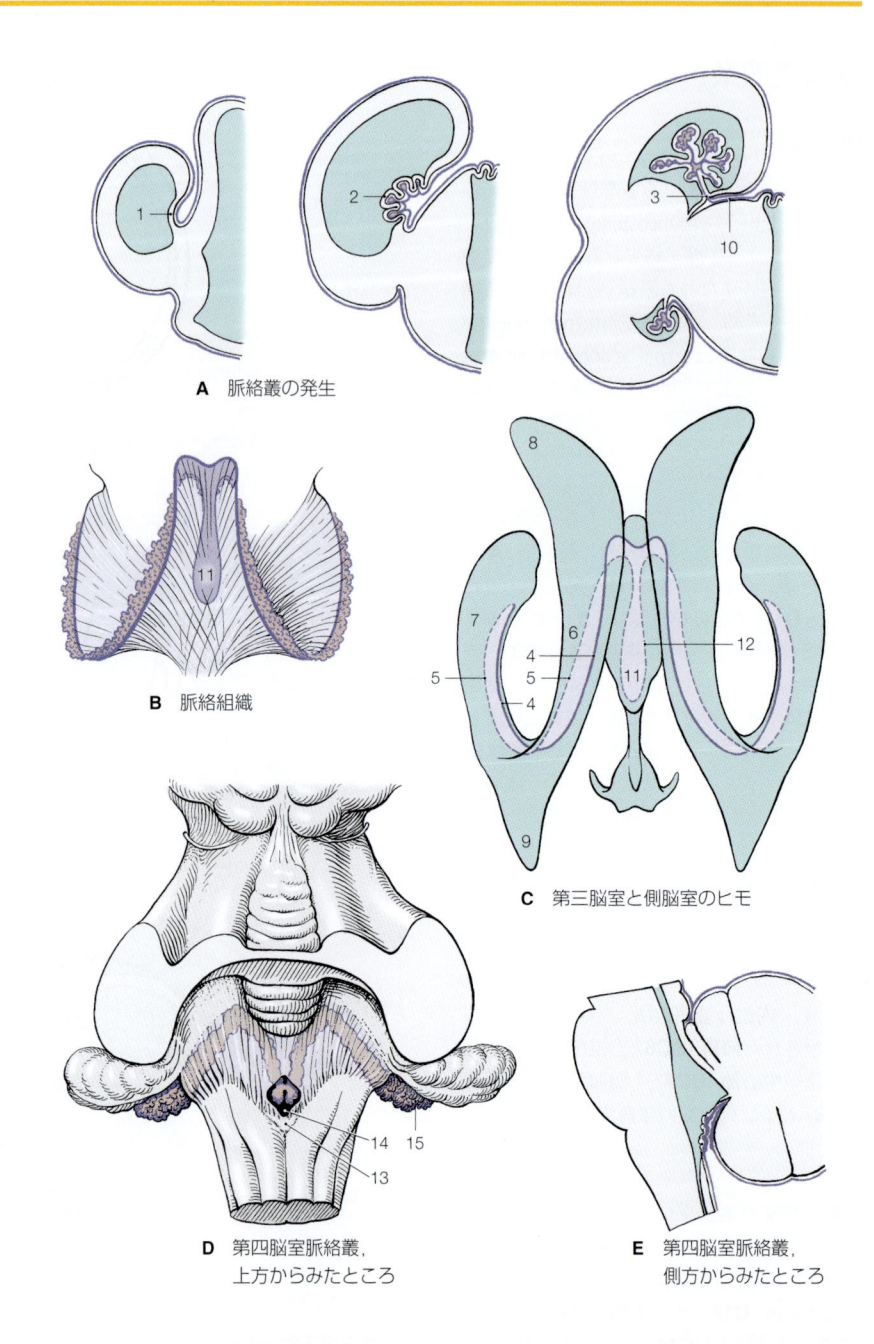

A 脈絡叢の発生

B 脈絡組織

C 第三脳室と側脳室のヒモ

D 第四脳室脈絡叢，上方からみたところ

E 第四脳室脈絡叢，側方からみたところ

（**C12**）が残る．このヒモは髄条 stria medullaris thalami に沿って視床を覆うように走っている．

第四脳室（E，D）

第四脳室の上には第三脳室の場合と同様に，軟膜 pia mater の二重構造としての**第四脳室脈絡組織** choroid membrane of fourth ventricle がつくられるが，これは小脳の下面が菱脳表面と重なることによって生じる．菱脳の背壁は薄くなって1層の上皮板となり，脈絡組織から出る血管絨毛がこの上皮板を脳室の中へ翻入させるのである（**E**）．第四脳室脈絡組織は軟膜 pia mater だけからできている．というのは，クモ膜 arachnoid mater は小脳下面を覆ってはおらず，小脳延髄槽の上に張っているからである．この脈絡組織の付着部には閂（**D13**）という狭い髄質板の上方には正中口（**D14**）がある．両側には外側口 lateral aperture（Luschkae）が開いており，この外側口を通って脈絡叢の外側端があふれ出ている（ボホダレクの花籠，**D15**）．

---

1 上皮板（脈絡板）epithelial lamina（choroid）　**2** 脈絡叢（発達しつつある）choroid plexus　**3** 脈絡裂 choroidal fissure　**4** 脳弓ヒモ tenia of the fornix　**5** 脈絡ヒモ choroid line　**6** 中心部 central part　**7** 下角 inferior horn　**8** 前角 frontal horn　**9** 後角 occipital horn　**10** 第三脳室脈絡組織 tela choroidea of third ventricle　**11** 第三脳室脈絡組織＋第三脳室上皮板 choroid membrane of third ventricle + epithelial plate of third ventricle　**12** 視床ヒモ taenia thalami　**13** 閂（カンヌキ）obex　**14** 正中口（マジャンディ孔）median aperture（foramen of Magendie）　**15** ボホダレクの花籠 flower basket of Bochdalek

脈絡叢（続き）（A，B）

脈絡叢（A）はその樹のような枝分かれによって非常に広い表面積をもっている．各枝は1本または数本の血管すなわち動脈，毛細管および壁の薄い洞様の静脈を含んでいる．血管は疎な膠原線維の網目（B1）に囲まれており，さらにまた脈絡[叢]上皮 choroid [plexus] epithelium（B）に覆われている．この脈絡叢上皮は1層の立方状の細胞からなり，この細胞の表面には微細な刷子縁がみられる．細胞質は空胞，粗大な顆粒，脂質およびグリコゲンの封入体を含んでいる．

脈絡叢は髄液の産生部位である．ここで脈絡叢の血管系から脈絡叢上皮を通って脳室の中へ液の移行が起こっている．この液の移行が脈絡叢上皮の分泌 secretion であるのか，透析 dialysis すなわち一種の濾過であるのかは確定されていない．

脳の軟膜や硬膜と全く同様に，脈絡叢も豊富な神経支配を受けている（三叉神経，迷走神経および自律神経線維が髄膜に分布している）．したがって脈絡叢と髄膜は痛覚に鋭敏であるが，ほとんどの脳実質は痛覚を感じないのである．

上衣（C，D）

脳室系の壁は1層の細胞層すなわち**上衣** ependyma（C）で内張りされている．上衣細胞は脳実質内へ放線状に走る突起を送り出している．この突起を上衣線維 ependymal fibers という．上衣細胞の脳室腔に面する表面には，しばしば数本の線毛が認められる．細胞体は基底小体 basal bodies または線毛核（C2）という小さな顆粒をもっており，多くの場合表面下に一列に並んでいる．

電子顕微鏡像では，小胞をもつ鞘状の突起（D3）が上衣細胞の脳室側の表面から不規則に出ている．線毛（D4）は1対の中心微細管（D5）と，そのまわりに円を描いて並ぶ9対の辺縁微細管（D6）を含んでいる．各線毛の基底部は顆粒帯（D7）で囲まれており，その中へ無数の短い小根（D8）が入り込んでいる．基底部の一側には基底足（D9）がみられ，おそらく線毛運動の方向を示すのに意義あるものであろう．上衣細胞は側面では接着帯（D10）と間隙結合（D11）とにより互いにつながっているが，これらの接着装置は脳実質に対して髄液腔をすき間なくふさいでいるのである．上衣細胞間には神経細胞の突起（D12）が走っている．上衣の下には放線状または水平に走る神経膠線維 glial fibers からなる細胞の少ない膠線維層（C13），およびこれに接して上衣下細胞層（C14）がある．この層には星状膠細胞のほかに，未分化な細胞群がみられる．最近の新しい研究によると，ここでは膠細胞ばかりでなく生涯性の神経細胞も産生されている．今日では集中的に研究され，あたかも上衣下層にあるそれらの神経幹細胞の分化は神経細胞がさまざまの形に分化する際の神経細胞の一式であるかのように適用することができる．

脳室の壁はいろいろな部位でその構造は非常に異なっている．あるところでは上衣層または上衣下の膠線維層が完全に欠如していることがある．上衣下細胞層が最もよく発達しているのは，尾状核頭の上と側脳室前角の底である．これに対して海馬の上ではこの層は認められない．

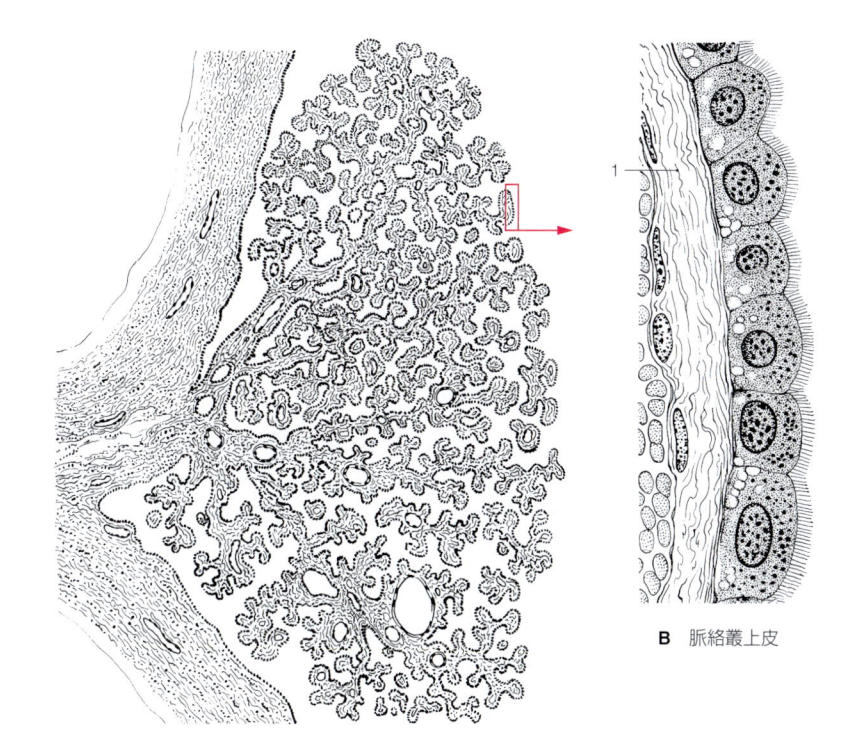

A 脈絡叢

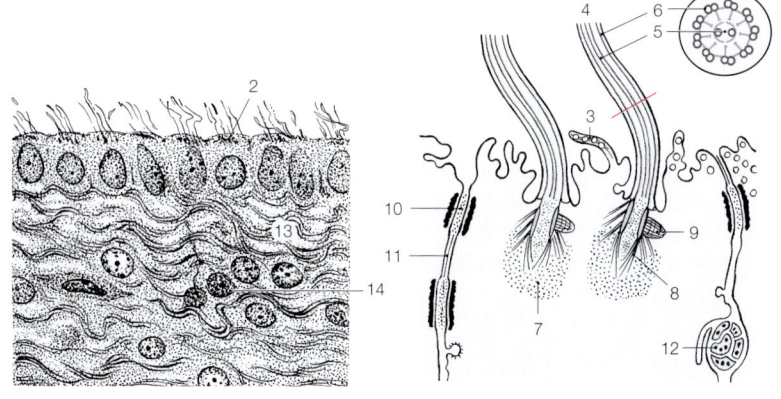

B 脈絡叢上皮

C 上衣と上衣下層

D 上衣細胞の電子顕微鏡による模式図（Brightman と Palay による）

1 疎な膠原線維の網目 loose network of collagen fibers　**2** 線毛核 blepharoplasts　**3** 突起 evaginations　**4** 線毛 cilia　**5** 中心微細管 central tubules　**6** 辺縁微細管 peripheral tubules　**7** 顆粒帯 granular zone　**8** 小根 rootlets　**9** 基底足 basal foot　**10** 接着帯 intermediate junction　**11** 間隙結合（＝密着帯）zonulae occludentes（occludent junctions = tight junctions, gap junction）　**12** 神経細胞の突起 nerve cell processes　**13** 膠線維層 glial fiber layer　**14** 上衣下細胞層 subependymal cell layer

脳室周囲器官（A〜D）

　上衣は低級な脊椎動物では，分泌機能とおそらくは感覚受容機能を合わせもっているとされている．上衣は特によく発達して特殊な構造を示すに至ることがあるが，この特殊構造は哺乳動物においても証明することができる．これらの脳室周囲器官 circumventricular organs に属するものは，終板器官 vascular organ of lamina terminalis, 脳弓下器官 subfornical organ, 最後野 area postrema, 傍生体 paraphysis および交連下器官 subcommissural organ である．

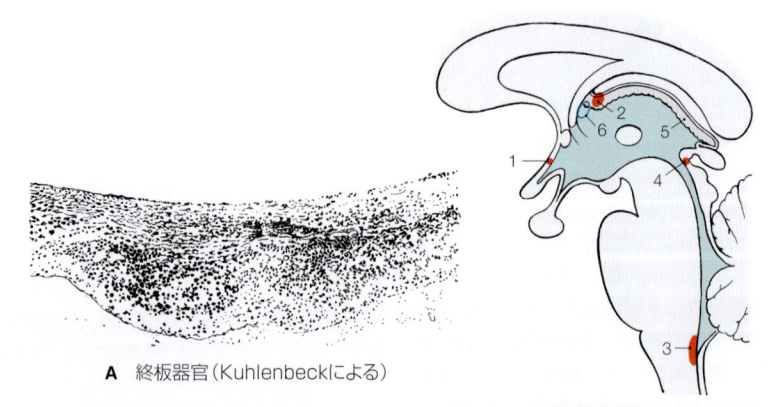

　これらの脳室周囲器官はヒトでは退化しており，あるもの（傍生体と交連下器官）は胎生期にただ一過性に現れるにすぎない．

　その機能は未知である．ただ推測としては，髄液の圧と組成の調節に大切なものであるとか，視床下部の神経分泌系と関係があるなどといわれている．これらの器官で目立つことは，その位置が脳室系の狭くなったところにあること，血管の分布が密であること，および空隙（液間隙 fluid spaces）が存在することである．

終板器官（A, D）

　終板器官（A, D1) は終板 lamina terminalis にある．終板は第三脳室の吻側端を形成し，前交連と視交叉の間に広がっている部分である．終板器官に，軟膜の下にあって血管が密に分布する外帯と，主に膠細胞からなる内帯とが区別される．血管は洞様に拡張して密な血管叢をつくっている．内帯には視索上核 supra-optic nucleus からの神経線維が走っており，これらの線維はゴモリ染色陽性の物質 Gomori-positive substance をもっている（ヘリング小体 Herring's bodies, 526頁B3）．そのほか，この器官には視床下部からペプチド作動性線維がきている．

脳弓下器官（B, D）

　脳弓下器官（B, D2) はまち針の頭大の小結節として，両側のモンロー孔の間で第三脳室の背壁の脈絡組織の口側端に位置している．膠細胞と散在性の神経細胞のほかに，この器官は実質細胞である大きな円い細胞を含んでいるが，これが神経細胞であるかどうかについては議論が多い．電子顕微鏡では上衣性細管 ependymal tubules が証明され，これらの細管は表面から入り込んで，細胞間の広い液間隙と交通している．脈絡組織からは血管ワナが脳弓下器官の内部へ入り込んでいる．ペプチド作動性神経線維（ソマトスタチン，LH-RH）が毛細血管に接したり，上衣性細管のところに終わったりしている．

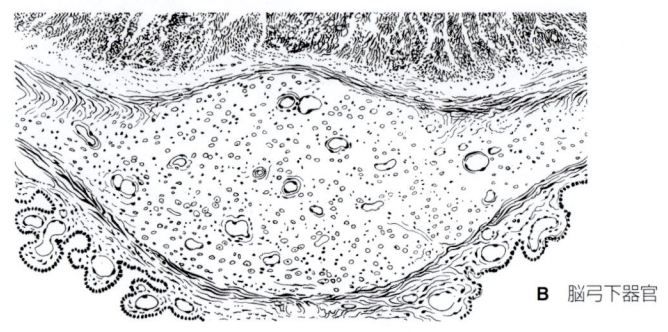

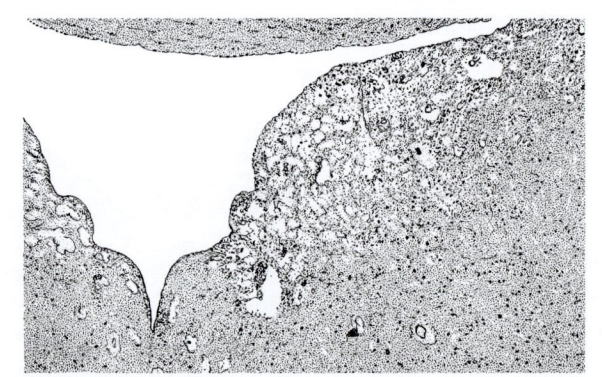

最後野（C, D）

　最後野（C, D3) といわれるものは，菱形窩の底にある左右対称的な2つの狭い部分であって，中心管への漏斗状の入口に位置している．この部位の疎な組織は多数の小さな空隙を含んでいる．この器官は膠細胞といわゆる実質細胞とからなっているが，後者は一般に神経細胞とみなされており，モノアミンやペプチドを含むものもある．モノアミン作動性の線維も認められる．この組織は多数の曲りくねった毛細血管を含み，電子顕微鏡にはその内皮は著しい有窓性を示している．したがって最後野は，透過性のよい血液－脳関門をもつ脳のいくつかの部位の一つであることがわかる（450頁C〜E）．最後野は嘔吐中枢の一部を形成している．

傍生体と交連下器官（D）

　両構造物はヒトでは胎児期の発生のときただ単に一過性に現れるにすぎない（一過性構造物 transitory structures）．**傍生体 paraphysis*** は第三脳室の背壁でモンロー孔の尾方にある小さな袋状の突出物である．**交連下器官（D4)** は後交連（視床上交連）の下にあって，円柱状の上衣細胞の複合体からなっている．これらの上衣細胞は分泌物を出すが，この分泌物は髄液には溶解せず，細長い糸状に濃縮される．これがライスナーの糸 Reissner's fiber といわれるものである．中心管が閉塞していない動物では，このライスナー糸は脊髄の下部にまで達している．

*魚類，両生類，爬虫類でよくみられる．

---

1 終板器官 vascular organ of lamina terminalis　**2** 脳弓下器官 subfornical organ　**3** 最後野 area postrema　**4** 交連下器官 subcommissural organ　**5** 脈絡叢 choroid plexus　**6** 室間孔（モンロー Monro 孔）interventricular foramen

髄膜（A，B）

脳は中胚葉性の被膜すなわち**髄膜** meningesで囲まれている．外側には硬膜（**A1**），内側には軟膜（広義の）leptomeninxがある．この軟膜はクモ膜（**A2**）と（狭義の）軟膜（**A3**）の2葉に分かれる．両者を併せて柔膜 leptomeninxともいい，外胚葉から生じるという考えもある．

硬膜（B）

硬膜 dura materは頭蓋の内面を内張りすると同時に骨膜をも兼ねている．この硬膜からは強大な中隔が広く頭蓋内腔へとび出している．両半球の間には**大脳鎌**（**B4**）がもぐり込んでいく．この大脳鎌の付着部は吻側では鶏冠 crista galliに始まり，前頭稜 frontal crestを経て内後頭隆起に達し，ここで大脳鎌は両側へ張り出して**小脳テント**（**B5**）に移行する．大脳鎌が頭蓋腔の上部を分けるため，各半球がそれぞれ固有の腔に納まることになる．小脳テントは後頭蓋窩の中に横たわる小脳の上にテント状に張っている．この小脳テントは後頭骨の横洞溝に沿っており，側頭骨岩様部の上縁に固定され，口側には脳幹を通すための広い開口（**B6**）が開いたまま残されている．小脳テントの下面には後頭稜に沿って小脳鎌 falx cerebelliが後頭蓋窩の中へとび出している．

硬膜の両葉の間には大きな硬膜静脈洞 dural venous sinusesが埋め込まれている（II章参照）．Bでは下矢状静脈洞（**B7**），上矢状静脈洞（**B8**），および横静脈洞（**B9**）の切れ口がみえる．

いろいろの構造物が硬膜の袋で被包されて，ほかの内腔とは隔てられている．すなわちトルコ鞍 sella turcicaの上には鞍隔膜（**B10**）が張っており，隔膜裂孔（**B11**）を下垂体茎が通り抜けている．側頭骨岩様部の前面には三叉神経節 trigeminal ganglionが三叉神経圧痕 trigeminal impressionの中で硬膜の袋［メッケルの三叉神経腔 trigeminal cave（Meckeli）］に包まれている．

クモ膜（A）

クモ膜（**A2**）は硬膜の内面に密接しており，硬膜とは**硬膜下隙**（**A12**）という毛細間隙によって隔てられている．クモ膜は髄液を含む**クモ膜下腔**（**A13**）を囲み，軟膜とは小柱（**A14**）や中隔でつながっているが，これらは密な網目をつくり，ここに互いに交通する多くの小部屋からなる一つの系が出現する．クモ膜には血管がない．

大きな硬膜静脈洞には，茎のある茸状のクモ膜の増殖した**クモ膜顆粒** arachnoid granulations（パッキオーニ小体）（**A15**）が入り込んでくる．この顆粒は編み合わされたクモ膜の網からなり，中皮 mesotheliumで覆われている．この顆粒をその上から包む硬膜は非常に薄くなっている．クモ膜顆粒は最もしばしば上矢状静脈洞（**A16**）と外側裂孔（**A17**）にみられ，比較的まれには脊髄神経が出ていくところにもみられる．この顆粒のところで髄液が静脈血へ移行するといわれている．かなり年をとったヒトでは，顆粒が骨の中へ入り込んでいることがあり（**A18**，クモ膜顆粒小窩 granular foveolaeの形成），また頭蓋の板間静脈へ突出していることもある．

軟膜（A）

軟膜（**A3**）は血管をもつ薄い膜である．軟膜は脳実質にじかに接しており，軟膜–神経膠 pia-glia membraneの中胚葉側を形成している．軟膜からは血管が脳実質の中へ入り込むが，その血管は表面からわずか深部へ入ったところまで軟膜を伴っている（軟膜漏斗 pial funnel（infundibulum））．

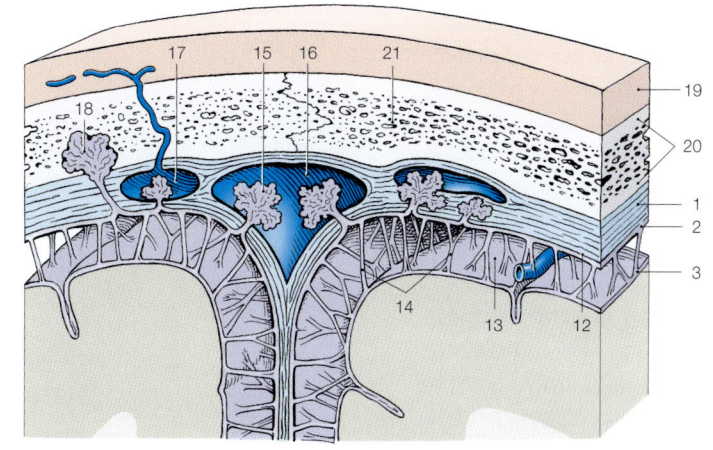

A 髄膜とクモ膜下腔

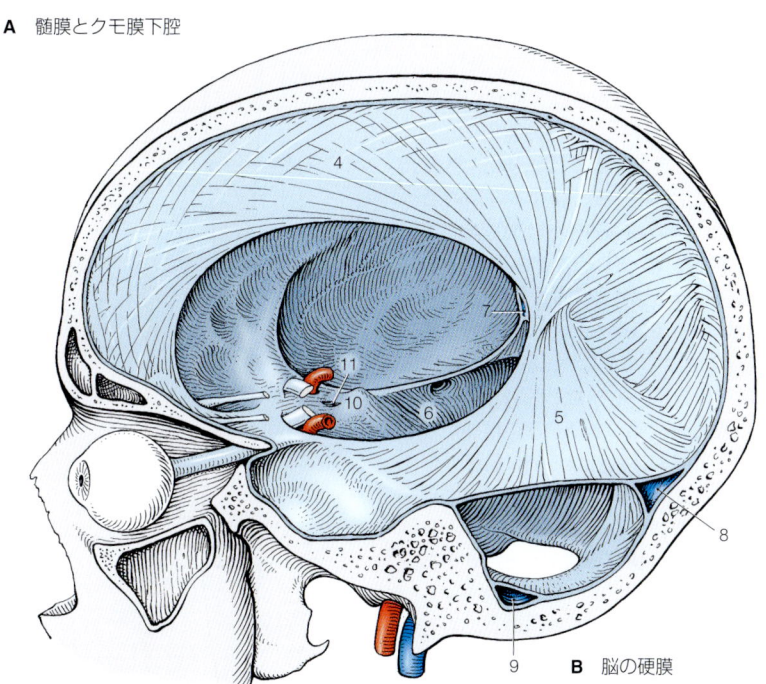

B 脳の硬膜

1 硬膜 dura mater　2 クモ膜 arachnoid mater　3 軟膜（狭義の）（＝柔膜）pia mater　4 大脳鎌 cerebral falx　5 小脳テント cerebellar tentorium　6 広い開口（脳幹を通すための）wide opening for passage of brain stem　7 下矢状静脈洞 inferior sagittal sinus　8 上矢状静脈洞 superior sagittal sinus　9 横静脈洞 transverse sinus　10 鞍隔膜 sellar diaphragm　11 隔膜裂孔 diaphragmatic hiatus　12 硬膜下隙 subdural space　13 クモ膜下腔 subarachnoid cavity　14 小柱 trabeculae　15 クモ膜顆粒（パッキオーニ小体）arachnoid granulations（Pacchionian bodies）　16 上矢状静脈洞 superior sagittal sinus　17 外側裂孔 lateral lacunae　18 クモ膜絨毛（クモ膜顆粒小窩の中へ突出した）arachnoid villi（projecting into the granular foveolae）　19 頭皮 scalp　20 頭蓋骨 skull　21 板間層 diploe（11頁D5参照）

概説（A）

　植物神経系 vegetative nervous system（または**自律神経系** autonomic nervous system）は内臓およびその被膜を支配している．ほとんどすべてのからだの組織にはごく細い神経線維が網の目のように分布しているが，それに**求心性** afferent（内臓性知覚性 viscerosensory）と**遠心性** efferent（内臓性運動性と分泌性 visceromotor and secretory）の線維が区別される．知覚線維を出す神経細胞は脊髄神経節の中にある．遠心性線維を出す神経細胞は，体内に散在する結合組織の被膜で包まれた神経細胞の集まりをつくっている．これを**植物（または自律）神経節** vegetative (or autonomic) gangliaという．

　植物神経系の主な使命は，生体の内部環境を恒常的に維持し，外界の変化に応じて器官の働きを調節することにある．この調節は互いに拮抗的に働く自律神経系の2つの部分，すなわち**正交感神経［部］**（**A1**, 黄，単に**交感神経［部］**ということが多い）と**副交感神経［部］**（**A2**, 緑）によって行われている．交感神経の興奮はからだの機能が亢進しているときに起こっているのである．このときには血圧の上昇，心拍数と呼吸数の促進，瞳孔の散大，立毛および発汗の増加が現れてくる．胃腸の運動性ならびに腸腺の分泌はこの際には減弱する．これに対して副交感神経が優勢になると，腸の運動性と分泌機能は亢進し，排便や排尿はうながされ，心拍と呼吸は遅くなり，瞳孔は縮小する．交感神経はストレスとか緊急時にからだの働きを亢進させるのに役立ち，これに対して副交感神経は物質代謝，再生および体力のたくわえをつくるのに役立つのである．

　植物神経系を交感部と副交感部に分けるのは，内臓性運動性および分泌性線維に関してである．内臓性知覚性線維ではこの区別は不可能である．

中枢の植物神経系*

　末梢性と中枢性の植物神経が区別される．交感神経と副交感神経の中枢における細胞群はいろいろな部位にみられる．副交感性の神経細胞は脳幹で核を形成している（479頁参照）：すなわちエディンガー・ウェストファル核（**A3**），唾液核（**A4**）および迷走神経背側核（**A5**）である．

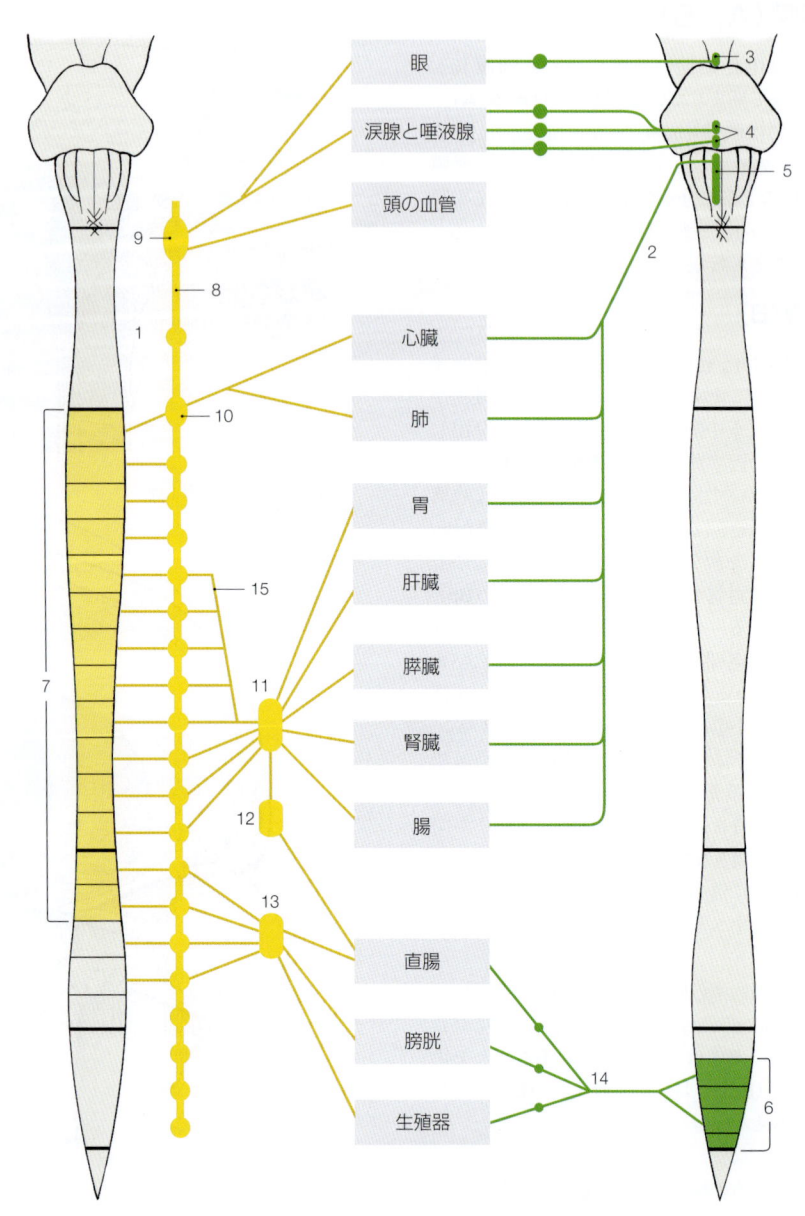

仙髄にも副交感性の神経細胞がある（**A6**）．交感性のニューロンはこれに対して胸髄と上部腰髄の側角に位置している（**A7**, 570頁A1）．したがって副交感性の核の位置がこのように決まっているところから，この局在を**頭仙局在** craniosacral localizationと呼び，交感性の核についても**胸腰局在** thoracolumbar localizationと呼ぶことができる．

　自律神経系の最高の統合器官は**視床下部** hypothalamusである．視床下部は下垂体とつながっているから，視床下部は内分泌腺をも調節し，植物神経系と内分泌系の働きを協調させているわけである．器官の働きの中枢性調節には脳幹の網様体 reticular formationの細胞群も関与している（心拍および呼吸数，血圧，499頁）．

*central vegetative system

A 交感神経と副交感神経（VilligerとLudwigによる）

---

1 交感神経［部］sympathetic part　**2** 副交感神経［部］parasympathetic part　**3** エディンガー・ウェストファル核 nucleus of Edinger-Westphal　**4** 唾液核 salivatory nucleus　**5** 迷走神経背側核 posterior nucleus of vagus nerve　**6** 仙髄 sacral segments of spinal cord　**7** 胸髄と上部腰髄 thoracic segments and upper lumbar segments of spinal cord　**8** 交感神経幹 sympathetic trunk　**9** 上頸神経節 superior cervical ganglion　**10** 星状神経節（頸胸神経節）stellate ganglion (cervicothoracic ganglion)　**11** 腹腔神経節 coeliac ganglia　**12** 上腸間膜動脈神経節 superior mesenteric ganglion　**13** 下腸間膜動脈神経節 inferior mesenteric ganglion　**14** 下腹神経叢 hypogastric plexus　**15** 大内臓神経 greater splanchnic nerve

末梢の植物神経系 peripheral vegetative system

副交感神経 parasympathetic nerve

中枢の副交感性ニューロンから出る線維は，種々の脳神経に含まれて頭の領域の副交感性神経節 parasympathetic ganglia (490, 491頁) へ行き，ここで節後線維に中継されて，これらの線維は効果器に達する．副交感性の主な神経である**迷走神経**(A1)は，大きな頸部の血管(頸の血管-神経幹)とともに下行し胸郭上口を通過した後，胸部と腹部の内臓の領域で叢状に枝分かれする(484頁).

仙髄の中間外側核 intermediolateral nucleus と中間内側核 intermediomedial nucleus にある細胞は，その軸索を第3および第4仙骨神経根(A2)を介して陰部神経 pudendal nerve に送り出しているが，やがてこれらの軸索はこの神経から分かれて骨盤内臓神経 pelvic splanchnic nerves となり，下下腹神経叢(A15)へ移行し，さらに骨盤内臓〔膀胱(A3)，直腸および生殖器〕に達する．節後線維への切り替わりは，この下下腹神経叢あるいは種々の器官神経叢にある小さな神経節で行われる．交感神経と同様に，末梢の神経支配に関しては2つのニューロンが関与している：すなわち脊髄にある第1ニューロン(節前ニューロン)と神経節にある第2ニューロン(節後ニューロン)である(570頁B, C).

交感神経 sympathetic nerve

胸髄と腰髄の側角にある交感性ニューロンは，その軸索を交通枝(A4)を介して交感神経の神経節索 ganglionated cord すなわち**交感神経幹**(A5, 570頁)へ送っている．この交感神経幹は交感神経節の連鎖からなっていて，これらの神経節は脊柱の両側で椎骨の横突起の前に位置し，頭蓋底から尾骨にまで及んでいる．交感神経節は上下のものが互いに節間枝(A6)によってつながっている．**頸部**には上頸神経節，変異に富む中頸神経節(A7)および星状神経節(A8)の3つの神経節がある．**胸部**には10～11個，**腰部**には約4個，**仙骨部**にも同じく4個の神経節がみられる．最後のものは尾骨の前の正中にある小さな不対神経節(A9)である．仙骨部の神経節は，脊髄のTh$_{12}$～L$_2$の高さから節間枝を介して節前線維を受けとっている．

胸部と腰部の交感神経節からは，腹大動脈の両側の密な神経叢の真ん中に位置する神経節群へ，神経が出ていく．上部の神経節群は腹腔神経節(A10)であって，この神経節へは第5～9の幹神経節から大内臓神経(A11)がやってくる．その下には上腸間膜動脈神経節(A12)と下腸間膜動脈神経節(A13)がある．骨盤には上下腹神経叢(A14)と下下腹神経叢(A15)が広がっている．

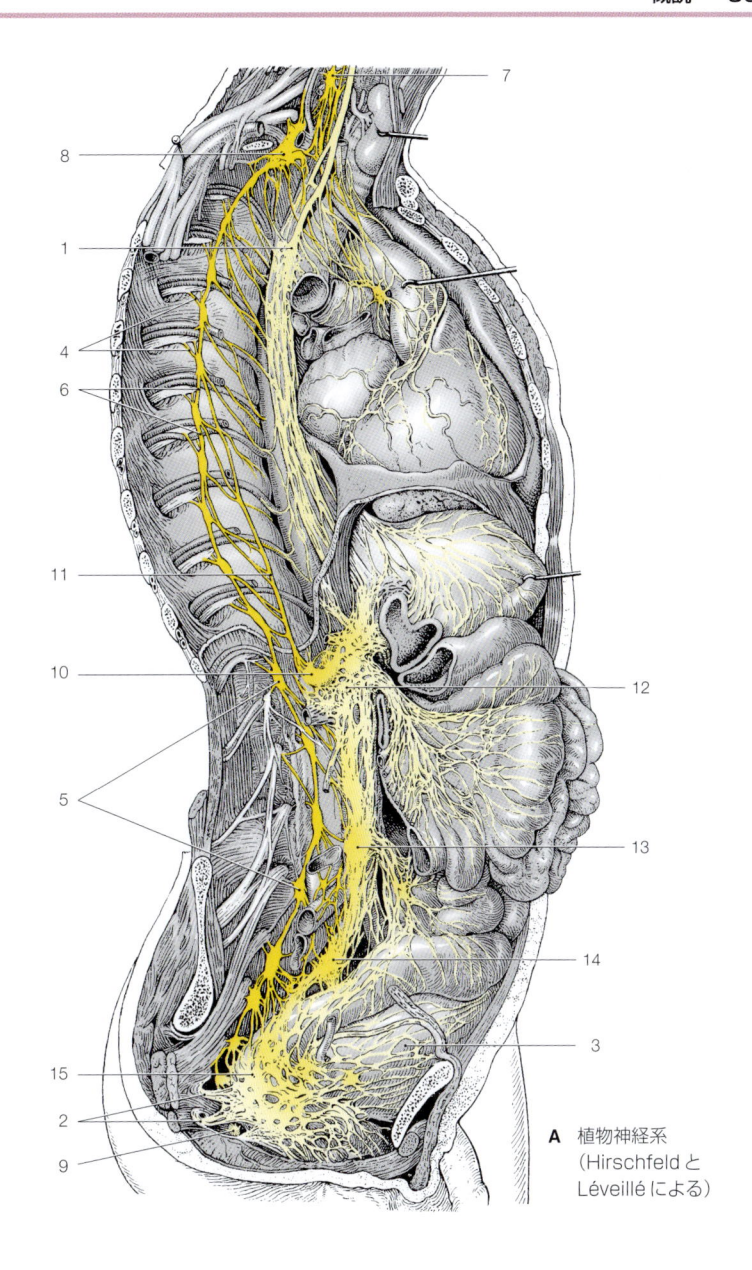

アドレナリン作動系とコリン作動系

興奮の伝達は，交感神経ではノルアドレナリン noradrenaline によって行われ，副交感神経ではアセチルコリン acetylcholine によって行われる．したがって，交感神経のことを**アドレナリン作動系**といい，副交感神経を**コリン作動系**ともいう．この原則には例外がある．すなわち，交感神経のすべての節前線維はコリン作動性であり，ただ節後線維だけがノルアドレナリン作動性なのである(570頁C).しかし皮膚の汗腺に分布している節後交感線維は，節前線維と同様にコリン作動性である．

交感神経と副交感神経の拮抗作用 antagonism はいくつかの器官で特に顕著である(心臓，肺).しかしながらほかの器官では一方だけの緊張が高まったり，低くなったりすることによって調節されている．例えば副腎と子宮は交感神経線維のみによって支配されている(副腎はパラガングリオンとみなされ，節前線維によって支配されている(Ⅱ章参照).膀胱の働きは副交感線維によって調節されているが，交感線維の役割については議論の余地がある．

A 植物神経系 (Hirschfeld と Léveillé による)

---

1 迷走神経 vagus nerve　2 第3および第4仙骨神経 3rd and 4th sacral nerves　3 膀胱 urinary bladder　4 交通枝 communicating branch　5 交感神経幹 sympathetic trunk　6 節間枝 interganglionic branches　7 中頸神経節 middle cervical ganglion　8 星状神経節 stellate ganglion　9 不対神経節 ganglion impar　10 腹腔神経節 coeliac ganglia　11 大内臓神経 greater splanchnic nerve　12 上腸間膜動脈神経節 superior mesenteric ganglion　13 下腸間膜動脈神経節 inferior mesenteric ganglion　14 上下腹神経叢 superior hypogastric plexus　15 下下腹神経叢 inferior hypogastric plexus

ニューロン回路（A〜C）

　胸髄の**中間内側核** intermediomedial nucleus と**中間外側核**（**A1**，側角）にある交感性神経細胞は，その軸索を前根（**A2**）を介して脊髄神経へ送り込んでいる．これらの軸索は節前線維として**白交通枝**（**A3**）を通って**幹神経節**（**A4**）に達する．それらのうち一部の軸索はここにあるニューロンに終わり，これらのニューロンから節後線維が**灰白交通枝**（**A5**）を介して再び脊髄神経へ帰っていく．この神経節へやってくる節前線維は有髄であるため，交通枝は白くみえる（白交通枝）．出ていく節後線維は無髄であるから，交通枝は灰白色にみえるのである（灰白交通枝）．

　幹神経節から出る節後線維（**A6**）は植物神経を通って器官へ行く．また節前線維（**A7**）はこの神経節で中継されることなく通過し，大動脈の両側にある**椎前神経節**（**A8**）に終わっていることがある．多数の小さなあるいはごく小さな**終末神経節**（**A9**）が内臓諸器官のところにある．これらの神経節は各器官の中に広がって分布している神経叢の一部を形成しており，被膜に包まれているもの（壁外神経節 extramural ganglia）や，器官の内部にあるもの（壁内神経節 intramural ganglia）などがみられる．副交感神経では節前および節後線維ともにコリン作動性であるが（**B**），交感神経ではコリン作動性の節前線維が神経節でノルアドレナリン作動性の節後ニューロンに切り替えられる（**C**）．なお，交感神経節ではドーパミン作動性の介在ニューロン（?）もみられる．

　したがって，存在する部位によって3種類の異なる神経節，すなわち幹神経節 ganglion of sympathetic trunk（椎傍神経節 paravertebral ganglia），椎前神経節 prevertebral ganglia および終末神経節 terminal ganglia が区別され，これらの神経節では節前線維から節後線維への交替が行われるのである．

　幹神経節と椎前神経節は交感性の神経節であり，終末神経節は主として副交感性ではあるが，全部がそうとは限らない．

交感神経幹

頸部および上胸部（D）

　頸部の神経節は数が少なくなって3つしかなく，そのうち最も上にあるものは**上頸神経節**（**D10**）といわれ，頭蓋底の下方で迷走神経の節状神経節 nodose ganglion（下神経節 inferior ganglion of vagus nerve）の近く（下内方）にみられる．上頸神経節は節間枝を介して胸髄上部から線維を受けとる．この神経節から出る節後線維は内頸動脈と外頸動脈のまわりでそれぞれ神経叢をつくっている．内頸動脈神経叢 internal carotid plexus から出る枝は，髄膜，眼および頭の領域の腺へ行く．これらの交感神経によって支配されるのは，上眼瞼にある上瞼板筋 superior tarsal muscle と眼窩の後壁についている眼窩筋 orbital muscle である．

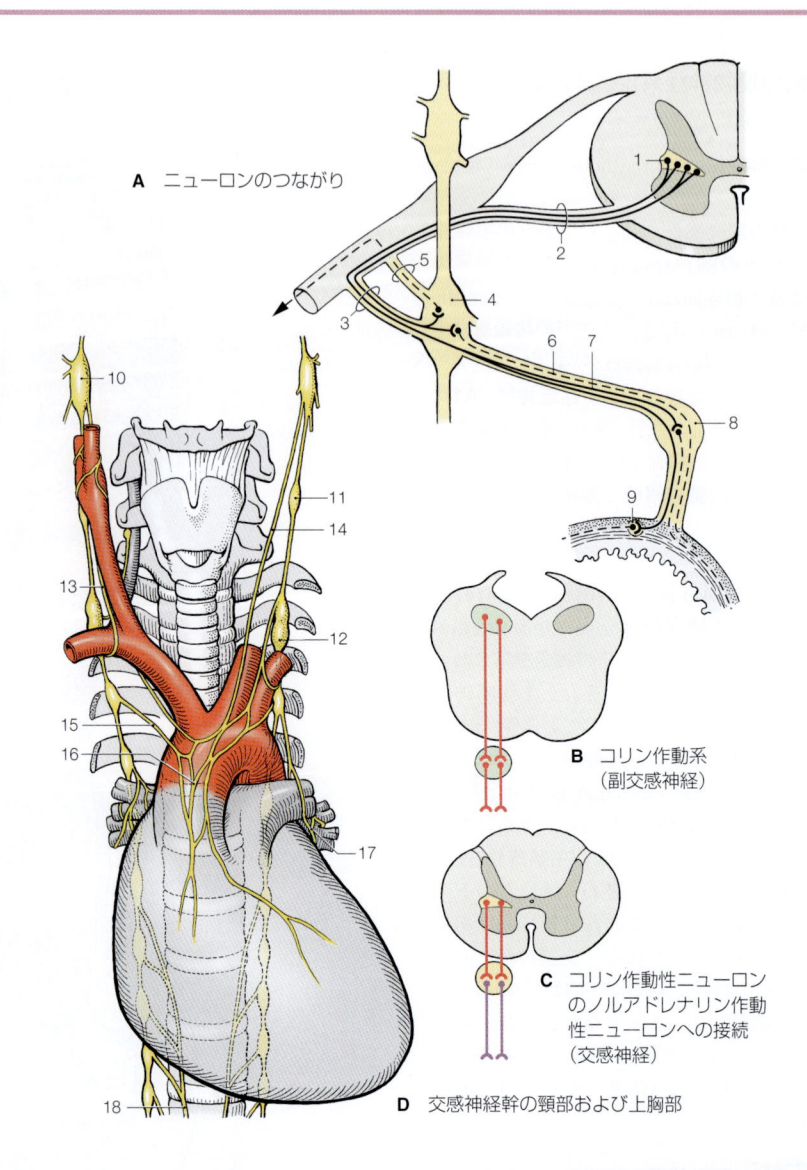

臨床関連：上頸神経節の傷害で，交感性節後神経線維の分布域でこの神経が脱落すると，上眼瞼が下がって（ptosis 眼瞼下垂），眼球が引っ込む（眼球陥凹 enophthalmus），瞳孔収縮（縮瞳 miosis）がみられる．縮瞳は，瞳孔括約筋に対する副交感神経支配が，交感神経のそれに対して，相対的に強調されるからである．眼瞼下垂，縮瞳それに無汗を加えて，ホルネル症候群 Horner's syndrome と呼ぶ．

　中頸神経節（**D11**）は欠如することがあり，下頸神経節は多くの場合第1胸神経節と融合して**星状神経節**（**D12**）としてみられる．この神経節から出る線維は，鎖骨下動脈と椎骨動脈のまわりでそれぞれ神経叢をつくっている．星状神経節と中頸神経節とを結んでいる線維束のうち，あるものは鎖骨下動脈を越えて走り，鎖骨下ワナ（**D13**）をつくっている．頸神経節および上部の胸神経節から出る神経（**D14**，**D15**）は心臓と肺門まで行き，迷走神経の副交感線維とともに心臓神経叢（**D16**）と肺神経叢（**D17**）の形成にあずかっている．第5〜9胸神経節からの枝は合わさって大内臓神経（**D18**）となり，腹腔神経節へ行っている．

A ニューロンのつながり

B コリン作動系（副交感神経）

C コリン作動性ニューロンのノルアドレナリン作動性ニューロンへの接続（交感神経）

D 交感神経幹の頸部および上胸部

---

1 中間外側核（側角）intermediolateral nucleus (lateral horn)　2 前根 ventral root　3 白交通枝 white communicating branch　4 幹神経節 ganglion of sympathetic trunk　5 灰白交通枝 gray communicating branch　6 節後線維 postganglionic fibers　7 節前線維 preganglionic fibers　8 椎前神経節 prevertebral ganglia　9 終末神経節 terminal ganglia　10 上頸神経節 superior cervical ganglion　11 中頸神経節 middle cervical ganglion　12 星状神経節（頸胸神経節）stellate ganglion (cervicothoracic ganglion)　13 鎖骨下ワナ ansa subclavia　14 上頸心臓神経 superior cervical cardiac nerve　15 胸心臓神経 thoracic cardiac branches　16 心臓神経叢 cardiac plexus　17 肺神経叢 pulmonary plexus　18 大内臓神経 greater splanchnic nerve

交感神経幹　571

下胸部および腹部（A）

胸神経節と上部の腰神経節からは，腹大動脈神経叢 abdominal aortic plexus の椎前神経節へ行く枝々が出る．これらの神経節をいくつかの群に分ける．腹腔動脈の起始部には**腹腔神経節**（**A1**）があり，そこに大内臓神経（**A2**, $Th_5〜Th_9$）および小内臓神経（**A3**; $Th_9〜Th_{11}$）が終わっている．この神経節から出る節後線維は大動脈の枝と一緒に胃，十二指腸，肝臓，膵臓，脾臓および副腎へ行く（胃神経叢 gastric plexus, 肝神経叢 hepatic plexus, 脾神経叢 splenic plexus, 膵神経叢 pancreatic plexus, 副腎神経叢 suprarenal plexus）．しかし，副腎髄質へ行くのは節前線維である（Ⅱ章参照）．

上腸間膜動脈神経節（**A4**）からの節後線維は，腹腔神経節の枝とともに小腸，上行結腸および横行結腸を支配し，**下腸間膜動脈神経節**（**A5**）からの節後線維は下行結腸，Ｓ状結腸および直腸を支配している．これら両神経節の節前線維（腰内臓神経 lumbar splanchnic nerve）は $Th_{11}〜L_2$ に由来する．またこれら両神経節からいくつかの枝が腎神経叢 renal plexus へ行っているが，この神経叢は腹腔神経叢や上下腹神経叢からも線維を受け入れている．

内臓の神経叢の形成には，副交感線維も関与している．消化管では副交感線維の刺激によってぜん動運動と分泌が強化され，括約筋の弛緩が引き起こされる．これに反し，交感線維の刺激によってぜん動運動と分泌は弱くなり，括約筋の収縮が起こってくる．

骨盤臓器は上下腹神経叢（**A6**）と下下腹神経叢 inferior hypogastric plexus を介して支配されている．両神経叢は下部胸髄と上部腰髄からの交感性の節前線維を受けとり，仙髄からは副交感線維を受け入れている．

膀胱 urinary bladder には，主に膀胱神経叢 vesical plexus の副交感線維が分布しており，これらの線維が膀胱の収縮に役立つ筋（排尿筋 detrusor muscle）を支配している．交感線維は（内）尿道口と左右の尿管口の平滑筋に終わっている．膀胱の緊張度と排尿の調節は脊髄反射を介して行われるが，この反射はさらに視床下部と皮質領域からも支配されている．

生殖器 genitalia は男性では前立腺神経叢 prostatic plexus によって，女性では子宮膣神経叢 uterovaginal plexus によって支配されている．副交感線維を刺激すると，海綿体の血管が拡張し，男性では勃起 erection が起こってくる（勃起神経 nervi erigentes = 骨盤内臓神経 pelvic splanchnic nerves）．子宮筋には交感線維と副交感線維が分布している．その機能的意義は不明である．何となれば，神経を除去した（denervated）子宮でも妊娠と出産のあいだ完全に機能することができるからである．

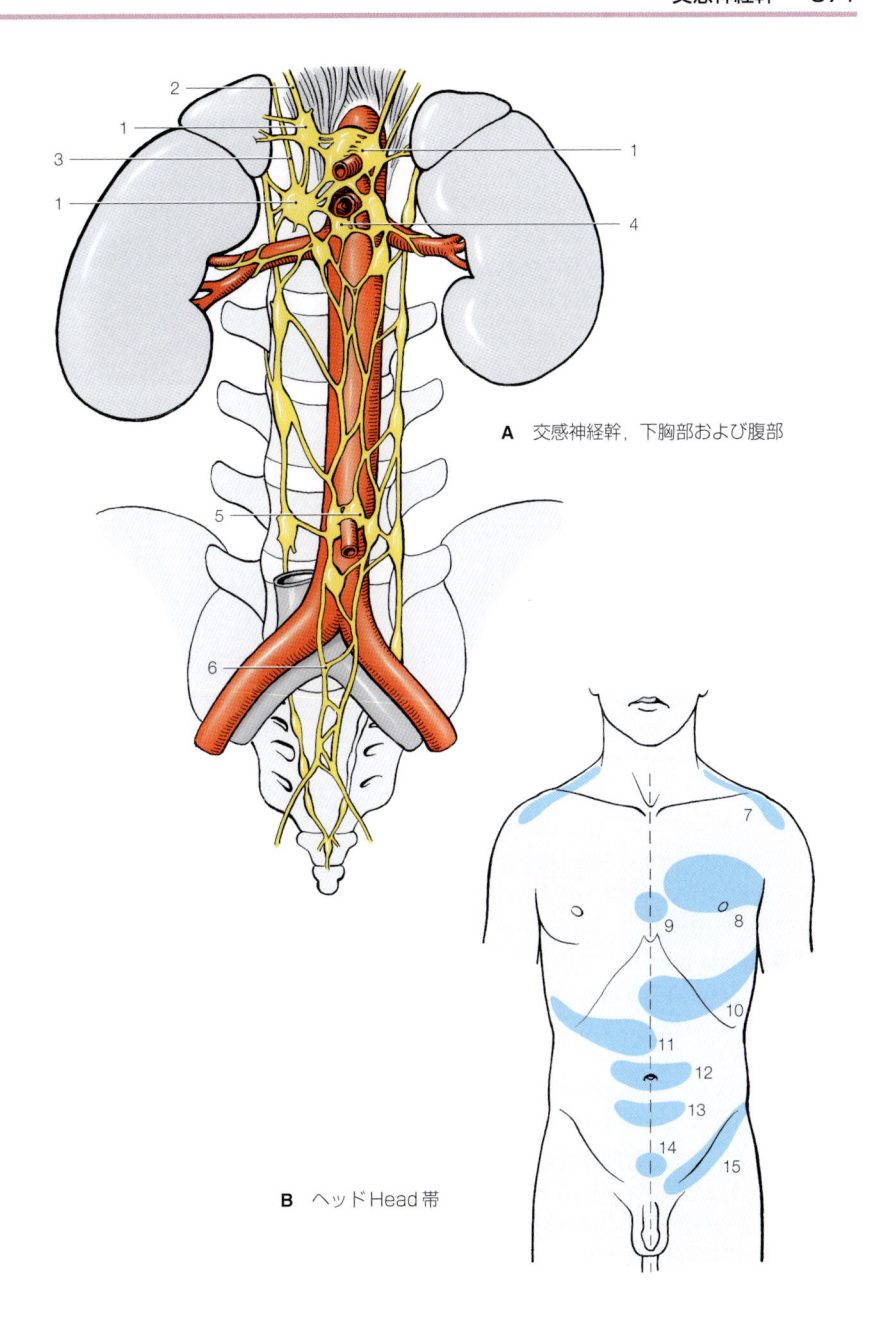

皮膚の支配（B）

幹神経節から再び脊髄神経へ入ってきた交感神経線維（570頁A5）は，末梢神経に含まれて皮膚へ行き，皮膚ではその末梢神経に応じた皮節 dermatomes（460頁）の血管，汗腺および立毛筋 arrector muscle of hairs を支配している（血管運動能 vasomotoricity, 発汗能 sudomotoricity, 立毛能 pilomotoricity）．これらの機能は脊髄損傷時には皮節に限局して脱落するため，診断上非常に大切である．

A 交感神経幹，下胸部および腹部

B ヘッド Head 帯

> 臨床関連：内臓の疾患のとき，一定の皮膚領域に痛みや知覚過敏が起こってくることがある．このような皮膚の帯域を**ヘッド帯** zones of Head（**B**）というが，これは器官がある一定の皮膚帯域に再現されていることを意味する：横隔膜 C_4（**B7**），心臓 Th_3 と Th_4（**B8**），食道 Th_4 と Th_5（**B9**），胃 Th_8（**B10**），肝臓と胆嚢 $Th_8〜Th_{11}$（**B11**），小腸 Th_{10}（**B12**），大腸 Th_{11}（**B13**），膀胱 $Th_{11}〜L_1$（**B14**），腎臓と精巣 $Th_{10}〜L_1$（**B15**）．ヘッド帯は臨床診断に際し実用的な意義をもっている．

---

1 腹腔神経節 coeliac ganglia　2 大内臓神経 greater splanchnic nerve　3 小内臓神経 lesser splanchnic nerve　4 上腸間膜動脈神経節 superior mesenteric ganglion　5 下腸間膜動脈神経節 inferior mesenteric ganglion　6 上下腹神経叢 superior hypogastric plexus　7〜15 は本文参照

植物神経の末梢（A～E）

遠心性線維

遠心性線維 efferent fibers の節前線維は有髄であるが，節後線維は無髄である．無髄線維はシュワン細胞の細胞質に含まれているが，1個のシュワン細胞は何本かの軸索を抱えている（447頁A8）．

知覚性線維

内臓性知覚性線維の太さは多様で有髄または無髄である．これらの線維は交感神経にも副交感神経にも算入されていないが，一般に末梢では交感神経（遠心性の内臓性運動性および分泌性線維）と同じ経路をとり，脊髄へは胸部の後根を通って入る．心臓からの線維は上胸部の後根を，胃，肝臓および胆嚢からのものは中胸部の後根を，結腸と盲腸からのものは下胸部の後根を通る．これらの後根のそれぞれの皮節は，ほぼヘッド帯と対応している（538頁）．

壁内神経叢（A～E）

植物神経は血管とともに内臓へ入り込み，ノルアドレナリン作動性線維（**A**）あるいはコリン作動性線維（**B**）の細かい網目をつくる（**腸管神経叢** enteric plexus）．この壁内神経叢 intramural plexus は合胞体 syncytium ではなくて，ほかの神経系と同じように，多くの個々の神経要素つまりニューロンから構成されているのである．これらの線維は平滑筋や腺に終わっている．多くの器官の働きは，血管壁の筋を介して植物神経の影響を受ける（血管が広くなったり，狭くなったりすることによる流血量の調節）．そのほか肝臓や腎臓のような実質臓器に分泌線維がきているかどうか，については確認されていない．

消化管は2種類の神経叢，すなわち粘膜下神経叢（マイスナー神経叢）と筋層間神経叢（アウエルバッハ神経叢）によって支配されている．

粘膜下神経叢（**C1**）は粘膜下組織の全域にわたり三次元的な神経叢をつくっている．これは中等度の太さないしは極く細い神経線維からなる小束の不規則な網目であって（**D**），粘膜の方へ向かい次第に細かく目がつんでくる．網目の交点には神経細胞が集積しており，小さな壁内神経節をつくっている．**壁内神経節** intramural ganglia （**E**）では圧倒的に多極性の神経細胞が多く，まれに単極性の神経細胞がみられる．これらの神経細胞は顆粒状のニッスル物質を含み，扁平な外套細胞 capsular cells（神経節膠細胞）に囲まれている．神経細胞から出る多数の長い樹状突起は細いため，たいていは軸索と見分けることが困難である．軸索はきわめて細く，無髄または乏髄性で，核周部からは出ておらず，樹状突起から出ていることもしばしばである．神経細胞の間には神経線維の密な網目があり，ここでは樹状突起，終末する軸索および通過線維を区別することは非常に難しい．交感性ニューロン（ノルアドレナリンとニューロペプチドYが共存することがある）と副交感性ニューロン（アセチルコリンのほかVIPをもつものがある）は同じ形態を示す．これらは組織化学的方法によってのみ，互いに区別することができる．**筋層間神経叢**（**C2**）は腸管の輪筋層と縦筋層との間のせまい腔に埋まっている．この神経叢は太い線維束と細い線維束の混じった比較的規則正しい格子構造をとっている．まとまった壁内神経節のほか，線維束の交点にも数多くの神経細胞が認められる．これらの神経細胞はしばしば列をなして線維束に付着している．腸管壁などに分布している無数の神経細胞は，全体としてほぼ自律的な一つの神経器官を形成している．これは除神経後もなお機能することができる消化管の局所自動能 local autonomicity を説明するものである．

パラガングリオンと副腎髄質は神経堤（458頁C2）に由来することから，自律神経系に算入されることがある（Ⅱ章参照）．

A, B モルモットの精管（Wincklerによる）
A 交感神経線維の蛍光顕微鏡像
B 副交感神経線維のアセチルコリンエステラーゼ反応
C 腸壁の模式図
D 粘膜下神経叢
E 壁内神経節

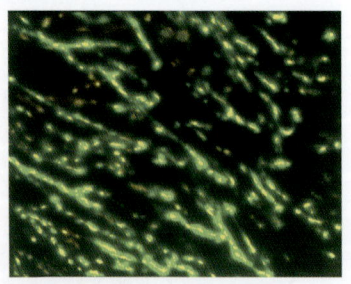

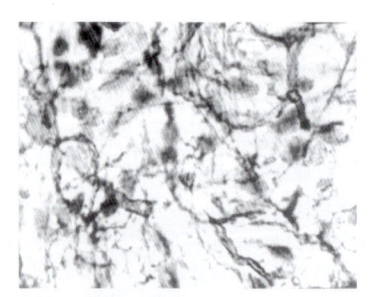

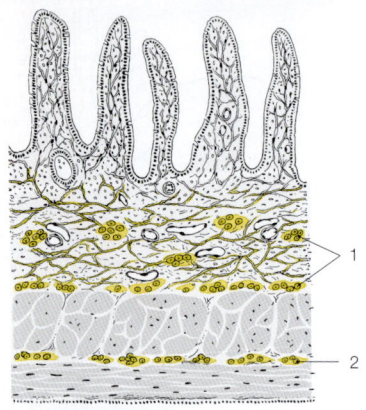

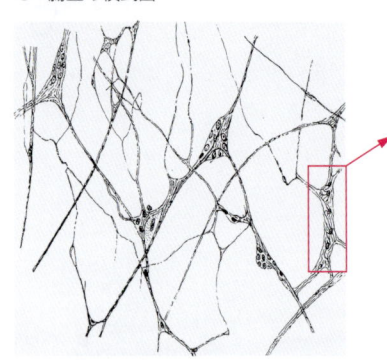

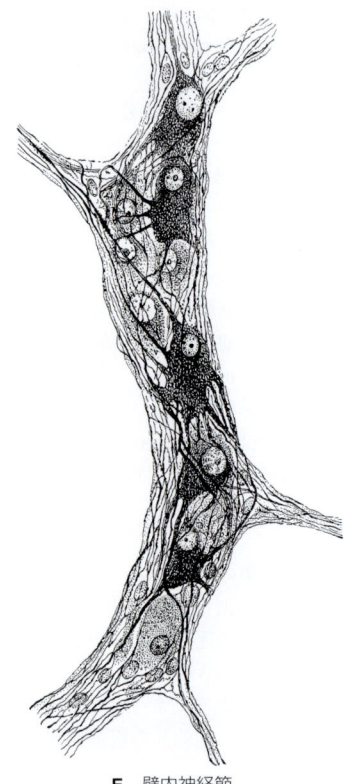

---

1 粘膜下神経叢（マイスナー神経叢）submucous plexus (Meissner's plexus)　　2 筋層間神経叢（アウエルバッハ神経叢）myenteric plexus (Auerbach's plexus)

自律神経ニューロン（A～D）

構造（A，B，D）

　自律神経系（植物神経系）は自律神経ニューロン autonomic neurons（**A**）という多数の個々の要素から構成されている（ニューロン説 neuron theory）．長いあいだ自律神経系の終末分枝に関して仮想されてきた連続説 continuity theory は，電子顕微鏡を使っての研究により否定された．この連続説によると，壁内神経叢の多くの分枝は網目（終末網 terminal reticulum）をつくり，ここでいろいろのニューロンの突起が連続して相互に，また支配される筋細胞や腺細胞へも移行していく．つまり一種の細胞形質の合胞体の存在を認めることになる．しかしながら，電子顕微鏡ではこのような連続的な移行は示されていない．

　節後ニューロンには若干の特異点が認められる．神経線維束で多数の軸索間シナプス（**D1**）が見出される．しかも単に交感神経線維や副交感神経線維同士に限らず，交感線維と副交感線維の間にもみられる．軸索の終末分枝のところには，横紋筋の運動終板（578頁B，C）のような特殊な構造は見当たらない．軸索の終末分枝の連珠状の膨らみ（**A～D2**）が目につくだけである．

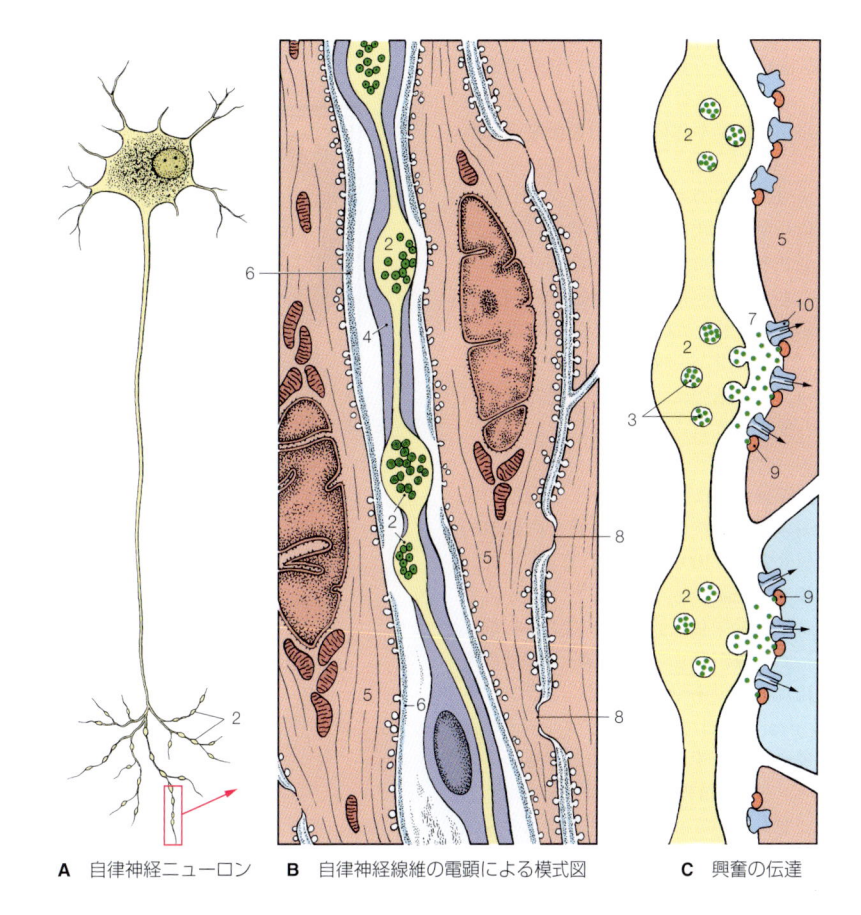

　軸索の膨らみは平滑筋細胞にくぼみをつくったり，あるいはその中へ入り込んでいることさえある．しかしながら一般に，軸索の膨らみは筋細胞の間では典型的なシナプス（441頁D）のような膜同士の直接の接触は認められない．膨隆部にはシナプス前終末ボタン（441頁C）と同じように，明るい小胞や顆粒小胞（**C3**）が含まれている．顆粒小胞には交感神経系の伝達物質であるノルアドレナリンが証明される．終末分枝を包むシュワン細胞の覆い（**B4**）はこれらの膨隆部にはみられない．これと対応して，隣接する平滑筋細胞（**BC5**）の形質膜には基底板（**B6**）がほとんどみられない．ここが自律神経線維から平滑筋細胞への興奮の伝達の起こる場所である．

興奮の伝達（C）

　軸索の膨隆部に含まれる小胞の内容は細胞間隙（**C7**）へ放出される．伝達分子は細胞間隙に拡散して多数の平滑筋細胞へ興奮を伝える．しかしおそらく興奮の広がりは筋細胞間の膜同士の接触によっても起こっている．平滑筋細胞は電気的シナプスとしての役割を果たしているネクサス（**B8**，細隙結合）により互いに緊密に結びついているからである（441頁）．ここには基底板はない．

　遠心性の自律神経線維は平滑筋や腺細胞を支配している（腺細胞を支配するものを分泌線維 secretory fibers という）．腺細胞（**C**で青色の細胞）の支配の様式は大体において筋細胞のそれと同じである．軸索の膨らみ内にある小胞から遊離した伝達分子（**C**で緑の点状構造物）は，支配している細胞の表面にある受容体（**C9**）に連結しているGタンパク（443頁）を活性化する．次いで，Gタンパクはイオンチャンネル（**C10**）が開口するように働きかけて，それによって細胞内の段階的信号伝達が始動させられる．これらのことによって，最終的な結果として，平滑筋細胞の収縮ないしは腺細胞における分泌物の産生と放出が起こることとなる．

A 自律神経ニューロン　　**B** 自律神経線維の電顕による模式図　　**C** 興奮の伝達

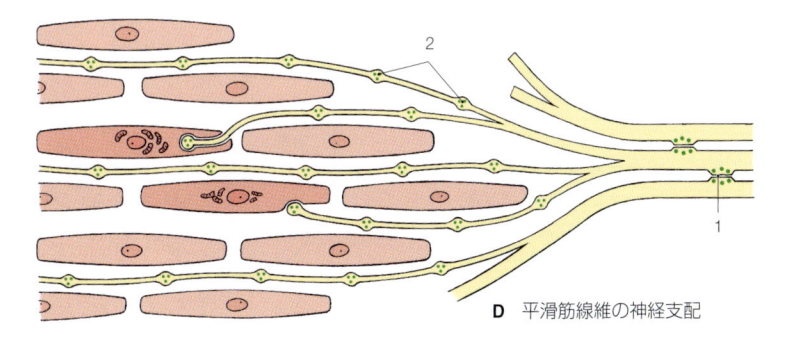

D 平滑筋線維の神経支配

---

1 軸索間シナプス axo-axonic synapses　**2** 連珠状の膨らみ varicosities　**3** 顆粒小胞 granular vesicles　**4** シュワン細胞の覆い covering of Schwann cell cytoplasm　**5** 平滑筋細胞 smooth muscle cell　**6** 基底板 basal lamina　**7** 細胞間隙 intercellular space　**8** ネクサス（細隙結合）nexus（gap junctions）　**9** 受容体 receptor　**10** イオンチャネル ion channel

脳の機能（A～C）

　中枢神経系は，動物が自分の住んでいる境遇に適応できるようにしている．感覚器官を介して外界や体の内部の刺激を受けとり，それをより分け，情報に変えている．情報に基づいて体の末梢に刺激を送り，絶えず変化している状況で動物が目的に叶った反応ができるようにしている（430頁E，F）．以下に述べる機能系は一応独立しているが，周囲から孤立したものではない．極度に単純化し，模式化した図の助けを借りて，何億という神経細胞による非常に複雑な共同作業の概略を示す．

　感覚印象が脳に到達すると，運動性の反応が引き起こされるという単純な機械論的な概念はすでに100年ほど前にできていた．**デカルト**（Descartes）によると，眼からの視覚刺激は松果体に到達し，ここから筋に向かって刺激が発せられる（**A**）．彼は松果体を精神の座であると考えた．**フランツ・ガル**（Franz Gall）は，大脳皮質が脳の機能に重要な意義をもっていることを初めて提唱した．彼は「精神の器官」は大脳半球の表面に局在していると考え，大脳半球の表面の特徴は頭蓋骨の表面の変化として認めることができると信じた（**骨相学 phrenology**）（**B**）．機能局在はローマ数字で示されており，Ⅰ情欲，Ⅱ子孫に対する愛情，Ⅲ喜び，Ⅳ勇気，Ⅴ肉食欲，Ⅵ才知，Ⅶ貪欲と盗癖，Ⅷ高慢，Ⅸ虚栄と名誉欲，などである．

　脳損傷に基づいて**クライスト**（Kleist）は高次の脳機能の局在を試みた（**C**）．この際，認識，思考，衝動，行動などが病的に脱落していることは，陰性所見であり，ときとして陽性所見，つまり「機能」に相当するものではないかと考えた．しかし，この仮定は正しくはない．我々が知ることができるのはあくまで脱落症状であって，機能を局在することはできないのである（モナコウ Monakow）．局在論や中枢論を批判する人たちは，「脳の神話」のことをいう．限局した脳領域は，限局した機能に対応するものではない．なぜならば，ある働きをする際には，無数の神経結合が促進されたり，抑制されたり，修飾されている．いわゆる「中枢」とは，ある働きに対する重要な中継点にすぎないと考えられている．中枢神経系は決して硬直した器官ではなく，非常に**可塑性**に富んでいることがわかっている．特に幼若な子どもの脳では，ある中枢が障害されると，他の中枢がこれを代行するような機能を獲得する．学習能力（言語，書字，身体的熟練）が

A 眼から松果体に到達する視覚刺激（René Descartes 1662による）

B 頭蓋骨に投映した中枢の局在（Gall 1810による）

C 脳機能局在（Kleist 1934による）

あるということは，中枢器官に可塑性があることを前提としている．

　終脳での情報の変化を**統合**と呼んでいる．統合とは，貯蔵されている経験に組み込むことにより，感覚印象をつなぎ合わせ相互に結合して高度で複雑な機能単位にすることである．神経結合が絶えず調整されることによって，動物の活動は支配されている．進化の間に，要素的な生物学的な課題が調整され，協調されていく統合的な過程が，ヒトでは，意識した認識や思考および行為に発展していった．サイバネティクスとコンピュータ技術が脳機能のモデル概念を創り出した（認識学）．この概念によれば，いろいろな「機能」は，互いに関連し合っている神経の通常の回路で，絶えず変化している興奮に基づいている．

　高度に発達した技術にもかかわらず，脳の研究の最終目標に向かう手段としては，我々自身の脳という一つの手段しかない．脳という人間の器官は，それ自身の構造と機能を解明しようとしているのである．

運動系

錐体路（A，B）

　皮質脊髄路 corticospinal tract（錐体路 pyramidal tract）と皮質核線維 corticonuclear fibers（456頁A，496頁A）は**随意運動の伝導路**とみなされている．これらの伝導路を介して皮質は皮質下の運動中枢を統御している．皮質は一方でこれらの運動中枢を鈍化したり抑制したりするように作用するが，他方また皮質からは間断なく緊張性の興奮を送り出しており，それによって迅速で瞬間的な運動が起こりやすくなるのである．皮質下の運動中枢によって制御される自動的で常同的な運動 automatic and stereotyped movements は，錐体路性インパルスの影響を受けて，目的に適う微調整された運動となるように修飾される．

　錐体路の線維の起始領域は，中心前域の第4野（**A1**）と6野（**A2**），頭頂葉領域の第3，1，2野と第2知覚-運動野（第40野）（547頁，548頁）である．線維のうち，約2/3は中心前域から起こり，1/3は頭頂葉から起こる．錐体路線維のうち約60％だけが有髄であり，残りの40％は無髄である．第4野の大錐体細胞（547頁A）からの太い線維は，有髄線維の2ないし3％を占めるにすぎない．そのほかの線維はすべて小錐体細胞に由来する．

　錐体路線維は内包 internal capsule（553頁A2，B）を通る．中脳への移行部でこれらの線維は脳底側へ出てきて，皮質橋線維 corticopontine fibers とともに大脳脚底をつくる．錐体路線維はその中間部を占め，最も外側には側頭橋線維，そして最も内側には前頭橋線維が並んでいる．中間部では外側から内側へ，頭頂皮質からの線維（**B3**），下肢（L, S），体幹（Th）および上肢（C）に対する皮質脊髄線維が並び，最後に顔の領域のための皮質核線維（**B4**）が位置している．橋を通過するとき錐体路に回旋が起こる：すなわち皮質核線維が背側に，それに続いて頸髄，胸髄，腰髄および仙髄に終わる線維束が並ぶようになる．延髄では皮質核線維が脳神経核に終わっている（496頁A）．錐体交叉（**AB5**，456頁A1）では70ないし90％の線維が交叉して反対側へ行き，**外側皮質脊髄路**（錐体側索路）（**AB6**）をつくる．上肢へ行く線維は下肢への線維の上で交叉する．錐体側索路では上肢へ行く線維は内側に，下肢へ行く長い線維は外側に位置するようになる（456頁）．非交叉の線維は続いて**前皮質脊髄路**（錐体前索路）（**AB7**）の中を走り，終止領域が近づくと白交連 white commissure を通って交叉し反対側へ行く（452頁A14）．この錐体前索路には変異が多く，非対称的であったり，全く欠如していることもある．錐体前索路は頸髄ないしは胸髄までしか達していない．

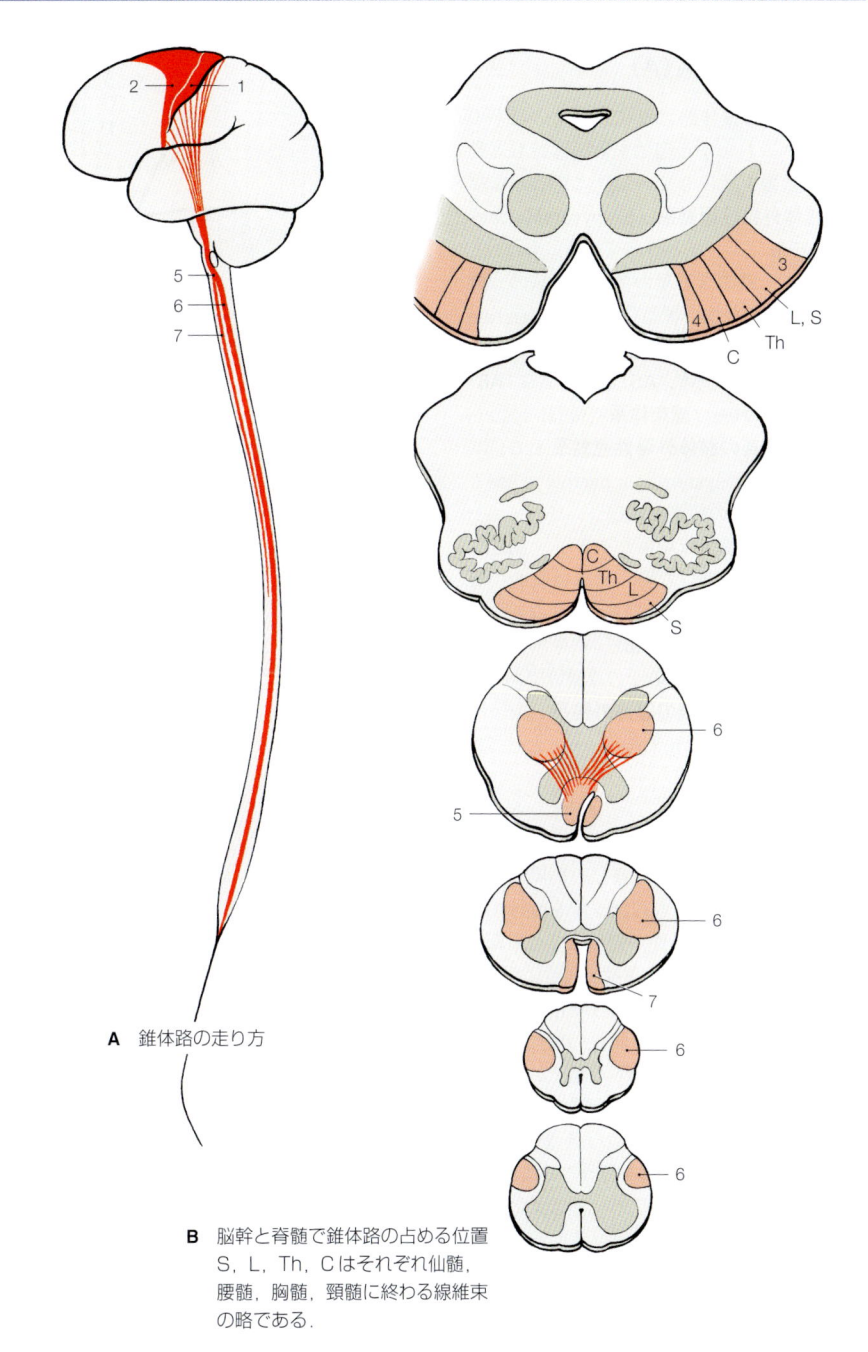

　錐体路線維は大部分が前角と後角の間にある中間帯 intermediate zone（中間質外側部 lateral intermediate substance）の介在ニューロンに終わっている．少数の線維のみが運動性前角細胞に達しているが，それは主に体肢の遠位部を支配するような線維である．体肢の遠位部は錐体路の影響を強く受けていることになる．錐体路のインパルスは屈筋を支配するニューロンには促進的に働き，伸筋を支配するニューロンに対しては抑制的に作用する．

　頭頂葉からくる線維は後索核（薄束核 gracile nucleus と楔状束核 cuneate nucleus）や後角の膠様質 gelatinous substance に終わる．これらの線維は知覚性の興奮の流入を調節している．錐体路はしたがって単なる運動路ではなく，機能的に異なったいろいろの下行系を含んでいる．

A 錐体路の走り方

B 脳幹と脊髄で錐体路の占める位置　S, L, Th, C はそれぞれ仙髄，腰髄，胸髄，頸髄に終わる線維束の略である．

> **臨床関連**：錐体路傷害の際には，痙攣性麻痺 spastic paralysis が前面に出てくる．傷害部位が錐体交叉よりも上位であれば，麻痺は傷害の反対側に発現し，傷害が交叉後であれば，同側が麻痺する（461頁参照）．脊髄前角の運動神経細胞が損傷したときは，弛緩性麻痺が生ずる．

---

1 第4野 area 4　2 第6野 area 6　3 頭頂皮質からの線維 fibers from the parietal cortex　4 皮質核線維 corticonuclear (corticobulbar) fibers　5 錐体交叉 pyramidal decussation　6 外側皮質脊髄路 lateral corticospinal tract　7 前皮質脊髄路 anterior corticospinal tract

錐体外路性運動系（A）

中心前域と錐体路以外に，多くのほかの領域や，これらから起始する伝導路も運動機能に影響を及ぼしている．このような経路は**錐体外路性運動系** extrapyramidal motor systemとして総括されている．もともとこの系は，鉄の含有量の多い神経核の一群を指したのであり，線条体 corpus striatum〔被殻（**A1**）と尾状核（**A2**）〕，淡蒼球（**A3**），視床下核（**A4**），赤核（**A5**）および黒質（**A6**）を指した（これらは**線条体系** striatal systemあるいは**狭義の錐体外路性運動系** extrapyramidal motor system in a narrow senseといわれる）．この核群と結びついていてもっと運動機能に重要な中枢があるが，問題になるのは運動核ではなく，それは統合中枢 integration centersなのである：すなわち小脳（**A7**），視床の諸核（**A8**），網様体，前庭神経核（**A9**），および若干の皮質野である．これらの領域は**広義の錐体外路系** extrapyramidal system in a broad senseとしてひとまとめにされている．

機　能

ある体肢の随意運動に際し，同時にほかの体肢と体幹の筋群も神経支配を受けているため，静力学的条件が変わっても平衡と姿勢をうまく保ち，その運動を円滑に行うことができるのである．これら随伴的な筋の働きは，しばしば筋群の緊張の増加あるいは弛緩だけのこともあるが，随意的に行われているのではなく，また意識されずに感知されているのである．このような働きなくしては，秩序だった運動を行うことはとうてい不可能である．これ以外に無意識的に行われる運動は共同運動（歩行時の腕の振子運動）であって，長い間にわたって熟練した多くの機械的に行われるいろいろな運動も含まれる．これらの運動はすべて制御機構 servomechanismとして錐体外路系の支配を受けている．この制御機構は自動的であって意識されることはないが，すべての随意運動を支えている．

経　路

この系への**求心路**は小脳を経て入ってくる．小脳路のうち歯状核赤核束（**A10**）は赤核に，またあるものは視床の正中中心（**A11**）に終わるが，ここからの線維はさらに線条体に通じている．大脳皮質からは線条体へ行く線維（**A12**），赤核へ行く線維（**A13**）および黒質へ行く線維（**A14**）が出る．前庭神経核（**A9**）からの線維はカハールの間質核（**A15**）に終わる．

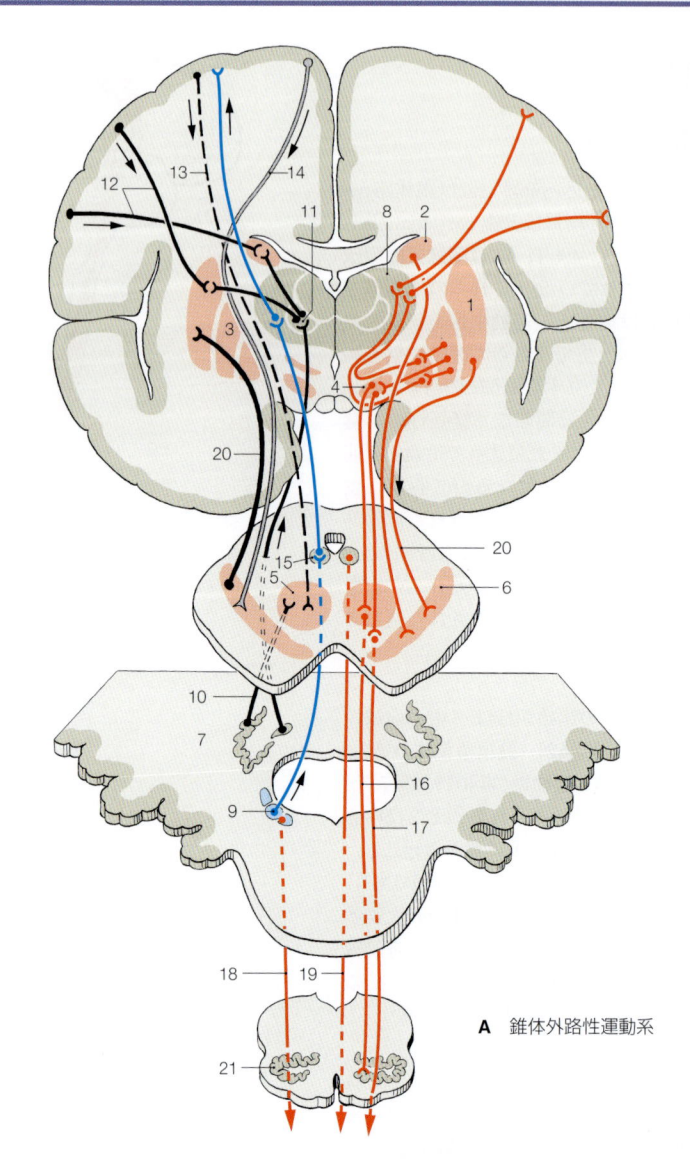

この系の**遠心路**とみなされているのは中心被蓋路（**A16**）である（498頁）．さらに下行路としては

網様体脊髄路（**A17**），
赤核網様体脊髄路 rubroreticulospinal tract,
前庭脊髄路（**A18**）および
間質核脊髄束（**A19**）である．

錐体外路中枢は多くの**ニューロン環**によって互いにつながっている．これらのニューロン環によって相互的な支配や調整がうまく行われている．相互的な結合が淡蒼球と視床下核の間，線条体と黒質との間（**A20**）に存在している．大きなニューロン環としては小脳から視床の正中中心（**A11**）を経て線条体（**A1，2**）に至り，ここから淡蒼球（**A3**），赤核およびオリーブ（**A21**）を経て小脳へ帰っていくものがある．ほかにも大脳皮質から線条体へ至る線維によって機能環がつくられているが，その際，淡蒼球，視床の前腹側核および外側腹側核を経てまた皮質へ帰ってくる結合がみられる．

前頭葉と後頭葉の眼野 eye fields（548頁C, 551頁）は，頭頂葉と側頭葉にあって強い電流を流すと複雑な全体運動 mass movementsを引き起こすような領域とともに，"錐体外路性皮質野 extrapyramidal cortical areas"といわれる．皮質領域を錐体外路系へ含ませるかどうかには議論の余地があるものの，皮質線条体結合が多数あることは認められている（**A12**）．

A　錐体外路性運動系

---

1 被殻 putamen　**2** 尾状核 caudate nucleus　**3** 淡蒼球 pallidum　**4** 視床下核 subthalamic nucleus　**5** 赤核 red nucleus　**6** 黒質 substantia nigra　**7** 小脳 cerebellum　**8** 視床の諸核 thalamic nuclei　**9** 前庭神経核 vestibular nuclei　**10** 歯状核赤核束 fastigiobulbar fibers　**11** 視床の正中中心 thalamic centrum medianum nucleus　**12** 皮質線条体線維 corticostriate fibers　**13** 皮質赤核線維 corticorubral fibers　**14** 皮質黒質線維 corticonigral fibers　**15** 間質核 interstitial nucleus (Cajal)　**16** 中心被蓋路 central tegmental tract　**17** 網様体脊髄路 reticulospinal tract　**18** 前庭脊髄路 lateral vestibulospinal tract　**19** 間質核脊髄束 interstitiospinal fasciculus　**20** 線条体黒質線維または黒質線条体線維 strionigral or nigrostriatal fibers　**21** オリーブ olive

錐体外路運動系の機能的結合（A〜D）

　運動性の機能障害が発現している，パーキンソン病の典型的な病像を理解するためには，錐体外路運動系の個々の部位の神経結合について以外に，これらの部位と逆行的に結合している神経核領域の興奮もしくは抑制が，錐体外路系に対して，どのような機能的意味をもつかをも知る必要がある．Aは，これまで知られている重要な促通性（緑）と，抑制性（赤）の結合を模式的に示している．Cは，パーキンソン病のときに変化していると記載されている現象を示す．最後にDは，パーキンソン病患者の視床下核を抑制性に刺激したとき生ずる現象を現している．視床の細胞の興奮に対して，大脳皮質の活性化が重要な意味合いをもっていることが明らかであろう．ここでは，合わせて元々は，錐体路を投射している皮質の関与を考慮しなかった"錐体外路 - 運動性"の概念が古くなり，実態を記載していないことが，わかる．しかし，臨床では，錐体外路運動系（EPS）の概念は，いまだ屡々使われている．

皮質-線条体-淡蒼球-視床-皮質 結合

直接的投射路　新皮質のいろいろな場所から（**1**），部位対応がみられる順行性の投射が線条体へ行っている（**2**）．皮質ニューロンの軸索は，促通性の神経伝達物質であるグルタミン酸を放出する．線条体のニューロンは，棘をびっしりつけた樹状突起をもっており，そこへ，皮質に由来する興奮性の線維がシナプス結合をつくっている．線条体のこの多棘性ニューロンはGABA産生性であって，淡蒼球内節に投射している（**5**）．これと同様にGABA産生性の淡蒼球内節のニューロンは視床に行く（**7**）．そして，興奮性のグルタミン酸産生性の線維が大脳皮質に向かって投射して戻る（**1**）．

間接性投射路　新皮質で賦活化した興奮性のグルタミン酸産生性の線維（**1**）は，線条体の棘の多いGABA産生性ニューロン（**2**）と，同じようにGABAをもっている淡蒼球外節へ（**3**）と，それに視床下核に投射する（**4**）．視床下核のグルタミン酸産生性のニューロンは，淡蒼球内節の抑制性ニューロンを賦活し，直接投射の場合と同様，視床ニューロンに抑制性に働きかける．そして，直接投射系の場合と同様，グルタミン酸産生性の視床からの賦活性の線維が皮質へ戻っていく（**1**）．

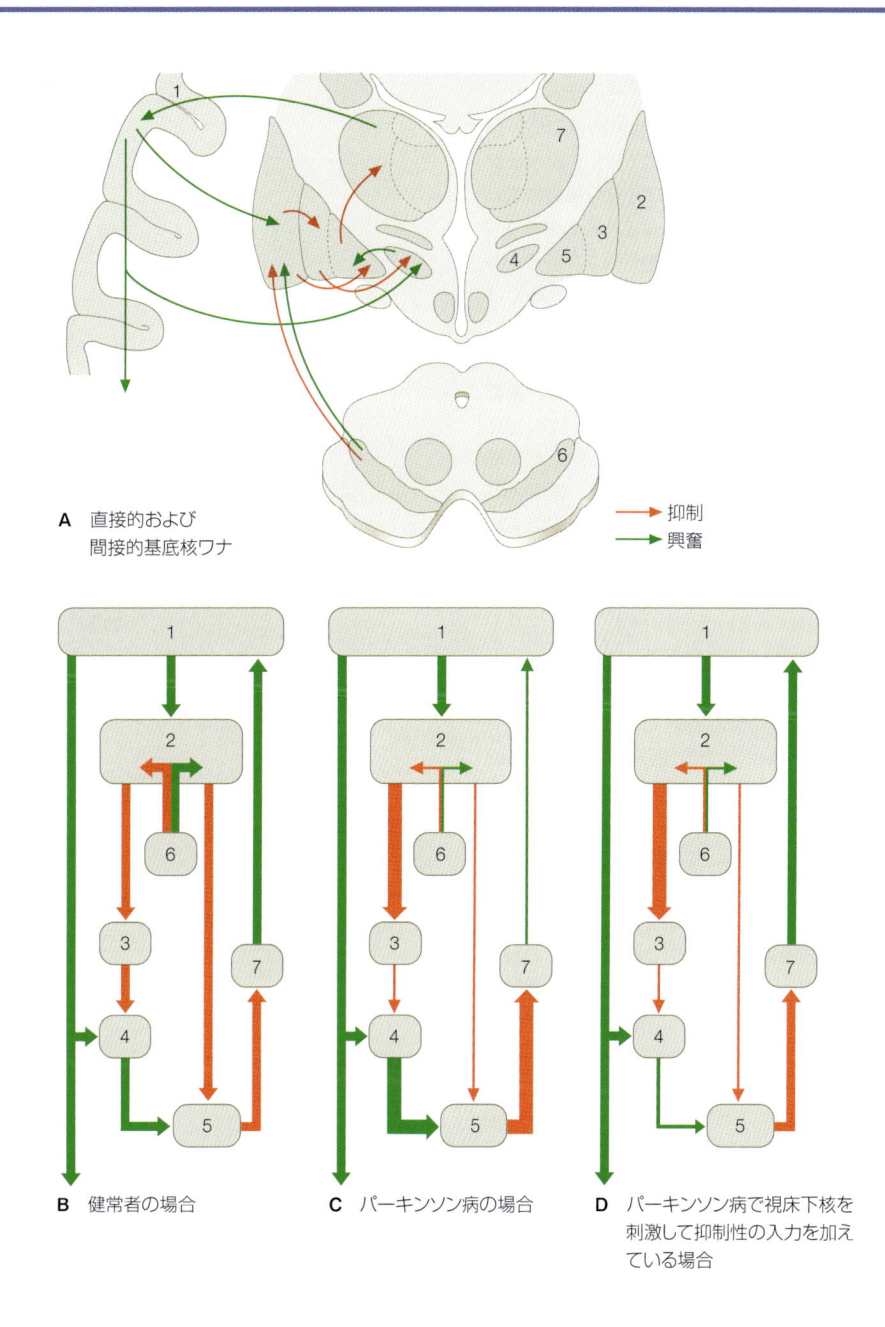

　黒質のドーパミン産生性のニューロンは（**6**），前述した2つの系に別々に働く．間接投射系には抑制的に，直接系に対しては興奮性に働く．この2つの系に対してのバランスのとれた微調整が，系の正常な機能の基礎になっている．

A　直接的および間接的基底核ワナ

→ 抑制
→ 興奮

B　健常者の場合

C　パーキンソン病の場合

D　パーキンソン病で視床下核を刺激して抑制性の入力を加えている場合

臨床関連：パーキンソン病における機能的変化．病理解剖的には本症は，ドーパミン産生性の黒質 - 線条体ニューロンの脱落である．線条体における伝達物質GABAの不足は，線条体ニューロンの過剰な活性化をもたらす．この結果，間接投射系において，淡蒼球外節のGABA作動性の抑制性ニューロンが強く抑制される．その結果，視床下核のグルタミン酸産生性の興奮性ニューロンの脱抑制が生ずる．これらに対応して，逆向きに結合している淡蒼球内節の細胞が強く活性化し，視床のニューロンの抑制が起き，そして皮質への逆向きの結合は弱まることになる（**C**）．L-DOPAによるドーパミン置換療法に加え，パーキンソン病の際に，視床下核の（抑制的）脳刺激が，傷害されている機能環に作用し，それによって，強く活性化されている淡蒼球部分を正常化するのだと説明されている（**D**）．

運動終板（A〜C）

運動性の神経線維（**A1**）は筋の中で枝分かれして，どの筋線維（**AB2**）にも1本の軸索の枝（**A3**）が分布している．1本の軸索によって支配される筋線維の数はまちまちである．眼筋や指の筋では1本の軸索は2ないし3本の筋線維を支配しているが，ほかの筋では50ないし60本の筋線維を支配している．1個の前角細胞（α運動神経細胞）の軸索によって支配される筋線維群は，一つの**運動単位** motor unit をつくっており，この神経細胞が興奮するときには運動単位をなす筋がまとまって収縮するのである．軸索の終末分枝は終わる手前で髄鞘を失ってさらに細かく分かれる．終末部の筋線維の表面には平らな高まりがつくられる［したがって終板 endplate あるいは底板（**A4**）という名称がつけられているのである］．

終末の軸索分枝（**A5**）のところには細胞核が集積している．運動終板 motor endplate では軸索分枝の上にある細胞核と，その下に位置する細胞核を区別できる．軸索の終末分枝の上にある核は軸索終末を包んでいるシュワン細胞のものである（**B6**，終末膠細胞）．終末分枝の下にある核は底板のところにある筋線維の核（**B7**）である．軸索の枝は軸索形質と筋形質の境界では柵状縁（**B8**）に囲まれているが，これは電子顕微鏡では筋線維鞘のヒダ sarcolemmal infoldings である．

軸索は底板の中へ陥入するボタン状の膨らみ（**B9**）をつくって終わっている．軸索終末を入れているくぼみは筋の形質膜と基底板で内張りされているため，軸索終末は常に膜外 extralemmal に終わっている．これらのくぼみには筋線維鞘の著しいヒダが形成され（**C10**，神経下接合ヒダ），これによって筋線維の膜の表面積は著しく拡大されている．

運動終板は特殊な形のシナプスで，そのシナプス前膜は軸索の形質膜（**C11**）であり，シナプス後膜はヒダのある筋線維の原形質膜（**C12**）である．軸索終末の基底板（**C16**）と筋線維の基底板（**C17**）はシナプス間隙（**C18**）の中で合わさって電子密度の高い間隙物質をつくる．神経の興奮を筋線維に伝える伝達物質は**アセチルコリン** acetylcholine である．アセチルコリンは明るい小胞（**BC13**）に含まれており，軸索が興奮するとシナプス間隙へ放出され，筋線維の形質膜の脱分極 depolarization を引き起こす．

A 運動終板の概観

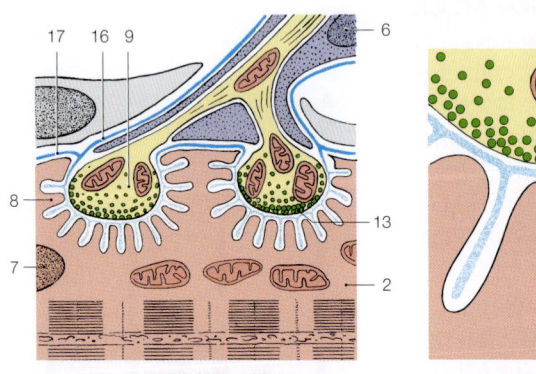

B 終板の電子顕微鏡像の模式図（Couteaux による）

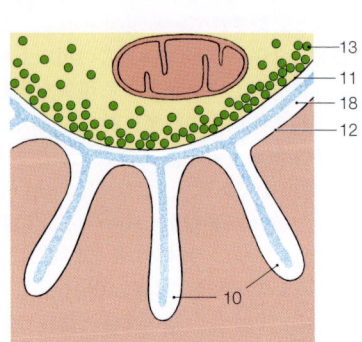

C Bの一部の拡大（Robertson による）

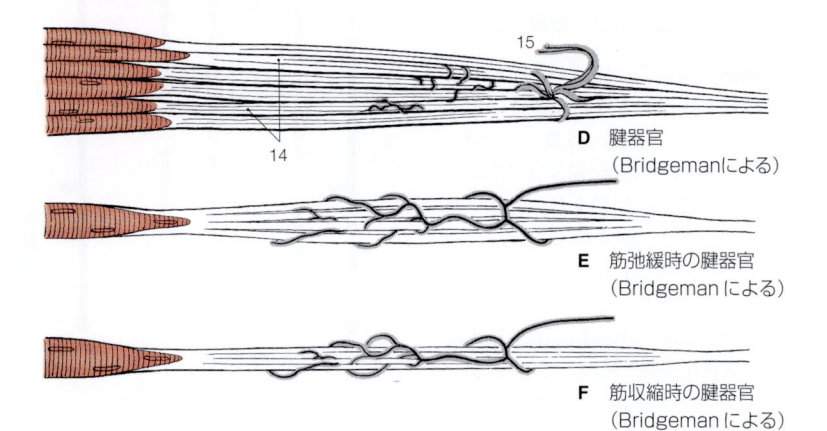

D 腱器官（Bridgeman による）

E 筋弛緩時の腱器官（Bridgeman による）

F 筋収縮時の腱器官（Bridgeman による）

腱器官（D〜F）

ゴルジ腱器官 tendon organ of Golgi（腱紡錘 neurotendinous spindle）は腱と筋の移行部にある．これは一群の膠原線維（**D14**）からなっており，これらが一枚の薄い結合組織の被膜に包まれ，有髄神経線維（**D15**）が分布している．これに神経線維は被膜を貫通して入ってくると，髄鞘を失って多数の枝に分かれ，この枝は膠原線維にまといついている．疎らに配列している膠原線維（**E**）は緊張するとぴんと張って（**F**），まといついている神経線維を変化させる．この結果として誘発されたインパルスは，神経線維によって後根を通って脊髄へ伝えられ，運動ニューロンに抑制的な影響を及ぼし，筋の過剰の伸展あるいは収縮の制動をしている．

臨床関連：重症筋無力症 myasthenia gravis においては神経筋接合の障害があり，横紋筋が異常に疲労しやすい．この症状は，早い時期から外眼筋で現れる（眼瞼下垂）．原因としては，ニコチン性アセチルコリン受容体に対する抗体ができてくる自己免疫疾患である．抗体によるブロックによって，興奮伝達に必要な十分量のアセチルコリン受容体が確保できないためと考えられている．

---

1 神経線維 nerve fibers **2** 筋線維 muscle fibers **3** 軸索の枝 axon branch **4** 底板 sole-plate **5** 終末分枝 terminal ramifications **6** 終末膠細胞 teloglia **7** 筋線維の核 muscle fiber nuclei **8** 柵状縁 palisaded border **9** 膨大した軸索終末 expanded axon terminal **10** 神経下接合ヒダ subneural junctional folds **11** 軸索形質膜 axolemma **12** 筋形質膜 sarcolemma **13** 明るい小胞 clear vesicles **14** 膠原線維 collagen fibers **15** 有髄神経線維 myelinated nerve fiber **16** 軸索終末の基底板 basal lamina of the axon terminal **17** 筋線維の基底板 basal lamina of the muscle fiber **18** 軸索終末および筋線維の基底板と共通の基底板によるシナプス間隙 synaptic cleft

筋紡錘（A～F）

　筋紡錘 muscle spindle, neuromuscular spindle は5ないし10本の細い横紋筋線維（**A1**，錘内線維）からなり，これが組織液で満たされた結合組織性被膜（**A2**）に包まれている．長さ約10mmの紡錘内の筋線維はほかの筋線維（錘外線維 extrafusal fibers）と平行して並んでおり，その筋の腱あるいは結合組織でできた被膜の極の部分に付着している．錘内線維は錘外線維と同じ縦方向に並んでいるから，錘内線維は筋の伸展と短縮の影響を一緒に受けることになる．筋紡錘の数は個々の筋でまちまちである．繊細な運動に関与する筋（指の筋）は多くの筋紡錘をもっており，簡単な運動を行う筋（体幹の筋）はごく少数の筋紡錘しか含んでいない．

　錘内線維の真ん中の赤道部（**A3**）には多数の細胞核がみられるが，ここには筋細線維はない．したがってこの部は収縮性がない．横紋のある筋細線維を含む両遠位部（**A4**）だけが収縮することができる．中間の赤道部には太い知覚線維（**A5**）が終わっている．この線維の終末はラセン状に筋線維のまわりに巻きついて**環ラセン終末**（**AC6**，**B**，一次終末）をつくっている．環ラセン終末の一側または両側には，細い知覚線維（**A7**）が一種の散形花のように付着していることがある（**A8**，**D**，**散花終末**または二次終末）．

　両端に近い収縮性のある部分には，細い運動線維（**A9**，**γ線維**）がきている．その小さな運動終板にはあまり目立たない接合ヒダがあり，錘外線維と同様に神経線維の終末は筋線維鞘の上に（epilemmal）ある．これに対して知覚性の環ラセン終末は筋線維の基底膜（**C10**）の下に（すなわち hypolemmal）ある．γ線維は前角の小さな運動細胞すなわちγニューロンに由来するもので，そのインパルスは筋線維の末端に近い部分を収縮させる．それに引き続いて起こる赤道部の伸展は，環ラセン終末の興奮を引き起こすだけでなく，筋紡錘の感受性を変化させるのである．

　筋紡錘は**伸張受容器** stretch receptor であって，筋が伸張されると興奮し，筋の収縮によってその活動は消滅する．筋が伸展される際には，発生するインパルスの頻度は筋の長さの変化につれて増加する．このようにして筋紡錘はそのときどきの筋の長さについての情報を伝えている．その興奮は脊髄小脳路を経て小脳へ伝えられるだけでなく，反射側副枝 reflex collaterals を経て直接大きな前角運動ニューロン（α運動神経細胞）へも伝えられる．筋が急に伸張されると，このニューロンが興奮して，直ちにこの筋の収縮を引き起こす（**伸張反射** stretch reflex，452頁）．

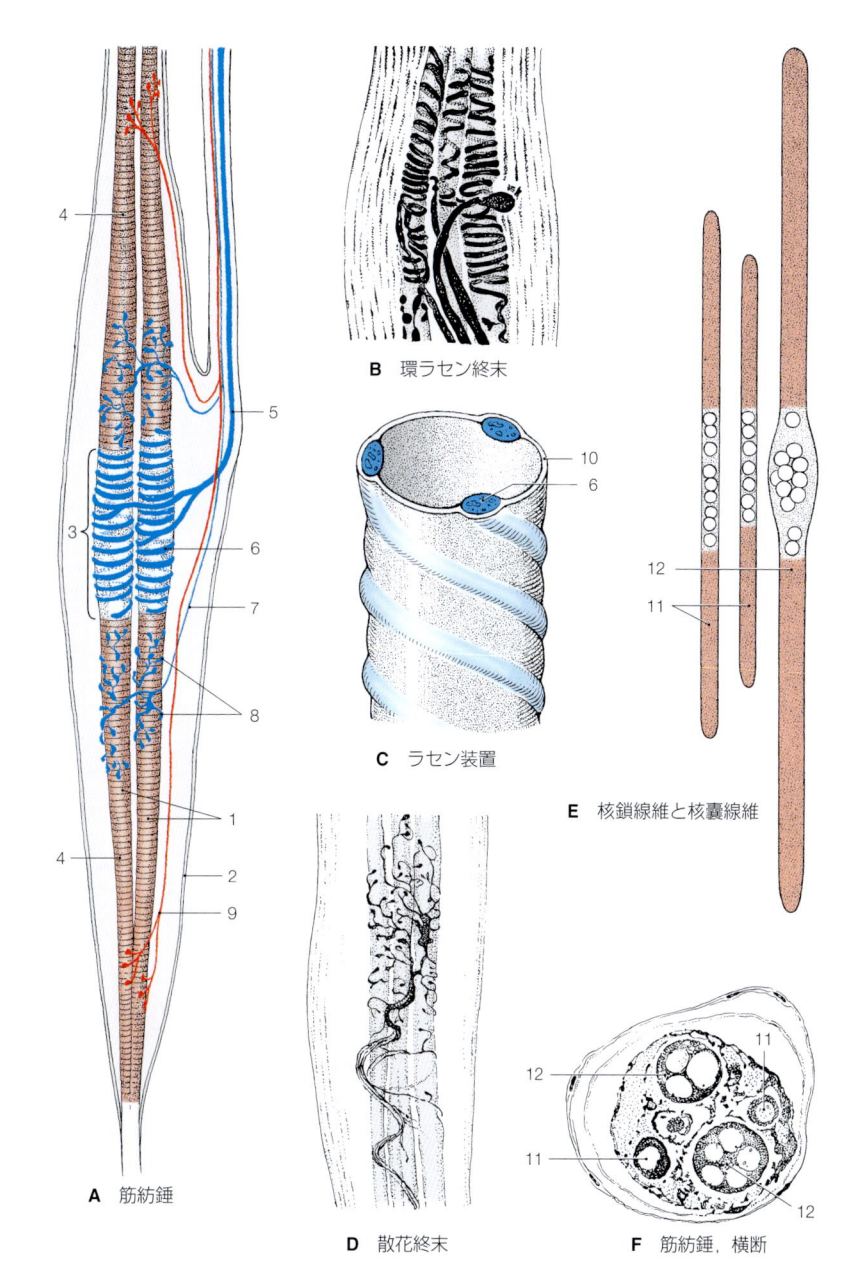

　筋紡錘は2つの異なった種類の錘内線維を含んでいる：**核鎖線維**（**EF11**）と**核嚢線維**（**EF12**）である．両種の筋線維にはいずれも環ラセン終末が巻きついている．散花終末は主に核鎖線維に認められる．核嚢線維は筋の急激な伸張に反応するのに対し，核鎖線維は筋の持続する伸張状態を感受する．筋紡錘は筋の長さについての情報だけでなく，伸展の速度についての情報をも小脳へ伝えるのである．

　腱器官と筋紡錘のほかにも関節嚢と靱帯に感覚終末器官（**張力受容器**）があり，体幹と四肢の運動と姿勢についての情報を絶えず小脳に伝えている（前脊髄小脳路と後脊髄小脳路）．

A 筋紡錘
B 環ラセン終末
C ラセン装置
D 散花終末
E 核鎖線維と核嚢線維
F 筋紡錘，横断

1 錘内線維 intrafusal fibers　**2** 結合組織性被膜 connective tissue sheath　**3** 赤道部 equatorial part　**4** 遠位部 distal parts　**5** 太い知覚線維 thick sensory fiber　**6** 環ラセン終末（一次終末）annulospiral endings (primary endings)　**7** 細い知覚線維 fine sensory fiber　**8** 散花終末（二次終末）flower spray endings (secondary endings)　**9** γ線維 γ-fiber　**10** 筋線維の基底膜 basal lamina of the muscle fiber　**11** 核鎖線維 nuclear chain fibers　**12** 核嚢線維 nuclear bag fibers

運動性最終共通路（A）

運動機能に関与するすべての中枢の最終共通路 final common [motor] pathway は，大型の**前角細胞**（**A1**）とその軸索であり（α ニューロン），この軸索が随意性の骨格筋へ行っているのである．前角へきている伝導路の大部分は前角細胞には直接終わらず，介在ニューロン interneurons に終わっている．この介在ニューロンは運動ニューロンに直接影響を及ぼしたり，あるいは筋受容器と運動ニューロンの間で行われる反射に介入して抑制的または促進的に働く．したがって前角ははじめに（452頁）示したような単純な中継所ではなく，運動機能を調整するための複雑な統合装置なのである．

下行路を介して運動機能に影響を及ぼす**中枢の諸領域**は，互いにつながり合っている．最も重要な求心路は小脳から出る．小脳は**脊髄小脳路**（**A2**）を介して筋受容器からのインパルスを，また**皮質橋路**（**A3**）を介して大脳皮質の興奮を受け入れる．歯状核の小細胞性部（**A4**）と視床の外側腹側核（**A5**）を経て，小脳からのインパルスは中心前皮質（**A6**，第4野）へ伝達される．第4野からは**錐体路**（**A7**）が起こり脊髄前角へ下行するが，その際に橋（**A8**）で小脳へ帰っていく側副枝を出す．このほか小脳からのインパルスには栓状核（**A9**）と視床の中心正中核（**A10**）を経て線条体（**A11**）へ行くものと，歯状核の大細胞性部（**A12**）を経て赤核（**A13**）へ行くものとがある．赤核から出る線維は中心被蓋路（**A14**）を通りオリーブ（**A15**）を経て小脳へ帰るもののほか，赤核網様体脊髄路（**A16**）を通って前角へ至るものもある．球状核（**A17**）から起こる線維はカハールの間質核（**A18**）へ行き，間質核からの線維は間質核脊髄束（**A19**）を通って前角へ行く．最後に，**小脳から出る線維**には前庭神経核（**A20**）と網様体（**A21**）で，それぞれ前庭脊髄路（**A22**）と網様体脊髄路（**A23**）に切り替えられるものがある．

下行路は筋に対する作用に従って2群に分けられる．1群は屈筋を興奮させるもので，もう1群は伸筋を興奮させるものである．**錐体路**と**赤核網様体脊髄路**は主に屈筋を支配するニューロンを活動させ，伸筋を支配するニューロンを抑制している．これは繊細で正確な運動，特に手や指の筋の運動に関与する錐体路のもつ機能的意義とよく一致している．実際，手や指の筋のうちでは屈筋が決定的な役割を演じているのである．逆に，**前庭脊髄路**の線維と**橋の網様体**から起こる線維は，屈筋を抑制し，伸筋を活動させるのである．これらの線維は系統発生的に古く，重力にさからう運動を調節する系の構成成分である．この系はからだの姿勢と平衡のために特に大切な意義をもっているのである．

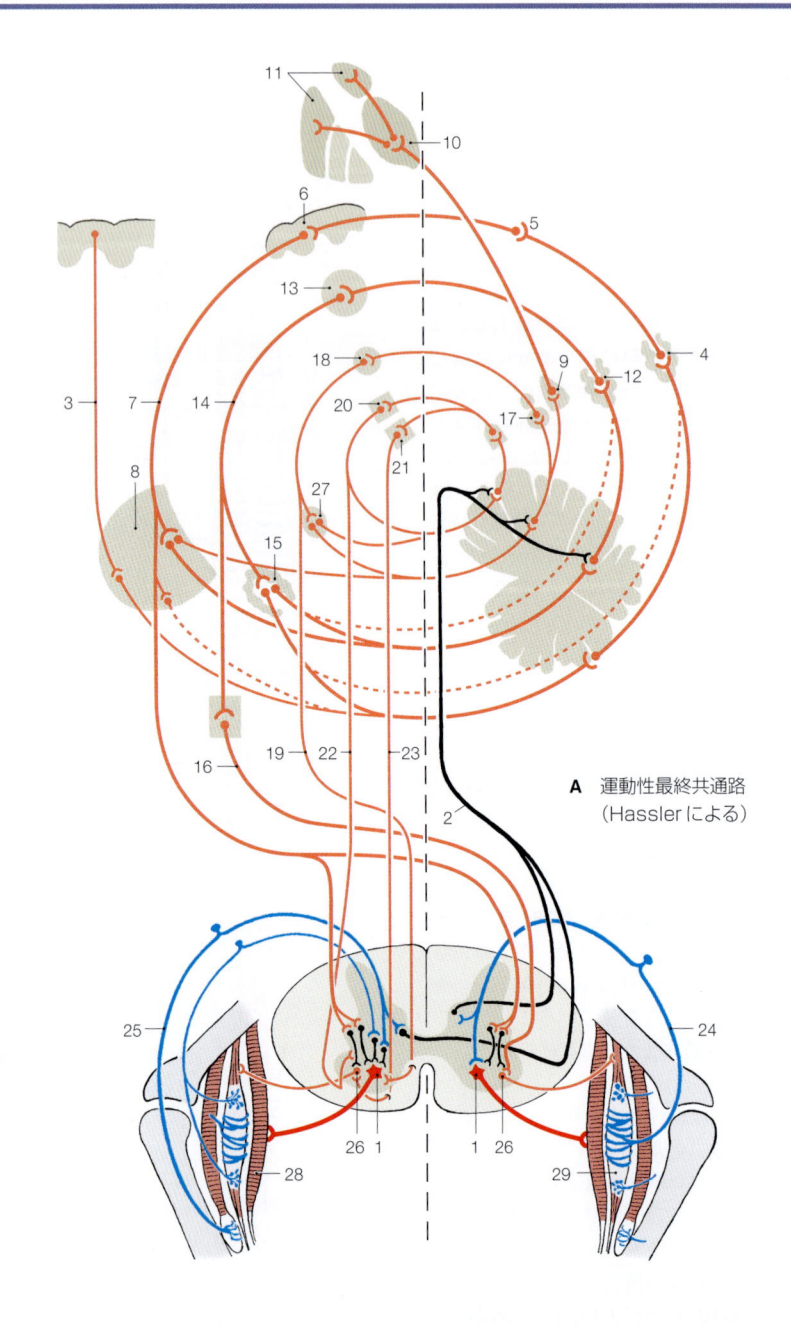

後根を通って前角に至る**末梢の線維**は筋受容器からやってくる．環ラセン終末の求心線維（**A24**）は側副枝を出しながら直接α ニューロンに終わる．また腱器官からの線維（**A25**）は介在ニューロンに終わっている．多くの下行路は脊髄の反射装置を介してα ニューロンに影響を及ぼす．これらの下行路は大きいαニューロンと小さなγニューロン（**A26**）に終わっている．γニューロンは刺激閾値が低いから，γニューロンがまず最初に興奮し，それが筋紡錘を活性化する．そして筋紡錘はインパルスをαニューロンに送り込む．したがってγニューロンと筋紡錘は随意運動にとって一種の始動装置としての機能をもつことになる．

A 運動性最終共通路（Hassler による）

---

1 大型の前角細胞 large anterior horn cells　**2** 脊髄小脳路 spinocerebellar tract　**3** 皮質橋路 corticopontine tracts　**4** 歯状核の小細胞性部 parvocellular part of the dentate nucleus　**5** 視床の外側腹側核 ventral lateral nucleus of thalamus　**6** 中心前皮質（第4野）precentral cortex (area 4)　**7** 錐体路 pyramidal tract　**8** 橋 pons　**9** 栓状核 emboliform nucleus　**10** 中心正中核 centromedian nucleus　**11** 線条体 striatum　**12** 歯状核の大細胞性部 magnocellular part of the dentate nucleus　**13** 赤核 red nucleus　**14** 中心被蓋路 central tegmental tract　**15** オリーブ olive　**16** 赤核網様体脊髄路 rubro-reticulo-spinal tract　**17** 球状核 globose nucleus　**18** カハールの間質核 interstitial nucleus (Cajal)　**19** 間質核脊髄束 interstitiospinal fasciculus　**20** 前庭神経核 vestibular nuclei　**21** 網様体 reticular formation　**22** 前庭脊髄路 lateral vestibulospinal tract　**23** 網様体脊髄路 reticulospinal tract　**24** 求心線維（環ラセン終末からの）afferent fibers from the annulospiral endings　**25** 求心線維（腱器官からの）afferent fibers from the tendon organs　**26** γニューロン γ-neurons　**27** 副オリーブ核 accessory olivary nucleus　**28** 骨格筋 skeletal muscle　**29** 筋紡錘 muscle spindle

感覚系

皮膚の感覚器官*（A～F）

皮膚には多数の終末器官が備わっている．これらの終末器官は異なった構造をもち，特定の刺激に対して異なる感受性を示すことが特徴である．種々の感覚の質に特定の終末器官を帰属させることにはまだ議論の余地があるから，ここでは神経終末を形態学的な見地から

- 自由神経終末 free nerve endings,
- 被包終末器官 encapsulated end-organs および
- これら両者の移行型 transitional forms

とに分けることにする．

自由神経終末（A～C，F）

自由神経終末はからだのほとんどすべての組織に分布している．皮膚ではこれらは胚芽層 germinative layer の下層にまで達している．軸索は終末の近くで髄鞘を失って，シュワン細胞の被膜のすき間から，ただ基底膜をかぶっただけの結節状または指状の突起を出している．これらが自由神経終末の受容部であって，この部分が興奮すると痛覚や冷覚を感じるのである．

細い神経線維が**毛根** hair root に輪状にまといついて，毛幹と平行して上行あるいは下行している（**A**）．その受容終末は髄鞘を失い2面でシュワン細胞（**B1**）にはさまれており（サンドウィッチの詰めもの sandwich packing），その結果，終末部分全体を走る1条の間隙（**B2**）が生じ，これを通じて基底膜にだけ覆われた軸索が表面へ現れている．このような神経終末（**C3**）が毛（**C4**）のまわりに，放射状に並んでいる．毛が動くと神経終末に機械的刺激が作用し，それが触覚として感じとられる．

同様に毛根には**メルケル触覚細胞**（**F5**）という大きな明るい上皮細胞が数多くみられる．この細胞は外根鞘の基底細胞（**F6**）の間にあって指状の突起（**F7**）を周囲にのばしている．毛が動いてこれが変形すると，神経線維（**F8**）の興奮が引き起こされる．神経線維は硝子膜（**F9**）を通り抜ける際に髄鞘を失い，枝分かれしていくつかの触覚細胞に終わる．軸索の終末部分は膨大して触覚円板（**F10**）となり，メルケル細胞に密に接してシナプス様の膜の接触部（**F11**）をつくってつながっている．

被包終末器官（D，E）

マイスナー触覚小体 tactile corpuscles of Meissner（**D，E**）は真皮乳頭の中にある．これらは手掌や足底に最も密に見出され，特にその遠位端すなわち指先の掌側面（特に示指のそれ）には，ほかの部分の掌側面よりも密に存在している．このような分布は繊細な触覚にとって，この小体が大切であることを示唆している．

触覚小体（**E**）というのは卵形の構造物であって，薄板状に重層した細胞（おそらくシュワン細胞）からなっており，全体が薄い被膜で包まれている．1本あるいは数本の軸索（**E12**）がこの小体の中へ入り込んで，髄鞘を失い，重層した細胞の間をもつれ合ってラセン状に走っている．軸索の棍状の膨らみ（**E13**）は受容に関係する部分とみなされている．この小体の被膜の中へは膠原細線維の束（**E14**）が入り込んでいる．この膠原細線維束は表皮の張細線維 tonofibrils に続いており，機械的に起こされた皮膚表面の変形をこの受容器に伝えるのである．

*cutaneous sensory organs

A 概観
B 神経終末の電子顕微鏡像による模式図（Andresによる）
A～C 毛の自由神経終末
C 毛の神経終末の並び方（Andresとvon Düringによる）
D 皮膚におけるマイスナー小体
E マイスナー小体
F メルケル触覚細胞の電子顕微鏡像による模式図（Andresとvon Düringによる）

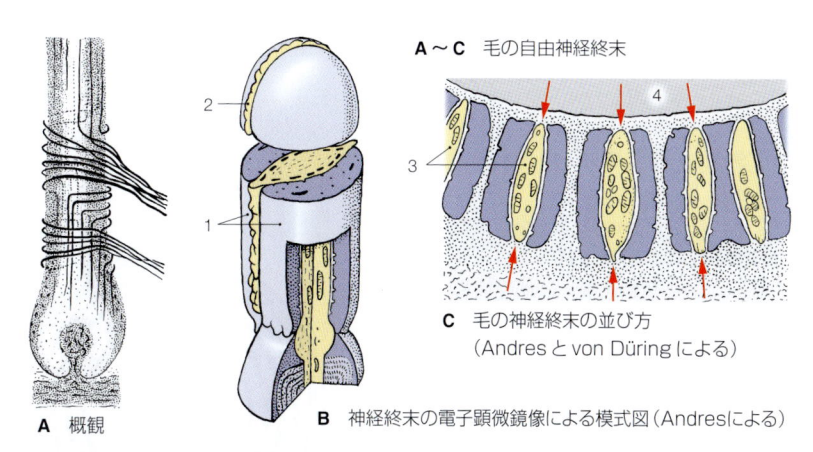

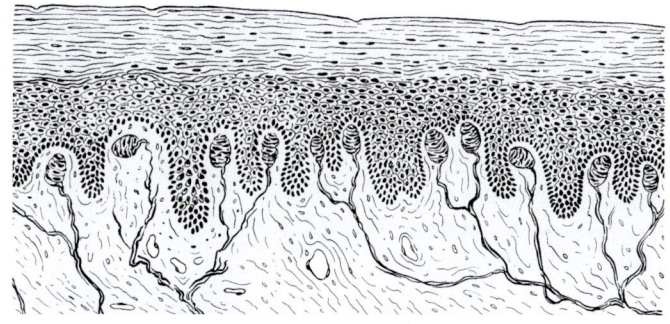

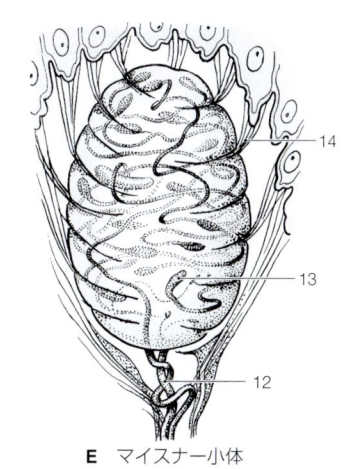

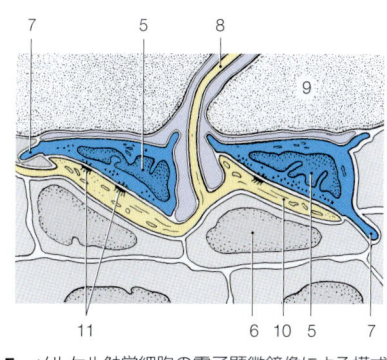

---

1 シュワン細胞 Schwann cells　**2** 間隙 cleft　**3** 神経終末 nerve endings　**4** 毛 hair　**5** メルケル触覚細胞 tactile cells of Merkel　**6** 基底細胞 basal cells　**7** 指状の突起 finger-shaped processes　**8** 神経線維 nerve fibers　**9** 硝子膜 glassy membrane　**10** 触覚円板 tactile discs of Merkel　**11** シナプス様の膜接触 synapselike membrane contact　**12** 軸索 axon　**13** 終末の棍状の膨らみ club shaped terminal swellings　**14** 膠原細線維の束 collagen fibril bundles

皮膚の感覚器官(続き)

被包終末器官(続き)(A～C)

ファーター・パチニ層板小体 lamellated corpuscles of Vater-Pacini (**A～C**) は比較的大きく，長さが4mmにも及ぶ小体であって，皮膚の下すなわち皮下組織の中に分布している．この小体は皮膚のほか腸間膜，骨膜，関節の周囲および腱や筋膜の表面にも存在している．

この層板小体は多数の同心円状に層をなす薄板からなっているが，この層板に次の3層を区別することができる：

被膜 capsule，
外層板層 outer lamellar layer (外球 outer bulb)，
内球 inner bulbである．

被膜(**A1**)は結合組織線維で強化された数層の密な層板でつくられている．**外層板層**(**AC2**)は閉ざされた輪状の原形質の層板(**B3**)からなっており，これらの層板は互いに交通がなく，液で満たされた腔で隔てられている．被膜と外層板層は神経周膜 perineurium が分化したものと考えられている．液を含まない**内球**の密な層(**A～C4**)はシュワン細胞によってつくられている．内球を構成するのは，(横断面では)半円を描く層板の2つの集積(**B5**)であって，これらが中心にある軸索を対称点として配置されており，この積層は放射状に走る間隙によって分けられている．これらの原形質の層板は互いに重なり合う2枚の半円状の層板がそれぞれ別のシュワン細胞に由来するように，交互に配列している．神経線維(**AC6**)は層板小体の一極から入り，内球の中心を通ってその端にまで達している．この神経線維は内球の起始部で髄鞘(**A7**)を失い，いくつかのまるい膨らみをつくって終わっている．内球の中にあって髄鞘のない区間の軸索(**A～C8**)は，感覚の受容に関与している部分である．神経周膜(**A9**)については448頁CD9を参照．

ファーター・パチニ層板小体は単に圧受容器であるだけでなく，特に振動受容器としても作用する．分離したこの小体から電気活動を導出すると，この小体は変形させられると興奮し，また変形から元へ戻るときにも興奮するが，持続的に圧を加えても興奮しないことがわかる．振動受容器としても高い感受性をもっており，実験中にそばを通る人が起こした床の振動をこの層板小体が感じるほどである．

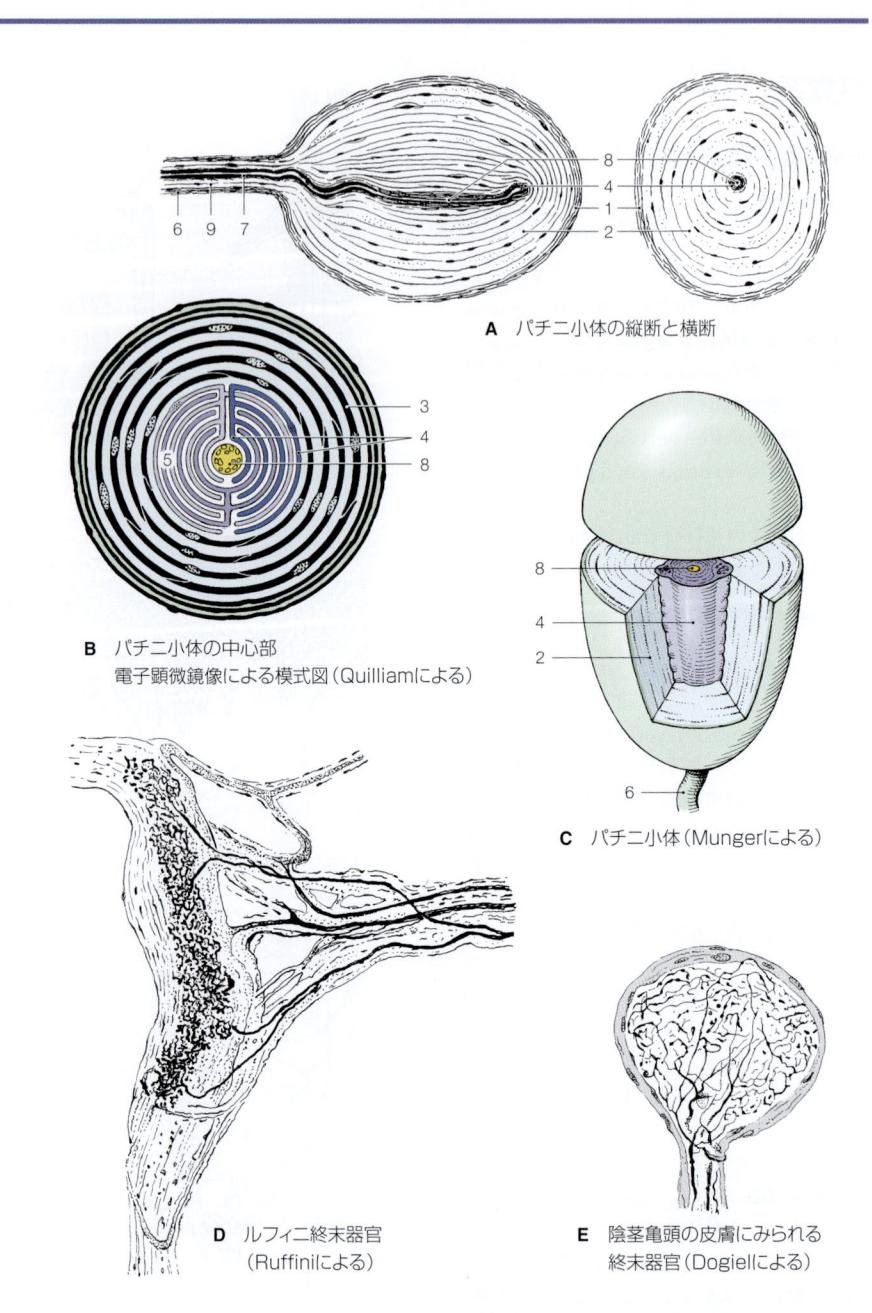

A パチニ小体の縦断と横断

B パチニ小体の中心部
電子顕微鏡像による模式図(Quilliamによる)

C パチニ小体(Mungerによる)

D ルフィニ終末器官
(Ruffiniによる)

E 陰茎亀頭の皮膚にみられる終末器官(Dogielによる)

移行型(D, E)

自由神経終末と被包終末器官の間には多くの移行型 transitional forms がある．どのような移行型においても，神経線維は細かく分かれて終末複合 terminal complexes をつくる．その中では細い軸索の枝が糸球状または叢状をなし，まるい膨らみをつくって終わる．このような構造は1枚ないし数枚の厚い結合組織性被膜に包まれている．この移行型に属するものは，真皮の乳頭層にある卵形のクラウゼ終末球 end bulbs of Krause，皮下組織にあるまるいゴルジ・マツォニ小体 corpuscles of Golgi-Mazzoni および細長いルフィニ終末器官 end organs of Ruffini (**D**) である．このような装置は単に皮膚にみられるだけでなく，粘膜，関節包，内臓の被膜および大きな動脈の外膜にも存在している．種々のかわった受容装置が生殖器に，特に陰茎亀頭や陰核にみられる(**E**，陰部小体 genital corpuscles)．

前述のように，異なった感覚の質を特定の終末器官に帰属させることについては議論の余地がある．機械刺激受容器 mechanoreceptors としては小体状になった終末器官が，そして痛覚受容器 pain receptors としては自由神経終末が意義あるものとして承認されてはいる．温覚および冷覚が生じる機構についてはまだよくわかっていない．いずれにせよ，受容器がそれぞれ異なった構造を示すということは，受容器が刺激を選択するという考え方にとって有利であると思われる．

---

1 結合組織性被膜 connective tissue sheath　**2** 外層板層(外球) outer lamellar layer (outer bulb)　**3** 原形質の層板 protoplasmic lamellae　**4** 内球 inner bulb　**5** 半円を描く2つの層板の対称的な集積 two symmetrical stacks of half-lamellae　**6** 神経線維 nerve fibers　**7** 髄鞘 myelin sheath　**8** 裸の軸索 naked axon　**9** 神経周膜 perineurium

識別性知覚の伝導路（A〜C）

触覚，振動覚ならびに関節覚を伝える神経線維は脊髄神経節（**A1**）の細胞から出ており，顔面と副鼻腔へ行く神経線維は三叉神経節（ガッセルの半月神経節）を構成する神経細胞（**A2**）に由来している（第1ニューロン）．触覚刺激は種々の線維を通って伝えられる：有髄の厚い太い線維は小体状の終末器官に終わり，細い線維は毛に終わっている．神経節ニューロンの求心性突起は後根を経て脊髄へ入ってくる．このうち，太い有髄線維は後根の内側部を通っている（458頁F8）．これらの太い線維は後索（**AB3**）へ移行していくが，その際，新たに入ってくる線維は外側に位置するため仙腰部からの線維は内側にあり，胸頸部からの線維は外側にみられるようになる．仙腰部からの線維束は薄束（ゴル）（**B4**）を，胸頸部からの線維束は楔状束（ブルダッハ）（**B5**）をつくる．

このような第一次線維（薄束と楔状束）は，薄束核（**B7**）や楔状束核（**B8**）などの後索核（**A6**）の細胞（第2ニューロン）に一定の秩序をもって終わっている．後索核の個々のニューロンは，それぞれ特定の種類の受容器からのインパルスを受けとっている．その際，体肢の遠位部（手，指）では1個の神経細胞が支配している皮膚領域は小さく，四肢の近位部へ行くにつれて支配領域は次第に広くなる．特定の受容器からのインパルスを受けとるニューロンは，電気生理学的研究の示すところによると，局在的に配列している．すなわち表面近くには毛の受容器のための細胞が，中央部には触覚器官のための細胞が，そして深部には振動受容器のための細胞が位置している．

後索核へは中心回域（中心前回と中心後回）から出る遠皮質線維が錐体路を介してやってくる：すなわち中心回域の下肢野からの線維は薄束核に終わり，その上肢野からの線維は楔状束核に終わっている．これらの遠皮質性線維は後索核のニューロンに対してシナプス後またはシナプス前抑制をかけることによって，流入してくる求心性インパルスを減衰させている．このようにして，皮質はこの中継核 relay nuclei で末梢からの興奮の流入を調節することができるようになっている．

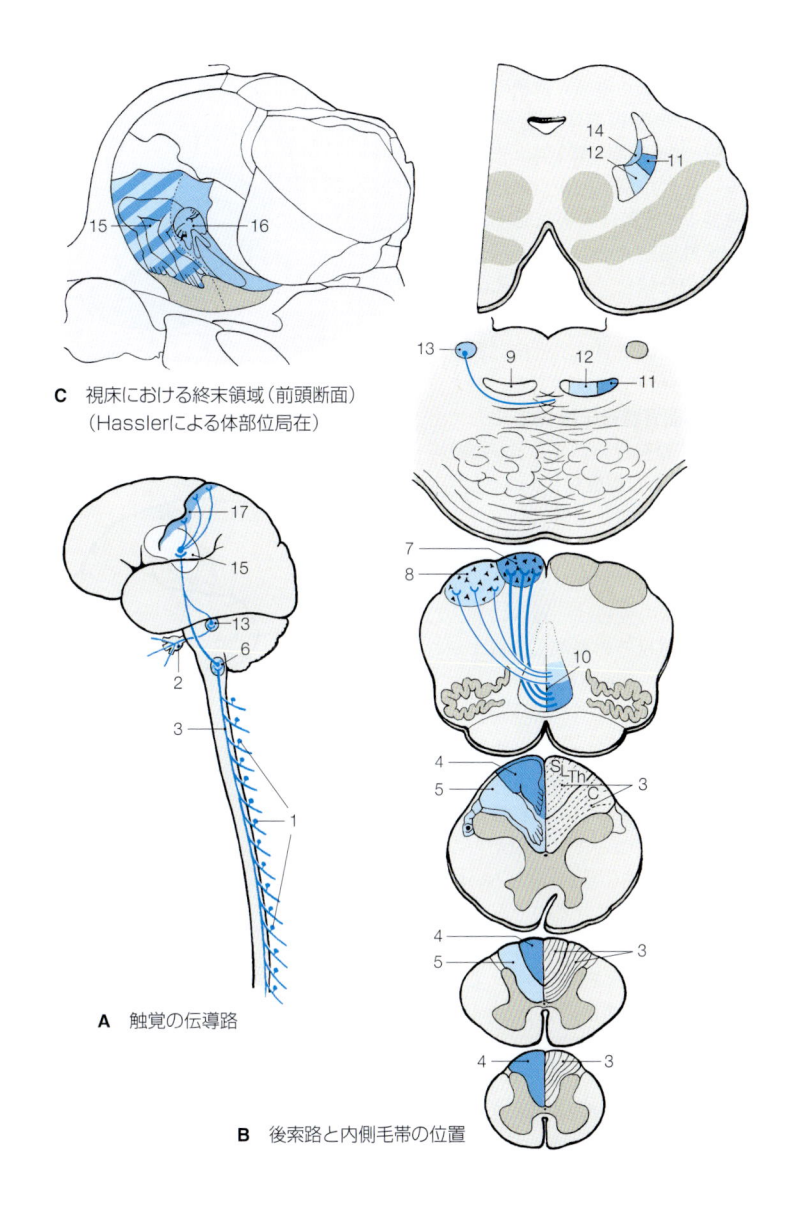

C 視床における終末領域（前頭断面）（Hasslerによる体部位局在）

A 触覚の伝導路

B 後索路と内側毛帯の位置

後索核から上行する第二次線維（第2ニューロン）は内側毛帯（**B9**）をつくる．その際，毛帯交叉（**B10**）でこれらの線維は交叉して反対側へ行くが，薄束核からの線維（**B11**）は腹側で，楔状束核からの線維（**B12**）は背側で交叉している．その後の経路では薄束線維は外側位を，楔状束線維は内側位をとるようになる．橋の高さでは，三叉神経主知覚核（**B13**）からの第二次線維が合流し，この線維は中脳では内側毛帯の背内側（**B14**）につけ加わってくる．

内側毛帯は視床の後腹側核の外側部（**AC15**）へ行く：薄束核からの線維束はその中で外側に終わり，楔状束核からのものは内側に終わっている．この後腹側核の内側部（**C16**）には三叉神経核からの線維も終わっている．以上のことから，この核の体性局在による区分が明らかになる．視床から中心後回（**A17**）の皮質へ行く投射線維（第3ニューロン）の中でもこの配列は保たれており，中心後域の局在の基礎をなしている（549頁）．

識別性知覚の伝導路もやはり，持続する3つのニューロンからなっており，各接続部位と終止部位では体性局在的配列が証明されている

---

1 脊髄神経節 spinal ganglion 2 三叉神経節（ガッセルの半月神経節）trigeminal ganglion (Gasserian ganglion) 3 後索 posterior funiculus 4 薄束 gracile fasciculus (Goll) 5 楔状束 cuneate fasciculus (Burdach) 6 後索核 nuclei of the posterior funiculus 7 薄束核 gracile nucleus 8 楔状束核 cuneate nucleus 9 内側毛帯 medial lemniscus 10 毛帯交叉 (medial) lemniscal decussation 11 薄束核からの線維 fibers from the gracile nucleus 12 楔状束核からの線維 fibers from the cuneate nucleus 13 三叉神経主知覚核 trigeminal main sensory nucleus 14 三叉神経核からの線維 secondary fibers from the trigeminal nuclei 15 後腹側核の外側部 lateral part of the ventral posterior nucleus (= ventral posterolateral nucleus, VPL) 16 後腹側核の内側部 medial part of the ventral posterior nucleus (= ventral posteromedial nucleus, VPM) 17 中心後回 postcentral gyrus

原始性知覚の伝導路（A～C）

痛覚と温度覚を伝える細く髄鞘の薄い，あるいは無髄の神経線維は，脊髄神経節（**A1**）の小さな神経細胞（第1ニューロン）に由来する．その中枢へ向かう突起は後根の外側部を通って脊髄に入り（458頁F7），リサウエル後外側路 dorsolateral tract of Lissauer の中で分枝し，膠様質 gelatinous substance の背側部にある細胞や後角にある他の細胞に終わる（455頁A2）．第二次線維（第2ニューロン）は交叉して反対側へ行き，前側索の中を**外側脊髄視床路（B2）**として上方へ向かう．この神経路はまとまった線維群ではなく，まばらな線維束しかつくらず，これにはほかの系の線維も混入している．種々の根の高さで新たに入ってくる線維は腹内側につけ加わる．したがって，仙髄からの線維は前側索の表層に，最後に加入した頸髄からの線維はその深部に位置することになる（455頁A1，496頁B8）．

インパルスの流入は中心回域，小脳の前葉および網様体に始まり，膠様質に終わる下行路によって調節される．膠様質は一種の中継核であって，ここでは末梢からの興奮が，より高位の中枢の促進的あるいは抑制的影響によって変調されるのである．この膠様質では多数の軸索間シナプス axo-axonic synapses が証明されており，このようなシナプスはシナプス前抑制 presynaptic inhibition に特徴的なものである．

延髄では，この外側脊髄視床路（脊髄毛帯）はオリーブの背外側縁にあって，多数の側副枝を延髄網様体へ送っており，ここにもかなりの数の線維が終わっている（脊髄網様体路 spinoreticular tract）．網様体のこの領域は上行性賦活系 ascending activating system（499頁）の1成分であって，その興奮によって生体は鮮やかな覚醒状態がもたらされる．したがって**痛覚路**の中を行くインパルスは単に意識的な感覚を引き起こすだけではなく，網様体を介して注意力の向上にも役立っているのである．これに反し識別性知覚の伝導路は側副枝を出すことなく脳幹を素通りしていく．

脊髄から視床へ行く線維は中脳で内側毛帯 medial lemniscus に合流して，その背外側を占めている．これらの線維の大部分は視床の後腹側核（**AC3**）の中で体性局在的配列を示して主に腹側の小細胞性領域に終わる．ここから第三次線維（第3ニューロン）が出て中心後域（**A4**）へ行く．そのほかの脊髄視床線維はほかの視床核，例えば髄板内核 intralaminar nuclei などにも終わっている．

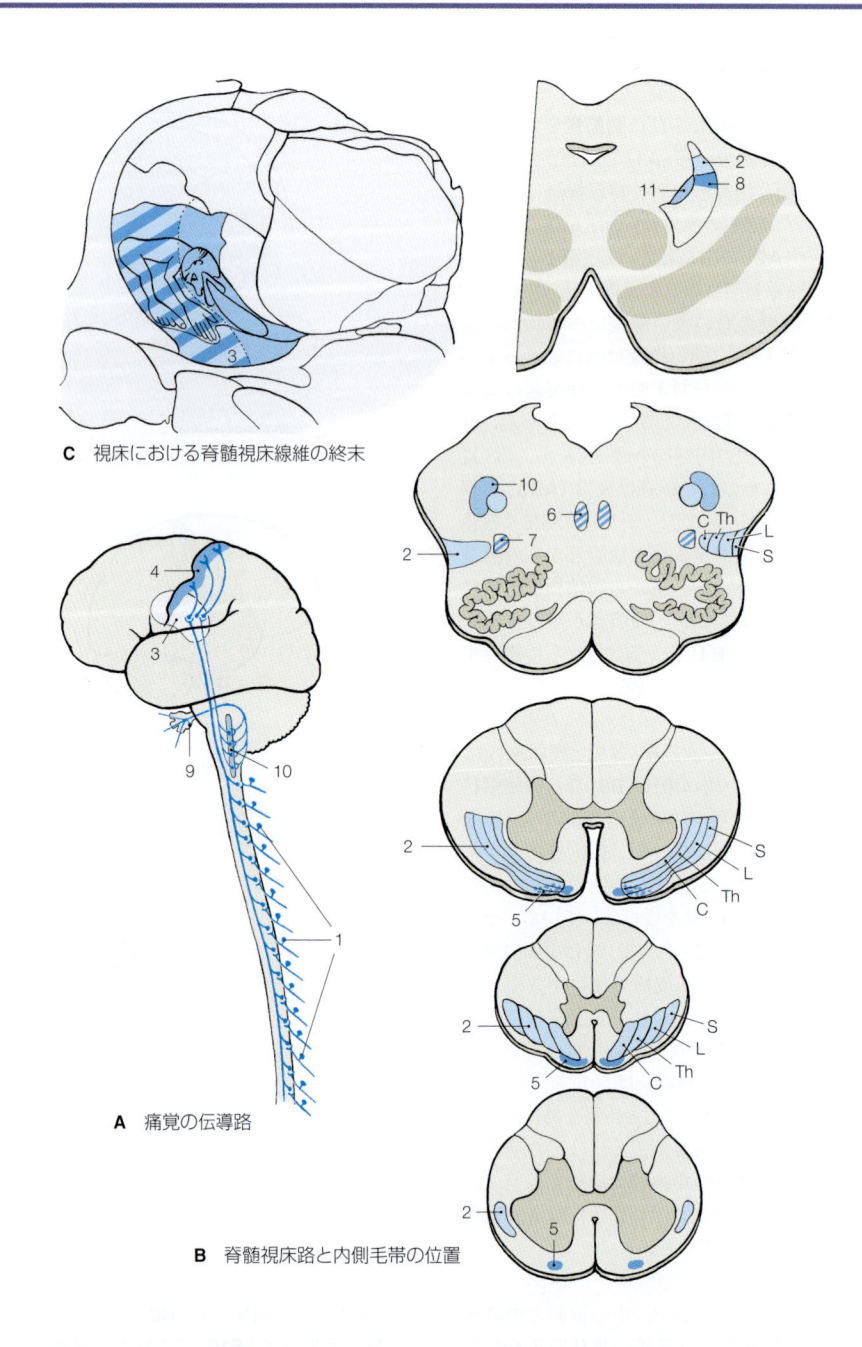

前脊髄視床路（B5）によって**粗い触覚と圧覚**が伝えられる．これらの線維（第2ニューロン）は交叉して後角から反対側の前索へ行く（455頁A3）．延髄ではこの神経路の位置は確定していない：この神経路は内側にあって内側毛帯の背側にある（**B6**）とも，あるいは外側にあってオリーブの背側にある（**B7**）ともいわれている．橋と中脳ではこれらの線維は内側毛帯に合流してきて（**B8**），視床の後腹側核のニューロン（第3ニューロン）に終わる．

顔面と副鼻腔からの痛覚線維と温度覚線維は三叉神経節（**A9**）のニューロンに由来するもので，その中枢へ向かう突起は三叉神経脊髄路を下行しながら三叉神経脊髄核（**AB10**，488頁BC4）に終わっている．三叉神経脊髄路では痛覚を伝える線維は外側に，温度覚を伝える線維は内側に位置している．第二次三叉神経線維（**B11**，三叉神経毛帯）は内側毛帯に合流する．

C 視床における脊髄視床線維の終末

A 痛覚の伝導路

B 脊髄視床路と内側毛帯の位置

---

1 脊髄神経節 spinal ganglion　**2** 外側脊髄視床路 lateral spinothalamic tract（脊髄毛帯 spinal lemniscus）　**3** 後腹側核 ventral posterior nucleus　**4** 中心後域 postcentral region　**5** 前脊髄視床路 anterior spinothalamic tract　**6, 7** 延髄での前脊髄視床路の想定位置 putative position of the ventral spinothalamic tract in the medulla　**8** 内側毛帯での前脊髄視床路 anterior spinothalamic tract in the medial lemniscus　**9** 三叉神経節 trigeminal ganglion　**10** 三叉神経脊髄核 spinal nucleus of trigeminal nerve　**11** 第二次三叉神経線維 secondary trigeminal fibers（三叉神経毛帯 trigeminal lemniscus）

味覚器（A～E）

味蕾

いろいろな味覚情報が味蕾で感知される．味蕾は嗅上皮とともに化学受容器 chemoreceptors に属している．味蕾（**B～D1**，**E**）は有郭乳頭（**AB2**）の側壁に多数みられ，茸状乳頭 fungiform papillae や葉状乳頭 foliate papillae にもかなりの数で存在している．そのほか，軟口蓋，咽頭の後壁および喉頭蓋にも散在性に見出される．

味蕾には約20個の明るい紡錘形の細胞が殻状に重なって集まっており，味蕾の表面に味孔（**C3**）という小さなくぼみを残している．このくぼみには，これらの明るい細胞すなわち味細胞 gustatory cells の小さな原形質突起が突出している．味蕾のところでは絶えず感覚細胞の新生が起こっており，その過程で完成した感覚細胞は中心部に位置し，辺縁部では上皮細胞から感覚細胞への変化が起こっている．味蕾はまた分割によって増えることができる．そのためときどき双子や重複したものなどがみられる（**C4**）．

味蕾の底部には細い有髄神経線維（**D5**）がやってきて枝分かれし，近隣の上皮にも分布している．したがって味蕾外神経線維と味蕾内神経線維 extragemmal and intragemmal nerve fibers（gemma：蕾を意味する）が区別される．味蕾内神経線維（たいていは2～3本）は，味蕾へ入るとシュワン細胞の被膜を失って神経叢をつくるが，その細い神経線維は電子顕微鏡所見では単に感覚細胞の間にみられるだけでなく，その表面から深く入り込むため，一見すると細胞内にあるように解されるほどである．味覚神経を切断すると味蕾は退縮する．神経を新たに移植すると，舌の上皮の中で味蕾の新生が起こってくる．なお，味蕾の中にサブスタンスPをもつ神経線維が認められている．

電子顕微鏡像では感覚細胞には長い頸（**E6**）があり，これは味孔へとび出し，微絨毛（**E7**）の密な縁どりをつくって終わっている．頸は味細胞の真の受容部である．微絨毛があるため細胞の表面は非常に拡大されており，この表面が味覚物質と接触する．

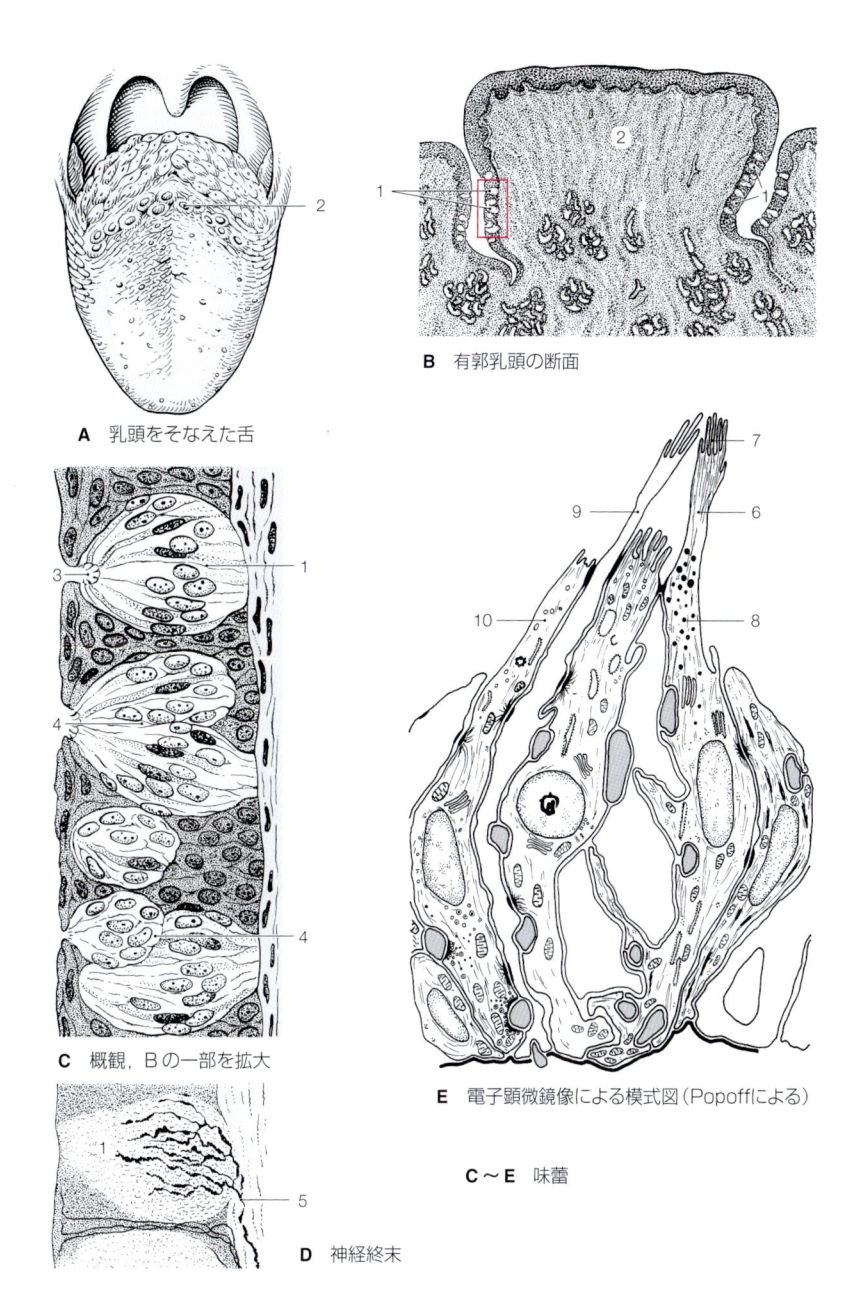

A 乳頭をそなえた舌
B 有郭乳頭の断面
C 概観，Bの一部を拡大
D 神経終末
E 電子顕微鏡像による模式図（Popoffによる）
C～E 味蕾

種々の細胞型が区別される：すなわち暗い細胞（**E8**）は多数の分泌顆粒を含むが，明るい細胞（**E9**）はこの顆粒をもたない．第3型の細胞（**E10**）は背が低く，その微絨毛は味孔には達していない．おそらくこれら3種の細胞は絶えず新生されている感覚細胞の発達段階を表している，と考えられる．味孔の底部と感覚細胞の受容部の間の間隙には粘液様物質が含まれており，これはおそらく味蕾の感覚細胞から分泌されたものであろう．

味覚刺激の誘起機構（受容機構）についてはいろいろな意見がある．刺激を呼び起こす物質の分子が感覚細胞の細胞膜に吸着され，膜の変化を引き起こし，その変化が軸索終末部を興奮させる．

---

1 味蕾 taste buds　**2** 有郭乳頭 vallate papillae　**3** 味孔 gustatory pore　**4** 双子や重複した味蕾 twin or multiple buds　**5** 有髄神経線維 myelinated nerve fiber　**6** 長い頸 long neck　**7** 微絨毛（ミクロビリー）microvilli　**8** 暗い細胞 dark cells　**9** 明るい細胞 light cells　**10** 第3型の細胞 third type of cell

味覚器（続き）

味蕾（続き）（A）

甘味 sweet，酸味 sour，塩味 salty および苦味 bitter といった味覚の質は，すべての味蕾に同じように感知されるわけではない．ある味蕾はただ甘味だけに，あるいはただ酸味だけに反応し，ある味蕾はまた2つないし3つの味覚の質を感じとる．しかしながら，それらの味蕾の間には何の形態学的な差異も証明されない．舌の表面においても個々味覚の質の感受性に差がみられる．酸味は特に舌の外側縁（A1）で感じとられ，塩味は外側縁と舌先（A2）で，苦味は舌根部（A3）で，甘味は舌先（A4）でよく感受される．

味覚線維（B, C）

味覚線維は3種の脳神経に関係がある：**顔面神経** facial nerve（B5，中間神経），**舌咽神経**（B6）および**迷走神経**（B7）の3つである．味覚線維はこれらの脳神経の神経節，すなわち膝神経節（B8），錐体神経節（B9，舌咽神経の下神経節）ならびに節状神経節（B10，迷走神経の下神経節）にある偽単極性ニューロンに由来している．顔面神経に含まれる味覚線維は鼓索神経 chorda tympani（491頁AB9）を経て舌神経（B11）に至り，舌の前2/3にみられる茸状乳頭の受容器に分布している．舌咽神経の味覚線維は舌枝 lingual branches を通って舌の後ろ1/3に至り，有郭乳頭の受容器に分布している．扁桃枝 tonsillar branches の中を走る味覚線維は軟口蓋へ行く．迷走神経の中の味覚線維は咽頭枝 pharyngeal branches を経て喉頭蓋と咽頭上部 epipharynx へ行っている．

これらの神経節のニューロンの中枢へ向かう突起は延髄へ入って孤束 solitary tract をつくる．これらの突起はほぼ進入部の高さで**孤束核**（BC12）に終わる．孤束核はこの領域では拡大して，味覚核 gustatory nucleus とも呼ばれる神経細胞の集まりを含んでいる．

孤束核からは第二次味覚線維が起こる．脳幹におけるこれらの線維の走向ははっきりはわかっていない．大部分のものは弓状線維 arcuate fibers として交叉して反対側へ行き**内側毛帯**（C13）に合流している．内側毛帯ではこれらの線維は最も内側の部分を占めるとされている．これらの第二次味覚線維は視床の後腹側核の内側部（C14）に終わる．ここからは第三次味覚線維が出て，中心後域の下方にある前頭頭頂弁蓋（C15）の腹側面の皮質領域へ行っている．視床と大脳皮質における終止部位はサルでの刺激実験によって確かめられている．ヒトでこれらの領域が病気によって破壊されると，反対側の舌半分での味覚感受が不能となることがわかっている．

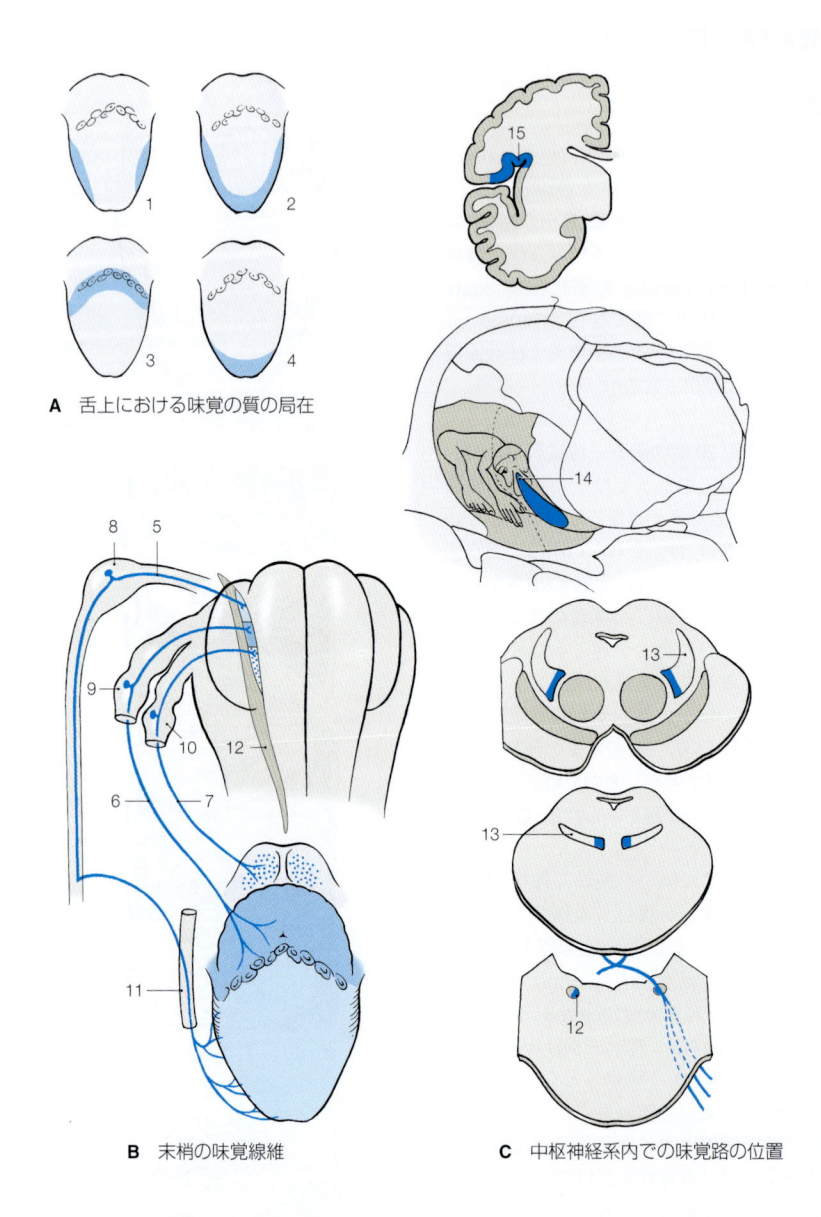

第二次味覚線維の一部は視床下部へ行っている．これらの線維は中脳で内側毛帯から分かれて乳頭体脚 peduncle of mammillary body を通って乳頭体へ向かうという．またほかの線維は腹側被蓋核 ventral tegmental nucleus で中継されてから，背側縦束（シュッツ束，498頁）を経て視床下部へ達するともいわれている．

孤束核のニューロンからは側副枝が出て副交感性の唾液核 salivatory nucleus へ行っている．したがって味覚が感じとられると，反射的に唾液の分泌が引き起こされてくる．また孤束核から迷走神経背側核 dorsal nucleus of vagus nerve へ行く側副枝は，味覚刺激が反射的な胃液分泌を引き起こすための結合をつくっている．

A 舌上における味覚の質の局在
B 末梢の味覚線維
C 中枢神経系内での味覚路の位置

---

1 舌外側縁 lateral margin of the tongue (for sour)　2 舌外側縁と舌先 lateral margin and tip of the tongue (for salt)　3 舌根部 base of the tongue (for bitter)　4 舌先 tip of the tongue (for sweet)　5 中間神経 intermediate nerve　6 舌咽神経 glossopharyngeal nerve　7 迷走神経 vagus nerve　8 膝神経節 geniculate ganglion　9 錐体神経節（舌咽神経の下神経節）petrosal ganglion (inferior ganglion of glossopharyngeal nerve)　10 節状神経節（迷走神経の下神経節）nodose ganglion (inferior ganglion of vagus nerve)　11 舌神経 lingual nerve　12 孤束核 nuclei of solitary tract　13 内側毛帯 medial lemniscus　14 後腹側核の内側部 medial part of the ventral posterior nucleus (= ventral posteromedial nucleus)　15 前頭頭頂弁蓋 frontoparietal operculum

嗅覚器（A～D）

嗅上皮はヒトでは左右の鼻腔の上鼻甲介の上縁とそれに向かい合う鼻中隔の小さな領域（**A1**, 嗅部）を占めている．この感覚上皮は多列（偽重層）上皮であって，**支持細胞（C2）**と，低く位置する明るい核を特徴とする**感覚細胞（C3**, 嗅細胞）とからなっている．そのほか，嗅部はボウマン腺 olfactory glands of Bowman という多数の小さな粘液腺を含んでおり，この腺の分泌物が薄い末端膜 terminal film となって嗅粘膜を覆っている．

感覚細胞の遠位部は次第に細くなって茎状となり，上皮の表面から少しとび出している．このいわゆる嗅小胞（**C4**）は若干の嗅小毛 olfactory cilia を備えている．卵円形の細胞体は近位部では細い突起に移行し，これはほかの数本の突起とともにシュワン細胞に包まれる．これらの突起は**嗅神経（AC5）**として束ねられて，篩骨の篩板の小孔を通って**嗅球（A6）**へ入る（538頁A）．嗅球ではこれらの突起は嗅糸球体 olfactory glomeruli に終わるが，ここでこれらの突起は僧帽細胞 mitral cells の樹状突起とシナプスをつくっている．嗅上皮の感覚細胞は実際には双極性の神経細胞であって，その短い樹状突起が受容部をつくり，軸索は中枢へ向かう線維となって嗅球へ行くのである．

嗅細胞（ネコの）は電子顕微鏡でみると，その遠位茎（**D7**）はフラスコ状に（**D8**）なって終わっていて，それから多数の長い嗅鞭毛（**D9**）が出ている．

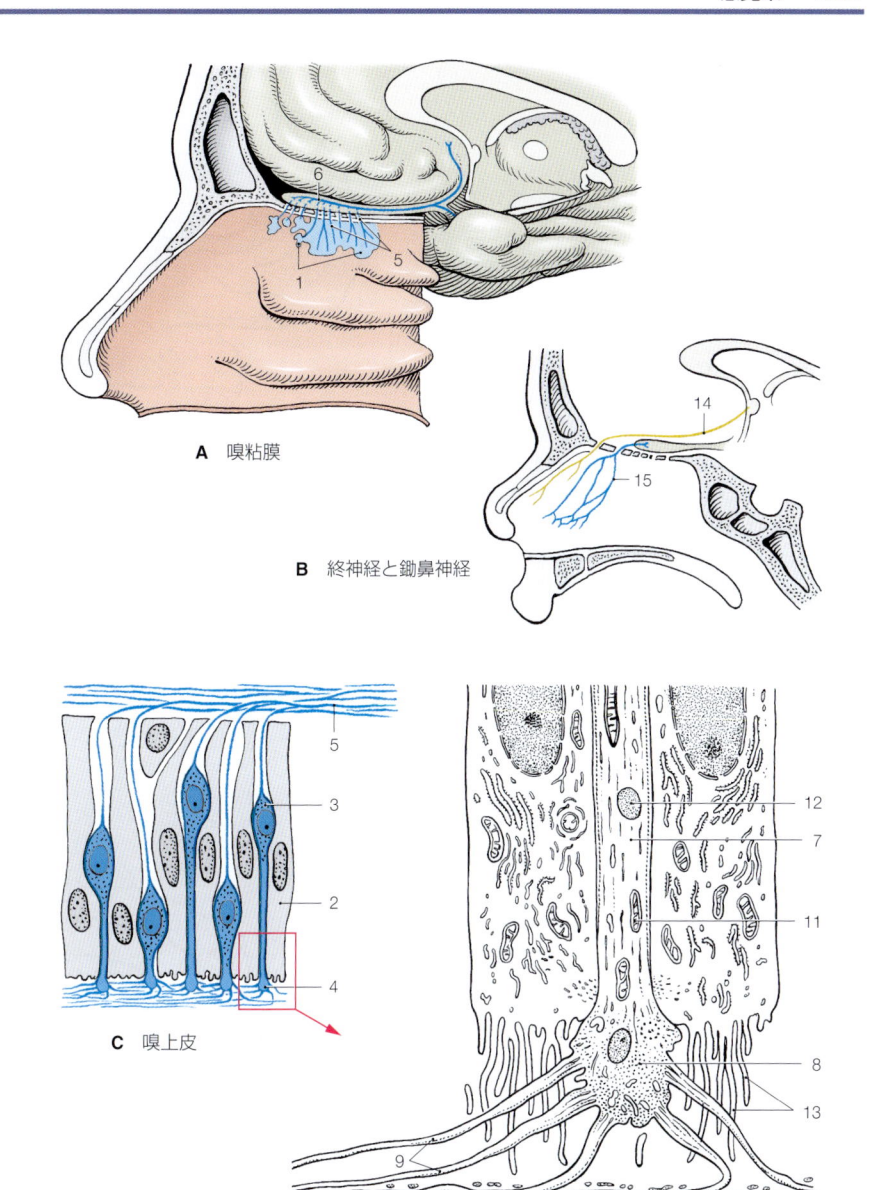

これらの感覚鞭毛の終末部は，嗅上皮の表面をすっぽり覆って空気が触れないようにしている粘液層（**D10**）の中に埋まっている．遠位茎と先端のフラスコ状の部分には微小管 microtubuli，多数の糸粒体（**D11**）および少数のリソゾーム（**D12**）が含まれている．フラスコ状の部分は，微絨毛（**D13**）の密な縁どりのある支持細胞の表面から突出している．

どのようにしていろいろなにおいが感受されるかについては多くの検索がなされている．しかし嗅物質は水溶性であって，表面の粘液層で溶かされて感覚鞭毛にまでやってきて，その膜の特異な受容体に嗅物質が吸着されるのに違いない．この嗅物質の濃度が高くなると，嗅物質が膜の脱分極を引き起こし，この膜の変化は活動電位として感覚細胞の軸索を伝わっていく．味の場合と同様に，においにも少数の基本質 basic qualities があり，個々の感覚細胞はそれぞれただ一つの特定の基本質を感受すると考えられる．あるにおいのグループに属する物質の分子はほぼ同じ大きさをもっているから，ある嗅鞭毛の膜がそれぞれある大きさの分子にのみ反応することは，十分ありうることである．最近の研究によると，一つの感覚細胞には受容体は一つしかないことが明らかになっている．マウスの嗅球には1,800個の嗅糸球体があるが，ある型の受容体をもった感覚細胞はこの嗅糸球体のうちの2個にだけ投射している．中枢の嗅覚路は538頁を参照．

嗅神経のほかに対をなすもう2つの神経が鼻腔から脳へ入っている：終神経 terminal nerve と鋤鼻神経 vomeronasal nerve の2つである．**終神経（B14）**は細い神経線維の小束からなり，鼻中隔から篩板を経て終板 lamina terminalis へ向かい，前交連 anterior commissure の下方で脳の中へ入る．この神経束は多数の神経細胞をもっており，植物神経とみなされている．**鋤鼻神経（B15）**は鋤鼻器 vomeronasal organ から副嗅球 accessory olfactory bulb へ行っており，低級な脊椎動物では発達がよく，ヒトでは胎児の間だけ証明することができる．鋤鼻器（＝ヤコブソン器 Jacobson's organ）とは鼻中隔の粘膜が袋状になったところにある感覚上皮のことで，爬虫類では食物をかぎ出すのに大切なものであるといわれている．

A 嗅粘膜
B 終神経と鋤鼻神経
C 嗅上皮
D 嗅細胞の電子顕微鏡像による模式図（Andresによる）

---

1 嗅部 olfactory region　2 支持細胞 supporting cells　3 感覚細胞（嗅細胞）sensory or receptor cells (olfactory cell)　4 嗅小胞 olfactory vesicles　5 嗅神経 olfactory nerve　6 嗅球 olfactory bulb　7 遠位茎（＝嗅樹状突起）distal shaft (＝olfactory dendrite)　8 嗅樹状突起球 olfactory dendritic knob　9 嗅鞭毛 olfactory flagella　10 粘液層 mucus layer　11 糸粒体 mitochondria　12 リソゾーム lysosomes　13 微絨毛 microvilli　14 終神経 terminal nerve　15 鋤鼻神経 vomeronasal nerve

辺縁系（A～C）

概　説

系統発生学的に古い終脳半球の一部分すなわち半球の辺縁部，ならびにその部と皮質下中枢との結合路を辺縁系 limbic system として総括する．それは部位的に整理されたまとまった伝導路系ではなく，機能的に密接につながっている核と皮質領域のことをいうのである．この系はまた内臓脳 visceral brain あるいは情緒脳 emotional brain とも呼ばれ，これらの名称はその機能的意義をよく特徴づけていると思われる．辺縁系の概念は機能的な関連に基づいており，その根底をなす解剖学的な諸構造はそう厳密に限定されているわけではない．

区分（A）

辺縁系に数えられている皮質領域は半球の内側面で，海馬傍回（**A1**），帯状回（**A2**）および梁下野（嗅傍野）（**A3**）からなる輪状の複合帯をつくっている．帯状回は辺縁回 limbic gyrus とも呼ばれ，辺縁系という名称はこの名称に由来する．半球の内側面で内弓 internal arch と外弓 external arch とが区別される．**外弓**（海馬傍回，帯状回および梁下野）は原皮質性の辺縁部（原皮質周囲部 periarchicortex）と脳梁の灰白質 indusium griseum（痕跡の原皮質 rudimentary archicortex）からつくられている．**内弓**は海馬体（**A4**），脳弓（**A～C5**），透明中隔（**A6**），ブローカの対角帯 diagonal band of Broca と終板傍回（**A7**）からなっており，原皮質性ならびに古皮質性の領域からなっている．さらに重要なもう一つの構成成分は扁桃体 amygdaloid body である．辺縁皮質と密接な線維結合のある若干の皮質下の核は，辺縁系とも関係づけられるため，乳頭体 mammillary body，視床前核 anterior nuclei of thalamus，手綱核および中脳の背側被蓋核 dorsal tegmental nucleus，腹側被蓋核 dorsal ventral nucleus および脚間核 interpeduncular nucleus が辺縁系に含まれることになる．

線維路（B，C）

辺縁系はいくつかの線維束によって嗅覚中枢とつながっている．外側嗅条 lateral stria の線維は扁桃体の皮質核に終わっている（538頁 B）．下記の3つの線維路を介して辺縁系は視床下部に影響を及ぼしている：すなわち

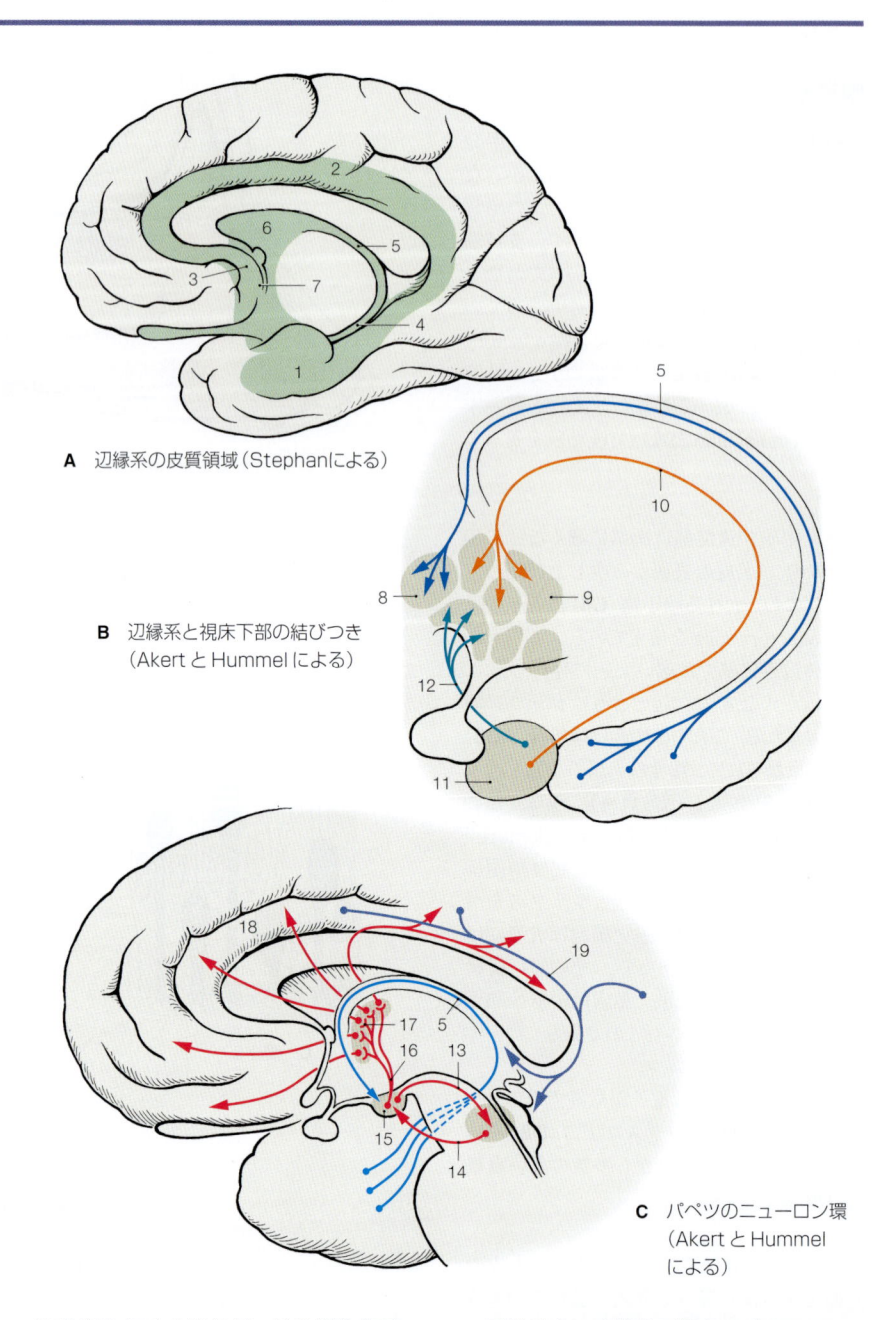

A 辺縁系の皮質領域（Stephan による）

B 辺縁系と視床下部の結びつき（Akert と Hummel による）

C パペツのニューロン環（Akert と Hummel による）

視索前野（**B8**）と隆起部の神経核群（**B9**）に終わる**脳弓** fornix **の交連前線維**，
扁桃体（**B11**）から同じく隆起部の諸核へ行く**分界条**（**B10**），
および**腹側遠扁桃体線維**（**B12**）である．

この線維を介して，辺縁系は視床下部とつながっているのである．中脳の被蓋核との結合は手綱核から下行する線維束（手綱被蓋路 habenulotegmental tract と手綱被蓋路 habenulo-interpeduncular tract）および乳頭体の線維路（乳頭体脚と乳頭被蓋束）によってなされる．その際，遠心性の乳頭被蓋束（**C13**）と求心性の乳頭体脚（**C14**）は一つのニューロン環をつくることになる．

辺縁系内には情動に関する**パペツ** Papez **の多ニューロン性回帰回路**（情動回路 emotional circuit of Papez）が走っている．海馬からの遠心性線維は脳弓（**C5**）を経て乳頭体（**C15**）に達し，ここでインパルスはヴィク・ダジール束（**C16**）に引き継がれて視床前核（**C17**）へ行く．この核はまた帯状回（**C18**）の皮質へ投射しており，この皮質からは帯状束（**C19**）を通って線維束が海馬へ帰っていく．

新皮質の辺縁系との結合は海馬傍回（**A1**）の内嗅領で行われる．内嗅領は海馬に投射している（貫通経路，541頁 A4）

---

1 海馬傍回 parahippocampal gyrus　2 帯状回 cingulate gyrus　3 梁下野 subcallosal area（＝嗅傍野 parolfactory area）　4 海馬体 hippocampal formation　5 脳弓 fornix　6 透明中隔 septum pellucidum　7 終板傍回 paraterminal gyrus　8 視索前野 preoptic area　9 視床下部隆起部の神経核群 nuclei of hypothalamic tuberal region　10 分界条 stria terminalis　11 扁桃体 amygdaloid body　12 腹側遠扁桃体線維 ventral amygdalofugal fibers　13 乳頭被蓋束 mamillotegmental fasciculus　14 乳頭脚 mamillary peduncle　15 乳頭体 mammillary body　16 ヴィク・ダジール束 bundle of Vicq d'Azyr　17 視床前核 anterior thalamic nuclei　18 帯状回 cingulate gyrus　19 帯状束 cingulum

帯状回

この大脳回は嗅皮質，視床下部，前頭皮質，眼窩皮質 orbital cortex の後部および島皮質の前部と結合している．帯状回の吻側部を電気刺激すると，ヒトでは血圧，脈拍数，呼吸数が変動する．サルでの刺激または遮断実験では，体温の変化，立毛 pilo-erection，散瞳，唾液分泌の増加と胃の運動機能の変化がみられる．

帯状回の皮質は視床下部と植物神経系に影響を及ぼしている．辺縁系は明らかに，食物の摂取，消化および生殖といった基本的な生命過程の調節に大切な役割を演じている（523頁の視床下部，537頁の扁桃体を参照）．これらの過程は基本的な生命現象であって，自己保存と種族保存に役立ち，常に快あるいは不快感を伴うものである．したがってこのような情緒現象も辺縁系に関連づけるようになってきている．

中隔野（A～C）

辺縁系の中心的領域である海馬と密な線維連絡がある．内側中隔野のコリン作動性神経細胞や GABA 作動性神経細胞は海馬や歯状回に投射している．CA3 の錐体細胞は外側中隔野に反回投射している．

扁桃核刺激の場合と同様，中隔野（**BC1**）でも電気刺激によって口唇反応 oral reactions（舌なめずり，ものをかむ，のどが締まる），排泄反応 excretory reactions（排便 defecation，排尿 micturition）および性的反応（勃起 erection）が引き起こされる．中隔野，特にブローカの対角帯 diagonal band of Broca はラットの自己刺激実験（**A，B**）では最も有効な部位でもある．この領域を刺激することができるように電極が植え込まれ，スイッチを押すことによってこの部位を刺激することができるようにされた動物は，常に好んで自己刺激を行うのである．この動物の刺激に対する欲求は非常に強く，動物は空腹や口渇期が去った後もなお食物摂取の刺激を求めるほどである．ラットの場合，中隔野の領域は，背方は脳梁まで達するが（**B1**），ヒトの場合は，ずっと腹方で，透明中隔の下方，前交連の付近まで広がっており，したがって前脳基底部に含まれている．ヒトでも前交連（**C2**）のあたりを刺激している間，多幸症的反応 euphoric reaction や漠然とした満足感が現れてくる．

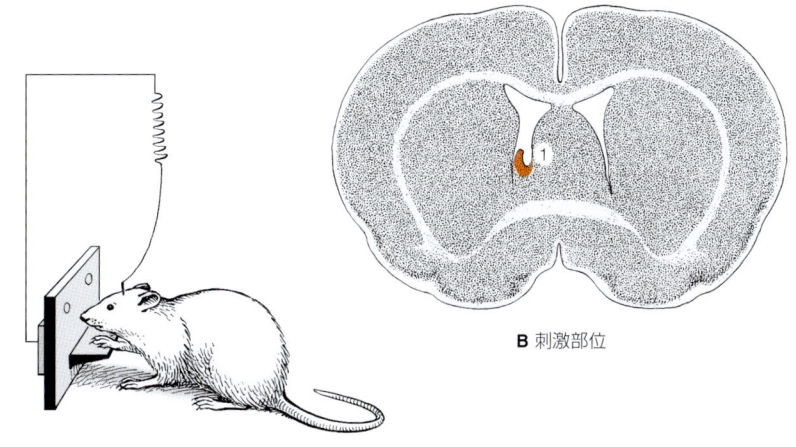

A 実験装置の構成
A，B ラットの自己刺激実験（Olds による）．

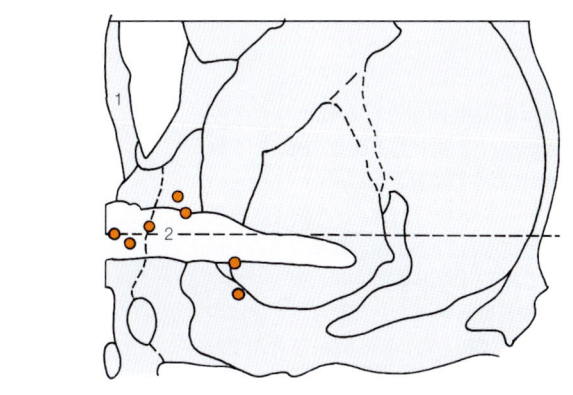

B 刺激部位

C ヒトで多幸症的反応を引き起こす刺激点
（Schaltenbrand, Spuler, Wahren と Wilhelmi による）

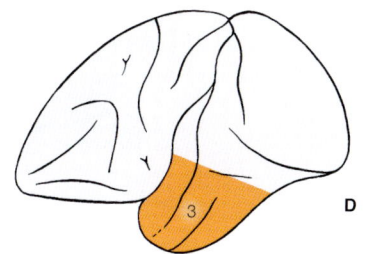

D クリューヴァ・ビュシィ症候群を起こす側頭葉除去部位（Klüver と Bucy による）

クリューヴァ・ビュシィ症候群

サルで両側の側頭葉（**D3**）を切除すると，いわゆるクリューヴァ・ビュシィ症候群 Klüver-Bucy syndrome が観察されるようになる．側頭葉の除去は新皮質，海馬，扁桃核が関与するため，その結果として多症候性像 polysymptomatic figure が起こってくるのである．動物はおとなしく，人なつこくなる．動物は彼らの野性を失い，危険な対象（例えばヘビなど）に対しても恐れなくなる．さらに完全に抑制のとれた性欲亢進 hypersexuality が起こる．対象はもはや視覚的には同定されなくなる（視覚的失認 optic agnosia）．対象は口にくわえられ（口唇傾向 oral tendencies），あたかもそのものが毎回全く未知のものであるかのようにその行為を何回も繰り返すのである．こういった記銘力障害があることは，学習過程や思考過程で海馬が特別な役割を果たしていることがわかる．視覚印象などの新皮質情報は内嗅領を介して海馬に伝えられ，その新鮮さを再検される．

いろいろな複雑な機能が辺縁系として総括されている．知見が多くなるに従って辺縁系という総括的で漠然とした概念は放棄されるであろう．

---

1 中隔野 septal area　**2** 前交連 anterior commissure　**3** 側頭葉 temporal lobe

構 造

眼瞼，涙器および眼窩

眼瞼（A〜C）

眼球 eyeball は眼窩 orbit の中に埋まっていて，眼瞼 eyelids で覆われている．**上眼瞼**（**A1**）と**下眼瞼**（**A2**）が**眼瞼裂** palpebral fissure を囲んでいる．眼瞼裂は内眼角（**A3**）では，涙丘（**A4**）を抱き，膨出して終わっている．

蒙古人種では上眼瞼が内側で瞼鼻ヒダ palpebronasal fold という皮膚のヒダとなって鼻の外側面へ続いている（蒙古ヒダ Mongolian fold）．このヒダは乳児でも（蒙古人種以外）一時期につくられることがあり，内眼角贅皮 epicanthus と呼ばれる．

眼瞼は膠原線維からなる殻状の丈夫な結合組織板，すなわち上瞼板（**B5**）と下瞼板（**B6**）によって補強されており，これらの瞼板は外側眼瞼靱帯（**B7**）と内側眼瞼靱帯 medial palpebral ligament（**B36**，ここでは切断してある）によって眼窩縁に固定されている．瞼板は眼瞼の全高にわたって縦にのびる瞼板腺（**C8**，マイボーム腺）を含んでおり，その分泌物は涙が眼瞼縁からあふれるのを防ぐ．この腺は眼瞼の後縁すなわち後眼瞼縁 posterior palpebral margin に開いている．眼瞼の前縁すなわち前眼瞼縁（**AC9**）からは2，3列に並んだ睫毛（マツゲ）（**C10**）が生えている．眼瞼の内壁は結膜（**C11**）に覆われていて，これは結膜円蓋（**C12**）で眼球の前面へ移行している．瞼板には平滑筋である上瞼板筋と下瞼板筋（**C13**と**C14**，いずれも交感神経に支配されている）が終わっており，これらの筋は眼瞼裂の幅を調節している．眼瞼を閉じるのには眼輪筋（**C15**，顔面神経支配，487頁）が，上眼瞼をあげるのには上眼瞼挙筋（**BC16**，動眼神経支配）が働く．この上眼瞼挙筋は視神経管の上縁から起こっている（591頁AB1）．この筋の浅腱板（**C17**）は上眼瞼の皮下結合組織へ入り込むが，一方の深腱板（**C18**）は上瞼板の上縁に終わる．

涙器 lacrimal apparatus（B）

外眼角の上方には涙腺（**B19**）があり，上眼瞼挙筋の腱によって眼窩部（**B20**）と眼瞼部（**B21**）に分けられている．上結膜円蓋に開口する導管は涙液 tears を排出し，涙液は眼球の前面を絶えずしめらせながら，内眼角（涙湖 lacrimal lake）へ集まってくる．ここでは上下の眼瞼の内面に一つずつ小さな開口すなわち涙点（**B22**）があって，これらは涙小管（**B23**）に通じている．上下の涙小管ははじめは上行または下行するが，やがてほぼ直角をなして曲がり合わさって**涙嚢**（**B24**）に開き，これから**鼻涙管**（**B25**）が出て鼻腔の下鼻道に通じている．瞬目（まばたき）は眼球の表面を均等にしめらせるだけではなく，鼻涙管を狭くしたり広くしたりすることにより，涙液の流出に役立つ吸引作用を行っているのである．

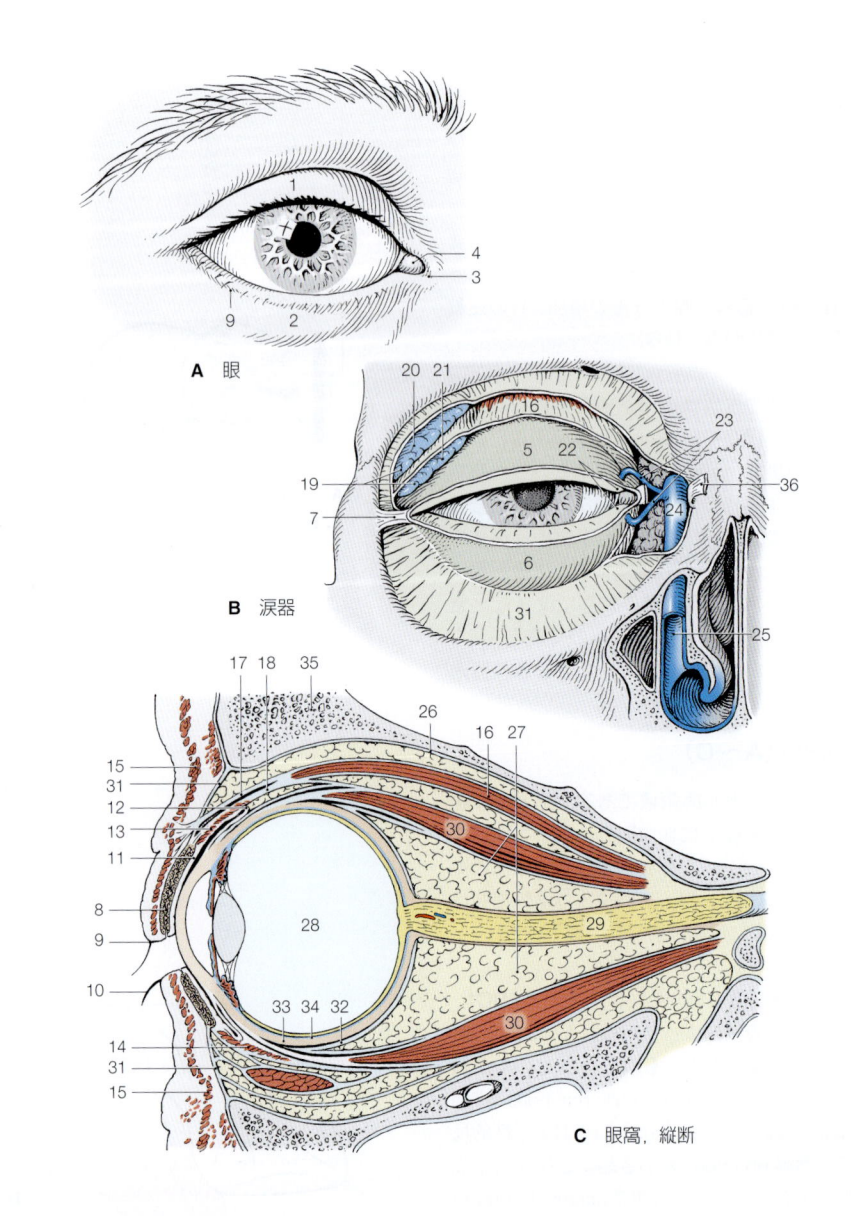

眼窩（C）

骨膜（**C26**，眼窩骨膜）に内張りされた眼窩 orbit は眼窩脂肪体（**C27**）で満たされており，この中に眼球（**C28**），視神経（**C29**）および眼筋（**C30**）が埋まっている．眼窩の前縁ではこの脂肪組織は眼窩隔膜（**C31**）によって囲まれている．またこの脂肪組織は眼球とは眼球鞘（**C32**，テノン鞘）という結合組織性の被膜によって隔てられている．なおこの眼球鞘は強膜（**C33**）を囲んでいる．

---

1 上眼瞼 superior eyelid **2** 下眼瞼 inferior eyelid **3** 内眼角 medial angle of eye **4** 涙丘 lacrimal caruncle **5** 上瞼板 superior tarsus **6** 下瞼板 inferior tarsus **7** 外側眼瞼靱帯 lateral palpebral ligament **8** 瞼板腺（マイボーム腺）tarsal glands（Meibom's glands）**9** 前眼瞼縁 anterior palpebral margin **10** 睫毛（マツゲ）eyelashes **11** 結膜 conjunctiva **12** 結膜円蓋 conjunctival fornix **13** 上瞼板筋 superior tarsal muscle **14** 下瞼板筋 inferior tarsal muscle **15** 眼輪筋 orbicularis oculi **16** 上眼瞼挙筋 levator palpebrae superioris **17** 浅腱板（上眼瞼挙筋の）superficial tendinous plate **18** 深腱板（上眼瞼挙筋の）deep tendinous plate **19** 涙腺 lacrimal gland **20** 眼窩部 orbital part **21** 眼瞼部 palpebral part **22** 涙点 lacrimal punctum **23** 涙小管 lacrimal canaliculus **24** 涙嚢 lacrimal sac **25** 鼻涙管 nasolacrimal duct **26** 骨膜（眼窩骨膜）periorbita **27** 眼窩脂肪体 orbital fat body **28** 眼球 eyeball **29** 視神経 optic nerve **30** 眼筋（または外眼筋）extrinsic muscle of eyeball（extraocular muscles）**31** 眼窩隔膜 orbital septum **32** 眼球鞘（テノン鞘）fascial sheath of eyeball（Tenon's capsule）**33** 強膜 sclera **34** 脈絡膜 choroid **35** 眼窩の骨壁 bone wall of orbit **36** 上眼瞼挙筋 levator palpebrae superioris

眼筋（A〜E）

眼球鞘によって脂肪体の被膜に取りつけられている眼球は，強膜外隙というすべり隙があるため，すべての方向に動くことができる．眼球の運動は6つの筋，すなわち4つの直筋と2つの斜筋によって行われる．これらの直筋は視神経管のまわりに起始腱で漏斗状の輪すなわち総腱輪（AB1）をつくる．**上直筋**（A〜C2，動眼神経支配）は眼球の上を軽く斜め外方へ走る．**下直筋**（A〜C3，動眼神経支配）は眼球の下を同じ方向へ走っている．眼球の鼻側面には**内側直筋**（AC4，動眼神経支配）が，側頭面には**外側直筋**（A〜C5，外転神経支配）がある．これらの筋は扁平な腱をつくり角膜縁から0.5ないし0.8cm離れたところで眼球に付着している．**上斜筋**（AC6，滑車神経支配）は内側の蝶形骨体から起こり，ほぼ眼窩縁まで行っている．眼窩縁の近くでこの筋の腱は**滑車**（A7）をくぐり抜ける．この滑車は線維軟骨からなる太い止め輪であって滑液鞘で内張りされている．その後，この腱は鋭角をなして後方へ折れ曲がり，上直筋の下で眼球上面の側頭部に付着している．**下斜筋**（BC8，動眼神経支配）は眼窩下縁の内側に起こり，それと平行に走って眼球の側頭面へ行く．上直筋の上方で上眼瞼挙筋（B9，動眼神経支配）が視神経管の上縁から起こる．

眼球運動は模型的に3つの軸のまわりの運動に分解される：**垂直軸**のまわりの鼻側への回転（内転 adduction）と側頭側への回転（外転 abduction），**水平軸**をまわる上方への回転（上転 elevation）と下方への回転（下転 depression），および**視軸**を中心とした眼球上半の鼻側への回転（内旋 intorsion）と側頭側への回転（外旋 extorsion）の3運動である（眼科では，内転を内ひき adduction，外転を外ひき abduction，上転を上ひき sursumduction，下転を下ひき deorsumduction，内旋を内まわしひき incycloduction，外旋を外まわしひき excycloduction と統一的に表現している．）．

内側直筋（C4）は**純内転**を行い，外側直筋（C5）は**純外転**を行う．上直筋（C2）はその斜めの走向のため眼球を純粋に上転するのではなく，上転と同時に少し内転と**内旋**をも行う．同様に下直筋（C3）が収縮すると，眼球の下転のほか同時に少し内転と**外旋**が起こってくる．

上斜筋（C6）は下転を行うと同時に内旋と少し外転を行い，下斜筋（C8）は上転のほか同時に外旋と外転を行う．

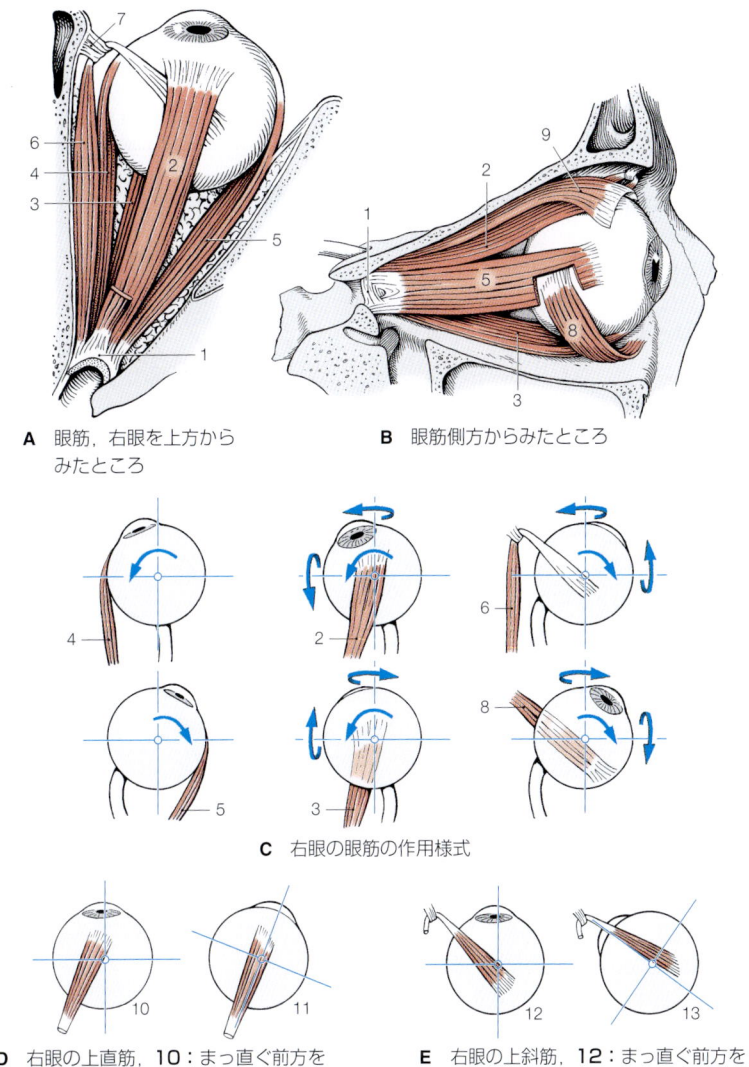

A 眼筋，右眼を上方からみたところ
B 眼筋側方からみたところ
C 右眼の眼筋の作用様式
D 右眼の上直筋，10：まっ直ぐ前方を見たとき，11：23°外転したとき
E 右眼の上斜筋，12：まっ直ぐ前方を見たとき，13：50°内転したとき

これらの筋の作用は視線がまっ直ぐ前を向き，かつ両眼球の視軸が平行であるときにのみあてはまる．注視運動および同時に輻輳反応（600頁C）や開散反応が起こるときには，個々の眼筋の作用が変化する．したがって，例えば両側の内側直筋は輻輳反応のときには共同筋であるが，外側を注視するときには拮抗筋となる．いくつかの眼筋では，その作用は視軸と眼窩の解剖学的な軸とがずれることにより変わってくる．これら両軸が眼球を23°だけ外転することによって一致するとき，上直筋（D10，視線はまっ直ぐ前方を向いた状態）と下直筋はいずれも副次的な作用を失い，上直筋は眼球の**純上転筋**（D11）となり，下直筋は純下転筋となる．眼球を50°の最大限まで内転すると，上斜筋（D12，視線はまっ直ぐ前方に向いた状態）は眼球の**純下転筋**（E13）となり，下斜筋は**純上転筋**となる．どんな注視運動であっても，すべての眼筋が緊張または弛緩することによって関与している．そして，その時々の眼球の定位が，眼筋それぞれの機能的役割を決めることになる．

眼筋の働きが正確で素早いのは，その構造が特異なためである．筋紡錘の錘内線維のほか，多数の錘外線維にも知覚性の環ラセン終末が分布している．運動単位はきわめて小さく，約6本の眼筋線維が1本の神経線維に支配されている．ちなみに，指の筋では100ないし300本の筋線維を1本の神経線維が支配しており，他の筋では支配する筋線維の数が1,500本を超えることもよくある．

臨床関連：個々の筋が麻痺すると，外界の物が二重にみえてくる．二重像の位置によって—互いに並んでいたり，斜め上方あるいは斜め下方にずれるなど—，によってどの筋が麻痺しているかを診断することができる．

1 総腱輪 common tendinous ring　2 上直筋 superior rectus　3 下直筋 inferior rectus　4 内側直筋 medial rectus　5 外側直筋 lateral rectus　6 上斜筋 superior oblique
7 滑車 trochlea　8 下斜筋 inferior oblique　9 上眼瞼挙筋 levator palpebrae superioris　10〜13は本文参照

眼球

発生（A）

眼の光を感じる部分は間脳に由来するものである．発生第1ヵ月の終わりに前脳胞（**A2**）から両側の眼胞（**A1**）が膨出してくる．この眼胞は頭の上皮の誘導によって肥厚部，すなわち水晶体板（**A3**）をつくり，これは後に両側に水晶体胞（**A4**）としてくびれてくる．水晶体胞後壁の上皮細胞は長くなって水晶体線維（**A5**）となり，後には水晶体の主成分となる．水晶体前壁の細胞は水晶体上皮 lens epithelium として残る．眼杯（**A6**）の完成とともに眼胞の壁は互いに重なり合って，もともと脳室系の一部であった視脳室（**A7**）は細隙に変わってしまう．このようにして眼杯は，神経部（**A8**）といわれる内板と色素部（**A9**）といわれる外板とからなることになる．そしてこの両部を合わせて網膜 retina という．硝子体動脈（硝子体管 hyaloid canal（クロケ管 Cloquet's canal）として生後も残っていることがある）（**A10**）は水晶体までのびていくが，これは後には退化してしまう．

眼球の構成（B）

眼球 eyeball の前面には透明な**角膜**（**B11**）がある．その後ろには**水晶体**（**B12**）があって，中心に開口すなわち瞳孔 pupil のある**虹彩**（**B13**）は水晶体の前に位置している．眼球の後壁では視軸より少し内側寄りで，**視神経**（**B14**）が出てくる．眼には3つの腔が区別される：1. 角膜，虹彩および水晶体で囲まれた**前眼房**（**B15**），2. 水晶体を輪状にとりまく**後眼房**（**B16**）および3. **硝子体**（**B17**）を含む硝子体眼房 vitreous chamber の3腔である．

硝子体は大部分が水からなる透明なゼリー状の物質である．前および後眼房は水様透明の液体すなわち［眼］房水 aqueous humor を含んでいる．

眼球壁は3層からなっている：すなわち線維膜 fibrous layer of eyeball または強膜 sclera，血管膜 vascular layer および内膜 inner layer すなわち網膜 retina である．

強膜（**B18**）は主に膠原線維，一部は弾性線維からなり，引っ張りに強い厚い結合組織性の被膜であって，眼内圧とともに眼球の形を正しく保つように働く．

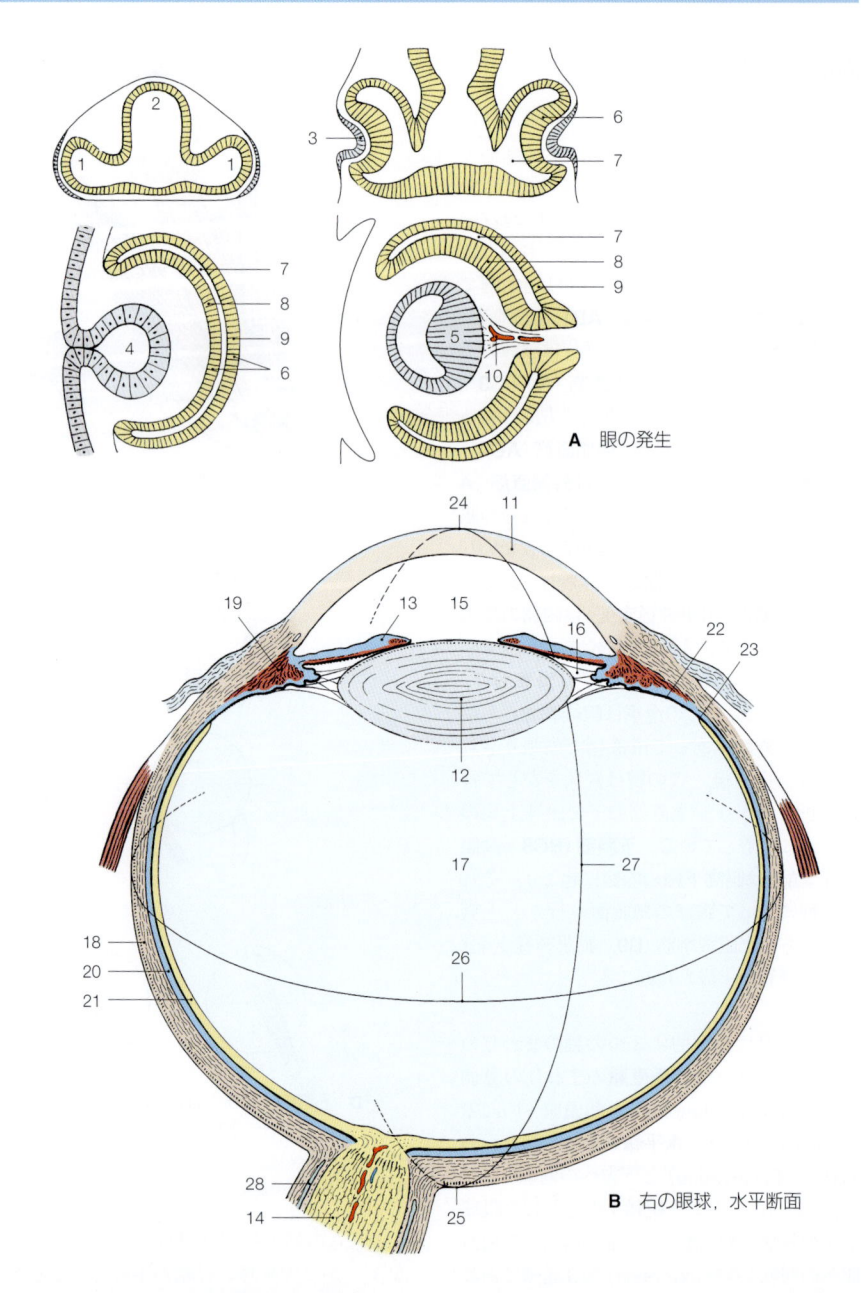

血管と色素の豊富な**血管膜**（またはブドウ膜 uvea）は眼球の前部で虹彩と**毛様体**（**B19**）をつくり，後部では**脈絡膜**（**B20**）をつくっている．

網膜 retina はその後部には光を感じる感覚細胞のある**視部**（**B21**）を，前部には色素上皮のある**盲部**（**B22**）を含んでいる．これら両部の境界は**鋸状縁**（**B23**）と呼ばれる．

眼球では**前極**（**B24**）と**後極**（**B25**）が区別され，両極の間に**眼球赤道**（**B26**）が走っている．多くの血管と筋は**経線方向**（**B27**）に，すなわち眼球の表面を極から極へ走る弓状の線に沿って走っている．

眼球を前部と後部に分ける．両部は機能的に異なった役目を果たしており，前部は結像措置で，光を屈折するレンズ系を含んでいる．後部は光を感じる網膜を含んでいる．したがって眼はカメラにたとえることができ，前方に絞り―眼では虹彩に相当―をもつレンズ系と，後壁に光を感じるフィルム―網膜に相当―をもっているのである．

臨床関連：遠視（hyperopia）では，眼球の軸が短くなっていて，ある光軸の焦点が網膜の後方にずれている．近視（myopia）では，眼球の軸が相対的に長くなっており，焦点が網膜の前方にある．いずれも，適合した眼鏡によって矯正される．

---

1 眼胞 optic vesicles　2 前脳［胞］prosencephalon　3 水晶体板 lens placode　4 水晶体胞 lens vesicle　5 水晶体線維 lens fibres　6 眼杯 optic cup　7 視脳室 optic ventricle　8 神経部 pars nervosa　9 色素部 pigmentous part　10 硝子体動脈 hyaloid artery　11 角膜 cornea　12 水晶体 lens　13 虹彩 iris　14 視神経 optic nerve　15 前眼房 anterior chambers of eyeball　16 後眼房 posterior chambers of eyeball　17 硝子体 vitreous body　18 強膜 sclera　19 毛様体 ciliary body　20 脈絡膜 choroid　21 視部 optic part　22 盲部 nonvisual retina　23 鋸状縁 ora serrata　24 前極 anterior pole　25 後極 posterior pole　26 眼球赤道 equator of eyeball　27 経線 meridians of eyeball　28 クモ膜下腔 subarachnoid cavity（596頁D9）

前眼部

角膜（A，B）

　角膜（**A1**，**B**）は時計のガラスのように眼球にかぶさっている．その強い彎曲のため角膜は集光レンズとして働く．角膜の前面は角化しない重層扁平上皮（**B2**，角膜上皮）でつくられており，これを前境界板（**B3**，ボウマン膜）という1枚の基底膜が裏打ちしている．この下には角膜固有質（**B4**）が続く．これは引きのばされた膠原線維からなっていて角膜の表面に平行する層板をつくっている．角膜の後面には後境界板（**B5**，デスメー膜）といわれる基底膜と1層の角膜内皮（**B6**）がある．角膜には無髄神経線維がきているが，血管はない．角膜の透明度はその構成成分の一定の水分含有量と膨化状態で維持されている．膨化状態が変化すると，角膜の混濁が現れる．

前眼房（A）

　前眼房（**A7**）は毛様体の上皮でつくられる眼房水を含んでいる．虹彩角膜角（**A8**）の壁は疎性線維性結合組織の梁（**A9**，櫛状靱帯）からなっており，これらの間を眼房水は強膜静脈洞すなわちシュレム管（**A10**）にまで進入していき，これを通って流出していく．

虹彩（A，C）

　虹彩（**A11**，**C**）は水晶体の前で一種の絞りを形成している．この虹彩は毛様体に付着していて［虹彩根すなわち毛様体縁（**A12**）］，瞳孔縁（**A13**）にまで達する．虹彩は2層から構成されている：中胚葉性の支質（**AC14**）と虹彩の後面の外胚葉性の網膜虹彩部（**AC15**）の2層である．結合組織の梁からなる支質は色素を含んでいる．色素を多く含んでいると眼は褐色に，これに対して色素が少ないと緑ないし青色にみえる．数多くの血管が大虹彩動脈輪（**AC16**）から放射状に出る．そのほか眼杯（592頁 A6）に由来する外胚葉性の部分からは2つの平滑筋すなわち瞳孔括約筋（**AC17**）と薄い層をなす瞳孔散大筋（**AC18**）が分化してくる．

　瞳孔括約筋は，動眼神経中の副交感神経成分によって支配され，瞳孔散大筋は，頸部交感神経により支配されている．したがって，副交感神経系の作用が優勢なときは，縮瞳が生じ，交感神経が優勢なときは瞳孔が散大する．

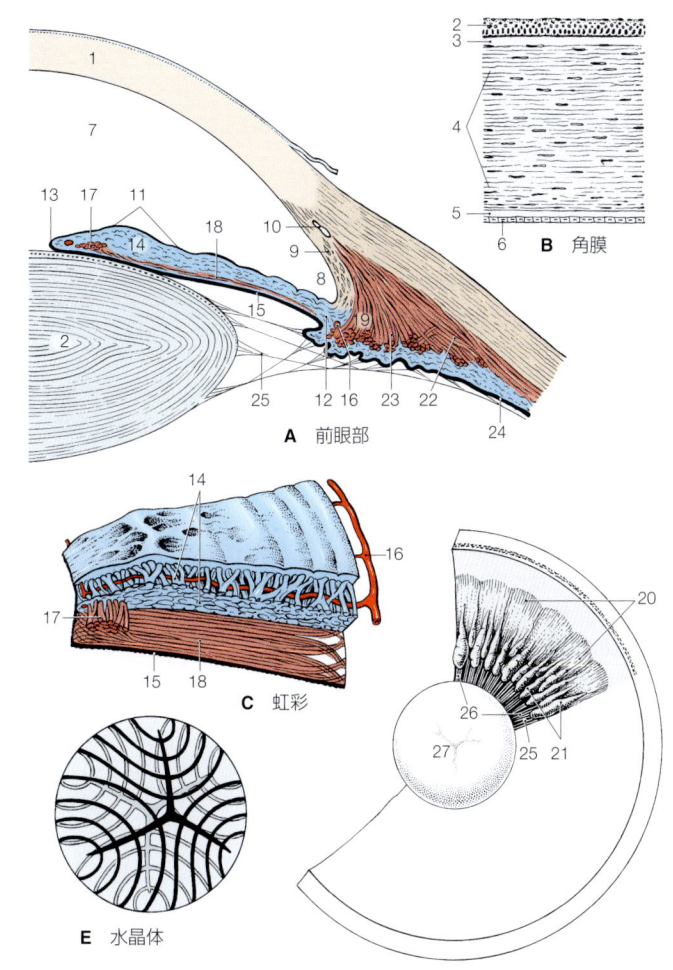

毛様体（A，D）

　円環状の毛様体（**A19**，**D**）に水晶体の懸架装置が固定されている．毛様体の筋は水晶体の彎曲度を調節し（600頁 B），それによって近くをみたり遠くをみたりする場合の視力を調節しているのである．毛様体は毛様体輪（**D20**）という低い放射状のヒダのある面からなっており，この面から約80個の毛様体突起（**D21**）という隆起がとび出している（したがってこの部分を毛様体冠 Corona ciliaris という）．毛様体輪の前部を占めるのは毛様体筋であって，その筋線維は経線状線維（**A22**）と呼ばれ，鋸状縁と櫛状靱帯およびデスメー膜の間に張っている．これらの筋線維から放射状線維 radial fibers が内方へ向かって走り，曲がって輪状の走向をとるようになる（**A23**，輪状線維）．毛様体の後面は網膜毛様体部（**A24**）に覆われている．毛様体からはごく繊細な小帯線維（**AD25**）が出て水晶体へ行き，（全体として）毛様体小帯（**D26**）をつくっている．多くの線維は鋸状縁の高さで出て，水晶体の前面へ行く．これらの長い線維は，毛様体突起から出てレンズの後面に終わる短い線維と交叉する．

水晶体（A，D，E）

　両面が凸の**水晶体**（**AD27**）は長くのびた上皮細胞すなわち水晶体線維 lens fibers から構成されており，これらの線維が層板状をなして互いに重なっているのである．これらの線維の末端は水晶体の前面と後面で互いに押しつけあっており，新生児ではそれらの境界でもって3方向に放射する星形がつくられる（**E**）．水晶体線維の新生（水晶体上皮からの）は，生涯を通じて行われる．

> **臨床関連**：眼瞼反射では，局所の刺激で，目が閉じ，涙の分泌が強まる．求心路は三叉神経を経，遠心性の運動線維は顔面神経から出る．

---

1 角膜 cornea　2 角膜上皮 corneal epithelium　3 前境界板（ボウマン膜）anterior limiting lamina (Bowman's membrane)　4 角膜固有質 substantia propria　5 後境界板（デスメー膜）posterior limiting lamina (Descemet's membrane)　6 角膜内皮 corneal endothelium　7 前眼房 anterior chambers of eyeball　8 虹彩角膜角 iridocorneal angle　9 櫛状靱帯 pectinate ligament　10 強膜静脈洞（シュレム管）scleral venous sinus (canal of Schlemm)　11 虹彩 iris　12 毛様体縁 ciliary margin　13 瞳孔縁 pupillary margin　14 虹彩支質（中胚葉性！）stroma of iris　15 網膜虹彩部 iridial part of retina　16 大虹彩動脈輪 major circulus arteriosus of iris　17 瞳孔括約筋 sphincter pupillae　18 瞳孔散大筋 dilator pupillae　19 毛様体 ciliary body　20 毛様体輪 ciliary ring　21 毛様体突起 ciliary processes　22 経線状線維 meridional fibres　23 輪状線維 circular fibres　24 網膜毛様体部 ciliary part of retina　25 小帯線維 zonular fibres　26 毛様体小帯 ciliary zonule　27 水晶体 lens

血管分布（A）

眼は異なる2つの血管系をもっている：すなわち**毛様体動脈**と**網膜中心動脈**の2つである．すべての血管は眼動脈 ophthalmic artery（558頁）から分かれて出てくる．後毛様体動脈は虹彩（**A1**），毛様体（**A2**）および眼球後壁の固有の血管膜すなわち脈絡膜（**A3**）へ行く動脈の枝である．これらの部分はブドウ膜 uvea あるいは眼球血管膜と総称されているものである．この血管系は単に給血のみでなく，眼内圧の維持と眼球の緊張に重要な意義をもっている．

長後毛様体動脈（A4）．2本のこの動脈は視神経が出ていくところの近くで強膜を貫いて入る．そのうちの1本は眼球の側頭側の壁を走り，もう1本は鼻側の壁を走って毛様体と虹彩へ行く．虹彩根でこれらの血管は大虹彩動脈輪（**A5**）をつくり，これから放射状に血管が出て瞳孔のまわりにある小虹彩動脈輪（**A6**）へ行く．

短後毛様体動脈（A7）．これらの血管は眼球後壁に分布し，鋸状縁（**A8**）まで広がる脈絡膜の血管網をつくっている．特に腔の広い毛細血管からなる脈絡膜の内帯は脈絡毛細血管板 capillary lamina といわれ，網膜の色素上皮層に接している．網膜の色素上皮層とこの脈絡毛細血管板が強固に癒着しているのに対して，脈絡膜の外面は間隙（脈絡外隙 perichoroidal space）によって強膜と隔てられているため，ずれることができるようになっている．

前毛様体動脈（A9）．これらの動脈は諸直筋への筋枝から出て強膜まで走り，ここで強膜上組織と結膜の中で枝分かれする（強膜上動脈と結膜動脈）．結膜の中で，これらの動脈は角膜縁のまわりにある辺縁ワナ（**A10**）をつくる．

静脈は4本の**渦静脈**（**A11**）に集まってくる．これらの渦静脈は眼球の後壁で強膜を斜めに通り抜けている．

網膜中心動脈（A12）．この動脈は眼球の後方約1cmのところで視神経の中へ入り込み，この神経の中心部を通って視神経乳頭（下記参照）にまで達する．その後この動脈は枝分かれして，網膜の内面の神経線維層の中を走る．これら網膜の動脈は終動脈 end-arteries である．毛細血管は内顆粒層（595頁 AB12）にまで進入している．細静脈は網膜中心静脈（**A13**）に集められる．この中心静脈は動脈と同じ走り方をしている．

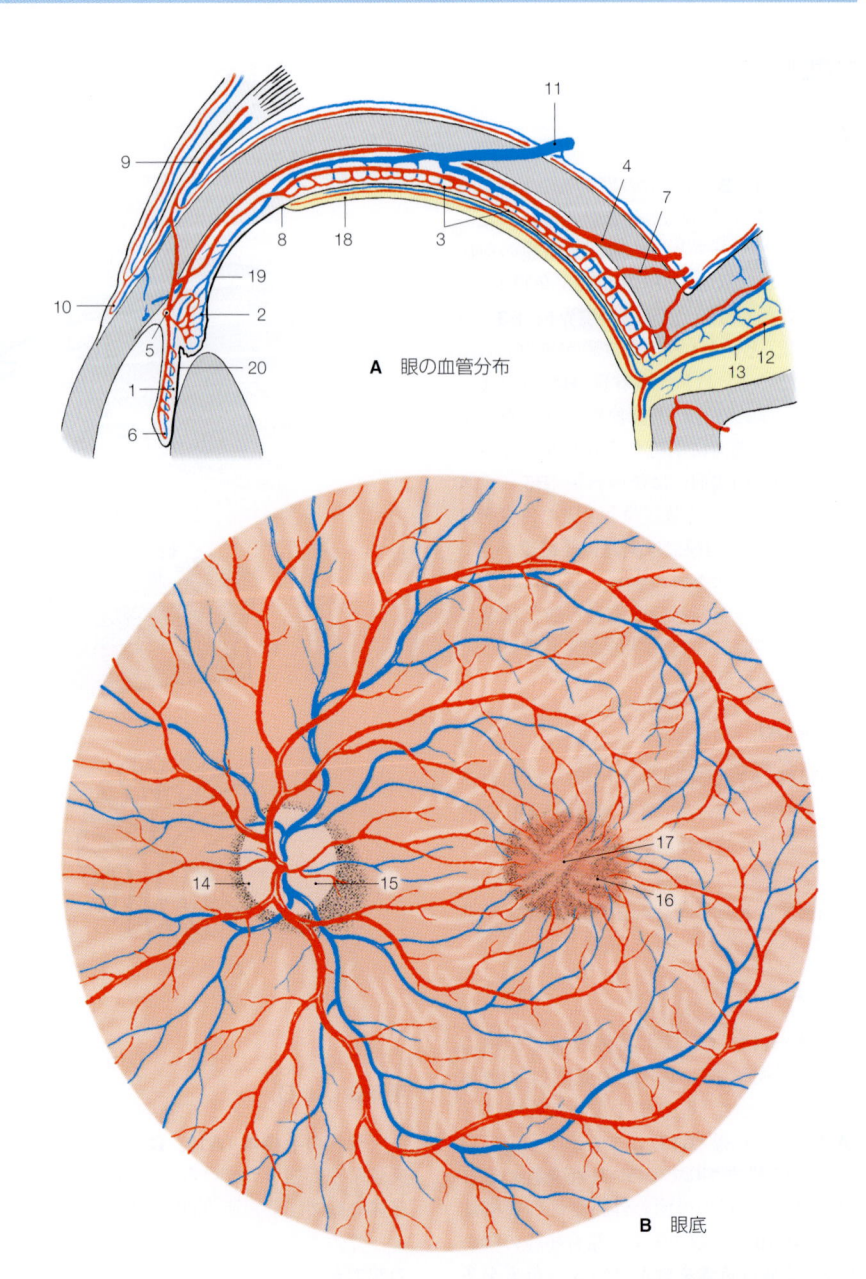

視細胞は網膜の両側から栄養される：すなわち外面からは短後毛様体動脈によって，内面からは中心動脈によって栄養されているのである．

眼底（B）

検眼鏡 ophthalmoscope を用いて，瞳孔を通じ眼底 eye ground を観察することができる．眼底は赤味をおびた色をしている．その鼻側半分には**視神経乳頭**（**B14**；盲斑）があり，ここに網膜のすべての神経線維が集まり視神経となって眼から出ていく．視神経乳頭は明るい白っぽい円板状を呈し，その中心には円板（乳頭）陥凹（**B15**, 596頁D）という平らな窪みがある．乳頭では中心動脈はいくつかの枝に分かれ，また静脈はここに集まってきて中心静脈となる．動脈は明るく細く，静脈は暗く幾分太くみえる．これらの血管は鼻側ではどちらかというと放射状に，耳側ではむしろ弧を描くように走っている．数多くの血管が最も視力の鋭い領域である**黄斑**（**B16**）へ行っている．その横長の卵円形でわずかに黄色がかった面の中心には，血管のない**中心窩**（**B17**, 596頁A）という小さなくぼみがある．なお，黄斑は視神経円板の外側約4mmほどのところにある．

---

1 虹彩 iris　2 毛様体 ciliary body　3 脈絡膜 choroid　4 長後毛様体動脈 long posterior ciliary arteries　5 大虹彩動脈輪 major circulus arteriosus of iris　6 小虹彩動脈輪 minor circulus arteriosus of iris　7 短後毛様体動脈 short posterior ciliary artery　8 鋸状縁 ora serrata　9 前毛様体動脈 anterior ciliary arteries　10 辺縁ワナ marginal slings　11 渦静脈 vorticose veins　12 網膜中心動脈 central retinal artery　13 網膜中心静脈 central retinal vein　14 視神経円板（乳頭）optic disc　15 円板（乳頭）陥凹 depression of optic disc　16 黄斑 macula　17 中心窩 fovea centralis　18 網膜の視部 optic part of retina　19 網膜の毛様体部 ciliary part of retina　20 網膜の虹彩部 iridial part of retina

網膜（A，B）

網膜 retina は 2 葉から構成されている：すなわち外側にある色素部と内側にある神経部とである（592頁A8とA9）．これら両葉はただ乳頭と鋸状縁のところでだけ互いにしっかりと癒着している．

神経部

神経部 neural layer は 3 つの細胞層からなっている．色素［上皮］部（**AB1**）にじかに接して，視細胞層 layer of photosensitive cells, すなわち光受容器の層がある．それに続いて双極細胞層 layer of bipolar cells, すなわち双極性神経細胞の層と，最後に視神経細胞層 layer of ganglion cellsといわれ，その軸索が視神経をつくる大型のニューロンの層とがある．したがって網膜では感覚細胞はその受容部を光が入射する方向に向けているのではなく，光に背を向け，さらに神経細胞と神経線維に覆われて存在するのである．この裏返しの関係は網膜の反転 inversion of retina といわれている．網膜の内面は内境界層（**B2**）と基底膜によって硝子体と隔てられる．一種の神経膠性膜である外境界層（**B3**）は，視細胞層の中で感覚細胞の受容部の境界をつくっている．両境界層の間には葉状の突起をもつ長いミュラー支持細胞（**B4**）がのびている．

視細胞層（AB5）．この視細胞層は 2 種の異なった感覚細胞すなわち**杆状体細胞（B6）**と**錐状体細胞（B7）**を含んでいる．杆状体 rods は明暗の感受性（薄暗いところでの白黒視 scotopic vision）を，錐状体 cones は色の感受性（昼間視 photic vision）を担っているとされている（二元説 duplicity theory）．これら受容器の細胞核は外顆粒層（**AB8**）をつくっている．杆状体と錐状体は色素上皮に終わっている．この色素上皮と接触しないことには受容器は機能を発揮するに至らないのである．視細胞（光受容器）は視覚伝導路の第1ニューロンである．

低級な脊椎動物では色素上皮に微絨毛（**B9**）からなる刷子縁があり，これらは杆状体と錐状体の間に入り込んでいる．光をあてると色素は刷子縁の方へ移動し，感覚細胞の受容部を取り囲む．暗くなると元に戻る．ある種の動物では感覚細胞はのびることができ，光をあてている間は色素上皮に向かってのび出すという．このような網膜運動能 retinomotoricity は哺乳動物では確実に証明されているわけではない．

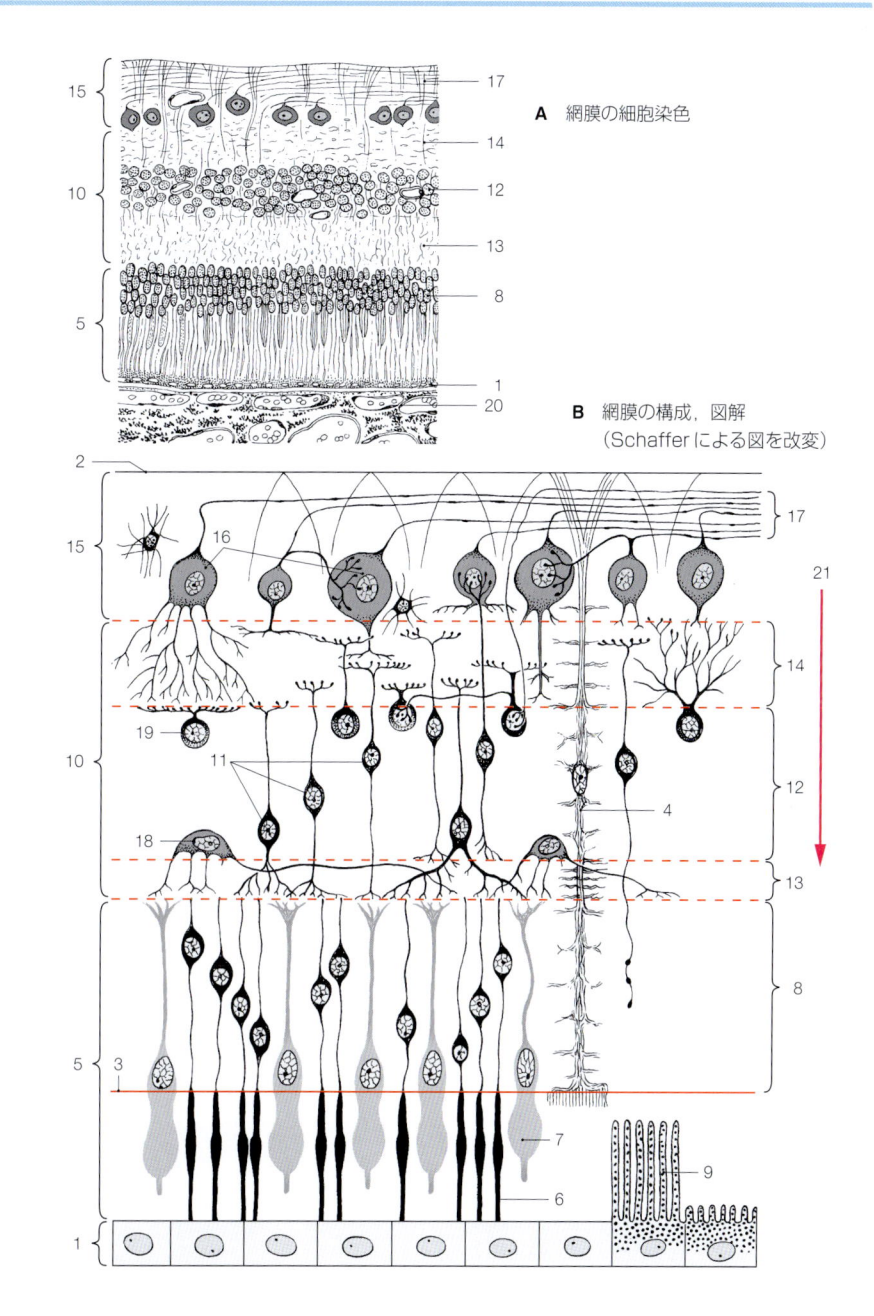

A 網膜の細胞染色

B 網膜の構成，図解（Schafferによる図を改変）

双極細胞層（AB10）．ここには**双極性の介在神経細胞**（**B11**, 第2ニューロン）があり，これらの樹状突起は視細胞へ行き，終末分枝をつくって受容器の終末小球または小足に終わっている．この双極細胞の軸索は視神経細胞層の大型ニューロンと接触している．双極細胞の核は内顆粒層（**AB12**）をつくっている．これらのシナプスは外網状層（**AB13**）および内網状層（**AB14**）といわれる核のない帯域にみられる．

視神経細胞層（AB15）．最も内側の細胞層は一列に並ぶ大きな**多極性の視神経細胞**（**B16**, 第3ニューロン）からなっており，その短い樹状突起は内網状層で双極細胞とシナプスをつくっている．この大型の神経細胞の軸索は無髄線維として神経線維層（**AB17**）の中を視神経乳頭（盲斑）へ向かう．これらの線維はここからは有髄となり，**視神経**を構成して外側膝状体（552頁）へ行って終わる．

連合細胞 association cells. 個々の層には横のつながりが存在する．この横のつながりは外網状層では水平細胞（**B18**）の軸索と樹状突起によって，また内網状層では無軸索細胞（**B19**, アマクリン細胞）の樹状突起によってつくられる．

---

1 色素部 pigmented layer (part)　**2** 内境界層 inner limiting layer　**3** 外境界層 outer limiting layer　**4** ミュラー支持細胞（放射状膠細胞）supporting cells of Müller (radial gliocyte)　**5** 視細胞層 layer of photosensitive cells　**6** 杆状体細胞 rod cells　**7** 錐状体細胞 cone cells　**8** 外顆粒層 external granular layer　**9** 微絨毛 microvilli　**10** 双極細胞層 layer of bipolar cells　**11** 双極性介在ニューロン bipolar internuncial neurons　**12** 内顆粒層 internal granular layer　**13** 外網状層 external plexiform layer　**14** 内網状層 internal plexiform layer　**15** 視神経細胞層 layer of ganglion cells　**16** 視神経細胞 ganglion cells　**17** 神経線維層 layer of nerve fibers　**18** 水平細胞 horizontal cells　**19** 無軸索細胞 amacrine cells　**20** 脈絡毛細血管板 capillary lamina　**21** 光が入射する方向

網膜（続き）(A〜C)

網膜の部位別構造

網膜は3つの部分に分けられる：**網膜視部** optic part of retina（594頁A18）は眼底を覆っていて，光を感じる感覚細胞（光受容器）を含んでいる．**網膜毛様体部** ciliary part of retina（593頁A24，594頁A19）は鋸状縁 ora serrata（592頁B23）によって視部から分けられている．毛様体部は毛様体の上を覆う部分である．**網膜虹彩部** iridial part of retina（593頁AC15，594頁A20）は虹彩の後面を覆っている．

毛様体部と虹彩部は感覚細胞を含んでおらず，二重になった色素上皮層からなっているだけである．したがって，毛様体部と虹彩部は合わせて**網膜盲部** nonvisual retina ともいわれる．

ヒトの網膜は約1億2,000万の杆状体と600万の錐状体を含んでいる．その分布は部位によって異なる．中心窩のまわりでは2個の杆状体に対して1個の錐状体がみられる．周辺へ行くほど錐状体の数は減少するため，網膜の外側領域では杆状体がはるかに優勢となっている．

黄斑と中心窩． 黄斑 macula には杆状体がなく，錐状体（**AB1**）のみがみられる．ここの錐状体は通常の錐状体の構造と異なって特に細長い形をしている．双極細胞層と視神経細胞層は黄斑では非常に厚くなるが，**中心窩** fovea centralis のところでは消失するため，ここでは錐状体細胞の上にはただ薄い組織層がのっているだけである．したがって入射する光は中心窩では受容器に直接あたることになる．黄斑と中心窩は最も視力の鋭いところである．これは単に網膜の上部の層がないためだけではなく，ニューロンの特殊なつながりにも原因がある．

中心窩ではどの錐状体細胞もただ1個の双極細胞（**B2**）と結合している．中心窩の周囲 perifovea では1個の双極細胞は6個の錐状体細胞と接続する．網膜の辺縁部では明らかな収束回路 convergence circuit（**C**, 445頁）がみられる．ここでは1個の視神経細胞に500個以上の視細胞が集中する．全体として1億3,000万個の視細胞はわずか100万本の視神経線維と対応しているのである．

黄斑の視神経細胞からはまとまった線維束が乳頭へ行っている．これを乳頭黄斑束 papillomacular bundle という．

ニューロン回路

網膜はきわめて複雑な介在系 internuncial system をもっている．眼はただ光刺激を伝送するだけの感覚器ではない．むしろ光刺激は網膜ではやくも改変を受けるのである．電気生理学的研究によってわかったことは，視細胞の集団はまとまって受容域 receptive fields をつくり，機能単位として反応するということである．一つの受容域は一つの大きな視神経細胞の樹状突起樹と内網状層の無軸索細胞の樹状突起とからなっている．この受容域が興奮すると，そのまわりの視神経細胞は抑制を受ける（対比形成 contrast formation, 445頁）．この抑制は外網状層にある水平細胞の横のつながりによって起こされるのである．

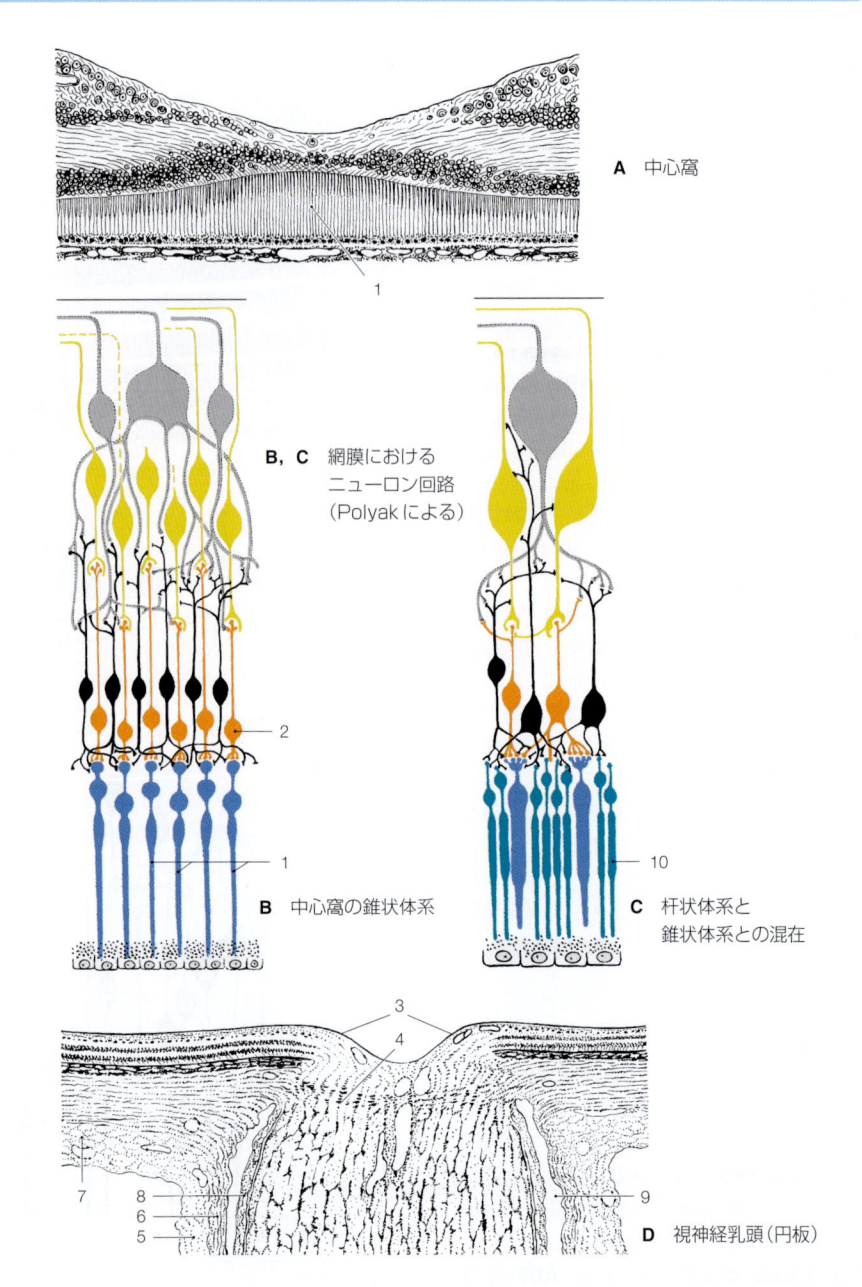

視神経（D）

網膜の神経線維は束をなして視神経乳頭（**D3**）へ行き，ここでこれらの線維は合して**視神経** optic nerve, *Nervus opticus* となり眼球を出る．強膜と脈絡膜は視神経が出るところでは薄くなって篩板（**D4**）といわれる．眼球から出ると，これらのきわめて細い線維は髄鞘に包まれるようになる．硬膜鞘（**D5**）とクモ膜鞘（**D6**）は強膜（**D7**）へ移行していく．クモ膜鞘と軟膜鞘（**D8**）の間には髄液で満たされた間隙（**D9**）があり，これがあるために視神経と被膜との間で互いにずれ動くことができる．軟膜からは多くの中隔が出て神経束の間へ入り込んでいく．視神経は中枢神経系の線維路であるため，星状膠細胞と稀突起膠細胞を含んでいる．視神経線維にはシュワン細胞の被膜はない．

A 中心窩

B, C 網膜におけるニューロン回路（Polyakによる）

B 中心窩の錐状体系

C 杆状体系と錐状体系との混在

D 視神経乳頭（円板）

---

1 錐状体 cones　**2** 双極細胞 bipolar cells　**3** 視神経乳頭 optic papilla　**4** 篩板 cribriform plate　**5** 硬膜鞘（＝視神経外鞘）dural sheath（＝ outer sheath of optic nerve）　**6** クモ膜鞘（＝視神経中間鞘）arachnoid sheath（＝ intermediate sheath of o. n.）　**7** 強膜 sclera　**8** 軟膜鞘（＝視神経内鞘）pial sheath（＝ inner sheath of o. n.）　**9** 鞘間隙（＝クモ膜下腔）intervaginal space（＝ subarachnoid cavity）　**10** 杆状体 rods

光受容器（A〜D）

　光を感じる感覚細胞（光受容細胞 photo-receptors）はすべての脊椎動物で同一の基本構造を示す．色素上皮にじかに接してこの細胞の**外節** outer segment があり，これは色素上皮細胞の深みにはまり込んでいる．杆状体では，外節は一種の膜性の円柱（**AB1, C**）であって，同じ大きさで幾百もの円板状の膜小袋（＝杆状体嚢 rod sac）を入れている．錐状体では，外節（**B2, D**）はむしろ円錐形で，細胞膜が内方へ折り返してできる円板（＝錐状体嚢 cone sac）は近位のものが遠位にあるものより大きい．外節は**内節** inner segment から偏心性に存在する結合部（**ACD3**）を介してつながっている．この結合部は一種の線毛であって，特徴的な対性の2種の構造（565頁D5とD6）をもっている．ある種の動物では結合部が比較的長く，内外両節の間にはっきりした間腔が認められる（**A**）．しかしヒトでは両節は互いに重なり合って，間腔がみられないほど結合部が短い（**B**）．**内節**（**AB4**）は多数のゴルジ嚢とリボゾームおよび長軸方向に並ぶミトコンドリアを含んでいる．内節に続いて細胞体は次第に細くなって突起（**AB5**）となり，この突起は一種の軸索で細糸 filament と微小管 microtubuli をもっている．**核**（**AB6**）は内節から軸索への移行部ないしは軸索内にみられる．この細胞の内方へ向かう末端は**終末小球**（**A7**）をつくり，ここにはシナプスがある．ここでは通常のシナプスのほか，いわゆる陥入シナプス（**A8**）がつくられ，このシナプスではシナプス前膜が陥入してシナプス後複合 postsynaptic complex を周りから囲んでいるのである．

A 杆状体細胞，電顕像の模式図

B 杆状体細胞と錐状体細胞，ヒト

C 杆状体細胞の外節

D 錐状体細胞の外節

　外節はこの杆状体細胞の真の受容部であって，ここで光が吸収される．外節に積み重ねられている円板は外節の近位部で細胞膜（**C9**）がたたみ込まれてつくられる．これらの円板はやがて形質膜から杆状体細胞内に剥がれて，遠位部では遊離した円板（**C10**）をつくる．円板の膜には視紅 visual purple すなわち**ロドプシン** rhodopsin が結合している．ロドプシンのタンパク成分（スコトプシン scotopsin）に放射性アミノ酸を組み込んで標識すると，視紅の内節における生成と結合部を通って外節への移動を自放図法 autoradiography で追跡することができる．外節では標識された物質が帯状にみられ，その遠位端まで移動していき，そこで消失してしまう（ラットでは10日を要する）．これらの帯は標識されたロドプシンの付着している膜性円板を現しており，それらの円板は杆状体では絶えず新たにつくられ，その遠位端まで移動していき，やがて剥離してしまうのである．色素上皮の中に，このような剥離した円板の切れ端がみつかっている．錐状体細胞の外節（**D**）では円板の新しい形成は全く行われない．細胞膜がたたみ込まれてつくられた円板は恒常的にそのままであり続けてほぼ同じ位置で形質膜と連続しており，錐状体細胞では杆状体細胞と異なって形質膜からの膜陥入部の剥離は起こらない．

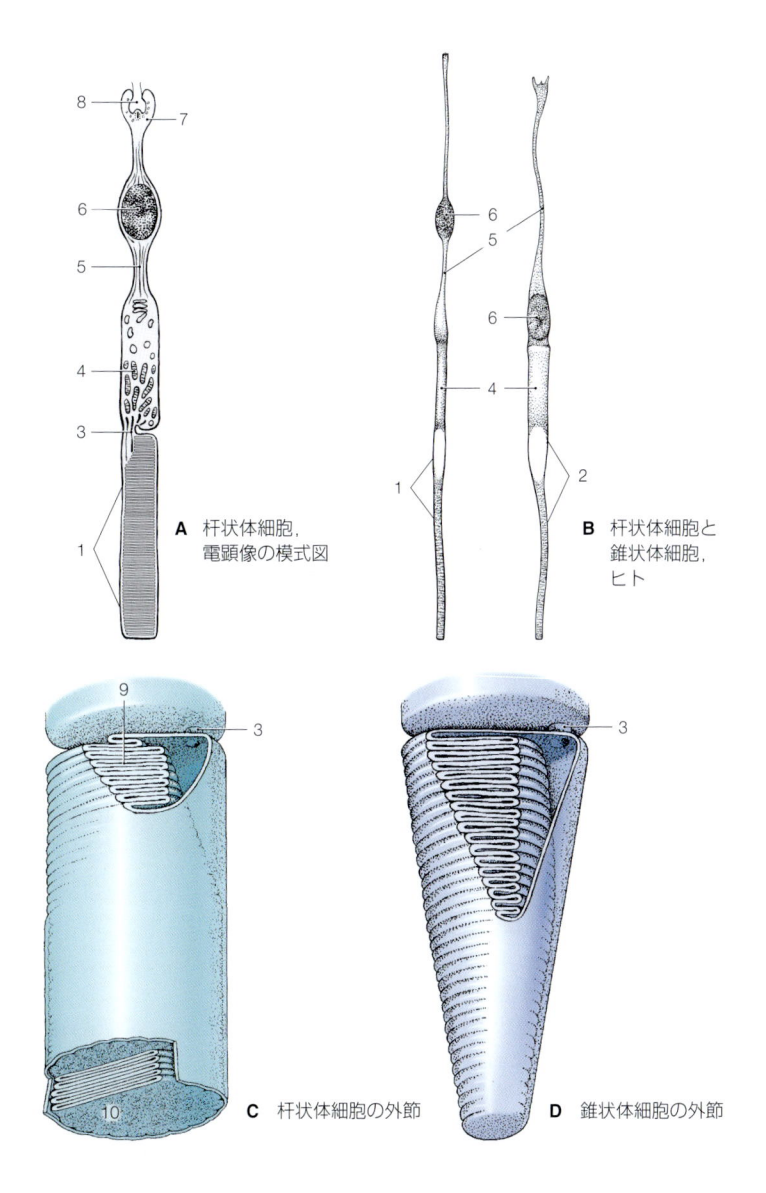

　光の吸収によってロドプシンは分子構造が変化し，スコトプシンと色素成分（レチナル retinal）とに分解する．そしてこれら両成分からロドプシンが杆状体細胞の中で絶えず新しくつくられ，杆状体の外節に与えられるという（ロドプシン－レチナル回路 rhodopsin-retinal cycle）．ロドプシンは杆状体細胞にのみ含まれている．この物質は全波長の光を吸収するため，色の弁別には役立たない．杆状体細胞は**明暗の受容器**なのである．錐状体にはそれぞれ異なった色素をもつ3型が区別される．これらの色素は一定の波長の光だけを吸収するが，その一つはヨドプシン iodopsin（フォトプシン photopsin とレチナルからなり，赤〜緑の光を吸収する）であることがわかっている．錐状体細胞は**色の受容器**なのである．

　ある種の動物では，網膜は錐状体のみをもち，また他の動物では杆状体しかもっていない（ネコ，ウシ）．杆状体網膜 nodretina をもつ動物は色を弁別することができない．よく知られている赤色に反応する闘牛の雄ウシは実際には色盲なのである．

臨床関連：赤／緑色弱の場合，赤に感受性のある，または緑に感じる錐体に，遺伝的な変化が生じており，そしてX染色体の変化と関係しているので，男性に発症者が多い．

1 杆状体の外節 outer segment of rod　2 錐状体の外節 outer segment of cone　3 結合部 connecting piece　4 内節 inner segment　5 結合線維（＝一種の軸索）connecting fiber（＝ a kind of axon）　6 視細胞の核 nucleus of photoreceptor cell　7 終末小球（杆状体の）terminal spherule（of cone）　8 陥入シナプス invaginated synapse　9 細胞膜 cell membrane　10 遊離した円板 isolated discs

視覚路と視覚反射

視覚路（A, B）

視覚路 visual pathway は4つのニューロンのつながりからなる：

第1ニューロン：**光受容細胞**（視細胞）

第2ニューロン：**網膜の双極神経細胞**（網膜神経節 retinal ganglion ともいう）であって，杆状体や錐状体からのインパルスをさらに網膜の大きな視神経細胞へ伝える．

第3ニューロン：大きな**視神経細胞**（視神経節 ganglion of optic nerve ともいう）の軸索は集まって視神経となり，第一次視覚中枢（外側膝状体核 lateral geniculate nucleus）へ行く．

第4ニューロン：**外側膝状体ニューロン**の軸索は視放線を形成して視覚皮質（有線野 striate area）へ投射する．

視神経（**A1**）は，視神経管を通って頭蓋腔の中へ入ってくる．間脳底で視神経は反対側の同神経とともに**視[神経]交叉**（**A2**）をつくっている．視交叉から線維束は**視索**（**A3**）といわれる．左右の視索は間脳底を取り囲み，大脳脚の外側面に達する．そして大脳脚をまわってそれぞれの側の**外側膝状体**（**A4**）へ行く．その前に視索は**外側根**（**A5**）と**内側根**（**A6**）とに分かれており，視索線維の大部分は外側根を通って外側膝状体へ行くが，内側根の線維は内側膝状体（**A7**）の下を通って，さらに中脳の上丘 superior colliculus に達する．これらの線維は視覚の反射弓（600頁A16）を含んでいる．また視索線維は外側膝状体に終わるまえに，少数の側副枝を視床枕（**A8**）へ送っている．**外側膝状体** lateral geniculate body で視放線が始まる．この**視放線**（**B9**）は広い線維板となって後頭葉内側面にある鳥距溝 calcarine sulcus へ行くが，途中で前方へ突出する**側頭膝**（**B10**，553頁C16）をつくっている．後頭葉では多くの線維が吻側へ曲がっていき（**後頭膝B11**），視覚皮質の前部に達している．

視交叉では網膜の鼻側半分（**B12**）から来る視神経線維が交叉する．**耳側半分**（**B13**）から来る線維は交叉せずに，引き続いて同側を走る．視交叉の後ろでは右の視索は右眼の網膜の耳側半分からの線維と，左眼の網膜の鼻側半分からの線維を含む．また左の視索は左眼の耳側半分からの線維と，右眼の鼻側半分からの線維とを含むことになる．視索の横断面では，交叉線維は主に腹外側に（ventrolateral），非交叉線維は背内側に（dorsomedial）位置している．これらの中間では線維は混じり合っている．

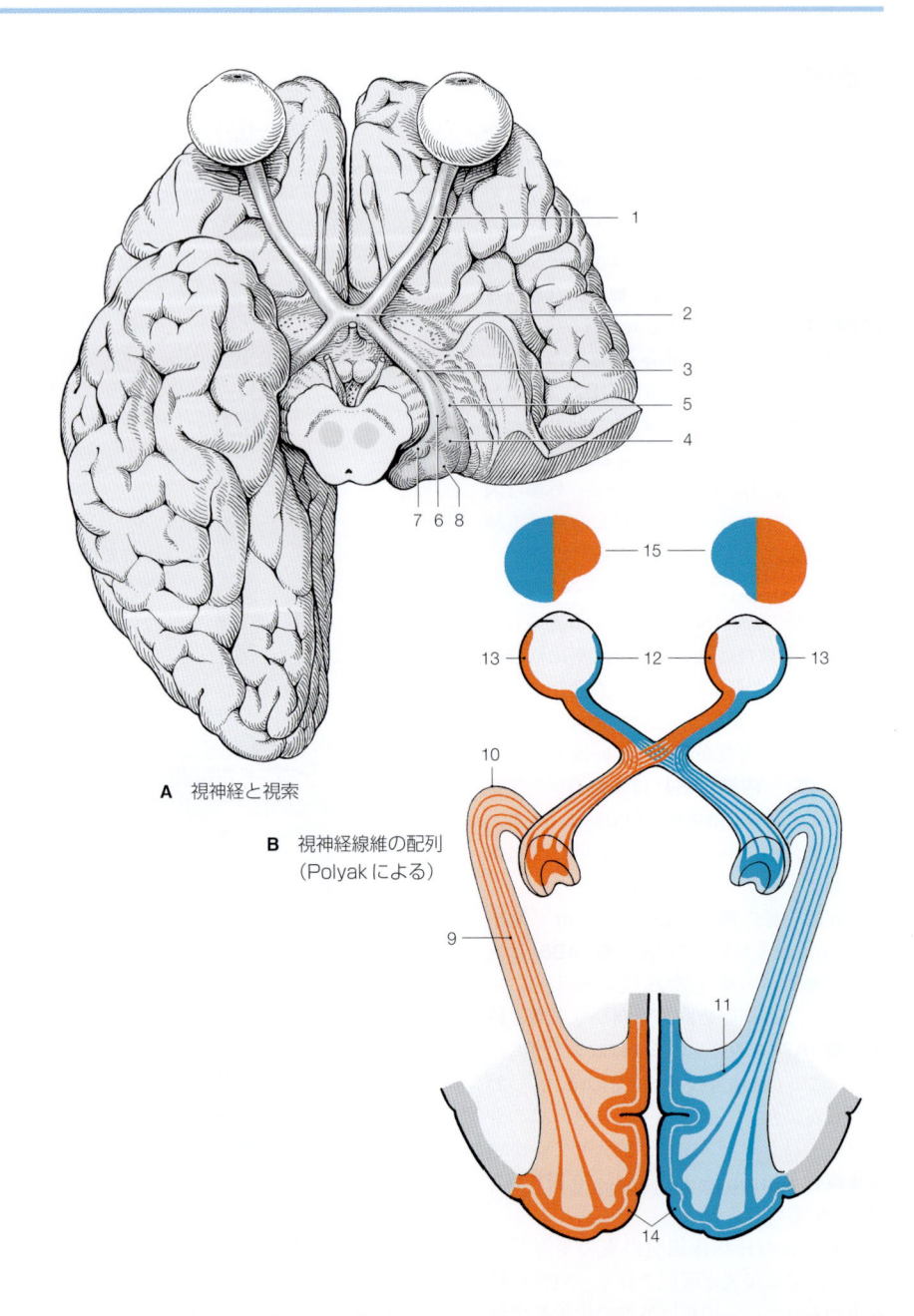

視索の交叉および非交叉線維は外側膝状体の異なった細胞層へ行く（552頁B）．膝状体細胞の数は視索線維の数の100万とほぼ同じである．もちろん視索線維はたいてい異なる細胞層にある5個ないし6個の細胞に終わっている．外側膝状体にはまた後頭皮質からの遠皮質線維も終わっているが，これらの線維はおそらく興奮の流入を調節しているのであろう．外側膝状体で見出されているシナプス前抑制に特徴的な軸索間シナプス axo-axonic synapses はこの現象に対応するものである．

膝状体細胞の軸索は視放線をつくる．その線維は網膜のそれぞれの領域に従って配列している（599頁）．網膜の下半分からの線維，特に網膜周辺部からのものは，側頭膝では大きく口側へ振れる．網膜の上半分と黄斑の中心部からの線維は側頭葉ではごく軽く弧を描くだけである．

右半球の**有線野**（**B14**）には両網膜の右半分からの線維が終わっている．したがって有線野は左半分の視野の感覚印象を受けとるわけである．左大脳半球の有線野には右側の視野の印象を写した両網膜の左半分からの線維が終わっている．したがって右手と右側の視野はともに優位な左側の半球に再現されるのである（555頁）．

A 視神経と視索

B 視神経線維の配列（Polyak による）

---

1 視神経 optic nerve　**2** 視[神経]交叉 optic chiasm　**3** 視索 optic tract　**4** 外側膝状体 lateral geniculate body　**5** 外側根 lateral root　**6** 内側根 medial root　**7** 内側膝状体 medial geniculate body　**8** 視床枕 pulvinar　**9** 視放線 optic radiation（Gratiolet）　**10** 側頭膝 temporal knee　**11** 後頭膝 occipital knee　**12** 網膜の鼻側半分 nasal half of the retina　**13** 網膜の耳側半分 temporal half of the retina　**14** 有線野（線状野）striate area　**15** 視野 visual field

視覚路の局在（A）

網膜の個々の領域からの線維は視覚系のそれぞれの部分で一定の位置をとっている．これらの位置を簡単に表現するため，網膜を4つの象限（1/4区分）に分け，それらの中心の共通部分が中心窩（最も明らかに物を見ることができる部位）をもつ黄斑をつくることになる．黄斑線維 macular fibers には中心窩，外側膝状体および有線野の間で厳密な点対点の関係が存在するとされている．

両眼視野（**A1**）の各半側は，おのおの**網膜**（**A2**）の反対半側が投影される関係にある．**視神経** optic nerve が眼球から出た直後では（**A3**），黄斑線維はこの神経の外側部に位置している．くわしくは黄斑の鼻側半分からの線維はその内部にあり，黄斑の耳側半分からの線維で囲まれている．さらに進むと黄斑の線維束は中心部を占めるようになる（**A4**）．

視交叉（**A5**）で網膜の鼻側半分の線維は交叉して反対側へ行く．これらの線維はその際に特有の経過をとる：すなわち内側の線維は交叉して，数mm反対側の視神経の中を逆行した後，鋭角をなしてその側の視索へ向きをかえて走る．外側の線維は少しのあいだ同側の視索の中を走って，急に反対側の視索へ折れ曲がっていく．

視索（**A6**）はこのようにして両眼の対応する（同名側の）網膜の半分を含むことになる：すなわち左の視索は両網膜の左半分を，右の視索は両網膜の右半分を含んでいる．そして両側の網膜の上象限からの線維は視索の腹内側部に，下象限からの線維はその背外側部に位置している．黄斑線維は中心の位置を占めている．外側膝状体へ入り込む前に，黄斑線維は楔状に編成され，その楔に網膜の上象限からの線維が内側から接し，下象限からの線維は外側から接するようになる（**A7**）．

これらの線維は**外側膝状体**（**A8**）に同じような配列をとって終わる．その際，黄斑線維の終わる真ん中の楔状の領域は，層状をなす外側膝状体のほぼ半分にも及ぶ（519頁A9）．網膜周辺部の線維は，外側膝状体の最前部と最も腹側の部分に終わる．外側膝状体の細胞層に終わる非交叉線維もしくは

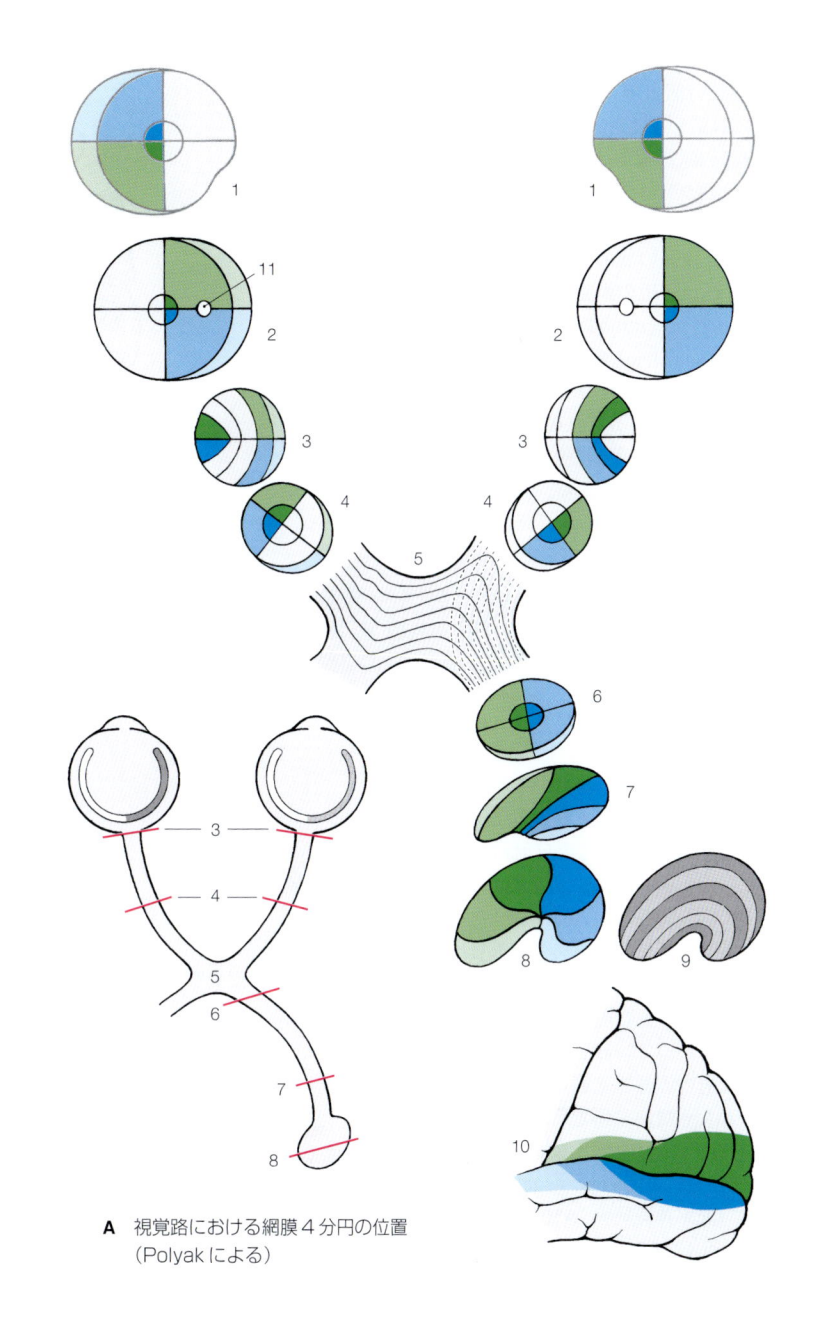

交叉線維の終末の状態が淡灰色と濃灰色で表されている（**A9**，552頁A）．この真ん中の楔にある膝状体細胞は，**有線野**（**A10**）の後部へ投射している．網膜では直径が2mm弱の最も視力の鋭い領域すなわち中心窩は，視覚領のきわめて広い部分に再現されるのである．その口側には網膜のほかの部分からのずっと狭い領野がある．網膜の上象限は鳥距溝の上唇に，下象限はその下唇に再現されている．

A 視覚路における網膜4分円の位置（Polyakによる）

臨床関連：一定の部位で視覚路が傷害を受けると，線維の配列に応じて異なる脱落症状が生じる．その際に顧慮すべきことは，網膜の下半分は視野の上半分の，網膜の上半分は下半分の印象を受け入れているということである．それと同じことが網膜の左および右半分についてもいえる．したがって左側の視索，外側膝状体あるいは視覚領が傷害されると，網膜の左半分すなわち視野の右半分がおかされる：すなわち，右側の同名側性半盲 right homonymous hemianopsia が起こってくる．両耳側半盲 bitemporal hemianopsia では，左右網膜の鼻側半分すなわち交叉線維の傷害（例えば，視交叉部の下垂体腫瘍のとき）によって，両側耳側の視野の欠損が起こる．両側の視覚領が破壊されると，いわゆる精神盲 psychic blindness（皮質盲 cortical blindness）の状態となり，失認（認知不能）が起こる．

---

1 視野 visual field　**2** 網膜 retina　**3** 眼球から出た直後の視神経 optic nerve just behind the eyeball　**4** 視神経 optic nerve　**5** 視交叉 optic chiasm　**6** 視索 optic tract　**7** 外側膝状体に入り込む直前の視索 optic tract just before the lateral geniculate body　**8** 外側膝状体 lateral geniculate body　**9** 本文参照　**10** 有線野（線状野）striate area　**11** 視神経孔頭（盲斑）optic papilla (blind spot)

視覚反射（A～C）

物を見るには眼は絶えず明暗や遠近の移りかわりに対応しなければならない（視覚反射 optic reflexes）．このためには絞りとレンズ系が，そのつどの支配的な諸条件に応じて，いつも円滑にかえられる必要がある．**明暗の調整**は瞳孔の散大または縮小によって行われるが，**遠近の調整**は水晶体の彎曲度の変化（調節 accommodation），視線の変化（輻輳 convergence）および瞳孔の大きさの変化を必要とする．遠方を見る際は，水晶体表面の彎曲はわずかで，視線は平行し，瞳孔は開いている．近くに焦点を合わせると，水晶体表面は強く彎曲し，視線はそのつど固視される対象のところで交叉し，瞳孔は縮小する．

対光反射（瞳孔反射）（A）

光が網膜にあたると，瞳孔は縮小する．この対光反射 light reflex（瞳孔反射 pupillary reflex）の求心脚は視神経線維（**A1**）であって，視蓋前核（**A2**）へ行っている．この核はエディンガー・ウェストファル核（**A3**，動眼神経副核）の吻側部と結合しており，ここからの線維（**A4**）はこの反射弓の遠心脚として毛様体神経節（**A5**，490頁）まで行く．ここからの節後線維（**A6**）が瞳孔括約筋（**A7**）を支配している．両側の視蓋前核は後交連（**A8**）を介して互いにつながっている．そのほかどちらの側の視神経線維も両側の視蓋前核に終わっているとされている．これは対光反射の両側性を説明するものである．すなわち一眼のみに光をあてても，光をあてないほうの眼の瞳孔も縮小するのである（共感性瞳孔反応 consensual pupillary reaction）．交感神経線維（**A10**）は瞳孔散大筋（**A11**）へ行く．**A9**は毛様体脊髄中枢．

調節（遠くや近くを見るための順応）（B）

調節装置は水晶体，その懸架装置（毛様体小帯），毛様体および脈絡膜からなっている．これらの部分は眼球全体を包む弾性のある緊張した系をつくっており，水晶体を扁平で軽度の彎曲をもつ形に保っている（**B12**；遠くを見るとき）．近くを見るときには毛様体筋（**B13**）は収縮する．その経線状筋線維は長い小帯線維を前方へ引き寄せ，輪状筋線維は毛様体突起を水晶体縁に近づける．それによって小帯線維（**B14**）はゆるんで，水晶体包（被膜）capsule of lens の緊張がとれ，水晶体は丸くなる（**B15**，彎曲が強くなる）．

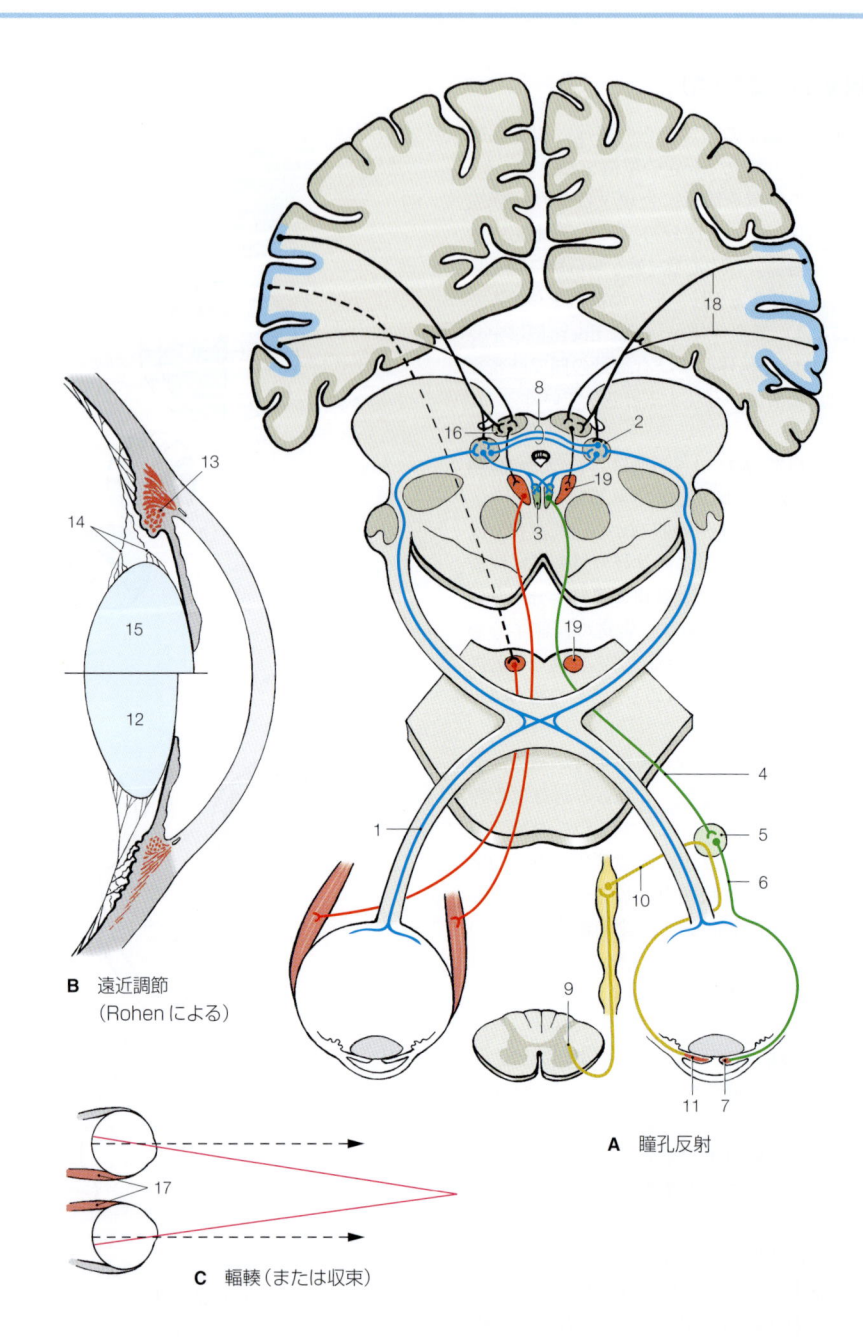

調節反射の線維路はあまりわかっていない．対象の固視が調節の前提条件であるから，視神経が求心脚である．おそらくこの反射は視覚領（有線野）を経て視蓋前核へ行くほか，上丘（**A16**）をも介するであろうことは十分考えられる．遠心脚はエディンガー・ウェストファル核の尾側部に始まる．ここからの線維は毛様体神経節で節後線維に切り替わり，この線維が毛様体筋を支配している．

輻輳（視線の内よせ）（A，C）

両眼で固視している対象が遠くから近づいてくるとき，内側直筋（**C17**）は次第に強く収縮して両眼球を内転させる．その結果，はじめ平行していた両側の視線（破線矢印）は交叉するに至る．固視された物体は両側の視線の交点にあり，常に両側の黄斑に結像する．

この**固視反射** fixation reflex はおそらく視覚路を通って後頭皮質へ行き，遠皮質性線維（**A18**）を経て中脳の上丘，視蓋前野 pretectal area および眼筋の諸核（**A19**）へやってくる．したがって後頭皮質をこの反射の中枢とみなすことができる．

---

1 視神経線維 optic nerve fibers　2 視蓋前核 pretectal nuclei　3 エディンガー・ウェストファル核（動眼神経副核）nucleus of Edinger-Westphal (accessory nuclei of oculomotor nerve)　4 エディンガー・ウェストファル核からの線維 fibers from the nucleus of Edinger-Westphal　5 毛様体神経節 ciliary ganglion　6 節後線維 post-ganglionic fibers　7 瞳孔括約筋 sphincter pupillae　8 後交連 posterior commissure　9 毛様体脊髄中枢 ciliospinal center　10 交感神経線維 sympathetic fibers　11 瞳孔散大筋 dilator pupillae　12 水晶体（軽度の彎曲を示す；遠くを見るとき）lens　13 毛様体筋 ciliary muscle　14 小帯線維 zonular fibres　15 水晶体（強い彎曲を示す；近くを見るとき）lens　16 上丘 superior colliculus　17 内側直筋 medial rectus　18 遠皮質性線維 corticofugal fibers　19 眼筋の諸核 nuclei for the ocular muscles

構 造

概説（A，D）

耳 ear は2つの感覚器を備えており，それらは異なる機能をもつが，形態的には一つの複合体である内耳をつくっている．内耳の一つの部分は蝸牛 cochlea といわれる**聴覚器**であり，もう一つの部分は球形嚢 sacculus，卵形嚢 utriculus と半規管 semicircular ductus をまとめたもので，からだの位置の変化，ことに頭の位置の変化を感じとる**平衡覚器**である．

耳には3つの部分を区別する：すなわち外耳 external ear と中耳 middle ear（602頁以降参照）および内耳 internal ear（604頁以降参照）の3部である．

外耳に数えられるものは，耳介（A，D1）と外耳道（D2）である．

中耳は鼓室（D3），乳突蜂巣（602頁A6）および耳管（D4）からなっている．鼓室は耳小骨をいれた空気を含む狭い腔である．この腔は鼓膜の後ろにあるだけでなく，鼓室上陥凹（D5）となって少し外耳道の上にとび出している．腹側で鼓室は耳管に移行していく（D6，耳管鼓室口）．耳管は斜め前下方へ走り，咽頭後壁の前で咽頭腔へ開いている（D7，耳管咽頭口）．線毛上皮で内張りされた耳管は骨部と軟骨部からなっていて，この両部は耳管峡（D8）で互いに移行する．耳管軟骨（D24）は横断面では鉤の形をしていて間隙を残しており，ここは結合組織（膜性板 membranous lamina）で埋められている．軟骨部の壁には鼓膜張筋（D9）があり，骨性板によって固有の耳管腔とは隔てられて鼓室へ達し，その腱はツチ骨柄の上部に付着している（602頁A25）．耳管を介して鼓室は咽頭腔と交通しているため，中耳内の空気の交換と圧の均衡を保つことができる．耳管はもちろん平常は閉鎖して細隙状になっており，嚥下の際，軟口蓋の筋が収縮するときだけ開く．

内耳は骨迷路（D10）からなり，この中に膜迷路と内耳道が含まれている．

外耳（A～D）

耳介（A，D1）は，耳垂 lobule of auricle を例外として，弾性軟骨からなる枠組みをもっている．耳介の高まりとくぼみの形は人それぞれで異なり，遺伝的に定まっている．遺伝するのは次の個々の部分の形である：耳輪（A11），対輪（A12），舟状窩（A13），耳甲介（A14），耳珠（A15）ならびに対珠（A16），三角窩（A17）．耳介のつくりは昔は父子関係の証明 proof of paternity に特に重要な意義をもっていた．

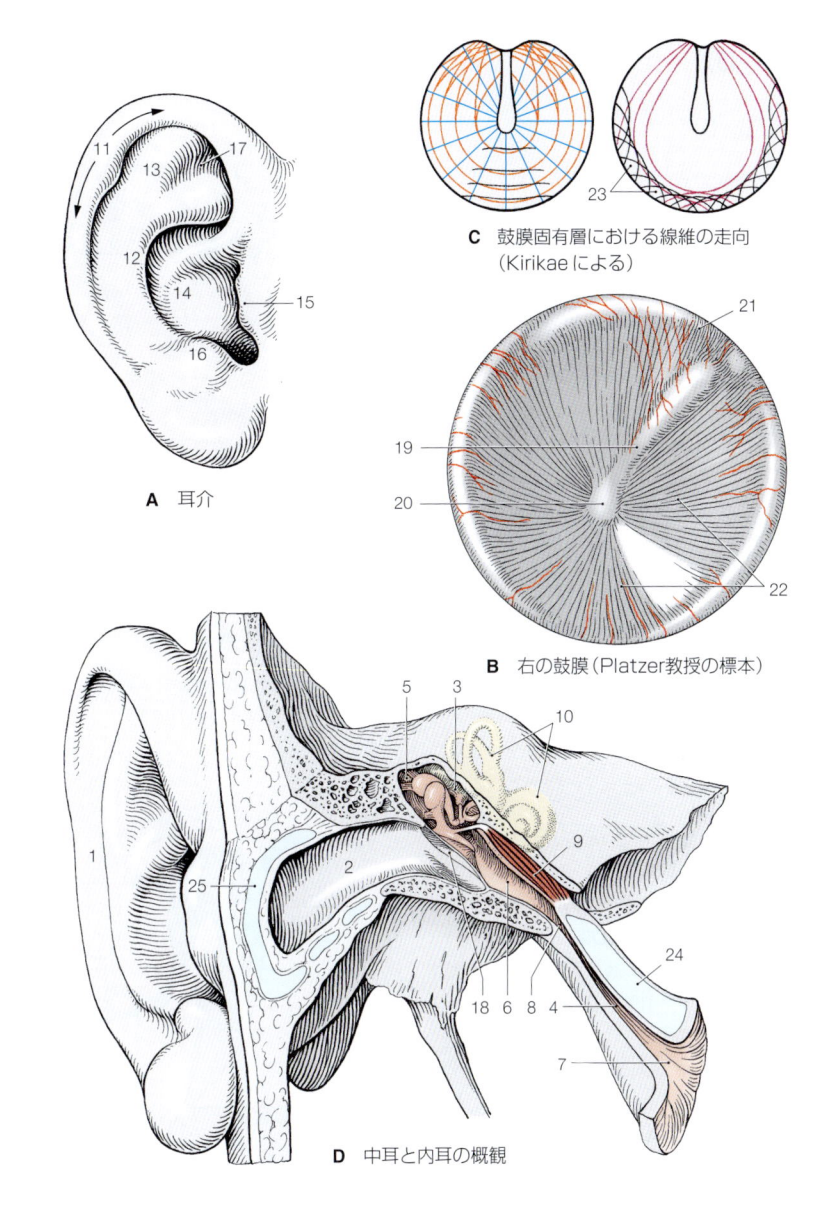

外耳道（D2）の起始部は耳介軟骨（D25）の続きである樋状の軟骨からつくられており，結合組織で補われて閉じた管になっている．外耳道は表皮で内張りされていて，表皮の下には耳道腺 ceruminous gland という大きな腺がみられる．

外耳道の終端となるのは外耳道に対して斜めにはめ込まれた**鼓膜**（B，D18）である．外側から鼓膜を観察すると，ツチ骨柄の付着によって生じるツチ骨条（B19）が認められ，これは漏斗状に陥入した鼓膜の最も内側の点，すなわち鼓膜臍（B20）に達する．このツチ骨条の上端（ツチ骨隆起 prominence of malleolar）の上方には，鼓膜のたるんだ部分がある．この部分は弛緩部（B21）で赤味がかってみえ，灰色に鈍く光る緊張部（B22）とは前・後のツチ骨ヒダにより境されている．鼓膜は外側では皮膚に，内側では粘膜に覆われている．その間にはさまれている緊張部の固有層では，外側にある放線状層 radiate layer（放線状線維を含む）と内側にある輪状層 circular layer（輪状，放物線状および横走線維を含む）が区別される（C）．線維軟骨輪（C23）は鼓膜の固定組織となっている．

外耳道の感覚支配については489頁参照．

A 耳介

C 鼓膜固有層における線維の走向（Kirikaeによる）

B 右の鼓膜（Platzer教授の標本）

D 中耳と内耳の概観

1 耳介 auricle　2 外耳道 external acoustic meatus　3 鼓室 tympanic cavity　4 耳管 auditory tube　5 鼓室上陥凹 epitympanic recess　6 耳管鼓室口 tympanic opening　7 耳管咽頭口 pharyngeal opening　8 耳管峡 isthmus of auditory tube　9 鼓膜張筋 tensor tympani　10 骨迷路 bony labyrinth　11 耳輪 helix　12 対輪 antihelix　13 舟状窩 scapha　14 耳甲介 concha of auricle　15 耳珠 tragus　16 対珠 antitragus　17 三角窩 fossa triangularis　18 鼓膜 tympanic membrane　19 ツチ骨条 mallear stria　20 鼓膜臍 umbo of tympanic membrane　21 弛緩部 pars flaccida　22 緊張部 pars tensa　23 線維軟骨輪 fibrocartilaginous ring　24 耳管軟骨 cartilage of auditory tube　25 耳介軟骨 auricular cartilage

中耳（A～D）

鼓室（A, B, D）

鼓室 tympanic cavity は幅の狭い背の高い腔であって，その外側壁には**鼓膜**（**AD1**）がはめ込まれている．内側壁には内耳に通じる2つの開口がある．**前庭窓**（**D2**）と**蝸牛窓**（**D3**）がそれである．鼓室の上壁すなわち室蓋壁 tegmental wall of tympanic cavity は比較的薄く側頭骨錐体の前面に接している．鼓室底の下には内頸静脈 internal jugular vein が走っているが，その鼓室底は薄い骨の板でつくられている．

鼓室は前方へは**耳管**（**A4**）に続いていく（601頁D4）．後ろでは鼓室の上部は**乳突洞**（**A5**）という丸みのある腔へ開いているが，この洞は無数の小さな腔すなわち**乳突蜂巣**（**A6**）と通じている．これらの粘膜で内張りされて空気を含んだ腔は，一つの小室系を形成し乳様突起全体に入り込んでおり，また側頭骨岩様部にも及んでいる．

耳小骨（A, C, D）

3つの**耳小骨** auditory ossicles は鼓膜とともに伝音装置を構成している．これらの耳小骨はそれぞれ**ツチ骨**（**CD7**），**キヌタ骨**（**CD8**）および**アブミ骨**（**CD9**）と呼ばれている．ツチ骨柄（**ACD10**）は鼓膜にしっかり固定されており，ツチ骨頸（**C11**）を介してツチ骨頭（**C12**）とつながっている．ツチ骨頭には鞍状の関節面があって，これにキヌタ骨体（**C13**）が重なっている．キヌタ骨の長脚からは豆状突起（**AC14**）が直角に出ており，これにはアブミ骨頭（**C15**）のための関節面がある．アブミ骨底 base of stapes は前庭窓の蓋をしており，その縁はアブミ骨輪状靱帯（**D16**）によって固定されている．鼓室壁とつながりのあるいくつかの耳小骨靱帯（**A17**）が，耳小骨をそれぞれの位置に保っている．

耳小骨は音波によって起こされる鼓膜の振動をさらに内耳へ伝える．その際ツチ骨とキヌタ骨は曲折テコの運動を行い，アブミ骨は蝶番運動（傾斜運動）を行う．アブミ骨底は内耳の液（外リンパ）に振動を伝達する．この液の動きは **D** に簡略化して示されている．実際には，この液の動きは蝸牛の中でラセン状の走向をとっているのである（604頁A，605頁C）．これらの小骨系の緊張状態は，互いに拮抗して働く2つの筋によって調節されている：すなわち耳管の軟骨壁に始まり，迷路壁のサジ状突起 processus cochleariformis で直角に折れ曲がり，ツチ骨柄の上端に終わる鼓膜張筋（**A18**, 601頁D9）と，たいていの場合顔面神経管と交通のある小さな骨性の管から始まり，アブミ骨に終わるアブミ骨筋（**A19**, 603頁C22）とによって調節されているのである．

鼓室を内張りし，耳小骨を覆っている粘膜は種々のヒダをつくっている．なかでも前ツチ骨ヒダ（**A20**）と後ツチ骨ヒダ（**A21**）は鼓索神経（**A22**）を包んでいる．これらのヒダはいくつかの粘膜陥凹をつくっている．感染の際に臨床的に意義のあるものは上鼓膜陥凹 superior recesses of tympanic membrane であって，これはプルサーク腔（**D23**）ともいわれ鼓膜の弛緩部とツチ骨頸の間にある．

外耳の感覚支配については489頁参照．

A 鼓室，鼓膜の内面をみたところ（Platzer教授の標本）

B 頭蓋における鼓室と耳管の位置

C 耳小骨

D 耳小骨の作用様式

---

1 鼓膜 tympanic membrane　**2** 前庭窓 oval window　**3** 蝸牛窓 round window　**4** 耳管 auditory tube　**5** 乳突洞 mastoid antrum　**6** 乳突蜂巣 mastoid cells　**7** ツチ骨 malleus　**8** キヌタ骨 incus　**9** アブミ骨 stapes　**10** ツチ骨柄 handle of malleus　**11** ツチ骨頸 neck of malleus　**12** ツチ骨頭 head of malleus　**13** キヌタ骨体 body of incus　**14** 豆状突起 lenticular process　**15** アブミ骨頭 head of stapes　**16** アブミ骨輪状靱帯 anular ligament of stapes　**17** 耳小骨靱帯 ligaments of auditory ossicles　**18** 鼓膜張筋 tensor tympani　**19** アブミ骨筋 stapedius　**20** 前ツチ骨ヒダ anterior fold of malleus　**21** 後ツチ骨ヒダ posterior fold of malleus　**22** 鼓索神経 chorda tympani　**23** プルサーク腔 space of Prussak　**24** 顔面神経 facial nerve　**25** 鼓膜張筋腱 tendon of tensor tympani

鼓室の内側壁（A～C）

内側壁すなわち**迷路壁** labyrinthine wall of tympanic cavity は内耳から鼓室を分けている．迷路壁の中央部の膨隆は**岬角**（**A1**）といわれ，蝸牛の基底回転によって生じる．岬角溝（**A2**）という分岐した溝の中には，鼓室神経（**C4**，舌咽神経から出る），内頸動脈神経叢の交感線維および顔面神経の交通枝からつくられる鼓室神経叢（**C3**）がみられる．腹側では岬角は鼓室蜂巣（**A5**）と境を接している．内側壁には卵円形の**前庭窓**（**A6**）と正円形の**蝸牛窓**（**A7**）があって内耳に通じている．前庭窓にはアブミ骨（**C8**）がついて，その底板でもって前庭窓を閉ざしている．蝸牛窓は第2鼓膜 secondary tympanic membrane によって閉ざされている．乳突洞（**A9**）に通じる開口のある後壁には，顔面神経管（**A10**）と外側［骨］半規管（**A11**）の2つの管が弓状に走っている．これらの管は鼓室の壁にそれぞれ顔面神経管隆起 prominence of facial canal および外側半規管隆起 prominence of lateral semicircular canal という高まりをつくる．骨の突出物である錐体隆起（**A12**）には先端に孔があって，アブミ骨筋の腱（**C13**）がこれを通り抜けている．前方に向かって鼓室は耳管半管（**A14**）に移行していく．この半管の上には鼓膜張筋半管（**A15**）が横たわっている．このように骨性の中隔により不完全に分けられた両半管は，合わさって筋耳管管 musculotubal canal をつくる．耳管の開く高さの内側壁，すなわち頸動脈壁 carotid wall は鼓室を頸動脈管（**A16**）から分け，骨性の底，すなわち頸静脈壁 jugular wall は鼓室を頸静脈窩（**A17**）から分けている．

> **臨床関連**：鼓室の骨性の屋根と底は非常に薄いことがあり，そのため慢性化膿性中耳炎 chronic purulent otitis media のときこれらの骨を通して感染が波及するような事態が起こる．すなわち上壁を通って感染が脳髄膜や脳に広がることがあり（髄膜炎 meningitis，側頭葉の脳膿瘍 brain abscess），また底を通って内頸静脈に及ぶことがある（内頸静脈血栓症 thrombosis of internal jugular vein）．

鼓室にある筋（C）

鼓膜張筋（**C20**）は耳管の軟骨性の壁とこの筋をいれる半管の骨性壁から起こる．その細い腱はサジ状突起（**C21**）のところで折れ曲がり，ツチ骨柄の上端に終わっている．この筋は下顎神経から出る鼓膜張筋神経 nerve to tensor tympani により支配されている．**アブミ骨筋**（**C22**）はたいていは顔面神経管と交通のある小さな骨性管の中に起こる．この筋の小さい腱は錐体隆起の孔を通ってアブミ骨頭に終わる．この筋は顔面神経（**C23**）から出るアブミ骨筋神経 nerve to stapedius により支配されている．

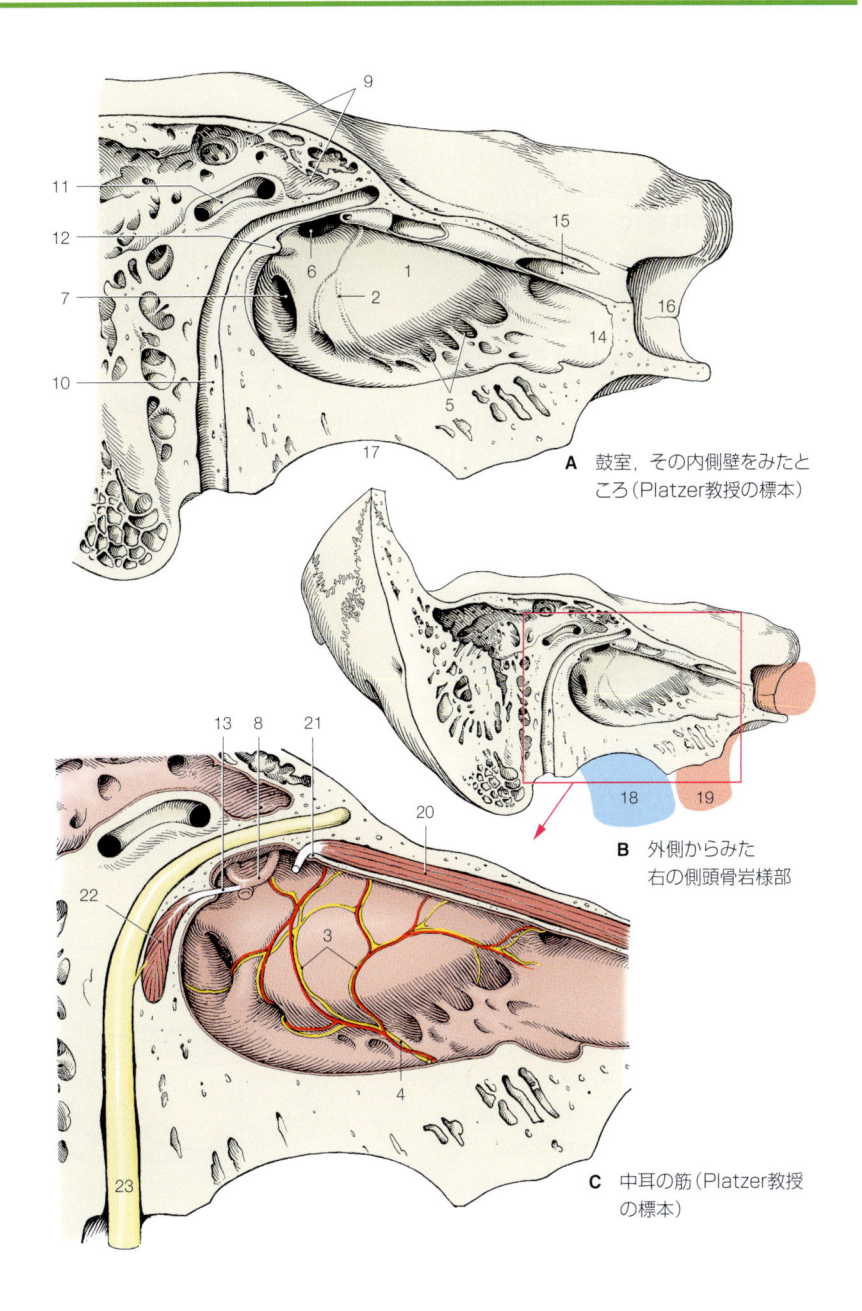

これら両筋が**伝音装置の緊張状態**を調節しているのである．鼓膜張筋は鼓膜を内方へ引きアブミ骨底を前庭窓へ押し込む．この筋はそのため伝音の感度を高めるような作用をもっている．一方，アブミ骨筋はアブミ骨底を前庭窓から引き出すことにより，伝音を鈍化するように働く．これら両筋はしたがって拮抗筋なのである．

> **臨床関連**：顔面神経麻痺のときにはアブミ骨筋が働かなくなり，音の感受性を鈍化する作用が脱落する．このような患者は聴覚過敏 hyperacusis に悩むことになる．

A 鼓室，その内側壁をみたところ（Platzer教授の標本）

B 外側からみた右の側頭骨岩様部

C 中耳の筋（Platzer教授の標本）

1 岬角 promontory　2 岬角溝 groove of promontory　3 鼓室神経叢 tympanic plexus　4 鼓室神経 tympanic nerve　5 鼓室蜂巣 tympanic cells　6 前庭窓 oval window　7 蝸牛窓 round window　8 アブミ骨 stapes　9 乳突洞 mastoid antrum　10 顔面神経管 facial canal　11 外側［骨］半規管 lateral semicircular canal　12 錐体隆起 pyramidal eminence　13 アブミ骨筋の腱 tendon of stapedius　14 耳管半管 canal for auditory tube　15 鼓膜張筋半管 canal for tensor tympani　16 頸動脈管 carotid canal　17 頸静脈窩 jugular fossa　18 内頸静脈 internal jugular vein　19 内頸動脈 internal carotid artery　20 鼓膜張筋 tensor tympani　21 サジ状突起 processus cochleariformis　22 アブミ骨筋 stapedius　23 顔面神経 facial nerve

内耳（A～C）

膜迷路 membranous labyrinth は，四方を非常に硬い骨性の被膜で囲まれた一連の膜性の囊と管である．骨の腔は膜の形状と一致しており，その鋳型（**C**）はほぼ膜迷路の大まかな像を複製している．したがってここで問題にしているのは骨迷路 bony labyrinth と膜迷路 membranous labyrinth である．**骨迷路**は**外リンパ** perilympha（淡緑青）という水様透明の液体を含み，その中に膜迷路が浮いている．外リンパ隙は外リンパ管（**A1**）を経て側頭骨錐体後縁でクモ膜下腔とつながっている．膜迷路は**内リンパ** endolymph（濃緑青）という粘性のある液体を含んでいる．

アブミ骨底で閉ざされた前庭窓（**AC2**）は骨迷路の中間部の**前庭**（**AC3**）に通じている．前方へ向かって前庭は骨性の蝸牛（**C4**）に移行しており，前庭の後壁には骨半規管（**C5**）が開口している．

前庭は2つの膜性成分である**球形囊**（**AB6**）と**卵形囊**（**AB7**）をいれている．両者は壁の限局した部分に，それぞれ球形囊斑（**AB8**）および卵形囊斑（**AB9**）といわれる感覚上皮を備えており，連囊管（**AB10**）によって互いに連結している．この管からは細い内リンパ管（**A11**）が出て，側頭骨錐体の後面までのび出し，硬膜の下で内リンパ囊（**A12**）という扁平な囊状の盲端に終わっている．結合管（**AB13**）は球形囊と膜性蝸牛すなわち蝸牛管とを結合するものである．

骨性蝸牛，**蝸牛**（**C4**）はほぼ2½回巻いている．その管すなわち蝸牛ラセン管（**C14**）は膜性の**蝸牛管**（**AB15**）を含む．この蝸牛管は前庭盲端（**B16**）に始まり，蝸牛頂（**C17**）で頂盲端（**B18**）に終わっている．蝸牛管の上と下には外リンパ隙 perilymphatic space がある：すなわちその上には前庭に開く前庭階（**AB19**）が，その下には蝸牛窓（**A～C21**）で閉ざされた鼓室階（**AB20**）がある．

前庭から出る骨性の3つの半環状の管すなわち骨半規管（**C5**）は，卵形囊と連絡のある**半規管**（**A22**）を含んでいる．半規管は外リンパで囲まれて，結合組織線維によって外リンパ隙の壁に固定されている．3つの半規管は互いに垂直に位置している：すなわち前半規管（**B23**）はその凸側を側頭骨錐体の前面に向けており，後半規管（**B24**）は側頭骨錐体の後面に平行しており，また外側半規管（**B25**）は水平に走っている．

それぞれの半規管は卵形囊への移行部で拡大して膨大部 membranous ampullae（**B26**）をつくっているが，それに相当するものは骨半規管の骨膨大部 bony ampullae である．前および後半規管は共通の脚すなわち総脚（**AB27**）をつくって合わさっている．各膨大部には内面に膨大部稜 ampullary crest という高まりがあって，ここが感覚上皮を含んでいる．

半規管の走り方は体軸に一致していない：すなわち前および後半規管は正中面と前頭面から45°ほど偏っている．また外側半規管は後下方へ30°ほど水平面に対して傾いている．

A 内耳．模式図による概観

B 膜迷路（Kriegによる）

C 骨迷路の鋳型（Platzer教授の標本）

頭蓋における内耳の位置

1 外リンパ管 perilymphatic duct　2 前庭窓 oval window　3 前庭 vestibule　4 蝸牛 cochlea　5 骨半規管 semicircular canals　6 球形囊 saccule　7 卵形囊 utricle　8 球形囊斑 macula of saccule　9 卵形囊斑 macula of utricle　10 連囊管 utriculosaccular duct　11 内リンパ管 endolymphatic duct　12 内リンパ囊 endolymphatic sac　13 結合管 ductus reuniens　14 蝸牛ラセン管 spiral canal of cochlea　15 蝸牛管 cochlear duct　16 前庭盲端 vestibular caecum　17 蝸牛頂 cochlear cupula　18 頂盲端 cupular caecum　19 前庭階 scala vestibuli　20 鼓室階 scala tympani　21 蝸牛窓 round window　22 半規管 semicircular duct　23 前半規管 anterior semicircular duct　24 後半規管 posterior semicircular duct　25 外側半規管 lateral semicircular duct　26 膨大部 membranous ampullae　27 総脚 common membranous limb　28 鼓膜 tympanic membrane

蝸牛（A〜C）

蝸牛 cochlea の管は円錐状の骨性軸すなわち**蝸牛軸**（**AC1**）のまわりを巻いている．この蝸牛軸は**蝸牛神経節**（**AB2**，ラセン神経節；608頁D9）の細胞集団，これらの細胞集団から出る**神経線維束**（**AB3**）および中心部にはまとまった**蝸牛神経**（**A4**；608頁D11）を含んでいる．蝸牛軸からは**骨ラセン板**（**A〜C5**）という骨稜が**蝸牛ラセン管**（**A6**，**B**）の中へ広く突出している．蝸牛ラセン管と同様に骨ラセン板はラセンをつくるが，最上の回転の終端までは達しないで，それまでに**ラセン板鉤**（**C7**）というとがった自由端となって終わる．骨ラセン板は広い範囲にわたって中空で，コルチ器へ行く神経線維を含んでいる．基部の回転の起始部には，この骨ラセン板に対向して外側壁に**第2ラセン板** secondary spiral lamina という骨稜が認められる．

蝸牛ラセン管は内リンパで満たされた**蝸牛管**（**A〜C8**）をいれている．蝸牛管の上には**前庭階**（**A〜C9**）が，その下には**鼓室階**（**A〜C10**）がみられ，これら両階には外リンパが含まれている．蝸牛管の下壁は鼓室階壁または**ラセン膜**（**B11**）と呼ばれ，**基底板** basal lamina でつくられており，それには聴覚の受容装置である**コルチ器**（**B12**）がのっている．この基底板は個々の回転でその幅が異なっている：すなわち最上部の回転（頂回転）では基部の回転（基底回転）よりも2倍も広くなっている．基底板の微細な線維は蝸牛ラセン管の外側壁に付着する手前で互いに扇状に広がって，横断面で鎌状の構造物すなわち**ラセン稜**（**B13**，ラセン靱帯）をつくる．この稜の基底板より上の部分は蝸牛管の外側壁をつくる．この部分は内リンパを産生する毛細血管が多くみられるところから，**血管条**（**B14**）といわれている．上壁は二重の上皮層からなる薄い膜であって，**ライスナーの前庭膜**（**B15**）または前庭階壁といわれる．

前庭の外リンパ隙と交通のある前庭階 scala vestibuli は，**蝸牛孔**（**AC16**）で鼓室階 scala tympani に移行する．鼓室階は下行して，第2鼓膜 secondary tympanic membrane によって閉ざされた蝸牛窓に達する（602頁D）．これら両階のつながりは，骨ラセン板が蝸牛軸から離れてラセン板鉤をつくることによってできてくるのである．そのため内側に蝸牛孔が生じる．前庭階と蝸牛管だけは蝸牛の最先端である**蝸牛頂**（**A17**）まで昇っていき，ここで蝸牛管が盲端に終わっている．したがって蝸牛頂ではほかのすべての部分と異なって，2つしか膜性の腔はみられない．

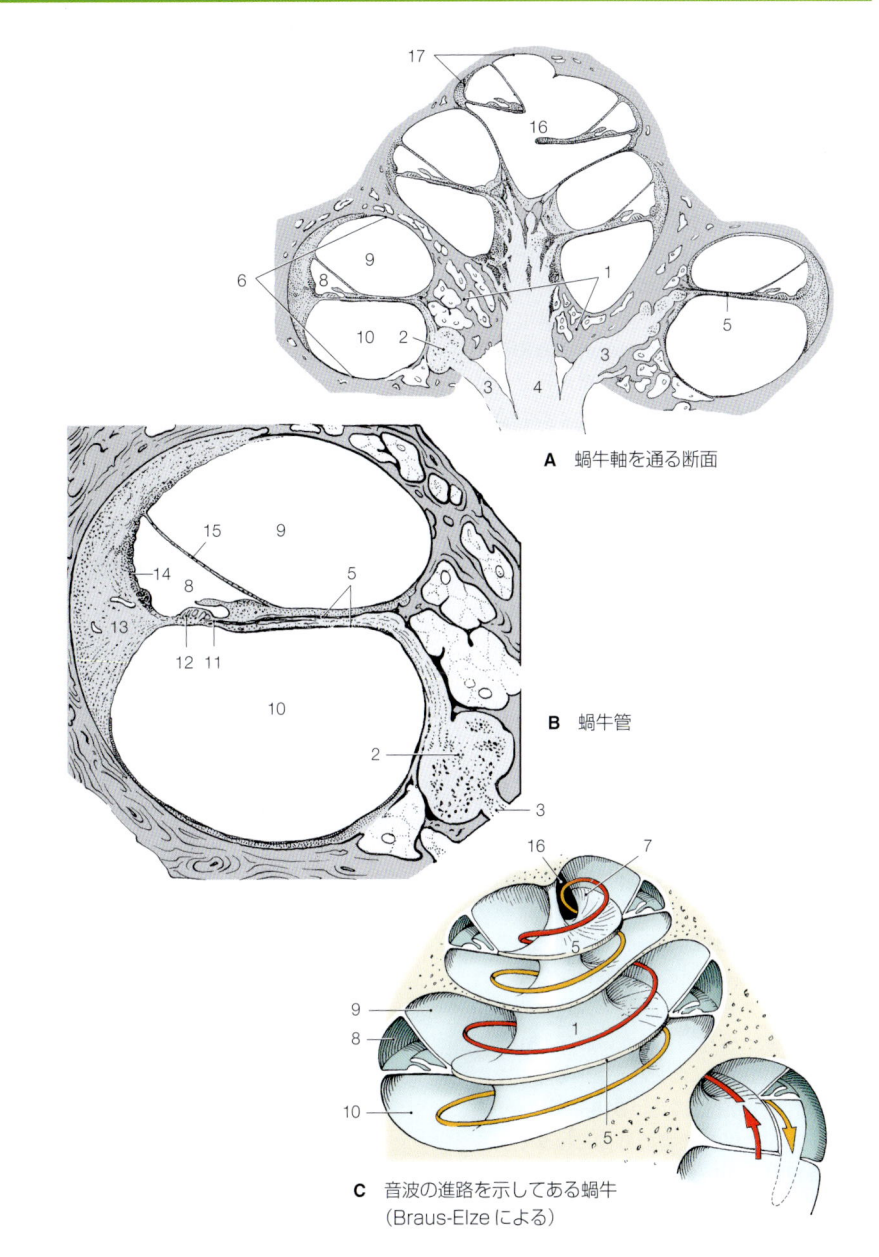

蝸牛における周波数分析

鼓膜と耳小骨を経て前庭窓を通じ外リンパに伝えられる音波の振動は，結局は液体の運動をつくり出すことになる．この外リンパの動きは前庭階を上行し，鼓室階を下行して蝸牛窓へ及び，ここで外リンパの運動の反衝が抑えられる（**C**）．外リンパの運動は基底板の振動を引き起こす（進行波 travelling wave）．基底板の振動が最も大きな場所（それは同時に受容器であるコルチ器の興奮の場所でもある）は進行波の周波数と刺激する音の高さに左右される：すなわち，高音の周波数は基底回転（ここは基底板の幅が最も狭い）で，中間音の周波数は蝸牛の中程で，低音の周波数は頂回転（ここは基底板の幅が最も広い）で，最も大きな進行波の振幅を生じさせる．そして，進行波が終わる直前のところで基底板の振動の振幅が最大になる．したがって種々の周波数の音は蝸牛の異なった部位で受け入れられることになる：つまり20,000Hzの振動は基部の回転で，20Hzの振動は最上部の回転で受容されるのである．この位置的な周波数の割当ては音の高低（周波数）による感覚系の構成の基礎となっている（610頁）．

A 蝸牛軸を通る断面
B 蝸牛管
C 音波の進路を示してある蝸牛（Braus-Elze による）

---

1 蝸牛軸 modiolus　2 蝸牛神経節（ラセン神経節）cochlear ganglion (spiral ganglion)　3 神経束 nerve bundles　4 蝸牛神経 cochlear nerve　5 骨ラセン板 osseous spiral lamina　6 蝸牛ラセン管 spiral canal of cochlea　7 ラセン板鉤 hamulus of spiral lamina　8 蝸牛管 cochlear duct　9 前庭階 scala vestibuli　10 鼓室階 scala tympani　11 鼓室階壁（ラセン膜）tympanic surface (spiral membrane)　12 コルチ器（ラセン器）organ of Corti (spiral organ)　13 ラセン稜（ラセン靱帯）Crista spiralis (spiral ligament)　14 血管条 stria vascularis　15 ライスナーの前庭膜または前庭階壁 vestibular membrane of Reissner, vestibular surface　16 蝸牛孔 helicotrema　17 蝸牛頂 cochlear cupula

コルチ器（A〜C）

結合組織細胞からなる**鼓室階被覆層**（**AB2**）により下面を覆われた**基底板**（**AB1**）は，特殊な結合組織線維からなっていて，上面には**コルチ器**（**A3**，**B：ラセン器**）をのせている．コルチ器の外側では上皮は多数の上皮内毛細血管を含む血管条（**A4**）へ移行する．コルチ器の内側すなわち骨ラセン板の先端には，骨内膜 endosteum から生じた高い上皮で覆われた厚い組織層が目立っている．これはラセン板縁（**A5**）といわれるもので，鼓室唇（**A6**）と前庭唇（**A7**）の2唇に終わり，両唇の間に内ラセン溝（**A8**）を囲んでいる．

コルチ器は蝸牛の基部の回転からラセン状に走って頂部の回転にまで達する．**A，B**にはコルチ器を通る横断面が描かれている．コルチ器は感覚細胞と種々の支持細胞とからなっている．その中央部を内トンネル（**B9**）が占めており，ここには外リンパに似たトンネル・リンパ tunnel lymph（コルチ・リンパ Corti lymph）が含まれているとされている．その内側壁は**内柱細胞**（**B10**）で，またその外側壁は斜めに立っている**外柱細胞**（**B11**）でつくられている．この外柱細胞には核のある広い底部（**B12**），細長い中間部および頭部が認められる．この細胞は束になった長い張細線維を含んでいる．内柱細胞は頭板（**B13**）を，外柱細胞は丸い頭部（**B14**）をつくり，頭板の下には頭部がよりかかりながら外側へ扁平な指節突起（**B15**，外カジ）を出している．外柱細胞の外側には**ダイテルス支持細胞**（**B16**，外指節細胞）が群立しており，これらの細胞層の突出部の上に感覚細胞（**B17**，**C**）をのせている．この支持細胞の張細線維は感覚細胞の下で枝分かれして支持籠（**B18**）をつくっている．このダイテルス支持細胞の細長い突起（指節突起）は感覚細胞の間を上昇していき，平らな頭板（**C19**）をつくって終わる．これらの頭板はともにつながって網状膜 reticular membrane という孔のあいた表面膜ができあがる．この膜の孔には感覚細胞の上端がはまっている．外柱細胞とダイテルス細胞の間にはニュエル腔（**B20**）がみられ，ダイテルス細胞の外側には小さな外トンネル（**B21**）があり，これには単純な背の高い支持細胞が接している．

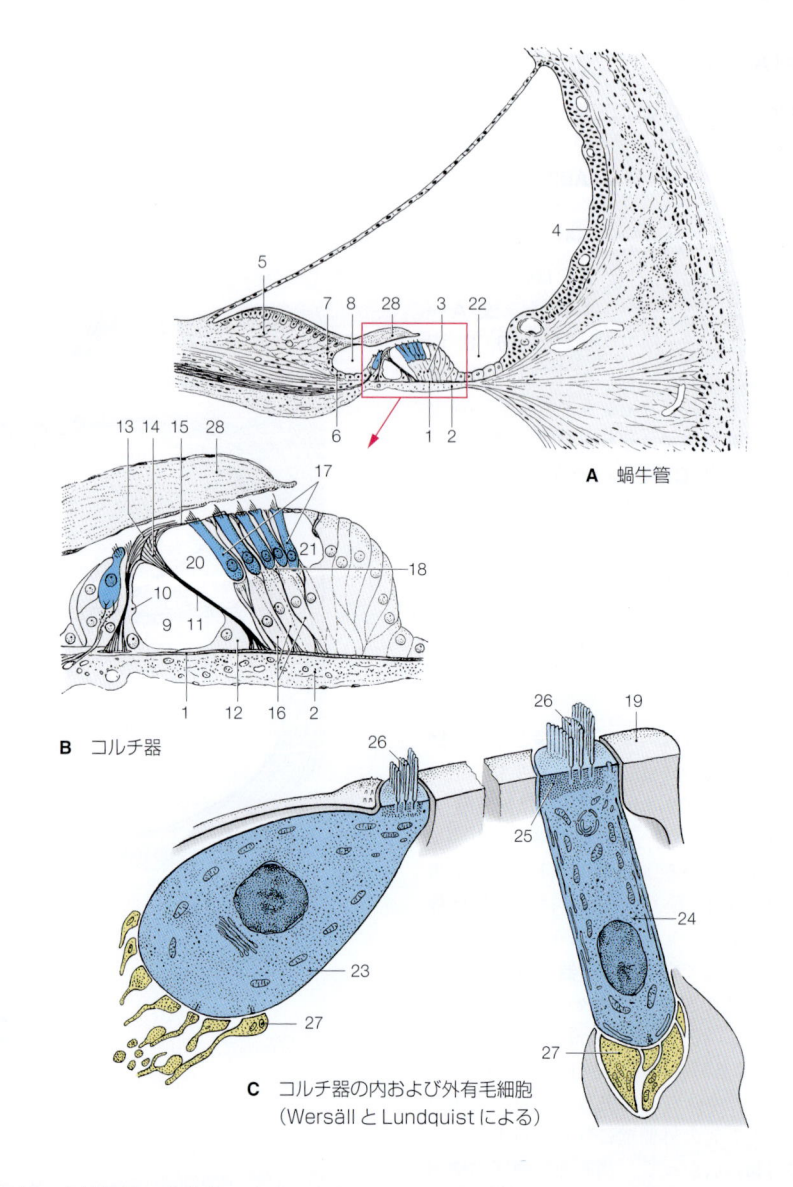

これらの支持細胞は血管条の上皮に移行しながら，外ラセン溝（**A22**）を囲んでいる．内柱細胞にも内ダイテルス支持細胞（内指節細胞）がよりかかっている．

感覚細胞（**C**）はただ1列に並ぶ**内有毛細胞**（**C23**）と，蝸牛の基部の回転では3列，中間の回転では4列，上部の回転では5列に並んだ**外有毛細胞**（**C24**）からなっている．有毛細胞はすべてその上面に密な小皮層（**C25**）をもち，ここに感覚小毛（**C26**，聴小毛）が固定されている．これらの感覚小毛は半環状に，たいていは3段階をなして並んでいる．有毛細胞の基底部には神経線維がシナプス様接触をつくって終わっている（**C27**）．

有毛細胞の上には**蓋膜**（**AB28**）が横たわっているが，これはラセン板縁の上にもかぶさっているゼリー状の層であって，前庭唇を越えてとび出してきたものである．感覚細胞の感覚小毛は蓋膜に固定されていて，基底板が振動するとき蓋膜に対するズレにより小毛に接線方向の振れが生じるらしいが，それについてはまだよくわかっていない．小毛は蓋膜には全く触れておらず，ただ内リンパの流れによって動かされる可能性もある．

A 蝸牛管
B コルチ器
C コルチ器の内および外有毛細胞（Wersäll と Lundquist による）

1 基底板 basal lamina　2 鼓室階被覆層 tympanic covering layer　3 コルチ器（ラセン器）organ of Corti（spiral organ）　4 血管条 stria vascularis　5 ラセン板縁 spiral limbus　6 鼓室唇 tympanic lip　7 前庭唇 vestibular lip　8 内ラセン溝 inner spiral sulcus　9 内トンネル inner tunnel　10 内柱細胞 inner pillar cells　11 外柱細胞 outer pillar cells　12 底部（外柱細胞の）basal part (of the outer pillar cell)　13 頭板（内柱細胞の）head plate (of the inner pillar cell)　14 頭部（外柱細胞の）convex head (of the outer pillar cell)　15 指節突起（外カジ）phalangeal process (outer rudder)　16 ダイテルス支持細胞（外指節細胞）supporting cells of Deiters (outer phalangeal cells)　17 感覚細胞 sensory cells　18 支持籠 supporting baskets　19 頭板 head plate　20 ニュエル腔 space of Nuel　21 外トンネル outer tunnel　22 外ラセン溝 outer spiral sulcus　23 内有毛細胞 inner hair cells　24 外有毛細胞 outer hair cells　25 小皮層 cuticular layer, terminal web　26 感覚小毛（聴小毛）sensory hairlets (auditory hairlets)　27 神経終末 nerve endings　28 蓋膜 tectorial membrane

平衡覚器（A～D）

球形嚢，卵形嚢およびこれから出ている3つの半規管は平衡覚器 static or equilibrium organ，いわゆる**前庭装置** vestibular apparatus を構成している．この装置はいくつかの感覚区域を含んでいる：すなわち**球形嚢斑** macula of saccule, **卵形嚢斑** macula of utricle（この2つの斑を合わせて平衡斑 static maculae という）および3つの**膨大部稜** ampullary crest を含んでいる．これらはすべて加速度 acceleration と位置の変化を感じとり，それによって空間における位置づけ orientation に役立っているのである．平衡斑は種々の方向の線加速度を感じとり，膨大部稜は回転加速度を感じとっている．平衡斑は空間的にみて一定の位置を占める（604頁 AB8，AB9）：すなわち卵形嚢斑は卵形嚢の下面でほぼ水平に横たわっており，球形嚢斑は球形嚢の前壁に垂直に立っている．つまり両者は互いに直角をなして位置しているのである（半規管の位置については，604頁を参照のこと）．

平衡斑（A）．内リンパ腔を内張りしている上皮は，平衡斑 maculae の卵形の領域では背が高くなって支持細胞と感覚細胞に分化している．支持細胞（**A1**）は感覚細胞（**A2**）をのせ，さらにこれらを囲んでいる．感覚細胞はびんあるいはアンプルのような形をしており，その上面に70ないし80本の感覚小毛（**A3**）をもっている．感覚上皮の上を平衡石膜（**A4**）といわれるゼリー状の膜が覆っている．この膜は炭酸カルシウムの結晶粒すなわち平衡石（**A5**，平衡砂）をのせている．感覚細胞の小毛は平衡石膜にじかにもぐり込んでいるのではなく，まわりを内リンパを含む狭い腔で包まれているのである．

平衡斑の機能．小毛の適当刺激は平衡斑に作用するせん断力 shearing force である：すなわち加速度が次第に大きくなると，感覚上皮と平衡石膜との間に接線方向のずれが生じてくる．その際に起こる小毛の振れは感覚細胞の興奮を引き起こし，神経インパルスを発生させるのである．

膨大部稜（B，C）．膨大部稜（**BC6**）は膨大部にあって半規管の走向に直交して位置しており（**C**），その表面に支持細胞（**B7**）と感覚細胞（**B8**）をのせている．各感覚細胞からは約50本の小毛（**B9**）が出ており，これらの小毛は平衡斑細胞の小毛よりも著しく長い．膨大部稜は膨大部の高さのほぼ1/3を占める．膨大部稜にはゼリー様物質からなる頂（**B～D10**，小帽）がのっており，これは膨大部の対向壁にまで達している．頂には長い管が通っており，この管の中へ感覚上皮の小毛の房が入り込んでいる．

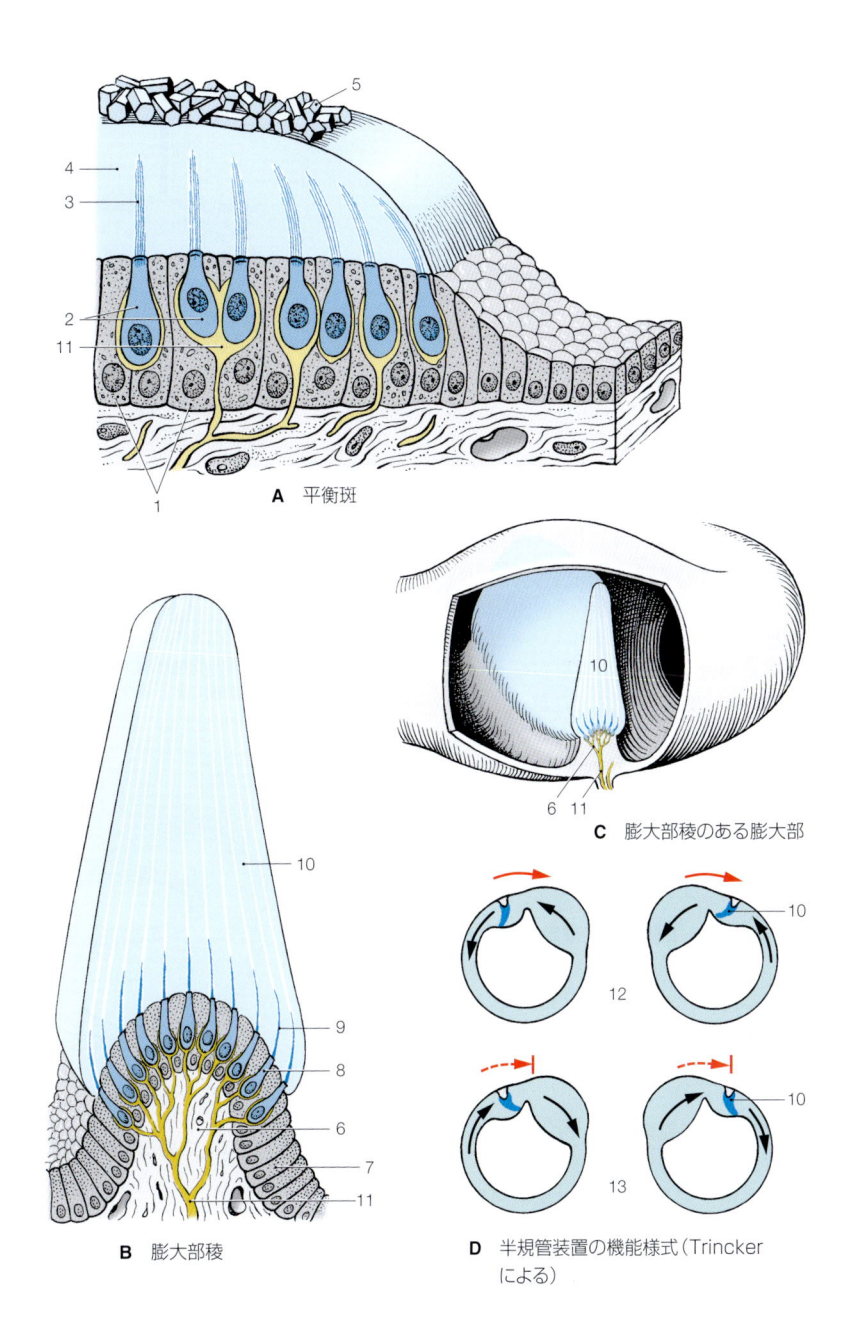

半規管装置の機能（D）．半規管装置は内リンパを運動させるような回転加速度に反応する．それによって頂が折れ曲がって感覚上皮細胞の小毛を振れさせ，興奮の発生に至るのである．例えば頭が右へ向けられると（赤実線矢印），外側半規管の内リンパはその運動の始めには慣性のためまだ動かず，かえって内リンパには反対方向への相対的な運動（慣性流 inertial streaming；黒線矢印）が生じる：すなわち両側の膨大部頂は左方へ振れることになる（**D12**）．そののち内リンパは徐々に頭の回転に従って動くようになる．回転が終わっても（赤破線矢印），しかしまだ内リンパはしばらくの間は続いて回転方向に流れる：つまり頂は右の方へ振れる（**D13**）．半規管の機能はことに視線を反射的に動かせるのに役立っている．頭の回転時に起こる衝動的な速い眼球の運動（回転性眼［球］振［とう］rotatory nystagmus）は膨大部頂の振れと関係がある．すなわち眼振の遅い成分は常に頂の振れの方向と同じである．

A 平衡斑
B 膨大部稜
C 膨大部稜のある膨大部
D 半規管装置の機能様式（Trincker による）

1 支持細胞 supporting cells　2 感覚細胞（＝有毛細胞）sensory cells（＝hair cells）　3 感覚小毛 hairlets　4 平衡石膜 statoconic or otolithic membrane　5 平衡石（平衡砂）utoliths (statoconia)　6 膨大部稜 ampullary crest　7 支持細胞 supporting cells　8 感覚細胞（＝有毛細胞）sensory cells（＝hair cells）　9 感覚小毛 hairlets　10 膨大部頂（小帽）ampullary cupula　11 神経線維 nerve fibers　12 回転開始時の内リンパの慣性流による頂の振れ　13 回転終了時の内リンパの慣性流による頂の振れ

前庭の感覚細胞（A〜C）

平衡斑と膨大部稜の有毛細胞（前庭の感覚細胞 vestibular sensory cells）は原則的には同じ構造をしている．これらは機械刺激受容器 mechanoreceptors であって，小毛の接線方向の振れに対して反応する．有毛細胞に2種を区別する：すなわち胴の膨れたフラスコ形（I型）と円柱形（II型）である．

I型の有毛細胞（**A1**）は丸い細胞体と細い頸をもっており，その上面は密な小皮板（**A2**）で閉ざされている．この小皮板からは約60本の特殊な微絨毛すなわち長さが段階的に異なる不動毛（**A3**）と，1本の特に長い運動毛（**A4**）が生えている．しかし運動毛の起始部には小皮がない．この有毛細胞の側面と底面は太い神経線維からつくられた**神経終末杯**（**A5**）によって包まれている．この終末杯の上部はシナプス小胞をもち，有毛細胞に特に密接している．したがって，この領域をシナプスの部位とみなすことができる．それ以外に多くのシナプス小胞をもった神経終末（**A6**）が終末杯と接触をもっている．このような終末はおそらく遠心性神経の終末であろう．

円柱形を呈するII型の有毛細胞（**A7**）はI型と同じ小毛装置をもっている．この細胞の底部には，多くのシナプス小胞を含む神経終末（**A8**）とわずかしか含まない神経終末がみられる．

感覚区域の有毛細胞はすべて長い運動毛をもっており，規則的にまとまって並んでいる（**B**）．膨大部稜ではすべての有毛細胞は一方向を向いているが，平衡斑では中心部で感覚細胞が互いに向き合うような種々の小区域がみられる．電気生理学的研究でわかったことは，運動毛の方向への微絨毛の振れは神経興奮を引き起こすが（**C**，緑の矢印），それと反対の方向への振れは神経抑制を引き起こす（**C**，赤の矢印）．これら以外の方向への振れは閾下興奮あるいは抑制 subthreshold excitation or inhibition を生じる．

このようにして前庭装置はどんな運動をも正確にとらえることができる．半規管装置（**運動に関係する迷路** kinetic labyrinth）は特に眼球運動を調節し，平衡斑（**筋緊張に関係する迷路** tonic labyrinth）は筋の緊張，ことに伸筋群の緊張と頸筋の緊張に直接的な影響を及ぼすのである（611頁C）．

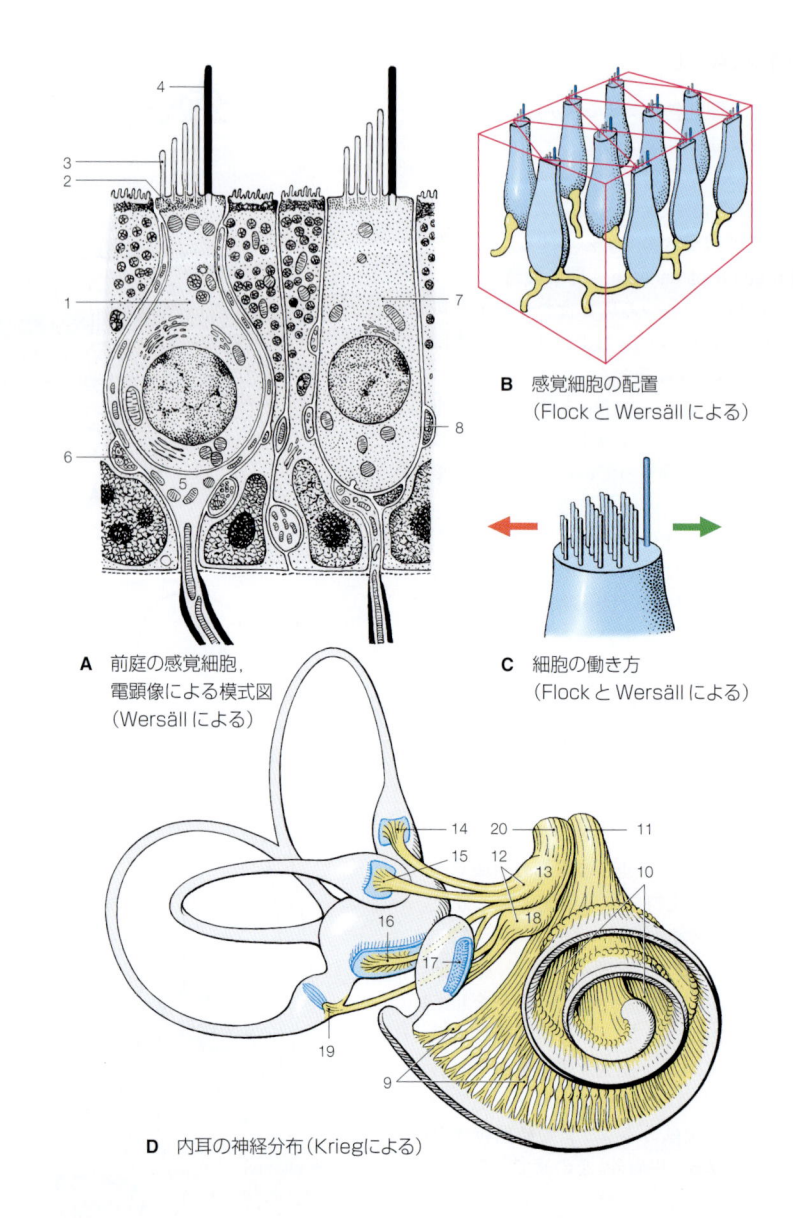

蝸牛神経節と前庭神経節（D）

蝸牛神経節（**D9**，ラセン神経節）は蝸牛軸の骨ラセン板の起始部にあって全体としてラセン形を呈している．この神経節は一連の神経細胞の集まりであって，真の双極性ニューロンを含んでおり，その末梢性突起（樹状突起）はコルチ器の有毛細胞へ行き，中枢性突起（軸索）はラセン孔列（**D10**）として蝸牛軸の中心へ向かって走り，そこで合わさって蝸牛神経（**D11**）となる．

前庭神経節（**D12**）は内耳道の基底部にある．この神経節は上部と下部とからなっている．上部（**D13**）の双極性ニューロンはその末梢性突起を前半規管の膨大部稜（**D14**，前膨大部神経 anterior ampullary nerve として）と外側半規管の膨大部稜（**D15**，外側膨大部神経 lateral ampullary nerve），卵形嚢斑（**D16**，卵形嚢神経 utricular nerve）および球形嚢斑（**D17**）の一部へ送っている．下部（**D18**）のニューロンは後半規管の膨大部稜（**D19**，後膨大部神経 posterior ampullary nerve）と球形嚢斑の一部（球形嚢神経 saccular nerve）に分布している．これらのニューロンの中枢性突起は前庭神経（**D20**）をつくり，蝸牛神経とともに共通の神経鞘に包まれて内耳道を通って中頭蓋窩へ入る．

蝸牛および前庭神経節の大部分のニューロンは核周部も髄鞘に包まれている．

A 前庭の感覚細胞，電顕像による模式図（Wersällによる）

B 感覚細胞の配置（FlockとWersällによる）

C 細胞の働き方（FlockとWersällによる）

D 内耳の神経分布（Kriegによる）

---

1 I型の有毛細胞 type I hair cell　2 小皮板 cuticular plate　3 不動毛 stereocilia　4 運動毛 kinocilium　5 求心性の神経終末杯 afferent nerve calix　6 遠心性の（？）神経終末 efferent（？）nerve endings　7 II型の有毛細胞 type II hair cell　8 遠心性の（？）終末ボタン（多くのシナプス小胞をもつ）efferent（？）granulated nerve ending　9 蝸牛神経節（ラセン神経節）cochlear ganglion（spiral ganglion）　10 ラセン孔列 tractus spiralis foraminosus　11 蝸牛神経 cochlear nerve　12 前庭神経節 vestibular ganglion　13 上部（前庭神経節の）superior part　14 膨大部稜（前半規管の）ampullary crest（of the anterior semicircular duct）　15 膨大部稜（外側半規管の）ampullary crest（of the lateral semicircular duct）　16 卵形嚢斑 macula of utricle　17 球形嚢斑 macula of saccule　18 下部（前庭神経節の）inferior part　19 膨大部稜（後半規管の）ampullary crest（of the posterior semicircular duct）　20 前庭神経 vestibular nerve

聴覚路と前庭路

聴覚路

蝸牛神経核（A，B）

　蝸牛神経（**A1**）の神経線維は**蝸牛神経腹側核**（**AB2**）の高さで延髄へ入り，上行するものと下行するものに分かれる．上行枝は**蝸牛神経背側核**（**AB3**）へ行き，短い下行枝は蝸牛神経腹側核へ行く．その際，蝸牛からこの核複合への規則的な投射がみられる：すなわち蝸牛の基部の回転からの線維はこれらの核の背内側部に終わり，最上の回転からの線維は腹外側部に終わっている．この規則正しい求心線維の分布は音の周波数による蝸牛神経核の構成の基礎をなしているのである（605頁，蝸牛における周波数分析を参照）．

　このような音の高低による蝸牛神経核複合の編成は，実験動物（ネコ）での電気現象の導出によって証明することができる（**B**）．いろいろな周波数の音を聞かせながら個々の神経細胞から電気現象を記録すると，個々の神経細胞が特によく反応するような音の周波数を確定することができる．蝸牛神経核の吻側部を通る前頭断面で，導出のために上から下へ（背側から腹側へ）刺入された電極により背側核（**B3**）では高い周波数から低い周波数へ厳密な順序で並んだ導出点が記録されることがわかった．ここでは特定の音の周波数に反応するニューロンが規則的な順序で並んでいるのである．電極が腹側核（**B2**）へ入ると，急にこの周波数の順序は破れて，わずかにある決まった範囲でだけ変動する．

　蝸牛神経核の細胞からは，聴覚路の第二次線維が出る．蝸牛神経腹側核からの線維束は，神経細胞を混じた広い線維板すなわち**台形体**（**A4**，481頁AB15）をつくって交叉して反対側へ行き，ここで**外側毛帯**（**A5**，492頁D22）となって中脳の下丘（**A6**）へと上行する．蝸牛神経背側核から出る線維は，**背側聴条**（**A7**）として斜めに走って交叉する．外側毛帯線維の大部分は蝸牛神経核から直接下丘へ行く．しかしかなりの数の線維が聴覚路のいろいろの介在核で，第三次線維に切り替えられる：すなわち，これらの介在核とは**後台形体核** posterior nucleus of trapezoid body（**上オリーブ核**（**A8**）），**前台形体核** anterior nucleus of trapezoid body（**A9**）および**外側毛帯核** anterior nucleus of trapezoid body である．台形体背側核では音の周波数の局在による区分が証明されている．その内側にある副核（**A10**，上オリーブ内側核 medial superior olivary nucleus）は両側の蝸牛神経核からの線維を受けとっており，方向聴に役立つ線維系の中へ加わっていく．台形体背側核と外転神経核（**A11**）との線維結合（音を聞いたときの反射的な視線の運動の基礎となる）の存在については議論の余地がある．台形体背側核からの線維が外転神経核のそばを通って反対側の蝸牛神経核へ行き，遠心性線維としてコルチ器の有毛細胞に終わるといわれている．これらの線維はおそらく有毛細胞からの興奮の流入を調節しているのであろう．外側毛帯核はその毛帯の経過中に散在する細胞群である．外側毛帯背側核（**A12**）からの線維は交叉して反対側の同名の核へ行く（**A13**，プロブスト交連）．

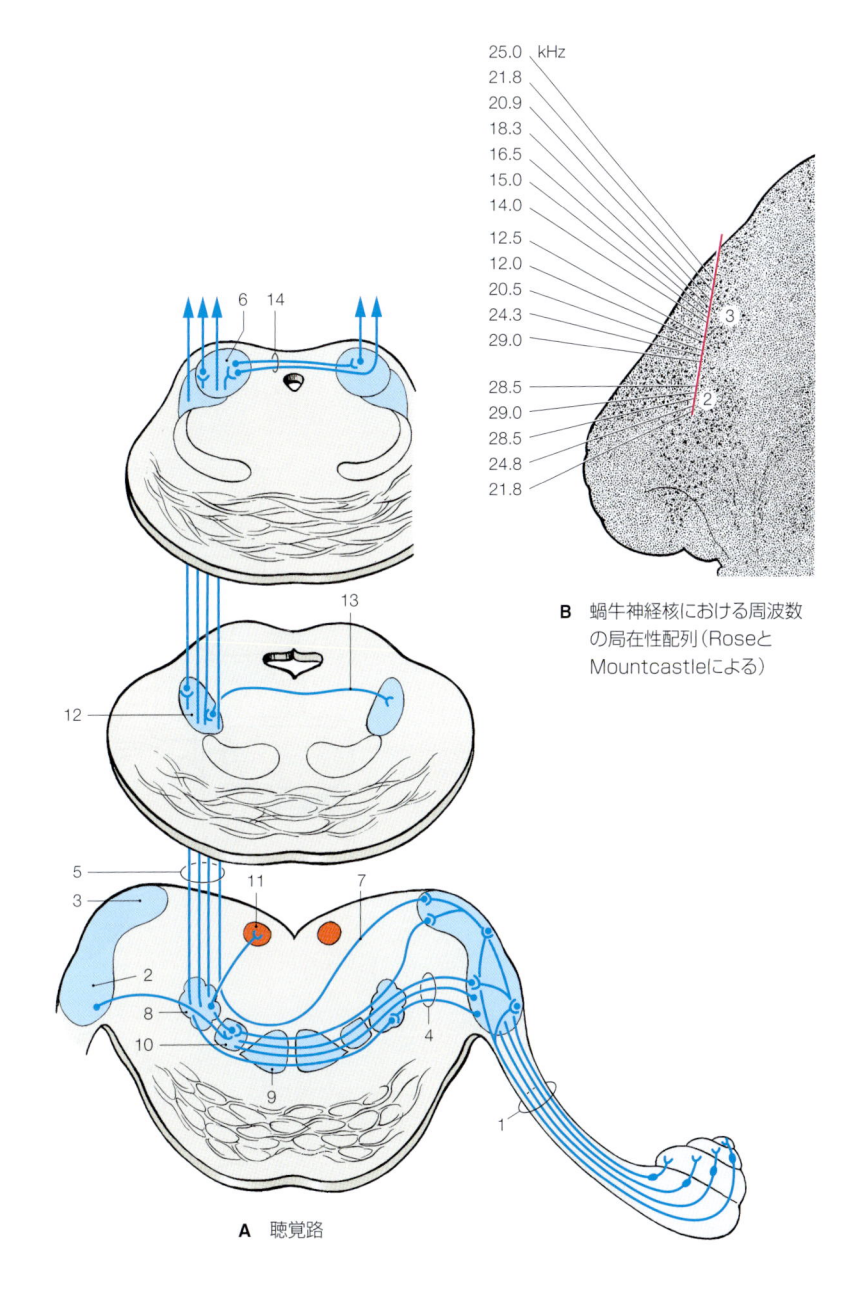

下丘（A）

　外側毛帯のほとんど大部分は下丘の主核に局在性配列をとって終わっている．電気生理学的にこの核には音の高低による区分が証明されている．この核は聴覚反射の中継所であって，ここから聴視線維が上丘へ行き，この上丘からは視蓋小脳線維が小脳へ行っている．両側の下丘は下丘交連（**A14**）によって互いにつながっている．

B 蝸牛神経核における周波数の局在性配列（RoseとMountcastleによる）

A 聴覚路

---

1 蝸牛神経 cochlear nerve　2 蝸牛神経腹側核 anterior cochlear nucleus　3 蝸牛神経背側核 posterior cochlear nucleus　4 台形体 trapezoid body　5 外側毛帯 lateral lemniscus　6 下丘 inferior colliculus　7 背側聴条 medullary striae (dorsal acoustic striae)　8 上オリーブ核 superior olivary nucleus　9 台形核 nuclei of trapezoid body　10 上オリーブ内側核 medial superior olivary nucleus　11 外転神経核 nucleus of abducens nerve　12 外側毛帯背側核 dorsal nucleus of lateral lemniscus　13 プロブスト交連 commissure of Probst　14 下丘交連 commissure of inferior colliculus

聴覚路（続き）

内側膝状体（A，B）

聴覚路の次の部分は**下丘腕**（**A1**）であって，強大な線維束として下丘から**内側膝状体**（**AB2**）へ行っている．内側膝状体からは聴放線が出ていく．内側膝状体は脊髄からの体性知覚性線維や小脳からの線維をも受けとるとされている．内側膝状体は明らかに聴覚系の中継所であるだけでなく，種々の系に介入している．下丘腕の少数の線維束は台形体核から起こり，下丘で中継されることなく内側膝状体に達する．両側の内側膝状体は腹側視交叉上交連（グッデンGudden）（**A3**）を通る交連線維によって互いに結合されているという．このような結合がヒトでも存在しているかどうかは疑わしい．しかしながら確実にいえることは，聴覚領から下行してきて内側膝状体に終わる線維があるということである．

聴放線（A，B）

聴放線（**AB4**）の線維は内側膝状体から内包の後脚の下部を横切って走り，側頭葉の中を垂直に上っていき，聴覚皮質に達する．これらの線維はその際ある局在的配列を守っており，それに従って内側膝状体の個々の部分は聴覚領の特定の領域へ投射している．聴放線の経過中にラセンを描く回旋が起こるために，内側膝状体の吻側部は聴覚領の尾側部へ，内側膝状体の尾側部は聴覚領の吻側部へ投射することになる（**B**）．この回旋はサルでは実験的に，またヒトでは髄鞘形成の経過を追うことによって証明されている．

聴覚皮質（A～C）

異なる周波数の音を聞かせながら，種々の動物（ネコ，サル）の皮質聴覚領から電気現象を記録することによって，音の高低による聴覚領（**AB5，C**）の区分が見出された．聴覚領では蝸牛が基部の回転から蝸牛頂に至るまで，いわば巻をほどいた格好で再現されている．その際3つの聴覚野があることが証明された：すなわち**第1聴覚野**（AⅠ）（**C6**），**第2聴覚野**（AⅡ）（**C7**）および**後外側溝外野**（Ep）（**C8**）の3つである．第1聴覚野では高い周波数によく反応する神経細胞は吻側に（青色の大きな点），低い周波数によく反応する神経細胞は尾側に（青色の小さな点）位置している．第2聴覚野ではこの周波数の感受性は逆転している．第1聴覚野（AⅠ）は聴放線の第一次終末部位であり，これに対し第2聴覚野（AⅡ）と後外側溝外野（Ep）は第二次聴覚領とみなされている．これらの関係は視覚皮質における関係と比べることができる．すなわち，視覚皮質である第17野は視放線の終末部位であり，一方第18野と第19野は第二次統合領である．第1聴覚野（AⅠ）はヒトではヘシュル横側頭回を覆う第41野で，聴放線の第一次終末部位である（550頁C1）．これに対して，横側頭回の外側部を占める第42野と上側頭回の第22野は第二次聴覚領であり，ここには言語の理解のためのウェルニッケ言語中枢（555頁A1）がある．したがってヘシュル回よりももっと広い領域が聴覚野とみなされる（横側頭回 transverse temporal gyri）．

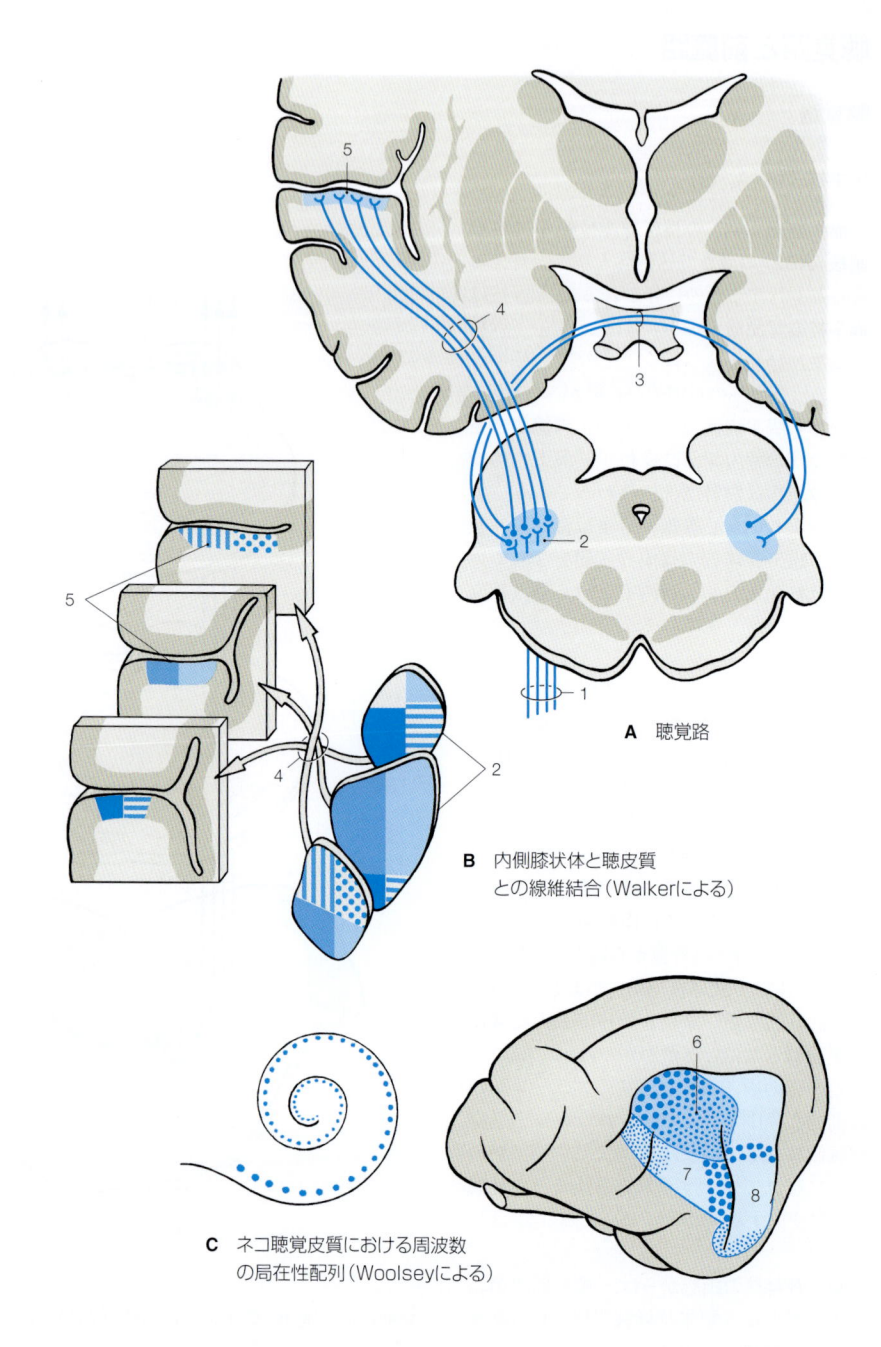

聴覚路にはその経過中にいくつかの交連系があり，これによって種々の高さで線維の交換が可能となる．そのほか少数の線維束は交叉せずに同側の聴覚領まで上行している．したがって聴覚領は両側のコルチ器の興奮を受けとることになるが，このことは方向聴にとって大きな意義がある．

A 聴覚路

B 内側膝状体と聴皮質との線維結合（Walkerによる）

C ネコ聴覚皮質における周波数の局在性配列（Woolseyによる）

---

1 下丘腕 brachium of inferior colliculus　**2** 内側膝状体 medial geniculate body　**3** 腹側視交叉上交連 ventral supraoptic commissure（Gudden）　**4** 聴放線 acoustic radiation　**5** 聴覚皮質 auditory cortex　**6** 第1聴覚野 primary auditory area　**7** 第2聴覚野 secondary auditory area　**8** 後外側溝外野（Ep）ectosylvian posterior area

前庭路（A～C）

前庭神経核 vestibular nuclei（A，B）

前庭神経（**A1**）の線維はその**外側核**（ダイテルス）（**AB2**）の高さで延髄へ入りこの核のほか，上行枝と下行枝に分かれて，**上核**（ベヒテレフ）（**AB3**），**内側核**（シュワルベ）（**AB4**），**下核**（ローラー）（**AB5**）に終わる（486頁）．迷路の種々の部分からの神経線維はこの核複合の特定の部位へやってくる．球形嚢斑（**B6**）からの線維束は下核の外側部に終わり，卵形嚢斑（**B7**）からの線維は下核の内側部と内側核の外側部に終わる．膨大部稜（**B8**）からの線維は主に上核，内側核の上部および下核の上部に終わる．

したがって，ある特定のニューロン群は線加速度に反応し，ほかのニューロン群は回転加速度に反応することになる．ある細胞が反応するには同側への回転を必要とし，またあるものは反対側への回転を必要とする．両側の前庭神経核複合は交連線維によって互いに結合しており，これを介してある細胞群は反対側の迷路によって興奮させられる．この核域には迷路からの線維のほか，小脳虫部や両側の室頂核からの線維（507頁）と関節受容器からのインパルスを伝える脊髄線維が終わっている．前庭神経核からは遠心性線維も出て，中枢性制御を行うべく前庭の感覚上皮へ向かって逆行する．

第二次前庭覚路（A，C）

第二次前庭覚路は，（前庭神経核から）脊髄，網様体，小脳および眼筋の諸核への結合路をなす．**前庭脊髄路**（**A9**）は外側核（ダイテルス）の細胞から起こり，仙髄にまで達している．その線維は脊髄にある介在ニューロンに終わり，伸筋群のα運動ニューロンとγ運動ニューロンを活動させる．網様体へ行く多数の線維はすべての前庭神経核から出ている．小脳へは前庭神経節から直行する線維のほか，前庭神経核の内側核と下核からも線維束が行っている．これらの線維は［虫部］小節と片葉（**A10**）に終わるほか，虫部垂の一部にも終わっている（これらの部分のほとんどは前庭性小脳 vestibulocerebellum；501頁A6，507頁B）．眼筋の諸核（**AC11**）へ上行する線維は主に内側核と上核から出て，内側縦束（**A12**）の一部をつくっている．最後に，前庭と皮質の結合は視床（中間腹側核 Nucleus ventralis intermedius；516頁B13）を介して行われている．電気生理学的研究によって，前庭の興奮は顔の領域の近くの腹側中心後域 ventral postcentral region の小さな部分に投射することが明らかになった（549頁C）．

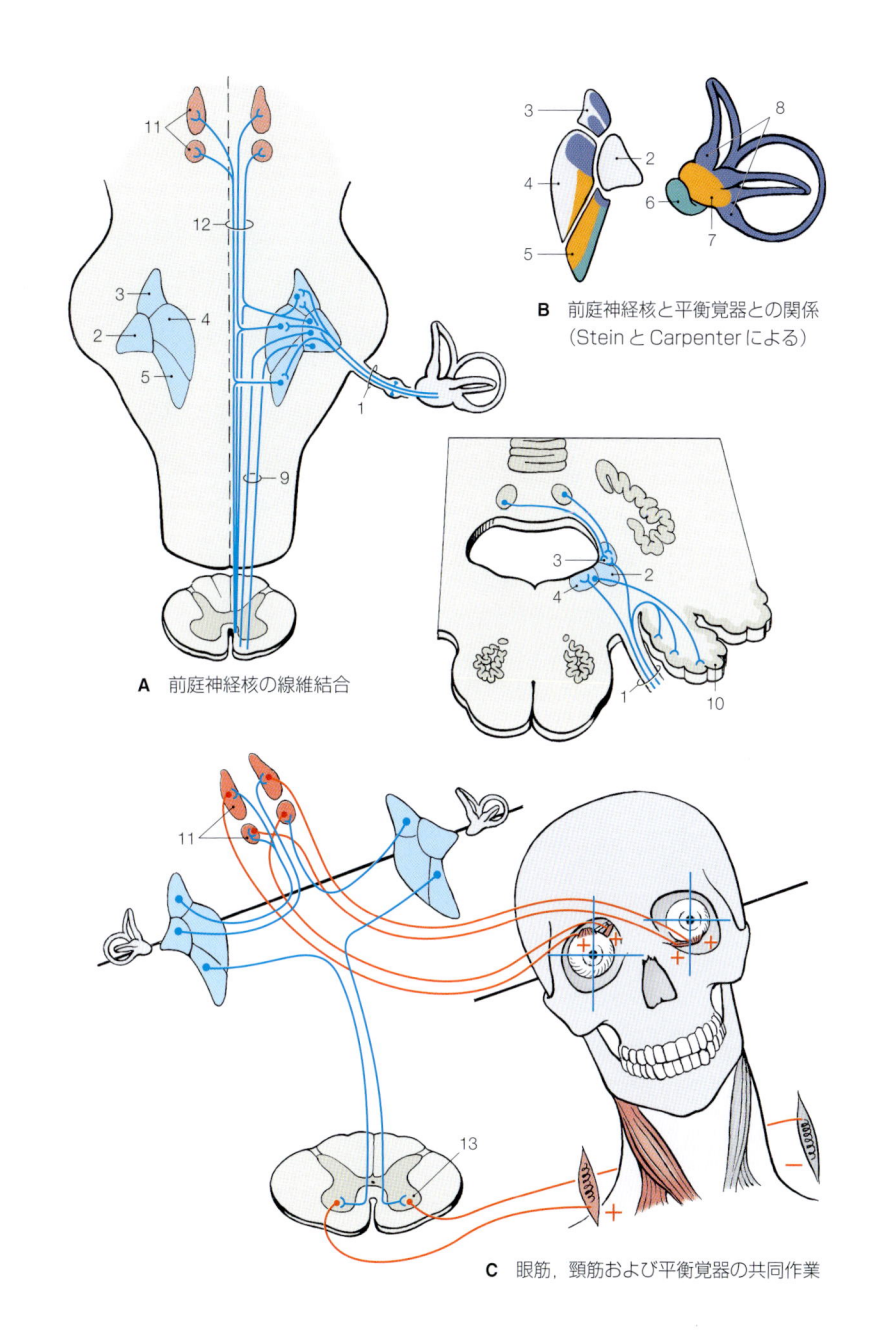

眼筋，頸部の筋および平衡覚器の共同作業（C）

前庭神経核複合と眼筋の諸核との間の結合では，限られた細胞群同士が互いに接触をもつと考えられている：すなわち，ある一つの半規管の興奮を受けとる細胞群は，おそらくある特定の眼筋を支配する細胞群と結びつきをもっているのである．頭が動いても対象を固視することができるのは，前庭装置，眼筋および頸筋が互いにきわめて精密な共同作業を行うためと説明されている．われわれが頭を動かしても，常に外界に静止して立つ像を認知しているのである．このような恒常的な視覚印象を保証するために，例えばどんなに頭を傾けても眼球が回転することによってその傾きは補償される．精巧に同調した頸筋と眼筋の共同作業は，前庭装置によりγ運動ニューロン（**C13**）を介して制御されているのである．

A 前庭神経核の線維結合

B 前庭神経核と平衡覚器との関係（SteinとCarpenterによる）

C 眼筋，頸筋および平衡覚器の共同作業

---

1 前庭神経 vestibular nerve　2 外側核 lateral nucleus（Deiters）　3 上核 superior nucleus（Bechterew）　4 内側核 medial nucleus（Schwalbe）　5 下核 inferior nucleus（Roller）　6 球形嚢斑 macula of saccule　7 卵形嚢斑 macula of utricle　8 膨大部稜 ampullary crest　9 前庭脊髄路 lateral vestibulospinal tract　10 片葉 flocculus　11 眼筋の諸核 nuclei for the ocular muscles　12 内側縦束 medial longitudinal fasciculus　13 γ運動ニューロン γ-motorneuron

文　献

多数の教科書，便覧，研究書および雑誌のなかから，個々の章のテーマに関係のあるごく少数のものだけを引用した．さらに詳しい文献はこれらのなかに見いだすことができる．

I　運動器

教科書と便覧

Bardeleben, K.: Handbuch der Anatomie des Menschen, Bd. II. Fischer, Jena, 1908–1912

Benninghoff: Makroskopische Anatomie, Embryologie und Histologie des Menschen, 15. Aufl., Bd. I, hrsg. von D. Drenckhahn u. W. Zenker, Urban & Schwarzenberg, München–Wien–Baltimore 1994

Braus, H.: Anatomie des Menschen, 3. Aufl., Bd. I, hrsg. von C. Elze. Springer, Berlin 1954

Bucher, O., H. Wartenberg: Cytologie, Histologie und mikroskopische Anatomie des Menschen, 11. Aufl. Huber, Bern 1989

Feneis, H.: Anatomisches Bildwörterbuch, 6. Aufl. Thieme, Stuttgart 1988

Figge, F. H. J., W. J. Hild: Atlas of Human Anatomy. Urban & Schwarzenberg, München 1974

Frick, H., H. Leonhardt, D. Starck: Taschenlehrbuch der gesamten Anatomie, Bd. 1 u. 2, 3. Aufl., Thieme, Stuttgart 1987

Gardner, E., J. D. Gray, R. O'Rahilly: Anatomy, 4. Aufl. Saunders, Philadelphia 1975

Grosser, O.: Grundriß der Entwicklungsgeschichte des Menschen, 7. Aufl., hrsg. von R. Ortmann, Springer, Berlin 1970

Hafferl, A.: Lehrbuch der topographischen Anatomie, 3. Aufl., hrsg. von W. Thiel. Springer, Berlin 1969

Hollinshead, W. H.: Functional Anatomy of the Limbs and Back, 4. Aufl. Saunders, Philadelphia 1976

Kremer, K., W. Lierse, W. Platzer, H. W. Schreiber, S. Weller (Hrsg.): Chirurgische Operationslehre. Hals und Gefäße. Thieme, Stuttgart 1989

Kremer, K., W. Lierse, W. Platzer, H. W. Schreiber, S. Weller (Hrsg.): Chirurgische Operationstechniken. Band 7/1, Bauchwand. Thieme, Stuttgart 1994.

Lang, J., W. Wachsmuth: Praktische Anatomie, Bein und Statik, Bd. I/4, 2. Aufl. Springer, Berlin 1972

Langmann, J.: Medizinische Embryologie, 8. Aufl. Thieme, Stuttgart 1989

von Lanz, T., W. Wachsmuth: Praktische Anatomie, Bd. I/2: Hals. Springer, Berlin 1955

von Lanz, T., W. Wachsmuth: Praktische Anatomie, Bd. I/3: Arm, 2. Aufl. Springer, Berlin 1959

Leonhardt, H.: Histologie, Zytologie und Mikroanatomie des Menschen, 8. Aufl. Thieme, Stuttgart 1990

Mc Gregor, A. L., J. du Plessis: A Synopsis of Surgical Anatomy, 3. Aufl. Wright, Bristol 1969

Montgomery, R. L., M. C. Singleton: Human Anatomy Review. Pitman Medical, London 1975

Nishi, S.: Topographical Atlas of Human Anatomy, Bd. I–IV. Kanehara Shuppan, Tokyo 1974–1975

Pernkopf: Anatomie, Bd. 1 u. 2, hrsg. von W. Platzer, 3. Aufl., Urban u. Schwarzenberg, München–Wien–Baltimore 1987–1989

Rauber/Kopsch: Lehrbuch und Atlas der Anatomie des Menschen, Bd. I: Bewegungsapparat, hrsg. von B. Tillmann, G. Töndury. Thieme, Stuttgart 1987

Reiffenstuhl, G., W. Platzer, P.-G. Knapstein: Die vaginalen Operationen, 2. Aufl., Urban & Schwarzenberg, München–Wien–Baltimore 1994

Saegesser, M.: Spezielle chirurgische Therapie, 10. Aufl. Huber, Bern 1976

Sobotta: Atlas der Anatomie, Bd. 1 u. 2, 20. Aufl. hrsg. von R. Putz, u. R. Pabst, Urban und Schwarzenberg, München-Wien-Baltimore 1994

Starck, D.: Embryologie, 3. Aufl. Thieme, Stuttgart 1975

Tischendorf, F.: Makroskopisch-anatomischer Kurs, 3. Aufl. Fischer, Stuttgart 1979

Tittel, K.: Beschreibende und funktionelle Anatomie des Menschen, 8. Aufl. Fischer, Stuttgart 1978

Töndury, G.: Angewandte und topographische Anatomie, 5. Aufl. Thieme, Stuttgart 1981

Williams, P. L., R. Warwick, M. Dyson, L. H. Bannister: Gray's Anatomy, 37. Aufl. Churchill, Livingstone, Edinburgh 1989

解剖学総論

Barnett, C. H.: The structure and functions of synovial joints. In: Clinical Surgery, hrsg. von Rob, C., R. Smith: Butterworth, London 1966 (S. 328–344)

Barnett, C. H., D. V. Davies, M. A. Mac Conaill: Synovial Joints, Their Structure and Mechanics. Longmans, London 1961

Basmajian, J. V.: Muscles Alive, 3. Aufl. Williams & Wilkins, Baltimore 1974

Bernstein, N.: The Coordination and Regulation of Movements. Pergamon Press, Oxford 1967

Bourne, G. H.: Biochemistry and Physiology of Bone, 2. Aufl., Bd. I: Structure. Academic Press, New York 1972

Bourne, G. H.: The Structure and Function of Muscle, 2. Aufl., Bd. I: Structure. Academic Press, New York 1972

Brookes, M.: The Blood Supply of Bone. Butterworth, London 1971

Dowson, D., V. Wright, M. D. Longfield: Human joint lubrication. Bio-med. Engng 4 (1969) 8–14, 160–165, 517–522

Freeman, M. A. R.: Adult Articular Cartilage. Pitman, London 1973

Haines, R. W., A. Mohiudin: The sites of early epiphyseal union in the limb girdles and major long bones of man. J. Anat. (Lond.) 101 (1967) 823–831

Hancox, N. M.: Biology of Bone. Cambridge University Press, London 1972

Jonsson, B., S. Reichmann: Reproducibility in kinesiologic EMG-investigation with intramuscular electrodes. Acta morphol. neerl.-scand. 7 (1968) 73–90

Joseph, J.: Man's Posture: Electromyographic Studies. Thomas, Springfield/Ill. 1960

Kapandji, I. A.: The Physiology of Joints, 2. Aufl., Bd. I–III. Longman, London 1970/71/74

MacConaill, M. A., J. V. Basmajian: Muscles and Movements. Williams & Wilkins, Baltimore 1969

Mysorecar, V. R.: Diaphyseal nutrient foramina in human long bones. J. Anat. (Lond.) 101 (1967) 813–822

Rasch, P. J., R. K. Burke: Kinesiology and Applied Anatomy, 5. Aufl. Lea & Febiger, Philadelphia 1974

Russe, O. A., J. J. Gerhardt, O. J. Russe: Taschenbuch der Gelenkmessung mit Darstellung der Neutral-Null-Methode und SFTR-Notierung. 2. Aufl. Huber, Bern 1982

Serratrice, G., J. Eisinger: Innervation et circulation osseuses diaphysaires. Rev. Rhum. 34 (1967) 505–519

Smith, D. S.: Muscle. Academic Press, New York 1972

体　幹

Beck, A., J. Killus: Mathematisch statistische Methoden zur Untersuchung der Wirbelsäulenhaltung mittels Computer. Biomed. Techn. 19 (1974) 72–74

Bowden, R., H. El-Ramli: The anatomy of the oesophageal hiatus. Brit. J. Surg. 54 (1967) 983–989

Cavallotti, C.: Morfologia del trigoni lombocostali del diaframma umano. Acta med. Rom 6 (1968) 21–29

Condor, R. E.: Surgical anatomy of the transversus abdominis and transversalis fascia. Ann. Surg. 173 (1971) 1–5

Danburg, R.: Functional anatomy and kinesiology of the cervical spine. Manu. Med. 9 (1971) 97–101

Diaconescu, N., C. Veleanu: Die Wirbelsäule als formbildender Faktor. Acta anat. (Basel) 73 (1969) 210–241

Donisch, E. W., W. Trapp: The cartilage endplates of the human vertebral column (some considerations of postnatal development). Anat. Rec. 169 (1971) 705–716

Doyle, J. F.: The superficial inguinal arch. A reassessment of what has been called the inguinal ligament. J. Anat. (Lond.) 108 (1971) 297–304

Drexler, G.: Röntgenanatomische Untersuchungen über Form und Krümmung der Halswirbelsäule in den verschiedenen Lebensaltern. Hippokrates, Stuttgart 1962

Epstein, B. S.: The Vertebral Column. Year Book Medical Publishers, Chicago 1974

François, R. J.: Ligament insertions into the human lumbar body. Acta anat. (Basel) 91 (1975) 467–480

Groeneveld, H. B.: Metrische Erfassung und Definition von Rückenform und Haltung des Menschen. Hippokrates, Stuttgart 1976

Helmy, I. D.: Congenital diaphragmatic hernia (A study of the weakest points of the diaphragm by dissection and a report of a case of hernia through the right foramen of Morgagni. Alexandria med. J. 13 (1967) 121–132

Hesselbach, A. K.: Die Erkenntnis und Behandlung der Eingeweidebrüche, Bauer u. Raspe, Nürnberg 1840

Johnson, R. M., E. S. Crelin, A. A. White et al.: Some new observations on the functional anatomy of the lower cervical spine. Clin. Orthop. 111 (1975) 192–200

Kapandji, I. A.: L'Anatomie fonctionelle du rachis lombo sacré. Acta orthop. belg. 35 (1969) 543–566

Krämer, J.: Biomechanische Veränderungen im lumbalen Bewegungssegment. Hippokrates, Stuttgart 1973

Krmpotic-Nemanic, J., P. Keros: Funktionale Bedeutung der Adaption des Dens axis beim Menschen. Verh. anat. Ges. (Jena) 67 (1973) 393–397

Langenberg, W.: Morphologie, physiologischer Querschnitt und Kraft des M. erector spinae im Lumbalbereich des Menschen. Z. Anat. Entwickl.-Gesch. 132 (1970) 158–190

Liard, A. R., M. Latarjet, F. Crestanello: Precisions anatomiques concernant la partie superieure du muscle grand droit de l'abdomen et de sa gaine. C. R. Ass. Anat. 148 (1970) 532–542

Ludwig, K. S.: Die Frühentwicklung des Dens epistrophei und seiner Bänder beim Menschen. Morphol. Jb. 93 (1953) 98–112

Ludwig, K. S.: Die Frühentwicklung des Atlas und der Occipitalwirbel beim Menschen. Acta anat. (Basel) 30 (1957) 444–461

Lytle, W. J.: The inguinal and lacunar ligaments. J. Anat. (Lond.) 118 (1974) 241–251

MacVay, C. B.: The normal and pathologic anatomy of the transversus abdominis muscle in inguinal and femoral hernia. Surg. Clin. N. Amer. 51 (1971) 1251–1261

Mambrini, A., M. Argeme, J. P. Houze, H. Isman: A propos de l'orifice aortique du diaphragme. C. R. Ass. Anat. 148 (1970) 433–441

Nathan, H., B. Arensburgh: An unusual variation in the fifth lumbar and sacral vertebrae: a possible cause of vertebral canal narrowing. Anat. Anz. 132 (1972) 137–148

Niethard, F. U.: Die Form-Funktionsproblematik des lumbosakralen Überganges. Hippokrates, Stuttgart 1981

Okada, M., K. Kogi, M. Ishii: Endurance capacity of the erectores spinae muscles in static work. J. Anthrop. Soc. Nippon 78 (1970) 99–110

Pierpont, R. Z., A. W. Grigoleit, M. K. Finegan: The transversalis fascia. A practical analysis of an enigma. Amer. Surg. 35 (1969) 737–740

Platzer, W.: Funktionelle Anatomie der Wirbelsäule. In: Erkrankungen der Wirbelsäule, hrsg. von R. Bauer. Thieme, Stuttgart 1975 (S. 1–6)

Platzer, W.: Die zervikokraniale Übergangsregion in Kopfschmerzen, hrsg. von H. Tilscher et al. Springer, Berlin 1988
Prestar, F. L., R. Putz: Das Lig. longitudinale posterius – Morphologie und Funktion. Morphol. Med. 2 (1982) 181–189
Putz, R.: Zur Manifestation der hypochordalen Spangen im cranio-vertebralen Grenzgebiet beim Menschen. Anat. Anz. 137 (1975) 65–74
Putz, R.: Charakteristische Fortsätze – Processus uncinati – als besondere Merkmale des 1. Brustwirbels. Anat. Anz. 139 (1976) 442–454
Putz, R.: Zur Morphologie und Rotationsmechanik der kleinen Gelenke der Lendenwirbel. Z. Orthop. 114 (1976) 902–912
Putz, R.: Funktionelle Anatomie der Wirbelgelenke. Thieme, Stuttgart 1981
Putz, R., A. Pomaroli: Form und Funktion der Articulatio atlanto-axialis lateralis. Acta anat. (Basel) 83 (1972) 333–345
Radojevic, S., E. Stolic, S. Unkovic: Le muscle cremaster de l'homme (Variations morphologiques et importance partique). C. R. Ass. Anat. 143 (1969) 1383–1386
Reichmann, S., E. Berglund, K. Lundgren: Das Bewegungszentrum in der Lendenwirbelsäule bei Flexion und Extension. Z. Anat. Entwickl.-Gesch. 138 (1972) 283–287
Schlüter, K.: Form und Struktur des normalen und des pathologisch veränderten Wirbels. Hippokrates, Stuttgart 1965
Shimaguchi, S.: Tenth rib is floating in Japanese. Anat. Anz. 135 (1974) 72–82
de Sousa, O. M., J. Furlani: Electromyographic study of the m. rectus abdominis. Acta anat. (Basel) 88 (1974) 281–298
Steubl, R.: Innervation und Morphologie der Mm. levatores costarum. Z. Anat. Entwickl.-Gesch. 128 (1969) 211–221
Takebe, K., M. Vitti, J. v. Basmajian: The functions of semispinalis capitis and splenius capitis muscles. An electromyographic study. Anat. Rec. 179 (1974) 477–480
Taylor, A.: The contribution of the intercostal muscles to the effort of respiration in man. J. Physiol. (Lond.) 151 (1960) 390–402
Taylor, J. R.: Growth of human intervertebral discs and vertebral bodies. J. Anat. (Lond.) 120 (1975) 49–68
Töndury, G.: Entwicklungsgeschichte und Fehlbildungen der Wirbelsäule. Hippokrates, Stuttgart 1958
v. Torklus, D., W. Gehle: Die obere Halswirbelsäule, 3. Aufl. Thieme, Stuttgart 1987
Veleanu, C., U. Grun, M. Diaconescu, E. Cocota: Structural peculiarities of the thoracic spine. Their functional significance. Acta anat. (Basel) 82 (1972) 97–107
Witschel, H., R. Mangelsdorf: Geschlechtsunterschiede am menschlichen Brustbein. Z. Rechtsmed. 69 (1971) 161–167
Zaki, A.: Aspect morphologique et fonctionnel de l'annulus fibrosus du disque intervertebral de la colonne cervicale. Bull. Ass. Anat. 57 (1973) 649–654
Zukschwerdt, L., F. Emminger, E. Biedermann, H. Zettel: Wirbelgelenk und Bandscheibe. Hippokrates, Stuttgart 1960

上 肢

Basmajian, J. V., W. R. Griffin jr.: Function of anconeus muscle. An electromyographic study. J. Bone Jt. Surg. 54-A (1972) 1712–1714
Basmajian, J. V., A. Travill: Electromyography of the pronator muscles in the forearm. Anat. Rec. 139 (1961) 45–49
Bearn, J. G.: An electromyographical study of the trapezius, deltoid, pectoralis major, biceps and triceps, during static loading of the upper limb. Anat. Rec. 140 (1961) 103–108
Bojsen-Møller, F., L. Schmidt: The palmar aponeurosis and the central spaces of the hand. J. Anat. (Lond.) 117 (1974) 55–68
Christensen, J. B., J. P. Adams, K. O. Cho, L. Miller: A study of the interosseous distance between the radius and ulnar during rotation of the forearm. Anat. Rec. 160 (1968) 261–271
Čihák, R.: Ontogenesis of the Skeleton and the Intrinsic Muscles of the Hand and Foot. Springer, Berlin 1972
Clarke, G. R., L. A. Willis, W. W. Fish, P. J. R. Nichols: Assessment of movement at the glenohumeral joint. Orthopaedics (Oxford) 7 (1974) 55–71
Dempster, W. T.: Mechanisms of shoulder movement. Arch. phys. Med. 46 (1965) 49–70
Doody, S. G., L. Freedman, J. C. Waterland: Shoulder movements during abduction in the scapular plane. Arch. phys. Med. 51 (1970) 595–604
Dylevsky, I.: Ontogenesis of the M. palmaris longus in man. Folia morphol. (Prague) 17 (1969) 23–28
Franzi, A. T., E. Spinelli, G. Ficcarelli: Variazione del muscolo palmare lungo: Contributo alla casistica. Quad. Anat. prat. 25 (1969) 71–76
Garn, S. M., C. G. Rohman: Variability in the order of ossification of the bony centers of the hand and wrist. Amer. J. phys. Anthropol. (N.S.) 18 (1960) 219–230
Glasgow, E. F.: Bilateral extensor digitorum brevis manus. Med. J. Aust. 54 (1967) 25
Hohmann, G.: Hand und Arm, ihre Erkrankungen und deren Behandlung. Bergmann, München 1949
Jonsson, B., B. M. Olofsson, L. C. Steffner: Function of the teres major, latissimus dorsi and pectoralis major muscles. A preliminary study. Acta morphol. neerl.-scand. 9 (1972) 275–280
Kaneff, A.: Über die wechselseitigen Beziehungen der progressiven Merkmale des M. extensor pollicis brevis beim Menschen. Anat. Anz. 122 (1968) 31–36
Kapandji, A.: La rotation du pouce sur son axe longitudinal lors de l'opposition. Rev. chir. Orthop. 58 (1972) 273–289
Kauer, J. M. G.: The interdependence of carpal articulation chains. Acta anat. (Basel) 88 (1974) 481–501
Kauer, J. M. G.: The articular disc of the hand. Acta anat. (Basel) 93 (1975) 590–605
Kiyosumi, M.: New ligaments at articulationes manus. Kumamoto Med. J. 18 (1965) 214–227
Krmpotic-Nemanic, J.: Über einen bisher unbeachteten Mechanismus der Fingergrundgelenke. Gegenseitige Längsverschiebung der Finger bei der Flexion. Z. Anat. Entwickl.-Gesch. 126 (1967) 127–131
Kuczynski, K.: Carpometacarpal joint of the human thumb. J. Anat. (Lond.) 118 (1974) 119–126
Landsmeer, J. M. F.: Atlas of the Hand. Churchill, Livingstone, Edinburgh 1976
Lewis, O. J., R. J. Hamshere, T. M. Bucknill: The anatomy of the wrist joint. J. Anat. (Lond.) 106 (1970) 539–552
Long, C.: Intrinsic-extrinsic muscle control of the fingers. Electromyographic studies. J. Bone Jt. Surg. 50-A (1968) 973–984
McClure, J. G., R. Beverly: Anomalies of the scapula. Clin. Orthop. 110 (1975) 22–31
Metha, H. J., W. U. Gardner: A study of lumbrical muscles in the human hand. Amer. J. Anat. 109 (1961) 227–238
Mrvaljevic, D.: Sur les insertions et la perforation du muscle coracobrachial. C. R. Ass. Anat. 139 (1968) 923–933
Murata, K., K. Abe, G. Kawahara et al.: The M. serratus anterior of the Japanese. The area of its origin and its interdigitation with the M. obliquus externus abdominis. Acta anat. Nippon. 43 (1968) 395–401
Neiss, A.: Sekundäre Ossifikationszentren. Anat. Anz. 137 (1975) 342–344
Pauly, J. E., J. L. Rushing, L. E. Scheving: An electromyographic study of some muscles crossing the elbow joint. Anat. Rec. 159 (1967) 47–54
Poisel, S.: Die Anatomie der Palmaraponeurose. Therapiewoche 23 (1973) 3337
Ravelli, A.: Die sogenannte Rotatorenmanschette, Öst. Ärzteztg. 13/14 (1974)
Renard, M., B. Brichet, A. Fonder, P. Poisson: Rôle respectif des muscles sous-èpineux et petit rond dans l cinématique de l'humerus. C. R. Ass. Anat. 139 (1968) 1266–1272
Renard, M., A. Fonder, C. Mentre, B. Brichet, J. Cayotte: Contribution à l'étude de la fonction du muscle sousépineux. Communication accompagnée d'un film. C. R. Ass. Anat. 136 (1967) 878–883
Roche, A. F.: The sites of elongation of the human metacarpals and metatarsals. Acat. anat. (Basel) 61 (1965) 193–202
Schmidt, H.-M.: Die Guyon'sche Loge. Ein Beitrag zur klinischen Anatomie der menschlichen Hand. Acta anat. 131 (1988) 113–121
Schmidt, H.-M., U. Lanz: Chirurgische Anatomie der Hand. Hippokrates Verlag, Stuttgart 1992
Shrewsbury, M. M., R. K. Johnson: The fascia of the distal phalanx. J. Bone Jt. Surg. 57 A (1975) 784–788
Shrewsbury, M. M., M. K. Kuczynski: Flexor digitorum superficialis tendon in the fingers of the human hand. Hand 6 (1974) 121–133
Shrewsbury, M. M., R. K. Johnson, D. K. Ousterhout: The palmaris brevis. A reconstruction of its anatomy and possible function. J. Bone Jt. Surg. 54-A (1972) 344–348
Soutoul, J. H., J. Castaing, J. Thureau, E. De Giovanni, P. Glories, M. Jan, J. Barbat: Les rapports tête humérale-glène scapulaire dans d'abduction du membre supérieur. C. R. Ass. Anat. 136 (1967) 961–971
Stack, H. G.: The Palmar Fascia. Churchill, Livingstone, London 1973
Strasser, H.: Lehrbuch der Muskel- und Gelenkmechanik, Bd. IV: Die obere Extremität. Springer, Berlin 1917
Weston, W. J.: The digital sheaths of the hand. Aust. Radiol. 13 (1969) 360–364

下 肢

Ahmad, I.: Articular muscle of the knee: articularis genus. Bull. Hospit. Dis. (N. Y.) 36 (1975) 58–60
Altieri, E.: Aplasia bilaterale congenita della rotula. Boll. Soc. Tosco-Umbra Chir. 28 (1967) 279–286
Asang, E.: Experimentelle und praktische Biomechanik des menschlichen Beins. Med. Sport (Berl.) 13 (1973) 245–255
Aumüller, G.: Über Bau und Funktion des Musculus adductor minimus. Anat. Anz. 126 (1970) 337–342
Basmajian, J. V., T. P. Harden, E. M. Regenos: Integrated actions of the four heads of quadriceps femoris: An electromyographic study. Anat. Rec. 172 (1972) 15–20
Bojsen Møller, F., V. E. Flagstadt: Plantar aponeurosis and internal architecture of the ball of the foot. J. Anat. (Lond.) 121 (1976) 599–611
Bowden, R. E. M.: The functional anatomy of the foot. Physiotherapy 53 (1967) 120–126
Bubic, I.: Sexual signs of the human pelvis. Folia med. (Sarajevo) 8 (1973) 113–115
Candiollo, L., G. Gautero: Morphologie et fonction des ligaments méniscofémoraux de l'articulation du genou chez l'homme. Acta anat. (Basel) 38 (1959) 304–323
Ching Jen Wang, P. S. Walker: Rotatory laxity of the human knee joint. J. Bone Jt. Surg. 56-A (1974) 161–170
Čihák, R.: Ontogenesis of the Skeleton and Intrinsic Muscles of the Human Hand and Foot. Springer, Berlin 1972
Dahhan, P., G. Delephine, D. Larde: The femoropatellar joint. Anat. Clin. 3 (1981) 23–39
Detenbeck, L. C.: Function of the cruciate ligaments in knee stability. J. Sports Med. 2 (1974) 217–221
Didio, L. J. A., A. Zappalá, W. P. Carney: Anatomicofunctional aspects of the musculus articularis genu in man. Acta anat. (Basel) 67 (1967) 1–23
Emery, K. H., G. Meachim: Surface morphology and topography of patello-femoral cartilage fibrillation in Liverpool necropsies. J. Anat. (Lond.) 116 (1973) 103–120
Emmett, J.: Measurements of the acetabulum. Clin. Orthop. 53 (1967) 171–174
Gluhbegovic, N., H. Hadziselimovic: Beitrag zu den vergleichenden anatomischen Untersuchungen der Bänder des lateralen Meniskus. Anat. Anz. 126 Suppl. (1970) 565–575
Goswami, N., P. R. Deb: Patella and patellar facets. Calcutta med. J. 67 (1970) 123–128
Heller, L., J. Langman: The menisco-femoral ligaments of the human knee. J. Bone Jt. Surg. 46-B (1964) 307–313
Hoerr, N. L., S. J. Pyle, C. C. Franciss: Radiographic Atlas of Skeletal Development of Foot and Ankle. Thomas, Springfield/Ill. 1962
Hohmann, G.: Fuß und Bein, ihre Erkrankungen und deren Behandlung. 5. Aufl. Bergmann, München 1951
Hooper, A. C. B.: The role of the iliopsoas muscle in femoral rotation. Irish J. med. Sci. 146 (1977) 108–112
Jacobsen, K.: Area intercondylaris tibiae: osseous surface structure and its relation to soft tissue structures and applications to radiography. J. Anat. (Lond.) 117 (1974) 605–618

Janda, V., V. Stará: The role of thigh adductors in movements patterns of the hip and knee joints. Courrier, Centre internat. de l'Enfance 15 (1965) 1–3

Jansen, J. C.: Einige nieuwe functioneelanatomische aspecten von de voet. Ned. T. Geneesk. 112 (1968) 147–155

Johnson, C. E., J. V. Basmajian, W. Dasher: Electromyography of sartorius muscle. Anat. Rec. 173 (1972) 127–130

Joseph, J.: Movements at the hip joint. Ann. R. Call. Surg. Engl. 56 (1975) 192–201

Kaplan, E. B.: The iliotibial tract, clinical and morphological significance. J. Bone Jt. Surg. 40-A (1958) 817–831

Kaufer, H.: Mechanical function of the patella. J. Bone Jt. Surg. 53-A (1971) 1551–1560

Kennedy, J. C., H. W. Weinberg, A. S. Wilson: The anatomy and function of the anterior cruciate ligament. As determined by clinical morphological studies. J. Bone Jt. Surg. 56-A (1974) 223–235

Knief, J.: Materialverteilung und Beanspruchungsverteilung im coxalen Femurende. Densitometrische und spannungsoptische Untersuchungen. Z. Anat. Entwickl.-Gesch. 126 (1967) 81–116

Kummer, B.: Die Biomechanik der aufrechten Haltung. Mitt. Naturforsch. Ges. Bern 22 (1965) 239–259

Kummer, B.: Funktionelle Anatomie des Vorfußes. Verh. dtsch. orthop. Ges. 53 (1966) 483–493

Kummer, B.: Die Beanspruchung der Gelenke, dargestellt am Beispiel des menschlichen Hüftgelenks. Verh. dtsch. Ges. orthop. Traumatol. 55 (1968) 302–311

Lesage, Y., R. Le Bars: Etude electromyographique simultanée des differents chefs du quadriceps. Ann. Méd. phys. 13 (1970) 292–297

Loetzke, H. H., K. Trzenschik: Beitrag zur Frage der Varianten des M. soleus beim Menschen. Anat. Anz. 124 (1969) 28–36

Marshall, J. L., E. G. Girgis, R. R. Zelko: The biceps femoris tendon and its functional significance. J. Bone Jt. Surg. 54-A (1972) 1444–1450

Martin, B. F.: The origins of the hamstring muscles. J. Anat. (Lond.) 102 (1968) 345–352

Menschik, A.: Mechanik des Kniegelenkes. I. Z. Orthop. 112 (1974) 481–495

Menschik, A.: Mechanik des Kniegelenkes. II. Z. Orthop. 113 (1975) 388–400

Mörike, K. D.: Werden die Menisken im Kniegelenk geschoben oder gezogen? Anat. Anz. 133 (1973) 265–275

Morrison, J. B.: The mechanics of the knee joint in relation to normal walking. J. Biochem. 3 (1970) 51–61

Novozamsky, V.: Die Form der Fußwölbung unter Belastung in verschiedenen Fußstellungen. Z. Orthop. 112 (1974) 1137–1142

Novozamsky, V., J. Buchberger: Die Fußwölbung nach Belastung durch einen 100-km-Marsch. Z. Anat. Entwickl.-Gesch. 131 (1970) 243–248

Oberländer, W.: Die Beanspruchung des menschlichen Hüftgelenks. Z. Anat. Entwickl.-Gesch. 140 (1973) 367–384

Ogden, S. A.: The anatomy and function of the proximal tibiofibular joint. Clin. Orthop. 101 (1974) 186–191

Olbrich, E.: Patella emarginata – Patella partita. Forschungen und Forscher der Tiroler Ärzteschule 2 (1948–1950) 69–105

Pauwels, F.: Gesammelte Abhandlungen zur funktionellen Anatomie des Bewegungsapparates. Springer, Berlin 1965

Pheline, Y., S. Chitour, H. Issad, G. Djilali, J. Ferrand: La région soustrochantérienne. C. R. Ass. Anat. 136 (1967) 782–806

Platzer, W.: Zur Anatomie des Femoropatellargelenks. In: Fortschritte in der Arthroskopie, hrsg. v. H. Hofer. Enke, Stuttgart 1985

Platzer, W.: Zur funktionellen und topographischen Anatomie des Vorfußes. In: Hallux valgus, hrsg. von N. Blauth. Springer, Berlin 1986

Raux, P., P. R. Townsend, R. Miegel et al.: Trabecular architecture of the human patella. S. Biomech. 8 (1975) 1–7

Ravelli, A.: Zum anatomischen und röntgenologischen Bild der Hüftpfanne. Z. Orthop. 113 (1975) 306–315

Renard, M., B. Brichet, J. L. Cayotte: Analyse fonctionelle du triceps sural. C. R. Ass. Anat. 143 (1969) 1387–1394

Rideau, Y., P. Lacert, C. Hamonet. Contribution à l'etude de l'action des muscles de la loge postérieure de la cuisse. C. R. Ass. Anat. 143 (1969) 1406–1415

Rideau, Y., C. Hamonet, G. Outrequin, P. Kamina: Etude d'électromyographique de l'activité fonctionelle des muscles de la loge postérieure de la cuisse. C. R. Ass. Anat. 146 (1971) 597–603

Rother, P., E. Luschnitz, S. Beau, P. Lohmann: Der Ursprung der ischiokruralen Muskelgruppe des Menschen. Anat. Anz. 135 (1974) 64–71

Sick, H., P. Ring, C. Ribot, J. G. Koritke: Structure fonctionelle des meniscques de articulation du genou. C. R. Ass. Anat. 143 (1969) 1565–1571

Sirang, H.: Ein Canalis alae ossis illii und seine Bedeutung. Anat. Anz. 133 (1973) 225–238

Stern jr., J. T.: Anatomical and functional specializations of the human gluteus maximus. Amer. J. phys. Anthropol. 36 (1972) 315–339

Strasser, H.: Lehrbuch der Muskel- und Gelenkmechanik, Bd. III: Die untere Extremität. Springer, Berlin 1917

Strauss, F.: Gedanken zur Fuß-Statik. Acta anat. (Basel) 78 (1971) 412–424

Suzuki, N.: An electromyographic study of the role of muscles in arch support of the normal and flat foot. Nagoya med. J. 17 (1972) 57–79

Takebe, K., M. Viti, J. V. Basmajian: Electromyography of pectineus muscle. Anat. Rec. 180 (1974) 281–284

Tittel, K.: Funktionelle Anatomie und Biomechanik des Kniegelenks. Med. Sport (Berl.) 17 (1977) 65–74

von Volkmann, R.: Wer trägt den Taluskopf wirklich, und inwiefern ist der plantare Sehnenast des M. tibialis post. als Bandsystem aufzufassen? Anat. Anz. 131 (1972) 425–432

von Volkmann, R.: Zur Anatomie und Mechanik des Lig. calcaneonaviculare plantare sensu strictiori. Anat. Anz. 134 (1973) 460–470

Zivanovic, S.: Menisco-meniscal ligaments of the human knee joint. Anat. Anz. 135 (1974) 35–42

頭と頸

Bochu, M., G. Crastes: La selle turcique normale etude radiographique. Lyon méd. 231 (1974) 797–805

Buntine, J. A.: The omohyoid muscle and fascia; morphology and anomalies. Aust. N. Z. J. Surg. 40 (1970) 86–88

Burch, J. G.: Activity of the accessory ligaments of the mandibular joint. J. prosth. Dent. 24 (1970) 621–628

Campell, E. J. M.: The role of the scalene and sternomastoid muscles in breathing in normal subjects. An electromyographical study. J. Anat. (Lond.) 89 (1955) 378–386

Carella, A.: Apparato stilo ioideo e malformazioni della cerniera atlo occipitale. Acta neurol. (Napoli) 26 (1971) 466–472

Couly, G., C. Brocheriou, J. M. Vaillant: Les menisques temporomandibulaires. Rev. Stomat. (Paris) 76 (1975) 303–310

Fischer, C., G. Ransmayr: Ansatz und Funktion der infrahyalen Muskulatur. Anat. Anz. 168 (1989) 237–243

Fortunato, V., St. D. Bocciarelli, G. Auriti: Contributo allo studio della morfologia ossea dell'area cribrosa dell'etmoide. Clin. otorinolaringo. 22 (1970) 3–15

Hadziselimovic, H., M. Cus, V. Tomic: Appearance of the sigmoid groove and jugular foramen in relation to the configuration of the human skull. Acta anat. (Basel) 77 (1970) 501–507

Honee, G. L. J. M.: The Musculus pterygoideus lateralis. Thesis, Amsterdam 1970 (S. 1–152)

Ingervall, B., B. Thilander: The human sphenooccipital synchondrosis. 1. The time of closure appraised macroscopically. Acta odont. scand. 30 (1972) 349–356

Isley, C. L., J. V. Basmajian: Electromyography of human cheeks and lips. Anat. Rec. 176 (1973) 143–148

Lang, J.: Structure and postnatal organization of heretofore uninvestigated and infrequent ossifications of the sella turcica region. Acta anat. (Basel) 99 (1977) 121–139

Lang, J., S. Niederfeilner: Über Flächenwerte der Kiefergelenkspalte. Anat. Anz. 141 (1977) 398–400

Lang, J., K. Tisch-Rottensteiner: Lage und Form der Foramina der Fossa cranii media. Verh. anat. Ges. (Jena) 70 (1976) 557–565

Melsen, B.: Time and mode of closure of the spheno-occipital synchondrosis determined on human autopsy material. Acta anat. (Basel) 83 (1972) 112–118

Oberg, T., G. E. Carlsson, C. M. Fajers: The temporomandibular joint. A morphologic study on human autopsy material. Acta odont. scand. 29 (1971) 349–384

Platzer, W.: Zur Anatomie der „Sellabrücke" und ihrer Beziehung zur A. carotis interna. Fortschr. Röntgenstr. 87 (1957) 613–616

Pomaroli, A.: Ramus mandibulae. Bedeutung in Anatomie und Klinik. Hüthig, Heidelberg 1987

Porter, M. R.: The attachment of the lateral pterygoid muscle to the meniscus. J. prosth. Dent. 24 (1970) 555–562

Proctor, A. D., J. P. de Vincenzo: Masseter muscle position relative to dentofacial form. Angle Orthodont. 40 (1970) 37–44

Putz, R.: Schädelform und Pyramiden. Anat. Anz. 135 (1974) 252–266

Shapiro, R., F. Robinson: The foramina of the middle fossa. A phylogenetic, anatomic and pathologic study. Amer. J. Roentgenol. 101 (1967) 779–794

Schelling, F.: Die Emissarien des menschlichen Schädels. Anat. Anz. 143 (1978) 340–382

Stofft, E.: Zur Morphometrie der Gelenkflächen des oberen Kopfgelenkes (Beitrag zur Statik der zerviko-okzipitalen Übergangsregion. Verh. anat. Ges. (Jena) 70 (1976) 575–584

Vitti, M., M. Fujiwara, J. V. Basmajian, M. Iida: The integrated roles of longus colli and sternocleidomastoid muscles: an electromyographic study. Anat. Rec. 177 (1973) 471–484

Weisengreen, H. H.: Observation of the articular disc. Oral. Surg. 40 (1975) 113–121

Wentges, R. T.: Surgical anatomy of the pterygopalatine fossa. J. Laryngol. 89 (1975) 35–45

Wright, D. M., B. C. Moffett jr.: The postnatal development of the human temporomandibular joint. Amer. J. Anat. 141 (1974) 235–249

Zenker, W.: Das retroarticuläre plastische Polster des Kiefergelenkes und seine mechanische Bedeutung. Z. Anat. Entwickl.-Gesch. 119 (1956) 375–388

末梢の導通路

Beaton, L. E., B. J. Anson: The relation of the sciatic nerve and of its subdivisions to the piriformis muscle. Anat. Rec. 70 (1937) 1

Fasol, P., P. Munk, M. Strickner: Blutgefäßversorgung des Handkahnbeins. Acta anat. (Basel) 100 (1978) 27–33

Hilty, H.: Die makroskopische Gefäßvariabilität im Mündungsgebiet der V. saphena magna des Menschen. Schwabe, Basel 1955

Lahlaidi, A.: Vascularisation arterielle des ligaments intra-articulaires du genou chez l'homme Folia angiol. (Pisa) 23 (1975) 178–181

Lauritzen, J.: The arterial supply to the femoral head in children. Acta orthop. scand. 45 (1974) 724–736

Lippert, H.: Arterienvarietäten, Klinische Tabellen. Beilage in Med. Klin. 1967–1969, 18–32

May, R.: Chirurgie der Bein- und Beckenvenen. Thieme, Stuttgart 1974

May, R., R. Nißl: Die Phlebographie der unteren Extremität, 2. Aufl. Thieme, Stuttgart 1973

Mercier, R., Ph. Fouques, N. Portal, G. Vanneuville: Anatomie chirurgicale de la veine saphene externe. J. chir. 93 (1967) 59

Miller, R. H., H. J. Ralston, M. Kasahara: The pattern of innervation of the human hand. Amer. J. Anat. 102 (1958) 183–218

Moosmann, A., W. Hartwell jr.: The surgical significance of the subfascial course of the lesser saphenous vein. Surg. Gynec. Obstet. 118 (1964) 761

Ogden jr. A.: Changing patterns of proximal femoral vascularity. J. Bone Jt. Surg. 56-A (1974) 941–950

Poisel, S., D. Golth: Zur Variabilität der großen Arterien im Trigonum caroticum. Wien. med. Wschr. 124 (1974) 229–232

Schmidt, H.-M.: Topographisch-klinische Anatomie der Guyon'schen Loge an der menschlichen Hand. Acta anat. 120 (1984) 66

Sirang, H.: Ursprung, Verlauf und Äste des N. saphenus. Anat. Anz. 130 (1972) 158–169

Tillmann, B., K. Gretenkord: Verlauf des N. medianus im Canalis carpi. Morphol. Med. 1 (1981) 61–69

Wallace, W. A., R. E. Coupland: Variations in the nerves of the thumb and index finger. J. Bone Jt Surg. 57-B (1975) 491–494

Weber, J., R. May: Funktionelle Phlebologie. Thieme, Stuttgart 1989

Wladimirov, B.: Über die Blutversorgung des Kniegelenkknorpels beim Menschen. Anat. Anz. 140 (1976) 469–476

II 内臓

解剖学

Appell HJ, Stang-Voss C. Funktionelle Anatomie. 4. Aufl. Heidelberg: Springer 2008
Benninghoff A. Anatomie: Makroskopische Anatomie, Histologie, Embryologie, Zellbiologie. Hrsg. von Drenckhahn D. München, Jena: Urban & Fischer. Bd. 1: Zellen- und Gewebelehre, Entwicklungslehre, Skelett- und Muskelsystem, Atemsystem, Verdauungssystem, Harn- und Genitalsystem. 17. Aufl. 2008 Bd. 2. Herz-Kreislauf-System, Lymphatisches System, Endokrines System, Nervensystem, Sinnesorgane, Haut. 16. Aufl. 2004
Bommas-Ebert U, Teubner P, Voß R. Kurzlehrbuch Anatomie und Embryologie. 2. Aufl. Stuttgart, New York: Thieme 2006
Buchmann P. Lehrbuch der Proktologie. 4. Aufl. Bern, Göttingen, Toronto, Seattle: Hans Huber; 2002
Caspar W. Medizinische Terminologie. 2. Aufl. Stuttgart, New York: Thieme 2007
Drake LR, Vogel W, Mitchell AWM. Gray's Anatomie für Studenten mit Student Consult-Zugang. Übersetzt und herausgegeben von Friedrich Paulsen. Jena, München: Elsevier-Urban & Fischer 2007
Gertz SD. Basiswissen Neuroanatomie. Leicht verständlich, knapp, klinikbezogen. Übersetzung und Bearbeitung von Schünke M und Schünke G. 4. Aufl. Stuttgart, New York: Thieme; 2003
Faller A. Die Fachwörter der Anatomie, Histologie und Embryologie, Ableitung und Aussprache. 29. Aufl. München: Bergmann; 1978
Faller A, Schünke M. Der Körper des Menschen. Einführung in Bau und Funktion. 14. Aufl. Stuttgart, New York: Thieme; 2004
Feneis H, fortgeführt von Dauber W. Feneis' Bild-Lexikon der Anatomie. 10. Aufl. Stuttgart, New York: Thieme; 2008
Frick H, Leonhardt H, Starck D. Allgemeine Anatomie. Spezielle Anatomie I, Extremitäten, Rumpfwand, Kopf, Hals. Taschenlehrbuch der gesamten Anatomie, Bd. I. 4. Aufl. Stuttgart, New York: Thieme; 1992
Frick H, Leonhardt H, Starck D. Spezielle Anatomie II. Eingeweide, Nervensystem, Systematik der Muskeln und Leitungsbahnen. Taschenlehrbuch der gesamten Anatomie, Bd. II 4. Aufl. Stuttgart, New York: Thieme; 1992
Fritsch H, Lienemann A, Brenner E, Ludwikowski B. Clinical Anatomy of the Pelvic Floor. In: Advances in Anatomy, Embryology and Cell Biology. Vol. 175. Berlin, Heidelberg, New York, Hong Kong, London, Milan, Paris, Tokyo: Springer; 2004
Hansen JT, Lambert DR. Netters Klinische Anatomie. Stuttgart, New York: Thieme 2006
Henne-Bruns D, Düring M, Kremer B. Duale Reihe Chirurgie. 3. Aufl. Stuttgart, New York: Thieme 2007
Kahle W, Frotscher M. Taschenatlas Anatomie. Bd. 3. Nervensystem und Sinnesorgane. 9. Aufl. Stuttgart, New York: Thieme; 2005
Köpf-Maier P. Wolf-Heideggers Anatomie des Menschen. Bd. 1: Allgemeine Anatomie, Rumpfwand, obere und untere Extremität. Bd. 2: Kopf und Hals, Brust, Bauch, Becken, ZNS, Auge, Ohr. 6. Aufl. Basel: Karger; 2004
Lippert H. Lehrbuch Anatomie. 7. Aufl. München, Jena: Urban & Fischer; 2006
Moses KP, Banks JC, Nava PB, Petersen D. Atlas of Clinical Gross Anatomy. Elsevier Mosby; 2005
Netter FH. Atlas der Anatomie des Menschen. 3. Aufl. Stuttgart, New York: Thieme; 2006
Netter FH. Atlas der Anatomie. 4. Aufl. München: Elsevier 2008
Platzer W. Taschenatlas der Anatomie. Bd. 1. Bewegungsapparat, 9. Aufl. Stuttgart, New York: Thieme; 2005
Rauber/Kopsch. Anatomie des Menschen. Lehrbuch und Atlas. Hrsg. von Leonhardt H, Tillmann B, Töndury G, Zilles K. Band I: Bewegungsapparat. Hrsg. und bearbeitet von Tillmann B. 3. Aufl. Stuttgart, New York: Thieme; 2003 Band II. Innere Organe. Hrsg. und bearbeitet von Leonhardt H, Tillmann B, Zilles K. Stuttgart, New York: Thieme; 1987 Band III: Nervensystem und Sinnesorgane. Hrsg. und bearbeitet von Krisch B, Kubik S, Lange K, Leonhardt H, Leuenberger P, Töndury G und Zilles K. Stuttgart, New York: Thieme; 1987 Band IV: Topographie der Organsysteme. Systematik der Leitungsbahnen. Hrsg. und bearbeitet von Leonhardt H, Tillmann B, Zilles K. Stuttgart, New York: Thieme; 1988
Rohen J, Lütjen-Drecoll, E. Funktionelle Anatomie des Menschen. 11. Aufl. Stuttgart, New York: Schattauer; 2006
Rohen J. Topographische Anatomie des Menschen. 10. Aufl. Stuttgart, New York: Schattauer; 2000, Nachdruck 2008
Schiebler TH, Korf HW Anatomie. 10. Aufl. Berlin, Heidelberg: Steinkopff/Springer; 2007
Schünke M, Schulte E, Schumacher U, Voll M, Wesker K. Allgemeine Anatomie und Bewegungssystem. PROMETHEUS–LernAtlas der Anatomie. 2. Aufl. Stuttgart, New York: Thieme 2006
Schünke M, Schulte E, Schumacher U, Wesker K. PROMETHEUS-Lernatlas der Anatomie. Kopf und Neuroanatomie. Stuttgart, New York: Thieme 2006
Schulze P. Anatomisches Wörterbuch. Lateinisch-Deutsch/Deutsch-Lateinisch. 7. Aufl. Stuttgart, New York: Thieme; 2001
Schumacher GH, Aumüller G. Topographische Anatomie des Menschen. 7. Aufl. München, Jena: Elsevier - Urban & Fischer; 2004
Sobotta J. Anatomie des Menschen. Der komplette Atlas in einem Band. Hrsg. von Putz R, Pabst R. München, Jena: Elsevier-Urban & Fischer 2007
Standring S. Gray's Anatomy. 39th ed. New York, Edinburgh, London, Oxford, St. Louis, Sidney, Toronto: ELSEVIER Churchill Livingstone; 2005
Terminologia Anatomica. International Anatomical Terminology. Ed. by the Federative Committee of Anatomical Terminology (FCAT). Stuttgart, New York: Thieme; 1998
Thiel W. Photographischer Atlas der Praktischen Anatomie. 2. Aufl. Berlin, Heidelberg, New York, Hongkong, London, Mailand, Paris, Tokyo: Springer; 2003
Tillmann B. Atlas der Anatomie mit Muskeltrainer. Berlin, Heidelberg: Springer; 2005
Tillmann B. Farbatlas der Anatomie–Zahnmedizin - Humanmedizin. Kopf, Hals, Rumpf. Stuttgart, New York: Thieme; 1997
Trepel M. Neuroanatomie mit StudentConsult-Zugang. Struktur und Funktion. 4. Aufl. Jena, München: Elsevier-Urban & Fischer 2008
Ulfig N. Kurzlehrbuch Neuroanatomie. 1. Aufl. Stuttgart, New York: Thieme 2008
Waldeyer A. Anatomie des Menschen. Hrsg. von Fanghänel J, Pera F, Anderhuber F, Nitsch R. 17. Aufl. Berlin, New York: Walter de Gruyter; 2003
Whitaker RH, Borley NR. Anatomiekompass. Taschenatlas der anatomischen Leitungsbahnen. 2. Aufl. Stuttgart, New York: Thieme; 2003
Wurzinger LJ. Duale Reihe Anatomie. Buch und CD-Rom. Stuttgart, New York: Thieme 2006

組織学, 細胞生物学, 顕微鏡解剖学

Alberts B, Johnson A, Lewis J, Raff M, Roberts K, Walter P, übers. von Jaenicke L. Molekularbiologie der Zelle. 4. Aufl. Weinheim: Wiley-VCH; 2004
Bucher O, Wartenberg H. Cytologie, Histologie und mikroskopische Anatomie des Menschen. 12. Aufl. Bern: Huber; 1997
Junqueira LC, Carneiro J, Hrsg. Von Gratzl M: Histologie. 6. Aufl. Berlin, Heidelberg: Springer; 2005
Kühnel W. Taschenatlas Histologie. 12. Aufl. Stuttgart, New York: Thieme; 2008
Lüllmann-Rauch R. Histologie. 2. Aufl. Stuttgart, New York: Thieme; 2006
Michna H. The Human Macrophage System: Activity and Functional Morphology. In: Bibliotheca Anatomica. Ed. W. Lierse. Basel: Karger; 1988
Rohen J, Lütjen-Drecoll E. Funktionelle Histologie. 4. Aufl. Stuttgart, New York: Schattauer; 2000
Sobotta J. Atlas Histologie. Zytologie, Histologie und Mikroskopische Anatomie. Hrsg. von Welsch U. 7. Aufl. München, Jena: Urban & Fischer; 2005
Sobotta J. Lehrbuch Histologie. Hrsg. von Welsch U. München, Jena: Urban & Fischer; 2003
Ulfig N. Kurzlehrbuch Histologie. 2. Aufl. Stuttgart, New York: Thieme 2005

発生学, 小児科学

Baraitser M, Winter RM. Fehlbildungssyndrome. 2. Aufl. Bern, Göttingen, Toronto, Seattle: Hans Huber; 2001
Christ B, Brand-Saberi B. Molekulare Grundlagen der Embryonalentwicklung. Berlin: Lehmanns Media; 2004
Christ B, Wachtler F. Medizinische Embryologie. Molekulargenetik–Morphologie–Klinik. Wiesbaden: Ullstein Medical; 1998
Drews U. Taschenatlas Embryologie. 2. Aufl. Stuttgart, New York: Thieme; 2006
Hinrichsen KV (Hrsg.). Humanembryologie. Lehrbuch und Atlas der vorgeburtlichen Entwicklung des Menschen. Berlin, Heidelberg: Springer; 1990
Moore KL, Persaud TVN, Viebahn C. Embryologie. München, Jena: Elsevier-Urban & Fischer; 2007
Niessen KH. Pädiatrie. 6. Aufl. Stuttgart, New York: Thieme 2001
O'Rahilly R, Müller F, Rager G. Embryologie und Teratologie des Menschen. Bern, Göttingen, Toronto, Seattle: Huber; 2002
Sadler TW. Medizinische Embryologie. 11. Aufl. Stuttgart, New York: Thieme; 2008
Ulfig N. Kurzlehrbuch Embryologie. 1. Aufl. Stuttgart, New York: Thieme 2005

画像法

Fleckenstein P, Tranum-Jensen J. Röntgenanatomie. Normalbefunde in Röntgen, CT, MRT, Ultraschall und Szintigraphie. München, Jena: Elsevier - Urban & Fischer; 2004
Kopp H, Ludwig M. Checkliste Doppler- und Duplexsonographie. Checklisten der aktuellen Medizin. 3. Aufl. Stuttgart, New York: Thieme 2007
Koritke JG, Sick H. Atlas anatomischer Schnittbilder des Menschen. München: Urban & Schwarzenberg; 1982
Möller TB, Reif E. Röntgennormalbefunde: Stuttgart, New York: Thieme; 2003
Möller TB, Reif E. Taschenatlas der Schnittbildanatomie. Bd. 2. Thorax, Abdomen, Becken. Computertomographie und Kernspintomographie. Stuttgart, New York: Thieme; 2000
Oestmann JW. Radiologie. Vom Fall zur Diagnose. Stuttgart, New York: Thieme 2005
Weiser HF, Birth M (Hrsg.). Viszeralchirurgische Sonographie. Lehrbuch und Atlas. Berlin, Heidelberg: Springer; 2000

心循環系

Anderson RH, Becker AE. Anatomie des Herzens. Ein Farbatlas. Stuttgart, New York: Thieme; 1982
Balletshofer B, Claussen C, Häring HU. Herz und Gefäße. Ein handlungsorientierter Leitfaden für Medizinstudenten. Tübinger Curriculum. Stuttgart, New York: Thieme 2006
Bargmann W, Doerr W. Das Herz des Menschen. Bd. I. Stuttgart, New York: Thieme; 1963
Block B. Pol-Leitsymptome. Herz-Kreislauf-System. Stuttgart, New York: Thieme 2006
Földi M, Casley-Smith JR. Lymphangiology. Stuttgart: Schattauer; 1983
Kubik S. Visceral lymphatic system. In Viamonte (jr.) M, Rüttimann A. Atlas of Lymphography. Stuttgart, New York: Thieme; 1980
Loose KE, van Dongen RJAM. Atlas of Angiography. Stuttgart, New York: Thieme; 1976
Staubesand J. Funktionelle Morphologie der Arterien, Venen und arteriovenösen Anastomosen. In: Angiologie. Hrsg. von Heberer G, Rau G, Schoop W, begr. von Ratschow M. 2. Aufl. Stuttgart, New York: Thieme; 1974
Tomanek RJ, Runyn RB. Formation of the Heart and its Regulation. Basel: Birkhäuser; 2001

呼吸器系

Becker W. Atlas der Hals-Nasen-Ohren-Krankheiten einschließlich Bronchien und Ösophagus. 2. Aufl. Stuttgart, New York: Thieme; 1983
Block B. Pol-Leitsymptome. Respiratorisches System. Stuttgart, New York: Thieme 2006
Crystal RG, West JB, Barnes PJ, Weibel ER (eds). The Lung. Scientific Foundations., 2 Vol. 2nd ed. Philadelphia: Lippincott Williams & Wilkins; 1997
Lang J. Klinische Anatomie der Nase, Nasenhöhle und Nasennebenhöhlen. Stuttgart, New York: Thieme; 1988
Muarray JF. Die normale Lunge. Grundlagen für Diagnose und Therapie von Lungenkrankheiten. Stuttgart, New York: Thieme; 1978
Tillmann B, Wustrow I. Kehlkopf. In Berendes J, Link R, Zöllner F. Hals-Nasen-Ohren-Heilkunde in Praxis und Klinik (S. 1–101). 2. Aufl. Bd. IV/I. Stuttgart, New York: Thieme; 1982

消化器系

Berkovitz BKB, Boyde A, Frank RM, Höhling HJ, Moxham BJ, Nalbandian J, Tonge CH. Teeth. Handbook of Microscopic Anatomy (ed. by Oksche A, Vollrath L.). Vol V/6. Berlin, Heidelberg: Springer; 1989

Block B. Pol-Leitsymptome. Gastrointestinaltrakt. Leber, Pankreas und biliäres System. Stuttgart, New York: Thieme 2006
Krentz K. Endoskopie des oberen Verdauungstraktes. Atlas und Lehrbuch. 2. Aufl. Stuttgart, New York: Thieme; 1982
Liebermann-Meffert D, White H. The Greater Omentum. Berlin, Heidelberg: Springer; 1983
Motta P, Muto M, Fujita T. Die Leber: Rasterelektronenmikroskopischer Atlas. Stuttgart: Schattauer; 1980
Schroeder HE. The Periodontium. Handbook of Microscopic Anatomy (ed. By Oksche A, Vollrath L). Vol. V/5. Berlin, Heidelberg: Springer; 1986
Schroeder HE. Orale Strukturbiologie. Entwicklungsgeschichte, Struktur und Funktion normaler Hart- und Weichgewebe der Mundhöhle und des Kiefergelenks. 5. Aufl. Stuttgart, New York: Thieme; 2000
Stelzner F. Die anorectalen Fisteln. 3. Aufl. Berlin, Heidelberg: Springer; 1981

泌尿器系

Gosling JA, Dixon JS, Humpherson JR. Funktionelle Anatomie der Nieren und ableitenden Harnwege. Ein Farbatlas. Stuttgart, New York: Thieme; 1988
Inke G. Gross Structure of the Human Kidney. Advances of Morphological Cells Tissues, p. 71. New York: Liss AR; 1981
Kuhlmann U. u.a. (Hrsg.) Nephrologie. Pathophysiologie-Klinik-Nierenersatzverfahren. Stuttgart, New York: Thieme 2006
Sökeland J, Rübben H. Taschenlehrbuch Urologie. 14. Aufl. Stuttgart, New York: Thieme 2007

男性生殖器系

Aumüller G. Prostate gland and seminal vesicles. In: Oksche A. Vollrath L. Handbuch der mikroskopischen Anatomie des Menschen. Bd. 7/6. Berlin, Heidelberg: Springer; 1979
Holstein AF, Rossen-Runge EC. Atlas of human spermatogenesis. Berlin: Grosse; 1981
Nieschlag E, Bartlett J. Testes. In Bettendorf G, Breckwoldt M (Hrsg.): Reproduktionsmedizin. S. 100–115. Stuttgart: Fischer; 1989
Schirren C. Praktische Andrologie, 2. Aufl. Berlin: Schering; 1982
Wartenberg H. Differentiation and development of the testes. In: Burger H, de Kretser D (eds.): The Testis. New York: Raven Press; 1981

女性生殖器系

Benirschke K, Kaufmann P. Pathology of the Human Placenta. 4th ed. New York: Springer; 2000
Breckwoldt M, Kaufmann M, Pfleiderer A. Gynäkologie und Geburtshilfe. 5. Aufl. Stuttgart, New York: Thieme 2007
Döring GK. Empfängnisverhütung. Ein Leitfaden für Ärzte und Studenten. 12. Aufl. Stuttgart, New York: Thieme; 1990
Frangenheim H, Lindemann H-J. Die Laparoskopie in der Gynäkologie, Chirurgie und Pädiatrie. 3. Aufl. Stuttgart, New York: Thieme; 1977
Horstmann E, Stegner H-E. Tube, Vagina und äußere weibliche Geschlechtsorgane. In: Handbuch der mikroskopischen Anatomie des Menschen. Erg. zu Bd. VII/1. Hrsg. von Bargmann W. Berlin, Heidelberg: Springer; 1966
Kaufmann P. Plazentation und Plazenta. In: Hinrichsen KV (Hrsg): Humanembryologie. Berlin, Heidelberg, New York: Springer; 1990
Krebs D, Schneider HPG. Reproduktion, Infertilität, Sterilität. München, Wien, Baltimore: Urban & Schwarzenberg; 1994
Künzel W. Schwangerschaft I. In: Bender HG, Diedrich K, Künzel W, Klinik der Frauenheilkunde und Geburtshilfe, Band 4. 4. Aufl. München, Jena: Urban & Fischer; 2002
Künzel W. Schwangerschaft II. In: Bender HG, Diedrich K, Künzel W, Klinik der Frauenheilkunde und Geburtshilfe, Band 5. 4. Aufl. München, Jena: Urban & Fischer; 2002
Künzel W. Geburt I. In: Bender HG, Diedrich K, Künzel W, Klinik der Frauenheilkunde und Geburtshilfe, Band 6. 4. Aufl. München, Jena: Urban & Fischer; 2002
Künzel W, Wulf KH. Geburt II. In: Wulf KH, Schmidt-Matthiessen H, Klinik der Frauenheilkunde und Geburtshilfe, Band 7. 4. Aufl. München, Jena: Urban & Fischer; 2002
Netter FH. NETTERs Gynäkologie. Stuttgart, New York: Thieme 2006
Straubner M, Weyesstahl T. Duale Reihe Gynäkologie und Geburtshilfe. Buch und CD-Rom. 3. Aufl. Stuttgart, New York: Thieme 2007

内分泌系

Aschoff J, Daan S, Groos GA. Vertebrate Circadian Systems. Structure and Physiology, Berlin, Heidelberg: Springer; 1982
Bachmann R. Die Nebenniere. In: Handbuch der mikroskopischen Anatomie des Menschen, Bd. VI/5, hrsg. von Bargmann W. Berlin, Heidelberg: Springer; 1954
Bargmann W. Die Schilddrüse. In v. Möllendorff W. Handbuch der mikroskopischen Anatomie des Menschen, Bd. VI/2. Berlin, Heidelberg: Springer; 1939, (S. 2–136)
Bargmann W. Die Epithelkörperchen. In v. Möllendorff W. Handbuch der mikroskopischen Anatomie des Menschen, Bd. VI/2. Berlin, Heidelberg: Springer; 1939 (S. 137–196)
Bargmann W. Die Langerhansschen Inseln des Pankreas. In v. Möllendorff W. Handbuch der mikroskopischen Anatomie des Menschen, Bd. VI/2. Berlin, Heidelberg: Springer; 1939 (S. 197–288)
Bargmann W. Über die neurosekretorische Verknüpfung von Hypothalamus und Neurohypophyse. Z. Zellforsch. 34: 610–634 (1949)
Bargmann W. Das Zwischenhirn-Hypophysensystem. Berlin, Heidelberg: Springer; 1964
Bargmann W. Die funktionelle Morphologie des endokrinen Regulationssystems. In Altmann HW, Büchner F, Cottier H u. Mitarb. Handbuch der allgemeinen Pathologie, Bd. VIII/1. Berlin, Heidelberg: Springer; 1971 (S. 1–106)
Bargmann W., Scharrer B. Aspects of Neuroendocrinology. Berlin, Heidelberg: Springer; 1970
Bloom SR, Polak JM. Gut Hormones, 2nd ed. Edinburgh: Churchill-Livingstone; 1981
Böck P. Die Paraganglia. In Oksche A, Vollrath L. Handbuch der mikroskopischen Anatomie des Menschen, Bd. VII/8. Berlin, Heidelberg: Springer; 1973
Costa E, Trabucchi M. Regulatory Peptides, from Molecular Biology to Function. New York: Raven Press; 1982
Coupland RE, Forssmann WG. Peripheral Neurodocrine Interaction. Berlin, Heidelberg: Springer; 1978
Coupland RE, Fujita T. Chromaffin, Enterochromaffin and Related Cells. Amsterdam: Elsevier; 1976
Cross BA, Leng G. The Neurohypophysis: Structure, Function and Control. Progr. Brain Res. 60, 1983
Diedrich K. Endokrinologie und Reproduktionsmedizin I. In: Wulf K-H and Schmidt-Matthiesen H, Klinik der Frauenheilkunde und Geburtshilfe, Band 1. 4. Aufl. München, Jena: Urban & Fischer; 2001
Diedrich K. Endokrinologie und Reproduktionsmedizin II. In: Wulff K-H and Schmidt-Matthiesen H, Klinik der Frauenheilkunde und Geburtshilfe, Band 2. 4. Aufl. München, Jena: Urban & Fischer; 2003
Felig Ph, Frohman LA. Endocrinology and Metabolism, 4th ed. New York: McGraw-Hill; 2001
Fujita T. Endocrine Gut and Pancreas. Amsterdam: Elsevier; 1976
Fujita T. Concept of paraneurons. Arch. Histol. Jap. 40, (Suppl.): 1–12 (1977)
Fuxe K, Hökfelt T, Luft R. Central Regulation of the Endocrine System. New York: Plenum Press; 1979
Guillemin R. Control of adenohypophysial functions by peptides of the central nervous system. Harvey Lect. 71: 71–131 (1978)
Gupta D. Endokrinologie der Kindheit und Adoleszenz. Stuttgart: Thieme; 1986
Heitz PhU. Das gastro-entero-pankreatische endokrine System. Med. uns. Zeit 4: 15–22 (1980)
Hesch RD. Endokrinologie. Teil A Grundlagen. München, Wien, Baltimore: Urban & Schwarzenberg; 1989
Hesch RD. Endokrinologie. Teil B Krankheitsbilder. München, Wien, Baltimore: Urban & Schwarzenberg; 1989
Kalimi MY, Hubbard JR. Peptide Hormone Receptors. Berlin: de Gruyter; 1987
Krieger DT, Liotta AS, Brownstein MJ, Zimmermann EA. ACTH, β-Lipotropin, and related peptides in brain, pituitary, and blood. Recent Progr. Horm. Res. 36: 277–344 (1980)
Krisch B. Immunocytochemistry of neuroendocrine systems (vasopressin, somatostatin, luliberin). Progr. Histochem. Cytochem. 13/2: 1–167 (1980)
Krisch B. Ultrastructure of regulatory neuroendocrine neurons and functionally related structures. In Ganten D, Pfaff D: Morphology of Hypothalamus and its Connections. Current Topics in Neurodocrinology, Vol. 7. Berlin, Heidelberg: Springer; 1986 (pp. 251–290)
Marischler C. BASICS Endokrinologie. München: ELSEVIER-Urban & Fischer: 2007
Neville AM, O'Hare MJ. The Human Adrenal Cortex. Berlin, Heidelberg: Springer; 1982
Oksche A, Pévet P. The Pineal Organ: Photobiology, Biochronometry, Endocrinology. Developments in Endocrinology, vol. XIV. Amsterdam: Elsevier; 1981
Pearse AGE. The diffuse neuroendocrine system and the APUD concept: related „endocrine" peptides in brain, intestine, pituitary, placenta and anuran cutaneous glands. Med. Biol. 55: 115–125 (1977)
Polak JM. Regulatory Peptides. Basel: Birkhäuser; 1989
Reinboth R. Vergleichende Endokrinologie. Stuttgart, New York: Thieme; 1980
Scharrer E, Korf HW, Hartwig HG. Functional Morphology of Neuroendocrine Systems. Berlin, Heidelberg, New York, London, Paris, Tokyo: Springer; 1987
Schulster D, Levitski A. Cellular Receptors for Hormones and Neurotransmitters. New York: Wiley; 1980
Vollrath L. The pineal organ. In Oksche A, Vollrath L.: Handbuch der mikroskopischen Anatomie des Menschen, Bd. VI/7. Berlin, Heidelberg: Springer; 1981
Welsch U. Die Entwicklung der C-Zellen und des Follikelepithels der Säugerschilddrüse. Elektronenmikroskopische und histochemische Untersuchungen. Ergebn. Anat. Entwickl.-Gesch. 46: 1–52 (1972)

血液・リンパ系

Aiuti F, Wigzell H. Thymus, Thymic Hormones and Lymphocytes. London: Academic Press; 1980
Begemann M. Praktische Hämatologie. Klinik, Therapie, Methodik. 11. Aufl. Stuttgart, New York: Thieme; 1998
Bessis M. Living Blood Cells and their Ultrastructure. Berlin, Heidelberg: Springer; 1973
Brücher H. Knochenmarkzytologie. Diagnostik und klinische Bedeutung. Stuttgart, New York: Thieme; 1986
Dormann A, Luley C, Wege T. Laborwerte. 4. Aufl. München, Jena: Elsevier–Urban & Fischer; 2005
Dörner K. Taschenlehrbuch Klinische Chemie und Hämatologie. 6. Aufl. Stuttgart, New York: Thieme 2006
Drößler K, Gemsa D. Wörterbuch der Immunologie. 3. Aufl. Heidelberg, Berlin: Spektrum Akademischer Verlag; 2000
Eisen HN. Immunology, 3rd ed. New York: Harper & Row; 1981
Frick P. Blut- und Knochenmarksmorphologie, Blutgerinnung. 19. Aufl. Stuttgart, New York: Thieme; 2003
Ham AW, Axelrad AA, Cormack DH. Blood Cell Formation and the Cellular Basis of Immune Responses. Philadelphia: Lippincott; 1979
Keller R. Immunologie und Immunpathologie, 4. Aufl. Stuttgart, New York: Thieme; 1994
Kirchner H, Kruse A, Neustock P, Rink L. Cytokine and Interferone. Botenstoffe des Immunsystems. Heidelberg, Berlin, Oxford: Spektrum Akademischer Verlag; 1993
Lennert K, Harms D. Die Milz/The Spleen. Berlin, Heidelberg: Springer; 1970
Lennert K, Müller-Hermelink H-K. Lymphozyten und ihre Funktionsformen–Morphologie. Organisation und immunologische Bedeutung. Anat. Anz., Suppl. 138: 19–62 (1975)
McDonald GA, Dodds TC, Cruickshank B. Atlas der Hämatologie, 3. Aufl. Stuttgart, New York: Thieme; 1979
Müller-Hermelink HK. The Human Thymus, Histophysiology and Pathology. Current Topics of Pathology, Berlin, Heidelberg: Springer; 1985
Müller-Hermelink HK, von Gaudecker B. Ontogenese des lympathischen Systems beim Menschen. Amat. Anz. Suppl. 74 (1980) 235–259
Noll S, Schaub-Kuhnen S. Praxis der Immunhistochemie. Hrsg. von Höfler H und Müller K-M. München, Jena: Urban & Fischer; 2000
Queißer W. Das Knochenmark. Morphologie, Funktion, Diagnostik. Stuttgart, New York: Thieme; 1978

Ruzicka F. Elektronenmikroskopische Hämatologie. Wien: Springer; 1976

Staines N, Brostoff J, James K.: Immunologisches Grundwissen. 3. Aufl. Heidelberg: Spektrum Akademischer Verlag; 1999

Theml H, Diem H, Haferlach T. Taschenatlas der Hämatologie, 5. Aufl. Stuttgart, New York: Thieme; 2002

Tischendorf F. Die Milz: In: Handbuch der mikroskopischen Anatomie des Menschen, Bd. VI/6, hrsg. von Bargmann W. Berlin, Heidelberg: Springer; 1969

皮 膚

Braun-Falco O, Plewig G, Wolff HH. Dermatologie und Venerologie. 5. Aufl. Berlin, Heidelberg: Springer; 2005

Breathnach AS. An atlas of the ultrastructure of human skin. London: Churchill; 1971

Fitzpatrick TB, Eisen AZ, Wolff K, Freedberg IM, Austen KF. Dermatology in General Medicine, 2nd ed. New York: McGraw-Hill; 1979

Halata Z. Die Sinnesorgane der Haut und der Tiefensensibilität. In Handbuch der Zoologie, Bd. VIII Mammalia, Teilband 57. Herausgegeben von Niethammer J, Schliemann H, Starck D. Berlin, New York: Walter de Gruyter; 1993

Horstmann E. Die Haut. In: Handbuch der mikroskopischen Anatomie des Menschen, Erg. zu Bd. III/1, hrsg. von Bargmann W. Berlin, Heidelberg: Springer; 1957

Iggo A, Andres KH. Morphology of cutaneous receptors. Ann. Rev. Neurosci. 5: 1–31 (1982)

Kobori T, Montagna W. Biology and Disease of the Hair. Baltimore: University Park Press; 1975

Odland GF. Structure of the skin. In Goldsmith LA.: Biochemistry and Physiology of the Skin. New York: Oxford University Press; 1983 (pp. 3–63)

Rassner G. Dermatologie. Lehrbuch und Atlas. München: ELSEVIER-Urban & Fischer: 2002

図版引用リスト

- 425 B–D nach Aubertin G: Das Vorkommen von Kolbenhaaren und die Veränderungen derselben beim Haarwiederersatz. Arch mikrosk Anat 47: 472–500 (1896)
- 421 A nach: Bethmann; Zoltán
- 384 A nach: Bucher O, Wartenberg H: Cytologie, Histologie und mikroskopische Anatomie des Menschen. 11. Aufl. Bern: Huber; 1989
- 425 E nach: Conrads
- 420 A–D nach: Edwards EA, Duntley SQ: The pigments and color of living human skin. Am J Anat 65: 1–34 (1939)
- 258 ABC, 259 ABDF, 260 ABCD, 265 C nach: Feneis H: Anatomisches Bildwörterbuch der internationalen Nomenklatur. 8. Aufl. Stuttgart: Thieme; 1998
- 405 endokrine Zellen nach: Heitz PU: Das gastro-entero-pankreatische endokrine System. Medizin unserer Zeit 4: 15–22 (1980)
- 423 B nach: Horstmann E: Die Haut. In: Handbuch der mikroskopischen Anatomie des Menschen. Erg. zu Bd. III/1, hrsg. von W Bargmann. Berlin: Springer; 1957
- 408 AB nach: Knoll
- 410 Immunsystem nach: Müller-Hermelink HK, von Gaudecker B: Ontogenese des lymphatischen Systems beim Menschen. Verh Anat Ges 74: 235–259 (1980)
- 419 B nach Pabst R: The anatomical basis for the immune function of the gut. Anat Embryol 176: 135–144 (1987)
- 230 AB, 233 ABC, 234 A, 235 B, 259 E, 268 AB, 269 B, 277 A, 279 AB, 282 B, 285 A, 286 A, 305 AB, 308 AB, 309 B, 310 B, 313 AB, 314 C, 316 B, 319 B, 324 B, 327 AB, 330 C, 334 A, 335 B, 336 A, 337 AB, 338 B, 339 C, 342 C, 345 C, 347 C, 348 A, 353 A, 355 AB, 395 AB nach: Platzer W: Atlas der topographischen Anatomie. Stuttgart: Thieme; 1982
- 426 B nach: Rauber/Kopsch: Anatomie des Menschen. Lehrbuch und Atlas. Hrsg. von H Leonhardt, B Tillmann, G Töndury, K Zilles. Band III: Nervensystem/Sinnesorgane, hrsg. und bearb. von B Krisch, S Kubik, W Lange, H Leonhardt, P Leuenberger, G Töndury, K Zilles. Stuttgart: Thieme; 1987
- 393 C nach: Rotter W: Die Entwicklung der fetalen und kindlichen Nebennierenrinde. Virchows Arch path Anat 316 (1949)
- 401 Terminalzotte nach: Schiebler TH, Kaufmann P: Reife Plazenta. In: Becker V, Schiebler TH, Kubli F (Hrsg.): Die Plazenta des Menschen. Stuttgart, New York: Thieme; S. 51–100 (1981)
- 394 AC nach: Watzka M: Die Paraganglien. In: Handbuch der mikroskopischen Anatomie des Menschen, Bd. VI/4. Springer: Berlin; 1943
- 426 D nach: Weddell G: The morphology of peripheral nerve terminations in the skin. Quart J Microsc Sci 95: 483–501 (1954)
- 421 D nach: Wendt GG: Fingerleisten und Krankheit. Zur menschl. Vererbungs- und Konstitutionslehre 30: 588–601 (1952)

III 神経系と感覚器

教科書，一般的なもの

Ariëns Kappers, C. U., G. C. Huber, E. C. Crosby: The Comparative Anatomy of the Nervous System of Vertebrats, Including Man. Hafner, New York 1936, Reprint 1960
Biesold, D., H. Matthies: Neurobiologie. Fischer, Stuttgart 1977
Brodal, A.: Neurological Anatomy. Oxford University Press, Oxford 1981
Carpenter, M. B.: Core Text of Neuroanatomy. Williams & Wilkins, Baltimore 1978
Clara, M.: Das Nervensystem des Menschen. Barth, Leipzig 1959
Clarke, E., K. Dewhurst: Die Funktionen des Gehirns. Moos. München 1973
Creutzfeld, O. D.: Cortex Cerebri. Springer, Berlin, Heidelberg, New York, Tokyo 1983
Curtis, B. A., S. Jakobson, E. M. Marcus: An Introduction to the Neurosciences. Saunders, Philadelphia 1972
Dejerine, J.: Anatomie des centres nerveux. Rueff, Paris 1895–1901
Dudel, J., R. Menzel, R. F. Schmidt: Neurowissenschaft. Vom Molekül zur Kognition. Springer, Berlin, Heidelberg, New York 1996
Eccles, J. C.: Das Gehirn des Menschen. Piper, München 1973
Ferner, H.: Anatomie des Nervensystems. Reinhard, München 1970
Forssmann, W. G., Ch. Heym: Grundriß der Neuroanatomie. Springer, Berlin 1974
Friede, R. L.: Topographic Brain Chemistry. Academic Press, New York 1966
Glees, P.: Morphologie und Physiologie des Nervensystems. Thieme, Stuttgart 1957
Greger, R., U. Windhorst: Comprehensive Human Physiology. From Cellular Mechanisms to Integration. Vol. I und II. Springer, Berlin, Heidelberg, New York 1996
Hassler, R.: Funktionelle Neuroanatomie und Psychiatrie. In: Psychiatrie der Gegenwart, hrsg. von H. W. Gruhle, R. Jung, W. Mayer-Gross, M. Müller. Springer, Berlin 1967
Kandel, E. R., J. H. Schwartz, T. M. Jessell: Principles of Neural Science. 3 rd Edition. Appleton & Lange 1991
Ludwig, E., J. Klingler: Atlas cerebri humani. Karger, Basel 1956
Mühr, A.: Das Wunder Menschenhirn. Walter, Olten 1957
Nieuwenhuys, R., J. Voogd, Chr. van Huizen: Das Zentralnervensystem des Menschen. Springer, Berlin 1991
Retzius, G.: Das Menschenhirn. Norstedt, Stockholm 1896
Rohen, J. W.: Funktionelle Anatomie des Nervensystems. Schattauer, Stuttgart 1975
Schaltenbrand, G., P. Bailey: Einführung in die stereotaktischen Operationen mit einem Atlas des menschlichen Gehirns. Thieme, Stuttgart 1959
Schmidt, R. F., G. Thews (Hrsg.): Physiologie des Menschen. 26. Aufl. Springer, Berlin 1995
Sidman, R. L., M. Sidmann: Neuroanatomie programmiert. Springer, Berlin 1971
Thompson, R. F.: Das Gehirn. Von der Nervenzelle zur Verhaltenssteuerung. 2. Auflage. Spektrum, Heidelberg, Berlin, Oxford 1994
Villiger, E., E. Ludwig: Gehirn und Rückenmark. Schwabe, Basel 1946
Zigmond, M. J., F. E. Bloom, S. C. Landis, J. L. Roberts, L. R. Squire: Fundamental Neuroscience. Academic Press, San Diego, London, Boston 1999

神経系序説

Bullock, Th. H.: Introduction to Nervous System. San Francisco 1977
Bullock, Th. H., G. A. Horridge: Structure and Function in the Nervous System of Invertebrates. University Chicago Press, Chicago 1955
Drescher, U., A. Faissner, R. Klein, F. G. Rathjen, C. Stürmer (eds.): Molecular bases of axonal growth and pathfinding. Cell Tissue Res. Special Issue 290 (1997) 187–470
Edelman, G. M., W. E. Gall, W. M. Cowan (eds.): Molecular Bases of Neural Development. John Wiley & Sons, New York, Chichester, Brisbane 1985
Goodman, C. S., C. J. Shatz: Developmental mechanisms that generate precise patterns of neuronal connectivity. Cell 72/Neuron 10 (Suppl.) (1993) 77–98
Hamburger, V.: The Heritage of Experimental Embryology. Hans Spemann and the Organizer. Oxford University Press, New York 1988
Herrick, J. C.: Brains of Rats and Men. University Chicago Press, Chicago 1926
Herrick, J. C.: The Evolution of Human Nature. University Texas Press, Austin 1956
Kahle, W.: Die Entwicklung der menschlichen Großhirnhemisphäre. Springer, Berlin, Heidelberg 1969
Kölliker, A.: Entwicklungsgeschichte des Menschen und der höheren Tiere. 2. Ausgabe. W. Engelmann, Leipzig 1879
Le Gros Clark, W. E.: Fossil Evidence for Human Evolution. University Chicago Press, Chicago 1955
Le Gros Clark, W. E.: The Antecedents of Man. Edinburgh University Press. Edinburgh 1959
Popper, K. R., J. C. Eccles: Das Ich und sein Gehirn. Piper, München 1985
Sherrington, Sir Charles: Körper und Geist – Der Mensch über seine Natur. Schünemann, Bremen 1964
Spatz, H.: Gedanken über die Zukunft des Menschenhirns. In: Der Übermensch, hrsg. von E. Benz. Rhein-Verl., Zürich 1961
Sperry, R. W.: Chemoaffinity in the orderly growth of nerve fiber patterns and connections. Proc. Natl. Acad. Sci. USA 50 (1963) 703–710
Starck, D.: Die Neencephalisation. In: Menschliche Abstammungslehre, hrsg. von G. Heberer, Fischer, Stuttgart 1965
Tessier-Lavigne, M., C. S. Goodman: The molecular biology of axon guidance. Science 274 (1996) 1123–1133
Tobias, P. V.: The Brain in Hominid Evolution. Columbia University Press, New York 1971

神経系の基本要素

Akert, K., P. G. Waser: Mechanisms of Synaptic Transmission. Elsevier, Amsterdam 1969
Babel, J., A. Bischoff, H. Spoendlin: Ultrastructure of the Peripheral Nervous System and Sense Organs. Thieme, Stuttgart 1970
Barker, J. L.: The Role of Peptides in Neuronal Function. Dekker, Basel 1980
de Belleroche, J., G. J. Dockray: Cholecystokinin in the Nervous System. Verlag Chemie, Weinheim 1984
Björklund, A., T. Hökfeld: Classical Neurotransmitters in the CNS. Handbook of Chemical Neuroanatomy. Elsevier, Amsterdam 1984
Bloom, F. E.: The functional significance of neurotransmitter diversity. Am. J. Physiol. 246 (1984) C184–C194
Cajal, S. R.: Histologie du système nerveux de l'homme et des vertébrés. Maloine, Paris 1909–1911
Causey, G.: The Cell of Schwann. Livingstone, Edinburgh 1960
Cold Spring Harbour Symposia 40: The Synapse. Cold Spring Harbour Laboratory, New York 1976
Cottrell, G. A., P. N. R. Usherwood: Synapses. Blackie, Glasgow 1977
Cowan, W. M., M. Cuenod: The Use of Axonal Transport for Studies of Neuronal Connectivity. Elsevier, Amsterdam 1975
De Robertis, E. D. P., R. Carrea: Biology of Neuroglia. Elsevier, Amsterdam 1965
Eccles, J. C.: The physiology of synapses. Springer, Berlin, Göttingen, Heidelberg, New York 1964
Emson, P. C.: Chemical Neuroanatomy. Raven, New York 1984
Eränkö, O.: Histochemistry of Nervous Transmission. Elsevier, Amsterdam 1969
Fedoroff, S., A. Vernadakis: Astrocytes. Academic Press, London 1986
Friede, R. L., F. Seitelberger: Symposium über Axonpathologie und „Axonal Flow". Springer, Berlin 1971
Frotscher, M., U. Misgeld (eds.): Central Cholinergic Synaptic Transmission. Birkhäuser, Basel, Boston, Berlin 1989
Fuxe, K., M. Goldstein, B. Hökfeld, T. Hökfeld: Central Adrenalin Neurons. Pergamon, Oxford 1980
Gray, E. G.: Axo-somatic and axo-dendritic synapses of the cerebral cortex: an electron microscope study. J. Anat. 93 (1959) 420–433
Heimer, L., L. Záborszky (eds.): Neuroanatomical Tract-Tracing Methods 2. Recent Progress. Plenum Press, New York, London 1989
Heuser, J. E., T. S. Reese: Structure of the synapse. In: Handbook of Physiology, Section 1: The Nervous System. Vol. I: Cellular Biology of Neurons, Part 1 (E. R. Kandel, Ed.), American Physiological Society, Bethesda, Md., 261–294, 1977
Hild, W.: Das Neuron. In: Handbuch der mikroskopischen Anatomie, hrsg. von W. Bargmann, Erg. zu Bd. IV/I. Springer, Berlin 1959
Jonas, P., H. Monyer (eds.): Ionotropic Glutamate Receptors in the CNS. Handbook of Experimental Pharmacology. Vol. 141. Springer, Berlin, Heidelberg, New York 1999
Jones, D. G.: Synapses and Synaptosomes. Chapmann & Hall, London 1975
Landon, D. N.: The Peripheral Nerve. Chapmann & Hall, London 1976
Lehmann, H. J.: Die Nervenfaser. In: Handbuch der mikroskopischen Anatomie, hrsg. von W. Bergmann, Erg. zu Bd. IV/I. Springer, Berlin 1959
Loewi, O.: Über humorale Übertragbarkeit der Herznervenwirkung. Pflügers Arch. Gesamte Physiol. 189 (1921) 239–242
Nakai, J.: Morphology of Neuroglia. Igaku-Shoin, Osaka 1963
Neher, E.: Ion channels for communication between and within cells. Neuron 8 (1992) 606–612
Pappas, G. D., D. P. Purpura: Structure and Function of Synpases. Raven, New York 1972
Penfield, W.: Cytology and Cellular Pathology of the Nervous System. Hoeber, New York 1932
Peters, A., S. L. Palay, H. F. Webster: The Fine Structure of the Nervous System. Oxford University. Press, New York 1991
Pfenninger, K. H.: Synaptic morphology and cytochemistry. Prog. Histochem. Cytochem. 5 (1973) 1–86
Ransom, B., H. Kettenmann (eds.): Neuroglia. Oxford University Press, Oxford 1995
Rapoport, St. J.: Blood-Brain Barrier in Physiology and Medicine. Raven, New York 1976
Roberts, E., T. N. Chase, D. B. Tower: GABA in Nervous System Function. Raven, New York 1976
Sakmann, B.: Elementary steps in synaptic transmission revealed by currents through single ion channels. Neuron 8 (1992) 613–629
Sakmann, B., E. Neher: Single-channel recording. Plenum, New York 1983
Schoffeniels, E., G. Franck, L. Hertz: Dynamic Properties of Glia Cells. Pergamon, Oxford 1978
Stjaerne, L.: Chemical Neurotransmission. Academic Press, London 1981
Szentágothai, J.: Neuron Concept Today. Adakémiai Kiadó, Budapest 1977
Uchizono, K.: Excitation and inhibition. Elsevier, Amsterdam 1975
Unwin, N.: Neurotransmitter action: opening of ligand-gated ion channels. Cell 72/Neuron 10 (Suppl.) (1993) 31–41
Usdin, E., W. E. Burney, J. M. Davis: Neuroreceptors. Chichester, New York 1979
Watson, W. E.: Cell Biology of Brain. Chapman & Hall, London 1976
Windle, W. F.: Biology of Neuroglia. Thomas, Springfield 1958
Weiss, D. G.: Axoplasmic Transport. Springer, Berlin 1982
Yamamura, H. J., S. J. Enna, M. J. Kuhar: Neurotransmitter Receptor Binding. Raven, New York 1985
Zimmermann, H.: Synaptic transmission: Cellular and Molecular Basis. Thieme, Stuttgart 1993

脊髄と脊髄神経

Bok, S. T.: Das Rückenmark. In: Handbuch der mikroskopischen Anatomie, Bd. IV, hrsg. von W. v. Möllendorf. Springer, Berlin 1928
Brown, A. G.: Organization of the Spinal Cord. Springer, Berlin 1981
Dyck, P. J., P. K. Thomas, E. H. Lambert: Peripheral Neuropathy, Vol. I. Biology of the Peripheral System. Saunders, Philadelphia 1975
Foerster, O.: Spezielle Anatomie und Physiologie der peripheren Nerven. In: Handbuch der Neurologie, Bd. II/I, hrsg. von O. Bumke, O. Foerster. Springer, Berlin 1928
Foerster, O.: Symptomatologie der Erkrankungen des Rückenmarks und seiner Wurzeln. In: Handbuch der Neurologie, Bd. V, hrsg. von O. Bumke, O. Foerster. Springer, Berlin 1936

Hubbard, J. I.: The Peripheral Nervous System. Plenum, New York 1974
Jacobsohn, L.: Über die Kerne des menschlichen Rückenmarks. Abh. d. königl. preuß. Akad. d. Wiss., Phys.-math. Kl., Berlin 1908
Kadyi, H.: Über die Blutgefäße des menschlichen Rückenmarkes. Gubrynowicz & Schmidt, Lemberg 1886
Keegan, J. J., F. D. Garrett: The segmental distribution of the cutaneous nerves in the limbs of man. Anat. Rec. 102 (1948) 409–437
v. Lanz, T., W. Wachsmuth: Praktische Anatomie, Bd. I/2.–4. Springer, Berlin 1955–1972
Murnenthaler, M., H. Schliack: Läsionen peripherer Nerven. 5. Aufl. Thieme, Stuttgart 1987
Noback, Ch. N., J. K. Harting: Spinal cord. In: Primatologia, Bd. II/1, hrsg. von H. Hofer, A. H. Schultz, D. Starck. Karger, Basel 1971
Villiger, E.: Die periphere Innervation. Schwabe, Basel 1964
Willis, W. D., R. E. Coggeshall: Sensory mechanisms of the spinal cord. 2nd ed. Plenum, New York 1991

脳幹と脳神経

Brodal, A.: The Cranial Nerves. Blackwell, Oxford 1954
Brodal, A.: The Reticular Formation of the Brain Stem. Oliver & Boyd, Edinburgh 1957
Clemente, C. D., H. W. Magoun: Der bulbäre Hirnstamm. In: Einführung in die stereotaktischen Operationen mit einem Atlas des menschlichen Gehirns, hrsg. von G. Schaltenbrand, P. Bailey. Thieme, Stuttgart 1959
Crosby, E. C., E. W. Lauer: Anatomie des Mittelhirns. In: Einführung in die stereotaktischen Operationen mit einem Atlas des menschlichen Gehirns, hrsg. von G. Schaltenbrand, P. Bailey. Thieme, Stuttgart 1959
Delafresnaye, J. F.: Brain-Mechanisms and Consciousness. Blackwell, Oxford 1954
Duvernoy, H. M.: Human Brain Stem Vessels. Springer, Berlin 1978
Feremutsch, K.: Mesencephalon. In: Primatologia, Bd. II/2, hrsg. von H. Hofer, A. H. Schultz, D. Starck. Karger, Basel 1965
Gerhard, L., J. Olszewski: Medulla oblongata and Pons. In: Primatologia, Bd. II/2, hrsg. von H. Hofer, A. H. Schultz, D. Starck. Karger, Basel 1969
Jasper, H., L. D. Proctor, R. S. Knighton, W. C. Noshay, R. T. Costello: Reticular Formation of the Brain. Churchill, Oxford 1958
Mingazzini, G.: Medulla oblongata und Brücke. In: Handbuch der mikroskopischen Anatomie, Bd. IV. Springer, Berlin 1928
Olszewski, J., D. Baxter: Cytoarchitecture of the Human Brain Stem. Karger, Basel 1954
Pollak, E.: Anatomie des Rückenmarks, der Medulla oblongata und der Brücke. In: Handbuch der Neurologie, Bd. I, hrsg. von O. Bumke, O. Foerster. Springer, Berlin 1935
Riley, H. A.: An Atlas of the Basal Ganglia, Brain Stem and Spinal Cord. Williams & Wilkins, Baltimore 1943
Spatz, H.: Anatomie des Mittelhirns. In: Handbuch der Neurologie, Bd. I, hrsg. von O. Bumke, O. Foerster, Springer, Berlin 1935

小 脳

Angevine, jr. J. B., E. L. Mancall, P. I. Yakovlev: The Human Cerebellum. Little, Brown, Boston 1961
Chain-Palay, V.: Cerebellar Dentate Nucleus. Springer, Berlin 1977
Dichgans, J., J. Bloedel, W. Precht: Cerebellar Functions. Springer, Berlin 1984
Dow, R. S., G. Moruzzi: The Physiology and Pathology of the Cerebellum. University Minnesota Press, Minneapolis 1958
Eccles, J. C., M. Ito, J. Szentágothai: The Cerebellum as a Neuronal Machine. Springer, Berlin 1967
Fields, W. S., W. D. Willis: The Cerebellum in Health and Disease. Green, St. Louis 1970
Ito, M.: The Cerebellum and Neural Control. Raven Press, New York 1984
Jakob, A.: Das Kleinhirn. In: Handbuch der mikroskopischen Anatomie, Bd. IV, hrsg. von W. v. Moellendorff. Springer, Berlin 1928
Jansen, J., A. Brodal: Das Kleinhirn. In: Handbuch der mikroskopischen Anatomie, Bd. IV, hrsg. von W. Bargmann, Erg. zu Bd. IV/1. Springer, Berlin 1958
Larsell, O., J. Jansen: The Comparative Anatomy and Histology of the Cerebellum. University of Minnesota Press. Minneapolis 1972
Llinás, R.: Neurobiology of Cerebellar Evolution and Development. American Medical Association, Chicago 1969
Palay, S. L.: Cerebellar Cortex. Springer, Berlin 1974

間 脳

Akert, K.: Die Physiologie und Pathophysiologie des Hypothalamus. In: Einführung in die stereotaktischen Operationen mit einem Atlas des menschlichen Gehirns, hrsg. von G. Schaltenbrand, P. Bailey. Thieme, Stuttgart 1959
Ariëns Kappers, J., J. P. Schadé: Structure and Function of the Epiphysis Cerebri. Elsevier, Amsterdam 1965
Bargmann, W., J. P. Schadé: Lectures on the Diencephalon. Elsevier, Amsterdam 1964
De Wulf, A.: Anatomy of the Normal Human Thalamus. Elsevier, Amsterdam 1971
Diepen, R.: Der Hypothalamus. In: Handbuch der mikroskopischen Anatomie, Bd. IV/7, hrsg. von W. Bargmann. Springer, Berlin 1962
Emmers, R., R. R. Tasker: The Human Somesthetic Thalamus. Raven, New York 1975
Feremutsch, K.: Thalamus. In: Primatologia, Bd. II/2, hrsg. von H. Hofer, A. H. Schultz, D. Starck. Karger, Basel 1963
Frigyesi, T. L., E. Rinvik, M. D. Yahr: Thalamus. Raven, New York 1972
Harris, G. W., B. T. Donovan: The Pituitary Gland, Bd. III. Pars Intermedia and Neurohypophysis. Butterworths, London 1966
Hassler, R.: Anatomie des Thalamus. In: Einführung in die stereotaktischen Operationen mit einem Atlas des menschlichen Gehirns, hrsg. von G. Schaltenbrand, P. Bailey. Thieme, Stuttgart 1959
Haymaker, W., E. Anderson, J. H. Nauta: Hypothalamus. Thomas, Springfield/Ill. 1969
Hess, W. R.: Das Zwischenhirn. Schwabe, Basel 1954
Kuhlenbeck, H.: The human diencephalon. Confin. neurol. (Basel), Suppl. 14 (1954)
Macchi, G., A. Rustioni, R. Speafico: Somatosensory Integration in the Thalamus. Elsevier, Amsterdam 1983
Morgane, P. J.: Handbook of the Hypothalamus (3 Vol.) Dekker, Basel 1979–81
Nir, I., R. J. Reiter, R. J. Wurtman: The Pineal Gland. Springer, Wien 1977
Pallas, J. E.: La journée du thalamus, Marseille 1969
Purpura, D. P.: The Thalamus, Columbia University Press, New York 1966
Richter, E.: Die Entwicklung des Globus pallidus und des Corpus subthalamicum. Springer, Berlin 1965
Wahren, W.: Anatomie des Hypothalamus. In: Einführung in die stereotaktischen Operationen mit einem Atlas des menschlichen Gehirns, hrsg. von G. Schaltenbrand, P. Bailey. Thieme, Stuttgart 1959
Walker, A. E.: The Primate Thalamus. University of Chicago Press, Chicago 1938
Walker, A. E.: Normale und pathologische Physiologie des Thalamus. In: Einführung in die stereotaktischen Operationen mit einem Atlas des menschlichen Gehirns, hrsg. von G. Schaltenbrand, P. Bailey. Thieme, Stuttgart 1959
Wolstenholme, G. E. W., J. Knight: The Pineal Gland. Ciba Foundation Symposium Churchill-Livingstone, London 1971
Wurtman, R. J., J. A. Axelrod, D. E. Kelly: The Pineal. Academic Press, New York 1968

終 脳

Alajouanine, P. Th.: Les grandes activitées du lobe temporal. Masson, Paris 1955
v. Bonin, G.: Die Basalganglien. In: Einführung in die stereotaktischen Operationen mit einem Atlas des menschlichen Gehirns, hrsg. von G. Schaltenbrand, P. Bailey. Thieme, Stuttgart 1959
Braak, H.: Architectonics of the Human Telencephalic Cortex. Springer, Berlin 1980
Brazier, M. A. B., H. Petsche: Architectonics of the Cerebral Cortex. Raven Press, New York 1978
Brodmann, K.: Vergleichende Lokalisationslehre der Großhirnrinde. Barth, Leipzig 1925
Bucy, P. C.: The Precentral Motor Cortex. University of Illinois Press, Urbana 1949
Chan-Palay, V., C. Köhler (eds.): The Hippocampus - New Vistas. Neurology and Neurobiology. Vol. 52. Alan R. Liss, Inc., New York 1989
Ciba Foundation Symposium 58: Functions of the Septo-Hippocampal System. Elsevier, Amsterdam 1977
Creuzfeldt, O. D.: Cortex Cerebri. Springer, Berlin 1983
Critchley, M.: The Parietal Lobes. Arnold, London 1953
Denny-Brown, D.: The Basal Ganglia. Oxford University Press, London 1962
Descarries, L., T. R. Reader, H. H. Jasper: Monoamin Innervation of the Cerebral Cortex. Alan R. Riss, New York 1984
Dimond, St.: The Double Brain. Churchill-Livingstone, Edinburgh 1972
Divac, I. R., G. E. Öberg: The Neostriatum. Pergamon, Oxford 1979
Eccles, J. C.: Brain and Conscious Experience. Springer, Berlin 1966
v. Economo, C., G. N. Koskinas: Die Cytoarchitektonik der Hirnrinde des erwachsenen Menschen. Springer, Berlin 1925
Eleftheriou, B. E.: The Neurobiology of the Amygdala. Plenum, New York 1972
Feremutsch, K.: Basalganglien. In: Primatologia, Bd. II/2, hrsg. von H. Hofer, A. H. Schultz, D. Starck. Karger, Basel 1961
Freund, T. F., G. Buzsáki (eds.): Interneurons of the Hippocampus. Hippocampus 6 (1996) 347–473
Frotscher, M., P. Kugler, U. Misgeld, K. Zilles: Neurotransmission in the Hippocampus. Advances in Anatomy, Embryology and Cell Biology, Vol. 111, Springer, Berlin, Heidelberg 1988
Fuster, J. M.: The Prefrontal Cortex. Raven, New York 1980
Gainotti, G., C. Caltagirone: Emotions and the Dual Brain. Springer, Berlin 1989
Gastaud, H., H. J. Lammers: Anatomie du rhinencéphale. Masson, Paris 1961
Goldman, P. S., W. J. Nauta: Columnar distribution of cortico-cortical fibers in the frontal association, limbic and motor cortex of the developing rhesus monkey. Brain Res. 122, 393–413 (1977)
Goodwin, A. W., J. Darian-Smith: Handfunction and the Neocortex. Springer, Berlin 1985
Hubel, D. H., T. N. Wiesel: Anatomical demonstration of columns in the monkey striate cortex. Nature (Lond.) 221 (1969) 747–750
Isaacson, R. L., K. H. Pribram: The Hippocampus. Plenum, New York 1975
Jones, E. G., A. Peters: Cerebral Cortex. Vol. 1–6. Plenum, New York 1984–1987
Kahle, W.: Die Entwicklung der menschlichen Großhirnhemisphäre. Springer, Berlin 1969
Kennedy, C., M. H. Des Rosiers, O. Sakurada, M. Shinohara, M. Reivich, J. W. Jehle, L. Sokoloff: Metabolic mapping of the primary visual system of the monkey by means of the autoradiographic C^{14}deoxyglucose technique. Proc. nat. Acad. Sci. (Wash.) 73 (1976), 4230–4234
Kinsbourne, M., W. L. Smith: Hemispheric Disconnection and Cerebral Function. Thomas, Springfield 1974
Passouant, P.: Physiologie de le hippocampe. Edition du centre national de la recherche scientifique. Paris 1962
Penfield, W., H. Jasper: Epilepsy and the Functional Anatomy of the Human Brain. Little, Brown, Boston 1954
Penfield, W., T. Rasmussen: The Cerebral Cortex of Man. Macmillan, New York 1950
Penfield, W., L. Roberts: Speech and Brain Mechanisms. Princeton University Press. Princeton 1959
Ploog, D.: Die Sprache der Affen. In: Neue Anthropologie, hrsg. von H. G. Gadamer, P. Vogler. Thieme, Stuttgart 1972
Rose, M.: Cytoarchitektonik und Myeloarchitektonik der Großhirnrinde. In: Handbuch der Neurologie, Bd. I, hrsg. von O. Bumke, O. Foerster. Springer, Berlin 1935
Sanides, F.: Die Architektonik des menschlichen Stirnhirns. Springer, Berlin 1962
Schneider, J. S., T. J. Lidsky: Basal Ganglia and Behavior. Huber, Bern 1987
Schwerdtfeger, W. K.: Structure and Fiber Connections of the Hippocampus. Springer, Berlin 1984
Seifert, W.: Neurobiology of the Hippocampus. Academic Press, London 1983
Springer, S. P., G. Deutsch: Linkes Gehirn, rechtes Gehirn, funktionelle Asymmetrien. Spektrum d. Wissenschaft, Heidelberg 1987
Squire, L. R.: Memory and Brain. Oxford University Press, New York 1987

Stephan, H.: Allocortex. In: Handbuch der mikroskopischen Anatomie, Bd. IV/9, hrsg. von W. Bargmann. Springer, Berlin 1975
Valverde, F.: Studies on the Piriform Lobe. Harvard University Press. Cambridge/Mass. 1965
Weinstein, E. A., R. P. Friedland: Hemiinattention and Hemisphere Spezialization. Raven, New York 1977

脳脊髄液系

Hofer, H.: Circumventrikuläre Organe des Zwischenhirns. In: Primatologia, Bd. II/2, hrsg. von H. Hofer, A. H. Schultz, D. Starck. Karger, Basel 1965
Lajtha, A., D. H. Ford: Brain Barrier System. Elsevier, Amsterdam 1968
Leonhardt, H.: Ependym und Circumventrikuläre Organe. Handbuch d. mikroskopischen Anatomie, Bd IV/III. Springer, Berlin 1980
Millen, J. W. M., D. H. M. Woollam: The Anatomy of the Cerebrospinal Fluid. Oxford University Press, London 1962
Schaltenbrand, G.: Plexus und Meningen. In: Handbuch der mikroskopischen Anatomie, Bd IV/2, hrsg. von W. Bargmann. Springer, Berlin 1955
Sterba, G.: Zirkumventrikuläre Organe und Liquor. VEB Fischer, Jena 1969

血管系

Dommisee, G. F.: The Arteries and Veins of the Human Spinal Cord from Birth. Churchill-Livingstone, Edinburgh 1975
Hiller, F.: Die Zirkulationsstörungen des Rückenmarks und Gehirns. In: Handbuch der Neurologie, Bd. III/11, hrsg. von O. Bumke, H. Foerster. Springer, Berlin 1936
Kaplan, H. A., D. H. Ford: The Brain Vascular System. Elsevier, Amsterdam 1966
Krayenbühl, H., M. G. Yasargil: Die zerebrale Angiographie, 2. Aufl. Thieme, Stuttgart 1965; 3. Aufl. 1979
Luyendijk, W.: Cerebral Circulation. Elsevier, Amsterdam 1968
Szilka, G., G. Bouvier, T. Hovi, V. Petrov: Angiography of the Human Brain Cortex. Springer, Berlin 1977

植物神経系

Burnstock, G., M. Costa: Adrenergic Neurons, Chapman & Hall, London 1975
Csillik, B., S. Ariens Kappers: Neurovegetative Transmission Mechanisms. Springer, Berlin 1974
Furness, J. B., M. Costa: The enteric nervous system. Churchill Livingstone, Edinburgh 1987
Gabella, G.: Structure of the Autonomous Nervous System. Chapman & Hall, London 1976
Kuntz, A.: The Autonomic Nervous System. Lea & Febiger, Philadelphia 1947
Langley, J. N.: The autonomic nervous system, part 1. Heffer, Cambridge 1921
Mitchell, G. A. G.: Anatomy of the Autonomic Nervous System. Livingstone, Edinburgh 1953
Monnier, M.: Physiologie des vegetativen Nervensystems. Hippokrates, Stuttgart 1963
Müller, R. L.: Lebensnerven und Lebenstriebe. Springer, Berlin 1931
Newman, P. P.: Visceral Afferent Functions of the Nervous System. Arnold, London 1974
Pick, J.: The Autonomic Nervous System. Lippincott, Philadelphia 1970
Thews, G., G. Vaupel.: Vegetative Physiologie. Springer, Berlin 1990
White, J. C., R. H. Smithwick: The Autonomic Nervous System. Macmillan, New York 1948

機能系

Adey, W. R., T. Tokizane: Structure and Function of the Limbic System. Elsevier, Amsterdam 1967
Andres, K. H., M. v. Dühring: Morphology of cutaneous receptors. In: Handbook of Sensory Physiology, Bd. II, hrsg. von H. Autrum, R. Jung, W. R. Loewenstein, D. M. MacKay, H. L. Teuber. Springer, Berlin 1973
Barker, D.: The morphology of muscle receptors. In: Handbook of Sensory Physiology. Bd. III/2, hrsg. von H. Autrum, R. Jung, W. R. Loewenstein, D. M. MacKay, H. L. Teuber. Springer, Berlin 1974
Campbell, H. J.: The Pleasure Areas. Eyre Methuen, London 1973
Couteaux, R.: Motor endplate structure. In: The Structure and Function of Muscle, hrsg. von G. H. Bourne. Academic Press, New York 1973
Douek, E.: The Sense of Smell and Its Abnormalities. Churchill-Livingstone, London 1974
Gardner, H.: Dem Denken auf der Spur, der Weg der Kognitionswissenschaft. Klett-Cotta, Stuttgart 1989
Halata, Z.: The Mechanoreceptors of the Mammalien Skin, Advances in Anatomy, Embryology and Cell Biology, Bd. 50/5. Springer, Berlin 1975
Heppner, F.: Limbisches System und Epilepsie. Huber, Bern 1973
Isaacson, R. L.: The Limbic System. Plenum Press, New York 1974
Janzen, R., W. D. Keidel, G. Herz, C. Steichele: Schmerz. Thieme, Stuttgart 1972
Jung, R., R. Hassler: The extrapyramidal motor system. In: Handbook of Physiology, Section 1, Bd. 2, hrsg. von J. Field, H. W. Magoun, V. E. Hall. American Physiological Society Washington 1960
Knight, J.: Mechanisms of Taste and Smell in Vertebrates. Ciba Foundation Symposium. Churchill, London 1970
Lassek, A. M.: The Pyramidal Tract. Thomas, Springfield/Ill. 1954
Monnier, M.: Functions of the Nervous System, Bd. 3: Sensory Functions and Perception. Elsevier, Amsterdam 1975
Munger, B. L.: Patterns of organization of peripheral sensory receptors. In: Handbook of Sensory Physiology, Bd. I/1, hrsg. von H. Autrum, R. Jung, W. R. Loewenstein, D. M. MacKay, H. L. Teuber. Springer, Berlin 1971
de Reuk, A. V., S. J. Knight: Touch, Heat and Pain. Ciba Foundation Symposium. Churchill, London 1966
Sezntágothai, J., J. Hámori, M. Palkovits: Regulatory Functions of the CNS: Motion and Organization Principles. Pergamon, Oxford 1981
Varela, Francico J.: Kognitionswissenschaft – Kognitionstechnik. Suhrkamp, Frankfurt 1990
Wiesendanger, M.: The pyramidal tract. In: Ergebnisse der Physiologie, Bd. 61. Springer, Berlin 1969
Zacks, S. J.: The Motor Endplate. Saunders, Philadelphia 1964
Zotterman, Y.: Olfaction and Taste. Pergamon, Oxford 1963
Zotterman, Y.: Sensory Mechanisms. Elsevier, Amsterdam 1966
Zotterman, Y.: Sensory Functions of the Skin. Pergamon, Oxford 1977

眼

Carpenter, R. H. S.: Movements of the Eyes. Pion, London 1977
Fine, B. S., M. Yanoff: Ocular histology. Harper & Row, New York 1972
Hollyfield, J. G.: The Structure of the Eye. Elsevier, Amsterdam 1982
Hubel, D. H., T. N. Wiesel: Die Verarbeitung visueller Informationen. Spektrum der Wissenschaft, November 1979
Livingston, M., D. Hubel: Segregation of form, color, movement, and depth: Anatomy, physiology and perception. Science 240 (1988) 740–749
Masland, R. H.: Die funktionelle Architektur der Netzhaut. Spektrum der Wissenschaft, 66–75, Februar 1989
Marr, D.: Vision. Freeman, San Francisco 1982
Polyak, St.: The Vertebrate Visual System. University Chicago Press, Chicago 1957
Rodieck, R. W.: Vertebrate Retina. Freeman, San Francisco 1973
Rohen, J. W.: Sehorgan. In: Primatologia, Bd. II/1, hrsg. von H. Hofer, A. H. Schultz, D. Starck. Karger, Basel 1962
Rohen, J. W.: Das Auge und seine Hilfsorgane. In: Handbuch der mikroskopischen Anatomie. Erg. zu Bd. III/2, hrsg. von W. Bargmann. Springer, Berlin 1964
Straatsma, B. R., M. O. Hall, R. A. Allen, F. Crescitelli: The Retina Morphology, Function and Clinical Characteristics. University California Press, Berkeley 1969
Wässle, H., B. B. Boycott: Functional architecture of the mammalian retina. Physiol. Rev. 71 (1991) 447–480
Walsh, F. W., W. F. Hoyt: Clinical Neuroophthalmology. Williams & Wilkins, Baltimore 1969
Warwick, R.: Wolff's Anatomy of the Eye and Orbit. Lewis, London 1976
Zeki, S.: A Vision of the Brain. Blackwell, London 1993

聴覚器と平衡覚器

Ades, H. W., H. Engström: Anatomy of the inner ear. In: Handbook of Sensory Physiology, Bd. V/1, hrsg. von H. Autrum, R. Jung, W. R. Loewenstein, D. M. MacKay, H. L. Teuber. Springer, Berlin 1974
Beck, C.: Anatomie des Ohres. In: Hals-Nasen-Ohren-Heilkunde, Bd. III/1, hrsg. von J. Berendes, R. Link, F. Zöllner. Thieme, Stuttgart 1965
Beck, C.: Histologie des Ohres. In: Hals-Nasen-Ohren-Heilkunde, Bd. III/1, hrsg. von J. Berendes, R. Link, F. Zöllner. Thieme, Stuttgart 1965; 2. Aufl. 1977
Brodal, A., O. Pompeiano, F. Walberg: The Vestibular Nuclei and Their Connexions. Oliver & Boyd, Edinburgh 1962
Gualtierotti, T.: The Vestibular System. Springer, Berlin 1981
Keidel, W. D.: Anatomie und Elektrophysiologie der zentralen akustischen Bahnen. In: Hals-Nasen-Ohren-Heilkunde, Bd. III/3, hrsg. von J. Berendes, R. Link, F. Zöllner. Thieme, Stuttgart 1966; 2. Aufl. 1977
Kolmer, W.: Gehörorgan. In: Handbuch der mikroskopischen Anatomie, Bd. III/1, hrsg. von W. v. Moellendorff. Springer, Berlin 1927
Precht, W.: Neuronal Operations in the Vestibular Systems. Springer, Berlin 1978
Rasmussen, G. L., W. F. Windle: Neural Mechanisms of the Auditory and Vestibular Systems. Thomas, Springfield/Ill. 1960
deReuck, A. V. S., J. Knight: Hearing Mechanisms in Vertebrates. Ciba Foundation Symposium, Churchill, London 1968
Whitfield, I. C.: The Auditory Pathway. Arnold, London 1960

外国語索引

(ゴシック体は重要頁，イタリック体は英語以外の外国語を示す)

A

α cells 398
α-melanotropin 390
A-cells (α cells) 398
A線維 448
A帯 10
abdominal aorta 240, 334, 392
abdominal aortic plexus 571
abdominal cavity 307, 361
abdominal fascia (superficial) 46, 196
abdominal ostium 350
abdominal part 335
abdominal part (oesophagus) 304, 311
abdominal respiration 284
abdominal wall **42**
abducens bridge 146
abducent nerve 146, 147, 168, 477, 478, 481, 495
abduction 73, 98, 120, 591
abductor digiti minimi 86, 88, 134, 191, 217, 466
abductor hallucis 133, 217, 474
abductor pollicis brevis 79, 80, 86, 87, 465
abductor pollicis longus 78, 81, 82, 83, 84, 85, 192, 468
aberrant fibers (Déjérine) 496
ABP 399
absolute cardiac dullness 234
accessory breast 427
accessory cells 312
accessory cephalic vein 192
accessory cuneate nucleus (Monakow) 507
accessory extensor hallucis 127
accessory flexor 135
accessory hemi-azygos vein 251, 286
accessory nerve 147, 477, 478, **482**
accessory nuclei of oculomotor nerve (Edinger-Westphal核) 479, 492, 495, 600
accessory olfactory bulb 587
accessory olivary nucleus 580
accessory pancreatic duct 326
accessory parotid gland 166, 293
accessory process 21, 36
accessory saphenous vein 256
accessory spleen 416
accidental involution 414
acetabular bones 91
acetabular branch of obturator artery 97
acetabular fossa 91

acetabular labrum 97, 98
acetabular margin 91
acetabular notch 91
acetabular tegmen 97
acetabulum 91
acetylcholine 569, 578
acidophils 387, 397
acinar terminal portion 383
acinus 294, 428
acoustic radiation 550, 553, 610
acquired hernia 50
acromial angle 54
acromial bone 54
acromial branch 182
acromial end 55
acromioclavicular ligament 55
acromion 54, 68, 72
acrosin 360
acrosome 340
ACTH 385, 387, 390
actin filament 228
Adam's apple 271
Addison's disease 393
additional revolution 364
additional (supplementary) teeth 297
adduction 73, 98, 120, 591
adductor brevis 114, 118, 121, 122, 472
adductor canal 119, 125
adductor fascia 89
adductor hallucis 134, 217, 474
adductor hiatus 119, 209
adductor longus 114, 115, 118, 119, 121, 122, 123, 208, 472
adductor magnus 114, 118, 119, 120, 121, 123, 205, 206, 208, 209, 472, 474
adductor minimus 114, 115, 118, 119, 121, 205
adductor pollicis 87, 89, 191, 466
adductor tubercle 94, 119
adductors 358
adenohypophysis 386, 387, 524
ADH 390
adhesive villus 363
adipose body of breast 428
adipose cell 448
adipose tissue 6, 414
adipsia region 523
adiuretin 390
adrenal cortex 392, 393
adrenal medulla 392, 393, 394
adrenogenital syndrome 393
adventitia 276, 280, 304, 335, 342
afferent connections **540**, **542**
afferent fiber system **505**

afferent fibers 505, 580
afferent glomerular arteriole 333
afferent lymphatics 415
afferent nerve calix 608
afferent (somatosensory) fibers 462
afferent vessels (afferent glomerular arteriole) 332, 398
after pains 366
age involution 414
aggregated lymphoid nodules 315, 318, 418, 419
agranular cortex 546, **547**
agranular (smooth) endoplasmic reticulum 439
agraphy 555
air sinus 11
ala of crista galli 145
ala of ilium 91, 116
ala of nose 265
ala of sacrum 24
ala of vomer 270
(alar cartilage) medial crus 267
alar folds 103
alar ligaments 30
alar plate 435, 452, 477
Alcock's canal (pudendal canal) 199, 200, 356, 475
alexis 555
allantois duct 378
allocortex 546
alveolar duct 279, 280
alveolar epithelium 280
alveolar part 143, 148
alveolar process 141, 143, 288
alveolar sacs 280
alveolar terminal portion 383
alveolar yokes 148
alveoli 264, 279, 280
alveus of hippocampus 539, 540, 541
amacrine cells 595
ambient cistern 558, 563
ambient gyrus 536
ameboid movement 4
ameloblasts 298
AMH 380
amitosis 4
Ammenzellen 409, 414
Ammon's horn 527, 533, 535, 539, **540**
amniotic cavity 362, 363, 368, 371
amniotic epithelium 363
amniotic sac 365
AMPA-receptor 443
amphiarthrosis 15, 105
ampulla 350, 361

ampulla of ductus deferens 197, 342, 343, 346
ampullar renal pelvis 335
ampullary crest 604, 607, 608, 611
ampullary cupula 607
amygdaloid body 511, 512, 515, 522, 532, **538**, 542, 588
amygdaloid nuclear complex 532, 537
anabolism 4
anagen 425
anal canal 317, 320, 354, 358
anal columns 321
anal opening 377, 380
anal sinuses 321
anal transitional zone 321
anal valves 321
analgesia 461
anastomotic branch 189, 191, 248
anatomical conjugate 93
anatomical neck 56
anchoring point 366
anconeus 67, 77, 82, 468
androgen 399, 400, 425
androgen binding protein (ABP) 399
anemia 406
angioblast 408
angiogenesis 373
angle of excursion 13
angle of inclination 94
angle of mandible 148, 155, 293
angle of mouth 288
angular artery 164, 165, 241, 265
angular gyrus 530, 533, 549, 555
angular incisure 311
angular tract of cervical fascia 171, 172
angular vein 164, 165, 252
ankle joint 109
annular epiphysis (epiphysial ring) 26
annulospiral endings (primary endings) 579
anococcygeal ligament 53, 199, 200, 201, 320, 357
anococcygeal nerves 475
anocutaneous line 321
anorectal flexure 320
anorectal line 321
ANP 239, 402
ansa lenticularis 511, 520
ansa subclavia 179, 570
ansa thyroidea 178, 179
anserine bursa 118, 123
antagonists 16
antebrachial basilic vein 187, 189

antebrachial cephalic vein 189
antebrachial fascia 82, 89, 190
anteflexion 120
anterior abdominal wall 307
anterior acoustic stria（Monakow） 609
anterior arch 19
anterior atlanto-occipital membrane 30
anterior axillary fold 75
anterior basal segment, anterior basal segmental bronchus 279
anterior belly（digastric） 292, 293
anterior border 278, 339
anterior branch 277
anterior caecal artery 318
anterior cerebral artery 243, 558, 559, 560
anterior cerebral veins 562
anterior cervical intertransversarii 39
anterior cervical nodes 258
anterior cervical region 163
anterior chambers of eyeball 592, 593
anterior choroidal artery 243, 558, 560
anterior ciliary arteries 594
anterior circumflex humeral artery 182, 245
anterior clinoid process 145, 146
anterior cochlear nucleus 486, 609
anterior column 452
anterior commissure 355, 434, 510, 511, 513, 521, 531, 535, **538**, 539
anterior communicating artery 243, 558
anterior corticospinal tract 456, 575
anterior cranial fossa 145, 478
anterior cruciate ligament 102, 103, 104
anterior cusp 226, 229, 238
anterior cusp（bicuspid valve） 237
anterior cusp（tricuspid valve） 237
anterior cutaneous branch of iliohypogastric nerve 196
anterior cutaneous branch[es] 469, 471
anterior deep temporal artery 242
anterior drawer sign 104
anterior ethmoidal artery 147, 168, 266, 267
anterior ethmoidal foramen 150, 488
anterior ethmoidal nerve 168, 488
anterior external arcuate fibres 480
anterior external vertebral venous plexus 251
anterior extremity 416
anterior facet for calcaneus 106
anterior fold of malleus 602
anterior fontanelle 139, 381
anterior funiculus 452
anterior gastric branches 484
anterior gluteal line 91

anterior horn 452, 454
anterior horn cells 462, 580
anterior inferior cerebellar artery 243, 558
anterior inferior iliac spine 91, 98, 122
anterior intercondylar area 99
anterior intercostal branches 244
anterior intercostal veins 194
anterior intermuscular septum of leg 136
anterior internal vertebral venous plexus 251
anterior interosseous artery 78, 246
anterior interosseous nerve 465
anterior interosseous veins 254
anterior interventricular branch 230
anterior interventricular sulcus 223, 226, 227, 230
anterior interventricular vein 230
anterior jugular vein 173, 252
anterior lacrimal crest 143, 150
anterior lamina of rectus sheath 195
anterior lateral malleolar artery 249
anterior limb 535
anterior limiting lamina（Bowman's membrane） 593
anterior lip 351
anterior lobe 388, 501
anterior longitudinal ligament 27, 28
anterior medial malleolar artery 249
anterior median fissure 451, 452, 476
anterior mediastinal nodes 230, 259, 395, 413
anterior mediastinum 285, 286
anterior meniscofemoral ligament 102
anterior nasal spine 141, 143
anterior nuclear group 511, 513, 514, 518
anterior obturator tubercle 91
anterior olfactory nucleus 536, 538
anterior palpebral margin 590
anterior papillary muscle 225, 226, 229, 231, 237, 238
anterior parietal artery 559
anterior parietal peritoneum 310
anterior part 354
anterior part of tongue 375
anterior perforated substance 435, 477, 510, 512, 530, **536**, 538, 562
anterior peroneotibial trunk 211
anterior pole 592
anterior pretracheal layer of cervical fascia 162, 173, 176
anterior pyramidal tracts 461
anterior rami 463, 469
anterior ramus 462
anterior region of arm 180
anterior region of elbow 180, **187**

anterior region of forearm 180
anterior region of knee 202
anterior region of leg 202, **212**
anterior region of thigh 202
anterior region of wrist 180, **190**
anterior reticulospinal tract（pontine reticulospinal tract） 456
anterior sacral foramina 23, 116
anterior sacro-iliac ligament 92
anterior segment, anterior segmental bronchus 279
anterior semicircular duct 604
anterior semilunar cusp 229
anterior spinal artery 147, 243, 457
anterior spinal vein 457
anterior spinocerebellar tract（Gowers） 455, 502, 506, 508
anterior spinothalamic tract 455, 584
anterior sternoclavicular ligament 55
anterior striate artery 558
anterior superior alveolar arteries 242, 299
anterior superior alveolar branches 489
anterior superior iliac spine 43, 91, 92, 116, 122
anterior superior pancreaticoduodenal artery 316
anterior surface 223, 343
anterior surface of epiglottic cartilage 271
anterior surface of thoracic vertebral column 234
anterior talar articular surface 106
anterior talofibular ligament 109, 111
anterior tegmental decussation（Forel） 493
anterior thalamic nuclei 522, 540, 588
anterior thalamic radiation 513, 553
anterior thalamic tuberculum 518
anterior tibial artery 211, 212, 213, 249
anterior tibial[compartment] syndrome 212
anterior tibial recurrent artery 249
anterior tibial veins 212, 256
anterior tibiofibular ligament 109, 111
anterior transverse temporal gyrus 550
anterior tubercle 18, 19, 40
anterior tympanic artery 147, 167, 242
anterior vagal trunk 306, 484
anterior vaginal column 354
anterior vein of septum pellucidum 562
anterior wall 311, 329
anterior wall of uterine cavity 361
antero-inferior surface 326
anterolateral funiculus 452

anterolateral sulcus 476
anterolateralis（sphenoidal fontanelle） 139
anterosuperior surface 326
anteroventral nucleus 515
antetorsion angle 96
anteversion 73, 98, 120
Anti-Müllerian-Hormone（AMH） 380
antibody 410
antibody dependent cell-mediated cytotoxicity 411
antihelix 601
antimeres 2
antitragus 601
anular epiphysis（epiphysial ring） 21
anular ligament[s] 15, 276
anular ligament of radius 59, 83
anular ligament of stapes 602
anular part of fibrous sheath 90, 137
anus 199, 200, 201, 287, 320, 357, 358, 366
aorta 221, 222, 223, 233, 238, 247, 257, 310, 328, 329, 330, 335, 457
aortic arch 223, 224, 235, 240, 252, 278, 286, 304, 305, 484
aortic arch arteries 373
aortic bifurcation 240
aortic hiatus 51
aortic isthmus 240
aortic semilunar valve 237
aortic sinus 229
aortic valve 226, 227, 229, 235, 238
aorticopulmonary septum 372
apex of arytenoid cartilage 271
apex of bladder 336, 338
apex of dens 19, 26
apex of head 100, 101
apex of heart 223, 237, 238, 239
apex of lung 278, 283
apex of nose 265
apex of patella 95
apex of prostate 343
apex of sacrum 23
apex of tongue 290
apical bone 154
apical dendrites 541, 544, 545
apical foramen 296
apical ligament of dens 30
apical nodes 258
apical segment, apical segmental bronchus（of right lung alone） 279
apocrine secretion 384
apocrine sweat gland 422, 424
aponeurosis 16, 42
aponeurosis of biceps brachii 76, 89, 188
appendicitis 318
appendicular artery 318
appendicular nodes 259
appendix of epididymis 339
appendix of testis 339

aqueduct of midbrain (cerebral aqueduct, Sylvian aqueduct)　434, 492, 533, 563
aqueous humor　592
arachnoid granulations (Pacchionian bodies)　567
arachnoid mater　459, 563
arachnoid sheath　596
arachnoid villi　567
Arantius duct　222
arbor vitae　502
arbor vitae cerebelli　434
arch　421
arch of azygos vein　251
arch of cricoid cartilage　271
archeocerebellum　501
arches of foot　111
archicortex　527, 529, **539**
archipallium　527, 528
arcuate area　43
arcuate arteries　332
arcuate artery　215, 249
arcuate eminence　145
arcuate fibers　554, 586
arcuate line　43, 44, 91, 195
arcuate nucleus (infundibular nucleus)　480, 507, 521, 525
arcuate nucleus (ventral posteromedial nucleus)　519
arcuate popliteal ligament　101
arcuate pubic ligament　92
arcuate veins　332
arcuatocerebellar tract　507
area 4　547, 575, 580
area 6　575
area 17　551
area 18　551
area cutis　421
area postrema　566
areola　194
areolar glands　427
areolar venous plexus　194
arrector muscle of hairs　422, 423, 425
arrector muscle of hairs　571
arteria lusoria　240
arterial arcades　316
arterial blood　221
arterial vasocorona　457
arteriole　221, 262
arteriovenous anastomosis　262, 423
arteriovenous coupling　263
artery　221, 423
artery of bulb of penis　247, 345
artery of bulb of vestibule　247
artery of central sulcus　559
artery of femoral head　97
artery of penis　201
artery of postcentral sulcus　559
artery of precentral sulcus　559
artery of pterygoid canal　242
artery to ductus deferens　342
artery to sciatic nerve　209, 247
articular capsule (capsular ligament)　13, 97, 101, 103, 155

articular capsule (temporomandibular joint)　302
articular cartilage　14
articular cavity　13, **14**, 103
articular disk　64, 155
articular facet　100
articular facet of head of rib　32
articular facet of radius　60
articular facet of tubercle of rib　32
articular surface　271
articular surface for cuboid　106
articular tubercle　144, 155
articularis genus　122
articulating bones　13
articulation　299
ary-epiglottic fold　274, 275
aryepiglotticus　273
arytenoid articular surface　271
arytenoid cartilage　271, 275, 303
ascending activating system　499, 584
ascending aorta　223, 236, 240, 283, 285
ascending cervical artery　244
ascending colon　308, 309, 310, 317, 319
ascending limb　481, 508
ascending lumbar vein　251
ascending palatine artery　171, 241
ascending part　314, 332
ascending pharyngeal artery　170, 241
Aschoff-Tawara's node　231
ascites　308
assimilation of the atlas (occipitalization of the atlas)　19
association cells　595
association fibers　545, 553
astrocytes　391
astroglia (macroglia)　449
atlantic part　244
atlanto-occipital joint　30
atlas　18, 19, 26
atrial branches　232
atrial myoendocrine cells　402
atrial natriuretic peptide (ANP)　402
atrioventricular bundle　231
atrioventricular canal　372
atrioventricular node (Aschoff-Tawara's node)　231, 485
atrioventricular septum　238
atrium　402
auditory cortex　514, 517, 528, 610
auditory hairlets (sensory hairlets)　606
auditory ossicles　602
auditory tube　302, 485, 601, 602
Auerbach's plexus (myenteric plexus)　287, 315, 572
auricle　402, 601
auricular branch　483
auricular cartilage　601
auricular surface　24, 91
auricularis superior　156
auriculotemporal nerve　164, 166, 167, 172, 489, 491

autochthonic muscles of the back　39
autocrine secretion　385
autoimmune disease　410
autonomic nervous system　568
autonomic neurons　**573**
autonomic pathways　**456**
autosome　359
axillary arch of Langer　75
axillary artery　67, 181, 182, 245, 462
axillary fascia　75, 89, 194
axillary fossa　75, 180, 182
axillary lymph nodes　194, 258
axillary lymphatic plexus　258
axillary nerve　182, 183, 186, 462, 467
axillary process　427
axillary recess　57
axillary region　180, **182**, 193
axillary spaces　75
axillary tail　427
axillary vein　67, 181, 182, 254
axis　18, 19, 26
axo-axonic synapses　440, 584, 598
axo-dendritic synapses　440
axo-somatic synapses　440
axolemma　446, 578
axon　388, 437, 446, 447, 503, 504, 544, 581
axon collaterals　437
axon filament　441
axon hillock (the cone of origin)　437
axon terminal　388
axoplasmic flow　442
azygos vein　236, 237, 251, 257, 283, 285, 305, 306, 373

B

β cells　398
β-endorphin　390
β-lipotropin　390
β-LPH　385
β-melanotropin　390
B-cell　411
B-cells (β cells)　398
B-immunoblast　411
B-lymphoblast　419
B-lymphocytes　411
B線維　448
balanced type　230
ball and socket joint　15
ballismus　520
BALT　412, 419
band of Gennari　534, 551
band of Giacomini　536
bare area　310, 322
Barr body　4, 437
barrel-shaped thorax　381
Bartholin's gland　347, 355
basal bodies　565
basal cells　581
basal decidua　363
basal dendrites　545
basal foot　565

basal ganglia　531
basal granulated cells　403
basal lamina　262, 340, 396, 403, 448, 450, 578, 605, 606
basal layer　352, 422
basal neocortex　547
basal nucleus　537
basal nucleus of Meynert　444, 511, 515
basal part (of the outer pillar cell)　606
basal plate　435, 477
basal tubercle　295
basal vein (vein of Rosenthal)　561, 562
base of arytenoid cartilage　271
base of heart　223, 224
base of lung　278
base of mandible　148, 171
base of peduncle　476, 533
base of prostate　343
base of proximal phalanx　66
base of sacrum　23, 24
base of stapes　602
base of the tongue　586
Basedow's disease　396
basilar artery　243, 558, 560
basilar part (of occipital bone)　144, 270
basilar part of pons　481, 492
basilar plexus　253
basilic hiatus　184, 187
basilic vein　67, 78, 184, 185, 186, 187, 254
basion　152
basivertebral vein[s]　20, 251
basket cells　294, 503, 504, 505, 541, 545
basolateral nuclear complex of amygdaloid body　538
basolateral nuclear group　537
basophils　387
Bauhin's valve　318
beginning anlage of ureter　378
belly　16
Bergmann glial cell　504
biceps brachii　67, 74, 76, 77, 79, 84, 185, 188
biceps femoris　114, 123, 124, 211
Bichat's fat　288
bicipitoradial bursa　76
bicuspid valve　226, 227, 235, 238
bifurcated ligament　109, 110, 111
bile　325, 417
bile canaliculus　323
bile duct　315, 323, 325, 327
bilirubin　417
biogenic monoamines　403
bipennate muscles　16
bipolar cells　596
bipolar internuncial neurons　595
bitemporal hemianopsia　599
biventral lobule　501, 502
blast　409
blastocyst　350, 361, 368
blastocytic cavity　361, 368
blastomere　361, 368

blepharoplasts 565
blind spot (optic papilla) 599
blob 552
block vertebrae (fused vertebrae) 22
blood 406
blood-air barrier 280, 374
blood and defense systems 220
blood and lymphatic vessels in villi 315
blood-brain barrier 450
blood capillary loop 378
blood-cerebrospinal fluid barrier 450
blood corpuscles 406
blood islets 371, 408
blood plasma 406
blood platelets 406, 409
blood serum 406
blood-testis barrier 340
blood-thymus barrier 414
blood vessel 374, 384
blood withdrawal 254
Bochdalekの花籠 477
body of bladder 336
body of breast 194
body of caudate nucleus 542
body of cerebellum 501
body of clitoris 199, 355
body of epididymis 339
body of fornix 540
body of gallbladder 308, 325
(body of) hyoid bone 149, 272, 291, 292
body of ilium 91
body of incus 602
body of ischium 91
body of mandible 143, 148
body of maxilla 143
body of nail 426
body of pancreas 326
body of penis 344
body of pubis 91
body of rib 32
body of sphenoidal bone 144, 266, 267, 270
body of sternum 33
body of stomach 308, 311, 328
body of talus 106
body of tongue 290
body of uterus 351
bombesin 404
bone **8**, **11**
bone marrow 408, 412
bones of free part of lower limb 94
bony ampullae 604
bony joint **12**
bony labyrinth 601, 604
bony nasal cavity 151, 374
bony nasal septum 151
bony part 267
border between cement and dentine 296
border of oval fossa 225
border of uterus 352
Botallo duct 222

bouton en passage 441
boutons terminaux 437, 440
Bowman's capsule 332, 333, 378
Bowman's membrane (anterior limiting lamina) 593
brachial artery 67, 78, 182, 183, 185, 188, 245, 246
brachial fascia 89, 184, 186
brachial nodes 258
brachial plexus 176, 283, 431, 462
brachial veins 67, 182, 185, 254
brachialis 76, 77, 84, 188, 464
brachiocephalic trunk 173, 174, 223, 224, 240, 241, 283, 285, 305
brachiocephalic vein 174・179 (left), 178 (right), 306, 413
brachioradialis 78, 79, 80, 81, 84, 188, 189, 468
brachium conjunctivum (superior cerebellar peduncle) 502, 508
brachium of inferior colliculus 492, 517, 610
brachium pontis (middle cerebellar peduncle) 481, 502, 508
brachycephalic 152
brain 430, 431
brain sand 391
brain stem 431, 434, 435, **476**
branched gland 383
breast 427
bregma 152
bregmatic bone 154
bridging of sella turcica (interclinoid tenia) 146
broad ligament of uterus 310, 337, 347, 348, 350, 353
Broca's area (motor speech center) **548**, 555
bronchial asthma 281
bronchial branches 240, 276, 279, 280
bronchial branches (to left lung) 281
bronchial branches (to right lung) 281
bronchial cartilage 280
bronchial glands 280
bronchial tree 264
bronchioles 279, 280
bronchopulmonary nodes 236, 281, 283
bronchopulmonary segments 279
bronchus associated lymphoid tissue (BALT) 412
Brown-Séquard syndrome 461
Brunner's glands 315
buccal artery 167, 242
buccal branches 487
buccal fat pad (Bichat's fat) 166, 288
buccal glands 491
buccal nerve 167, 172, 489
buccal region 163
buccal surface 295
buccinator 158, 172, 288, 293, 489
bucco-pharyngeal membrane 371, 375

buccopharyngeal fascia 300
bulb of penis 201, 320, 344, 358
bulb of vestibule 199, 347, 355, 358
bulbo-urethral gland (Cowper's gland) 201, 338, 345
bulbospongiosus 199, 200, 201, 344, 355, 365, 475
bulbothalamic tract 496
bulbus cordis 372
bundle of Arnold (frontopontine tract) 508
bundle of Türck (temporopontine tract) 508
bundle of Vicq d'Azyr (mamillothalamic fasciculus) 511, 515, 588
bursa 103
button-form swelling 359

C

C線維 448
CA1野 540, 541
CA2野 540, 541
CA3野 540, 541
CA4野 540
cachexia 6
cadaveric position 484
caecum 309, 317, 319, 329, 377
Cajal間質核 497
Cajal-Retzius細胞 529, 545
calcaneal anastomosis 216, 250
calcaneal branches 250
calcaneal process 107
calcaneal spur 106
calcaneal sulcus 106
calcaneal tendon 126, 129, 213
calcaneal tuberosity 106, 112, 129
calcaneocuboid joint 109, 110
calcaneocuboid ligament 111
calcaneofibular ligament 109, 111
calcaneonavicular ligament 111
calcaneum 106, 109, 110, 111
calcarine spur 551
calcarine sulcus 530, 534, 551, 553, 598
calcitonin 396, 397
calcitriol 397
calcium channel 443
callosomarginal artery 559
canal for auditory tube 603
canal for tensor tympani 603
canal for vertebral artery 19
canal of Schlemm (scleral venous sinus) 593
Canales perforantes (Volkmann's canals) 8
canine fossa 143
canine tooth 295, 303
Cannon-Böhm's point 319
capacitation 360
capacity vessel 263
capillary 221, 262, 394, 399, 402, 403, 448
capillary lamina 595
capillary loops 423
capillary net in adenohypophysis 389

capillary net in posterior lobe 389
capillary networks 262
capitate 61, 62, 87
capitatum 11
capitulum of humerus 56, 60
capsular attachment 97
capsular ligament (articular capsule) 13
capsule of lens 600
capsule of prostate 343
capsule of thyroid gland 395
caput medusae 195, 324
cardia 308, 311, 328, 376
cardiac ganglion 232
cardiac glands 312
cardiac impression 278
cardiac jelly 371
cardiac loop 372
cardiac murmur 235
cardiac muscle 371
cardiac muscle cell 228
cardiac nerves 232
cardiac notch of left lung 278
cardiac orifice (entrance to the stomach) 304, 311
cardiac plexus 232, 484, 570
cardiac plexus (superficial cardiac plexus) 286
cardiac skeleton 227
cardiac tamponade 233
cardial notch 311
cardinal ligament 353
cardiogenic zone 371
carina of trachea 276
Carnegie stage 368
carotene 420
caroticoclinoid foramen 146
caroticotympanic arteries 243
caroticotympanic nerves 485
carotid angiogram 559
carotid bifurcation 243
carotid body 170, 177, 241, 394, 485
carotid branch 177
carotid canal 145, 147, 478, 603
carotid sheath 162, 241, 395
carotid sinus 177, 241, 485
carotid siphon 243, 559
carotid sulcus 145
carotid triangle 163, **177**, 241
carotid tubercle 18, 241
carotid wall 603
carpal tunnel 61, 79
carpal tunnel syndrome 465
carpometacarpal joints **66**
carpometacarpal ligaments 64
cartilage **7**
cartilage layer 27
cartilage of auditory tube 302, 601
cartilaginous joint **12**
cartilaginous part 267
carunculae hymenales 354, 355
casein 428
catabolism 4
catagen 425
cauda equina 451, 459
caudal end of Müllerian tube 380
caudal folding (flexure) 369

caudal part of liver diverticulum 376
caudate lobe 308, 322, 327, 328
caudate nucleus 509, 510, 511, 515, 516, 520, 527, 531, 532, 533, 534, 542, 562, 576
caval opening 51
cave 510, 531
cavernous body of rectum 321
cavernous part 243
cavernous sinus 146, 252, 253, 268, 386, 478, 561
cavernous space of corpora cavernosa 344
cavity of tunica vaginalis 50
CCK 404
cecum bud 377
cell 3
cell column 544
cell membrane (plasmalemma) 3, 443
cell nucleus 439
cell organelles 3
cells from primordial kidney 379
cellular immune system 414
cellular immunity 410
cement 296, 298
central artery 417
central body (centrosome) 3
central canal 8, 433, 452
central gray substance 444, 492, 493
central intermediate substance 452
central lobule 501, 502
central medial nucleus (centromedian nucleus, Centre médian Luys) 515
central nervous system (CNS) 430
central nodes 258
central nucleus 537
central optic radiation 517
central part 563
central region 530
central retinal artery 594
central retinal vein 594
central sulcus 434, 530, 532, 534
central sulcus of insula 543
central (superior) thalamic radiations 553
central tegmental tract 480, 481, **498**, 502, 576, 580
central tendon 51, 52, 200
central thalamic radiation 513
central tubules 565
central vein 323, 392
central vein (Rolandi) 561
central venous puncture (CVP) 254
Centre médian Luys (central medial nucleus, centromedian nucleus) 513, 514, 515, 519, 580
centriole 3
centroacinar cells 326
centroblast 411
centrocyte 411
centromedian-striate fiber 542

centrosome (central body) 3
cephalic flexure 432
cephalic folding (flexure) 369
cephalic vein 78, 181, 182, 184, 187, 254
cephalic vein of thumb 192
cephalogaster 220, 264
cerebellar cortex **503**
cerebellar fissures 501
cerebellar folia 501
cerebellar glomeruli 504
cerebellar hemisphere 501
cerebellar peduncles **502**
cerebellar tentorium 253, 567
cerebellomedullary cistern 563
cerebellovestibular tract 507
cerebellum 431, 432, 433, 434, 476, **501**, 528, 534, 535, 576
cerebral aqueduct (aqueduct of midbrain) 434
cerebral arterial circle (Willis' circle) 243, 558
cerebral cortex 434
cerebral falx 253, 567
cerebral gyri 434
cerebral lobes **530**
cerebral part 243
cerebral peduncle 492, 493, 508, 553, 562
cerebral sulci 434
cerebrospinal fluid (CSF) 431, 563
ceruminous gland 601
cervical branch 487
cervical branch of facial nerve 166, 172
cervical canal 351, 365
cervical cardiac branch[es] 178, 484
cervical enlargement 451
cervical fascia 277
cervical flexure 432
cervical glands 352, 365
cervical iliocostalis 36
cervical nerves 451
cervical part 243, 257, 276, 304
cervical plexus 462
cervical rib 18
cervical rib syndrome 179
cervical rib triad 18
cervical sinus 397
cervical vertebrae I **19**
cervical vertebrae II **19**
cervicothoracic ganglion (stellate ganglion) 178, 232, 568, 570
cervix of uterus 351, 356
cheek 288
chemoreceptors 485, 585
chiasmatic cistern 563
chief cells (principal cells) 312, 397
child bed 366
child's head 365
CHL 369
choana[e] (posterior nasal aperture) 144, 151, 267, 270
cholecystokinin (CCK) 404
chondrocranium 138
Chopart's joint line 109

chorda tympani 147, 167, 487, 489, 491, 586, 602
chorion frondosum, bushy chorion 363
chorion laeve 363
chorionic mesoderm 401
choroid 590, 592, 594
choroid epithelium 564
choroid line 509, 564
choroid membrane 509
choroid membrane of fourth ventricle 564
choroid membrane of third ventricle 564
choroid plexus 434, 450, 509, 511, 534, 539, 563, 564, 566
choroid [plexus] epithelium 565
choroid plexus of third ventricle 564
choroidal fissure 564
chromaffin cells 394
chromatin 4
chromatin granule 439
chromophobes 387
chromosomes 4
chronic purulent otitis media 603
cicatrices 48
cicatricial hernia 48
cilia 565
cilia (kinocilium) 4
ciliary body 592, 593, 594
ciliary ganglion 168, 490, 491, 600
ciliary margin 593
ciliary muscle 490, 495, 600
ciliary part of retina 593, 596
ciliary processes 593
ciliary ring 593
ciliary zonule 593
ciliated epithelium 4, 280
ciliospinal center 490, 600
cingulate gyrus 444, 514, 515, 522, 530, 531, 533, 588
cingulate muscles of upper limb 67
cingulum 540, 554, 588
circular fibres 417, 593
circular folds (Kerckring folds) 315
circular layer 287, 312, 318, 601
circular sulcus of insula 543
circulatory system 220
circumduction 73, 98
circumflex branch 230
circumflex fibular branch 250
circumflex scapular artery 182, 183, 194, 245
circumflex scapular vein 183, 194
circumventricular organs **566**
cisterna chyli 221, 257
cisterns 439
claustrum 531, 532, 533, 535, 537
clavicle 34, **55**, 68
clavicular notch 33
clavipectoral fascia 75, 181
clavipectoral triangle 180, **181**, 193
claw hand 466
clear layer 422, 541

cleidocranial dysostosis 55
cleidohyoideus 72
climbing fibers 503, 505
clinical crown 296
clinical root 296
clitoris 347, 355, 380
clivus 145, 478
cloaca 377, 378
cloacal membrane 368, 375, 377
club hair 425
clubfoot 113
coccygeal cornu 24
coccygeal nerves 451
coccygeal plexus 475
coccygeus 53, 200, 201, 357
coccygis **24**
coccyx 26, 53, 92, 346, 356, 364
cochlea 604, 605
cochlear cupula 604, 605
cochlear duct 604, 605
cochlear ganglion (spiral ganglion) 486, 605, 608
cochlear nerve 479, 486, 605, 608, 609
cochlear nuclei 479
cochlear root **486**
cock-tread (steppage gait) 473
coeliac branches 484
coeliac ganglia 568, 569, 571
coeliac nodes 259, 313, 416
coeliac plexus 313, 324, 325, 341, 392, 484
coeliac trunk 240, 257, 313, 316, 328
coelom 371
colic impression 322
colic nodes 319
collagen fibers 6, 578
collagen fibril bundles 581
collateral ligament 15, 59, 66
collateral sulcus 530
collecting lymph nodes 258, 415
collecting tubule 332, 333, 378
collecting venule 263
Colles' fracture 60
Colles' space 200
colloid 396
colon 317
color-specific blob 552
colostrum 428
column of Clarke 507
column of fornix 535, 540
columnar epithelium 5
comitans artery of sciatic nerve 209
comitans median artery 191
comma tract of Schultze (interfascicular fasciculus) 455
Commissura epithalamica (posterior commissure) 493, 512
commissural cusps 229
commissural fibers 553
commissural plate 432
commissure of bulbs 199
commissure of fornix (psalterium) 540

commissure of inferior colliculus   609
commissure of Probst   609
commissure system   432
common atrium   372
common cardinal vein   373
common carotid artery   174, 177, 178, 179 (left), 241, 283, 303, 373
common fibular nerve   126, 209, 211, 213, 470, 473
common flexor sheath   90, 190
common head   123
common hepatic artery   240, 316, 328
common hepatic duct   325
common iliac artery   240, 247, 248, 329
common iliac nodes   260
common iliac vein   251, 255, 329
common interosseous artery   78, 188, 246
common interosseous vein   78
common membranous limb   604
common nasal meatus   269
common palmar digital arteries   190, 191, 246
common palmar digital nerves   190, 191, 465, 466
common plantar digital arteries   216, 250
common plantar digital nerves   216, 474
common tendinous ring   591
common tendinous sheath of fibulares   137
common ventricle   372
communicating branch   250, 462, 569
communicating branch with chorda tympani   491
communicating branch with ciliary ganglion   488
communicating branch with median nerve   466
communicating branch with sural nerve   473
communicating branch with ulnar nerve   468
communicative organ   420
compact bone (cortex)   11
compact layer   352
compact part   493, 494
compensation joint   105
complement system   410
complete transection of the spinal cord   461
complete ureteral duplication   337
complex muscle   43
complex synapse   441
composite joint   15
compound gland   383
computed tomography (CT)   **556**
concha of auricle   601
conducting system of heart   231
condylar canal   144, 146, 147
condylar crista   155
condylar emissary vein   147

condylar fossa   144
condylar fovea   155
condylar joint   15
condylar process   148
condylar tuberculum   155
cone cells   595
cone sac   597
cone swelling   372
cones   595, 596
confluence of sinuses   253, 478, 561
congenital hernia   50
congenital sternoschisis   33
conical lobules of epididymis   340
coniotomy   174, 272, 277
conjoint tendon   46
conjugate   93
conjunctiva   590
conjunctival fornix   590
connecting piece   597
connective cusps   229
connective tissue   261, 396, 397, 428
connective tissue capsule   414, 415, 417, 418
connective tissue of fetal villus   363
connective tissue of hair follicle   425
connective tissue septum   391
connective tissue sheath   387, 579, 582
Conn's syndrome   393
conoid ligament   55, 173
conoid tubercle   55
consensual pupillary reaction   600
contact surface   295
contents of strongly enlarged cervical gland   365
continence   321
continuous capillary   262
contraception   362
conus arteriosus   225, 237, 372
conus elasticus   272, 274
convex head (of the outer pillar cell)   606
convoluted part   332
convoluted part (distal convoluted tubules)   332
convoluted seminiferous tubules   340, 379
copula   375
Cor   221, 223
coraco-acromial ligament   55, 57, 69
coracobrachialis   67, 70, 74, 76, 77, 182, 464
coracohumeral ligament   57
coracoid process   54, 57, 70, 76, 181
cord of umbilical artery   222
cord of umbilical artery (medial umbilical fold)   46, 49, 50, 197
cord of urachus (median umbilical fold)   46
corium (dermis)   422, 423
cornea   592, 593
corneal endothelium   593
corneal epithelium   593
corneal reflex   497
corniculate cartilage   271

corniculate tubercle   274, 275
cornification layer   422
cornified layer   422
cornu ammonis (Ammon's horn)   539
corona   419
corona mortis   247
corona of glans   344
corona radiata   349, 513, 553
corona radiata cell   359
coronal plane   2
coronal suture   140, 141, 143, 153
coronary circulation   230
coronary ligament   310, 322
coronary sinus   224, 230, 231
coronary sulcus   223, 224, 227, 230
coronary vessels   230
coronoid fossa   56
coronoid process   58, 59, 79
corpus albicans   349, 400
corpus callosum   432, 433, 434, 509, 510, 511, 513, 527, 530, 531, 532, 533, 534, 535, 539, 553, 554
corpus cavernosum of clitoris   475
corpus cavernosum penis   200, 344, 475
corpus luteum   349, 400
corpus luteum graviditatis   349
corpus rubrum   349
corpus spongiosum penis   200, 201, 344
corpus striatum   **542**
corpuscles of Golgi-Mazzoni   582
corrugator cutis muscle of anus   320
corrugator supercilii   157
cortex   414
cortex (compact bone)   11
Corti lymph (tunnel lymph)   606
cortical blindness (psychic blindness)   599
cortical granules   360
cortical labyrinth   331
cortical lobules   331
cortical nucleus   537
cortical plate   529
cortical vesicle   360
corticofugal axons   506
corticofugal fibers   600
corticoliberin (CRF)   390, 401
corticomedial nuclear group   532, 537
corticonigral fibers   494, 576
corticonuclear (corticobulbar) fibers   553, 575
corticonuclear tract   496
corticopontine fibers   481, 575
corticopontine tracts   580
corticopontocerebellar fibers   506
corticorubral fibers   553, 576
corticorubral tract   494
corticospinal tract   496, 553, 575
corticostriate fibers   494, 542, 576
corticotectal fibers   553
corticotectal tract   493
corticotropin   390
costal bone   32

costal cartilage   32, 237
costal element   26
costal facet   20
costal margin   35
costal notch   33
costal pleura   282
costal process   21, 26, 36, 39, 47, 329
costal respiration   284
costal surface   278
costocervical trunk   179, 244
costoclavicular ligament   55
costodiaphragmatic recess   52, 282, 328, 329
costomediastinal recess   282
costotransverse joint   34
costotransverse ligament   34
costovertebral joints   **34**
Cowper's gland (bulbo-urethral gland)   201, 338, 345
coxa valga   96
coxa vara   96
coxal bone (hip bone, pelvic bone)   **91**, 357
coxal triceps   117
cranial nerve nuclei   499
cranial nerves   432, **477**
cranial part of the gut   287
cranial root   477, 482
cranial suture   12
craniopharyngeal canal   146
craniosacral localization   568
cranium (skull)   **138**
cremaster   43, 196, 342
cremasteric artery   341
cremasteric fascia   48, 49, 196, 197, 339
crest of greater tubercle   56, 70
crest of lesser tubercle   56, 69
cretinism   396
CRF   390, 401
CRH   390
cribriform fascia   125, 203
cribriform plate   145, 147, 151, 478, 538, 596
cribriform plate of ethmoidal bone   267
crico-arytenoid joint   272
crico-arytenoid ligament   272
cricoid cartilage   271, 277, 300, 304
cricoids surface of cricoids cartilage   271
cricothyroid   173, 273, 277, 484
cricothyroid joint   272
cricothyroid ligament   277
cricotracheal ligament   272
crista cutis   421
crista galli   145
crista of head of rib   32
crista of neck of rib   32
Crista spiralis (spiral ligament)   605
crista terminalis   225
cristae   439
CRL   369
cross striation   228
crossed fibers   552

crown 295
crown-heel length (CHL) 369
crown-rump length (CRL) 369
crow's feet 157
cruciform ligament of atlas 30
cruciform part of fibrous sheath 90, 137
crural interosseous nerve 474
crus of clitoris 199, 347, 355, 358
crus of fornix 540
crus of penis 201, 344, 358
crypt 418
crystals of Reinke 399
CSF (cerebrospinal fluid) 563
CT (computed tomography) **556**
CTC (cytotoxic T-cell) 411
cubital anastomosis **245**
cubital fossa 180
cubital nodes 184, 187, 258
cuboid 107, 108, 109, 110, 111
cuboidal epithelium 5
culmen 501
cumulus oophorus 349
cuneate fasciculus (Burdach) 455, 583
cuneate nucleus 480, 496, 575, 583
cuneate tubercle 476
cuneiform 107, 111
cuneiform tubercle 274, 275
cuneocerebellar tract 506, 507
cuneocuboid joint 109, 110
cuneonavicular joint 109, 110
cuneus 514, 530
cupular caecum 604
Cushing's syndrome 393
cut surface of posterior pharyngeal wall 270
cutaneous vein 254
cutaneous venous plexus 423
cuticula 426
cuticular layer (terminal web) 606
cuticular plate 608
CVP 254
cylindrical joint 110
cyst 391
cystic artery 325
cystic duct 325
cystic vein 325
cytoplasm 3, 439
cytoplasmic membrane of oocyte 359
cytotoxic T-cell (CTC) 411
cytotrophoblast 361, 363, 401

D

Darkschewitsch核 493, 497
dartos fascia 339
decidua basalis 362
decidua capsularis 362
decidual septa 363
decidualization 362
deciduous canine 297
deciduous incisors 297
deciduous molars 297
deciduous teeth 295, **297**
declive 501

decussation of superior cerebellar peduncles (Wernekinck) 492, 508, 533
deep ansa cervicalis 173, 177, 178, 462, 463, 482
deep artery of clitoris 247
deep artery of penis 247, 345
deep artery of thigh 114, 208, 248
deep auricular artery 167, 242
deep branch 250
deep branch of radial nerve 189
deep cardiac plexus 232
deep cerebral veins 253, **562**
deep cervical artery 179, 244
deep cervical fascia 162, 175, 176
deep cervical nodes 303
deep cervical vein 252
deep circumflex iliac artery 198, 248
deep circumflex iliac vein 198, 255
deep connective tissue 298
deep dorsal fascia of foot 136
deep dorsal vein of penis 345
deep fascia of leg 122, 136, 214
deep fascia of penis 344, 345
deep fibular nerve 126, 212, 215, 473
deep head 87
deep infrapatellar bursa 103
deep inguinal nodes 50, 204, 207, 260
deep inguinal ring 46, 48, 49, 197, 342
deep lateral cervical lymph nodes 258
deep lingual artery 241
deep lingual vein 292
deep lymphatic vessels 257
deep median cubital vein 187
deep medullary veins 562
deep middle cerebral vein 562
deep nodes 258, 260
deep or peribronchial lymphatic vessel system 281
deep palmar arch **191**, 246
deep palmar branch 246
deep palmar fascia 89
deep parotid nodes 258
deep part 320
deep perineal fascia 199
deep perineal space 199, 201
deep pes anserinus 123
deep petrosal nerve 490
deep plantar arch 216, 250
deep plantar artery 249
deep plantar branch (dorsalis pedis artery) 217
deep temporal nerves 167, 489
deep tendinous plate 590
deep transverse metacarpal ligament 86, 88
deep transverse perineal muscle 53, 201, 475
deep vein 254
deep vein of thigh 256
deep veins of penis (clitoris) 255
deep venous palmar arch 254

defecation 321, 589
deficiency symptoms 461
(definitive) bony nasal cavity 374
déjàvu 550
deltoid 68, 70, 73, 77, 181, 182, 183, 467
deltoid (depressor anguli oris) 158
deltoid fascia 75, 186
deltoid ligament 109, 111
deltoid region 180, 193
deltoid tubercle 56, 68
deltoideus 67
deltopectoral nodes 258
deltopectoral sulcus 75
dendrite 437, 440, 503, 541, 544
dendritic reticular cells 412
dens 19, 26
dense connective tissue 6
dental alveolus (tooth socket) 295, 298
dental branches 299
dental formula 295
dental lamina 298
dental papilla (dental pulp) 298
dental pulp 296, 298
dental sac 298
dentate gyrus 530, 536, 539, 540
dentate nucleus 494, 502, 506, 508, 580
dentate-rubral fibers 493
Dentes 295
dentin matrix 296
dentinal canaliculus 296
dentine 296, 298
dento-alveolar syndesmosis 12
dentriculate ligament 459
deorsumduction 591
deoxyglucose 552
depot fat 423
depression of optic disc 594
depressor anguli oris (deltoid) 158
depressor center 499
depressor labii inferioris (*M.quadratus labii inferioris*) 158
depressor nerve 484
dermal papilla 423
dermal ridges 421
dermatomes 460
Descartes 574
Descemet's membrane (posterior limiting lamina) 593
descending aorta 224, 236, 237, 240, 283, 305
descending aorta (thoracic aorta) 286
descending colon 308, 309, 310, 317, 319, 327, 329, 377
descending genicular artery 208, 248
descending limb 508
descending palatine artery 242
descending part 314, 332
descending part of duodenum 329
descending scapular artery 176, 178, 179
desmocranium 138

desmosome 228, 440
development of the myelin sheath (myelinogenesis) **447**
deviation of nasal septum 151, 267
DHEA 393
DHT 399
diacrine secretion 384
diagonal band of Broca 536, 588, 589
diagonal conjugate 93
diaphragm 47, 51, 234, 235, 257, 284, 305, 307, 328, 463
diaphragma sellae 386
diaphragmatic hiatus 567
diaphragmatic pleura 282
diaphragmatic respiration 284
diaphragmatic surface 224, 278, 322, 416
diarthrosis 13
diastasis recti 44, 45, 48
diastole 229, 239
dictyosomes 439
diencephalon 432, 434, 436, 509
diffuse neuroendocrine system (DNES) 403
diffuse scattered endocrine cells 403
digastric 487, 489
digastric branch 172
digastric fossa 148
digestive system 220, 287
digital subtraction angiography (DSA) 556
digitate impressions 145
dihydrotestosterone (DHT) 399
dilator pupillae 490, 593, 600
diphyodont 295
diploe 11, 140, 567
diploic veins 253
direct inguinal hernia 50
direct ossification 9
Disse's space 323
distal epiphysis of femur 381
distal parts 579
distal phalanx 63, 108, 426
distal radio-ulnar joint 60
distal shaft (olfactory dendrite) 587
distal straight tubules 332
distal surface 295
distal tubule 333
DNA 359
DNES 403
dolichocephalic 152
dome of pleura 282, 283
dominant hemisphere 555
Donders pressure 284
DOPA 390
dopamine 390
dorsal accessory olivary nucleus 480
dorsal acoustic striae (medullary striae) 486, 609
dorsal aorta 373
dorsal aponeurosis of digits of hand 86
dorsal artery of clitoris 247

dorsal artery of penis 247, 345
dorsal bladder wall 378
dorsal branch of ulnar nerve 192, 466
dorsal bundle of Schütz 522
dorsal calcaneocuboid ligament 110, 111
dorsal carpal arch 246
dorsal carpal branch (radial artery) 192, 246
dorsal carpal branch (ulnar artery) 246
dorsal carpal tendinous sheath 90
dorsal carpometacarpal ligament 64
dorsal cuboideonavicular ligament 110, 111
dorsal cuneocuboid ligament 111
dorsal cuneonavicular ligament 111
dorsal digital arteries 192, 215, 246, 249
dorsal digital nerve[s] 192, 468
dorsal digital veins 256
dorsal external arcuate fibers 507
dorsal fascia of foot 133, 136
dorsal fascia of hand 89
dorsal flexion 65, 66, 85
dorsal intercarpal ligament 64
dorsal intercuneiform ligament 111
dorsal interossei 86, 89, 135, 466
dorsal longitudinal fasciculus (dorsal bundle of Schütz) 480, 481, 493, **498**, 522
dorsal medial nucleus (mediodorsal nucleus) 515
dorsal meso 307
dorsal mesocard 371
dorsal mesogastrium 376
dorsal metacarpal arteries 192, 246
dorsal metacarpal ligament 64
dorsal metacarpal veins 192
dorsal metatarsal arteries 215, 249
dorsal metatarsal ligament 110
dorsal metatarsal veins 215
dorsal nasal artery 164, 165, 265
dorsal nasal vein 165
dorsal nerve of clitoris 475
dorsal nerve of penis 345, 475
dorsal nucleus of lateral lemniscus 609
dorsal nucleus of vagus nerve 484, 586
dorsal pancreatic anlage 376
dorsal radiocarpal ligament 64
dorsal raphe nucleus 444, 498
dorsal region of foot (dorsum of foot) 202
dorsal root 451, 458, 462
dorsal root fibers 455
dorsal scapular artery 244
dorsal scapular nerve 176, 464
dorsal scapular vein 254
dorsal supraoptic commissure 522
dorsal tarsal ligaments 111

dorsal tarsometatarsal ligament 110
dorsal tegmental nucleus 492, 498, 512
dorsal thalamus 494, 508, 510, **513**
dorsal thoracic nucleus (Clarke) 453, 454, 455
dorsal tier of the ventrolateral nuclear group (lateral dorsal nucleus) 518
dorsal vein of nose 164
dorsal venous arch of foot 215, 256
dorsal venous network of foot 215, 256
dorsal venous network of hand 192, 254
dorsalis pedis artery 215, 217, 249
dorsiflexion 120
dorsocaudal area 521
dorsocaudal nucleus 514
dorsointermediate nucleus 514
dorsolateral fasciculus (Lissauer) 453, 454, 455
dorsolateral nucleus 453, 454
dorsolateral tegmental fasciculus (Forel) 516
dorsolateral tract of Lissauer 584
dorsomarginal nucleus (*Zona spongiosa*) 454
dorsomedial nucleus 453, 454, 521, 525
dorsooral nucleus 514
dorsum of foot 202, **215**
dorsum of hand 180, **192**
dorsum of nose 265
dorsum of tongue 290
dorsum sellae 145
double-bouquet cell 545
double membrane (karyotheca) 439
Douglas' pouch 310, 347, 354, 356
downward migration of segmental pronephros 378
drop foot 473
drumstick 4
DSA (digital subtraction angiography) 556
duct of epididymis 197, 339, 340, 341
ductus arteriosus 222
ductus deferens 197, 338, 342, 346, 380
ductus reuniens 604
ductus venosus 222
duodenal glands 315
duodenal impression 322
duodenojejunal flexure 309, 314, 327
duodenum 308, 309, 310, 311, 314, 376
dura mater 30, 140, 450, 478, **567**
dural part of filum terminale 459
dural sac 459
dural sheath (outer sheath of optic nerve) 596
dural venous sinuses 253, 567

dynamogenic zone (ergotropic zone) 523
dynein 442
dysfibrous layer 544
dysgnathia 299
dysphagia 418
dysphagy 237
dyspnea 52

E

ear 601
early pregnancy factor (EPF) 362
Ebner's demilune 294
Ebner's glands 290, 293
eccrine secretion 384
eccrine sweat gland 422, 423, 424
ECG 231
echocardiography 238
ectoderm 368
ectopic pregnancy 361
ectosylvian posterior area 610
edema of the larynx 274
edge-to-edge occlusion 299
Edinger-Westphal核 (accessory nuclei of oculomotor nerve) 479, 493, 495, 498
effector hormones 388
efferent connections 540, **542**
efferent duct 380
efferent ductules 340, 341
efferent fibers 462, 516, **572**
efferent glomerular arteriole 333
efferent lymphatics 415
efferent vessels (efferent glomerular arteriole) 332, 398
Eiselsberg's phenomenon 175
ejaculatory duct 197, 342, 343, 345
ejection phase 239
elastic cartilage **7**
elbow joint 59
electrocardiogram (ECG) 231
electromyography 17
elementary granules 526
elevation 73
ellipsoid joint 15
emarginate patella 95
emboliform nucleus 502, 506, 515, 580
embryo 362
embryoblast 361, 368
embryonal connective tissue 6
embryonal pole 361
embryonic stage 367
emissary veins 253
emotional brain 588
emotional circuit of Papez 588
enamel 296
enamel organ 298
enamel prisms 296
enamel pulp 298
Enamelum 298
encapsulated end-organs 581
end bulbs of Krause 582
end organs of Ruffini 582
endocardial cushion 372
endocardial tube 371

endocardium 228
endochondral bone 9
endochondral ossification 9
endocranium 140
endocrine cell of closed type 403
endocrine cell of open type 403
endocrine cell[s] 403, 525
endocrine gland with follicle formation 383
endocrine gland without follicles 383
endocrine glands 5
endocrine secretion 385
endocrine system 220
endoderm 264, 368
endoganglionic connective tissue 458
endolymph 604
endolymphatic duct 604
endolymphatic sac 604
endometrium 352, 362
endoneural sheath 448
endoneurium 448
Endorhachis 459
endosteum 606
endothelial cell[s] 262, 417, 450
endothelial cells (endothelium) 261
endothelium 261, 333
endothoracic fascia 162, 282
enkephalin 404
enteric nervous system 306
enteric plexus 572
entero-endocrine cells 312
enterocyte 315
enteroglucagon 405
entopeduncular nucleus 510
entorhinal area 536, 538, 540
entorhinal cortex 536, 540, 546
entrance to the stomach 310
enzymic pattern 500
epactal bones 154
ependyma **565**
ependymal fibers 565
ependymal tubules 566
EPF 362
epiblast layer 368
epicanthus 590
epicardium 227, 233, 371
epicranial aponeurosis 156
epicranius 156
epicritic sensibility 455
epidermis 422, 423, 425
epididymis 338, 339, 380
epidural cavity 459
epigastric fold 49
epigastric hernia 48
epigastric region 193
epiglottic cartilage 271
epiglottic vallecula 290
epiglottis 271, 274, 275, 301, 375
epimysium 10
epineurium 448, 459
epiorchium 339
epipharynx 270
epiphysial cartilage 7, 9
epiphysial ring (annular epiphysis) 21, 26

Epiphysis 11
epipteric bone 154
epithalamus 510, **512**
epithelial cells 403
epithelial cord 425
epithelial hair folicle 425
epithelial lamina 564
epithelial plate of third ventricle 564
epithelial renal vesicle 378
epithelial reticular cells 414
epithelial tissue **5**
epithelial wall of blastocyte 361
epithelium 287, 304, 342
epithelium of oral cavity 298
epitympanic recess 601
eponychium 426
equator of eyeball 592
equatorial part 579
Erb's paralysis 464
Erb's point 161, 235
erection 345, 589
erector spinae **37**
erector spinae aponeurosis 36
ergotropic zone (dynamogenic zone) 523
erythroblast 409
erythrocytes 406, 408, 409, 417
erythropoiesis 409
erythropoietin 409
esophageal branch 484
esophageal varices 306, 324
estradiol 400
estriol 401
ethmoidal bone 138, 266
ethmoidal bulla 151, 268, 269, 270
ethmoidal cells 151, 268, 269
ethmoidal infundibulum 151
ethmoidal veins 266
eugnathia 299
euphoric reaction 589
euryprosopic 152
evator gate 201
eversion 110
evoked potentials 506
evolute 95
excitatory synapse 440
excretory duct 294, 343, 424
excycloduction 591
exocrine acinar cells 398
exocrine cell (glandular cell) 525
exocrine gland[s] 5, 294, 383
exocytosis 387, 403
expulsion stage 365
expulsive pains 366
expulsive stage of labor 366
exsudative macrophages 410
extension 120, 124
extensor aponeurosis 86
extensor carpi radialis brevis 78, 81, 82, 84, 85, 192, 468
extensor carpi radialis longus 78, 81, 82, 84, 85, 192, 468
extensor carpi ulnaris 78, 81, 82, 83, 85, 468
extensor digiti minimi 78, 81, 82, 83, 85, 468

extensor digitorum 78, 81, 82, 83, 85, 468
extensor digitorum brevis 132, 473
extensor digitorum longus 126, 127, 131, 132, 212, 215, 473
extensor hallucis brevis 132, 473
extensor hallucis longus 126, 473
extensor indicis 78, 82, 83, 85, 468
extensor pollicis brevis 78, 81, 82, 83, 192, 468
extensor pollicis longus 78, 81, 82, 83, 84, 85, 127, 132, 192, 212, 215, 468
extensor retinaculum 90, 192
external acoustic meatus 141, 155, 397, 601
external acoustic opening 144
external anal sphincter 53, 199, 200, 201, 320, 358, 365, 475
external arch 588
external band of Baillarger 534, 544
external branch 484
external branch (superior laryngeal nerve) 277
external capsule 395, 531
external carotid artery 164, 170, 171, 172, 174, 177, 178, 241, 242, 277, 302, 303, 395
external ear 369, **601**
external elastic membrane 261, 262
external genital organs 338
external genitalia 347
[external] genu of facial nerve 487
external granular layer 544, 595
external iliac artery 198, 240, 247, 248
external iliac nodes 260, 336, 354
external iliac vein 198, 251, 255
external intercostal membrane 41
external intercostal muscle 41
external jugular vein 171, 172, 175, 176, 178, 252
external longitudinal layer 304
external medullary lamina 511, 513, 518
external mesaxon 447
external nasal nerve 488
external oblique 42, 44, 47, 48, 49, 69, 71, 195, 196, 329, 469
external occipital crest 142, 144
external occipital protuberance 142, 144, 161
external opening of carotid canal 144
external opening of cochlear canaliculus 144
external opening of vestibular canaliculus 145
external os of uterus 351, 364, 365, 366
external perimysium 10
external plexiform layer 595
external pudendal arteries 196, 203, 207, 248

external pudendal veins 196, 203, 204, 207, 256
external pyramidal layer 544
external spermatic fascia 46, 48, 49, 196, 339, 342
external table 11, 140
external urethral orifice 337, 344, 345, 347, 355
external urethral sphincter 337
exteroceptive reflex (withdrawal reflex) 452
exteroceptive sensibility 430
exteroceptive sensory fibers 483
extracapsular ligaments 97
extraembryonic coelom 368
extrafusal fibers 579
extragemmal nerve fibers 585
extraglomerular mesangial cells 333
extrahepatic bile tract 325
extramural ganglia 570
extramural nervous system 336
extraocular muscles (extrinsic muscle of eyeball) 590
extraperitoneal 307
extraperitoneal space 307
extrapyramidal cortical areas 576
extrapyramidal motor system in a narrow sense 576
extrapyramidal system in a broad sense 576
extrapyramidal tract **456**
extreme capsule 531, 554
extrinsic muscle of eyeball (extraocular muscles) 590
eye fields 576
eye ground 594
eyeball 168, 590, **592**
eyelashes 590
eyelids 369, **590**

F

facet for dentis 19, 30
facial artery 164, 165, 166, 171, 172, 177, 241, 288, 302, 303
facial canal 487, 603
facial colliculus 476, 479, 481
facial muscles **156**
facial nerve 147, 164, 167, 170, 171, 172, 265, 477, 478, **487**, 490, 491, 502, 586, 602, 603
facial nodes 258
facial paralysis 487
facial vein 164, 165, 166, 171, 172, 174, 177, 178, 252, 265, 266, 288, 303
Facies oralis 295
falciform ligament 308, 310, 322, 376
falciform margin 125, 204, 207
falciform process 50
false diaphragmatic hernia 52
false projection 175
false ribs 32
false vocal cord 274
falx cerebelli 567

Fañanás cells 504
fascia 17, 423
fascia lata 46, 114, 125, 200, 203, 207
fascia of penis 200, 344
fascial sheath of eyeball (Tenon's capsule) 590
fasciculi proprii 453
Fasciculus interstitiospinalis 497
fasciculus retroflexus (Meynert) (habenulo-interpeduncular tract) 492, 512
Fasciculus septomarginalis (oval area of Flechsig) 455
fast muscle fibers 10
fastigial nucleus 502, 506, 507, 508
fastigiobulbar fibers 576
fastigiorubral fibers 494
fat body 17
fat body of ischio-rectal fossa 199
fat cell 408
fat cells (adipose tissue) 397
fat droplets 428
fatty appendices of colon 309, 317
fatty layer 381
fauces 288
FDI 295, 297
female genital system 220, 347
female pronucleus 359
female urethra 337, 354, 358, 366
feminine pelvis 93
femoral artery 50, 114, 204, 207, 208, 248
femoral artery and vein 346, 356
femoral branch (of genitofemoral nerve) 203, 469
femoral canal 46, 49, **50**
femoral hernia 48, 50
femoral nerve 50, 114, 120, 198, 208, 346, 356, 470, **471**
femoral septum 50
femoral triangle 202, 208
femoral vein 50, 114, 204, 207, 208, 210, 255, 256
femur 357
femur (thigh bone) **94**
fenestrated capillaries 262, 396, 397
fenestrated endothelial cells 323
ferritin 409
fertilization 359
fetal bood capillaries 401
fetal capillary 363
fetal stage 367
fiber projection **506**
fibrinous pericarditis 233
fibro-elastic membrane of larynx 272
fibroblastic reticular cells 412
fibroblasts 401
fibrocartilage **7**
fibrocartilaginous ring 601
fibromusculocartilaginous membrane 276
fibrous appendix of liver 322
fibrous astrocytes 449
fibrous bone 8

fibrous capsule 323, 331, 395
fibrous joint **12**
fibrous membrane 13, 103
fibrous pericardium 233
fibrous ring 27
fibrous sheath of digits of hand 90
fibrous sheaths of toes 137
fibula **100**, 126
fibular artery 126, 211, 213, 250
fibular articular facet 99
fibular collateral ligament 101, 102, 104, 105
fibular notch 99
fibular nutrient artery 250
fibular (peroneal) veins 256
fibularis brevis 126, 473
fibularis longus 126, 473
fibularis tertius 127, 132, 212
field 421
field CA1 540, 541
field CA2 540, 541
field CA3 540, 541
field CA4 540
field H$_1$ of Forel (thalamic fasciculus) 511, 520
field H$_2$ of Forel (lenticular fasciculus) 511, 520
filiform papillae 290
filtration slits 333
fimbria 350
fimbria of hippocampus 539, 540, 541
fimbriated fold 292
fimbriodentate sulcus 540
final common [motor] pathway 580
finger ray 369
finger-shaped processes 581
fingers (separate digits) 369
first dentition 297
first motor-sensory area 547
first rib 283
first sensory-motor area 547
fissure for ligamentum venosum 322
fissure for round ligament 308, 322
fixation reflex 600
fixed caecum 317
fixed cells 6
flat bones **11**
flat muscle 16
flat nipple 427
flatfoot 113
flexion 120, 124
flexor carpi radialis 78, 79, 80, 84, 85, 86, 189, 465
flexor carpi ulnaris 78, 79, 80, 85, 86, 189, 190, 466
flexor digiti minimi brevis 88, 134, 191, 217, 466, 474
flexor digitorum brevis 134, 217, 474
flexor digitorum longus 126, 129, 130, 131, 214, 217, 474
flexor digitorum profundus 78, 80, 85, 86, 465, 466
flexor digitorum superficialis 78, 79, 80, 85, 189, 191, 465

flexor hallucis brevis 133, 217, 474
flexor hallucis longus 126, 131, 474
flexor pollicis brevis 79, 80, 86, 87, 466
flexor pollicis longus 78, 79, 80, 85, 129, 130, 214, 465
flexor retinaculum 79, 80, 86, 87, 88, 90, 130, 136, 190, 191, 214
floating ribs 32
flocculonodular lobe 501
flocculus 501, 502, 506, 507, 611
floor of the oral cavity 301
flower basket of Bochdalek 564
flower spray endings (secondary endings) 579
Foersterの自律性下行路 456
folds 421
foliate papillae 290, 585
folium of vermis 501
folliberin 390
follicle epithelial cell 396
follicle of sebaceous gland 424
follicular antrum 349
follicular atresia 349, 400
follicular epithelial cells 359
follicular epithelium 349
follicular theca 349, 400
follitropin 390, 400
fontanelles 139
foot plate 369
foot plates (vascular end feet) 450
foot processes/pedicels 333
footprint 112
foramen caecum 145, 375
foramen caecum of tongue 290
foramen lacerum 144, 145, 487
foramen magnum 144, 145, 146, 147, 459, 478
foramen of Luschkae (lateral aperture) 476
foramen of Magendie 476, 564
foramen ovale 144, 145, 147, 222, 372, 478
foramen rotundum 145, 147, 150, 478, 489
foramen spinosum 144, 145, 147
foramen transversarium (atlas) 18, 19, 303
foramen Vesalii 146
foramina parietalia permagna 142
forearm 58
foregut 375
Forel軸 431
forming face (receiving side) 439
fornical column 534
fornix 288, 419, 434, 444, 509, 510, 511, 520, 521, 522, 527, 532, 533, 534, 535, 539, 540, 562, 588
fornix epithelium 419
fossa for gallbladder 322
fossa for lacrimal sac 141, 150
fossa iliopectinea 125
fossa of Sylvius (lateral cerebral fossa) 531
fossa triangularis 601
fourth tubercle 94

fourth ventricle 433, 434, 476, 477, 533, 563
fovea centralis 594, 596
fovea for ligament of head 94
Fovea radialis **192**
Frankenhäuser plexus 353
Franz Gall 574
free border 348
free cells 6
free nerve endings **581**
free taenia 317, 319
free upper limb 54
frenulum of clitoris 355
frenulum of ileal orifice 318
frenulum of labia minora 355
frenulum of lower lip 288
frenulum of prepuce 344
frenulum of tongue 292
frenulum of upper lip 288
frontal angle 140
frontal belly 156, 157
frontal bone 138, 140, 143, 154
frontal branch 241, 242
frontal crest 140, 567
frontal eye field **548**
frontal foramen 143
frontal horn 531, 534, 535, 563
frontal lobe 433, 434, 435, 514, 528, 530, 534, 535
frontal nerve 147, 168, 488
frontal notch 143
frontal operculum 535, 543
frontal operculum (opercular part) 531
frontal plane 2
frontal pole 434, 530
frontal process of maxilla 141, 143, 265
frontal region 163
frontal sinus 150, 151, 268, 269
frontal suture 153
frontal tuber 139, 140
frontomaxillary suture 141, 143
frontonasal prominence 374, 375
frontonasal suture 143
frontoparietal bone 154
frontoparietal operculum 543, 586
frontopontine tract (bundle of Arnold) 508, 553
frontozygomatic suture 141, 143
FSH 387, 390, 399, 400
FSH-RF 390
FSH-RH 390
functional column 552
functional end-artery 230
functional layer 352
functional stratum of endometrium 361
fundiform ligament of clitoris (fundiform ligament of penis) 46
fundus of bladder 336
fundus of gallbladder 308, 325
fundus of stomach 308, 311
fundus of uterus 351
fungiform papillae 290, 585
funicular part 342
furuncle 164

fused vertebrae (block vertebrae) 22
fusiform muscle 16

G

γ-lipotropin 390
γ-motorneuron 611
γ-MSH 385
γ-neurons 580
Gタンパク 573
Gタンパク受容体 **443**
GABA 398
GABA作動性抑制性ニューロン 444
GABA受容体 443
gag reflex 497
gallbladder 308, 322, 325, 327, 329, 376
GALT 412, **419**
gamete 359
ganglia 431
ganglion cells 595
ganglion impar 569
ganglion of optic nerve 598
ganglion of sympathetic trunk 570
ganglionic gliocytes 458
gap junction[s] (nexus) 228, 364, 573
Gasserian ganglion (trigeminal ganglion) 583
Gaster 287
gastric areas 311
gastric canal 311
gastric folds 311
gastric glands (glands of the gastric mucosa) 312
gastric impression 322
gastric nodes 313
gastric pits 311, 312
gastric plexus 571
gastrin 404
gastrin releasing peptide (GRP) 404
gastro-entero-pancreatic system (GEP-system) 403
gastro-omental nodes 313
gastrocnemius 124, 126, 128, 129, 130, 209, 211, 213, 474
gastrocolic ligament 308, 329
gastroduodenal artery 313, 316
gastropancreatic fold 327
gastrophrenic ligament 310, 328
gastrosplenic ligament 310, 416
gelatinous substance (Rolandi) 453, 454, 455, 575
gemellus 114, 117, 472
gemellus inferior 206
gemellus superior 206
genicular veins 256
geniculate ganglion 487, 586
genioglossus 291, 292, 293, 303, 482
geniohyoid 171, 288, 291, 292, 482
genital branch (of genitofemoral nerve) 469
genital ridge 379
genital swelling 380

genital tubercle 380
genitofemoral nerve 198, 470, 475
genu of corpus callosum 534, 535, 559
genu of facial nerve 479, 481, 487
genu of internal capsule 553
genu rectum 105
genu valgum 96
genu varum 96
GEP-system 403
germ 353
germinal center (reaction center) 415
germinative layer 422
GH 390
GH-RF 390
GH-RH 390
giant pyramidal cells of Betz 547
giant stellate cells 551
gingiva 288, 296
gingival sulcus 296
GIP 405
glabella 143, 152
glands 383
glands of the gastric mucosa 312
glandular bud 383
glandular cell (exocrine cell) 525
glandular cells 383
glandular epithelium 5
glans of clitoris 199, 337, 355
glans penis 344
Glanzlinie 228
glassy membrane 581
glenohumeral joint (shoulder joint) 57
glial fiber layer 565
glial limiting membrane 449, 450
gliofilaments 449
Glisson's capsule 323
globose nucleus 502, 506, 508, 580
globus pallidus (pallidum) 510
glomerular capsule 332, 333, 378
glomerular gland 424
glomerular layer 536
glomerular synapses 536
glomerular synaptic complexes 441
glomerulus 332, 333
glomerulus of blood vessels, early development 378
glomerulus (olfactory glomerulus) 538
glossopharyngeal nerve 147, 170, 171, 477, 478, 479, 483, 484, 485, 586
glottis 275
glucagon 398, 404
gluconeogenesis 398
glucose-dependent insulin-releasing peptide (GIP) 405
gluteal aponeurosis 116, 125, 205
gluteal region 202, **205**
gluteal surface 91
gluteal tuberosity 94, 116
gluteus maximus 114, 116, 120, 121, 200, 205, 206, 209, 346, 356, 358, 472

gluteus medius 114, 116, 120, 121, 206, 472
gluteus minimus 114, 116, 120, 121, 206, 472
glycogen 3
glycogenolysis 398
gnathion 152
GnRH 390, 399, 400, 401
goblet cells 315, 318, 383
Golgi apparatus 3, 384, 402, 439
Golgi cells 503, **504**, 505
Golgi method 437
Gomori-positive substance 526
gonadoliberin (GnRH) 400, 401
gonadotropic hormone 399, 400
gonadotropic region 523
gonion 152
Graafian follicle 349
gracile fasciculus 455, 456, 583
gracile lobule 501
gracile nucleus 480, 496, 500, 575, 583
gracile tubercle 476
gracilis 114, 118, 119, 121, 122, 123, 124, 125, 126, 472
granular cortex **547**
granular foveolae 140, 567
granular layer 422, 503
granular (rough) endoplasmic reticulum 439
granular vesicles 573
granular zone 565
granule cells 503, **504**, 505, 541
granulocyte[s] 4, 406
granulopoiesis 409
granulosa layer (follicular epithelium) 349
granulosa lutein cells 349, 400
gravitation abscess 47, 115
gray communicating branch 462, 570
great alveolar cells 280
great auricular nerve 166, 169, 172, 175, 462, 463
great cardiac vein 230
great cerebral vein (Galeni) 253, 561, 562
great saphenous vein 114, 126, 203, 204, 207, 210, 212, 213, 214, 215, 256
great segmental medullary artery 457
greater circulation 221
greater curvature 308, 311, 376
greater horn 149
greater horn (hyoid bone) 272, 291, 397
greater occipital nerve 169, 463, 469
greater omentum 308, 309, 311, 319, 376
greater palatine artery 147, 242
greater palatine canal 150
greater palatine foramen 144, 147, 242
greater palatine nerve 147
greater pelvis 92

greater petrosal nerve 147, 487, 490, 491
greater sciatic foramen 92, 206, 475
greater sciatic notch 91
greater splanchnic nerve 285, 305, 568, 569, 570, 571
greater supraclavicular fossa 163
greater trochanter 94, 98, 116
greater tubercle 56, 68, 77
greater vestibular gland 199, 347, 355
greater wing 144
greater wing of sphenoidal bone 141, 150
Grenzschicht 228
grey (gray) matter 435, 452
groove 421
groove for greater petrosal nerve 145
groove for inferior petrosal sinus 145, 146
groove for marginal sinus 146
groove for middle meningeal artery 145
groove for occipital sinus 146
groove for popliteus 94
groove for sigmoid sinus 145
groove for sperior petrosal sinus 145
groove for spinal nerve 18
groove for subclavian artery 32
groove for subclavian vein 32
groove for superior sagittal sinus 140
groove for tendon of flexor hallucis longus 106
groove for tendon of peroneus longus 106, 107
groove for transverse sinus 145
groove for ulnar nerve 56, 466
groove for vena cava 322
groove for vertebral artery 19
groove of promontory 603
groove of splenic hilum 416
GRP 404
guide line of pelvis and its soft parts 364
gum 296
gustatory cells 585
gustatory fibers 483, 485, 487, 490, 491
gustatory nucleus 586
gustatory pore 585
gut associated lymphoid tissue (GALT) 412
Guyon's loge 89, 190
gynecomastia 427
gyri 530

H

H帯 10
habenula 391, 509, 510, **512**, 534
habenular commissure 512
habenular nuclei 444, 533, 538
habenular nucleus 498

habenulo-interpeduncular tract (fasciculus retroflexus) 492, 512, 588
habenulo-tectal tract 512
habenulotegmental tract 512, 588
hair bulb 425
hair bulb (detached from the hair papilla) 425
hair cell 607, 608
hair follicle 425
hair funnel 425
hair papilla 425
hair root 425, 581
hair shaft 425
hair sheath 425
hairlets 607
hairs 422, 423, 425
hairs of vestibule of nose 265
hallucinations 550
hamate 61, 79
hamstring muscles 357
hamulus of spiral lamina 605
handle of malleus 602
hard palate 288, 289
Hassall's corpuscle 414
haustra of colon 309, 317
Haversian canals 8
hCC 401
hCG 401
hCS 401
hCT 401
head 340
head of caudate nucleus 535, 542, 553
head of epididymis 339
head of femur 94, 97, 346, 356
head of fibula 100, 101, 104, 105, 123
head of humerus 56, 57
head of malleus 602
head of mandible 148, 302
head of mandible (mandibular fossa) 155
head of pancreas 326
head of radius 58
head of rib 32
head of stapes 602
head of talus 106
head of ulna 58, 60
head plate (of the inner pillar cell) 606
heart 221, 223, 381
heel region 202
helicine arteries 344, 345
helicotrema 605
helix 601
helper T-cell 411
hematopoiesis 408
hemi-azygos vein 251, 286, 306, 373
hemidepersonalization 549
hemisection of the spinal cord 461
hemisphere of cerebellum 435, 506
hemispheric vesicle 509
hemocytoblast 408, 409
hemoglobin 406, 417
hemosiderin 409, 417

hemosiderosis 417
hepatic artery proper 313, 322, 324, 327
hepatic branches 484
hepatic cord 323, 376
hepatic laminae (hepatic cord) 323
hepatic nodes 259, 324
hepatic plexus 484, 571
hepatic portal vein 221, 222, 306, 313, 316, 322, 324, 327, 328
hepatic veins 221, 222, 251, 324
hepatocyte 323
hepatoduodenal ligament 308, 310, 314
hepatogastric ligament 308
hepatopancreatic ampulla 325
hepatorenal ligament 310
herniation of nucleus pulposus 27
herniation of the disc 27
Herring's bodies 389, 526, 566
Herzdreieck 413
Hesselbach's triangle 49
heterodont 295
heterosome 359
heterotopic fibers 554
HEV 412, 415
hiatus for basilic vein 89
hiatus for greater petrosal nerve 145, 147, 487
hiatus for lesser petrosal nerve 145, 147, 491
hiatus hernia 52, 304
high endothelial venules (HEV) 412, 415
highest nuchal line 142
hilum 392
hilum of dentate fascia 541
hilum of dentate nucleus 502
hilum of kidney 331, 335
hilum of lung 278
hilum of ovary 348
hilus cells 400
hindgut 375
hinge joint 15
hip bone (coxal bone, pelvic bone) 91
hip joint 97
hippocampal cortex **541**
hippocampal formation 539, 588
hippocampal sulcus 530, 539, 540
hippocampus 511, 522, 527, 529, 532, 534, 539
hippocampus proper 444
His's bundle 231
histamine 404
histiocytic reticular cells 412
hollow foot 113
holocrine secretion 384
homogenetic cortex 546
homotopic fibers 554
hook of hamate 62, 88
horizontal axis (transverse axis) 2
horizontal cells 595
horizontal fissure 501
horizontal fissure of right lung 278
horizontal parietal suture 153

horizontal part (transverse part) 314
horizontal plate of palatine bone 267, 270
horizontal tract 203
hormone 383
(human) choriocorticotropin (hCC) 401
(human) choriomammotropin (hCS) 401
(human) chorionic gonadotropin (hCG) 362, 401
(human) choriothyrotropin (hCT) 401
humeral epicondylitis 81
humeral fornix 54
humeral head 79
humero-ulnar joint 59, 60
humeroradial joint 59, 60
humerus **56**, 77, 183
humoral immunity 410
hyaline cartilage **7**, 13
hyaloid artery 592
hydrocephaly 152
hymen 354, 355, 380
hyo-epiglottic ligament 272
hyoglossus 171, 177, 291, 292, 293, 482
hyoid bone 72, 149, 155, 272, 277, 300, 301, 302
hyomandibular ligament 155
hyperacusis 603
hyperalgesia 460
hypercomplex neurons 551
hyperesthesia 461
hypermastia 427
hyperopia 592
hyperphagia 523
hyperphagia region 523
hypersexuality 589
hyperthelia 427
hyperthyroidism 396
hypoblast layer 368
hypochondrium 193
hypogastric plexus 568
hypoglossal arch 482
hypoglossal canal 30, 145, 146, 147, 478, 482
hypoglossal nerve 147, 170, 171, 177, 178, 291, 293, 463, 477, 478, 480, **482**
hypoglossal trigone 476, 482
hyponychium 426
hypophyseal stalk 386, 387
hypophysial cavity 524
hypophysial fossa 145, 268, 386, 478
hypophysial stalk 477, 523
hypophysial veins 524
hypophysis (pituitary gland) **524**
hypothalamohypophysial system **526**
hypothalamohypophysial tract 389
hypothalamus 386, 444, 510, 511, 515, **521**, 532, 537, 540, 568
hypothenar 190
hypothyroidism 396

hypsicephalic 152

I

ICSH 390
IgA 407, 419
IgD 407
IgE 407
IGFs 401
IgG 407
IgM 407
ileal arteries 316
ileal branch 318
ileal diverticulum 314
ileal papilla 318
ileocaecal lip (inferior lip) 318
ileocaecal orifice 314, 318
ileocecal valve 318
ileocolic artery 318
ileocolic lip (superior lip) 318
ileocolic nodes 259
ileocolic vein 324
ileum 309, 314, 317, 318
iliac crest 91, 92, 116
iliac fossa 91, 115
iliac tuberosity 91, 92
iliacus 46, 114, 115, 198, 329, 470, 471
ilio-inguinal nerve 196, 197, 198, 203, 207, 469, 470
iliococcygeus 53, 201, 356, 357
iliofemoral ligament 97
iliohypogastric nerve 196, 197, 198, 334, 469, 470, 475
ilioinguinal nerve 475
iliolumbar artery 247
iliolumbar ligament 92
iliolumbar vein 255
iliopectineal arch 50, 92, 115, 125
iliopectineal bursa 50, 97, 115
iliopectineal fossa 118
iliopsoas 47, 50, 114, 115, 118, 121, 122, 208, 346, 356
iliopsoas fascia 46, 125
iliopubic ramus 91
iliopubic tract 46, 49
iliotibial tract 116, 125, 207
ilium 92
immune organ 420
immune system 410
immunoblast 409
immunoglobulin-receptor 411
immunological tolerance 410
implantation 361
impression for costoclavicular ligament 55
Inca bone (os incae) 142
incisive canals 147, 267
incisive fossa 144
incisive papilla 289
incisive suture 144
incisor tooth 295
incisures of Schmidt-Lanterman 446, 448
incontinence 357
incretion 383
incus 602

incycloduction 591
indirect inguinal hernia 48, 50
indusium griseum 527, 534, 539
inertial streaming 607
inferior alveolar artery 167, 242, 303
inferior alveolar nerve 167, 299, 303, 489
inferior anastomotic vein (vein of Labbé) 561
inferior angle 54, 125, 204
inferior articular process 18, 20, 21, 22
inferior belly 72
inferior border 278, 322, 416
inferior border of lungs 416
inferior border of pleura 416
inferior bulb of jugular vein 252
inferior central nucleus of oculomotor nerve 495
inferior central tegmental nucleus (papilliformis nucleus) 481
inferior cerebellar peduncle (restiform body) 476, 480, 502
inferior cerebral veins 561
inferior cervical cardiac branches 178, 232
inferior cervical cardiac nerve 179, 232, 484
inferior choroid vein 562
inferior clunial nerves 200, 205, 206, 472, 475
inferior colliculus 476, 492, 517, 609
inferior constrictor 170, 277, 300
inferior costal facet 20
inferior deep lateral cervical nodes 258
inferior dental branches 489
inferior diaphragmatic nodes 259
inferior duodenal flexure 314
inferior duodenal fold 309, 314
inferior duodenal fossa 309, 314
inferior epigastric artery 49, 195, 197, 198, 247, 248
inferior epigastric nodes 259
inferior epigastric vein 49, 195, 197, 255
inferior extensor retinaculum 127, 132, 136, 137
inferior extremity 331
inferior eyelid 590
inferior fascia of pelvic diaphragm 199, 200, 357
inferior fibular retinaculum 128, 136, 137
inferior frontal gyrus 530, 531
inferior frontal sulcus 530, 531
inferior frontooccipital fasciculus 554
inferior ganglion 483, 485
inferior ganglion of vagus nerve 570
inferior gluteal artery 206, 247
inferior gluteal line 91
inferior gluteal nerve 120, 206, 470, **472**
inferior gluteal vein[s] 206, 255

inferior head joint 30
inferior horn 271, 532, 563
inferior hypogastric plexus 321, 342, 345, 346, 569, 571
inferior hypophysial artery 243, 386, 524
inferior hypophysial artery and vein 388, 389
inferior ileocaecal recess 317
inferior labial branch 166, 241
inferior laryngeal artery 275
inferior laryngeal nerve 275, 277, 484
inferior lateral brachial cutaneous nerve 186, 468
inferior lateral genicular artery 249
inferior ligament of epididymis 339
inferior lobe 278, 279
inferior longitudinal fasciculus 554
inferior longitudinal muscle 291
inferior medial genicular artery 249
inferior mediastinum 285, 286
inferior medullary velum 476, 502
inferior mesenteric artery 240, 319
inferior mesenteric ganglion 568, 569, 571
inferior mesenteric nodes 259
inferior mesenteric plexus 319
inferior mesenteric vein 319, 324
inferior nasal concha 151, 266, 269, 270
inferior nasal meatus 151, 266, 269
inferior neuropore 369
inferior nodes 203, 207
inferior nuchal line 142
inferior nucleus (Roller) 486
inferior oblique 165, 495, 591
inferior oblique fibers 40
inferior olivary complex 479, 480, 498, 507
inferior olive 502
inferior orbital fissure 150
inferior pancreaticoduodenal artery 316
inferior parathyroid gland 395, 397
inferior parietal bone 153
inferior parietal lobule 530
inferior petrosal sinus 147, 253
inferior phrenic artery 240, 306
inferior phrenic veins 251
inferior pole 339
(inferior) posterior cardinal vein 373
inferior pubic ramus 91, 118, 119, 358
inferior recess 327
inferior rectal artery 199, 200, 247, 321
inferior rectal nerve 199, 200, 475
inferior rectal vein 199, 200
inferior rectus 495, 591
inferior root 463
inferior root of deep ansa cervicalis 177

inferior sagittal sinus 252, 253, 561, 567
inferior salivatory nucleus 479, 485, 491, 498
inferior semilunar lobule 501, 502
inferior tarsal muscle 590
inferior tarsus 590
inferior temporal gyrus 530, 531
inferior temporal line 140, 141
inferior temporal sulcus 530, 531
inferior thalamic peduncles 513
inferior thoracic aperture 35
inferior thyroid artery 174, 178, 244, 276, 305, 306, 395, 397
inferior thyroid vein 252, 306, 395
inferior tracheobronchial nodes 281, 283
inferior tracheotomy 277
inferior transverse scapular ligament 54
inferior ulnar collateral artery 245
inferior urogenital diaphragmatic fascia 200
inferior vena cava 198, 221, 222, 224, 225, 227, 233, 251, 255, 310, 322, 328, 329, 330, 334, 335, 392
inferior vena cava (hepatocardinal vein) 373
inferior vena cava (renal part) 373
inferior vena cava (sacrocardinal vein) 373
inferior vertebral notch 18, 20, 21
inferior vesical artery 247, 354
inferior vestibular nucleus 497
infra-orbital artery 164, 165, 242, 265
infra-orbital canal 150, 489
infra-orbital foramen 141, 143, 150, 164, 242
infra-orbital groove 150
infra-orbital margin 141, 143
infra-orbital nerve 164, 165, 299, 489
infra-orbital region 163
infraclavicular fossa 181
infraclavicular part 180, 181, 193, **464**
infracolic part (lower abdomen) 308
infraglenoid tubercle 54
infraglenoid tubercle of scapula 77
infraglottic cavity 274
infrahyoid muscles 162, 302, 303, 395
inframammary region 193
infrapatellar branch 208, 471
infrapatellar fat pad 95, 103
infrapatellar synovial fold 103
infrapiriform foramen 206, 472
infrascapular region 193
infraspinatus 67, 68, 69, 71, 74, 77, 194, 464
infraspinous fossa 54
infrasternal angle 35, 284
infratemporal crest 144
infratemporal fossa **167**
infratemporal head 155

infratemporal region 163
infratrochlear nerve 165, 168, 488
infundibular nucleus (arcuate nucleus) 389, 521, 525
infundibular recess 524, 563
infundibulum 350, 386, 511, 521, 524, 532
infundibulum (hypophyseal stalk) 387
inguinal canal 46, 48, **196**
inguinal falx 43, 46
inguinal furrow 42
inguinal hernia **50**, 197
inguinal ligament 43, 50, 92, 115, 197
inguinal lymph nodes 341, 345
inguinal part 342
inguinal region 193, **196**
inguinal triangle 49
inhibitory interneuron 505
inhibitory synapse 440
inion 152
initial segment of axon 541
inner enamel epithelium 298
inner hair cells 606
inner limiting layer 595
inner lip 43, 47, 91
inner marginal epithelium 296
inner pillar cells 606
inner segment 597
inner spiral sulcus 606
inner stellate cells 503, 504
inner stripe 331
inner tunnel 606
innermost intercostal muscles 41
innominate substance (basal nucleus of Meynert) 511
insula (island of Reil) 434, 543
insula (islet) 527
insular arteries 559, 560
insular threshold 543
insulin 398, 404
interalveolar septa 148, 295
interalveolar septum 280
interarticular portion 21
interarytenoid notch 275
interatrial septum 225, 226, 231, 237, 238
intercalated disc 228
intercalated nucleus (Staderini) 480
intercalated part 294, 326
intercapitular veins 215
intercarpal joints 64
intercarpal ligaments 64
intercartilaginous muscles 41
intercartilaginous part 275
intercavernous sinus 253
interchondral joints 34
interclavicular ligament 55
interclinoid tenia (bridging of sella turcica) 146
intercondylar eminence 99
intercondylar fossa 94
intercondylar line 94
intercostal artery and vein 285
intercostal muscle[s] **41**, 469

intercostal nerves 282, 285, 469
intercostal nodes 259
intercostal veins (Ⅳ〜Ⅷ) 251
intercostobrachial nerve[s] 182, 184, 194, 467, 469
intercristal distance 93
intercrural fibres 42, 48
intercuneiform joint 109
interfascicular fasciculus (comma tract of Schultze) 455
interfollicular region (T-lymphocyte) 419
interfoveolar ligament 46, 49, 197
interfoveolar muscle 49
interganglionic branches 569
interlobar arteries 332
interlobar fissure 278
interlobar veins 332
interlobular arteries 323, 332
interlobular bile ducts 323
interlobular veins 323, 332
intermaxillary prominence 375
intermaxillary suture 143
intermediate crus 51
intermediate cuneiform 107, 108, 109
intermediate dorsal cutaneous nerve 215, 473
intermediate junction 565
intermediate laryngeal cavity 274
intermediate line 446
intermediate lumbar nodes 259
intermediate mesoderm 378
intermediate nerve 477, 487
intermediate sacral crest 23
intermediate sinus 415
intermediate supraclavicular nerve 175, 194
intermediate tubule 332, 333
intermediate zone 43, 91, 506, 575
intermediolateral nucleus 454
intermediomedial nucleus 454
intermembranous part 275
intermesenteric plexus 330
intermetacarpal joints **66**
intermetatarsal joint[s] 109, 110
intermuscular septum 76
internal acoustic meatus 478, 486
internal acoustic opening 145, 147
internal anal sphincter 320, 358
internal arch 588
internal arcuate fibres 480
internal band of Baillarger 544
internal branch (superior laryngeal nerve) 277, 484
internal capsule 395, 510, 511, 520, 531, 542, 553, 575
internal carotid artery 147, 170, 177, 178, 241, 268, 277, 303, 373, 478, 558, **559**, 603
internal carotid nerve 170, 485
internal carotid plexus 490, 570
internal cerebral veins 561, 562
internal circular layer 304
internal ear 601
internal elastic membrane 261, 262
internal genital organs 338

internal genitalia 347
internal granular layer 544, 595
internal hemorrhoid 321
internal iliac artery 198, 240, 247, 248, 335
internal iliac nodes 260, 336, 350, 354
internal iliac vein 251, 255
internal intercostal membrane 41
internal intercostal muscle 41
internal jugular vein 147, 170, 174, 176, 177, 178, 179, 251, 252, 283, 303, 395, 478, 602, 603
internal laryngeal muscles 303
internal medullary lamina 511, 513, 518
internal mesaxon 447
internal oblique 39, 43, 44, 49, 196, 197, 329, 469
internal occipital crest 145
internal occipital protuberance 145
internal opening of carotid canal 146
internal os 351, 364, 365, 366
internal perimysium 10
internal plexiform layer 595
internal pudendal artery 199, 200, 201, 206, 247, 354
internal pudendal artery and vein 346
internal pudendal vein 199, 200, 201, 206, 255
internal pyramidal layer 543, 544
internal speech 555
internal spermatic fascia 46, 49, 197, 339, 342
internal surface of cranial base 145
internal table 11, 140
internal thoracic artery 179, 194, 244, 413
internal thoracic vein[s] 179, 252
internal urethral orifice 336, 337, 345
internal vertebral venous plexus 459
internasal suture 143
interneuron (internuncial) 545, 580
internodal segment (internode) 446
interosseous intercarpal ligaments 64
interosseous membrane 12
interosseous membrane of forearm 60, 78
interosseous membrane of leg 100, 105, 128, 129, 130
interosseous metacarpal ligament 64
interosseous muscle[s] 191, 474
interosseous sacro-iliac ligament 92
interpectoral nodes 258
interpeduncular cistern 563
interpeduncular fossa 476, 477
interpeduncular nucleus 444, 492, 498, 512

interpeduncularis (Substantia perforata posterior) 476
interperiod line 447
interphalangeal joint 109, 110
interphalangeal joints of hand 66
interpositus nucleus 506
interpretative cortex 550
interpubic disc 92
interradicular septa 148, 295
interscapular region 193
intersigmoid recess 309
intersphenoidal synchondrosis 139
interspinales 37
interspinales cervicis 37
interspinales lumborum 37
interspinales thoracis 37
interspinous distance 93
interspinous ligaments 28
interstitial cells 399
interstitial connective tissue 6, 340
interstitial lamellae 8
interstitial nucleus (Cajal) 493, 576, 580
interstitiospinal fasciculus 576, 580
intertendinous connections 82, 90
interthalamic adhesion 434, 511, 563
intertransversal ligament 28
intertransversarii 37
intertrochanteric crest 94, 97
intertrochanteric distance 93
intertrochanteric line 94, 97, 98
intertubercular sulcus 56, 76
intertubercular synovial sheath 76
intertubercular tendon sheath 57
intervaginal space 596
interventricular foramen (Monro孔) 372, 433, 434, 513, 518, 561, 563, 566
interventricular septum 226, 237, 238, 372
interventricular sulcus 372
intervertebral disc **27**, 28
intervertebral foramen 20
intervertebral foramina 303
intervertebral joint 27
intervillous space (IVS) 363
intestinal crypts 315, 318
intestinal glands 315, 318
intestinal loops 371
intestinal surface (posterior surface) 351
intestinal trunks 257
intestinal villi 315
intraarticular sternocostal ligament 34
intracerebellar (deep cerebellar) nuclei **502**
intracranial part 244
intrafusal fibers 579
intragemmal nerve fibers 585
intraglomerular mesangial cells 333
intrahepatic bile tract 325
intrajugular process 145
intralaminar nuclei 499, 584

intralaminar nuclei of thalamus 514, 518
intramural ganglia 570, 572
intramural nervous system 336
intramural part 335
intramural plexus **572**
intraparietal sulcus 530
intraperitoneal 307, 308, 309, 310, 311, 314, 322, 416
intraperitoneal organ 319
intrapulmonary nodes 280
intratendinous olecranon bursa 77
intrauterine cavity 362
intravenous injection 254
invaginated synapse 597
invasion into endometrium 361
inversion 110
inversion of retina 595
inverted nipple 427
involution 366
ion channel 443, 573
iridial part of retina 593, 596
iridocorneal angle 593
iris 592, 593, 594
irregular bones **11**
IRZ 393
ischemia 228
ischial spine 53, 91, 92, 201, 346, 356, 357, 475
ischial tuberosity 53, 91, 92, 98, 119, 357, 358, 364
ischioanal fossa 53
ischiocavernosus 199, 200, 201, 344, 355, 358, 475
ischiofemoral ligament 97
ischiorectal fossa 53, 320, 346, 356, 358, 475
island of Reil (insula) 434
islands of Calleja 536
islet capillary plexus 398
islet (insula) 432, 527
islets of Langerhans 383
isocortex (neocortex) 543, **544**, 546
isogenetic cortex 546
isometric phase 239
isovolumic contraction 239
isovolumic relaxation 239
isthmus 174, 350, 361, 395
isthmus of auditory tube 601
isthmus of cingulate gyrus 530
isthmus of fauces 288, 289
isthmus of uterus 351
IVS 363

J

Jacobson's organ 587
jejunal and ileal veins 324
jejunal arteries 316
jejunum 309, 314
jejunum and ileum 377
joint of head of rib 34
joints of foot **109**
jugular foramen 144, 145, 146, 147, 478, 482, 483, 485
jugular fossa 144, 603
jugular nerve 170

jugular notch 33, 145
jugular trunk 258
jugular tubercle 145
jugular venous arch 173, 252
juvenile megakaryocyte 409
juxta-intestinal mesenteric nodes 316
juxtaglomerular apparatus 333
juxtaglomerular cells 333

K

K-cell 411
karyokinesis 4
karyoplasm (nucleoplasm, nucleus) 3, 439
karyosome 4
karyotheca (double membrane) 439
Keith-Flack's node 231
Kerckring folds 315
kidney 328, 329, 330, 331, 335
kidney lobes 331
Kiesselbach area 266, 267
killer cell 411
kinesin 442
kinetosome 3, 4
kinocilium (cilia) 4, 608
Kleist 574
Klinefelter's syndrome 399
Klumpke's paralysis 464
Klüver-Bucy syndrome 589
knee joint 101
knee of stomach 311
Kohlrausch's fold (valve) 320
koniocellular (granular) layer 536
Korbinian Brodmann 546
Kupffer cells 323
Kupffer stellate cells 410
kyphosis 31

L

labial glands 288, 491
labial surface 295
labium majus 347, 355, 380
labium minus 347, 355, 380
labor pains 364
labrum 14
labyrinthine arteries 147
labyrinthine artery 243, 558
labyrinthine veins 147
labyrinthine wall of tympanic cavity 603
laciniate ligament 136
lacrimal apparatus **590**
lacrimal artery 168
lacrimal bone 138, 150, 151
lacrimal canaliculus 165, 590
lacrimal caruncle 590
lacrimal gland 165, 168, 488, 490, 590
lacrimal nerve 147, 164, 165, 168, 488, 490
lacrimal punctum 590
lacrimal reflex 497
lacrimal sac 165, 590

lactiferous collecting duct 428
lactiferous duct 428
lactiferous sinus 428
lacunar ligament 50, 92
Laimer's triangle 304, 397
lambdoid suture 140, 141, 142
lamellae 8
lamellar bone 8
lamellated corpuscles of Vater-Pacini 582
lamina affixa 509, 511, 564
lamina of cricoid cartilage 271
lamina of vertebral arch 18, 20, 21
lamina terminalis 509, 566
lamina vastoadductoria 114, 119, 122, 123
Langerhans cells 422
Langhans' cells 363, 401
lanugo 370, 425
large intestine 287, 309, 314, 317
laryngeal cavity 274
laryngeal glands 274
laryngeal inlet 274, 418
laryngeal prominence 271, 277
laryngeal saccule 274
laryngeal ventricle 274
laryngeal vestibule 274
laryngopharynx (laryngopharynx, hypopharynx) 277, 300, 303
laryngoscopy 275
larynx 264, 271, 277, 301
lateral accessory saphenous vein 203, 204, 207
lateral angle 54
lateral antebrachial cutaneous nerve 187, 189, 464
lateral aperture (foramen of Luschkae) 476
lateral arcuate ligament 47, 51, 198
lateral area 521
lateral atlanto-axial joint 30
lateral axillary space 183
lateral basal segment, lateral basal segmental bronchus 279
lateral border 331
lateral branch 469
lateral branch of iliohypogastric nerve 195, 205
lateral calcaneal branch[es] 213, 474
lateral cerebral fossa 433, 531, 532, 533, 535
lateral cerebral sulcus 532
lateral cervical nodes 258, 395
lateral cervical region 163, **175**
lateral circumflex femoral artery 208, 248
lateral circumflex femoral veins 256
lateral collateral ligament 111
lateral condyle 94, 99, 105
lateral cord 181, 182, 462
lateral corticospinal tract 456, 575
lateral costotransverse ligament 28, 34
lateral crico-arytenoid 273
lateral crus 42, 48, 51, 265

lateral cuneiform 107, 108, 109
lateral cutaneous nerve of thigh **471**
lateral dorsal cutaneous nerve 213, 215, 474
lateral dorsal nucleus (dorsal tier of the ventrolateral nuclear group) 513, 516, 518, 519
lateral epicondyle 56, 59, 77, 81, 82, 83, 94, 101
lateral femoral cutaneous nerve 50, 198, 207, 470
lateral femoral intermuscular septum 114, 125
lateral flexure 320
lateral fossa 434
lateral frontobasal artery 559
lateral funiculus 452
lateral geniculate body 493, **517**, 519, 533, 552, 598, 599
lateral geniculate nucleus 598
lateral head of triceps brachii 68, 76, 77, 183
lateral horn 452, 453, 454
lateral horn cell 462
lateral hypophysial vein 388, 389
lateral inguinal fossa 49, 197, 310
lateral intercondylar tubercle 99
lateral intermediate substance 453, 454, 575
lateral intermuscular septum 77
lateral intermuscular septum of arm 76, 89
lateral lacunae 561, 567
lateral lamina 144
lateral lemniscus 481, 486, 492, 502, 609
lateral ligament 155
lateral lingual prominence 375
lateral lip 94
lateral longitudinal stria 534, 539
lateral lumbar intertransversarii 39
lateral lumbocostal arch 51
lateral lymphoid cord 418
lateral malleolar branches 250
lateral malleolar network 250
lateral malleolar venous plexus 215
lateral malleolus 100
lateral margin of the tongue 586
lateral marginal vein 256
lateral mass 19, 40
lateral meniscus 102, 105
lateral nasal cartilage 265
lateral nasal prominence 374
lateral nuclear group 511, 514, 516, 537
lateral nucleus (Deiters) 486, 521, 537, 611
lateral occipitotemporal gyrus 530
lateral palpebral ligament 590
lateral patellar retinaculum 101, 122
lateral pectoral nerve 464
lateral pectoral region 193
lateral pericardial nodes 259

lateral plantar artery 216, 217, 250
lateral plantar eminence 132
lateral plantar nerve 217, 474
lateral plantar septum 133
lateral plantar veins 217
lateral plate mesoderm 371
lateral pocket loops 421
lateral posterior nucleus 513, 516, 519
lateral process 106
lateral pterygoid 159, 302
lateral pyramidal tracts 461
lateral recess 476, 563
lateral rectus 168, 495, 591
lateral region 193
lateral reticular nucleus 480, 507
lateral reticulospinal tract 456
lateral retromalleolar region 202
lateral root 465, 598
lateral rotation 73, 120, 124
lateral sacral arteries 247
lateral sacral crest 23
lateral sacral veins 255
lateral segment 511
lateral semicircular canal 603
lateral semicircular duct 604
lateral spinocerebellar tract 461
lateral spinothalamic tract (spinal lemniscus) 455, 584
lateral stria 477, 510, 536, **538**
lateral sulcus 433, 434, 530, 531, 533, 535
lateral supraclavicular nerve 175
lateral supracondylar ridge 56
lateral supracondylar ridge of humerus 81
lateral sural cutaneous nerve 126, 473
lateral surface 339, 348
lateral talocalcaneal ligament 110, 111
lateral tarsal artery 249
lateral thoracic artery 182, 194, 245
lateral thoracic vein 194
lateral thyrohyoid ligament 272
lateral umbilical fold 49, 310
lateral ventricle 433, 510, 527, 533, 536, 563
lateral vestibular nucleus (Deiters) 481, 497
lateral vestibulospinal tract 456, 486, 576, 580, 611
lateralis glosso-epiglottic fold 290
lateropolar nucleus 514
latissimus dorsi 39, 42, 67, 69, 74, 76, 182, 194, 245, 464
layer of bipolar cells 595
layer of ganglion cells 595
layer of nerve fibers 595
layer of photosensitive cells 595
left adrenal gland 392
left aortic arch 373
left atrioventricular valve 226
left atrium 221, 222, 224, 226, 227, 237, 238, 305

left auricle 223, 226, 227, 230, 235, 237
left brachiocephalic vein 174, 251, 252, 286, 305, 373
left branch 324, 328
left bronchomediastinal trunk 257
left bundle 231
left colic artery 319
left colic flexure 309, 319, 328, 329
left colic vein 324
left common carotid artery 223, 224, 240, 286
left common iliac vein 373
left coronary artery 229, 230, 237, 240
left crus 51
left ductus arteriosus 373
left fibrous ring 227
left fibrous trigone 227
left flexure of colon 377
left gastric artery 240, 306, 313, 327
left gastric vein 306, 313
left gastro-omental artery 313
left hepatic duct 322, 325
left inferior lobar bronchus 279
left inferior lobe 283
left inferior pulmonary vein 278
left jugular trunk 257
left kidney 416
left lamina 271
left lobe 395
left lobe of liver 322, 327, 328
left lobe (thyroid gland) 305
left lumbar nodes 259
left lumbar trunk 257
left lung 236, 237, 278
(left lung) inferior lingular segment, inferior lingular bronchus 279
(left lung) superior lingular segment, superior lingular bronchus 279
left main bronchus 236, 276, 278, 279, 283, 286
left part of liver 323
left phrenic nerve 286
left pulmonary artery 221, 223, 224, 236, 237, 278, 281, 283, 286, 305, 373
left pulmonary vein 223, 224, 226, 281, 283, 286
left recurrent laryngeal nerve 286, 305
left renal artery 392
left renal veins 392
left sagittal fissure 322
left semilunar cusp 229
left subclavian artery 223, 224, 240, 278, 286, 305
left subclavian trunk 257
left superior intercostal vein 252
left superior lobar bronchus 279
left superior lobe 283
left suprarenal vein 392
left triangular ligament 310, 322
(left) uterine horn 351
left vagus nerve 179, 286

left venous angle　174, 179, 257
left ventricle　221, 222, 223, 224, 226, 227, 235, 237, 238, 305
lemniscal decussation　496
lemniscal layer　493
lens　592, 593, 600
lens epithelium　592
lens fibres　592
lens placode　592
lens vesicle　592
lenticular fasciculus　511, 520, 532
lenticular process　602
leptoprosopic　152
lesser circulation　221
lesser curvature　308, 311, 376
lesser horn　149
lesser occipital nerve　169, 175, 462, 463
lesser omentum　308, 311, 376
lesser palatine arteries　147, 242
lesser palatine canal　150
lesser palatine foramina　144, 147
lesser palatine nerves　147
lesser pelvis (true pelvis)　92, 220
lesser petrosal nerve　147, 485, 491
lesser sciatic foramen　92, 201, 475
lesser sciatic notch　91
lesser splanchnic nerve　571
lesser supraclavicular fossa　163
lesser trochanter　47, 94, 115
lesser tubercle　56, 69
lesser vestibular glands　355
lesser wing of sphenoidal bone　145, 150
leukocytes　406
leukocytosis　406
leukopenia　406
levator anguli oris (M.caninus)　158
levator ani　53, 199, 200, 201, 346, 356, 357, 358, 365
levator gate (urogenital hiatus + anal hiatus)　53, 357
levator labii superioris　158
levator labii superioris alaeque nasi　157
levator palpebrae superioris　165, 168, 495, 590, 591
levator plate　365
levator scapulae　67, 68, 71, 176, 179, 464
levator veli palatini　289, 302, 491
levatores costarum　39
levatores costarum breves　39
levatores costarum longi　39
Leydig cells　340, 379, 399
LH　387, 390, 399, 400
LH-RF　390
LH-RH　390
Lieberkühn's glands　315
lienal vein　324
ligament　14
ligament of head of femur　97, 356
ligament of ovary　348
ligament of vena cava　322
ligamenta flava　12
ligaments　307
ligaments of auditory ossicles　602

ligamentum arteriosum　222, 223, 286
ligamentum venosum　222, 322
ligand-sensitive ion channel　443
light reflex　**600**
limbic gyrus (cingulate gyrus)　530
limbic system　**588**
limen nasi　266
line of the center of gravity　31
linea alba　42, 44, 48, 195
linea aspera　94
linea terminalis　92, 364
Lingua　290
lingual aponeurosis　291
lingual artery　171, 177, 241, 291, 292, 293
lingual branches　482, 485
lingual follicles　290, 418
lingual gyrus　530
lingual nerve　167, 171, 291, 303, 487, 489, 491
lingual nodes　258
lingual papillae　290
lingual septum　291
lingual surface　295
lingual tonsil　290, 418
lingual tuberculum　375
lingual vein　252
lingula　148, 155, 501, 502
lingula of left lung　278
linguofacial trunk　177
lipid　3
lips　287, 288
Lisfranc's joint line　109
Littré glands　345
liver　222, 287, 308, 322, 381, 416
liver acinus　323
liver epithelial cells　323
lobar bronchi　237, 279, 280
lobes of mammary gland　428
lobule of auricle　601
lobule of lung　279
lobules of liver　323
lobules of testis　340
locus caeruleus　444, 476, 492, 499
long abdomen　381
long association fibers　554
long bones　**11**
long central artery　558, 560
long ciliary nerve[s]　168, 488
long head of biceps brachii　57, 69, 70, 73, 74, 76, 464
long head of biceps femoris　121, 123, 205, 206, 209, 474
long head of triceps brachii　68, 69, 73, 74, 76, 77, 183, 194
long plantar ligament　109, 110, 111, 134
long posterior ciliary arteries　594
long rotatores thoracis　37
long thoracic nerve　176, 182, 464
longissimus capitis　36
longissimus cervicis　36
longissimus thoracis　36
longitudinal arch　111
longitudinal axis (vertical axis)　2
longitudinal bands　30, 88, 190

longitudinal cerebral fissure　434, 435, 530, 531, 532, 534, 535, 536
longitudinal diameter　284
longitudinal fold of duodenum　315
longitudinal layer　287, 312, 318
longitudinal ligaments　27
longitudinal stria　540
longus capitis　40, 463
longus colli　40, 162, 179, 463
loop　421
loop of proximal jejunum　377
loop of small intestine　376, 377
loose connective tissue　6, 228, 399
loose joint　104
lordosis　31
lower airway　264
lower brachial plexus paralysis　464, 490
lower dental arcade　295
lower lip　288
lower (or diaphragmatic) narrow place　304
lower part of facial nerve　166
lower trunk　462
lower uterine segment　351
LPH　387, 390
LTH　390
luliberin　390
lumbar artery　198, 240, 457
lumbar fossa　330, 334
lumbar hernia　50
lumbar iliocostalis　36
lumbar nerves　451
lumbar nodes　259, 335, 341, 342, 350, 392
lumbar part of diaphragm　198
lumbar plexus　120, 198, 470
lumbar puncture　459
lumbar region　193
lumbar rib　21
lumbar splanchnic nerve　571
lumbar triangle　50
lumbar vein[s]　198, 251
lumbar vertebra[e]　**21**, 26, 307
lumbarization　25
lumbocostal triangle　51, 52
lumbosacral enlargement　451
lumbosacral joint　**29**
lumbosacral plexus　431, **470**
lumbosacral transitional vertebra　25
lumbosacral trunk　198, 470, **472**
lumbricals　79, 80, 86, 135, 465, 466, 474
lumen　380
lunate　61, 62
lunate surface　91, 97
lung bud　374
lung fields　235
lungs　221, 264, 278
lunule　426
lunules of semilunar cusp　229
Luschkaの関節　29
lutein cells　349
lutropin　390, 400
luxatio coxae　96
luxation　57

Luys body (subthalamic nucleus)　511, 520
lymph　257, 415
lymph node　221, 257, 258, 328, 415
lymphatic capillary　221, 415
lymphatic duct　221
lymphatic rete　257
lymphatic trunks　415
lymphatic vessel　257
lymphatic vessel system　221
lymphocyte　409, 419
lymphoepithelial organs　412, 418
lymphoid nodules (lymph follicle)　415
Lymphonodus　221
lymphopoiesis　409
lymphoreticular organs　412
lysosomes　3, 439, 587

M

M線　10
M.caninus (levator anguli oris)　158
M.quadratus labii inferioris (depressor labii inferioris)　158
Mackenrodt's ligament　353
macroglia (astroglia)　449
macrophages　401, 410, 417, 419
macula　517, 519, 594, 596, 607
macula densa　333
macula of saccule　604, 607, 608, 611
macula of utricle　604, 607, 608, 611
Maculae occludentes　450
macular fibers　599
magnetic resonance tomography (MRT)　**557**
magnocellular part　518
main bronchus　279, 281
major alar cartilage　265
major calyces　335
major circulus arteriosus of iris　593, 594
major dense line　446, 447
major duodenal papilla　315, 325, 326
major forceps　551, 554
major sublingual duct　293
male genital system　220, 338
male pronucleus　359
male urethra　345, 358
mallear stria　601
malleolar fork　109
malleolar fossa　100
malleolar groove　99
malleus　602
Malpighian corpuscle　417
MALT　412, 419
mamillary peduncle　522, 588
mamillotegmental fasciculus (Gudden)　522, 588
mamillothalamic fasciculus (bundle of Vicq d'Azyr)　511, 515, 520, 522
mammary gland　194, 427, 428
mammary lines　427
mammary region　193, 194

mammary ridges 427
mammary sinus 427
mammillary body 432, 434, 435, 493, 498, 509, 511, 513, 515, 521, 522, 523, 525, 526, 532, 539, 540, 588
mammillary process 21
mandible 143, 148
mandibular canal 148, 242, 489
mandibular foramen 148
mandibular fossa 144, 155
mandibular nerve 147, 164, 167, 302, 478, **489**, 491
mandibular notch 148
mandibular part 242
mandibular prominence 375
mandibular torus 374
mandibule 138
mantle of connective tissue 428
manubriosternal symphysis 34
manubriosternal synchondrosis 33
manubrium of sternum 33
margin of tongue 290
marginal epithelium 298
marginal mandibular branch 487
marginal sinus 253, 415
marginal slings 594
marginal (subsurface) cisterns 439
marginal zone 417, 529
Martinotti cell 545
masculine pelvis 93
mask face 494
masseter 159, 164, 166, 171, 172, 288, 293, 303, 489
masseteric artery 242
masseteric nerve 167, 302, 489
masseteric tuberosity 148, 159
mast cell 403
mastoid angle 140
mastoid antrum 602, 603
mastoid canaliculus 483
mastoid cells 602
mastoid fontanelle (posterolateralis) 139
mastoid foramen 141, 142
mastoid nodes 258
mastoid notch 142, 144
mastoid process 36, 72, 141, 142, 144, 241
maturation division 359
maturing face (secretion side) 439
maxilla 138, 141, 143, 150, 151, 266
maxillary artery 164, 167, 172, 241, 242
maxillary hiatus 151
maxillary nerve 147, 164, 265, 266, 267, 478, **489**, 490
maxillary prominence 374, 375
maxillary protrusion 299
maxillary sinus 150, 151, 268, 269
maxillary tuberosity 141, 144, 167, 268
maxillary vein 172
McBurney's point 317
mechanoreceptors 485, 582, 608
Meckel diverticulum (ileal diverticulum) 314, 377

meconium 381
medial accessory olivary nucleus 480
medial accessory saphenous vein 204, 207
medial angle of eye 590
medial antebrachial cutaneous nerve 182, 185, 187, 462
medial arcuate ligament 47, 51, 198
medial axillary space 183
medial basal segment, medial basal segmental bronchus 279
medial bicipital groove 180, **185**
medial border 331
medial brachial cutaneous nerve 182, 184, 462
medial calcaneal branch[es] 213, 474
medial circumflex femoral artery 208, 248
medial circumflex femoral veins 256
medial clunial nerves 205, 469, 475
medial collateral artery 186, 245
medial collateral ligament 109, 111
medial condyle 94, 99, 105
medial cord 181, 182, 462
medial crus 42, 48, 51, 265
medial crus of major alar cartilage 151
medial cuneiform 107, 108, 109
medial cutaneous nerve of arm 467, 469
medial cutaneous nerve of forearm 467
medial cutaneous nerve of leg 471
medial dorsal cutaneous nerve 215, 473
medial eminence 476
medial epicondyle 56, 59, 94, 101
medial epicondyle of humerus 79
medial facet for calcaneus 106
medial femoral intermuscular septum 125
medial forebrain bundle 522
medial frontobasal artery 559
medial geniculate body 493, 513, 514, **517**, 519, 598, 610
medial head of gastrocnemius 213
medial head of triceps brachii 76, 77
medial inguinal fossa 49, 197, 310
medial intercondylar tubercle 99
medial intermuscular septum 77
medial intermuscular septum of arm 76, 89
medial lamina 144
[medial] lemniscal decussation 583
medial lemniscus 480, 481, 492, 493, **496**, 502, 583, 584, 586
medial lip 94
medial longitudinal fasciculus 456, 480, 481, 492, 493, **497**, 611
medial longitudinal stria (Lancisii) 534, 539

medial lumbar intertransversarii 37
medial lumbocostal arch 51
medial malleolar branches 250
medial malleolar network 250
medial malleolus 99
medial marginal vein 256
medial meniscus 102, 105
medial nasal prominence 374, 375
medial nuclear group 511, 513, 514, 518, 519
medial nucleus (Schwalbe) 486, 515, 521, 537
medial occipitotemporal gyrus 530
medial palpebral ligament 157, 165
medial patellar retinaculum 101, 122
medial pectoral nerve 464
medial plantar artery 216, 217, 250
medial plantar eminence 132
medial plantar nerve 217, 474
medial plate of pterygoid process 270
medial pterygoid 159, 167, 302, 303
medial rectus 168, 495, 591, 600
medial retromalleolar region 202, **214**
medial root 465, 598
medial rotation 73, 120, 124
medial segment 511
medial segment of the pallidum 515, 516
medial stria 536, 538
medial striate artery 558
medial subtendinous bursa of gastrocnemius 101
medial superficial lymph vessel 184
medial superior olivary nucleus 609
medial supraclavicular nerve 175, 194
medial sural cutaneous nerve 210, 211, 213, 473, 474
medial surface 339, 348
medial talocalcaneal ligament 111
medial tarsal arteries 249
medial thalamic nuclei 522
medial umbilical fold (cord of umbilical artery) 46, 310
medial vestibular nucleus (Schwalbe) 480, 481, 497
median antebrachial vein 187
median aperture (foramen of Magendie) 476, 564
median arcuate ligament 47, 51
median atlanto-axial joint 30, 303
median cervicalis region 163
median conjugate 93
median cricothyroid ligament 173, 174, 272
median cubital vein 187, 189, 254
median eminence 388, 389, 524
median glosso-epiglottic fold 290
median nerve 78, 182, 185, 188, 189, 190, 191, 462
median nerve sling 462, 465

median palatine suture 144
median part of telencephalon (telencephalon impar) 509
median plane 2
median prominence 375
median sacral artery 240
median sacral crest 23
median sacral vein 251, 255
median sagittal plane 2
median sulcus 476
median sulcus of tongue 290
median thyrohyoid ligament 272
median umbilical fold (cord of urachus) 46, 310
median umbilical ligament 336
mediastinal part 278
mediastinal pleura 282, 285
mediastinal surface 278
mediastinoscopy 286
mediastinum 220, **234**, 285
mediastinum of testis 340
mediodorsal nucleus (dorsal medial nucleus) 515
medulla 414, 415
medulla oblongata 147, 432, 433, 434, 435, 476, 492
medullary cavity 9, 11
medullary cells 394
medullary cone 451
medullary cord 415
medullary rays 331
medullary sinus 415
medullary striae (dorsal acoustic striae) 486, 609
medullary striae of fourth ventricle 476, 507
megakaryoblast 409
megakaryocyte 408, 409
megaloblast 408
Meibom's glands (tarsal glands) 590
meiosis 4, 359
Meissner's plexus (submucous plexus) 287, 572
melanocytes 422
melanoliberin 390
melanostatin 390
melatonin 391
membrana perinei 53
membranous ampullae 604
membranous labyrinth 604
membranous lamina 601
membranous layer 17
membranous ossification 9
membranous part 226, 267, 345
membranous septum 372
membranous wall 276
memory cell 409, 411
meningeal branch 147, 462, 489
meningeal veins 252
meninges **567**
meningo-orbital artery 168
meniscus 14, 101, 102, 103, 104
menstrual phase (desquamative phase + regenerative phase) 352
mental branch 242, 299

mental foramen 143, 148, 164
mental nerve 164, 489
mental ossicle 149
mental protuberance 143, 148
mental region 163
mental spine 148
mental tubercle 148
mentalis 158
mentolabial sulcus 158, 288
meridians of eyeball 592
meridional fibres 593
Merkel cells 422
mesaxon 447
mesencephalic nucleus of trigeminal nerve 479, 481, 488, 492, 493
mesencephalic tract of trigeminal nerve 488
mesentery 309, 314, 329
mesial surface 295
meso 307
meso-appendix 309, 317, 318
mesocephalic 152
mesocolic nodes 259
mesocortex 527, 543
mesoderm 368
mesometrium 347
mesonephric duct 380
mesoprosopic 152
mesosalpinx 347, 350
mesotendon 17
mesothelium 220
mesovarian border 348
mesovarium 347, 348
metacarpal ligaments 64
metacarpals **63**, 86
metacarpophalangeal joints **66**
metacarpus 190
metameres 460
metamerism **460**
metamyelocyte 409
metanephros 378, 379
metanephros anlage 378
metatarsals **108**
metatarsophalangeal joint 109, 110
metopic suture 153
metopism 153
Meynert軸 431
microcephaly 152
microglia 449
microtubules 3
microvilli 323, 396, 403, 585, 587, 595
micturition 337, 589
midbrain 432, 433, 436, 476, **492**, 509
midcarpal joint 64
middle cardiac vein 230
middle cerebellar peduncle (brachium pontis) 476, 481, 502, 508
middle cerebral artery 243, 558, 559, 560
middle cervical cardiac nerve 232
middle cervical fascia 162, 173, 176
middle cervical ganglion 178, 179, 232, 569, 570
middle clinoid process 146
middle colic artery 319

middle colic vein 324
middle constrictor 170, 300, 303
middle cranial fossa 145, 478
middle ear 601
middle frontal gyrus 530, 531
middle genicular artery 249
middle lobar bronchus 279
middle lobe 278, 279
middle mediastinum 285, 286
middle meningeal artery 147, 167, 242, 489
middle nasal concha 151, 266, 269, 270
middle nasal meatus 151, 266, 269
middle neurovascular tract 189
middle (or aortic) narrow place 304
middle phalanx 108
middle piece 340
middle plantar eminence 132
middle rectal artery 247, 321
middle rectal veins 255
middle superior alveolar branches 489
middle suprarenal artery 240
middle talar articular surface 106
middle temporal gyrus 530, 531, 555
middle thyroid veins 174, 178, 252
middle trunk 462
midgut 375
midline nuclei 511, 514
MIF 390
MIH 390
milk droplets 428
mimetic muscles **156**, 303
Minipille 362
minor calyces 335
minor circulus arteriosus of iris 594
minor forceps 554
miosis 490
mitochondria 3, 228, 439, 440, 587
mitosis 4, 359, 417
mitral cell 538, 587
mitral cell layer 536
mixed gland 384
mixed nerves 462
mobile caecum 317
mobile joint 104
moderator band 225
modiolus 605
Mohrenheim窩 181
molar tooth 295
molecular layer 503, 544
Monakow 574
Mongolian fold 590
monoblast 409
monocyte 409
mononuclear phagocytic system (MPS) 410
monopoiesis 409
monosynaptic reflex arc 452
Monro孔 (interventricular foramen) 433, 434, 513, 518, 561, 563, 566
mons pubis 347, 355
morula 361, 368

mossy fibers 504, 505, 541
motilin 405
motor aphasia 548
motor cortex 528
motor (efferent) nerves 430
motor endplate 578
motor fibers 485, 487, 491
motor nucleus of facial nerve 479, 481, 487, 497, 498
motor nucleus of trigeminal nerve 479, 481, 488, 497, 498
motor root 477, 488, 489
motor speech center (Broca's area) **548**
motor unit 578
movement segment 31
MPS 410
MRF 390
MRH 390
MRT (magnetic resonance tomography) **557**
MSH 387, 388, 390, 391
mucin 384
mucosa 311
mucosa associated lymphoid tissue (MALT) 412
mucous cells 294
mucous membrane 276, 280, 287, 304, 325, 335, 350
mucous membrane of mouth 288
mucous membrane of tongue 290
mucous membrane of uterus 361
mucous terminal portion (tubule) 384
mucus layer 587
Müllerian tube 380
multicellular extraepithelial gland 383
multicellular intraepithelial gland 383
multifidus 37
multiform layer 536, 544
multipennate muscle 16
multiple sclerosis 447
multisynaptic reflex arc 452
mumps 294
muscle cell 430
muscle rigidity 494
muscle spindle (neuromuscular spindle) 579, 580
muscle tissue **10**
muscles of mastication **159**
muscles of tongue 291
muscular axillary arch 69
muscular branches of radial nerve 186
muscular layer 287, 304, 311, 325, 335, 342, 350, 423
muscular part 226
muscular process 271, 273
muscular pump 263
muscular space 50, 92
muscular venule 263
muscularis mucosae 287, 304, 312, 318, 419
musculocartilaginous layer 280

musculocutaneous nerve 182, 462, 464
musculophrenic artery 244
musculotubal canal 603
musculus uvulae 289
myasthenia gravis 578
mydriasis 490
myelin 446
myelin laminae 447
myelin sheath 437, **446**, 582
myelin stain 544
myelinated nerve fiber 578
myelinogenesis (development of the myelin sheath) 447
myeloblast 409
myelocyte 408, 409
myenteric plexus (Auerbach's plexus) 287, 315, 572
mylohyoid 171, 288, 291, 292, 293, 302, 489
mylohyoid branch 167, 242
mylohyoid groove 148
mylohyoid line 148, 292
myocardial infarction 230
myocardial trabecule 372
myocardium 227
myoendocrine cells 239
myoepithelial cell 294, 384, 424
myofibroblast 340
myometrium 352, 362
myopia 592
myotomes 42, 460

N

nail 426
nail bed 426
nail edge 426
nail groove 426
nail matrix 426
nail plate 426
nail root 426
nail sinus 426
nail wall 426
nares 265
nasal bone 138, 143, 151, 265, 267
nasal cavity 220, 264, 265, 266, 268
nasal concha 151
nasal meatus 266
nasal notch 143
nasal part of frontal bone 267
nasal region 163
nasal septum 151, 266, 267, 269, 375
nasal vestibule 265, 266
nasalis 157
nasion 152
nasociliary nerve 147, 168, 488
nasolabial sulcus 157, 265, 288
nasolacrimal canal 150, 151, 269, 590
nasomaxillary suture 141, 143
nasopalatine nerve 147, 267, 490
nasopharyngeal meatus 269
nasopharynx (nasopharynx, epipharynx) 270, 300, 302
navicular 107, 108, 109, 110, 111

navicular articular surface 106
navicular fossa 345
neck 295, 340, 369
neck-diaphyseal angle 94
neck of bladder 336
neck of femur 94, 114, 346, 356
neck of fibula 100
neck of gallbladder 308, 325, 328
neck of malleus 602
neck of mandible 148, 242
neck of radius 58
neck of rib 32
neck of scapula 54
neck of talus 106
neck-shaft angle 94, 96
necrosis of the femoral head 97
neocerebellum 501
neocortex (isocortex) 527, 529, **544**
neonatal period 367
neopallium 527, 528
neorubrum 494
nephron 332
nerve cell 430, 525
nerve endings 581, 606
nerve fibers 394, 403, 448, 607
nerve net 430
nerve of pterygoid canal (Radix facialis) 490
nerve papilla 423
nerve to mylohyoid 167, 171
nerve to stapedius 487, 603
nerve to tensor tympani 489, 491, 603
nerve to tensor veli palatini 489, 491
nerves of branchial arches 477
nervi erigentes 475, 571
nest of parenchymal cells 391
neural crest 458
neural fold 368, 369
neural groove 368, 371, 430
neural layer **595**
neural plate 368, 430, 458
neural tube 369, 371, 430, 477
neurocranium 138
neuroendocrine system 385, **525**
neurofibrils 437
neurofilaments (neurotubuli) 439
neuroglia 449, **504**
neurohemal region 389
neurohormone 385
neurohypophysis 386, 387, 389, 510, 524
neurokeratin 446
neuron of the spinal ganglion 458
neuronal circuit **445**
neuropeptide Y (NPY) 405
neuropil 500
neurosecretion 387, 525
neurosecretory nerve cell 388, 525, 526
neurotendinous spindle 578
neurotensin (NT) 405
neurotransmitter (transmitter) 385, 525
neurotubuli (neurofilaments) 439, 442

neurulation 368
neutral occlusion 299
neutral zero starting position 13
neutrophilic granulocyte 408, 410
new hair bulb 425
nexus (gap junctions) 228, 573
nidatiobn 361
nigral dopaminergic neurons 494
nigropallidal fibers 520
nigrostriatal fibers 444, 494, 542
nipple 194, 427
Nissl stain 437, 544
Nissl substance 437
NMDA-receptor 443
node of Ranvier 446, 447, 448
nodose ganglion 586
nodule 501, 502
nodules of semilunar cusps 229
non-specific defense system 410
nonvisual retina 592, 596
noradrenaline 500, 569
normoblast 409
NPY 405
NT 405
nucha 163
nuchal azygos vein 169
nuchal fascia 39, 162
nuchal ligament 28, 30, 161
nuchal muscles 38
nuclear bag fibers 579
nuclear chain fibers 579
nuclear envelope (nuclear membrane) 3, 4
nuclear pores 439
nuclei of inferior colliculus 492
nuclei of origins 479
nuclei of solitary tract 444, 479, 480, 483, 485, 487, 496, 498, 500, 586
nuclei of the posterior funiculus 583
nuclei of trapezoid body 481, 486, 609
nucleocerebellar tract 507
nucleolus 3, 4, 437, 439
nucleus 228, 437
nucleus ambiguus 479, 480, 482, 483, 484, 485, 497
nucleus (karyoplasm, nucleoplasm) 3, 4
nucleus of abducens nerve 479, 481, 487, 495, 497, 609
nucleus of accessory nerve 479
nucleus of diagonal band 536
nucleus of Edinger-Westphal (accessory nuclei of oculomotor nerve) 495, 568, 600
nucleus of hypoglossal nerve 479, 480, 482, 497, 498
nucleus of lateral geniculate body 513, 514, 517
nucleus of oculomotor nerve 479, 492, 493, 495, 497, 500
nucleus of oocyte 359
nucleus of Perlia 495
nucleus of phrenic nerve 453
nucleus of Roller 480

nucleus of Schwann cell 446, 448
nucleus of spermatozoon 340
nucleus (of spinal root) of accessory nerve 479
nucleus of trochlear nerve 479, 492, 495, 497
nucleus proprius 453
nucleus pulposus 27
Nucleus ventralis intermedius 611
nurse cell 409, 414

O

O脚 105
Oberst's nerve block 190
obex 564
obligatory terminal rotation 104
oblique arytenoid 273
oblique cord 60
oblique diameter 93
oblique fibers 312
oblique fissure 278
oblique head of adductor hallucis 134
oblique head of adductor pollicis 87
oblique line 148, 271
oblique line of thyroid cartilage 160
oblique part 273
oblique pericardial sinus 233, 237
oblique popliteal ligament 101
obliquus capitis inferior 38, 169
obliquus capitis superior 38, 169
obstetric conjugate 93
obturator artery 247
obturator artery and veins 346
obturator canal 92, 356, 472
obturator externus 114, 117, 118, 120, 121, 346
obturator fascia 199, 200, 201
obturator foramen 91
obturator groove 91
obturator internus 114, 116, 117, 120, 121, 201, 206, 346, 356, 472
obturator internus (+ superior and inferior gemellus) 357
obturator membrane 92, 98
obturator nerve 120, 198, 346, 470, **472**, 475
obturator veins 255
occipital angle 140
occipital artery 169, 241
occipital belly (occipitofrontalis) 156
occipital bone 138, 140, 142
occipital condyle 30, 144
occipital eye field 551
occipital forceps 551
occipital groove 142, 144
occipital horn 534, 535, 539, 563, 564
occipital knee 598
occipital lobe 433, 434, 530, 534, 535
occipital nodes 169, 258
occipital pole 434, 530

occipital region 163
occipital sinus 253
occipital vein 169, 252
occipitalization of the atlas (assimilation of the atlas) 19
occipitofrontalis 156
occipitomastoid suture 141, 142, 144
occipitotemporal sulcus 530
occluded part 247
occlusal (masticatory) surface 295, 299
occlusion 295, 299
ocular dominance column 552
oculocardiac reflex 497
oculomotor nerve 147, 168, 477, 478, 490, 493, **495**
odontoblasts 298
oesophageal branches 240, 306
oesophageal glands 304
oesophageal hiatus 51, 52, 304
oesophageal impression 322
oesophageal opening to stomach 328
oesophageal plexus 306, 484
oesophagotracheal septum 374
oesophagus 236, 237, 278, 283, 285, 286, 287, 300, 304, 305, 395, 397
olecranon 58, 59
olecranon fossa 56
olecranon of ulna 77
olfactory area (anterior perforated substance) 510, 530, 538
olfactory brain 527
olfactory bulb 432, 435, 436, 477, 478, 512, 527, 528, 530, 536, 587
olfactory cell (sensory/receptor cells) 538, 587
olfactory cilia 587
olfactory cortex 531
olfactory dendrite (distal shaft) 587
olfactory dendritic knob 587
olfactory flagella 587
olfactory glands of Bowman 587
olfactory glomeruli 587
olfactory glomerulus (glomerulus) 538
olfactory nerve 147, 477, 587
olfactory region 266, 267, 587
olfactory sulcus 530
olfactory tract 435, 477, 530, 531, 536, 538
olfactory trigone 435, 536
olfactory tubercle 536
olfactory vesicles 587
oligodendrocytes 446, 447, 504
oligodendroglia 449
olive 476, 533, 576, 580
olivocerebellar tract 480, 498, 507
omental bursa 308, 329, 376
omental eminence 326
omental foramen 308, 310, 327
omental tuberosity 322
omoclavicular triangle 163, 176
omohyoid 67, 72, 160, 173, 177, 178, 463

oocyte 349, 359
opening of coronary sinus 225
opening of inferior vena cava 225
opening of nasolacrimal canal 151
opening of superior vena cava 225
opening of uteroplacental arteries into IVS 363
openings of pulmonary veins 226
opercular part (frontal operculum) 530, 531
operculum 433
ophthalmic artery 147, 168, 243, 559, 594
ophthalmic nerve 164, 265, 266, 267, 478, **488**
opisthocranion 152
opponens digiti minimi 88, 134, 466
opponens pollicis 87, 465
opposition 87
optic agnosia 589
optic canal 145, 147, 150, 478
optic chiasm 386, 389, 434, 435, 477, 509, 510, 512, 513, 521, 525, 526, 531, 538, 598, 599
optic cup 592
optic disc 594
optic layer 493
optic nerve 147, 168, 435, 477, 478, 590, 592, **596**, 598, 599
optic nerve fibers 600
optic papilla (blind spot) 596, 599
optic part 592
optic part of retina 596
optic radiation 517, 552, 553
optic radiation of Gratiolet (*Radiatio optica*) 519, 598
optic recess 510, 563
optic reflexes **600**
optic tract 477, 493, 511, 513, 517, 521, 532, 537, 539, 598, 599
optic ventricle 592
optic vesicle 432, 592
ora serrata 592, 594
oral cavity 220, 287, 288, 549
oral cavity proper 288
oral diaphragm 292
oral opening 288
oral part = anterior part = presulcal part 290
oral region 163
oral tendencies 589
oral vestibule 288, 303
orbicularis oculi 156, 157, 164, 590
orbicularis oris 158, 288
orbit 150, 165, 268, **590**
orbital branches 490
orbital cortex 515
orbital fat body 590
orbital gyri 530
orbital part 145, 163, 530, 590
orbital part of frontal bone 150
orbital plate 150
orbital process of palatine bone 150
orbital region **165**
orbital septum 165, 590
orbital surface 150

orbitofrontal fasciculus 554
organ of Corti (spiral organ) 605, 606
orientation column 552
orifice of vermiform appendix 318
oronasal membrane 374
oropharynx (oropharynx, mesopharynx) 300, 303
orthocephalic 152
orthopnea 52
ORZ 393
os centrale 61
os epiptericum anterius 154
os epiptericum posterius 154
os incae (Inca bone) 142
os tribasilare 145
os trigonum 106
osseous spiral lamina 605
ossiculum terminale 19, 26
osteoblasts 9
osteoclasts 9
osteocytes 8
osteon 8
other intestinal loop 377
otic ganglion **491**
outer enamel epithelium 298
outer hair cells 606
outer lamp 447
outer limiting layer 595
outer lip 42, 91
outer phalangeal cells (supporting cells of Deiters) 606
outer pillar cells 606
outer rudder (phalangeal process) 606
outer segment 597
outer segment of cone 597
outer segment of rod 597
outer sheath of optic nerve (dural sheath) 596
outer spiral sulcus 606
outer stellate cells 503, 504, 505
outer stripe 331
outer tunnel 606
oval area of Flechsig (*Fasciculus septomarginalis*) 455
oval foramen 491
oval fossa 225
oval window 602, 603, 604
ovarian artery 335, 350, 353
ovarian artery (testicular artery) 240
ovarian branches 350, 353
ovarian cortex 348
ovarian cycle **400**
ovarian fimbria 350
ovarian follicle 348
ovarian medulla 348
ovarian stroma 348
ovarian venous plexus 350
ovary 310, 347, 348, 361, 383
ovulation 349, 400
OXT 388, 389, 390
oxycephaly 152
oxytocin 390

P

Pacchionian bodies (arachnoid granulations) 567
pairs of branchial arches 369
palatal surface 295
palatine aponeurosis 289
palatine arches 418
palatine bone 144, 151
palatine glands 289
palatine plate 375
palatine process 267
palatine process of maxilla 144
palatine raphe 289
palatine tonsil 288, 289, 290, 303, 418
palatini nerves 490, 491
palatoglossal arch 288, 289
palatoglossus 289, 291, 303
palatopharyngeal arch 288, 289
palatopharyngeus 289, 291, 300, 303
paleocerebellum 501
paleocortex 527, **536**
paleopallium 527, 528
paleorubrum 494
palisaded border 578
pallido-olivary fibers 498
pallidohypothalamic fasciculus 522
pallidorubral tract 494
pallidosubthalamic fibers 520
pallidotegmental bundle 498, 520
pallidum 494, 498, 510, 511, 515, 516, 520, 531, 532, 535, 553, 576
palliothalamus 513
pallium 527
palma (palmar region) 180
palmar aponeurosis 79, **88**, 89, 190
palmar branch of median nerve 189, 465
palmar branch of ulnar nerve 466
palmar carpal branch (radial artery) 246
palmar carpal branch (ulnar artery) 246
palmar carpal tendinous sheaths 90
palmar carpometacarpal ligament 64
palmar cutaneous branch of ulnar nerve 189, 190
palmar flexion 65, 66, 85
palmar intercarpal ligament 64
palmar interossei 86, 89, 466
palmar metacarpal arteries 191, 246
palmar metacarpal ligament 64
palmar metacarpal veins 254
palmar radiocarpal ligament 64
palmar region (palma) 180
palmar ulnocarpal ligament 64
palmaris brevis 79, 88, 190
palmaris longus 78, 79, 80, 84, 190, 465
palmate folds 351
palpebral fissure 590

palpebral part 590
palpebronasal fold 590
pampiniform plexus 197, 342
Pancoast's tumor 283
pancreas 287, 307, 308, 310, 313, 326, 327, 329, 376
pancreas (head of pancreas) 314
pancreatic duct 315, 325, 326, 376
pancreatic juice 326
pancreatic nodes 259, 326
pancreatic notch 326
pancreatic plexus 571
pancreatic polypeptide (PP) 398, 405
pancreaticoduodenal nodes 259, 316, 326
pancreozymin (PZ) 404
Paneth's cells 403
papilla of parotid duct 293
papillary duct 332
papillary layer 423
papillary muscles 226, 227
papillary process 327
papilliformis nucleus (inferior central tegmental nucleus) 481
para-aortic bodies 394
para-umbilical veins 256, 324
para-uterine nodes 260
paracentral artery 559
paracentral lobule 530
paracervix 352, 356
paracolic nodes 319
paracolpium 354
paracortex 415
paracortical zone 415
paracrine secretion 385
paracystium 356
paraesophageal hernia 52
paraflocculus 501
parafollicular cells 396
parahippocampal gyrus 530, 533, 535, 536, 539, 540, 588
parallel circuit 221
parallel fibers 503, 505
parallel synapse 441
paralysis agitans 520
paralysis of the soft palate 484
paralysis of the vocal cord 484
paramammary nodes 259
paramedian lobule 501, 506
paramedian plane 2
paramesonephric duct 380
parametrium 352
paranasal sinus[es] 150, 264, 268
paraneuron 403
paranodal region 447
parapharyngeal space **170**, 300
paraphysis 566
paraplegia 461
paraproctium 356
pararectal nodes 260
parasternal 238
parasternal nodes 259
parasternal nodes on internal surface of thoracic wall 258
parasympathetic fibers 490, 491
parasympathetic nerve **569**

parasympathetic part 232, 568
paraterminal gyrus 530, 536, 588
parathormone (PTH) 397
parathyroid artery 397
parathyroid gland 383, 397
parathyroids 397
paratracheal nodes 276, 285, 306
paraumbilical veins 195
paravaginal nodes 260
paraventricular nucleus 389, 521, 522, 526
paraventriculohypophysial tract 526
paravertebral ganglia 570
paravesical nodes 260
parenchymal cells 394
parependymal tract 456
parietal bone 11, 138, 140, 141, 142, 143, 154
parietal branch[es] 240, 241, 242
parietal cells 312
parietal decidua 362
parietal eye 391, 512
parietal foramen 140, 142
parietal layer 17, 220, 233, 339
parietal layer (outer wall) 333
parietal lobe 433, 434, 514, 516, 530
parietal peritoneum 307
parietal pleura 282, 305, 374
parietal region 163
parietal tuber 139, 140
parieto-occipital sulcus 530
parietomastoid suture 141
Parkinsonism 520
parodontium 296
parolfactory area (subcallosal area) 530, 588
parotid duct 166, 172, 293, 303
parotid fascia 293
parotid gland 166, 169, 293, 294, 302, 303, 487, 491
parotid plexus 172, 487
parotid plexus of facial nerve 166
parotid region 163, **166**
Pars cochlearis (cochlear nerve) 486
pars distalis (posterior lobe) 388
pars flaccida 601
pars infundibularis 387
pars intermedia 386, 387, 524
pars nervosa 592
Pars striata 527
pars tensa 601
Pars vestibularis (vestibular nerve) 486
partial ureteral duplication 337
parvocellular part 518
Passavant's ring torus 301
passive inflow phase 239
patella 17, **95**, 101, 103
patella bipartita 95
patella partita 95
patellar ligament 17, 101, 103, 122
patellar surface 94
patent part 247
pecten pubis 91, 118
pectinate ligament 593

pectinate line 321
pectinate muscles 225
pectineal ligament 50
pectineal line 94, 118
pectineus 47, 50, 114, 115, 118, 121, 122, 208, 346, 356, 471
pectoneal fascia 125
pectoral branch 182
pectoral fascia 75, 181, 194, 428
pectoral nodes 258
pectoral region 193
pectoral veins 254
pectoralis major 67, 70, 73, 74, 181, 182, 428, 464
pectoralis minor 67, 70, 76, 181, 182, 245, 464
pedicle of vertebral arch 18, 20, 21
peduncle of mammillary body 586
peduncle septum pellucidum 531
peduncular veins 562
pedunculopontine tegmental nucleus 492
pellucid zone 349
pelvic bone (coxal bone, hip bone) **91**
pelvic diaphragm 201, 357
pelvic floor **53**
pelvic inclination 93
pelvic inlet 92
pelvic outlet 92
pelvic part 335, 342
pelvic plexus 346
pelvic region 381
pelvic splanchnic nerves 475, 571
pelvis **91**
penicillar arteriole 417
penis 200, 330, 338
peptide family 385
perforant path 541
perforating arteries 208, 248, 392
perforating arteries I 205, 209
perforating arteries II 209
perforating branch[es] 213, 250
perforating muscle 79, 80, 135
perforating nerve of sacrotuberous ligament 199
perforating veins 213, 215, 251, 256
perforation for superior laryngeal vessels and internal branch of superior laryngeal nerve 272
periamygdaloid area 536
periamygdaloid cortex 532, 536, 537, 538
periaqueductal gray 498
periarchicortex 546
pericallosal artery (postcommunicating part) 559
pericardiacophrenic artery 233, 244, 413
pericardiacophrenic artery and veins 285, 286
pericardiacophrenic veins 233
pericardial cavity 220, 233, 236, 237
pericardial rami 463
pericardial recess 233
pericardioperitoneal canal 371

pericardium 223, 224, 233, 285, 286
perichondral ossification 9
perichondrium 9
perichoroidal space 594
pericranium 140
pericytes (adventitial cells) 262
perikaryon 388, 437
perilympha 604
perilymphatic duct 604
perimetrium (serosa) 352
perineal artery 199, 200, 201, 247
perineal body 199, 201, 320, 365
perineal branches 472
perineal flexure (anorectal flexure) 320
perineal hernia 53
perineal membrane 200
perineal nerves 199, 475
perineal region 193
perineal skin 358
perineum 355, 380
perineurium 448, 459, 582
perinuclear space 439
perinuclear zone 228
period lines (major dense lines) 446
period of dilatation 365
periodontium 296, 298
periorbita 590
periorchium 339
periosteum **11**, 289
peripaleocortex 546
peripharyngeal space 300
peripheral nerves **462**
peripheral tubules 565
periportal areas 323
perirenal fat capsule 334
perisinusoid space 323
peristalsis 313
peritoneal cavity 220, 307, 371
peritoneal sigmoid colon 377
peritonitis 308, 318
periventricular zone 389
perivitelline membrane 360
perivitelline space 360
permanent teeth 295
peroneal trochlea 106
peroneus brevis 128, 131, 212
peroneus longus 128, 131, 212
peroneus quartus 128
peroneus tertius 131
peroxisomes 3
perpendicular plate of ethmoidal bone 151, 267
perpendicular plate of palatine bone 150, 151, 266
pes calcaneus 113
pes equinovarus 113
pes equinus 113
pes planovalgus 113
pes valgus 113
PET (positron emission tomography) 557
petro-occipital fissure 144, 145
petro-occipital synchondrosis 139, 145
petrosal fossula 144

petrosal ganglion 586
petrosquamous fissure 144
petrosquamous suture 141, 142
petrotympanic fissure 144, 147, 487
petrous part 243
petrous part of temporal bone 138, 270
Peyer's patches 315, 419
phagocytosis 4
phagolysosome 411
phagosome 411
phalangeal process (outer rudder) 606
phalanges **108**
phallus 380
pharyngeal branches 483, 485
pharyngeal bursa 397
pharyngeal constrictors 300, 484
pharyngeal levators 300
pharyngeal opening 601
pharyngeal opening of auditory tube 270, 300
pharyngeal part = posterior part = postsulcal part 290
pharyngeal plexus 301, 483, 485
pharyngeal raphe 170, 300
pharyngeal recess 270
pharyngeal tonsil 270, 418
pharyngeal tubercle 144, 300
pharyngeal veins 252
pharyngitis 301
pharyngobasilar fascia 170, 300
pharynx 264, 287, 304, 549
pheochromocytoma 394
philtrum 288
phonation 275
photoreceptors 597
phrenic nerve 176, 178, 179, 233, 282, 285, 462, 463
phrenicocolic ligament 310, 416
phrenology 574
physiological involution 393
pia-gliamembrane
pia mater 459
pial funnel (infundibulum) 567
pial sheath 596
PIF 390, 400
pigment granules 3
pigmented layer (part) 595
pigmentous part 592
PIH 390
pineal body 383, 391, 434, 509, 510, 512, 534, 562
pineal recess 391, 512, 563
pinealocytes 391
pinocytosis 4, 441
piriform aperture 143, 151, 265
piriform lobe 528, 536
piriform recess 274, 300
piriformis 114, 116, 120, 121, 206, 357, 472
pisiform 61, 79, 88
pisiform joint 64
pisohamate ligament 62, 64, 79, 88
pisometacarpal ligament 64, 79
pituicytes 387

pituitary gland (hypophysis)　253, 268, 302, 383, 432, 434, 435, 478, 512, 523, 524
pivot joint　15
placenta　222, 362, 363, 364, 366, 401
placenta previa　361
placental barrier　363
plagiocephalic skull　153
plagiocephaly　153
plane joint　15
plane suture　12, 153
plantar aponeurosis　112, 133, 216
plantar calcaneocuboid ligament　109, 110, 111, 112
plantar calcaneonavicular ligament　109, 110, 111
plantar cuboideonavicular ligament　110
plantar cutaneous artery　216
plantar cutaneous vein　216
plantar digital arteries proper　216, 217, 250
plantar digital veins　256
plantar interossei　135, 217
plantar metatarsal arteries　217, 250
plantar metatarsal ligament　110
plantar metatarsal veins　256
plantar region (sole)　202
plantar tarsal ligaments　111
plantar tendinous sheath of fibularis longus　137
plantar venous arch　256
plantar venous network　256
plantaris　126, 129, 130, 213
plasma cell　408, 409, 411
plasmalemma (cell membrane)　3
platycephalic　152
platysma　158, 162, 166, 173, 288, 291, 302, 395
pleura　233, 282
pleural cavity　220, 264, 282
pleural recesses　282
pleuro-pericardial cavity　371
pleuropericardial canal　374
plexiform-molecular layer　541
pluripotential stem cell　408
pneumatic bones　**11**
pneumothorax　284
podocyte　333
polar body　359
polar cushion (juxtaglomerular cells)　333
polysymptomatic figure　589
polyventer muscle　16
POMC　385
pons　432, 433, 434, 435, 476, 492, 494, 533, 580
pontine arteries　558
pontine flexure　432
pontine nuclei　481, 508
pontine reticulospinal tract (anterior reticulospinal tract)　456
pontocerebellar fibers　481
pontocerebellar tract　508
pontocerebellum　501

popliteal artery　209, 211 213, 249
popliteal artery's compression syndrome　211
popliteal fossa　202, **211**
popliteal surface　94
popliteal vein　209, 210, 211, 213, 256
popliteus　101, 114, 124, 126, 129, 130, 213, 474
pores　333
pores of sweat gland　421
Porta arteriosa　233
porta hepatis　322
Porta venosa　233
portal circulation　221
portal vessel system　386
portal vessels　388, 389, 524, 525
Portio　351
position of cecum returned from umbilicus　377
positron emission tomography (PET)　557
postcapillary venules　263, 412, 415
postcentral gyrus　434, 530, 532, 534, 549, 583
postcentral region　514, **549**, 584
postcentral sulcus　530
postcommissural fornix　540
postcommunicating part (pericallosal artery)　559
posterior antebrachial cutaneous nerve　186, 468
posterior arch　19
posterior arch of atlas　169
posterior atlanto-occipital membrane　30
posterior attachment of linea alba　44
posterior auricular artery　172, 241
posterior auricular nerve　172, 487
posterior auricular vein　252
posterior axillary fold　75
posterior basal segment, posterior basal segmental bronchus　279
posterior belly (digastric)　177, 292, 293
posterior border　339
posterior brachial cutaneous nerve　186, 468
posterior branch　169, 175, 184, 186, 247, 277, 472
posterior caecal artery　318
posterior calcaneal articular facet　106
posterior cerebral artery　243, 558, 559, 560, 560
posterior cervical intertransversarii　37
posterior cervical region　163, **169**
posterior chambers of eyeball　592
posterior choroidal branch (choroid plexus)　560
posterior circumflex humeral artery　182, 183, 245
posterior clinoid process　145, 146
posterior cochlear nucleus　486, 609

posterior column　452
posterior commissure　355, 493, 497, 512, 600
posterior communicating artery　243, 558, 560
posterior cord　181, 462
posterior cranial fossa　145, 478
posterior crico-arytenoid　273
posterior cruciate ligament　102, 103, 104
posterior crural region　**213**
posterior cusp　226, 229
posterior cutaneous nerve of thigh　**472**
posterior deep temporal artery　242
posterior drawer sign　104
posterior ethmoidal artery　168, 266, 267
posterior ethmoidal cells　269
posterior ethmoidal foramen　150
posterior ethmoidal nerve　168, 488
posterior ethmoidal sinuses　151
posterior external vertebral venous plexus　251
posterior extremity　416
posterior femoral cutaneous nerve　205, 206, 209, 210, 470, 475
posterior fibular retinaculum　136
posterior fold of malleus　602
posterior fontanelle　139
posterior funiculus　452, 461, 496, 583
posterior gastric branches　484
posterior gluteal line　91
posterior horn　452, 453, 454
posterior inferior cerebellar artery　243, 558
posterior inferior iliac spine　91
posterior intercondylar area　99
posterior intercostal artery　240
posterior intermuscular septum of leg　130, 136
posterior internal vertebral venous plexus　251
posterior interosseous artery　78, 246
posterior interosseous nerve　188, 468
posterior interosseous veins　254
posterior interventricular branch　230
posterior interventricular sulcus　224, 227, 230
posterior labial nerves　475
posterior lacrimal crest　150, 157
posterior lamina of rectus sheath　195
posterior lateral nasal arteries　242
posterior layer of cervical fascia　162, 173
posterior limb　535
posterior limiting lamina (Descemet's membrane)　593
posterior lip　351
posterior lobe　501

posterior longitudinal ligament　27, 28
posterior median septum　452
posterior median sulcus　451, 476
posterior mediastinal nodes　259
posterior mediastinum　285, 286
posterior meningeal artery　147
posterior meniscofemoral ligament　102
posterior nasal aperture (choana)　151
posterior nasal spine　270
posterior nucleus of vagus nerve　479, 480, 483, 498, 500, 568
posterior obturator tubercle　91
posterior palpebral margin　590
posterior papillary muscle　226, 238
posterior parietal artery　559
posterior part　354
posterior part of tongue　375
posterior pole　592
posterior process　106, 267
posterior process of septal nasal cartilage　151
posterior rami　463, 469
posterior ramus　36, 194, 205, 462
posterior region of arm　180
posterior region of elbow　180
posterior region of forearm　180
posterior region of knee　202, **210**
posterior region of leg　202
posterior region of thigh　202, **209**
posterior region of wrist　180
posterior sacral foramina　23
posterior sacro-iliac ligament　92
posterior scrotal nerves　200, 475
posterior scrotal veins　200, 201
posterior segment, posterior segmental bronchus (of right lung alone)　279
posterior semicircular duct　604
posterior semilunar cusp　229
posterior septal branches　242
posterior spinal artery　147, 243, 457
posterior spinal veins　457
posterior spinocerebellar tract (Flechsig)　455, 506, 507
posterior superior alveolar artery　167, 242, 299
posterior superior alveolar branches　489
posterior superior iliac spine　91, 116
posterior superior nasal branches　490
posterior superior pancreaticoduodenal artery　316
posterior talar articular surface　106
posterior talocalcaneal ligament　111
posterior talofibular ligament　100, 111
posterior tegmental decussation (Meynert)　493

posterior thalamic radiation 513, 553
posterior tibial artery 211, 213, 214, 249, 250
posterior tibial recurrent artery 249
posterior tibial veins 214, 256
posterior tibiofibular ligament 111
posterior triangle (lateral cervical region) 163
posterior tubercle 18, 19, 40
posterior vagal trunk 305, 484
posterior vaginal column 354
posterior wall 311, 329
posterior wall of uterine cavity 361
posterolateral fissure 501
posterolateral sulcus 452, 476
posterolateralis (mastoid fontanelle) 139
postganglionic fibers 462, 570, 600
postpartum changes 366
postpartum period 366
postsynaptic density 440
postsynaptic inhibition 445
postsynaptic membrane 440
PP 398, 405
pre-prohormone 385
precaecal nodes 259
precapillary sphincter 262
precentral cortex (area 4) 494, 580
precentral gyrus 434, 456, 530, 532, 534
precentral region 514, 516, 547
precentral sulcus 530
prechiasmatic sulcus 145
prechordal plate 368
precocious puberty 391, 512
precommissural fornix 540
precuneus 530
precursor 385
precursor cell 409
predentin 298
preembryonic stage 367
prefrontal cortex 515, 547
preganglionic fibers 570
preganglionic parasympathetic fibers 484
preganglionic secretory fibers 487
premammillary nucleus 521
premolar tooth 295
premotor cortex 514, 516
premotor region 547
prenucleus (*weiblicher Vorkern*) 359
preoptic area 512, 521, 522, 525, 538, 540, 588
prepericardial nodes 259
prepiriform area 536, 538
prepiriform cortex 536, 543
preplate 529
prepuce 344
prepuce of clitoris 355
prerectal fibers (puboperinealis) 53, 201
presacral vertebrae 25
pressor center 499

presternal region 193
prestitial nucleus 493
presynaptic inhibition 584
presynaptic membrane 440
presynaptic part 440
pretectal area 493
pretectal nuclei 600
pretracheal layer (cervical fascia) 277, 395
prevertebral ganglia 570
prevertebral layer (cervical fascia) 162, 175, 176, 277, 395
prevertebral muscles **40**, 303
prevertebral nodes 259, 306
prevertebral part 244
PRF 390
PRH 390
primary auditory area 610
(primary) choana 374
primary contact 411
primary endings (annulospiral endings) 579
primary fibers 507
primary fissure 501
primary follicle 349
primary foramen (ostium) 372
primary lymphoid nodule 415
primary lymphoid organs 412
primary nodule 419
primary process 333
primary pulmonary fold 374
primary septum 372
primary spermatocytes 340
primary umbilical cord 377
primary urine 333
primitive knot 368
primitive streak 368
primitive yolk sac 368
primordial germ cell 379
primordial ovarian follicle 348, 349, 379
princeps pollicis artery 246
principal gastric glands 312
principal piece 340
principal pretectal nuclei 493
principal sensory nucleus of trigeminal nerve 479, 481, 488
Prisma enameli 296
PRL 387, 388, 390, 400
pro-opiomelanocortin (POMC) 385
proatlas fragments 19
procerus 157
processus cochleariformis 602, 603
proerythroblast 409
profunda brachii artery 182, 183, 185, 186, 245
progenia 299
progesterone 400
prohormone 385
proisocortex 546
projection column 552
projection fibers **553**
prolactin 390
prolactoliberin 390
prolactostatin 390
prolapse 357
prolapse of the disc 27

proliferative phase 352
prominence of facial canal 603
prominence of lateral semicircular canal 603
prominence of malleolar 601
promonocyte 409
promontorium 24, 31
promontory 603
promyelocyte 409
pronation 60, 73, 84, 131
pronator muscles 465
pronator quadratus 78, 79, 80, 84, 190, 465
pronator teres 78, 79, 80, 84, 188, 189, 465
pronator tuberosity 58, 79
pronephric duct 378
pronephros 378
pronephros canal 378
proper muscles of back **36**
proper palmar digital arteries 190, 246
proper palmar digital nerves 190, 192, 465, 466
proper plantar digital nerves 216, 474
propria mucosae 280, 287, 304, 312
proprioceptive sensibility 430
prosencephalon 431, 432, 592
prostate 201, 338, 343, 346
prostatic ducts 343
prostatic hypertrophy 343
prostatic plexus 571
prostatic sinus 345
prostatic urethra 345
prostatic (vaginal) venousplexus
prostatic venous plexus 346
protection of the body 420
proteohormone 398
protopathic sensibility 455
protoplasmic astrocytes 449, 504
protoplasmic bridge 447
protoplasmic streaming 4
proximal carpal groove 190
proximal phalanx 63, 108
proximal radio-ulnar joint 59, 60
proximal tubule 333
psalterium (commissure of fornix) 540
pseudoepiphyses 63
pseudopodia 4
pseudostratified epithelium 5
pseudounipolar nerve cells 458
psoas abscess (gravitation abscess) 47
psoas major 47, 51, 114, 115, 329, 330, 335, 470, 471
psoas minor 47, 114, 115, 470
psychic blindness (cortical blindness) 599
pterygoid 489
pterygoid canal 150, 270, 487
pterygoid fossa 144
pterygoid fovea 148, 159
pterygoid hamulus 144, 289
pterygoid nerve 489
pterygoid part 242

pterygoid plexus 252, 266, 299, 302
pterygoid process 150
pterygoid tuberosity 148
pterygomandibular raphe 158, 167
pterygomaxillary fissure 150
pterygopalatine fossa **150**, 242
pterygopalatine ganglion 487, 490, 491
pterygopalatine part 242
pterygoparatine nerves 489, 490
PTH 397
puberty 382
pubic arch 93
pubic branch 255
pubic crest 91
pubic hairs 355
pubic region 193, 196
pubic sulcus 42
pubic symphysis 12, 92, 336, 337, 346, 356, 364
pubic tubercle 91, 92, 118
pubis 53
pubococcygeus 53, 201, 356, 357
pubofemoral ligament 97
puboperinealis 53, 201
puborectalis 53, 201, 320, 321, 346, 357
pubovesical ligament 353
pudendal canal (Alcock's canal) 199, 200, 356, 357
pudendal canalis 475
pudendal cleft 355
pudendal nerve 199, 200, 201, 206, 354, 470, 475
puerperium 366
pulmonary artery 281
pulmonary circulation 221
pulmonary ligament 278
pulmonary lobe 278
pulmonary pleura (visceral pleura) 282
pulmonary plexus 281, 484, 570
pulmonary trunk 221, 222, 223, 225, 230, 233, 235, 236, 281, 283
pulmonary valve 225, 227, 229, 235
pulmonary veins 221, 222, 227, 233
pulp artery 417
pulp cavity 296
pulp cavity of crown 296
pulp of finger 426
pulp vein 417
pulsion diverticulum 304
pulvinar 493, 513, 514, 517, 519, 598
Punctum nervosum 175, 463
pupil 592
pupillary margin 593
pupillary reflex **600**
Purkinje cell layer 503
Purkinje cells **503**, 505
Purkinje's fibers 231
putamen 510, 511, 515, 520, 527, 531, 532, 533, 535, 542, 553, 576
pyloric antrum 311
pyloric canal 311
pyloric glands 312
pyloric nodes 259, 313, 316

pyloric orifice 311
pyloric part 308, 311
pyloric sphincter 312, 329
pylorus 311, 314, 376
pyramid 476, 492, 533
pyramidal base 331
pyramidal cell 529, 541, 545
pyramidal decussation 456, 476, 575
pyramidal eminence 603
pyramidal layer 536, 541
pyramidal lobe 174, 395
pyramidal tract **456**, 480, 481, 575, 580
pyramidalis 44, 195
pyramis 501
PZ 404

Q

Q帯 10
quadrangular lobule 501, 502
quadrangular membrane 272, 274
quadrangular space 75, 183
quadrate ligament 59
quadrate lobe 308, 322
quadrate muscle 16
quadratus femoris 114, 116, 117, 118, 120, 121, 206, 357, 472
quadratus lumborum 47, 51, 198, 330, 470
quadratus plantae 130, 134, 135
quadriceps femoris 17, 114, 122, 124, 208
quadrigeminal plate 476, 492, 509

R

rachitis 96
radial artery 78, 188, 189, 190, 191, 192, 245, 246
radial collateral artery 186, 245
radial collateral ligament 59, 77, 83
radial collateral ligament of wrist joint 64
radial deviation 65
radial fiber 544
radial fossa 56
radial fovea 180
radial glial fiber 529
radial gliocyte (supporting cells of Müller) 595
radial groove 56, 77, 468
radial head 79
radial nerve 78, 182, 183, 185, 186, 188, 462, 468
radial nerve paralysis 468
radial neuro-vascular bundle 189
radial notch 58, 60
radial recurrent artery 188, 245, 246
radial styloid process 58, 63, 81, 144, 155
radial tuberosity 58
radial veins 189, 254
radialis indicis artery 246
radiate carpal ligament 64

radiate layer 541, 601
radiate ligament of head of rib 28, 34
radiate sternocostal ligament 34
radiation of corpus callosum 554
radicular nerve 459
radius **58**, 64, 78
Radix facialis (nerve of pterygoid canal) 490
ramificated renal pelvis 335
ramus of ischium 91
ramus of mandible 143, 148, 302, 303
raphe 480
raphe nuclei 444, 480
raphe of scrotum 339
receiving side (forming face) 439
receptor 360, 385
Recessus orbitalis 150
reclination 99
rectal ampulla 320, 346
rectal venous plexus 255, 321
recto-uterine fold 347, 353
recto-uterine pouch 310, 320, 347, 354, 356, 365
recto-uterinus 353
recto-vesical pouch 310, 320, 338
rectouterine ligament 353
rectum 307, 310, 317, 320, 338, 347, 354, 356, 364, 377
rectus abdominis 44, 46, 48, 195, 329, 346, 469
rectus capitis anterior 40, 463
rectus capitis lateralis 39, 463
rectus capitis posterior major 38, 169
rectus capitis posterior minor 38, 169
rectus femoris 114, 121, 122, 124, 471
rectus sheath 44, 195
recurrent artery of Heubner 558, 560
recurrent collaterals 545
recurrent interosseous artery 245, 246
recurrent laryngeal nerve 173, 174, 178, 179, 232, 276, 277, 283, 285, 306, 484
red bone marrow 408
red lip 288
red muscle fibers 10
red nucleus 479, 492, 493, **494**, 498, 500, 508, 576, 580
red pulp 417
Redlich-Obersteiner zone 458
reflected head 122
reflected ligament 48, 49, 196, 197
region of cardiac anlage 371
regional lymph nodes 258, 415
regions of head **163**
regions of neck **163**
regulating hormones 388
Reissner's fiber 566
relative cardiac dullness 234
relaxation phase 239
release inhibiting hormone 388

release with loss of cell membrane 384
release without loss of cell membrane (exocytosis) 384
releasing hormone 388
renal artery 240, 332, 334, 335
renal ascent 378
renal branches 484
renal calyces 335
renal columns 331
renal corpuscle 332
renal cortex 331
renal fascia 334
renal impression 322
renal medulla 331
renal papilla 331
renal pelvis 330, 335
renal plexus 334, 350, 484
renal pyramids 331
renal sinus 331
renal tubule part 378
renal veins 251, 334, 335
Renshaw細胞 453
reposition 87
rER 402
reserve folds 420
respiratory alveolar cells 280
respiratory apparatus 264
respiratory bronchioles 279, 280
respiratory center 499
respiratory region 266, 267
respiratory system 220
restiform body (inferior cerebellar peduncle) 476, 480, 502
rete testis 340, 341
retentio testis 341
reticular cells 413
reticular connective tissue 6, 408
reticular fibers 387, 412
reticular formation 444, 453, 454, 480, 481, **499**, 508, 515, 568, 580
reticular layer 423
reticular membrane 606
reticular nucleus of thalamus 511, 513, 518, 519
reticular part 493, 494
reticular tissue 417
reticulo-olivary fibers 498
reticulocerebellar tract 507
reticulocyte 406, 409
reticuloreticular fibers 498
reticulospinal tract 499, 508, 576, 580
reticulothalamic fasciculus 499
retina 592, **595**, 599
retinal 597
retraction 366
retroarticular venous plexus 155
retroauricular nodes 169
retrocaecal nodes 259
retrocaecal recess 317
retrodorsal lateral nucleus 453, 454
retromandibular fossa 163, **172**
retromandibular vein 166, 172, 252, 302, 303
retromolar triangle 148

retroperitoneal 307, 310, 320
retroperitoneal organ 326
retroperitoneal position 377
retroperitoneal space 220, 307, 330
retropharyngeal space **170**, 300
retropubic eminence 93
retropubic space 337, 346, 356
retrosternal adipose body 236
retroversion 73, 98, 120
Retzius space 338
reuniens tubule 332
reversing movements 84
rhinencephalon 536
rhodopsin-retinal cycle 597
rhombencephalon 476, 509
rhomboid 71
rhomboid major 67, 71, 194, 464
rhomboid minor 67, 71, 464
ribosomes 3, 439
ribs **32**
ridge 421
right adrenal gland 392
right atrioventricular valve 225
right atrium 221, 222, 223, 224, **225**, 227, 235, 237, 238
right auricle 223, 225, 227, 230, 237
right border 223
right brachiocephalic vein 176, 178, 251, 252, 285
right branch 324, 328
right bronchomediastinal trunk 257
right bundle 231
right colic flexure 309, 319
right colic vein 324
right common carotid artery 223, 224, 240
right coronary artery 229, 230, 237, 240
right crus 51
right fibrous ring 227
right fibrous trigone 227
right flexure of colon 377
right gastric artery 313
right gastro-omental artery 313
right hepatic duct 322, 325
right homonymous hemianopsia 599
right inferior lobar bronchus 279
right inferior pulmonary vein 237, 278
right jugular trunk 257
right kidney 310
right lamina 271
right/left gastric nodes 259
right/left gastro-omental nodes 259
right, left pulmonary artery 222
right lobe 395
right lobe of liver 308, 322, 327, 328, 329
right lumbar (lymphatic) trunk 257
right lumbar nodes 259
right lung 236, 237, 278
(right lung) lateral segment, lateral segmental bronchus 279

(right lung) medial segment, medial segmental bronchus 279
right lymphatic duct 251, 257
right main bronchus 236, 276, 278, 279, 283, 285
right marginal branch 230
right part of liver 323
right pulmonary artery 221, 224, 236, 237, 278, 281, 283, 285
right pulmonary trunk 373
right pulmonary vein 224, 226, 236, 281, 283, 285
right renal artery 257
right sagittal fissure 322
right semilunar cusp 229
right subclavian artery 223, 224, 240, 278, 285, 373
right subclavian trunk 257
right superior intercostal vein 251
right superior lobar bronchus 278, 279
right superior lobe 283
right superior pulmonary vein 237
right suprarenal vein 251, 392
right sympathetic trunk 257
right testicular (or ovarian) vein 251
right thoracic duct 257
right triangular ligament 310, 322
(right) uterine horn 351
right vagus nerve 285
right ventricle 221, 222, 223, 224, 227, 237, 238
rima glottidis 274, 275
rima vestibuli 274
risorius 158
rod cells 595
rod sac 597
rods 595, 596
root 295
root canal 296, 298
root of lung 278
root of mesentery 309, 310, 314, 377
root of nose 265
root of penis 344
root of tongue 270, 290, 300, 301
Roser-Nélaton's line 96
rostrum of corpus callosum 554
rotation 73, 98
rotatores 37
rotatory nystagmus 607
rough endoplasmic reticulum (rER) 3, 384, 402, 411
round ligament of liver 222, 308, 322, 327
round ligament of uterus 353, 366
round ligamentous part of internal oblique 43, 196
round window 602, 603, 604
rubro-olivary fasciculus (Probst-Gamper) 498
rubro-olivary fibers 494, 498
rubro-reticulo-spinal tract 580
rubroreticular fibers 494
rubrospinal tract 456, 494
Ruffini's corpuscles 426

rupture of Achilles tendon 129
rupture of the bag of waters 365

S

S状静脈洞 146
S状洞溝 145
saccule 486, 604
sacral canal 24
sacral cornu 23
sacral flexure 320
sacral hiatus 23
sacral nerves 451
sacral plexus 120, 470
sacral region 193
sacral segments of spinal cord 568
sacral tuberosity 24
sacral venous plexus 255
sacralization 21, 25
sacro-iliac joint **92**
sacro-uterine ligament 353, 356
sacrocardinal vein 373
sacrococcygeal joint **29**
sacrospinous ligament 53, 92, 201, 346, 356
sacrotuberous ligament 53, 92, 116, 206
sacrum **23**, 26, 92
sacrum (+ coccyx) 357
saddle joint 15
sagittal axis 2
sagittal diameter 284
sagittal myelin stratum 553
sagittal suture 140, 142, 153
saliva 294
salivatory nucleus 568, 586
SALT 412, 419
saltatory conduction 448
saphenous nerve 114, 126, 208, 210, 212, 213, 214, 215, 471
saphenous opening 125, **204**, 207
sarcolemma 10, 228, 578
sarcolemmal infoldings 578
sarcomere 10
sartorius 114, 118, 119, 121, 122, 123, 124, 125, 126, 208, 471
satellite cells 394, 458
scala tympani 604, 605
scala vestibuli 604, 605
scalene space 40, 176
scalenovertebral triangle 40, **179**
scalenus **40**, 162, 303
scalenus anterior 40, 176, 178, 179, 244, 283, 395, 463
scalenus anticus syndrome 179
scalenus medius 40, 176, 178, 179, 283, 463
scalenus posterior 40, 176, 178, 179
scalp 567
scapha 601
scaphocephaly 152
scaphoid 61, 62
scaphoid fossa 144
scaphoid scapula 54
scapula **54**
scapular foramen 54
scapular region 180, 193

scar formation 421
Scarpa's fascia 46, 203
scavenger cell 449
Schaffer collaterals 541
Schmorl's node 27
Schütz束 498
Schwann cell 446, 447, 448, 581
Schweigger-Seidel sheath (ellipsoid) 417
sciatic artery 209
sciatic bursa of obturator internus 117
sciatic nerve 114, 205, 206, 209, 346, 356, 357, 470, 473
scissors occlusion 299
sclera 590, 592, 596
scleral venous sinus (canal of Schlemm) 593
sclerotomes 460
scoliosis 31
scotopic vision 595
scotopsin 597
scrotal nerves 341
scrotal part 342
scrotal peritoneal cavity 50
scrotum 338, 339, 380, 381
sebaceous gland 422, 423, 424, 425
sebum 424
second pisiform 61
second trapezoid 61
secondary auditory area 610
secondary contact 411
secondary dentition 297
secondary endings (flower spray endings) 579
secondary fibers 507
secondary follicle 349
secondary foramen 372
secondary germ cord 379
secondary gustatory fibers 496
secondary lymphoid nodule 415, 418
secondary lymphoid organs 412
secondary nodule 419
secondary retroperitoneal 307
secondary retroperitoneal organ 319
secondary sensory tract 516
secondary septum 372
secondary sex character 399
secondary spermatocytes 340
secondary spiral lamina 605
secondary trigeminal fibers (trigeminal lemniscus) 584
secondary tympanic membrane 603, 605
secondary urine 333
secretin 405
secretion 383
secretion side (maturing face) 439
secretory fibers 573
secretory granules 384, 402, 525
secretory phase 352
segmental arteries 457
segmental bronchi 279, 280
segmented granulocyte 409
segments 460

sella turcica 145, 418
sellar diaphragm 567
semen 359
semicircular canals 604
semicircular duct 486, 604
semilunar fold 49, 318
semilunar folds of colon 317
semilunar gyrus 536
semilunar hiatus 269
semilunar line 43
semilunar valve 229
semimembranosus 121, 123, 124, 126, 205, 209, 211, 474
seminal colliculus 345
seminal plasma 359
seminal vesicle 197, 338, 343, 346
semioval center 534
semispinalis 37
semispinalis capitis 37, 169
semispinalis cervicis 37
semispinalis thoracis 37
semitendinosus 114, 118, 121, 123, 124, 126, 205, 209, 474
sensorimotor root 491
sensory (afferent) nerves 430
sensory aphasia 555
sensory cells 606, 607
sensory cortex 528
sensory fibers 488
sensory hairlets (auditory hairlets) 606
sensory nerves 426
sensory (receptor) cell 430
sensory/receptor cells (olfactory cell) 587
sensory root 488
sensory speech center of Wernicke 555
septa testis 340
septal cusp 229, 231
septal nasal cartilage 151, 267
septal nuclei 444, 512, 538, 540
septal papillary muscle 225
septomarginal trabecula 225, 231
septum 380
septum of frontal sinuses 268
septum of scrotum 339
septum of sphenoidal sinuses 268
septum pellucidum 434, 510, 531, 534, 535, 562, 588
septum penis 344
septum transversum 371
seromucous gland 384
serosa 220, 307, 311, 318, 325, 350
serosa (adventitia) 287
serotonin 404
serous cavity of testis 379
serous cells 294
serous demilune 384
serous fat cells 6
serous pericardium 233
serous terminal portion (acinus) 384
serrate suture 12, 153
serratus anterior 42, 67, 71, 73, 74, 182, 464
serratus posterior inferior 39, 469

serratus posterior superior　39, 469
Sertoli cells　340
sesamoid bones　**11**, 17, 63, 87, 108
sex chromatin　4
Sex determining Region Y chromosome (SRY)　379
SFTR法　13
shaft　11
shaft of clavicle　55
shaft of femur　94
shaft of fibula　100
shaft of radius　58
shaft of tibia　99
shaft of ulna　58
Sharpey's fibers　296
sheath of styloid process　144
sheathed capillaries　417
short association fibers　554
short bones　**11**
short ciliary nerves　168, 490
short gastric arteries　313
short head of biceps brachii　70, 73, 76, 182, 464
short head of biceps femoris　123, 125, 209, 473
short perivertebral ligaments　28
short posterior ciliary artery　168, 594
short rotatores thoracis　37
shoulder joint (glenohumeral joint)　57
sialolith　294
Sibson fascia　282
sigmoid arteries　319
sigmoid colon　309, 317, 319, 320
sigmoid mesocolon　309, 310, 319
sigmoid nephros tubule　378
sigmoid sinus　146, 252, 253
silver impregnation　437, 544
simple columnar epithelium　312
simple epithelia　5
simple gland　383
simple joint　15
simple lobule　501, 502, 506
simple unbranched tubular gland　424
single photon emission computed tomography (SPECT)　557
sinking kidney　334
sinu-atrial node　231
sinus horn　372
sinus node　485
sinus of dura mater　561
sinus of epididymis　339
sinus of pulmonary trunk　229
sinus of venae cavae　224, 225
sinus rhythm　231
sinus venous　372
sinusoid　323
sinusoidal capillaries　262, 387, 394
sinusoidal vein　263
skeletal muscle　580
skeleton of free part of upper limb　56
skin　220, 395, 420, 422
skin associated lymphoid tissue (SALT)　412

skin glands　424
skin ridge　421
skin sulci　421
skull (cranium)　**138**, 567
slender process from corona radiata cell　359
sliding hernia　52
slits between liver cells　323
slow muscle fibers　10
small cardiac vein　230
small intestine　287, 309, 314, 329
small saphenous vein　126, **210**, 213, 256
smooth endoplasmic reticulum　3
smooth muscle　**10**
smooth muscle cell　573
smooth muscle fibers　261, 403, 428
sneezing reflex　497
soft palate　270, 288, 289, 301, 418
sole (plantar region)　202
soleal line　99
soleus　126, 128, 129, 130, 213, 474
solitary cells of Meynert　551
solitary tract　480, 483, 485, 500, 586
somatic mesoderm layer (parietal mesoderm layer)　371
somatoliberin　390
somatomedin　401
somatomotor (efferent) fibers　462
somatomotor nerve　495
somatomotor zone (basal plate)　477
somatosensory (afferent) fibers　462
somatosensory cortex　549
somatosensory zone (alar plate)　477
somatostatin (SRIH)　390, 398, 401, 404
somatotropin　390
somite　368, 369
space of Nuel　606
space of Prussak　602
special reticular cells　417
special sensory fiber　545
special vessels　386, 389, 524, 525
specialized cardiac muscle cells　228, 231
specific defense system　410
specific thalamic nuclei　513
SPECT (single photon emission computed tomography)　557
speech center　548
sperior medullary velum　476
spermatic cord　196, 203, 342, 358
spermatid　340, 359
spermatocyte　359
spermatogenesis　340
spermatogonium　340
spermatogonium type B　340
spermatozoon　340, 359, 360
spermiogenesis　340
spheno-ethmoidal recess　151, 266, 269
spheno-ethmoidal suture　145

spheno-ethmoidal synchondrosis　139
spheno-occipital synchondrosis　139, 145
sphenofrontal suture　141
sphenoid emissary foramen　146
sphenoidal angle　140
sphenoidal bone　138, 150, 154
sphenoidal crest　151
sphenoidal fontanelle (anterolateralis)　139
sphenoidal lingula　145, 146
sphenoidal sinus　268, 269, 302
sphenoidal yoke　145
sphenomandibular ligament　155, 167
sphenopalatine artery　242, 266, 267
sphenopalatine foramen　150, 151, 266, 269
sphenoparietal sinus　253
sphenoparietal suture　141
sphenopetrosal fissure　144
sphenopetrosal synchondrosis　139
sphenosquamous suture　141, 145
spheroidal joint　15
sphincter pupillae　490, 495, 593, 600
spina bifida　25
spinal cord　430, 431, 435, 451
spinal cord syndromes　**461**
spinal dura mater　459
spinal ganglion　451, **458**, 459, 462, 583
spinal lemniscus (lateral spinothalamic tract)　584
spinal nerve　303, 431, 451, 462
spinal nucleus of accessory nerve　453, 482
spinal nucleus of trigeminal nerve　479, 480, 481, 483, 488, 584
spinal rami　457
spinal root　459, 477, 482
spinal root of accessory nerve　147
spinal tract of trigeminal nerve　480, 481, 483, 488
spinal triangle　72
spinal vein　147
spinalis　37
spinalis cervicis　37
spinalis thoracis　37
spine of scapula　54, 68, 72, 194
spine of sphenoidal bone　144, 155
spine (spinous process)　18, 19, 20, 21, 28
spine synapse　440, 441, 503
spines　503
spinocerebellar fibers　506
spinocerebellar tract　480, 580
spinocerebellum　501
spinoolivary tract　455, 507
spinoreticular tract　584
spinotectal tract　455, 493, 496
spinothalamic tract　480, 481, 496
spinous layer　422
spinovestibular tract　455
spiral canal of cochlea　604, 605

spiral ganglion (cochlear ganglion)　486, 605, 608
spiral ligament (Crista spiralis)　605
spiral limbus　606
spiral membrane (tympanic surface)　605
spiral muscle　280
spiral organ of Corti　486, 605, 606
splanchnic nerve　335
splanchnic (visceral) mesoderm layer　371
spleen　308, 327, 328, 329, 416
splenic artery　240, 313, 327, 328, 416
splenic branches　416
splenic cord　417
splenic hilum　416
splenic lymphoid nodules　417
splenic nodes　259, 313, 416
splenic plexus　416, 571
splenic pulp　417
splenic recess　327, 416
splenic region in contact with left kidney　416
splenic trabeculae　417
splenic vein　316, 327, 329, 416
splenic (venous) sinus　417
splenium of corpus callosum　533, 534, 535, 554
splenius capitis　36, 169
splenius cervicis　36, 176
splenorenal ligament (lienorenal ligament)　416
split brain　555
spondylolisthesis　22
spondylolysis　22
spongy bone　11, 21, 453
spongy layer　337, 352
spongy urethra　345
squamous epithelium　5
squamous part　140, 143, 144
squamous part of occipital bone　138, 140, 154
squamous part of temporal bone　138, 141, 154
squamous suture　12, 141, 153
SRF　390
SRH　390
SRIF　390
SRIH　390, 404
SRY　379
stab granulocyte　409
stages in prenatal development　368
stalk of epiglottis　271
stapedius　602, 603
stapes　602, 603
statoconia (statoliths)　607
statoconic (otolithic) membrane　607
stellate cells　387, 552
stellate ganglion (cervicothoracic ganglion)　178, 179, 232, 568, 569, 570
steppage gait (cock-tread)　473
stereocilia　608

sternal angle 33
sternal end 55
sternal membrane 34
sternocleidomastoid 72, 162, 169, 170, 171, 173, 175, 176, 177, 178, 303, 482
sternocleidomastoid region 163, **178**
sternocleidomastoid vein 252
sternocleidomastoideus 67
sternocostal joints **34**
sternocostal surface 223
sternocostal triangle 51, 52
sternohyoid 160, 173, 463
sternothyroid 160, 173, 463
sternum **33**, 233, 234, 236, 305, 307
STH 387, 388, 390
stmodeum 375
stomach 287, 304, 307, 308, 311, 327, 416
stomata (synaptopores) 441
storage fat 6
straight arterioles 332
straight conjugate 93
straight gyrus 530
straight head 122
straight part 273, 332
straight part (distal straight tubules = thick segment of Henle's loop 332
straight sinus 252, 253, 561
straight tubules 340
straight venules 332
stratified epithelia 5
stretch receptor 579
stretch reflex 452, 579
stria medullaris thalami 511, 512, 538
stria terminalis 512, 522, 537, 538, 588
stria vascularis 605, 606
striae of obesity 421
striate area 517, 534, 535, 551, 598, 599
striate branch 560
striated border cells 318
striated cardiac muscle **10**
striated part 294
striated skeletal muscle **10**
striatonigral fasciculus 494
striatum 498, 527, 580
strionigral fibers (nigrostriatal fibers) 542, 576
stroke volume 239
stroma of iris 593
structural fat 6, 423
styloglossus 291, 302, 482
stylohyoid 177, 292, 487
stylohyoid branch 172
stylohyoid ligament 155, 171
styloid bone 61
styloid process 138, 141, 303
stylomandibular ligament 155
stylomastoid artery 147
stylomastoid foramen 144, 147, 487
stylopharyngeal branch 485
stylopharyngeus 170, 300, 485

subarachnoid cavity 459, 563, 567, 592
subarachnoid space 563
subcallosal area (parolfactory area) 530, 534, 588
subcallosal fasciculus 554
subcapsular sinus 415
subcardinal vein 373
subclavian artery 174, 176, 178, 179, 244, 277, 283, 484
subclavian groove 55
subclavian nerve 464
subclavian vein 176, 178, 179, 251, 252, 254, 283
subclavius 55, 67, 71, 72, 181, 464
subcommissural organ **566**
subcoracoid bursa 69
subcostal 238
subcostal artery 240
subcostal nerve 198, 334, 469, 470
subcostal vein 251
subcostales 41
subcutaneous olecranon bursa 77
subcutaneous part 320
subcutaneous tissue 422, 423
subcutaneous ventro-lateral cervical region **175**
subdural hematomas 561
subdural space 459, 567
subendothelial layer 261
subependymal cell layer 565
subependymal veins 561
subepicardial adipose tissue 236, 237
subepicardial tissue 283
subfornical organ 566
subhyoid venous arch 173
subiculum 540
subinguinal region 202, 203
sublingual artery 241
sublingual caruncle 292, 293
sublingual fold 292, 293
sublingual fossa 148
sublingual gland 293, 294, 303, 491
sublingual vein 303
submandibular duct 171, 291, 293, 303
submandibular fossa 148
submandibular ganglion 171, 491
submandibular gland 171, 293, 294, 302, 491
submandibular nodes 258
submandibular triangle 163, **171**
submental artery 171, 241
submental nodes 171, 258
submental region (submental triangle) 163
submucosa 287, 304, 311, 318
submucous plexus (Meissner's plexus) 287, 315, 572
subneural junctional folds 578
suboccipital nerve 169, 463
subpapillary plexus 423
subperitoneal 320
subperitoneal space 220, 307, 330
subplate 529
subpubic angle 93

subscapular artery 182, 245
subscapular fossa 54, 69
subscapular nerve 182, 183, 464
subscapular nodes 258
subscapularis 57, 67, 69, 71, 74, 76, 182
subserosa 307
substance P 405
substantia nigra 444, 492, 494, 500, 511, 520, 532, 533, 576
Substantia perforata posterior (interpeduncularis) 476
substantia propria 593
substriate layer 544
subtalar joint 110
subtendinous bursa of triceps 77
subthalamic nucleus (Luys body) 498, 510, 511, 520, 532, 576
subthalamopallidal fibers 520
subthalamus 510, 511
successional (succedaneous) teeth 297
succinic dehydrogenase (SDH) 500
sulci 530
sulcocommissural arteries 457
sulcus limitans 375
Sulcus malleoli fibulae 100
sulcus of auditory tube 144
sulcus tali 106
sulcus terminalis cordis 224, 372
superciliary arch 141, 143, 268
superficial ansa cervicalis 172, 175, 487
superficial brachial artery 185
superficial branch 250
superficial branch of radial nerve 189, 192
superficial cardiac plexus 232, 286
superficial cerebral veins 253, **561**
superficial cervical artery 175, 176, 178
superficial cervical fascia 162, 173
superficial cervical vein 175, 176
superficial circumflex iliac artery 195, 196, 203, 207, 248
superficial circumflex iliac vein 195, 196, 203, 204, 207, 256
superficial dorsal nucleus 513
superficial dorsal veins of penis 345
superficial epigastric artery 196, 203, 207, 248
superficial epigastric vein 195, 196, 203, 204, 207, 256
superficial fascia of thigh 203
superficial fibular nerve 126, 212, 473
superficial glial limiting membrane 459, 524
superficial gray layer 493
superficial head 87
superficial head of flexor pollicis brevis 465
superficial inguinal nodes 196, 203, 260, 321, 354
superficial inguinal ring 42, 48, 196

superficial lateral cervical nodes 175, 258
superficial layer (cervical fascia) 277, 395
superficial lymphatic vessels 257
superficial middle cerebral vein 561, 562
superficial nodes 258, 260
superficial or segmental lymphatic vessel system 281
superficial palmar arch **191**, 246
superficial palmar branch 246
superficial parotid nodes 166, 258
superficial part 320
superficial perineal space 199, 200
superficial pes anserinus 118, 122, 123
superficial plantar arch 216
superficial temporal artery 164, 166, 167, 172, 241
superficial temporal veins 164, 166, 172, 252
superficial tendinous plate 590
superficial transverse metacarpal ligament 89
superficial transverse perineal muscle 53, 199, 200, 358, 475
superficial venous palmar arch 254
superior anastomotic vein (vein of Trolard) 561
superior and inferior tracheobronchial nodes 276
superior angle 54
(superior) anterior cardinal vein 373
superior articular process 18, 20, 21, 22, 23, 24, 30
superior belly 72
superior border 308, 327, 416
superior border of petrous part 145
superior bulb of jugular vein 170, 252
superior cerebellar artery 243, 558
superior cerebellar peduncle 476, 502, 508, 515, 516
superior cerebral vein 561
superior cervical cardiac branches 178, 232
superior cervical cardiac nerve 179, 232, 484, 570
superior cervical ganglion 170, 177, 178, 232, 490, 568, 570
superior choroid vein 562
superior clunial nerves 205, 469
superior colliculus 391, 476, **493**, 498, 598, 600
superior constrictor 170, 291, 300
superior costal facet 20
superior costotransverse ligament 28, 34
superior deep lateral cervical nodes 258
superior dental plexus 299
superior diaphragmatic nodes 259
superior duodenal flexure 314

索引　649

superior duodenal fold　309, 314
superior duodenal fossa　309, 314
superior epigastric artery　195, 244
superior epigastric vein　195
superior extensor retinaculum　127, 132, 136, 137
superior extremity　331
superior eyelid　590
superior fascia of pelvic diaphragm　357
superior fibular retinaculum　128, 137
superior frontal gyrus　530, 531
superior frontal sulcus　530, 531
superior ganglion　483, 485
superior gluteal artery　206, 247
superior gluteal nerve　120, 206, 470, 472
superior gluteal vein[s]　206, 255
superior head joint　30
superior horn　125, 204, 271, 272
superior hypogastric plexus　569, 571
superior hypophysial artery　243, 386, 388, 389, 524
superior hypophysial vein　388, 389
superior ileocaecal recess　309
superior labial branch　166, 241
superior laryngeal artery　177, 241, 275
superior laryngeal nerve　170, 173, 275, 277, 483, 484
superior lateral brachial cutaneous nerve　183, 186, 467
superior lateral genicular artery　249
superior lobe　278, 279
superior longitudinal fasciculus　554
superior longitudinal muscle　291
superior medial genicular artery　249
superior mediastinum　285, 286
superior medullary velum　502
superior mesenteric artery　240, 257, 316, 327, 329, 377
superior mesenteric artery and vein　326
superior mesenteric ganglion　568, 569, 571
superior mesenteric nodes　259, 313
superior mesenteric plexus　350
superior mesenteric vein　306, 316, 324, 327, 329
superior nasal concha　151, 266, 269
superior nasal meatus　151, 266, 269
superior neuropore　369
superior nodes　416
superior nuchal line　72, 142
superior nucleus (Bechterew)　486
superior oblique　165, 168, 495, 591
superior oblique fibers　40
superior olivary nucleus　481, 609
superior ophthalmic vein　147, 168, 253, 265

superior orbital fissure　147, 150, 478
superior parathyroid gland　170, 395, 397
superior parietal bone　153
superior parietal lobule　530
superior part　314
superior part of duodenum　329
superior part of vagina　380
superior petrosal sinus　253, 561
superior phrenic arteries　240
superior pole　339
superior pubic ligament　92
superior pubic ramus　91, 119, 356
superior recess　327
superior recesses of tympanic membrane　602
superior rectal artery　321
superior rectal artery and vein　356
superior rectal nodes　321
superior rectus　168, 495, 591
superior root　463
superior root of deep ansa cervicalis　177
superior sacciform recess　59
superior sagittal sinus　252, 253, 561, 567
superior salivatory nucleus　479, 481, 487, 491, 498
superior segment, superior segmental bronchus　279
superior semilunar lobule　501, 502
superior suprarenal arteries　240
superior surface　338
superior tarsal muscle　165, 590
superior tarsus　590
superior temporal gyrus　530, 531
superior temporal line　140, 141
superior temporal sulcus　530, 531
superior thalamostriate vein　509, 511, 561, 562
superior thoracic aperture　35, 234
superior thoracic artery　245
superior thyroid artery　173, 174, 177, 241, 395, 397
superior thyroid notch　271, 272
superior thyroid vein　173, 174, 177, 252, 395
superior tracheobronchial nodes　281
superior tracheotomy　277
superior transverse scapular ligament　54, 55
superior tympanic artery　147
superior ulnar collateral artery　185, 245
superior vena cava　221, 222, 223, 224, 225, 227, 231, 233, 235, 236, 251, 252, 283, 285, 306, 373
superior vertebral notch　18, 20, 21
superior vesical arteries　247
superior vestibular nucleus　497
superolateral nodes　203, 207
superomedial nodes　203
supination　60, 73, 84, 131
supinator　78, 83, 84, 188, 189, 460

supinator crest　58, 83
supplementary motor areas　**548**
supporting baskets　606
supporting cells　587, 607
supporting cells of Deiters (outer phalangeal cells)　606
supporting cells of Müller (radial gliocyte)　595
suppressor T-cell　411
supra-acetabular groove　91
supra-optic nucleus　389, 521, 522, 526, 566
supra-orbital artery　164, 165, 168
supra-orbital foramen　165
supra-orbital margin　141, 143
supra-orbital nerve　164, 168, 488
supra-orbital notch　143, 164, 488
supracardinal vein　373
supraclavicular nerve　462, 463
supraclavicular nodes　179
supraclavicular part　**464**
supracolic part (upper abdomen)　308
supracondylar lines　94
supracondylar process　56
supraglenoid tubercle　54
suprahyoid muscles　160, 292
supramamillary commissure　493, 520
supramarginal gyrus　530, 549, 555
suprameatal spine　141
suprameatal triangle　141
supraoccipital bone　154
supraopticohypophysial tract　526
suprapatellar bursa　101, 103
suprapineal recess　563
suprapiriform foramen　206, 472
suprarenal gland　328, 329, 330, 334, 383
suprarenal impression　322
suprarenal plexus　392, 571
suprascapular artery　176, 178, 244
suprascapular nerve　176, 464
suprascapular notch　54
suprascapular region　193
suprascapular vein　176, 252
supraspinatus　67, 68, 69, 71, 73, 464
supraspinous fossa　54, 68
supraspinous ligament　28
suprasternal　238
suprasternal bones　33
suprasternal fossa　163
suprasternal interfascial space　162, **173**
suprastriate layer　544
supratrochlear artery　164, 165, 168
supratrochlear nerve　164, 165, 168, 488
supratrochlear nodes　258
supratrochlear opening　56
supratrochlear vein　165
supravaginal part (of cervix)　351
supraventricular crest　225
supravesical fossa　49, 197, 310
supravesical hernia　50
supreme intercostal artery　244

supreme intercostal vein　252
sural arteries　249
sural nerve　126, 211, 213, 473, 474
sural veins　256
surface epithelium　5
surgical capsule　395
surgical neck　56
sursumduction　591
suspensory ligament of breast　194, 427, 428
suspensory ligament of clitoris (suspensory ligament of penis)　46, 355
suspensory muscle of duodenum　314
sustentaculum tali　106, 109
sutura mendosa　154
sutural bone　154
suture　12, 139
swallowing reflex　301, 497
sweat gland　423
Sylvian aquèduct (aqueduct of midbrain)　563
symmetric plane　2
sympathetic fibers　600
sympathetic ganglion cells　394
[sympathetic] internal carotid plexus　147
sympathetic nerve　**569**
sympathetic part　232, 568
sympathetic plexus　330
sympathetic root　490, 491
sympathetic trunk　170, 177, 178, 179, 198, 233, 283, 285, 413, 462, 568, 569
symphyseal cavity　92
symphysial surface　91
symphysis　**12**
synapse[s]　440, 504, 505, 545
synaptic cleft　440, 443
synaptic transmission　**443**
synaptic vesicle[s]　440, 443
synaptopores (stomata)　441
synarthrosis　12
synchondrosis　12, 34
syncytiotrophoblast　363, 401
syndesmosis　12
synergists　16
synostosis　**12**
synovial bursa　14, 17
synovial fold　13, 29, 30, 64
synovial joint　13
synovial membrane　13, 14, 103
synovial sheath　137
synovial sheath of digits of hand　90
synovial sheaths of toes　137
system of excretory ducts　294
systemic circulation　221
systole　229, 239

T

T-cell　411
T-cell receptor　411
T-immunoblast　411
T-immunocyte　409

T-lymphocytes 411, 414
T_3 396
T_4 396
tactile cells of Merkel 581
tactile corpuscles of Meissner 422, 426, 581
tactile discs of Merkel 581
taenia 564
taenia thalami 564
taeniae coli 309, 317
tail 340
tail of caudate nucleus 535, 542
tail of epididymis 339
tail of pancreas 326, 329, 416
talocalcaneal interosseous ligament 110, 111
talocalcaneonavicular joint 109, 110
talocrural joint 109
talonavicular ligament 110, 111
talus 106, 109, 110, 111
tangential layer 544
tapetum 551
tarsal glands (Meibom's glands) 590
tarsal sinus 106
tarsometatarsal joint 109, 110
tarsus 157
taste buds **585**
TDF 379
tectal plate 434, 476, 502, 509
tectoreticular fasciculus 499
tectorial membrane 30, 606
tectorubral tract 494
tectospinal tract 456
tectum of medulla oblongata 500
tectum of midbrain 492, 500, 502, 534, 535
teeth 287, 288, 295
tegment of pons 481
tegmental crest 144
tegmental nuclei 481
tegmental wall of tympanic cavity 602
tegmentospinal tract 456
tegmentum 480
tegmentum (dorsalpart) 492
tegmentum of midbrain 500
telencephalon 432, 435, 436, 509
telencephalon impar (median part of telencephalon) 432, 509
telodendron 437
telodiencephalic border **509**
telodiencephalic fissure 509
telodiencephalic sulcus 432
telogen 425
teloglia 578
temperature regulation 420
temporal bone 140, 141, 302
temporal branches 487
temporal cortex 538
temporal fascia 159
temporal knee 553, 598
temporal lobe 302, 433, 434, 435, 528, 530, 534, 535
temporal lobe epilepsy 550
temporal operculum 531, 535, 543

temporal plane 141, 159
temporal pole 530
temporal process 141
temporal region 163
temporalis 159, 489
temporomandibular joint **155**, 302
temporoparietalis 156
temporopontine tract (bundle of Türck) 508, 553
temporozygomatic suture 141
tendinous arch 169
tendinous arch of levator ani 53, 201
tendinous arch of soleus 213
tendinous cords 225, 226
tendinous intersection 16, 42, 195
tendinous sheath of abductor pollicis longus and extensor pollicis brevis 90
tendinous sheath of extensor carpi radiales 90
tendinous sheath of extensor carpi ulnaris 90
tendinous sheath of extensor digiti minimi brevis 90
tendinous sheath of extensor digitorum 90
tendinous sheath of extensor digitorum longus 137
tendinous sheath of extensor hallucis longus 90, 137
tendinous sheath of extensor indicis 90
tendinous sheath of flexor carpi radialis 90
tendinous sheath of flexor digitorum longus 137
tendinous sheath of flexor hallucis longus 90, 137, 190
tendinous sheath of tibialis anterior 137
tendinous sheath of tibialis posterior 137
tendon 16, 17
tendon of levator palpebrae superioris 165
tendon of tensor tympani 602
tendon organ of Golgi 578
tendon sheath 17, 137
tendon sheath of digiti minimi 90
tendon sheath of digiti quarti 90
tendon sheath of flexor carpi radialis 190
tendon sheath of indicis 90
tendovaginitis 90
tenia of the fornix 564
tennis elbow 81
Tenon's capsule (fascial sheath of eyeball) 590
tensor fasciae latae 114, 116, 120, 121, 122, 472
tensor tympani 491, 601, 602, 603
tensor veli palatini 289, 302
tenth rib 416
tentorial branch 488
teres major 67, 68, 69, 71, 73, 74, 77, 183, 194, 464

teres minor 67, 68, 69, 71, 74, 77, 183, 194, 467
terminal bronchioles 280
terminal crest 372
terminal filum 451
terminal ganglia 570
terminal hair 355, 425
terminal nerve 587
terminal nuclei 479
terminal part of dentinal canaliculus 296
terminal part of Wolffian duct 378
terminal part (secretory part) 294
terminal portion (end-piece) 326
terminal reticulum 573
terminal rotation 124
terminal sac 374
terminal sulcus of tongue 290
tertiary follicle 349
testicular artery 197, 240, 341
testicular gubernaculum 379
testicular hilus 379
testicular vaginal sheath 379
testis 338, 379, 383
testis cord 379
testis determining factor (TDF) 379
testis, or medullary cords 379
testosterone 399
tetragastrin (TG) 405
tetraplegia 461
thalamic branch 560
thalamic centrum medianum nucleus 576
thalamic fasciculus 511, 516, 520
thalamic medullary lamina 511
thalamic radiations 513
thalamocortical fibers 553
thalamus 511, 513, 532, 533, 534, 535, 553, 562
the cone of origin (axon hillock) 437
theca externa 349
theca interna 349
theca lutein cells 349, 400
thenar 190
thermanesthesia 461
thick myelinated fibers 458
thick segment of Henle's loop 332
thigh bone (femur) **94**
thin poorly myelinated (unmyelinated) fibers 458
thin segment of Henle's loop 332, 333
thinker's brow 157
third metacarpal bone (radial styloid process) 63
third occipital nerve 169, 463
third trochanter 94
third ventricle 433, 434, 527, 563
thoracic aorta 240, 278, 281
thoracic cardiac branches 232, 570
thoracic cavity 35, 220
thoracic duct 174, 179, 221, 236, 237, 251, 257, 283, 285, 286, 305, 395
thoracic fascia 194

thoracic ganglia 232
thoracic iliocostalis 36
thoracic nerves 451
thoracic part 276, 304
thoracic respiration 284
thoracic segments 568
thoracic sympathetic trunk 305
thoracic vertebrae **20**
thoraco-acromial artery 181, 182, 245
thoraco-acromial vein 254
thoraco-epigastric veins 194, 195, 256
thoracodorsal artery 182, 245
thoracodorsal nerve 182, 464
thoracolumbar fascia **39**
thoracolumbar localization 568
thorax **35**
thrombopoiesis 409
thymic branches 414
thymic epithelial cell 414
thymocyte 414
thymopoietin 414
thymus 412, 413
Thymusdreieck 413
Thymusrest körper 413
thyro-arytenoid 273
thyro-epiglottic ligament 272
thyro-epiglotticus 273
thyro-linguo-facial trunk 177
thyrocervical trunk 174, 175, 178, 244
thyroglobulin 396
thyroglossal duct 174
thyrohyoid 160, 173, 301, 463, 482
thyrohyoid branch 177
thyrohyoid membrane 173, 272, 277
thyroid articular surface 271
thyroid cartilage 173, 174, 271, 272, 277, 303
thyroid gland 170, 173, 178, 277, 283, 303, 383, 395
thyroid ima artery 240, 395
thyroid region **174**
thyroid veins 397
thyroliberin 390
thyrolingual trunk 177
thyrotropin 390
thyroxin 396
tibia **99**, 126
tibial collateral ligament 101, 102, 104, 105
tibial nerve 120, 126, 209, 211, 213, 214, 470, 473, **474**
tibial nutrient artery 250
tibial retroversion 104
tibial tuberosity 99, 101
tibialis anterior 126, 127, 131, 132, 212, 215, 473
tibialis posterior 126, 129, 130, 131, 214, 474
tibiofibular joint 105
tibiofibular syndesmosis 105
tigroid masses 437
tip of the tongue 586
tissue macrophages 410

Tomes' fibers 296, 298
tongue 287, 288, 290, 301
tonofibrils 581
tonotopical arrangement 550
tonsil 418
tonsil of cerebellum 501, 502
tonsillar branches 485
tonsillar crypts 418
tonsillar fossa 300, 418
tonsillectomy 418
tonsillitis 418
torsion angle 96
torus levatorius 270
torus tubarius 270, 300
trabeculae 415
trabeculae carneae 225, 226
trabeculae of corpora cavernosa 344
trabecular arteries 524
trabecular artery 417
trabecular vein 417
trachea 179, 232, 264, 276, 283, 285, 304, 305, 397
tracheal bifurcation 276, 279, 281, 304
tracheal branches 484
tracheal cartilages 276
trachealis 276
tracheobronchial diverticulum 374
tracheobronchial nodes 285, 306
tracheotomy 174
tractus spiralis foraminosus 486, 608
tragus 601
transcerebral veins 562
transection of the corpus callosum 555
transesophageal echocardiography 305
transferrin 409, 417
transition between inner and outer enamel epithelium 298
transitional cortex 527
transitional epithelium/urothelium 335
transmitter substance 500
transversal part 244
transversalis fascia 44, 46, 49, 195, 197
transverse abdominal 39, 43, 44, 49, 197
transverse acetabular ligament 92, 97
transverse arch 111
transverse arytenoid 273
transverse axis (horizontal axis) 2
transverse cervical artery 175, 178, 244
transverse cervical nerve 175, 462, 463
transverse cervical veins 175, 178, 252
transverse colon 308, 309, 317, 319, 329, 376, 377
transverse colon (left flexure of colon) 377
transverse costal facet 20

transverse diameter 93, 284
transverse facial artery 164, 166, 172, 241
transverse fascicles 88, 190
transverse folds of rectum 320
transverse gyri of Heschl (transverse temporal gyri) 517, 550
transverse head 87
transverse head of adductor hallucis 134
transverse head of adductor pollicis 86
transverse ligament of atlas 30
transverse ligament of knee 102
transverse mesocolon 309, 310, 319, 326
transverse muscle 291, 302, 303
transverse occipital sulcus 530
transverse occipital suture 154
transverse palatine folds 289
transverse palatine suture 144
transverse pericardial sinus 233, 236, 371
transverse perineal ligament 53
transverse plane 2
transverse pontine fibres 481
transverse process of vertebra 18, 19, 20, 36
transverse ridges of sacrum 23
transverse septum 376
transverse sinus 252, 253, 478, 561, 567
transverse tarsal joint 109
transverse temporal gyri (transverse gyri of Heschl) 517, 532, 533, 550, 610
transversus abdominis 329, 469
transversus menti 158
transversus thoracis 41, 469
trapezium 61, 62, 64, 87
trapezius 39, 67, 68, 69, 72, 73, 77, 161, 162, 169, 175, 179, 194, 482
trapezoid 61, 62, 64, 87
trapezoid body 481, 486, 609
trapezoid ligament 55
trapezoid line 55
Treiz's ligament 314
Trendelenburg徴候 472
TRF 390
TRH 390
triangle of lingual artery 171
triangle of Philippe-Gombault 455
triangle of spine 54
triangle of vertebral artery 169
triangular muscle 16
triangular part 530
triangular plate 154
triangular space 75, 183
triceps brachii 67, 77, 84, 185, 186, 468
triceps surae 126, 131, 213
tricuspid valve 227, 235, 238
trigeminal cave (Meckeli) 478, 488, 567
trigeminal ganglion (Gasseri) 477, 478, 487, 488, 489, 490, 491, 567, 583, 584

trigeminal impression 145, 488, 567
trigeminal lemniscus (secondary trigeminal fibers) 516, 584
trigeminal main sensory nucleus 583
trigeminal nerve 164, 477, 478, **488**, 502
trigone of bladder 336, 378
triiodothyronine 396
triquetrum 61, 62, 64
triticeal cartilage 272
trochanteric bursa of gluteus maximus 206
trochanteric fossa 94
trochlea 63, 165, 168, 591
trochlea of humerus 56, 60
trochlear nerve 147, 168, 477, 478, **495**
trochlear notch 58
trochlear notch of ulna 60
trophoblast 361, 362, 368
trophotropic zone 523
true conjugate 93
true diaphragmatic hernia 52
true ribs 32
truncal part of the gut 220, 287
truncothalamus 499, 513
truncus arteriosus 372
truncus swelling 372
trunk of accessory nerve 482
trunk of atrioventricular bundle 231
trunk of corpus callosum 554
TSH 387, 390
tubal branch 353
tubal extrauterine implantation 361
tubal extremity 348
tubal tonsil 418
tuber 501
tuber cinereum 450, 498, 509, 511, 521
tubercle 295
tubercle of anterior scalene muscle 32, 40
tubercle of rib 20, 32
tubercle of scaphoid 62, 87
tubercle of trapezium 87
tubercles of Montgomery 427
tuberculum of iliac crest 91
tuberoinfundibular system 525
tuberoinfundibular tract 389, 525
tuberomamillary nucleus 521
tuberosity for serratus anterior 32
tuberosity of cuboid 107
tuberosity of distal phalanx 63
tuberosity of navicular bone 107
tuberosity of ulna 58, 76
tubular bone 11
tubular terminal portion 383
tubule 294
tunica albuginea 201, 339, 348, 379
tunica albuginea of corpora cavernosa 344
tunica albuginea of corpus spongiosum 344

tunica externa 261, 262, 263
tunica intima 261, 262, 263
tunica media 261, 262, 263
tunica vaginalis 339
tunnel lymph (Corti lymph) 606
twelfth rib 334
two-bellied muscle 16
tympanic canaliculus 485
tympanic cavity 601, 602
tympanic cells 603
tympanic covering layer 606
tympanic lip 606
tympanic membrane 601, 602, 604
tympanic nerve 485, 491, 603
tympanic opening 601
tympanic part 144
tympanic part of temporal bone 138
tympanic plexus 485, 603
tympanic surface (spiral membrane) 605
tympanomastoid fissure 141, 483
types of cortex 546

U

ulna **58**, 78
ulnar artery 78, 188, 189, 190, 191, 245, 246
ulnar collateral ligament 59
ulnar collateral ligament of wrist joint 64
ulnar deviation 65
ulnar head 79
ulnar nerve 78, 182, 185, 188, 189, 190, 191, 462, 466
ulnar neurovascular bundle 189
ulnar notch 58
ulnar notch of radius 60
ulnar recurrent artery 188, 245, 246
ulnar veins 189, 254
umbilical artery 222, 247
umbilical blood vessel 363
umbilical cord 377
umbilical fascia 46
umbilical hernia 48
umbilical region 193
umbilical ring 48
umbilical vein 222, 373
umbilicus 48, 222, 329
umbo of tympanic membrane 601
uncinate fasciculus 507, 554
uncinate process 151, 269, 270, 326, 329
uncinate process (vertebral uncus) 18, 29
uncovertebral joints **29**
uncrossed fibers 552
uncus 530, 536
unicellular intraepithelial gland 383
unipennate muscles 16
unmyelinated nerve fibers 447
unmyelinated (thin poorly myelinated) fibers 458

unpaired thyroid plexus 173, 174, 252, 395
unspecific thalamic nuclei 513
Unteres sprunggelenk **110**
upper airway 264
upper brachial plexus paralysis 464
upper dental arcade 295
upper head 159
upper lip 288
upper lumbar segments of spinal cord 568
upper (or cricoid) narrow place 304
upper part of facial nerve 166
upper trunk 462
urachus 378
ureter 330, 334, 335, 336, 337, 338, 343, 346, 350, 353, 356, 378
ureter bud 378
ureter opening 378
ureteric orifice 336
urethra 330, 336, 343, 356, 380
urethral artery 247
urethral carina of vagina 354
urethral groove 380
urethral opening 377
urethral sphincter 356, 475
urinary bladder 307, 310, 330, 336, 337, 343, 346, 347, 354, 356, 364, 378, 381, 569
urinary system 220, 330
urogenital (cloacal) fold 380
urogenital diaphragm 344, 357, 475
urogenital peritoneum 310
urogenital ridge 378
urogenital sinus 377, 378, 380
urogenital system 330
urorectal septum 377
uterine artery 247, 335, 337, 350, 353
uterine artery and veins 356
uterine cavity 351
uterine epithelium 361
uterine extremity 348
uterine ostium 350
uterine part 350
uterine tube 310, 347, 350, 366, 380
uterine veins 353
uterine venous plexus 255, 350, 353
uterovaginal canal 380
uterovaginal plexus 353, 354, 571
uterus 307, 310, 347, 351, 353, 364, 380
utricle 486, 604
utriculosaccular duct 604
uvea 592
uvula 270, 288, 289, 501, 502
uvula of bladder 336

V

V. terminalis (superior thalamostriate vein) 562
vagal trigone 476
vagina 337, 347, 351, 354, 356, 358, 364, 380
vaginal artery 247, 353, 354
vaginal fornix 354, 365
vaginal orifice 354, 355
vaginal part 351, 354
vaginal plate 380
vaginal process 50, 339
vaginal rugae 354
vaginal secretion 354
vaginal venous plexus 354, 356
vagus nerve 147, 177, 178, 179(left), 232, 233, 277, 283, 303, 306, 413, 477, 478, 480, **482**, 483, 569, 586
vallate papillae 290, 585
vallecula of cerebellum 501, 502
valve of foramen ovale 226
valve of inferior vena cava 225
valve plane 227, 239
valvular insufficiency 226
valvular stenosis 226
varix 256, 263
vasa nutricia 230
vasa privata 230, 261, 281, 332
vasa publica 230, 281, 332
vasa vasorum 261
vascular end feet (foot plates) 450
vascular endothelial growth factor (VEGF) 373
vascular fold of caecum 309
vascular organ of lamina terminalis **389**, **566**
vascular ovarian stroma 379
vascular papilla 423
vascular pole 333
vascular space 50, 92
vasculogenesis 373
vasectomy 342
vasoactive intestinal polypeptide (VIP) 404
vasopressin 390
vasti 124
vasto-adductor plate 125
vastoadductor layer 208
vastoadductor membrane 119
vastus intermedius 114, 122, 471
vastus lateralis 114, 122, 125, 471
vastus medialis 114, 119, 122, 123, 125, 208, 471
Vater-Pacinian corpuscles 422, 426
Vater's papilla 325
vault of pharynx 270
vegetative nerves 426
vegetative nervous system **568**
VEGF 373
vein 221, 423
vein of Labbé (inferior anastomotic vein) 561
vein of Rosenthal (basal vein) 561, 562
vein of septum pellucidum 561
vein of Trolard (superior anastomotic vein) 561
vellus hair 425
velum palatinum (soft palate) 289, 302
vena comitans 172, 217
vena comitans of hypoglossal nerve 177
venous angle 251, 252
venous blood 221
venous plexus 254
venous plexus of hypoglossal canal 147
venous valve 263
ventral amygdalofugal fibers 588
ventral amygdalofugal pathways 538
ventral anterior nucleus 513, 514, 516
ventral aorta 373
ventral intermediate nucleus 516
ventral lateral nucleus 513, 514, 516
ventral meso 307
ventral mesogastrium 376
ventral nuclear group 516
ventral pancreatic anlage 376
ventral postcentral region 611
ventral posterior nucleus 513, 514, 516, 519, 583, 584
ventral posterolateral nucleus 516
ventral posteromedial nucleus (arcuate nucleus) 519
ventral rami 463, 469
ventral root 451, 462
ventral supraoptic commissure (Gudden) 522, 610
ventral tegmental fasciculus (Spitzer) 496
ventral tegmental nucleus 586
ventralis posteromedial nucleus 516
ventricle 221, 529
ventrocaudal nucleus 514
ventrointermediate nucleus 514
ventrolateral cervical region[s] **163**, **175**
ventrolateral nuclear group 513, 518, 519
ventrolateral nucleus 453, 454
ventromedial nucleus 453, 454, 521, 522, 525
ventromedial nucleus of hypothalamus 389
ventrooral nucleus 514
venule 221, 263
vermiform appendix 309, 317
vermiform process 377
vermis 501, 506
vermis of cerebellum 435
vernix caseosa 370
vertebra prominens 18
vertebral arch 18, 19, 28
vertebral artery 147, 169, 174, 178, 179, 243, 244, 277, 303, 457, 558
vertebral body 18, 19, 20, 40
vertebral canal 451
vertebral column **18**
vertebral foramen 18, 19, 20, 21
vertebral part 278
vertebral region 193
vertebral uncus 20
vertebral vein 179, 252, 303
vertex 152
vertical axis (longitudinal axis) 2
vertical column **544**
vertical (medial) fibers 40
vertical muscle 291, 302
vertical occipital fasciculus 554
vertical tract 203
vesical plexus 571
vesical surface (anterior surface) 351
vesical venous plexus 255, 336
vesico-uterine pouch 310, 347
vesicular follicle 349
vestibular apparatus 607
vestibular area 476
vestibular caecum 604
vestibular fold (pocket band) 272, 274
vestibular ganglion 486, 507, 608
vestibular lip 606
vestibular membrane of Reissner (vestibular surface) 605
vestibular nerve 479, 486, 608, 611
vestibular nuclei 479, 506, 507, 576, 580, **611**
vestibular sensory cells 608
vestibular (superior) root **486**
vestibular surface 295
vestibular surface (vestibular membrane of Reissner) 605
vestibule 199, 347, 354, 355, 604
vestibulocerebellar fibers 506
vestibulocerebellar tract 507
vestibulocerebellum 501, 611
vestibulocochlear nerve 147, 477, 478, 486, 502
vestibulospinal tract 507, 508
villous arbor 363
vincula of cerebellar lingula 501
vincula tendinum 90
VIP 404
Virchow-Robin's space 450
Virchow-Troisier's lymph nodes 179
viscera 220
visceral brain 588
visceral branches 240
visceral efferent (secretory) fibers 485
visceral layer 17, 220, 339
visceral layer (inner wall) 333
visceral peritoneum 307
visceral pleura 374
visceral surface 322, 416
viscerocranium 138
visceromotor fibers 462, 483, 484, 495
visceromotor zone 477
viscerosensory (visceral afferent) fibers 462, 483, 485
viscerosensory zone 477
visual cortex 514, 528, **551**, 552
visual field 598, 599
visual integration fields 551
visual pathway **598**
visual purple 597

vitamin D metabolism　420
vitellian vein　373
vitelline duct　377
vitreous body　592
vitreous chamber　592
vocal cord　272
vocal fold　274, 275
vocal ligament　272, 274, 275
vocal process　271, 275
vocalis　273, 274, 275
Volkmann's canals (*Canales perforantes*)　8
vomer　144, 151, 267, 270
vomeronasal nerve　587
vomeronasal organ　587
vortex of heart　227
vorticose veins　594
VP　388, 390
vulva　347, 366

W

Waldeyer's pharyngeal ring　418
water metabolism　420
white commissure　452, 575
white communicating branch　462, 570
white matter　435, 452
white muscle fibers　10
white pulp　417
whorl　421
wide venous opening into IVS　363
Willis' circle　243, 558
Windkessel theory　262
window　238
wing of central lobule　501, 502
winged scapula　71, 74
Winslow foramen　308, 327
withdrawal reflex (exteroceptive reflex)　452
Wolffian duct　378, 380
woven bone　8
wrist　**61**
wrist drop　468
wrist joint　64

X

X脚　105
Xクロマチン　4

xiphoid process　33, 34, 35, 44, 51
xiphosternal synchondrosis　33

Y

yellow ligament　28, 30
yolk sac　362

Z

Z線　10
Zahnformel　295
zona fasciculata　393
zona glomerulosa　393
zona incerta　498, 510, 511, 520
zona orbicularis　97, 98
zona pellucida (*Glashaut*)　359, 360, 361
zona reticularis　393
Zona spongiosa (dorsomarginal nucleus)　454
zone of columnar cartilage　9
zone of maturing cartilage　9
zones of Head　571
zonula adherens　228

Zonulae occludentes　448
zonular fibres　593, 600
Zuckerkandl bodies　394
zygapophysial joint　**29**, 30
zygion　152
zygomatic arch　141, 159, 293
zygomatic bone　138, 141, 143, 144, 150
zygomatic branches　487
zygomatic nerve　489, 490
zygomatic process　141
zygomatic process of maxilla　143
zygomatic process of temporal bone　144
zygomatic region　163
zygomatico-orbital artery　241
zygomatico-orbital foramen　150
zygomaticofacial branch　489
zygomaticofacial foramen　141, 143
zygomaticomaxillary suture　141, 143
zygomaticotemporal branch　489
zygomaticus major　158
zygomaticus minor　158

日本語索引（外国語併記）

（ゴシック体は重要頁，イタリック体は英語以外の外国語を示す）

あ

α細胞 α cells 398
αニューロン 580
$α_1$-グロブリン 407
$α_2$-グロブリン 407
アーノルド束（前頭橋路）bundle of Arnold（frontopontine tract） 508
アイゼルスベルク現象 Eiselsberg's phenomenon 175
アウエルバッハ神経叢（筋層間神経叢）Auerbach's plexus（myenteric plexus） 287, 315, 572
アキレス腱（踵骨腱）calcaneal tendon 126, 129, 213
アキレス腱の断裂 rupture of Achilles tendon 129
アクチン細糸 actin filament 228
アクロシン acrosin 360
アクロゾーム（尖体）acrosome 340
アジソン病 Addison's disease 393
アショフ・田原結節 Aschoff-Tawara's node 231
アセチルコリン acetylcholine 441, 500, 569, 578
アセチルコリンエステラーゼ 442, 500
アダムの林檎 Adam's apple 271
アドレナリン作動系 **569**
アブミ骨 stapes 602, 603
アブミ骨筋 stapedius 602, 603
アブミ骨筋神経 nerve to stapedius 487, 603
アブミ骨底 base of stapes 602
アブミ骨動脈 373
アブミ骨輪状靱帯 anular ligament of stapes 602
アブミ頭骨 head of stapes 602
アポクリン汗腺 apocrine sweat gland 422, 424
アマクリン細胞（無軸索細胞）amacrine cells 595
アミノ酸誘導体 385
アメーバ様運動 ameboid movement 4
アランチウス管 Arantius duct 222
アルカリ性の分泌物 424
アルコック管（陰部神経管）Alcock's canal（pudendal canal） 199, 200, 356, 475
アルツハイマー病 444
アルドステロン 393
アルブミン 407
アンドロゲン androgen 393（副腎の），399（精巣の），400（卵巣の），425（毛の）
アンドロゲン結合タンパク androgen binding protein（ABP） 399
アンドロステンジオン 393
アンモン角 Ammon's horn（cornu ammonis） 527, 533, 535, 539, **540**
亜細胞群 411
悪液質 cachexia 6
足の形 **113**
足の関節 joints of foot **109**
足の関節の靱帯 **111**
足の筋 **126**, 132
足の筋膜 136
足の腱鞘 **137**
足の骨 **106**
足の骨格 **111**
足の指節間関節 interphalangeal joint 109, 110
足の動脈弓 250
足の部位 **202**
頭 head 340
頭の部位 regions of head **163**
新しい毛球 new hair bulb 425
圧覚 584
暗調細胞 397
鞍隔膜 sellar diaphragm 386, 567
鞍関節 saddle joint 15
鞍橋（床突起間ヒモ）bridging of sella turcica（interclinoid tenia） 146
鞍背 dorsum sellae 145

い

1次接触 primary contact 411
1次突起 primary process 333
1次尿（原尿）primary urine 333
イオンチャンネル ion channel 443, 573
イニオン inion 152
インカ骨 Inca bone（os incae） 142, 154
インスリン insulin 398, 401, 404
胃 stomach（Gaster） 287, 304, 307, 308, 311, 327, 403, 416
胃圧痕 gastric impression 322
胃横隔間膜 gastrophrenic ligament 310, 328
胃間膜 376
胃結腸間膜 gastrocolic ligament 308, 319, 329
胃膝 knee of stomach 311
胃十二指腸動脈 gastroduodenal artery 313, 316
胃十二指腸動脈の枝 326
胃小窩 gastric pits 311, 312
胃小区 gastric areas 311
胃神経叢 gastric plexus 571
胃膵ヒダ gastropancreatic fold 327
胃腺（胃粘膜の腺）gastric glands（glands of the gastric mucosa） 312
胃蠕動 peristalsis 313
胃体 body of stomach 308, 311, 328
胃体管 gastric canal 311
胃大網リンパ節 gastro-omental nodes 313
胃－腸－膵内分泌系 gastro-enteropancreatic system（GEP-system） 403
胃底 fundus of stomach 308, 311
胃道 311
胃入口部 entrance to the stomach 310
胃粘膜の腺 glands of the gastric mucosa 312
胃粘膜ヒダ gastric folds 311
（胃の）後壁 posterior wall 329
（胃の）前壁 anterior wall 329
胃脾間膜 gastrosplenic ligament 310, 416
胃壁 311
胃リンパ節 gastric nodes 313
異化 catabolism 4
異形歯 heterodont 295
異所性線維 heterotopic fibers 554
異染色体 heterosome 359
移行上皮 transitional epithelium/urothel 5, 335
移行帯 288, 352
移行乳 428
移行皮質 transitional cortex 527
移動盲腸 mobile caecum 317
遺体位 cadaveric position 484
一次終末（環ラセン終末）primary endings（annulospiral endings） 579
一次小節 primary nodule 419
一次精母細胞 primary spermatocytes 340
一次性リンパ性器官 primary lymphoid organs **412**
一次卵胞 primary follicle 349
一次リンパ小節 primary lymphoid nodule 415
（一般）心筋細胞（ordinary）cardiac muscle cell 228
逸脱線維 aberrant fibers（Déjérine） 496
色特異性ブロブ color-specific blob 552
咽頭 pharynx 264, 287, **300**, 304, 549
咽頭炎 pharyngitis 301
咽頭円蓋 vault of pharynx 270, 418
咽頭陥凹 pharyngeal recess 270
咽頭挙筋 pharyngeal levators 300
咽頭結節 pharyngeal tubercle 144, 300
咽頭後隙 retropharyngeal space **170**, 300
咽頭喉頭部（喉頭咽頭，下咽頭）laryngopharynx（laryngopharynx, hypopharynx） 277, 300
咽頭口部（口部咽頭，中咽頭）oropharynx（oropharynx, mesopharynx） 300
咽頭後壁の切断縁 cut surface of posterior pharyngeal wall 270
咽頭枝 pharyngeal branches 483・484（迷走神経の），485（舌咽神経の）
咽頭周囲隙 peripharyngeal space 300
咽頭収縮筋 pharyngeal constrictors 300, 484
咽頭静脈 pharyngeal veins 252
咽頭神経叢 pharyngeal plexus 300, 483, 485
咽頭頭底板 pharyngobasilar fascia 170, 300
咽頭囊 pharyngeal bursa 397
（咽頭の）喉頭部 laryngopharynx 303
咽頭鼻部（鼻咽頭，上咽頭）nasopharynx（nasopharynx, epipharynx） **270**, 300, 302
咽頭扁桃 pharyngeal tonsil 270, 418
咽頭傍隙 parapharyngeal space **170**, 300
咽頭縫線 pharyngeal raphe 170, 300
陰窩 crypt 319, 418
陰核 clitoris 347, 355, 380
陰核海綿体 corpus cavernosum of clitoris 475
陰核亀頭 glans of clitoris 199, 337, 355
陰核脚 crus of clitoris 199, 347, 355, 358
陰核小帯 frenulum of clitoris 355
陰核深動脈 deep artery of clitoris 247
陰核体 body of clitoris 199, 355
陰核提靱帯（陰茎提靱帯）suspensory ligament of clitoris（suspensory ligament of penis） 46, 355
陰核背神経 dorsal nerve of clitoris 475

陰核背動脈 dorsal artery of clitoris　247
陰核包皮 prepuce of clitoris　355
陰核ワナ靭帯（陰茎ワナ靭帯）fundiform ligament of clitoris (fundiform ligament of penis)　46
陰茎 penis　200, 330, 338, **345**, 380
陰茎海綿体 corpus cavernosum penis　200, 344, 475
陰茎海綿体小柱 trabeculae of corpora cavernosa　344
陰茎海綿体洞 cavernous space of corpora cavernosa　344
陰茎海綿体白膜 tunica albuginea of corpora cavernosa　344
陰茎亀頭 glans penis　344
陰茎脚 crus of penis　201, 344, 358
陰茎根 root of penis　344
陰茎深動脈 deep artery of penis　247, 345
陰茎体 body of penis　344
陰茎中隔 septum penis　344
陰茎提靭帯（陰核提靭帯）suspensory ligament of penis (suspensory ligament of clitoris)　46
陰茎動脈 artery of penis　201
陰茎背　344
陰茎背神経 dorsal nerve of penis　345, 475
陰茎背動脈 dorsal artery of penis　247, 345
陰茎（または陰核）深静脈 deep veins of penis (clitoris)　255
陰茎ワナ靭帯（陰核ワナ靭帯）fundiform ligament of penis (fundiform ligament of clitoris)　46
陰唇小帯 frenulum of labia minora　355
陰嚢 scrotum　338, 339, 380, 381
陰嚢神経 scrotal nerves　341
陰嚢中隔 septum of scrotum　339
陰嚢部 scrotal part　342
陰嚢腹膜腔 scrotal peritoneal cavity　50
陰嚢縫線 raphe of scrotum　339
陰部枝（陰部大腿神経の）genital branch (of genitofemoral nerve)　469
陰部神経 pudendal nerve　199, 200, 201, 206, 354, 470, **475**
陰部神経管（アルコック管）pudendal canal (Alcock's canal)　199, 200, 356, 357, 475
陰部大腿神経 genitofemoral nerve　198, 470, 473
陰部大腿神経の大腿枝 femoral branch of genitofemoral nerve　203
陰毛 pubic hairs　355
陰門（外陰部）vulva　366
陰裂 pudendal cleft　355
飲作用 pinocytosis　4

う

ヴィク・ダジール束（乳頭視床束）bundle of Vicq d'Azyr (mamillothalamic fasciculus)　511, 515, 522, 588
ウイリスの動脈輪 Willis' circle　243
ウィルヒョウ・トロワジェのリンパ節 Virchow-Troisier's lymph nodes　179
ウィルヒョウ・ロバン腔 Virchow-Robin's space　450
ウインスロー孔 Winslow foramen　308, 327
ウインドケッセル理論 Windkessel theory　262
ウェルニッケ言語中枢 sensory speech center of Wernicke　555, 610
ウォルフ管 Wolffian duct　378, 380
ウォルフ管の最尾部 terminal part of Wolffian duct　378
右縁 right border　223（心臓の）
右下肺静脈 right inferior pulmonary vein　237
右冠状動脈 right coronary artery　240
右脚 right bundle　231（心臓の）
右脚 right crus　51（横隔膜の）
右枝 right branch　324（門脈の），324（固有肝動脈の）
右心耳 right auricle　223, **225**, 227, 230, 237
右心室 right ventricle　221, 222, 223, 224, 227, 237, 238
右心室の筋壁の厚さ　225
右心房 right atrium　221, 222, 223, 224, **225**, 227, 235, 237, 238
右精巣（または卵巣）静脈 right testicular (or ovarian) vein　251
右肺 right lung　236, 237, 278
（右肺）：外側中葉区，外側中葉枝（right lung) lateral segment, lateral segmental bronchus　279
（右肺）：内側中葉区，内側中葉枝（right lung) medial segment, medial segmental bronchus　279
（右肺の）水平裂 horizontal fissure of right lung　278
（右肺の）葉気管支 lobar bronchi　237
（右肺への）気管支動脈 bronchial branches (to right lung)　281
右板 right lamina　271
右辺縁枝 right marginal branch　230
右房室弁（三尖弁）right atrioventricular valve (tricuspid valve)　225, 229
右葉　322（肝の），343（前立腺の），395（甲状腺の）
羽状筋 bipennate muscles　16
迂回回 ambient gyrus　536
迂回槽 ambient cistern　558, 563
乳母細胞 nurse cell　409, 414
烏口下包 subcoracoid bursa　69
烏口肩峰靭帯 coraco-acromial ligament　55, 57, 69
烏口鎖骨靭帯　55
烏口上腕靭帯 coracohumeral ligament　57
烏口突起 coracoid process　54, 57, 70, 76, 181
烏口腕筋 coracobrachialis　67, 70, 74, 76, 77, 182, 464
上ひき sursumduction　591
内ひき adduction　591
内まわしひき incycloduction　591
運動（遠心性）神経 motor (efferent) nerves　430
運動角 angle of excursion　13
運動根 motor root　477, 488, 489
運動終板 motor endplate　578
運動性言語中枢（ブローカ野）motor speech center (Broca's area)　**548**
運動性最終共通路　**580**
運動性失語症 motor aphasia　548
運動線維 motor fibers　483（迷走神経の），485・487・491（顔面神経の）
運動前域 premotor region　547
運動前皮質 premotor cortex　514, 516
運動単位 motor unit　578
運動皮質 motor cortex　528, 547
運動分節 movement segment　31
運動毛（線毛）kinocilium (cilia)　4

え

A-細胞（α細胞）A-cells (α cells)　394（副腎髄質の），398（膵島の）
APUD系細胞　396, 403
M-細胞　419
N-細胞　394
S字状の原腎細管 sigmoid nephros tubule　378
S状結腸 sigmoid colon　309, 317, 319, 320, 377
S状結腸間陥凹 intersigmoid recess　309, 319
S状結腸間膜 sigmoid mesocolon　309, 310, 319
S状結腸動脈 sigmoid arteries　319
S状静脈洞 sigmoid sinus　252, 253
エクリン汗腺 eccrine sweat gland　422, 423, 424
エストラジオール estradiol　400
エストリオール estriol　401
エストロゲン　364, 401
エディンガー・ウェストファル核（動眼神経副核）nucleus of Edinger-Westphal (accessory nuclei of oculomotor nerve)　479, 490, 493, 495, 498, 508, 568, 600
エナメル芽細胞 ameloblasts　298
エナメル器 enamel organ　298
エナメル質 enamel, *Enamelum*　296, 298
エナメル小柱 enamel prisms　296
エナメル髄 enamel pulp　298
エブネル腺 Ebner's glands　290, 293
エブネルの半月 Ebner's demilune　294
エリスロポイエチン erythropoietin　409
エルプの点 Erb's point　161, 235
エルプの麻痺 Erb's paralysis　464
エンケファリン enkephalin　404, 499
会陰 perineum　355, 380
会陰横靭帯 transverse perineal ligament　53
会陰曲（肛門会陰曲）perineal flexure (anorectal flexure)　320
会陰腱中心 perineal body (central tendon)　199, 200, 201, 320, 365
会陰枝 perineal branches　472
会陰神経 perineal nerves　199, 475
会陰動脈 perineal artery　199, 200, 201, 247
会陰の皮膚 perineal skin　358
会陰部 perineal region　193
会陰ヘルニア perineal hernia　53
会陰膜 perineal membrane (membrana perinei)　53, 200
永久歯 permanent teeth　295, **297**
栄養血管 vasa nutricia　230
栄養膜 trophoblast　361, 362, 368
栄養膜合胞体細胞層 syncytiotrophoblast　363, 401
栄養膜細胞 trophoblast　361, 368
栄養膜細胞層（ラングハンス細胞）cytotrophoblast (Langhans' cells)　361, 363, 401
衛星細胞（外套細胞）satellite cells　394, 458
腋窩 axillary fossa　75, 180, 182
腋窩陥凹 axillary recess　57
腋窩筋膜 axillary fascia　75, 89, 194
腋窩隙 axillary spaces　75, **183**
腋窩静脈 axillary vein　67, 181, 182, 254
腋窩神経 axillary nerve　182, 183, 186, 462, 467
腋窩動脈 axillary artery　67, 181, 182, **245**, 462
腋窩突起 axillary tail　427
腋窩部 axillary region　180, **182**, 193
腋窩リンパ節 axillary lymph nodes　194, 258
腋窩リンパ叢 axillary lymphatic plexus　258
円蓋 fornix　288, 419
円蓋上皮 fornix epithelium　419
円回内筋 pronator teres　78, 79, 80, 84, 188, 189, 465
円索部 round ligamentous part of internal oblique　43（内腹斜筋の）
円錐靭帯 conoid ligament　55, 173
円錐靭帯結節 conoid tubercle　55
円錐靭帯切開術 coniotomy　174, 277
円柱関節 cylindrical joint　110
円柱上皮 columnar epithelium　5
円板（乳頭）陥凹 depression of optic disc　594

延髄 medulla oblongata　147, 432, 433, 434, 435, 476, **480**, 492
延髄根 cranial root[s]　477・482（副神経の）
延髄視床路　496
延髄錐体 pyramid　476, 492
延髄被蓋 tectum of medulla oblongata　500
塩基好性顆粒球（好塩基球）　406
塩基好性顆粒白血球　407
塩基好性細胞 basophils　387
遠位茎（嗅樹状突起）distal shaft (olfactory dendrite)　587
遠位直尿細管 distal straight tubules　332
遠位尿細管 distal tubule　333
遠位部 distal parts　579
遠位部（後葉）pars distalis (posterior lobe)　388（下垂体の）
遠視 hyperopia　592
遠心性線維 efferent fibers　462, 516, **572**
遠心性線維結合　499（網様体の）
遠心面 distal surface　295（歯冠の）
遠心路 efferent connections　540（原皮質の），**542**（線条体の）
遠皮質性軸索 corticofugal axons　506
遠皮質性線維 corticofugal fibers　600
縁上回 supramarginal gyrus　530, 549, 555
縁上皮 marginal epithelium　298
嚥下困難 dysphagia　418
嚥下障害 dysphagy　237
嚥下反射 swallowing reflex　301, 497

お

オーベルストの伝達麻酔 Oberst's nerve block　190
オキシトシン OXT　364, 388, 390
オトガイ横筋 transversus menti　158
オトガイ下三角（オトガイ下部）submental triangle (submental region)　163
オトガイ下動脈 submental artery　171, 241
オトガイ下リンパ節 submental nodes　171, 258
オトガイ棘 mental spine　148
オトガイ筋 mentalis　158
オトガイ結節 mental tubercle　148
オトガイ孔 mental foramen　143, 148, 164, 489
オトガイ小骨 mental ossicle　149
オトガイ神経 mental nerve　164, 489
オトガイ唇溝 mentolabial sulcus　158, 288
オトガイ舌筋 genioglossus　291, 292, 293, 303, 482
オトガイ舌骨筋 geniohyoid　171, 288, 291, 292, 482

オトガイ動脈 mental branch　242, 299
オトガイ部 mental region　163
オトガイ隆起 mental protuberance　143, 148
オピストクラニオン opisthocranion　152
オリーブ olive　476, 533, 576, 580
オリーブ小脳路 olivocerebellar tract　480, 498, 507
オルガスムス相　345
尾 tail　340（精子の）
凹足 hollow foot　113
黄色靱帯 yellow ligament (ligamenta flava)　12, 28, 30
黄体 corpus luteum　349, 361, 400
黄体期（ゲスタゲン相）　400
黄体細胞 lutein cells　349
黄斑 macula　517, 519, 594, 596
黄斑線維 macular fibers　599
横隔胸膜 diaphragmatic pleura　282
横隔結腸間膜 phrenicocolic ligament　310, 319, 416
横隔神経 phrenic nerve　176, 178, 179, 233, 282, 285, 462, 463
横隔神経核 nucleus of phrenic nerve　453
横隔膜 diaphragm　47, 51, **52**, 234, 235, 257, 284, 305, 307, 328, 463
横隔膜呼吸 diaphragmatic respiration　**284**
横隔膜ヘルニア　**52**
横隔膜腰椎部 lumbar part of diaphragm　198
横隔面 diaphragmatic surface　224, 278, 322, 416
横橋線維 transverse pontine fibres　481
横棘筋群　37
横筋筋膜 transversalis fascia　44, 46, 49, 195, 197
横径 transverse diameter　93（骨盤の）
横口蓋ヒダ transverse palatine folds　289
横口蓋縫合 transverse palatine suture　144
横行結腸 transverse colon　308, 309, 317, 319, 329, 376, 377
横行結腸間膜 transverse mesocolon　309, 310, 319, 326
横後頭溝 transverse occipital sulcus　530
横後頭縫合 transverse occipital suture　154
横細管 transverse tubuli (T-tubuli)　228
横静脈洞 transverse sinus　252, 253, 478, 561, 567
横舌筋 transverse muscle　291, 302, 303
横線 transverse ridges of sacrum　23
横束 transverse fascicles　88・190（手の）
横足弓 transverse arch　111

横足根関節 transverse tarsal joint　109, 110
横側頭回（ヘシュルの横回）transverse temporal gyri (transverse gyri of Heschl)　517, 532, 533, 550, 610
横断面 transverse plane　2
横中隔 septum transversum　371
横中隔 transverse septum　376
横頭 transverse head of adductor hallucis　134（足の母指内転筋の）
横頭 transverse head of adductor pollicis　86・87（手の母指内転筋の）
横洞溝 groove for transverse sinus　145
横突間筋 intertransversarii　**37**
横突間靱帯 intertransversal ligament　28
横突起 transverse process of vertebra　18, 19, 20, 36
横突孔（環椎）foramen transversarium (atlas)　18, 19, 303
横突孔部 transversal part　244
横突肋骨窩 transverse costal facet　20
横披裂筋 transverse arytenoid　273
横紋 cross striation　228
横紋骨格筋 striated skeletal muscle　**10**
遅い筋線維 slow muscle fibers　10
男の尿道 male urethra　**345**, 358
音階局在性 tonotopical arrangement　550
温度覚　426, 584
温度覚消失 thermanesthesia　461
女の尿道 female urethra　337, 354, 358, 366

か

γ-アミノ酪酸　441
γ運動ニューロン γ-motorneuron　611
γ-グロブリン　407
γニューロン γ-neurons　580
カーネギーのステージ Carnegie stage　368
カウパー腺（尿道球腺）Cowper's gland (bulbo-urethral gland)　201, 338, 345
ガス交換面　264
ガストリン gastrin　404
ガストリン放出ペプチド gastrin releasing peptide (GRP)　404
カゼイン casein　428
ガッセルの神経節→三叉神経節をみよ
カテコルアミン　394, 441
カテコルアミン作動性神経細胞（ニューロン）　442, 500
カハールの間質核 interstitial nucleus (Cajal)　493, 497, 580
カハール・レチウス細胞 Cajal-Retzius cell　529, 545
カリオゾーム karyosome　4

カルシウムチャンネル calcium channel　443
カルジオジラチン　239
カルシトニン calcitonin　396, 397
カルシトリオール calcitriol　397
カレーハの島 islands of Calleja　536
カロチン carotene　420
ガンマーアミノ酪酸 GABA　398
下咽頭収縮筋 inferior constrictor　170, 277, 300
下縁 inferior border　278（肺の），322（肝臓の），416（脾臓の）
下横隔静脈 inferior phrenic veins　251
下横隔動脈 inferior phrenic artery　240, 306
下横隔リンパ節 inferior diaphragmatic nodes　259
下オリーブ（核）inferior olive　480, 502
下オリーブ核群 inferior olivary complex　479, 480, 498, 507
下外側上腕皮神経 inferior lateral brachial cutaneous nerve　186, 468
下回盲陥凹 inferior ileocaecal recess　317
下角 inferior angle　54（肩甲骨の），125・204（伏在裂孔の）
下角 inferior horn　271（甲状軟骨の），563（側脳室の）
下顎縁枝 marginal mandibular branch　487
下顎窩（下顎頭）mandibular fossa (head of mandible)　144, 148, 155
下顎角 angle of mandible　148, 149, 155, 293
下顎角靱帯 angular tract of cervical fascia　172（頸筋膜の）
下顎角靱帯腺間中隔 angular tract of cervical fascia, Septum interglandulare　171（頸筋膜の）
下顎管 mandibular canal　148, 242, 489
下顎弓　375
下顎頸 neck of mandible　148, 242
下顎孔 mandibular foramen　148
下顎後窩 retromandibular fossa　163, **172**
下顎後静脈 retromandibular vein　166, 172, 252, 302, 303
下顎骨 mandible　138, 143, **148**, 375
下顎骨筋突起 coronoid process　148, 159
下顎骨の形　**149**
下顎枝 ramus of mandible　143, 148, 302, 303
下顎小舌 lingula　148, 155
下顎神経 mandibular nerve　147, 164, 167, 299, 302, 478, **489**, 491
下顎切痕 mandibular notch　148
下顎前突 progenia　299
下顎体 body of mandible　143, 148
下顎底 base of mandible　148, 171
下顎頭（下顎窩）head of mandible (mandibular fossa)　148・155（下顎の），302（顔面頭蓋の）

下顎部（顎動脈）mandibular part 242
下顎部の枝 242
下顎隆起 374, 375
下下垂体動脈 inferior hypophysial artery 243, 386, 524
下下腹神経叢（骨盤神経叢）inferior hypogastric plexus（pelvic plexus）321, 342, 343, 345, 346, 569, 571
下陥凹（網嚢）inferior recess 327
下眼窩裂 inferior orbital fissure 150
下眼瞼 inferior eyelid 590
下関節突起 inferior articular process of sacrum 18, 20, 21, 22
下顔面神経 lower part of facial nerve 166
下気管気管支リンパ節 inferior tracheobronchial nodes 276, 281, 283
下気管切開術 inferior tracheotomy 277
下丘 inferior colliculus 476, 492, 517, 609
下丘核 nuclei of inferior colliculus 492
下丘交連 commissure of inferior colliculus 609
下丘腕 brachium of inferior colliculus 492, 517, 610
下狭窄，横隔膜狭窄 lower（or diaphragmatic）narrow place 304
下頸心臓枝 inferior cervical cardiac branches 178, 232
下［頸］心臓神経 inferior cervical cardiac nerve 179, 232, 484
下肩甲横靱帯 inferior transverse scapular ligament 54
下瞼板 inferior tarsus 590
下瞼板筋 inferior tarsal muscle 590
下行脚 descending limb 508
下後鋸筋 serratus posterior inferior 39, 469
下行結腸 descending colon 308, 309, 310, 317, 319, 327, 329, 377
下行肩甲動脈 descending scapular artery 176, 178, 179, 244
下行口蓋動脈 descending palatine artery 242
下行膝動脈 descending genicular artery 208, 248
（下）後主静脈 (inferior) posterior cardinal vein 373
下甲状腺静脈 inferior thyroid vein 252, 306, 395
下甲状腺動脈 inferior thyroid artery 174, 178, 244, 276, 305, 306, 395, 397
下甲状腺動脈の変異 174
下項線 inferior nuchal line 142
下行大動脈 descending aorta 222, 224, 236, 237, **240**, 283, 286, 305
下後腸骨棘 posterior inferior iliac spine 91
下喉頭神経 inferior laryngeal nerve 275, 277, 484

下喉頭動脈 inferior laryngeal artery 275
下行部 descending part 314（十二指腸の），332（尿細管の）
下行路 **456**（脊髄の）
下骨盤隔膜筋膜 inferior fascia of pelvic diaphragm 199, 200, 357
下根 inferior root 463（頸神経ワナの）
下肢 **202**
下肢位 **105**
下歯枝 inferior dental branches 489
下視床脚 inferior thalamic pedunculus 513
下矢状静脈洞 inferior sagittal sinus 252, 253, 561, 567
下歯槽神経 inferior alveolar nerve 167, 299, 303, 489
下歯槽動脈 inferior alveolar artery 167, 242, 303
下肢帯筋 **115**
下肢帯の筋 **114**
下肢帯の筋の作用 **120, 121**
下肢帯の筋膜 **125**
下肢の所属リンパ節 **260**
下肢の深静脈 **256**
下肢の皮静脈 **256**
下肢の部位 **202**
下斜筋 inferior oblique 165, 495, 591
下尺側側副動脈 inferior ulnar collateral artery 245
下斜線維 inferior oblique fibers 40
下縦舌筋 inferior longitudinal muscle 291
下縦束 inferior longitudinal fasciculus 554
下十二指腸陥凹 inferior duodenal fossa 309, 314
下十二指腸曲 inferior duodenal flexure 314
下十二指腸ヒダ inferior duodenal fold 309, 314
下主静脈 subcardinal vein 373
下小脳脚（索状体）inferior cerebellar peduncle（restiform body）476, 480, 502, **507**
下上皮小体 inferior parathyroid gland 395, 397
下歯列弓 lower dental arcade 295
下唇 lower lip 288
下深外側頸リンパ節 inferior deep lateral cervical nodes 258
下唇下制筋（下唇方形筋）depressor labii inferioris（M.quadratus labii inferioris）158
下伸筋支帯 inferior extensor retinaculum 127・132・136・137（足の）
下神経幹 lower trunk 462
下神経孔 inferior neuropore 369
下神経節 inferior ganglion 483・570（迷走神経の），485（舌咽神経の）
下唇小帯 frenulum of lower lip 288
下唇動脈 inferior labial branch 166, 241

下唇方形筋（下唇下制筋）M.quadratus labii inferioris（depressor labii inferioris）158
下垂手 wrist drop 468
下膵十二指腸動脈 inferior pancreaticoduodenal artery 316
下垂足 drop foot 473
下垂体 pituitary gland（hypophysis）253, 268, 302, 383, **386, 388**, 432, 434, 435, 478, 512, 523, 524
下垂体窩 hypophysial fossa 145, 268, 386, 478
下垂体腔 hypophysial cavity 524
下垂体茎 hypophysial stalk 386, 387, 523
下垂体後葉 neurohypophysis 389
下垂体静脈 hypophysial veins 524
下錐体静脈洞 inferior petrosal sinus 147, 253
下錐体洞溝 groove for inferior petrosal sinus 145, 146
下垂体の血管 **524**
下垂体の発生と区分 **524**
下垂体柄 hypophysial stalk 477
下髄帆 inferior medullary velum 476, 502
下精巣上体間膜 inferior ligament of epididymis 339
下浅鼠径リンパ節 inferior nodes 203, 207
下前腸骨棘 anterior inferior iliac spine 91, 98, 122
下前頭回 inferior frontal gyrus 530, 531
下前頭溝 inferior frontal sulcus 530, 531
下前頭後頭束 inferior frontooccipital fasciculus 554
下双子筋 gemellus inferior 206
下爪皮 hyponychium 426
下側頭回 inferior temporal gyrus 530, 531
下側頭溝 inferior temporal sulcus 530, 531
下側頭線 inferior temporal line 140, 141
下腿筋膜 deep fascia of leg 122, 136, 214
下腿骨間神経 crural interosseous nerve 474
下腿骨間膜 interosseous membrane of leg 100, 105, 128, 129, 130
下腿三頭筋 triceps surae 126, 129, 131, 213
下大-上大静脈吻合 256
下大静脈 inferior vena cava 198, 221, 222, 224, 225, 227, 233, 251, 255, 310, 322, 328, 329, 334, 335, 373, 392
下大静脈口 opening of inferior vena cava 225
下大静脈弁 valve of inferior vena cava 225
下大脳静脈 inferior cerebral veins 561
下腿の筋 **126**
下腿の筋膜 136

下腿の前方筋群 **127**
下腿の部位 **202**
下腿の骨 **99**
下唾液核 inferior salivatory nucleus 479, 485, 491, 498
下端 331（腎臓の），339（精巣の）
下中心被蓋核（乳頭状核）inferior central tegmental nucleus（papilliformis nucleus）481
下腸間膜静脈 inferior mesenteric vein 319, 324
下腸間膜動脈 inferior mesenteric artery 240, 319
下腸間膜動脈神経節 inferior mesenteric ganglion 568, 569, 571
下腸間膜動脈神経叢 inferior mesenteric plexus 319
下腸間膜リンパ節 inferior mesenteric nodes 259
下跳躍関節 *Unteres sprunggelenk* 109, **110**
下直筋 inferior rectus 495, 591
下直腸静脈 inferior rectal vein 199, 200, 324
下直腸神経 inferior rectal nerve 199, 200, 475
下直腸動脈 inferior rectal artery 199, 200, 247, 321, 377
下椎切痕 inferior vertebral notch 18, 20, 21
下殿筋線 inferior gluteal line 91
下殿静脈 inferior gluteal vein[s] 206, 255
下殿神経 inferior gluteal nerve 120, 206, 470, **472**
下殿動脈 inferior gluteal artery 206, 247
下殿皮神経 inferior clunial nerves 200, 205, 206, 472, 475
下頭関節 inferior head joint 30
下頭斜筋 obliquus capitis inferior 38, 169
下橈尺関節 distal radio-ulnar joint 60
下頭頂骨 inferior parietal bone 153
下頭頂小葉 inferior parietal lobule 530
下尿生殖隔膜筋膜 inferior urogenital diaphragmatic fascia 199, 200
下半月小葉 inferior semilunar lobule 501, 502
下鼻甲介 inferior nasal concha 151, 266, 269, 270
下腓骨筋支帯 inferior fibular retinaculum 128, 136, 137
下鼻道 inferior nasal meatus 151, 266, 269
下部気道 lower airway 264
下腹 inferior belly 72（肩甲舌骨筋の）
下副甲状腺 inferior parathyroid gland 397
下腹神経叢 hypogastric plexus 568
下副腎動脈 392
下腹部 308
下腹壁静脈 inferior epigastric vein 49, 195, 197, 255

下腹壁動脈 inferior epigastric artery　49, 195, 197, 198, 247, 248
下腹壁リンパ節 inferior epigastric nodes　259
下吻合静脈（ラベ静脈）inferior anastomotic vein (vein of Labbé)　561
下膀胱動脈 inferior vesical artery　247, 354
下脈絡叢静脈 inferior choroid vein　562
下葉 inferior lobe　278, 279
下肋骨窩 inferior costal facet　20
下肋部 hypochondrium　193
下腕神経叢麻痺 lower brachial plexus paralysis　464, 490
化学［刺激］受容器 chemoreceptors　485, 585
加生歯 additional (supplementary) teeth　297
加速　382
加齢退縮 age involution　414（胸腺の）
加齢変化　414
可（移）動性関節 mobile joint　104
可動結合 diarthrosis　13
仮性横隔膜ヘルニア false diaphragmatic hernia　52
仮声帯 false vocal cord　274
仮面様顔貌 mask face　494
仮肋 false ribs　32
果叉 malleolar fork　109
渦脈 vorticose veins　594
渦状紋 whorl　421
過剰乳頭 hyperthelia　427
過剰乳房 hypermastia　427
過食症（多食症）hyperphagia　523
過食領域 hyperphagia region　523
過大頭頂孔 foramina parietalia permagna　142
嗅ぎタバコ入れ　192
窩間筋 interfoveolar muscle　49
窩間靱帯 interfoveolar ligament　46, 49, 197
蝸牛 cochlea　604, 605
蝸牛管 cochlear duct　604, 605
蝸牛孔 helicotrema　605
蝸牛根 cochlear root　486
蝸牛軸 modiolus　605
蝸牛小管外口 external opening of cochlear canaliculus　144
蝸牛神経 cochlear nerve (Pars cochlearis)　479, 486, 605, 608, 609
蝸牛神経核 cochlear nuclei　479, 609
蝸牛神経節（ラセン神経節）cochlear ganglion (spiral ganglion)　486, 605, 608
蝸牛神経背側核 posterior cochlear nucleus　486, 609
蝸牛神経腹側核 anterior cochlear nucleus　486, 609
蝸牛窓 round window　602, 603, 604
蝸牛頂 cochlear cupula　604, 605
蝸牛ラセン管 spiral canal of cochlea　604, 605

顆窩 condylar fossa (fovea)　144, 155
顆管 condylar canal　144, 146, 147
顆間窩 intercondylar fossa　94
顆間線 intercondylar line　94
顆間隆起 intercondylar eminence　99
顆結節 condylar tuberculum　155
顆状関節 condylar joint　15
顆上線 supracondylar lines　94
顆上突起 supracondylar process　56
顆導出静脈 condylar emissary vein　147
顆粒球生成 granulopoiesis　409
顆粒細胞 granule cells　503, **504**, 505, 541
顆粒細胞層 koniocellular (granular) layer　536
顆粒小胞 granular vesicles　573
顆粒層 granular layer　349（卵胞上皮の）, 422（表皮の）, 503（小脳の）
顆粒層黄体細胞 granulosa lutein cells　349, 400
顆粒帯 granular zone　565
顆粒白血球 granulocyte[s]　4
顆粒皮質 granular cortex　406, **547**
顆稜 condylar crista　155
芽球 blast　409
鵞足　118
鵞足包 anserine bursa　118, 123
介在核（スタデリーニ核）intercalated nucleus (Staderini)　480
介在骨（間挿骨）epactal bones　154
介在神経細胞 interneuron (internuncial)　444, 545
介在層板 interstitial lamellae　8
介在ニューロン interneurons　580
介在板（光輝線）intercalated disc (Glanzlinie)　228
介在部 intercalated part　294（唾液腺の）, 326（膵臓の）
回外 supination　60・73・84（上肢の）, 131（足の）
回外筋 supinator　78, 83, 84, 188, 189, 468
回外筋稜 supinator crest　58, 83
回結腸静脈 ileocolic vein　324
回結腸唇（上唇）ileocolic lip (superior lip)　318
回結腸動脈 ileocolic artery　318
回結腸リンパ節 ileocolic nodes　259
回旋 rotation　73（上肢帯の）, 98（股関節の）, 155（顎関節の）
回旋筋 rotatores　37
回旋筋マンシェット　69
回旋枝 circumflex branch　230
回腸 ileum　309, **314**, 315, **316**, 317, 318
回腸憩室 ileal diverticulum　314
回腸枝 ileal branch　318
回腸動脈 ileal arteries　316
回転運動　272
回転性眼［球］振［とう］rotatory nystagmus　607
回内 pronation　60・73・84（上肢の）, 131（足の）
回内筋 pronator muscles　465

回内筋粗面 pronator tuberosity　58, 79
回盲口 ileocaecal orifice　314, 318
回盲唇（下唇）ileocaecal lip (inferior lip)　318
回盲乳頭 ileal papilla　318
回盲ヒダ　317
回盲弁小帯 frenulum of ileal orifice　318
回盲弁（バウヒン弁）ileocecal valve (Bauhin's valve)　318
灰白交通枝 gray communicating branch　462, 570
灰白質 gray matter　435, 452, **453**
灰白層 indusium griseum　527, 534, 539
灰白隆起 tuber cinereum　450, 498, 509, 511, 521
海馬 hippocampus　511, 522, 527, 529, 532, 534, 539
海馬溝 hippocampal sulcus　530, 539, 540
海馬采 fimbria of hippocampus　539, 540, 541
海馬支脚（海馬台）subiculum　540
海馬体 hippocampal formation　539, 588
海馬白板 alveus of hippocampus　539, 540, 541
海馬皮質 hippocampal cortex　**541**
海馬傍回 parahippocampal gyrus　530, 533, 535, 536, 539, 540, 588
海綿間静脈洞 intercavernous sinus　253
海綿質 spongy bone　11, 21, 453
海綿静脈洞 cavernous sinus　146, 252, 253, 268, 386, 478, 561
海綿静脈洞部（内頚動脈）cavernous part　243, 559
海綿層 spongy layer　337, 352
海綿体　**344**
海綿帯（背側辺縁核）Zona spongiosa (dorsomarginal nucleus)　454
海綿体部（尿道の）　378
開口期 period of dilatation　365
開口期陣痛　365
開口分泌 exocytosis　387, 403
開放型の内分泌細胞 endocrine cell of open type　403
解釈皮質 interpretative cortex　550
解剖学的結合線 anatomical conjugate　93
解剖学的死腔　280
解剖頸 anatomical neck　56（上腕骨の）
解離性知覚障害　461
塊［状］椎 fused vertebrae (block vertebrae)　22
外陰部静脈 external pudendal veins　196, 203, 204, 207, 256
外陰部動脈 external pudendal arteries　196, 203, 207, 248
外陰隆起　380
外エナメル上皮 outer enamel epithelium　298
外果 lateral malleolus　100
外果窩 malleolar fossa　100

外果関節面 articular facet　100
外果後部 lateral retromalleolar region　202
外果枝 lateral malleolar branches　250
外カジ（指節突起）outer rudder (phalangeal process)　606
外果静脈網 lateral malleolar venous plexus　215
外果動脈網 lateral malleolar network　250
外顆粒層 external granular layer　544（新皮質の）, 595（網膜の）
外眼筋（眼筋）extraocular muscles (extrinsic muscle of eyeball)　590
外弓 external arch　588
外境界層 outer limiting layer　595（網膜の）
外筋周膜 external perimysium　10
外形　**331**
外頚静脈 external jugular vein　171, 172, 175, 176, 178, 252
外頚動脈 external carotid artery　164, 170, 171, 172, 174, 177, 178, **241**, 242, 277, 302, 303, 395
外膠線維性覆層（浅膠境界膜）superficial glial limiting membrane　524
外後頭隆起 external occipital protuberance　142, 144, 161
外後頭稜 external occipital crest　142, 144
外肛門括約筋 external anal sphincter　53, 199, 200, 201, 320, 358, 365, 475
外呼吸　264
外再構築帯 ORZ　393
外枝 external branch　484（上喉頭神経の）
外耳 external ear　369, **601**
外子宮口 external os of uterus　351, 360, 364, 365, 366
外軸索間膜 external mesaxon　447
外耳孔 external acoustic opening　144
外指節細胞（ダイテルス支持細胞）outer phalangeal cells (supporting cells of Deiters)　606
外耳道 external acustic meatus　141, 155, 397, 601
外縦筋層 external longitudinal layer　304（食道の）, 315（小腸の）
外受容性感覚 exteroceptive sensibility　430
外受容性知覚線維 exteroceptive sensory fibers　483
外受容反射（逃避反射）exteroceptive reflex (withdrawal reflex)　452
外唇 outer lip　42・91（腸骨稜の）
外錐体細胞層 external pyramidal layer　544
外髄板 external medullary lamina　511, 513, 518
外精筋膜 external spermatic fascia　46, 48, 49, 196, 339, 342

外星状細胞outer stellate cells　503, 504, 505
外生殖器external genital organs　338・**344**（男の）
外生殖器external genitalia　347・**355**（女の）
外節lateral segment　511（淡蒼球の）
外節outer segment　597（杆状体細胞および錐状体細胞の）
外舌筋　**291**
外旋lateral rotation　73（上腕の）, 120（大腿の）, 124（下腿の）
外側腋窩隙lateral axillary space　183
外側縁lateral border　331
外側窩lateral cerebral fossa　433, 434, 532, 533
外側顆lateral condyle　94・95・105（大腿骨の）, 99・105（脛骨の）
外側塊lateral mass　19, 40
外側顆間結節lateral intercondylar tubercle　99（脛骨の）
外側角lateral angle　54（肩甲骨の）
外側核lateral nucleus　521（乳頭体の）, 537（扁桃体の）, 611（前庭神経核の）
外側核群lateral nuclear group　453・454（脊髄前角の）, 511・514・**516**（視床の）, 537（扁桃体の）
外側下膝動脈inferior lateral genicular artery　249
外側顆上稜lateral supracondylar ridge　56, 81
外側下垂体静脈lateral hypophysial vein　388, 389
外側陥凹lateral recess　476, 563
外側眼瞼靱帯lateral palpebral ligament　590
外側環軸関節lateral atlanto-axial joint　30
外側脚lateral crus　42・48（浅鼠径輪の）, 51（横隔膜の）, 196（浅鼠径輪の）, 265（大鼻翼軟骨の）
外側嗅条lateral stria　477, 510, 536, **538**
外側弓状靱帯lateral arcuate ligament　47, 51, 198
外側胸筋神経lateral pectoral nerve　464
外側胸静脈lateral thoracic vein　194
外側胸動脈lateral thoracic artery　182, 194, 245
外側曲lateral flexure　320
外側極核lateropolar nucleus　514
外側距踵靱帯lateral talocalcaneal ligament　110, 111
外側筋間中隔lateral intermuscular septum　77（上腕の）
外側頸三角部（後頸三角）lateral cervical region（posterior triangle）163, **175**
外側頸リンパ節lateral cervical nodes　258, 395
外側楔状骨lateral cuneiform　107, 108, 109

外側口（ルシュカ孔）lateral aperture（foramen of Luschkae）476
外側溝lateral sulcus　433, 434, 530, 531, 533, 535
外側広筋vastus lateralis　114, 122, 125, 471
外側甲状舌骨靱帯lateral thyrohyoid ligament　272
外側後頭側頭回lateral occipitotemporal gyrus　530
外側後鼻枝posterior lateral nasal arteries　242
外側［骨］半規管lateral semicircular canal　603
外側根lateral root　465（外側神経束の）, 598（視索の）
外側臍ヒダlateral umbilical fold　49, 310
外側鎖骨上神経lateral supraclavicular nerve　175
外側膝蓋支帯lateral patellar retinaculum　101, 122
外側膝状体lateral geniculate body　493, **517**, 519, 533, 552, 598, 599
外側膝状体核nucleus of lateral geniculate body　513, 514, 517, 598
外側縦条lateral longitudinal stria　534, 539
外側踵骨枝lateral calcaneal branch[es]　213, 474
外側手根側副靱帯radial collateral ligament of wrist joint　64
外側上顆lateral epicondyle　56・59・77・81・82・83（上腕骨の）, 94・101（大腿骨の）
外側上膝動脈superior lateral genicular artery　249
外側上腕筋間中隔lateral intermuscular septum of arm　76, 89
外側唇lateral lip　94（大腿骨の）
外側神経束lateral cord　181, 182, 462
外側靱帯lateral ligament　155（顎関節の）
外側脊髄視床路（脊髄毛帯）lateral spinothalamic tract（spinal lemniscus）455, 584
外側脊髄小脳路lateral spinocerebellar tract　461
外側舌喉頭蓋ヒダlateralis glossoepiglottic fold　290
外側舌隆起lateral lingual prominence　375
外側仙骨静脈lateral sacral veins　255
外側仙骨動脈lateral sacral arteries　247
外側仙骨稜lateral sacral crest　23
外側前頭底動脈 lateral frontobasal artery　559
外側前腕皮神経lateral antebrachial cutaneous nerve　187, 189, 464
外側足縁静脈lateral marginal vein　256
外側足根動脈lateral tarsal artery　249

外側足底静脈lateral plantar veins　217
外側足底神経lateral plantar nerve　217, 474
外側足底中隔lateral plantar septum　133
外側足底動脈lateral plantar artery　216, 217, 250
外側足底隆起lateral plantar eminence　132
外側足背皮神経lateral dorsal cutaneous nerve　213, 215, 474
外側側副靱帯fibular collateral ligament　59・77・83（肘関節の）, 101・102・104・105（膝関節の）, 109（距腿関節の）, 111（足の関節の）
外側鼠径窩lateral inguinal fossa　49, 197, 310
外側大腿回旋静脈lateral circumflex femoral veins　256
外側大腿回旋動脈lateral circumflex femoral artery　208, 248
外側大腿筋間中隔lateral femoral intermuscular septum　114, 125
外側大腿皮神経lateral cutaneous nerve of thigh（lateral femoral cutaneous nerve）50, 198, 207, 470, **471**
外側直筋lateral rectus　168, 495, 591
外側頭直筋rectus capitis lateralis　39, 463
外側突起axillary process　427（乳房の）
外側肺底区, 外側肺底枝lateral basal segment, lateral basal segmental bronchus　279
外側板lateral lamina　144
外側半規管lateral semicircular duct　604
外側半規管隆起prominence of lateral semicircular canal　603
外側半月lateral meniscus　102・105（膝関節の）
外側皮枝lateral branch　469
外側皮質脊髄路lateral corticospinal tract　456, 575
外側鼻軟骨lateral nasal cartilage　265
外側腓腹皮神経lateral sural cutaneous nerve　126, 473
外側鼻隆起lateral nasal prominence　374
外側腹側核ventral lateral nucleus　513, 514, 516
外側副伏在静脈lateral accessory saphenous vein　203, 204, 207
外側壁　**266**（鼻腔の）
外側面lateral surface　339, 348
外側毛帯lateral lemniscus　481, 486, 492, 502, 609
外側毛帯背側核dorsal nucleus of lateral lemniscus　609
外側網様核lateral reticular nucleus　480, 507

外側網様体脊髄路lateral reticulospinal tract　456
外側野lateral area　521
外側腰肋弓lateral lumbocostal arch　51
外側翼突筋lateral pterygoid　159, 167, 302
外側隆起outer lamp　447
外側輪状披裂筋lateral cricoarytenoid　273
外側裂→外側溝をみよ
外側裂孔lateral lacunae　561, 567
外側肋横突靱帯lateral costotransverse ligament　28, 34
外帯outer stripe　323（肝腺房の）, 331（腎錐体の）, 343（前立腺の）
外弾性膜external elastic membrane　261, 262
外柱細胞outer pillar cells　606
外腸骨静脈external iliac vein　198, 251, **255**
外腸骨動脈external iliac artery　198, 240, 247, **248**
外腸骨リンパ節external iliac nodes　260, 336, 354
外椎骨静脈叢　251
外転abduction　73（上腕の）, 98（股関節の）, 120（下肢帯の）
外転神経（第Ⅵ脳神経）abducent nerve　146, 147, 168, 477, 478, 481, 495
外転神経核nucleus of abducens nerve　479, 481, 487, 495, 497, 609
外転神経橋abducens bridge　146
外套pallium　527
外套細胞（衛星細胞）satellite cells　458
外套性視床palliothalamus　513
外トンネルouter tunnel　606
外尿道括約筋external urethral sphincter　337
外尿道口external urethral orifice　337, 344, 345, 347, 355
外バイヤルジェー線external band of Baillarger　534, 544
外胚葉ectoderm　368
外反eversion　110（足の）
外板external table　11（骨の）, 140（頭蓋骨の）
外反股coxa valga　96
外反膝genu valgum　96, 105
外反足pes valgus　113
外皮　420
外鼻　265
外鼻孔nares　265
外鼻枝external nasal nerve　488
外被膜（外科的被膜）external capsule（surgical capsule）395
外腹斜筋external oblique　42, 44, 47, 48, 49, 69, 71, 195, 196, 329, 469
外分泌器官　343
外分泌細胞（腺細胞）exocrine cell（glandular cell）525
外分泌腺exocrine gland[s]　5, 294, 323, 326, **383**
外分泌腺房細胞exocrine acinar cells　398

外閉鎖筋 obturator externus 114, 117, 118, 120, 121, 346
外包 external capsule 531
外膜 adventitia 276（気管の）, 280（肺の）, 304（食道の）, 325（胆路の）, 335（導尿器官の）, 342（精管の）
外膜 tunica externa 261・262・263（血管の）
（外膜の）結合組織 connective tissue 261
外網状層 external plexiform layer 595
外有毛細胞 outer hair cells 606
外ラセン溝 outer spiral sulcus 606
外卵胞膜 theca externa 349, 400
外リンパ perilympha 604
外リンパ管 perilymphatic duct 604
外肋間筋 external intercostal muscle 41
外肋間膜 external intercostal membrane 41
蓋板（四丘板, 中脳蓋）tectal plate（quadrigeminal plate, tectum of midbrain） 434, 476, 502, 509
蓋膜 tectorial membrane 30, 606
角回 angular gyrus 530, 533, 549, 555
角質形成層 cornification layer 422
角質層 cornified layer 422
角質板（爪板）nail plate 426
角切痕 angular incisure 311
角膜 cornea 592, **593**
角膜固有質 substantia propria 593
角膜上皮 corneal epithelium 593
角膜内皮 corneal endothelium 593
角膜反射 corneal reflex 497
核 nucleus 228
核（核形質）nucleus（karyoplasm, nucleoplasm） 3, 4
核孔 nuclear pores 439
核鎖線維 nuclear chain fibers 579
核質 karyoplasm 439
核周囲腔 perinuclear space 439
核周囲帯 perinuclear zone 228
核周部 perikaryon 388, 437
核小体 nucleolus 3, 4, 437, 439
核小脳路 nucleocerebellar tract 507
核嚢線維 nuclear bag fibers 579
核分裂 karyokinesis 4
核膜 nuclear membrane（nuclear envelope） 3, 4
核膜（二重膜）karyotheca（double membrane） 439
拡張期 diastole 239
隔膜下部 386
隔膜上部 386
隔膜裂孔 diaphragmatic hiatus 567
学齢期 382
顎下三角 submandibular triangle 163, **171**
顎下神経節 submandibular ganglion 171, **491**
顎下腺 submandibular gland 171, 293, 294, 302, 491
顎下腺窩 submandibular fossa 148

顎下腺管 submandibular duct 171, 291, 293, 303
顎下リンパ節 submandibular nodes 258
顎関節 temporomandibular joint **155**
顎間隆起 intermaxillary prominence 375
顎静脈 maxillary vein 172
顎正常 eugnathia 299
顎舌骨筋 mylohyoid 171, 288, 291, 292, 293, 302, 489
顎舌骨筋枝 mylohyoid branch 167, 242
顎舌骨筋神経 nerve to mylohyoid 167, 171
顎舌骨筋神経溝 mylohyoid groove 148
顎舌骨筋線 mylohyoid line 148, 292
顎点 152
顎動脈 maxillary artery 164, 167, 172, 241, **242**, 373
顎二腹筋 digastric 292, 487, 489
（顎二腹筋の）後腹 posterior belly（digastric） 177, 293
（顎二腹筋の）前腹 anterior belly（digastric） 293
籠細胞 basket cells 294（唾液腺の）, 503・504・505（小脳の）, 541（海馬の）, 545（新皮質の）
肩円蓋 57
肩関節 glenohumeral joint（shoulder joint） **57**
肩関節の運動 **57**
肩の領域の部位 **180**
渇感欠如領域 adipsia region 523
割球 blastomere 361, 368
滑液鞘 synovial sheath 137（足の）
滑液包 synovial bursa 14, 17, 103
滑車 trochlea 63（手の）, 165・168・591（眼窩の）
滑車下神経 infratrochlear nerve 165, 168, 488
滑車上孔 supratrochlear opening 56
滑車上静脈 supratrochlear vein 165
滑車上神経 supratrochlear nerve 164, 165, 168, 488
滑車上動脈 supratrochlear artery 164, 165, 168
滑車上リンパ節 supratrochlear nodes 258
滑車神経（第Ⅳ脳神経）trochlear nerve 147, 168, 477, 478, **495**
滑車神経核 nucleus of trochlear nerve 479, 492, 495, 497
滑車切痕 trochlear notch of ulna 58・60（尺骨の）
滑走運動 155（顎関節の）, 272（喉頭の）
滑脱ヘルニア sliding hernia 52
滑膜 synovial membrane 13, 14, 103
滑膜性の連結 synovial joint 13
滑膜ヒダ synovial fold 13, 29・30（脊柱の）, 64（手根中央関節の）

滑面小胞体[agranular]（smooth）endoplasmic reticulum 3, 439
褐色細胞腫 pheochromocytoma 394
壁紙 tapetum 551
鎌状縁 falciform margin 125, 204, 207
鎌状突起 falciform process 50
空になった皮質顆粒 cortical granules 360
烏の足跡 crow's feet 157
（体の）筋膜 fascia 423
完全重複尿管 complete ureteral duplication 337
汗孔 pores of sweat gland 421
汗腺 sweat gland 423, **424**
肝胃間膜 hepatogastric ligament 308
肝右葉 right lobe of liver 308, 327, 328, 329
肝円索 round ligament of liver 222, 308, 322, 327
肝円索裂 fissure for round ligament 308, 322
肝外胆路 extrahepatic bile tract 325
肝鎌状間膜 falciform ligament 308, 310, 322, 376
肝冠状間膜 coronary ligament 310, 322
肝区域の構成 **323**
肝憩室 376
肝憩室の尾側部 caudal part of liver diverticulum 376
肝結腸間膜 319
肝細胞間隙 slits between liver cells 323
肝細胞（肝上皮細胞）hepatocyte（liver epithelial cells） 323
肝細胞索 hepatic cord 323
肝細胞板（肝細胞索）hepatic laminae（hepatic cord） 323
肝索 hepatic cord 376
肝左葉 left lobe of liver 327, 328
肝枝 hepatic branches 484
肝十二指腸間膜 hepatoduodenal ligament 308, 310, 314, 327
肝上皮細胞 liver epithelial cells 323
肝静脈 hepatic veins 221, 222, 251, 324
肝小葉 lobules of liver **323**
肝腎間膜 hepatorenal ligament 310
肝神経叢 hepatic plexus 484, 571
肝線維性付着部 fibrous appendix of liver 322
肝膵房 liver acinus 323
肝臓 liver 222, 287, 308, **322**, 381, 408, 416
肝内胆路 intrahepatic bile tract 325
肝内脈管 323
肝門 porta hepatis 322
肝リンパ節 hepatic nodes 259, 324, 325
杆状核 406, 407
杆状核顆粒白血球 stab granulocyte 409

杆状体 rods 595, 596
杆状体細胞 rod cells 595, 597
杆状体囊 rod sac 597
杆状体の外節 outer segment of rod 597
冠状血管 coronary vessels 230
冠状溝 coronary sulcus 223, 224, 227, 230
冠状循環 coronary circulation 230
冠状静脈口 opening of coronary sinus 225
冠状静脈洞 coronary sinus 224, 230, 231
冠状縫合 coronal suture 140, 141, 143, 153
冠状面 coronal plane 2
陥凹膝蓋骨 emarginate patella 95
陥入シナプス invaginated synapse 597
陥没乳頭 inverted nipple 427
慣性流 inertial streaming 607
貫通管（フォルクマン管）Canales perforantes（Volkmann's canals） 8
貫通筋 perforating muscle 80
貫通（経）路 perforant path 541
貫通枝 perforating branch[es] 213・250（腓骨動脈の）, 250（底側中足動脈の）
貫通静脈 perforating veins 213, 215, 251, 256
貫通動脈 perforating arteries 208, 248, 392
間質核 interstitial nucleus（Cajal） 493, 576
間質核脊髄束 interstitiospinal fasciculus（Fasciculus interstitiospinalis） 497, 576, 580
間質結合組織 interstitial connective tissue 6, 340（精巣の）
間質細胞 interstitial cells 399
間質前核 prestitial nucleus 493
間接性投射路 577
間接鼠径ヘルニア indirect inguinal hernia 48, 50
間挿骨（介在骨）epactal bones 154
間脳[胞] diencephalon 432, 433, 434, 436, 499, 509
間膜 meso 307
間膜縁 mesovarian border 348
間膜ヒモ 317
寛骨 hip bone（coxal bone, pelvic bone） 2, **91**, 357
寛骨臼 acetabulum 91
寛骨臼縁 acetabular margin 91
寛骨臼横靱帯 transverse acetabular ligament 92, 97
寛骨臼窩 acetabular fossa 91
寛骨臼蓋 acetabular tegmen 97
寛骨臼骨 acetabular bones 91
寛骨臼上溝 supra-acetabular groove 91
寛骨臼切痕 acetabular notch 91
寛骨三頭筋 coxal triceps 117
幹神経節 ganglion of sympathetic trunk 570

感覚細胞 sensory cells　430, 587, 606, 607, 608
感覚小毛(聴小毛) sensory hairlets (auditory hairlets)　606, 607
感覚(求心性)神経 sensory (afferent) nerves　430
感覚性失語症 sensory aphasia　555
管状骨 tubular bone　11
管状終末部 tubular terminal portion　383
管状腺　312
管状胞状腺　428
関節　**13**
関節円板 articular disk　14, 64(橈骨手根関節の), 155(顎関節の)
関節覚　583
関節下結節 infraglenoid tubercle　54, 77
関節間部 interarticular portion　21
関節腔 articular cavity　13, **14**, 103
関節結節 articular tubercle　144, 155
関節後静脈叢 retroarticular venous plexus　155
関節上結節 supraglenoid tubercle　54
関節唇 labrum　14(肩関節の), 97(股関節の), 98(大腿骨の)
関節滲出液　97
関節体 articulating bones　13
関節突起 condylar process　148
関節内胸肋靱帯 intraarticular sternocostal ligament　34
関節軟骨 articular cartilage　14
関節の分類　**15**
関節嚢(関節包) capsular ligament (articular capsule)　13
関節半月 meniscus　14, 101・102・103・104(膝関節の)
関節包(関節嚢) articular capsule (capsular ligament)　13, 97(股関節の), 101・103(膝関節の), 155・302(顎関節の)
関節包外靱帯 extracapsular ligaments　97
関節包付着線 capsular attachment　97
関節面 articular surface　13, 271(披裂軟骨の)
環軸関節　**30**
環椎 atlas　18, 19, 26
環椎横靱帯 transverse ligament of atlas　30
環椎後弓 posterior arch of atlas　169
環椎後頭関節 atlanto-occipital joint　30
環椎十字靱帯 cruciform ligament of atlas　30
環椎の高さでの横断面　**303**
環椎部(椎骨動脈) atlantic part　244
環椎癒合 assimilation of the atlas (occipitalization of the atlas)　19
環ラセン終末(一次終末) annulospiral endings (primary endings)　579
含気骨 pneumatic bones　**11**

含気洞 air sinus　11
岩様部 petrous part　243(内頸動脈の), 485(舌咽神経の)
眼窩 orbit　150, 165, **168**, 268, **590**
眼窩回 orbital gyri　530
眼窩下縁 infra-orbital margin　141, 143
眼窩下管 infra-orbital canal　150, 489
眼窩隔膜 orbital septum　165, 590
眼窩下孔 infra-orbital foramen　141, 143, 150, 164, 242
眼窩下溝 infra-orbital groove　150
眼窩下神経 infra-orbital nerve　164, 165, 299, 489
眼窩下動脈 infra-orbital artery　164, 165, 242, 265
眼窩下部 infra-orbital region　163
眼窩陥凹 Recessus orbitalis　150
眼角静脈 angular vein　164, 165, 252
眼角動脈 angular artery　164, 165, 241, 265
眼窩口　150
眼窩骨膜(骨膜) periorbita　590
眼窩枝 orbital branches　490
眼窩脂肪体 orbital fat body　590
眼窩上縁 supra-orbital margin　141, 143
眼窩上孔 supra-orbital foramen　143, 165
眼窩上神経 supra-orbital nerve　164, 168, 488
眼窩上切痕 supra-orbital notch　143, 164, 488
眼窩上動脈 supra-orbital artery　164, 165, 168
眼窩前頭束 orbitofrontal fasciculus　554
眼窩皮質 orbital cortex　515
眼窩部 orbital part (region)　145, 163, **165**, 530, 590
眼窩面 orbital surface　150
眼球 eyeball　168, 590, 590, **592**
眼球鞘(テノン鞘) fascial sheath of eyeball (Tenon's capsule)　590
眼球心臓反射 oculocardiac reflex　497
眼球赤道 equator of eyeball　592
眼筋　**591**
眼筋の支配神経　**495**
眼瞼 eyelids　369, **590**
眼瞼部 palpebral part　590
眼瞼裂 palpebral fissure　590
眼神経 ophthalmic nerve　164, 265, 266, 267, 478, **488**
眼底 eye ground　594
眼動脈 ophthalmic artery　147, 168, 243, 559, 594
眼杯 optic cup　592
眼胞 optic vesicle　432, 592
[眼]房水 aqueous humor　592
眼野 eye fields　576
眼優位円柱 ocular dominance column　552
眼輪筋 orbicularis oculi　156, 157, 164, 590

顔面横動脈 transverse facial artery　164, 166, 172, 241
顔面筋 facial muscles　**156**
顔面高　152
顔面指数　152
顔面静脈 facial vein　164, 165, 166, 171, 172, 174, 177, 178, 252, 265, 266, 288, 303
顔面神経(第Ⅶ脳神経) facial nerve　147, 164, 167, 170, 171, 172, 265, 477, 478, **487**, 490, 491, 502, 586, 602, 603
顔面神経[外]膝 [external] genu of facial nerve　487
顔面神経核 motor nucleus of facial nerve　479, 481, 487, 497, 498
顔面神経管 facial canal　487, 603
顔面神経管隆起 prominence of facial canal　603
顔面神経丘 facial colliculus　476, 479, 481
顔面神経頸枝 cervical branch of facial nerve　166
顔面神経根(翼突管神経) Radix facialis (nerve of pterygoid canal)　490
顔面神経[内]膝 [internal] genu of facial nerve　479, 481, 487
顔面神経麻痺 facial paralysis　487
顔面頭蓋　138, 141, **302**
顔面動脈 facial artery　164, 165, 166, 171, 172, 177, 241, 288, 302, 303
顔面リンパ節 facial nodes　258
閂 obex　564

き

キース・フラック結節 Keith-Flack's node　231
キーゼルバッハの部位 Kiesselbach area　266, 267
キヌタ骨 incus　602
キヌタ骨体 body of incus　602
キネシン kinesin　442
キネトゾーム(基底小体) kinetosome (basal bodies)　3, 4
ギャップ結合　441
キャノン・ベームの点 Cannon-Böhm's point　319
ギヨンの仕切り Guyon's loge　89, 190
キラー細胞 killer cell　411
気管 trachea　179, 232, 264, **276**, 283, 285, 304, 305, 374, 397
気管気管支憩室 tracheobronchial diverticulum　374
気管気管支リンパ節 tracheobronchial nodes　285, 306
(気管)胸部 thoracic part　276
気管筋 trachealis　276
(気管)頸部 cervical part　276
気管支　278, 374
気管枝 tracheal branches　484
気管支関連リンパ組織 bronchus associated lymphoid tissue (BALT)　412

気管支枝 bronchial branches　279, 280, 374
気管支樹 bronchial tree　264, 374
気管支腺 bronchial glands　280
気管支喘息 bronchial asthma　281
気管支動脈 bronchial branches　240, 276, 280
気管支軟骨 bronchial cartilage　280
気管支肺リンパ節 bronchopulmonary nodes　236, 281, 283
気管切開術 tracheotomy　174
気管軟骨 tracheal cartilages　276
気管分岐部 tracheal bifurcation　276, 279, 281, 304
気管傍リンパ節 paratracheal nodes　276, 285, 306
気管竜骨 carina of trachea　276
気胸 pneumothorax　284
奇静脈 azygos vein　236, 237, 251, 257, 283, 285, 305, 306, 373
奇静脈弓 arch of azygos vein　251
奇静脈系　**251**
既視体験 déjà vu　550
記憶細胞 memory cell　409, 411
起座呼吸 orthopnea　52
起始円錐(軸索小丘) the cone of origin (axon hillock)　437
起始核 nuclei of origins　479
基質　6
基靱帯(マッケンロート靱帯) cardinal ligament (Mackenrodt's ligament)　353
基節骨 proximal phalanx　63(手の), 108(足の)
基節骨底 base of proximal phalanx　66(手の)
基底外側核群 basolateral nuclear group　537
基底核(マイネルトの基底核, 無名質) basal nucleus (of Meynert)　444, 515, 537
基底顆粒細胞 basal granulated cells　403
基底結節 basal tubercle　295
基底細胞 basal cells　267, 581
基底樹状突起 basal dendrites　545
基底小体(キネトゾーム) basal bodies (kinetosome)　3, 4, 565
基底層 basal layer　352, 422
基底足 basal foot　565
基底脱落膜 basal decidua　363
基底脱落膜 decidua basalis　362
基底板 basal lamina　403, 578, 605, 606
基底膜 basal lamina　262, 333, 340, 396, 448, 450
基板 basal plate　435
基板(体運動帯) basal plate (somatomotor zone)　477
基本顆粒 elementary granules　526
亀頭冠 corona of glans　344
稀突起膠 oligodendroglia　449
稀突起膠細胞 oligodendrocytes　446, 447, 504
器官系の発生　371
機械刺激受容器 mechanoreceptors　485, 582, 608

機能血管　281
機能層 functional layer　352
機能柱 functional column　552
機能的構成　415（リンパ節の）
機能的終動脈 functional end-artery　230
偽重層（多列）上皮 pseudostratified epithelium　5
偽足 pseudopodia　4
偽単極性神経細胞 pseudounipolar nerve cells　458
偽投射 false projection　175
偽縫合 sutura mendosa　154
疑核 nucleus ambiguus　479, 480, 482, 483, 484, 485, 497
拮抗筋 antagonists　16
脚間窩 interpeduncular fossa　476, 477
脚間核 interpeduncular nucleus　444, 492, 498, 512
脚間線維 intercrural fibres　42・48・196（浅鼠径輪の）
脚間槽 interpeduncular cistern　563
脚橋被蓋核 pedunculopontine tegmental nucleus　492
脚内核 entopeduncular nucleus　510
脚部（挙筋板）　365
逆行性輸送　438
弓状核（漏斗核）arcuate nucleus (infundibular nucleus)　480（延髄の）, 507（小脳の）, 521（視床下部の）, 525（隆起漏斗系の）
弓状核小脳路 arcuatocerebellar tract　507
弓状膝窩靱帯　101
弓状静脈 arcuate veins　332
弓状線 arcuate line　43, 44, 91, 195
弓状線維 arcuate fibers　554（大脳の）, 586（延髄の）
弓状動脈 arcuate arteries　332（腎臓の）
弓状動脈 arcuate artery　215・249（足の）
弓状紋 arch　421
弓状野 arcuate area　43
弓状隆起 arcuate eminence　145
臼後三角 retromolar triangle　148
臼状関節 ball and socket joint　15
休止期 telogen　425（毛の）
吸息　284
求心性神経終末杯 afferent nerve calix　608
求心性線維 afferent fiber　462, **505**, 580
求心性線維結合　499（網様体の）
求心路 afferent connections　**540**（原皮質の）, **542**（線条体の）
球海綿体筋 bulbospongiosus　199, 200, 201, 344, 355, 365, 475
球関節 spheroidal joint　15, 66
球形嚢 saccule　486, 604
球形嚢斑 macula of saccule　604, 607, 608, 611
球交連 commissure of bulbs　199
球状核 globose nucleus　502, 506, 508, 580
球状帯 zona glomerulosa　393

嗅覚　264
嗅覚器　**587**
嗅覚野（前有孔質）olfactory area (anterior perforated substance)　510, 530, 538
嗅球 olfactory bulb　432, 435, 436, 477, 478, 512, 527, 528, 530, 536, **538**, 587
嗅結節 olfactory tubercle　536
嗅溝 olfactory sulcus　530
嗅細胞（感覚細胞）olfactory cell (sensory/receptor cells)　267, 538, 587
嗅索 olfactory tract　435, 477, 530, 531, 536, 538
嗅三角 olfactory trigone　435, 536
嗅糸球体（糸球体）olfactory glomerulus (glomerulus)　538, 587
嗅樹状突起（遠位茎）olfactory dendrite (distal shaft)　587
嗅樹状突起 olfactory dendritic knob　587
嗅小胞 olfactory vesicles　587
嗅小毛 olfactory cilia　587
嗅神経（第I脳神経）olfactory nerves　147, 477, 587
嗅脳 olfactory brain (rhinencephalon)　527, 536
嗅皮質 olfactory cortex　531
嗅部 olfactory region　266, 267, 587
嗅鞭毛 olfactory flagella　587
嗅傍部（梁下野）parolfactory area (subcallosal area)　530, 588
巨核芽球 megakaryoblast　409
巨核球（骨髄巨核細胞）megakaryocyte　409
巨赤芽球 megaloblast　408
巨大星状細胞 giant stellate cells　551
挙筋板 levator plate　365
挙筋門（尿生殖裂孔＋肛門裂孔）levator gate (urogenital hiatus + anal hiatus)　53, 201, 357
挙筋隆起 torus levatorius　270
挙睾筋（精巣挙筋）cremaster　43
挙上 elevation　73（上肢帯の）
虚血 ischemia　228
距骨 talus　106, 109, 110, 111
距骨下関節 subtalar joint　110
距骨外側突起 lateral process　106
距骨頸 neck of talus　106
距骨後突起 posterior process　106
距骨溝 sulcus tali　106
距骨体 body of talus　106
距骨頭 head of talus　106
距舟靱帯 talonavicular ligament　110, 111
距踵舟関節 talocalcaneonavicular joint　109, 110
距腿関節 ankle joint　109, 131
鋸状縁 ora serrata　592, 594
鋸状縫合 serrate suture　12, 153
共感性瞳孔反応 consensual pupillary reaction　600
共通心室 common ventricle　372
共通心房 common atrium　372
協同筋 synergists　16

狭顔（長顔）leptoprosopic　152
狭義の錐体外路性運動系 extrapyramidal motor system in a narrow sense　576
胸横筋 transversus thoracis　41, 469
胸郭 thorax　**32**, 35
胸郭下口 inferior thoracic aperture　35
胸郭上口 superior thoracic aperture　35, 234
胸郭の運動　**35**
胸郭の横径（左右径）transverse diameter　284
胸郭の矢状径（前後径）sagittal diameter　284
胸郭の縦径（上下径）longitudinal diameter　284
胸郭領域の部位　**193**
胸管 thoracic duct　174, 179, 221, 236, 237, 251, 257, 283, 285, 286, 305, 395
胸棘間筋 interspinales thoracis　37
胸棘筋 spinalis thoracis　37
胸筋間リンパ節 interpectoral nodes　258
胸筋筋膜 pectoral fascia　75, 181, 194, 428
胸筋枝 pectoral branch　182（胸肩峰動脈の）
胸筋枝 pectoral veins　254（鎖骨下静脈の）
胸筋部 pectoral region　193
胸筋膜 thoracic fascia　194
胸筋リンパ節 pectoral nodes　258
胸腔 thoracic cavity　35, 220, **259**
胸肩峰静脈 thoraco-acromial vein　254
胸肩峰動脈 thoraco-acromial artery　181, 182, 245
胸骨 sternum　**33**, 233, 234, 236, 305, 307
胸骨下角 infrasternal angle　35, 284
胸骨角 sternal angle　33
胸骨角を通る横断面（縦隔の上部と縦隔の下部の境界）　234
胸骨剣結合 xiphosternal synchondrosis　33
胸骨後脂肪体 retrosternal adipose body　236
胸骨甲状筋 sternothyroid　160, 173, 463
胸骨上（音響窓）suprasternal　238
胸骨上窩 suprasternal fossa　163
胸骨上筋膜間隙 suprasternal interfascial space　162, **173**
胸骨舌骨筋 sternohyoid　160, 173, 463
胸骨体 body of sternum　33
胸骨端 sternal end　55（鎖骨の）
胸骨柄 manubrium of sternum　33
胸骨柄結合 manubriosternal symphysis (synchondrosis)　33, 34
胸骨傍（音響窓）parasternal　238
胸骨傍リンパ節 parasternal nodes　259
胸骨膜 sternal membrane　34

胸最長筋 longissimus thoracis　36
胸鎖関節　**55**
胸鎖乳突筋 sternocleidomastoid (sternocleidomastoideus)　67, 72, 161, 162, 169, 170, 171, 173, 175, 176, 177, 178, 303, 482
胸鎖乳突筋静脈 sternocleidomastoid vein　252
胸鎖乳突筋部 sternocleidomastoid region　163, **178**
胸式呼吸 thoracic respiration　284
胸上骨 suprasternal bones　33
胸神経 thoracic nerves　451
胸心臓枝 thoracic cardiac branches　232
胸心臓神経 thoracic cardiac branches　232, 570
胸心膜腔 pleuro-pericardial cavity　371
胸髄 thoracic segments　568
胸腺 thymus　412, **413**
胸腺細胞 thymocyte　414
胸腺三角 Thymusdreieck　413
胸腺残体 Thymusrest körper　413
胸腺枝 thymic branches　414
胸腺上皮細胞 thymic epithelial cell　414
胸大動脈 thoracic aorta　240, 278, 281
胸腸肋筋 thoracic iliocostalis　36
胸椎 thoracic vertebrae　**20**, 26
胸椎の前面 anterior surface of thoracic vertebral column　234
胸内筋膜 endothoracic fascia　162, 282
胸背神経 thoracodorsal nerve　182, 464
胸背動脈 thoracodorsal artery　182, 245
胸半棘筋 semispinalis thoracis　37
胸部 thoracic part　276（気管の）, 304（食道の）
胸腹壁静脈 thoraco-epigastric veins　194, 195, 256
胸部交感神経　306
胸部交感神経幹 thoracic sympathetic trunk　305
胸部食道　**305**
胸部内臓　220
胸壁内部の胸骨傍リンパ節 parasternal nodes on internal surface of thoracic wall　258
胸膜 pleura　233, **282**
胸膜下結合組織　279
胸膜境界　282
胸膜腔 pleural cavity　220, 264, 282, 374
胸膜心膜管 pleuropericardial canal　374
胸膜頂 dome of pleura　282, 283
胸膜洞 pleural recesses　282
胸膜の下縁 inferior border of pleura　416
胸膜局在 thoracolumbar localization　568
胸腰筋膜 thoracolumbar fascia　**39**
胸肋関節 sternocostal joints　**34**

胸肋三角 sternocostal triangle　51, 52
胸肋面 sternocostal surface　223
莢毛細血管 sheathed capillaries　417
強制的終末回旋 obligatory terminal rotation　104
強膜 sclera　590, 592, 596
強膜静脈洞（シュレム管）scleral venous sinus（canal of Schlemm）593
境界溝 sulcus limitans　375
境界溝 sulcus terminalis cordis　372
境界層 zonula adherens, Grenzschicht　228
境界稜 terminal crest　372
鋏咬合 scissors occlusion　299
橋 pons　432, 433, 434, 435, 476, **481**, 492, 494, 533, 580
橋核 pontine nuclei　481, 508
橋［核］小脳線維 pontocerebellar fibers　481
橋屈 pontine flexure　432
橋小脳路 pontocerebellar tract　508
橋小脳 pontocerebellum　501
橋性底部（橋腹側部）basilar part of pons　481, 492
橋動脈 pontine arteries　558
橋被蓋（橋背部）tegment of pons　481
橋網様体脊髄路（前網様体脊髄路）pontine reticulospinal tract（anterior reticulospinal tract）　456
橋腕（中小脳脚）brachium pontis（middle cerebellar peduncle）476, 481, 502, **508**
頰咽頭筋膜 buccopharyngeal fascia　300
頰筋 buccinator　158, 172, 288, 293, 489
頰筋枝 buccal branches　487
頰骨 zygomatic bone　138, 141, 143, 144, 150
頰骨眼窩孔 zygomatico-orbital foramen　150
頰骨眼窩動脈 zygomatico-orbital artery　241
頰骨顔面孔 zygomaticofacial foramen　141, 143
頰骨顔面枝 zygomaticofacial branch　489
頰骨弓 zygomatic arch　141, 159, 293
頰骨弓点　152
頰骨枝 zygomatic branches　487
頰骨上顎縫合 zygomaticomaxillary suture　141, 143
頰骨神経 zygomatic nerve　489, 490
頰骨側頭枝 zygomaticotemporal branch　489
頰骨突起 zygomatic process　141
頰骨部 zygomatic region　163
頰脂肪体（ビシャー頰脂肪体）buccal fat pad（Bichat's fat）　166, 288
頰神経 buccal nerve　167, 172, 489
頰腺 buccal glands　491
頰動脈 buccal artery　167, 242

頰部 buccal region　163
頰面 buccal surface　295（歯冠の）
曲精細管 convoluted seminiferous tubules　340, 379
棘 spines　503
棘下窩 infraspinous fossa　54
棘下筋 infraspinatus　67, 68, 69, 71, 74, 77, 194, 464
棘間隔 interspinous distance　93
棘間筋 interspinales　37
棘間筋群　**37**
棘間靱帯 interspinous ligaments　28
棘筋 spinalis　37
棘孔 foramen spinosum　144, 145, 147
棘三角 spinal triangle（triangle of spine）　54, 72
棘シナプス spine synapse　440, 441, 503
棘上窩 supraspinous fossa　54, 68
棘上筋 supraspinatus　67, 68, 69, 71, 73, 464
棘上靱帯 supraspinous ligament　28
棘突起 spinous process（spine）　18, 19, 20, 21, 28
極体 polar body　359
極枕（傍糸球体細胞）polar cushion（juxtaglomerular cells）　333
均一発生皮質 homogenetic cortex　546
近位空腸ループ loop of proximal jejunum　377
近位尿細管 proximal tubule　333
近視 myopia　592
近心面 mesial surface　295（歯冠の）
（近隣の）内分泌細胞 endocrine cells　403
筋横隔動脈 musculophrenic artery　244
筋角　42（外腹斜筋の）
筋間中隔 intermuscular septum　76
筋機能検査　**17**
筋形質膜 sarcolemma　228, 578
筋-腱マンシェット　69
筋硬直 muscle rigidity　494
筋細胞 muscle cell　430
筋耳管筋 musculotubal canal　603
筋上皮細胞（籠細胞）myoepithelial cells（basket cells）　294, 384
筋上膜 epimysium　10
筋性腋窩弓 muscular axillary arch　69
筋性細静脈 muscular venule　263
筋性部（心室中隔）muscular part　226
筋節 myotomes（sarcomere）　10, 42
筋線維芽細胞 myofibroblast　340
筋線維鞘 sarcolemma　10
筋線維鞘のヒダ sarcolemmal infoldings　578
筋層 muscular layer　280, 287, 300, 304, 311, **312**, 318, 325, 335, 336, 337, 342, 350, 354, 423
筋層間神経叢（アウエルバッハ神経叢）myenteric plexus（Auerbach's plexus）　287, 315, 572
筋層の縦層 longitudinal layer　318

筋層の輪層 circular layer　318
筋組織 muscle tissue　**10**
筋電図法 electromyography　17
筋突起 coronoid process　148（下顎骨の）
筋突起 muscular process　271（披裂軟骨の）
筋内分泌細胞 myoendocrine cells　239
筋軟骨層 musculocartilaginous layer　280
筋の形状　**16**
筋の補助装置　**17**
筋板 myotomes　460
筋皮神経 musculocutaneous nerve　182, 462, 464
筋腹 belly　16
筋紡錘 muscle spindle（neuromuscular spindle）　579, 580
筋ポンプ muscular pump　263
筋膜 fascia　17
筋裂孔 muscular space　50, 92
緊張期 isometric phase　239
緊張部 pars tensa　601

く

グアノシン3リン酸結合タンパク　443
クエン酸回路　439
くしゃみ反射 sneezing reflex　497
クッシング症候群 Cushing's syndrome　393
クッペル（の星）細胞 Kupffer（stellate）cells　323, 410
グナティオン gnathion　152
クモ膜 arachnoid mater　459, 563, **567**
クモ膜下腔 subarachnoid cavity　459（脊髄の）, 563・567（脳の）, 592（視神経の）
クモ膜下槽 subarachnoid space　563
クモ膜顆粒（パッキオーニ小体）arachnoid granulations（Pacchionian bodies）　567
クモ膜顆粒小窩 granular foveolae　140, 567
クモ膜絨毛 arachnoid villi　567
クモ膜鞘 arachnoid sheath　596
クラーク柱 column of Clarke　507
グラーフ卵胞 Graafian follicle　349
クライスト Kleist　574
クラインフェルター症候群 Klinefelter's syndrome　399
クラウゼ終末球 end bulbs of Krause　582
グラチオレーの視放線 optic radiation of Gratiolet（Radiatio optica）　519
グラベラ glabella　152
グリコーゲン glycogen　3
グリシン　441
グリシン受容体　443
クリスタ（内板）cristae　439
グリソン鞘 Glisson's capsule　323

クリューヴァ・ビュシィ症候群 Klüver-Bucy syndrome　589
グルカゴン glucagon　398, 404
グルココルチコイド　393
グルタミン酸　441, 444
グルタミン酸作動性シナプス　443
クル病 rachitis　96
クルンプケ麻痺 Klumpke's paralysis　464
クレチン病 cretinism　396
クロケットのリンパ節　50
クロマチン（染色質）chromatin　4
クロム親性細胞 chromaffin cells　394
クロモゾーム（染色体）chromosomes　4
区気管支 segmental bronchi　279, 280
駆出期 ejection phase　239
空回腸静脈 jejunal and ileal veins　324
空気伝導部　**280**
空腸 jejunum　309, **314**, 315, **316**
空腸動脈 jejunal arteries　316
空腸と回腸 jejunum and ileum　377
腔隙（槽）cisterns　439
偶発的退縮 accidental involution　414
薬指（第4指）の腱鞘 tendon sheath of digiti quarti　90
屈曲 flexion　84（肘関節の）, 120（下肢帯の）, 124（膝関節の）
屈筋支帯 flexor retinaculum　79・80・86・87・88・90・190・191（手の）, 130・136・214（足の）
頸 neck　340（精子の）

け

ケルクリングヒダ Kerckring folds　315
毛 hairs　422, 423, **425**
外科頸 surgical neck　56（上腕骨の）
外科的被膜 surgical capsule　395
形質橋 protoplasmic bridge　447
形質細胞 plasma cell　408, 409, 411
形質膜（細胞膜）plasmalemma（cell membrane）　3
形成面（受容側）forming face（receiving side）　439
経食道超音波心臓動態診断法 transesophageal echocardiography　305
経線 meridians of eyeball　592
経線状線維 meridional fibres　593
茎状骨 styloid bone　61
茎状突起 styloid process　58・81（橈骨の）, 63（第3中手骨の）, 138・141・144・155（頭蓋の）, 303（頭頸部の）
茎状突起鞘 sheath of styloid process　144
茎突咽頭筋 stylopharyngeus　170, 300, 485
茎突咽頭筋枝 stylopharyngeal branch　485, 485

茎突下顎靱帯 stylomandibular ligament　155
茎突舌筋 styloglossus　291, 302, 482
茎突舌骨筋 stylohyoid　177, 292, 487
茎突舌骨筋枝 stylohyoid branch　172
茎突舌骨靱帯 stylohyoid ligament　155, 171
茎乳突孔 stylomastoid foramen　144, 147, 487
茎乳突孔動脈 stylomastoid artery　147
脛骨 tibia　**99**, 126
脛骨栄養動脈 tibial nutrient artery　250
脛骨神経 tibial nerve　120, 126, 209, 211, 213, 214, 470, 473, **474**
脛骨粗面 tibial tuberosity　99, 101
脛骨体 shaft of tibia　99
脛骨と腓骨の連結　**105**
脛骨の後傾 tibial retroversion　104
脛腓関節 tibiofibular joint　105
脛腓靱帯結合 tibiofibular syndesmosis　105
傾斜運動　272
傾斜角 angle of inclination　94（大腿骨の）
憩室 pulsion diverticulum　304
頸横静脈 transverse cervical veins　175, 178, 252
頸横神経 transverse cervical nerve　175, 462, 463
頸横動脈 transverse cervical artery　175, 178, 244
頸管　360
頸管腺　365
頸管粘液　360
頸胸神経節（星状神経節）cervicothoracic ganglion (stellate ganglion)　178, 232, 306, 568, 570
頸棘間筋 interspinales cervicis　37
頸棘筋 spinalis cervicis　37
頸筋膜 cervical fascia　277
頸筋膜気管前葉 anterior pretracheal layer of cervical fascia　162, 173, 176
頸筋膜浅葉 posterior layer of cervical fascia　162, 173
頸筋膜椎前葉 prevertebral layer of cervical fascia　162, 176
（頸筋膜の）気管前葉 pretracheal layer　277, 395
（頸筋膜の）浅葉 superficial layer　277, 395
（頸筋膜の）椎前葉 prevertebral layer　277, 395
頸屈 cervical flexure　432
頸後横突間筋 posterior cervical intertransversarii　37
頸鼓神経 caroticotympanic nerves　485
頸-骨幹角 neck-diaphyseal angle　94・96（大腿骨の）
頸最長筋 longissimus cervicis　36
頸枝 cervical branch[of facial nerve]　172・487（顔面神経の）

頸静脈窩 jugular fossa　144, 603
頸静脈下球 inferior bulb of jugular vein　252
頸静脈弓 jugular venous arch　173, 252
頸静脈結節 jugular tubercle　145
頸静脈孔 jugular foramen　144, 145, 146, 147, 478, 482, 483, 485
[頸静脈]孔内突起 intrajugular process　145
頸静脈上球 superior bulb of jugular vein　170, 252
頸静脈神経 jugular nerve　170
頸静脈切痕 jugular notch　145
頸神経 cervical nerves　451
頸神経叢 cervical plexus　462, 463
頸心臓枝 cervical cardiac branch　484
頸心臓神経 cervical cardiac branches　178
頸正中部 median cervicalis region　163, **173**
頸切痕 jugular notch　33
頸前横突間筋 anterior cervical intertransversarii　39
頸体角 neck-shaft angle　94・96（大腿骨の）
頸長筋 longus colli　40, 162, 179, 463
頸腸肋筋 cervical iliocostalis　36
頸椎　**18**, 26
頸洞 cervical sinus　397
頸動脈管 carotid canal　145, 147, 478, 603
頸動脈管外口 external opening of carotid canal　144
頸動脈管内口 internal opening of carotid canal　146
頸動脈血管造影 carotid angiogram　559
頸動脈結節 carotid tubercle　18, 241
頸動脈溝 carotid sulcus　145
頸動脈鼓室枝 caroticotympanic arteries　243
頸動脈サイホン carotid siphon　243, 559
頸動脈三角 carotid triangle　163, **177**, 241
頸動脈鞘 carotid sheath　162, 241, 395
頸動脈床孔 caroticoclinoid foramen　146
頸動脈小体 carotid body　170, 177, 241, 394, 485
頸動脈洞 carotid sinus　177, 241, 485
頸動脈洞枝 carotid branch　177
頸動脈分岐部 carotid bifurcation　243
頸動脈壁 carotid wall　603
頸の部位 regions of neck　163
頸半棘筋 semispinalis cervicis　37
頸板状筋 splenius cervicis　36, 176
頸部 cervical part　243（内頸動脈の）, 257（胸管の）, 276（気管の）, 304（食道の）
頸部 neck　369
頸部食道　305

頸部内臓腔　277
頸部内臓索　277
頸部の静脈　252
（頸部の）皮膚 skin　395
頸膨大 cervical enlargement　451
頸リンパ本幹 jugular trunk　258
頸肋 cervical rib　18
頸肋三徴候 cervical rib triad　18
頸肋症候群 cervical rib syndrome　179
鶏冠 crista galli　145
鶏冠翼 ala of crista galli　145
血液 blood　**406**
血液および防御系 blood and defense systems　220
血液-ガス関門 blood-air barrier　280, 374
血液-胸腺関門 blood-thymus barrier　414
血液絨毛胎盤　363
血液-精巣関門 blood-testis barrier　340
血液-[脳脊]髄液関門 blood-cerebrospinal fluid barrier　450
血液-脳関門 blood-brain barrier　450
血管 blood vessel　374, 384
血管アーケード arterial arcades　316
血管芽細胞 angioblast　408
血管極 vascular pole　333
血管作動性腸管ポリペプチド vasoactive intestinal polypeptide (VIP)　404, 444
血管糸球, 早期発生 glomerulus of blood vessels, early development　378
血管条 stria vascularis　605, 606
血管小足 vascular end feet (foot plates)　450
血管新生 angiogenesis　373
血管性卵巣支質 vascular ovarian stroma　379
血管内皮細胞成長因子 vascular endothelial growth factor (VEGF)　373
血管乳頭 vascular papilla　423
血管の壁　**261**
血管裂孔 vascular space　50, 92
血球 blood corpuscles　406
血球芽細胞 hemocytoblast　408, 409
血漿 blood plasma　406
血小板生成 thrombopoiesis　409
血小板（栓球）blood platelets　406, 407, 409
血清 blood serum　406
血鉄症 hemosiderosis　417
血島 blood islets　371, 408
結合管 ductus reuniens　604
結合腱 conjoint tendon　46
結合線 conjugate　93
結合組織 connective tissue　**6**, 332, 396, 397, 428
結合組織腔　220, 307
結合組織性骨化 direct ossification　9

結合組織性鞘 connective tissue sheath　387
結合組織中隔 connective tissue septum　391
結合組織性頭蓋 desmocranium　138
結合組織性被膜 connective tissue capsule　414, 415, 417, 418
結合組織性被膜 connective tissue sheath　579, 582
結合組織性毛包 connective tissue of hair follicle　425
結合組織乳頭　423
結合帆（結合尖）connective cusps　229
結合部 connecting piece　597（光受容器の）
結合部 reuniens tubule　332（尿細管の）
結合腕（上小脳脚）brachium conjunctivum (superior cerebellar peduncle)　476, 502, 508
結節間滑液鞘 intertubercular synovial (tendon) sheath　57, 76
結節間溝 intertubercular sulcus　56, 76
結腸 colon　317, **319**
結腸圧痕 colic impression　322
結腸下部（下腹部）infracolic part (lower abdomen)　308, **309**
結腸間膜リンパ節 mesocolic nodes　259
結腸上部（上腹部）supracolic part (upper abdomen)　**308**
結腸半月ヒダ semilunar folds of colon　317
結腸ヒモ taeniae coli　309, 317
結腸膨起 haustra of colon　309, 317
結腸傍リンパ節 paracolic nodes　319
結腸リンパ節 colic nodes　319
結膜 conjunctiva　590
結膜円蓋 conjunctival fornix　590
楔間関節 intercuneiform joint　109
楔舟関節 cuneonavicular joint　109, 110
楔状結節 cuneiform tubercle　274, 275
楔状骨 cuneiform　107, 111
楔状束（ブルダッハ束）cuneate fasciculus (Burdach)　455, 583
楔状束核 cuneate nucleus　480, 496, 575, 583
楔状束核小脳路 cuneocerebellar tract　506, 507
楔状束結節 cuneate tubercle　476
楔前部 precuneus　530
楔部 cuneus　514, 530
楔立方関節 cuneocuboid joint　109, 110
月経期（剝離期＋再生期）menstrual phase (desquamative phase + regenerative phase)　352, 400
月経周期　352
月状骨 lunate　61, 62
月状面 lunate surface　91, 97
犬歯 canine tooth　295, 303

犬歯窩 canine fossa　143
犬歯筋（口角挙筋）M.caninus（levator anguli oris）　158
肩甲回旋静脈 circumflex scapular vein　183, 194
肩甲回旋動脈 circumflex scapular artery　182, 183, 194, 245
肩甲下窩 subscapular fossa　54, 69
肩甲下筋 subscapularis　57, 67, 69, 71, 74, 76, 182
肩甲下神経 subscapular nerve　182, 183, 464
肩甲下動脈 subscapular artery　182, 245
肩甲下部 infrascapular region　193
肩甲下リンパ節 subscapular nodes　258
肩甲間部 interscapular region　193
肩甲挙筋 levator scapulae　67, 68, 71, 176, 179, 464
肩甲棘 spine of scapula　54, 68, 72, 194
肩甲頸 neck of scapula　54
肩甲孔 scapular foramen　54
肩甲骨 scapula　2, **54**
肩甲鎖骨三角 omoclavicular triangle　163, 176
肩甲上静脈 suprascapular vein　176, 252
肩甲上神経 suprascapular nerve　176, 464
肩甲上動脈 suprascapular artery　176, 178, 244
肩甲上部 suprascapular region　193
肩甲舌骨筋 omohyoid　67, 72, 160, 173, 177, 178, 463
肩甲切痕 suprascapular notch　54
肩甲背神経 dorsal scapular nerve　176, 464
肩甲部 scapular region　180, 193
肩鎖関節　**55**
肩鎖靱帯 acromioclavicular ligament　55
肩峰 acromion　54, 68, 72
肩峰角 acromial angle　54
肩峰骨 acromial bone　54
肩峰枝 acromial branch　182
肩峰端 acromial end　55（鎖骨の）
剣状突起 xiphoid process　33, 34, 35, 44, 51
腱 tendon　16, 17
腱画 tendinous intersection　16, 42, 195
腱間結合 intertendinous connections　82・90（手の）
腱間膜 mesotendon　17
腱器官　**578**
腱弓 tendinous arch　169
腱索 tendinous cords　225, 226
腱鞘 tendon sheath　17, 137（足の）
腱鞘炎 tendovaginitis　90（手の）
腱中心 central tendon　51, 52
腱のヒモ vincula tendinum　90
腱紡錘 neurotendinous spindle　578
腱膜 aponeurosis　16, 42
瞼板 tarsus　157

瞼板腺（マイボーム腺）tarsal glands（Meibom's glands）　590
瞼鼻ヒダ palpebronasal fold　590
幻覚 hallucinations　550
言語中枢 speech center　548
原外套 archipallium　527, 528
原形質性星状膠（細胞）protoplasmic astrocytes　449, 504
原形質流動 protoplasmic streaming　4
原始結節 primitive knot　368
原始生殖細胞 primordial germ cell　379
原始性知覚 protopathic sensibility　455, **584**
原始線条 primitive streak　368
原始胚外体腔 extraembryonic coelom　368
原小脳 archeocerebellum　501
原始卵胞 primordial ovarian follicle　348, 349, 400
原腎 378
原腎管（ウォルフ管）pronephros canal（Wolffian duct）　378
原腎の細胞 cells from primordial kidney　379
原生殖細胞　379
原尿管原基 beginning anlage of ureter　378
原皮質 archicortex　527, 529, **539**
原皮質周囲部 periarchicortex　546
原皮質の求心路 afferent connections **540**
減圧神経 depressor nerve　484
減圧中枢 depressor center　499
減数分裂 meiosis　4, 359

こ

コールスの腔 Colles' space　200
ゴールドマンの実験　450
コールラウシュヒダ（弁）Kohlrausch's fold（valve）　320
ゴニオン gonion　152
コハク酸脱水素酵素 succinic dehydrogenase（SDH）　500
ゴモリ染色陽性物質 Gomori-positive substance　526
コリーズ骨折 Colles' fracture　60
コリンアセチルトランスフェラーゼ　442
コリン作動系　569
コリン作動性神経細胞（ニューロン）　442, 444
コリン作動性線維　572
ゴルジ腱器官 tendon organ of Golgi　578
ゴルジ細胞 Golgi cells　**503**, 505
ゴルジ装置 Golgi apparatus　3, 384, 402, 439
ゴルジ法 Golgi method　437, 438
ゴルジ・マツォニ小体 corpuscles of Golgi-Mazzoni　582
コルチ器（ラセン器）organ of Corti（spiral organ）　486, 605, **606**
コルチコステロン　393
コルチゾール　364, 393

コルチゾン　393
コルチ・リンパ（トンネル・リンパ）Corti lymph（tunnel lymph）　606
コルヒチン　442
コレシストキニン cholecystokinin（CCK）　404, 444
コロイド colloid　396
コロイド小滴　396
コン症候群 Conn's syndrome　393
コンピュータ断層撮影法 computed tomography（CT）　**556**
古外套 paleopallium　527, 528
古小脳 paleocerebellum　501
古赤核 paleorubrum　494
古皮質 paleocortex　527, **536**
古皮質周囲部 peripaleocortex　546
呼吸器系 respiratory system　220, **264**
呼吸器系器官 respiratory apparatus　264
呼吸器系の発生　374
呼吸困難 dyspnea　52
呼吸細気管支 respiratory bronchioles　279, 280
呼吸上皮　267
呼吸中枢 respiratory center　499
呼吸肺胞細胞 respiratory alveolar cells　280
呼吸部 respiratory region　266, 267
呼吸路　403
呼息　284
固視反射 fixation reflex　600
固定細胞 fixed cells　6
固定絨毛 adhesive villus　363
固定点（出産）anchoring point　366
固定盲腸 fixed caecum　317
固有胃腺 principal gastric glands　312
固有海馬 hippocampus proper　444
固有核 nucleus proprius　453
固有肝動脈 hepatic artery proper　313, 322, 324, 327
固有血管 vasa privata　230, 261, 281, 332
固有口腔 oral cavity proper　288
固有受容性感覚 proprioceptive sensibility　430
固有掌側指神経 proper palmar digital nerves　190, 192, 465, 466
固有掌側指動脈 proper palmar digital arteries　190, 246
固有束 fasciculi proprii　453
固有底側指神経 proper plantar digital nerves　216, **217**, 474
固有底側指動脈 plantar digital arteries proper　216, 217, 250
固有背筋群 proper muscles of back **36**
固有反射（伸張反射）stretch reflex）　452
固有卵巣索 ligament of ovary　348
股関節 hip joint　**97**, 120, **346, 356**
股関節脱臼 luxatio coxae　96
股関節における運動　**98**
股関節の靱帯　97
虎斑塊 tigroid masses　437

孤束 solitary tract　480, 483, 485, 500, 586
孤束核 nuclei of solitary tract　444, 479, 480, 483, 485, 487, 496, 498, 500, 586
孤立リンパ小節　419
鼓索神経 chorda tympani　147, 167, 487, 489, 491, 586, 602
鼓索神経との交通枝 communicating branch with chorda tympani　491
鼓室 tympanic cavity　601, 602
鼓室階 scala tympani　604, 605
鼓室階被覆層 tympanic covering layer　606
鼓室階壁（ラセン膜）tympanic surface（spiral membrane）　605
鼓室蓋稜 tegmental crest　144
鼓室上陥凹 epitympanic recess　601
鼓室神経 tympanic nerve　485, 491, 603
鼓室神経小管 tympanic canaliculus　485
鼓室神経叢 tympanic plexus　485, 603
鼓室唇 tympanic lip　606
鼓室乳突裂 tympanomastoid fissure　141, 483
鼓室部 tympanic part　144
鼓室蜂巣 tympanic cells　603
鼓膜 tympanic membrane　601, 602, 604
鼓膜臍 umbo of tympanic membrane　601
鼓膜張筋 tensor tympani　491, 601, 602, 603
鼓膜張筋腱 tendon of tensor tympani　602
鼓膜張筋神経 nerve to tensor tympani　489, 491, 603
鼓膜張筋半管 canal for tensor tympani　603
口咽頭膜 bucco-pharyngeal membrane　371, 375
口窩 stmodeum　375
口蓋咽頭弓 palatopharyngeal arch　288, 289
口蓋咽頭筋 palatopharyngeus　289, 291, 300, 303
口蓋弓 palatine arches　289, 418
口蓋腱膜 palatine aponeurosis　289
口蓋骨 palatine bone　144, 151
口蓋骨眼窩突起 orbital process of palatine bone　150
口蓋骨垂直板 perpendicular plate of palatine bone　150, 151, 266
口蓋骨水平板 horizontal plate of palatine bone　144, 267, 270
口蓋神経 palatini nerves　490, 491
口蓋垂 uvula　270, 288, 289
口蓋垂筋 musculus uvulae　289
口蓋舌弓 palatoglossal arch　288, 289
口蓋舌筋 palatoglossus　289, 291, 303
口蓋腺 palatine glands　289

口蓋突起palatine process　267（上顎骨の）
口蓋の筋　**289**
口蓋帆（軟口蓋）velum palatinum (soft palate)　289, 302
口蓋板palatine plate　375
口蓋帆挙筋levator veli palatini　289, 302, 491
口蓋帆張筋tensor veli palatini　289, 302
口蓋帆張筋神経nerve to tensor veli palatini　489, 491
口蓋帆麻痺paralysis of the soft palate　484
口蓋扁桃palatine tonsil　288, 289, 290, 303, 418
口蓋縫線palatine raphe　289
口蓋面palatal surface　295
口角angle of mouth　288
口角下制筋（三角筋）depressor anguli oris (deltoid)　158
口角挙筋（犬歯筋）levator anguli oris (M. caninus)　158
口峡fauces　288
口峡峡部isthmus of fauces　288, 289
口腔oral cavity　220, 287, **288**, 549
口腔隔膜oral diaphragm　292
口腔上皮epithelium of oral cavity　298
口腔前庭oral vestibule　288, 303
口腔底floor of the oral cavity　**292**, 301
口腔粘膜mucous membrane of mouth　288
口腔面Facies oralis　**295**（歯冠の）
口唇lips　287, 288
口唇傾向oral tendencies　589
口唇腺labial glands　288, 491
口唇面labial surface　295
口鼻膜oronasal membrane　374
口部oral region　163
口部咽頭oropharynx　303
口輪筋orbicularis oris　158, 288
口裂oral opening　288
公的血管vasa publica　230, 281, 332
広顔euryprosopic　152
広義の錐体外路系extrapyramidal system in a broad sense　576
広筋vasti　124
広筋内転筋間中隔　119
広筋内転筋板lamina vastoadductoria　114, 119, 122, 123
広筋内転筋膜vastoadductor membrane　119
広頸筋platysma　158, 162, 166, 173, 288, 291, 302, 395
広背筋latissimus dorsi　39, 42, 67, 69, 74, 76, 182, 194, 245, 464
甲状関節面thyroid articular surface　271
甲状頸動脈thyrocervical trunk　174, 175, 178, 244
甲状喉頭蓋筋thyro-epiglotticus　273
甲状喉頭蓋靱帯thyro-epiglottic ligament　272

甲状舌管thyroglossal duct　174
甲状舌顔面動脈thyro-linguo-facial trunk　177
甲状舌骨筋thyrohyoid　160, 173, 301, 463, 482
甲状舌骨筋枝thyrohyoid branch　177
甲状舌骨膜thyrohyoid membrane　173, 272, 277
甲状舌動脈thyrolingual trunk　177
甲状腺thyroid gland　170, 173, 178, 277, 283, 303, 383, **395**
甲状腺機能亢進症hyperthyroidism　396
甲状腺機能低下症hypothyroidism　396
甲状腺峡部isthmus　174, 395
甲状腺静脈thyroid veins　397
甲状腺自律神経叢　397
甲状腺動脈ワナansa thyroidea　178, 179
甲状腺被膜capsule of thyroid gland　395
甲状腺部thyroid region　**174**
甲状腺葉　395
甲状腺濾胞　396
甲状軟骨thyroid cartilage　173, 174, 271, 272, 277, 303
甲状軟骨の斜線oblique line of thyroid cartilage　160
甲状披裂筋thyro-arytenoid　273
交感根sympathetic root　490（毛様体神経節の），491（耳神経節への）
交感神経sympathetic nerve　**569**
交感神経幹sympathetic trunk　170, 177, 178, 179, 198, 233, 283, 285, 413, 462, 568, 569, **570**
交感神経系　430
交感神経節細胞sympathetic ganglion cells　394
交感神経線維sympathetic fibers　316, 336, 395, 600
交感神経叢（腸間膜動脈間神経叢）sympathetic plexus (intermesenteric plexus)　330
交感神経［部］sympathetic part　232, 568
交感節後神経線維　313
交叉性線維crossed fibers　552
交叉槽chiasmatic cistern　563
交通後部（脳梁周囲動脈）postcommunicating part (pericallosal artery)　559
交通枝communicating branch　250, 462, 569
交通下器官subcommissural organ　**566**
交連系commissure system　432
交連後脳弓postcommissural fornix　540
交連尖commissural cusps　229
交連線維commissural fibers　553, **554**
交連前脳弓precommissural fornix　540
交連板commissural plate　432
光輝線Glanzlinie　228

向栄養帯trophotropic zone　523
向活動帯dynamogenic zone (ergotropic zone)　523
向性腺領域gonadotropic region　523
抗体antibody　410
抗体依存性細胞傷害antibody dependent cell-mediated cytotoxicity　411
抗体産生細胞　411
抗ミュラー細胞ホルモンAnti-Müllerian-Hormone (AMH)　380
肛門anus　199, 200, 201, 287, 320, 357, 358, 366
肛門移行帯anal transitional zone　321
肛門会陰曲anorectal flexure　320
肛門開口部anal opening　377, 380
肛門管anal canal　317, 320, **321**, 354, 358, 377
肛門挙筋levator ani　53, 199, 200, 201, 346, 356, 357, 358, 365
肛門挙筋腱弓tendinous arch of levator ani　53, 201
肛門皺皮筋corrugator cutis muscle of anus　320
肛門柱anal columns　321
肛門直腸線anorectal line　321
肛門直腸部　377
肛門直腸リンパ節pararectal nodes　260
肛門洞anal sinuses　321
肛［門］尾［骨］神経anococcygeal nerves　475
肛門尾骨靱帯anococcygeal ligament　53, 199, 200, 201, 320, 357
肛門皮膚線anocutaneous line　320, 321
肛門部　199, 200
肛門弁anal valves　321
効果器ホルモンeffector hormones　388
岬角promontory　24・31（仙骨の），603（中耳の）
岬角溝groove of promontory　603
後胃枝posterior gastric branches　484
後陰唇交連posterior commissure　355
後陰唇神経posterior labial nerves　475
後陰囊静脈posterior scrotal veins　200, 201
後陰囊神経posterior scrotal nerves　200, 475
後腋窩ヒダposterior axillary fold　75
後縁posterior border　339（精巣の）
後外弓状線維dorsal external arcuate fibers　507
後外側核lateral posterior nucleus　513, 516, 519
後外側溝posterolateral sulcus　452, 476
後外側溝外野ectosylvian posterior area　610

後外側腹側核ventral posterolateral nucleus　516
後外側裂posterolateral fissure　501
後外側路（リッソウア）dorsolateral fasciculus (Lissauer)　453, 454, 455
後外椎骨静脈叢posterior external vertebral venous plexus　251
後顆間区posterior intercondylar area　99
後角　102（膝関節の）
後角occipital horn　534・535・539・563・564（側脳室の）
後角posterior horn　452・453・454（脊髄の）
後下小脳動脈posterior inferior cerebellar artery　243, 558
後下腿筋間中隔posterior intermuscular septum of leg　130, 136
後下腿部posterior crural region (posterior region of leg)　202, **213**
後眼瞼縁posterior palpebral margin　590
後環椎後頭膜posterior atlanto-occipital membrane　30
後眼房posterior chambers of eyeball　592
後間膜dorsal meso　307
後脚posterior limb　535（内包の）
後（脚間）有孔質Substantia perforata posterior (interpeduncularis)　476
後弓posterior arch　19
後境界板（デスメー膜）posterior limiting lamina (Descemet's membrane)　593
後極posterior pole　592（眼球の）
後距骨関節面posterior talar articular surface　106
後距踵靱帯posterior talocalcaneal ligament　111
後距腓靱帯posterior talofibular ligament　100, 111
後傾retroversion　73（上肢帯の），98（股関節の），120（下肢帯の）
後脛骨筋tibialis posterior　126, 129, 130, 131, 214, 474
後脛骨筋の腱鞘tendinous sheath of tibialis posterior　137
後脛骨静脈posterior tibial veins　214, 256
後脛骨動脈posterior tibial artery　211, 213, 214, 249, **250**
後脛骨反回動脈posterior tibial recurrent artery　249
後頸三角（外側頸三角部）posterior triangle (lateral cervical region)　163
後脛腓靱帯posterior tibiofibular ligament　111
後頸部posterior cervical region　163, **169**
後結節posterior tubercle　18, 19, 40
後交通動脈posterior communicating artery　243, 558, 560

後硬膜動脈 posterior meningeal artery　147
後交連（視床上交連）posterior commissure（Commissura epithalamica）　493, 497, 512, 600
後骨間静脈 posterior interosseous veins　254
後骨間神経 posterior interosseous nerve　188, 468
後骨間動脈 posterior interosseous artery　78, 246
後骨髄球 metamyelocyte　409
後根 dorsal root　451, 458, 462
後根線維 dorsal root fibers　455
後索 posterior funiculus　452, 461, 496, 583
後索核 nuclei of the posterior funiculus　583
後枝 posterior branch　169・175（大耳介神経の），184・186（内側前腕皮神経の），247（閉鎖動脈の），277（下咽頭神経の），472（閉鎖神経の）
後枝 posterior rami　463（頸神経の），469（胸神経の）
後枝 posterior ramus　36・194・205・462（脊髄神経の）
後耳介静脈 posterior auricular vein　252
後耳介神経 posterior auricular nerve　172, 487
後耳介動脈 posterior auricular artery　172, 241
後篩骨孔 posterior ethmoidal foramen　150
後篩骨神経 posterior ethmoidal nerve　168, 488
後篩骨動脈 posterior ethmoidal artery　168, 266, 267
後篩骨蜂巣 posterior ethmoidal cells　269
後視床放線 posterior thalamic radiation　513, 553
後室間溝 posterior interventricular sulcus　224, 227, 230
後室間枝 posterior interventricular branch　230
後膝部 posterior region of knee　202, **210**
後斜角筋 scalenus posterior　40, 176, 178, 179
後縦隔リンパ節 posterior mediastinal nodes　259, 392
後十字靭帯 posterior cruciate ligament　102, 103, 104
後縦靭帯 posterior longitudinal ligament　27, 28
後手根部 posterior region of wrist　180
後踵骨関節面 posterior calcaneal articular facet　106
後上歯槽枝 posterior superior alveolar branches　489
後上歯槽動脈 posterior superior alveolar artery　167, 242, 299
後上膵十二指腸動脈 posterior superior pancreaticoduodenal artery　316

後床突起 posterior clinoid process　145, 146
後上葉区，後上葉枝（右肺のみ）posterior segment, posterior segmental bronchus（of right lung alone）　279
後上腕回旋動脈 posterior circumflex humeral artery　182, 183, 245
後上腕皮神経 posterior brachial cutaneous nerve　186, 468
後上腕部 posterior region of arm　180, **186**
後唇 posterior lip　351
後腎 metanephros　378, 379
後腎芽細胞　378
後神経束 posterior cord　181, 462
後腎原基 metanephros anlage　378
後深側頭動脈 posterior deep temporal artery　242
後陣痛 after pains　366
後皺柱 posterior vaginal column　354
後正中溝 posterior median sulcus　451, 476
後脊髄小脳路 posterior spinocerebellar tract（Flechsig）　455, 506, 507
後脊髄静脈 posterior spinal veins　457
後脊髄動脈 posterior spinal artery　147, 243, 457
後尖 posterior cusp　226, 229
後仙骨孔 posterior sacral foramina　23
後仙腸靭帯 posterior sacro-iliac ligament　92
後前腕皮神経 posterior antebrachial cutaneous nerve　186, 468
後前腕部 posterior region of forearm　180
後側頭泉門 mastoid fontanelle（posterolateralis）　139
後側頭泉門骨　154
後退（出産）retraction　366
後大腿皮神経 posterior femoral cutaneous nerve（posterior cutaneous nerve of thigh）　205, 206, 209, 210, 470, **472**, 475
後大腿部 posterior region of thigh　202, **209**
後大脳動脈 posterior cerebral artery　243, 558, 559, **560**
後端 posterior extremity　416（脾臓の）
後柱 posterior column　452
後中隔 posterior median septum　452
後肘部 posterior region of elbow　180
後腸 hindgut　375
後ツチ骨ヒダ posterior fold of malleus　602
後殿筋線 posterior gluteal line　91
後天性ヘルニア acquired hernia　50
後頭位（出産）　364
後頭顆 occipital condyle　30, 144

後頭蓋窩 posterior cranial fossa　145, 478
後頭下筋群　**38**
後頭角 occipital angle　140
後頭下神経 suboccipital nerve　169, 463
後頭鉗子 occipital forceps　551, 554
後頭眼野 occipital eye field　551
後頭極 occipital pole　434, 530
後頭筋 occipital belly（occipitofrontalis）　156（後頭前頭筋の）
後頭骨 occipital bone　138, 140, 142, 144, 145
後頭骨［の］底部 basilar part（of occipital bone）　144, 270
後頭最突出点　152
後頭膝 occipital knee　598
後頭上骨 supraoccipital bone　154
後頭静脈 occipital vein　169, 252
後頭静脈洞 occipital sinus　253
後頭前頭筋 occipitofrontalis　156
後頭側頭溝 occipitotemporal sulcus　530
後頭頂動脈 posterior parietal artery　559
後頭洞溝 groove for occipital sinus　146
後頭動脈 occipital artery　169, 241
後頭動脈溝 occipital groove　142, 144
後頭乳突縫合 occipitomastoid suture　141, 142, 144
後頭部 occipital region　163, **169**
後頭葉 occipital lobe　433, 434, 530, 534, 535, **551**
後頭鱗 squamous part of occipital bone　138, 140, 154
後頭リンパ節 occipital nodes　169, 258
後突起 posterior process［of septal nasal cartilage］　151・267（鼻中隔軟骨の）
後内側腹側核（半月核）ventral posteromedial nucleus（arcuate nucleus）　516, 519
後内椎骨静脈叢 posterior internal vertebral venous plexus　251
後乳頭筋 posterior papillary muscle　226, 238
後背外側核 retrodorsal lateral nucleus　453・454（脊髄前角の）
後肺底区，後肺底枝 posterior basal segment, posterior basal segmental bronchus　279
後反 reclination　99
後半規管 posterior semicircular duct　604
後半月大腿靭帯 posterior meniscofemoral ligament　102
後半月弁 posterior semilunar cusp　229
後鼻棘 posterior nasal spine　270
後鼻孔 choana[e]（posterior nasal aperture）　144, 151, 267, **270**, 374
後部胸郭領域　**194**
後腹 posterior belly　292（顎二腹筋の）

後腹筋　**47**
後腹側核 ventral posterior nucleus　513, 514, 516, 519, 583, 584
後腹壁　310
後腹膜位（の下行結腸）retroperitoneal position　377
後閉鎖結節 posterior obturator tubercle　91
後壁 posterior wall　311（胃の）
後壁梗塞　224
後方枝　**241**（外頸動脈の）
後方引出し症状 posterior drawer sign　104
後脈絡叢枝 posterior choroidal branch（choroid plexus）　560
後迷走神経幹 posterior vagal trunk　305, 484
後面 intestinal surface（posterior surface）　351（子宮の）
後面観　**224**（心臓の）
後盲腸動脈 posterior caecal artery　318
後葉 posterior lobe　501（小脳の）
後葉細胞 pituicytes　387
後葉の毛細血管網 capillary net in posterior lobe　389
後翼上骨 os epiptericum posterius　154
後輪状披裂筋 posterior crico-arytenoid　273
後輪状披裂靭帯 crico-arytenoid ligament　272
後涙嚢稜 posterior lacrimal crest　150, 157
後肋間動脈 posterior intercostal artery　240
後彎 kyphosis　31
虹彩 iris　592, **593**, 594
虹彩角膜角 iridocorneal angle　593
虹彩支質 stroma of iris　593
咬筋 masseter　159, 164, 166, 171, 172, 288, 293, 303, 489
咬筋神経 masseteric nerve　167, 302, 489
咬筋粗面 masseteric tuberosity　148, 159
咬筋動脈 masseteric artery　242
咬合 occlusion, articulation　295, 299
咬合面 occlusal（masticatory）surface　295, 299
高ゴナドトロピン性性腺機能低下症　399
高頭 hypsicephalic　152
高内皮細静脈 high endothelial venules（HEV）　412, 415
喉頭 larynx　264, **271**, 277, 301, 374
喉頭蓋 epiglottis　271, 274, 275, 301, 375
喉頭外筋　**273**
喉頭蓋茎 stalk of epiglottis　271
喉頭蓋軟骨 epiglottic cartilage　271
喉頭蓋軟骨の前面 anterior surface of epiglottic cartilage　271
喉頭蓋谷 epiglottic vallecula　290
喉頭気管溝　374
喉頭鏡検査法 laryngoscopy　275

喉頭腔 laryngeal cavity 274
喉頭口 laryngeal inlet 274, 418
喉頭骨格 **271**
喉頭室 laryngeal ventricle 274
喉頭小囊 laryngeal saccule 274
喉頭水腫 edema of the larynx 274
喉頭腺 laryngeal glands 274
喉頭前庭 laryngeal vestibule 274
喉頭弾性膜 fibro-elastic membrane of larynx 272
喉頭内筋 **273**
喉頭内筋群 internal laryngeal muscles 303
喉頭の関節 **272**
喉頭の靱帯 **272**
喉頭の膜 **272**
喉頭隆起 laryngeal prominence 271, 277
硬口蓋 hard palate 288, 289
硬板 sclerotomes 460
硬膜 dura mater (*Pachymeninx*) 30, 450, 478, **567**
硬膜下隙 subdural space 459(脊髄の), 567(脳の)
硬膜下血腫 subdural hematomas 561
硬膜眼窩動脈 meningo-orbital artery 168
硬膜枝 meningeal branch 147・489 (下顎神経の), 462(脊髄神経の)
硬膜鞘(視神経外鞘) dural sheath (outer sheath of optic nerve) 596
硬膜上腔 epidural cavity 459
硬膜静脈 meningeal veins 252
硬膜静脈洞 dural venous sinuses (sinus of dura mater) **253**, 561, 567
硬膜囊 dural sac 459
絞扼反射 gag reflex 497
絞輪間部 internode (internodal segment) 446
項奇静脈 nuchal azygos vein 169
項筋 nuchal muscles **38**
項筋膜 nuchal fascia 39, 162
項靱帯 nuchal ligament 28, 30, 161
項部 nucha 163, 169
溝交連動脈 sulcocommissural arteries 457
鉤 uncus 530, 536
鉤状束 uncinate fasciculus 507, 554
鉤状突起 coronoid process 58・59・79(尺骨の)
鉤状突起(椎体鉤) uncinate process (vertebral uncus) 18・29(脊柱の)
鉤状突起 uncinate process 151・269(篩骨の), 270(後鼻孔の), 326・329(膵臓の)
鉤椎関節 uncovertebral joints **29**
鉤突窩 coronoid fossa 56
構成要素 **412**(リンパ性器官の)
構造脂肪 structural fat 6, 423
酵素模様(酵素分布パターン) enzymic pattern 500
睾丸 339

膠境界膜 glial limiting membrane 449, 450
膠原細線維 collagen fibril bundles 581
膠原線維 collagen fibers 6, 578
膠原線維層 glial fiber layer 565
膠様質(ローランド) gelatinous substance (Rolandi) 453, 454, 455, 575, 584
興奮性アミノ酸受容体 443
興奮性シナプス excitatory synapse 440
国際歯学会 FDI 295, 297
黒質 substantia nigra 444, 492, **494**, 500, 511, 520, 532, 533, 576
黒質線条体線維(線条体黒質線維) strionigral fibers (nigrostriatal fibers) 444, 494, 542, 576
黒質淡蒼球線維 nigropallidal fibers 520
骨 bones **11**
骨格筋 skeletal muscle 580
骨芽細胞 osteoblasts 9
骨幹 shaft 11
骨間距踵靱帯 talocalcaneal interosseous ligament 110, 111
骨間筋 interosseous muscle 86・191(手の), 135・474(足の)
骨間手根間靱帯 interosseous intercarpal ligaments 64
骨間仙腸靱帯 interosseous sacroiliac ligament 92
骨間中手靱帯 interosseous metacarpal ligament 64
骨間膜 interosseous membrane 12
骨結合 synostosis **12**
骨細胞 osteocytes 8
骨髄 bone marrow 408, 412
骨髄芽球 myeloblast 409
骨髄球 myelocyte 408, 409
骨髄巨核細胞(巨核球) megakaryocyte 408
骨性境界 270(後鼻孔の)
骨性胸郭の運動筋 284
骨性の連結 bony joint **12**
骨相学 phrenology 574
骨層板 lamellae 8
骨組織 bone **8**
骨体 56
骨端 *Epiphysis* 11
骨単位 osteon 8
骨端軟骨 epiphysial cartilage 7, 9
骨端輪 anular epiphysis (epiphysial ring) 21, 26
骨内膜 endosteum 606
骨の発生 **9**
骨盤 pelvis **91**, 260, 310
骨盤域 pelvic region 381
骨盤入口の空間 364
骨盤隔膜 pelvic diaphragm **53**, 201, 357
骨盤下口 pelvic outlet 92
骨半規管 semicircular canals 604
骨半規管の骨膨大部 bony ampullae 604
骨盤傾斜 pelvic inclination 93
骨盤計測値 **93**

骨盤上口 pelvic inlet 92
骨盤神経叢 pelvic plexus 346
骨盤底 pelvic floor **53**, 365
骨盤出口の空間 364
骨盤と軟部組織の経路 guide line of pelvis and its soft parts 364
骨盤内臓 220
骨盤内臓神経 pelvic splanchnic nerves 475, 571
骨盤の性差 **93**
骨盤部(精管) pelvic part 342
骨盤領域の靱帯 **92**
骨鼻腔 bony nasal cavity 151
骨鼻中隔 bony nasal septum 151
骨部(鼻中隔) bony part 267
骨膜 periosteum **11**, 289
骨膜(眼窩骨膜) periorbita 590
骨迷路 bony labyrinth 601, 604
骨ラセン板 osseous spiral lamina 605
根間中隔 interradicular septa 148, 295
根神経 radicular nerve 459
混合神経 mixed nerves 462
混合腺 mixed gland 274, 384
棍状毛 club hair 425

さ

サイロキシン thyroxin 396
サイログロブリン thyroglobulin 396
サジ状突起 processus cochleariformis 602, 603
サブスタンスP substance P 405, 585
サブプレート subplate 529
サプレッサーT細胞 suppressor T-cell 411
左脚 left crus 51(横隔膜の)
左脚 left bundle 231(心臓の)
左枝 left branch 324(門脈の), 324(固有肝動脈の)
左腎 left kidney 416
左心耳 left auricle 223, 226, 227, 230, 235, 237
左心室 left ventricle 221, 222, 223, 224, 227, 235, 237, 238, 305
左心室の筋壁の厚さ 226
左腎に接する脾臓の領域 splenic region in contact with left kidney 416
左心房 left atrium 221, 222, 224, **226**, 227, 237, 238, 305
左肺 left lung 236, 237, 278
(左肺):上舌区,上舌枝(left lung) superior lingular segment, superior lingular bronchus 279
(左肺)下舌区,下舌枝(left lung) inferior lingular segment, inferior lingular bronchus 279
(左肺の)小舌 lingula of left lung 278
(左肺の)葉気管支 lobar bronchi 237
(左肺への)気管支動脈 bronchial branches (to left lung) 281

左板(甲状軟骨) left lamina 271
左房室弁(僧帽弁) left atrioventricular valve (mitral valve) 226, 229
左葉 left lobe 322(肝臓の), 305・395(甲状腺の)
作業筋 **228**, 231
作用環 **430**
鎖骨 clavicle 2, 34, **55**, 68
鎖骨下窩 infraclavicular fossa 181
鎖骨下筋 subclavius 55, 67, 71, 72, 181, 464
鎖骨下筋溝 subclavian groove 55
鎖骨下筋神経 subclavian nerve 464
鎖骨下静脈 subclavian vein 176, 178, 179, 251, 252, 254, 283
鎖骨下静脈溝 groove for subclavian vein 32
鎖骨下動脈 subclavian artery 174, 176, 178, 179, **244**, 277, 283, 484
鎖骨下動脈溝 groove for subclavian artery 32
鎖骨下動脈傍節 394
鎖骨下部 infraclavicular part 180, 181, 193, **464**
鎖骨下ワナ ansa subclavia 179, 570
鎖骨間靱帯 interclavicular ligament 55
鎖骨胸筋筋膜 clavipectoral fascia 75, 181
鎖骨胸筋三角 clavipectoral triangle 180, **181**, 193
鎖骨上神経 supraclavicular nerve 462, 463
鎖骨上部 supraclavicular part **464**
鎖骨上リンパ節 supraclavicular nodes 179
鎖骨舌骨筋 cleidohyoideus 72
鎖骨切痕 clavicular notch 33
鎖骨体 shaft of clavicle 55
鎖骨頭蓋骨形成不全 cleidocranial dysostosis 55
坐骨 91
坐骨海綿体筋 ischiocavernosus 199, 200, 201, 344, 355, 358, 475
坐骨棘 ischial spine 53, 91, 92, 201, 346, 356, 357, 475
坐骨結節 ischial tuberosity 53, 91, 92, 98, 119, **346**, **356**, 357, 358, 364
坐骨[孔]ヘルニア 92
坐骨肛門窩 ischioanal fossa 53
坐骨枝 ramus of ischium 91
坐骨神経 sciatic nerve 114, 205, 206, 209, 346, 356, 357, 470, **473**
坐骨神経伴行動脈 artery to sciatic nerve 209, 247
坐骨体 body of ischium 91
坐骨大腿靱帯 ischiofemoral ligament 97, 98
坐骨直腸窩 ischiorectal fossa 53, 320, 346, 356, **358**, 475
坐骨直腸窩脂肪体 fat body of ischiorectal fossa 199
坐骨動脈 sciatic artery 209
坐骨包 sciatic bursa of obturator internus 117
再生層 422

采歯状溝 fimbriodentate sulcus 540
采状ヒダ fimbriated fold 292
採血 blood withdrawal 254
細気管支 bronchioles 279, 280
細隙結合（ネクサス）gap junction[s]（nexus） 228, 364, 573
細静脈 venule 263
細動脈 arteriole 262
細胞 cell 3
細胞核 cell nucleus, nucleus 4, 437, 439
細胞間質 6
細胞間接触 261
細胞質 cytoplasm 3, 439
細胞傷害性T細胞 cytotoxic T-cell（CTC） 411, 413
細胞小器官 cell organelles 3
細胞性免疫 cellular immunity 410
細胞性免疫応答 410, 411
細胞性免疫系 cellular immune system 414
細胞接着 228
細胞柱 cell column 544
細胞膜（形質膜）cell membrane（plasmalemma） 3, 443
細胞膜を伴う放出 release with loss of cell membrane 384
細胞膜を伴わない放出（開口分泌）release without loss of cell membrane（exocytosis） 384
細網[結合]組織 reticular connective tissue 6, 408
細網細胞 reticular cells 413
細網線維 reticular fibers 387, 412
細網組織 reticular tissue 417
最外包 extreme capsule 531, 554
最下甲状腺動脈 thyroid ima artery 240, 395
最後野 area postrema 566
最終共通路 final common [motor] pathway 580
最終的な口蓋 375
（最終的）鼻腔（definitive）bony nasal cavity 374
最上胸動脈 superior thoracic artery 245
最上項線 highest nuchal line 142
最上肋間静脈 supreme intercostal vein 252
最上肋間動脈 supreme intercostal artery 244
最前部の2つの鰓弓 pairs of branchial arches 369
最大吸息位 35
最大呼息位 35
最内肋間筋 innermost intercostal muscles 41
載距突起 sustentaculum tali 106, 109
臍 umbilicus 48, 329
臍筋膜 umbilical fascia 46
臍静脈 umbilical vein 222
臍帯 umbilical cord 362, 366, 377
臍帯から戻った盲腸の位置 position of cecum returned from umbilicus 377

臍帯静脈 umbilical vein 373
臍帯の血管 umbilical blood vessel 363
臍動脈 umbilical artery 222, 247
臍動脈索（内側臍ヒダ）cord of umbilical artery（medial umbilical fold） 46, 49, 50, 197, 222
（臍動脈の）開存部 patent part 247
（臍動脈の）閉塞部 occluded part 247
臍部 umbilical region 193
臍ヘルニア umbilical hernia 48
臍傍静脈 para-umbilical veins 195, 256, 324
臍輪 umbilical ring 48
鰓弓神経 nerves of branchial arches 477
柵状縁 palisaded border 578
索状体（下小脳脚）restiform body（inferior cerebellar peduncle） 476, 480, 502, 507
三角窩 fossa triangularis 601
三角筋 deltoid 467
三角筋胸筋溝 deltopectoral sulcus 75
三角筋胸筋リンパ節 deltopectoral nodes 258
三角筋筋膜 deltoid fascia 75, 186
三角筋（口角下制筋）deltoid（depressor anguli oris） 67, 68, 70, 73, 77, 158, 181, 182, 183
三角筋粗面 deltoid tubercle 56, 68
三角筋部 deltoid region 180, 193
三角形筋 triangular muscle 16
三角隙 triangular space 75, 183
三角骨 os trigonum 106（足の）
三角骨 triquetrum 61・62・64（手の）
三角靱帯 deltoid ligament 109, 111
三角板 triangular plate 154
三角部 triangular part 530
三基底骨 os tribasilare 145
三叉神経（第V脳神経）trigeminal nerve 164, 477, 478, 488, 502
三叉神経圧痕 trigeminal impression 145, 488, 567
三叉神経運動核 motor nucleus of trigeminal nerve 479, 481, 488, 497, 498
三叉神経感覚核 507
三叉神経腔 trigeminal cave 478, 488
三叉神経主感覚核 principal sensory nucleus of trigeminal nerve 479, 481, 488
三叉神経主知覚核 trigeminal main sensory nucleus 583
三叉神経脊髄路 spinal tract of trigeminal nerve 480, 481, 483, 488
三叉神経脊髄路核 spinal nucleus of trigeminal nerve 479, 480, 481, 483, 488, 584

三叉神経節（半月神経節，ガッセル神経節）trigeminal ganglion（G. semilunare, G. Gasseri） 477, 478, 487, 488, 489, 490, 491, 567, 583, 584
三叉神経中脳路 mesencephalic tract of trigeminal nerve 488
三叉神経中脳路核 mesencephalic nucleus of trigeminal nerve 479, 481, 488, 492, 493
三叉神経の圧痛点 164
三叉神経毛帯（第二次三叉神経線維）trigeminal lemniscus（secondary trigeminal fibers） 516, 584
三次卵胞（胞状卵胞，グラーフ卵胞）tertiary follicle（vesicular follicle, Graafian follicle） 349
三尖弁 tricuspid valve 227, 229, 235, 238
（三尖弁の）前尖 anterior cusp（tricuspid valve） 237
山頂 culmen 501
山腹 declive 501
産科学的結合線 obstetric conjugate 93
産褥 postpartum period 366
産道 366
散花終末（二次終末）flower spray endings（secondary endings） 579
散在性神経内分泌系 diffuse neuroendocrine system（DNES） 403
散在性内分泌細胞 diffuse scattered endocrine cells 383, 385, 403
散瞳 mydriasis 490
酸化酵素 500
酸好性顆粒球（好酸球） 406
酸好性顆粒白血球 407
酸好性細胞 acidophils 387, 397
酸性分泌物 424

し

17-ケトステロイド 399
G-細胞 398
シェーファー側枝 Schaffer collaterals 541
ジェンナリ線 band of Gennari 534, 551
ジギオン zygion 152
シナプス synapses 440, 504, 505, 545
シナプス間隙 synaptic cleft 440, 443
シナプス後暗970（濃密帯）postsynaptic density 440
シナプス後膜 postsynaptic membrane 440
シナプス後抑制 postsynaptic inhibition 445
シナプス小孔（小孔）synaptopores（stomata） 441
シナプス小胞 synaptic vesicle 440, 443
シナプス前部 presynaptic part 440
シナプス前膜 presynaptic membrane 440

シナプス前抑制 presynaptic inhibition 584
シナプス伝達 synaptic transmission 443
シナプスの形態 441
ジヒドロテストステロン dihydrotestosterone（DHT） 399
シブソンの筋膜 Sibson fascia 282
シャーピー線維 Sharpey's fibers 296
ジャコミニ小帯 band of Giacomini 536
シュヴァイガー・ザイデル鞘（エリプソイド）Schweiger-Seidel sheath（ellipsoid） 417
シュッツ束（背側縦束）dorsal bundle of Schütz（dorsal longitudinal fasciculus） 481, 493, 498, 522
シュミット・ランターマンの切痕 incisures of Schmidt-Lanterman 446, 448
シュモルの結節 Schmorl's node 27
シュルツのコンマ束（束間束）comma tract of Schultze（interfascicular fasciculus） 455
シュレム管（強膜静脈洞）canal of Schlemm（scleral venous sinus） 593
シュワン細胞 Schwann cell 446, 447, 448, 581, 582
シュワン細胞の核 nucleus of Schwann cell 446, 448
ショパール関節（横足根関節） 110
ショパール関節線 Chopart's joint line 109
シルヴィウス窩（[大脳]外側窩）fossa of Sylvius（lateral cerebral fossa） 531
シルヴィウス水道（中脳水道）Sylvian aqueduct（aqueduct of midbrain） 563
子宮 uterus 307, 310, 347, 351, 352, 353, 364, 380
子宮縁 border of uterus 352
子宮円索（靱帯）round ligament of uterus 353, 366
子宮外妊娠 ectopic pregnancy 361
子宮外膜（漿膜）perimetrium（serosa） 352
子宮下部 lower uterine segment 351
子宮間膜 mesometrium 347
子宮峡部 isthmus of uterus 351
子宮筋層 myometrium 352, 362, 364
子宮腔 uterine cavity 351
子宮腔の後壁 posterior wall of uterine cavity 361
子宮頸 cervix of uterus 351, 352, 356
子宮頸管 cervical canal 351, 365
子宮頸癌 352
子宮頸（管）腺 cervical glands 352, 365
（子宮頸の）腟上部 supravaginal part（of cervix） 351

(子宮頸の)腟部 vaginal part (cervix) 351, 354
(子宮頸部の) 結合組織 364
子宮傍結組織 paracervix 352, 356
子宮広間膜 broad ligament of uterus 310, 337, 347, 348, 350, 353
子宮上皮 uterine epithelium 361
子宮静脈 uterine veins 353
子宮静脈叢 uterine venous plexus 255, 350, 353
子宮鞍帯 353
子宮体 body of uterus 351, **352**
子宮端 uterine extremity 348
子宮腟管 uterovaginal canal 380
子宮腟神経叢(フランケンホイザーの神経叢) uterovaginal plexus (Frankenhäuser plexus) 353, 354, 571
子宮底 fundus of uterus 351
子宮動静脈 uterine artery and veins 356
子宮動脈 uterine artery 247, 335, 337, 350, 353
子宮内腔 intrauterine cavity 362
子宮内ペッサリー 362
子宮内膜 endometrium 352, 361, 362
子宮内膜の機能層 functional stratum of endometrium 361
子宮粘膜 mucous membrane of uterus 361
子宮粘膜への刺入 invasion into endometrium 361
子宮の姿位 351
子宮の支持装置 **353**
子宮の前壁 anterior wall of uterine cavity 361
子宮部 uterine part 350(卵管の)
子宮傍組織 parametrium 352
子宮傍リンパ節 para-uterine nodes 260
支持籠 supporting baskets 606
支持細胞 supporting cells 587, 607
支持組織 6
四角隙 quadrangular space 75, 183
四角小葉 quadrangular lobule 501, 502
四丘板(蓋板, 中脳蓋) quadrigeminal plate (tectal plate, tectum of midbrain) 434, 476, 492, 509
四肢麻痺 tetraplegia 461
四角膜 quadrangular membrane 272, 274
示指伸筋 extensor indicis 78, 82, 83, 85, 468
示指伸筋の腱鞘 tendinous sheath of extensor indicis 90
示指橈側動脈 radialis indicis artery 246
示指の腱鞘 tendon sheath of indicis 90
矢状軸 sagittal axis 2
矢状縫合 sagittal suture 140, 142, 153
死冠 corona mortis 247
糸球(頸動脈小体) carotid body 177

糸球状シナプス glomerular synapses 536
糸球状シナプス複合 glomerular synaptic complexes 441
糸球状腺 glomerular gland 424
糸球体(嗅糸球体) glomerulus (olfactory glomerulus) 332, 333, 538
糸球体腔(ボウマン腔) 333
糸球(体)嚢(ボウマン嚢) glomerular capsule (Bowman's capsule) 332, 333, 378
糸球体毛細血管 333
糸球体層 glomerular layer 536
糸状乳頭 filiform papillae 290
糸粒体(ミトコンドリア) mitochondria 3, 228, 439, 440, 587
弛緩期 relaxation phase 239
弛緩部 pars flaccida 601
刺激伝導系 conducting system of heart **231**
指 fingers (separate digits) 369
指圧痕 digitate impressions 145
指屈筋の総腱鞘 common flexor sheath 90, 190
指骨 phalanges **63**(手の), **108**(足の)
指状の突起 finger-shaped processes 581
指節間関節 interphalangeal joints of hand 66(手の)
指節突起(外カジ) phalangeal process (outer rudder) 606
指頭の腹面 pulp of finger 426
指背腱膜 dorsal aponeurosis of digits of hand 86(手の)
指放射 finger ray 369
思索家の額 thinker's brow 157
思春期 puberty 382
思春期早発症 precocious puberty 391
脂質 lipid 3
脂肪細胞 fat cell (adipose tissue) 408, 448
脂肪酸誘導体 385
脂肪小球(乳小球) fat droplets (milk droplets) 428
脂肪組織 fat cells (adipose tissue) 6, 397, 414
脂肪体 fat body 17
脂肪被膜 perirenal fat capsule 334(腎臓の)
視蓋小脳線維 609
視蓋赤核路 tectorubral tract 494
視蓋脊髄路 tectospinal tract 456
視蓋前核 pretectal nuclei 600
視蓋前野 pretectal area 493
視蓋網様体束 tectoreticular fasciculus 499
視覚的失認 optic agnosia 589
視覚の統合領 visual integration fields 551
視覚反射 optic reflexes **600**
視覚皮質 visual cortex 514, **551**, 552
視覚領 visual cortex 528
視覚路 visual pathway **598**
視覚路の局在 **599**

視紅 visual purple 597
視交叉 optic chiasm 386, 389
視交叉陥凹 optic recess 510, 563
視細胞層 layer of photosensitive cells 595
視索 optic tract 477, 493, 511, 513, 517, 521, 532, 537, 539, 598, 599
視索上核 supra-optic nucleus 389, 521, 522, 526, 566
視索上核下垂体路 supraopticohypophysial tract 526
視索前野 preoptic area 512, 521, 522, 525, 538, 540, 588
視床 thalamus 511, 513, 532, 533, 534, 535, 553, 562
視床下核(リュイ体) subthalamic nucleus (Luys body) 498, 510, 511, 520, 532, 576
視床下核淡蒼球線維 subthalamopallidal fibers 520
視床下部 hypothalamus 386, **388**, 444, 510, 511, 515, **521**, 532, 537, 540, 568
視床下部-下垂体系 hypothalamohypophysial system **526**
視床下部-下垂体-精巣系 399
視床下部下垂体路 hypothalamohypophysial tract 389
視床下部-神経下垂体系 **389**
視床下部-神経下垂体系のホルモン 390
視床下部-腺下垂体系 **389**
視床下部の機能局在 **523**
視床間橋 interthalamic adhesion 434, 511, 563
視床枝 thalamic branch 560
視床上交連(後交連) Commissura epithalamica (posterior commissure) 493, 512
視床上部 epithalamus 510, **512**
視床髄条 stria medullaris thalami 511, 512, 538
視床髄板 thalamic medullary lamina 511
視床髄板内核 intralaminar nuclei of thalamus 514
視床正中線核 midline nuclei 514
視床前核 anterior thalamic nuclei 540, 588
視床前核群 513, 514
視床前結節 anterior thalamic tuberculum 518
視床束(フォレルのH₁野) thalamic fasciculus (field H₁ of Forel) 511, 516, 520
視床枕 pulvinar 493, 513, 514, 517, 519, 598
視床特殊核 specific thalamic nuclei 513, 514
視床内側核 medial nucleus 515
視床内側核群 514
視床の外側核群 **516**
視床の正中中心 thalamic centrum medianum nucleus 576
視床の腹側核群 **516**
視床皮質線維 thalamocortical fibers 553

視床非特殊核 unspecific thalamic nuclei 513
視床ヒモ taenia thalami 564
視床放線 thalamic radiations 513
視床網様核 reticular nucleus of thalamus 511, 513, 518, 519
視神経(第Ⅱ脳神経) optic nerve 147, 168, 435, 477, 478, 590, 592, **596**, 598, 599
視神経円板(乳頭) optic disc 594
視神経外鞘(硬膜鞘) outer sheath of optic nerve (dural sheath) 596
視神経管 optic canal 145, 147, 150, 478
視[神経]交叉 optic chiasm 434, 435, 477, 509, 510, 512, 513, 521, 525, 526, 531, 538, 598, 599
[視神経]交叉前溝 prechiasmatic sulcus 145
視神経細胞 ganglion cells 595
視神経細胞層 layer of ganglion cells 595
視神経節 ganglion of optic nerve 598
視神経線維 optic nerve fibers 600
視神経乳頭(盲斑) optic papilla (blind spot) 596, 599
視層 optic layer 493
視脳室 optic ventricle 592
視部 optic part 592
視放線 optic radiation (Gratiolet) 517, 552, 553, 598
視野 visual field 598, 599
歯牙原基 **298**
歯冠 crown 295
歯冠腔 pulp cavity of crown 296
歯冠結節(咬頭) tubercle 295
歯頸 neck 295
歯根 root 295
歯根管 root canal 296, 298
歯根尖孔 apical foramen 296
歯根膜 periodontium 296, 298
歯枝 dental branches 299
歯式 dental formula 295
歯周組織 parodontium 296
歯状回 dentate gyrus 530, 536, 539, 540
歯状回門 hilum of dentate fascia 541
歯状核 dentate nucleus 494, 502, 506, 508, 580
歯状核口 hilum of dentate nucleus 502
歯状核赤核束 dentate-rubral fibers (fastigiobulbar fibers, fastigiorubral fibers) 493, 494, 576
歯状靱帯 dentriculate ligament 459
歯小嚢 dental sac 298
歯髄 dental pulp 296, 298
歯髄腔 pulp cavity 296
歯尖靱帯 apical ligament of dens 30
歯槽 dental alveolus (tooth socket) 295
歯槽骨 dental alveolus (tooth socket) 298

歯槽突起 alveolar process　141, 143, 288
歯槽部 alveolar part　143, 148
歯槽隆起 alveolar yokes　148
歯堤 dental lamina　298
歯突起 dens　19, 26
歯突起窩 facet for dentis　19, 30
歯突起尖 apex of dens　19, 26
歯肉 gum, gingiva　288, 296
歯肉溝 gingival sulcus　296
歯乳頭（歯髄）dental papilla（dental pulp）　298
篩骨 ethmoidal bone　138, 145, 266
篩骨眼窩板 orbital plate　150
篩骨篩板 cribriform plate［of ethmoidal bone］　145, 151, 267
篩骨静脈 ethmoidal veins　266
篩骨垂直板 perpendicular plate of ethmoidal bone　151, 267
篩骨洞（篩骨蜂巣）ethmoidal cells　268, 269
篩骨胞 ethmoidal bulla　151, 268, 269, 270
篩骨蜂巣 ethmoidal cells　151
篩骨蜂巣後部 posterior ethmoidal sinuses　151
篩骨漏斗 ethmoidal infundibulum　151
篩状筋膜 cribriform fascia　125, 203
篩板 cribriform plate　147・478・538（篩骨の），596（強膜の）
耳介 auricle　601
耳介後リンパ節 retroauricular nodes　169
耳介枝 auricular branch　483
耳介側頭神経 auriculotemporal nerve　164, 166, 167, 172, 489, 491
耳介軟骨 auricular cartilage　601
耳下腺 parotid gland　166, 169, 293, 294, 302, 303, 487, 491
耳下腺管 parotid duct　166, 172, 293, 303
耳下腺筋膜 parotid fascia　293
耳下腺咬筋部 parotid region　163, **166**
耳下腺神経叢 parotid plexus［of facial nerve］　**166**, 172, 487
耳下腺乳頭 papilla of parotid duct　293
耳管 auditory tube　485, 601, 602
耳管咽頭口 pharyngeal opening［of auditory tube］　270, 300, 601
耳管峡 isthmus of auditory tube　601
耳管溝 sulcus of auditory tube　144
耳管鼓室口 tympanic opening　601
耳管軟骨 cartilage of auditory tube　302, 601
耳管（の開口部）auditory tube　302
耳管半管 canal for auditory tube　603
耳管扁桃 tubal tonsil　418
耳管隆起 torus tubarius　270, 300
耳甲介 concha of auricle　601
耳珠 tragus　601
耳小骨 auditory ossicles　602

耳小骨靱帯 ligaments of auditory ossicles　602
耳状面 auricular surface　24, 91
耳神経節 otic ganglion　**491**
耳垂 lobule of auricle　601
耳道腺 ceruminous gland　601
耳輪 helix　601
自己分泌作動方式　403
自己分泌 autocrine secretion　385
自己免疫疾患 autoimmune disease　410
自所的背筋群 autochthonic muscles of the back　39
自制閉鎖 continence　321
自由縁 free border　348
自由下肢　**94**
自由下肢骨 bones of free part of lower limb　94
自由細胞 free cells　6
自由上肢 free upper limb　54, **56**
自由上肢骨 skeleton of free part of upper limb　56
自由上肢の筋膜　**89**
自由神経終末 free nerve endings　**581**
自由ヒモ free taenia　317, 319
自律神経系 autonomic nervous system　430, 568
自律神経ニューロン autonomic neurons　573
自律神経路 autonomic pathways　**456**
児 Furchtwalze　366
児頭 child's head　365
磁気共鳴断層撮影法 magnetic resonance tomography（MRT）　**557**
色素顆粒 pigment granules　3
色素嫌性細胞 chromophobes　387
色素部 pigmentous part, pigmented layer　592・595（網膜の）
識別性知覚 epicritic sensibility　455, **583**
軸索 axon　388, 437, 446, 447, 503, 504, 544, 581
軸索間シナプス axo-axonic synapses　440, 584, 598
軸索間膜 mesaxon　447
軸索形質膜 axolemma　578
軸索形質流 axoplasmic flow　442
軸索細胞体間シナプス axo-somatic synapses　440
軸索終末 axon terminal　388
軸索樹状突起間シナプス axo-dendritic synapses　440
軸索初節 initial segment of axon　541
軸索小丘（起始円錐）axon hillock（the cone of origin）　437
軸索側枝 axon collaterals　437
軸索フィラメント axon filament　441
軸索膜 axolemma　446
軸索輸送　**442**
軸椎 axis　18, 19, 26
軸面　236
下ひき deorsumduction　591
失禁 incontinence　357

失書症 agraphy　555
失読症 alexis　555
室蓋壁 tegmental wall of tympanic cavity　602
室間溝 interventricular sulcus　372
室間孔（モンロー孔）interventricular foramen　372, 433, 434, 513, 518, 561, 563, 566
室上稜 supraventricular crest　225
室頂核 fastigial nucleus　502, 506, 507, 508
室傍核 paraventricular nucleus　389, 521, 522, 526
室傍核下垂体路 paraventriculohypophysial tract　526
櫛状筋 pectinate muscles　225
櫛状靱帯 pectinate ligament　593
櫛状線 pectinate line　321
膝横靱帯 transverse ligament of knee　102
膝窩 popliteal fossa　202, **211**
膝蓋下滑膜ヒダ infrapatellar synovial fold　103
膝蓋下枝 infrapatellar branch　208, 471
膝蓋下脂肪体 infrapatellar fat pad　95, 103
膝蓋骨 patella　17, **95**, 101, 103
膝蓋骨尖 apex of patella　95
膝蓋上包 suprapatellar bursa　101, 103
膝蓋靱帯 patellar ligament　17, 101, 103, 122
膝蓋面 patellar surface　94
膝窩筋 popliteus　101, 114, 124, 126, 129, 130, 211, 213, 474
膝窩溝 groove for popliteus　94
膝窩静脈 popliteal vein　209, 210, 211, 213, 256
膝窩動脈 popliteal artery　209, 211, 213, **249**
膝窩動脈圧迫症候群 popliteal artery's compression syndrome　211
膝窩面 popliteal surface　94
膝関節 knee joint　101, 124
膝関節筋 articularis genus　122
膝関節での筋の作用　**124**
膝関節動脈網　**249**
膝関節における運動　**104**
膝静脈 genicular veins　256
膝神経節 geniculate ganglion　487, 586
膝領域の部位　**202**
実質細胞 parenchymal cells　394
実質細胞の巣 nest of parenchymal cells　391
車軸関節 pivot joint　15, 110
射精管 ejaculatory duct　197, 342, 343, 345
斜角筋 scalenus　**40**, 162
斜角筋群 scalenus　303
斜角筋隙 scalene space　40, 176
斜角筋椎骨三角 scalenovertebral triangle　40, **179**
斜径 oblique diameter　93（骨盤の）
斜索 oblique cord　60

斜膝窩靱帯 oblique popliteal ligament　101
斜線 oblique line　148（下顎骨の），271（喉頭の）
斜線維 oblique fibers　312
斜台 clivus　145, 478, 462
斜 oblique head of adductor hallucis　134（足の母指内転筋の）
斜 oblique head of adductor pollicis　87（手の母指内転筋の）
斜頭［蓋］plagiocephaly　153
斜披裂筋 oblique arytenoid　273
斜部 oblique part　273
斜裂 oblique fissure　278
尺骨 ulna　**58**, 78
尺骨静脈 ulnar veins　189, 254
尺骨神経 ulnar nerve　78, 182, 185, 188, 189, 190, 191, 466
尺骨神経溝 groove for ulnar nerve　56, 466
尺骨神経手背枝 dorsal branch of ulnar nerve　192, 466
尺骨神経掌［皮］枝 palmar［cutaneous］branch of ulnar nerve　189, 190, 466
尺骨神経との交通枝 communicating branch with ulnar nerve　468（橈骨神経の）
尺骨切痕 ulnar notch　58・60（橈骨の）
尺骨粗面 tuberosity of ulna　58, 76
尺骨体 shaft of ulna　58
尺骨頭 head of ulna　58・60（尺骨の）
尺骨頭 ulnar head　79（浅指屈筋の，尺側手根屈筋の）
尺骨動脈 ulnar artery　78, 188, 189, 190, 191, 245, **246**
（尺骨動脈）深掌枝 deep palmar branch　246
尺骨動脈の終枝　246
尺骨の肘頭 olecranon of ulna　77
尺側血管‐神経束 ulnar neurovascular bundle　189
尺側手根屈筋 flexor carpi ulnaris　78, 79, 80, 85, 86, 189, 190, 466
尺側手根伸筋 extensor carpi ulnaris　78, 81, 82, 83, 85, 468
尺側手根伸筋の腱鞘 tendinous sheath of extensor carpi ulnaris　90
尺側反回動脈 ulnar recurrent artery　188, 245, 246
尺側皮静脈 basilic vein　67, 78, 184, 185, 186, 187, 254
尺側皮静脈裂孔 basilic hiatus　89, 184, 187
尺側偏位 ulnar deviation　65
弱酸性粘液　312
手根 wrist　**61**
手根管 carpal tunnel　61, 79
手根間関節 intercarpal joints　64
手根管症候群 carpal tunnel syndrome　465
手根間靱帯 intercarpal ligaments　64
手根関節　**64**
手根関節での運動　**65**

手根関節での筋の作用 85
手根腱鞘 90
手根骨 62
手根中央関節 midcarpal joint 64
手根中手関節 carpometacarpal joints 66
手根中手靱帯 carpometacarpal ligaments 64
手根の部位 180
手根領域の靱帯 64
手指の滑液鞘 synovial sheath of digits of hand 90
手指の線維鞘 fibrous sheath of digits of hand 90
手掌（手掌部）palma（palmar region） 180, **190**
手掌腱膜 palmar aponeurosis 79, **88**, 89, 190
手背（手背部）dorsum of hand 180, **192**
手背筋膜 dorsal fascia of hand 89
手背静脈網 dorsal venous network of hand 192, 254
主気管支 main bronchus 279, 281, 374
主拮抗歯 299
主細胞 chief cells（principal cells） 312, 397
主視蓋前核 principal pretectal nuclei 493
主静脈 373
主部 principal piece 340
（主部の）曲部（近位曲尿細管）convoluted part 332
（主部の）直部（近位直尿細管）straight part 332
主密線（周期線）major dense lines（period lines）446, 447
棕状ヒダ palmate folds 351
種子骨 sesamoid bones 11, 17, 63・87（手の），108（足の）
受精 fertilization 359, 361, 368
受精能獲得 capacitation 360
受精場所 350
受動的心室充満期 passive inflow phase 239
受容側（形成面）receiving side（forming face） 439
受容体 receptor 360, 385
樹状細網細胞 dendritic reticular cells 412
樹状突起 dendrite 437, 440, 503, 541, 544
樹状突起の棘状突出 441
収縮期 systole 239
収斂 445
舟状窩 scapha 601（耳介の）
舟状窩 scaphoid fossa 144（蝶形骨の）
舟状肩甲骨 scaphoid scapula 54
舟状骨 navicular 107・108・109・110・111（足の）
舟状骨 scaphoid 61・62（手の）
舟状骨関節面 navicular articular surface 106
舟状骨結節 tubercle of scaphoid 62・87（手の）

舟状骨粗面 tuberosity of navicular bone 107（足の）
舟状頭蓋 scaphocephaly 152
周縁洞 marginal sinus 415
周期間線 interperiod line 447
周期線（主密線）period lines（major dense lines） 446, 447
周尿道被覆帯 343
周皮細胞（外膜細胞）pericytes（adventitial cells） 262
終糸 terminal filum 451
終止核 terminal nuclei 479
終神経 terminal nerve 587
終動脈 334
終脳化 436
終脳間脳境界 telodiencephalic border **509**
終脳間脳溝 telodiencephalic sulcus 432
終脳間脳裂 telodiencephalic fissure 509
終脳正中部（無対終脳）median part of telencephalon（telencephalon impar） 509
終脳の進化 **528**
終脳半球の区分 **527**
終脳［胞］telencephalon 432, 435, 436, 509, **531**
終板 lamina terminalis 509, 566
終板器官 vascular organ of lamina terminalis 389, **566**
終板傍回 paraterminal gyrus 530, 536, 588
終末回旋 terminal rotation 124
終末膠細胞 tegloglia 578
終末細気管支 terminal bronchioles 280
終末小骨 ossiculum terminale 19, 26
終末神経節 terminal ganglia 570
終末囊 terminal sac 374
終末部（分泌部）terminal part（secretory part） 294
終末分枝 telodendron 437
終末ボタン boutons terminaux 437, **440**
終末網 terminal reticulum 573
終毛 terminal hair 355, 425
集合管 collecting tubule 332, 333, 378, 415
集合細静脈 collecting venule 263
集合前管 415
集合胆管 bile ducts 323, 325
集合リンパ小節（パイエル板）aggregated lymphoid nodules（Peyer's patches） 315, 318, 418, 419
集合リンパ節 collecting lymph nodes 258, 415
十字頭蓋 metopic suture 153
十二指腸 duodenum 308, 309, 310, 311, **314**, 315, **316**, 376, 377
十二指腸圧痕 duodenal impression 322
十二指腸下行部 descending part of duodenum 329
十二指腸空腸曲 duodenojejunal flexure 309, 314, 327

十二指腸縦ヒダ longitudinal fold of duodenum 315
十二指腸上部 superior part of duodenum 329
十二指腸腺（ブルンネル腺）duodenal glands（Brunner's glands） 315
十二指腸提筋（トライツの靱帯）suspensory muscle of duodenum（Treiz's ligament） 314
重症筋無力症 myasthenia gravis 578
重心線 line of the center of gravity 31
重層上皮 stratified epithelia 5
絨毛 362, 365
絨毛外栄養膜細胞 363
絨毛間隙 intervillous space（IVS） 363
絨毛間隙の開口部 opening of uteroplacental arteries into IVS 363
絨毛の中の血管とリンパ管 blood and lymphatic vessels in villi 315
絨毛膜 363
絨毛膜下隙 363
絨毛膜中胚葉 chorionic mesoderm 401
絨毛膜無毛部 chorion laeve 363
縦隔 mediastinum 220, **234**, **285**
縦隔陰影 235
縦隔鏡 mediastinoscopy 286
縦隔胸膜 mediastinal pleura 282, 285
縦隔の下部 inferior mediastinum 285, 286
縦隔の後部 posterior mediastinum 285, 286
縦隔の上部 superior mediastinum 285, 286
縦隔の前部 anterior mediastinum 285, 286
縦隔の中部 middle mediastinum 285, 286
縦筋層 longitudinal layer 287, 312
縦細管 longitudinal tubuli（L-tubuli） 228
縦条 longitudinal stria 540
縦靱帯 longitudinal ligaments 27
縦束 longitudinal bands 30（脊柱の），88・190（手の）
縦足弓 longitudinal arch 111
縮瞳 miosis 490
縮閉線 evolute 95
集合細静脈 collecting venule 263
出血性心膜炎 233
出産 364, 365, 366
出生前の発達段階 stages in prenatal development 368
純尺側偏位 65
純漿液腺 293, 294, 326
純橈側偏位 65
循環中枢 499
順行輸送 438
処女膜 hymen 354, 355, 380
処女膜痕 carunculae hymenales 354, 355
初期妊娠因子 early pregnancy factor（EPF） 362

初潮 382
初乳 colostrum 428
所属リンパ節 regional lymph nodes 258, 415
女性会陰域の高さでの横断面 **358**
女性会陰部 **199**
女性外生殖器 380
女性型乳房 gynecomastia 427
女性生殖管 380
女性生殖器 female genital system 347
女性生殖器系 female genital system 220, **347**
女性生殖器の構成 **347**
女性前核 prenucleus（weiblicher Vorkern） 359
女性の骨盤 feminine pelvis 93
鋤骨 vomer 144, 151, 267, 270
鋤骨翼 ala of vomer 270
鋤鼻器 vomeronasal organ 587
鋤鼻神経 vomeronasal nerve 587
小陰唇 labium minus 347, 355, 380
小円筋 teres minor 67, 68, 69, 71, 74, 77, 183, 194, 467
小角 lesser horn 149
小角結節 corniculate tubercle 274, 275
小角軟骨 corniculate cartilage 271
小汗腺 424
（小汗腺の）筋上皮細胞 myoepithelial cell 424
小臼歯 premolar tooth 295
小胸筋 pectoralis minor 67, 70, 76, 181, 182, 245, 464
小頰骨筋 zygomaticus minor 158
小結節 lesser tubercle 56, 69
小結節稜 crest of lesser tubercle 56, 69
小膠 microglia 449
小孔（シナプス小孔）stomata（synaptopores） 441
小口蓋管 lesser palatine canal 150
小口蓋孔 lessor palatine foramina 144, 147
小口蓋神経 lesser palatine nerves 147
小口蓋動脈 lesser palatine arteries 147, 242
小虹彩動脈輪 minor circulus arteriosus of iris 594
小後頭神経 lesser occipital nerve 169, 175, 462, 463
小後頭直筋 rectus capitis posterior minor 38, 169
小骨盤 lesser pelvis（true pelvis） 92, 220
小細胞性領域 parvocellular part 518
小坐骨孔 lesser sciatic foramen 92, 201, 475
小鎖骨上窩 lesser supraclavicular fossa 163
小坐骨切痕 lesser sciatic notch 91
小指外転筋 abductor digiti minimi 86・88・191・466（手の），134・217（足の）
小指球 hypothenar 86, 190

小指球の筋 88
小指伸筋 extensor digiti minimi 78, 81, 82, 83, 85, 468
小指伸筋の腱鞘 tendinous sheath of extensor digiti minimi brevis 90
小指対立筋 opponens digiti minimi 88・466(手の), 134(足の)
小指の腱鞘 tendon sheath of digiti minimi 90
小十二指腸乳頭 315
小循環 lesser circulation 221
小静脈 venule 221
小心(臓)静脈 small cardiac vein 230
小腎杯 minor calyces 335
小錐体神経 lesser petrosal nerve 147, 485, 491
小錐体神経管裂孔 hiatus for lesser petrosal nerve 145, 147, 491
小節 nodule 502
小舌下腺 293
小節冠 corona 419
小節冠域(Tリンパ球) interfollicular region (T-lymphocyte) 419
小前庭腺 lesser vestibular glands 355
小泉門 posterior fontanelle 139
小帯線維 zonular fibres 593, 600
小唾液腺 293
小柱動脈 trabecular arteries 524
小腸 small intestine 287, 309, **314**, **316**, **329**, 377, 403
小腸傍リンパ節 juxta-intestinal mesenteric nodes 316
小腸ループ loop of small intestine 376, 377
小椎骨関節 29
小殿筋 gluteus minimus 114, 116, 120, 121, 206, 472
小転子 lesser trochanter 47, 94, 115
小頭症 microcephaly 152
小動脈 arteriole 221
小内臓神経 lesser splanchnic nerve 571
小内転筋 adductor minimus 114, 115, 118, 119, 121, 205
小脳 cerebellum 431, 432, 433, 434, 476, **501**, 528, 534, 535, 576
小脳延髄槽 cerebellomedullary cistern 563
小脳回 cerebellar folia 501
小脳核 intracerebellar (deep cerebellar) nuclei **502**
小脳活樹 arbor vitae cerebelli 434, 502
小脳鎌 falx cerebelli 567
小脳脚 cerebellar peduncles **502**
小脳溝 cerebellar fissures 501
小脳糸球 cerebellar glomeruli 504
小脳小舌 lingula 501, 502
小脳小舌ヒモ vincula of cerebellar lingula 501
小脳前庭路 cerebellovestibular tract 507
小脳体 body of cerebellum 501
小脳虫部 vermis of cerebellum 435

小脳テント cerebellar tentorium 253, 567
小脳の機能原理 **505**
小脳半球 cerebellar hemisphere (hemisphere of cerebellum) 435, 501, 506
小脳皮質 cerebellar cortex **503**
小脳扁桃 tonsil of cerebellum 501, 502
小脳谷 vallecula of cerebellum 501, 502
小皮層 cuticular layer (terminal web) 606
小皮板 cuticular plate 608
小伏在静脈 small saphenous vein 126, **210**, 213, 256
小帽(膨大部頂) ampullary cupula 607
小網 lesser omentum 308, 311, 376
小網隆起 omental eminence 326(膵臓の)
小網隆起 omental tuberosity 322(肝臓の)
小葉間静脈 interlobular veins 323, 332
小葉間胆管 interlobular bile ducts 323, 325
小葉間導管 326
小葉間動脈 interlobular arteries 323, 332
小腰筋 psoas minor 47, 114, 115, 470
小菱形筋 rhomboid minor 67, 71, 464
小菱形骨 trapezoid 61, 62, 64, 87
小彎 lesser curvature 308, 311, 313, 376
床突起間ヒモ(鞍橋) interclinoid tenia (bridging of sella turcica) 146
昇圧中枢 pressor center 499
松果陥凹 pineal recess 512, 563
松果上陥凹 suprapineal recess 563
松果腺(松果体) pineal body 434, 509, 510, 512, 534, 562
松果体 pineal body 383, **391**
松果体陥凹 pineal recess 391
松果体細胞 pinealocytes 391
消化器系 digestive system 220, **287**
消化器系の発生 375
笑筋 risorius 158
掌屈(掌側屈曲) palmar flexion 65・66・85(手根関節の)
掌側骨間筋 palmar interossei 86, 89, 466
掌側尺骨手根靱帯 palmar ulnocarpal ligament 64
掌側手根間靱帯 palmar intercarpal ligament 64
掌側手根腱鞘 palmar carpal tendinous sheaths 90
掌側手根枝(尺骨動脈) palmar carpal branch (ulnar artery) 246
掌側手根枝(橈骨動脈) palmar carpal branch (radial artery) 246

掌側手根中手靱帯 palmar carpo-metacarpal ligament 64
掌側中手静脈 palmar metacarpal veins 254
掌側中手靱帯 palmar metacarpal ligament 64
掌側中手動脈 palmar metacarpal arteries 191, 246
掌側橈骨手根靱帯 palmar radiocarpal ligament 64
硝子体 vitreous body 592
硝子体眼房 vitreous chamber 592
硝子体動脈 hyaloid artery 592
硝子軟骨 hyaline cartilage **7**, 13
[硝子]軟骨結合 synchondrosis 12
硝子膜 glassy membrane 581
睫毛 eyelashes 590
漿液細胞 serous cells 294
漿液性脂肪細胞 serous fat cells 6
漿液性終末部(腺房) serous terminal portion (acinus) 384
漿液性半月 serous demilune 384
漿粘液腺 seromucous gland 384
漿膜 serosa 220, 307, 311, 318, 325, 336, 350
漿膜下組織 subserosa 307
漿膜腔 220
漿膜腔と結合組織腔 **220**
漿膜性心膜 serous pericardium 233
漿膜(または外膜) serosa (adventitia) 287
鞘間隙 intervaginal space 596
鞘状突起 vaginal process 50, 339
踵骨 calcaneum 106, 109, 110, 111
踵骨棘 calcaneal spur 106
踵骨腱(アキレス腱) calcaneal tendon 129, 213
踵骨溝 calcaneal sulcus 106
踵骨枝 calcaneal branches 250
踵骨動脈網 calcaneal anastomosis 216, 250
踵骨突起 calcaneal process 107
踵骨隆起 calcaneal tuberosity 106, 112, 129
踵舟靱帯 calcaneonavicular ligament 111
踵足 pes calcaneus 113
踵腓靱帯 calcaneofibular ligament 109, 111
踵部 heel region 202
踵立方関節 calcaneocuboid joint 109, 110
踵立方靱帯 calcaneocuboid ligament 111
上衣 ependyma **565**
上衣下細胞層 subependymal cell layer 565
上衣下静脈 subependymal veins 561
上衣性細管 ependymal tubules 566
上衣線維 ependymal fibers 565
上衣傍路 parependymal tract 456
上咽頭収縮筋 superior constrictor 170, 291, 300

上縁 superior border 308・416(脾臓の)
上横隔動脈 superior phrenic arteries 240
上横隔リンパ節 superior diaphragmatic nodes 259
上オリーブ核 superior olivary nucleus 481, 609
上オリーブ内側核 medial superior olivary nucleus 609
上外側上腕皮神経 superior lateral brachial cutaneous nerve 183, 186, 467
上外側浅鼠径リンパ節 superolateral nodes 203, 207
上回盲陥凹 superior ileocaecal recess 309, 317
上角 superior angle 54(肩甲骨の)
上角 superior horn 125・204(伏在裂孔の), 271・272(甲状軟骨の)
上顎間縫合 intermaxillary suture 143
上顎結節 maxillary tuberosity 141, 144, 167, 268
上顎骨 maxilla 138, 141, 143, 144, 150, 151, 266
上顎骨頬骨突起 zygomatic process of maxilla 143
上顎骨口蓋突起 palatine process of maxilla 144
上顎骨前頭突起 frontal process of maxilla 141, 143
上顎神経 maxillary nerve 147, 164, 265, 266, 267, 299, 478, **489**, 490
上顎前突 maxillary protrusion 299
上顎体 body of maxilla 143
上顎洞 maxillary sinus 150, 151, 268, 269
上顎洞裂孔 maxillary hiatus 151
上顎隆起 maxillary prominence 374, 375
上下垂体静脈 superior hypophysial vein 388, 389
上下垂体動脈 superior hypophysial artery 243, 386, 388, 389, 524
上下腹神経叢 superior hypogastric plexus 569, 571
上-下葉区, 上-下葉枝 superior segment, superior segmental bronchus 279
上陥凹 superior recess 327(網嚢の)
上眼窩裂 superior orbital fissure 147, 150, 168, 478
上眼瞼 superior eyelid 590
上眼瞼挙筋 levator palpebrae superioris 165, 168, 495, 590, 591
上眼瞼挙筋腱 tendon of levator palpebrae superioris 165
上眼静脈 superior ophthalmic vein 147, 168, 253, 265
上関節突起 superior articular process of sacrum 18, 20, 21, 22, 23, 24, 30
上顔面神経 upper part of facial nerve 166

上気管気管支リンパ節 superior tracheobronchial nodes　281
上気管切開術 superior tracheotomy　277
上丘 superior colliculus　391, 476, **493**, 498, 598, 600
上狭窄，輪状軟骨狭窄 upper (or cricoid) narrow place　304
上頚神経節 superior cervical ganglion　232, 391
上頚心臓枝 superior cervical cardiac branches　178, 232
上［頚］心臓神経 superior cervical cardiac nerve　179, 232, 484, 570
上頚神経節 superior cervical ganglion　170, 177, 178, 490, 568, 570
上肩甲横靱帯 superior transverse scapular ligament　54, 55
上瞼板 superior tarsus　590
上瞼板筋 superior tarsal muscle　165, 590
上行咽頭動脈 ascending pharyngeal artery　170, 241
上行脚 ascending limb　481 (顔面神経の), 508 (上小脳脚の)
上後鋸筋 serratus posterior superior　39, 469
上行頚動脈 ascending cervical artery　244
上行結腸 ascending colon　308, 309, 310, 317, 319, 377
上行口蓋動脈 ascending palatine artery　171, 241
上甲状切痕 superior thyroid notch　271, 272
上甲状腺静脈 superior thyroid vein　173, 174, 177, 252, 395
上甲状腺動脈 superior thyroid artery　173, 174, 177, 241, 395, 397
上行性賦活系 ascending activating system　499, 584
上項線 superior nuchal line　72, 142
上行大動脈 ascending aorta　223, 236, 240, 283, 285
上後腸骨棘 posterior superior iliac spine　91, 116
上喉頭神経 superior laryngeal nerve　170, 173, 177, 275, 277, 483, 484
(上喉頭神経の)外枝 external branch (superior laryngeal nerve)　277
(上喉頭神経の)内枝 internal branch (superior laryngeal nerve)　277
上喉頭動静脈および上喉頭神経内枝が通る穴 perforation for superior laryngeal vessels and internal branch of superior laryngeal nerve　272
上喉頭動脈 superior laryngeal artery　177, 241, 275
上後鼻枝 posterior superior nasal branches　490
上行部 ascending part　314, 332
上行腰静脈 ascending lumbar vein　251
上行路　**455** (脊髄の)
上鼓室動脈 superior tympanic artery　147

上骨盤隔膜筋膜 superior fascia of pelvic diaphragm　357
上鼓膜陥凹 superior recesses of tympanic membrane　602
上根 superior root　463 (頚神経ワナの)
上肢　**180**
上耳介筋 auricularis superior　156
上矢状静脈洞 superior sagittal sinus　252, 253, 561, 567
上視床線条体静脈(分界静脈) superior thalamostriate vein (V. terminalis)　509, 511, 561, 562
上矢状洞溝 groove for superior sagittal sinus　140
上歯神経叢 superior dental plexus　299
上肢帯　**54**
上肢帯の筋 cingulate muscles of upper limb　67, **68**
上肢帯の筋の作用　73
上肢帯の連結　55
上肢帯領域の筋膜　75
上肢の深静脈　254
上肢の皮静脈　254
上肢の部位　**180**
上斜筋 superior oblique　165, 168, 495, 591
上尺側側副動脈 superior ulnar collateral artery　185, 245
上斜線維 superior oblique fibers　40
上縦舌筋 superior longitudinal muscle　291
上縦束 superior longitudinal fasciculus　554
上十二指腸陥凹 superior duodenal fossa　309, 314
上十二指腸曲 superior duodenal flexure　314
上十二指腸ヒダ superior duodenal fold　309, 314
上手根溝 proximal carpal groove　190
上主脈 supracardinal vein　373
上小脳脚(結合腕) superior cerebellar peduncle (brachium conjunctivum)　476, 502, 508, 515, 516
上小脳脚交叉(ウェルネキンク) decussation of superior cerebellar peduncles (Wernekinck)　492, 508, 533
上小脳動脈 superior cerebellar artery　243, 558
上上皮小体 superior parathyroid gland　170, 395, 397
上歯列弓 upper dental arcade　295
上唇 upper lip　288
上深外側頚リンパ節 superior deep lateral cervical nodes　258
上唇挙筋 levator labii superioris　158
上伸筋支帯 superior extensor retinaculum　127・132・136・137 (足の)
上神経幹 upper trunk　462
上神経孔 superior neuropore　369

上神経節 superior ganglion　483 (迷走神経の), 485 (舌咽神経の)
上唇小帯 frenulum of upper lip　288
上唇動脈 superior labial branch　166, 241
上唇鼻翼挙筋 levator labii superioris alaeque nasi　157
上錐体静脈洞 superior petrosal sinus　253, 561
上錐体洞溝 groove for sperior petrosal sinus　145
上髄帆 superior medullary velum　476, 502
上膵リンパ節 superior nodes　416
(上)前主静脈 (superior) anterior cardinal vein　373
上前腸骨棘 anterior superior iliac spine　43, 43, 91, 92, 116, 122
上前頭回 superior frontal gyrus　530, 531
上前頭溝 superior frontal sulcus　530, 531
上双子筋 gemellus superior　206
上爪皮 eponychium　426
上側頭回 superior temporal gyrus　530, 531
上側頭溝 superior temporal sulcus　530, 531
上側頭線 superior temporal line　140, 141
上大-下大静脈吻合　251
上大静脈 superior vena cava　221, 222, 223, 224, 225, 227, 231, 233, 235, 236, 251, 252, 283, 285, 306, 373
上大静脈口 opening of superior vena cava　225
上大脳静脈 superior cerebral vein　561
上唾液核 superior salivatory nucleus　479, 481, 487, 491, 498
上端 superior extremity　331 (腎臓の)
上端 superior pole　339 (精巣の)
上恥骨靱帯 superior pubic ligament　92
上腸間膜静脈 superior mesenteric vein　306, 316, 324, 327, 329
上腸間膜動・静脈 superior mesenteric artery and vein　326
上腸間膜動脈 superior mesenteric artery　240, 257, 316, 327, 329, 376, 377
上腸間膜動脈神経節 superior mesenteric ganglion　568, 569, 571
上腸間膜動脈神経叢 superior mesenteric plexus　350
上腸間膜リンパ節 superior mesenteric nodes　259, 313
上跳躍関節 talocrural joint　109
上直筋 superior rectus　168, 495, 591
上直腸静脈　324
上直腸動静脈 superior rectal artery and vein　356
上直腸動脈 superior rectal artery　321

上直腸リンパ節 superior rectal nodes　321
上椎切痕 superior vertebral notch　18, 20, 21
上殿静脈 superior gluteal vein[s]　206, 255
上殿神経 superior gluteal nerve　120, 206, 470, 472
上殿動脈 superior gluteal artery　206, 247
上殿皮神経 superior clunial nerves　205, 469
上頭 upper head　159
上頭関節 superior head joint　30
上頭斜筋 obliquus capitis superior　38, 169
上頭頂骨 superior parietal bone　153
上頭頂小葉 superior parietal lobule　530
上橈尺関節 proximal radio-ulnar joint　59, 60
上内側浅鼠径リンパ節 superomedial nodes　203
上嚢状陥凹 superior sacciform recess　59
上半月小葉 superior semilunar lobule　501, 502
上皮 epithelium　342
上皮(非角化重層扁平上皮) epithelium　304
上鼻甲介 superior nasal concha　151, 266, 269
上腓骨筋支帯 superior fibular retinaculum　128, 136, 137
上皮細胞 epithelial cells　403
上皮索 epithelial cord　425
上皮小体動脈 parathyroid artery　397
上皮小体(副甲状腺) parathyroids, parathyroid gland　383, **397**
上皮性細網細胞(胸腺上皮細胞) epithelial reticular cells (thymic epithelial cell)　414
上皮性腎小胞 epithelial renal vesicle　378
上皮性毛包 epithelial hair folicle　425
上皮組織 epithelial tissue　**5**
上鼻道 superior nasal meatus　151, 266, 269
上皮板(脈絡板) epithelial lamina　564
上部 superior part　314 (十二指腸の)
上部気道 upper airway　264
上腹 superior belly　72 (肩甲舌骨筋の)
上副甲状腺 superior parathyroid gland　397
上副腎(腎上体)動脈 superior suprarenal arteries　240
上副腎動脈　392
上腹部　308
上腹壁静脈 superior epigastric vein　195

索引 675

上腹壁動脈 superior epigastric artery 195, 244
上腹壁ヘルニア epigastric hernia 48
上部縦隔 413
上部腰髄 upper lumbar segments of spinal cord 568
上吻合静脈（トロラー静脈）superior anastomotic vein（vein of Trolard）561
上膀胱動脈 superior vesical arteries 247
上脈絡叢静脈 superior choroid vein 562
上葉 superior lobe 278, 279
上リンパ節（腋窩リンパ節）apical nodes 258
上肋横突靱帯 superior costotransverse ligament 28, 34
上肋骨窩 superior costal facet 20
上腕円蓋 humeral fornix 54
上腕筋 brachialis 67, 76, 77, 84, 188, 464
上腕筋膜 brachial fascia 89, 184, 186
上腕骨 humerus 56, 77, 183
上腕骨外側上顆炎 humeral epicondylitis 81
上腕骨滑車 trochlea of humerus 56, 60
上腕骨骨折 73
上腕骨小頭 capitulum of humerus 56, 60
上腕骨頭 head of humerus 56, 57
上腕三頭筋 triceps brachii 67, 77, 84, 185, 186, 468
上腕三頭筋外側頭 lateral head of triceps brachii 68, 76, 77, 183
上腕三頭筋長頭 long head of triceps brachii 68, 69, 73, 74, 76, 77, 183, 194
上腕三頭筋内側頭 medial head of triceps brachii 76, 77
上腕三頭筋の腱下包 subtendinous bursa of triceps 77
上腕静脈 brachial veins 67, 182, 185, 254
上腕神経叢麻痺 upper brachial plexus paralysis 464
上腕深動脈 profunda brachii artery 182, 183, 185, 186, 245
上腕頭 humeral head 79（浅指屈筋の，尺側手根屈筋の）
上腕動脈 brachial artery 67, 78, 182, 183, 185, 188, 245, 246
上腕二頭筋 biceps brachii 67, 74, 76, 77, 79, 84, 185, 188
上腕二頭筋腱膜 aponeurosis of biceps brachii 76, 89, 188
上腕二頭筋短頭 short head of biceps brachii 70, 73, 76, 182, 464
上腕二頭筋長頭 long head of biceps brachii 57, 69, 70, 73, 74, 76, 464
上腕二頭筋橈骨包 bicipitoradial bursa 76
上腕の筋 67, 76
上腕の部位 180

上腕リンパ節（腋窩リンパ節）brachial nodes 258
浄化作用 264
茸状乳頭 fungiform papillae 290, 585
常染色体 autosome 359
情緒脳 emotional brain 588
情報伝達 385
情報伝達器官 420
静脈 vein 221, 386, 423
静脈開口部 wide venous opening into IVS 363
静脈角 venous angle 251, 252
静脈管（アランチウス管）ductus venosus（Arantius duct）222
静脈管索 ligamentum venosum 222, 322
静脈管索裂 fissure for ligamentum venosum 322
静脈系 373
静脈血 venous blood 221, 420
静脈叢 365
静脈洞 sinus venous 372
静脈洞交会 confluence of sinuses 253, 478, 561
静脈内注射 intravenous injection 187, 254
静脈弁 venous valve 263
静脈網 venous plexus 254
静脈門 Porta venosa 233
静脈瘤 varix 256, 263
食作用 phagocytosis 4
食小体（食胞）phagosome 411
食水解小体（ファゴリソソーム）phagolysosome 411
食道 oesophagus 236, 237, 283, 285, 286, 287, 300, 304, 305, 395, 397
食道圧痕 oesophageal impression 322
食道気管中隔 oesophagotracheal septum 374
食道狭窄部 304
食道口 304
食道枝 esophageal branch 484
食道静脈 324
食道静脈瘤 esophageal varices 306, 324
食道神経叢 oesophageal plexus 484
食道腺 oesophageal glands 304
食道動脈 oesophageal branches 240, 306
食道（による溝）oesophagus 278
食道の胃への開口部 oesophageal opening to stomach 328
（食道の）腹部 abdominal part（oesophagus）311
食道裂孔 oesophageal hiatus 51, 52, 304
［食道］裂孔ヘルニア hiatus hernia 52
食胞 411
植物神経系 vegetative nervous system 430, 568
触覚 426, 583
触覚円板 tactile discs of Merkel 581
白黒視 scotopic vision 595

心圧痕 cardiac impression 278
心エコー echocardiography 238
心遠距離撮影 235
心横紋筋 striated cardiac muscle 10
心渦 vortex of heart 227
心外膜 epicardium 227, 233, 371
心外膜下脂肪組織 subepicardial adipose tissue 236, 237
心外膜下層 227
心外膜下組織 subepicardial tissue 283
心外膜網 230
心機能 239
心球 bulbus cordis 372
心筋 cardiac muscle 371
心筋梗塞 myocardial infarction 230
心筋小柱 myocardial trabecule 372
心筋層 227
心筋層網 230
心雑音 cardiac murmur 235
心耳 auricle 402
心室 372
心室拡張期 diastole 229
心室収縮期 systole 229
心室中隔 interventricular septum 226, 237, 238, 372
心室の4相 238
心切痕 cardiac notch of left lung 278
心尖 apex of heart 223, 237, 238, 239
心尖の縦断面 238
心尖窓 238
心臓 heart, Cor 221, 223, 381
心臓原基の領域 region of cardiac anlage 371
心臓骨格 cardiac skeleton 227
心臓三角 Herzdreieck 413
心臓枝 atrial branches 232
心臓ジェリー cardiac jelly 371
心臓－循環器系 circulatory system 220, 221
心臓神経 cardiac nerves 232
心臓神経節 cardiac ganglion 232
心臓神経叢（浅心心神経叢）cardiac plexus（superficial cardiac plexus）232, 286, 484, 570
心臓内隔壁系 372
心臓の静脈，冠状静脈 230
心臓の動脈，冠状動脈 230
心臓の内分泌機能 239
心臓発生域 cardiogenic zone 371
心臓ループ cardiac loop 372
心底 base of heart 223, 224
心電図 electrocardiogram（ECG）231
心内膜 endocardium 227, 228, 371
心内膜クッション endocardial cushion 372
心内膜筒 endocardial tube 371
心内膜と心外膜 227
心内膜網 230
心（嚢）タンポナーデ cardiac tamponade 233
心房 atrium 372, 402

心房性筋内分泌細胞 atrial myoendocrine cells 402
心房性ナトリウム利尿ペプチド atrial natriuretic peptide（ANP）239, 402
心房中隔 interatrial septum 225, 226, 231, 237, 238
心膜 pericardium 223, 224, 233, 285, 286
心膜横隔静脈 pericardiacophrenic veins 233
心膜横隔動静脈 pericardiacophrenic artery and veins 285, 286
心膜横隔動脈 pericardiacophrenic artery 233, 244, 413
心膜横洞 transverse pericardial sinus 233, 236, 371
心膜外側リンパ節 lateral pericardial nodes 259
心膜陥凹 pericardial recess 233
心膜腔 pericardial cavity 220, 233, 236, 237
心膜枝 pericardial rami 463
心膜斜洞 oblique pericardial sinus 233, 237
心膜前リンパ節 prepericardial nodes 259
心膜腹膜管 pericardioperitoneal canal 371
伸筋腱膜 extensor aponeurosis 86
伸筋支帯 extensor retinaculum 90, 192
伸張受容器 stretch receptor 579
伸張反射 stretch reflex 452, 579
伸展 extension 84（肘関節の），120（下肢帯の），124（膝関節の）
神経角質 neurokeratin 446
神経下垂体 neurohypophysis 386, 387, 510, 524
神経下接合ヒダ subneural junctional folds 578
神経管 neural tube 369, 371, 430, 435, 477
神経管形成 neurulation 368
神経系の位置 431
神経系の発生と構成 430
神経血管領域 neurohemal region 389, 391
神経溝 neural groove 368, 371, 430
神経膠 neuroglia 437, 449, 504
神経膠細糸 gliofilaments 449
神経細糸（神経微細管）neurofilaments（neurotubuli）439
神経細線維 neurofibrils 437
神経細胞 nerve cell 430, 437, 525
神経細胞の超微構造 439
神経周膜 perineurium 448, 459, 582
神経終末 nerve endings 581, 606
神経終末小体 426
神経上皮小体 403
神経上膜 epineurium 448, 459
神経性遠隔作用 388
神経節 ganglia 431
神経節膠細胞 ganglionic gliocytes 458
神経節細胞 437

神経節内結合組織 endoganglionic connective tissue 458
神経線維 nerve fibers 394, 403, **446**, 448, 607
神経線維層 layer of nerve fibers 595
神経堤 neural crest 458
神経点 Punctum nervosum 175, 463
神経伝達物質 neurotransmitter (transmitter) 385, 440, **441**, 500, 525
神経伝達物質受容体 **443**
神経頭蓋 neurocranium 138, 141
神経内分泌系 neuroendocrine system 385, **525**
神経内膜 endoneurium 448
神経内膜鞘 endoneural sheath 448
神経乳頭 nerve papilla 423
神経板 neural plate 368, 430, 458
神経微細管（神経細糸）neurotubuli (neurofilaments) 439, 442
神経ヒダ neural fold 368, 369
神経部 neural layer 592・**595**（網膜の）
神経分泌 neurosecretion 387, 525
神経分泌細胞 neurosecretory nerve cell 388, 525, 526
神経ホルモン neurohormone 385, 388
神経網 nerve net 430
唇紅 red lip 288
振戦麻痺 paralysis agitans 520
振動覚 426, 583
真結合線 true conjugate 93
真性横隔膜ヘルニア true diaphragmatic hernia 52
真皮 corium (dermis) 420, 422, **423**
真皮乳頭体 dermal papilla 423
真肋 true ribs 32
深陰茎筋膜 deep fascia of penis 344, 345
深陰茎背静脈 deep dorsal vein of penis 345
深会陰横筋 deep transverse perineal muscle 53, 201, 475
深会陰筋膜 deep perineal fascia 199
深会陰隙 deep perineal space 199, 201
深横中手靱帯 deep transverse metacarpal ligament 86, 88
深外側頸リンパ節 deep lateral cervical lymph nodes 258
深鵞足 deep pes anserinus 123
深下腿筋膜 deep fascia of leg 136
深頸筋膜 deep cervical fascia 162, 175, 176
深頸静脈 deep cervical vein 252
深頸神経ワナ deep ansa cervicalis 173, 177, 178, 462, 463, 482
深頸神経ワナの下根 inferior root of deep ansa cervicalis 177
深頸神経ワナの上根 superior root of deep ansa cervicalis 177
深頸動脈 deep cervical artery 179, 244

深頸リンパ節 deep cervical nodes 303
深腱板 deep tendinous plate 590（上眼瞼挙筋の）
深枝 deep branch 250
深耳介動脈 deep auricular artery 167, 242
深耳下腺リンパ節 deep parotid nodes 258
深指屈筋 flexor digitorum profundus 78, 80, 85, 86, 465, 466
深膝蓋下包 deep infrapatellar bursa 103
深膝窩リンパ節 deep nodes 260
深手掌筋膜 deep palmar fascia 89
深掌静脈弓 deep venous palmar arch 254
深掌動脈弓 deep palmar arch **191**, 246
深静脈 deep vein 254
深心臓神経叢 deep cardiac plexus 232
深髄質静脈 deep medullary veins 562
深錐体神経 deep petrosal nerve 490
深前頸リンパ節 deep nodes 258
深足底枝（足背動脈）deep plantar branch (dorsalis pedis artery) 217
深足底動脈 deep plantar artery 249
深足底動脈弓 deep plantar arch 216, 217, 250
深足底動脈弓の変異 216
深側頭神経 deep temporal nerves 167, 489
深足背筋膜 deep dorsal fascia of foot 136
深鼠径輪 deep inguinal ring 46, 48, 49, 197, 342
深鼠径リンパ節 deep inguinal nodes 50, 204, 207, 260
深大脳静脈 deep cerebral veins 253, **562**
深肘正中静脈 deep median cubital vein 187
深中大脳静脈 deep middle cerebral vein 562
深腸骨回旋静脈 deep circumflex iliac vein 198, 255
深腸骨回旋動脈 deep circumflex iliac artery 198, 248
深頭 deep head 87（短母指屈筋の）
深腓骨神経 deep fibular nerve 126, 212, 215, 473
深部 deep part 320（外肛門括約筋の）
深腹筋 47
深部結合組織 deep connective tissue 298
深または気管支周囲リンパ管系 deep or peribronchial lymphatic vessel system 281
深リンパ管 deep lymphatic vessels 257
新外套 neopallium 527, 528

新小脳 neocerebellum 501
新生児期 neonatal period 367, 382
新赤核 neorubrum 494
新皮質（等皮質）neocortex (isocortex) 527, 529, **544**, 546
新皮質の細胞の形態 **545**
滲出性大食細胞 exsudative macrophages 410
人中 philtrum 288
陣痛 labor pains 364
靱帯 ligament 14, 101（膝関節の）
靱帯結合 syndesmosis 12
腎圧痕 renal impression 322
腎筋膜 renal fascia 334
腎枝 renal branches 484
腎小体 renal corpuscle 332, **333**
腎静脈 renal veins 251, 334, 335
腎神経叢 renal plexus 334, 350, 484
（腎）髄質 renal medulla 331
腎錐体 renal pyramids 331
腎臓 kidney 328, 329, 330, **331**, 335
腎臓周囲の被膜 **334**
腎臓内部の血管 **332**
腎柱 renal columns 331
腎洞 renal sinus 331
腎動脈 renal artery 240, 332, 334, 335
腎乳頭 renal papilla 331
腎の上昇 renal ascent 378
腎杯 renal calyces 335
腎盤（腎盂）renal pelvis 330, 335, 378
（腎）皮質 renal cortex 331
腎門 hilum of kidney 331, 334, 335
腎葉 kidney lobes 331

す

スカルパの筋膜 Scarpa's fascia 46, 203
スコトプシン scotopsin 597
スダデリーニ核（介在核 intercalated nucleus） 480
ステロイド 385
ステロイドホルモン **401**
水解小体（リソゾーム）lysosomes 3, 439
水晶体 lens 592, **593**, 600
水晶体上皮 lens epithelium 592
水晶体線維 lens fibres 592
水晶体板 lens placode 592
水晶体包（被膜）capsule of lens 600
水晶体胞 lens vesicle 592
水頭症 hydrocephaly 152
水平細胞 horizontal cells 595
水平索 horizontal tract 203
水平軸（横軸）horizontal axis (transverse axis) 2
水平頭頂縫合 horizontal parietal suture 153
水平部（横行部）horizontal part (transverse part) 314
水平裂 horizontal fissure 501
垂直後頭束 vertical occipital fasciculus 554
垂直索 vertical tract 203

垂直軸（縦軸）vertical axis (longitudinal axis) 2
垂直舌筋 vertical muscle 291, 302
垂直線維 vertical (medial) fibers 40
垂直柱 vertical column **544**
膵液 pancreatic juice 326
膵管 pancreatic duct 315, 325, 326, 376
膵十二指腸リンパ節 pancreaticoduodenal nodes 259, 316, 326
膵神経叢 pancreatic plexus 571
膵切痕 pancreatic notch 326
膵臓 pancreas 287, 307, 308, 310, 313, 314, **326**, **327**, 329, 376
（膵臓の）上縁 superior border 327
（膵臓の）前下面 antero-inferior surface 326
（膵臓の）前上面 anterosuperior surface 326
膵体 body of pancreas 326
膵頭 head of pancreas 314, 326
膵尾 tail of pancreas 326, 329, 416
膵ポリペプチド pancreatic polypeptide (PP) 398, 405
膵リンパ節 pancreatic nodes 259, 326
錐状体 cones 595, 596
錐状体細胞 cone cells 595, 597
錐状体嚢 cone sac 597
錐状体の外節 outer segment of cone 597
錐体 pyramid 476, 533
錐体外路 extrapyramidal tract **456**
錐体外路運動系の機能的結合 **577**
錐体外路性運動系 **576**
錐体外路性皮質野 extrapyramidal cortical areas 576
錐体筋 pyramidalis 44, 195
錐体交叉 pyramidal decussation 456, 476, 575
錐体後頭軟骨結合 petro-occipital synchondrosis 139, 145
錐体後頭裂 petro-occipital fissure 144, 145
錐体鼓室裂 petrotympanic fissure 144, 147, 487
錐体細胞 pyramidal cell 529, 541, 545
錐体細胞層 pyramidal layer 536（古皮質の）, 541（海馬皮質の）
錐体上縁 superior border of petrous part 145
錐体小窩 petrosal fossula 144
錐体神経節 485, 586
錐体前索路 anterior pyramidal tracts 461
錐体底 pyramidal base 331
錐体葉 pyramidal lobe 174, 395
錐体隆起 pyramidal eminence 603
錐体鱗縫合 petrosquamous suture 141, 142
錐体鱗裂 petrosquamous fissure 144
錐体路（皮質脊髄路）pyramidal tract (corticospinal tract) **456**, 480, 481, 496, **575**, 580
錘外線維 extrafusal fibers 579

錘内線維 intrafusal fibers　579
髄核 nucleus pulposus　27
髄核脱出　27
髄核ヘルニア herniation of nucleus pulposus　27, 29
髄腔 medullary cavity　9, 11
髄索 medullary cord　415
髄質 medulla　414, 415
髄質細胞（クロム親性細胞）medullary cells（chromaffin cells）　394
髄質静脈　392
髄鞘 myelin sheath　435, 437, **446**, 448, 582
髄鞘染色 myelin stain　544
髄鞘の形成　**447**
髄鞘の発生 development of the myelin sheath（myelinogenesis）**447**
髄鞘板 myelin laminae　447
髄洞 medullary sinus　415
髄板 sagittal myelin stratum　553
髄板内核 intralaminar nuclei（intralaminar nuclei of thalamus）499・518・584（視床の）
髄放線 medullary rays　331
髄膜 meninges　**567**
皺眉筋 corrugator supercilii　157

せ

セクレチン secretin　405
セメント質 cement　296, 298
セメント質と象牙質の境界（象牙細管の末端部）border between cement and dentine（terminal part of dentinal canaliculus）　296
セルトリ細胞 Sertoli cells　340
セロトニン serotonin　404, 441
セロトニン作動性神経細胞（ニューロン）　442, 444, 498, 500
正円孔 foramen rotundum　145, 147, 150, 478, 489
正赤芽球 normoblast　409
正中環軸関節 median atlanto-axial joint　30
正中環軸関節（の背面）median atlanto-axial joint　303
正中弓状靱帯 median arcuate ligament　47, 51
正中結合線 median conjugate　93
正中口 median aperture（foramen of Magendie）476, 564
正中溝 median sulcus　476
正中口蓋縫合 median palatine suture　144
正中甲状舌骨靱帯 median thyrohyoid ligament　272
正中臍索 median umbilical ligament　336
正中臍ヒダ（尿膜管索）median umbilical fold（cord of urachus）46, 310
正中矢状面 median sagittal plane　2
正中神経 median nerve　78, 182, 185, 188, 189, 190, 191, 462, 465
正中神経掌枝 palmar branch of median nerve　189, 465

正中神経との交通枝 communicating branch with median nerve　466
正中神経伴行動脈 comitans median artery　191
正中神経ワナ median nerve sling　462, 465
正中舌喉頭蓋ヒダ median glossoepiglottic fold　290
正中線核 midline nuclei　511
正中仙骨静脈 median sacral vein　251, 255
正中仙骨動脈 median sacral artery　240
正中仙骨稜 median sacral crest　23, 25
正中中心線条体線維 centromedianstriate fiber　542
正中傍小葉 paramedian lobule　501, 506
正中面 median plane　2
正中隆起 median eminence　386, 388, 389, 524
正中輪状甲状靱帯 median cricothyroid ligament　173, 174, 272
生後の造血　**408**
生殖器系の発生　379
生殖茎 phallus　380
生殖結節 genital tubercle　380
生殖子 gamete　359
生殖堤 genital ridge　379
生殖隆起　378, 380
生体モノアミン biogenic monoamines　403
生毛 lanugo　370, 425
生理的臍ヘルニア　377
生理的退縮 physiological involution　393
成熟血球　409
成熟徴候　339
成熟軟骨帯 zone of maturing cartilage　9
成熟乳　428
成熟分裂 maturation division　359
成熟面（分泌側）maturing face（secretion side）　439
成長期 anagen　425（毛の）
声帯 vocal cord　272
声帯筋 vocalis　273, 274, 275
声帯靱帯 vocal ligament　272, 274, 275
声帯突起 vocal process　271, 275
声帯ヒダ vocal fold　**274**, 275
声帯麻痺 paralysis of the vocal cord　484
声門 glottis　**275**
声門開大筋　273
声門下腔 infraglottic cavity　274
声門水腫　274
声門裂 rima glottidis　274, 275
性腺刺激ホルモン gonadotropic hormone　399, 400
性染色質小体 sex chromatin　4
性腺の下降　379
性的早熟症　512
性欲亢進 hypersexuality　589
青斑［核］locus caeruleus　444, 476, 492, 499

星細胞 stellate cells　387
星状膠（大膠細胞）astroglia（macroglia）449, 450
星状膠細胞 astrocytes　391
星状細胞 stellate cells　**504**, 552
星状神経節（頚胸神経節）stellate ganglion（cervicothoracic ganglion）178, 179, 232, 568, 569, 570
清掃細胞 scavenger cell　449
精液 semen　359
精管 ductus deferens　197, 338, **342**, 346, 380
精管切開 vasectomy　342
精管動脈 artery to ductus deferens　341, 342
精管膨大部 ampulla of ductus deferens　197, 342, 343, 346
精丘 seminal colliculus　345
精索 spermatic cord　196, 203, 342, 358
精索静脈瘤　341
精索部 funicular part　342
精子 spermatozoon　338, 340, 359, 360
精子細胞 spermatid　340, 359
精子数　359
精子の核 nucleus of spermatozoon　340
精子発生（精子生成）spermatogenesis　340
精子変態 spermiogenesis　340
精漿 seminal plasma　359
精神盲 psychic blindness　599
精巣 testis　338, **339**, **340**, 379, 383
精巣および髄放射 testis, or medullary cords　379
精巣下降　370, 379
精巣挙筋（挙睾筋）cremaster　43, 49, 196, 342
精巣挙筋動脈 cremasteric artery　341
精巣挙筋膜 cremasteric fascia　48, 49, 196, 197, 339
精巣挙靱帯 testicular gubernaculum　379
精巣原基　379
精巣索 testis cord　379
精巣縦隔 mediastinum of testis　340
精巣周膜 periorchium　339
精巣上体 epididymis　338, **339**, **340**, 380
精巣上体管 duct of epididymis　197, 339, 340, **341**
精巣上体小葉円錐 conical lobules of epididymis　340
精巣上体垂 appendix of epididymis　339
精巣上体体 body of epididymis　339
精巣上体頭 head of epididymis　339
精巣上体洞 sinus of epididymis　339
精巣上体尾 tail of epididymis　339
精巣鞘突起 testicular vaginal sheath　379
精巣鞘膜 tunica vaginalis　339
精巣上膜 epiorchium　339
精巣漿膜腔 serous cavity of testis　379

精巣鞘膜腔 cavity of tunica vaginalis　50
精巣小葉 lobules of testis　340
精巣垂 appendix of testis　339
精巣中隔 septa testis　340
精巣停滞 retentio testis　341
精巣動脈 testicular artery　197, 240, 341
精巣網 rete testis　340, **341**
精巣門 testicular hilus　379
精巣輸出管 efferent ductules　340, **341**
精祖細胞 spermatogonium　340, 341
精囊（精囊腺）seminal vesicle　197, 338, **343**, 346, 399
精囊の原基　380
精母細胞 spermatocyte　359
赤芽球 erythroblast　409
赤核 red nucleus　479, 492, 493, **494**, 498, 500, 508, 576, 580
赤核オリーブ線維 rubro-olivary fibers　494, 498
赤核オリーブ束 rubro-olivary fasciculus（Probst-Gamper）498
赤核脊髄路 rubrospinal tract　456, 494
赤核網様体脊髄路 rubro-reticulospinal tract　580
赤核網様体線維 rubroreticular fibers　494
赤筋線維 red muscle fibers　10
赤色骨髄 red bone marrow　408
赤体 corpus rubrum　349
赤道部 equatorial part　579
赤脾髄 red pulp　417
赤血球 erythrocytes　406, 407, 409, 417
赤血球生成 erythropoiesis　409
赤血球生成過程の細胞　408
咳の筋　69
脊索　368
脊索前板 prechordal plate　368
脊索突起　368
脊髄 spinal cord　430, 431, 435, 451, **452**
脊髄円錐 medullary cone　451
脊髄オリーブ路 spinoolivary tract　455, 507
脊髄硬膜 spinal dura mater　459
脊髄硬膜糸 dural part of filum terminale　459
脊髄根 spinal root　459, 477, 482
脊髄枝 spinal rami　457
脊髄視蓋路 spinotectal tract　455, 493, 496
脊髄視床路 spinothalamic tract　480, 481, 496
脊髄症候群 spinal cord syndromes　**461**
脊髄小脳線維 spinocerebellar fibers　506, 506
脊髄小脳路 spinocerebellar tract　480, 580
脊髄静脈 spinal vein　147
脊髄神経 spinal nerve　303, 431, 451, 462

脊髄神経溝 groove for spinal nerve 18
脊髄神経節 spinal ganglion 451, **458**, 459, 462, 583
脊髄神経節ニューロン neuron of the spinal ganglion 458
脊髄髄膜 **459**
脊髄性小脳 spinocerebellum 501
脊髄前庭路 spinovestibular tract 455
脊髄の横断面 **454**
脊髄の下行路 **456**
脊髄の完全横断 complete transection of the spinal cord 461
脊髄の血管 **457**
脊髄の固有装置 **453**
脊髄の上行路 **455**
脊髄の中心性損傷 461
脊髄の半側離断 hemisection of the spinal cord 461
脊髄毛帯（外側脊髄視床路）spinal lemniscus (lateral spinothalamic tract) 584
脊髄網様体路 spinoreticular tract 584
脊柱 vertebral column **18**
脊柱管 vertebral canal 451
脊柱起立筋 36
脊柱起立筋腱膜 erector spinae aponeurosis 36
脊柱内膜 Endorhachis 459
脊柱の運動 **31**
脊柱の関節 **29**
脊柱の静脈 **251**
脊柱の靱帯 **28**
脊柱の彎曲 **31**
脊柱部 vertebral region 193
脊柱起立筋 erector spinae **37**
脊椎すべり症 spondylolisthesis 22
脊椎前リンパ節 prevertebral nodes 259, 306
脊椎分離症 spondylolysis 21, 22
切歯 incisor tooth 295
切歯窩 incisive fossa 144
切歯管 incisive canals 147, 267
切歯乳頭 incisive papilla 289
切歯縫合 incisive suture 144
切線維層 tangential layer 544
切端咬合 edge-to-edge occlusion 299
接合子 359, **360**
接触面 contact surface 295（歯冠の）
接着帯 intermediate junction 440, 565
接着斑 desmosome 440
節間枝 interganglionic branches 569
節後線維 postganglionic fibers 462, 570, 600
節状神経節 nodose ganglion 586
節状神経節傍節 394
節前性分泌線維 preganglionic secretory fibers 487（顔面神経の）
節前線維 preganglionic fibers 570
癤（フルンケル）furuncle 164
舌 tongue 287, 288, **290**, 301

舌咽神経（第Ⅸ脳神経）glossopharyngeal nerve 147, 170, 171, 477, 478, 479, 483, 484, **485**, 586
舌縁 margin of tongue 290
舌外側縁 lateral margin of the tongue 586
舌下小丘 sublingual caruncle 292, 293
舌下静脈 sublingual vein 303
舌下神経（第Ⅻ脳神経）hypoglossal nerve 147, 170, 171, 177, 178, 291, 293, 463, 477, 478, 480, **482**
舌下神経核 nucleus of hypoglossal nerve 479, 480, 482, 497, 498
舌下神経管 hypoglossal canal 30, 145, 146, 147, 478, 482
舌下神経管静脈叢 venous plexus of hypoglossal canal 147
舌下神経弓 hypoglossal arch 482
舌下神経三角 hypoglossal trigone 476, 482
舌下神経伴行静脈 vena comitans of hypoglossal nerve 177
舌下腺 sublingual gland 303, 293, 294, 491
舌下腺窩 sublingual fossa 148
舌下動脈 sublingual artery 241
舌下ヒダ sublingual fold 292, 293
舌顔面動脈 linguofacial trunk 177
舌筋 muscles of tongue **291**
舌結節 lingual tuberculum 375
舌腱膜 lingual aponeurosis 291
舌溝後部 posterior part of tongue 375
舌溝前部 anterior part of tongue 375
舌骨 hyoid bone 72, 149, 155, 272, 277, 300, 301, 302
舌骨（体）(body of) hyoid bone 149, 272, 292
舌骨下顎靱帯 hyomandibular ligament 155
舌骨下筋 infrahyoid muscles **160**, 162, 302, 303, 395
舌骨下静脈弓 subhyoid venous arch 173
舌骨喉頭蓋靱帯 hyo-epiglottic ligament 272
舌骨上筋 suprahyoid muscles 160
舌骨上筋群 suprahyoid muscles 292
舌骨舌筋 hyoglossus 171, 177, 291, 292, 293, 482
舌骨大角 greater horn of hyoid bone 397
舌骨動脈 373
舌根 root of tongue 270, 290, 300, 301
舌根部 base of the tongue 586
舌枝 lingual branches 482, 485
舌状回 lingual gyrus 530
舌小帯 frenulum of tongue 292
舌小胞 lingual follicles 290, 418
舌静脈 lingual vein 252
舌神経 lingual nerve 167, 171, 291, 303, 487, 489, 491
舌深静脈 deep lingual vein 292

舌深動脈 deep lingual artery 241
舌正中溝 median sulcus of tongue 290
舌先 tip of the tongue 586
舌尖 apex of tongue 290
舌体 body of tongue 290
舌中隔 lingual septum **291**
舌動脈 lingual artery 171, 177, 241, 291, 292, 293
舌動脈三角 triangle of lingual artery 171
舌乳頭 lingual papillae 290
舌粘膜 mucous membrane of tongue 290
（舌の）咽頭部＝後部＝溝後部 pharyngeal part ＝ posterior part ＝ postsulcal part 290
舌の原基 375
（舌の）口腔部＝前部＝溝前部 oral part ＝ anterior part ＝ presulcal part 290
舌背 dorsum of tongue 290
舌扁桃 lingual tonsil 290, 418
舌面 lingual surface 295（歯冠の）
舌盲孔 foramen caecum of tongue 290
舌リンパ節 lingual nodes 258
絶対心濁音 absolute cardiac dullness 234
仙棘靱帯 sacrospinous ligament 53, 92, 201, 346, 356
仙結節靱帯 sacrotuberous ligament 53, 92, 116, 206
仙結節靱帯貫通神経 perforating nerve of sacrotuberous ligament 199
仙骨 sacrum 23, 26, 92
仙骨（＋尾骨）sacrum (＋coccyx) 357
仙骨化 sacralization 21
仙骨角 sacral cornu 23
仙骨管 sacral canal 24
仙骨曲 sacral flexure 320
仙骨子宮靱帯 sacro-uterine ligament 353, 356
仙骨静脈叢 sacral venous plexus 255
仙骨神経 sacral nerves 451
仙骨神経叢 sacral plexus 120, 470, **472**
仙骨尖 apex of sacrum 23
仙骨前椎骨 presacral vertebrae 25
仙骨粗面 sacral tuberosity 24
仙骨底 base of sacrum 23, 24
仙骨部 sacral region 193
仙骨翼 ala of sacrum 24
仙骨リンパ節 343
仙骨裂孔 sacral hiatus 23
仙主静脈 sacrocardinal vein 373
仙髄 sacral segments of spinal cord 568
仙腸関節 sacro-iliac joint **92**
仙椎化 sacralization 25
仙椎連結 sacrococcygeal joint **29**
先天性胸骨裂 congenital sternoschisis 33

先天性ヘルニア congenital hernia 50
尖足 pes equinus 113
尖端樹状突起 apical dendrites 541, 544, 545
尖頂骨 apical bone 154
尖頭 oxycephaly 152
宣誓の手 465
泉門 139
泉門点 152
浅陰茎筋膜 fascia of penis 200, 344
浅陰茎背静脈 superficial dorsal veins of penis 345
浅会陰横筋 superficial transverse perineal muscle 53, 199, 200, 358, 475
浅会陰筋膜 superficial perineal fascia 199, 200
浅会陰隙 superficial perineal space 199, 200
浅横中手靱帯 superficial transverse metacarpal ligament 89
浅外側頸リンパ節 superficial lateral cervical nodes 175, 258
浅灰白層 superficial gray layer 493
浅鵞足 superficial pes anserinus 118, 122, 123
浅頸筋膜 superficial cervical fascia 162, 173
浅頸静脈 superficial cervical vein 175, 176
浅頸神経ワナ superficial ansa cervicalis 172, 175, 487
浅頸動脈 superficial cervical artery 175, 176, 178
浅腱板 superficial tendinous plate 590（上眼瞼挙筋の）
浅枝（内側足底動脈）superficial branch 250
浅耳下腺リンパ節 superficial parotid nodes 166, 258
浅指屈筋 flexor digitorum superficialis 78, 79, 80, 85, 189, 191, 465
浅膝窩リンパ節 superficial nodes 260
浅掌静脈弓 superficial venous palmar arch 254
浅掌動脈弓 superficial palmar arch **191**, 246
浅上腕動脈 superficial brachial artery 185
浅[神経]膠境界膜（外膠線維被覆層）superficial glial limiting membrane 459, 524
浅心臓神経叢 superficial cardiac plexus 232, 286
浅前頸リンパ節 superficial nodes 258
浅足底動脈弓 superficial plantar arch 216
浅側頭静脈 superficial temporal veins 164, 166, 172, 252
浅側頭動脈 superficial temporal artery 164, 166, 167, 172, 241
浅鼠径輪 superficial inguinal ring 42, 48, 196

浅鼠径リンパ節 superficial inguinal nodes　196, 203, 260, 321, 354
浅大脳静脈 superficial cerebral veins　253, **561**
浅中大脳静脈 superficial middle cerebral vein　561, 562
浅腸骨回旋静脈 superficial circumflex iliac vein　195, 196, 203, 204, 207, 256
浅腸骨回旋動脈 superficial circumflex iliac artery　195, 196, 203, 207, 248
浅頭 superficial head　87（短母指屈筋の）
浅背側核 superficial dorsal nucleus　513
浅腓骨神経 superficial fibular nerve　126, 212, 473
浅部 superficial part　320（外肛門括約筋の）
浅腹筋の作用　**45**
（浅）腹筋膜 abdominal fascia (superficial)　46, 196
浅腹壁静脈 superficial epigastric vein　195, 196, 203, 204, 207, 256
浅腹壁動脈 superficial epigastric artery　196, 203, 207, 248
浅または区域リンパ管系 superficial or segmental lymphatic vessel system　281
浅リンパ管 superficial lymphatic vessels　257
染色質（クロマチン）chromatin　4
染色質顆粒 chromatin granule　439
染色体（クロモゾーム）chromosomes　4, 359
栓状核 emboliform nucleus　502, 506, 515, 580
腺 glands　**383**
腺下垂体 adenohypophysis　386, **387**, 524
腺下垂体（前葉）ホルモン　390
腺下垂体の毛細血管網 capillary net in adenohypophysis　389
腺管 tubule　294
腺細胞 glandular cells　383
腺細胞（外分泌細胞）glandular cell (exocrine cell)　525
腺終末部 terminal portion (endpiece)　294, 326, 383
腺上皮 glandular epithelium　5
腺胞 acinus　428
腺房 acinus　294
腺房中心細胞 centroacinar cells　326
腺蕾 glandular bud　383
潜在性二分脊椎　25
線維芽細胞 fibroblasts　401
線維芽細胞性細網細胞 fibroblastic reticular cells　412
線維-筋-軟骨性膜 fibromusculocartilaginous membrane　276
線維鞘 fibrous sheaths of toes　137（足の）
線維鞘十字部 cruciform part of fibrous sheath　90（手指の）, 137（足指の）

線維鞘輪状部 anular part of fibrous sheath　90（手指の）, 137（足指の）
線維性骨 fibrous bone　8
線維性心膜 fibrous pericardium　233
線維性心膜炎 fibrinous pericarditis　233
線維性星状膠 fibrous astrocytes　449
線維性の連結 fibrous joint　**12**
線維層 membranous layer　17
線維投射 fiber projection　**506**
線維軟骨 fibrocartilage　**7**
線維軟骨結合 symphysis　**12**
線維軟骨輪 fibrocartilaginous ring　601
線維［被］膜 fibrous capsule　323（肝臓の）, 331（腎臓の）, 395（甲状腺の）
線維膜 fibrous membrane　13・103（関節包の）
線維輪 fibrous ring　27
線維路　553
線下層 substrate layer　544
線条縁細胞 striated border cells　318
線上層 suprastrate layer　544
線条体 corpus striatum　498, 527, **542**, 580
線条体黒質線維（黒質線条体線維）strionigral fibers (nigrostriatal fibers)　542, 576
線条体黒質束 striatonigral fasciculus　494
線条体枝 striate branch　560
線条体部 Pars striata　527
線条部 striated part　294
線状野（有線野）striate area　598, 599
線毛（運動毛）cilia (kinocilium)　4, 565
線毛核 blepharoplasts　565
線毛上皮 ciliated epithelium　4, 280
全分泌 holocrine secretion　384
前胃枝 anterior gastric branches　484
前陰唇交連 anterior commissure　355
前腋窩ヒダ anterior axillary fold　75
前縁 anterior border　278（肺の）, 339（精巣の）
前横側頭回 anterior transverse temporal gyrus　550
前外果動脈 anterior lateral malleolar artery　249
前外弓状線維 anterior external arcuate fibres　480
前外側頸部 ventrolateral cervical regions　163, **175**
前外側溝 anterolateral sulcus　476
前外椎骨静脈叢 anterior external vertebral venous plexus　251
前顆間区 anterior intercondylar area　99
前角　102（膝関節の）

前角 anterior horn　452・454（脊髄の）
前角 frontal horn　531・534・535・563（側脳室の）
前核 anterior thalamic nuclei　522（視床の）
前核群 anterior nuclear group　511・513・514・**515**・518（視床の）
前角細胞 anterior horn cells　462, 580
前下小脳動脈 anterior inferior cerebellar artery　243, 558
前下腿筋間中隔 anterior intermuscular septum of leg　136
前下腿部 anterior region of leg　202, **212**
前眼瞼縁 anterior palpebral margin　590
前環椎後頭膜 anterior atlantooccipital membrane　30
前環椎片 proatlas fragments　19
前顔部　164
前眼房 anterior chambers of eyeball　592, **593**
前間膜 ventral meso　307
前脚 anterior limb　535（内包の）
前弓 anterior arch　19
前嗅核 anterior olfactory nucleus　536, 538
前境界板（ボウマン膜）anterior limiting lamina (Bowman's membrane)　593
前胸骨部 presternal region　193
前胸鎖靱帯 anterior sternoclavicular ligament　55
前鋸筋 serratus anterior　42, 67, 71, 73, 74, 182, 464
前鋸筋粗面 tuberosity for serratus anterior　32
前鋸筋麻痺　73
前極 anterior pole　592（眼球の）
前距骨関節面 anterior talar articular surface　106
前距腓靱帯 anterior talofibular ligament　109, 111
前駆細胞 precursor cell　409
前駆体 precursor　385
前屈 anteflexion　120
前駆卵胞 primordial ovarian follicle　379
前傾 anteversion　73（上肢帯の）, 98（股関節の）, 120（下肢帯の）
前頸筋　**160**
前脛骨筋 tibialis anterior　126, 127, 131, 132, 212, 215, 473
前脛骨筋症候群 anterior tibial [compartment] syndrome　212
前脛骨筋の腱鞘 tendinous sheath of tibialis anterior　137
前脛骨静脈 anterior tibial veins　212, 256
前脛骨動脈 anterior tibial artery　211, 212, 213, **249**
前脛骨反回動脈 anterior tibial recurrent artery　249
前頸静脈 anterior jugular vein　173, 252

前脛腓靱帯 anterior tibiofibular ligament　109, 111
前頸部 anterior cervical region　163
前頸リンパ節 anterior cervical nodes　258
前結節 anterior tubercle　18, 19, 40
前交通動脈 anterior communicating artery　243, 558
前交連 anterior commissure　434, 510, 511, 513, 521, 531, 535, **538**, 539
前鼓室動脈 anterior tympanic artery　147, 167, 242
前骨間静脈 anterior interosseous veins　254
前骨間動脈 anterior interosseous artery　78, 246
前骨髄球 promyelocyte　409
前根 ventral root　451, 462
前索 anterior funiculus　452
前枝 anterior branch　277（下喉頭神経の）
前枝 anterior rami　463（頸神経の）, 469（胸神経の）
前枝 anterior ramus　462（脊髄神経の）
前篩骨孔 anterior ethmoidal foramen　150, 488
前篩骨神経 anterior ethmoidal nerve　168, 488
前篩骨動脈 anterior ethmoidal artery　147, 168, 266, 267
前篩骨蜂巣　269
前視床放線 anterior thalamic radiation　513, 553
前室間溝 anterior interventricular sulcus　223, 226, 227, 230
前室間枝 anterior interventricular branch　230
前室間静脈 anterior interventricular vein　230
前膝部 anterior region of knee　202
前斜角筋 scalenus anterior　40, 176, 178, 179, 244, 283, 395, 463
前斜角筋結節 tubercle of anterior scalene muscle　32, 40
前斜角筋症候群 scalenus anticus syndrome　179
前縦隔リンパ節 anterior mediastinal nodes　230, 259, 395, 413
前十字靱帯 anterior cruciate ligament　102, 103, 104
前縦靱帯 anterior longitudinal ligament　27, 28
前手根部 anterior region of wrist　180, **190**
前障 claustrum　531, 532, 533, 535, 537
前踵骨関節面 anterior facet for calcaneus　106
前上歯槽枝 anterior superior alveolar branches　489
前上歯槽動脈 anterior superior alveolar arteries　242, 299
前上膵十二指腸動脈 anterior superior pancreaticoduodenal artery　316

前床突起 anterior clinoid process　145, 146
前上葉区，前上葉枝 anterior segment, anterior segmental bronchus　279
前上腕回旋動脈 anterior circumflex humeral artery　182, 245
前上腕部 anterior region of arm　180, **184**
前唇 anterior lip　351
前腎 pronephros　378
前腎管 pronephric duct　378
前深側頭動脈 anterior deep temporal artery　242
前皺柱 anterior vaginal column　354
前正中裂 anterior median fissure　451, 476
前赤芽球 proerythroblast　409
前脊髄視床路 anterior spinothalamic tract　455, 584
前脊髄小脳路（ガワース）anterior spinocerebellar tract (Gowers)　455, 502, 506, 508
前脊髄静脈 anterior spinal vein　457
前脊髄動脈 anterior spinal artery　147, 243, 457
前尖 anterior cusp　226, 229
前仙骨孔 anterior sacral foramina　23, 116
前線条体動脈 anterior striate artery　558
前仙腸靱帯 anterior sacro-iliac ligament　92
前前腕骨間神経 anterior interosseous nerve　465
前前腕部 anterior region of forearm　180, **189**
前象牙質 predentin　298
前側索 anterolateral funiculus　452
前側頭泉門 sphenoidal fontanelle (anterolateralis)　139
前大腿部 anterior region of thigh　202, **207**
前大脳静脈 anterior cerebral veins　562
前大脳動脈 anterior cerebral artery　243, 558, 559, **560**
前端 anterior extremity　416（脾臓の）
前単球 promonocyte　409
前置胎盤 placenta previa　361
前柱 anterior column　452
前肘部 anterior region of elbow　180, **187**
前腸 foregut　375
前頂骨 bregmatic bone　154
前ツチ骨ヒダ anterior fold of malleus　602
前庭 vestibule　604
前庭階 scala vestibuli　604, 605
前庭蝸牛神経　486
前庭球 bulb of vestibule　199, 347, 355, 358
前庭球動脈 artery of bulb of vestibule　247

前庭根（上根）vestibular (superior) root　486（内耳神経の）
前庭小脳線維 vestibulocerebellar fibers　506
前庭小脳路 vestibulocerebellar tract　507
前庭唇 vestibular lip　606
前庭神経 vestibular nerve (Pars vestibularis)　479, 486, 608, 611
前庭神経外側核（ダイテルス核）lateral vestibular nucleus (Deiters)　481, 486, 497
前庭神経下核 inferior vestibular nucleus (Roller)　486, 497
前庭神経核 vestibular nuclei　479, 486, 506, 507, 576, 580, **611**
前庭神経根 vestibular root　**486**
前庭神経上核 superior vestibular nucleus (Bechterew)　486, 497
前庭神経節 vestibular ganglion　486, 507, **608**
前庭神経内側核 medial vestibular nucleus (Schwalbe)　480, 481, 486, 497
前庭神経野 vestibular area　476
前庭水管外口 external opening of vestibular canaliculus　145
前庭性小脳 vestibulocerebellum　501, 611
前庭脊髄路 vestibulospinal tract　456, 486, 507, 508, 576, 580, 611
前庭窓 oval window　602, 603, 604
前庭装置 vestibular apparatus　607
前庭の感覚細胞　**608**
前庭ヒダ vestibular fold　272, **274**
前庭面 vestibular surface　295（歯冠の）
前庭盲端 vestibular caecum　604
前庭裂 rima vestibuli　274
前庭路　**611**
前殿筋線 anterior gluteal line　91
前頭蓋窩 anterior cranial fossa　145, 478
前頭角 frontal angle　140
前頭眼野 frontal eye field　548
前頭頬骨縫合 frontozygomatic suture　141, 143
前頭橋路（アーノルド束）frontopontine tract (bundle of Arnold)　508, 553
前頭極 frontal pole　434, 530
前頭筋 frontal belly (occipitofrontalis)　156・157（後頭前頭筋の）
前頭結節 frontal tuber　139, 140
前頭孔 frontal foramen　143
前頭骨 frontal bone　138, 140, 143, 145, 154
前頭骨眼窩部 orbital part of frontal bone　150
前頭骨鼻部 nasal part of frontal bone　267
前頭枝 frontal branch　241（浅側頭動脈の），242（中硬膜動脈の）
前頭上顎縫合 frontomaxillary suture　141, 143
前頭（小）鉗子 minor forceps　554

前頭神経 frontal nerve　147, 168, 488
前頭切痕 frontal notch　143
前頭前皮質 prefrontal cortex　515, 547
前頭頂動脈 anterior parietal artery　559
前頭直筋 rectus capitis anterior　40, 463
前頭洞 frontal sinus　150, 151, 268, 269
前頭洞中隔 septum of frontal sinuses　268
前頭頭頂骨 frontoparietal bone　154
前頭頭頂弁蓋 frontoparietal operculum　543, 586
前頭突起（上顎骨）frontal process (maxilla)　265
前頭鼻骨縫合 frontonasal suture　143
前等皮質 proisocortex　546
前頭鼻隆起 frontonasal prominence　374, 375
前頭部 frontal region　163
前頭弁蓋（下前頭回の弁蓋部）frontal operculum (opercular part)　531, 535, 543
前頭縫合 frontal suture　153
前頭縫合開存 metopism　153
前透明中隔静脈 anterior vein of septum pellucidum　562
前頭面 frontal plane　2
前頭葉 frontal lobe　433, 434, 435, 514, 528, 530, 534, 535, **547**
前頭稜 frontal crest　140, 567
前頭鱗 squamous part　140, 143
前内果動脈 anterior medial malleolar artery　249
前内椎骨静脈叢 anterior internal vertebral venous plexus　251
前乳頭筋 anterior papillary muscle　225, 226, 229, 231, 237, 238
前脳［胞］prosencephalon　431, 432, **509**, 592
前肺底区，前肺底区 anterior basal segment, anterior basal segmental bronchus　279
前半規管 anterior semicircular duct　604
前半月大腿靱帯 anterior meniscofemoral ligament　102
前半月弁 anterior semilunar cusp　229
前鼻棘 anterior nasal spine　141, 143
前腓骨脛骨動脈 anterior peroneotibial trunk　211
前皮枝　469（肋間神経の），471（大腿神経の）
前被蓋束 ventral tegmental fasciculus (Spitzer)　496
前皮質脊髄路 anterior corticospinal tract　456, 575
前部胸郭領域　**194**
前腹 anterior belly　292（顎二腹筋の）

前腹側核 ventral anterior nucleus　513, 514, 516
前腹壁 anterior abdominal wall　307, **310**
前閉鎖結節 anterior obturator tubercle　91
前壁 anterior wall　311（胃の）
前壁梗塞　224
前壁側腹膜 anterior parietal peritoneum　310
前方枝　**241**（外頸動脈の）
前方引き出し症状 anterior drawer sign　104
前方抑制　445
前脈絡叢動脈 anterior choroidal artery　243, 558, 560
前迷走神経幹 anterior vagal trunk　306, 484
前面 vesical surface (anterior surface)　351（子宮の）
前面観　**223**（心臓の）
前盲腸動脈 anterior caecal artery　318
前網様体脊髄路（橋網様体脊髄路）anterior reticulospinal tract (pontine reticulospinal tract)　456
前毛様体動脈 anterior ciliary arteries　594
前有孔質（嗅覚的）anterior perforated substance (olfactory area)　435, 477, 510, 512, 530, **536**, 538, 562
前葉 anterior lobe　388（下垂体の），501（小脳の）
前翼上骨 os epiptericum anterius　154
前立腺 prostate　201, 338, **343**, 346, 380, 399
前立腺管 prostatic ducts　343
前立腺静脈叢 prostatic venous plexus　342, 343, 346
前立腺神経叢 prostatic plexus　571
前立腺尖 apex of prostate　343
前立腺底 base of prostate　343
前立腺洞 prostatic sinus　345
（前立腺の）前面 anterior surface　343
前立腺肥大症 prostatic hypertrophy　343
前立腺被膜 capsule of prostate　343
前立腺部　378（尿道の）
前立腺（または腟）静脈叢 prostatic (vaginal) venous plexus　255
前涙嚢稜 anterior lacrimal crest　143, 150
前捩角 antetorsion angle　96
前裂 anterior median fissure　452
前肋間枝 anterior intercostal branches　244
前肋間静脈 anterior intercostal veins　194
前腕 forearm　58
前彎 lordosis　31
前腕筋膜 antebrachial fascia　82, 89, 190
前彎屈折　29

前腕骨間膜 interosseous membrane of forearm　60, 78
前腕尺側皮静脈 antebrachial basilic vein　187, 189
前腕正中皮静脈 median antebrachial vein　187
前腕橈側皮静脈 antebrachial cephalic vein　189
前腕の運動　84
前腕の筋　**78**
前腕の部位　**180**
前腕の骨　**58**

そ

その他の小腸ループ other intestinal loop　377
ソマトスタチン somatostatin（SRIH）　398, 404, 444
ソマトトロピン STH　388
ソマトメジン somatomedin　401
咀嚼筋 muscles of mastication　**159**
粗線 linea aspera　94
粗面小胞体 granular（rough）endoplasmic reticulum（rER）　3, 384, 402, 411, 439
組織球性細網細胞 histiocytic reticular cells　412
組織大食細胞 tissue macrophages　410
疎性結合組織 loose connective tissue　228, 296
疎性線維性結合組織 loose connective tissue　6, 399
鼠径下部 subinguinal region　202, **203**
鼠径鎌 inguinal falx　43, 46
鼠径管 inguinal canal　46, 48, **49**, **196**
鼠径溝 inguinal furrow　42
鼠径三角 inguinal triangle　49
鼠径靱帯 inguinal ligament　43, 50, 92, 115, 197
鼠径部 inguinal region　193, **196**, 203
鼠径部（精管）inguinal part　342
鼠径ヘルニア inguinal hernia　**50**, 197
鼠径リンパ節 inguinal lymph nodes　341, 345
双極細胞 bipolar cells　596
双極細胞層 layer of bipolar cells　595
双極性介在ニューロン bipolar internuncial neurons　595
双極性ニューロン　437
双刷子細胞（ダブル・ブーケ細胞）double-bouquet cell）　545
双子筋 gemellus　114, 117, 472
爪 nail　**426**
爪縁 nail edge　426
爪郭 nail wall　426
爪根 nail root　426
爪床 nail bed　426
爪床小溝 nail groove　426
爪小皮 cuticula　426
爪甲 body of nail　426

爪母基 nail matrix　426
相対心濁音 relative cardiac dullness　234
桑実 morula　368
桑実胚 morula　361
僧帽筋 trapezius　39, 67, 68, 69, 72, 73, 77, 161, 162, 169, 175, 179, 194, 482
僧帽細胞 mitral cell　538, 587
僧帽細胞層 mitral cell layer　536
僧帽弁　229
層板性骨 lamellar bone　8
総肝管 common hepatic duct　325
総肝動脈 common hepatic artery　240, 316, 328
総脚 common membranous limb　604
総頸動脈 common carotid artery　174, 177, 178, **241**, 283, 303, 373
総腱輪 common tendinous ring　591
総骨間静脈 common interosseous vein　78
総骨間動脈 common interosseous artery　78, 188, 246
［総］指伸筋 extensor digitorum　78, 81, 82, 83, 85, 468
［総］指伸筋の腱鞘 tendinous sheath of extensor digitorum　90
総主静脈 common cardinal vein　373
総掌側指神経 common palmar digital nerves　190, 191, 465, 466
総掌側指動脈 common palmar digital arteries　190, 191, 246
総胆管 bile duct　315, 325, 327, 376
総腸骨静脈 common iliac vein　251, **255**, 329
総腸骨動脈 common iliac artery　240, 247, 248, 329
総腸骨リンパ節 common iliac nodes　260
総底側指神経 common plantar digital nerves　216, 474
総底側指動脈 common plantar digital arteries　216, 250
総頭 common head　123（大腿の）
総排泄腔 cloaca　377, 378
総排泄腔膜 cloacal membrane　368, 375, 377
総腓骨神経 common fibular nerve　126, 209, 211, 213, 470, 473
総鼻道 common nasal meatus　269
槽間中隔 interalveolar septa　148, 295
叢状骨 woven bone　8
造血 hematopoiesis　**408**
象牙芽細胞 odontoblasts　298
象牙基質 dentin matrix　296
象牙細管 dentinal canaliculus　296
象牙細管の末端部 terminal part of dentinal canaliculus　296
象牙質 dentine　296, 298
象牙質基質　298
増殖期 proliferative phase　352（子宮内膜の）
臓器成長　376
臓側胸膜 visceral pleura　374

臓側枝 visceral branches　240, **247**
臓側中胚葉層 splanchnic（visceral）mesoderm layer　371
臓側の上皮　371
臓側板 visceral layer　17, 220, 233（心膜の），339（精管の）
臓側腹膜 visceral peritoneum　307
臓側面 visceral surface　322, 416
臓側葉　307
臓側リンパ節　259, 260
束間束（シュルツのコンマ束）interfascicular fasciculus（comma tract of Schultze）　455
束状帯 zona fasciculata　393
足圧痕 footprint　112, 113
足弓 arches of foot　111, 112
足根骨　106
足根中足関節 tarsometatarsal joint　109, 110
足根洞 tarsal sinus　106
足細胞 podocyte　333
足底（足底部）sole（plantar region）　202, **216**
足底筋 plantaris　126, 129, 130, 213
足底腱膜 plantar aponeurosis　112, 133, 216
足底静脈弓 plantar venous arch　256
足底静脈網 plantar venous network　256
足底の筋　112, 133
足底皮静脈 plantar cutaneous vein　216
足底皮動脈 plantar cutaneous artery　216
足底方形筋 quadratus plantae　130, 134, 135
足突起 foot processes/pedicels　333
足背（足背部）dorsum of foot（dorsal region of foot）　202, **215**
足背筋膜 dorsal fascia of foot　133, 136
足背静脈弓 dorsal venous arch of foot　215, 256
足背静脈網 dorsal venous network of foot　215, 256
足背中足静脈 dorsal metatarsal veins　215
足背動脈（深足底枝）dorsalis pedis artery（deep plantar branch）　215, 217, 249
足背の筋　**132**
足板 foot plate　369
側角 lateral horn　452・453・454（脊髄の）
側角細胞 lateral horn cell　462
側顔部　**166**
側胸部 lateral pectoral region　193
側索 lateral funiculus　452
側索路 lateral pyramidal tracts　461
側頭下窩 infratemporal fossa　**167**
側頭下頭 infratemporal head　155（外側翼突筋の）
側頭下部 infratemporal region　163
側頭下稜 infratemporal crest　144
側頭頬骨縫合 temporozygomatic suture　141

側頭橋路（チュルク束）temporopontine tract（bundle of Türck）　508, 553
側頭極 temporal pole　530
側頭筋 temporalis　159, 489
側頭筋膜 temporal fascia　159
側頭骨 temporal bone　140, 141, 144, 145, 302
側頭骨頬骨突起 zygomatic process of temporal bone　144
側頭骨［の］岩様部 petrous part of temporal bone　138, 270
側頭骨の鼓室部 tympanic part of temporal bone　138
側頭骨の鱗部 squamous part of temporal bone　138, 141, 154
側頭枝 temporal branches　487
側頭膝 temporal knee　553, 598
側頭頭頂筋 temporoparietalis　156
側頭動脈 temporal artery　559
側頭突起 temporal process　141
側頭皮質 temporal cortex　538
側頭部 temporal region　163
側頭平面 temporal plane　141, 159
側頭弁蓋 temporal operculum　531, 535, 543
側頭葉 temporal lobe　302, 433, 434, 435, 528, 530, 534, 535, **550**
側頭葉性てんかん temporal lobe epilepsy　550
側脳室 lateral ventricle　433, 510, 527, 533, 536, 563, **564**
［側脳室］下角 inferior horn［of lateral ventricle］　532
側板中胚葉 lateral plate mesoderm　371
側副溝 collateral sulcus　530
側副循環　324
側副靱帯 collateral ligament　15, 59（肘関節の），66（手指の）
側腹部 lateral region　193
側彎 scoliosis　31
外ひき abduction　591
外まわしひき excycloduction　591

た

ダイテルス核（前庭神経外側核）　481
ダイテルス支持細胞（外指節細胞）supporting cells of Deiters（outer phalangeal cells）　606
ダイネイン dynein　442
ダグラス窩 Douglas' pouch　310, 347, 354, 356
ダブル・ブーケ細胞（双刷子細胞）double-bouquet cell　545
ダルクシェヴィチ核　493, 497, 508
タンパクホルモン proteohormone　398
手綱 habenula　391, 509, 510, **512**, 534
手綱核 habenular nuclei　444, 498, 533, 538
手綱脚間路（反屈束）habenulo-interpeduncular tract（fasciculus retroflexus）　492, 512, 588

手綱交連 habenular commissure 512
手綱視蓋路 habenulo-tectal tract 512
手綱被蓋路 habenulo-tegmental tract 512, 588
多羽状筋 multipennate muscle 16
多極性ニューロン 437
多形細胞層 multiform layer 536, 544
多幸症的反応 euphoric reaction 589
多細胞性上皮外腺（外分泌腺）multicellular extraepithelial gland (exocrine gland) 383
多細胞性上皮内腺（腺芽）multicellular intraepithelial gland (glandular bud) 383
多シナプス性反射弓 multisynaptic reflex arc 452
多症候性像 polysymptomatic figure 589
多食症（過食症）hyperphagia 523
多乳頭腎 331
多能性幹細胞 pluripotential stem cell 408
多発性硬化症 multiple sclerosis 447
多腹筋 polyventer muscle 16
多裂筋 multifidus 37
多列線毛上皮 267
唾液 saliva 294
唾液核 salivatory nucleus 568, 586
唾液腺 293
唾石 sialolith 294
楕円関節 ellipsoid joint 15
太鼓のバチ drumstick 4
代謝性アシドーシス 366
代償性関節 compensation joint 105
代生歯 successional (succedaneous) teeth 297
体 body of hyoid bone 291（舌骨の）
体運動帯（基板）somatomotor zone (basal plate) 477
体液性免疫 humoral immunity 410
体液性免疫応答 410, 411
体幹 193
体幹の神経 469
体幹の部位 193
体腔間隙 371
体循環（大循環）systemic circulation (greater circulation) 221
体性運動 430
体性運動性神経 somatomotor nerve 495
体性運動性（遠心性）線維 somatomotor (efferent) fibers 462
体性局在 456, 488, 548, 549, 583, 584
体性知覚性（求心性）線維 somatosensory (afferent) fibers 462
体性知覚性皮質 somatosensory cortex 549
体節 somite 368, 369
体節 metameres 460
体知覚帯（翼板）somatosensory zone (alar plate) 477

対角結合線 diagonal conjugate 93
対角帯核 nucleus of diagonal band 536
対光反射 light reflex 600
対珠 antitragus 601
対称性シナプス 440
対称面 symmetric plane 2
対立位 opposition 87
対輪 antihelix 601
苔状線維 mossy fibers 504, 505, 506, 541
胎児側絨毛の結合組織 connective tissue of fetal villus 363
胎児側毛細血管 fetal capillary 363
胎児期 fetal stage 367
胎児の毛細血管 fetal bood capillaries 401
胎生期の造血 408
胎生結合組織 embryonal connective tissue 6
胎盤 placenta 222, 362, 363, 364, 366, 401
胎盤隔壁 decidual septa 363
胎盤障壁 placental barrier 363
胎盤のタンパクホルモン 401
胎便 meconium 381
退行期 catagen 425（毛の）
退縮（出産）involution 366
退縮過程 postpartum changes 366
帯状回（辺縁回）cingulate gyrus (limbic gyrus) 444, 514, 515, 522, 530, 531, 533, 588, 589
帯状回峡 isthmus of cingulate gyrus 530
帯状束 cingulum 540, 554, 588
袋状弁（半月弁）229
大陰唇 labium majus 347, 355, 379, 380
大円筋 teres major 67, 68, 69, 71, 73, 74, 77, 183, 194, 464
大角（舌骨）greater horn (hyoid bone) 149, 272, 291
大鉗子 major forceps 551
大汗腺 424
（大汗腺の）筋上皮細胞 myoepithelial cells 424
大臼歯 molar tooth 295
大胸筋 pectoralis major 67, 70, 73, 74, 181, 182, 428, 464
大頬骨筋 zygomaticus major 158
大結節 greater tubercle 56, 68, 77
大結節稜 crest of greater tubercle 56, 70
大孔 foramen magnum 146, 147
大口蓋管 greater palatine canal 150
大口蓋孔 greater palatine foramen 144, 147, 242
大口蓋神経 greater palatine nerve 147
大口蓋動脈 greater palatine artery 147, 242
大虹彩動脈輪 major circulus arteriosus of iris 593, 594
大膠細胞（星状膠）macroglia (astroglia) 449

大［後頭］孔 foramen magnum 144, 145, 459, 478
大後頭神経 greater occipital nerve 169, 463, 469
大後頭直筋 rectus capitis posterior major 38, 169
大骨盤 greater pelvis 92
大細胞性領域 magnocellular part 518
大坐骨孔 greater sciatic foramen 92, 206, 475
大鎖骨上窩 greater supraclavicular fossa 163
大坐骨切痕 greater sciatic notch 91
大耳介神経 great auricular nerve 166, 169, 172, 175, 462, 463
大十二指腸乳頭（ファーター乳頭）major duodenal papilla (Vater's papilla) 315, 325, 326
大循環 greater circulation 221
大静脈弓 aortic arch 224
大静脈系 251
大静脈孔 caval opening 51
大静脈溝 groove for vena cava 322
大静脈靱帯 ligament of vena cava 322
大静脈洞 sinus of venae cavae 224, 225
大食細胞 macrophages 401, 410, 417, 419
大心（臓）静脈 great cardiac vein 230
大腎杯 major calyces 335
大錐体神経 greater petrosal nerve 147, 487, 490, 491
大錐体神経管裂孔 hiatus for greater petrosal nerve 145, 147, 487
大錐体神経溝 groove for greater petrosal nerve 145
大［脊髄］根動脈 great segmental medullary artery 457
大舌下腺 293
大舌下腺管 major sublingual duct 293
大前庭腺（バルトリン腺）greater vestibular gland (Bartholin's gland) 199, 347, 355
大泉門 anterior fontanelle 139, 381
大腿管 femoral canal 46, 49, 50
大腿筋膜 fascia lata 46, 114, 125, 200, 203, 207
大腿筋膜張筋 tensor fasciae latae 114, 116, 120, 121, 122, 472
大腿骨 femur (thigh bone) 94, 357
大腿骨遠位骨端部 distal epiphysis of femur 381
大腿骨頸 neck of femur 94, 114, 346, 356
大腿骨頸骨折 96
大腿骨体 shaft of femur 94
大腿骨頭 head of femur 94, 97, 346, 356
大腿骨頭壊死 necrosis of the femoral head 97
大腿骨頭窩 fovea for ligament of head 94

大腿骨頭靱帯 ligament of head of femur 97, 356
大腿骨頭動脈 artery of femoral head 97
大腿骨の角度 96
大腿三角 femoral triangle 202, 208
大腿枝（陰部大腿神経の）femoral branch (of genitofemoral nerve) 203, 469
大腿四頭筋 quadriceps femoris 17, 114, 122, 124, 208
大腿静脈 femoral vein 50, 114, 204, 207, 208, 210, 255, 256
大腿神経 femoral nerve 50, 114, 120, 198, 208, 346, 356, 470, 471
大腿深静脈 deep vein of thigh 256
大腿深動脈 deep artery of thigh 114, 208, 248
大腿浅筋膜 superficial fascia of thigh 203
大腿直筋 rectus femoris 114, 121, 122, 124, 471
大腿動静脈 femoral artery and vein 346, 356
大腿動脈 femoral artery 50, 114, 204, 207, 208, 248
大腿二頭筋 biceps femoris 114, 123, 124, 209, 211
大腿二頭筋短頭 short head of biceps femoris 123, 125, 209, 473
大腿二頭筋長頭 long head of biceps femoris 121, 123, 205, 206, 209, 474
大大脳静脈 great cerebral vein (Galeni) 253, 561, 562
大腿の筋 114
大腿の筋膜 125
（大腿の）内転筋群 adductors 118, 358
大腿の内転筋群の作用 120, 121
大腿の部位 202
大腿ヘルニア femoral hernia 48, 50
大腿方形筋 quadratus femoris 114, 116, 117, 118, 120, 121, 206, 357, 472
大腿輪中隔 femoral septum 50
大唾液腺 293
大腸 large intestine 287, 309, 314, 317, 403
大殿筋 gluteus maximus 114, 116, 120, 121, 200, 205, 206, 209, 346, 356, 358, 472
大殿筋転子包 trochanteric bursa of gluteus maximus 206
大転子 greater trochanter 94, 98, 116
大転子間隔 intertrochanteric distance 93
大動脈 aorta 221, 222, 233, 238, 240, 247, 257, 310, 328, 329, 330, 335, 372, 457
大動脈弓 aortic arch 223, 235, 240, 252, 286, 304, 305, 373, 484
大動脈弓動脈 aortic arch arteries 373
大動脈弓（による溝）aortic arch 278

大動脈峡部 aortic isthmus 240
大動脈洞 aortic sinus 229
大動脈(の根部) aorta 223
大動脈肺動脈中隔 aorticopulmonary septum 372
大動脈-肺動脈傍節 394
大動脈半月弁 aortic semilunar valve 237
大動脈分岐部 aortic bifurcation 240
大動脈弁 aortic valve 226, 227, 229, 235, 238
大動脈傍体 para-aortic bodies 394
大動脈傍リンパ節 392
大動脈裂孔 aortic hiatus 51
大内臓神経 greater splanchnic nerve 285, 305, 568, 569, 570, 571
大内転筋 adductor magnus 114, 118, 119, 120, 121, 123, 205, 206, 208, 209, 472, 474
大脳横断静脈 transcerebral veins 562
大脳回 cerebral gyri 434, 530
〔大脳〕外側窩(シルヴィウス窩) lateral cerebral fossa (fossa of Sylvius) 531, 535
大脳外側溝 lateral cerebral sulcus 532
大脳鎌 cerebral falx 253, 567
大脳基底核 basal ganglia 531, 532
大脳脚 cerebral peduncule 492, 493, 508, 553, 562
大脳脚静脈 peduncular veins 562
大脳脚底 base of peduncle 476, 533
大脳溝 cerebral sulci 434, 530
大脳縦裂 longitudinal cerebral fissure 434, 435, 530, 531, 532, 534, 535, 536
大脳動脈輪(ウイリスの動脈輪) cerebral arterial circle (Willis' circle) 243, 558
大脳半球の左右非対称性 555
大脳皮質 cerebral cortex 434, 529
大脳皮質橋小脳線維 corticopontocerebellar fibers 506
大脳部 cerebral part 243
大脳葉 cerebral lobes 530
大肺胞細胞 great alveolar cells 280
大鼻翼軟骨 major alar cartilage 265
大鼻翼軟骨内側脚 medial crus of major alar cartilage 151
大伏在静脈 great saphenous vein 114, 126, 203, 204, 207, 210, 212, 213, 214, 215, 256
大網 greater omentum 308, 309, 311, 376
大網嚢 omental bursa 376
大網(の付着部) greater omentum 319
大網ヒモ 317
大腰筋 psoas major 47, 51, 114, 115, 329, 330, 335, 470, 471
大翼 greater wing 144
大菱形筋 rhomboid major 67, 71, 194, 464
大菱形骨 trapezium 61, 62, 64, 87

大菱形骨結節 tubercle of trapezium 87
大彎 greater curvature 308, 311, 313, 376
台形体 trapezoid body 481, 486, 609
台形体核 nuclei of trapezoid body 481, 486, 609
第1運動-知覚野 first motor-sensory area 547
第1貫通動脈 perforating arteries Ⅰ 205, 209
第1狭窄部 335・337(尿管の)
第1頸椎 cervical vertebrae Ⅰ 19
第一次起始野 528
第1次孔 primary foramen (ostium) 372
(第1次)後鼻孔 (primary) choana 374
第1次臍帯 primary umbilical cord 377
第一次終止野 528
第一次線維 primary fibers 507
第1次中隔 primary septum 372
第1次毛細血管叢 386
第1次卵黄嚢(原始胚外体腔) primitive yolk sac (extraembryonic coelom) 368
第1心音 235
第1生歯 first dentition 297
第1知覚-運動野 first sensory-motor area 547
第1聴覚野 primary auditory area 610
第Ⅰ脳神経→嗅神経をみよ
第1腰椎の高さでの横断面 329
(第1腰椎の)肋骨突起 costal process 329
第一裂 primary fissure 501
第1肋骨 first rib 283
第1/2胸椎の移行部での横断面 283
第2貫通動脈 perforating arteries Ⅱ 209
第2狭窄部 335・337(尿管の)
第2頸椎 cervical vertebrae Ⅱ 19
第2鼓膜 secondary tympanic membrane 603, 605
第2次孔 secondary foramen 372
第二次三叉神経線維(三叉神経毛帯) secondary trigeminal fibers (trigeminal lemniscus) 584
第二次線維 secondary fibers 507
第二次知覚路 secondary sensory tract 516
第2次中隔 secondary septum 372
第二次聴覚領 610
第2次胚索 secondary germ cord 379
第二次味覚線維 secondary gustatory fibers 496
第2次毛細血管叢 386
第2小菱形骨 second trapezoid 61
第二次連合野 528
第2心音 235
第2生歯 secondary dentition 297

第2聴覚野 secondary auditory area 610
第2豆状骨 second pisiform 61
第Ⅱ脳神経→視神経をみよ
第2ラセン板 secondary spiral lamina 605
(第2〜4)胸神経節 thoracic ganglia 232
第3狭窄部 337(尿管の)
第3後頭神経 third occipital nerve 169, 463
第3仙骨神経 3rd sacral nerves 569
第三転子 third trochanter 94
第三脳室 third ventricle 433, 434, 527, 563
第三脳室上皮板 epithelial plate of third ventricle 564
第三脳室脈絡叢 choroid plexus of third ventricle 564
第三脳室脈絡組織 choroid membrane of third ventricle 564
第Ⅲ脳神経→動眼神経をみよ
第3腓骨筋 fibularis tertius (peroneus tertius) 127, 131, 132, 212
第3野 549
第3腰椎の高さでの横断面 329
第四結節 fourth tubercle 94
第4仙骨神経 4th sacral nerves 569
第四脳室 fourth ventricle 433, 434, 476, 477, 533, 563
第四脳室髄条 medullary striae of fourth ventricle 476, 507
第四脳室脈絡組織 choroid membrane of fourth ventricle 564
第Ⅳ脳神経→滑車神経をみよ
第4腓骨筋 peroneus quartus 128
第4野(中心前皮質) area 4 (precentral cortex) 547, 575, 580
第4〜8肋間静脈 intercostal veins (Ⅳ〜Ⅷ) 251
第5胸椎の高さにおける横断面 283
第5頸椎の高さでの横断面 303
第Ⅴ脳神経→三叉神経をみよ
第6胸椎の高さにおける横断面 236
第Ⅵ脳神経→外転神経をみよ
第6野 area 6 547, 575
第7胸椎の高さにおける横断面 237
第7頸椎 7th cervical vertebra 18
第Ⅶ脳神経→顔面神経をみよ
第8胸椎の高さにおける横断面 237
第Ⅷ脳神経→内耳神経をみよ
第8野 548
第Ⅸ脳神経→舌咽神経をみよ
第9野 547
第Ⅹ脳神経→迷走神経をみよ
第10肋骨 tenth rib 416
第Ⅺ脳神経→副神経をみよ
第11, 12胸椎間での横断面 328
第12胸椎の高さでの横断面 328
第Ⅻ脳神経→舌下神経をみよ
第12肋骨 twelfth rib 334
第17野 area 17 551
第18野 area 18 551

第19野 area 19 551
第21野 area 21 550
第22野 area 22 550
第40野 area 40 549
第41野 area 41 550
第42野 area 42 550
第44野 area 44 548
第45野 area 45 548
脱臼 luxation 57
脱出症 prolapse 357
脱抑制 445
脱落症状 deficiency symptoms 461
脱落膜化 decidualization 362
縦軸(垂直軸) longitudinal axis (vertical axis) 2
樽形の胸部 barrel-shaped thorax 381
単一管状糸球状腺 424
単一腺 simple gland 383
単芽球 monoblast 409
単核性食細胞系 mononuclear phagocytic system (MPS) 410
単関節 simple joint 15
単球 monocyte 407, 409
単球生成 monopoiesis 409
単極性ニューロン 437
単光子放射型コンピュータ断層撮影法 single photon emission computed tomography (SPECT) 557
単細胞性上皮内腺(杯細胞) unicellular intraepithelial gland (goblet cells) 383
単シナプス性反射弓 monosynaptic reflex arc 452
単純ニューロン 551
単小葉 simple lobule 501, 502, 506
単層円柱上皮 simple columnar epithelium 312
単層上皮 simple epithelia 5
胆汁 bile 325, 417
胆膵管膨大部 hepatopancreatic ampulla 325
胆嚢 gallbladder 308, 322, 325, 327, 329, 376
胆嚢窩 fossa for gallbladder 322
胆嚢管 cystic duct 325
胆嚢頸 neck of gallbladder 308, 325, 328
胆嚢静脈 cystic vein 325
胆嚢体 body of gallbladder 308, 325
胆嚢底 fundus of gallbladder 308, 325
胆嚢動脈 cystic artery 325
胆路(胆道) 325
淡蒼球 globus pallidus (pallidum) 494, 498, 510, 511, 515, 516, 520, 531, 532, 535, 542, 553, 576
淡蒼球オリーブ線維 pallido-olivary fibers 498
淡蒼球視床下核線維 pallidosubthalamic fibers 520
淡蒼球視床下部束 pallidohypothalamic fasciculus 522
淡蒼球赤核路 pallidorubral tract 494

淡蒼球内節 medial segment of the pallidum 515, 516
淡蒼球被蓋束 pallidotegmental bundle 498, 520
淡明層 clear layer 422
短胃動脈 short gastric arteries 313
短回旋筋 short rotatores thoracis 37
短後毛様体動脈 short posterior ciliary artery 168, 594
短骨 short bones 11
短指屈筋 flexor digitorum brevis 134, 135, 217, 474
短指伸筋 extensor digitorum brevis 132, 473
短掌筋 palmaris brevis 79, 88, 190
短小指屈筋 flexor digiti minimi brevis 88・191・466(手の), 134・217・474(足の)
短椎体周囲靱帯 short perivertebral ligaments 28
短頭 brachycephalic 152
短橈側手根伸筋 extensor carpi radialis brevis 78, 81, 82, 84, 85, 192, 468
短内転筋 adductor brevis 114, 118, 121, 122, 472
短腓骨筋 fibularis brevis (peroneus brevis) 126, 128, 131, 212, 473
短母指外転筋 abductor pollicis brevis 79・80・86・87・465(手の)
短母指屈筋 flexor hallucis brevis 133・217・474(足の)
短母指屈筋 flexor pollicis brevis 79・80・86・87・466(手の)
短母指屈筋浅頭 superficial head of flexor pollicis brevis 465
短母指伸筋 extensor hallucis brevis 132・473(足の)
短母指伸筋 extensor pollicis brevis 78・81・82・83・192・468(手の)
短毛様体神経 short ciliary nerves 168, 490
短連合線維 short association fibers 554
短肋骨挙筋 levatores costarum breves 39
男性会陰域の高さでの横断面 358
男性会陰部 200
男性外生殖器 380
男性骨盤 338
男性生殖管 380
男性生殖器[系] male genital system 220, 338
男性生殖器の構成 338
男性前核 male pronucleus 359
男性の骨盤 masculine pelvis 93
弾性円錐 conus elasticus 272, 274
弾性線維網 261, 423
弾性軟骨 elastic cartilage 7

ち

チモポイエチン thymopoietin 414
チュルク束(側頭橋路) bundle of Türck (temporopontine tract) 508
チロシン基 396
知覚-運動根(耳神経節への) sensorimotor root 491
知覚過敏 hyperesthesia 461
知覚根 sensory root 488
知覚線維 sensory fibers 488
知覚皮質 sensory cortex 528
恥丘 mons pubis 347, 355
恥溝 pubic sulcus 42
恥骨 pubis 53, 91
恥骨会陰筋(直腸前線維) puboperinealis (prerectal fibers) 53, 201
恥骨下角 subpubic angle 93
恥骨下枝 inferior pubic ramus 91, 118, 119, 358
恥骨間円板 interpubic disc 92
恥骨弓 pubic arch 93
恥骨弓靱帯 arcuate pubic ligament 92
恥骨筋 pectineus 47, 50, 114, 115, 118, 121, 122, 208, 346, 356, 471
恥骨筋線 pectineal line 94, 118
恥骨筋膜 pectoneal fascia 125
恥骨結合 pubic symphysis 12, 92, 336, 337, 346, 356, 364
恥骨結合腔 symphyseal cavity 92
恥骨結合面 symphysial surface 91
恥骨結節 pubic tubercle 91, 92, 118
恥骨後隙 retropubic space 337, 346, 356
恥骨後隆起 retropubic eminence 93
恥骨枝 pubic branch 255
恥骨櫛 pecten pubis 91, 118
恥骨櫛靱帯 pectineal ligament 50
恥骨上枝 superior pubic ramus 91, 119, 356
恥骨体 body of pubis 91
恥骨大腿靱帯 pubofemoral ligament 97, 98
恥骨直腸筋 puborectalis 53, 201, 320, 321, 346, 357
恥骨尾骨筋 pubococcygeus 53, 201, 356, 357
恥骨部 pubic region 193, 196
恥骨膀胱靱帯 pubovesical ligament 353
恥骨稜 pubic crest 91
緻密質(皮質) compact bone (cortex) 11
緻密層 compact layer 352(子宮内膜の)
緻密斑 macula densa 333
緻密部(黒質の) compact part (substantia nigra) 493, 494
腟 vagina 337, 347, 351, 354, 356, 358, 364, 365, 380
腟円蓋 vaginal fornix 354, 365
(腟円蓋の)後部 posterior part 354
(腟円蓋の)前部 anterior part 354
腟口 vaginal orifice 354, 355
腟静脈叢 vaginal venous plexus 354, 356
腟前庭 vestibule 199, 347, 354, 355, 378, 380
腟動脈 vaginal artery 247, 353, 354
腟粘膜ヒダ vaginal rugae 354
腟の上部 superior part of vagina 380
(腟の)尿道隆起 urethral carina of vagina 354
腟の分泌物 vaginal secretion 354
腟板 vaginal plate 380
腟部 352
腟壁 354
腟傍組織 paracolpium 354
腟傍リンパ節 paravaginal nodes 260
着床 implantation 361
中位核 interpositus nucleus 506
中咽頭収縮筋 middle constrictor 170, 300, 303
中央臍ヒダ 378
中央隆起 median prominence 375
中隔 septum 380
中隔縁束(フレクシヒの卵円野) Fasciculus septomarginalis (oval area of Flechsig) 455
中隔縁柱 septomarginal trabecula, moderator band 225, 231
中隔核[群] septal nuclei 444, 512, 538, 540
中隔鎌 valve of foramen ovale 226
中隔後鼻枝 posterior septal branches 242
中隔尖(三尖弁の) septal cusp (tricuspid valve) 229, 231
中隔尖の付着部 229
中隔乳頭筋 septal papillary muscle 225
中隔野 589
中間外側核 intermediolateral nucleus 454
中顔 mesoprosopic 152
中間脚 intermediate crus 51(横隔膜の)
中間血管-神経路 middle neurovascular tract 189
中間楔状骨 intermediate cuneiform 107, 108, 109
中間広筋 vastus intermedius 114, 122, 471
中間喉頭腔 intermediate laryngeal cavity 274
中間鎖骨上神経 intermediate supraclavicular nerve 175, 194
中間質外側部(中間帯) lateral intermediate substance (intermediate zone) 453, 454, 575
中間質中心部 central intermediate substance 452
中間神経 intermediate nerve 477, 487
中間ゼロ位 neutral zero starting position 13
中間線 intermediate line 446(神経線維の)
中間線 intermediate zone 43・91(腸骨稜の)
中間仙骨稜 intermediate sacral crest 23
中間足背皮神経 intermediate dorsal cutaneous nerve 215, 473
中間帯(中間質外側部) intermediate zone (lateral intermediate substance) 506, 575
中間中胚葉 intermediate mesoderm 378
中間洞 intermediate sinus 415
中間内側核 intermediomedial nucleus 454
中間尿細管(ヘンレ係蹄の細い部分) intermediate tubule (thin segment of Henle's loop) 332, 333
中間皮質 mesocortex 527, 543
中間部 pars intermedia 386・387(腺下垂体の), 524(下垂体の)
中間部 middle piece 340(精子の)
中間腹側核 ventral intermediate nucleus (Nucleus ventralis intermedius) 516, 611
中間腰リンパ節 intermediate lumbar nodes 259
中狭窄, 大動脈部狭窄 middle (or aortic) narrow place 304
中距骨関節面 middle talar articular surface 106
中頸筋膜 middle cervical fascia 162, 173, 176
中頸神経節 middle cervical ganglion 178, 179, 232, 569, 570
中頸心臓神経 middle cervical cardiac nerve 232
中結腸静脈 middle colic vein 324
中結腸動脈 middle colic artery 319
中甲状腺静脈 middle thyroid veins 174, 178, 252
中好性顆粒球 neutrophilic granulocyte 406, 408, 410
中好性顆粒白血球 407
中硬膜動脈 middle meningeal artery 147, 167, 242, 489
中硬膜動脈溝 groove for middle meningeal artery 145
中耳 middle ear 601, 602
中篩骨蜂巣 269
中膝動脈 middle genicular artery 249
中斜角筋 scalenus medius 40, 176, 178, 179, 283, 463
中手 metacarpus 190
中手間関節 intermetacarpal joints 66
中手骨 metacarpals 63, 86
中手骨の偽骨端 pseudoepiphyses 63
中手指節関節 metacarpophalangeal joints 66
中手靱帯 metacarpal ligaments 64
中手の筋 86
中踵骨関節面 medial facet for calcaneus 106
中上歯槽枝 middle superior alveolar branches 489
中床突起 middle clinoid process 146
中小脳脚(橋腕) middle cerebellar peduncle (brachium pontis) 476, 481, 502, 508
中腎 378

索引　685

中心窩 fovea centralis　594, 596
中心回域 central region　530
中心灰白質 central gray substance　444, 492, 493
中心核 central nucleus　537
中心芽細胞 centroblast　411
中心管 central canal　8（骨の），433・452（脳の）
中腎管（ウォルフ管）mesonephric duct（Wolffian duct）　380
中心管閉塞　433
中神経幹 middle trunk　462
中心溝 central sulcus　434, 530, 532, 534
中心後域 postcentral region　514, **549**, 584
中心後回 postcentral gyrus　434, 530, 532, 534, 549, 583
中心後溝 postcentral sulcus　530
中心後溝動脈 artery of postcentral sulcus　559
中心溝動脈 artery of central sulcus　559
中心骨 os centrale　61
中心細胞 centrocyte　411
中心子 centriole　3
中心視放線 central optic radiation　517
中心小体 centrosome（central body）　3
中心静脈 central vein　323, 392
中心静脈小葉　323
中心静脈穿刺 central venous puncture（CVP）　254
中心（上）視床放線 central（superior）thalamic radiations　513, 553
中心静脈 central vein（Rolandi）　561
中心小葉 central lobule　501, 502
中心小葉翼 wing of central lobule　501, 502
中心正中核（中心内側核，リュイの正中中心）centromedian nucleus（central medial nucleus, Centre médian Luys）　513, 514, **515**, 519, 580
中心前域 precentral region　514, 516, 547
中心前回 precentral gyrus　434, 456, 530, 532, 534
中心前溝 precentral sulcus　530
中心前溝動脈 artery of precentral sulcus　559
中心前皮質（第4野）precentral cortex（area 4）　494, 580
中心（臓）静脈 middle cardiac vein　230
中心動脈 central artery　417
中心内側核（中心正中核，リュイの正中中心）central medial nucleus（centromedian nucleus, Centre médian Luys）　515
中心被蓋路 central tegmental tract　480, 481, **498**, 502, 576, 580
中心微細管 central tubules　565
中心部 central part　563

中腎傍管（ミュラー管）paramesonephric duct（Müllerian tube）　380
中心傍小葉 paracentral lobule　530
中心傍動脈 paracentral artery　559
中心リンパ節（腋窩リンパ節）central nodes　258
中枢神経系 central nervous system（CNS）　430
中性粘液　312
中節骨 middle phalanx　63（手の），108（足の）
中前頭回 middle frontal gyrus　530, 531
中足間関節 intermetatarsal joint[s]　109, 110
中足骨 metatarsals　**108**
中足骨頭間静脈 intercapitular veins　215
中足指節関節 metatarsophalangeal joint　109, 110
中足底隆起 middle plantar eminence　132
中側頭回 middle temporal gyrus　530, 531, 555
中側副動脈 medial collateral artery　186, 245
中大脳動脈 middle cerebral artery　243, 558, 559, **560**
中腸 midgut　375
中直腸静脈 middle rectal veins　255, 324
中直腸動脈 middle rectal artery　247, 321
中殿筋 gluteus medius　114, 116, 120, 121, 206, 472
中殿皮神経 medial clunial nerves　205, 469, 475
中頭（長高指数）orthocephalic　152
中頭（長幅指数）mesocephalic　152
中頭蓋窩 middle cranial fossa　145, 478
中脳 midbrain　432, 433, 436, 476, **492**, 509
中脳蓋（蓋板，四丘板）tectum of midbrain（tectal plate, quadrigeminal plate）　492, 500, 502, 534, 535
中脳水道（シルヴィウス水道）aqueduct of midbrain（Sylvian aqueduct）　434, 492, 533, 563
中脳水道周囲灰白質 periaqueductal gray　498
中脳被蓋 tegmentum of midbrain　500
中胚葉 mesoderm　368
中皮 mesothelium　220
中鼻甲介 middle nasal concha　151, 266, 269, 270
中鼻道 middle nasal meatus　151, 266, 269
中副腎（腎上体）動脈 middle suprarenal artery　240
中副腎動脈　392
（中部の）曲部（遠位曲尿細管）convoluted part（distal convoluted tubules）　332

（中部の）直部（遠位直尿細管＝ヘンレ係蹄の太い部分）straight part（distal straight tubules ＝ thick segment of Henle's loop　332
中膜 tunica media　261, 262, 263
中葉 middle lobe　278, 279
中立咬合 neutral occlusion　299
虫垂 vermiform appendix　309, 317, 318
虫垂炎 appendicitis　318
虫垂間膜 meso-appendix　309, 317, 318
虫垂口 orifice of vermiform appendix　318
虫垂動脈 appendicular artery　318
虫垂突起 vermiform process　377
虫垂リンパ節 appendicular nodes　259
虫部 vermis　501, 506
[虫部]小節 nodule　501
虫部垂 uvula　501, 502
虫部錐体 pyramis　501
虫部葉 folium of vermis　501
虫部隆起 tuber　501
虫様筋 lumbricals　79・80・86・465・466（手の），135・474（足の）
肘窩 cubital fossa　180, 187
肘関節 elbow joint　59
肘関節での筋の作用　84
肘関節動脈網 cubital anastomosis　**245**
肘正中皮静脈 median cubital vein　187, 189, 254
肘筋 anconeus　67, 77, 82, 468
肘頭 olecranon　58, 59
肘頭窩 olecranon fossa　56
肘頭腱内包 intratendinous olecranon bursa　77
肘頭皮下包 subcutaneous olecranon bursa　77
肘リンパ節 cubital nodes　184, 187, 258
柱状軟骨帯 zone of columnar cartilage　9
貯蔵脂肪 depot fat　423
貯蔵脂肪 storage fat　6
長回旋筋 long rotatores thoracis　37
長顔（狭顔）leptoprosopic　152
長胸神経 long thoracic nerve　176, 182, 464
長後毛様体動脈 long posterior ciliary arteries　594
長骨 long bones　**11**
長指屈筋（腱）flexor digitorum longus　126, 129, 130, 131, 214, 217, 474
長指屈筋の腱鞘 tendinous sheath of flexor digitorum longus　137
長指伸筋（腱）extensor digitorum longus　126, 127, 131, 132, 212, 215, 473
長指伸筋の腱鞘 tendinous sheath of extensor digitorum longus　137
長掌筋（腱）palmaris longus　78, 79, 80, 84, 190, 465

長足底靱帯 long plantar ligament　109, 110, 111, 112, 134
長中心動脈 long central artery　558, 560
長頭 dolichocephalic　152
長橈側手根伸筋 extensor carpi radialis longus　78, 81, 82, 84, 85, 192, 468
長内転筋 adductor longus　114, 115, 118, 119, 121, 122, 123, 208, 472
長腓骨筋 fibularis longus（peroneus longus）　126, 128, 131, 212, 473
長腓骨筋腱溝 groove for tendon of peroneus longus　106, 107
長腓骨筋の足底腱鞘 plantar tendinous sheath of fibularis longus　137
長母指外転筋 abductor pollicis longus　78・81・82・83・84・85・192・468（手の）
長母指屈筋 flexor hallucis longus　126・129・130・214・474（足の）
長母指屈筋 flexor pollicis longus　78・79・80・85・131・465（手の）
長母指屈筋腱溝 groove for tendon of flexor hallucis longus　106
長母指屈筋の腱鞘 tendinous sheath of flexor hallucis longus　90・190（手の），137（足の）
長母指伸筋 extensor hallucis longus　126・127・132・212・215・473（足の）
長母指伸筋 extensor pollicis longus　78・81・82・83・84・85・192・468（手の）
長母指伸筋の腱鞘 tendinous sheath of extensor hallucis longus　90（手の），137（足の）
長毛様体神経 long ciliary nerve[s]　168, 488
長連合線維 long association fibers　554
長肋骨挙筋 levatores costarum longi　39
張細線維 tonofibrils　581
張力線（割線）　421
頂-踵長 crown-heel length（CHL）　369
頂-殿長 crown-rump length（CRL）　369
頂盲端 cupular caecum　604
鳥距 calcarine spur　551
鳥距溝 calcarine sulcus　530, 534, 551, 553, 598
超複雑ニューロン hypercomplex neurons　551
腸陰窩（腸腺，リーベルキューン腺）intestinal crypts（intestinal glands, Lieberkühn's glands）　315, 318
腸管関連リンパ組織 gut associated lymphoid tissue（GALT）　412
腸管神経叢 enteric plexus　572
腸間膜 mesentery　309, 314, 329, 377
腸間膜根 root of mesentery　309, 310, 314, 377
腸グルカゴン enteroglucagon　405

腸脛靱帯 iliotibial tract　116, 125, 207
腸骨 ilium　91, 92
腸骨窩 iliac fossa　91, 115
腸骨下腹神経 iliohypogastric nerve　196, 197, 198, 334, 469, 470, 475
腸骨下腹神経外側皮枝 lateral branch of iliohypogastric nerve　195, 205
腸骨下腹神経前皮枝 anterior cutaneous branch of iliohypogastric nerve　196
腸骨筋 iliacus　46, 114, 115, 198, 329, 470, 471
腸骨結節 tuberculum of iliac crest　91
腸骨静脈　**255**
腸骨鼠径神経 ilio-inguinal nerve　196, 197, 198, 203, 207, 469, 470, 475
腸骨粗面 iliac tuberosity　91, 92
腸骨体 body of ilium　91
腸骨大腿靱帯 iliofemoral ligament　97, 98
腸骨尾骨筋 iliococcygeus　53, 201, 356, 357
腸骨翼 ala of ilium　91, 116
腸骨稜 iliac crest　91, 92, 116
腸細胞 enterocyte　315
腸絨毛 intestinal villi　315
腸腺 intestinal glands　315, 318
腸恥窩 iliopectineal fossa (fossa iliopectinea)　118, 125
腸恥筋膜弓 iliopectineal arch　50, 92, 115, 125
腸恥靱帯 iliopubic tract　46, 49
腸恥包 iliopectineal bursa　50, 97, 115
腸恥隆起 iliopubic ramus　91
腸内分泌細胞 entero-endocrine cells　312, 403
腸腰筋 iliopsoas　47, 50, 114, 115, 118, 120, 121, 122, 208, 346, 356
腸腰筋膜 iliopsoas fascia　46, 125
腸腰静脈 iliolumbar vein　255
腸腰靱帯 iliolumbar ligament　92
腸腰動脈 iliolumbar artery　247
腸リンパ本幹 intestinal trunks　257
腸ループ intestinal loops　371
跳躍関節　109, 110, 131
跳躍伝導 saltatory conduction　448
蝶下顎靱帯 sphenomandibular ligament　155, 167
蝶形骨 sphenoidal bone　138, 144, 145, 150, 154
蝶形骨角 sphenoidal angle　140
蝶形骨間軟骨結合 intersphenoidal synchondrosis　139
蝶形骨棘 spine of sphenoidal bone　144, 155
蝶形骨小舌 sphenoidal lingula　145, 146
蝶形骨小翼 lesser wing of sphenoidal bone　145, 150
蝶形骨体 body of sphenoidal bone　144, 266, 267, 270

蝶形骨大翼 greater wing of sphenoidal bone　141, 150
蝶形骨洞 sphenoidal sinus　268, 269, 302
蝶形骨導出静脈孔 sphenoid emissary foramen　146
蝶形骨洞中隔 septum of sphenoidal sinuses　268
蝶形骨頭頂静脈洞 sphenoparietal sinus　253
蝶形骨隆起 sphenoidal yoke　145
蝶形骨稜 sphenoidal crest　151
蝶口蓋孔 sphenopalatine foramen　150, 151, 266, 269
蝶口蓋動脈 sphenopalatine artery　242, 266, 267
蝶後頭軟骨結合 spheno-occipital synchondrosis　139, 145
蝶篩陥凹 spheno-ethmoidal recess　151, 266, 269
蝶篩骨縫合 spheno-ethmoidal suture　145
蝶篩軟骨結合 spheno-ethmoidal synchondrosis　139
蝶錐体軟骨結合 sphenopetrosal synchondrosis　139
蝶錐体裂 sphenopetrosal fissure　144
蝶前頭縫合 sphenofrontal suture　141
蝶頭頂縫合 sphenoparietal suture　141
蝶番関節 hinge joint　15, 66, 110
蝶鱗縫合 sphenosquamous suture　141, 145
調節ホルモン regulating hormones　388
聴覚過敏 hyperacusis　603
聴覚器　**601**
聴覚皮質〔領〕auditory cortex　514, 517, 528, **550**, 610
聴覚路　**609**
聴視線維　609
聴小毛（感覚小毛）auditory hairlets (sensory hairlets)　606
聴診部位　235
聴放線 acoustic radiation　550, 553, **610**
直回 straight gyrus　530
直結合線 straight conjugate　93
直細静脈 straight venules　332
直細動脈 straight arterioles　332
直膝 genu rectum　105
直静脈洞 straight sinus　252, 253, 561
直精細管 straight tubules　340
直接鼠径ヘルニア direct inguinal hernia　50
直接的投射路　577
直線縫合 plane suture　12, 153
直足　113
直腸 rectum　307, 310, 317, 320, 338, 347, 354, 356, 364, 377
直腸横ヒダ transverse folds of rectum　320
直腸海綿体 cavernous body of rectum　321

直腸子宮窩（ダグラス窩）recto-uterine pouch (Douglas' pouch)　310, 320, 347, 354, 356, 365
直腸子宮筋 recto-uterinus　353
直腸子宮靱帯 rectouterine ligament　353
直腸子宮ヒダ recto-uterine fold　347, 353
直腸静脈叢 rectal venous plexus　255, 321
直腸前線維（恥骨会陰筋）prerectal fiber[s] (puboperinealis)　53, 201
直腸膀胱窩 recto-vesical pouch　310, 320, 338
直腸傍組織 paraproctium　356
直腸膨大部 rectal ampulla　320, 346
直腸傍リンパ節 pararectal nodes　260
直頭 straight head　122
直部 straight part　273
沈下腎 sinking kidney　334

つ

ツチ骨 malleus　602
ツチ骨頸 neck of malleus　602
ツチ骨条 mallear stria　601
ツチ骨頭 head of malleus　602
ツチ骨柄 handle of malleus　602
ツチ骨隆起 prominence of malleolar　601
ツッカーカンドル器官 Zuckerkandl bodies　394
対質 antimeres　2
対麻痺 paraplegia　461
椎間円板 intervertebral disc　**27**, 28
椎間円板脱出 prolapse of the disc　27
椎間円板ヘルニア herniation of the disc　27
椎間関節 zygapophysial joint　**29**, 30
椎間結合 intervertebral joint　27
椎間孔 intervertebral foramen　20, 303
椎弓 vertebral arch　18, 19, 28
椎弓関節　29
椎弓根 pedicle of vertebral arch　18, 20, 21
椎弓破裂（二分脊椎）spina bifida　22, 25
椎弓板 lamina of vertebral arch　18, 20, 21
椎孔 vertebral foramen　18, 19, 20, 21
椎骨静脈 vertebral vein　179, 252, 303
椎骨前部 prevertebral part　244 (椎骨動脈の)
椎骨動脈 vertebral artery　147, 169, 174, 178, 179, 243, 244, 277, 303, 457, 558
椎骨動脈管 canal for vertebral artery　19
椎骨動脈溝 groove for vertebral artery　19

椎骨動脈三角 triangle of vertebral artery　38, **169**
椎骨動脈の枝順　**243**
椎骨の発生　**26**
椎前筋〔群〕prevertebral muscles　**40**, 303
椎前神経節 prevertebral ganglia　570
椎前葉（深頸筋膜）prevertebral layer of cervical fascia (deep cervical fascia)　175
椎体 vertebral body　18, 19, 20, 40
椎体鉤（鉤状突起）vertebral uncus (uncinate process)　18, 20
椎体静脈 basivertebral vein[s]　20, 251
椎傍神経節 paravertebral ganglia　570
通過型ボタン bouton en passage　441
通過管　365
痛覚過敏 hyperalgesia　460
痛覚路　584
強く増大した子宮頸管腺の内容 contents of strongly enlarged cervical gland　365
蔓状静脈叢 pampiniform plexus　197

て

D-細胞　398
D1-細胞　398
T記憶細胞　409
T細胞 T-cell　411
T細胞域　415
T細胞受容体 T-cell receptor　411
T免疫芽球 T-immunoblast　409, 411
T-免疫細胞 T-immunocyte　409
Tリンパ球（胸腺細胞）T-lymphocytes (thymocyte)　410, 411, 413, 414
ディクチオゾーム dictyosomes　439
ディッセ腔 Disse's space　323
デオキシグルコース　552
デオキシコルチコステロン　393
デカルト Descartes　574
デジタル減算血管造影法 digital subtraction angiography (DSA)　556
テストステロン testosterone　399
テストステロンの作用　**399**
デスメー膜（後境界板）Descemet's membrane (posterior limiting lamina)　593
デスモゾーム desmosome　228
テトラガストリン tetragastrin (TG)　405
テニス肘 tennis elbow　81
テノン鞘（眼球鞘）Tenon's capsule (fascial sheath of eyeball)　590
デヒドロエピアンドロステロン DHEA　393
てんかん　445
テント枝 tentorial branch　488
手の関節　66

手の筋　86
手の動脈弓　246
手の部位　180
低頭 platycephalic　152
定型的橈骨［下端］骨折　60
底屈　131（跳躍関節の）
底側骨間筋 plantar interossei　135, 217
底側指静脈 plantar digital veins　256
底側踵舟靱帯 plantar calcaneonavicular ligament　109, 110, 111, 112
底側踵立方靱帯 plantar calcaneocuboid ligament　109, 110, 111, 112
底側足根靱帯 plantar tarsal ligaments　111
底側中足静脈 plantar metatarsal veins　256
底側中足靱帯 plantar metatarsal ligament　110
底側中足動脈 plantar metatarsal arteries　217, 250
底側立方舟靱帯 plantar cuboideonavicular ligament　110
底部（外柱細胞の）basal part (of the outer pillar cell)　606
底面観　224（心臓の）
釘植 dento-alveolar syndesmosis　12
蹄状紋 loop　421
鉄代謝　409
転換運動 reversing movements　84
転子窩 trochanteric fossa　94
転子間線 intertrochanteric line　94, 97, 98
転子間稜 intertrochanteric crest　94, 97
伝達物質 transmitter substance　500
殿筋筋膜（腱膜）gluteal aponeurosis　116, 125, 205
殿筋粗面 gluteal tuberosity　94, 116
殿筋面 gluteal surface　91
殿部 gluteal region　202, 205
電気的シナプス　441

と

ドーパミン　441
ドーパミン作動性ニューロン nigral dopaminergic neurons　444, 494
トームス線維 Tomes' fibers　296, 298
トライツの靱帯 Treiz's ligament　314
トランスフェリン transferrin　409, 417
トリヨードサイロニン triiodothyronine　396
トルコ鞍 sella turcica　145, 146, 418, 478
トレンデレンブルク徴候　472
トロラー静脈（上吻合静脈）vein of Trolard (superior anastomotic vein)　561

ドンデルスの圧 Donders pressure　284
トンネル・リンパ（コルチ・リンパ）tunnel lymph (Corti lymph)　606
鍍銀法 silver impregnation　437, 438, 544
投射線維 projection fibers　553
投射柱 projection column　552
豆鉤靱帯 pisohamate ligament　62, 64, 79, 88
豆状骨 pisiform　61, 79, 88
豆状骨関節 pisiform joint　64
豆状突起 lenticular process　602
豆中手靱帯 pisometacarpal ligament　64, 79
逃避反射（外受容反射）withdrawal reflex (exteroceptive reflex)　452
島 islet (insula)　432, 434, 527, 543
島器官　398
島限 insular threshold　543
島中心溝 central sulcus of insula　543
島動脈 insular arteries　559, 560
島毛細血管叢 islet capillary plexus　398
島輪状溝 circular sulcus of insula　543
透出分泌 diacrine secretion　384
透明層 clear layer　541
透明帯（卵細胞）zona pellucida　359, 360, 361
透明帯（卵胞）pellucid zone　349
透明中隔 septum pellucidum　434, 510, 531, 534, 535, 562, 588
透明中隔脚 peduncle septum pellucidum　531
透明中隔腔　510, 531
透明中隔静脈 vein of septum pellucidum　561
登上線維 climbing fibers　503, 505
等発生皮質 isogenetic cortex　546
等皮質（新皮質）isocortex (neocortex)　543, 544, 546
等容積性弛緩 isovolumic relaxation　239
等容積性収縮 isovolumic contraction　239
統合　574
糖原分解 glycogenolysis　398
糖新生 gluconeogenesis　398
糖尿病　398
頭咽頭管 craniopharyngeal canal　146
頭蓋 skull (cranium)　138
頭蓋型　152, 153
頭蓋骨 skull　567
頭蓋骨の構造　140
頭蓋骨膜 pericranium　140
頭蓋泉門 fontanelles　139
頭蓋底　144, 145, 478
頭蓋内部（椎骨動脈）intracranial part　244
頭蓋内膜 endocranium　140
頭蓋の区分　138
頭蓋の発生　138
頭蓋の副骨　154
頭蓋表筋 epicranius　156

頭蓋縫合 cranial suture　12, 153
頭屈 cephalic flexure　432
頭屈曲 cephalic folding (flexure)　369
頭最長筋 longissimus capitis　36
頭仙局在 craniosacral localization　568
頭腸 cephalogaster　220, 264
頭腸 cranial part of the gut　287
頭頂眼 parietal eye　512
頭頂間溝 intraparietal sulcus　530
頭頂長筋 longus capitis　40, 463
頭頂結節 parietal tuber　139, 140
頭頂孔 parietal foramen　140, 142
頭頂後頭溝 parieto-occipital sulcus　530
頭頂骨 parietal bone　11, 138, 140, 141, 142, 143, 145, 154
頭頂枝 parietal branch　241, 242
頭頂点　152
頭頂乳突縫合 parietomastoid suture　141
頭頂部 parietal region　163
頭頂葉 parietal lobe　433, 434, 514, 516, 530, 549
頭板（内柱細胞の）head plate (of the inner pillar cell)　606
頭半棘筋 semispinalis capitis　37, 169
頭板状筋 splenius capitis　36, 169
頭皮 scalp　567
頭部（外柱細胞の）convex head (of the outer pillar cell)　606
頭部の筋　156
橈骨 radius　58, 64, 78
橈骨窩 radial fossa　56
橈骨頸 neck of radius　58
橈骨手根関節 wrist joint　64
橈骨静脈 radial veins　189, 254
橈骨神経 radial nerve　78, 182, 183, 185, 186, 188, 462, 468
橈骨神経筋枝 muscular branches of radial nerve　186
橈骨神経溝 radial groove　56, 77, 468
橈骨神経深枝 deep branch of radial nerve　189
橈骨神経浅枝 superficial branch of radial nerve　189, 192
橈骨神経麻痺 radial nerve paralysis　468
橈骨切痕 radial notch　58, 60
橈骨粗面 radial tuberosity　58
橈骨体 shaft of radius　58
橈骨頭 head of radius　58（橈骨の）
橈骨頭 radial head　79（浅指屈筋の）
橈骨頭窩 articular facet of radius　60
橈骨動脈 radial artery　78, 188, 189, 190, 191, 192, 245, 246
橈骨動脈の終枝　246
橈骨動脈の浅掌枝 superficial palmar branch　246
橈骨輪状靱帯 anular ligament of radius　59, 83
橈側窩 radial fovea (Fovea radialis)　180, 192

橈側血管神経束 radial neuro-vascular bundle　189
橈側手根屈筋 flexor carpi radialis　78, 79, 80, 84, 85, 86, 189, 465
橈側手根屈筋の腱鞘 tendinous sheath of flexor carpi radialis　90, 190
橈側手根伸筋の腱鞘 tendinous sheath of extensor carpi radialis　90
橈側側副動脈 radial collateral artery　186, 245
橈側反回動脈 radial recurrent artery　188, 245, 246
橈側皮静脈 cephalic vein　78, 181, 182, 184, 187, 254
橈側偏位 radial deviation　65, 85
同化 anabolism　4
同所性の線維 homotopic fibers　554
洞角 sinus horn　372
洞結節 sinus node　485
洞性静脈血栓症　265
洞腔結節　380
洞調律 sinus rhythm　231
洞［房］結節（キース・フラック結節）sinu-atrial node (Keith-Flack's node)　231
洞様血管（類洞）sinusoid　262, 323
洞様静脈 sinusoidal vein　263
洞様毛細血管 sinusoidal capillaries　262, 387, 394
胴腸 truncal part of the gut　220, 287
動眼神経（第Ⅲ脳神経）oculomotor nerve　147, 168, 477, 478, 490, 493, 495
動眼神経核 nucleus of oculomotor nerve　479, 492, 493, 495, 497, 500
動眼神経の下中心核 inferior central nucleus of oculomotor nerve　495
動眼神経副核（エディンガー・ウェストファル核）accessory nuclei of oculomotor nerve (nucleus of Edinger-Westphal)　479, 492, 495, 600
動静脈吻合 arteriovenous anastomosis　262, 423
動静脈連結 arteriovenous coupling　263
動物神経系　430
動脈 artery　221, 423
動脈円錐 conus arteriosus　225, 237, 372
動脈円錐隆起 cone swelling　372
動脈管（ボタロー管）ductus arteriosus (Botallo duct)　222
動脈冠　313
動脈幹 truncus arteriosus　372
動脈管索 ligamentum arteriosum　222, 223, 286
動脈幹隆起 truncus swelling　372
動脈区域　334
動脈系　373
動脈血 arterial blood　221, 420
動脈性血管冠 arterial vasocorona　457
動脈門 Porta arteriosa　233

動揺関節 loose joint　104
道上棘 suprameatal spine　141
道上小窩 suprameatal triangle　141
導管 excretory duct　294, 383, 424, 428
導管系 system of excretory ducts　**294**, 383
導出静脈 emissary veins　253
導尿器官　335, **337**
瞳孔 pupil　592
瞳孔縁 pupillary margin　593
瞳孔括約筋 sphincter pupillae　490, 495, 593, 600
瞳孔散大筋 dilator pupillae　490, 593, 600
瞳孔反射 pupillary reflex　**600**
特異的防御系 specific defense system　410
特殊感覚線維 special sensory fiber　545
特殊血管 special vessels　386・389・524・525（下垂体の）
特殊心筋細胞 specialized cardiac muscle cells　228, 231
特殊心筋線維　**228**
特殊な細網細胞 special reticular cells　417

な

ナジオン nasion　152
内圧性憩室 pulsion diverticulum　304
内陰部静脈 internal pudendal vein　199, 200, 201, 206, 255
内陰部動静脈 internal pudendal artery and vein　346
内陰部動脈 internal pudendal artery　199, 200, 201, 206, 247, 354
内エナメル上皮 inner enamel epithelium　298
内エナメル上皮と外エナメル上皮の移行部 transition between inner and outer enamel epithelium　298
内縁上皮 inner marginal epithelium　296
内果 medial malleolus　99
内果後部 medial retromalleolar region　202, **214**
内果溝 malleolar groove　99
内果枝 medial malleolar branches　250
内果動脈網 medial malleolar network　250
内顆粒層 internal granular layer　544, 595
内眼角 medial angle of eye　590
内眼角贅皮 epicanthus　590
内弓 internal arch　588
内弓状線維 internal arcuate fibres　480
内嗅領 entorhinal area　536, 538, 540
内嗅領皮質 entorhinal cortex　536, 540, 546

内境界層 inner limiting layer　595（網膜の）
内胸静脈 internal thoracic vein[s]　179, 252
内胸動脈 internal thoracic artery　179, 194, 244, 413
内筋周膜 internal perimysium　10
内腔 lumen　380
内頸静脈 internal jugular vein　147, 170, 174, 176, 177, 178, 179, 251, 252, 283, 303, 395, 478, 602, 603
内頸動脈 internal carotid artery　147, 170, 177, 178, 241, **243**, 268, 277, 303, 373, 478, 558, **559**, 603
内頸動脈[交感]神経叢[sympathetic] internal carotid plexus　147, 490, 570
内頸動脈神経 internal carotid nerve　170, 485
内言語 internal speech　555
内後頭隆起 internal occipital protuberance　145
内後頭稜 internal occipital crest　145
内肛門括約筋 internal anal sphincter　320, 358
内再構築帯 IRZ　393
内枝 internal branch　484（上喉頭神経の）
内耳 internal ear　601, 604
内痔核 internal hemorrhoid　321
内子宮口 internal os　351, 364, 365, 366
内軸索間膜 internal mesaxon　447
内耳孔 internal acoustic opening　145, 147
内耳神経（第Ⅷ脳神経）vestibulocochlear nerve　147, 477, 478, 486, 502
内耳道 internal acoustic meatus　478, 486
内唇 inner lip　43・47・91（腸骨稜の）
内錐体細胞層 internal pyramidal layer　543, 544
内髄板 internal medullary lamina　511, 513, 518
内精筋膜 internal spermatic fascia　46, 49, 197, 339, 342
内星状細胞 inner stellate cells　503, 504
内生殖器 internal genital organs　338（男の）
内生殖器 internal genitalia　347（女の）
内節（杆状体細胞および錐状体細胞の）　597
内節 medial segment　511（淡蒼球の）
内舌筋　**291**
内旋 medial rotation　73（上肢帯の）, 120（下肢帯の）, 124（膝関節の）
内臓 viscera　220
内臓運動　430
内臓運動帯 visceromotor zone　477
内臓神経 splanchnic nerve　335
内臓神経系　430

内臓性運動性線維 visceromotor fibers　462（脊髄神経の）, 483・484（迷走神経の）, 495（動眼神経の）
内臓性遠心性(分泌性)線維 visceral efferent(secretory)fibers　485（舌咽神経の）
内臓性知覚性線維 viscerosensory fibers　462（脊髄神経の）, 483（迷走神経の）, 485（舌咽神経の）, 572（植物神経の）
内臓知覚帯 viscerosensory zone　477
内臓頭蓋 viscerocranium　138
内臓脳 visceral brain　588
内臓葉（内壁）visceral layer (inner wall)　333
内側腋窩隙 medial axillary space　183
内側縁 medial border　331
内側顆 medial condyle　94・95・105（大腿骨の）, 99（脛骨の）
内側顆間結節 medial intercondylar tubercle　99（脛骨の）
内側核 medial nucleus　521（乳頭体の）, 522（視床の）, 537（扁桃体の）
内側核群 medial nuclear group　453・454（脊髄前角の）, 513・**515**・518・519（視床の）
内側下膝動脈 inferior medial genicular artery　249
内側下垂体動静脈 inferior hypophysial artery and vein　388, 389
内側下腿皮枝 medial cutaneous nerve of leg　471
内側眼瞼靱帯 medial palpebral ligament　157, 165
内側脚 medial crus　42・48・196（浅鼠径輪の）, 51（横隔膜の）, 265（大鼻翼軟骨の）
内側嗅条 medial stria　536, 538
内側弓状靱帯 medial arcuate ligament　47, 51, 198
内側胸筋神経 medial pectoral nerve　464
内側距踵靱帯 medial talocalcaneal ligament　110, 111
内側筋間中隔 medial intermuscular septum　77（上腕の）
内側楔状骨 medial cuneiform　107, 108, 109
内側広筋 vastus medialis　114, 119, 122, 123, 125, 208, 471
内側後頭側頭回 medial occipitotemporal gyrus　530
内側根 medial root　465（外側神経束の）, 598（視索の）
内側臍ヒダ（臍動脈索）medial umbilical fold (cord of umbilical artery)　46, 310
内側鎖骨上神経 medial supraclavicular nerve　175, 194
内側膝蓋支帯 medial patellar retinaculum　101, 122
内側膝状体 medial geniculate body　493, **517**, 519, 598, **610**

内側膝状体核 nucleus of medial geniculate body　513, 514, 517
内側縦条 medial longitudinal stria (Lancisii)　534, 539
内側縦束 medial longitudinal fasciculus　456, 480, 481, 492, 493, **497**, 611
内側手根側副靱帯 ulnar collateral ligament of wrist joint　64
内側上顆 medial epicondyle　56・59・79（上腕骨の）, 94・101（大腿骨の）
内側踵骨枝 medial calcaneal branch[es]　213, 474
内側上膝動脈 superior medial genicular artery　249
内側上腕筋間中隔 medial intermuscular septum of arm　76, 89
内側上腕皮神経 medial brachial cutaneous nerve　182, 184, 462, 467, 469
内側唇 medial lip　94（大腿骨の）
内側神経束 medial cord　181, 182, 462
内側線条体動脈 medial striate artery　558
内側前頭底動脈 medial frontobasal artery　559
内側前脳束 medial forebrain bundle　522
内側浅リンパ管 medial superficial lymph vessel　184
内側前腕皮神経 medial antebrachial cutaneous nerve　182, 185, 186, 187, 462, 467
内側足縁静脈 medial marginal vein　256
内側足根動脈 medial tarsal arteries　249
内側足底神経 medial plantar nerve　217, 474
内側足底動脈 medial plantar artery　216, 217, 250
内側足底隆起 medial plantar eminence　132
内側足背皮神経 medial dorsal cutaneous nerve　215, 473
内側側副靱帯 medial collateral ligament　109・111（距腿関節の）
内側側副靱帯 tibial collateral ligament　101・102・104・105（膝関節の）
内側側副靱帯 ulnar collateral ligament　59（肘関節の）
内側鼠径窩 medial inguinal fossa　49, 197, 310
内側大腿回旋静脈 medial circumflex femoral veins　256
内側大腿回旋動脈 medial circumflex femoral artery　208, 248
内側大腿筋間中隔 medial femoral intermuscular septum　125
内側直筋 medial rectus　168, 495, 591, 600
内側二頭筋溝 medial bicipital groove　180, **185**

内側肺底区，内側肺底枝 medial basal segment, medial basal segmental bronchus　279
内側板 medial lamina　144
内側半月 medial meniscus　102・105（膝関節の）
内側腓腹皮神経 medial sural cutaneous nerve　210, 211, 213, 473, 474
内側鼻隆起 medial nasal prominence　374, 375
内側副オリーブ核 medial accessory olivary nucleus　480
内側副伏在静脈 medial accessory saphenous vein　204, 207
内側壁　267（鼻腔の）
内側面 medial surface　339（精巣の），348（卵巣の）
（内側面の）縦隔部 mediastinal part　278
（内側面の）椎骨部 vertebral part　278
内側毛帯 medial lemniscus　480, 481, 492, 493, **496**, 502, 583, 584, 586
内側腰肋弓 medial lumbocostal arch　51
内側翼突筋 medial pterygoid　159, 167, 302, 303
内側隆起 medial eminence　476
内帯 inner stripe　323, 331, 343
内大脳静脈 internal cerebral veins　561, 562
内弾性膜 internal elastic membrane　261, 262
内柱細胞 inner pillar cells　606
内腸骨静脈 internal iliac vein　251, **255**
内腸骨動脈 internal iliac artery　198, 240, **247**, 248, 335
内腸骨動脈の枝　336
内腸骨リンパ節 internal iliac nodes　260, 336, 343, 350, 354
内椎骨静脈叢 internal vertebral venous plexus　251, 459
内転 adduction　73（上肢帯の），98（股関節の），120（下肢帯の）
内転筋管 adductor canal　119, 125
内転筋結節 adductor tubercle　94, 119
内転筋腱裂孔 adductor hiatus　119, 209
内転筋膜 adductor fascia　89（母指内転筋の）
内頭蓋底 internal surface of cranial base　145
内トンネル inner tunnel　606
内尿道口 internal urethral orifice　336, 337, 345
内バイヤルジェー線 internal band of Baillarger　544
内胚葉 endoderm　368
内反 inversion　110（足の）
内板 internal table　11, 140（頭蓋骨の）
内板（クリスタ）cristae　439
内反股 coxa vara　96
内反膝 genu varum　96, 105

内反尖足 pes equinovarus　113
内反足 clubfoot　113
内皮 endothelium　261, 333
内皮下層 subendothelial layer　261
内皮細胞 endothelial cell[s]　261, 262, 417, 450
内被膜（線維被膜）internal capsule（fibrous capsule）　395
内腹斜筋 internal oblique　39, 43, 44, 49, 196, 197, 329, 469
内腹斜筋円索部 round ligamentous part of internal oblique　196
内分泌 endocrine secretion　385
内分泌系 endocrine system　220, **383**
内分泌細胞 endocrine cell　312, 525
内分泌細胞群　383
内分泌作動方式　403
内分泌腺 endocrine glands　5, 383, 391
内分泌物 incretion　383
内閉鎖筋 obturator internus　114, 116, 117, 120, 121, 201, 206, 346, 356, 472
内閉鎖筋（＋上・下双子筋）obturator internus（＋ superior and inferior gemellus）　357
内包 internal capsule　510, 511, 520, 531, 542, 553, 575
内方枝　241（外頸動脈の）
内包膝 genu of internal capsule　553
内膜 tunica intima　261, 262, 263
内網状層 internal plexiform layer　595
内有毛細胞 inner hair cells　606
内ラセン溝 inner spiral sulcus　606
内卵胞膜 theca interna　349, 400
内輪筋層 internal circular layer　304
内リンパ endolymph　604
内リンパ管 endolymphatic duct　604
内リンパ嚢 endolymphatic sac　604
内肋間筋 internal intercostal muscle　41
内肋間膜 internal intercostal membrane　41
長い伝導路　**496**（脳幹の）
長いホイブナー［反回］動脈 recurrent artery of Heubner　560
長めの腹部 long abdomen　381
軟口蓋 soft palate　270, 288, 289, 301, 418
軟骨外骨化 perichondral ossification　9
軟骨間関節 interchondral joints　34
軟骨間部 intercartilaginous part　275
軟骨結合 synchondrosis　34, 139
軟骨性骨化　9
軟骨性頭蓋 chondrocranium　138
軟骨性の連結 cartilaginous joint　**12**
軟骨組織 cartilage　**7**
軟骨内骨 endochondral bone　9
軟骨内骨化 endochondral ossification　9

軟骨板 cartilage layer　27（椎間円板の）
軟骨部 cartilaginous part　267
軟骨膜 perichondrium　9
軟部囊　365
軟部付加回転 additional revolution　364
軟膜 pia mater　459（脊髄の），**567**（脳の）
軟膜-神経膠膜 pia-glia membrane　567
軟膜鞘 pial sheath　596
軟膜漏斗 pial funnel (infundibulum)　567
軟毛 vellus hair　425

に

2次接触 secondary contact　411
2次尿（終尿）secondary urine　333
ニッスル染色 Nissl stain　437, 438, 544
ニッスル物質 Nissl substance　437, 439
ニューロテンシン neurotensin (NT)　405, 499
ニューロピル neuropil　500
ニューロペプチドY neuropeptide Y (NPY)　405
ニューロン　437
ニューロン回路 neuronal circuit　**445**
ニューロン環　576
ニューロン系　**444**
ニュエル腔 space of Nuel　606
ニワトリ歩行 steppage gait (cocktread)　473
二次終末（散花終末）secondary endings (flower spray endings)　579
二次小節 secondary nodule　419
二次性徴 secondary sex character　399
二次精母細胞 secondary spermatocytes　340
二次性リンパ性器官 secondary lymphoid organs　**412**
二次の腹膜後 secondary retroperitoneal　307
二次の腹膜後器官 secondary retroperitoneal organ　319
二重蹄状紋 lateral pocket loops　421
二重膜（核膜）double membrane (karyotheca)　439
二次卵胞 secondary follicle　349
二次リンパ小節 secondary lymphoid nodule　415, 418
二生歯性 diphyodont　295
二尖弁 bicuspid valve　226, 227, 229, 235, 238
（二尖弁の）前尖 anterior cusp (bicuspid valve)　237, 238
二腹筋 two-bellied muscle　16
二腹筋窩 digastric fossa　148
二腹筋枝 digastric branch　172
二腹小葉 biventral lobule　501, 502
二分膝蓋骨 patella bipartita　95

二分靱帯 bifurcated ligament　109, 110, 111
二分脊椎（椎弓破裂）spina bifida　22, 25
肉柱 trabeculae carneae　225, 226
肉様膜 dartos fascia　339
乳管 lactiferous duct　428
乳管洞 lactiferous sinus　428
乳臼歯 deciduous molars　297
乳犬歯 deciduous canine　297
乳歯 deciduous teeth　295, **297**
乳児期　382
乳集合管 lactiferous collecting duct　428
乳条 mammary lines　427
乳小球 milk droplets　428
乳切歯 deciduous incisors　297
乳腺 mammary gland　194, 427, 428
乳腺丘　427
乳腺堤 mammary ridges　427
乳腺傍リンパ節 paramammary nodes　259
乳腺葉 lobes of mammary gland　428
乳頭 nipple　194, 427
乳頭（視神経円板 optic disc）　594
乳洞 mammary sinus　427
乳頭下動脈叢 subpapillary plexus　423
乳頭管 papillary duct　332
乳頭筋 papillary muscles　226
乳頭視床束（ヴィク・ダジール束）mamillothalamic fasciculus (bundle of Vicq d'Azyr)　511, 515, 520, 522
乳頭状核（下中心被蓋核）papilliformis nucleus (inferior central tegmental nucleus)　481
乳頭上交連 supramamillary commissure　493, 520
乳頭前核 premammillary nucleus　521
乳頭層 papillary layer　423
乳頭体 mammillary body　432, 434, 435, 493, 498, 509, 511, 513, 515, 521, 522, 523, 525, 526, 532, 539, 540, 588
乳頭体脚 mamillary peduncle (peduncle of mammillary body)　522, 586, 588
乳頭突起 mammillary process　21（腰椎の）
乳頭突起 papillary process　327（肝臓の）
乳頭被蓋束 mamillotegmental fasciculus (Gudden)　522, 588
乳突角 mastoid angle　140
乳突孔 mastoid foramen　141, 142
乳突小管 mastoid canaliculus　483
乳突切痕 mastoid notch　142, 144
乳突洞 mastoid antrum　602, 603
乳突蜂巣 mastoid cells　602
乳突リンパ節 mastoid nodes　258
乳糜槽 cisterna chyli　221, 257
乳房 breast　427, 428
乳房下部 inframammary region　193

乳房脂肪体 adipose body of breast 428
乳房体 body of breast 194
乳房提靱帯 suspensory ligament of breast 194, 427, 428
乳房部 mammary region 193, 194
乳様突起 mastoid process 36, 72, 141, 142, 144, 241
乳輪 areola 194
乳輪静脈叢 areolar venous plexus 194
乳輪腺（モントゴメリー小結節）areolar glands (tubercles of Montgomery) 427
尿管 ureter 330, 334, 335, 336, 337, 343, 346, 350, 353, 356, 378
尿管芽 ureter bud 378
尿管開口部 ureter opening 378
尿管口 ureteric orifice 336
尿管によって挙上された腹膜 338
（尿管の）骨盤部 pelvic part 335
（尿管の）腹部 abdominal part 335
尿細管 332
尿細管内皮細胞 378
尿細管部 renal tubule part 378
尿生殖隔膜 urogenital diaphragm 53, 344, 357, 475
尿生殖器系 urogenital system 330
尿生殖洞 urogenital sinus 377, 378, 380
尿生殖（総排泄腔）ヒダ urogenital (cloacal) fold 380
尿生殖部 199, 200
尿生殖腹膜 urogenital peritoneum 310
尿生殖路 403
尿生成 330
尿直腸隔膜 380
尿直腸中隔 urorectal septum 377
尿道 urethra 330, 336, 343, 356, 378, 380
尿道開口部 urethral opening 377
尿道海綿体 corpus spongiosum penis 200, 201, 344
尿道海綿体白膜 tunica albuginea of corpus spongiosum 344
（尿道）海綿体部 spongy urethra 345
（尿道）隔膜部 membranous part 345
尿道括約筋 urethral sphincter 356, 475
尿道球 bulb of penis 201, 320, 344, 358
尿道球腺（カウパー腺）bulbourethral gland (Cowper's gland) 201, 338, 345
尿道球動脈 artery of bulb of penis 247, 345
尿道溝 urethral groove 380
尿道舟状窩 navicular fossa 345
（尿道）前立腺部 prostatic urethra 345
尿道動脈 urethral artery 247
尿道面（陰茎体）344
尿嚢管 allantois duct 378
尿閉 338

尿膜管 urachus 378
尿膜管索（正中臍ヒダ）cord of urachus (median umbilical fold) 46
妊娠 362
妊娠黄体 corpus luteum graviditatis 349, 362
妊娠反応 362

ね

ネクサス（細隙結合）nexus (gap junctions) 228, 573
ネジレ角 torsion angle 56（上腕骨の）, 96（大腿骨の）
ネフロン（腎単位）nephron 332, 378
粘液細胞 mucous cells 294
粘液産生細胞 312
粘液性終末部（腺管）mucous terminal portion (tubule) 294, 384
粘液栓 360
粘液層 mucus layer 587
粘膜 276, 280, 287, 300, 304, 311, 312, 318, 325, 335, 336, 337, 350, 354
粘膜下神経叢（マイスナー神経叢）submucous plexus (Meissner's plexus) 287, 315, 572
粘膜下組織 submucosa 287, 304, 311, 318
粘膜関連リンパ組織 mucosa associated lymphoid tissue (MALT) 412
粘膜筋板 muscularis mucosae 287, 304, 312, 318, 419
粘膜固有層 propria mucosae 280, 287, 304, 312, 325

の

ノルアドレナリン noradrenaline 441, 444, 500, 569, 572
ノルアドレナリン作動性線維（ニューロン）444, 572
飲み込み作用 pinocytosis 441
脳 brain 430, 431
脳幹 brain stem 431, 432, 433, 434, 435, 476, 479, 500
脳幹性視床 truncothalamus 499, 513, 514
脳幹の長い伝導路 496
脳弓 fornix 434, 444, 509, 510, 511, 520, 521, 522, 527, 532, 533, 534, 535, 539, 540, 562, 588
脳弓下器官 subfornical organ 566
脳弓脚 crus of fornix 540
脳弓交連（脳琴）commissure of fornix (psalterium) 540
脳弓体 body of fornix 540
脳弓柱 fornical column (column of fornix) 534, 535, 540
脳弓ヒモ tenia of the fornix 564
脳琴（脳弓交連）psalterium (commissure of fornix) 540
脳硬膜 dura mater 140
脳砂 brain sand 391
脳室 ventricle 529

脳室周囲器官 circumventricular organs 391, 566
脳室周囲帯 periventricular zone 389
脳重 433
脳神経 cranial nerves 432, 477
脳神経核 cranial nerve nuclei 479, 499
脳脊髄液 cerebrospinal fluid (CSF) 431, 563
脳脊髄液系 563
脳底 435
脳底静脈（ローゼンタール静脈）basal vein (vein of Rosenthal) 561, 562
脳底静脈叢 basilar plexus 253
脳底新皮質 basal neocortex 547
脳底動脈 basilar artery 243, 558, 560
脳底動脈の枝順 243
脳頭蓋 138, 302
脳頭蓋の長高指数 152
脳頭蓋の長幅指数 152
脳の血管 450
脳の血管系 558
脳の構成 433
脳の軸 431
脳の上外側面 434
脳の進化 436
脳の正中断面 434
脳の発生 432
脳梁 corpus callosum 432, 433, 434, 509, 510, 511, 513, 527, 530, 531, 532, 533, 534, 535, 539, 553, 554
脳梁外套縁動脈 callosomarginal artery 559
脳梁幹 trunk of corpus callosum 554
脳梁膝 genu of corpus callosum 534, 535, 559
脳梁周囲動脈（交通後部）pericallosal artery (postcommunicating part) 559
脳梁切断 transection of the corpus callosum 555
脳梁吻 rostrum of corpus callosum 554
脳梁放線 radiation of corpus callosum 554
脳梁膨大 splenium of corpus callosum 533, 534, 535, 554
濃密帯（シナプス後暗質 postsynaptic density) 440

は

パーキンソン症候群 Parkinsonism 520
パーキンソン病 577
バー小体 Barr body 4, 437
パーセント位 382
パイエル板 Peyer's patches 315, 419
ハヴァース管 Haversian canals 8
バウヒン弁 Bauhin's valve 318
パサヴァンの輪状隆起 Passavant's ring torus 301

バジオン basion 152
バセドウ病 Basedow's disease 396
バソプレッシン VP 388
パッキオーニ小体（クモ膜顆粒）Pacchionian bodies (arachnoid granulations) 567
ハッサル小体 Hassall's corpuscle 414
パネート細胞 Paneth's cells 403
パペツの多ニューロン性回帰回路 emotional circuit of Papez 588
ハムストリングの筋 hamstring muscles 357
パラガングリオン 394
パラトルモン parathormone (PTH) 397
バリスムス ballismus 520
バルトリン腺 Bartholin's gland 347, 355
パンクレオザイミン pancreozymin (PZ) 404
パンコースト腫瘍（癌）Pancoast's tumor 283
爬虫類の頭頂眼 parietal eye 391
破骨細胞 osteoclasts 9
破水 rupture of the bag of waters 365
破裂孔 foramen lacerum 144, 145, 487
破裂靱帯 laciniate ligament 136, 214
歯 teeth 287, 288, 295
馬尾 cauda equina 451, 459
杯細胞 goblet cells 315, 318, 383
背外側核 dorsolateral nucleus 453・454（脊髄前角の）
背核（クラーク核）dorsal thoracic nucleus (Clarke) 453, 454, 455
背屈（背側屈曲）dorsal flexion 85（手根関節の）, 120（下肢帯の）, 131（跳躍関節の）
背側胃間膜 dorsal mesogastrium 376
背側外側核（背核領域）lateral dorsal nucleus (dorsal tier of the ventrolateral nuclear group) 513, 516, 518, 519
背側屈曲（背屈）dorsal flexion 65・66・85（手根関節の）
背側楔間靱帯 dorsal intercuneiform ligament 111
背側楔舟靱帯 dorsal cuneonavicular ligament 111
背側楔立方靱帯 dorsal cuneocuboid ligament 111
背側肩甲静脈 dorsal scapular vein 254
背側骨間筋 dorsal interossei 86・89・466（手の）, 135（足の）
背側視交叉上交連 dorsal supraoptic commissure 522
背側視床 dorsal thalamus 494, 508, 510, 513
背側指静脈 dorsal digital veins 256
背側指神経 dorsal digital nerve[s] 192, 468

背側指動脈 dorsal digital arteries　192, 215, 246, 249
背側縦束（シュッツ束）dorsal longitudinal fasciculus (dorsal bundle of Schütz)　480, 481, 493, **498**, 522
背側手根間靱帯 dorsal intercarpal ligament　64
背側手根腱鞘 dorsal carpal tendinous sheath　90
背側手根枝（尺骨動脈）dorsal carpal branch (ulnar artery)　246
背側手根枝（橈骨動脈）dorsal carpal branch (radial artery)　192, 246
背側手根中手靱帯 dorsal carpometacarpal ligament　64
背側手根動脈網 dorsal carpal arch　246
背側踵立方靱帯 dorsal calcaneocuboid ligament　110, 111
背側心間膜 dorsal mesocard　371
背側膵臓原基 dorsal pancreatic anlage　376
背側足根靱帯 dorsal tarsal ligaments　111
背側足根中足靱帯 dorsal tarsometatarsal ligament　110
背側大動脈 dorsal aorta　373
背側中手静脈 dorsal metacarpal veins　192
背側中手靱帯 dorsal metacarpal ligament　64
背側中手動脈 dorsal metacarpal arteries　192, 246
背側中足靱帯 dorsal metatarsal ligament　110
背側中足動脈 dorsal metatarsal arteries　215, 249
背側聴条 medullary striae (dorsal acoustic striae)　486, 609
背側橈骨手根靱帯 dorsal radiocarpal ligament　64
背［側］内側核 dorsal medial nucleus (dorsomedial nucleus, mediodorsal nucleus)　453・454（脊髄前角の）, 515（視床の）, 521・525（視床下部の）
背側被蓋核 dorsal tegmental nucleus　492, 498, 512
背側被蓋交叉 posterior tegmental decussation (Meynert)　493
背側副オリーブ核 dorsal accessory olivary nucleus　480
背側辺縁核（海綿帯）dorsomarginal nucleus (Zona spongiosa)　454
背側膀胱壁 dorsal bladder wall　378
背側縫線核 dorsal raphe nucleus　444, 498
背側立方舟靱帯 dorsal cuboideonavicular ligament　110, 111
背中間核 dorsointermediate nucleus　514
背尾側核 dorsocaudal nucleus　514
背尾側野 dorsocaudal area　521
背腹像　**235**
背吻側核 dorsooral nucleus　514
肺 lungs　221, 264, **278**

肺芽 lung bud　374
肺間膜 pulmonary ligament　278
肺境界　282
肺胸膜（臓側胸膜）pulmonary pleura (visceral pleura)　282
肺区域 bronchopulmonary segments　**279**
肺根 root of lung　278
肺循環（小循環）pulmonary circulation (lesser circulation)　221
肺静脈 pulmonary veins　221, 222, 227, 233, 278
肺静脈系　251
肺静脈口 openings of pulmonary veins　226
肺小葉 lobule of lung　**279**
肺神経叢 pulmonary plexus　281, 484, 570
肺尖 apex of lung　278, 283
肺尖区，肺尖枝（右肺のみ）apical segment, apical segmental bronchus (of right lung alone)　279
肺尖後区，肺尖後枝（左肺のみ）apicoposterior segment, apicoposterior segmental bronchus (left lung alone)　279
肺組織　280
肺底 base of lung　278
肺動脈 pulmonary artery　278, 281
肺動脈（幹）pulmonary trunk　221, 222, 223, 225, 230, 235, 236, 281, 283, 372
肺動脈洞 sinus of pulmonary trunk　229
肺動脈弁 pulmonary valve　225, 227, 229, 235
肺内気管支　280
肺内リンパ節 intrapulmonary nodes　280
肺の下縁 inferior border of lungs　416
肺ヒダ primary pulmonary fold　374
肺胞 alveoli　264, 279, 280, 374
肺胞管 alveolar duct　279, 280
肺胞間中隔 interalveolar septum　280
肺胞上皮 alveolar epithelium　280
肺胞嚢 alveolar sacs　280
肺門 hilum of lung　278
肺門リンパ節　281
肺野 lung fields　235
肺葉 pulmonary lobe　278
肺葉気管支　374
胚 embryo　362
胚芽　374
胚芽層 germinative layer　422
胚結節　361, 368
胚子期 embryonic stage　367
胚子極 embryonal pole　361
胚子前期 preembryonic stage　367
胚中心（反応中心）germinal center (reaction center)　415
胚内体腔 coelom　371
胚盤　368
胚盤胞 blastocyst　350, 361, 368

胚盤胞内腔 blastocytic cavity　361, 368
胚盤葉の上皮性壁 epithelial wall of blastocyte　361
胚盤葉下層 hypoblast layer　368
胚盤葉上層 epiblast layer　368
胚胞（胚結節）embryoblast　361, 368
排出管 excretory duct　343
排尿 micturition　337, 589
排便 defecation　321, 589
排卵 ovulation　349, 400
排卵前卵胞　400
排卵阻止剤　362
白筋線維 white muscle fibers　10
白交通枝 white communicating branch　462, 570
白交連 white commissure　452, 575
白質 white matter　435, 452
白線 linea alba　42, 44, **48**, 195
白線補束 posterior attachment of linea alba　44
白体 corpus albicans　349, 400
白脾髄 white pulp　417
白膜 tunica albuginea　201, 339, 348, 379
白血球 leukocytes　406
白血球減少症 leukopenia　406
白血球増加症 leukocytosis　406
白血球総数　407
拍出量 stroke volume　239
薄筋 gracilis　114, 118, 119, 121, 122, 123, 124, 125, 126, 472
薄小葉 gracile lobule　501
薄束 gracile fasciculus (Goll)　455, 456, 583
薄束核 gracile nucleus　480, 496, 500, 575, 583
薄束結節 gracile tubercle　476
麦粒軟骨 triticeal cartilage　272
発散　445
発生　371（心臓，体腔の）, 374（鼻，副鼻腔の）, 375（咽頭，食道の）, 376（胃，膵臓の）, 377（盲腸，尿管の）, 378（膀胱の）, 379（卵巣の）
発声 phonation　264, 275
発達段階（胎生学的）　368
鼻毛 hairs of vestibule of nose　265
速い筋線維 fast muscle fibers　10
腹の部位　**195**
反回骨間動脈 recurrent interosseous artery　245, 246
反回神経 recurrent laryngeal nerve　173, 174, 178, 179, 232, 275, 276, 277, 283, 285, 306, 484
反回神経の位置の変異　174
反回側枝 recurrent collaterals　545
反回抑制　445
反屈束（手綱脚間路）fasciculus retroflexus (habenulo-interpeduncular tract)　492, 512
反射弓　**452**
反射性腹壁緊張　45
反転靱帯 reflected ligament　48, 49, 196, 197
反転頭 reflected head　122
半羽状筋 unipennate muscles　16

半関節 amphiarthrosis　15, 105
半規管 semicircular duct　486, 604
半奇静脈 hemi-azygos vein　251, 286, 306, 373
半球の回転　**527**
半球胞 hemispheric vesicle　509
半棘筋 semispinalis　37
半月 lunule　426
半月回 semilunar gyrus　536
半月核（後内側腹側核）arcuate nucleus (ventral posteromedial nucleus)　519
半月神経節→三叉神経節をみよ
半月線 semilunar line　43
半月ヒダ semilunar fold　49, 318, 319
半月弁 semilunar valve　225, 226, 229
半月弁結節 nodules of semilunar cusps　229
半月弁半月 lunules of semilunar cusp　229
半月裂孔 semilunar hiatus　269
半腱様筋 semitendinosus　114, 118, 121, 123, 124, 126, 205, 209, 474
半膜様筋 semimembranosus　121, 123, 124, 126, 205, 209, 211, 474
半卵円中心 semioval center　534
半離人症 hemidepersonalization　549
帆状弁（尖弁）　**229**
瘢痕 cicatrices　48
瘢痕形成 scar formation　421
瘢痕ヘルニア cicatricial hernia　48
伴行静脈 vena comitans　172（外頸動脈の）, 217（外側足底動脈の）
板間静脈 diploic veins　253
板間層 diploe　11・140・567（頭蓋骨の）
板状筋 flat muscle　16

ひ

B型精祖細胞 spermatogonium type B　340
B記憶細胞　409
B-細胞（β細胞）B-cells (β cells)　398, 411
B細胞域　415
B免疫芽球 B-immunoblast　409, 411
Bリンパ芽球 B-lymphoblast　419
Bリンパ球 B-lymphocytes　410, 411
PP-細胞　398
ビシャー頰脂肪体 Bichat's fat　288
ヒス束 His's bundle　231
ヒス束幹 trunk of atrioventricular bundle　231
ヒスタミン histamine　404
ヒダ folds　421（皮膚の）
（ヒト）絨毛性ゴナドトロピン (human) chorionic gonadotropin (hCG)　362, 401
（ヒト）絨毛性コルチコトロピン (human) choriocorticotropin (hCC)　401

(ヒト)絨毛性サイロトロピン (human) choriothyrotropin (hCT) 401
(ヒト)絨毛性マンモトロピン (human) choriomammotropin (hCS) 401
ヒモ taenia 564
ヒラメ筋 soleus 126, 128, 129, 130, 136, 213, 474
ヒラメ筋腱弓 tendinous arch of soleus 213
ヒラメ筋線 soleal line 99
ビリルビン bilirubin 417
皮下脂肪層 fatty layer 381
皮下前外側頸部 subcutaneous ventro-lateral cervical region **175**
皮下組織 subcutaneous tissue 420, 422, **423**
皮下部 subcutaneous part 320(外肛門括約筋の)
皮脂 sebum 424
皮脂腺 sebaceous gland 422, 423, **424**, 425
皮脂腺胞 follicle of sebaceous gland 424
皮質 cortex 414
皮質(緻密質) cortex (compact bone) 11
皮質核 cortical nucleus 537
皮質核線維 corticonuclear (corticobulbar) fibers 553, 575
皮質核路 corticonuclear tract 496
皮質型 types of cortex 546
皮質橋[核]線維 corticopontine fibers 481, 575
皮質橋小脳線維 506
皮質橋路 corticopontine tracts 580
皮質黒質線維 corticonigral fibers 494, 576
皮質視蓋線維 corticotectal fibers 553
皮質視蓋路 corticotectal tract 493
皮質小胞 cortical vesicle 360
皮質小葉 cortical lobules 331
皮質髄質境界 414
皮質赤核線維 corticorubral fibers 553, 576
皮質赤核路 corticorubral tract 494
皮質脊髄路(錐体路) corticospinal tract (pyramidal tract) **456**, 496, 553, 575
皮質線条体線維 corticostriate fibers 494, 542, 576
皮質内側核群 corticomedial nuclear group 532, 537
皮質板 cortical plate 529
皮質辺縁帯 414
皮質迷路 cortical labyrinth 331
皮質盲 cortical blindness 599
皮質野 **546**
皮静脈 cutaneous vein 252, 254
皮節 dermatomes 460
皮膚 skin 220, **420**, 422
皮膚関連リンパ組織 skin associated lymphoid tissue (SALT) 412
皮膚小溝 skin sulci 421

皮膚静脈叢 cutaneous venous plexus 423
皮膚小稜 dermal ridges 421
皮膚腺 skin glands **424**
皮膚張力線 421
皮膚-粘膜-ヒダ 288
皮膚の色 **420**
皮膚の感覚器官 **581**
皮野 field 421
皮野状皮 area cutis 421
皮稜 ridge 421
皮稜紋理 421
披裂間切痕 interarytenoid notch 275
披裂関節面 arytenoid articular surface 271
披裂喉頭蓋筋 aryepiglotticus 273
披裂喉頭蓋ヒダ ary-epiglottic fold 274, 275
披裂軟骨 arytenoid cartilage 271, 275, 303
披裂軟骨尖 apex of arytenoid cartilage 271
披裂軟骨底 base of arytenoid cartilage 271
(披裂軟骨の)筋突起 muscular process 273
泌尿器系 urinary system 220, **330**
泌尿器系の発生 378
肥満細胞 mast cell 403
肥満線条 striae of obesity 421
非交叉性線維 uncrossed fibers 552
非対称性シナプス 440
非特異的防御系 non-specific defense system 410
被蓋 tegmentum 480, 492
被蓋核群 tegmental nuclei 481
被蓋脊髄路 tegmentospinal tract 456
被殻 putamen 510, 511, 515, 520, 527, 531, 532, 533, 535, 542, 553, 576
被貫通筋 perforating muscle 79(手の), 135(足の)
被包終末器官 encapsulated end-organs **581**
被包脱落膜 decidua capsularis 362
被膜(水晶体囊) capsule of lens) 600
被毛状態 425
脾陥凹(網囊) splenic recess 327, 416
脾索 splenic cord 417
脾枝 splenic branches 416
脾静脈 splenic vein 316, 324, 327, 329, 416, 417
脾神経叢 splenic plexus 416, 571
脾腎ヒダ(横隔脾ヒダ) splenorenal ligament (lienorenal ligament) 416
脾髄 splenic pulp 417
脾髄静脈 pulp vein 417
脾髄動脈 pulp artery 417
脾切痕 416
脾臓 spleen 308, 327, 328, 329, **416**
脾臓の微細構造 **417**
脾柱 splenic trabeculae 417
脾柱静脈 trabecular vein 417

脾柱動脈 trabecular artery 417
脾洞 splenic (venous) sinus 417
脾洞壁 417
脾動脈 splenic artery 240, 313, 327, 328, 416, 417
脾動脈の枝 326
脾門 splenic hilum 416
脾門溝 groove of splenic hilum 416
脾リンパ小節(マルピギー小体) splenic lymphoid nodules (Malpighian corpuscle) 417
脾リンパ節 splenic nodes 259, 313, 416
腓骨 fibula **100**, 126
腓骨栄養動脈 fibular nutrient artery 250
腓骨回旋枝 circumflex fibular branch 250
腓骨踝溝 Sulcus malleoli fibulae 100
腓骨関節面 fibular articular facet 99
腓骨筋滑車 peroneal trochlea 106
腓骨筋群 **128**
腓骨筋の総腱鞘 common tendinous sheath of fibulares 137
腓骨頸 neck of fibula 100
腓骨静脈 fibular (peroneal) veins 256
腓骨切痕 fibular notch 99
腓骨体 shaft of fibula 100
腓骨頭 head of fibula 100, 101, 104, 105, 123
腓骨頭関節面 articular facet 100
腓骨頭尖 apex of head 100, 101
腓骨動脈 fibular artery 126, 211, 213, 250
腓腹筋 gastrocnemius 124, 126, 128, 129, 130, 209, 211, 213, 474
腓腹筋内側頭 medial head of gastrocnemius 213
腓腹筋の内側腱下包 medial subtendinous bursa of gastrocnemius 101
腓腹静脈 sural veins 256
腓腹神経 sural nerve 126, 211, 213, 473, 474
腓腹神経との交通枝 communicating branch with sural nerve 473
腓腹動脈 sural arteries 249
避妊 contraception 362
尾屈曲 caudal folding (flexure) 369
尾骨 coccygis (coccyx) **24**, 53, 92, 346, 356, 364
尾骨角 coccygeal cornu 24
尾骨筋 coccygeus 53, 200, 201, 357
尾骨神経 coccygeal nerves 451
尾骨神経叢 coccygeal plexus **475**
尾状核 caudate nucleus 509, 510, 511, 515, 516, 520, 527, 531, 532, 533, 534, 542, 562, 576
尾状核体 body of caudate nucleus 542
尾状核頭 head of caudate nucleus 535, 542, 553
尾状核尾 tail of caudate nucleus 535, 542

尾状葉(乳頭突起) caudate lobe (papillary process) 308, 322, 327, 328
尾椎 coccyx 26
眉弓 superciliary arch 141, 143, 268
微細管 microtubules 3
微絨毛(ミクロビリー) microvilli 323, 396, 403, 585, 587, 595
微小体 3
鼻咽道 nasopharyngeal meatus 269
鼻筋 nasalis 157
鼻腔 nasal cavity **151**, 220, 264, 265, **266**, 268, 374
鼻限 limen nasi 266
鼻甲介 nasal concha 151
鼻口蓋神経 nasopalatine nerve 147, 267, 490
鼻骨 nasal bone 138, 143, 151, 265, 267
鼻骨間縫合 internasal suture 143
鼻骨上顎縫合 nasomaxillary suture 141, 143
鼻根 root of nose 265
鼻根筋 procerus 157
鼻根点 152
鼻唇溝 nasolabial sulcus 157, 265, 288
鼻切痕 nasal notch 143
鼻尖 apex of nose 265
鼻前庭 nasal vestibule 265, 266
鼻中隔 nasal septum 151, 266, 267, 269, 375
鼻中隔軟骨 septal nasal cartilage 151, 267
鼻中隔彎曲 deviation of nasal septum 151, 267
鼻道 nasal meatus 266
鼻背 dorsum of nose 265
鼻背静脈 dorsal nasal vein (dorsal vein of nose) 164, 165
鼻背動脈 dorsal nasal artery 164, 165, 265
鼻部 nasal region 163
鼻毛様体神経 nasociliary nerve 147, 168, 488
鼻翼 ala of nose 265
(鼻翼軟骨の)内側脚 (alar cartilage) medial crus 267
鼻涙管 nasolacrimal canal 150, 151, 269, 590
鼻涙管口 opening of nasolacrimal canal 151
光受容器 597
光受容細胞 photoreceptors 597
肘の部位 **180**
左胃静脈 left gastric vein 306, 313
左胃大網動脈 left gastro-omental artery 313
左胃動脈 left gastric artery 240, 306, 313, 327
左横隔神経 left phrenic nerve 286
左下肺静脈 left inferior pulmonary vein 278
左下葉 left inferior lobe 283
左下葉気管支 left inferior lobar bronchus 279
左肝管 left hepatic duct 322, 323, 325

左冠状動脈 left coronary artery　229, 230, 237, 240
左肝部 left part of liver　323
左気管支縦隔リンパ本幹 left bronchomediastinal trunk　257
左頸リンパ本幹 left jugular trunk　257
左結腸曲 left colic flexure　309, 319, 328, 329
左結腸屈曲 left flexure of colon　377
左結腸静脈 left colic vein　324
左結腸動脈 left colic artery　319
左鎖骨下動脈 left subclavian artery　223, 224, 240, 278, 286, 305
左鎖骨下リンパ本幹 left subclavian trunk　257
左三角間膜 left triangular ligament　310, 322
左子宮角（left）uterine horn　351
左矢状裂 left sagittal fissure　322
左主気管支 left main bronchus　236, 276, 278, 279, 283, 286
左静脈角 left venous angle　174, 179, 257
左上葉 left superior lobe　283
左上葉気管支 left superior lobar bronchus　279
左上肋間静脈 left superior intercostal vein　252
左腎静脈 left renal veins　392
左腎動脈 left renal artery　392
左精巣静脈　341
左線維三角 left fibrous trigone　227
左線維輪 left fibrous ring　227
左総頸動脈 left common carotid artery　179, 223, 224, 240, 286
左総腸骨静脈 left common iliac vein　373
左大動脈弓 left aortic arch　373
左動脈管 left ductus arteriosus　373
左の副腎（腎上体）left adrenal gland　392
左肺静脈 left pulmonary vein　223, 224, 226, 281, 283, 286
左肺動脈 left pulmonary artery　221, 223, 224, 236, 237, 278, 281, 283, 286, 305, 373
左反回神経 left recurrent laryngeal nerve　286, 305
左半月弁 left semilunar cusp　229
左副腎静脈 left suprarenal vein　392
左迷走神経 left vagus nerve　179, 286
左腰リンパ節 left lumbar nodes　259
左腰リンパ本幹 left lumbar trunk　257
左腕頭静脈 left brachiocephalic vein　174, 179, 251, 252, 286, 305, 373
筆毛細動脈 penicillar arteriole　417
表情筋 mimetic muscles　**156**, 265, 303
表皮 epidermis　420, **422**, 423, 425
表面上皮 surface epithelium　5
病原菌 germ　353

描円運動 circumduction　73, 98
貧血 anemia　406
貧線維層 dysfibrous layer　544

ふ

ファーター乳頭 Vater's papilla　325
ファーター・パチニ小体 Vater-Pacinian corpuscles　422, 426
ファーター・パチニ層板小体 lamellated corpuscles of Vater-Pacini　582
ファニャーナ細胞 Fañanás cells　504
フィブリノーゲン　407
フィリップ・ゴンボールの三角 triangle of Philippe-Gombault　455
フェリチン ferritin　409
フェルスター（Foerster）の自律性下行路　456
フォレル軸　431
フォレルのH_1野（視床束）field H_1 of Forel（thalamic fasciculus）　511, 520
フォレルのH_2野（レンズ核束）field H_2 of Forel（lenticular fasciculus）　511, 520
フォレルの背外側被蓋束 dorsolateral tegmental fasciculus（Forel）　516
フォルクマン管（貫通管）Volkmann's canals（Canales perforantes）　8
ブドウ糖依存性インスリン放出ペプチド glucose-dependent insulin-releasing peptide（GIP）　405
ブドウ膜 uvea　592
ブラウン・セカール症候群 Brown-Séquard syndrome　461
フランケンホイザーの神経叢 Frankenhäuser plexus　353
フランツ・ガル Franz Gall　574
プルキンエ細胞 Purkinje cells　**503**, 504, 505
プルキンエ細胞層 Purkinje cell layer　503
プルキンエ線維 Purkinje's fibers　231
プルサーク腔 space of Prussak　602
ブルダッハ束（楔状束 cuneate fasciculus）　455
フルンケル（癤）furuncle　164
ブルンネル腺 Brunner's glands　315
フレクシヒの卵円野（中隔縁束）oval area of Flechsig（Fasciculus septomarginalis）　455
ブレグマ Bregma　152
プレプレート preplate　529
プレプロホルモン pre-prohormone　385
ブローカの対角帯 diagonal band of Broca　536, 588, 589
ブローカ野（運動性言語中枢）Broca's area（motor speech center）　**548**, 555
ブロートマン Korbinian Brodmann　546

プロオピオメラノコルチン pro-opiomelanocortin（POMC）　385
プロゲステロン progesterone　364, 400, 401
ブロッブ blob　552
プロトロンビン　407
プロプスト交連 commissure of Probst　609
プロホルモン prohormone　385
プロラクチン PRL　388
不確帯 zona incerta　498, 510, 511, 520
不規則骨 irregular bones　**11**
不正顎 dysgnathy　299
不対甲状腺静脈叢 unpaired thyroid plexus　173, 174, 252, 395
不対神経節 ganglion impar　569
不等（異）皮質 allocortex　546
不動結合 synarthrosis　12
不動毛 stereocilia　608
不分枝単一管状腺 simple unbranched tubular gland　424
付属生殖腺　338
付着板 lamina affixa　509, 511, 564
浮遊肋 floating ribs　32
富髄性視床下部　**521**
富髄性視床下部の線維連絡　**522**
部分重複尿管 partial ureteral duplication　337
部分循環の部分（並列回路）　221
封入体　3
伏在神経 saphenous nerve　114, 126, 208, 210, 212, 213, 214, 215, 471
伏在裂孔 saphenous opening　125, **204**, 207
副オリーブ核 accessory olivary nucleus　580
副（外）楔状束核 accessory cuneate nucleus（Monakow）　507
副拮抗筋　299
副嗅球 accessory olfactory bulb　587
副屈筋 accessory flexor　135
副睾丸　339
副交感神経 parasympathetic nerve　306, **569**
副交感神経系　430
副交感神経線維　313, 336, 395
副交感神経［部］parasympathetic part　232, 568
副交感性神経節　**490**
副交感性節前線維 preganglionic parasympathetic fibers　484
副交感線維 parasympathetic fibers　490, 491
副甲状腺機能亢進症　397
副甲状腺機能低下症　397
副細胞 accessory cells　312
副耳下腺 accessory parotid gland　166, 293
副手根骨　61
副腎（腎上体）suprarenal gland　328, 329, 330, 334, 383, **392**
副腎圧痕 suprarenal impression　322

副神経（第XI脳神経）accessory nerve　147, 170, 477, 478, **482**
副神経核 nucleus of accessory nerve　479
副神経幹 trunk of accessory nerve　482
副神経脊髄核 spinal nucleus of accessory nerve　453, 482
副神経脊髄根 spinal root of accessory nerve　147
副神経脊髄［根］核 nucleus（of spinal root）of accessory nerve　479
副腎神経叢 suprarenal plexus　392, 571
副腎髄質 adrenal medulla　392, 393, 394
副腎性器症候群 adrenogenital syndrome　393
副腎皮質 adrenal cortex　392, 393
副膵管 accessory pancreatic duct　326
副橈側皮静脈 accessory cephalic vein　192
副突起 accessory process　21, 36
副乳 accessory breast　427
副半奇静脈 accessory hemi-azygos vein　251, 286
副脾 accessory spleen　416
副鼻腔 paranasal sinus［es］　150, 264, **268**
副伏在静脈 accessory saphenous vein　256
副母指伸筋 accessory extensor hallucis　127（足の）
復位 reposition　87
腹横筋 transverse abdominal　39, 43, 44, 49, 197, 329, 469
腹外側核 ventrolateral nucleus　453・454（脊髄前角の）
腹外側核群 ventrolateral nuclear group　513, 518, 519
腹腔 abdominal cavity　**259**, **307**, 361, 371
腹腔枝 coeliac branches　484
腹腔神経節 coeliac ganglia　568, 569, 571
腹腔神経叢 coeliac plexus　313, 324, 325, 341, 392, 484
腹腔動脈 coeliac trunk　240, 257, 313, 316, 328
腹腔リンパ節 coeliac nodes　259, 313, 416
腹式呼吸 abdominal respiration　284
腹水 ascites　308
腹側胃間膜 ventral mesogastrium　376
腹側遠扁桃体経路 ventral amygdalofugal pathways　538
腹側遠扁桃体線維 ventral amygdalofugal fibers　588
腹側核群 ventral nuclear group　**516**（視床の）
腹側視交叉上交連 ventral supraoptic commissure（Gudden）　522, 610

腹側視床 subthalamus 510, 511, **520**
腹側膵臓原基 ventral pancreatic anlage 376
腹側前核 anteroventral nucleus 515
腹側大動脈 ventral aorta 373
腹側中心後域 ventral postcentral region 611
腹側被蓋核 ventral tegmental nucleus 586
腹側被蓋交叉 anterior tegmental decussation (Forel) 493
腹大動脈 abdominal aorta 240, 334
腹大動脈神経叢 abdominal aortic plexus 306, 571
腹大動脈パラガングリオン 394
腹中間核 ventrointermediate nucleus 514
腹直筋 rectus abdominis 44, 46, 48, 195, 329, 346, 469
腹直筋鞘 rectus sheath 44, 195
腹直筋鞘後葉 posterior lamina of rectus sheath 195
腹直筋鞘前葉 anterior lamina of rectus sheath 195
腹直筋離開 diastasis recti 44, 45, 48
腹内側核 ventromedial nucleus 389・521・522・525（視床下部の），453・454（脊髄前角の）
腹尾側核 ventrocaudal nucleus 514
腹部 abdominal part 195, 304・311（食道の）
腹部大動脈 abdominal aorta 392
腹部内臓 220
腹部領域の部位 **193**
腹吻側核 ventrooral nucleus 514
腹壁 abdominal wall **42**
腹壁筋 42
腹壁の筋膜 **46**
腹壁の抵抗減弱部 **48**
腹壁ヒダ epigastric fold 49
腹膜位のS状結腸 peritoneal sigmoid colon 377
腹膜炎 peritonitis 308, 318
腹膜下 subperitoneal 320
腹膜外 extraperitoneal 307
腹膜外隙 extraperitoneal space 307
腹膜下隙 subperitoneal space 220, 307, 330
腹膜腔 peritoneal cavity 220, **307**, 371
腹膜後 retroperitoneal 307, 310, 320
腹膜後器官 retroperitoneal organ 326
腹膜後隙 retroperitoneal space 220, 307, **330**
腹膜垂 fatty appendices of colon 309, 317
腹膜内 intraperitoneal 307, 308, 309, 310, 311, 314, 322, 416
腹膜内器官 intraperitoneal organ 319
複関節 composite joint 15

複合筋 complex muscle 43
複合シナプス complex synapse 441
複合腺 compound gland 383
複雑に枝分かれした絨毛樹 villous arbor 363
複雑ニューロン 551
輻輳 **600**
太い有髄線維 thick myelinated fibers 458
吻合枝 anastomotic branch 189（前腕橈側皮静脈の），191（尺骨神経の）
噴門 cardia 308, 311, 328, 376
噴門口（胃入口部）cardiac orifice (entrance to the stomach) 304, 311
噴門切痕 cardial notch 311
噴門腺 cardiac glands 312
分界溝 sulcus terminalis cordis 224
分界溝 terminal sulcus of tongue 290
分界条 stria terminalis 512, 522, 537, 538, 588
分界静脈（上視床線条体静脈）V. terminalis (superior thalamostriate vein) 561, 562
分界線 linea terminalis 92, 364
分界稜 crista terminalis 225
分岐腎盤 ramificated renal pelvis 335
分岐肋骨 32
分枝腺 branched gland 383
分子層 molecular layer 503（小脳の），544（新皮質の）
分節 segments 460
分節構造 metamerism **460**
分節性動脈 segmental arteries 457
分節的原腎の下行 downward migration of segmental pronephros 378
分節的神経分布 **460**
分泌顆粒 secretory granules 384, 402, 525
分泌期（子宮内膜）secretory phase 352
分泌線維 secretory fibers 573
分泌側（成熟面）secretion side (maturing face) 439
分泌物 secretion 383（腺細胞の）
分泌物 vernix caseosa 370（胎児期の）
分泌物放出の機序 **384**
分娩第1期（開口期）365
分娩第2期（娩出期）365
分葉核 406, 407
分葉核顆粒白血球 segmented granulocyte 409
分離脳 split brain 555
分裂膝蓋骨 patella partita 95

へ

β-グロブリン 407
β細胞 β cells 398
ベザリウス孔 foramen Vesalii 146

ヘシュルの横回（横側頭回）transverse gyri of Heschl (transverse temporal gyri) 517, 550, 610
ヘッセルバッハ三角 Hesselbach's triangle 49
ベッツ巨大錐体細胞 giant pyramidal cells of Betz 547
ヘッド帯 zones of Head 571
ペプチド作動性ニューロン 444, 521, 537
ペプチド族 peptide family 385
ヘモグロビン hemoglobin 406, 417
ヘモジデリン hemosiderin 409, 417
ヘリング小体 Herring's bodies 389, 526, 566
ベルクマン膠細胞 Bergmann glial cell 504
ベルテックス vertex 152
ヘルニア 48
ヘルパーT細胞 helper T-cell 411
ペルリア核 nucleus of Perlia 495
ペルオキシソーム peroxisomes 3
ヘンレ係蹄の太い部分 thick segment of Henle's loop 332
ヘンレ係蹄の細い部分 thin segment of Henle's loop 332, 333
平滑筋 smooth muscle **10**, 261
平滑筋細胞 smooth muscle cell 573
平滑筋線維 smooth muscle fibers 261, 403, 428
平均分布型 balanced type 230
平衡覚器 486, **601**, **607**
平行シナプス parallel synapse 441
平衡石（平衡砂）statoliths (statoconia) 607
平衡石膜 statoconic (otolithic) membrane 607
平行接触 441
平行線維 parallel fibers 503, 505
平衡斑 maculae 607
平面関節 plane joint 15
並列回路 parallel circuit 221
閉鎖型の内分泌細胞 endocrine cell of closed type 403
閉鎖管 obturator canal 92, 356, 472
閉鎖筋（括約筋）装置 **320**
閉鎖筋膜 obturator fascia 199, 200, 201
閉鎖溝 obturator groove 91
閉鎖孔 obturator foramen 91
閉鎖孔ヘルニア 92
閉鎖静脈 obturator veins 255
閉鎖神経 obturator nerve 120, 198, 346, 470, **472**, 475
閉鎖帯 Zonulae occludentes 448
閉鎖動静脈 obturator artery and veins 346
閉鎖動脈 obturator artery 247
閉鎖動脈寛骨臼枝 acetabular branch of obturator artery 97
閉鎖動脈との吻合枝 anastomotic branch 248
閉鎖斑 Maculae occludentes 450
閉鎖膜 obturator membrane 92, 98
閉塞性黄疸 327
壁外神経系 extramural nervous system 336

壁外神経節 extramural ganglia 570
壁側胸膜 parietal pleura 282, 305, 374
壁側枝 parietal branches 240, **247**
壁側脱落膜 parietal decidua 362
壁側中胚葉層 somatic mesoderm layer (parietal mesoderm layer) 371
壁側板 parietal layer 17, 220, 233, 339
壁側腹膜 parietal peritoneum 307, 338, 347
壁側葉（外壁）parietal layer (outer wall) 307, 333
壁側リンパ節 259, 260
壁内神経系 intramural nervous system 336
壁内神経節 intramural ganglia 570, 572
壁内神経叢 intramural plexus **572**
壁内部 intramural part 335（尿管の）
壁（傍）細胞 parietal cells 312
臍 umbilicus 222
片葉 flocculus 501, 502, 506, 507, 611
片葉小節葉 flocculonodular lobe 501
辺縁回（帯状回）limbic gyrus (cingulate gyrus) 444, 530
辺縁系 limbic system **588**
辺縁静脈洞 marginal sinus 253
辺縁層 marginal zone 529
辺縁槽 marginal (subsurface) cisterns 439
辺縁帯 marginal zone 417
辺縁洞（周縁洞）subcapsular sinus (marginal sinus) 415
辺縁洞溝 groove for marginal sinus 146
辺縁微細管 peripheral tubules 565
辺縁ワナ marginal slings 594
扁桃 tonsil **418**
扁桃陰窩 tonsillar crypts 418
扁桃炎 tonsillitis 418
扁桃窩 tonsillar fossa 300, 418
扁桃核 537
扁桃核複合（扁桃体）amygdaloid nuclear complex (amygdaloid body) 532, 537
扁桃枝 tonsillar branches 485
扁桃切除術 tonsillectomy 418
扁桃体 amygdaloid body 511, 512, 515, 522, 532, **537**, 538, 542, 588
扁桃体周囲皮質 periamygdaloid cortex 532, 536, 537, 538
扁桃体周囲野 periamygdaloid area 536
扁桃体の基底外側核複合体 basolateral nuclear complex of amygdaloid body 538
扁平外反足 pes planovalgus 113
扁平骨 flat bones **11**
扁平上皮 squamous epithelium 5
扁平足 flatfoot 113
扁平乳頭 flat nipple 427
弁蓋 operculum 433

弁蓋部 opercular part　530
弁狭窄症 valvular stenosis　226
弁閉鎖不全 valvular insufficiency　226
弁平面 valve plane　227, 239
娩出期 expulsion stage　365
娩出期 expulsive stage of labor　366
娩出期陣痛 expulsive pains　366

ほ

ホイブナー反回動脈 recurrent artery of Heubner　558
ボウマン腺 (olfactory glands of Bowman)　587
ボウマン嚢 Bowman's capsule　332, 333, 378
ボウマン膜 (前境界板) Bowman's membrane (anterior limiting lamina)　593
ポジトロンエミッション断層撮影法 positron emission tomography (PET)　557
ボタロー管 Botallo duct　222
ボタン様膨隆部 button-form swelling　359
ボホダレクの花籠 flower basket of Bochdalek　477, 564
ホルネル筋　157
ホルモン hormone　383, **385**, **388**, 396
ホルモン性遠隔作用　388
ボンベシン bombesin　404
補助運動野 supplementary motor areas　**548**
補体系 complement system　410
母指外転筋 abductor hallucis　133・217・474 (足の)
母指球 thenar　86, 190
母指球の筋　**87**
母指主動脈 princeps pollicis artery　246
母指対立筋 opponens pollicis　87・465 (手の)
母指橈側皮静脈 cephalic vein of thumb　192
母指内転筋 adductor hallucis　134・217・474 (足の)
母指内転筋 adductor pollicis　87・89・191・466 (手の)
母指の長外転筋および短伸筋の腱鞘 tendinous sheath of abductor pollicis longus and extensor pollicis brevis　90
方位円柱 orientation column　552
方形回内筋 pronator quadratus　78, 79, 80, 84, 190, 465
方形筋 quadrate muscle　16
方形靱帯 quadrate ligament　59
方形葉 quadrate lobe　308, 322
包皮 prepuce　344
包皮小帯 frenulum of prepuce　344
放射状グリア線維 radial glial fiber　529
放射状膠細胞 (ミュラー支持細胞) radial gliocyte (supporting cells of Müller)　595

放射線維 radial fiber　544
放出促進ホルモン releasing hormone　388
放出抑制ホルモン release inhibiting hormone　388
放線冠 corona radiata　349, 513, 553
放線冠細胞 corona radiata cell　359
放線冠細胞からの細長い突起 slender process from corona radiata cell　359
放線状胸肋靱帯 radiate sternocostal ligament　34
放射状手根靱帯 radiate carpal ligament　64
放線[状]層 radiate layer　541, 601
放線状肋骨頭靱帯 radiate ligament of head of rib　28, 34
胞状終末部 alveolar terminal portion　383
胞状卵胞 vesicular follicle　349
縫合 suture　12, 139, 140, 141, 153
縫工筋 sartorius　114, 118, 119, 121, 122, 123, 124, 125, 126, 208, 471
縫合骨 sutural bone　154
縫線 raphe　480
縫線核 raphe nuclei　444, 480
乏髄性視床下部　**521**
乏髄性視床下部の線維連絡　**522**
防御系　**410**
房室管 atrioventricular canal　372
房室結節 (アショフ・田原結節) atrioventricular node (Aschoff-Tawara's node)　231, 485
房室束 (ヒス束) atrioventricular bundle (His's bundle)　231
房室束幹 (ヒス束幹) trunk of atrioventricular bundle　231
房室中隔 atrioventricular septum　238
房状終末部 acinar terminal portion　383
紡錘状筋 fusiform muscle　16
傍絞輪部 paranodal region　447
傍糸球体細胞 juxtaglomerular cells　333
傍糸球体装置 juxtaglomerular apparatus　333
傍食道ヘルニア paraesophageal hernia　52
傍神経細胞 paraneuron　403
傍生体 paraphysis　566
傍正中面 paramedian plane　2
傍皮質 paracortex　415
傍皮質帯 paracortical zone　415
傍分泌作動方式　403
傍分泌 (自己分泌) paracrine secretion (autocrine secretion)　385
傍片葉 paraflocculus　501
傍濾胞細胞 (C-細胞) parafollicular cells　396
帽状腱膜 epicranial aponeurosis　156
膀胱 urinary bladder　307, 310, 330, **336**, 337, 343, 346, 347, 354, 356, 364, 378, 381, 569
膀胱頸 neck of bladder　336

膀胱三角 trigone of bladder　336, 378
膀胱子宮窩 vesico-uterine pouch　310, 347
膀胱上窩 supravesical fossa　49, 197, 310
膀胱上ヘルニア supravesical hernia　50
膀胱静脈叢 vesical venous plexus　255, 336, 342
膀胱神経叢 vesical plexus　571
膀胱垂 uvula of bladder　336
膀胱体 body of bladder　336
膀胱頂 (尖) apex of bladder　336, 338
膀胱底 fundus of bladder　336
(膀胱の) 上面 superior surface　338
膀胱傍組織 paracystium　356
膀胱傍リンパ節 paravesical nodes　260
膨大腎盤 ampullar renal pelvis　335
膨大部　604
膨大部頂 (小帽) ampullary cupula　607
膨大部稜 ampullary crest　604, 607, 608, 611
細い乏髄 (無髄) 線維 thin poorly myelinated (unmyelinated) fibers　458
勃起 erection　345, 589
勃起神経 nervi erigentes　475, 571
骨 bones　**11**
骨の発生　**9**
頬 cheek　**288**

ま

マイスナー触覚小体 tactile corpuscles of Meissner　422, 426, 581
マイスナー神経叢 (粘膜下神経叢) Meissner's plexus (submucous plexus)　287, 572
マイネルト基底核 (無名質) basal nucleus of Meynert (innominate substance)　444, 511
マイネルト孤立細胞 solitary cells of Meynert　551
マイネルト軸　431
マイボーム腺 (瞼板腺) Meibom's glands (tarsal glands)　590
マジャンディ孔 foramen of Magendie　476, 563
マックバーニー点 McBurney's point　317
マッケンロート靱帯 Mackenrodt's ligament　353
マルチノッチ細胞 Martinotti cell　545
マルピギー小体 Malpighian corpuscle　417
マント状結合組織 mantle of connective tissue　428
磨砕運動　155 (顎関節の)
膜間部 intermembranous part　275
膜性骨化 membranous ossification　9
膜性中隔 membranous septum　372

膜性板 membranous lamina　601
膜性壁 membranous wall　276
膜性部 membranous part　226 (心室中隔の)
膜迷路 membranous labyrinth　604
末梢神経 peripheral nerves　431, **448**, **462**
末梢神経系　430
末節骨 distal phalanx　63 (手の), 108 (足の)
末節骨粗面 tuberosity of distal phalanx　63 (手の)
窓 window　238
慢性化膿性中耳炎 chronic purulent otitis media　603
蔓状静脈叢 pampiniform plexus　342

み

ミエリン myelin　446
ミクロビリー (微絨毛) microvilli　585
ミトコンドリア (糸粒体) mitochondria　3, 439, 440
ミニピル Minipille　362
ミネラルコルチコイド　393
ミュラー管 Müllerian tube　380
ミュラー管の尾側端 caudal end of Müllerian tube　380
ミュラー支持細胞 (放射状膠細胞) supporting cells of Müller (radial gliocyte)　595
未分化性腺　379
味覚核 gustatory nucleus　586
味覚器　**585**
味覚線維 gustatory fibers　290, 483, 485, 487, 490, 491, **586**
味孔 gustatory pore　585
味細胞 gustatory cells　585
味蕾 taste buds　**585**
味蕾外神経線維 extragemmal nerve fibers　585
味蕾内神経線維 intragemmal nerve fibers　585
眉間 glabella　143
眉間点　152
右胃大網動脈 right gastro-omental artery　313
右胃動脈 right gastric artery　313
右横隔神経　325
右下肺静脈 right inferior pulmonary vein　278
右下葉気管支 right inferior lobar bronchus　279
右側の同名側性半盲 right homonymous hemianopsia　599
右肝管 right hepatic duct　322, 323, 325
右冠状動脈 right coronary artery　229, 230, 237
右肝部 right part of liver　323
右気管支縦隔リンパ本幹 right bronchomediastinal trunk　257
右胸管 right thoracic duct　257
右頸リンパ本幹 right jugular trunk　257

右結腸曲 right colic flexure 309, 319
右結腸屈曲 right flexure of colon 377
右結腸静脈 right colic vein 324
右結腸動脈 319
右交感神経幹 right sympathetic trunk 257
右鎖骨下動脈 right subclavian artery 223, 224, 240, 285, 373
右鎖骨下動脈（による溝） right subclavian artery 278
右鎖骨下リンパ本幹 right subclavian trunk 257
右三角間膜 right triangular ligament 310, 322
右子宮角（right）uterine horn 351
右矢状裂 right sagittal fissure 322
右主気管支（とその枝）right main bronchus 236, 276, 278, 279, 283, 285
右上肺静脈 right superior pulmonary vein 237
右上葉 right superior lobe 283
右上葉気管支 right superior lobar bronchus 278, 279
右上肋間静脈 right superior intercostal vein 251
右腎臓 right kidney 310
右腎動脈 right renal artery 257
右精巣静脈 341
右線維三角 right fibrous trigone 227
右線維輪 right fibrous ring 227
右仙主静脈 373
右総頸動脈 right common carotid artery 223, 224, 240
右中葉気管支 middle lobar bronchus 279
右の副腎（腎上体）right adrenal gland 392
右肺静脈 right pulmonary vein 224, 226, 236, 281, 283, 285
右肺動脈 right pulmonary artery 221, 224, 236, 237, 278, 281, 283, 285
右肺動脈幹 right pulmonary trunk 373
右半月弁 right semilunar cusp 229
（右／左）胃大網リンパ節 right/left gastro-omental nodes 259
（右／左）胃リンパ節 right/left gastric nodes 259
右，左肺動脈 right, left pulmonary artery 222
右副腎（腎上体）静脈 right suprarenal vein 251, 392
右迷走神経 right vagus nerve 285
右腰リンパ節 right lumbar nodes 259
右腰リンパ本幹 right lumbar (lymphatic) trunk 257
右リンパ本幹（右胸管）right lymphatic duct (right thoracic duct) 251, 257
右腕頭静脈 right brachiocephalic vein 176, 178, 251, 252, 285

短い項筋 38
溝 groove 421（皮膚の）
密性線維性結合組織 dense connective tissue 6
耳 ear 601
脈管形成 vasculogenesis 373
脈管の脈管 vasa vasorum 261
脈絡外隙 perichoroidal space 594
脈絡叢 choroid plexus 434, 450, 509, 511, 534, 539, 563, 564, **565**, 566
脈絡［叢］上皮 choroid［plexus］epithelium 564, 565
脈絡組織 choroid membrane 509
脈絡板（上皮板 epithelial lamina） 564
脈絡ヒモ choroid line 509, 564
脈絡膜 choroid 590, 592, 594
脈絡毛細血管板 capillary lamina 595
脈絡裂 choroidal fissure 564

む

ムチン mucin 384
無顆粒皮質 agranular cortex 546, **547**
無軸索細胞（アマクリン細胞） amacrine cells 595
無糸分裂 amitosis 4
無漿膜野 bare area 310, 322
無髄神経線維 unmyelinated nerve fibers 447
無髄（細い乏髄）線維 unmyelinated (thin poorly myelinated) fibers 458
無対終脳（終脳正中部）telencephalon impar (median part of telencephalon) 432, 509
無痛覚 analgesia 461
無名質（マイネルト基底核）innominate substance (basal nucleus of Meynert) 511, 515
胸の部位 **194**

め

メサンギウム細胞（糸球体外血管間膜）extraglomerular mesangial cells 333
メサンギウム細胞（糸球体内血管間膜）intraglomerular mesangial cells 333
メズサの頭 caput medusae 195, 324
メッケル憩室（回腸憩室）Meckel diverticulum (ileal diverticulum) 314, 377
メッケルの三叉神経腔 trigeminal cave (Meckeli) 567
メッケル［の］軟骨 149, 375
メラトニン melatonin 391
メラニン細胞 melanocytes 422
メラニン色素沈着 420
メラノトロピン MSH 388, 391
メルケル細胞 Merkel cells 422

メルケル触覚細胞 tactile cells of Merkel 581
明調細胞 397
迷走神経（第X脳神経）vagus nerve 147, 170, 177, 178, 232, 233, 277, 283, 303, 306, 413, 477, 478, 479, 480, **482**, 483, 569, 586
迷走神経三角 vagal trigone 476
迷走神経背側核 dorsal nucleus of vagus nerve 479, 480, 483, 484, 498, 500, 568, 586
迷路静脈 labyrinthine veins 147
迷路動脈 labyrinthine arteries 147
迷路動脈 labyrinthine artery 243, 558
迷路壁 labyrinthine wall of tympanic cavity 603
免疫芽球（TまたはB）immunoblast 409
免疫学的寛容 immunological tolerance 410
免疫学的記憶 410
免疫器官 420
免疫機能 416
免疫グロブリン 407
免疫グロブリン-受容体 immunoglobulin-receptor 411
免疫系 immune system 410
免疫細胞化学 438
免疫性早期警戒システム 418
免疫担当細胞 410
免疫担当Tリンパ球 410
免疫反応 415

も

モチリン motilin 405
モナコウ Monakow 574
モントゴメリー小結節 tubercles of Montgomery 427
モンロー孔（室間孔 interventricular foramen）433, 434, 513, 518, 561, 563, 566
毛衣 425
毛幹 hair shaft 425
毛球 hair bulb 425
毛根 hair root 425, 581
毛根鞘 hair sheath 425
毛細血管 capillary 221, 262, 387, 394, 399, 402, 403, 413, 448
毛細血管後細静脈 postcapillary venules 263, 412, 415
毛細血管前括約筋 precapillary sphincter 262
毛細血管網 capillary networks 262, 392, 415
毛細血管ループ blood capillary loop 378
毛細血管ワナ capillary loops 423
毛細胆管 bile canaliculus 323, 325
毛細リンパ管 lymphatic capillary 221, 257, 415
毛細リンパ管網 lymphatic rete 257
毛帯交叉 lemniscal decussation 496, 583
毛帯層 lemniscal layer 493
毛乳頭 hair papilla 425

（毛乳頭から離れた）毛球 hair bulb (detached from the hair papilla) 425
毛包 hair follicle 425
毛様体 ciliary body 592, **593**, 594
毛様体縁 ciliary margin 593
毛様体筋 ciliary muscle 490, 495, 600
毛様体小帯 ciliary zonule 593
毛様体神経節 ciliary ganglion 168, **490**, 491, 600
毛様体神経節との交通枝 communicating branch with ciliary ganglion 488
毛様体脊髄中枢 ciliospinal center 490, 600
毛様体突起 ciliary processes 593
毛様体輪 ciliary ring 593
毛漏斗 hair funnel 425
盲孔 foramen caecum 145, 375
盲腸 caecum 309, 317, 318, 319, 329, 377
盲腸芽 cecum bud 377
盲腸血管ヒダ vascular fold of caecum 309, 317
盲腸後陥凹 retrocaecal recess 317
盲腸後リンパ節 retrocaecal nodes 259
盲腸前リンパ節 precaecal nodes 259
盲斑（視神経乳頭）blind spot (optic papilla) 599
盲部 nonvisual retina 592
蒙古ヒダ Mongolian fold 590
網状赤血球 reticulocyte 406, 409
網状層 reticular layer 423
網状帯 zona reticularis 393
網状−分子層 plexiform-molecular layer 541
網状膜 reticular membrane 606（コルチ器の）
網嚢 omental bursa 308, **327**, 329
網嚢孔（ウインスロー孔）omental foramen (Winslow foramen) 308, 310, 327
網嚢前庭 327
網膜 retina 592, **595**, 599
網膜虹彩部 iridial part of retina 593, 596
網膜視部 optic part of retina 596
網膜中心静脈 central retinal vein 594
網膜中心動脈 central retinal artery 594
網膜の反転 inversion of retina 595
網膜盲部 nonvisual retina 596
網膜毛様体部 ciliary part of retina 593, 596
網様体 reticular formation 444, 453, 454, 480, 481, **499**, 508, 515, 568, 580
網様体オリーブ線維 reticulo-olivary fibers 498
網様体視床束 reticulothalamic fasciculus 499
網様体小脳路 reticulocerebellar tract 507

網様体脊髄路 reticulospinal tract 499, 508, 576, 580
網様体網様体線維 reticuloreticular fibers 498
網様部 reticular part 493・494（黒質の）
門 hilum 392
門細胞 hilus cells 400
門脈 hepatic portal vein 221, 222, 306, 313, 316, 322, 324, 327, 328, 398
門脈-下大静脈吻合 256
門脈系 251, **324**
門脈血管 portal vessels 386, 388, 389, 524, 525
門脈血管系 portal vessel system 386
門脈周囲野 periportal areas 323
門脈循環 portal circulation 221
門脈小葉 323
門脈-大静脈吻合 251, **324**
（門脈の）右枝 right branch 328
（門脈の）左枝 left branch 328

や

ヤコブソン器 Jacobson's organ 587

ゆ

輸出管 efferent duct 380
輸出管（糸球体輸出細動脈）efferent vessels (efferent glomerular arteriole) 332
輸出血管 efferent vessels 398
輸出細動脈 efferent glomerular arteriole 333
輸出リンパ管 efferent lymphatics 415, 418
輸精路 **342**, 399
輸送器官 342
輸入管（糸球体輸入細動脈）afferent vessels (afferent glomerular arteriole) 332
輸入血管 afferent vessels 398
輸入細動脈 afferent glomerular arteriole 333
輸入リンパ管 afferent lymphatics 415
有郭乳頭 vallate papillae 290, 585
有棘層 spinous layer 422
有鈎骨 hamate 61, 79
有鈎骨鈎 hook of hamate 62, 88
有糸分裂 mitosis 4, 359, 417
有髄神経線維 myelinated nerve fiber 578
有線野（線状野）striate area 517, 534, 535, 551, 598, 599
有窓性内皮細胞 fenestrated endothelial cells 323
有窓性毛細血管 fenestrated capillaries 262, 396, 397
有窓肋骨 32
有頭骨 capitate 11, 61, 62, 87
有毛細胞（感覚細胞）hair cells (sensory cells) 607, 608

有毛性絨毛膜 chorion frondosum, bushy chorion 363
幽門 pylorus 311, 314, 376
幽門括約筋 pyloric sphincter 312, 329
幽門管 pyloric canal 311
幽門口 pyloric orifice 311
幽門腺 pyloric glands 312
幽門洞 pyloric antrum 311
幽門部 pyloric part 308, 311
幽門リンパ節 pyloric nodes 259, 313, 316
遊走動脈 arteria lusoria 240
誘発電位 evoked potentials 506
優位半球 dominant hemisphere 555
指 fingers (separate digits) 369
指の関節 **66**
（指の）末節骨 distal phalanx 426

よ

予備ヒダ reserve folds 420
幼若巨核球 juvenile megakaryocyte 409
幼少児期 382
用手会陰保護 365
羊水 362, 365
羊膜腔 amniotic cavity **362**, 363, 368, 371
羊膜上皮 amniotic epithelium 363
羊膜嚢 amniotic sac 365
容量血管 capacity vessel 263
葉間静脈 interlobar veins 332
葉間動脈 interlobar arteries 332
葉間裂 interlobar fissure 278
葉気管支 lobar bronchi 279, 280
葉状乳頭 foliate papillae 290, 585
腰窩 lumbar fossa 330, 334
腰外側横突間筋 lateral lumbar intertransversarii 39
腰棘間筋 interspinales lumborum 37
腰筋弓 51
腰筋膿瘍（流注膿瘍）psoas abscess (gravitation abscess) 47
腰三角 lumbar triangle 50
腰静脈 lumbar vein[s] 198, 251
腰神経 lumbar nerves 198, 451
腰神経叢 lumbar plexus 120, 198, 470
腰仙移行椎 lumbosacral transitional vertebra 25
腰仙関節 lumbosacral joint **29**
腰仙骨神経幹 lumbosacral trunk 198, 470
腰仙骨神経叢 lumbosacral plexus 431, **470**
腰腸肋筋 lumbar iliocostalis 36
腰椎 lumbar vertebrae **21**, 26
腰椎化 lumbarization 25
腰椎穿刺 lumbar puncture 459
腰椎柱 lumbar vertebra 307
腰動脈 lumbar artery 198, 240, 457
腰内臓神経 lumbar splanchnic nerve 571

腰内側横突間筋 medial lumbar intertransversarii 37
腰部 lumbar region 193
腰ヘルニア lumbar hernia 50
腰方形筋 quadratus lumborum 47, 51, 198, 330, 470
腰膨大 lumbosacral enlargement 451
腰リンパ節 lumbar nodes 259, 335, 341, 342, 350, 392
腰肋 lumbar rib 21
腰肋三角 lumbocostal triangle 51, 52
抑制性介在ニューロン inhibitory interneuron 505
抑制性シナプス inhibitory synapse 440
翼口蓋窩 pterygopalatine fossa **150**, 242
翼口蓋神経 pterygopalatine nerves 489, 490
翼口蓋神経節 pterygopalatine ganglion 487, **490**, 491
翼口蓋部 pterygopalatine part 242 （顎動脈の）
翼口蓋部の枝 242
翼上顎裂 pterygomaxillary fissure 150
翼上骨 epipteric bone 154
翼状肩甲骨症 winged scapula 71, 74
翼状靱帯 alar ligaments 30
翼状突起 pterygoid process 150
翼状突起内側板 medial plate of pterygoid process 270
翼状ヒダ alar folds 103
翼突窩 pterygoid fossa 144
翼突下顎縫線 pterygomandibular raphe 158, 167
翼突管 pterygoid canal 150, 270, 487
翼突管神経（顔面神経根）nerve of pterygoid canal (*Radix facialis*) 490
翼突管動脈 artery of pterygoid canal 242
翼突筋 pterygoid 489
翼突筋窩 pterygoid fovea 148, 159
翼突筋静脈叢 pterygoid plexus 252, 266, 299, 302
翼突筋神経 pterygoid nerve 489
翼突筋粗面 pterygoid tuberosity 148
翼突鈎 pterygoid hamulus 144, 289
翼突部 pterygoid part 242（顎動脈の）
翼突部の枝 242
翼板（体知覚帯）alar plate (somatosensory zone) 435, 452, 477
横軸（水平軸）transverse axis (horizontal axis) 2

ら

ライスナーの糸 Reissner's fiber 566

ライスナーの前庭膜または前庭階壁 vestibular membrane of Reissner (vestibular surface) 605
ライディヒ細胞（間質細胞）Leydig cells (interstitial cells) 340, 379, 399
ライマーの三角 Laimer's triangle 304, 397
ラセン器（コルチ器）spiral organ (organ of Corti) 486, 605, 606
ラセン筋 spiral muscle 280
ラセン孔列 tractus spiralis foraminosus 486, 608
ラセン神経節（蝸牛神経節）spiral ganglion (cochlear ganglion) 486, 605, 608
ラセン靱帯（ラセン稜）spiral ligament (*Crista spiralis*) 605
ラセン動脈 helicine arteries 344, 345
ラセン板縁 spiral limbus 606
ラセン板鈎 hamulus of spiral lamina 605
ラセン膜（鼓室階壁）spiral membrane (tympanic surface) 605
ラセン稜（ラセン靱帯）*Crista spiralis* (spiral ligament) 605
ラベ静脈（下吻合静脈）vein of Labbé (inferior anastomotic vein) 561
ラムダ縫合 lambdoid suture 140, 141, 142
ランヴィエの絞輪 node of Ranvier 446, 447, 448
ランガーの腋窩弓 axillary arch of Langer 75
ラングハンス細胞 Langhans' cells 363, 401
ランゲルハンス細胞 Langerhans cells 422
ランゲルハンス島 islets of Langerhans 376, 383, 398
卵円窩 oval fossa 225
卵円窩縁 border of oval fossa 225
卵円孔 foramen ovale (oval foramen) 144, 145, 147, 222, 372, 478, 491
卵円孔弁（中隔鎌）valve of foramen ovale 226
卵黄管 vitelline duct 377
卵黄嚢 yolk sac 362, 377
卵黄嚢周囲腔 perivitelline space 360
卵黄嚢静脈 vitellian vein 373
卵管 uterine tube 310, 347, **350**, 366, 380
卵管間膜 mesosalpinx 347, 350
卵管峡部 isthmus 350, 361
卵管采 fimbria 350
卵管枝 tubal branch 353
卵管子宮口 uterine ostium 350
卵管子宮端 tubal extremity 348
卵管妊娠 tubal extrauterine implantation 361
卵管腹腔口 abdominal ostium 350, 361
卵管膨大部 ampulla 350, 361
卵管漏斗 infundibulum 350

卵丘 cumulus oophorus 349
卵形嚢 utricle 486, 604
卵形嚢斑 macula of utricle 604, 607, 608, 611
卵細胞形質膜 perivitelline membrane 360
卵子 oocyte 359
卵子の細胞核 nucleus of oocyte 359
卵子の細胞質女性前核 female pronucleus 359
卵子の細胞膜 cytoplasmic membrane of oocyte 359
卵巣 ovary 310, 347, **348**, 361, 383
卵巣下降 379
卵巣間膜 mesovarium 347, 348
卵巣采 ovarian fimbria 350
卵巣枝 ovarian branches 350, 353
卵巣支質 ovarian stroma 348
卵巣周期 ovarian cycle **400**
卵巣静脈叢 ovarian venous plexus 350
卵巣髄質 ovarian medulla 348
卵巣導帯 379
卵巣動脈 ovarian artery 240, 335, 350, 353
卵巣皮質 ovarian cortex 348
卵巣門 hilum of ovary 348
卵胞 ovarian follicle 348, **349**
卵胞期（エストロゲン相） 400
卵胞上皮 follicular epithelium 349
卵胞上皮細胞（放線冠細胞）follicular epithelial cells (corona radiata cell) 359
卵胞洞 follicular antrum 349
卵胞閉鎖 follicular atresia 349, 400
卵胞膜 follicular theca 349, 400
卵胞膜黄体細胞 theca lutein cells 349, 400
卵母細胞 oocyte 349

り

リーベルキューン腺 Lieberkühn's glands 315
リガンド依存性イオンチャンネル ligand-sensitive ion channel **443**
リサウエル後外側路 dorsolateral tract of Lissauer 584
リスフラン関節線 Lisfranc's joint line 109
リソゾーム（水解小体）lysosomes 3, 439, 587
リットレ腺 Littré glands 345
リボゾーム ribosomes 3, 439
リュイ体（視床下核）Luys body （subthalamic nucleus） 511, 520, 520
リュイの正中中心（中心内側核，中心正中核）Centre médian Luys (central medial nucleus, centromedian nucleus) 515, 519
リラクシン 364
リンケの結晶 crystals of Reinke 399
リンパ lymph 257, 288, 415
リンパ管 **230**, 257, 263, 412, 415

リンパ管系 lymphatic vessel system 221, 257
リンパ球 lymphocyte 407, 409, 414, 419
リンパ球幹細胞 413
リンパ球生成 lymphopoiesis 409
リンパ細網器官 lymphoreticular organs 412, 416
リンパ主幹 lymphatic duct 221, **257**
リンパ小節 lymphoid nodules (lymph follicle) 415
リンパ上皮性器官 lymphoepithelial organs 412, 418
リンパ性器官 408, **412**
リンパ節 lymph node (*Lymphonodus*) 221, 257, 258, 328, 408, **415**
リンパ側索 lateral lymphoid cord 418
リンパ組織 419
リンパ本幹 lymphatic trunks 415
梨状陥凹 piriform recess 274, 300
梨状筋 piriformis 114, 116, 120, 121, 206, 357, 472
梨状筋下孔 infrapiriform foramen 206, 472
梨状筋上孔 suprapiriform foramen 206, 472
梨状口 piriform aperture 143, 151, 265
梨状前皮質 prepiriform cortex 536, 543
梨状前野 prepiriform area 536, 538
梨状葉 piriform lobe 528, 536
離出分泌 apocrine secretion 384
立方骨 cuboid 107, 108, 109, 110, 111
立方骨関節面 articular surface for cuboid 106
立方骨粗面 tuberosity of cuboid 107
立方上皮 cuboidal epithelium 5
立毛筋 arrector muscle of hairs 422, 423, 425, 571
流行性耳下腺炎 mumps 294
流出路 225, 226
流入路 225, 226
流涙反射 lacrimal reflex 497
隆起乳頭核 tuberomamillary nucleus 521
隆起漏斗系 tuberoinfundibular system **525**
隆起漏斗路 tuberoinfundibular tract 389, 525
隆椎 vertebra prominens 18
両耳側半盲 bitemporal hemianopsia 599
菱形筋 rhomboid 71
菱形靱帯 trapezoid ligament 55
菱形靱帯線 trapezoid line 55
菱脳［胞］rhombencephalon 476, 509
梁下束 subcallosal fasciculus 554
梁下野（嗅傍野）subcallosal area (parolfactory area) 530, 534, 538
梁柱 trabeculae 415
稜間隔 intercristal distance 93

稜状皮 skin ridge 421
輪筋層 circular layer 287, 312
輪状関節面 cricoids surface of cricoids cartilage 271
輪状気管靱帯 cricotracheal ligament 272
輪状甲状関節 cricothyroid joint 272
輪状甲状筋 cricothyroid 173, 273, 277, 484
輪状甲状靱帯 cricothyroid ligament 277
輪状靱帯 anular ligament[s] 15, 276
輪状線維 circular fibres 417, 593
輪状層 circular layer 601
輪状軟骨 cricoid cartilage 271, 277, 300, 304
輪状軟骨弓 arch of cricoid cartilage 271
輪状軟骨板 lamina of cricoid cartilage 271
輪状ヒダ（ケルクリングヒダ）circular folds (Kerckring folds) 315
輪状披裂関節 crico-arytenoid joint 272
輪帯 zona orbicularis 97, 98
臨床歯冠 clinical crown 296
臨床歯根 clinical root 296
鱗状縫合 squamous suture 12, 141, 153
鱗部 squamous part 144

る

ルシュカ孔（外側口）foramen of Luschkae (lateral aperture) 476
ルフィニ終末器官 end organs of Ruffini 582
ルフィニ小体 Ruffini's corpuscles 426
流注膿瘍（腰筋膿瘍）gravitation abscess (psoas abscess) 47, 115
涙骨 lacrimal bone 138, 150, 151
涙器 lacrimal apparatus **590**
涙丘 lacrimal caruncle 590
涙小管 lacrimal canaliculus 165, 590
涙腺 lacrimal gland 165, 168, 488, 490, 590
涙腺神経 lacrimal nerve 147, 164, 165, 168, 488, 490
涙腺動脈 lacrimal artery 168
涙点 lacrimal punctum 590
涙嚢 lacrimal sac 165, 590
涙嚢窩 fossa for lacrimal sac 141, 150
類洞周囲腔（ディッセ腔）perisinusoid space (Disse's space) 323

れ

レートリヒ・オーベルシュタイナー帯 Redlich-Obersteiner zone 458
レギュレーター細胞 410, 413
レセプター receptor 385
レチウス腔 Retzius space 338

レチナル retinal 597
レンショウ細胞 453
レンズ核束（フォレルのH_2野）lenticular fasciculus (field H_2 of Forel) 511, 520, 532
レンズ核ワナ ansa lenticularis 511, 520
裂孔靱帯 lacunar ligament 50, 92
裂孔ヘルニア hiatus hernia 304
裂孔ワナ 51
裂傷 365
連結部 copula 375
連合細胞 association cells 595
連合線維 association fibers 545, 553, **554**
連続型毛細血管 continuous capillary 262
連嚢管 utriculosaccular duct 604

ろ

ローザ・ネラトン線 Roser-Nélaton's line 96
ローゼンタール静脈（脳底静脈）vein of Rosenthal (basal vein) 561, 562
ローゼンミュラーのリンパ節 50
ロドプシン-レチナル回路 rhodopsin-retinal cycle 597
ロラー核 nucleus of Roller 480
濾過機能 415, 416
濾過隙 filtration slits 333
濾胞形成を伴う内分泌腺 endocrine gland with follicle formation 383
濾胞形成を伴わない内分泌腺 endocrine gland without follicles 383
濾胞上皮細胞 follicle epithelial cell 396
漏出分泌 eccrine secretion 384
漏斗 infundibulum 386, 387, 511, 521, 524, 532
漏斗核（弓状核）infundibular nucleus (arcuate nucleus) 389, 521, 525
漏斗陥凹 infundibular recess 386, 524, 563
漏斗部（隆起部）pars infundibularis (pars tuberalis) 387
肋横突関節 costotransverse joint 34
肋横突靱帯 costotransverse ligament 34
肋下筋 subcostales 41
肋下神経 subcostal nerve 198, 334, 469, 470
肋下動脈 subcostal artery 240
肋間筋 intercostal muscle[s] **41**, 469
肋間上腕神経 intercostobrachial nerve[s] 182, 184, 194, 467, 469
肋間神経 intercostal nerves 194, 195, 282, 285, 469
肋間動静脈 intercostal artery and vein 285
肋間動脈 intercostal artery 457
肋間リンパ節 intercostal nodes 259
肋頸動脈 costocervical trunk 179, 244

肋硬骨 costal bone　32
肋骨 ribs　**32**
肋骨横隔洞 costodiaphragmatic recess　52, 282, 328, 329
肋骨窩 costal facet　20
肋骨下（音響窓）subcostal　238
肋骨弓 costal margin　35
肋骨胸膜 costal pleura　282
肋骨挙筋 levatores costarum　39
肋骨頸 neck of rib　32
肋骨頸稜 crista of neck of rib　32
肋骨結節 tubercle of rib　20, 32
肋骨結節関節面 articular facet of tubercle of rib　32
肋骨原基 costal element　26

肋骨呼吸 costal respiration　**284**
肋骨縦隔洞 costomediastinal recess　282
肋骨切痕 costal notch　33
肋骨体 body of rib　32
肋骨頭 head of rib　32
肋骨頭関節 joint of head of rib　34
肋骨頭関節面 articular facet of head of rib　32
肋骨頭稜 crista of head of rib　32
肋骨突起 costal process　21, 26, 36, 39, 47
肋骨面 costal surface　278（肺の）
肋鎖靱帯 costoclavicular ligament　55

肋鎖靱帯圧痕 impression for costo-clavicular ligament　55
肋椎関節 costovertebral joints　**34**
肋軟骨 costal cartilage　32, 237
肋軟骨間筋 intercartilaginous muscles　41

わ

Y染色体の性決定領域 Sex deter-mining Region Y chromosome（SRY）　379
ワシ手 claw hand　466
ワルダイエルの咽頭輪 Waldeyer's pharyngeal ring　418

腕尺関節 humero-ulnar joint　59, 60
腕神経叢 brachial plexus　176, 283, 431, 462, **464**
腕橈関節 humeroradial joint　59, 60
腕橈骨筋 brachioradialis　78, 79, 80, 81, 84, 188, 189, 468
腕頭静脈 brachiocephalic vein　174・179（左の），178（右の），**252**, 306, 413
腕頭動脈 brachiocephalic trunk　173, 174, 223, 224, 240, 241, 283, 285, 305

検印省略

解剖学アトラス

定価（本体 10,000円 + 税）

1981年 4月15日	第1版	第1刷発行
1990年 9月17日	第3版	第1刷発行
2012年 9月25日	原著第10版	第1刷発行
2017年 2月13日	同	第4刷発行

訳　者　　平田　幸男（ひらた　ゆきお）
発行者　　浅井　麻紀
発行所　　株式会社 文光堂
　　　　　〒113-0033　東京都文京区本郷7-2-7
　　　　　TEL（03）3813-5478（営業）
　　　　　　　（03）3813-5411（編集）

© 平田幸男, 2012　　　　印刷：公和図書，製本：福島製本

乱丁，落丁の際はお取り替えいたします．

ISBN978-4-8306-0036-4　　　　　　　　　Printed in Japan

- 本書の複製権，翻訳権・翻案権，上映権，譲渡権，公衆送信権（送信可能化権を含む），二次的著作物の利用に関する原著作者の権利は，株式会社文光堂が保有します．
- 本書を無断で複製する行為（コピー，スキャン，デジタルデータ化など）は，私的使用のための複製など著作権法上の限られた例外を除き禁じられています．大学，病院，企業などにおいて，業務上使用する目的で上記の行為を行うことは，使用範囲が内部に限られるものであっても私的使用には該当せず，違法です．また私的使用に該当する場合であっても，代行業者等の第三者に依頼して上記の行為を行うことは違法となります．
- JCOPY〈出版者著作権管理機構　委託出版物〉
本書を複製される場合は，そのつど事前に出版者著作権管理機構（電話 03-3513-6969，FAX 03-3513-6979，e-mail：info@jcopy.or.jp）の許諾を得てください．